제 4 판

株式會社法大系

株式會社法大系

II

[한국상사법학회 편]

기 관

法 文 社

발 간 사

『주식회사법대계』의 편찬사업은 한국상사법학회가 상법제정 50주년 기념사업으로 2013년 1월 초판을 출간하면서 시작되었습니다. 상법 회사편 중 주식회사의 각 조문에 관해 축조의 형식으로 중요 쟁점을 중심으로 학설 및 판례를 망라하여 해설한 것입니다. 이 해설서를 통해 기업실무나 법조실무에 종사하는 실무가나 대학원생 등 연구자에게 종합적이고 체계적인 이론을 제공하여 도움을 주고자 함이 본 사업의 취지였습니다. 특히 주식회사법 영역에서는 자본시장법, 공정거래법 등과 같은 관련법령은 물론이고 거래소의 상장규정이나 스튜어드십 코드처럼 기업실무에 영향을 미칠 수 있는 연성규범이나 거래 관행도 매우 중요합니다. 본서에는 주식회사법뿐만 아니라 이러한 관련법령 등에 대해서도 충실하게 다루고 있습니다. 그런 점에서 주식회사 관련법제 전반에 관한 해설서라고 자부해봅니다.

초판이 발간된 이래 지금까지 총 4판이 출간되었습니다. 특히 제4판은 제3판 이후 축적된 판례와 학설 그리고 2020년 상법개정에서 새로 도입된 다중대표소송, 감사위원분리선출제도 등에 관한 해설을 추가하고 기존의 내용을 수정·보완한 것입니다. 2020년 상법개정에서는 주주총회 분산개최와 소수주주권 행사에 관한 개정도 함께 이루어졌습니다. 이러한 사항들은 기업실무나 법무실무에 지대한 영향을 미칠 수 있는 내용들이어서 서둘러 출판을 하기에 이르렀습니다.

제4판의 경우 집필위원만 85분이 참여하였습니다. 이러한 방대한 분량의 해설서 편찬에는 많은 분들의 헌신과 열정이 없이는 불가능합니다. 특히 초판의 기획에서부터 제4판의 발간에 이르기까지 제22대 회장으로서 그리고 '주식회사법대계 간행위원회' 위원장으로서 많은 수고를 해주신 최준선 전 회장님을 비롯한 간행위원님, 간사로서 어려운 일을 도맡아 해주신 김영주 교수님, 그리고 짧은 집필기간임에도 불구하고 본서의 발간 취지에 동의해주시고 옥고를 집필해주신 집필위원 여러분에게 제31대 회장으로서 심심한 감사의 말씀을 드립니다.

　앞으로도 지금처럼 『주식회사법대계』가 우리나라 주식회사 법제의 발전에 기여하고 기업실무와 법조실무 그리고 연구에 있어서 큰 도움이 되는 지침서로서 그 역할과 기능을 다 하기를 소망합니다. 아울러 존경하는 회원님 여러분들의 많은 관심과 성원을 부탁드립니다.

2022년 2월
제31대 회장 권종호

머 리 말

이 책은 2012년 한국상사법학회가 상법제정 50주년을 기념사업으로 시작하여 2013년 1월에 초판이 발간되었습니다. 필자가 제22대 학회장으로 선임되어 상법 제정 50년을 맞이하였으며, 이에 학회는 상법제정 이후 50년의 역사를 정리하는 것, 상법제정 50주년 기념 국제학술대회를 개최하는 것, 그리고 우리 학계의 50년간의 연구성과를 본서 『株式會社法大系』로 집대성하는 작업을 진행하였습니다. 『株式會社法大系』는 상법학계의 50년간의 총결산이자 대통합의 상징입니다. 대통합의 상징이란, 이 책의 초판을 저술함에 있어서는 이 시대 한국을 대표하는 학자 77명이 집필에 참여하였다는 것을 말합니다.

2015년 2월 이 책에 출판된 지 3년이 되자 그간의 개정 법률과 새로 나온 판례를 반영한 개정판을 발간할 필요가 생겼습니다. 이에 우리학회 제25대 학회장이신 신현윤 회장께서는 이사회를 거쳐 학회의 산하기관으로 항구적인 조직으로서 '주식회사법대계 간행위원회'를 설치하시고 본인을 초대 위원장으로 임명하셨습니다. 제2판에는 집필위원의 소폭 교체가 있었고, 총 79명의 집필위원이 참여하였습니다.

2018년에 이르러 간행위원회는 그간에 생산된 중요한 판례를 반영하여 제3판을 발간하기로 결의하고 우리학회 제28대 학회장이신 김선정 회장님의 승인에 따라 2019년 제3판을 발간하게 되었습니다. 제3판의 집필에는 총 80명의 집필위원이 참여했습니다.

2020년 12월 9일 국회는 상법 일부 개정안을 통과시켰고, 이 법률은 같은 달 29일 공포 즉시 시행되었습니다. 이번 개정에서는 다중대표소송제도, 감사위원 분리선임과 같은 매우 중요한 제도들이 도입되었습니다. 간행위원회는 개정 상법의 주요 내용과 2018년 이후 생산된 중요 판례를 반영한 제4판을 간행하기로 결의하였으며, 2021년 우리 학회 제31대 권종호 회장님의 승인하에 2022년 제4판을 발간하게 되었습니다. 제4판에는 집필위원이 소폭 교체되었고 공동집필위원 포함 총 85명의 집필위원이 참여하였습니다.

이 책을 출판함에 있어서 가장 어려운 점은 원고 내용의 균질성을 확보하는 것이었습니다. 이를 위하여 우리 학회의 중견 학자들로 편집위원회가 구성되었으며, 편집위원들이 각 논문을 철저히 심사하여 '게재가능' 판정을 받은 논문만을 게재하였습니다. 이번 제4판에도 원고를 철저히 심사해 주신 간행위원 여러분께 깊이 감사드립니다. 한편, 집필에 참여하지 못한 회원들께서도 차후 개정판에서 집필기회를 드릴 것을 약속드립니다. 기존의 주제에 대하여 보다 참신하고 수월성 있는 논문을 제공해 주셔도 좋고, 신규 주제를 개발하여 참여하여 주셔도 좋습니다.

이 책은 상법 회사편 중 주식회사에 관한 거의 모든 조문을 빠짐없이 해설하고, 동시에 주식회사법에 관한 거의 모든 논의를 포괄하여야 한다는 목표하에 집필되었습니다. 이에 따라 현대 주식회사법의 쟁점이 되는 모든 분야에 걸쳐 주요판례와 논문, 저서 등을 종합하여 충실한 해석론을 전개하고 있습니다. 이 책은 로스쿨 학생보다는 실무가 및 대학원생 이상의 연구자를 독자로 상정하고 집필되었습니다. 따라서 회사법 실무나 학술연구에 매우 유용할 것으로 생각되며, 활용도는 매우 클 것으로 자부합니다.

臨事而懼!

孔子가 말한 '임사이구'는 '어려운 때일수록 신중하고 치밀하게 지혜를 모아 일을 성사시킨다'는 뜻입니다. 많은 분들이 자발적으로 도와주시지 않으셨다면, 이 일은 완성될 수 없었을 것입니다. 그러므로 이 작품은 집필위원 및 도움을 주신 여러분 모두의 것입니다. 집필위원 여러분께 감사를 드립니다. 무엇보다도, 2012년 상법제정 50주년을 기념사업 수행과 2013년 이 책의 초판 및 2016년 제2판을 출판함에 있어서 원고료를 포함한 재정문제의 해결에 큰 도움을 주신 전국경제인연합회, 한국상장회사협의회의 서진석 상근부회장님, 한국예탁결제원 김경동 사장님, 김·장법률사무소의 한상호 대표변호사님, 현대자동차(주), 법무법인(유) 정률의 김교창 고문변호사님, 한국해사문제연구소의 박현규 이사장님, 한국거래소의 김봉수 이사장님, 국민대학교 전총장이신 김문환 교수님, 건국대학교 이철송 석좌교수님께 깊이 감사드립니다. 법무부 상사법무과에 감사드리고, 일일이 열거하지는 않지만 많은 도움을 주신 여러분께 진심으로 감사드립니다. 끝으로 주식회사법 대계 간행위원회 간사로서 초판부터 제3판까지 온 힘을 기울여 주신 성균관대학교 한석훈 교수와 제4판 발간에 있어 최선의 노력을 기

머 리 말 ix

울여 주신 김영주 대구대학교 교수님께 아무리 말해도 모자랄 만큼의 감사를 드립니다. 법문사 편집부 김제원 이사님과 기획영업부 장지훈 부장님의 노고에도 깊은 감사를 표합니다.

2022. 2.
주식회사법대계 간행위원장
성균관대학교 법학전문대학원 명예교수 최준선 근배

[집필진] (가나다 순)

강대섭(姜大燮)
    부산대학교 법학전문대학원 교수
고창현(高昌賢)
    김·장 법률사무소 변호사
곽관훈(郭管勳)
    선문대학교 경찰행정법학과 교수
구대훈(具坮勳)
    법무법인(유) 광장 변호사
구회근(具會根)
    서울고등법원 부장판사
권윤구(權倫九)
    김·장 법률사무소 변호사
권재열(權載烈)
    경희대학교 법학전문대학원 교수
권종호(權鍾浩)
    건국대학교 법학전문대학원 교수
김건식(金建植)
    서울대학교 법학전문대학원 명예교수
김교창(金敎昌)
    법무법인(유) 정률 고문변호사
김동민(金東民)
    상명대학교 지적재산권학과 교수
김두환(金斗煥)
    한경대학교 법경영학부 교수
김범진(金範鎭)
    법무법인(유) 광장 변호사
김병연(金炳淵)
    건국대학교 법학전문대학원 교수
김병태(金秉台)
    법무법인(유) 세종 변호사, 미국(뉴욕주)
    변호사
김병태(金炳泰)
    영산대학교 법학과 교수, 미국(뉴욕주)
    변호사
김상규(金相圭)
    한양대학교 법학전문대학원 명예교수
김선정(金善政)
    동국대학교 법무대학원 명예교수

김성용(金性龍)
    성균관대학교 법학전문대학원 교수, 변호사
김순석(金淳錫)
    전남대학교 법학전문대학원 교수
김연미(金延美)
    성균관대학교 법학전문대학원 부교수,
    변호사
김영주(金暎住)
    대구대학교 경영학부 교수
김재범(金在範)
    경북대학교 법학전문대학원 교수
김정호(金正皓)
    고려대학교 법학전문대학원 명예교수
김주영(金柱永)
    법무법인 한누리 변호사
김지환(金知煥)
    경남대학교 법학과 교수
김태진(金兌珍)
    고려대학교 법학전문대학원 교수, 변호사
김홍기(金弘基)
    연세대학교 법학전문대학원 교수, 한국 및
    미국(뉴욕주) 변호사
김효신(金孝信)
    경북대학교 법학전문대학원 교수
김희철(金希哲)
    원광대학교 법학전문대학원 교수
남궁주현(南宮珠玄)
    성균관대학교 법학전문대학원 조교수,
    변호사
노혁준(魯赫俊)
    서울대학교 법학전문대학원 교수, 변호사
맹수석(孟守錫)
    충남대학교 법학전문대학원 교수
문상일(文翔日)
    인천대학교 법학부 교수
박세화(朴世和)
    충남대학교 법학전문대학원 교수
박수영(朴洙永)

전북대학교 법학전문대학원 교수

박영욱(朴映昱)

　법무법인(유) 광장 변호사

박철영(朴哲泳)

　한국예탁결제원 전무이사, 법학박사

서완석(徐玩錫)

　가천대학교 법과대학 교수

손영화(孫永和)

　인하대학교 법학전문대학원 교수

송종준(宋鍾俊)

　충북대학교 법학전문대학원 명예교수

신현탁(申鉉卓)

　고려대학교 법학전문대학원 교수, 변호사

심 영(沈 灤)

　연세대학교 법학전문대학원 교수

안성포(安成飽)

　전남대학교 법학전문대학원 교수

안수현(安修賢)

　한국외국어대학교 법학전문대학원 교수

안택식(安澤植)

　동국대학교 대학원 대우교수,

　전 강릉원주대학교 교수

오성근(吳性根)

　제주대학교 법학전문대학원 교수

유주선(俞周善)

　강남대학교 공공인재학과 교수

육태우(陸泰旴)

　강원대학교 법학전문대학원 교수

윤영신(尹榮信)

　중앙대학교 법학전문대학원 교수

이동건(李銅鍵)

　법무법인(유) 세종 변호사

이미현(李美賢)

　연세대학교 법학전문대학원 교수

이수균(李秀均)

　법무법인(유) 세종 변호사

이숙미(李淑美)

　법무법인(유) 세종 변호사

이영철(李泳喆)

　전 한국열린사이버대학교 교수

이재혁(李在赫)

　한국상장회사협의회 정책2본부장, 법학박사

이철송(李哲松)

　건국대학교 법학전문대학원 석좌교수

이형규(李炯珪)

　한양대학교 법학전문대학원 명예교수

이형근(李亨根)

　법무법인(유) 광장 변호사

이효경(李孝慶)

　충남대학교 법학전문대학원 교수

임재호(林載鎬)

　부산대학교 법학전문대학원 명예교수

임정하(林廷昰)

　서울시립대학교 법학전문대학원 교수

임중호(林重鎬)

　중앙대학교 법학전문대학원 명예교수

장경찬(張慶贊)

　변호사장경찬법률사무소 변호사

장근영(張根榮)

　한양대학교 법학전문대학원 교수

정 대(丁 大)

　국립한국해양대학교 해사법정학부 교수

정명재(鄭楡在)

　김·장 법률사무소 변호사

정수용(鄭秀蓉)

　법무법인(유) 세종 변호사

정준우(鄭埈雨)

　인하대학교 법학전문대학원 교수

정준혁(鄭俊爀)

　서울대학교 법학전문대학원 교수,

　미국(뉴욕주) 변호사

정진세(鄭鎭世)

　전 홍익대학교 법학과 교수

정찬형(鄭燦亨)

　고려대학교 법학전문대학원 명예교수

정쾌영(鄭恔永)

　신라대학교 공무원법학과 교수

조성호(趙成昊)

　한국상장회사협의회 변호사

천경훈(千景壎)

　서울대학교 법학전문대학원 교수, 한국 및

　미국(뉴욕주) 변호사

최문희(崔文僖)

　강원대학교 법학전문대학원 교수

최민용(崔玟龍)
  경북대학교 법학전문대학원 교수
최병규(崔秉珪)
  건국대학교 법학전문대학원 교수
최수정(崔琇晶)
  중소벤처기업연구원 연구위원, 법학박사
최승재(崔昇宰)
  세종대학교 법학부 교수, 변호사
최완진(崔完鎭)
  한국외국어대학교 법학전문대학원

  명예교수
최준선(崔埈璿)
  성균관대학교 법학전문대학원 명예교수
한석훈(韓晳薰)
  성균관대학교 법학전문대학원 교수, 변호사
황남석(黃南奭)
  경희대학교 법학전문대학원 교수, 변호사
황현영(黃鉉英)
  대법원 재판연구관, 법학박사

[편집위원] (가나다 순)

권재열(權載烈)
  경희대학교 법학전문대학원 교수
김태진(金兌珍)
  고려대학교 법학전문대학원 교수, 변호사
김홍기(金弘基)
  연세대학교 법학전문대학원 교수
  한국 및 미국(뉴욕주) 변호사
노혁준(魯赫俊)
  서울대학교 법학전문대학원 교수, 변호사

서완석(徐琓錫)
  가천대학교 법과대학 교수
장근영(張根榮)
  한양대학교 법학전문대학원 교수
최준선(崔埈璿)
  성균관대학교 법학전문대학원 명예교수
한석훈(韓晳薰)
  성균관대학교 법학전문대학원 교수
  변호사

[편집간사]

한석훈(韓晳薰)
  성균관대학교 법학전문대학원 교수, 변호사

[범 례]

○ 본문 중 목차번호는 [장, 절, Ⅰ. 1. 가. 1) 가) (1) (가) ① ㉮]의 순으로 한다.

○ 국내법령 인용시 '상법' 표기는 생략하며, 그 밖의 법령은 공식 법령 명칭을 표기한다. 다만, 법령 명칭이 긴 경우에는 재인용을 위하여 약어를 사용할 수 있다. 이 경우에는 처음 인용할 때 괄호 안에 약어를 표기한다.

　　예: * 상법 제123조 제1항→ 제123조 제1항

　　　　* 민법 제123조 제1항 제1호

　　　　* 자본시장과 금융투자업에 관한 법률(이하 '자본시장법'이라 한다) 제12조 제1항 제1호 … → … 자본시장법 제15조 제1항 제1호

○ 문헌 인용시 공저자는 '·'(가운데 점)을 사용하여 표기하고 주 저자를 앞에 기재한다.

○ 각주에서 동일 논문을 재인용할 때에는 [전게서, 전게논문, 전게 "논문명"]으로 표기한다.

○ 각주 번호는 각 집필자의 집필부분별로 독립적으로 일련번호를 붙인다.

○ 국내 판례는 예컨대 '대법원 1995.1.1. 1993다1111' 방식으로 표기하고, 각주에서 판례를 연속하여 표기할 경우에 같은 법원 표시는 생략한다.

○ 외국 문헌 또는 외국 판결을 인용할 때에는 그 나라의 표준적인 방법에 따라 표기하는 것을 원칙으로 한다.

○ 일본의 논문명, 서명(書名), 법령 명칭은 원어로 표기하고, 면수는 '面'으로 표기한다.

○ 일본 판례의 연호는 서기 연도로 환산하여 표기하는 것을 원칙으로 한다.

총 목 차

세부 목차

제 4 장 기   관

제 4 장

기 관

제 1 절   주주총회

Ⅰ. 주주총회의 권한

임 정 하[*]

1. 주주총회의 의의

주주총회는 주주로 구성되는 주식회사의 필요기관으로서 주식회사의 기본적이고 중요한 사항에 대하여 결의하는 최고의사결정기관이다.

가. 주주총회의 구성원

주주총회의 구성원은 주주이다. 따라서 이사·감사는 주주총회에 참석할 수 있다 하더라도 주주총회의 구성원이 되는 것은 아니다.[1] 주주총회의 구성원이 되기 위해서 반드시 의결권이 있어야 하는지와 관련하여 주주총회는 의사결정기관이므로 의결권이 없거나 제한되는 주주는 주주총회의 구성원이 될 수 없다고 보는 견해가 있다.[2] 그러나 주주총회는 관념적·추상적 상설기관이라는 점, 특별이해관계인의 의결권 유무는 상황에 따라 달라질 수 있다는 점, 의결권이 임시로 정지되거나 총주주의 동의를 요하는 특수결의도 있다는 점 등에 비추어 볼때 의결권이 없는 주주도 주주총회의 구성원이 될 수 있다고 보는 견해[3]가 타당해 보인다.

의결권이 없는 주식은 발행 당시부터 주주권 중 의결권이 전면적으로 배제된 주식을 말한다. 의결권이 배제된 무의결권주식이라 하더라도 의결권 이외의 다

---

* 서울시립대학교 법학전문대학원 교수

1) 정찬형, 「상법강의(상)」 제24판(박영사, 2021), 879면; 최준선, 「회사법」 제16판(삼영사, 2021), 356면.

2) 정동윤, 「상법(상)」 제6판(법문사, 2012), 536면; 정찬형, 상게서, 871면.

3) 최기원, 「신회사법론」 제14판(박영사, 2012), 421면; 이철송, 「회사법강의」 제29판(박영사, 2021), 503면; 권기범, 「현대회사법론」 제7판(삼영사, 2017), 641면; 최준선, 전게서, 357면; 이기수·최병규, 「회사법」 제10판(박영사, 2015), 481면.

른 주주권은 인정되는지에 대해 상법은 아무런 규정을 두고 있지 않지만 의결권 및 이를 전제로 하는 권리만 없을 뿐 다른 주주권은 원칙적으로 모두 갖는 것으로 해석하여야 할 것이다.[4] 따라서 의결권 없는 주주도 주주총회소집청구권(제366조), 결의취소·무효의 소권(제376조), 이사·감사의 해임청구권(제385, 제415조), 위법행위유지청구권(제402조, 제542조 제2항), 대표소송권(제403조)을 갖는다고 할 것이다.[5] 의결권 없는 주주에 대해 주주총회의 소집통지를 받을 권리는 명문으로 배제되어 있기 때문에(제363조 제8항), 주주총회에의 출석권, 발언권 및 정보청구권을 부정하는 견해[6]가 있다. 그러나 의결권이 없다고 하더라도 주주로서의 이해관계를 가지는 이상 주주총회에 출석하여 그 의견을 개진하거나 토론에 참여하는 것을 막을 수는 없다 할 것이므로 출석권 등을 긍정[7] 하는 것이 타당해 보인다.

나. 필요기관

주식회사는 소유와 경영의 분리원칙에 따라 의사결정기관인 주주총회와 업무집행기관인 이사회로 분리된다. 이에 따라 주주는 회사의 업무집행에서 배제되고 주주총회를 통하여 그 의사를 반영하게 되므로 주주총회는 주식회사 제도의 본질적 기능을 담당하는 것으로 주식회사의 생략할 수 없는 기관이다.[8] 이처럼 주주총회는 주식회사에 반드시 존재하여야 하는 필요기관으로서 정관으로도 배제할 수 없다.

---

4) 최기원, 전게서, 241면; 정동윤, 전게서, 452면; 정찬형, 전게서, 728면; 최준선, 전게서, 226면; 권기범, 전게서, 518면; 김건식·노혁준·천경훈, 「회사법」 제3판(박영사, 2018), 163면; 김정호, 「회사법」 제4판(법문사, 2015), 147면; 임재연, 「회사법 I」 개정5판(박영사, 2018), 395면; 송옥렬, 「상법강의」 제8판(홍문사, 2017), 778~779면.

5) 다만 정찬형, 전게서, 728면은 의결권이 없는 주주도 의결권을 전제로 하지 않는 다른 주주권은 모두 갖는다고 보면서도 명문으로 주주총회 소집통지를 받을 권리가 배제되어 있으므로 주주총회 소집청구권도 없는 것으로 본다.

6) 정동윤, 전게서, 452면. 김건식·노혁준·천경훈, 전게서, 164면은 주주총회는 토론을 통해서 의사를 형성하는 장이라기보다는 이미 결정된 의사를 표시함으로써 회사 의사를 결정하는 장이라고 할 수 있으므로 의결권 없는 주주에게 참여를 허용할 필요는 없다고 한다.

7) 정찬형, 전게서, 728면; 임재연, 전게서, 395면; 최기원, 전게서, 241면; 최준선, 전게서, 226면; 권기범, 전게서, 519면; 송옥렬, 전게서, 910면.

8) 송옥렬, 전게서, 911면.

다. 최고의사결정기관

주주총회는 주식회사 내부의 의사결정기관이다. 주식회사의 의사결정기관으로서는 주주총회 이외에 이사회도 있지만[9], 주주총회는 이사·감사의 선임·해임, 회사의 합병·분할, 해산 등의 주식회사의 조직과 운영에 관한 중요하고 기본적인 사항에 대한 최종적인 결정권을 가지고 있으므로 최고의사결정기관이라 할 것이다.[10] 최고기관이라는 의미가 주주총회가 모든 사항을 결정할 수 있다거나 이사회나 감사에 대하여 지시를 할 수 있다거나 이사회가 업무집행에 있어서 주주총회에 종속된다는 뜻은 아니다.[11] 오히려 상법상 주주총회와 이사회는 상호 정립하는 견제와 균형의 관계에 있다.[12] 자본금의 총액이 10억 원 미만인 소규모회사는 1명 또는 2명의 이사만을 둘 수 있어(제383조 제1항 단서) 이사회를 설치하지 않을 수 있다. 이러한 소규모회사의 경우 이사회의 법정권한이 주주총회의 권한이 되므로(제383조 제4항) 주주총회의 최고기관성이 두드러지게 된다.[13]

대법원은 "소유와 경영의 분리를 원칙으로 하는 주식회사에서 주주는 주주총회 결의를 통하여 회사 경영을 담당할 이사의 선임과 해임 및 회사의 합병, 분할, 영업양도 등 법률과 정관이 정한 회사의 기초 내지는 영업조직에 중대한 변화를 초래하는 사항에 관한 의사결정을 하기 때문에, 이사가 주주의 의결권행사를 불가능하게 하거나 현저히 곤란하게 하는 것은 주식회사 제도의 본질적 기능을 해하는 것으로서 허용되지 아니하고, 그러한 것을 내용으로 하는 이사회결의는 무효로 보아야한다"[14]고 하여 주주총회의 최고의사결정기관으로서의 기능을 저해하는 이사회결의의 효력을 부인한 바 있다.

라. 상설기관

주주총회를 추상적·관념적 기관으로 보느냐 아니면 회의체기관으로 보느냐

---

9) 이기수·최병규, 전게서, 480면.
10) 임재연, 「회사법 II」 개정5판(박영사, 2018), 11면.
11) 권기범, 전게서, 674면.
12) 권기범, 전게서, 674면.
13) 최기원, 전게서, 423면.
14) 대법원 2011.6.24. 2009다35033.

에 따라 상설기관이라는 견해와 임의기관이라는 견해로 나뉜다. 주주총회는 존재형식으로서의 주주총회와 그 활동형식인 회의체로서의 주주총회로 구별할 수 있는데, 전자의 의미의 추상적 기관으로서의 주주총회는 상설기관이라는 견해가 통설이다.[15]

2. 주주총회의 권한

가. 주주총회의 권한의 축소

주주총회는 주식회사의 모든 사항에 대한 의사결정을 할 수 있는 만능의 기관으로 여겨지던 때도 있었으나 점점 그 권한이 축소되어 가고 있는 실정이다. 주주총회는 법령 또는 정관에 규정된 사항과 그 밖에 해석상 인정되는 사항에 대해서만 권한을 행사할 수 있도록 그 권한이 대폭 축소되었고(제361조), 그 대신 경영기관인 이사회의 권한은 증대되고 있다.[16] 주식회사의 기관 구성과 기관들 간의 권한안배가 소유와 경영의 분리에 중점을 두고 이루어지고 있기 때문이다.

기업의 규모가 확대되고 기업 간의 경쟁이 심화되어 회사의 경제적 관계는 전문적인 지식이 있고 회사의 업무를 직접 담당하는 이사가 아니고는 파악할 수 없을 정도로 복잡하게 발전되면서 대규모 주식회사의 경영은 주주총회로부터 멀어지는 현상이 나타나기 시작하였다.[17] 이러한 현상은 회사의 주식이 고도로 분산되어 소유와 경영이 분리되는 경우 뚜렷이 나타난다.[18] 주식회사 기관간의 권한배분에 있어 자연법적인 원칙이 있는 것이 아니므로 주주총회의 권한을 어떻게 정할 것인가는 각국의 입법정책적 과제에 속한다.[19] 각국의 입법례를 보면 점차 주주총회의 기능을 약화시키고 이사회(또는 이사)의 기능을 강화하는 추세이다.[20]

---

15) 정동윤, 전게서, 536면; 최준선, 전게서, 357면; 권기범, 전게서, 672~673면; 임재연, 전게서(각주 10), 12면.
16) 권기범, 전게서, 675면.
17) 최기원, 전게서, 422면.
18) 최기원, 전게서, 422면.
19) 권기범, 전게서, 675면.
20) 이철송, 전게서, 499면; 정동윤, 「주석상법」(한국사법행정학회, 2014), 67면.

나. 상법상 주주총회의 권한사항

상법에서 주주총회의 권한으로 규정하고 있는 것은 주주의 이해에 특히 중대한 관계가 있는 사항이다. 이를 내용에 따라 분류하면 주식회사의 기본구조에 관한 사항, 주식회사의 기관을 구성하는 권한, 주주에게 재산적 이해관계가 있는 사항 등으로 나눌 수 있다. 한편, 주주총회의 권한사항을 결의요건에 따라 상법 제368조 제1항이 규정하는 보통결의로 족한 사항, 상법 제434조가 규정하는 특별결의를 거쳐야 하는 사항 그리고 총주주의 동의에 의한 특수결의를 거쳐야 하는 사항으로 구분할 수 있다.

1) 권한의 내용에 따른 분류

가) 회사의 기본구조에 관한 사항

회사의 기초 내지 영업조직의 기본에 변화를 가져오는 사항들로서[21] 정관변경(제433조 제1항), 합병(제522조), 영업양수도(제374조), 회사의 분할 및 분할합병(제530조의3), 주식의 포괄적 교환(제360조의3)과 이전(제360조의16), 자본금의 감소(제438조), 해산(제517조 제2호) 등이 있다.[22]

나) 회사 기관의 구성

이사, 감사, 청산인 등의 임면(제382조, 제385조, 제409조, 제415조, 제531조, 제539조), 검사인의 선임(제366조 제3항, 제367조) 등이 있다.[23]

다) 주주의 재산적 이해관계와 밀접한 관련이 있는 사항

재무제표의 승인(제449조), 이익배당의 결정(제449조 제1항), 주식배당의 결정(제462조의2 제1항), 이사의 보수결정(제388조), 사후설립(제375조), 이사, 감사, 청산인의 책임면제, 전환사채·신주인수권부사채의 제3자배정(제513조 제3항, 제516조의2 제4항) 등이 있다.[24]

---

21) 이철송, 전게서, 505면.
22) 김건식·노혁준·천경훈, 전게서, 272면; 송옥렬, 전게서, 911면.
23) 김건식·노혁준·천경훈, 전게서, 272면; 송옥렬, 전게서, 911면.
24) 송옥렬, 전게서, 911면. 김건식·노혁준·천경훈, 전게서, 272면은 '기타 주주이익과 밀접한 관련이 있는 사항'으로 분류한다.

2) 결의요건에 따른 분류[25]

가) 보통결의사항

주주총회의 보통결의는 출석한 주주의 의결권의 과반수와 발행주식총수의 4분의 1 이상의 수를 요건으로 하는데 정관에서 보통결의의 요건을 달리 정하는 것도 가능하다(제368조 제1항). 한편, 상법은 주주총회의 성립에 관한 의사정족수를 따로 정하고 있지 않지만, 보통결의 요건을 정관에서 달리 정할 수 있음을 허용하고 있으므로 정관에 의하여 의사정족수를 규정하는 것도 가능하다고 대법원은 판시한 바 있다.[26]

주주총회의 보통결의사항으로는 이사·감사의 선임과 그 보수의 결정(제382조 제1항, 제388조), 감사의 선임(제409조 제1항, 제415조), 청산인의 임면(제531조 제1항, 제539조, 제542조 제2항, 제388조), 검사인의 성임(제367조), 재무제표의 승인(제449조), 주식배당(제462조의2 제1항), 결손보전을 위한 자본금의 감소(제438조 제2항), 주주총회의 연기·속행(제372조 제1항) 등이 있다. 상장법인의 상근감사 선임이나 기존 상근감사의 비상근감사로의 변경도 총회의 보통결의사항이라고 판시한 하급심 판결[27]이 있다.[28]

자본금 총액이 10억원 미만이어서 이사의 수가 1인 또는 2인인 주식회사에 있어서는 본래 이사회의 권한사항인 양도제한부 주식에 대한 양도의 승인, 이사의 경업에 대한 승인과 개입권의 행사, 이사의 회사기회 이용승인, 이사의 자기거래에 대한 승인, 신주발생사항의 결정, 법정준비금의 자본금 전입, 중간배당, 사채의 모집, 전화사채발행사항의 결정, 신주인수권부사채발행사항의 결정 등 본래 이사회의 권한사항인 것들이 예외적으로 주주총회의 권한사항으로 추가된다(제383조 제1항 2문 및 제4항).

나) 특별결의사항

주주총회의 특별결의는 출석한 주주의 의결권의 3분의 2 이상의 수와 발행주식총수의 3분의 1 이상의 수를 요건으로 한다(제434조).

---

25) 최준선, 전게서, 358면; 권기범, 전게서, 676면; 홍복기·박세화, 「회사법강의」 제5판(법문사, 2017), 322~326면 참조.
26) 대법원 2017.1.12. 2016다217741.
27) 서울고등법원 2007.3.8. 2006나66885.
28) 권기범, 전게서, 676면.

주주총회의 특별결의사항으로는 주식의 병합·분할(제329조의2 제1항, 제440조 내지 제444조), 자본금 감소규정에 의한 주식의 소각(제343조 제2항), 주식매수선택권의 부여(제340조의2 제1항, 제340조의3 제2항), 주식교환 및 주식이전(제360조의3, 제360조의16), 영업의 전부 또는 중요한 일부의 양도, 영업전부의 임대 또는 경영위임, 타인과 손익전부를 같이하는 계약 또는 이에 준하는 계약의 체결, 변경, 해약, 회사의 영업에 중대한 영향을 미치는 다른 회사의 영업전부 또는 일부의 양수(제374조 제1항)[29], 사후설립(제375조). 이사·감사의 해임(제385조 제1항, 제415조), 주식의 액면미달발행(제417조 제1항), 통상의 자본금감소(제438조 제1항), 정관변경(제434조), 합병(제522조), 분할(제530조의3), 주주 이외의 자에 대한 전환사채, 신주인수권부사채의 발행(제513조, 제516조의2), 휴면회사의 계속(제520조의2), 신설합병시 설립위원의 선임(제175조 제2항) 등이 있다.

다) 특수결의사항

주주총회의 특수결의는 주주전원의 동의를 요건으로 한다(제400조). 주주총회의 특수결의사항으로는 소규모회사에서의 총회소집통지, 공고의 생략 또는 서면결의(제363조 제4항), 이사·감사의 회사에 대한 책임면제(제400조, 제415조), 주식회사의 유한회사로의 조직변경(제604조 제1항) 등이 있다.

라) 초다수결의사항

주주총회의 보통결의 또는 특별결의와 같은 보편적인 다수결 요건을 가중한 형태의 의사결정방식을 초다수결의제(Super-majority Voting Rule)라고 한다.[30] 초다수결의제의 요건과 효력에 대해서 다툼이 있으나 기업실무에서는 이사의 선·해임, 감사의 선·해임, 적대적 인수합병의 결의, 정관의 변경 등 다양한 주주총회 의결사항에 관하여 초다수결의제를 도입하는 회사가 증가하고 있다.[31]

---

29) 2015년도 상법 개정으로 신설된 상법 제374조의1은 간이영업양도·양수·임대를 인정하여 영업전부의 임대 또는 경영위임, 타인과 영업의 손익 전부를 같이하는 계약 기타 이에 준할 계약의 체결, 변경 또는 해약, 회사의 영업에 중대한 영향을 미치는 다른 회사의 영업전부 또는 일부의 양수의 경우에 회사의 총주주 동의가 있거나 그 회사의 발행주식총수의 100분의 90 이상을 해당 행위의 상대방이 소유하고 있는 경우에는 주주총회의 승인을 이사회의 승인으로 갈음하도록 규정하고 있다.

30) 송종준, "超多數決議制의 有效性과 그 法的 限界－주주총회 특별결의요건을 중심으로－," 「인권과 정의」 통권 제388호(대한변호사협회, 2008), 62면.

31) 2013년 한국기업지배구조원이 발표한 자료에 따르면 전체 상장 기업 1,601개사 가운데 7.7%가 임원해임 요건을, 3.4%가 합병 특별결의 요건을 강화하였다. 엄수진, "국내 상장사

주주총회의 보통결의요건에 대해서는 상법 제368조 제1항에서 정관으로 다른 정함을 할 수 있다는 명문의 규정을 두고 있으므로 보통결의요건을 가중하는 초다수결의제가 유효하다고 보는 것이 통설이며[32] 그 가중한도에 대해서 상법은 아무런 규정을 두고 있지 않다. 이에 대해 주주전원의 동의와 같은 초다수결의까지 가능하다고 보는 견해[33], 과반수의 출석 및 출석의결권의 3분의 2이상의 찬성으로 제한된다고 보는 견해[34] 보통결의의 성격상 특별결의의 수준보다 가중할 수는 없다고 보는 견해[35] 등이 대립된다.

보통결의요건과 달리 특별결의요건에 대해서는 가중을 허용하는 명시적인 규정을 두고 있지 않으나 다수의 견해는 초다수결의제의 유효성을 인정한다.[36] 그 근거로는 정관은 회사의 자치법규라는 점, 현행 상법의 특별결의요건은 과거보다 완화된 결의요건을 정하고 있으므로 이를 강화할 수 있다는 점, 상법상 경영권방어수단이 미비한 상태에서 초다수결의제를 경영권방어수단으로 이용될 수 있다는 점, 다수결의 남용으로부터 소수파주주를 보호할 필요성이 있다는 점 등을 든다.[37] 반면, 소수설은 특별결의에 있어서는 정관에 의하여 달리 정할 수 있다는 근거가 없고, 초다수결을 허용하는 경우 일부 주주들에게 거부권을 주는 효과가 있어 다수 주주의 의결권을 침해하는 결과를 초래하여 주주간 의사의 대립이 있으면 회사가 교착상태에 빠지는 것을 막을 수 없다는 등의 이유로 특별결의요건의 가중을 부정한다.[38]

의 다양한 M&A 방어 수단 도입 현황," 「기업지배구조리뷰」 Vol. 71(한국기업지배구조원, 2013), 82면. 2020년 3월 기준 코스닥에 상장된 전체 1,404개의 회사 중 정관에 초다수결의제를 도입하고 있는 회사는 205개였고, 그중 142개의 회사는 적대적 M&A 상황에서의 주주총회 결의 시에 초다수결의제를 적용한다고 규정하고 있다. 최용, "실무적 시각에서 본 정관상초다수결의제(超多數決儀制)의 효력과 적법성에 관한 고찰－미국 유럽 일본 등과의 비교법적 검토 및 判例를 중심으로－," 「법학연구」 제31권 제1호(연세대학교 법학연구원, 2021), 627면.

32) 권기범, 「현대회사법론」 제8판(삼영사, 2020), 775면; 김건식·노혁준·천경훈, 「회사법」 제4판(박영사, 2020), 326면; 송옥렬, 「상법강의」 제11판(홍문사, 2021), 949면; 이철송, 전게서, 569면; 정찬형, 전게서, 918면; 최준선, 전게서, 397면.

33) 권기범, 전게서, 775면; 김건식·노혁준·천경훈, 전게서, 326면; 최준선, 전게서, 397면.

34) 이철송, 전게서, 569면.

35) 정찬형, 전게서, 918면; 송옥렬, 전게서, 949면.

36) 권기범, 전게서, 775면; 김건식·노혁준·천경훈, 전게서, 327면; 송옥렬, 전게서, 950면; 정찬형, 전게서, 919면; 최준선, 전게서, 399면.

37) 최용, 전게논문, 623면.

38) 이철송, 전게서, 571면; 송종준, "경영권 방어수단 도입의 전제조건," 「기업법연구」 제19권 제4호(한국기업법학회, 2005), 220~221면.

주주총회 특별결의요건을 가중한 초다수결의제의 효력에 대해서 판단한 대법원 판결은 아직까지 없는 것으로 보인다. 최근 하급심에서 초다수결의제의 효력에 관해 상반된 결론을 내린 바 있다. 먼저, 정관에 초다수결의제를 도입하는 정관변경 결의와 관련하여 주주총회 결의의 효력정지를 구하는 가처분 사건에서 법원은 초다수결의제를 규정한 정관조항이 경영권 방어수단의 한계를 벗어나 무효라고 단정하기는 어렵다고 보아 가처분 신청을 기각한 바 있다.[39] 이 가처분 결정의 본안 사건은 소가 취하됨에 따라 법원의 판단이 내려지지 않았다. 다른 하급심은 초다수결의제를 도입하는 정관변경[40] 결의와 관련하여 주주총회 결의의 무효확인을 구하는 사안인데, 법원은 초다수결의제는 관련 상법 규정의 문언과 의미 및 입법 취지 등에 비추어 현행 상법하에서 원칙적으로 허용될 수 없고, 설령 예외적으로 허용된다고 하더라도 그 가중비율이 지나치게 과도한 점 등 제반 사정에 비추어, 가중조항은 상법에 반하는 것으로서 허용될 수 없으므로 주주총회결의가 무효라고 판시하였다.[41]

3) 영업양도와 주주총회의 특별결의

가) 영업의 의미

영업의 전부 또는 중요한 일부의 양도는 주주총회의 특별결의를 요하는 사항이다(제374조 제1항 제1호). 여기서 영업이란 "일정한 영업목적에 의하여 조직화된 유기적 일체로서의 기능적 재산"을 말하고, 영업양도란 "일정한 영업목적에 의하여 조직화된 유기적 일체로서의 기능적 재산을 그 영업의 동일성을 유지하면서 이전하는 채권계약"을 말한다.[42]

회사가 '영업의 전부'를 양도하는 경우에는 주주총회의 특별결의가 필요하다. 회사가 여러 개의 영업을 영위하는 경우에는 '회사의 영업 전체를 기준'으로 판단하여야 한다.[43] 회사가 '영업의 일부를 양도'하는 경우에는 원칙적으로 주주총

---

39) 서울중앙지방법원 2020.3.4. 자 2020카합20005.

40) '총회의 안건이 적대적 인수합병을 위한 안건임을 총회 소집 전 이사회가 결의로 확인한 경우 총회의 결의요건을 출석한 주주의 의결권의 100분의 90 이상과 발행주식총수의 100분의 70 이상으로 한다.'는 조항과 '위 가중조항을 개정하고자 하는 경우에도 위와 같은 방법에 의한다.'는 조항을 신설하는 내용의 정관변경 결의를 하였다.

41) 전주지방법원 2020.10.29. 2017가합2297.

42) 대법원 2014.10.15. 2013다38633; 1987.6.9. 86다카2478; 1992.2.14. 91다36062; 1994.5.10. 93다47615; 1997.4.8. 96다54249, 54256; 1998.3.24. 95다6885; 2004.7.8. 2004다13717 등.

회의 특별결의를 요하지 않으나, 만일 영업의 일부가 '영업의 중요한 일부'에 해당한다면 주주총회의 특별결의를 요한다.[44] 회사가 영업 중 일부를 양도하는 경우 '영업의 중요한 일부의 양도'에 해당하는지와 관련하여 대법원은 "양도대상영업의 자산, 매출액, 수익 등이 전체 영업에서 차지하는 비중, 일부 영업의 양도가 장차 회사의 영업규모, 수익성 등에 미치는 영향 등을 종합적으로 고려하여 판단하여야 한다"고 판시하였다.[45]

나) 영업용 재산(중요재산)의 양도

회사가 영업용 재산 또는 중요재산을 양도하는 경우에도 주주총회의 특별결의가 필요한가? 제374조는 "영업"의 양도만을 언급하고 있으므로 영업에 해당하지 않는 개별 자산의 양도는 주주총회의 특별결의를 요하지 않는다고 보는 견해(형식설 또는 결의불요설)[46]와 중요재산의 처분은 영업양도와 같이 주주총회의 특별결의를 요한다는 견해(실질설 또는 결의필요설)[47]이 대립한다. '실질설 또는 결의필요설'은 '결의불요설'에 의할 때에는 회사존립의 기초가 되는 전재산의 처분을 대표이사의 자의에 맡기는 결과가 되어 주주도 모르는 사이에 회사의 전재산의 처분도 이루어질 수 있으므로 주주의 보호와 기업유지의 요청에 어긋나게 되기 때문에 중요 재산의 처분도 상법 제374조의 영업양도에 포함시켜 이를 행함에 있어서도 주주총회의 특별결의가 필요하다고 본다.[48]

대법원은[49] "상법 제374조 제1호 소정의 영업의 양도란 동법 제1편 제7장의 영업양도를 가리키는 것이므로 영업용재산의 양도에 있어서는 그 재산이 주식회사의 유일한 재산이거나 중요한 재산이라 하여 그 재산의 양도를 곧 영업의 양도라 할 수는 없지만 주식회사 존속의 기초가 되는 중요한 재산의 양도는 영업의 폐지 또는 중단을 초래하는 행위로서 이는 영업의 전부 또는 일부 양도의 경우와 다를 바 없으므로 이러한 경우에는 상법 제374조 제1호의 규정을 유추적용하여 주주총회의 특별결의를 거쳐야 한다"고 판시하였다.

---

43) 김홍기, 「상법강의」 제3판(박영사, 2018), 530면.
44) 김홍기, 상게서, 530면.
45) 대법원 2014.10.15. 2013다38633.
46) 최기원, 전게서, 430면; 송옥렬, 전게서, 948면.
47) 정동윤, 전게서(각주 2), 540면.
48) 정동윤, 전게서(각주 2), 540면.
49) 대법원 1988.4.12. 87다카1662. 같은 취지의 판결로는 대법원 1997.4.8. 96다54249, 54256; 1998.3.24. 95다6885; 2004.7.8. 2004다13717 등이 있다.

위 대법원 판결은 '실질설(결의필요설)'에서 세분화된 것으로서 상법 제374조의 영업양도와 동법 제41조의 영업양도를 동일하게 보아 영업양도와 이를 구성하는 영업용 재산의 양도를 엄격히 구별하면서도 때에 따라 중요한 영업용 재산의 양도일지라도 영업의 전부 또는 중요한 일부의 양도 못지않은 중대한 영향을 미치는 때에는 상법 제374조를 유추적용하여 주주총회의 승인이 필요하다고 본 것이다. 위 대법원 판결은 법해석의 통일을 기할 수 있으면서 주주의 이익을 보호할 수 있다는 점에서 타당한 것으로 보인다.[50]

다) 주주총회의 특별결의를 결한 영업양도의 효력

대법원은 영업양도시 주주총회의 특별결의가 있어야 함을 규정한 상법 제374조 제1항 제1호와 관련하여 "주식회사가 주주의 이익에 중대한 영향을 미치는 계약을 체결할 때에는 주주총회의 특별결의를 얻도록 하여 그 결정에 주주의 의사를 반영하도록 함으로써 주주의 이익을 보호하려는 강행법규"라고 판시한 바,[51] 주주총회의 특별결의를 결한 영업양도는 강행법규에 반하는 행위로 무효라 할 것이다. 위 대법원 판결의 사안에서 영업양도계약의 당사자이자 주주총회를 개최하여야 할 주체인 회사가 스스로 주주총회의 특별결의를 결하였음을 이유로 영업양도의 무효를 주장할 수 있는지가 문제되었다. 이와 관련하여 대법원은 "주식회사가 영업의 전부 또는 중요한 일부를 양도한 후 주주총회의 특별결의가 없었다는 이유를 들어 스스로 그 약정의 무효를 주장하더라도 주주 전원이 그와 같은 약정에 동의한 것으로 볼 수 있는 등 특별한 사정이 인정되지 않는다면 위와 같은 무효 주장이 신의성실 원칙에 반한다고 할 수는 없다"고 하여,[52] 회사도 주주총회 특별결의를 결하였음을 이유로 계약의 무효를 주장할 수 있는 것으로 판시하였다.

다. 특별법상 주주총회 권한사항

상법 이외에 다른 법에서 주주총회의 결의를 요하는 사항이다. 예를 들어, 보험업법은 해산·합병과 보험계약의 이전에 관한 결의는 주주총회의 특별결의에 따르도록 규정하고 있다(보험업법 제138조, 상법 제434조). 채무자 회생 및 파

---

50) 이철송, 전게서, 593~594면; 권기범, 전게서, 236면; 홍복기·박세화, 전게서, 326면.
51) 대법원 2018.4.26. 2017다288757.
52) 대법원 2018.4.26. 2017다288757.

산에 관한 법률은 청산 중이거나 파산선고를 받은 회사인 채무자가 회생절차개시의 신청을 하는 때에는 회사의 계속에 관한 상법 제519조의 규정을 준용하여 주주총회의 특별결의를 요하는 것으로 규정하고 있다(채무자 회생 및 파산에 관한 법률 제35조 제2항).

라. 정관상 주주총회 권한사항

주주총회는 정관에서 주주총회의 권한으로 정하는 사항에 관해서 결의할 수 있다(제361조). 상법상 본래 이사회의 권한사항이나 정관에 규정함으로써 주주총회의 권한으로 변경하는 것이 명문으로 허용되는 경우가 있다.[53] 대표이사의 선임(제389조 제1항 단서), 신주의 발행(제416조 단서), 준비금의 자본전입(제461조 1항 단서), 전환사채의 발행(제513조 제2항 단서), 신주인수권부사채의 발행(제516조의2 제2항 단서) 등이 그 예로서 정관자치가 인정되는 경우이다.

이와 같이 상법에 명시적인 근거조항이 있는 경우에는 이사회의 권한사항을 주주총회의 권한으로 변경하여 정관에서 정할 수 있음에 아무런 문제가 없다. 상법에 명시적인 근거조항이 없는 경우에도 이사회의 권한사항을 정관에서 주주총회의 권한사항으로 규정할 수 있는가. 통설은 주주총회의 최고기관성과 회사의 필요에 따른 지배구조 선택의 자율성, 주주의 잔여재산분배청구권 등을 근거로 하여 주식회사의 본질이나 강행법규에 위반되지 않는 한 상법상 이사회의 권한으로 되어 있는 사항도 정관으로 주주총회의 권한으로 할 수 있다는 '확장설'을 취한다.[54] 다만 '확장설'의 입장에서도 주주총회소집의 결정(제362조)은 그 성질상 정관으로도 주주총회의 권한이 될 수 없는 것으로 본다.[55]

반면 정관에 의하여 상법상 권한배분을 변경하는 것은 허용되지 않는다는 '제한설'[56]은 각 기관의 권한배분에 관한 상법의 규정은 단순히 주주의 이익만을 고려한 것은 아니므로 강행규정으로 보아야 하고 주주총회가 모든 것을 결정할 수 있다면 소유와 경영의 분리라는 상법의 이념에 반한다고 주장한다. 제한

---

53) 권기범, 전게서, 677면.
54) 권기범, 전게서, 677면; 정동윤, 전게서(각주 2), 541면; 최기원, 전게서, 435면; 이기수·최병규, 전게서, 482면; 김정호, 전게서, 288면; 김건식·노혁준·천경훈, 전게서, 273면. 최준선, 전게서, 359면은 이론적으로는 제한설이 옳지만 이사는 주주의 대리인으로 볼 수 있다는 점에서 확장설이 옳다고 본다.
55) 최기원, 전게서, 435면.
56) 이철송, 전게서, 506면; 정찬형, 전게서, 883면.

설에서는 확장설과 같이 해석한다면 주주총회의 권한으로 유보한 조항들(제389조 제1항 단서, 제416조 단서, 제461조 제1항 단서, 제513조 제2항 단서 등)은 아무 의미가 없다는 것이 되므로 부당하다고 본다. 확장설에서는 위 유보조항들은 종래 주주총회의 권한에 속하던 것을 이사회의 권한으로 하도록 상법이 개정되면서 급격한 마찰을 최소화하기 위해서 종래의 방식을 그대로 채택할 수 있도록 한 것에 불과하므로 이를 주주총회의 권한이 확대될 수 있는 한계를 정한 것으로 해석할 수 없다고 본다.

이와 관련한 대법원의 입장이 무엇인지는 아직 명확하지 않으나 자기거래의 승인이 문제된 사안에서 방론으로 "자기거래의 승인이 정관에 주주총회의 권한사항으로 정해져 있다는 등의 특별한 사정이 없는 한 이사회의 권한"이라고 판시한 바 있다.[57] 이를 근거로 대법원도 확장설의 입장이라고 보는 견해도 있으나[58] 위 내용은 사건의 쟁점과 무관한 설시이므로 이를 가지고 대법원의 입장을 단정하는 것은 적절하지 않은 것으로 보인다.[59]

주주총회와 이사회의 권한배분은 처음부터 정해진 어떠한 법리가 있는 것은 아니고 정책적으로 판단할 문제이다. 주주의 소극성 및 정보력의 부족 등을 고려하면 이사회의 권한을 강화하는 것이 바람직하나 소규모 회사에서는 의사결정에 직접적 이해관계를 가지는 주주에게 경영자의 결정을 뒤집을 수 있는 권한을 부여하는 것이 필요할 수도 있다. 다른 한편으로는 상법이 일정한 사항들을 이사회의 권한으로 한 이유도 고려할 필요가 있다. 이러한 모든 판단을 상법이 일률적으로 할 수 없는 이상 원칙적으로 확장설에 따라 자치적으로 해결하도록 허용하는 것이 타당한 것으로 보인다.

마. 성질상 또는 해석상 인정되는 주주총회의 권한사항

성질상 당연히 주주총회의 권한사항으로 인정되는 것으로는 주주총회에서 선임한 검사인(제366조 제3항, 제367조)에 대한 보수의 결정 및 해임, 주주총회 의장의 선임, 주주총회의 의사운영에 관한 사항을 정하는 것 등이 있다.[60] 주주총

---

57) 대법원 2007.5.10. 2005다4284.
58) 김건식·노혁준·천경훈, 전게서, 272면; 정동윤, 전게서(각주 20), 888면.
59) 송옥렬, 전게서, 912면.
60) 최준선, 전게서, 359면. 김건식·노혁준·천경훈, 전게서, 272면은 회의체로서 의사운영에 관한 사항을 '상법에서 주주총회의 권한사항으로 정한 것'으로 보아 정관에 특별한 정함이

회의 의사운영에 포함되는 연기·속행의 결정을 규정하고 있는 상법 제372조 제1항은 주의적 규정이라 할 것이다.[61]

상법상 명시적인 주주총회의 권한사항은 아니나 해석상 주주총회의 권한으로 인정될 수 있는 것이 있다. 스스로 사업을 하던 회사가 모든 재산을 출자하여 자회사를 설립하여 영업은 자회사에 맡기고 스스로는 지주회사가 되는 것, 상장회사가 상장폐지하는 것[62], 초거액의 채무인수, 상장회사의 상근감사를 비상근감사로 변경하는 것[63] 등이 그 예이다.[64]

주주총회에서 이사와 감사의 책임을 추궁하는 결의를 할 수 있는가. 상법은 책임해제의 소극적 요건으로서 재무제표승인결의 후 2년 내에 다른 결의가 없을 것을 요구하는데(제450조), 여기서 다른 결의란 책임해제를 부정하는 결의나 재무제표승인을 철회하는 결의뿐 아니라 이사와 감사의 책임추궁을 위한 결의 등 널리 이사·감사의 책임이 존속함을 전제로 한 결의를 뜻한다.[65] 대법원은 재무제표에 대한 경영진의 책임을 추궁하는 주주총회결의에 관하여 회사의 이사, 감사 전원이 상법 제368조 제4항에 정한 특별한 이해관계가 있는 자에 해당한다고 속단한 원심을 파기·환송하였다.[66] 이 사안은 총회에서 이사와 감사의 책임추궁을 결의할 수 있는지 여부가 직접적인 쟁점은 아니나 간접적으로 총회에서 이사와 감사의 책임을 추궁하는 결의를 하는 예가 있음을 보여 준다.[67] 그러나 주주총회에서 이사와 감사의 책임을 추궁하는 결의는 원칙적으로 주주총회의 권한사항에 속하지 않으므로 사실상 이러한 결의가 이루어지더라도 법률적 구속력을 가지는 것은 아니고 다만 상법 제450조의 책임해제와 관련하여 이를 저지하는 효력이 있을 뿐이라고 본다.[68]

　　　없더라도 당연히 결의할 수 있는 것으로 본다.

61) 최준선, 전게서, 359면.
62) 유가증권 상장규정 제77조는 상장폐지를 주주총회의 결의사항으로 명시하고 있다. 권기범, 전게서, 679면.
63) 서울고등법원 2007.3.8. 2006나66885.
64) 권기범, 전게서, 679면.
65) 이철송, 전게서, 987면.
66) 대법원 2007.9.6. 2007다40000.
67) 김건식·노혁준·천경훈, 전게서, 272면.
68) 김건식·노혁준·천경훈, 전게서, 272면.

바. 주주총회 권한범위 밖의 사항에 대한 결의

주주총회는 상법과 정관이 정하는 사항에 한하여 결의를 할 수 있고, 다른 사항에 관하여 총회의 결의가 있더라도 아무런 효력을 갖지 못한다.[69] 대법원도 정관에도 근거가 없는 사항에 대해서는 주주총회가 결의를 하더라도 그것은 무효한 결의로서 이사 및 주주에 대하여 아무런 구속력을 가지지 못한다고 본다.[70] 나아가 대법원은 주주총회의 결의가 임의로 약정한 절차적 요건일 뿐이고 단체법적 법률관계를 획일적으로 규율하는 의미가 전혀 없는 경우에는 상법 제380조에서 정한 결의무효확인의 소 또는 상법 제376조에서 정한 결의취소의 소의 대상이 되는 주주총회결의라고 할 수 없다고 판시한 바 있다.[71] 이사회는 권한범위 밖의 사항에 대한 주주제안을 거부할 수 있다(제363조의2 제3항). 다만 주주총회가 이사회에 대하여 권고적 결의를 하는 것은 회사의 의사결정으로서의 법적 효력은 없지만 가능하다고 할 것이다.[72]

사. 주주총회 권한의 전속성

상법 또는 정관에서 주주총회의 권한으로 규정하고 있는 사항은 반드시 주주총회가 정해야 하고 주주총회의 결의로도 이를 다른 기관에 위임할 수 없다.[73] 상법상 주주총회의 권한사항을 정관으로 대표이사, 이사회, 감사 또는 회사 밖의 제3자에게 결정하도록 위탁할 수 있는지와 관련하여 이를 긍정하는 견해[74]

---

69) 정동윤, 전게서(각주 20), 68면.
70) 대법원 1991.5.28. 90다20084.
71) 예탁금 회원제 골프장을 운영하는 주식회사가 주주회원들 중 일부로 구성된 주주회원모임과 체결한 '회사가 주주회원의 골프장 이용혜택을 변경할 경우 주주회원모임과 협의하여 결정하고 중요한 사항은 주주총회에 회부하여야 한다'는 내용의 약정에 따라 주주총회에서 주주회원의 골프장 이용혜택을 축소하는 내용의 결의를 하자, 주주회원들이 주위적으로 결의의 무효 확인과 예비적으로 결의의 취소를 구한 사안에서 대법원은 위 결의는 회사와 개별 주주회원 사이의 계약상 법률관계에 해당하는 골프장이용혜택의 조정에 관하여 회사와 주주회원모임이 임의로 약정한 절차적 요건일 뿐이지 회사와 그 기관 및 주주들 사이의 단체법적 법률관계를 획일적으로 규율하는 의미가 전혀 없어 상법 제380조에서 정한 결의무효확인의 소 또는 상법 제376조에서 정한 결의취소의 소의 대상이 되는 주주총회결의라고 할 수 없다고 판시하였다. 대법원 2013.2.28. 2010다58223. 김건식·노혁준·천경훈, 전게서, 272면.
72) 권기범, 전게서, 676면.
73) 송옥렬, 전게서, 910면.
74) 김건식·노혁준·천경훈, 전게서, 274면은 기업집단에 속하는 기업이나 경영위기를 겪는 기

도 있으나 상법상의 주주총회, 이사회, 감사 등 기관 간의 권한분장구도에 비추어 볼 때 그러한 취지의 정관규정은 주주권을 크게 침해하는 것으로서 위법하고 당연히 무효라고 보는 것이 타당하다.[75] 다만, 상법이 주주총회 결의를 요구한 취지에 비추어 중요하다고 판단되는 사항에 대해서만 결정하고 세부사항의 결정을 다른 기관에 위임하는 것은 허용된다.[76] 예를 들어 이사보수에 관한 결정에서 주주총회는 보수액의 최고한도만을 정하고 세부사항의 결정은 이사회에 위임할 수 있다.[77]

1) 제3자의 동의·승인을 조건으로 하는 주주총회 결의

주주총회의 결의가 효력을 발생하기 위하여 제3자(모회사, 회사채권자 또는 노동조합 등)의 동의 또는 승인을 요구하는 것과 같은 정관규정이 허용되는가. 예를 들어 정관으로 이익배당결의의 효력을 특정 채권자 승인을 조건으로 삼는 것이 가능한지가 문제된다. 이를 긍정하는 견해는 회사의 자치에 따른 자발적인 제약으로서 특별히 다른 이익을 해치는 경우가 아니라면 무효로 볼 이유는 없다고 본다.[78] 그러나 이러한 정관규정 역시 일정한 중요한 사항을 주주총회의 전속권한으로 규정한 상법상의 권한분장구도에 반하므로 무효라고 보아야 할 것이다.[79] 그런데 정관에서 일률적으로 제3자의 동의 또는 승인을 주주총회 결의의 유효조건으로 규정하는 것이 아니라 해당 사안에 한하여 주주총회가 조건부 결의를 하는 것, 예컨대 노조나 채권은행이 동의하는 경우에 해당 결의가 유효한 것으로 할 수 있는가의 문제는 달리 판단하여야 할 것이다. 이때는 주주총회가 일단 권한을 행사하되 다만 해당 사안에 한하여 조건을 붙이는 것에 불과하기 때문에 그러한 조건부결의는 유효하다고 볼 것이다.[80]

업에서 위탁의 수요가 발생할 수 있는 점, 전면적인 경영위임도 주주총회의 특별결의로 허용하는 점(제374조 제1항 제2호) 등을 근거로 이사 선임과 같은 주주총회의 법정 권한을 일정 기간 동안 제3자에게 위탁하기로 하는 정관 규정도 허용된다고 본다.

75) 권기범, 전게서, 680면; 최기원, 전게서, 424면; 이철송, 전게서, 507~508면.
76) 정동윤, 전게서(각주 20), 68면; 김건식·노혁준·천경훈, 전게서, 274면.
77) 김건식·노혁준·천경훈, 전게서, 275면.
78) 김건식·노혁준·천경훈, 전게서, 275면.
79) 권기범, 전게서, 680면.
80) 권기범, 전게서, 680~681면.

2) 주주총회 승인결의의 의제

주주총회의 의사결정은 현실로 이루어져야 하므로 지배주주의 의사결정을 가지고 주주총회의 결의가 있었던 것으로 갈음하는 것은 원칙적으로 허용되지 않는다.[81] 그런데 아래에서 보는 바와 같이 대법원은 주주총회를 개최한 바 없더라도 주주전원의 동의가 있거나 지배주주의 의사가 있으면 주주총회 승인결의가 있었던 것으로 의제하여 이러한 원칙에 대한 예외를 인정하고 있다.

가) 주주전원의 동의가 있는 경우[82]

대법원은 적법한 주주총회개최가 없었던 경우에도 주주 전원이 출석하여 결의한 경우[83] 및 1인 회사에서 그 1인 주주에 의하여 의결이 있었던 것으로 주주총회의 의사록이 작성되었다면 특별한 사정이 없는 한 그러한 내용의 주주총회결의가 있었던 것으로 보고 있다.[84] 자기거래의 효력이 문제된 사안에서도 방론이기는 하지만 이사와 회사 사이의 이익상반거래에 대하여 주주전원의 동의가 있다면 효력을 인정할 수 있다는 취지로 판시하였다.[85]

사실상의 지배주주이면서 실질적 사주가 주식의 98%를 가진 가족회사의 정관에 이사의 보수는 주주총회의 결의에 의하고, 이사의 퇴직금은 별도로 정하는 "임원퇴직금지급규정"에 의한다고 규정하고 있었던 사안에서 대법원은 이 회사를 사실상 1인 회사로 보고 1인 회사의 경우에는 주주총회를 개최한 바가 없더라도 주주총회결의가 있었던 것으로 볼 수 있다는 판례법리[86]에 따라 실질적 1인 주주가 위 퇴직금규정에 따른 퇴직금의 지급을 각 결재·승인함으로써 위 퇴직금규정을 묵시적으로 승인한 이상 그에 대한 주주총회결의가 있었던 것으로 볼 수 있다고 판시한 바 있다.[87]

---

81) 송옥렬, 전게서, 910면.
82) 윤영신, "주주총회 승인결의가 없는 경우 이사의 보수지급청구권–퇴직위로금을 중심으로," 「중앙법학」 제16집 제4호(중앙법학회, 2014), 124면 참조.
83) 대법원 1993.2.26. 92다48727.
84) 대법원 1993.6.11. 93다8702; 2004.12.10. 2004다25123; 2007.2.22. 2005다73020; 2014.1.23. 2013다56839 등.
85) 대법원 2007.5.10. 2005다4284.
86) 대법원 1976.4.13. 74다1755; 1993.6.11. 93다8702 등.
87) 대법원 2004.12.10. 2004다25123.

나) 지배주주의 의사에 의한 경우[88]

발행주식의 80%를 소유하는 주주인 대표이사가 특정 이사에게 공로상여금을 지급하기로 한 약속의 효력이 다투어진 사안에서 대법원은 회사주식의 80%를 가진 대표이사가 주주총회 결의에 의하지 않고 이사에게 보수 지급을 약속한 경우에도 주주총회에서 이를 지급하기로 하는 결의가 이루어질 것은 당연하므로 주주총회의 결의가 있었음과 다름이 없다고 판시한 바 있다.[89]

지배주주의 의사에 주주총회승인의 효과를 인정하는 판례의 논리에 대해서는 비판의 의견이 많다. 판례의 논리대로라면 주주총회의 결의를 지배할 수 있는 대주주라면 그 단독의 개인적인 의사표시만으로 주주총회의 형식조차 갖추지 않고도 주주총회의 결의에 갈음할 수 있다는 결론이 되는데 이는 기관의 분화와 그 권한안배에 관한 법리를 일체 무시한 소치라거나[90] 지배주주가 존재하는 회사에서는 주주총회의 결의를 요하는 상법 규정이 아무런 의미가 없으므로 부당하다거나 주주총회결의의 취소는 물론이고 무효나 부존재 주장도 제한되는 결과가 초래된다는 것[91]을 이유로 비판하고 있다. 판례와 같이 단순히 지분에만 의존하여 주주총회 승인의 효과를 인정하는 논리가 아니라 이에 더하여 소수주주의 이의 여부나 이사가 지배주주와 이해관계가 있는 자인가 등 여타 요소를 추가하여 검토할 필요가 있다고 본다.[92]

아. 주주총회에서의 권한행사와 책임

법상 주주 개인의 의사결정은 주주총회에서의 의결권의 행사에 그치고, 회사에 직접 구속력을 미치는 것은 주주 전체의 의사가 수렴된 주주총회의 결의라는 형식으로 표현된다.[93] 따라서 주주총회의 결의에 위법한 요소가 있더라도 그러

---

88) 윤영신, 전게논문, 125~126면 참조.
89) 대법원 1978.1.10. 77다1788. 같은 취지로 대법원 1995.9.15. 95누4353은 주식의 양도가 비출자임원의 직무집행의 대가로서 공로주 명목의 특별한 보수인 이상 주식회사 이사의 보수에 관한 상법 제388조의 규정이 적용되어 주주총회의 결의가 있어야 그 지급결정이 효력이 있다고 할 것인데, 대표이사가 회사의 95%를 주식을 소유하고 있어서 그가 비출자임원에게 주식을 양도하겠다고 할 경우, 주주총회에서 같은 내용의 결의가 이루어질 것은 당연하므로 회사의 비출자임원에 대한 주식의 양도는 유효하다고 보았다.
90) 이철송, 전게서, 508면.
91) 최기원, 전게서, 604면.
92) 윤영신, 전게논문, 126면.
93) 이철송, 전게서, 507면.

한 결의에 수동적으로 찬성한 주주에 대해서 그 책임을 묻기 어렵다.[94] 주주총회의 결의가 회사의 손해로 현실화되는 것은 이사회나 대표이사의 집행단계에 이르러서이므로 회사에 대한 손해배상책임을 지는 것은 그 집행에 관여한 이사들이다.[95]

3. 종류주주총회의 권한

가. 종류주주총회의 의의

종류주주총회는 종류주식이 발행된 경우에 각 종류의 주식의 주주들만으로 구성되는 주주총회를 말한다. 상법은 종류주주총회를 인정하면서 일정한 회사행위시에는 종류주주총회의 결의까지 얻을 것을 요하고 있다. 이는 해당 종류주주들의 이익을 보호하기 위해서인데, 특히 통상의 주주총회에서는 의결권이 인정되지 아니하는 무의결권주주들에게 그 의미가 크다고 할 것이다.[96]

나. 종류주주총회의 결의가 필요한 경우

상법은 (i) 회사가 정관을 변경함으로써 어느 종류의 주주에게 손해를 미치게 될 때(제435조 제1항), (ii) 신주의 인수, 주식의 병합·분할·소각 또는 회사의 합병·분할로 인한 주식의 배정에 관하여 특수한 정함으로 하는 경우에 이로 인하여 어느 종류의 주주에게 손해를 미치게 될 때(제436조 전단), (iii) 회사의 분할 또는 분할합병, 주식교환, 주식이전 및 회사의 합병으로 인하여 어느 종류의 주주에게 손해를 미치게 될 때(제436조 후단) 각각 해당 종류주주총회의 결의를 얻도록 하고 있다.

여기서 '어느 종류의 주주에게 손해를 미치게 될 때'라 함에는 어느 종류의 주주에게 직접적으로 불이익을 가져오는 경우는 물론이고, 외견상 형식적으로는 평등한 것이라고 하더라도 실질적으로는 불이익한 결과를 가져오는 경우도 포함되며, 나아가 어느 종류의 주주의 지위가 정관의 변경에 따라 유리한 면이 있으면서 불이익한 면을 수반하는 경우도 이에 해당된다.[97] 예컨대 의결권 없는 우

---

94) 김건식·노혁준·천경훈, 전게서, 274면.
95) 이철송, 전게서, 507면.
96) 권기범, 전게서, 770면.

선배당주식을 보통주식으로 전환하는 경우 의결권은 회복되지만 우선배당권이 없어지므로 종류주주총회의 결의가 필요하다고 본다.[98] 기발행된 이익배당에 관한 종류주식의 우선권을 강화하는 정관변경시 이로 인하여 보통주주들이 손해를 입을 우려가 있는 때에는 보통주주들만의 종류주주총회결의가 필요하다고 할 것이다.[99] 즉 이때는 보통주식도 어느 한 종류의 주식으로 종류주주총회를 구성한다고 보아야 한다.[100]

다. 종류주주총회의 결의가 없는 주주총회결의의 효력

상법상 종류주주총회의 결의를 요하는 경우임에도 불구하고 종류주주총회의 결의 없이 주주총회의 결의만 이루어진 경우 그 결의의 효력이 문제된다. 이와 관련하여 종류주주총회의 결의가 없는 일반주주총회의 결의는 취소사유가 되어 (제376조) 결의의 날로부터 2월 내에 결의취소의 소를 제기하지 않으면 유효하다고 보는 취소사유설(유효설)[101]과 종류주주총회의 결의가 없는 일반주주총회의 결의는 무효가 되어 이해관계인은 언제든지 이의 무효를 주장할 수 있다고 보는 무효설[102]이 있을 수 있다. 학계의 다수설은 종류주주총회의 결의가 없는 일반주주총회의 결의의 효력은 무효도 아니고 취소할 수 있는 것도 아닌 부동적인 상태에 있다가 후에 종류주주총회의 결의를 얻으면 확정적으로 유효가 되고 이를 얻지 못하면 확정적으로 무효가 된다고 보는 부동적 무효설(결의불발효설)을 취한다.[103]

대법원은 "상법 제435조 제1항의 문언에 비추어보면, 어느 종류의 주주에게 손해를 미치는 내용으로 정관을 변경함에 있어서 그 정관변경에 관한 주주총회의 결의 외에 추가로 요구되는 종류주주총회의 결의는 정관변경이라는 법률효과가 발생하기 위한 하나의 특별요건이라고 할 것이므로, 그와 같은 내용의 정관변경에 관하여 종류주주총회의 결의가 아직 이루어지지 않았다면 이러한 정관변경

---

97) 대법원 2006.1.27. 2004다44575, 44582.
98) 권기범, 전게서, 771면.
99) 권기범, 전게서, 771면.
100) 권기범, 전게서, 771면.
101) 이철송, 전게서, 617면.
102) 손주찬, 「상법 상」(박영사, 2004), 739면.
103) 정동윤, 전게서(각주 2), 576면; 최기원, 전게서, 525면; 권기범, 전게서, 774면; 정찬형, 전게서, 935~936면, 1204~1205면.

의 효력이 아직 발생하지 않는 데에 그칠 뿐이고 그러한 정관변경을 결의한 주주총회결의 자체의 효력에는 아무런 하자가 없다고 할 것이다. … 회사가 종류주주총회의 개최를 명시적으로 거부하고 있는 경우에, 그 종류의 주주가 회사를 상대로 일반 민사소송상의 확인의 소를 제기함에 있어서는 정관변경에 특별요건이 구비되지 않았음을 이유로 정면으로 그 정관변경이 무효라는 확인을 구하면 족한 것이지, 그 정관변경을 내용으로 하는 주주총회 결의가 '불발효' 상태에 있다는 것의 확인을 구할 필요는 없다"라고 판시한 바 있다.[104] 종류주주총회는 일반주주총회의 유효요건이 아니라 어느 종류의 주주에게 손해를 미치게 하는 일정한 회사법적 행위의 유효요건이라 할 것이므로 이를 결한 경우 일반주주총회의 효력에는 영향을 미치지 않는다는 대법원 판결이 타당한 것으로 생각된다.

Ⅱ. 주주총회의 소집   김 교 창*

1. 주주총회의 구성

1인회사가 아니면 법률 또는 정관에 규정되어 있는 총회 결의사항은 반드시 적법하게 총회를 소집하고 총회를 개최하여 결의로 결정하여야 한다. 의결정족수의 주식을 가진 주주의 동의로 결의에 갈음할 수 없다.[1] 어느 주주 1인이 대부분의 주식을 소유하고 있더라도 다른 주주들이 위 1인과 1인회사와 같은 관계에 있지 아니하여 실제로 주식이 분산되어 있는 회사의 경우에는 적법한 소집절차를 거치지 아니하고 위 1인만이 의하여 이루어진 주주총회결의는 하자있는 결의로서 효력을 부정 당한다.[2]

주주총회의 소집에 관하여 설명하기 위하여 먼저 주주총회가 어떻게 구성되는지를 살펴본다.

---

104) 대법원 2006.1.27. 2004다44575, 44582.

 * 법무법인(유) 정률 고문변호사
 1) 대법원 2020.6.4. 2016다241515, 241522; 2020.7.9. 2019다205398.
 2) 대법원 2007.2.22. 2005다73020.

가. 의결권을 행사할 수 있는 주주

주주총회는 의결권을 행사할 수 있는 주식의 소유자들로 구성되는 주식회사 내 회의체기관이다.[3] 이 기관이 회사의 최고의사결정기관이다. 최고의사란 회사의 존립과 운영의 기본적인 사항에 관한 의사를 말한다.

회사가 의결권없는 주식을 발행하였으면 그런 주식의 소유자는 의결권을 행사할 수 없으므로 총회의 구성원이 될 수 없다. 그런 주식으로는 아래와 같이 여러 가지가 있다.

 ㉠ 의결권 없는 주식(제344조의3)
 ㉡ 의결권행사가 제한된 주식들
  ⅰ. 자기주식(제341조, 제369조 제2항)
  ⅱ. 상호보유로 의결권행사가 제한된 주식(제369조 제3항)
  ⅲ. 총회에 상정된 의안에 개인적으로 특별한 이해관계를 갖고 있는 주주가 소유하고 있는 주식(제368조 제3항)
  ⅳ. 감사 또는 감사위원 선임 시 의결권행사가 제한되는 주식(제409조 제2항, 동 제3항, 제542조의12 제3항)
  ⅴ. 자본시장 및 금융투자업에 관한 법률 제150조 제1항 등과 같이 특별법에 의하여 의결권행사가 제한되는 주주가 소유하고 있는 주식(제368조 제3항)

그런 주식의 소유자도 총회의 구성원이 된다는 견해도 있으나,[4] 그 견해는 무익한 견해이다. 의결권을 행사할 수 없는 주주도 회사에 대하여 의결권을 제외한 여러 가지 권리를 행사할 수 있으나, 그 권리는 총회의 구성원으로서 행사하는 권리가 아니다.

---

3) 임홍근, 「회사법」(법문사, 2002), 331면; 정동윤, 「상법(상)」 제6판(법문사, 2012), 536면; 정찬형, 「상법강의(상)」 제24판(박영사, 2021), 879면; 김건식·노혁준·천경훈, 「회사법」 제5판(박영사, 2021), 289면; 김교창, 「주주총회의 운영」 제3개정판(육법사, 2010), 30면.
4) 최기원, 「신회사법론」 제14개정판(박영사, 2012), 421면; 최준선, 「회사법」 제16판(삼영사, 2021), 356~357면; 임재연, 「회사법 Ⅱ」(박영사, 2018), 11면.

나. 1주 1의결권의 원칙

주식회사는 주주들이 출자한 자본을 기반으로 설립되었으므로 총회에서 주주들은 그가 가진 주식 수에 따라 의결권을 행사할 수 있다. 그 의결권의 수는 1주에 1개이다(제369조 제1항). 이를 1주 1의결권의 원칙이라고 칭한다. 회사는 정관으로도 이를 달리 정할 수 없다.

2. 주주총회의 소집권자

주주총회는 소집권자의 소집절차에 따라 회의를 열어야 의사활동(議事活動)을 시작할 수 있다. 총회의 소집권자는 이사회(또는 이사)와 주주총회 자체이다.

가. 이사회(또는 이사)

주주총회의 소집권자는 첫째로 이사회이다(제362조). 이사회의 총회소집권은 회사가 정관으로도 달리 정할 수 없다.[5] 달리 정하였다면 그 정관의 규정은 무효이다.

이사회가 총회를 소집할 때에는 총회의 소집 여부에 더하여 일시, 장소, 회의의 목적사항을 빠뜨리지 않고 결의로 결정하여야 한다. 정기총회나 임시총회나 이 점은 마찬가지이다.

이사회는 매 결산기마다 정기총회를 소집하여야 한다(제365조 제2항). 정기총회는 재무제표를 승인하고 이익의 처분 또는 결손금의 처리를 결정하기 위하여 개최되는 총회이다. 그 소집 시기는 매 결산기 후 3월 이내이다.[6] 주주명부의 폐쇄기간 또는 기준일의 결정시기(제354조 제2항, 제3항)와 법인세법 제60조 등 때문에 매 결산기 후 3월 이내에 개최되어야 하는 것이다.

이사회는 정기총회 이외에 필요하다고 생각할 때에 임시총회를 소집할 수 있다(제365조 제3항). 이사회가 반드시 임시총회를 소집하여야 할 경우도 있다. 흡

---

5) 임재연, 전게 「회사법 Ⅱ」, 13면; 정준우 "주주총회의 실효적 운영을 위한 개선방안 검토," 「기업법연구 1」 제33권 제2호(한국기업법학회, 2019), 103~131면.
6) 정동윤, 전게 「상법(상)」, 543면; 송옥렬, 「상법강의」 제8판(홍문사, 2018), 715면; 김교창, 전게 「주주총회의 운영」, 35면.

수합병의 보고총회(제526조), 청산의 개시와 청산의 종결 시(제533조 제1항, 제
540조 제1항) 등이 그러한 경우들이다.

회사들 중 이사를 1인 또는 수고 두고 있을 뿐 이사회를 두고 있지 아니한
회사(제384조 제1항 단서, 동조 제5항)는 이사가 총회의 소집권자이다. 이사가 위
의 사항들을 결정한다.

청산중인 회사에 있어서는 청산인회 또는 청산인이 이사회 또는 이사의 기능
을 담당한다(제542조).

나. 주주총회

주주총회의 소집권자는 둘째로 주주총회 자체이다. 총회가 열린 때에 총회는
자율권에 기하여 회기연장결의(속행 또는 연기결의)로 회기를 연장할 수 있는데
(제372조 제1항), 연장에 나아가 다음 어느 날 어느 장소에서 어떤 목적사항으로
임시총회를 열자고 결의할 수도 있다.[7] 이처럼 총회가 소집권을 가지는 것은 너
무도 당연하다. 이런 총회의 소집결의가 있으면, 이사회의 소집결의는 필요하지
아니하다. 총회가 소집결의를 하면서 필요한 사항 중 일부를 이사회에 위임하였
을 때에는 그 결정을 위하여 이사회의 결의가 필요할 뿐이다.

3. 주주총회의 소집청구권자

상법은 소수주주(少數株主) 등에게 소집권자를 상대로 총회소집청구권을 부여
하고 있다.

가. 소수주주

상법상 소수주주에게 임시주주총회의 소집청구권이 부여되어 있다(제366조
제1항, 제542조의6 제1항). 소수주주의 주식보유요건은 발행주식총수의 3% 이상
이다. 상장회사에 대하여는 1.5%로 완화하는 대신 6개월 이상 보유하여야 하는
특례가 요구된다. 여기에서 말하는 주주는 의결권을 행사할 수 있는 주식을 가
진 주주를 말한다.[8] 의결권을 행사할 수 없는 주식을 소유하고 있는 주주들에

---

7) 한국회의법학회 저·대표집필 김교창, 증보판 「표준회의진행법교본」,(법률신문사, 2021. 1.),
  55면; 김교창, 전게 「주주총회의 운영」, 46면, 69면.

게는 소집청구권이 부여되어 있지 않다. 이들 주주는 주주총회가 소집되더라도 어차피 출석하여 의결권을 행사할 수 없는 주주이기 때문이다.

소수주주의 요건에 관한 발행주식총수에도 의결권을 행사할 수 없는 주식수는 포함되지 아니한다.[9] 발행주식총수를 그렇게 풀이하는 것이 소집청구권을 가지는 소수주주를 의결권을 행사할 수 있는 주주에 한한다고 풀이한 것과 균형이 맞는다.

소수주주의 요건은 청구 시부터 총회결의 시까지 갖추고 있어야 한다.[10] 청구 시의 주주가 도중에 바뀌더라도 위 요건을 갖추면 청구 후 요건을 흠결한 것이 아니라 계속 요건을 갖춘 것으로 본다. 복수의 주주가 별도로 동일한 목적사항으로 소집청구를 한 경우에는 합산하여 위 요건을 갖춘 여부를 판단하여야 한다.[11] 청구 후 요건을 흠결하더라도 이에 불구하고 총회가 소집되어 총회가 어떤 결의를 하였다면, 그 하자는 결의의 효력에 영향을 미치지 아니한다.[12]

소수주주에게 상법이 총회소집청구권을 부여한 것은 주주의 이익을 보호하기 위한 것이다. 소수주주는 소집청구권에 기하여 이사회에 임시주주총회의 소집을 청구하고, 나아가 이사회가 그 청구를 거부할 때에 법원의 허가를 얻어 스스로 총회를 소집할 수 있다. 총회를 소집하여 자신들이 제출하는 의안을 총회의 결의로 이끌어낼 기회를 갖게 된다.[13]

소수주주의 요건이 상법에 비상장회사(非上場會社)와 상장회사 사이에 다르게 규정되어 있다. 비상장회사의 경우에는 발행주식총수의 100분의 3 이상에 해당하는 주식을 가진 주주가(제366조 제1항) 소집청구권을 행사할 수 있다. 위 소유비율은 제366조 제1항에 대한 해석상 정관으로 낮출 수 있다. 낮출 수는 있지만 높일 수는 없다.[14] 높이는 것은 주주들의 소집청구권 행사를 상법보다 어렵게 하는 것으로서, 주주들의 권리를 침해하는 것이므로 상법의 취지에 위반되기

---

8) 정준우 전게 "주주총회의 실효적 운영을 위한 개선방안 검토".
9) 임홍근, 「회사법」, 개정판(법문사, 2001), 352면; 이철송, 「회사법강의」 제29판(박영사, 2021), 509~510면; 최준선, 전게서, 360면; 임재연, 전게서, 15면. 의결권 없는 주식도 포함된다는 견해: 최기원, 전게 「신회사법론」, 447면; 정동윤, 전게서, 542면; 송옥렬, 전게서, 914면.
10) 임홍근, 전게서, 352면.
11) 임재연, 전게서, 15면.
12) 임홍근, 전게서, 352면. 최준선 교수는 그래서 청구 시에만 요건을 갖추면 된다는 견해를 취한다(최준선, 전게서, 360~361면).
13) 서울고등법원 2005.5.13. 자 2004라885.
14) 임재연, 전게서, 16면.

때문이다. 혹시 정관에 그런 규정을 두었다면 그 정관의 규정은 무효이다. 상장
회사의 경우에는 6개월 전부터 계속하여 발행주식총수의 1,000분의 15 이상에
해당하는 주식을 보유하는 주주가(제542조의6 제1항) 소집청구권을 행사할 수 있
다. 여기에서 보유하는 자란 소유한 자, 주주권의 행사를 위임받은 자, 2명 이상
주주의 주주권을 공동으로 행사하는 자를 말한다(동조 제8항). 위 보유 기간이나
보유 비율도 역시 정관으로 낮출 수는 있으나(제542조 제7항), 높일 수 없다. 비
상장회사의 경우와 같다.

상장회사(上場會社)에 관하여는 소수주주의 요건이 위와 같이 비상장회사와는
별도로 규정되어 있으나, 상장회사의 주주가 보유요건을 갖추지 못한 경우라도
3% 지주요건을 갖춘 경우에는 주주총회소집청구권을 행사할 수 있다(제542조의
6 제10항)의 10항은 2020.12.29. 신설되었다. 이 조항이 신설되기 이전에도 대법
원이 같은 견해를 취하였고, [15] 당시 학설도 이렇게 선택 행사가 가능하다는 쪽
이 지배적이었다.[16] 이 특례는 소수주주권 행사를 용이하게 하기 위한 것이므로
선택적으로 행사할 수 있도록 하는 것이 타당하다.[17]

소수주주가 소집청구권을 행사하는 방법은 회의의 목적사항과 소집의 이유를
기재한 서면을 소집권자인 이사회에 제출하는 것이다. 이 청구를 받은 이사회는
지체 없이 총회소집의 절차를 밟아야 한다. 만일 이사회가 지체 없이 총회소집
의 절차를 밟지 아니하는 때에는 청구한 주주가 법원에 신청하여 법원의 허가를
받아 총회를 소집할 수 있다(제366조 제2항 전단). 법원은 소집을 허가할 때에
주주 기타 이해관계인의 신청을 받거나 직권으로 임시의장을 선임할 수 있다(제
366조 제2항 후단. 이 후단은 2011. 4. 상법 개정 시에 신설되었다). 법원이 반드시
선임하여야 하는 것은 아니고, 소집된 총회에 맡길 수도 있다.[18] 법원은 허가하

---

15) 대법원 2004.12.10. 2003다41715.
16) 김건식 · 최문희, "증권거래법상 상장법인의 특례규정의 문제점과 개선방안," 「BFL」 제23호
(서울대학교 금융법센터, 2007. 5.), 101~113면; 송옥렬, "감사위원회의 구성을 통한 경영
권 방어," 「BFL」 제20호(서울대학교 금융법센터, 2006. 11.), 93면 이하; 조민제 · 김영심,
"소수주주권 행사에 관한 상법과 증권거래법상의 특례규정의 관계," 「법조」 통권 제568호
(법조협회, 2004. 1.), 178면 이하; 장상균, "상법상 소수주주의 주주총회소집청구권의 행사
요건," 「대법원 판례해설」 통권 제51호(2005. 6.), 423면; 송현웅, "주주제안권행사의 제문
제," 「BFL」 제27호(서울대학교 금융법센터, 2008. 1.), 51면 이하. 정준우 전게 "주주총회
의 실효적 운영을 위한 개선방안 검토".
17) 김건식 · 노혁준 · 천경훈, 전게 「회사법」, 296면.
18) 대법원 2018.3.15. 2016다275679; 이철송, 전게서, 511면.

면서 소집시기를 정하기도 하고 정하지 아니하기도 한다. 정하지 아니한 경우라도 소수주주는 상당한 기간 내에 총회를 소집하여야 한다. 그 기간이 지나면 허가의 효력이 상실된다.[19)

법원이 소집을 허가한 경우에는 소수주주가 바로 소집권자이다. 그 소수주주는 회사의 임시기관이다.[20] 이에 회사의 임직원은 총회의 소집에서부터 종결에 이르기까지 그 소수주주에게 협력하여야 한다. 소수주주가 총회의 소집을 위하여 지출하는 비용도 당연히 회사가 부담하여야 한다.

소집의 허가를 받은 소수주주 중 일부가 빠지고 다른 주주가 참여하여 소수주주의 요건을 갖추면, 그 소수주주가 소집의 허가를 받은 주주로서 총회를 소집할 수 있다. 소수주주의 요건은 보유 주주의 개인적 이해관계가 아니기 때문이다.

소수주주가 허가를 받은 후 이사회가 동일한 목적사항으로 주주총회를 소집할 수 있을까? 그 사항에 관하여는 소수주주가 소집권자로 이미 정하여졌으므로 이사회는 소집할 수 없다.[21]

이 소집허가청구사건은 비송사건(非訟事件)이다. 본점소재지의 지방법원이 그 관할법원이다(비송사건절차법 제72조 제1항). 소수주주의 허가신청을 법원이 불허한 때에는 신청인이 그 결정에 항고할 수 있다(위 법 제80조, 제81조). 반면 법원이 이를 허가한 때에는 회사가 그 결정에 항고할 수 없고, 단지 민사소송법 제449조에 의한 특별항고를 할 수 있을 뿐이다.[22]

법원의 허가를 얻지 아니하고 소수주주가 직접 총회를 소집하면 그 총회는 절차상 하자 있는 총회이다. 그 하자는 중대한 하자이다. 따라서 그 총회에서 이루어진 결의는 효력을 부정당한다.[23]

소수주주의 청구를 받아 이사회가 소집한 총회, 소수주주가 법원의 허가를 얻어 직접 소집한 총회는 회사의 업무 및 재산 상태를 조사하게 하기 위하여 검사인을 선임할 수 있다(제366조 제3항).

---

19) 임홍근, 전게서, 353면; 이철송, 전게서, 511면.
20) 임홍근, 전게서, 353면; 이철송, 전게서, 511면; 정찬형, 전게서, 885면; 김교창, 전게 「주주총회의 운영」, 68면.
21) 수원지방법원 2007.8.30. 2007카합392. 최기원, 전게서, 448면; 정동윤, 전게서, 542면; 이철송, 전게서, 511면; 정준우 전게 "주주총회의 실효적 운영을 위한 개선방안 검토".
22) 대법원 1991.4.30. 자 90마672.
23) 광주고등법원 제주부 2010.4.21.

상법에는 소수주주의 임시주주총회 소집청구권에 관하여만 규정되어 있다. 그러면 이사회가 정기주주총회의 소집을 게을리할 때에는 어떻게 하는가? 이때에도 소수주주가 총회 소집청구권을 행사할 수 있다고 해석한다.[24]

나. 감사, 감사위원회

감사, 감사위원회를 설치하고 있는 회사의 경우에는 감사 대신 감사위원회에게도 임시주주총회소집청구권이 부여되어 있다(제412조의3 제1항, 제415조의2 제7항).

감사 또는 감사위원회가 소집청구권을 행사하는 방법 등은 모두 소수주주가 이를 청구하는 방법과 같다(제412조의3 제2항). 뿐만 아니라 정기주주총회의 소집청구권에 관하여도 소수주주에 관하여 설명한 바와 같다.

다. 기   타

회사는 정관에 정하여 위 가, 나. 항 기재 이외의 자에게 총회소집청구권을 부여할 수 있다.

4. 법원의 소집 명령권

소수주주의 청구에 의하여 법원이 검사인을 선임한 경우에(제467조 제1항), 그 검사인으로부터 조사 결과를 보고 받고(동조 제2항), 법원이 필요하다고 인정한 때에는 대표이사에게 총회의 소집을 명할 수 있다(동조 제3항). 이 명을 받은 대표이사는 지체 없이 총회를 소집하여야 한다. 이 경우에는 총회의 소집에 이사회의 소집 결의는 필요하지 아니하다. 이 소집명령에 위반하면 대표이사에게 법원이 과태료의 제재를 가한다(제635조 제1항 제22호).

5. 소집사무 담당자

총회의 소집권자가 소집을 결정하면 주주총회의 의장이 소집절차를 집행하여

---

24) 임홍근, 전게서, 354면; 김교창, 전게「주주총회의 운영」, 68면.

야 한다. 의장이 소집사무 담당자로서 위 결정에 기하여 총회의 소집절차를 밟아야 하는 것이다.[25] 대부분의 회사는 정관에 주주총회의 의장직을 대표이사로 하여금 맡도록 규정하여 놓고 있다. 그런 회사의 경우에는 당연히 대표이사가 총회의 의장으로서 소집사무를 담당한다. 정관에 주주총회의 의장에 관하여 아무런 규정이 없는 회사의 경우에도 대표이사가 의장직을 담당할 사람이므로 당연히 소집사무를 담당한다. 총회의 소집사무는 회사의 일반 업무 중 하나이므로 회사의 업무를 총괄할 책임을 지고 있는 대표이사가 담당하여야 하는 것이다.[26] 대표이사 이외의 사람을 주주총회의 의장으로 정관에 따로 정하여 놓고 있는 회사의 경우에는 그 의장이 소집사무 담당자이다. 그런데 그 의장이 소집사무를 게을리하면 어떻게 하는가? 이때에도 대표이사가 담당하여야 한다. 그 이유는 위에서 설명한 바와 같이 대표이사가 회사의 업무를 총괄할 책임자이기 때문이다.

공동대표이사제도를 두고 있는 회사의 경우에 대표이사들 사이에 소집사무 담당자를 정하여 놓았으면 그가 담당한다. 혹시 그가 소집사무를 게을리하면 다른 대표이사가 담당한다. 대표이사들 사이에 공동으로 담당하기로 정하여 놓았으면 공동으로 담당하여야 한다. 아무런 정함이 없으면 공동으로 담당하기로 정한 것으로 본다. 공동으로 담당하여야 하는데, 혹시 그 중 1인이 담당하면 그 사유는 주주총회결의 취소사유에 해당하는 하자이다.[27] 하지만 주주 등이 제소하더라도 법원이 상법 제379조에 의거 재량으로 기각할 가능성이 높다. 소집사무는 법률행위가 아니라 이사회의 의사결정에 따른 통지행위일 뿐이므로, 경미한 하자로 평가되기 때문이다.

공동대표이사제도를 두고 있지 아니한 회사들 중에도 복수의 대표이사를 두고 있는 회사가 여럿 있다. 이들 회사의 경우에는 언제나 그 중 1인의 대표이사가 소집사무를 담당하면 된다.[28] 혹시 대표이사들 사이에 소집사무를 담당할 대표이사가 정하여져 있더라도, 그것은 그들 사이의 내부적 업무 분담에 관한 정함에 그치므로 그 이외의 대표이사가 소집사무를 담당하더라도 그 소집절차는 하자 없는 절차이다.

25) 김건식·노혁준·천경훈, 전게 「회사법」, 295면; 김교창, 전게 「주주총회의 운영」, 66면.
26) 대법원 2009.5.28. 2008다85147; 최기원, 전게서, 452면; 전게 증보판 「표준회의진행법교본」, 57~58면.
27) 대법원 1993.1.26. 92다11008.
28) 최준선, 전게서, 360면; 김교창, 전게 「주주총회의 운영」, 98면.

청산중인 회사에 있어서는 대표청산인이 소집사무 담당자이다(제542조 제2항).

소집사무 담당자는 반드시 소집권자의 소집결정에 기하여 총회를 소집하여야 한다. 소집권자의 소집결정 없이 소집사무 담당자가 총회를 소집하였으면 그 총회결의는 하자 있는 결의이다. 그 하자는 결의취소사유에 해당한다.[29]

이사회의 결의에 기하여 총회를 소집하였으나 대표이사 아닌 이사(정관에 의하여 의장직을 맡기로 되어 있는 이사가 아닌 이사)가 총회의 소집사무를 담당하면 어떻게 되는가? 그 사유는 주주총회결의 취소사유에 해당하는 하자이다.[30] 이 하자에 대한 설명으로는 위에서 공동대표이사제도를 두고 있는 회사의 경우에 관한 설명을 원용한다.

회사들 중 이사를 두고 있을 뿐 이사회를 두고 있지 아니한 회사(제384조 제1항 단서, 동 제5항)는 이사가 총회의 소집권자이자 소집사무 담당자이다.

6. 총회의 일시, 장소 및 회의의 목적사항

총회의 소집권자가 총회를 소집하기로 결정할 때에는 일시, 장소 및 회의의 목적사항도 함께 결정하여야 한다.

가. 총회의 일시

총회의 소집권자는 총회의 일시를 정함에 있어서 가급적 많은 주주가 출석하기 좋은 일시를 택하여야 한다. 주주들이 출석하기 곤란한 일시를 택하여 총회를 개최하였다면 소집절차가 부당한 때에 해당되어 결의취소의 대상이 된다(제376조). 대부분의 회사의 경우 공휴일(公休日)은 가급적 피하는 것이 좋다. 하지만 공휴일에 총회를 개최하였다고 현저히 부당하다고 볼 것은 아니다.[31] 회사 중에는 공휴일에 총회를 여는 것을 선호하는 회사(예: 골프장경영회사)도 있다.

---

29) 대법원 1980.10.27. 79다1264; 1989.5.23. 88다카16690.
30) 수원지방법원 1993.9.10. 93도698.
31) 高見忠義, "株主總會の開催日お日曜日にすることの可否," 「旬刊 商事法務」 제985호(1983. 9. 15.), 42面.

나. 총회의 장소

총회의 소집권자는 총회의 장소를 정하여야 한다. 여기에서 장소란 구체적인 회의장소를 말한다. 그 지번과 회의장의 명칭까지 명확하게 기재하여야 한다. 주주들이 용이하게 회의장소를 찾아갈 수 있도록 그렇게 정해야 하는 것이다.[32]

소집권자는 총회의 장소를 상법과 정관에 규정되어 있는 소집지 내로 정하여야 한다. 소집지는 첫째로 회사의 주 사무소 소재지가 속하는 행정구역이다(제364조). 회사의 주 사무소 소재지와 멀리 떨어진 곳을 장소로 정하면 주주들이 출석하기 어려울 것이기 때문이다. 소집지는 둘째로 주 사무소 소재지가 속하는 행정구역의 인접지, 즉 인접 행정구역이다(제364조). 본점 소재지가 서울특별시인 회사로 말하면 고양시가 인접지이다.[33] 소집지는 셋째로 정관에 규정된 행정구역이다. 회사는 정관에 규정을 두어 소집지로 첫째, 둘째에 더하여 그 이외의 곳을 정할 수 있다(제364조). 실제로 회사의 중요 공장 소재지를 정관에 소집지로 추가하고 있는 예가 있다. 소집권자가 소집지만 정하고 소집장소의 결정은 소집사무 담당자에게 위임할 수 있다.

다. 회의의 목적사항

회의의 목적사항에는 보고사항과 결의사항(의안)이 있다. 소집권자는 이를 구분하여 결정하여야 한다. 전(前) 회의에서 이번 회의로 이월된 의안이 있으면 그것도 포함시켜야 한다.

의안 중 이사 선임 의안에 관하여 특별히 설명한다. 이사는 사내이사, 사외이사, 기타 상무에 종사하지 아니하는 이사로 구분되어 있으므로 이사 선임을 주주총회의 목적사항으로 정할 경우 선임할 이사의 종류를 분명히 밝혀야 한다. 그 종류를 정하지 아니하였으면 사내이사의 선임의안으로 추정된다. 그리고 이사 1인을 선임하는 것이 하나의 의안이므로 이사를 여러 명 선임하려는 경우에는 위 이사의 종류별로 선임할 이사의 원수(員數)를 반드시 정하여야 한다. 그 수를 정하지 아니하였으면 1인을 선임하는 것으로 추정된다. 이사의 선임에 있어서 집중투표제를 정관으로 배제하고 있지 아니한 회사, 즉 이사의 선임에 있

---

32) 서울고등법원 2010.11.15. 자 2010라1065.
33) 서울고등법원 2006.4.12. 2005나74384.

어서 집중투표제를 시행하게 될 회사는 이사 선임을 의안으로 삼아 총회를 소집
할 때에는 특히 필수적으로 선임할 이사의 종류와 원수를 반드시 정하여야 한
다. 그래야 주주들이 집중투표제에 의한 의결권을 어떻게 행사할지를 결정할 수
있을 것이기 때문이다.

7. 주주총회의 소집절차

가. 소집통지의 방법

소집통지의 방법은 소집사무 담당자가 의결권 있는 주식을 가진 모든 주주에
게 서면으로 통지를 발송하거나 그 주주들의 동의를 각각 받아 전자문서(電子文
書)를 발송하는 것이다. 이들이 소집통지서이다. 소집사무 담당자는 반드시 소집
통지서를 발송하여야 한다. 구두나 전화 등에 의한 통지는 통지로서의 효력이
없다.

소집통지서에는 회의의 일시, 장소, 회의의 목적사항을 기재하여야 한다(제
363조 제1항 본문, 동 제2항). 소수주주에게 의안제출권이 부여되어 있다고 위에
서 설명하였다. 이사회의 총회 소집 결의 시에 즈음하여 소수주주가 의안을 제
출하였으면, 이사회는 그 의안도 소집통지서에 기재하여야 한다. 회의의 목적사
항 중에 정관변경 안이 들어 있으면 그 의안의 요령을 기재하여야 한다(제433조
제2항). 상장회사의 경우에는 이사, 감사선임의안이 들어 있으면 그 의안의 요령
을 기재하여야 한다(제542조의4 제2항). 이들 후보자의 성명, 경력, 추천인 등이
이 의안의 요령에 해당한다. 소수주주가 후보자를 추천한 경우에는 그 후보자들
의 성명 등도 기재하여야 한다. 소수주주의 후보자 추천은 이사회의 후보자 추
천에 대한 수정안인데, 이 수정안의 요령도 기재하여야 하는 것이다.[34]

회의의 목적사항으로 이사선임의 건을 기재할 때에는 통지서에 선임할 이사
의 종류와 원수를 반드시 기재하여야 한다.[35] 그 이유는 앞서 회의의 목적사항
에서 이미 설명하였다. 이사 전원의 임기가 만료되어 그 후임자를 선임하려는
경우에는 "이사 전원의 임기 만료에 따른 후임 이사 선임의 건"이라고만 기재하

---

34) 김교창, "上場會社 少數株主의 社外理事候補推薦," 「판례연구」 제23집(2)(서울지방변호사회,
    2009. 12.), 55~98면.
35) 서울고등법원 2010.11.15. 자 2010라1065.

여도 괜찮다.[36) 이 경우에는 그 기재만으로 주주들이 선임할 이사의 종류와 그 원수를 알 수 있을 것이기 때문이다.

소집통지서에 회의의 목적사항으로 몇 가지를 열거하고서, 이어 "기타"라고 기재하여 놓는 예를 가끔 본다. "기타"라고 기재한 것은 아무런 기재도 하지 않은 것과 같다.[37) 상법이 통지서에 회의의 목적사항을 기재하라고 규정하고 있는 취지는 주주들로 하여금 어떤 의안이 심의될는지 사전에 알고 준비하고 나오도록 하려는 깃인데, "기타"로는 어떤 의안이 심의될는지 알 수 없기 때문이다.

나. 통지서에 동봉할 서류들

상당수의 회사들은 주주총회의 소집통지서를 보낼 때에 회사와 주주의 편의를 위하여 참석장과 위임장 용지를 동봉하여 보내고 있다. 참석장은 주주 본인이 출석할 때에, 위임장 용지는 대리인을 선임하여 참석시키고자 할 때에 총회장의 접수처에 각 제출하라고 보내는 서류이다.

상장회사들이 주주들에게 의결권의 대리행사를 권유하고자 할 때에는 회사가 반드시 위임장 용지와 참고서류를 동봉하여야 한다. 동봉하지 아니 하였으면 별도로 교부하여야 한다(자본시장법 제152조 제1항). 이들 서류의 교부방법과 기재사항 등에 관하여는 자본시장법 시행령에 상세하게 규정되어 있다(위 제1항, 제6항, 자본시장법 시행령 제160조, 제163조).

다. 소집통지서의 발송 시한

소집통지서의 발송 시한(時限)은 회일(會日)의 2주간 전이다(제363조 제1항 본문). 늦어도 회일로부터 2주간 전에는 발송하여야 한다. 여기에서 2주간 전이란 발송일과 회일 사이에 2주간을 두어야 한다는 뜻이다. 예를 들어 3월 27일이 회일이면, 늦어도 3월 12일(13일부터 26일 사이가 14일간임)에는 발송하여야 하는 것이다.

각 회사는 정관에 규정을 두어 위 시한을 신장(伸長)할 수는 있다.[38) 그러나 단축할 수는 없다. 신장하는 것은 주주들에게 그만큼 여유를 더 주는 것이므로

---

36) 日最高裁 平成10.11.26.
37) 대법원 1996.10.25. 95다56866.
38) 김건식·노혁준·천경훈, 전게「회사법」, 300면; 김교창, 전게「주주총회의 운영」, 82면.

괜찮지만, 단축하는 것은 그만큼 여유를 줄여 주주들의 참석을 어렵게 할 염려가 있기 때문이다. 이 시한에 관한 상법의 규정은 이렇게 편면적(片面的) 임의규정이다.

라. 통지를 보내야 할 주주

소집의 통지는 주주명부에 등재되어 있는 의결권 있는 주식의 소유자 모두에게 보내야 한다(제363조 제1항). 이 통지는 총회에서 의결권을 행사할 주주를 위한 것이므로 의결권을 행사할 수 없는 주식을 소유한 주주들에게는 보낼 필요가 없다(동 제7항 본문). 다만 회의의 목적사항에 제360조의5, 제360조의22, 제374조의2, 제522조의3, 또는 제530조의11에 따라 반대주주의 주식매수청구권이 인정되는 사항이 포함된 경우에는 그러하지 아니하다(동 단서).

여기의 주주명부에는 실질주주명부도 포함된다. 실질주주명부란 증권회사를 통하여 그 소유주식을 증권예탁결제원에 예탁하고 있는 주주를 기재한 주주명부를 말한다(자본시장법 제316조 제1항, 동조 제2항). 동일인이 회사의 주주명부와 실질주주명부에 기재되어 있을 때에는 그 소유주식수를 합산하여 권리를 행사하게 된다(동조 제3항).

주주명부상의 주주가 타인의 주식을 명의수탁하고 있는 자임을 회사가 알고 있는 경우라도 소집사무 담당자는 명부상의 주주에게 통지하여야 한다. 회사와의 관계에서는 명부상의 주주만이 총회에서 의결권을 행사할 주주이기 때문이다.[39] 주주가 주식을 타인에게 양도하였으나 아직 명의개서를 하지 아니하였으면 양수인에게 소집의 통지를 보낼 필요가 없다.[40] 대법원 2017. 3. 23. 전원합의체 판결이 나오기 전까지는 회사가 명백하게 알고 있으면 실질주주, 즉 명의신탁하고 있는 주주, 주식을 양수한 주주에게 통지를 보냈어야 하였다.[41] 그러나 이 전원합의체 판결로 대법원이 태도를 바꾸어 이제는 형식주주, 즉 주주명부상의 주주에게 통지하게 되었다.[42]

---

39) 대법원 2017.3.23. 2015다248342 전원합의체. 이에 대한 평석; 이철송, "회사분쟁의 단체법적 해결 원칙의 제시,"「선진상사법률연구」통권 제78호(법무부 2017. 4.), 229~251면; 남윤경, "형식주주의 법적지위,"「법학연구」제28권 제1호(충북대학교 법학연구소, 2017. 7.), 385~412면.
40) 대법원 1989.5.23. 88다카16690; 1996.12.23. 96다32768, 32775, 32782.
41) 김재범,「주주총회 판례연구」(동방문화사, 2008), 53면 이하; 대법원 1998.9.8. 96다45818.
42) 이철송, 전게 "회사분쟁의 단체법적 해결원칙의 제시," 이 판결에 대한 반대의견: 정경영,

가설인의 명의나 승낙을 받지 아니하고 타인의 명의로 주식을 인수한 경우에는 당사자 사이에서는 실제로 주식을 인수한 자가 주주권을 행사할 자이지만 회사에 대하여 주주권을 행사하려면 어떤 방법에 의하던 그 사실을 밝혀야 한다. 그리고 승낙을 받고 타인의 명의로 주식을 인수한 경우에는 원칙으로 그 명의자가 회사에 대한 관계에서 주주의 지위를 가진다. 위에서 설명하였다.

주권의 발행 전에 주식을 양수한 사람은 민법 제450조의 대항요건인 확정일자를 갖춘 양도통지를 하거나 승낙을 받아야 한다.[43] 확정일자를 갖추시 아니한 통지나 승낙으로는 회사에 대하여 자신이 주주임을 주장할 수 없다. 회사는 그런 양수인에게는 주주총회의 소집통지를 보낼 필요가 없다.[44]

마. 소집통지서를 보낼 곳

소집통지서를 보낼 곳은 주주명부상에 기재되어 있는 주소이다. 그 주소로 보낸 통지가 계속 3년간 도달하지 아니한 때에는 회사는 그 이후 그 주주에게 총회의 소집을 통지하지 아니할 수 있다(제363조 제1항 단서).

바. 소규모 회사의 특례

자본금 총액이 10억원 미만인 회사가 주주총회를 소집하는 경우에는 회일의 10일 전(중, 대규모회사는 2주 전임에 비하여 단축된 기간임)에 각 주주에게 소집의 통지를 발송하거나 각 주주의 동의를 받아 전자문서로 통지를 발송할 수 있다(제363조 제3항, 동조 제4항 전단). 그리고 소규모회사의 경우에도 주주 전원의 동의가 있을 경우에는 소집절차 없이 주주총회를 개최할 수 있고, 서면에 의한 결의도 가능하다. 서면에 의한 결의에 대하여는 주주총회에 관한 규정을 준용한다(동조 제5항 내지 제6항).

"주식회사의 형식주주, 실질주주의 관계," 「비교사법」 제24권 제2호(한국비교사법학회, 2017. 5.), 876~907면; 정찬형, "주주명부의 기재의 효력," 「서강법률논총」 제6권 제2호(서강대법학연구소, 2017), 145~215면; 최준선, 전게서, 286~287면; 송종준, "명의주주의 법적지위와 명의개서의 상호관계," 「법조」 통권 제723호(법조협회, 2017. 6.), 876~907면; 김교창, "실질주주, 형식주주 및 회사 사이의 법률관계," 「법률신문」(2017. 12. 7.), 12면.

43) 대법원 2007.2.22. 2006두6604; 2002.9.10. 2002다29411; 1993.12.28. 93다8719.
44) 대법원 2014.4.30. 2013다99942; 1996.12.23. 96다32768, 32775, 32782.

사. 1인회사의 경우

주식회사 중에는 발행주식 전부를 1인이 소유하고 있는 회사도 있다. 이런 회사를 1인회사(一人會社)라고 칭한다. 발행주식 전부를 1인이 소유하고 있지 아니하더라도 그 중 1인과 그 밖의 주주들 사이에 친인척 관계 기타 친분 관계로 실제 그 1인이 지배하는 회사도 1인회사에 속한다. 1인회사의 경우에는 위에서 설명한 주주총회의 소집절차등에 하자가 있더라도, 심지어 생략하여도 괜찮다. 그리고 뒤에서 설명하는 주주총회의 진행 절차 또한 생략하여도 괜찮다. 그 1인의 뜻에 의한 주주총회의사록만 작성되면 그것으로 유효한 주주총회결의가 이루어진 것으로 인정된다.[45] 혹시 의사록이 작성되지 않았더라도 1인주주의 의사 결정이 신빙할만한 증거에 의하여 총회의 결의내용과 일치하는 것으로 확인되면 그러한 내용의 결의가 있었던 것으로 인정된다.[46]

아. 상장회사의 대한 특례

1) 소액주주에 대한 특례

상장회사의 소액주주에 대하여는 소집절차에 특례가 마련되어 있다. 정관에 규정을 두어 2개 이상의 일간신문에 공고하거나, 정관에 규정을 두어 시행령으로 정하는 방법에 따라 전자적 방법으로 공고하면 된다(제542조의4 제1항).[47] 여기에서 소액주주란 의결권 있는 발행주식총수의 100분의 1 이하의 주식을 소유하는 주주를 말한다(상법 시행령 제31조 제1항). 그리고 시행령이 정하고 있는 공고방법은 금융감독원의 DART, 한국거래소의 KIND를 이용하는 것이다(동 제31조 제2항).

2) 이사·감사 선임 의안에 대한 특례

상장회사가 이사·감사의 선임을 회의의 목적사항으로 주주총회 소집통지를 하는 경우에는 이사·감사 후보자의 성명, 약력, 추천인, 그 밖에 대통령령으로 정하는 후보자에 관한 사항을 통지하거나 공고하여야 한다(제542조의4 제2항).

---

45) 대법원 2020.6.4. 2016다241515, 241522; 2014.1.23. 2013다56839; 2004.12.10. 2004다 25123; 1993.6.11. 93다8702; 1976.4.13. 74다1755.
46) 대법원 2020.6.4. 2016다241515, 241522.
47) 김교창, 전게 "상장회사의 특례에 관한 2009년 개정상법의 논점".

여기에서 공고란 위 1)의 공고를 말한다.

상장회사가 주주총회에서 이사·감사를 선임하려는 경우 원칙으로 위 제542조의4 제2항에 의하여 통지하거나 공고한 후보자 중에서 선임하여야 한다(제542조의5). 경력, 추천인 등 후보자의 인적사항을 사전에 주주들이 알고 있는 후보자가 이사·감사로 선임되기를 바라는 취지의 규정이다. 하지만 주주총회는 주식회사의 최고의사결정기관이므로, 위의 후보자를 주주총회가 적격자가 아니라고 판단하여 그의 선임 의안을 부결시기고, 그 자리에서 주주들로부터 후보자를 새로 추천받아 그 후보자를 이사·감사로 선임하더라도 그 선임의 효력을 부정당하지 아니할 것이다.

자산총액 2조원 이상인 대규모 상장회사의 경우에는 감사위원 중 1인 이상은 다른 이사와 분리해서 선출하여야 한다. 해당 이사 겸 감사위원 선출시에 3% 의결권 제한 규정아 적용된다(제542조의 12 제4항, 2020.12.29.). 이 규정으로 다수의 주주가 원하지 않는 이사가 선출되어 이사회의 구성원이 되고, 나아가 감사위원으로 활동할 수 있게 되었다, 다수결의 원칙을 깨뜨리고 주주들의 권리를 지나치게 제한한 것이라는 지적을 면키 어렵다.

3) 사외이사 등의 활동내역

상장회사가 주주총회의 소집의 통지를 하는 경우에는 사외이사 등의 활동내역과 보수에 관한 사항, 사업개요 등 대통령령으로 정하는 사항을 통지 또는 공고하여야 한다. 다만 상장회사가 그 사항을 대통령령으로 정하는 방법으로 일반인이 열람할 수 있도록 하는 경우에는 그러하지 아니하다(제542조의4 제3항).

자. 소집통지의 효력 발생

소집의 통지는 주주명부에 기재된 주소 또는 주주가 회사에 동시한 주소로 보내면 된다(제353조 제1항). 그렇게 통지한 소집통지의 효력은 그 통지가 보통 도달할 시기에 도달한 것으로 봄으로써 그 시기에 효력이 발생한다(제353조 제2항, 제304조 제2항). 이렇게 효력이 발생하도록 하는 것을 발신주의(發信主義)라고 말한다.

민법상 상대방 있는 의사표시는 원칙으로 그 표시가 상대방에게 도달한 때에 효력이 발생한다(민법 제111조 제1항). 이를 도달주의라 칭한다. 그런데 다수인을 상대로 한 법률관계의 획일적 효력 확정을 위하여 상법은 도달주의에 대한 예외로서 발신주의를 취하고 있는 것이다.

차. 소집의 철회

이사회는 일단 총회의 소집을 결의하였다가 결의로 이를 철회할 수 있다. 소집사무 담당자가 소집통지서를 발송하기 전이거나 발송한 후이거나 상관없다. 철회를 위한 이사회의 결의요건은 소집을 위한 결의요건과 같다.[48] 철회하기로 결의하였으면 소집사무 담당자가 소집통지에 준하는 방법으로 그 통지를 하여야 한다. 준하는 방법이란 주주들에게 퀵서비스, 전화, 음성 또는 문자메시지로 철회의 통지를 하는 것이다, 통지서를 발송할 시간적 여유가 있는 때에는 물론 통지서를 발송하여야 한다. 그렇게 통지를 하더라도 모르고 회의장을 찾는 주주가 있을 수 있으므로 회의장 입구에 공고문도 부착하여야 한다. 철회 통지의 시한은 총회 회일 전까지이다. 회일에는 철회할 수 없다. 회일에는 총회에 출석한 주주들의 결의에 의하여 철회할 수 있을 뿐이다.

적법하게 철회되고 위와 같이 통지가 되었는데도 불구하고 주주들이 모여 어떤 결의를 하였다면 그 결의는 중대한 하자있는 결의이다. 소집절차를 결한 것으로서, 그 사유는 부존재에 해당한다.[49] 한편 이사회의 적법한 결의가 없는데도 소집사무 담당자가 철회의 통지를 한 경우에는 어떨까? 이 경우에도 그 철회의 통지에 불구하고 주주들이 모여 어떤 결의를 하였다면 그 결의는 하자 있는 결의이다. 적법하게 철회된 것으로 알고 출석하지 아니한 주주들의 의결권이 침해되었기 때문이다. 그렇기는 하지만 일단 유효하다. 그 하자는 취소사유에 해당하는 하자인 것이다.[50] 따라서 주주 등이 결의취소의 소를 제기하면 법원이 취소판결을 내릴 여지가 남아 있을 뿐이다.

카. 전원출석주주총회, 전원동의에 의하여 소집절차를 생략한 주주총회

주주 전원이 출석하여 의결권을 행사한 주주총회를 전원출석주주총회(全員出

---

48) 대법원 2009.3.29. 2007도8195.
49) 대법원 2011.6.24. 2009다35033. 정경영, "주주총회의 소집철회," 「상법판례백선」 제6판(법문사, 2018), 342~348면.
50) 임재연, · 전게 「회사법 Ⅱ」, 44~45면.

席株主總會)라 칭한다. 이사회의 소집결정이 없지만 주주 전원이 모여 총회를 개최하는데 동의하고 총회를 개최하였으면 그 총회에서 이루어진 결의는 유효하다.[51] 이사회의 소집결정만 있고 소집사무 담당자의 소집통지절차를 결한 경우, 소집절차에 하자가 있는 경우에도 위와 같다. 그리고 비록 전원이 모이지는 아니하였더라도 전원이 총회를 여는데 사전에 동의한 가운데 총회가 열리어 결의가 이루어졌으면 그 결의 역시 유효하다.[52] 그 하자에 불구하고 주주 전원이 이의 없이 의결권을 행사함으로써 그 하자가 치유되었기 때문이다.

타. 서류검사인, 총회검사인

총회는 이사가 제출한 서류와 감사의 보고서를 조사하게 하기 위하여 검사인을 선임할 수 있다(제367조 제1항). 이 검사인을 서류검사인이라 칭한다. 회사 내의 기관인 이사와 감사가 제출한 서류를 외부의 전문가로 하여금 객관적인 입장에서 심사하여 보고를 받은 후 주주들이 총회에 임하도록 상법이 이런 제도를 마련하였다.

회사 또는 발행주식총수의 100분의 1 이상에 해당하는 주식을 가진 주주는 총회의 소집절차나 결의방법의 적법성을 조사하기 위하여 총회 전에 법원에 검사인의 선임을 청구할 수 있다(동조 제2항). 이 검사인을 총회검사인이라 칭한다. 법원이 선임한 검사인을 통하여 총회의 소집절차 등에 대한 적법성을 사전에 검사하기 위한 제도이다. 이 검사인의 주요 업무는 총회에 제출되는 위임장의 유·무효를 조사하고 투표·개표가 공정하게 진행되는지 그 과정을 지켜보는 것이다.[53]

8. 주주총회 소집금지, 개최금지 가처분

상법에 주주총회결의에 절차상 또는 내용상의 하자가 있는 때에 그 결의의

---

51) 대법원 1993.2.26. 92다48727; 1996.10.11. 96다24309; 2002.6.14. 2002다11441; 2002.7.23. 2002다15733; 2002.12.24. 2000다69927; 김재범, 전게 「주주총회 판례연구」, 85면; 김건식·노혁준·천경훈, 전게 「회사법」, 301면, 343면.

52) 대법원 2014.5.16. 2013도15875; 2008.6.26. 2008도1044; 2002.12.24. 2000다69927; 임재연, 전게서, 49~50면.

53) 정찬형, "2011년 개정회사법의 내용과 과제," 「저스티스」 통권 제127호(한국법학원, 2011. 12.), 8~44면.

효력을 다투는 소송에 관하여는 5개의 규정이 들어 있으나(제376조 내지 제381조), 총회의 소집 단계에서 사법적(司法的)으로 소집 또는 개최를 금지하는 절차에 관하여는 아무런 규정도 들어 있지 아니하다. 그렇지만 실무상 민사집행법 제301조 이하에 의하여 이해관계자들이 소집금지 또는 개최금지가처분신청을 법원에 제출하고, 법원이 이 신청을 받아들여 가처분결정을 내리는 일이 종종 있다. 소집권한 없는 자에 의한 소집, 이사회의 결의 없이 대표이사가 소집할 경우, 대표이사 아닌 이사가 소집할 경우, 직무집행정지 중인 대표이사가 소집할 경우, 소수주주가 법원의 허가 없이 소집할 경우 등이 그런 가처분신청의 이유들이다. 신청권자는 주주, 이사, 감사 등이다. 상대방은 총회를 소집하려는 자이다.

Ⅲ. 주주총회의 의안 김 교 창*

1. 동   의

가. 동의의 의의

의안(議案, bill)은 동의(動議, motion) 중 하나이다. 이에 의안에 대한 설명을 하기 위하여 의안보다 넓은 개념인 동의에 대하여 먼저 설명한다.

동의란 단체(회사도 단체 중 하나임)내 총회, 이사회, 위원회 등 회의체기관(會議體機關 — 이하 대표적 회의체인 총회를 앞세워 설명한다)에 단체의 존립과 운영에 관하여 어떤 의견을 단체의 총의(總意)로 삼자고 이사회나 회원(주식회사의 주주) 등이 제출하는 제안(提案)을 말한다. 동의의 제출은 총회의 운영에 있어서 가장 기본적인 기법(技法)이다.[1] 동의가 제출되고 성립되면 의장이 이를 총회에 상정한다. 총회는 상정된 동의를 심의하여 가결 또는 부결 처리한다. 그 처리가 결의(決議)라는 이름으로 단체의 총의가 된다.

---

* 법무법인(유) 정률 고문변호사
1) 한국회의법학회 저·대표집필 김교창, 증보판 「표준회의진행법교본」(법률신문사, 2021. 1.), 101~102면; RR("Robert's Rules of Order" Newly Revised 11th ed., DA CAPO PRESS, A Member of the Perseus Books Group, 2011), p. 27, 100.

나. 동의의 종류

동의는 첫째 단계로 주동의(主動議, main motions)와 보조동의(補助動議, sub-sidiary motions)로 분류된다. 주동의란 용어는 회의진행법상 용어로서 회의 실무에서는 거의 쓰이지 아니하고, 그 대신 의안이란 용어가 널리 쓰인다. 회의진행법상 보조동의와 대비할 때에 의안을 주동의라고 칭하는 것이다.

주동의란 곧 의안이다. 주동의에서 주란 주제(主題)기 된디는 뜻이다. 주동의는 둘째 단계로 기본주동의(基本主動議, original main motions)와 부수주동의(附隨主動議, incidental main motions)로 분류된다.[2] 이 분류는 의안의 내용을 기준으로 한 분류이다.

보조동의에서 보조란 다른 동의가 성립되어 있는 것을 전제로 그 동의를 대상동의로 삼아 그 심의를 보조한다는 뜻이다. 보조동의에 대하여는 다음 항(Ⅳ. 주주총회의 회의진행)에서 설명한다.

다. 동의의 제출, 성립, 상정, 심의, 처리

만사(萬事)는 기승전결(起承轉結)로 이루어진다. 동의의 제출과 성립이 '기'이고, 상정이 '승'이며, 심의가 '전'이고 처리가 '결'이다.

회원은 총회에서 동의를 제출할 권리를 가진다. 회원 1인의 제출에 다른 회원 1인의 재청(再請)으로 동의가 성립된다. 재청은 그 동의를 상정하여 심의하자는 의사표시에 그친다. 그 동의에 찬성한다는 취지까지는 포함되지 아니한다.[3] 성립에 재청을 요하도록 정한 이유는 1인만에 의한 것을 심의의 대상으로 삼으면 총회가 공연히 시간을 낭비할 염려가 있기 때문이다. 그러므로 2인이 공동으로 제출한 동의는 제출만으로 바로 성립된다.

성립된 동의는 의장이 반드시 총회에 상정하여, 총회로 하여금 심의, 처리하도록 하여야 한다. 총회의 기관인 의장이 총회에 상정할지 여부를 결정할 수는 없다. 의장이 그 여부를 결정할 수 있다면, 성립된 동의를 총회로 하여금 심의, 처리할 기회를 박탈하여 동의의 제출자가 총회로 하여금 심의, 처리를 구한 것을 헛되게 할 염려가 있기 때문이다.

---

2) 전게 「표준회의진행법교본」, 102～103면; 「RR」 59, pp. 100～102.
3) 전게 「표준회의진행법교본」, 103면; 「RR」, p. 36.

의장은 동의를 1개씩 상정하여 심의를 구하여야 한다.[4] 이를 일동의(一動議)의 원칙이라고 말한다. 인간의 정신은 한꺼번에 둘 이상의 동의를 잘 다루기 힘들고, 한꺼번에 둘 이상의 동의를 상정하여 심의하면 아무래도 산만하여지고 좋은 결정을 이끌어내기 어렵기 때문이다.

의장이 동의를 상정하면 총회는 이를 심의한다. 심의는 제안설명, 질의응답, 찬반토론으로 이루어진다. 심의를 마치면 총회는 표결로 동의를 가결 또는 부결 처리한다.

라. 동의의 철회, 수정제출, 재 제출

동의의 제출자는 동의가 총회에 상정되기 이전 또는 이후에 이를 철회할 수도 있고, 수정 제출할 수도 있다. 이에 대하여는 2. 의안의 철회, 수정제출에서 자세하게 설명하기로 한다.

동의의 제출자는 철회하였던 의안을 재제출할 수 있다. 이에 대하여도 2. 의안의 철회, 수정제출, 재 제출에서 자세하게 설명하기로 한다.

2. 의   안

가. 의안의 의의

의안(주동의)이란 회사의 존립과 운영에 관하여 이사회나 주주 등이 어떤 의사를 회사의 총의로 삼자고 총회에 제출하는 주제가 되는 제안을 말한다. 이사회나 주주 등이 어떤 의사를 회사의 총의로 삼기를 원하면 반드시 이렇게 의안이라는 형식으로 그 의사를 총회에 제출하여야 한다.

의안은 표제(標題), 요령(要領) 및 제안이유로 구성된다. 의안의 표제를 의제(議題)라고도 말한다. 의안의 요령이란 의안이 가결되었을 때에 결의내용, 즉 주문(主文)을 이루게 되는 문안(文案)을 말한다. 의안이 가결되면 의안의 요령이 공식적으로 회사의 총의로 되므로 의안의 요령은 그런 목적에 맞게 간결하고 명료하면서도 완전한 형태를 갖춘 문안이어야 한다. 제안이유는 의안의 요령을 회사의 의사로 삼아야 할 필요성에 관한 설명을 말한다. 제안의 배경 설명을 그

---

4) 「RR」, p. 59.

이유 중에 곁들여도 괜찮다.

나. 의안의 종류

1) 기본주동의와 부수주동의

의안은 그 내용을 기준으로 기본주동의(基本主動議)와 부수주동의(附隨主動議)로 분류된다. 앞서 동의의 분류에서 설명하였다. 기본주동의는 그 내용이 실질석인 것이고, 부수수농의는 그 내용이 절차적인 것이다. 그래서 기본주동의를 실질적 주동의, 부수주동의를 절차적 주동의라고도 칭한다. 실질적인 사항이란 회사의 유지와 운영에 관한 사항을 말한다. 절차적인 사항이란 현재, 과거 및 장래에 걸쳐 총회의 의사활동(議事活動)에 부수되거나(incidental), 이에 관련된(related) 사항을 말한다. 부수주동의는 이처럼 그 당시의 상황에 따라 제출됨으로 임시주동의(臨時主動議)라고도 칭한다.

기본주동의로는 재무제표의 승인, 사내이사 3인 선임, 정관변경 등을 예로 들 수 있다.

부수주동의로는 ① 검사인(檢査人) 선임동의, ② 회기연장동의(會期延長動議), ③ 임시주주총회소집동의, ④ 의장불신임동의(議長不信任動議),5) ⑤ 임시의장선임동의(臨時議長選任動議), ⑥ 추인동의(追認動議),6) ⑦ 재심의동의(再審議動議)7) 등이 있다.

부수주동의들을 차례로 설명한다. ① 검사인으로는 소수주주의 소집청구권행사에 의하여 소집된 임시주주총회가 선임하는 검사인(제366조 제3항), 서류검사인과 총회검사인(제367조 제1항, 동 제2항), 발행주식총수의 100분의 3 이상에 해당하는 주식을 가진 주주가 회사의 업무와 재산상태의 조사를 위하여 법원에 신청하여 법원이 선임하는 검사인(제467조 제1항)이 있다. 이들 검사인선임, 법원에 검사인선임신청을 하자는 동의들이 부수주동의인 검사인선임동의이다. 부수주동의들 중 ②와 ③에 대하여는 (Ⅳ. 주주총회의 회의진행 부분) 회기(會期)에서 설명한다. ④ 의장불신임동의, ⑤ 임시의장선임동의에 대하여는 설명을 생략한

---

5) 상장회사 표준주주총회운영규정 제16조.
6) 대법원 2011.3.10. 2009다93282; 2011.6.24. 2009다35033.
7) 전게 「표준회의진행법교본」, 106, 213면. 국회법은 이를 번안동의(飜案動議)라 칭한다(국회법 제91조).

다. ⑥ 추인동의는 총회결의가 이루어졌으나 당시 의사정족수의 주주가 출석한 여부가 불분명하거나 그 밖에 어떤 하자가 있다고 보여 앞선 결의의 효력을 하자 없는 결의로 만들자는 동의이다. 당 회기 중에 추인하자는 동의만이 부수주동의이고 다음 회기에서 추인하자는 동의는 기본주동의이다. ⑦ 재심의동의는 총회가 착오에 빠지거나 정확한 정보를 얻지 못한 채 어떤 의안을 처리하였거나 처리 후 사정변경이 생겨 앞서 처리한 의안을 다시 상정하여 심의하자는 동의이다. 이 동의 역시 ⑥ 추인동의와 마찬가지로 당 회기 중에 재심의하자는 동의만이 부수주동의이고 다음 회기에서 재심의하자는 동의는 기본주동의이다.

기본주동의와 부수주동의 사이에는 위와 같이 내용상 차이에 나아가 절차상 크게 차이가 난다. 첫째, 기본주동의는 이사회와 소수주주의 요건을 갖춘 주주에게만 그 제출권이 부여되어 있는데 비하여 부수주동의는 이사회와 주주 중 2주 이상의 주식을 소유한 모든 주주(1주만 소유한 주주의 경우에는 그의 제출과 다른 주주의 재청)에게 그 제출권이 부여되어 있다. 둘째, 기본주동의는 거의 모두 서면으로 제출되고 드물게 구두로 제출되는데 비하여 부수주동의는 거의 모두 구두로 제출되고 드물게 서면으로 제출된다. 셋째, 의장이 총회를 소집할 때에 소집통지서에 기재하여야 할 회의의 목적사항이자 의사일정에 게시될 의안은 기본주동의에 한하고 부수주동의는 총회의 진행 중 어떤 상황에 접할 때에 주주 등이 제출하는 동의이므로 성질상 사전 통지를 요할 수도 없고 의사일정에 게시될 수도 없다. 넷째, 기본주동의에는 모든 보조동의가 적용되지만 부수주동의에는 그 중 일부는 적용되고 나머지 일부는 적용되지 아니한다. 예를 들면 부수주동의 중 회기연장동의에 보조동의 중 연기, 회부동의 등은 적용될 여지가 없다.

2) 찬반의안과 택일의안

의안은 표결의 유형을 기준으로 찬반의안(贊反議案)과 택일의안(擇一議案)으로 분류된다.[8]

찬반의안(贊反議案)이란 총회에 찬반을 물어 그 결과가 나오면 처리가 종료되는 의안을 말한다. 재무제표의 승인, 이사 ○○○의 해임, 이사 ○○○의 책임 감면 유보 등이 찬반의안의 예이다.

---

8) 전게 「표준회의진행법교본」, 110면 이하; 김교창, 「주주총회의 운영」 제3개정판(육법사, 2010), 167면.

택일의안(擇一議案)이란 총회가 경쟁적인 복수의 안을 제출받아서 그 중 하나를 선택하여야 처리가 종료되는 의안이다. 의안들 중에는 경쟁적인 복수의 안들이 제출될 것으로 예상되는 의안들이 적지 않다. ㉠ 이사 선임, 감사 선임 의안, ㉡ 회사의 본점 소재지를 이전하려는 경우에 그 후보지로 여러 도시가 경합되어 그 중 한 도시를 선택하는 의안, ㉢ 이사회가 배당률을 5%로 제안하였는데, 이에 대하여 6%로 인상하자는 주주의 안이 나와 그 중 어느 하나를 선택하는 의안 등이 그 예이다.

이사 1인을 선임하는데 후보가 여럿일 경우가 택일의안의 대표적 예이다. 추천된 후보자가 1인뿐일 경우는 어떨까? 그 1인이 그대로 총회에서 선임되면, 그 의안은 찬반의안이나 다름없어 보인다. 하지만 선임 과정에서 추천된 후보의 선임이 부결될 수도 있다. 찬반의안이라면 이로써 그 의안의 처리가 종료된다. 하지만 이 의안은 택일의안이므로 총회는 주주 등으로부터 다른 후보를 추천받아 이사를 선임하여야 이 의안의 처리가 종료된다. 그리고 이 의안은 택일의안이므로 1인의 후보가 추천되어 있는 상태에서 총회는 주주들로부터 다른 후보자를 추천받아 1인 후보와 다른 후보 중 1인을 선택할 수도 있다. 그럴 가능성이 있으므로 이사 선임의안은 택일의안으로 분류된다.[9]

3) 보통의안, 특별의안, 및 특수의안

주주총회의 의안은 그 결의요건을 기준으로 보통의안, 특별의안, 및 특수의안, 이렇게 세 가지로 분류된다.

보통의안이란 그 결의요건이 보통결의, 즉 출석한 주주의 의결권의 과반수이면서 의결권 있는 발행주식총수의 4분의 1 이상의 수로써(제368조 제1항) 결의할 의안을 말한다.

특별의안이란 그 결의요건이 특별결의, 즉 출석한 주주의 의결권의 3분의 2 이상이면서 의결권 있는 발행주식총수의 3분의 1 이상의 수로써(제434조) 결의할 의안을 말한다.

특수의안이란 그 결의요건이 특수결의, 즉 총 주주의 동의를 필요로 하는데(제400조 제1항) 의안을 말한다.

---

9) 전게 「표준회의진행법교본」, 111~112면; 김교창, 전게 「주주총회의 운영」, 167면.

다. 의안의 제출권자

1) 이사회

의안제출권은 첫째로 총회의 소집권자인 이사회에 부여되어 있다. 이사회가 총회를 소집할 때에 회의의 목적사항으로 당연히 의안을 제출할 권리를 가진다 (제362조). 이사회는 여러 개의 의안을 제출할 수 있다. 그 때에 몇 개를 병합하여 제출할 수도 있다. 하나의 사항을 개정하기 위한 정관변경의안은 언뜻 보기에 하나의 의안이지만, 여러 사항을 개정하기 위한 정관변경의안은 복수의 의안을 제출자가 병합하여 제출한 것이다. 마찬가지로 이사 1인을 선임하는 의안은 하나의 의안이지만 이사 수인(數人)을 선임하는 의안은 복수의 의안을 제출자가 병합하여 제출한 것이다.

회사 중 이사를 두고 있을 뿐 이사회를 설치하고 있지 아니한 회사는 이사가 총회의 소집권자이므로 이사가 당연히 의안의 제출권도 가진다.

2) 소수주주

의안제출권은 둘째로 소수주주에게 부여되어 있다(제363조의2). 소수주주의 의안제출권을 상법은 특히 주주제안권(株主提案權)이라 칭한다. 주주제안권에 대하여는 이 책자에 별도의 항이 마련되어 있다.

3) 기 타

회사는 정관, 총회규칙에 규정을 두어 이사회, 소수주주에 추가하여 감사, 위원회, 기타의 기관에 의안제출권을 부여할 수 있다.

라. 의안의 철회, 수정제출

1) 총회에 상정되기 이전

의안의 제출자는 의안이 총회에 상정되기 이전까지는 이를 철회할 수도 있고, 수정 제출할 수도 있다.[10] 수정제출이란 제출 후에 수정할 사항이 발견되어 철회하는 대신 수정제출하는 것이다. 철회할 수 있으므로 철회하고 수정제출하는 것이라고 볼 수도 있다. 상정되기 이전에 철회하거나 수정 제출할 경우 총회

---

10) 전게 「표준회의진행법교본」, 118면; 「RR」, p. 40; 국회법 제90조 제7항 본문.

의 허가를 얻을 필요가 없다. 소수주주가 제출한 의안을 소수주주 중 일부가 철회하여 소수주주의 요건을 갖추지 못하게 되면 그 의안은 철회된다. 의안의 철회나 수정제출은 토론의 대상도 되지 아니하고, 수정의 대상도 되지 아니한다. 적법하게 철회된 의안을 총회가 상정하여 결의하면 그 결의는 하자 있는 결의이다. 그 하자는 취소사유에 해당한다. 수정 제출한 의안에 관하여는 총회가 아무런 하자 없이 결의할 수 있다.

2) 총회에 상정된 이후

의안이 총회에 상정된 이후에는 주주 중 철회 또는 수정제출에 이의를 제기하는 주주가 없어야만 제출자가 이를 철회 또는 수정제출할 수 있다. 한 사람이라도 이의를 제기하는 주주가 있으면, 제출자는 총회의 허가를 얻어야 철회 또는 수정제출할 수 있다.[11] 상정된 이후에는 의안이 총회의 지배 아래 놓이기 때문이다. 그 이하의 설명은 총회에 상정되기 이전에 관한 설명을 원용한다.

마. 의안의 재제출

1) 철회하였던 의안의 재제출

의안의 제출자는 철회하였던 의안을 재제출할 수 있다. 상정되기 전에 철회한 의안이거나 상정된 후 총회의 허가를 얻어 철회한 의안이거나 마찬가지이다. 철회하였던 의안을 재제출하는 것은 일사부재의(一事不再議)의 원칙에 위배되지 아니한다.[12] 총회에서 아직 아무런 결정도 내리기 전에 철회하였다가 다시 제출하는 것이기 때문이다.

2) 총회에서 최종적 또는 임시적으로 처리된 의안

총회에서 최종적 또는 임시적으로 처리된 의안과 실질적으로 동일한 의안은 재제출할 수 없다.

가) 최종적으로 처리된 의안

총회에서 한 회기 중에 최종적으로 처리된(가결 또는 부결 처리된) 의안과 실질적으로 동일 한 의안은 누구도 재제출할 수 없다.[13] 이를 일사부재의의 원칙

---

11) 전게 「표준회의진행법교본」, 118면; 「RR」, p. 40; 국회법 제90조 제7항 단서.
12) 전게 「표준회의진행법교본」, 119면.

이라고 말한다. 이 원칙에 위배되기 때문이다. 일사부재의의 원칙을 일사부재리 (一事不再理)의 원칙이라고도 말한다.이 원칙은 일단 이루어진 결의를 존중하고, 소수파의 의사진행 방해를 억제하기 위한 회의규칙이다.

여기에서 실질적으로 동일한 의안이란 의안의 전반적 취지가 동일한 것을 말한다. 이 원칙에는 예외가 있다. 특별한 사정이 있는 경우에는 재심의동의와 이의 가결로 재심의를 할 길이 열려 있다. 위에서 동의의 종류를 설명할 때에 부수주동의 중 하나로 이미 설명한 바 있다.

나) 임시적으로 처리된 의안

총회에서 한 회기 중에 임시적으로 처리된(연기 또는 회부 처리된) 의안과 실질적으로 동일한 의안 역시 누구도 재제출할 수 없다. 임시적으로 처리된 것은 아직 총회의 지배 아래 놓여 있는 것이므로 연기되어 있는 의안은 예정된 시간을 앞당겨 상정하여 심의하면 되고, 회부된 의안은 심사보고를 받기 전에 회부취소하고 상정하여 심의하면 된다. 동일한 의안을 재 제출받아 상정하여 심의할 것이 아니다.

바. 주주총회가 상정, 심의, 처리할 의안

총회는 2주간 전에 적법하게 총회의 목적사항으로 통지된 의안(기본주동의인 의안)에 한하여 결의할 수 있다. 그러므로 의장은 그런 의안만을 당일의 의사일정에 기재하고, 그런 의안만을 총회에 상정하여야 한다. 그 이외의 의안은 총회에 상정할 수 없다. 출석 주주 전원이 동의하더라도 총회에 상정할 수 없다.14) 총회가 사전 통지되지 아니한 의안을 당일 의안으로 채택하여 결의하였을 때에 그 결의의 효력은 어떻게 되는가? 그 결의는 하자 있는 결의이다. 과반수 출석에 3분의 2 이상의 찬성으로 당일의 의안으로 채택하여 결의하여도 마찬가지로 하자 있는 결의이다. 그 하자는 결의취소사유에 해당하는 하자이다.

상법이 회의의 목적사항인 의안을 사전 통지하라고 규정한 것은 주주보호를

---

13) 김현성, "의결정족수와 일사부재의의 원칙에 관한 소고,"「변호사」제40집(서울지방변호사회, 2010), 47~65면; 김교창, "일사부재의의 원칙에 대한 헌법재판관들의 이해부족,"「판례연구」제25집(1)(서울지방변호사회, 2011. 8.), 38~55면; 헌법재판소 2009.10.29. 2009헌라8, 9, 10. 전게「표준회의진행법교본」, 118면 이하;「RR」, pp. 74~75.
14) 대법원 1979.3.27. 79다19; 김재범,「주주총회 판례연구」(동방문화사, 2008), 176면 이하.

위한 것이다. 사전 통지되지 아니한 의안을 상정하여 심의하는 것은 그런 의안이 상정될 것을 알지 못하여 출석하지 아니한 주주들의 입장에서 보면 그들의 의결권 행사의 기회를 박탈하는 것이고, 출석한 주주들의 입장에서 보더라도 그런 의안이 상정될 것을 미리 알지 못하여 충분한 검토를 못하고 나와 그들로 하여금 의결권 행사의 적정을 기하기 어렵게 하는 것이다. 혹시 정관에 통지되지 아니한 의안도 결의할 수 있다고 규정하여 놓더라도 그 정관의 규정은 상법 제363조의 취지에 비추어 무효이다.

사. 의안의 상정, 심의, 처리

1) 의안의 상정

법률 또는 정관에 규정된 의안의 제출권자가 제출한 의안은 그 제출만으로 바로 성립된다. 성립된 의안은 의장이 반드시 총회에 상정하여야 한다. 의장이 상정 여부를 결정할 수 없다. 의장에게 그런 재량권은 부여되어 있지 아니하다. 제출권자들이 의안을 제출한 것은 총회에 대하여 이를 처리하라고 청구한 것이다. 이런 의안의 상정 여부를 총회의 기관인 의장으로 하여금 좌지우지할 수 있게 하는 것은 제출권자의 제출권을 함부로 침해하는 것이다. 의안의 상정을 의안의 부의(附議)라고도 말한다. 의안을 상정할 때에 의장은 의사봉을 삼타(三打)한다.

의안은 동의 중 하나인 주동의이므로 앞서 1. 동의에서 설명한 일동의의 원칙이 의안에도 당연히 적용된다. 의안에 적용될 때에 이 원칙을 일의안(一議案)의 원칙, 또는 일의제(一議題)의 원칙이라고 말한다.[15] 하루의 의사일정에 대체로 2개 이상의 의안이 심의의 대상으로 오른다. 당일 심의할 의안이 2개 이상일 경우에 의장은 일의제의 원칙에 따라 1개씩 상정하여야 한다. 상정의 순서는 소집통지서에 회의의 목적사항으로 기재된 순서에 의하여도 되고, 바꾸어 그와 달리 하여도 된다. 그 순서의 결정은 의장의 재량에 맡겨져 있다. 그 순서를 회순(會順)이라고 말한다. 회순은 당일의 의사일정에도 기재된다.

제출자가 여러 개의 의안을 병합하여 제출한 경우에 의장은 그대로 상정할 수도 있고, 이들을 분할하여 1개씩 상정할 수도 있다. 한편 제출자가 하나씩 제

---

15) 송평수 외, 「회의진행규칙」(한국청년회의소 연수원, 2015), 34면; 전게 「표준회의진행법교본」, 122면.

출한 의안을 의장은 이들을 병합하여 상정할 수도 있다.[16] 병합 또는 분할 여부 역시 위에서 말한 순서와 함께 의장의 재량에 맡겨져 있는 사항인 것이다. 이런 의장의 재량권을 의사정리권(議事整理權)이라고 칭한다. 의장이 의안을 병합하여 상정할 경우라도 표결만은 그럴 수 없다. 표결만은 의안별로 하나씩 표결에 붙여야 한다.

의장이 의안을 총회에 상정하여야 총회는 비로소 그 의안의 심의를 시작할 수 있다. 그런데 주주들 중에는 성급하게 의장이 의안을 총회에 상정하기도 전에 의안에 대한 질의 또는 정보요구를 하려는 주주도 있고, 심지어 담당이사가 결산보고를 하는 도중에 이번 총회에서 다룰 의안의 내용에 관하여 질의하려는 주주도 있으며, 이에 한 걸음 나아가 긴급동의 기타 동의를 제출하겠다는 주주마저 있다. 이런 때에 의장은 의안이 상정되고 제안 설명이 끝난 뒤에 그런 기회를 드릴 터이니 그 때까지 기다려 달라고 말하여야 한다.

주주총회의 소집의 항에서 총회 소집 또는 개최금지가처분결정에 관하여 설명한 바 있다. 이해관계자들은 그런 가처분신청에 더하여 어떤 의안의 상정금지 또는 그 의안의 결의금지가처분신청을 제출하기도 한다. 이에 관하여는 앞서 소집 또는 개최금지가처분에 관한 설명을 참조하기 바란다.

2) 의안의 심의, 처리

총회에 제출된 의안은 총회에 상정된 후 심의 과정을 거친다. 그 과정은 제안 설명, 질의와 정보 요구, 찬반토론이다(국회법 제93조).[17] 심의를 마친 의안은 표결로 그 처리가 종료된다. 앞서 동의에서 만사(萬事)는 기승전결(起承轉結)로 이루어진다고 한 설명을 원용한다.

가) 제안 설명

의장은 의안을 상정한 후 의안의 제출자에게 먼저 제안 설명의 기회를 주어야 한다. 이사회가 제출한 의안에 대하여는 담당 이사에게, 소수주주가 제출한 의안에 대하여는 소수주주 대표에게 제안 설명의 기회를 주어야 하는 것이다(제363조의2 제3항 후단). 제안설명은 서면에 의하여도 괜찮고, 컴퓨터 단말기에 의

---

16) 임재연, 전게서, 146면; 전게 「표준회의진행법교본」, 42, 122, 158, 165면; 상장회사 표준주주총회운영규정 제19조.
17) 「RR」, pp. 42~44, 385ff.

하여도 괜찮다.[18] 주주들에게 제안 설명이 상세하게 기재된 자료를 배포하였으면, 제출자는 그 자료를 참고하기를 부탁하고 그 요지만을 구두로 간단히 설명하는 것이 좋다.

나) 질의와 정보요구

의장은 제안 설명에 이어 주주들에게 질의와 정보 요구의 기회를 주어야 한다. 의안의 내용 중 잘 이해하지 못하고 있는 부분에 관하여 설명을 듣고, 의안과 관련된 정확한 정보를 확인하여야 주주들이 의사결정을 할 수 있을 것이기 때문이다. 제출자에 대한 질의와 정보 요구는 주주가 의장을 통하여 하여야 한다. 제출자와 질의자 둘 상호간에 직접 질의응답을 하도록 하면 회의의 분위기가 흐트러질 염려가 있기 때문이다. 단 의장이 필요하다고 인정할 경우에는 제출자와 질의자 둘 사이에 직접 질의응답을 하게 할 수도 있다.

의장이 질의와 정보 요구를 받은 경우 의장은 직접 응답하고 직접 정보를 제공할 수도 있고, 담당자로 하여금 응답하고 정보를 제공하게 할 수도 있다. 회의규칙에 관한 질의라면 의장이 회의고문에게 넘기는 것이 바람직하다.

가상적(假想的)인 질의, 별도의 조사를 필요로 하는 사항, 회사와 주주 공동의 이익을 위하여 밝혀서는 안 되는 사항을 주주가 질의한 때에는 의장이 응답을 거부하여야 한다. 그리고 중복된 질의는 허용되지 아니한다.

질의와 정보요구에 대한 응답과 제공이 충분하게 진행되었으면 의장이 질의와 정보요구를 종결하여야 한다. 의장이 종결하지 아니하면 주주들이 질의와 정보요구종결동의를 제출하여 결의로 종결할 수 있다.

의장이 질의와 정보 제공요구를 할 주주가 있는지를 묻지 아니하고 바로 토론할 주주가 있는지를 물었더라도, 질의 등을 하려던 주주는 토론에 앞서 질의 등을 하겠다고 발언권을 신청하여 질의 등을 하면 된다. 따라서 의장이 질의 등을 할 주주가 있는지를 묻지 아니한 것은 결의의 효력에 아무런 영향을 미치지 아니한다.[19]

다) 찬반토론

질의와 정보요구가 끝나면 찬반토론이 뒤를 잇는다. 찬반토론은 의안 심의에

---

18) 헌법재판소 2008.4.24. 2006헌라2.
19) 헌법재판소 상게 2006헌라2.

있어서 불가결의 요소이다. 모든 의안은 찬반토론의 대상이 되고 수정동의를 비롯한 보조동의의 적용대상이 된다. 주주들은 토론에 참가할 권리를 가진다. 주주들이 가지는 이 권리는 고유권이다. 이를 함부로 제한할 수 없다. 의장은 모든 주주에게 공정하고 충분한 토론의 기회를 주어야 한다.[20] 총회에서 출석 주주 전원의 동의가 없는 한 토론을 생략할 수 없다. 한 사람이라도 토론하겠다는 주주가 있는데, 이를 억제하고 표결로 들어갔다면, 중대한 하자로서 결의의 효력을 부정당할 가능성이 높다.

어느 누구도 토론 중에 소란한 행위를 하거나 폭력을 행사하여서는 안 된다 (국회법 제147조). 그런 사람에게는 의장이 정지, 퇴장을 명하여야 한다(제366조의2 제3항). 의장에게는 위에서 말한 의사정리권과 함께 이런 질서유지권이 부여되어 있다.

라) 의안의 처리

토론이 종결되면 표결절차로 들어간다. 표결절차를 마치는 것으로 의안의 처리가 종료된다. 표결절차에 대하여는 다음 항(IV. 주주총회의 회의진행)에서 자세하게 설명한다.

IV. 주주총회의 회의진행
김 교 창*

1. 주주총회의 회의진행에 관한 법원(法源)

주주총회의 개회로부터 폐회에 이르기까지의 일련의 의사활동(議事活動)을 회의진행이라고 말한다. 이에 관한 법원은 법령, 정관, 총회규칙, 관습법, 조리(條理)이다.

가. 법령, 정관, 총회규칙

주주총회에 관한 법령은 상법, 그 시행령, 자본시장과 금융투자업에 관한 법

---

20) 전게 「표준회의진행법교본」, 126~128면.

* 법무법인(유) 정률 고문변호사

률, 동 시행령 등이다. 주주총회에 관하여 회사의 정관에도 여러 개의 규정이 들어 있고, 대부분의 회사는 주주총회의 활성화와 원만한 회의진행을 위하여 총회규칙을 제정하여 놓고 있는데 여기에도 여러 개의 규정이 들어 있다.

나. 관습법, 조리

법령 등에 규정되어 있지 아니한 사항은 관습법에 의하고, 다음으로 조리에 의한다(제1조, 민법 제1조). 법령 등에는 주주총회의 회의진행에 관하여 기본적인 사항들만 규정되어 있고, 이에 관하여 형성된 관습법도 별로 보이지 아니한다. 그러므로 총회의 회의진행은 상당 부분 조리에 의하게 된다. 조리란 일반적으로 보편타당한 원리로서 총회의 회의진행에 있어서 중요한 법원이 되는 것이다. 총회 등 회의체의 회의진행에 관한 조리를 줄여 일반 회의규칙(The Common Parliamentary Law)이라 칭한다. 일반 회의규칙이 바로 총회 등의 회의진행에 관한 조리이다.[1]

일반 회의규칙은 1,000여년에 걸쳐 영미의 의회에서 자유민주주의 이념을 기반으로 형성되었다. 일반 회의규칙을 Henry M. Robert장군(1837~1923)이 로버트 회의규칙(Robert's Rules of Order)에 집대성하여 놓았다. 현재 그의 후계자들에 의하여 2011년도에 간행된 로버트 회의규칙 제11개정판("Robert's Rules of Order" Newly Revised 11th edition. DA CAPO PRESS. A Member of the Perseus Books Group, 2011. 이하 'RR'이라 약칭함)이 나와 있다. 현재 널리 각종 회의에서 활용되고 있다. 이 책자는 세계적인 표준 회의규칙이다. 그래서 현재 만인(萬人)의 회의규칙이라 불리고 있다.[2] UN회의규칙이 이를 본떠서 제정되었고, 모든 자유민주국가의 의회, 모든 민주적 단체의 각종 회의가 이에 의하고 있다.

일반 회의규칙은 논리적, 기술적, 효율적이다. 그러면서 비윤리적이다. 그래서 국제적 회의 실무에서, 자유민주국가와 민주적 단체의 회의 실무에서 이 규칙이 아무런 마찰 없이 조리로서 활용되고 있는 것이다.

---

1) 이철송, 「회사법강의」 제29판(박영사, 2021), 559면; 임홍근, 「회사법」(법문사, 2008), 399면; 한국회의법학회 저·대표집필 김교창, 증보판 「표준회의진행법교본」(법률신문사, 2021. 1), 91면; 김교창, 「주주총회의 운영」 제3개정판(육법사, 2010), 32면.

2) 전게 「표준회의진행법교본」 91~92면, 송평수 외, 「회의진행규칙」(한국청년회의소 연수원, 2015), 머리말; Alice Sturgis, *The Standard Code of Parliamentary Procedure*, 4th Edition(McGraw-Hill, Inc., 2000), p. 231; O. Garfield Jones, *Parliamentary Procedure at a Glance*(Penguin Books, 1990), preface.

2. 일반 회의규칙의 3대 기본원칙과 세부규칙

일반 회의규칙은 자유민주주의 이념을 그 기반으로 삼고 있다. 이를 구현하기 위하여 3대 기본원칙과 많은 세부규칙으로 이루어져 있다.[3]

가. 일반 회의규칙의 3대 기본원칙

일반 회의규칙의 3대 기본원칙은 자유민주주주의 이념의 근간을 이루고 있는 1) 토론자유의 원칙, 2) 회원평등의 원칙, 3) 다수결의 원칙이다.

1) 토론자유의 원칙은 토론의 기회 부여와 자유로운 토론의 분위기 보장을 내용으로 한다. 주주에게 부여된 이 권리는 고유권이다. 누구도 이를 함부로 제한할 수 없다. 총회에서 한 사람이라도 토론하겠다는 주주가 있으면 토론을 생략할 수 없다. 토론을 생략하고 표결로 들어갔다면, 중대한 하자로서 결의의 효력을 부정 당한다.

2) 회원평등의 원칙은 주주총회에서 주주평등의 원칙으로 나타난다.[4][5] 1주1의결권의 원칙으로 상법에 반영되어 있다(제369조 제1항). 1주에 1개의 의결권을 부여하는 주식과 1주에 복수의 의결권을 부여하는 차등의결권제도는 아직 우리 상법이 허용하지 아니한다.[6]

3) 다수결의 원칙은 회의체기관의 의사결정은 구성원 다수에 의한다는 원칙이다. 이 원칙이 주주총회의 결의요건에 반영되어 있다(제368조, 제433조 등). 이 원칙은 소수의 보호를 전제로 한다. 의장은 소수에게 토론에 참여하도록 적극 노력을 기울여야 한다.[7]

---

3) 전게 「표준회의진행법교본」, 92면 이하; 김교창, 전게 「주주총회의 운영」, 181면 이하.
4) 제주지방법원 2008.6.12. 2007가합1636.
5) 회사 중에는 종업원인 주주들을 총회장에 미리 입장시켜 회의장 전열에 자리를 잡도록 하는 회사가 여럿 있다. 주주평등의 원칙에 반한다는 지적을 받을 여지가 있다. 하지만 다른 주주들로 하여금 종업원 주주들 뒤 어디에나 자리를 잡고 앉아서 토론과 표결에 참가할 수 있도록 하였으면, 위의 지적은 결의의 효력에 영향을 미치지 아니한다(日最高裁 平成 8.11. 12. 判決).
6) 김건식·노혁준·천경훈, 전게 「회사법」, 161면.
7) 인천지방법원 2001.1.24. 2000카합427.

나. 세부규칙

일반 회의규칙은 위의 기본원칙 아래 많은 세부규칙들로 형성되어 있다. 정족수(定足數)의 원칙, 일동의의 원칙, 일사부재의의 원칙, 회기불계속의 원칙, 의안의 제출, 성립, 심의에 관한 제 원칙, 보조동의에 관한 제 원칙, 발언권의 신청과 허가에 관한 원칙, 의사진행발언에 관한 제 원칙, 표결에 관한 제 원칙 등이 세부규칙들이다. 세부규칙의 내용은 회사의 성격, 규모 등에 따라 각 회사가 정관 또는 규칙에 일반 회의규칙 중 3대 기본원칙의 취지를 벗어나지 아니하는 범위 안에서 다른 내용으로 정할 수 있다. 성격, 규모 등이 다른 회사들 사이에서는 같이하기보다 달리하는 것이 오히려 바람직한 면이 적지 않다.

3. 주주총회의 의장

회의체기관은 회의를 주재(主宰)할 의장(議長)을 필요로 한다. 대부분의 회사는 정관에 대표이사로 하여금 총회의 의장직을 담당하도록 규정하고 있다(상장회사 표준정관 제21조). 그리고 정관에 대표이사와는 별도록 총회로 하여금 선출하도록 정하고 있는 회사도 있다. 정관에 총회의 의장에 관하여 아무런 정함이 없는 때에는 총회에서 의장을 선임한다(제366조의2 제1항). 정관에 의장에 관하여 아무런 정함이 없는 회사의 경우에는 총히가 열린 때에 회사의 업무집행을 총괄하는 지위에 있고 총회의 소집사무담당자이기도 한 대표이사가 일단 의장직을 담당하여 개회한 후 총회로 하여금 정식으로 의장을 선출하도록 하여야 한다.

의장은 주주가 아니라도 괜찮다. 주주인 의장은 총회를 주재하면서 의결권을 행사할 수 있지만, 주주가 아닌 의장은 총회를 주재할 뿐 총회의 구성원이 아니므로 의결권은 행사할 수 없다.

소수주주가 법원의 허가를 받아 직접 총회를 소집할 경우에 법원이 소집을 허가하면서 의장직을 맡을 사람도 선임할 수 있다(제366조 제2항 후단). 법원이 선임한 의장이 있으면 당연히 그가 의장직을 담당한다. 법원이 의장을 선임하지 않은 경우에는 일단 정관에 규정된 의장이 의장직을 담당한다.[8] 그리고 그 의

---

8) 정찬형, "2011년 개정회사법의 내용과 과제,"「저스티스」통권 제127호(한국법학원, 2011. 12.), 8~44면; 전게「표준회의진행법교본」, 57면.

장이 계속 의장직을 담당할 수도 있고, 총회로 하여금 임시의장을 선임하여 의장직을 담당하게 할 수도 있다.

일반회의 규칙상 의장은 회의를 진행함에 있어서 중립을 지켜야 한다. 하지만 대표이사인 의장은 이사회가 제출한 의안을 가급적 가결되도록 회의를 이끌어야 한다. 이사회의 일원인 의장에게 엄격하게 중립을 지키라고 요구할 수는 없는 일이다. 중립을 지키기는 어렵더라도 의장이 찬반토론에 참가할 수는 없다. 토론에 참가하려면 의장직을 다른 사람에게 넘겨야 한다. 그리고 토론에 참가한 의안이 처리된 뒤에야 의장직을 다시 넘겨받을 수 있다.

4. 의사정족수와 의결정족수

가. 의사정족수와 의결정족수의 의의

의사정족수(議事定足數)란 총회의 성립에 필요한 최소 주식수를 말한다. 그 수의 주식을 소유한 주주가 출석하여야 총회는 의사활동을 시작할 수 있고, 그 수의 주주가 계속 재석(在席)하고 있어야 총회는 의사활동을 계속할 수 있다. 이렇게 회의가 성립되어야 총회는 의사활동을 통하여 유효한 결의를 이끌어 낼 수 있다. 그래서 그 수의 출석을 회의의 성립요건 및 계속요건이라고 말한다.

의결정족수(議決定足數)란 총회가 어떤 결의를 하는 데 필요로 하는 주식수를 말한다. 출석 주식수 중 몇% 이상의 찬성을 요하는 것으로 상법에 규정되어 있다. 그래서 그 수의 찬성을 결의요건이라고도 말한다.

위와 같이 총회의 성립에 필요한 수, 결의를 하는 데 필요한 수에 관한 원칙을 일반 회의규칙은 합하여 정족수(定足數)의 원칙이라고 말한다.

나. 의사정족수와 의결정족수에 관한 상법의 규정

상법은 의사정족수는 따로 규정하지 아니하고 의결정족수만을 규정하고 있다. 그 수는 보통결의를 요하는 의안의 경우 의결권 있는 발행주식총수의 4분의 1 이상이고(제368조 제1항), 특별결의를 요하는 의안의 경우 위 발행주식총수의 3분의 1 이상이다(제 434조). 상법이 의사정족수를 따로 규정하고 있지는 않지만, 결의요건을 충족할 주식수를 가지는 주주가 출석하여야 총회가 어떤 결의를 할

수 있으므로 결의에 필요한 최소 주식수를 의사정족수라고 이해하여야 한다.[9]

상법이 이렇게 의사정족수를 따로 규정하지 아니한 까닭은 총회의 성립을 용이하게 하기 위한 것이다. 그러나 서면투표의 길, 대리인에 의한 의결권행사의 길을 열어놓고 있는 주주총회에서 총회의 성립을 용이하게 하려고 상법이 의사정족수를 따로 규정하지 아니한 것은 타당하지 아니하다. 의결권을 행사할 수 있는 발행주식총수의 과반수를 소유한 주주의 출석을 의사정족수로 규정하여야 한다. 그리고 혹시 그런 주주의 불출석으로 총회가 불성립되어 다시 총회를 소집한 때에는 그 요건을 과반수에서 3분의 1로 낮추는 규정을 두면 총회의 성립에 관한 문제가 해결될 것으로 생각한다. 상법이 의사정족수를 따로 규정하지 않았지만, 회사가 정관으로 의사정족수를 규정할 수는 있다(제368조 제1항).[10]

출석 주식수를 계산함에 있어서 의결권을 행사할 수 없는 주식수는 발행주식총수에 산입하지 아니한다(제371조 제1항). 2011 개정 전 상법 제371조 제1항에는 단지 의결권 없는 주주가 가진 주식이라고만 규정되어 있었다. 그 당시에도 해석상 자기주식 등은 이에 포함되는 것으로 해석되었었다. 2011년 개정 상법은 그런 해석을 법문으로 명시하여 놓았다.[11]

2020.12.29. 개정전까지 제371조 제1항은 발행주식총수에 산입하지 아니한다고 규정하고, 동조 제2항은 개인적으로 이해관계를 가진 주주가 소유하고 있는 주식, 감사 또는 감사위원의 선임 시 의결권행사가 제한되는 주식에 관하여 출석한 주주의 의결권의 수에 산입하지 아니한다고 표현을 달리하여 혼선을 부러 일으켰다. 2020.12.29. 개정시에 표현을 같이하여 혼선을 불식하였다.

다. 의사정족수의 확보를 위한 한국예탁결제원의 실질주주의 의결권대리행사

한국예탁결제원(이하 '예탁원'이라 약칭함)은 원칙으로 예탁자 또는 그 투자자의 신청에 의하여 예탁증권 등에 관한 권리를 행사할 수 있다. 이 경우 그 투자자는 예탁자를 거쳐야 한다(자본시장과 금융투자업에 관한 법률 제314조 제1항). 나아가 예탁원은 예탁증권 등에 대하여 자기명의로 명의개서 또는 등록을 청구할

---

9) 이철송, 전게서, 580~581면; 임재연, 「회사법 II」(박영사, 2018), 153면.
10) 대법원 2017.1.12. 2016다217741.
11) 이철송, 「2011 개정상법」(박영사, 2011), 139~140면.

수 있다(동 제2항). 그리고 그런 주권에 대하여는 예탁자의 신청이 없는 경우에도 상법 제358조의2(주권의 불소지)에 규정된 사항과 주주명부의 기재 및 주권에 관하여 주주로서의 권리를 행사할 수 있다(동 제3항). 법문에 권리를 행사할 수 있다고 규정되어 있으나 예탁원은 수치인(受置人) 또는 수임인(受任人)으로서 예탁자와 투자자의 신청에 따른 예탁원의 권리행사를 위하여 대통령령으로 정하는 사할을 지체없이 예탁원에 통지하여야 한다. 위 예탁권의 권리행사에 관하여 규정된 제3항은 **예탁증권** 중 기명식 증권에 관하여 준용된다(동 제7항).

2013. 5. 28. 자본시장법 개정 시까지에는 총회일 5일 전까지 주주가 예탁원에 그 의결권을 직접행사, 대리행사 또는 불행사의 뜻을 표시하지 아니한 경우에 예탁원이 그 의결권을 행사할 수 있었다(동법 제4, 5항). 2013년 개정으로 위 조항들이 삭제되었다. 국회가 자본시장법 부칙에 2017. 12. 31.까지 종전의 규정(삭제된 규정)에 의하여 예탁원으로 하여금 의결권을 행사할 길을 열어 주었으나 그 기간도 경과하여 2018년도부터는 예탁원이 의결권행사를 더 못하게 되었다.

5. 주주총회의 개회, 회기, 공개 여부, 회순

가. 주주총회의 개회

1) 출석 주주의 본인 여부 확인 등

의장은 회의 예정시간 전에 회의장 출입구에 출석 주주의 본인 확인 등을 위하여 접수대를 설치하고 임직원으로 하여금 주주 본인이 출석한 경우에는 참석장, 주민등록증 등을 제시받아 본인 여부를 확인하고, 대리인이 출석한 경우에는 위임장과 대리인의 주민등록증 등을 제시받아 확인한다. 소집통지서에 동봉한 참석장 등을 가져오지 아니하였더라도 달리 본인 또는 대리인임을 확인하면 괜찮다. 이들 서류는 본인 또는 대리임을 확인하기 위한 것일 뿐이므로 다른 자료에 의하더라도 괜찮은 것이다.[12) 이들 서류를 제시하지 아니한 채 회의장에 들어갔고, 들어간 후 의장에게도 이들 서류를 제출하지 아니한 사람은 의결권을 행사할 수 없다. 따라서 그런 사람이 가지고 있다는 주식수는 출석주식수에 산입하여서는 안 된다.[13)

---

12) 대법원 2009.5.28. 2008다85147.

2) 의장의 개회선언

개회 예정시간에 의사정족수에 달하는 주식을 소유한 주주가 출석하였으면 의장은 개회선언을 하여야 한다. 개회선언을 할 때에 의장은 의사봉을 삼타(三打)한다. 그 대신 종을 쳐도 된다. 의사봉 삼타 등은 의사활동 중 중요한 과정이 진행되는 것을 알리는 하나의 의식(儀式)이다. 의식일 뿐이므로 이것을 아예 결하거나 한두 번 두드리더라도 결의의 효력에는 영향이 없다. 개회 예정시각이 되었는데 의장이 개회를 선언하지 않으면, 주주 중 한 사람이 나서서 임시의장 선임동의를 제출하여 임시의장을 선임하고 그 임시의장의 주재 아래 총회는 유효한 결의를 할 수 있다.

개회 예정시간보다 앞당겨 개회하는 것은 원칙으로 허용되지 아니한다. 어쩌다 주주 전원이 일찍 출석하여 일찍 개회하는데 이의가 없는 경우라면 그 경우만은 괜찮다. 개회 예정시간보다 조금 늦추어 개회하는 것은 괜찮다. 의사정족수의 주주가 아직 출석하지 아니한 때에는 어쩔 수 없이 주주가 더 출석하기를 기다려야 한다. 그 수의 주주가 출석하였더라도 예를 들어 교통상의 사정으로 많은 주주가 좀 늦게 출석할 것으로 보이는 경우에 30분 또는 한 시간 정도 출석한 주주의 양해를 구하며 기다렸다가 총회를 개최하여도 된다. 출석한 주주들의 입장에서 볼 때에 지연된 시각까지 기다려 총회에 참석하는 것이 곤란하지 않을 정도라면, 그 정도 지연하여 개회하는 것은 절차상 하자가 되지 아니한다.[14] 그러나 오전 10시에 개최하기로 한 총회를 오후까지 기다려 개회하는 것은 출석한 주주들의 입장에서 볼 때에 기대하기 어려울 정도로 지연하여 개회하는 것이다. 그렇게 열린 총회에서 이루어진 결의는 취소사유에 해당하는 하자 있는 결의이다.[15]

3) 회일에 당하여 장소를 변경할 경우

회일에 당하여 예정된 회의장을 사용하기 곤란한 상황에 접한 때에는 그곳에서 가까운 곳을 구하여 당초의 회의장으로 찾아오는 주주들이 쉽게 그곳을 찾아오도록 안내문, 입간판을 세우고 안내원을 배치하는 등 가능한 방법을 강구하여

---

13) 김건식·노혁준·천경훈, 전게 「회사법」, 299면; 서울고등법원 2011.5.19. 2010나117469.
14) 대법원 2007.9.6. 2007다40000.
15) 대법원 2007.9.6. 2007다40000; 2003.7.11. 2001다45584.

총회를 개최하여도 된다. 그리고 조금 먼 거리이면 교통편도 마련하고, 개회시간도 늦추는 것이 좋다. 그렇게 배려한 후 장소를 바꾸어 개최한 총회는 유효하다.[16)]

나. 주주총회의 회기

회기(會期)라 함은 총회 등 회의체기관의 의사활동 기간을 말한다.[17)] 주주총회의 한 회기는 소집권자가 대체로 어느 하루 한두 시간, 길어야 2일로 정하고 있다. 정기총회나 임시총회나 마찬가지이다. 한 회기는 의장의 개회선언으로부터 시작되어 의장의 폐회선언으로 종료된다.

소집권자가 정하여 놓은 회기를 총회는 총회의 자율권에 기하여 결의로 연장할 수도 있고, 단축할 수도 있다. 주주총회의 소집권자가 정한 회기는 그리 길지 않으므로 연장할 경우는 종종 있겠지만 단축할 경우는 별로 없을 것이다. 이에 이하 연장할 경우만을 들어 설명을 이어간다. 회기연장을 위해서는 주주의 회기연장동의의 제출과 총회의 회기연장결의를 요한다. 회기연장동의는 동의의 종류 중 부수주동의에 속한다.[18)] 이에 대하여는 주주총회의 의안의 항에서 이미 설명한 바 있다.

회기연장을 상법은 회의의 속행(續行) 또는 연기(延期)라고 칭한다(제372조 제1항). 당일의 의안 중 하나라도 처리한 상황에서 연장하는 것이 속행, 당일의 의안 중 하나도 처리하지 못한 상황에서 연장하는 것이 연기이다. 이에 따라 속행결의로 뒷날 열리는 회의는 속회, 연기결의로 뒷날 열리는 연회라고 칭한다. 둘 사이에는 뒷날 열리는 회의에서 다룰 의안에 관한 것 이외에는 차이가 없다. 그런 차이만으로 그 둘을 구분할 것이 아니다. 회기연장 하나로 합하여 놓고, 다음날 열리는 회의도 속회 하나로 칭하는 것이 적절하다.

당일 의사일정에 올라 있는 의안을 모두 처리하지 못한 채 회의를 중단하면 미결의안(未決議案)은 자동 폐기된다. 그리고 그 미결의안을 처리하려면 다시 회의를 소집하여야 하는데, 이에는 상당한 시간도 걸리고 번거롭기도 하다. 그런

---

16) 대법원 2007.9.6. 2007다40000; 2003.7.11. 2001다45584.

17) 전게 「표준회의진행법교본」, 91면; "Robert's Rules of Order" Newly Revised 11th edition. DA CAPO PRESS. A Member of the Perseus Books Group, 2011), 이하 「RR」이라 약칭함, p. 80; 「국회법해설」, 43면.

18) 전게 「표준회의진행법교본」, 91~92면, 244면; 「RR」, pp. 242~243.

상황에 처한 때에는 다음날 또는 며칠 뒤 회의를 속개(續開)하여 미결의안을 처리하는 것이 바람직하다. 그래서 회기를 연장할 필요가 있는 것이다. 회기연장결의를 함에는 속회 일시와 장소를 정하여야 한다. 일시만 정하였으면, 장소는 당일 회의장소와 같은 장소로 정한 것으로 본다.[19] 당일과 속회일 사이가 너무 길어서는 안 된다. 임시총회를 소집할 만한 시간의 여유가 있으면 속회를 열기보다 임시총회를 소집하길 결정하는 것이 적절하다.

총회의 결의로 속회를 여는 것이므로 속회를 열기 위해서 이사회가 소집절차를 다시 밟을 필요도 없고, 소집사무 담당자가 따로 소집통지서를 보낼 필요도 없다(제372조 제2항).[20] 소집통지서를 보낼 필요는 없지만 의장이 당일 출석하지 아니한 회원들로 하여금 속회에 출석할 기회를 주기 위하여 안내서를 보내거나 전화 또는 전자문서로 알리는 것은 좋은 일이다. 그리고 당일 출석한 회원들에게도 잊지 않도록 안내서 등을 보내는 것 역시 좋은 일이다.

당일 회의와 속회는 1회기를 구성한다. 당초에 회기를 하루로 정한 경우라면, 속회일 하루까지 보태 회기를 이틀로 연장한 것이다. 이에 비하여 총회가 다음 어느 날 임시총회를 열기로 결의하여 그 결의에 기하여 열리는 임시총회와 그 결의를 한 당일의 회의와는 1회기를 구성하지 아니한다. 그 둘은 각 별개의 회기를 구성한다.

다. 주주총회의 공개 여부

주주총회의 공개 여부, 즉 주주들 이외의 자에게 출입을 허용할 지 여부는 총회의 자율에 맡겨져 있다. 하지만 일반 회의규칙은 총회의 결정을 기다리지 아니하고 의장에게 결정하도록 의장에게 그 결정권을 위임하여 놓고 있다.[21] 의장에게 위임된 이 결정권은 의장의 권한 중 질서유지권에 속한다.

라. 주주총회의 회순

개회로부터 폐회에 이르는 회순(會順)은 아래와 같다.

㉠ 개회선언, ㉡ 국민의례, ㉢ 의장인사, ㉣ 성원보고, ㉤ 보고사항, ㉥ 의안

---

19) 전게 「표준회의진행법교본」, 82면.
20) 대법원 1989.2.14. 87다카3200. 전게 「표준회의진행법교본」, 82면; RR p. 236.
21) 전게 「표준회의진행법교본」, 85면.

심의, ⊘ 폐회선언.

회순을 의사일정(議事日程)이라고도 말한다(국회법 제76조). 회의장에 회순을 게시(揭示)하는 것이 좋다. 회순 중 성원보고의 순서는 의장인사 앞으로 옮겨도 괜찮다. 회순 중에 위의 사항들 이외에 "의안채택"이 들어 있는 예를 가끔 본다. 회순에 기재된 의안은 제출권자에 의하여 제출되어 이미 성립되어 있고, 소집통지서에 기재되어 있으므로 새삼스럽게 의안채택이란 절차를 밟을 필요가 없다.22)

6. 보조동의

주주총회의 의안에서 동의의 종류에는 주동의(의안)와 보조동의(補助動議)가 있다고 설명하였고, 그 중 보조동의에 대한 설명은 이 항으로 미룬 바 있다.

가. 보조동의의 의의

보조동의는 그 자체로서 목적을 지니지 아니하고, 다른 동의를 대상동의(對象動議)로 삼아 대상동의의 심의를 보조하는 동의이다.23) 보조동의의 대상동의는 첫째로 주동의(의안)이고, 둘째로 보조동의 자체이다.24) 보조동의 자체가 대상동의로 된다는 말은 보조동의들 사이에서 보조동의 중 하나가 대상동의로 되고, 다른 하나가 그 심의를 보조하는 동의로 된다는 말이다.

나. 보조동의의 종류

주주총회가 활용할 보조동의로는 수정, 연기, 회부, 토론종결동의, 이렇게 4개가 있다.25) 일반 회의규칙에는 그 밖에 여럿이 더 있지만, 이 4개를 활용하는 것으로 주주총회는 아무런 불편 없이 회의를 진행할 수 있다.

수정동의(修正動議)는 총회에 현재 상정되어 있는 의안 또는 보조동의를 대상동의로 삼아 최종 표결 전에 관련성(關聯性)을 지니는 범위 내에서 그 내용에

---

22) 대법원 1996.11.26. 96다29786. 전게 「표준회의진행법교본」, 121면.
23) 전게 「표준회의진행법교본」, 133면.
24) 전게 「표준회의진행법교본」, 134~135면.
25) 전게 「표준회의진행법교본」, 135면, 138~148면.

변경을 가하자는 동의이다.[26] 수정동의를 개의(改議)라고도 칭한다. 그리고 대상 동의가 의안일 때에 그 의안을 원안(原案), 원안에 대한 수정동의를 수정안(修正案)이라 칭한다.

회부동의(回附動議)란 총회에 현재 상정되어 있는 의안을 비교적 소수의 사람들로 구성된 위원회 등에 넘겨 그 심사보고를 들은 후 심의하자는 동의이다.

연기동의(延期動議)는 현재 계류 중인 의안보다 긴급히 처리하여야 할 의안이 있을 경우에 그 의안의 처리 시까지, 또는 현재 계류 중인 의안의 처리를 위하여 필요한 정보를 기다리려는 경우에 그 정보의 입수 시까지, 또는 이와 유사한 사정이 있을 때에 그 의안의 심의를 일정 시간 연기하자는 동의이다.

토론종결동의는 의안에 대한 토론이 충분하게 진행되었다고 보일 때에 토론을 종결하고 표결절차로 들어가자는 동의이다. 우리나라 회의실무에서 원안통과동의, 원안수정통과동의가 자주 이용되고 있다. 원안통과동의는 토론종결과 아울러 원안의 통과를 구하는 복합동의고, 원안수정통과동의는 의안에 하나나 두 가지 사항에 대한 수정안이 계류 중인 상태에서 당시 회의장의 분위기가 수정안에 의하여 의안이 수정되면 의안이 쉽게 통과될 상황이라고 보일 때에는 토론종결과 아울러 그 수정안에 의한 수정과 그렇게 수정된 의안의 통과를 구하는 복합동의이다. 원안통과동의는 정확하게 말하면 원안무수정통과동의이다. 그래야 원안수정통과동의와 분명하게 대비(對比)된다.

원안수정통과동의에 대한 이해를 돕기 위하여 예를 하나 든다. 어떤 특설위원회설치규정안이 상정되어 있고 규정안에 위원의 수가 7명으로 규정되어 있는데, 토론 중에 이를 5명으로 줄이자는 수정안이 제출되고 성립되었다고 가정하자. 그리고 당시 회의장의 분위기가 그 수정안에 의하여 의안이 수정되면 의안이 쉽게 통과될 상황이라고 가정하자. 이런 때에는 주주가 수정통과동의를 제출하면 그 의안이 수정통과 될 것이다. 토론종결동의는 필요한 보조동의이지만 원안통과동의 등 복합동의는 회의법상 꼭 필요한 동의가 아니다. 그런데 회의 실무에서 의안에 대한 찬반토론이 충분히 진행된 시점에서 의장이 "이제 토론을 종결하고 의안에 대한 동의를 받겠습니다"라고 원안통과동의의 제출을 유도하는

---

26) 전게 「표준회의진행법교본」, 161면, 163~167면, 전게 「회의진행규칙」, 77면 이하; 「RR」, p. 130ff.; 김교창 "수정동의에 관한 연구," 「변호사」 제35집, 9~38면; 김교창, "국회법상의 수정안," 「법률신문」(2006. 7. 6.), 15면.

예를 종종 본다. 이 유도에 따라 한 주주가 원안통과동의를 제출하고 다른 한 주주가 재청한다. 이 유도와 이에 뒤따른 동의의 제출과 재청은 실은 필요하지 아니한 절차인 것이다. 토론의 대상인 의안은 이미 성립된 동의이고, 이에 대한 토론도 마치었으므로 의장이 바로 이 의안에 대한 찬반을 물으면 된다. 그렇기는 하지만 회의의 원만한 진행을 위하여 원안통과동의를 활용하는 것도 괜찮아 보인다.

다. 보조동의의 제출, 성립, 상정, 심의

기본주동의인 의안은 이사회와 소수주주에게만 그 제출권이 부여되어 있는데 비하여 보조동의는 이사회와 주주 중 2주 이상의 주식을 소유한 모든 주주에게 그 제출권이 부여되어 있다. 이사회는 의안의 제출권을 가지고 있으므로 당연히 보조동의를 제출할 수 있다. 1주만 소유한 주주의 경우에는 그의 제출과 다른 주주의 재청으로 성립된다.27) 1인의 제출과 다른 1인의 재청이 그 성립요건인 것이다. 재청에 관한 설명은 'Ⅲ. 주주총회의 의안' 중 '1. 동의'에 들어 있다. 보조동의의 성립에 관한 원칙은 세부규칙에 속한다. 그러므로 의장이 1주만 소유하고 있는 주주가 보조동의를 제출한 경우에 재청이 있는지를 묻지 아니하고 바로 총회에 상정하여 결의를 이끌어내더라도 그 결의는 하자 없는 결의이다.

상법상 의장이 총회를 소집할 때에는 소집통지서에 회의의 목적사항인 의안을 반드시 기재하도록 규정되어 있는데(제363조), 이렇게 사전 통지를 요하는 것은 기본주동의인 의안에 한하고 보조동의는 사전 통지를 요하지 아니한다. 보조동의는 총회의 진행 중 어떤 상황에 접할 때에 주주 등이 제출하는 동의이므로, 성질상 사전 통지를 요할 것이 아니다. 다만 수정안 중에는 사전통지를 요할 경우가 있다. 이사회가 제출한 의안에 대하여 의안제출권을 가진 소수주주가 수정안을 제출한 때에 소집권자는 그 수정안의 요령도 의안과 함께 사전 통지를 하여야 한다.28) 마찬가지로 소수주주가 법원의 허가를 얻어 총회를 소집할 때에 소수주주가 회의의 목적사항으로 삼은 의안에 대하여 이사회가 수정안을 제출한 경우에도 이사회가 제출한 수정안의 요령을 소수주주 대표가 사전 통지하여야

---

27) 전게 「표준회의진행법교본」, 137면; 「RR」, p. 36; 국회법 제89조.
28) 김교창, "상장회사 소수주주의 사외이사후보추천," 「판례연구」 제23집(2)(서울지방변호사회, 2009. 12.), 55~98면; 김교창, 전게 「주주총회의 운영」, 166면.

한다.

보조동의는 대상동의의 심의를 보조하는 동의이므로, 그 제출 시기는 당연히 대상동의가 총회에 상정되어 있는 동안이다. 그 동안에 제출되고 처리되어야 한다. 대상동의가 상정되어 있는 동안에 보조동의가 제출되면, 총회는 잠시 대상동의를 계류 중인 상태로 놓아두고 보조동의를 현안(懸案)으로 삼아 보조동의를 먼저 상정하여 심의하고 처리하여야 한다.[29] 보조동의로 하여금 대상동의의 심의를 보조하게 하려면 당연히 보조동의를 먼저 처리한 후 대상동의를 처리하여야 하기 때문이다. 회의진행법의 법리를 들어 말하면 보조동의를 심의하고, 처리하는 것 자체가 대상동의를 심의하는 일환이다.

보조동의의 제출권자에 대하여는 보조동의의 의의와 대상동의에서 이미 설명하였다. 성립된 보조동의는 의장이 바로 총회에 상정하여야 한다.

의안의 철회, 수정제출, 재 제출, 심의, 표결에 관하여 주주총회의 의안의 항에 자세하게 설명하였다. 이 설명을 보조동의에 모두 원용한다.[30] 보조동의에 관하여 특별히 아래에서 설명하는 것 이외에는 의안과 보조동의 사이에 달리할 것이 없으므로 의안에 관한 설명을 보조동의에 원용하는 것이다.

7. 발언권의 신청과 그 허가

주주들은 총회에서 영업보고 등에 대한 질문, 의안에 대한 질의와 정보요구, 의안에 대한 찬반토론, 토론 중에 보조동의의 제출, 의사진행발언 등을 할 수 있다. 주주들이 가지는 이 발언권(發言權)은 주주들의 고유권이다.

일반 회의규칙은 주주들이 골고루 원만하게 위의 여러 가지 발언을 할 수 있도록, 발언권의 신청과 허가라는 절차를 마련하고 있다.[31] 이런 절차가 없으면 주주들이 앞 다투어 발언하려 할 때에 의장이 이를 세어할 수 없다. 주주들은 원칙으로 의장에게 먼저 발언권을 신청하여 그 허가를 얻어야 발언할 수 있다. 주주가 발언권을 신청할 경우에 의장은 반드시 이를 허가하여야 한다. 동의에 대한 재청(再請)만은 예외적으로 의장의 허가를 받을 필요가 없다.[32] 주주 2인

---

29) 부산고등법원 2000.9.29. 2000나4722; 전게 「표준회의진행법교본」, 138면; 임재연, 전게 「회사법 II」, 148면.

30) 전게 「표준회의진행법교본」, 138면.

31) 전게 「표준회의진행법교본」, 151~153면; 「RR」, pp. 29~31, 376~399; 국회법 제99조.

이상의 주주가 동시에 발언권을 신청한 경우 종류를 같이하는 발언은 제출순으로, 종류를 달리하는 발언은 순위에 따라 의장이 허가하여야 한다. 주주 이외의 사람도 때로 주주총회에 출석하여 발언할 경우가 있는데, 그들 역시 의장으로부터 발언권을 부여받은 경우에 한하여 발언할 수 있다. 주주 이외의 사람에 대한 발언권의 부여 여부는 의장의 재량에 맡겨져 있다.

일단 허가를 얻어 발언을 시작한 사람의 발언은 도중에 중단되지 않도록 하여야 한다.[33] 그래서 일반 회의규칙은 특별한 경우를 제외하고는 다른 사람의 발언 중에는 발언권을 신청할 수 없도록 규정하고 있다. 의사진행발언 중 몇 가지만은 이의 예외, 즉 특별한 경우이다. 이에 관한 설명은 다음 항 의사진행발언에 들어 있다.

누구이든 의장의 허가를 얻지 아니하고 발언을 시작하는 것은 규칙위반이다. 허가를 얻지 아니하고 발언하려는 사람에 대하여는 의장이 즉시 발언의 중지를 명하여야 한다. 그래도 중지하지 아니하면 퇴장을 명하여야 한다(제366조의2 제3항). 중지와 퇴장을 명하는 것은 의장의 질서유지권 행사이다.

주주의 발언은 계류 중인 의안에 관한 것이어야 한다.[34] 의안에 관한 것 이외의 발언은 할 수 없다. 의안에 관한 것이라도 회의를 지연시키려는 발언, 회사나 주주의 신용 또는 명예를 훼손하는 발언, 다른 사람을 모욕하는 발언, 다른 사람의 사생활에 관한 발언 역시 할 수 없다. 어느 주주가 의안에 관한 것 이외의 발언 등을 하면 의장은 즉시 그 발언이 규칙위반임을 지적하면서 그 발언의 중지, 나아가 퇴장을 명하여야 한다.

8. 의사진행발언

가. 의사진행발언의 의의

회의진행에 관한 모든 사항은 총회의 자율에 맡겨져 있다. 그런 가운데 회의진행의 원활과 신속을 위하여 일반 회의규칙은 회의진행에 관한 사항 중 상당 부분의 결정권을 의장에게 위임하고 있다. 이렇게 위임받아 의장이 가지게 된

---

32) 전게 「표준회의진행법교본」, 152면; 「RR」, p. 35.
33) 전게 「표준회의진행법교본」, 152면; 「RR」, p. 29, pp. 383~385; 국회법 제100조.
34) 전게 「표준회의진행법교본」, 154면; 「RR」, p. 39; 국회법 제102조.

의장의 권리를 상법은 의장의 의사정리권(議事整理權)이라 표현한다(제366조의2 제2항 후단). ㉠ 의안상정의 순서, ㉡ 의안의 병합 또는 분할, ㉢ 정회, ㉣ 축조심의, ㉤ 발언권의 허가, ㉥ 표결방법의 결정 등이 의장에게 위임된 사항들 중 대표적인 사항들이다.

의장은 그에게 위임된 회의진행에 관한 공정, 원만, 신속하게 행사하여야 한다. 의장이 그의 권한을 그렇게 행사하지 못할 경우에는 주주들이 이를 지적하고 그렇게 행사하도록 촉구하여야 한다. 주주들의 그런 촉구발언이 의사진행발언이다.[35] 규칙발언, 특청, 일정촉진, 의안의 병합 또는 분할 청구, 정회 청구, 축조심의 청구, 항의 등이 중요한 의사진행발언들이다. 여기에서 항의란 의장이 그에게 맡겨진 의사정리권을 행사한 때에 주주가 그 행사에 잘못이 있음을 지적하면서 그 행사의 번복 등을 요구하는 발언이다. 항의 역시 의사진행발언 중 하나이다.[36]

나. 의사진행발언의 신청과 허가

의사진행발언도 하나의 발언이므로 의사진행발언을 하려는 주주도 의장에게 발언권을 신청하여 의장의 허가를 얻어야 한다.[37] 의사진행발언을 하겠다는 주주와 보조동의를 제출하겠다는 주주가 동시에 발언권을 신청하면, 의장은 의사진행발언을 하려는 주주에게 우선하여 발언을 허가하여야 한다.[38] 의사진행발언이 보조동의보다 선순위이기 때문이다.

의사진행발언을 하려는 주주도 원칙으로는 다른 사람의 발언 중에는 발언권을 신청할 수 없다. 다만 의사진행발언 중 규칙발언, 특청, 일정촉진 발언을 하려는 주주는 필요한 경우 다른 사람의 발언 중에도 의장에게 발언권을 신청할 수 있다.[39] 이들 발언은 긴급한 것이기도 하고, 이들 발언 중에는 당시 발언하고 있던 다른 주주의 발언이 규칙위반임을 지적하거나 그 밖에 그 발언을 중지시켜야 할 사유를 지적하려는 경우마저 있을 것이기 때문이다.

---

35) 전게 「표준회의진행법교본」, 157~158면; 임재연, 전게서, 148면.
36) 국회법 제99조 제3항, 제104조; 「RR」, pp. 219~220; 전게 「표준회의진행법교본」, 167~168면; 김교창, 전게 「주주총회의 운영」, 211면 이하.
37) 전게 「표준회의진행법교본」, 160면.
38) 전게 「표준회의진행법교본」, 160면.
39) 전게 「표준회의진행법교본」, 161면; 「RR」, pp. 383~384.

회의 실무에서 가끔 주주들 중에 "긴급동의를 제출하겠습니다" 라고 발언권을 신청하는 예를 본다. 다른 사람의 발언 중에도 발언권을 신청할 수 있는 의사진행발언을 하겠다는 것이다. 회의 실무에서 이들 발언에 긴급동의라는 호칭이 부쳐졌다. 그런데 회의장에서 위 셋 이외의 발언을 하려는 주주가 의장으로부터 발언 허가를 얻으려고 "긴급동의를 제출하겠습니다" 라고 발언 신청을 하는 경우가 드물지 않다. 위 셋 이외의 발언을 하려는 주주에게는 다른 사람의 발언 중에 의장이 발언을 허가하여서는 안 된다.

다. 의사진행발언의 처리

의사진행발언이 나오면 의장은 즉시 이에 대하여 직권으로 처리하여야 한다. 그 발언내용이 받아드릴 만한 것이면 의장은 그의 기존 결정을 번복하는 등 그 발언에 관하여 처리한 후 의안의 심의를 계속한다. 그 발언내용이 받아드릴 만한 것이 아니면 의장은 그 이유를 설명하고 그것을 배척한 후 의안 심의를 계속한다. 의사진행발언은 의장이 총회의 결정을 기다리지 아니하고 직권으로 처리한다는 점에서 총회의 결의로 처리하여야 할 동의(주동의와 보조동의)와 분명하게 구분된다.

의사진행발언이 나온 때에 의장이 즉시 바로잡으면 그것으로 이 발언에 관한 상황은 끝난다. 의장이 즉시 바로잡지 못하면 의장의 결정에 대한 항의로 넘어간다. 항의에 재청이 있으면 규칙발언 이외의 사항에 대하여는 의장이 총회에 물어 총회의 결정을 따라야 하고,[40] 규칙발언에 대한 항의만은 의장이 회의고문에게 자문을 받아 처리하여야 한다.[41] 전문적 회의체인 의회에서는 규칙발언에 대한 항의도 총회에 물어 처리하지만[42] 일반 단체나 주식회사의 총회에서는 그렇게 처리하는 것이 옳지 않다. 일반 단체의 회원, 주식회사의 주주들에게 규칙위반인 여부의 판단을 맡길 수는 없기 때문이다.

총회는 의사진행발언에 대한 처리를 마쳐야 이 발언 이전의 상태로 돌아가 의안의 심의를 계속할 수 있다. 이들 사항은 제출된 때에 즉시 처리되어야 할

---

40) 전게 「표준회의진행법교본」, 162면; 「RR」, 255~256면; 서울고등법원 2005.3.30. 2003나 86161, 86178.

41) 전게 「표준회의진행법교본」, 162~164면.

42) 「RR」, pp. 240ff.; UN회의규칙 제71조.

사항들이기 때문이다.

9. 표   결

가. 표결의 의의

표결이란 총회 등 회의체에서 의안, 보조동의 등에 대하여 구성원들이 의사를 표시하는 것이다. 의안 등은 표결을 거쳐야 처리가 종료된다. 제안설명, 질의응답, 찬반토론은 주주 전원의 동의로 생략할 수 있지만 표결만은 주주 전원의 동의로도 생략할 수 없다. 표결이 없으면 결의도 없으므로 혹시 표결 과정을 거치지 아니한 채 의장이 어떤 의안이 가결 또는 부결되었다고 선포하였다면 그 선포는 무효이다. 그 의안은 아직 총회에 계류 중인 상태이다.

회의 실무에서 가끔 의장이 일부 반대하는 주주가 분명히 있음에도 불구하고 다수의 주주가 찬성하는 것으로 보이면 표결에 부치지 아니하고 가결을 선포하는 사례가 가끔 있다. 반대하는 주주가 일부라도 있으면 의장은 반드시 표결에 부쳐 찬성 몇 주, 반대 몇 주인지를 밝히고서 의안이 가결 또는 부결되었다고 선포하여야 한다. 의장이 표결에 부치지 아니한 채 가결 또는 부결되었다고 선포하였다면, 그 결의는 부존재한 것이다.[43]

나. 표결의 과정

의장은 심의를 마친 의안을 최종적으로 표결에 부쳐야 한다. 표결의 과정은 1) 의장의 표결개시선언, 2) 표결절차, 3) 계표절차, 4) 의장의 표결결과 선포이다.

표결은 의장이 표결개시선언으로 시작된다. 표결개시선언을 할 때에 의장은 어떤 의안이 그 대상인지를 밝혀야 한다. 단 주주들이 그 대상을 분명히 알고 있다고 보일 경우에는 이를 생략할 수 있다. 의장이 표결개시선언을 하면 총회는 의안에 대한 토론을 계속할 수 없다(국회법 제110조 제2항). 단 표결방법에 관한 의사진행발언에 한해서는 표결개시선언 이후에도 발언이 허용된다. 표결방법으로 다음에서 설명하는 여러 가지 표결방법 중 어떤 방법에 의하는 것이 좋겠다는 발언, 택일의안을 순차표결에 붙일 때에 어떤 순서가 좋겠다는 발언 등

---

43) 서울고등법원 2014.4.13. 2013나27994; 서울중앙지방법원 2006.10.19. 자 2006카합1920.

이 표결방법에 관한 의사진행발언의 예이다.

다. 표결개시선언 시 재석주식수의 확인

의장은 개회 당시에 나아가 회의진행 중에도 의사정족수에 달하는 주식을 소유하고 있는 주주의 재석 여부를 확인하여야 한다. 의사정족수의 주식을 가진 주주가 재석하고 있지 아니하면 잠시(15분 내지 30분) 정회하여야 한다. 잠시 그 수가 재석하지 아니한 상태에서 회의를 진행하였더라도 의안에 대한 표결 시에 출석주주의 수가 늘어 의사정족수에 달하는 수의 주식을 소유한 주주가 재석한 가운데 어떤 의결을 하였으면 잠시 재석하고 있지 아니한 것은 결의의 효력에 영향을 미치지 아니한다. 얼마 동안 기다려도 주주가 더 출석하지 아니하면 의장은 폐회를 선언하는 수밖에 없다.

어떤 의안을 표결에 붙일 때에 의결정족수 산정의 기준이 되는 재석주식수는 개회 당시의 출석주식수가 아니라 표결실시 당시의 재석주식수이다.[44] 따라서 개회 당시에는 출석하였다가 회의 도중 회의장을 떠난 주주의 주식수는 재석주식수에 포함되지 아니하고, 개회 당시에는 출석하지 아니하였다가 회의 도중 회의장에 들어온 주주의 주식수는 재석주식수에 포함된다.

혹시 의사정족수 미달로 유효한 결의 자체가 성립되지 않았음에도 불구하고 의장이 가결 또는 부결을 선포하였다면 그 결의는 무효이다. 집계 중 의사정족수 미달의 주식을 소유한 주주가 표결에 참가한 것을 확인하면 총회는 재표결을 시행하여야 한다.[45] 엄밀히 따지면 앞선 표결은 아무런 효력이 없으므로 뒤의 표결이 첫 표결이다.

라. 표결의 유형

찬반의안은 찬반표결에 부쳐, 택일의안은 택일표결에 부쳐 처리한다. 이렇게 표결의 유형에는 찬반표결, 택일표결 두 가지가 있다.

---

44) 대법원 2010.4.29. 2008두5568; 2001.7.27. 2000다56037; 전게 「표준회의진행법교본」, 186면.

45) 헌법재판소 2009.10.29. 2009헌라8, 9, 10; 전게 「표준회의진행법교본」, 187면; 「RR」, 280～282면.

1) 찬반표결

찬반표결이란 찬반의안에 대하여 주주들이 찬성하는지 여부를 표시하는 것이다. 찬반표결을 가부표결(可否表決)이라고도 칭한다. 그 표결 결과 찬성이 과반수이면 가결되고, 그렇지 아니하면 부결된다. 의장은 거수, 기립, 투표지에 의한 표결 등 적절한 방법으로 찬성·반대·기권을 물어 집계하여야 한다. 주주 중 누가 찬성하고, 누가 반대하였는지 등 그 성명까지 밝혀 둘 필요는 없다.[46]

찬반표결의 순서는 원칙으로 찬성과 반대의 순이다.[47] 원칙은 그렇지만 의장이 먼저 반대를 물은 다음 반대하는 주식수가 반보다 훨씬 적으면, "나머지 주주님은 모두 찬성하십니까?"라고 물어 나머지 주주들로부터 "찬성합니다"라는 말이나 박수를 듣고 의안을 가결시켜도 괜찮다.

찬반의안에 대한 표결 결과 가부동수(可否同數)가 나오면 과반수 미달이므로 그 의안은 부결된 것이다.[48] 정관 등에 규정을 두어 가부동수가 나올 경우 의장에게 결정권을 부여할 수 있을까? 그렇게 할 수 없다. 과반수의 원칙은 회의법의 기본원칙이고. 결의요건에 관하여 상법이 의결권의 과반수로 규정하고 있는데(제368조 제1항), 법률의 이 규정은 위 기본원칙을 반영한 강행규정이다. 그러므로 의장에게 결정권을 부여하는 것은 이들에 저촉되어 무효이다.[49]

찬반의안은 가결 또는 부결되면 그로써 그 의안의 처리가 종료된다.

2) 택일표결

택일표결이란 주주들이 복수의 안 중 어느 안을 지지하는지를 표시하는 것이다. 그 중 어느 하나가 결의요건에 해당하는 득표를 하면 그 안으로 총회의 의사가 결정된다. 택일표결의 유형에는 다시 두 가지 유형이 있다. 하나는 복수의 안들을 ① 일괄 제출받아 일괄 또는 순차(順次) 표결에 의하여 처리하는 유형이고, ② 또 하나는 복수의 안들을 순차 제출받아 순차 표결에 의하여 처리하는 유형이다.[50] 위 두 가지 중 어느 유형에 의할 것인가는 의장의 결정에 맡겨져

---

46) 대법원 2011.10.27. 2010다88682; 전게 「표준회의진행법교본」, 178면.
47) 「RR」, p. 410; 전게 「국회선례집」, 533면; 전게 「표준회의진행법교본」, 178~179면.
48) 헌법 제49조; 임재연, 전게서 155면; 전게 「표준회의진행법교본」, 179~180면; 「RR」, 53~54, 405~406면.
49) 전게 「표준회의진행법교본」, 179~180면.
50) 전게 「표준회의진행법교본」, 181~182면.

있다.

택일표결의 결과 여러 안 중 결의요건을 득표한 안이 나오지 아니하면 상위 2개안을 결선투표에 붙인다. 결선투표에서도 결의요건을 득표한 안이 나오지 아니하면 어떻게 하는가? 그 의안의 처리는 아직 끝나지 않는다. 총회의 의사가 아직 결정되지 아니하였기 때문이다. 의장은 주주들로부터 다른 안을 더 제출받아 총회의 의사를 결정하여야 한다. 그래야 그 의안의 처리가 끝난다.

결선투표에서 혹시 양자동수(兩者同數)가 나올 경우가 있다. 이때에 의장에게 택일권을 부여할 수 있을까? 이에 대한 설명은 찬반표결 결과 가부동수가 나온 경우에 대한 설명을 원용한다.[51]

마. 여러 가지 표결방법

표결방법이란 찬반의안에 대하여 찬성하는 여부 또는 택일의안에 대하여 어느 안을 지지하는지를 의장이 주주들에게 물을 때에 주주들이 이에 답하는 방법을 말한다. 표결방법으로는 음성, 박수, 거수, 기립, 호명, 좌석이동, 투표지에 의한 기명 또는 무기명표결, 서면표결(제368조의3), 전자적 방법에 의한 표결(제368조의4), 우편투표 등 여러 가지가 있다.[52] 이 중 좌석이동이란 찬성하는 주주는 오른쪽, 반대하는 주주는 왼쪽으로 자리를 옮기도록 하는 표결방법이다.[53] 기권하는 주주는 그 자리에 앉아 있도록 한다.

위의 여러 가지 표결방법 중 음성, 박수표결을 약식표결(略式表決)이라 말하고, 그 밖의 표결을 정식표결(正式表決)이라고 말한다. 약식표결은 출석한 주주들 모두가 찬반의안에 찬성하거나 모두가 반대할 때, 택일의안 중 어느 하나로 결정하는데 주주 모두가 일치하는 의견을 보일 때에만 그 방법에 의하는 것이 가능하다. 반대하는 주주가 일부라도 분명히 있으면 그렇게 하는 것이 불가능하다. 그럼에도 불구하고 의장이 약식표결로 결의를 이끌어내면 그 결의는 무효이다.[54]

서면투표와 전자적 방법에 의한 표결에 대하여는 이 책자에 별도로 상세하게 설명되어 있다.

---

51) 전게 「표준회의진행법교본」, 182면.
52) 전게 「표준회의진행법교본」, 172~175면; 「RR」, 409~429면; 국회법 제112조.
53) 대법원 2001.7.27. 2000다56037.
54) 서울고등법원 2014.3.10. 2013나27994.

바. 표결방법의 결정

표결방법에 관하여 상법에는 아무런 정함이 없다. 회사의 정관 또는 총회규칙에 표결방법이 특정되어 있으면 당연히 그에 의하여야 한다. 그런 정함이 없으면 위에서 들은 여러 가지 표결방법 중 어떤 방법에 의하여도 된다.[55] 일반 회의규칙상 그 결정권은 의장에게 부여되어 있다. 본래 총회가 결정할 일이지만 표결시마다 이를 총회로 하여금 결정하도록 하는 것은 한편으로 번거롭기도 하고 꼭 그렇게 하여야 할 필요도 없으므로 일반 회의규칙은 이의 결정을 의장에게 맡기고 있는 것이다.[56] 일반 회의규칙상 우리나라의 원칙적 표결방법은 거수이다. 하지만 의장은 상황에 따라 거수 이외의 방법으로 표결에 붙여도 된다. 의장은 각 의안별로 표결방법을 달리할 수 있다.

의안을 병합하여 심의하였더라도 표결만은 원칙으로 의안별로 처리하여야 한다.[57] 혹시라도 회원 일부가 그 중 어느 의안에 반대하려는 경우 혼선이 벌어지고, 뒤에 결의방법이 현저하게 불공정하다는 이유로 효력을 부정당할 염려가 있기 때문이다.[58] 원칙은 그렇지만 병합하여 표결 처리하여도 그렇게 처리하는데 반대하는 주주가 없으면 괜찮다.[59]

사. 표결의 종료 집계, 효력발생 및 표결 결과 선포

1) 재석주주들이 모두 표결을 마치면 의장은 표결의 종료를 선언한다. 그 선언으로 표결이 종료된다. 그 뒤 의장은 표결 결과를 집계하여 결과를 선포하여야 한다(국회법 제113조).

2) 표결의 효력은 위와 같이 표결이 종결되고 집계 결과가 나온 때에 바로 발생한다. 그 때에 그 결의의 내용이 바로 회사의 의사로 확정되는 것이다.[60] 집계 후 결과가 나온 때에 의장이 이를 선포하는 것은 이를 확인하는 절차적

55) 정찬형, 「회사법강의」 제24판(박영사, 2021), 902면; 최준선, 「회사법」 제16판(삼영사, 2021), 397면; 전게 「표준회의진행법교본」, 176면.

56) 전게 「표준회의진행법교본」, 176면; 상장회사 표준주주총회운영규정 제37조; 東京地 平成 14.2.21. 判決; 山下友信・神田秀樹, 「商法判例集」 第4版(有斐閣, 2010), 157~158面.

57) 전게 「표준회의진행법교본」, 171~172면.

58) 임재연, 전게 「회사법 II」, 150~151면.

59) 전게 「표준회의진행법교본」, 172면.

60) 김교창, 전게 「주주총회의 운영」, 236면.

처리이다. 의장의 확인행위가 없더라도 결의의 효력발생에는 영향이 없다. 의장의 선포는 확인행위일 뿐이므로 의장이 가결된 것을 부결되었다고 선포하거나, 부결된 것을 가결되었다고 선포하더라도 그 선포는 무효이다. 그 의안은 집계 결과대로 가결, 부결된 것으로서 효력이 발생한다.

표결결과를 선포할 때에 의장은 의사봉을 삼타한다. 이로써 표결절차가 모두 종료된다. 표결의 종료로써 의안의 처리도 종료된다.

10. 주주총회의 폐회

총회는 의사일정에 올라 있는 의안을 모두 처리하거나 그 의안을 다음 회의로 이월하기로 결정한 후에 폐회한다. 이때에 의장은 폐회를 선언한다. 이로써 총회의 의사활동이 종료된다. 폐회를 선언을 할 때에도 의장은 의사봉을 삼타한다.

총회는 의사일정에 올라 있는 의안을 모두 처리하거나 그 의안을 다음 회의로 이월하기로 결정하기 이전에는 폐회할 수 없다. 그 전에는 총회의 결의에 의하여야만 폐회할 수 있다. 만일 의장이 총회의 결의에 의하지 않고 폐회선언을 하였다면 그 선언은 무효이다. 의장에게 그런 권한은 부여되어 있지 않다. 따라서 그 선언에 불구하고 주주들이 자리에 남아 다음 순위의 의장 또는 그 자리에서 선임된 임시의장의 주재 아래 회의를 계속하여 어떤 의안을 처리하는 결의를 하면 그 결의는 유효하다.[61]

주주총회의 진행 과정에서 회사는 주주들로부터 참석장, 위임장 등을 접수하였다. 이들 서류의 보존에 관하여 상법에는 아무런 규정이 들어 있지 않다. 소집절차 등 절차상의 하자를 들어 총회결의취소의 소의 제소기간이 2월이므로(제376조) 그 기간보다 조금 더 회사는 그 서류들을 보존하여야 한다.

---

61) 대법원 1983.8.23. 83도748; 2001.5.15. 2001다12973; 전게 「표준회의진행법교본」, 88면; 최준선, 전게서, 381면; 김교창, 전게 「주주총회의 운영」, 161면.

Ⅴ. 주주총회의 서면결의와 그 의사록의 작성 및 공증

이 형 규*

1. 서　　설

상법상 주주총회의 결의는 원칙적으로 이사회가 주주총회의 소집을 결정하고, 대표이사가 주주들에게 소집통지를 한 후, 주주들이 주주총회에 출석하여 의안에 대한 토의를 한 다음 표결을 통하여 이루어진다. 그러나 상법은 소규모 주식회사에 대하여 예외적으로 주주총회의 개최 없이 각 주주가 서면으로 찬부의 의사표시를 하고 이것을 집계하여 회사의 의사를 결정하는 서면결의 제도를 두고 있다. 즉, 자본금 총액이 10억원 미만인 주식회사(이하 '소규모 주식회사'라 한다)는 주주 전원의 동의가 있는 경우에 주주총회의 개최 없이 서면에 의한 결의(이하 '서면결의'라 한다)로써 주주총회의 결의를 갈음할 수 있고(제363조 제4항 제1문 후단), 결의의 목적사항에 대하여 주주 전원이 서면으로 동의(이하 '서면동의'라 하고 '서면결의'와 '서면동의'를 합하여 '서면결의 등'이라 한다)를 한 때에는 서면결의가 있는 것으로 본다(동항 제2문).[1] 서면결의 등에 대하여는 주주총회의 결의와 같은 효력을 인정하고 있다(제363조 제5항). 서면결의 등을 인정한 취지는 소규모 주식회사에 대하여 주주총회의 의사결정절차를 간소화함으로써 시간과 비용을 경감할 수 있도록 하기 위한 것이다. 그뿐만 아니라 서면결의 등은 소규모의 회사들이 주주총회를 개최하기 어려운 상황이거나 긴급을 요하는 의안이 있는 경우에 주주총회의 결의를 성립시킬 수 있는 편리한 제도이기도 하다.[2]

그런데 상법은 서면결의 등의 절차나 공시에 관하여는 구체적으로 정하지 않고 "서면에 의한 결의에 대하여는 주주총회에 관한 규정을 준용한다"고만 규정

---

* 한양대학교 법학전문대학원 명예교수, 법학박사

1) 소규모 주식회사에서 주주 전원의 동의가 있는 경우에 주주총회의 개최 없이 서면에 의한 결의를 하는 것을 '서면결의'라 하고, 결의의 목적사항에 대하여 주주 전원이 서면으로 동의한 것을 '서면동의'라 하며, '서면결의'와 '서면동의'를 합하여 '서면결의 등'이라고 한 것은 "상업등기선례 제201809-3호, 2018.9.14. 제정"에 따른 것이다.

2) 특히, 2020년 초부터 지속된 코로나19 팬데믹으로 인하여 현실적으로 매년 개최되어야 하는 정기주주총회마저도 정상적으로 열리기 어려운 상황에서 서면결의는 매우 유용하게 활용될 수 있는 제도라고 할 수 있다.

하고 있다(제363조 제6항). 이에 따라 서면결의 등에 대하여 주주총회에 관한 규정을 명백히 준용할 수 있는 경우에는 문제가 없으나, 그렇지 않은 경우에는 해석에 의존할 수밖에 없다. 이와 관련하여 현실적으로 소규모 주식회사에서 주주총회를 개최하지 않고 서면결의 등을 한 경우에도 주주총회의사록을 작성하여야 하는지에 관하여 논란이 있다. 또한 서면결의 등의 내용이 등기할 사항이면 상업등기규칙 제128조 제2항에 따라 등기신청을 할 때 주주총회의사록을 제공하여야 하는지 또는 의사록 대신에 주주 전원의 동의로 서면결의를 한 때에는 주주 전원의 동의서와 해당 결의요건을 충족시키는 서면결의서를 제공하고, 결의의 목적사항에 관하여 주주 전원이 서면으로 동의한 때에는 주주 전원의 서면동의서를 제공하여도 되는지에 관하여는 견해가 나뉘어 있다. 그리고 공증인법 제66조의2에 따라 등기신청을 할 때 공증인의 인증을 받은 의사록을 첨부하여야 한다는 견해와 총주주의 동의서와 서면결의서 또는 서면동의서를 공증인의 인증을 받지 않고 첨부하여도 된다는 견해가 대립되어 있다.

그러므로 이 글에서는 먼저 서면결의 등의 의의와 요건 및 효과에 대하여 고찰한 다음에, 현실적인 주주총회의 개최 없이 서면결의 등이 이루어진 경우에도 주주총회의 의사록을 작성하여야 하는지 여부에 대하여 논의하고자 한다. 그리고 서면결의 등의 내용이 등기할 사항이면 등기신청을 할 때 공증인의 인증을 받은 의사록을 제공하여야 하는지 또는 의사록 대신에 서면동의서나 서면결의서를 제공하여도 되는지에 대하여 검토를 하고자 한다.

2. 서면결의와 서면동의의 의의

가. 서면결의의 의의

상법은 1962년 제정 시부터 유한회사의 의사결정에 대하여 사원총회의 결의를 원칙으로 하면서, 그 회사의 소규모성과 사원구성의 폐쇄성을 고려하여 예외적으로 총회의 개최 없이 서면결의 등을 하는 것을 인정하고 있다.[3] 즉, 총사원의 동의가 있는 때에는 총회의 개최 없이 서면에 의한 결의를 할 수 있고(제577조 제1항), 결의의 목적사항에 대하여 총사원의 서면동의가 있는 때에는 서면에

---

3) 권기범, 「현대회사법론」 제8판(삼영사, 2021), 1023면; 손주찬, 「상법(상)」 제15보정판(박영사, 2004), 1126면; 임홍근, 「회사법」(법문사, 2000), 929면.

의한 결의가 있는 것으로 본다(제577조 제2항).[4] 서면결의 등의 방법을 이용하면, 사원이 회합을 하지 않고 각 사원의 서면에 의한 의사표시만으로 간이·신속하게 회사의 의사결정을 할 수 있으므로 총회의 소집과 개최에 따르는 시간과 비용을 경감할 수 있다.[5]

반면에 주식회사에 대하여는 그 규모가 크고 주주의 수가 많은 회사의 형태인 것을 상정하여 주주 전원의 동의를 얻기가 어렵다는 것을 전제로 다수결로 의사를 결정할 수밖에 없다고 보았다. 이에 따라 상법은 주주총회의 소집절차와 의결절차 등을 엄격하게 규정하고,[6] 2009년 상법개정 전까지 서면결의 등을 인정하지 않았다. 즉, 상법상 주주총회결의가 성립하려면 원칙적으로 이사회의 주주총회 소집결정에 따라 대표이사가 각 주주에게 주주총회 소집통지를 하고 주주총회를 개최하여 의안에 대한 토론을 거쳐서 표결을 한 결과가 결의요건을 충족하여야 한다(제362조, 제363조 제1항 내지 제3항, 제364조, 제368조). 다만 학계에서는 2009년 이전에 주식회사에 대하여도 유한회사의 서면결의 제도를 유추적용할 수 있는지의 여부에 관하여 다툼이 있었다. 다수설[7]은 주식회사에 대하여도 상법 제577조에 규정된 유한회사의 서면결의 제도를 유추적용함으로써 특정 주주총회에 관하여 주주 전원의 사전 동의가 있으면 소집절차와 총회개최 없이 서면결의 등을 하여도 유효하다고 보았다. 다만, 판례[8]는 전원출석주주총회만을 유효한 것으로 인정하였다.

그런데 우리나라에서는 주식회사의 선호 경향으로 규모가 작고 주주의 구성도 폐쇄적인 소규모 주식회사가 대폭적으로 증가함에 따라,[9] 이러한 회사에 대

---

4) 유한회사의 서면결의 등에 관하여는 손주찬·정동윤, 「주석 상법(Ⅴ)」[회사(4)] 제3판(한국사법행정학회, 1999), 573~581면; 이강용, "유한회사법에 관한 연구(Ⅶ) – 서면결의를 중심으로 –," 「법학연구」 제14권 제1호(충남대 법학연구소, 2003), 1~22면 참조.

5) 손주찬·정동윤, 앞의 「주석 상법(Ⅴ)」[회사(4)], 574면.

6) 남상우, "서면결의 및 간주서면결의에 관한 고찰," 「공증과 신뢰」 통권 제7호(대한공증인협회, 2014), 141면; 浜田道代, 「逐條解說 會社法 第4卷」, 機關·1 (編輯代表: 酒卷俊雄·龍田節), (中央經濟社, 2008), 183面 參照.

7) 권기범, 앞의 책, 718면; 정찬형, 「상법강의(상)」 제24판(박영사, 2021), 909면 참조. 다만 권기범 교수는 2009년 상법 개정을 통하여 자본금 총액이 10억원 미만인 소규모 주식회사에 한하여 서면결의제도를 도입한 입법취지에 비추어, 그 이외의 주식회사에 대하여는 유추적용을 부정하여야 할 것이라고 한다(권기범, 앞의 책, 772면).

8) 주식회사의 주주총회가 법령이나 정관상 요구되는 이사회의 결의나 소집절차를 거치지 아니하고 이루어졌다고 하더라도 주주 전원이 참석하여 아무런 이의 없이 일치된 의견으로 총회를 개최하는 데 동의하고 결의가 이루어졌다면 그 결의는 특별한 사정이 없는 한 유효하다(대법원 1993.2.26. 92다48734; 1996.10.11. 96다24309; 2002.7.23. 2002다15733).

하여는 주주총회의 의사결정을 간이·신속하게 하고 주주총회의 운영비용을 절감해 줄 필요성이 높아졌다. 이에 2009년 상법개정을 통하여 자본금 총액이 10억원 미만인 소규모 주식회사에 대하여 서면결의 제도를 도입하였다(제363조 제4항).

상법은 소규모 주식회사에 대하여 두 가지 방식의 서면결의 등을 인정하고 있다. 하나는 주주 전원의 동의가 있는 경우에 주주총회의 개최 없이 서면결의로써 주주총회의 결의를 갈음할 수 있는 제도(제363조 제4항 제1문 후단)이고, 다른 하나는 결의의 목적사항에 대하여 주주 전원이 서면동의를 한 때에는 서면결의가 있는 것으로 보는 제도(동항 제2문)이다. 양자를 모두 "서면결의"라고 부르기도 하고, 양자를 구분하여 전자를 "서면결의"라고 하고, 후자를 "서면동의" 또는 "의제서면결의"라고도 한다.[10] 여기서는 양자를 구분하여 전자인 서면결의에 대하여 설명하고, 서면동의에 대하여는 뒤에서 설명한다.

서면결의란 서면에 의한 결의를 하는 것에 관하여 주주 전원의 동의가 있는 경우에 주주총회의 소집절차와 주주총회의 개최 없이 서면으로 의안에 대한 찬부의 의사표시를 하여 주주총회의 결의에 갈음하는 제도이다. 다만 상법은 자본금 총액이 10억원 미만인 회사에 한하여 서면결의를 허용하고 있다. 서면결의는 본래 주주총회를 거쳐서 결의할 것을 요하는 경우에 총회의 개최를 생략하는 것에 불과하다. 따라서 서면결의는 결의하는 방법을 서면에 의한 방법으로 하는 것에 관하여 의결권이 있는 주주 전원의 사전 동의를 얻은 때에 총회의 소집절차와 주주총회를 생략한 채 의안에 관하여 서면으로 찬부의 의사표시를 하도록

---

9) 우리나라에는 자본금 총액이 10억원 이하인 주식회사가 전체의 94%를 상회하고 있으며, 이러한 회사들의 대부분은 주주의 수도 몇 명밖에 되지 않는 것으로 알려져 있다. 2020년에 법인세 신고를 한 것을 기준으로 우리나라의 회사 총수는 838,008개인데, 그 가운데 합명회사가 912개(0.10%), 합자회사가 3,080개(0.36%), 주식회사가 796,582개(95.05%) 그리고 유한회사가 37,434개(4.46%)이다(2021년 국세통계, 표 8-1-2, 법인세 신고 현황 Ⅱ). 우리나라의 회사 총수 838,008개 가운데 자본금 총액이 10억원 이하인 회사는 총 793,827개로, 전체의 94.72%에 해당한다(2021년 국세통계, 표 8-1-3, 법인세 신고 현황 Ⅲ). 주식회사의 자본금 규모별 통계가 별도로 존재하지 않으므로 모든 합명회사와 합자회사 및 유한회사의 자본금 규모가 모두 10억원 이하라고 추정하고 자본금 10억원 이하인 회사 총 793,827개에서 합명회사와 합자회사 및 유한회사의 총수인 41,426개를 제외하면 자본금 10억원 이하인 주식회사의 총수는 752,401개로 전체 주식회사의 94.44%에 해당한다.

10) 임홍근, 앞의 책, 930면; 남상우, 앞의 논문, 118면에서는 "의제서면결의" 대신에 "간주서면결의"라는 용어를 사용하고 있으나, 「법령입안·심사기준」 책자(법제처, 2017. 12. 발간, 2020 수정)에 의하면 일본식 한자어 "간주한다"라는 용어는 "본다"로 순화하여 쓴다(727면). 한자어로는 상법 제5조 "의제상인"의 경우와 같이 "간주" 대신에 일반적으로 의제(擬制)라는 용어를 사용한다.

하고, 의안에 대한 찬성이 해당 의안의 의결정족수를 충족하면 결의가 성립한 것으로 인정한다(제363조 제4항 제1문 후단). 이때 주주 전원의 동의는 의사결정의 방법에 대한 동의에 불과하므로, 서면으로 의안에 대한 찬부의 의사표시를 한 것이 결의로 성립하기 위하여는 해당 의안의 가결에 필요한 정족수를 충족하여야 한다.[11] 서면결의를 하는 것에 동의한 주주가 서면결의에 불출석하더라도 의결정족수를 충족하면 유효한 결의가 이루어질 수 있다.[12] 서면결의는 회사와 긴밀한 관계에 있는 주주로 구성된 총회의 의사결정절차에 대한 간소화 조치이므로 참고서류의 교부를 요하지 않는다.[13] 만약 주주가 참고 자료를 원하는 경우에는 서면결의에 동의하는 의사표시를 하지 않으면 자신의 권리를 보호받을 수 있기 때문이다.[14]

나. 서면동의의 의의

상법은 자본금 총액이 10억원 미만인 주식회사에서 주주 전원이 결의의 목적사항에 대하여 서면동의를 한 때에는 서면결의가 있는 것으로 본다고 정하고 있다(제363조 제4항 제2문). 이 규정은 미리 특정한 목적사항에 관하여 서면에 의한 결의를 하는 것에 주주 전원의 동의가 이루어져 있지 않은 경우에도, 그 목적사항에 관하여 주주 전원이 서면동의를 한 경우에는 예외적으로 서면결의가 있는 것으로 의제한다는 취지이다.[15] 이러한 서면동의는 순수한 서면결의라고는 할 수는 없으나, 결의할 내용에 관하여 이미 전원일치의 찬성이 있으므로 서면결의가 성립한 것으로 보는 것이다. 그러므로 이를 의제서면결의라고도 한다. 서면동의는 목적사항에 관하여 의결권 있는 주주 전원이 찬성하여야 하므로 1주의 의결권을 가진 주주라도 동의하지 않으면 결의는 성립하지 못한다. 또한 사원이 1인이라도 기권을 하면 결의는 성립하지 않는다.[16] 서면동의도 자본금 총액이 10억원 미만인 회사에 한하여 허용되며(제363조 제4항 제2문), 주주총회의

---

11) 손주찬, 앞의 책, 720면.
12) 권기범, 앞의 책, 772면.
13) 江頭憲治郎, 「株式会社法」 第7版(有斐閣, 2017), 363面; 泉田榮一, 「會社法論」 (信山社, 2009), 363面 參照.
14) 김재범, "2009년 개정상법(회사편)의 문제점," 「법학논고」 제33집(경북대학교 법학연구원, 2010), 109면.
15) 손주찬·정동윤, 앞의 「주석 상법(Ⅴ)」 [회사(4)], 579면.
16) 임홍근, 앞의 책, 931면.

결의와 같은 효력이 인정된다(제363조 제5항).

서면동의에서 주주 전원의 동의는 결의의 방법에 관한 동의가 아니고, 의안의 내용에 관한 동의이다.[17] 서면결의에서는 두 단계의 의사 확인절차가 필요하다. 1단계로 서면으로 결의하는 것에 대하여 주주 전원이 서면 또는 구두로 동의를 하여야 하고, 2단계로 각 주주가 서면으로 목적사항에 대한 찬부의 의사표시를 하여야 한다. 이에 대하여 서면동의는 결의의 목적사항에 대한 주주 전원의 동의만 서면으로 확인하면 된다.

소규모 주식회사에는 주주들이 가족 관계에 있거나 친밀한 관계에 있는 경우가 많기 때문에 결의의 목적사항에 대하여 전원일치로 결의하기가 비교적 용이하다. 또한 주주가 대부분 소수이기 때문에 의안이 제안되었을 경우에 결의의 목적사항에 대하여 찬성하는 주주와 반대하는 주주를 쉽게 파악할 수 있고 상호 의견교환을 통하여 의견의 일치를 이룰 수 있도록 설득하는 것도 용이한 편이다.[18] 이러한 경우에 회사(대표이사)는 복잡한 주주총회 소집절차와 총회의 개최를 생략하고 회람에 의하여 주주 전원으로부터 차례로 결의의 목적사항과 그에 대한 찬성의 뜻을 기재한 서면에 서명이나 기명날인을 받으면 서면동의가 이루어지고, 이것은 주주총회의 결의가 있는 것과 같은 효력이 인정된다. 이러한 이유로 실무에서는 서면동의를 서면결의보다 선호한다.[19]

다. 서면결의 등과 구별하여야 할 개념

1) 서면투표(서면에 의한 의결권행사)

주주총회의 서면결의는 총회의 개최 없이 서면에 의한 결의만으로 이루어지는 데 대하여(제363조 제4항), 서면투표는 주주총회가 열릴 때 주주가 총회에 출석하지 않고, 서면에 의한 의결권을 행사하는 것이다(제368조의3). 즉, 서면결의와 서면투표는 서면에 의하여 의결권을 행사한다는 점에서는 같지만,[20] 서면결의 시에는 현실적인 회의가 개최되지 않고, 서면투표의 경우에는 주주총회가 반

---

17) 손주찬·정동윤, 앞의 「주석 상법(V)」 [회사(4)], 579면 참조.

18) 남상우, 앞의 논문, 149면 각주 23) 참조.

19) 권기범, 앞의 책, 1297면 참조. 일본에서는 구 유한회사법이 정하고 있던 서면결의의 유형은 거의 이용되지 않았기 때문에, 회사법 제정 시에 주식회사에 서면동의(의제서면결의)에 관한 규정만을 도입하고 서면결의에 관한 규정은 폐지하였다(浜田道代, 前揭書, 185面).

20) 권재열, 앞의 논문, 27면.

드시 개최된다는 점에서 구별된다.[21] 또한 서면결의는 상법에 따라 자본금 총액이 10억원 미만인 소규모 주식회사에 대하여 인정되지만, 서면투표는 정관에 규정을 두어야 시행할 수 있다.

2) 전원출석회의

서면결의에서는 의안에 대한 질문과 답변 및 토론 등의 회의 자체가 생략되며, 서면에 의한 결의를 하는 것에 주주 전원이 동의하고 동의한 주주가 서면결의에 불참하였더라도 의결정족수를 충족하면 유효한 결의가 성립할 수 있다. 이에 대하여 전원출석총회는 이사회의 소집결정, 소지통지 또는 공고 등이 없는 상태에서 주주명부상의 주주 전원(본인 또는 대리인[22])이 참석하여 총회를 개최하는 데 동의하고 아무런 이의 없이 결의가 이루진 경우를 말한다.[23] 또한 서면결의는 자본금 총액이 10억원 미만인 주식회사에 허용되는 데 대하여, 전원출석총회는 자본금 총액의 제한 없이 어느 주식회사에 대하여도 유효하게 성립할 수 있다.

3. 서면결의와 서면동의의 성립요건

가. 서면결의의 성립요건

상법상 서면결의는 (1) 자본금 총액이 10억원 미만인 소규모 주식회사에 한하여, (2) 이사나 주주의 의안에 관한 제안이 있는 경우, (3) 주주 전원이 목적사항에 대하여 서면에 의한 결의를 할 것에 동의하면, (4) 주주총회의 소집절차나 주주총회의 개최 없이 (5) 목적사항에 대한 의결정족수를 충족한 때 성립할 수 있다.

1) 자본금 총액이 10억원 미만인 회사

상법은 자본금 총액이 10억원 미만인 소규모 주식회사에 한하여 주주총회의

---

21) 김영주, 「주식회사법대계 Ⅱ」 제3판, 한국상사법학회 편(법문사, 2019), 151면; 이철송, 「회사법 강의」 제29판(박영사, 2021), 575면.
22) 임시주주총회가 법령 및 정관상 요구되는 이사회의 결의 없이 또한 그 소집절차를 생략하고 이루어졌다고 하더라도, 주주의 의결권을 적법하게 위임받은 수임인과 다른 주주 전원이 참석하여 총회를 개최하는 데 동의하고 아무런 이의 없이 만장일치로 결의가 이루어졌다면 이는 다른 특별한 사정이 없는 한 유효한 것이다(대법원 1993.2.26. 92다48727).
23) 권기범, 앞의 책, 772면.

소집절차나 주주총회의 개최 없이 서면결의를 할 수 있도록 허용하고 있다(제 363조 제1항).

상법은 제정 시부터 유한회사의 경우에 소규모성과 사원구성의 폐쇄성을 고려하여 사원총회의 결의절차를 간소화할 수 있도록 서면결의를 인정하였다. 그러나 주식회사에 대하여는 그 규모가 크고 주주의 수가 많은 것을 상정하여 다수결로 의사를 결정할 수밖에 없다고 판단하였기 때문에 상법은 주주총회의 소집절차와 의결절차 등을 엄격하게 규정하였다. 그런데 실제에서는 그 규모가 작고 주주의 수도 적은 주식회사가 대부분이었기 때문에, 이러한 회사에 대하여는 주주총회의 의사결정절차를 간소화하고 주주총회의 운영비용을 절감해 줄 필요가 있었다. 이에 따라 2009년 개정상법에서는 자본금 총액이 10억원 미만인 주식회사에 한하여 서면결의 제도를 도입하였다.

상법상 주식회사의 서면에 의한 결의는 자본금 총액이 10억원 미만인 회사에 대하여만 인정되므로, 학계에서는 종래에 상법 제577조에 규정된 유한회사의 서면결의 제도를 그 밖의 주식회사에 대하여도 일반적으로 유추적용할 수 있는지의 여부에 관하여 다툼이 있었다. 그러나 소규모 주식회사에 한정하여 서면결의를 도입한 상법의 입법취지를 고려할 때 부정하는 것이 타당하다.[24]

비교법적으로 살펴볼 때, 미국의 경우에 2006년에 개정된 모범회사법 section 7.04[25] 및 델라웨어주 회사법 제228조에 따르면, 폐쇄회사뿐만 아니라 공개회사도 서면결의 제도를 활용할 수 있고, 일본 회사법 제319조에서도 규모에 따른 제한을 두지 않아서 모든 주식회사가 서면결의를 이용할 수 있다. 그러나 2006년 영국 회사법은 폐쇄회사(private company)에 대하여만 서면결의를 이용할 수 있도록 하고, 공개회사에 대하여는 서면결의를 활용할 수 없도록 하였다(제281조 제1항, 제2항). 독일의 경우에 회사형태 중에서 주식회사는 대부분 대규모이고 그 수도 많지 않은 반면에, 유한회사는 대부분 중소규모이며 그 수도 가장 많은 것으로 나타나고 있다. 이를 반영하여 독일에서는 유한회사에 대하여만 서면결의 제도를 두고(독일 유한회사법 제48조 제2항), 주식회사에 대하여는 서면결의를

---

24) 권기범, 앞의 책, 772면.

25) American Bar Association, Committee on Corporate Laws., 「Model business corporation act annotated: model business corporation act with official comment and reporter's annotations」, vol. 2, 4th ed.(2011 Revision), American Bar Association, Corporate Laws Committee of Business Law Section, 2011, s. 7.04, pp. 7~43.

인정하지 않고 있다. 결국 회사의 형태와 규모에 따라 서면결의의 이용을 제한할 것인지 여부는 그 국가의 입법정책의 문제라고 할 수 있다. 다만 현실적으로 공개회사, 특히 상장회사의 경우에는 서면결의를 허용하더라도 이용하기 어려울 것으로 생각된다.[26]

2) 이사회 또는 주주의 의안에 관한 제안

주주총회의 서면결의가 성립하기 위한 요건으로서 이사회 또는 주주에 의한 주주총회의 목적사항에 관한 제안이 있어야 한다. 주주총회의 목적사항은 바로 주주총회가 결의할 의안을 뜻한다. 상법 제361조에서는 "주주총회는 본법 또는 정관에 정하는 사항에 한하여 결의할 수 있다"고 규정하고 있다. 따라서 주주총회는 상법과 특별법령에 규정된 사항 이외에도 정관을 통하여 그 결의사항의 범위, 즉 권한을 확대할 수 있다. 상법에 아무런 규정이 없거나 상법에서 주주총회의 권한으로 할 수 있도록 유보조항을 두고 있는 경우에는 정관으로 주주총회의 권한으로 하는 데 아무런 문제가 없다. 따라서 이사회 또는 주주제안의 요건을 충족하는 주주는 주주총회의 권한에 속하는 사항을 결의의 목적사항으로 제안할 수 있다.

그러나 상법에 유보조항이 없는 경우에도 주주총회 이외의 기관의 권한으로 정한 사항을 정관에서 주주총회의 권한으로 할 수 있는가에 관하여는 견해가 나뉘어 있다. 다수설은 주주총회의 최고기관성 및 권한분배의 자율성 등을 근거로 하여 주식회사의 본질이나 강행법규에 위반되지 않는 한 상법에 규정된 이사회 등의 권한도 정관에 의하여 주주총회의 권한으로 정할 수 있다고 한다.[27] 다만 주주총회의 소집권은 그 성질상 주주총회의 권한으로 할 수 없다고 한다. 이에 대하여 소수설은 주식회사의 각 기관의 권한분배에 관한 상법의 규정은 강행규정이고 정관을 통하여 주주총회가 모든 권한을 결정할 수 있다면 수유와 경영의 분리를 기대하는 상법의 이념에 반하므로 상법상의 유보 규정 없이 정관에서 주

---

26) 江頭憲治郎·中村直人 編, 「論點體系 会社法 2」(第一法規, 2017), 535面 參照.
27) 권기범, 앞의 책, 700~701면; 김건식·노혁준·천경훈, 「회사법」 제5판(박영사, 2021), 293면; 김정호, 「회사법」 제6판(법문사, 2020), 344면; 김홍기, 「상법강의」 제5판(박영사, 2020), 505면; 송옥렬, 「상법강의」 제11판(홍문사, 2021), 916~917면; 손주찬, 앞의 책, 700면; 손주찬·정동윤, 「주석 상법(Ⅳ)」 [회사(Ⅲ)] 제4판(한국사법행정학회, 2003), 52면; 최준선, 「회사법」 제13판(삼영사, 2018), 358면; 홍복기·박세화, 「회사법」 제8판(박영사, 2021), 339면.

주총회의 권한으로 정할 수는 없다고 한다.28) 생각건대, 주식회사는 필요에 따라 적합한 지배형태를 선택할 수 있으므로 주주총회의 소집결정과 같이 그 성질상 주주총회의 결의사항으로 할 수 없는 것을 제외하고는 주식회사의 본질이나 강행법규에 위반되지 않는 한, 이사회의 권한도 정관의 규정에 의하여 주주총회의 권한으로 유보할 수 있다고 본다.29)30) 다만 이사회의 권한을 주주총회의 권한으로 하는 경우에는 그에 상응하는 책임도 부담하도록 하여야 할 것이다. 이사회 또는 주주제안의 요건을 충족하는 주주는 정관의 규정에 의하여 주주총회의 권한으로 유보한 사항에 관하여도 주주총회의 목적사항으로 제안할 수 있다.

한편 자본금 총액이 10억원 미만인 소규모 주식회사는 1인 또는 2인의 이사만 둘 수 있는데(제383조 제항), 이 경우에는 이사회가 존재할 수 없으므로 상법은 이사회의 권한 중 일부를 주주총회의 권한으로 정하고 있다(제383조 제4항).31) 이를 열거하면 다음과 같다.

① 주식양도에 관한 이사회의 승인(제302조 제2항 제5호의2, 제317조 제2항 제3호의2, 제 335조 제항 단서 및 제2항, 제335조의2 제1항·제3항, 제335조의3 제1항·제2항, 제335조의7 제1항, 제356조 제6호의2), ② 주식매수선택권 부여의 취소(제340조의3 제항 제5호), ③ 이사의 경업거래승인(제397조 제항·제2항), ④ 이사의 회사 기회 및 자산의 이용에 관한 승인(제397조의2 제항), ⑤ 이사와 회사의 거래승인(제398조), ⑥ 신주발행사항의 결정(제416조 본문), ⑦ 준비금의 자본전입 결정(제461조 제1항 본문 및 제3항), ⑧ 중간배당의 결의(제462조의3 제항), ⑨ 배당금의 지급시기의 결정(제464조의2 제항), ⑩ 사채모집의 결정(제469조),

---

28) 이철송, 앞의 책, 506면; 정찬형, 앞의 책, 882~883면.

29) 손주찬·정동윤, 앞의 「주석 상법(Ⅳ)」[회사(Ⅲ)], 52면.

30) 일본의 경우 2005년에 제정된 회사법이 시행되기 이전까지, 우리 상법과 마찬가지로, 일본구 상법 제230조의10에 따라 주주총회는 상법 또는 정관에 정하는 사항에 한하여 결의할 수 있었다. 그러나 2006년에 시행된 일본 회사법은 이사회의 설치 여부를 기준으로 이사회를 설치하지 않은 회사의 주주총회는 회사법 제295조 제1항에 의하여 주식회사에 관한 모든 사항을 결의할 수 있고, 이사회설치회사의 주주총회는 동조 제2항에 따라 회사법에 규정된 사항 및 정관에 정해진 사항에 한하여 결의할 수 있도록 하였다.

31) 권재열 교수는 "현행법상 서면결의가 허용되는 만큼 1인의 이사만 두고 감사를 두지 않은 소규모 회사에서는 모든 의사결정을 서면결의만으로 하는 것도 적법하다. … 결국 그러한 소규모 회사는 이사회, 주주총회 및 감사가 존재하지 않거나 제대로 작동하지 않고 주식회사의 기관으로서 유일하게 대표이사 혹은 대표기관으로서의 이사만 있는 주식회사일 뿐이다"라고 하면서 서면결의와 관련하여 1인의 이사만을 둔 소규모 주식회사에서 기관분화의 형해화를 우려하는 입장을 보이고 있다[권재열, "1인의 이사를 둔 소규모 주식회사에 관련된 몇 가지 법적 쟁점의 검토," 「기업법연구」 제29권 제1호(한국기업법학회, 2015), 28면].

⑪ 전환사채 발행사항의 결정(제513조 제2항 본문 제3항), ⑫ 신주인수권부사채 발행사항의 결정(제516조의2 제2항 본문(준용되는 경우를 포함한다)). 이러한 사항은 원래 이사회의 권한에 속하였으나 이사회가 존재하지 않아서 주주총회에 이관됨으로써, 결과적으로 주주총회의 권한사항이 확대된 것이다. 따라서 이러한 사항에 관한 의안의 제안도 당연히 서면결의의 대상이 된다.

　주주총회의 목적사항은 이사회에서 이를 정하는 것이 원칙이지만, 주주제안권에 따라 주주가 이를 이사회에 제안할 수 있다.[32] 상법상 주주제안권은 일정한 사항을 주주총회의 목적사항(의제)으로 할 것(예: 이사선임의 건을 목적사항으로 할 것)을 제안할 수 있는 권리와 주주총회의 목적사항에 추가하여 의안의 요령(예: ○○○를 이사로 선임할 것)을 제출할 수 있는 권리를 말한다.[33] 주주제안권은 의결권 있는 발행주식총수의 100분의 3 이상에 해당하는 주식을 가진 소수주주에게 인정되며(제363조의2 제1항), 상장법인의 경우에는 제안권 행사 시점부터 소급하여 6월 전부터 계속하여 의결권 있는 발행주식총수의 1,000분의 10(최근 사업연도 말 자본금 1,000억원 이상인 법인은 1,000분의 5) 이상을 보유한 자로 지분요건을 완화하고 있다(제542조의6 제2항). 주주가 주주제안을 하고자 하는 경우 이사에 대하여 주주총회의 회일(정기주주총회의 경우에는 직전 연도 정기주주총회일)의 6주 전에 서면으로 제안하여야 한다(제363조의2 제1항, 제542조의6 제2항). 상법은 주주제안의 내용이 법령·정관에 위반되는 경우 이사회가 이를 목적사항으로 하지 않을 수 있음을 규정하고 있다(제363조의2 제3항).

3) 서면결의에 대한 주주 전원의 동의

　본래 주주총회의 결의는 주주로 구성된 회의체에서 의안에 대한 심의를 거쳐서 찬부의 표결을 하여 결의의 성부를 정하는 것이 원칙이다. 그러나 총회의 소집절차와 총회의 개최를 생략하고 목적사항에 관하여 서면결의를 하기 위하여는 주주 전원이 사전에 서면에 의한 결의를 하는 것에 관하여 동의를 하여야 한다. 따라서 주주 전원으로부터 먼저 서면에 의한 결의를 하는 것에 대한 동의를 받

---

32) 종래에는 해석상 주주총회의 목적사항은 이사회가 결정하는 것으로 되어 있었으며, 주주가 이를 제안할 수 있는 권리는 없었다. 그러나 주주의 적극적인 경영참여와 경영감시를 위해서는 주주의 제안권이 필요하기 때문에 1996년 주권상장법인의 주주에게 제안권을 인정하였으며, 1998년 상법개정에 의하여 비상장회사의 주주에게도 이를 인정하였다.

33) 전자를 의제제안권이라고 하고, 후자를 의안제안권이라고 한다(이철송, 앞의 책, 520면; 정찬형, 앞의 책, 893면).

고, 다음으로 결의의 목적사항에 관하여 의결정족수를 충족하는 서면에 의한 결의가 성립하여야 한다.34)

여기서 주주 전원이란 의결권이 있는 주주 전원을 의미하고(제363조 제7항), 주주 전원의 동의는 결의의 방법에 관한 결정을 위한 것이다. 동의방법에는 제한이 없으므로 서면에 의하든지 구두에 의하든지 상관이 없고 명시적이든지 묵시적이든지 묻지 않는다.35) 주주 본인뿐만 아니라 대리인에 의한 동의도 가능하다. 동의는 사전 동의로 주주총회의 개최 없이 서면결의를 하는 것에 대한 동의이다.36)

4) 소집절차 및 총회의 개최 생략

결의의 목적사항에 관하여 서면결의를 하는 것을 의결권 있는 주주 전원이 사전에 동의한 경우에는 총회의 소집절차와 총회의 개최를 생략할 수 있다. 주주 전원의 동의를 요하는 취지는 총회의 소집절차와 총회의 개최에 대하여 개개의 주주가 모두 이해관계를 갖고 있기 때문이다.37) 서면결의를 하게 되면 총회를 아예 개최하지 않고 질의와 토론을 생략하기 때문에, 총회의 개최와 총회에서의 질의와 토론을 원하는 주주가 1명이라도 있으면 서면결의를 실시할 수 없다. 해당 주주총회의 결의에 관하여 서면결의를 하는 것에 주주 전원이 동의하면 그 주주총회에 한하여 소집절차와 총회개최를 생략할 수 있다.38) 그러나 장래의 모든 주주총회의 소집절차와 주주총회의 회의를 생략하는 포괄적인 동의는 허용되지 않는다.39)

서면결의는 주주총회의 개최 없이 서면에 의하여 의결권을 행사하는 것으로 주주의 입장에서 보면 서면에 찬부를 표시하여 제출하는 것이 의결권 행사에 해당한다. 의결권행사에 관한 제한 또는 의결권의 불통일 행사 등 의결권에 관해

---

34) 손주찬·정동윤, 앞의 「주석 상법(Ⅴ)」 [회사(4)], 573면.
35) 손주찬·정동윤, 앞의 「주석 상법(Ⅴ)」 [회사(4)], 573면 참조.
36) 다만 "총회소집의 통지를 받을 주주의 권리는 개개 주주의 이익을 위한 것이므로 당해 주주가 포기할 수 있으며, 그 동의는 이에 관한 주주의 진정한 뜻이 확인되는 한 사전적이거나 사후적이거나를 불문한다고 볼 수 있을 것이다"라는 견해도 있다[김성탁, "2009년 개정 상법상 '소규모주식회사'의 법적 쟁점," 「인권과 정의」 통권 제412호(대한변호사협회, 2010), 103면].
37) 김성탁, 앞의 논문, 103면.
38) 정찬형, 앞의 책, 892면.
39) 김성탁, 앞의 논문, 103면; 정동윤, 「회사법」 제7판(법문사, 2005), 718면.

서는 모두 주주총회에 관한 규정이 그대로 적용된다.

상법 제363조 제4항의 주주 전원의 동의로 '소집절차 없이' 주주총회의 개최와 관련하여 총회의 소집통지와 공고 외에 이사회의 총회소집결정(제362조, 제383조 제6항)도 생략할 수 있는지의 여부에 관하여 종래 학설이 나뉘어 있었다. 소수설에 따르면 주주총회의 소집은 이사회가 결정하는데(제362조) 서면결의라고 하더라도 결의를 실시하는 것 자체는 이사회가 결정하여야 하므로 제362조가 준용된다.[40] 이에 대하여 다수설은 특정 주주총회에 관하여 주주 전원의 사전 동의가 있으면 전원출석총회의 경우와 같이, 이사회의 총회소집 결정을 비롯한 일체의 소집절차 없이도 서면결의가 가능하다고 본다.[41] 주주총회의 소집절차에 관한 규정은 주주에게 총회에 출석할 기회와 준비의 시간을 주기 위한 것인데, 주주가 소집절차 및 주주총회 개최의 생략에 동의한 것은 스스로 그 권리를 포기한 것으로 볼 수 있기 때문이다.[42]

5) 목적사항에 대한 서면결의

주주총회의 서면결의는 주주들이 특정된 일시에, 특정된 장소에 모여 현실적인 회합에 의하여 대면으로 질의와 답변 및 토론을 거쳐 의사를 결정하는 것이 아니고, 서면에 의하여 동시 또는 순차적으로 의안을 결의하는 것을 말한다.[43] 주주가 목적사항에 관하여 서면으로 찬부의 의사표시를 하여 제출하고 이를 집계하여 의안에 대한 찬성이 해당의 의안의 의결정족수를 충족하면 결의가 성립한다(제363조 제4항 제1문 후단).

서면결의는 주주총회의 결의사항인 한 모든 사항에 대하여 인정된다. 서면결의의 방법으로 결의할 수 있는 사항에 대하여는 법률상 아무런 제한이 없다. 목적사항에 관한 결의요건이 보통결의사항이든지, 특별결의사항이든지 또는 총주주의 일치에 의한 결의사항이든지의 여부를 불문하고 서면결의의 대상이 될 수 있다.[44] 서면결의에 대한 주주 전원의 동의가 있는 경우에 해당 의안에 대한

---

40) 이철송, 「회사법 강의」 제26판(박영사, 2018), 564면.
41) 권기범, 앞의 책, 773면; 김성탁, 앞의 논문, 103면 참조.
42) 권기범, 앞의 책, 718면; 김성탁, 앞의 논문, 103면; 정찬형, 앞의 책, 892면.
43) 김성탁, 앞의 논문, 104면.
44) 다만, 입법론으로는 특별결의사항 등 중요한 사항에 대하여는 사원 상호 간에 의견을 교환하고 신중한 심의를 거쳐 결정을 하여야 하기 때문에 서면결의로 할 수 없다고 하여야 할 것이라는 견해도 있다(임홍근, 앞의 책, 930면).

결의가 이루어지려면 주주총회의 회의 자체는 개최되지 않지만 통상 주주총회결의의 경우와 같은 결의요건이 충족되어야 한다(제363조 제4항). 예를 들면, 서면결의의 대상이 보통결의사항이면 상법 제368조 제1항이 적용되고, 특별결의사항이면 상법 제434조의 규정이 적용된다. 서면결의의 경우에도 의결권의 대리행사가 허용되고(제368조 제3항), 특별이해관계가 있는 주주는 의결권을 행사하지 못한다(제368조 제3항).

서면결의의 방법에는 서면을 사용하는 것 이외에는 별다른 제한이 없으므로 회람, 우편, 팩스 등의 방법으로 회사에 제출할 수 있다. 그러나 전화 통화는 서면이 아니므로 결의방법으로 인정될 수 없다. 실무에서는 회사가 서면결의 양식을 주주에게 보내고 주주는 이에 표기하여 회사에 반송하는 방법으로 제출한다.[45] 그러므로 주주는 자신의 의결권행사 서면이 회사가 정한 주주총회일(마감일)까지 회사에 도달하도록 발송하여야 한다.

상법은 서면결의의 수단으로 서면만을 규정하고 있기 때문에, 전자문서 등 전자적 방법에 의하여도 서면결의가 가능한지 의문이다. 그런데 "전자문서 및 전자거래 기본법" 제2조 제1호에 따르면 "전자문서"란 정보처리시스템에 의하여 전자적 형태로 작성·변환되거나 송신·수신 또는 저장된 정보를 말한다. 그리고 동법 제4조의2에 의하면, 전자문서의 내용을 열람할 수 있고 또한 전자문서가 작성·변환되거나 송신·수신 또는 저장된 때의 형태 또는 그와 같이 재현될 수 있는 형태로 보존되어 있는 경우에는 그 전자문서를 서면으로 본다. 다만, 다른 법령에 특별한 규정이 있거나 성질상 전자적 형태가 허용되지 아니하는 경우에는 서면으로 보지 아니한다.[46] 상법은 제363조 제1항과 제2항에서 주주총회의 소집을 할 때 각 주주의 동의를 받아 전자문서로 그 통지를 발송할 수 있도록 하고, 제368조의4에서 이사회의 결의에 따라 전자적 방법에 의한 의결권행사를 할 수 있도록 허용하고 있다. 이와 같이 상법은 전자문서 및 전자적 방법의 활용을 규정하고 있고, 이를 제한하는 규정을 두지 않고 있으며, 서면결의의 성질상 전자적 형태가 허용되지 않는다고 볼 만한 사유도 없다. 그러므로 서면뿐만 아니라 전자적 방법에 의하여도 서면결의가 가능한 것으로 보아야 할 것이다.

---

45) 이철송, 앞의 책(2021), 580면.
46) 2020년 6월과 12월 "전자문서 및 전자거래 기본법"의 개정을 통하여 정보통신기술의 발달에 따라 종이문서 대신 전자문서를 적극적으로 활용할 수 있도록 전자문서의 정의, 법적 효력 및 전자문서를 서면으로 볼 수 있는 요건을 명확히 하였다.

외국의 입법례를 보더라도 미국의 델라웨어주 회사법[47], 영국 회사법[48], 독일 유한회사법[49] 및 일본 회사법상[50]의 서면결의에서 모두 서면뿐만 아니라 전자적 방법에 의한 동의 또는 결의를 명문으로 규정하고 있다. 법규정의 명확성을 위하여 우리 상법도 "서면 또는 전자적 방법으로" 서면 등에 의한 결의를 할 수 있도록 명문으로 규정하는 것이 바람직하다.

서면투표의 경우와는 달리, 서면결의는 회사와 긴밀한 관계에 있는 주주로 구성된 회사의 절차의 간소화 조치이므로 참고서류의 교부를 요하지 않는다.[51] 만약에 주주가 참고서류를 원하는 경우에는 서면결의에 동의하는 의사표시를 하지 않으면 자신의 권리를 보호받을 수 있기 때문이다.[52]

---

47) 델라웨어주 회사법은 동의가 서면 또는 전자 전송으로 명시되어야 하며, 회사에 동의서가 제출된 첫 번째의 날부터 60일 이내에 결의가 이루어지기 위해 충분한 수의 주주에 의하여 서명된 동의서가 회사에 제출되어야 유효한 것으로 하였다(DGCL §228 (c)). 특히, 2019년 델라웨어주 회사법의 개정에 따라 정보처리시스템에 입력된 주주의 동의는 아무도 그 수신을 알지 못하더라도 그것이 회사의 정보처리시스템에 진입할 때 도달된 것으로 의제된다(DGCL §228 (d) (1)).

48) 2006년 영국 회사법은 이사가 서면결의를 제안하는 경우에 회사는 모든 의결권이 있는 사원에게 결의안 사본을 서면(hard copy), 전자적 방식 또는 웹사이트를 통하여 발송 또는 제출하도록 규정하고 있다(제291조 제2항, 제291조 제3항). 여기서 서면이란 인쇄물 또는 읽을 수 있는 유사한 형태를 의미하고, 전자적 방법이란 이메일이나 팩스 또는 전자기록매체를 말한다(영국 회사법 제1168조 참조). 또한 사원이 동의를 표시하는 문서는 서면(hard copy) 형태 또는 전자적 방법으로 회사에 보내야 한다(제296조 제2항).

49) 독일의 경우에도 서면결의에 관하여 유한회사법 제48조 제2항에서 "모든 사원이 텍스트형식으로 결의안에 동의하거나 또는 서면에 의한 의결권행사에 동의한다는 것을 표명한 때에는 사원총회의 개최를 필요로 하지 않는다"고 규정하고 있다. 독일에서는 2001년 유한회사법개정을 통하여 제48조 제2항에 규정된 "서면으로(schriftlich)"라는 용어를 "텍스트형식(Textform)"이라는 용어로 변경하였다(Art. 28 des G. v. 13. 7. 2001, BGBl. I S. 1452). 제48조 제2항의 텍스트형식은 독일 민법(BGB) 제126b조에 따라 표의자로서 인식될 수 있는 사원의 이름이 표시되고 가독성이 있는 의사표시가 지속적인 데이터 매체상에서 제공되면 충족된다. 독일 민법 제126조의 서면형식의 요건과는 달리 자필의 서명은 요구되지 않는다(Liebscher, in: Fleischer/Goette, Münchener Kommentar GmbHG Bd. 2, 4. Aufl. 2021, §48 Rn. 160). 동의표시는 문서로 하거나 또는 문자로 지속적인 복제에 적합한 다른 방식으로 제공될 수 있다(Bayer, in: Lutter/Hommelhoff, GmbH-Gesetz Kommentar, 20. Aufl., 2019, §48 Rn. 24). 이러한 방식은 이메일, 팩스 또는 텔렉스로는 물론, 수신자가 저장하고 인쇄할 수 있는 디스켓 또는 CD-ROM의 구현으로도 충족된다(Hillmann, in: Henssler/Strohn, Gesellschaftsrecht Kommentar, 5. Aufl., 2021, GmbHG, §48 Rn. 21).

50) 일본 회사법 제319조 제1항에서는 "이사 또는 주주가 주주총회의 목적사항에 관하여 제안을 한 경우 그 제안에 관하여 의결권을 행사할 수 있는 주주 전원이 서면 또는 전자적 기록으로 동의의 의사표시를 한 때에는 그 제안을 가결하는 뜻의 주주총회의 결의가 있었던 것으로 본다"고 규정하고 있다.

51) 江頭憲治郎, 前揭書, 363面; 泉田榮一, 前揭書, 363面 參照.

52) 김재범, 앞의 논문, 109면.

나. 서면동의의 성립요건

서면동의도 서면결의와 마찬가지로 (1) "자본금 총액이 10억원 미만인 소규모 주식회사"에 한하여, (2) "이사회 또는 주주가 주주총회의 목적사항에 관한 제안"이 있는 경우에, (3) "주주총회의 소집절차나 주주총회의 개최 없이" 결의가 이루어진다(제363조 제1항). 그러나 서면동의는 앞에서 열거한 세 가지 요건 이외에 (4) "결의의 목적사항에 대한 주주 전원의 서면동의"가 있어야 성립한다. 그러므로 서면결의의 경우와 같은 (1)~(3)의 요건은 앞에서 설명하였으므로 이를 생략하고, (4) 결의의 목적사항에 대한 주주 전원의 서면동의에 관하여만 기술한다.

서면동의에서 결의할 목적사항에 관하여 동의 여부의 의사표시를 할 수 있는 주주는 해당 의안에 관하여 의결권이 있는 주주이어야 한다(제363조 제7항 참조). 결의할 목적사항에 관하여 의결권이 있는 주주 전원에게 동의하여 줄 것을 제안하고, 그 주주 전원으로부터 해당 의안에 관한 동의의 의사표시를 받을 필요가 있다. 따라서 실제로 이용이 가능한 회사는 주주가 소수인 폐쇄회사나 완전자회사 또는 합병회사 등이다.[53)]

동의의 의사표시의 대상은 결의할 목적사항의 내용이므로, 총회를 개최하지 않는 것에 관하여 동의하는 것만으로는 부족하다.[54)] 실제로 회의를 개최하지 않는 것에 관하여는 동의하지만, 결의할 목적사항에 관하여 찬성하지 않는 주주가 1인이라도 있는 경우에는 서면동의는 성립하지 않는다.[55)]

결의할 목적사항을 제안할 때 주주총회의 참고서류 등의 교부는 요구되지 않는다. 참고서류가 필요하다고 생각되는 주주는 해당 제안에 대하여 동의의 의사표시를 하지 않으면 되기 때문이다.[56)] 실무상으로 주주가 해당 의안에 대한 동의의 의사표시를 쉽게 할 수 있도록 필요에 따라 제안이유, 임원후보자의 약력 등의 참고사항도 함께 주주에게 통지하는 경우가 많다.[57)]

---

53) 江頭憲治郞·中村直人 編, 前揭書, 535面.
54) 浜田道代, 前揭書, 185面 參照.
55) 손주찬·정동윤, 앞의 「주석 상법(Ⅴ)」 [회사(4)], 579면.
56) 江頭憲治郞, 前揭書, 363面 參照.
57) 江頭憲治郞·中村直人 編, 前揭書, 534面 參照.

4. 서면결의와 서면동의의 효과

주주총회가 결의할 목적사항에 관하여 서면결의 또는 서면동의의 요건이 충족된 경우에는 주주총회의 결의와 같은 효력이 있다(제363조 제5항). 즉, 주주총회의 소집결정이나 소집통지의 발송 및 주주총회의 개최를 하지 않았더라도 해당 의안에 관하여 서면결의 등이 이루어진 사항은 주주총회에서 가결된 것으로 인정된다.

서면결의 등은 그 성립시기를 언제로 보아야 할 것인지 문제될 수 있다. 서면결의의 성립시기는 결의의 목적사항에 관하여 서면결의를 하는 것에 대한 주주 전원의 동의가 있고, 의결정족수 이상의 주주가 결의의 목적사항에 관하여 찬성의 의사를 표시한 서면이 회사에 제출된 때이다. 따라서 서면결의는 목적사항에 관한 결의요건을 충족시키는 데 필요한 최종 주주의 서면에 의한 의사표시가 회사에 도달한 때에 성립되고 효력이 발생한다.[58] 그리고 서면동의의 성립시기는 결의의 목적사항에 관하여 주주 전원의 서면에 의한 동의의 의사표시가 회사에 도달한 때이다. 따라서 서면동의는 목적사항에 관한 주주 전원의 서면에 의한 동의가 회사에 도달한 때에 성립되고 효력이 발생한다.

서면결의가 특정일에 효력이 발생하도록 하려면 목적사항에 관한 동의의 제안을 할 때 "주주총회의 결의가 있었던 것으로 보는 날(또는 효력발생일)은 202○년 ○월 ○일로 한다"고 제안하면 된다. 다만 이 경우에는 예정된 효력발생시점 이전에 동의서가 도달되어야 한다. 주주의 수가 적은 회사와 긴밀한 관계에 있는 주주만으로 구성된 폐쇄회사의 경우에는 회람을 통한 동의와 서명을 받게 되면 간이·신속하게 주주총회의 결의가 성립할 수 있다.[59]

정기주주총회의 목적사항의 전부에 관하여 서면에 의한 결의를 하는 경우에는 그 목적사항을 가결하는 서면에 의한 결의가 있는 때에 정기주주총회가 종결된 것으로 본다.[60] 그 이유는 상법상 임원의 임기종료의 시점 및 재무제표의 공고시기의 기준이 정기총회의 종결시점이기 때문이다. 즉, 임원의 임기종료가 취임 후 일정 기간 내의 최종의 결산기에 관한 정기주주총회의 종결 시까지로

---

58) 손주찬·정동윤, 앞의 「주석 상법(Ⅴ)」 [회사(4)], 578면.
59) 손주찬·정동윤, 앞의 「주석 상법(Ⅴ)」 [회사(4)], 579면; 이강용, 앞의 논문, 2~3면 참조.
60) 임재연, 앞의 책, 106면.

하거나(제410조, 제408조의3 제2항 참조), 그때까지 연장할 수 있기 때문이다(제383조 제2항).[61]

5. 서면에 의한 결의 시 주주총회의사록의 작성 요부

가. 서면에 의한 결의에 관한 의사록 작성 요부의 문제

상법상 주주총회는 원칙적으로 그 소집절차를 거쳐서 주주들이 총회에 출석하여 의안에 대한 설명을 듣고 토의를 한 후 표결을 통해, 결의의 성립 여부를 확정하는 순서로 진행된다. 그리고 주주총회의 의사에는 의사록을 작성하여야 한다(제373조 제1항). 주주총회의사록이란 주주총회 의사의 경과 및 결과를 기록하는 문서로서(동조 제2항), 의사의 경과란 주주총회의 개시부터 종료까지 사이의 심의절차로, 주주총회의 성립에 관한 사항, 결의사항에 관한 심의의 내용 및 보고사항에 관한 보고내용 및 그에 관한 질의응답 등의 발언내용을 말하며, 의사의 결과란 결의의 성부를 말한다.

상법 제363조 제6항에서는 서면에 의한 결의에 대하여도 주주총회에 관한 규정을 준용한다고 정하고 있다.[62] 그런데 서면에 의한 결의는 주주총회의 소집절차 및 총회의 개최에 의한 주주의 출석과 의안에 대한 설명 및 토의 등이 생략된 상태에서 결의만 이루어지므로, 주주총회의사록의 작성에 관하여 주주총회에 관한 규정을 준용하여야 할 것인지 여부가 분명하지 않다. 따라서 서면에 의한 결의 시에 주주총회의사록의 작성 요부는 해석에 의존할 수밖에 없으며, 의사록 작성 필요설과 불요설로 나뉘어 있다.

---

61) 前田重行, 「會社法コンメンタール 第7巻」 - 機關(1), (岩原紳作 編) (商社法務, 2013), 315面 參照.

62) 상법상 주주총회에 관한 규정 중에서 주주제안권(제363조의2), 결의요건(제368조 제1항, 제434조), 의결권의 대리행사(제368조 제2항), 특별이해관계인의 의결권제한(제368조 제3항), 의결권의 불통일행사(제368조의2), 1주 1의결권의 원칙(제369조 제1항), 정족수의 계산(제371조) 등의 규정은 서면결의에 관하여 명백히 준용할 수 있다. 그러나 서면에 의한 결의에서는 현실적인 총회가 개최되지 않으므로, 총회의 소집통지(제363조 제1항, 제2항), 소집지(제364조), 총회의 질서유지(제366조의2) 및 총회의 연기·속행(제372조) 등에 관한 규정은 준용될 여지가 없다(권기범, 앞의 책, 773면; 이철송, 앞의 책(2021), 580면).

나. 학설에 대한 검토

1) 의사록 작성 필요설

서면에 의한 결의의 경우에도 주주총회의사록을 작성하여야 한다는 필요설[63]은 다음과 같은 논거를 들고 있다. 우선 ① 상법은 주주총회의 의사에 대하여 의사록의 작성을 의무화하고 있고(제373조 제1항), 서면에 의한 결의에 대하여 주주총회에 관한 규정을 준용하도록 하고 있다(제363조 제6항). ② 주주총회의사록은 현실적인 회의를 전제로 한 것이 아니고 서면결의의 경우에 의사록의 작성에 관한 예외를 인정한 규정도 없으므로 제363조 제6항의 준용대상으로 보아야 한다.[64] ③ 상법은 주주총회의사록을 본점과 지점에 비치하도록 의무화하고, 주주와 회사채권자에게 의사록의 열람 또는 등사청구권을 인정하고 있으며(제396조), 제635조 제1항 제4호, 제9호 및 제24호에 따라 이를 위반한 경우에는 과태료에 처해질 수 있다.[65] ④ 등기신청을 할 때 주주총회의사록 대신에 제공하는 서면결의서나 서면동의서만으로는 상법 제373조 제2항에 따라 주주총회의사록이 갖추어야 할 내용을 충족시키기 어렵다.[66] ⑤ 상업등기규칙 제128조 제2항에서도 주주총회의 결의가 등기할 사항이면 등기신청 시에 주주총회의사록만을 제공하도록 정하고 있는 것 등은 서면에 의한 결의의 경우에도 의사록의 작성을 전제로 하는 것이다.[67]

2) 의사록 작성 불요설

서면결의의 경우에는 주주총회의사록의 작성이 필요하지 않다는 불요설의 논

---

63) 학자들은 대부분 서면에 의한 결의의 경우에도 의사록을 작성하여야 한다는 입장이다(권기범, 앞의 책, 773면; 김정호, 앞의 책, 344면; 오성근, 「회사법」 제2판(박영사, 2020), 497면; 이철송, 앞의 책(2021), 580면 주 1); 임재연, 앞의 책, 106면); 정준우, "주주총회의 활성화를 위한 선결과제 검토," 「선진상사법률연구」 통권 제77호(법무부, 2017. 1.), 146면. 또한 법조실무계에서도 이 입장을 지지하는 견해들이 있다(남상우, 앞의 논문, 156면; 박혁수, "공증제도개선의 최근 동향과 향후과제," 「법조」 제63권 제4호 통권 제691호(법조협회, 2014. 4.), 149~150면).

64) 임재연, 앞의 책, 106면.

65) 제635조 제1항 제4호, 9호 및 제24호에서는 주주나 회사채권자의 의사록에 대한 열람, 등사 청구를 거부한 경우, 의사록에 적을 사항을 적지 아니하거나 부실하게 적은 경우 또는 의사록을 본점과 지점 등에 갖추어 두지 아니한 경우에는 500만원 이하의 과태료를 부과한다고 규정하고 있다.

66) 김정호, 앞의 책, 344면.

67) 남상우, 앞의 논문, 156면: 임재연, 앞의 책, 106면 참조.

거[68]는 다음과 같다. ① 현실적으로 주주총회를 개최하지 않은 경우에는 주주총회의사록을 작성할 필요가 없다. ② 서면결의는 오로지 결의만 있을 뿐이고 의사의 경과가 있다고 보기 어렵기 때문에 의사록의 작성을 의무화한다는 것은 의미가 없다. 그리고 ③ 상법 제396조에 따른 주주총회의사록의 비치에 갈음하여 서면결의의 경우에는 주주 전원의 동의서와 서면결의서, 서면동의의 경우에는 서면동의서를 비치하고 이를 공시하면 되므로, 굳이 이에 추가하여 의사록의 작성까지 의무화할 필요는 없다는 점을 들고 있다.[69]

3) 학설의 검토

생각건대, 상법은 서면에 의한 결의에 관하여 주주총회에 관한 규정을 준용하므로, 총회의 소집절차를 전제로 하지 않는 주주총회에 관한 규정들은 서면에 의한 결의에도 준용된다. 예를 들면, 서면결의의 경우에도 주주제안권(제363조의2), 결의요건(제368조 제1항, 제434조), 의결권의 대리행사(제368조 제2항) 특별이해관계인의 의결권제한(제368조 제3항), 의결권의 불통일행사(제368조의2), 정족수의 계산(제371조) 등에 관한 규정은 일반 주주총회의 경우와 마찬가지로 적용된다. 따라서 이와 관련된 사항이 있으면 주주총회의사록에 기록해 두어야 한다. 특히 서면동의서나 서면결의서에 기재하기 어렵거나 기재할 수 없는 사항들을 주주총회의사록에 기록할 필요가 있다.[70]

또한 서면결의에 관하여 의사록을 작성하는 것은 후일 분쟁이 발생할 경우에 증거자료로서 중요한 의미가 있다.[71] 그리고 상업등기규칙에서도 주주총회의 결의가 필요한 등기사항이 있으면 등기신청을 할 때 주주총회의사록만을 제공할 서면으로 정하고 있는 것은(제128조 제2항) 서면에 의한 결의의 경우에도 의사록

---

68) 법원행정처, 「상업등기실무(Ⅱ)」, 2011, 57~58면.
69) 상업등기규칙에서는 주주총회의 결의가 필요한 등기사항이 있으면 등기신청을 할 때 주주총회의사록을 제공하도록 하였음에도 불구하고, 2009년 상법개정을 통해 주주총회의 결의에 관하여 서면에 의한 결의제도가 도입된 이후, 등기실무에서는 등기신청서에 의사록을 첨부하지 않고 서면동의서나 서면결의서를 첨부하는 것을 허용하였다. 이것은 현실적으로 주주총회를 개최하지 않은 서면에 의한 결의의 경우에는 주주총회의사록을 작성하지 않는다고 보았기 때문이라는 견해도 있다[서유석, 「상업등기 질의·회신집」 제3판(법률&출판, 2016), 73면].
70) 김정호, 앞의 책, 344~345면.
71) 주주총회의 정족수 등 절차적 요건의 충족 여부는 달리 특별한 사정이 없는 한, 의사록의 기재에 의하여 판단하여야 한다(김건식·노혁준·천경훈, 앞의 책, 336면; 대법원 2011.10.27. 2010다8868 참조).

의 작성을 전제로 한다고 보는 것이 타당하다. 그 밖에 주주총회의 결의가 있는 경우에 이사는 주주총회의사록을 작성하여(제373조 제1항), 본점과 지점에 비치하여야 하고, 주주와 회사채권자는 영업시간 내에 언제든지 의사록의 열람 또는 등사를 청구할 수 있다(제396조). 의사록의 작성에서 기재할 사항을 기재하지 않거나 부실한 기재를 한 경우, 주주총회의사록을 비치하지 않은 경우 또는 정당한 이유없이 의사록의 열람 또는 등사를 거부한 경우에는 과태료에 처해진다(제635조 제1항 제4호, 제9호, 제24호). 그런데 상법상 서류를 작성하여 회사에 비치할 의무를 위반하거나 또는 정당한 이유없이 의사록의 열람 또는 등사를 거부한 행위에 대하여 과태료를 부과하는 경우에는 원칙적으로 명문으로 그 대상을 정하고 있지 않는 한, 어떤 서류의 작성 및 비치의무도 인정할 수는 없다.[72] 그러나 상법에는 서면에 의한 결의에 관한 총주주의 서면동의서나 서면결의서를 회사에 비치할 서류로 정한 규정이 없다. 서면동의서나 서면결의서가 주주총회의사록을 대체한다는 규정도 없다. 따라서 서면결의 등의 경우에 서면결의서 또는 서면동의서를 작성하였더라도 의사록의 작성 및 비치의무를 이행하여야 하므로, 별도로 의사록을 작성하여야 한다고 본다.[73]

다. 비교법적 검토

일본 회사법 제319조 제1항에 따르면, 이사 또는 주주가 주주총회의 목적사항에 관하여 제안을 한 경우, 그 제안에 관하여 주주 전원이 서면 또는 전자적 기록에 의하여 동의의 의사표시를 한 때에는 그 제안을 가결하는 뜻의 주주총회의 결의가 있었던 것으로 본다. 이 경우에는 회의로서의 주주총회가 생략되었지만, 주주총회의 의사록을 작성하여야 한다(회사법 시행규칙 제72조 제4항 참조). 회사법 시행규칙 제72조 제4항에 따르면, 서면 등에 의한 결의를 한 경우에는 주주총회의 의사록은 서면 또는 전자적 기록으로 작성하여야 하되, ① 주주총회의 결의가 있었던 것으로 본 사항의 내용, ② 그 결의사항의 제안을 한 자의 성명 또는 명칭, ③ 주주총회의 결의가 있었던 것으로 보게 되는 날, ④ 의사록의

---

72) 남상우, 앞의 논문, 155면.
73) 상업등기선례도 소규모 주식회사에서 주주 전원의 동의로 서면에 의한 결의로써 주주총회의 결의를 갈음하거나, 결의의 목적사항에 대하여 주주 전원이 서면으로 동의한 경우에도 상법 제363조 제6항에 의해 제373조가 준용되어 의사록을 작성하여야 한다는 입장을 취하고 있다(상업등기선례 제201809-3호, 2018. 9. 14. 제정).

작성에 관한 직무를 수행한 이사의 성명을 내용으로 하여야 한다. 일본의 경우에도 (의제)서면결의에서 서면동의서만으로는 의사록의 기재요건을 충족할 수 없기 때문에 회사법 시행규칙에서 별도의 의사록을 작성하는 것을 전제로 그 기재사항을 규정한 것으로 이해된다. 이와 같이 일본 회사법은 서면결의에 대하여 주주총회의사록을 작성하도록 하고 기재하여야 할 사항도 명문으로 규정하고 있다.

독일의 경우에 주식회사는 대부분 대규모의 회사로서 그 수가 많지 않고, 유한회사는 대부분 중소규모회사로 독일의 회사형태 중에서 가장 큰 비율을 차지하고 있다.[74] 따라서 서면결의와 관련하여 사원이 유한책임을 지고 10억원 미만의 자본을 가진 우리나라의 주식회사와 비교 가능한 독일의 회사는 유한회사라고 할 수 있다. 독일의 유한회사법 제48조 제2항은 중소규모의 유한회사가 활용할 수 있도록 서면결의 제도를 규정하고 있다. 또한 유한회사법은 원칙적으로 사원총회의 의사록 작성에 관한 규정을 두고 있지 않으나, 예외적으로 1인회사의 경우(제48조 제3항) 또는 법률이 사원의 결의에 관하여 공증인의 인증을 규정한 경우, 예를 들면 정관변경의 경우(제53조 제1항)에는, 적어도 결의의 결과가 공증인의 증서에 기재되어야 하기 때문에, 의사록을 작성하여야 한다.[75] 독일에서는 종래에 정관변경 및 기타 공증의무가 있는 결의대상인 경우에 유한회사법 제48조 제2항의 서면결의가 적용될 수 있는지 여부에 관하여 논란이 있었다. 종래의 판례[76]는 공증의무가 있는 사원의 결의, 특히 정관변경을 서면결의에서 배

---

74) 독일에서 법률로 정해진 상사회사의 법적형태에는 인적회사로 합명회사(oHG), 합자회사(KG)가 있고, 물적회사(자본회사)로 유한회사(GmbH), 주식회사(AG), 주식합자회사(KGaA), 미니유한회사(UG-Mini GmbH) 및 유럽연합 차원의 유럽주식회사(SE)의 7가지가 있다. 그러나 기업실무에서는 사원의 책임 및 세제 등의 이유에서 물적회사와 그 출자자를 사원으로 하는 인적회사인 유한합자회사(GmbH & Co. KG), 유한합명회사(GmbH & Co. oHG) 등이 있다. 2021년 2월 24일자로 발표한 독일연방통계청의 "부가가치세통계: 법적형태에 따른 2019년 납세의무자"의 분류표에 의하면, 독일의 2019년 부가가치세의 총납세의무자(개인상인, 조합 및 회사 등 포함)는 3,288,306인이고, 그 중에서 개인상인이 2,148,310인이며, 인적회사(민법상 조합 포함)가 439,374개, 물적회사가 607,364개이다. 회사별로는 합명회사 14,088개, 합자회사 14,527개, 유한합자회사(GmbH & Co. KG) 148,184개, 유한합명회사(GmbH & Co. oHG)가 374개, 유한회사 554,326개, 주식회사 7,622개, 주식합자회사 139개, 미니유한회사 44,985개 및 유럽주식회사(SE) 272개, 그 밖에도 공기업 등 몇 가지 법적형태가 있다(https://www.destatis.de/DE/Themen/Staat/Steuern/Umsatzsteuerpflichtigen/Tabellen/voranmeldungen-rechtsformen.html (2021.9.15. access).

75) Hillmann, in: Henssler/Strohn, GmbHG §48 Rn. 18; Schindler in: BeckOK (Ziemons/Jaeger/Pöschke) GmbHG, 49. Ed. 1.5.2021, GmbHG §48 Rn. 48.

76) BGH 1.12.1954, BGHZ 15, 324 (328) = NJW 1955, 220; KG 16.3.1959, NJW 1959, 1446

제하고, 이를 위하여는 사원총회의 결의가 필요하다고 하였다. 그러나 현재의 통설77)은 공증의무가 있는 경우에도 서면에 의한 결의가 가능한 것으로 보고 있다. 따라서 합병, 분할, 조직변경 및 기업계약 등을 포함한 정관변경에 관한 서면결의의 경우에는 적어도 결의결과가 공증인의 증서에 기록되어야 하기 때문에 의사록의 작성이 필요하다(유한회사법 제53조 제1항).

앞에서 살펴본 바와 같이, 서면결의에 관하여 일본에서는 의사록의 작성을 의무화하고, 독일에서는 공증인의 인증을 받아야 하는 정관변경의 경우에 의사록을 작성하도록 하고 있다. 즉, 우리나라와 유사한 입법체계를 가진 일본에서 서면에 의한 결의의 경우에 의사록의 작성을 의무화하고 독일에서도 정관변경 등 공증의무가 있는 경우에 의사록의 작성을 인정하고 있다. 우리 상법의 경우에 총회의 의사에 대하여 의사록을 작성하도록 하고, 서면에 의한 결의에 대하여도 주주총회에 관한 규정을 준용하고 있으며, 의사록의 작성에 대한 예외를 인정하지 않으므로 의사록을 작성하는 것이 타당하다.

6. 서면결의사항의 등기 시 의사록에 대한 공증인의 인증 요부

가. 의사록에 대한 공증인의 인증의 문제

상업등기규칙 제128조 제2항에 의하면, 주주총회의 결의를 필요로 하는 등기를 신청하는 경우에는 그 의사록을 제공하여야 한다. 또한 공증인법 제66조의2 제1항에 의하면, 법인 등기를 할 때 그 신청서류에 첨부되는 법인 총회 등의 의사록은 공증인의 인증을 받아야 한다. 따라서 서면에 의한 결의도 주주총회의의 결의를 갈음하는 것이므로 의사록이 작성되어야 하고 그 결의의 내용이 등기할 사항이면 등기를 할 때에 공증인의 인증을 받은 의사록을 제공하여야 할 것이다. 그러나 등기실무에서는 서면결의의 내용이 등기할 사항이면 주주 전원의 동

---

f.; OLG Hamm 1.2.1974, NJW 1974, 1057.

77) Hüffer/Schürnbrand , in: Ulmer/Habersack/Löbbe, GmbHG Großkommentar, Bd. II, 2. Aufl. 2016, §48 Rn. 56 ; Liebscher, in: Fleischer/Goette, Münchener Kommentar GmbHG §48 Rn. 147; Seibt, in: Scholz, GmbHG Kommentar, 6. Aufl. 2017, §48 Rn. 61; Zöllner/Noack, in: Baumbach/Hueck, GmbHG Kommentar, 22. Aufl. 2019, §48 Rn. 28; Ganzer, in: Rowedder/Schmidt-Leithoff, GmbHG, Kommentar, 6. Aufl. 2017, §48 Rn. 21; Römermann, in: Michalski/Heidinger/Leible/J. Schmidt, GmbH-Gesetz, 3. Aufl., 2017, §48 Rn. 208.

의서와 서면결의서를 제공하고, 서면동의의 내용이 등기할 사항이면 주주 전원의 서면동의서를 제공하면서, 서면결의서나 서면동의서는 의사록이 아니라는 이유로 공증인의 인증을 받지 않고 있다.[78]

한편 2018년 9월 14일 제정된 상업등기선례 제201809-3호[79]는 소규모 주식회사가 서면결의 등을 하는 경우에 의사록을 작성하여야 한다고 하면서도, 서면결의나 서면동의 사항에 관한 등기신청을 할 때에는 공증인의 인증을 받은 의사록을 제공하지 않고 주주 전원의 동의서와 서면결의서 또는 서면동의서를 제공하여야 한다는 입장을 취하고 있다. 이에 따라 의사록을 작성하고도, 공증인법 제66조의2의 규정과는 달리 등기 시에 주주 전원의 동의서와 서면결의서를 제공하는 것이 타당한지 검토할 필요가 있다.

나. 학설에 대한 검토

1) 인증 필요설

상법학자들은 공증인법 제66조의2 제1항에 따라 서면결의의 내용이 등기할 사항인 경우에는 등기를 할 때 그 신청서류에 공증인의 인증을 받은 의사록을 첨부하여야 한다고 한다.[80] 서면에 의한 결의의 경우에도 의사록을 작성하여야 하고 그 결의가 등기사항이면 공증인의 인증을 받아야 한다는 근거로는 ① 상법은 주주총회의 의사에 대하여 의사록의 작성을 의무화하고 있으며(제373조 제1항), 서면에 의한 결의에 대하여 주주총회에 관한 규정을 준용하도록 하고 있다(제363조 제6항). ② 상업등기규칙 제128조 제2항(구 상업등기법 제79조 제2항)에서도 주주총회의 결의사항이 등기할 사항이면 등기신청을 할 때 주주총회의사록을 제공하도록 정하고 있다. ③ 공증인법 제66조의2 제1항에서는 법인등기를 할 때 그 신청서에 첨부되는 법인 총회 등의 의사록은 공증인의 인증을 받아야 한다고 한 규정 등을 들고 있다.[81]

---

78) 법원행정처, 앞의 「상업등기실무Ⅱ」, 57면; 서유석, 앞의 책, 71면.
79) 법원행정처, "소규모 주식회사에서 서면결의 등이 이루어진 경우 첨부정보," [상업등기선례 제201809-3호, 2018. 9. 14. 제정].
80) 남상우, 앞의 논문, 155~156면; 임재연, 앞의 책, 106면; 정준우, 앞의 논문, 146면 참조.
81) 법무부, "서면에 의한 결의 시 의사록 작성 요부 등"(2010. 6. 17.자 질의 회신), 「변호사·공증 관련 질의회답 사례집」(2012. 9.), 13면; 남상우, 앞의 논문, 156면; 임재연, 앞의 책, 106면 참조.

법무부도 소규모 주식회사에 서면결의 제도를 도입한 직후인 2010. 6. 17.자 질의회신[82])을 통해 서면에 의한 결의로써 주주총회의 결의를 갈음하는 경우에 의사록이 작성되어야 하고, 그에 관하여 법인등기를 할 때에는 공증인의 인증을 받은 의사록을 등기신청서에 첨부하여야 한다고 유권해석을 하였다.

2) 인증 불요설

등기실무의 관행을 지지하는 입장은 서면에 의한 결의를 한 경우에는 총회가 개최되지 않았으므로 의사록을 작성할 필요가 없고, 등기신청을 할 때에는 서면 동의서나 서면결의서를 제공하면 된다고 한다. 그리고 서면동의서나 서면결의서 는 의사록이 아니기 때문에 공증인의 인증을 받지 않아도 된다고 한다.[83]) 인증 불요설은 주로 등기실무에서 취하는 입장인데, 그 근거는 대체로 다음과 같은 두 가지로 추정할 수 있다.

우선 등기실무에서는 서면결의의 경우에 현실적으로 주주총회가 개최되지 않 았으므로 주주총회의 의사록을 작성할 필요가 없다는 전제하에, 등기신청을 할 때 의사록을 제공하지 않아도 된다고 한다. 서면결의의 경우에는 의사록 대신에 주주 전원의 동의로 서면결의를 하는 것에 관한 주주 전원의 동의서와 해당 결 의요건을 충족하는 주주의 서면결의서를 첨부서면으로 제공하고, 결의의 목적사 항에 관한 서면동의의 경우에는 주주 전원의 서면동의서를 첨부서면으로 제공하 면 된다는 것이다.[84]) 그리고 상법 제363조 제6항에서 서면결의에 관하여 주주 총회에 관한 규정을 준용한다고 정하고 있지만, 등기실무에서는 서면에 의한 결 의의 내용이 등기할 사항인 경우에 등기신청서에 첨부하는 서면결의서나 서면동 의서는 의사록이 아니므로 공증인법 제66조의2에 따른 공증인의 인증을 받을 필요가 없다고 보았다.[85])

서면에 의한 결의사항에 관한 등기신청을 하는 때에 공증인의 인증을 받은 의사록을 첨부할 필요가 없다고 하는 또 다른 이유는 상법 제정 당시에 도입된 유한회사의 서면결의 제도와 관련된 등기선례를 그대로 소규모 주식회사에 원용 하였기 때문인 것으로 보인다. 즉, 등기선례 제200206-13호[86])는 "유한회사에서

---

82) 법무부, 앞의 책, 13면; 박혁수, 앞의 논문, 150면.
83) 법원행정처, 앞의 「상업등기실무Ⅱ」, 57면; 서유석, 앞의 책, 72~73면 참조.
84) 법원행정처, 앞의 「상업등기실무Ⅱ」, 57면; 박혁수, 앞의 논문, 149면 참조.
85) 남상우, 앞의 논문, 119~120면 참조.

총회결의의 목적사항에 관하여 총사원이 서면으로 동의한 경우에는 총회의 결의와 동일한 효력이 있으므로, 유한회사의 자본감소에 관하여 총사원이 동의한 경우에는 사원총회의 의사록이 아닌 총사원동의서를 첨부하여 변경등기를 신청할 수 있다"고 하였다. 그런데 이 등기선례는 총사원의 서면동의에 대하여 총회의 결의와 동일한 효력을 인정한 것으로부터 등기 시에 사원총회 의사록이 아닌 총사원의 서면동의서를 첨부할 수 있다는 결론을 도출하고 있다.87) 그리고 서면결의서나 서면동의서는 의사록이 아니므로 공증인법 제66조의2에 따른 공증인의 인증을 받을 필요가 없다고 본 것으로 추정된다.

3) 검 토

인증 불요설에 따르면, 서면결의 등을 한 경우에는 총회가 개최되지 않았으므로 의사록을 작성할 필요가 없고, 등기신청을 할 때에는 서면동의서나 서면결의서를 첨부하면 되며, 서면동의서나 서면결의서는 의사록이 아니기 때문에 공증인의 인증을 받지 않아도 된다. 그러나 서면결의나 총사원의 서면동의에 대하여 총회의 결의와 동일한 효력을 인정하였다고 하여 서면결의서나 총사원의 서면동의서가 바로 첨부서면으로서의 의사록을 대체할 수 있다고 보는 것은 무리라고 생각된다. 주주총회의사록은 의사의 경과요령과 그 결과를 기재하고 의장과 출석한 이사가 기명날인 또는 서명한 서면이고, 서면결의서나 서면동의서는 소규모 주식회사에서 서면결의 등의 경우에 주주가 의안에 대한 찬부 또는 동의 여부에 관한 의사표시를 하기 위하여 작성하는 문서이다. 따라서 주주총회의사록과 서면결의서나 서면동의서는 작성 주체도 다르고 기재하는 내용도 다르다. 또한 주주총회의 결의가 있는 경우에 이사는 의사록을 작성하여(제373조 제1항), 본점과 지점에 비치하여야 하고, 주주와 회사채권자에게 영업시간 내에는 언제든지 의사록의 열람 또는 등사를 할 수 있도록 하여야 하며(제396조). 이를 위반한 경우에는 과태료에 처해진다(제635조 제1항 제4호, 제9호, 제24호). 그러나 상법에는 서면결의 등에 관한 서면동의서나 서면결의서를 회사에 비치할 서류로 정한 규정이 없고, 서면동의서나 서면결의서가 주주총회의사록을 대체한다는 규정도 없다.

---

86) "유한회사의 감자결의 시 사원총회의 결의를 거치지 않고 총사원의 동의서를 첨부하여 변경등기를 신청할 수 있는지 여부," [등기선례 제200206-13호, 2002. 6. 24. 제정].

87) 남상우, 앞의 논문, 119면.

그러므로 서면결의 등의 경우에 서면결의서 또는 서면동의서를 작성하였더라도 의사록의 작성 및 비치의무를 이행하여야 하므로, 별도로 의사록을 작성하여야 한다. 그리고 의사록을 작성하였으면 서면결의 등의 내용이 등기할 사항인 경우에 등기신청을 할 때 공증인법 제66조의2에 따라 당연히 공증인의 인증을 받은 의사록을 첨부하는 것이 타당하다.

다. 상업등기선례에 대한 검토

1) 상업등기선례

2018년 9월 14일 제정된 상업등기선례 제201809-3호[88]는 소규모 주식회사가 현실적인 주주총회를 개최하지 않고 서면결의 등의 절차를 거쳐 등기신청을 할 때에는 공증인의 인증을 받은 의사록을 제공하지 않아도 된다고 보았다. 그 대신에 서면결의의 경우에는 서면결의를 하는 것에 관한 주주 전원의 동의서 및 해당 결의요건을 충족하는 서면결의서에 인감을 날인하고 그 인감증명서를 첨부하도록 하며, 서면동의의 경우에는 결의의 목적사항에 대한 주주 전원의 서면동의서에 인감을 날인하고 그 인감증명서를 첨부하여야 한다는 입장을 취하였다.

---

88) "소규모 주식회사에서 서면결의 등이 이루어진 경우 첨부정보," [상업등기선례 제201809-3호, 2018. 9. 14. 제정].

1. 자본금 총액이 10억원 미만인 주식회사(이하 '소규모 주식회사'라 함)에서 주주 전원의 동의로 서면에 의한 결의(이하 '서면결의'라 함)로써 주주총회의 결의를 갈음하거나(상법 제363조 제4항 전문), 결의의 목적사항에 대하여 주주 전원이 서면으로 동의(상법 제363조 제4항 후문, 이하 '서면동의'라 하고, '서면결의'와 '서면동의'를 합하여 '서면결의 등'이라 함)한 경우에도 상법 제363조 제6항에 의해 제373조가 준용되어 의사록을 작성해야 할 것이다.

2. 소규모 주식회사가 현실적인 주주총회 개최하지 않고 서면결의 등의 절차를 거쳐 그에 따른 등기를 신청할 때에는, 상업등기규칙 제128조 제1항의 '총주주의 동의가 있음을 증명하는 정보'로서 ①서면결의의 경우에는 서면결의를 하는 것에 관한 주주 전원의 동의서 및 해당 결의요건을 충족하는 서면결의서에 각 주주가 인감증명법에 따라 신고한 인감을 날인하고 그 인감증명서를 첨부하고, ②서면동의의 경우에는 주주 전원의 서면동의서에 각 주주가 인감증명법에 따라 신고한 인감을 날인하고 그 인감증명서를 첨부하여야 한다. 또한, 서면결의 등의 진정성을 보장하기 위하여 서면결의 등이 이루어질 당시의 대표자가 등기소에 제출한 인감을 날인한 주주명부를 첨부하여야 할 것이다.

3. 다만 경영권 분쟁 등의 사유로 주주명부의 진정성에 의심이 드는 때(대표자 해임 등의 경우)에는 형식적 심사권만을 가진 등기관의 입장에서는 위의 첨부정보만으로는 총주주의 동의가 있는지 여부를 판단하기 어렵다 할 것이어서 등기에 필요한 첨부정보를 제공하지 아니한 경우 또는 등기할 사항에 무효 또는 취소의 원인이 있는 경우로 보아 그 등기신청을 각하할 수 있다(상업등기법 제26조 제8호 또는 제10호). 이때에는 회사는 현실적인 주주총회를 개최하여 공증인법 제66조의2에 따라 공증인의 인증을 받은 의사록을 첨부정보(상업등기규칙 제128조 제2항)로 제공하여야 할 것이다.

아울러 서면결의 등의 진정성을 보장하기 위하여 서면결의 등이 이루어질 당시의 대표자가 등기소에 제출한 인감을 날인한 주주명부도 첨부하도록 하였다. 다만 경영권 분쟁 등의 사유로 주주명부의 진정성에 의심이 드는 때(대표자 해임 등의 경우)에는 현실적인 주주총회를 개최하여 공증인법 제66조의2에 따라 공증인의 인증을 받은 의사록을 첨부정보(상업등기규칙 제128조 제2항)로 제공하여야 할 것이라고 하였다.

2) 검 토

상업등기선례 제201809-3호에 따르면, 결과적으로 서면결의 등의 경우에는 주주총회의사록을 작성하여 회사에 비치하여야 하지만, 서면결의 등의 내용이 등기할 사항이면 등기신청을 할 때 공증인의 인증을 받은 의사록 대신에 주주 전원의 동의서와 서면결의서 또는 서면동의서를 첨부하여야 한다.

이 등기선례에서는 상법 제363조 제4항에 규정된 "서면결의 등에서의 총주주의 동의서와 서면결의서 또는 총주주의 서면동의서"를 상업등기규칙 제128조 제1항의 총주주의 동의가 없으면 등기할 사항에 관하여 무효 또는 취소의 원인이 있는 때 "총주주의 동의가 있음을 증명하는 정보"로 해석하고 있다. 그러나 상법 제363조 제4항에 규정된 "서면결의 등에서의 총주주의 동의서와 서면결의서 또는 총주주의 서면동의서"와 상업등기규칙 제128조 제1항에서의 "총주주의 동의서"는 그 의미가 다르다. 상법 제363조 제4항의 총주주의 동의서와 서면결의서 또는 총주주의 서면동의서는 주주총회의 개최 없이 주주총회의 결의에 갈음하는 효력을 가진 문서인데 대하여, 상업등기규칙 제128조 제1항에 규정된 총주주의 동의서는 "총주주의 동의가 없으면 효력이 없거나 취소할 수 있는 사항의 등기를 신청하는 경우에, 그 하자를 보완하여 유효하게 해주는 기능을 하는 문서이다.[89]

---

89) 예를 들면, "주식회사의 신주발행절차에서 상법 제418조 및 제419조의 규정에 의한 신주인수권의 내용 및 배정일의 지정공고와 신주인수권자에 대한 실권예고부 최고기간을 단축하는 경우에, … 총주주의 동의가 없으면 효력이 없거나 취소할 수 있는 사항에 해당할 경우에는 총주주가 동의하였음을 증명하는 서면(총주주의 동의서 또는 신주인수권을 행사하지 않는 주주의 기간단축동의서 등)을 첨부하여 변경등기를 신청하여야 한다"(출처: 주주에게 신주발행하는 경우 법이 정한 첨부서면, 상업등기선례 제2-63호, 2013. 10. 25. 제정). 또는 "주주 외의 자에게 신주를 배정하는 경우에 총주주의 동의로 상법 제418조제4항에 따른 통지 또는 공고를 생략할 수 있는데, 이때에는 통지 또는 공고 생략에 관하여 총주주의 동의가 있음을 증명하는 서면을 첨부하여 변경등기를 신청할 수 있다"(출처: 주주 외의 자

　또한 상법 제363조 제4항의 서면결의에 관한 "총주주의 동의"는 상업등기규칙 제128조 제1항에서의 "총주주의 동의"와 의미가 다를 뿐만 아니라, 서면결의의 경우 서면에 의한 결의를 하는 것에 관한 총주주의 동의는 결의의 방법에 관한 동의일 뿐이므로 총주주의 동의서만 있다고 하여 당연히 등기신청을 할 사항이 유효하게 되는 것도 아니다. 서면결의가 유효하게 성립하려면 총주주의 동의 외에 해당 의안에 대한 의결정족수를 충족하는 서면결의가 있어야 한다. 따라서 이 등기선례와 같이, 총주주의 동의서에 서면결의서까지 포함하여 제128조 제1항 "총주주의 동의가 있음을 증명하는 정보"로 해석하는 것은 지나치게 자의적인 확대해석이다.[90]

　그리고 공증인법 제66조의2에서 서면결의 등의 내용이 등기할 사항인 경우에 등기신청을 할 때 공증인의 인증을 받은 의사록을 첨부하도록 하였는데, 법률의 위임규정도 없이 다른 법률의 하위법령인 상업등기규칙 제128조의 규정을 근거로 의사록 대신에 서면동의서나 서면결의서를 첨부하도록 하는 것은 법체계적 측면에서도 옳지 않다고 생각된다.

　이와 관련하여 일본 회사법 제319조 제1항에서는 우리 상법 제363조 제4항 제2문의 서면동의에 해당하는 규정을 두고 있는데, 일본 상업등기법 제46조(첨부서면의 통칙)[91]에는 우리 상업등기규칙 제128조 제1항과 제2항의 내용과 같은 규정이 있음에도 불구하고, 제3항에서 서면동의에 관한 별도의 규정을 두고 있다. 즉, 동조 제3항에서는 "등기하여야 할 사항에 대하여 회사법 제319조 제1항의 규정에 따라 주주총회나 종류주주총회, 이사회 또는 청산인회의 결의가 있는 것으로 보는 경우에는 신청서에 전항의 의사록 대신에 해당 경우에 해당함을 증명하는 서면을 첨부하여야 한다"고 규정하고 있다.[92] 이것은 일본 상업등기법

───

에게 신주를 배정하는 경우 총주주의 동의로 상법 제418조 제4항에 따른 통지 또는 공고를 생략하고 등기신청할 수 있는지 여부, 상업등기선례 제2-54호, 2012. 4. 23. 세정).

90) 남상우, 앞의 논문, 155면 참조.

91) 일본 상업등기법 제46조(첨부서면의 통칙) ① 등기하여야 할 사항에 대하여 주주 전원 또는 종류주주 전원의 동의 또는 이사 또는 청산인의 일치를 요하는 때에는 신청서에 그 동의 또는 일치가 있음을 증명하는 서면을 첨부하여야 한다. ② 등기하여야 할 사항에 대하여 주주총회 또는 종류주주총회, 이사회 또는 청산인회의 결의를 요하는 때에는 신청서에 그 의사록을 첨부하여야 한다. ③ 등기하여야 할 사항에 대하여 회사법 제319조 제1항의 규정에 따라 주주총회나 종류주주총회, 이사회 또는 청산인회의 결의가 있는 것으로 보는 경우에는 신청서에 전항의 의사록 대신에 해당 경우에 해당함을 증명하는 서면을 첨부하여야 한다. ④ 이하 생략.

92) 다만 일본에는 의사록에 대한 공증인의 인증제도는 존재하지 않는다.

제46조가 "주주총회결의가 있는 것으로 보는 주주 전원의 서면동의"를 제1항 "주주 전원의 동의를 요하는 때 그 동의가 있음을 증명하는 서면"과는 다른 것으로 파악하고 있음을 나타내는 것이다.

한편 우리 상법에서는 서면결의의 내용이 등기할 사항인 경우에 등기신청 시 의사록에 공증인의 인증을 받아 제공할 것인지 문제가 된 반면에, 독일 유한회사법에서는 공증인의 인증을 받아야 하는 결의사항에 관하여 제48조 제2항의 서면에 의한 결의를 할 수 있는지 여부가 논란이 되었다. 독일 유한회사법 제53조에서는 정관변경은 반드시 사원의 결의를 통하여 이루어져야 하고 공증인의 인증을 받아야 한다고 규정되어 있다. 이에 따라 정관변경 및 기타 공증의무가 있는 결의사항에 관하여 종래의 판례[93]는 공증의무가 있는 사원의 결의를, 특히 정관변경에 관한 결의를 서면결의에서 배제하고, 이를 위하여는 사원총회의 결의가 필요하다고 하였다. 그러나 현재의 통설[94]은 공증의무가 있는 결의사항에 대하여도 서면결의가 가능한 것으로 보고 있다. 따라서 정관변경에 관한 서면결의가 있는 경우에는 적어도 결의 결과가 공증인의 증서에 기록되어야 하기 때문에 의사록의 작성이 필요하다. 독일의 통설을 고려하면 우리 상법상 서면결의가 있는 경우에도 의사록을 작성하여 공증인의 인증을 받아 등기신청 시에 이를 제공하여도 무리가 없을 것으로 사료된다.

그러므로 서면에 의한 결의가 있는 경우에는 상법 제373조 제1항에 따라 주주총회의사록을 작성하여야 하고, 상업등기규칙 제128조 제2항과 공증인법 제66조의2 제1항에 따라 서면결의 등의 내용이 등기할 사항이면 등기신청을 할 때 공증인의 인증을 받은 의사록을 제공하는 것이 입법취지에 충실한 해석이라고 생각된다.[95]

---

93) BGH 1.12.1954, BGHZ 15, 324 (328) = NJW 1955, 220; KG 16.3.1959, NJW 1959, 1446 f.; OLG Hamm 1.2.1974, NJW 1974, 1057.

94) Hüffer/Schürnbrand, in: Ulmer/Habersack/Löbbe, GmbHG Großkommentar, §48 Rn. 56; Liebscher, in: Fleischer/Goette, Münchener Kommentar GmbHG §48 Rn. 147; Seibt, in: Scholz, GmbHG Kommentar, §48 Rn. 61; Zöllner/Noack, in: Baumbach/Hueck, GmbHG §48 Rn. 28; Ganzer, in: Rowedder/Schmidt-Leithoff, GmbHG Kommentar, §48 Rn. 21; Römermann, in: Michalski/Heidinger/Leible/J. Schmidt, GmbH-Gesetz §48 Rn. 208.

95) 남상우, 앞의 "서면결의 및 간주서면결의에 관한 고찰," 165면; 정준우, 앞의 논문, 146면 참조.

VI. 주주제안권

김 선 정*

1. 서 설

가. 의 의

주주제안권이란 소수주주가 이사에 대하여 일정한 사항을 주주총회의 의제나 의안으로 할 것을 요구할 수 있는 권리이다. 주주제안에는 일정한 사항을 주주총회의 목적사항으로 할 것을 청구할 수 있는 의제제안권(제363조의2 제1항)과, 회사가 정하거나 자신이 제안하여 주주총회의 목적으로 된 사항에 대하여 구체적인 결의안인 의안(의 요령)을 제출하여 이를 총회소집통지에 기재할 것을 청구할 수 있는 의안제안권(동조 제2항)이 포함된다.[1)]

종류주식의 주주는 참석할 종류주주총회에서 다룰 의제와 의안에 대하여 주

---

* 동국대학교 법무대학원 명예교수

[1)] 의제는 제목이고 의안은 내용이다. 제안권은 의제(제363조 제2항의 통지할 "회의의 목적사항")제안권과 의안(제433조 제2항, 제363조의2 제2항의 "의안의 요령")제안권을 포함한다. 총회는 통지된 의제 이외의 사항을 결의하면 총주주가 주총에 참석하여 의제변경에 전원이 동의한 것이 아닌 한 취소사유가 되므로 의제에 구속되지만 의안에는 구속되지 않는다. 그 결과 상장회사 임원선임시 통지된 후보자 중에서만 선임할 수 있는 경우(제542조의5)를 제외하고는 당해 주총에서 의안을 변경하거나 새로 제안하는 것이 가능하다(송옥렬, 「상법강의」 제8판(홍문사, 2018), 921~922면). 제안과, 의안의 요령을 소집청구서나 공고에 기재하도록 하는 청구권은 일응 구별된다. 의제제안은 예컨대 주주가 「이사선임의 건」을 주주총회의 의제로 제안하는 것이며 회의의 목적사항에 대한 신규 또는 추가제안이다. 의안제안은 자기의제에 대한 구체적 요령, 회사의 제안에 대한 수정제안 또는 반대제안이 된다. 의안제안권은 회사가 주주총회의 의제로 택한 「이사선임의 건」 또는 주주가 새로이 제안한 「이사선임의 건」에서 "을을 이사로 선임한다"는 구체적 제안의 제출이다. 자기의 의안의 청구권은 주주가 을을 이사로 선임할 것을 청구하였다는 자기의 의안의 요령을 소집통지에 기재하도록 청구하는 것이다. 이처럼 제안권은 의제제안권과 의안제안권을 포함하며 의제제안권은 의제의 구체적 내용을 제출하여 이를 총회소집의 통지서나 공고에 기재하여 줄 것을 청구하는 것이라고 하여 의제제안권과 자기의 의제의 통지청구권을 합쳐서 설명하는 입장(정동윤, 「상법(상)」 제6판(법문사, 2012), 547면; 정찬형, 「상법강의(상)」 제24판(박영사, 2021), 893면)과, 제안권을 의제제안권·의안제안권·자기의 의안의 통지청구권으로 구성된다고 나누어 보는 입장이 있다. 이는 설명방법이 다를 뿐 실무상 실질적 차이는 없다. 의안제안권은 종래에도 동의에 의하여 가능하였던 것인데 개정상법은 주주가 제출한 의안의 요령을 총회소집의 통지와 공고에 기재할 것을 청구할 수 있도록 하였다는 점에서 의미가 있다는 입장(최기원, 「신회사법론」 제14대정판(박영사, 2012), 519면)이 있다. 한편 "이사 갑을 해임하는 건"처럼 의제제안권과 의안제안권은 동시에 이루어질 수 있다. 홍복기·박세화, 「회사법강의」 제5판(법문사, 2017), 333면.

주제안권을 갖는다.[2]

나. 취지와 운용방향

주주는 소수주주권을 행사하여 주주총회(이하 '총회'라 함)를 소집할 수 있으나 현실적으로 쉽지 않다. 또한 주식회사는 총회를 소집할 때 소집통지서 또는 공고에 목적사항을 기재하여야 하고(제363조 제2항), 소집된 총회에서는 기재된 목적사항에 한하여 결의할 수 있어서[3] 이에 위반한 결의는 취소사유가 된다. 그러므로 개별주주가 총회진행 중에 수정동의 등을 통하여 의안을 제안하기도 어렵다. 위와 같이 총회에서 이루어지는 의사결정의 최대이해관계자인 주주에게 의안을 제출할 기회조차 막혀 있는 것은 바람직하지 않다.[4] 여기서 소수주주가 총회를 소집하기는 어렵더라도 총회가 열리는 때를 활용하여 자신의 의사를 적극적으로 드러낼 기회를 갖는 것이 필요하다.

오늘날 총회에 무관심하거나 무기력한 주주가 늘게 되고 총회의 형해화는 회사의 건전한 발전을 저해할 수 있다는 점에서 총회활성화를 위한 다양한 대책이 강구되고 있다.

주주제안권 또는 주주제안(이하 '제안권' 또는 '제안'이라 함)은 주주와 회사 간 또는 주주 간 소통을 꾀하고,[5] 회사경영을 견제하며, 총회 참석을 독려하여 총회의 활성화를 꾀하기 위한 것이지만 자칫 경영권 다툼의 도구가 될 수 있다.[6]

총회소집청구권에 비하여 제안권은 주주의 의사를 총회에 보다 쉽게 반영할 수 있다는 점에 의의가 있다.[7] 자기의안의 통지청구권도 주주가 총회일 전에 회

---

2) 일본 회사법 제325조는 이를 명정한다. 우리 상법은 이에 관하여 규정하는 바 없으나 같게 새긴다. 당해 주주가 의결권을 행사할 수 있는 의안은 제안의 대상이 되기 때문이다. 江頭憲治郎,「株式會社法」第6版(有斐閣, 2016), 330面.

3) 총회참석주주 전원의 동의가 있더라도 소집통지 또는 공고된 목적 외의 결의는 허용되지 않는다(대법원 1979.3.27. 79다19). 다만 의안의 경우에는 상장회사에서는 이사·감사 선임 시 통지 또는 공고된 후보자 중에서만 선임할 수 있으나(제542조의5) 그 외의 의안에 대해서는 해당 총회에서 바로 변경하거나 새로 제안하는 것이 가능하다고 한다. 홍복기 외,「회사법: 사례와 이론」제4판(박영사, 2015), 218면.

4) 이철송,「회사법강의」제29판(박영사, 2021), 520면.

5) 제안제도는 가결되는 것 이외에도 회사가 주주의 의중을 이해하고 이를 스스로 회사경영에 반영할 기회를 갖는데 의미가 있다. 주주도 회사에 대한 압박수단으로 제안하는 경우가 자주 있다. 森·濱田松本法律事務所 編,「株主總會の準備事務と議事運營」第3版(中央經濟社, 2011), 110~111面; 최기원, 전게서, 518면.

6) 김화진,「기업지배구조와 기업금융」제2판(박영사, 2012), 140~142면.

7) 상장회사의 경우 제안권행사를 위한 소수주주요건이 총회소집을 위한 소수주주요건에 비하

사의 비용으로 자기가 제안한 의안의 요령을 다른 주주들에게 알릴 수 있다는 점에서 의의가 있다. 의제제안권과 자기의안의 통지청구권은 의안의 제출과 그 내용에 있어서 주주가 주도권을 행사할 수 있다. 이에 비하여 의안제안권은 사전에 주주총회의 목적사항으로 정하여진 사항에 한하여 제안될 수 있고 주주가 일반적으로 예측할 수 있는 범위 내에서만 제안될 수 있다고 새긴다.

본래 주주는 총회장소(또는 종류주총장)에서 총회의 목적사항에 대하여 추가 또는 변경된 내용으로 의인을 제출할 수 있다.[8] 이는 수정동의로서[9] 회의체의 원칙상 단독주주에게 당연히 인정되어 왔다. 그러나 수정동의는 사전에 회의의 목적사항으로 통지된 사항의 범위를 넘어 제출될 수는 없다.[10] 수정동의에 비하여 의안제안권은 소수주주권이며 행사요건도 까다롭다. 그럼에도 불구하고 수정동의와 별개로 의안제안권을 인정한 것은 주주가 회사의 비용으로 미리 다른 주주들에게 의안을 공개하고 지지를 얻고자 하는 경우에 이를 활용할 필요가 있기 때문이다.[11] 그러므로 이사회가 부의한 의안과 다른 의안의 제안이 가능하지만 의안제안권을 단순하게 수정동의를 명문화한 것이라고 설명하는 것은 정확하지 않다. 상법이 제안권을 인정한다고 하여도 수정동의는 회의체 운영의 성질상 여

여 완화되어 있다(제542조의6 제1항과 제2항). 비상장회사의 경우는 총회소집과 제안권행사를 위한 소수주주요건이 같지만 소수주주의 청구에 의한 임시총회개최가 쉽지 않은 점에서 회사 주도로 소집된 총회에서 주주제안권의 활용이 기대된다. 이와 같은 의미에서 소수주주에 의한 총회소집제도의 간이화라고 할 수 있다.

8) 江頭憲治郎, 前揭書, 330面.

9) 예컨대 총회장에서 을을 이사로 선임하자는 회사의안에 대하여 갑을 이사로 선임하자는 의안을 제출하는 것은 수정동의에 해당한다.

10) 또 회의의 목적사항의 범위 내의 수정일지라도 일반주주가 통상 예측할 수 있는 범위를 넘어선 수정이나 주주에게 불이익한 쪽으로의 수정은 인정할 수 없다고 본다. 예컨대 「임원보수액 결정의 건」이라는 회사제안의안에서 회사측이 제시한 보수한도를 줄이는 수정동의는 가능하지만 보수한도를 늘이는 수정동의는 불가능하다는 것이 일본의 유력설(東京辯護士會 會社法務部 編, 「新株主總會ガイドフイン」(商事法務, 2007), 269面 등)이다. 「잉여금 배당의 건」에서는 배당금증액의 수정동의뿐만 아니라 배당금감액의 수정동의도 가능하다고 새기는데 이는 감액된 배당금은 사내에 유보되므로 주주에게 불이익한 수정동의가 아니라고 보기 때문이다. 수정동의는 특히 서면투표를 채용한 회사의 총회에 있어서는 더욱 제한적으로 허용하여야 한다. 다만 실무상 허용범위는 경험칙에 비추어 판단할 일이다. 松山遙, 「敵對的株主提案とプロキシーファイト」(商事法務, 2007), 8面.

11) 수정동의는 회의체의 일반원칙상 허용되는 것이라 할 수 있다. 그러나 의안제안권을 인정한 이상 수정동의가 법령이나 정관에 위반하는 경우는 물론, 과거 총회에서 의안으로 다루어졌으나 당해 의안에 대하여 의결권있는 주식 총수의 10분의 1 미만의 지지밖에 얻지 못하여 부결된 의안과 동일한 내용의 수정동의가 부결시점에서 3년 이내에 이루어진 경우는 그 수정동의를 허용할 수 없다고 할 것이다.

전히 인정된다. 실제로 흔히 제안되는 것이 임원선임에 관한 것인데, 상장회사에서는 미리 통지 또는 공지한 후보자 중에서만 이사·감사를 선임할 수 있기 때문에(제542조의5)[12] 의안제안은 단순한 수정동의나 추가제안 이상의 중요한 의미가 있다. 수정동의의 한계를 고려할 때, 반드시 제안을 총회에서 승인받고자 하는 주주로서는 제안을 통하여 다른 주주의 지지를 확보하고 이를 위하여 위임장 권유를 할 필요도 생긴다. 또한 제안은 경영자 측의 경각심을 촉구한다는 의미에서 옴부즈만(ombudsman)으로서 기능하기도 한다.

그러나 기업지배구조상 주주의 참여를 독려함으로써 실현되는 주주총회의 활성화는 늘 경영불안정의 요인으로 작용할 수 있다. 실제로 펀드나 투자조직에 의한 제안은 회사의 건전한 발전보다는 일부투자자의 이익 챙기기에 급급하여 경영진에 대한 소모적인 공격수단으로 활용되는 사례가 적지 않다.[13][14] 상법(및 시행령)은 이 점을 고려하여 제정되었으나 앞으로 제도 운용의 실태를 분석하여 제안제도 본래의 취지를 살릴 수 있도록 해석하고 필요한 입법조치를 취해가면 될 것이다.

다. 입법연혁

제안권은 그 구체적 내용에는 차이가 있으나 각국에서 인정하고 있다.[15] 미

---

12) 비상장회사에 있어서는 회사가 선임을 제안한 임원을 정원 내에서 전부 또는 일부 바꾸어 선임하자는 수정동의가 가능하다.

13) 그러나 기관투자가 등의 제안이 회사경영에 긍정적 영향을 미쳤는가는 별개 문제이다. 1990년대 이래, 미국의 기관투자가들은 SEC위임장제안규칙 14a-8 규정에 기한 제안권 행사를 통하여 지배구조에 적극적으로 관여하는 주주행동주의를 실현하고 있다. 이에 따라 기관투자가의 주주제안은 적대적 기업매수에 대한 대항조치의 배제, 이사회 독립성 강화, 임원보수 삭감, 신임투표(confidential voting) 등 다양하다. 그러나 기관투자가의 행동주의에 관한 다수의 실증적 연구 결과, 행동주의가 회사지배구조를 크게 개선하지 못했다고 한다. 예컨대 미국의 전체 주주제안의 30%이상은 포이즌 필 등 '적대적 기업매수에의 대항조치를 배제'하는 내용인데, 이와 같은 제안이 주가에 영향을 주지 못한다고 한다. 또 이사회 의장과 최고집행임원을 분리하여 이사회독립성을 강화한 것과 경영실적의 개선은 상관관계가 없었다. 제안보다는 기관투자가와 회사경영자간의 비공식교섭(private negotiation)이 지배구조개선에 더 큰 영향을 미쳤다는 실증연구가 있다. 徐治文,「現代會社法理論と『法と經濟學』」(晃洋書房, 2007), 146~151面.

14) 이는 우리나라 총회의 제안권 행사사례에서 잘 나타나고 있다. 그러기에 제안권이 '열린 주주총회'를 실현하는데 도움이 되면서도 경우에 따라서는 green mail을 목적으로 경영자를 위협하거나 사회운동의 수단으로 악용될 가능성이 있다는 권기범,「현대회사법론」제5판(삼영사, 2014), 654~655면. 사회적 목적의 제안을 긍정하는 견해로는 久保大作, "社會的目的による株主提案權の行使 ─ 試論 ─,"「企業法の理論(上卷)」(江頭憲治朗先生還曆記念, 商事法務, 2007), 501面 以下.

국은 오래 전부터 이 제도를 인정하여 왔다(연방증권규칙 14a-8). 영국(회사법 제376조), 독일(주식법 제126조·제127조)에서도 이를 인정하고 있고,[16] 일본은 이를 1991년 상법개정시 주주의 설명청구권제도와 함께 도입한바 있다(제303조~제305조).

우리나라는 1997. 1. 13. 당시의 증권거래법 개정시(제191조의14) 제안권제도를 처음 도입하였고, 1998. 12. 28. 상법에서 이 조항을 신설하여 모든 주식회사가 활용힐 수 있도록 히였다(제363조의2). 2009. 1. 30. 개정상법에서는 IT발전에 따라 제안권행사방법으로 전자문서를 이용할 수 있도록 하였고, 상장회사를 일반상장회사와 대규모상장회사로 나누어 특례규정을 두었다. 2014. 5. 20. 개정에서 의안제안시 '공고'에 기재할 것을 청구한다는 부분을 삭제하였다. 금융회사에 대하여는 금융회사지배구조에 관한 법률(제33조, 동법 시행령 제28조 제1항)이 규정한다.

라. 제도 이용실태

미국의 경우 연방증권위원회 규칙에 따라 상장기업 주주는 제안권을 행사할 수 있다.[17] 가장 많은 유형의 제안은 적대적 기업매수에 대한 대항조치의 배제라고 한다.[18] 그 밖에 이사회의 독립성 강화 등 지배구조개선에 관한 제안도 빈번하다. 임원보수에 관한 제안은 전체 제안 중 10%정도인데, 임원보수의 삭감이 회사경영실적이나 지배구조개선에 큰 영향을 미치는지는 확실하지 않다고 한다. 한때 세안은 기입의 사회적 책임 실현의 방법으로 버스회사의 흑인좌석분리제도 폐지 등 사회적 주제에 집중된 때도 있었다.

일본의 경우 잉여금의 처분(배당), 이사나 감사의 선임이나 해임, 정관변경[19]

---

15) 각국에서의 전개과정은 김선정, "주주총회의 활성화에 관한 약간의 고찰: 주주세안권을 중심으로," 「경주대학논문집」 Vol.4(경주대학교, 1985), 199~225면; 입법례에 대하여는 오영환, "주주의 제안권," 「전환기 상사법 과제의 재조명」(회명박길준교수고희기념논문집, 2008), 432~439면.

16) 최준선, 「회사법」 제16판(삼영사, 2021), 371면.

17) 주식가치 2,000달러 또는 의결권의 1% 이상을 1년 이상 보유한 주주가 행사할 수 있다 (SEC규칙 17CFR§240. 14a-8).

18) 독일 주식법은 선거제안을 허용한다. 미국의 연방증권규칙은 이사선임의 결의는 회사비용으로 제안할 수 있는 의안에서 배제하여 오다가 2010년 개정에서 제한적으로 허용하였으나 동 조항은 법원에 의하여 무효로 되었다. Roundtable v. SEC 647 F. 3D 1144(DC Cir. 2011).

등 주주의 성격과 주주의 목표에 따라 다양한 제안이 행하여지고 있다. 2004~
2013년 사이에 주제제안이 행하여진 회사는 262사(예컨대 1회사에 3차례 제안이
이루어진 경우는 3사로 계산)이며 어떤 해에는 1사에 대하여 수건의 제안이 이루
어지기도 한다. 조사에 응답하지 않은 회사가 상당수에 이르는 점을 감안하면
주주제안은 더 많은 회사에서 행하여지고 있는 것으로 추측된다.[20] 그동안 기
관투자가의 찬성표가 집중된 안건의 찬성비율이 높은 편이었다. 일본에서 제안
제도가 총회의 활성화라는 목적을 달성하도록 운용되는지에 대하여는 회의적인
시각도 있다.

우리나라의 경우,[21] 주주제안사례는 느는 추세이다. 집단적으로 또는 매년
반복하여 제안권을 행사하는 부류도 있어[22] 회사의 적극적 대응이 필요하다. 다
만 전체적으로 부결건수가 많다.[23]

---

19) 임원의 개인별 보수 공개, 집중투표, 단위주제도 불채용, 결산기 변경, 총회소집권자 변경,
사업목적 추가, 상호 변경, 임원퇴직위로금 감액 등.

20) 2014년도판 일본 상사법무연구회 총회백서에 나타난 바를 보면 2013. 7. ~ 2014. 6. 사이
에 정기총회가 개최된 2,456사 중 조사에 회신한 1,756사의 경우, 제안권이 행사된 회사는
30사, 제안주주별 건수는 43건으로 전년의 34사 45건에 비하여 조금 줄었다. 원자력사고의
여파로 원자력발전을 포기하는 정관변경제안이 9개 전력회사에서 15건에 달하였고 대주주
인 지방자치단체가 원전포기를 제안한 사례가 특이하다. 2015. 7. ~ 2016. 6. 사이 주총개
최 상장회사 2,595사 중 조사에 회신한 1,755사의 경우, 50사 21건이 제안되었다.

21) 2011년 결산기 총회가 개최된 2012년의 경우, 소액주주운동의 일환으로 임원선임 건이 제
안되는가 하면 주가하락 손실을 만회하려는 투자클럽 등에 의하여 자기주식취득 건이 전략
적으로 제안되기도 하였다. 이는 주주의 개인적 고충해결을 위한 것이라고 볼 수 있지만
한편으로 총회의결사항에 속하기도 한다. 일부기업에서는 경영권 위협의 수단으로 제안권
이 사용되었다. 그 중에는 무상증자안 등 정관에 규정이 없는 이상 이사회전권사항인 사항
에 대한 제안도 있었지만 법령위반을 이유로 거절되었다.

22) 이 가운데는 소위 총회꾼으로 불리는 전문주도 있는 것으로 보인다.

23) 한국상장회사협의회가 실시한 2007년 사업연도 총회 실태조사에 응답한 338개사(상장사
중 49.8%) 가운데 제안권행사가 있었다고 응답한 회사는 21개사(6.2%), 제안 횟수는 1회
가 11사이며 최대 6회(1사)였다. 가결은 14건(66.7%), 부결 7건이었다. 12월말 결산 상장
법인 중 2014년 정기총회 8개사, 2015년 정기총회 12개사에서 주주제안권이 행사되었다.
우리나라의 주주제안은 배당건과 임원선임건(사외이사선임, 사내이사선임, 사외이사인 감사
위원선임, 사외이사 아닌 감사위원선임, 상근감사선임, 비상근감사선임 건 등)이 많았다. 그
밖에 임원해임, 배당금 상향, 정관변경, 임원보수, 임원퇴직금, 자기주식취득, 주식의 액면
분할, 중간배당의 실시, 유상감자, 이사 및 감사보수, 주식배당, 계열사인수 및 합병, 액면
분할 유상증자, 이익공유제규정제정 등 다양하다. 2018. 3. 개최된 상장회사 주총의 경우
BYC(배당금증액, 집중투표도입 등 정관일부변경), CS홀딩스·조선선재·현대에이치씨엔(각
기 배당금증액), KB금융지주(노조추천 사외이사선임, 이사자격제한 등 정관일부변경), KT&G
(사외이사 선임한도 확대 및 신규선임), 농심홀딩스(액면분할 위한 정관일부변경), 대웅(주
식배당), 대한방직·삼영화학공업(각기 사외이사 선임), 삼천리(배당금증액, 자본금감소 등)
등의 주주제안이 있었는데 모두 부결되었다. KISCO홀딩스(배당금증액)는 배당도 이사회결

2. 주주제안권 행사의 요건

가. 주주제안권을 행사할 수 있는 주주

1) 지주비율

가) 상법상 비상장법인

의결권 없는 주식을 제외한 발행주식총수의 100분의 3 이상에 해당하는 주식을 가진 주주는 주주제안권을 행사할 수 있다. 남용을 방지하기 위하여 단독 주주권으로 하지 않았다.24) 제363조의2 제1항에서 '주식을 가진'이란 주식을 소유한 경우만 말하는지 아니면 위임장을 취득한 것도 포함하는지 의문이다. 상장회사의 경우 주식을 '보유한 자'라고 표현(제542조의6 제8항 → 제542조의6 제9항으로 개정)25)하는 것과 대비해 보면 비상장법인의 경우는 제안권을 행사하는 주주 명의로 주식을 가진(보유한) 경우에 한한다고 새긴다.26)

발행주식 수와 보유주식 수를 계산함에 있어서 의결권을 행사할 수 없는 주식 수는 산입하지 않는다. 의결권 없는 주식에는 의결권 없는 우선주, 자기주식, 상호주, 은행법, 독점규제법, 자본시장법 등 특별법상 의결권이 없는 경우를 포함한다.27) 발행주식수는 어떤 시점의 발행주식수를 의미하는지가 문제이다. 제안권행사시점을 기준으로 발행주식총수를 계산하여야 할 것이다. 지주요건을 계산함에 있어서 의결권 있는 주식 수만 기준으로 삼는다. 이는 제안을 하는 주주 자신이 의사결정에 참여할 수 있을 때에 제안의 실익이 있기 때문이다.28) 그렇

의로 하는 것으로 변경하여 이 의안은 자동철회되었다.

24) 이기수·최병규, 「회사법」 제9판(박영사, 2011), 463면; 손수진, "주주제안권의 입법론적 검토," 「신세기회사법의 검토」(우전이병태교수화갑기념논문집, 1996), 362면. 지주요건은 완화하되 모든 회사에 지주기간을 설정하자는 견해로 정준우, "주주제안권의 행사요건과 그 문제점," 「상사법연구」 제21권 제3호(한국상사법학회, 2002), 292면, 296면.

25) 본 조는 2020.12.29.로 개정되었다. 주식을 '보유한 자'라는 표현은 제542조의6 제9항에서 설명하고 있다.(제1항부터 제6항까지 및 제542조의7제2항에서 "주식을 보유한 자"란 주식을 소유한 자, 주주권 행사에 관한 위임을 받은 자, 2명 이상 주주의 주주권을 공동으로 행사하는 자를 말한다. 〈개정 2020. 12. 29.〉)

26) 김홍기, 「상법강의」 제3판(박영사, 2018), 515면.

27) 김재두, "주주제안권에 관한 법적 검토," 「금융법연구」 제11권 제2호(한국금융법학회, 2014), 359면.

28) 일본 회사법은 주주가 제안할 수 있는 의제를 당해 주주가 의결권을 행사할 수 있는 사항에 국한하고(제303조 제1항), 지주요건의 산정에 있어서도 당해 의제에 대한 의결권을 행사할 수 없는 주주가 보유한 의결권의 수는 총주주의 의결권의 수에 산입하지 아니한다(동

다면 의결권 없는 주식도 소정의 배당을 받지 못하여 의결권이 부활된 경우에는 발행주식총수에 산입하여야 한다.[29] 이에 비하여 의결권 있는 주식이지만 의결권을 행사할 수 없는 주식을 발행주식총수에 포함하여야 하는지 의문이다. ① 의결권이 휴지된 자기주식, ② 자회사가 예외적으로 취득한 모회사의 주식, ③ 모자관계 없는 회사 간의 주식의 상호소유의 경우에 어떤 회사가 다른 회사의 주식의 발행주식총수의 10%를 초과하여 소유하는 경우 다른 회사가 소유하는 10% 이하의 어떤 회사의 주식이어서 의결권이 없는 경우(제369조 제3항) 등은 발행주식총수에서 제외된다.[30] 또 여기의 의결권 없는 주식에는 특별법상 의결권 행사가 제한되는 경우도 포함된다.

제안권은 총회 회일의 6주 전에 행사하면 되지만 제안권을 행사한 주주가 언제까지 주식을 보유하여야 하는지 문제인데, 사견으로는 기준일 또는 주주명부폐쇄일의 전일까지는 보유하여야 하며 그 후로 지주요건을 갖출 필요는 없다고 할 것이다.[31]

나) 상법상 상장회사와 대규모상장회사

(1) 상장회사

우리나라의 경우 의결권 있는 주식 대비 주식보유비율만 규정하고 있고, 주식보유비율요건을 갖추지 못한 주주라도 일정 수 이상의 주식보유에 따라 주주제안권을 행사할 수 있는 경우(절대적 기준)는 인정하고 있지 않다. 따라서 주주제안권을 행사할 수 있는 주주의 범위는 제한적이다. 그 결과 상장회사의 경우, 주주제안권을 행사할 수 있는 가능성이 낮으므로 이 문제를 해결하는 방법으로 지주요건을 완화하고 있다. 즉, 상장회사의 경우 의결권 없는 주식을 제외한 발행주식총수의 1천분의 10 이상에 해당하는 주식을 보유한 주주가 제안권을 행사할 수 있다. 대통령령으로 정하는 상장회사의 경우[32]에는 더욱 완화되어 1천분의 5 이상에 해당하는 주식을 보유한 주주가 제안권을 행사할 수 있다(제542조의2 제2항). 2020년 상법 개정으로 상장회사의 주주는 이와 같이 완화된 기준

조 제4항).
29) 최기원, 전게서, 520면.
30) 최기원, 전게서, 520면.
31) 최기원, 상게서, 529면.
32) 최근 사업연도 말 현재의 자본금이 1,000억원 이상인 상장회사(시행령 제32조).

(제542조의6 제2항) 또는 비상장회사에 해당하는 기준(제363조의2 제1항) 둘 중 선택할 수 있다(제542조의6 제10항).[33]

발행주식총수를 산정하는 기준 시점은 총회일을 기준으로 역산하여 6개월이 되는 시점이라는 견해[34]가 있다. 그러나 비상장회사와 달리 상장회사에서는 6월이라는 주식보유기간을 요건으로 삼고 있다. 따라서 주주는 일정 수의 주식을 제안권 행사시점부터 역산하여 만 6개월간 보유하고 있었어야 한다. 지난 6개월 간 발행주식 총수의 변경이 있었던 경우, 그 각각의 시점에서 주식보유비율을 충족하고 있으면 된다. 즉 6월의 기간 내내 가장 많은 발행주식총수를 기준으로 보유비율을 유지하여야 하는 것은 아니다.[35] 만일 지난 6개월간 신주발행 등으로 인하여 발행주식총수가 증가하였다면 제안권행사를 예정하고 있는 주주로서는 이전에는 주식보유비율요건을 충족하고 있었으나 제안권 행사시점에서는 지주요건을 충족하지 못하게 되는 경우가 생길 수 있다. 이 경우에 당해 회사가 특정 주주의 제안을 방해할 목적으로 신주를 발행하였다고 할 특단의 사정이 없는 한 주주는 제안할 수 없다고 새긴다.[36]

(2) 대규모상장회사

대통령령으로 정하는 상장회사의 경우에는 의결권 없는 주식을 제외한 발행주식 총수의 1천분의 5 이상에 해당하는 주식을 보유한 자가 제안할 수 있다. 그 밖에 일정기간 주식을 보유하여야 하는 것 등 나머지 사항은 일반상장회사의 경우와 같다.

(3) 기타 특별법상 회사

은행, 금융투자업자 및 종합금융회사, 보험회사, 상호저축은행, 여신전문금융회사, 금융지주회사, 그 밖에 대통령령으로 정하는 금융회사에서는 6개월 전부터 계속하여 해당 금융회사의 의결권 있는 발행주식 총수의 1만분의 10 이상에 해당하는 주식을 대통령령으로 정하는 바에 따라 보유한 자가 주주제안권을 행사할 수 있다(금융회사지배구조에 관한 법률 제33조 제1항, 제2조 제1호).

---

33) 최준선, 전게서, 361~362, 371면.
34) 정준우, 전게논문, 295면.
35) 예컨대 대규모상장회사의 주주가 제안권을 행사하는 시점에서 당해회사의 의결권 있는 발행주식 총수가 10억주이나 3월 전에는 8억주였다면 3월 전에는 400만주를, 제안권행사시에는 500만주를 보유하였으면 된다.
36) 日最高裁 2006.9.28.

2) 지주기간

가) 상법 제542조의6 제2항

상법은 "6개월 전부터 계속하여 … 주식을 보유한 자는 … 행사할 수 있다"고 규정한다. 상장회사의 경우 주주권을 행사할 수 있는 주주가 되기 위한 요건으로 6월의 주식보유기간을 추가한 것은 주식의 취득이 비교적 용이한 상장회사의 경우 제안권을 행사할 목적으로 주식을 취득하여 제안권을 행사하는 일은 자칫 제안권제도의 남용 등 폐해를 가져올 수 있으므로 이를 막기 위한 것이다. 즉, 상법은 상장회사의 제안권행사를 위한 주식보유비율요건을 낮추어 제안권을 행사하도록 유도하는 한편 제안권의 남용을 막기 위하여 일정기간 주식을 보유토록 한 것이다.

그럼에도 불구하고 상장회사의 주주가 비상장회사의 소수주주권행사요건(3%)과 상장회사의 소수주주권행사요건(1% 및 6개월) 중 어느 하나만 갖추면 소수주주권을 행사할 수 있는지 의문이다. 이에 대하여 특칙(적용)설은 상장회사에는 특례규정만 적용되므로 지주비율 및 지주기간을 모두 충족하여야 한다고 한다. 이와 달리 선택적 적용설(택일설)은 상장회사 주주도 비상장회사의 소수주주권행사요건을 갖추면 주주제안이 가능하다고 한다.[37] 택일설에 따라 구 증권거래법 아래서 주권상장회사의 소수주주들이 사외이사후보추천을 총회의 의제 또는 의안으로 삼고자 하는 경우 상장회사 특례에 의한 사외이사후보추천권은 6개월 이상 주식소유요건을 요구하고 있었기 때문에 이를 회피하여 지주기간을 요구하고 있지 않은 상법(제363조의2)에서 규정하는 제안권을 행사할 수 있다는 하급심판결이 있었다.[38] 그러나 2009년 개정상법에서 상장회사에 관한 특례규정이 신설되어 상장회사에서의 제안에는 늘 6월의 지주기간이 필요하게 되었으므로 위와 같은 회피적 선택을 할 여지는 없다고 생각된다(특칙적용설).[39] 이 문제는 2020

---

37) 대법원 2004.12.10. 2003다41715; 대전지방법원 2006.3.14. 2006카합242. 선택적 적용설을 지지하는 입장으로는 김홍기, 전게서, 515~516면; 서정, "소수주주권의 행사와 이에 대한 대응조치의 적법성,"「상사판례연구 Ⅶ」(박영사, 2007), 43~46면: 김건식・노혁준・천경훈, 「회사법」제3판(박영사, 2018), 285면.

38) 위 판결 외에 특칙적용설에 따른 서울중앙지방법원 2011.1.13. 2010카합3874; 서울중앙지방법원 2010.12.27. 2010비합512(서울고등법원 2011.4.1. 자 2011라123에 의하여 취소); 인천지방법원 2010.3.4. 자 2010카합159.

39) 최준선, 전게서, 361~362면; 안영수・이소영, "주주제안권 행사와 관련한 실무상의 쟁점 분석,"「BFL」제84호(서울대 금융법센터, 2017), 24면; 서울고등법원 2015.7.16. 자 2015

년 상법 개정으로 입법적으로 해결됐다. 상장회사의 주주는 이와 같이 완화된 기준(제542조의6 제2항) 또는 비상장회사에 해당하는 기준(제363조의2 제1항) 둘 중 선택할 수 있다(제542조의6 제10항).[40] 금융회사에 대하여도 상법 일반규정에 의한 소수주주권과 금융회사의 지배구조에 관한 법률 재33조에 의한 소수주주권이 중첩적으로 인정된다.

나) '6개월간'의 계산방법

제안권을 행사하려는 주주는 6개월간 계속하여 보유하어아 한다. '6개월간'이란 제안권행사일과 주식취득일을 뺀 만 6월을 말한다.[41] 이는 제안권행사를 위한 실체법적 요건이기 때문에 총회일이 아닌 제안권행사시점을 기준으로 계산한다. 즉, 제안권을 행사하는 날로부터 역산하여 6개월간 주식을 보유하여야 하는데 주식을 취득한 당일은 산입하지 아니한다.[42] 6개월의 기간 내에 신주발행 등의 사정이 있는 경우, 분모인 총주주의 의결권을 얼마로 새길 것인지 의문이나, 6개월의 각 시점에 있어서 총주주의 의결권을 기준으로 그 요건을 충족하면 될 것이다.[43] 여러 주주가 보유주식을 합하여 주주제안을 하는 경우, 각 주주가 보유하고 있는 각 주식 가운데 지주요건을 충족하는 만큼의 주식을 지주기간 동안 보유하면 된다.

다) 지주기간 요건의 존속시점

(1) 학 설

상장회사에서 제안권을 행사한 주주는 행사 후 어느 시점까지 주식을 보유하고 있어야 하는지 의문이다. 이는 지주기간 요건을 충족하였던 주주가 제안권을 행사한 후 주주총회기준일 전에 주식을 처분한 경우에 이를 어떻게 볼 것인지의 문제이다.

라20485(제일모직-삼성물산합병 건).
40) 최준선, 전게서, 361~362, 371면.
41) 민법의 기간계산방법과 달리 계산할 이유가 없다고 한 東京高裁 1986.5.15. 判夕 607号 95面.
42) 6개월의 기산점에 대하여 권리행사시설이 일본의 통설·판례이다. 東京地裁 1985.10.29. 金判 734号 23面; 東京高裁 1986.5.15. 蓮井良憲·森淳二朗, 「全訂 判例演習 會社法」(九州大學出版會, 1991), 66~67面.
43) 일본 舊 商法의 태도.

(가) 주주총회결의시설

이 설의 근거는 ⅰ. 제안은 자기의 제안을 총회에 붙일 것을 청구하는 권리이므로 지주요건도 총회에서 제안에 대한 심의를 마치는 시점까지 유지하여야 한다고 새기는 것이 논리적이며, ⅱ. 소수주주의 총회소집청구시 필요한 지주요건의 존속기간(제366조, 제542조의6 제1항)도 동일한 것으로 새겨야 하며, ⅲ. 제안권 행사의 경우에만 법적 안정성을 강조할 것은 아니며, ⅳ. 이와 같이 해석함으로써 제안제도의 남용을 줄일 수 있다고 한다. 일본의 다수설이다.[44)]

(나) 이사회시설

제안은 이사에 대하여 소집통지에 제안의 내용을 기재하여 주주에게 송부할 것을 청구하는 권리이므로 그와 같은 조치를 할 최종단계인 이사회까지는 지주요건이 유지되어야 한다고 새긴다.

(다) 기준일설

제안권의 행사는 의결권의 행사와 마찬가지 주주총회에서 다루어질 주주의 권리이므로 주주총회기준일까지만 보유하면 족하다고 새긴다.[45)]

(라) 제안권행사일과 주주명부의 기준일의 늦은 때까지 보유하여야 한다는 설[46)]

의결권이 없는 자에게 주주제안권만을 인정할 수는 없으므로 제안권행사일과 기준일 가운데 늦은 날까지 주식을 보유하여야 한다는 것이다.

(마) 제안의 내용에 따라 판단한다는 설

제안내용에 따라, 예컨대 정관변경안의 제안인 경우에는 기준일, 이익배당안의 제안인 경우에는 총회결의시까지 주식을 보유하여야 한다는 견해이다.

(2) 소 결

실체법인 상법의 해석으로는 총회에서 제안에 대한 결의가 있을 때까지 주식을 보유하여야 한다는 설명이 논리적으로 맞다. 그러나 실무상 주주총회 당일에 당해 제안주주가 주식을 보유하고 있는지를 회사가 확인하는 것은 매우 어려운

---

44) 우리나라에서는 김재범, 「주주총회 운영의 법적 문제」(명성사, 2003), 40면; 김진봉, "상법상 주주제안권제도에 관한 검토," 「경영법률」 제11집(한국경영법률학회, 2000), 180면; 江頭憲治郞, 前揭書, 319面.
45) 총회에서 권리를 행사할 주주가 확정되는 주주명부폐쇄일 또는 기준일까지 보유하면 된다는 권기범, 전게서, 656면.
46) 이 입장으로 보이는 임재연, 「개정판 회사법 Ⅱ」(박영사, 2013), 49면.

일이다. 비록 주주가 주식을 처분하였어도 회사가 이를 알 수 없는 경우가 있고, 설사 이를 알았다고 하여도 당해의안을 총회장에서 배제하거나 위임장에 기재된 의결권행사를 막기는 실무상 어렵다. 그와 같은 점에서 총회결의시설은 따르기 어렵다. 제안권은 총회에 관한 권리인 만큼 총회에서의 권리행사자가 확정되는 시점까지 행사되면 족하다는 점과 실무상 편의를 고려할 때, 제안주주는 제안권 행사시와 기준일 가운데 늦은 때까지 주식을 보유하여야 한다고 새기는 것이 실무적 편의를 고려한 입장으로 무리가 없다.[47] 그러므로 회사는 제안권행사일에 주식보유여부를 확인하고, 만일 행사일이 기준일보다 앞선 경우에는 기준일에 다시 당해 제안주주가 주식을 계속하여 보유하고 있는지를 확인하여야 한다. 제안주주가 기준일 후에 주식을 처분하여 총회 개최일에 실질적으로 주주의 지위를 상실하였다고 하여도 제안권 행사에 문제가 없다.

이와 같은 설명은 6월의 지주기간을 따짐에 있어서도 같다. 결국 주주는 총회일 전 6주까지 제안권을 행사하면 되며, ⅰ. 제안권 행사일이 기준일보다 늦은 경우에는 제안권 행사일까지 주식을 보유하여야 하며, ⅱ. 제안권 행사일이 기준일보다 앞선 경우에는 기준일까지 주식을 보유하고 있는지를 확인하여야 한다.[48]

주주가 제안권행사를 위한 주식보유비율과 보유기간의 요건을 갖추었는지는 주주명부로 파악한다. 주권상장법인의 무기명주식을 보유한 주주의 지주요건은 제안주주에 대하여 회사에 통지된 정보에 따라 확인한다. 여러 주주가 공동으로 지주요건을 충족하여 제안한 경우에는 개별주주의 자격요건을 확인하여 합산한 결과 지주요건이 충족되어야 하므로 주주자격(상장회사는 보유기간 포함)이 확인

---

47) 일본기업의 실무에서도 그와 같이 취급한다. 西村あさひ法律事務所 編, 「株主總會の實務相談」(商事法務, 2012), 141面; 福岡眞之介・山田愼吾 編, 「株主總會の實務相談」(商事法務, 2012), 155面; 松山遙, 前揭書, 16~17面.

48) 桃尾・松尾・難波 法律事務所 編, 「Q&A 株主總會の實務」(商事法務, 2012), 59面. 예컨대 12월말 결산인 A주식회사는 정관기준일이 12월 31일이다. 2010년 정기주주총회개최일은 2월 28일이었다. 주주 갑은 2011년 7월 1일 전에 주식을 취득하였다. 갑은 2012년 1월 초에 제안권을 행사하였다. A회사가 당시 A의 주식보유비율과 지주기간에 대하여 확인한 결과 요건을 충족하고 있었다. A회사는 2012년 2월 말일에 정기주주총회를 개최하였다. 갑은 2월 20일에 주식을 처분하였다. 그러나 2월 28일 주주총회에서 자신이 제안한 의안에 대하여 설명하였다. 주주 을은 A회사의 기준일인 12월 31일에 앞서 2011년 12월 1일에 제안권을 행사하였다. 이때 6월의 지주기간 요건은 충족하고 있었다. 그러나 을은 2011년 12월 10일 보유주식을 전부 처분하였다. 주주총회는 2012년 2월 28일 개최되었다. 기준일 당시 주식보유요건을 충족하지 못한 을의 제안은 2012년 정기주주총회의 의안이 될 수 없다.

되지 아니하는 자가 있는 경우 해당주식 수는 합산대상에서 **뺀다**.

나. 정관에 의한 법정지주요건의 변경 가부

상법과 각 특별법이 규정하는 제안권행사를 위한 지주요건(보유주식 수, 지주기간)을 정관으로 변경할 수 있는가? 지주요건을 강화하는 것은 안 되지만 이를 완화하는 것은 가능하다고 본다. 예컨대 일본은 이사회설치회사의 주주제안권자의 지주요건을 총주주의 의결권의 100분의 1 이상의 의결권 또는 300개 이상의 의결권을 6개월 전부터 계속하여 보유하는 자로 규정하면서 정관에서 이 보유비율과 보유주식수를 보다 적게, 보유기간을 보다 짧게 정할 수 있다고 규정한다.[49] 우리의 경우 상장회사에서는 완화가 가능하다(제542조의6 제7항→제542조의6 제8항)[50]. 그러나 실제로 이와 같은 정관변경이 실현되기는 어려울 것이다.

3. 제안 절차

가. 제안권 행사의 상대방

상법은 제안을 이사에게 하도록 규정하고 있다. 총회의 소집은 원칙적으로 이사회가 결정하므로(제362조), 제안을 대표이사가 수령하도록 할 필요는 없기 때문이다. 제안은 서면 또는 전자문서로 한다. 제안을 받은 이사는 이를 이사회에 보고하여야 한다(제363조의2 제3항). 자본금 총액이 10억원 미만으로서 이사를 1명 또는 2명을 둔 소규모 주식회사(제383조 제1항 단서)는 이사회가 없으므로 총회 소집 등의 기능을 각 이사가 수행하며 정관에 따라 대표이사를 정한 경우에는 그 대표이사가 수행한다(제383조 제6항).

나. 행사기한

제안은 총회일의 6주 전까지 서면 또는 전자문서로써 제출되어야 한다.[51] 이

---

49) 일본 회사법 제303조 제2항
50) 본 조는 2020.12.29.로 개정되었다. 완화에 관한 내용은 제542조의6 제8항에서 규정하고 있다. (상장회사는 정관에서 제1항부터 제6항까지 규정된 것보다 단기의 주식 보유기간을 정하거나 낮은 주식 보유비율을 정할 수 있다. 〈개정 2020. 12. 29.〉)
51) 일본의 경우 2002년 상법개정시에 '6주 전까지'를 '8주(이보다 짧은 기간을 정관에서 정한 경우에는 그 기간) 전까지'로 개정하였다. 계산서류 승인을 위한 이사회를 마친 후 소집통

와 같이 제안권을 행사할 수 있는 기한을 둔 것은 회사가 제안의 적격성을 검토하고 주주명부폐쇄, 주주총회소집통지서의 인쇄와 발송 등에 필요한 준비기간을 확보하기 위한 것이다.

이는 주주가 제안권을 행사한 날과 총회가 열리는 날 사이에 42일이 확보되어야 한다는 뜻이므로 날자 계산은 제안권행사일과 총회가 열리는 날을 산입하지 아니하고 계산한다. 제안이 우송된 경우, 민법의 도달주의 원칙에 따라 회사에 도달한 날을 행사일로 본다. 다만 회일로부터 역산하여 '6주간 전'에 해당하는 날이 공휴일인 경우, 실무상 제안주주에게 유리하도록 다음 영업일까지 행사한 경우에는 적법한 제안으로 취급하면 된다.[52]

그런데 총회의 소집은 이사회가 결정하고 주주에게는 2주 전에 소집통지를 발송하게 되는데 정기총회일도 매년 달라질 수 있으므로 주주는 총회소집통지서가 발송될 때까지는 총회 개최일을 정확하게 모르는 것이 보통이다. 이 점을 고려하여 상법은 정기총회의 경우 직전 연도의 정기총회일에 해당하는 그 해의 해당일의 6주 전에 제안하면 되는 것으로 하고 있다(제363조의2 제1항 괄호조항).[53] 그러므로 총회가 직전 연도보다 앞당겨 개최되는 바람에 회사가 제안이 이루어진 때로부터 6주간을 확보하지 못하더라도 적법한 제안이다.

문제는 임시총회가 개최되는 기회에 제안을 하고자 하는 경우이다. 상법도 이 경우에는 제안의 기준일을 규정하고 있지 않다. 임시총회에서 제안하고자 하는 경우 만일 회사가 주주총회 결의가 필요한 사항에 대하여 공시절차를 밟고 있거나, 회사사정상 임시총회의 소집이 불가피해 보일 경우에는 주주가 임시총회를 활용할 기회가 있을 것이다. 그러나 주주로서는 임시총회가 열리기 6주 전에 임시총회 개최사실을 알기 어려운 경우가 대부분이다. 그 결과 임시총회에서의 의제제안권은 이를 행사할 수 있는 기회가 매우 적다고 보여 진다. 따라서 적극적인 주주는 임시총회 소집청구권을 행사하면서 동시에 제안권도 행사할 것이 예상된다.[54] 주주가 임시총회의 소집을 청구함에는 회의의 목적사항과 소집의 이유를 적은 서면 또는 전자문서를 이사회에 제출하여야 하므로(제366조), 주

지를 작성할 준비기간의 여유가 없다는 것이 개정의 주된 이유였다.

52) 森・濱田松本法律事務所 編, 前揭書, 120面.
53) 미국연방증권법상 위임장규칙에 따르면 회사는 총회에서 다음 제안의 제출기한을 발표할 의무가 있다.
54) 최준선, 전게서, 372면.

주는 제안권의 동시행사를 통하여서는 의안을 제안하게 된다. 만일 제안만 하였다면 총회가 임시총회인지 정기총회인지를 가리지 않고, 제안 후에 개최되는 첫 총회에 목적사항이 된다.

제안권 행사기간에 늦은 제안은 당해 총회의 의안으로서는 당연히 효력이 없다. 이에 대하여 이 기간은 회사의 준비를 위한 기간이므로 회사가 행사기간이 지난 제안을 채택할 의무는 없으나, 이를 채택하여 총회에 상정하는 것은 무방하다는 것이 다수설이다.[55] 판례가 상법이 정하는 서면통지기간에 대하여 다소 융통성 있는 해석을 하고 있고,[56] 가급적 제안을 수용하여 상정하는 것이 제안권제도를 인정한 취지에도 부합하며, 회사로서도 유익한 제안은 수용하는 것이 바람직하다는 점에서 다수설을 이해할 수 있다. 그러나 회사가 기간에 늦은 제안에 대하여 선택적으로 수용하게 되면 주주평등에 대한 시비를 불러일으킬 수 있으므로 당해 총회의 의안이 될 수 없는 것으로 획일적으로 다루는 것이 좋을 것이다.[57]

이와 같이 볼 경우 당해 총회 기간에 늦은 제안을 다음 총회의 의안으로서 유효하다고 새길 것인지 문제인데 일본에서는 긍정하는 견해가 유력하나 반대의 견도[58] 있다. 이를 긍정한다고 하더라도 각 사업연도의 회계와 재산상태 및 자금수요를 모두 살펴 판단하여야 할 필요가 있는 잉여금처분(배당)의안 등 제안사항의 성질상 특정 주주총회에서 제안권이 행사되어야 할 경우에는 효력을 잃는다고 한다.[59] 우리의 경우도 제안을 하고 6주 이내에 총회가 개최되어 주주제안이 늦은 제안이 된다면 그 제안은 다음 개최되는 총회의 의안으로 되는 것이 원칙이고 다만 성질상 특정 총회에서 다루어져 할 제안인 경우에는 제안의 효력을 잃는다고 본다. 위와 같은 입장에 반대하는 측에서는 ① 주주가 총회 개최가 통지되거나 공고된 후 총회일이 개최되기 전후로 제안을 하였다면 다음 총회에 대비한 제안이라고 볼 가능성이 높지만 6주 전의 기간에서 몇일 늦은 제안을 일률적으로 다음 총회의 제안이라 보는 것은 지나친 추측이며,[60] ② 늦은

---

55) 정동윤, 전게서, 548면; 최준선, 전게서, 371~372면; 임재연, 전게서, 50면; 정찬형, 전게서, 894면.
56) 임시총회가 법정기간을 준수한 서면통지를 하지 아니한 채 소집되었다 하더라도 정족수가 넘는 주주의 출석으로 결의하였다면 적법한 것으로 본 대법원 1991.5.28. 90다6774.
57) 中村一彦, 「論点會社法」(同文館出版, 1989), 151面.
58) 上揭書, 151~152面.
59) 神崎克郎, "株主提案權行使の法的問題," 「商事法務」 第1070号(1986), 3面.

제안을 제안시점에서 상당한 기간이 경과한 후에 개최되는 다음 회일의 제안으로 다루는 것이 제안주주의 이익에 반할 수도 있는 점, ③ 제안의 성질상 다음 총회에서 다루어질 수 없는 제안도 있는 점 등을 고려하면 회사가 늦은 제안을 다음 총회의 제안으로 다루어야 할 의무가 없다고 새긴다. 생각건대, 현행 제도의 해석론으로서는, 성질상 다음 총회에서 다룰 수 없거나 제안주주가 제안을 철회한 경우가 아니면 다음 총회의 제안으로 다루는 것이 필요하다. 회사로서는 제안수주의 의사를 확인하는 것이 필요하고 다음 총회의 기준일까지 제안주주가 지주요건을 충족하는지도 다시 확인하여야 한다.

제안권을 행사할 수 있는 시한을 정관으로 늘릴 수 있을까? 예컨대 '총회일의 5주 전'으로 그 시한을 단축하는 것은 허용될 수 없다. 시한을 늘리는 것은 이론상 허용되지만 실제로 드물 것이다.

다. 행사방식

제안은 서면 또는 전자문서로써 행하여야 한다.[61] 따라서 정관이나 주주총회 결의로 서면이외의 방식을 허용하는 것은 불가능하다. 주주제안의 구체적 행사방법 등에 대하여는 정관 또는 정관의 위임을 받은 주식취급규정에서 상세한 규정을 두는 것이 다툼을 예방하는 데 도움이 될 것이다.[62]

라. 대리인에 의한 행사 가부

주주로부터 위임받은 특정대리인이 제안권을 행사하는 것도 가능하다. 의결권의 대리행사를 주주에 한정하는 정관규정을 둔 회사에 있어서도 의결권의 대리행사는 주주가 하여야 하지만 제안은 주주가 아닌 자라도 대리할 수 있다. 제

---

60) 예컨대 정기총회 6주 전의 요건을 갖추지 못한 제안의 경우를 생각해 보면 주주가 1년 후에나 개최되는 총회에 상정할 목적으로 제안을 하였다고 일률적으로 단정하는 것은 무리이다.

61) 일본의 경우, 구 상법에서는 서면으로 한정하였으나 개정 회사법에서는 이 요건이 삭제되었다. 이는 그 형식을 정관이나 정관에서 위임된 주식취급규정 등에 맡긴다는 취지라고 한다. 만일 주식취급규정 등에서 서면으로 한정하지 아니하는 한 전화, 대면, 전자적 방법 등으로 제안할 수도 있지만, 제안의 방법이나 형식에 합리적 제한을 가하는 것은 무방하다고 해석되며, 주주확인이나 기간 요건 등에 관한 다툼을 예방하기 위한 조치가 필요하여 회사 실무상 번잡할 수 있다.

62) 이에 대하여는 일본의 全國株懇連合會가 2006년 제안한 「주식취급규정모델」을 참고할 수 있다. 松山遙, 前揭書, 38~39面.

안권의 대리행사는 반드시 총회일에 의결권대리행사의 자격이 있을 것을 전제로 하는 것은 아니기 때문이다.

제안권은 외자계 펀드 등 외국인에 의하여 행사되는 경우가 많다. 이들은 주주행동에 적극적이고 투자목적을 달성하는데 제안제도를 적절히 활용하는 것이 각국의 실태이다. 일부 외국인 주주 등이 상임대리인을 선임하여 회사에 선임계를 제출하면서 "명의개서청구권의 행사, 총회에서의 의결권행사, 기타 주주의 권리의무에 관한 일체의 행위"를 위임한다는 취지의 문언을 기재한 경우, 선임된 상임대리인이 제안을 할 수 있을까? 제안처럼 개별성이 강한 행위는 상임대리인에게 포괄적으로 위임될 사항이 아니라는 견해와 주주의 권리를 모두 행사하도록 위임받은 자는 제안을 할 수 있다는 견해로 나뉘어 있다. 주주가 포괄적인 위임을 하면서 특히 제안권행사를 배제하지 않고 있다면 상임대리인에 의한 제안도 가능하다고 보는 것이 주주의 의사에 부합하는 해석이다.

제안을 대리하는 자는 회사에 대리권을 증명하는 서면을 제출하여 스스로 주주의 대리인인 사실과 위임자인 주주가 보유의결권 수, 보유기간 등 주식보유요건을 갖추었음을 밝혀 제안하면 된다.

4. 주주제안의 내용

가. 가능한 제안

1) 의제와 의안

의제는 법령과 정관상 총회의 목적사항이 되는 것을 말하며, 의안은 의제에 대한 구체적인 해결책을 말한다.[63] 주주는 자기가 의결권을 행사할 수 있는 사항에 한하여 제안할 수 있다.[64] 상법은 의제제안권과 의안의 통지권을 따로 규정하고 있다. 여기서 주주는 의제제안권과 의안제안권을 동시에 행사하여야 하는지 따로 행사할 수 있는지가 의문이다. 의안의 통지를 청구하는 방법으로 의안의 제안만 하였다고 하여도 이는 논리상 의제를 전제로 한 것이므로 당해 의안의 내용으로부터 합리적으로 추측되는 의제의 추가제안이 포함된 것으로 보는

---

63) 예컨대 '이사선임의 건'은 의제이며, '을, 병을 이사로 선임한다'는 것은 의안이 된다.
64) 일본 회사법 제304조.

견해가65) 옳다. 그러나 의제는 의안과 함께 제안되어야 하므로 의제만 제안된 경우에는 의사일정에서 제외될 것이다.66)

문제는 의제를 제안한 주주가 의안을 제안하지 않고 있는 경우인데, 이 경우에도 총회에 상정하여야 한다는 입장과 총회의 의사일정에서 제외시킬 수 있다는 입장이 있다. 형식적으로 보면 제안은 의제제안과 의안제안으로 구분되지만 실제로 의제제안만으로 결의에 이를 수는 없고 의안의 요령도 소집통지서에 기재되거나 공고되어야 하므로 후자의 입장이 타당하다.67) 다만 회사의 해산을 요구하는 의제나 특정임원의 해임을 요구하는 의제 등은 의제의 성격상 의안을 필요로 하지 아니하는 것으로서 의제만을 제안할 수 있다.

총회 참고서류의 작성이 필요한 경우에 의제제안만 이루어진 경우는 부적법한 제안으로 다루어야 할 것이나, 의제가 매우 구체적 내용을 기재하고 있는 경우는 의제만의 제안도 허용된다는 견해가 있다.

2) 주주총회 목적사항에 대한 제안

주주제안은 총회의 목적사항, 즉 결의의 대상이 될 것에 대하여 행하여져야 한다. 즉 총회의 권한에 속한 사항으로 제한된다. 그러므로 이사회의 법정권한에 속하는 사항이나 업무집행에 속하는 사항에 대한 제안은 인정되지 아니한다.68) 예컨대 준비금의 자본전입(제461조)에 의한 무상증자는 이를 총회에서 정하기로 정관에 규정한 회사에서는 제안의 대상이 되지만 그와 같은 규정을 두지 아니한 회사에서는 제안의 대상이 아니다. 또한 정관에서 총회결의사항으로 규정한 회사에 있어서도 그것이 의안이 되기 위해서는 구체적 금액 등이 제안되어야 한다.

이처럼 정관에 총회결의사항으로 명시되지 않은 결과 이사회가 결정권한을 갖게 된 사항은 모두 정관의 정함에 따라 총회의 결의사항으로 될 가능성이 있

---

65) 예컨대 "갑을 이사로 선임한다"는 의안만 제출하고 의제가 제출되지 아니한 경우, 이 제안은 당연히 「이사선임의 건」이라는 의제를 전제로 한 것이므로 이는 회사가 제안주주에게 확인한 후 적절한 의제를 붙여 의제제안과 의안제안이 모두 행하여진 것으로 처리하면 된다. 崎田直次 編, 「株主の權利 － 法的地位の總合分析」(中央經濟社, 1991), 178面.
66) 홍복기 외, 전게서, 219면.
67) 그러므로 '정관을 민주적으로 개정하라'거나 '이익배당액을 증액하라'는 식의 막연한 제안은 허용될 수 없다.
68) 최기원, 전게서, 519면.

으므로 정관변경의 제안과 함께 이사회가 권한을 갖는 업무집행의 결정을 제안의 대상으로 삼는 것은 가능하다.[69] 문제는 정관변경의 제안이 없이 정관규정에 위반하는 사항에 대한 제안이 행하여진 경우인데, 이를 정관변경제안과 변경된 정관에 따라 총회의 권한이 될 수 있는 사항에 대하여 2단계의 의안이 동시에 제안된 것으로 볼 것은 아니다.[70]

3) 수정의안 제출 가부

이에 대하여는 회의체의 일반원칙상 '주주'가 이미 제출한 의안에 대하여 총회 중에 수정의안을 제출할 수 있다는 입장이 있다.[71]

4) 권고적 제안의 가부

법률상 효력이 없는 단순한 권고적 결의는 총회의 결의사항이라고 할 수 없으므로 의제제안권의 대상이 될 수 없는 것이 원칙이다.[72] 예컨대 "이사에 여성 1인 이상을 선임하라"거나 "갑회사와 합병하라"는 제안은 총회에서 결의된다고 하여도 정관으로 뒷받침되지 아니하는 이상, 이사회나 정관변경 또는 합병승인의 결의를 하여야 할 당시의 주주를 구속한다고 할 수 없다. 다만 제안제도의 취지상 권고적 제안을 무조건 불허할 것은 아니다.[73]

5) 반대제안

합병반대와 같이 순수한 반대제안은 물론이고 회사의 제안에 대한 반대제안도 주총에서 찬반이 다투어질 안건이므로 무의미하다. 그러나 갑회사와 합병하는 회사의안에 대하여 을회사와 합병하는 의안은 수정제안으로 허용된다.

---

69) 최기원, 상게서, 520면; 정준우, 전게논문, 301면; 박찬우, "주주제안권," 「비교사법」 제6권 제1호(한국비교사법학회, 1999), 454면. 이에 대하여는 제안의 대상이 아니라는 견해(전삼현, "소수주주의 제안권행사의 법적 문제," 「법학논총」 제12집(국민대학교 법학연구소, 2000), 151~152면)와 제안할 수 있으나 이사회에 대한 권고에 불과하다는 견해가 있다.
70) 회사로서는 다툼을 피하기 위하여 제안주주에게 정관변경제안을 먼저 또는 동시에 하도록 안내하면 좋을 것이다.
71) 김건식·노혁준·천경훈, 전게서, 285면.
72) 임홍근, 「회사법」 개정판(법문사, 2001), 368면.
73) 森田章, 「會社法の規制緩和とコーポレート·ガバナンス」(中央經濟社, 2000), 115~129面.

나. 제안내용의 제한

1) 제한의 취지

주주가 제안을 함에는 동 제안의 필요성이나 합리성에 대한 증명 또는 소명은 필요하지 않다.[74] 그 결과 주주가 업무집행에 관여하는 제안을 통하여 소유와 경영의 분리라는 회사의 권한분배 구조를 훼손할 우려가 있다. 이에 따라 상법은 제안이 주주권의 남용이라고 여겨지는 경우에는 이사회가 이를 목적사항으로 하지 않도록 하고 있다. 이들 경우는 의안을 제출할 수 없는 경우이지만 이에 해당하는 제안도 일단 주주제안이 이루어진 후에 이사회에서 심사를 통하여 거절하게 된다.

2) 제안의 내용으로 삼을 수 없는 경우

가) 제안의 내용이 법령 또는 정관에 위반한 경우(제363조의2 제3항)

제안하려는 의제가 정관에 반하는 것인 경우에는 제안할 수 없다. 그러나 정관에서 총회권한으로 정할 수 있는 사항을 제안하고자하는 경우에는 먼저 정관변경의 의안을 제안하고, 그 결의 후에 개최된 총회에서 해당의제를 제안하면 된다. 동일한 총회에서 정관변경과 동시에 그 의제를 가결하자는 제안을 하는 것도 가능하다고 할 것이다.[75]

이사회의 업무집행에 관한 사항을 주주제안의 대상으로 할 수 있는지에 대하여는 정관으로 업무집행사항을 총회권한으로 정할 수 있는지에 대하여 어떤 입장을 취하느냐에 따라 다르다. 다수설은 정관의 규정에 의하여 주식회사의 본질이나 강행법규에 반하지 않고 그 성질이 허용하는 한 총회권한으로 할 수 있다고 보므로 (가) 정관이 총회권한으로 허용하는 사항에 대한 제안과, (나) 먼저 총회권한으로 하는 정관변경에 대한 의제제안과 동시에 또는 그 후에 한 의제제안은 유효하다고 본다.[76] 문제는 정관변경을 제안함이 없이 이사회 권한 사항을 의제로 삼도록 제안한 경우이다. 이 경우 당해 제안에는 정관변경의 제안이 당연히 포함되어 있는 것으로 보아야 한다는 입장과 제안은 명확히 행하여져야 한

---

74) 이철송, 전게서, 521면; 홍복기 외, 전게서, 219면.
75) 최기원, 전게서, 519면.
76) 장덕조, 「회사법」 제3판(법문사, 2017), 227면; 장덕조, 「상법강의」 제4판(법문사, 2021), 439면.

다는 관점에서 부적법한 제안으로 처리하여야 한다는 입장으로 나뉘어 있다. 일본의 기업실무에서는 무효설을 따른다고 한다.[77]

　실무상 의안이 법령이나 정관에 위반되는지 여부가 자주 문제되는 사례를 본다. 우선 잉여금배당의안의 경우이다. 이 경우 금액을 확정하여 제안하거나 확정하는 방법을 특정하여 제안하는 것이 필요하다. 다만 주주로서는 배당총액 등 확정할 수 없는 부분이 불가피하게 있다. 배당에 대한 제안은 예컨대 회사측이 제출한 잉여금배당의안을 전제로 증액을 요구하는 것 또는 회사측의 제안과 무관하게 구체적 배당액을 제안하는 것이 가능하다. 그러나 1주당 얼마 이상으로 하라는 제안은 추상적이고 불확정적인 내용이어서 부적법하며, 배당가능액을 넘는 제안도 부적법하다. 다음으로 임원의 선임에 관한 의안을 보자. 주주는 원칙적으로 임원의 선임, 해임 등에 관한 의안을 제안할 수 있다. 그러나 정관에서 정한 임원수를 넘는 임원선임의 의안은 명시적으로 정관변경의안과 함께 제안되지 않은 이상 부적법한 것으로 처리하면 된다.[78] 이때 전제되는 사실로 임원추가선임의 당부를 판단한다고 하여 잘못된 결의하고 하기는 어렵다.[79] 또 자격주 조항에 위반하는 자의 임원선임이나 금융기관 임원과 같이 각종의 법정자격기준이 정해진 경우에 그에 위반하는 자의 선임 제안은 부적법하다. 임원의 수의 최대한을 정관상 규정하지 아니한 회사의 경우에는 현재 임원의 수를 고려함이 없이 다수의 임원선임이 제안된다고 하여도 유효한 제안이다. 또 주주가 선임을 제안한 임원 수와 회사가 선임을 제안한 임원의 합계가 정관으로 정한 임원의 수를 초과하여도 총회에서는 정관으로 정한 임원의 수의 범위 내에서 선임하면

---

77) 桃尾・松尾・難波 法律事務所 編, 前揭書, 57面. 이사의 법정권한사항뿐만 아니라 업무집행 사항에 관하여도 제안할 수 없다는 고재종, 「회사법」(동방문화사, 2015), 265면.

78) 이에 대하여는 정관변경의안을 병행한 제안으로 보고 그 승인가결을 조건으로 하여 주주제 안을 행사하는 것으로 새기는 입장(松山搖, "株主提案への實務對應," 日比谷パーク法律事務 所・三菱UFJ信託銀行(株)證券代行部 編, 「株主總會の準備實務・想定問答」(中央經濟社, 2012), 154面)도 있으나 무리한 해석이다.

79) 대법원 2015.11.6. 2015다236318. 또 서울고등법원 2015.4.10. 2014나2028587 사건에서 정관에서 감사 1인을 두도록 한 비상장회사 소수주주가 임시주총소집을 청구하며 '신임감 사추가선임'을 제안하자(특정인을 지정한 제안은 '6주전'요건을 도과), 회사가 '감사추가선임 의 건'으로 주주들에게 통보한 후 총회당일 주주전원이 출석하여 안건 '피고의 감사를 추가 로 선임할 것인지 여부'라는 당해 사건 쟁점 안건을 상정하고 표결한 결과 부결되었다. 법 원은 감사의 추가 선임이 필요한지 여부에 관하여 먼저 결의할 실제적 필요가 있었다는 이 유 등으로 총회결의취소의 소의 대상이 아니라고 판결하였다. 상세한 것은 김지환, "회사법 판례 회고 - 2015년 회사법 주요 판례를 중심으로 -,"「상사판례연구」제29집 제1권(한국 상사판례학회, 2016), 204~214면.

되므로 제안 그 자체가 부적법한 것은 아니다.

이사나 감사선임에서 비상장회사와 달리 상장회사는 미리 특정후보자를 제안하여야 하므로(제542조의4의 제2항, 제542조의5), 상장회사에서 후보자에 대한 기재가 없는 임원선임제안은 무익한 것으로써 회사가 거절하는 것이 옳다.[80]

나) 그 밖에 대통령령으로 정하는 경우(제363조의2 제3항, 시행령 제12조)

(1) 총회에서 의결권의 100분의 10 미만의 찬성밖에 얻지 못하여 부결된 내용과 같은 내용의 의안을 부결된 날부터 3년 내에 다시 제안하는 경우(시행령 제12조 제1호)[81]

이는 일단 부결된 의안이 단기간 내에 의결될 가능성이 낮음에도 불구하고 재차 제안하는 것은 제안권행사의 남용이라고 본 것이다. 따라서 과거의 제안자와 일부주주가 바뀐 경우는 물론 전혀 다른 주주가 제안하더라도 허용되지 않는다. 일단 주주총회에서 10분의 1 미만의 찬성밖에 얻지 못하여 부결된 제안과 동일한 제안이 3년 내에 다시 제안될 수 없다. "3년 내에"란 당해 의안을 다룬 총회가 개최되었던 날이 주주가 다시 제안한 의안을 심의할 총회일로부터 역산하여 3년 이내인 경우를 말한다. 법문으로 보면 의안이 부결된 날이 '다시 제안'하는 날로부터 역산하여 3년을 경과하여야 하는 것으로 보이지만 제안주주에게 유리하게 위와 같이 새긴다.[82]

부결된 의안과 동일제안이라 하더라도 10분의 1 이상의 찬성을 얻은 제안이거나, 10분의 1 미만의 찬성을 얻었으나 3년이 지난 제안은 재차 제안할 수 있다. 여기서 "총주주의 의결권"의 계산에서는 주주총회에서 의결권 있는 주주에서 주주총회에서 제안된 의안에 대하여 의결권을 행사할 수 없는 주주를 뺀 주주를 말한다. 이 비율을 높이는 정관규정은 제안권에 대한 침해가 되어 불가능하다. 그러나 이 비율을 낮추는 정관변경은 가능하다고 보여진다.[83]

---

80) 주주제안이 '법령 또는 정관에 위반되는 경우'와 '그 밖에 대통령령으로 정하는 경우'에 해당하여 이사회가 이를 거절할 수 있는 때에도 이사회가 반드시 거절하여야 하는 것은 아니고, 주총의제나 제안으로 타당하다고 판단하는 경우에는 주총에 제안할 수 있다는 김홍기, 전게서, 517면.

81) 일본 회사법 제305조 제4항과 같은 내용이다. 미국의 경우는 3% 이상 득표한 의안은 다음번에 다시 제안할 수 있고 두 번째 제안에서 6% 이상 득표시 다시 제안할 수 있으며 3번째부터는 10%이상 득표하여야 한다.

82) 일본 실무의 태도이다. 桃尾·松尾·難波 法律事務所 編, 前揭書, 68面.

83) 일본 회사법 제304조 단서.

우리나라 상장회사 주주총회의 실무를 보면 출석주주에게 의안에 대한 찬부만 묻는 경우가 대부분이고 서면투표를 실행하는 경우는 드물다. 회사가 시행령 제12조 제1호에 의한 거절을 하려면 3년 이내에 행하여진 이전의 제안에 대하여 10분의 1 미만의 주주만 찬성하였다는 것을 입증하여야 하므로 회사가 시행령 제12조 제1호를 이유로 주주제안을 거절할 수 있는 경우는 실제로 거의 없을 것이다. 주주제안 의안에 대하여는 반드시 투표로 표결하여 10분의 1 미만 여부에 대한 입증자료를 남겨야 한다고 해석하기는 어렵다.

일본 회사법에서는 "실질적으로" 동일한 내용의 제안을 금지하고 있다.[84] 이는 구체적으로 어떤 의안이 같은 내용의 의안인지를 판단하는 것은 개별의안의 구체적 내용, 성격과 그 제안배경 등을 따져 실질적으로 동일한 안인지 여부를 종합적으로 살피라는 취지이다. 그러므로 동일제안에 대한 판단기준을 획일적으로 설정하기는 어렵다.[85] 결국 실질적으로 동일한 제안인지 여부는 회사의 여러 사정, 제안내용, 제안주주의 입장 등을 살펴 신중하게 판단할 일이다.

본 호의 해석에서 '거절할 제안'이 '부결된 제안'과 동일한 내용의 제안인지가 문제될 사례를 들어 보면, 잉여금배당에 관하여 동일금액의 배당제안이 있는 경우, 결산기를 달리한다면 동일한 제안이라고 하기 어렵다. 만일 특정인을 이사로 선임하는 제안이 100분의 10 미만의 찬성을 얻어 부결된 후에 다음 해에 다시 제안된다면 이는 동일한 제안이다. 또 정관의 이사 수를 5인에서 7인으로 늘리는 제안이 부결된 후 이를 9인으로 늘리는 제안은 동일한 제안이라고 판단된다.[86]

(2) 주주 개인의 고충에 관한 사항인 경우(시행령 제12조 제2호)

개인적 고충에는 제안주주가 다른 일반 주주와 공유하지 않는 개인적 이익을 포함한다.[87] 주가하락으로 인하여 생계가 어려워진 주주가 주가부양을 위하여

---

84) 만일 주식배당안을 제안하여 부결된 다음 해에 다시 제안하였다면 결산기가 다르므로 동일 의안이 아니다. 이철송, 전게서, 521면.
85) 우리나라에서도 이와 같은 사정은 같다. 일본에서는 실무상 주주제안의 의안에 대하여 주주총회에서 부결될 것이 확실해 보이는 경우에는 이사회에서 일단 적법제안으로 취급한 후 주주총회에서 부결시키는 것도 한 가지 방법이라는 입장이 있으나 지나치게 기교적인 대응 방법이라고 생각된다.
86) 동일한 제안인지를 둘러싼 분쟁을 피하는 방법으로 일본에서는 판단이 애매한 사항을 총회에 부의하여 부결시키기도 한다.
87) 임재연, 전게서, 54면.

자기주식의 취득을 제안하는 사례를 들 수 있다. 그러나 비록 개인의 고충에 관한 사항일지라도 제안이 총회권한에 속하는 것이고 결의할 구체적 내용을 갖춘 것이라면 회사로서는 함부로 거부하기 어려운 것이 사실이다. 역시 주가하락을 이유로 주식의 유통량이 늘 수 있도록 액면분할을 하자는 제안은 회사의 정관변경사유에 해당하므로 구체적인 정관변경안으로 제안되었다면 단지 주주의 의도가 의심스럽다는 이유로 거부하기 어려운 제안이다.

본 호에 대하여는 어차피 총회의 결의사항이 못될 것을 규정한 것이므로 불필요한 규정이라는 지적이[88] 있다.[89]

(3) 주주가 권리를 행사하기 위하여 일정 비율을 초과하는 주식을 보유해야 하는 소수주주권에 관한 사항인 경우(시행령 제12조 제3호)

본 호는 소수주주권으로 행사할 권리를 제안의 형식으로 행사함으로써 소수주주권 행사를 위한 요건을 잠탈하는 것을 막으려는 취지의 조항이다. 그러나 상법 및 정관에 의하여 주총에서 논의될 수 있는 사항이라면 그것이 소수주주권에 기인한 것이건 주주제안권에 근거한 것이건 주주제안의 대상이 된다는 이유로[90] 또는 주주제안의 실익이 없다는 이유로[91] 이 사유는 옳지 않다는 지적이 있다.

(4) 주주가 권리를 행사하기 위하여 일정 비율을 초과하는 주식을 보유해야 하는 소수주주권에 관한 사항인 경우(시행령 제12조 제4호)

(5) 임기 중에 있는 임원의 해임에 관한 사항(제542조의2 제1항에 따른 상장회사만 해당)인 경우(시행령 제12조 제5호)

본 호는 상장회사에만 적용되지만 적절치 못한 규정이라는 지적이 있다. 즉 상법상 일반적으로 총회에서 이사의 해임결의를 할 수 있고(제385조), 상법 제363조의2 제3항에서 이를 배제하는 입법을 특정하여 위임하지 않은 이상 시행령으로 그 해임결의 제안을 금지하는 것은 위임의 범위를 벗어난 것(헌법 75조)이라는 지적이[92] 그것이다. 또 상장회사 임원에 국한하여 이런 특례를 두는

---

88) 이철송, 전게서, 521면.
89) 상법상 제외사항과 미국의 위임장규칙상 제외사항의 상당부분이 일치하는데 이 사유도 미국의 위임장 규칙 14a-8(i)에서 제안할 수 없는 사유로 분류되어 있다.
90) 이종훈, 「회사법」(박영사, 2016), 127면.
91) 이철송, 전게서, 522면.
92) 송옥렬, 전게서, 924면; 최준선, 전게서, 373면.

것은 비상장회사의 임원과 비교하여 명백히 평등의 원칙에 반한다(헌법 제11조 제1항)고 한다.[93] 이는 제안권행사를 통하여 상정회사의 경영안정을 저해할 가능성이 있다는 이유로 구 증권거래법에 두었던 것을 상법 시행령에 옮겨 온 것이다. 주주가 상장회사의 임원해임을 위한 제안을 못한다고 하여도 임원의 해임 청구권을 행사하여 임원해임을 실현할 수 있으므로, 시행령 제12조 제4호가 이사해임에 대한 주주의 권리를 본질적으로 제한하는 것은 아니라고 생각한다. 그러나 입법체계상 부자연스러운 것은 사실이므로 법개정을 통하여 삭제하는 것이 필요하다. 한편 제안의 내용이 특정임원이 자진하여 물러나라는 권고적 제안인 경우, 이를 이사회가 해임제안으로 해석하여 상정할 수 있겠지만 의결결과에 따라 복잡한 상황이 벌어질 수 있는 만큼 미리 제안주주와 제안취지를 정리하는 것이 바람직하다.[94]

(6) 회사가 실현할 수 없는 사항 또는 제안 이유가 명백히 거짓이거나 특정인의 명예를 훼손하는 사항인 경우(시행령 제12조 제6호)

(가) 회사가 실현할 수 없는 사항

"회사가 실현할 수 없는 사항"이라 함은 법률상 실현불가능한 경우와 사실상 실현불가능한 경우를 포함한다. 전자는 '법령이나 정관에 위반한 경우'이므로 사실상 실현불가능한 경우를 예상한 것이다. 가령 회사의 자산규모로 보아 사실상 실현 불가능한 사업목적으로 추가할 것을 제의하거나 전력회사에 대하여 탈원전(脫原電)으로 정관변경을 제안하는 것인데, 사실상 실현불가능에 관하여 정형화된 판단방법이 있을 수 없으므로 실현불가능을 이유로 회사가 주주제안을 거부할 경우, 분쟁이 예상된다.[95] 배당가능이익이 없음에도 주주가 특정 금액의 현금배당을 제안한 것은 사실상 실현불가능한 것으로서 거절사유에 해당하지만[96] 해당 연도에 주주제안대로의 배당가능이익이 있었다면 거절사유가 안된다.[97]

(나) 제안이유가 명백히 거짓인 경우

이는 주주제안에 이유를 붙일 것을 전제로 한 것이나, 주주제안은 합리성이

---

93) 이철송, 전게서, 522면.
94) 大阪地判 1989.4.5. 資料版 商事法務 61号 15面. TMI綜合法律事務所,「株主總會の運營實務」 (青文社, 2011), 83~84面.
95) 이철송, 전게서, 522면.
96) 거절할 수 없다고 한 서울중앙지방법원 2016.2.23. 2016카합80079.
97) 대구지방법원 2014.6.5. 2014카합3048.

나 필요성에 관한 소명 또는 증명을 요하지 아니하므로 제안이유의 진실성에 터 잡아 주주제안을 제한함은 입법의 착오라는 비판이[98] 있다. 현실적으로는 제안이유를 기재하여 이루어진 제안에 대하여 그 기재가 거짓인 경우가 제한사유로 될 것이다.

(다) 특정인의 명예를 훼손하는 사항인 경우

이를 주주총회의 결의사항 일반에 있어서 특정인의 명예를 훼손하는 경우란 상상하기 어렵고, 이사나 감사의 해임결의(제385소 제1항, 세415조)를 제안힐 경우에나 생각해 볼 수 있는 일인데 해임이유를 설명하는 과정에서 임원의 부정 또는 부적임을 적시함으로써 그들의 명예가 훼손될 수 있겠으나, 이를 이유로 주주제안을 막을 수는 없다고 할 것이므로 이 규정 역시 불합리한 입법이라는 지적이 있다.[99]

이상에서 본바와 같이 시행령이 주주제안권의 예외사유로 규정하고 있는 것은 대체로 모법이 규정하는 법령이나 정관의 위반과는 무관한 사항이라는 이유로 삭제론이[100] 제기되어 있다.

그 밖에 법령에 명시되지 아니한 것으로 i. 성질상 '회사 측'이 제안하여 총회에 부의하는 것이 적절한 사항, ii. 선거제안, iii. 수정제안, iv. 반대제안, v. 사회적 책임의 실현이나 공유가치창출을 위한 제안의 가부가 논의되고 있다.

제안의 내용상 회사측이 제안하는 것이 적합한 경우란 예컨대 합병계약의 승인, 사업전부나 중요재산의 일부의 양도 등 총회에서 결의하여야 할 사항이지만 그 성질상 회사측이 발의하여 총회에 부치는 것이 적절한 사항들을 말한다. 이들 사항이 주주에 의하여 제안될 수 있는지에 대하여, 제한 없이 제안의 대상이라고 보는 견해, 제안이 행하여진다 하더라도 회사가 그대로 실행하는 것이 사실상 어려운 경우에는 그 제안은 무의미하여진다는 점에서 제안의 대상이 아니라는 견해, 제안내용대로 실행이 곤란하거나 어려운 경우의 일정한 제안은 그에 대한 결의가 이루어진다고 하여도 이사회에 대하여 구속력을 지니지 않는 권고적 제안에 그친다는 견해가 있다. 이런 제안이 전혀 불가능한 것은 아니지만 그 결의는 어차피 구속력이 없고 권고적 의미만 있다.[101] 그렇다면 이와 같은 제안

---

98) 이철송, 전게서, 522면.
99) 이종훈, 전게서, 126면.
100) 이철송, 전게서, 522~523면. 같은 주장으로 정준우, 전게논문, 303면 이하.

을 총회에 상정하지 않는다고 하여 회사에 법적 책임이 발생하지는 않는다. 그러나 회사는 이러한 제안을 제안의 수용 또는 주주제압의 기회로 활용할 수 있을 것이다.

다음으로 의안제안의 형태로 반대제안이 가능한지 논의된다. 일본에서는 회사제안을 알지 못한 채 이루어진 주주제안의 내용이 회사제안과 상충되는 순수한 반대제안은 물론 회사의 제안에 대한 의도적인 반대제안도 제안으로 인정할 실익이 없다는 것이 다수설이다(소극설).[102] 어차피 총회에서 회사가 제안한 의안에 대하여 다루어진다는 것이 그 이유이다. 다만 반대제안이 새로운 제안을 내용으로 담고 있는 경우에는 별개의 제안으로 볼 수 있으므로 허용된다는 것이 통설이다.[103] 예컨대 2인의 이사가 임기만료 되어 새로 이사를 선임하여야 할 총회에 회사가 갑과 을을 이사로 선임한다는 의안을 제안한 경우에 주주가 병과 정을 주주로 선임하는 의안을 제안한 경우는 단순한 반대제안이 아니다. 이때에 총회에서 회사제안에 대하여 먼저 결의하여 의결되면 주주제안을 상정할 필요가 없게 되는데 이는 제안제도의 취지를 무시하는 것이다. 그러므로 이와 같은 경우에는 4인의 후보자를 두고 일괄 표결하여야 할 것이다.

우리나라에서도 선거제안, 수정제안, 반대제안, 공익을 위한 제안의 허용할 것인지에 대한 논의가[104] 있지만 어떤 제안은 위의 제안의 종류 중 여러 가지에 해당할 수 있으므로 위와 같은 분류가 명백한 개념의 구별은 아니다. 예컨대 선거제안도 개선할 임원의 숫자 내에서 회사제안과 다른 후보자를 제안한 경우에는 비록 수정제안이나 반대제안이라도 상정해야 하지만, 정관소정의 임원수를 넘어선 임원의 추가선임 제안이라면 임원숫자를 늘리는 정관변경제안과 함께 제안되지 않은 이상 의안으로 삼을 필요가 없다.

이와 같이 어떤 제안이 선거제안, 수정제안, 반대제안, 공익적 제안이냐에 따라 구분하는 것보다는 구체적 사안마다 제안된 내용이 제안제도를 인정한 취지에 부합하느냐를 기준으로 총회에서 다룰 것인지를 판정하여야 할 것이다.

---

101) 福岡眞之介・山田愼吾 編, 前揭書, 143~144面.
102) 東京地裁 2014.2.27. ジュリスト1467号 2面. 三浦亮太 外, 「株主提案と委任狀勸誘」 第2版 (商事法務, 2015), 15面.
103) 예컨대 회사가 갑을 이사로 선임하는 의안에 반대하면서 을을 이사로 선임하는 의안을 제출하는 것.
104) 정준우, 전게논문, 300~301면.

다. 남용적 주주제안

제안권의 법적 성질은 공익권이다.[105] 그러나 제안권은 건전한 경영참가나 감독보다는 주주의 사적 욕구를 채우기 위하여 행하여지기 쉽다. 상법 시행령 제12조는 내용이 악의적이거나 실현가능성 없는 제안 또는 반복제안에 대하여 규제하고 있다.[106] 그러나 제안의 건수와 제안내용의 분량에 대하여는 규제하지 않고 있다. 제안시의 의안기재내용의 분량을 제한하고 있는 일본에서, 최근에는 1회의 주주총회에 특정 주주가 68건의 제안을 하는 일이 발생하여 이의 축소를 요구한 회사와 이사를 상대로 주주권침해에 대한 손해배상청구를 하였으나 기각되었다.[107] 지주요건을 갖춘 주주가 한 번의 총회에서 제안할 수 있는 의안의 수를 5이내(임원선임 및 해임제안 제외)로 제한하는 회사법개정이 논의중이다.[108] 우리의 경우, 단순히 제안건수가 많다거나 제안분량이 길다는 이유로 제안의 접수나 기재를 거부할 수는 없지만, 총회가 비효율적으로 운영되는 정도를 넘어 정상적인 운영이 심히 곤란한 정도의 남용적 제안에 대한 제한기준을 제안권의 본질과 의안에 대한 주주의 적정한 판단을 훼손하지 않는 범위에서 정관에 둘 수는 있다고 생각된다.

5. 주주제안의 처리

가. 통상의 처리 방법

1) 제안을 접수한 이사가 취할 조치

이사는 제안이 있을 경우 이를 이사회에 보고하고, 이사회는 제안내용이 제안의 제한사유에 해당하는 것이 아니고 제안의 형식과 절차에 잘못이 없는 한

---

105) 정찬형, 전게서, 893면.
106) 한번에 114개 의안을 제안한 것은 개인적 목적 또는 회사를 곤혹하게 할 목적의 것으로 전체적으로 주주로서 정당한 목적을 지닌 것이라고 하기 어려우며 주총활성화라는 제안권 제도의 취지에 반하는 것으로 권리남용이어서 허용할 수 없다고 한 東京高判 2015.5.19. 金融·商事判例 1473号 26面.
107) 東京高裁 2012.5.31.은 위 제안이 주주권남용은 아니라고 보았다. 商事法務 第2072号 (2015), 51面.
108) 竹林俊憲 外, "「會社法制(企業統治等關係)の見直しに關する中間試案」に對する各界意見の分析[上]," 「商事法務」 No.2169(2018), 12~13面.

제안을 소집통지서에 기재하여 총회의 목적사항으로 상정하여야 한다. 이때에 제안된 의안에 관한 총회참고서류의 기재사항 등도 결의한다. 적법한 제안이라면 그것이 이사회의 결의를 거치지 않고 총회의 의제 및 의안이 된 경우라도 결의취소사유에는 해당하지 않는다.[109] 만일 적법하지 않은 제안이라면 이를 총회의 의제 및 의안으로 삼지 않는데 대하여 반드시 이사회결의를 거칠 필요는 없지만 실무상 명확한 처리를 위하여 '불수용'을 이사회에서 결의하고 그 경우 그 불수용의 사유를 미리 제안주주에게 통지해 주는 것이 바람직하다. 그러나 통지의무가 있는 것은 아니다.

제363조의2 제1항 소정의 소수주주는 이사에게 주주총회일의 6주 전에 서면 또는 전자문서로 회의의 목적으로 할 사항에 추가하여 당해 주주가 제출하는 의안의 요령을 제363조에서 정하는 통지와 공고에 기재할 것을 청구할 수 있고(제363조의2 제2항), 회사가 제안을 거절할 사유가 없는 한 당연히 총회의 목적사항이 되어 총회소집 통지 또는 공고에 기재하게 된다(제363조의2 제3항). 서면투표를 하는 경우 소집통지시에 총회참고서류와 함께 의결권행사서면을 교부하여야 하는데 주주총회소집을 결정하는 이사회에서는 각 의안의 찬성, 반대, 기권을 기재하는 난의 어디에도 기재가 없는 의결권행사서면을 어떤 의사로 취급할지를 정할 수 있다.[110] 일반적으로 회사가 제안한 의안에 대하여는 찬성한 것으로, 주주가 제안한 의안에 대하여는 반대한 것으로 다루는 것이 보통인데 어떻게 다루든 결의취소사유에 해당하지 아니한다.[111] 이 경우 주주로부터 통지된 제안의 내용이 총회 참고서류에 그 전부를 기재하기에 적절하지 아니할 정도의 다수의 문자, 기호 기타의 것으로 구성된 경우에는 당해사항의 개요를 기재하면 될 것이다.[112] 일본 회사법 시행규칙 제93조를 보면 총회참고서류에는 의안이 주주제안에 기한 사실, 의안에 대한 이사회 의견이 있는 경우에는 그 의견의 내용, 주주가 자기의 의안의 통지청구를 하면서 제안이유를 회사에 통지한 때에는 그 이

---

109) 福岡眞之介・山田愼吾 編, 前揭書, 157面.

110) 일본 회사법 제298조 제1항 제5호 참조, 시행규칙 제63조, 제66조 제1항 제2호.

111) 大阪地裁 2001.2.28.

112) 일본의 경우 2006년 회사법개정 전에는 제안이유를 400자로 제한하였었다. 이 제한을 삭제한 현행법 아래서는 회사가 이유의 적정분량을 정하거나 판단할 일이다(시행규칙 제93조). 실무자들은 제안이유의 개요를 대개 400자를 기준으로 삼는다고 한다. 제안주주 간에 다툼을 피하기 위하여 제안주주에게 개요작성을 요청하거나 회사가 작성한 개요를 사전에 제시하고 있다. 福岡眞之介・山田愼吾, 前揭書, 149~153面.

유, 의안이 임원선임사항으로 주주가 자기의안의 통지청구를 하면서 설명한 사항 등을 포함시킨다.[113][114] 2 이상의 주주가 동일한 취지의 의안을 제출한 경우에는 총회참고서류에는 그 의안 및 그에 대한 임원의 의견의 내용은 각별로 기재할 필요가 없다. 그러나 2 이상의 주주로부터 동일취지의 제안이유제출이 있었다는 기재는 필요하다.

2) 의안처리의 순서

심의의 순서는 법에 정하여진 바 없으므로 개별상정방식이나 일괄상정방식 중에 어느 것도 가능하며 회사제안과 주주제안 의안의 내용의 관련성에 따라 회의진행의 일반원칙에 따라 진행하면 된다.[115]

의안의 내용에 부의할 순서가 정해지지 아니한 경우는 회사제안을 먼저 처리하는 것이 보통이다. 그러나 주주제안이 회사제안에 대한 전부 또는 일부 반대의안인 경우는 의안의 내용의 정리와 처리순서가 매우 민감한 문제가 될 수 있다. 따라서 의안을 기계적으로 처리하기보다는 제안주주가 수용할 수 있는 합리적인 조합방법에 의하여 처리하는 것이 필요하다. 제안주주가 총회에 불출석한 경우에도 의안을 심의하여야 하는 것은 물론이다.

3) 설명기회의 부여

총회의장은 총회장에서 주주가 제안한 의안에 대하여도 그 내용 및 제안이유를 설명하여야 한다. 회사는 제안한 자의 요청이 있는 경우에는 제안주주로 하

---

113) 주주의 제안이유 등은 총회 참고서류의 다른 기재사항과의 관계를 고려하여 적절하다고 생각되는 정도로 제한하여 기재하면 족하지만 이와 달리 주주제안에 대한 이사회 의견은 분량에 제한이 없다. 이사회는 주주에 대한 선관주의의무상 주주제안에 대한 의견을 충분히 설명할 필요가 있고, 주주가 위임장권유시 자기의 입장을 분량 제한 없이 설명할 수 있다는 점을 고려한 해석이다.

114) 비교적 자주 제안되는 임원선임의안의 경우, 참고서류에는 임원후보의 기본적 인적사항, 후보자의 당해 회사 주식보유상황, 주요 겸직사항, 특별이해관계 유무, 최근 수년간 친자회사 등에서의 직위 등이 기재되지만 임원의 종류에 따라 기재가 필요한 사항도 있다. 中川雅博, "役員選任議案に係る實務上の留意点," 「商事法務」 第1892号(2010), 16面 以下.

115) 회사가 5% 이익배당안을 낸데 대하여 주주가 10%를 제안한 경우, 수정제안을 먼저 표결하는 것이 회의체운영의 일반원칙이라는 설과 표결순서결정은 의장의 권한이라는 설이 있다. 이때 어떤 의안이 가결되면 다른 의안은 자동으로 폐기되는지 여부는 두 의안의 관계를 추가제안과 대체제안의 어느 것으로 보느냐에 따라 달라진다. 만일 상정한 두 제안 모두 법정결의요건을 충족하였다면 결의순서보다는 더 많은 주주가 찬성한 의안이 채택된 것으로 보는 것이 합리적이라 생각된다.

여금 총회에서 당해 의안을 설명할 수 있는 기회를 주어야 한다(제363조의2 제3
항). 제안주주의 설명이 불필요하게 장황하거나 부적절한 경우에 의장은 이를
제지할 수 있다. 필요한 경우, 회사 측에도 발언기회를 줄 수 있고 이 경우 의
장이 아닌 해당업무 담당임원으로 하여금 설명하도록 하면 된다. 실제로 주주수
가 많은 상장회사의 총회도 몇십 분 만에 끝나는 경우가 많은 현실에서 이는
총회운용의 묘를 살릴 부분이다.116)

  제안주주가 총회에 출석하지 않은 경우에는 의안을 폐기하여야 한다는 견해
가117) 있으나 제안주주는 주식매수청구권을 행사한 반대주주와는 다르다. 결석
을 제안철회의 의사로 볼 수는 없으므로 제안주주의 결석에 상관없이 총회에서
다루어야 한다.118)

4) 의결권행사서면에 찬부를 기재하지 아니한 경우의 처리방법

  정관상 서면투표제도(제368조의3 제1항)를 채용하고 있는 회사에 있어서 의안
은 서면투표의 성질상 의안의 내용이 찬성 또는 반대의 의견을 묻는 정도의 단
순한 것이어야 한다. 따라서 의안에 대한 수정동의를 서면으로 할 수는 없다.119)
회사는 총회의 소집통지서에 주주가 서면에 의한 의결권을 행사하는데 필요한
서면과 참고자료를 송부하여야 하는데(제368조의3 제2항), 제안내용도 마찬가지
로 기재된다. 제안은 회사제안과 주주제안으로 구분하여 표시하고 찬부를 물으
면 된다. 의안은 결국 찬성표를 계산하여 가부가 결정되기 때문에 기권은 반대
와 같은 의미이므로 실무상 기권란을 둘 실익은 없다. 임원선임의 의제에 대하
여는 회사와 제안주주가 추천한 임원후보자에 대하여 각 후보별로 찬부의 의사
를 묻는 것이 필요하다. 만일 서면투표한 주주가 의제 또는 의안별로 찬부의 표
시를 하지 않았다면 이는 위임장의 경우와는 달리 의결권행사로서는 무효이다.
다만 출석의결권수를 계산할 때에 가산된다. 일본에서는 회사가 "찬성·반대·
기권의 아무 표시도 없는 서면투표는 회사제안에 대하여는 '찬성'으로, 주주제안
에 대하여는 '반대'로 본다."는 기재를 서면투표용지에 써 둔 경우는 그 기재에

---

116) 우리나라 상장회사 총회는 평균 37분정도가 소요되는 것으로 조사되었다(한국상장회사협의
    회, 「상장회사 주주총회 백서」(2008), 130면). 그러나 소수주주와 외국계 자산운용사가 6건
    의 제안을 한 모상장회사의 2012년 정기총회는 1시간 40여분이 소요되었다.
117) 김재범, 전게서, 40면.
118) 임홍근, 전게서, 369면; 전삼현, 전게논문, 157면; 三浦亮太 外, 前揭書, 21面.
119) 최준선, 전게서, 382면.

따라 계산하고 있다.[120)121)] 법적 근거가 없는 우리나라에서 같은 취급을 하기 위해서는 총회소집을 결의하는 이사회에서 이 점에 대하여도 결의하여 의결권행사서면에 이를 명시하여 두어야 할 것이다. 서면투표의 대상인 의안에 대하여 총회에서 수정제안이 이루어졌다면 회사제출 원안에 찬성한 서면투표는 수정제안에 대하여 반대한 것으로 취급하고, 원안에 대하여 반대한 서면투표는 수정제안에 대하여 기권한 것으로 새긴다.

나. 주주제안에 대한 부적법한 처리

1) 부당거부에 대한 가처분 가부

회사가 적법한 제안을 거부한 채 총회를 개최하는 경우 제안주주는 총회소집을 연기하는 가처분을 주장할 수 있는지 문제이다. 이 경우 총회는 다른 목적사항을 갖고 개최되는 것이고 이를 연기한다고 하여 제안의 목적이 달성되는 것은 아니므로 허용할 수 없다는 견해가[122)] 있다. 이 견해는 거부된 제안을 안건으로 상정할 것을 명하는 가처분 혹은 거부된 제안을 안건으로 다룰 총회의 소집을 명하는 가처분도 보전의 필요성을 인정하기 어렵다고 한다.[123)] 이에 따르면 이 경우 제안주주가 자기의사를 관철하려면 총회소집절차를 밟아야 한다. 이에 대하여 다수설은 바로 총회의 의제 또는 의안으로 삼도록 명령을 내릴 수 있음에도 불구하고 그 의제 또는 의안을 다룰 별개의 총회를 다시 소집하라는 것은 타당하지 않으므로 가처분을 허용하여야 한다고[124)] 한다. 비상장회사와 달리 상

---

120) 일본 회사법시행규칙 제66조 제1항 제1호, 제63조 제3호. 松山遙, 前揭書, 30面.

121) 住友銀行 총회결의취소청구소송에 관한 大阪地裁 2001.2.28. 추켄 총회결의취소청구소송에 관한 札幌地裁 1996.3.26.

122) 이철송, 전게서, 525면.

123) 이철송, 상게서, 525면. 한편 가처분신청이 불가능하지는 않지만 법원이 인용하지에 대하여 회의적인 관점에서 회사가 의제를 거부한 때에는 임시총회소집청구, 의안을 거부한 때에는 대응의안의 결의취소가 효과적이며 새로 선임된 이사에 대한 직무집행정지가처분신청이 가능하다는 김화진, 「상법강의」 제2판(박영사, 2015), 314면.

124) 김재범, 전게서, 48면; 장덕조, 전게서(회사법), 229면; 장덕조, 전게서(상법강의), 440면; 최준선, 전게서, 373면; 송옥렬, 전게서. 나아가 의제와 의안이 반영되지 아니한 모든 경우에 총회개최금지가처분이 신청되면 이를 받아들여야 한다는 견해(신우진·김지평·고정은, "주주총회 관련 가처분의 실무상 쟁점," 「BFL」 제84호(서울대 금융법센터, 2017), 73면)와 정기총회는 반드시 개최하여야 하는데다가 극히 예외적으로 총회개최금지가처분을 인용하는 법원의 태도로 볼 때 인용가능성이 높지 않다는 이유로 소극적으로 새기면서 이사에 대한 위법행위유지청구(가처분)의 소도 허용되지 않는다는 김화진, 전게 「기업지배구조와 기업금융」, 603면.

장회사의 경우는 총회소집요건과 주주제안의 보유주식수와 지주기간의 유무에 차이가 있다. 법원도 주주제안을 거부당한 주주가 임시주주총회 소집청구를 하지 아니한 채, 주주제안권 자체의 실현을 위하여 거부당한 의안을 주주총회의 목적사항으로 상정시키는 형태의 가처분 신청에 대하여 적극적으로 판단하는 것이 보통이다.[125] 법원은 주주의 제안권과 총회소집청구권은 별개의 병존하는 권리로서 임시주주총회 소집청구절차를 취하는 것이 가능하다는 이유로 주주제안권 침해상태가 해소되는 것은 아니라는 점을 지적하고 "주주제안을 거부당한 주주가 반드시 임시주주총회 소집청구절차를 그 구제절차로 거쳐야 하는 것은 아니므로, 주주제안을 거부당한 주주가 임시주주총회 소집청구를 하지 아니한 채, 주주제안권 자체의 실현을 위하여 거부당한 의안을 주주총회의 목적사항으로 상정시키는 형태의 가처분을 신청하는 것을 두고 적법한 구제절차인 임시주주총회 소집청구제도를 잠탈하는 것이라고 볼 수 없다."며 가처분을 인정하였다. 또한 이미 제안을 무시한 채 총회소집통지서가 발송되고 공고되었다면 총회일 2주 전에 재차 소집통지할 수 있고 만일 그렇지 못하다면 총회를 연기하여야 하며, 제안을 처리하기 위하여 다시 총회를 소집하는 경우에 비하여 회사의 비용, 절차의 타당성으로 인하여 가처분을 인정하여야 할 보전의 필요성도 있다고 보았다. 다만 이미 소집통지서가 발생된 시점에서 의안을 추가 상정하여 달라며 신청된 가처분은 받아들일 수 없다.[126]

생각건대, 의안상정가처분을 가급적 허용하여 갈등의 소지를 해소하는 것이 좋을 것이다.[127]

---

125) 이 사건 피신청인은 주권상장법인으로 신청인은 주주요건을 모두 갖추어 2007년 정기총회 6주 전에 전 대표이사갑을 이사선임대상으로 하는 주주제안을 하였다. 그러나 이사회는 갑이 부실경영으로 인하여 회사에 손해를 입혔다는 이유로 이 의안을 총회에 상정조차 하지 아니한 채 총회를 소집하자 신청인이 의안상정가처분신청을 하였다. 서울북부지방법원 2007.2.28. 2007카합215. 이 경우 주주제안을 거부당한 주주가 신청한 의안상정가처분의 본안소송은 회사가 소집한 당해 주주총회의 효력을 다투거나 의안상정을 구하는 소가 되고, 따라서 그 피고적격자는 주주제안을 의안으로 상정하는 것에 반대한 개별 이사가 아니라 회사가 된다.

126) 서울중앙지방법원 2017.3.9. 2017카합80321.

127) 권기범, 전게서, 601면; 임재연, 전게서, 56~60면; 장덕조, 전게서(회사법), 229면; 홍복기·박세화, 전게서, 334면.

2) 제안을 무시한 결의의 효력

가) 총회에서 의제를 전혀 다루지 않은 경우

회사가 주주가 적법하게 제안한 의제를 아예 소집통지나 참고서류에 기재하지 아니하거나 공고하지 아니하여 의제로 삼지 아니한 경우에는 주주제안에 대한 결의 자체가 없다.[128] 따라서 총회결의취소사유에도 해당하지 아니한다.[129] 일본의 소수설은 적법한 의제제안에 대한 회사의 부당거절은 당해 총회 전체에 영향을 미치는 공통된 절차상의 하자이므로 당해 총회에서 이루어진 모든 결의가 무효라고 새긴다. 그러나 이는 제안권제도의 취지에 부합하지 않는 해석이다.[130] 우리나라에서는 제안된 의제와 무관한 사항에 대한 총회의 결의는 그대로 유효하다는 데에 이설 없다. 이 경우 주주는 이사에게 손해배상을 청구할 수

---

128) 갑회사의 이사였던 A 외 4인의 주주가 적법한 요건을 갖추어 "현재 재직 중인 이사 외 2명의 이사 추가 선임"을 총회 목적사항으로 할 것을 제안하였다. 갑회사 이사회는 위 제안을 변형하여 "이사선임의 건(주주제안에 따른 '현 이사 외 2명의 이사 추가 선임의 건'당부에 관한 건 포함)"으로 상정하였고 동 의안은 총회에서 부결되었다. 그와 별도로 임기가 만료되는 이사 1명에 관한 선임결의가 이루어졌다. 법원은 이사 1명 선임은 임기만료 도래에 따른 것이고 A등이 제안한 의제와 관련된 것이 아니므로, 이사가 민사상 손해배상책임을 지거나 과태료 제재를 받는 것은 별론으로 하고, 선임결의취소는 불가능하다고 판결하였다. 나아가 이 사건 A등의 집중투표(제382조의2) 요구에 대하여도 이 사건 결의는 2명 이상의 이사를 선임하는 경우에 해당하지 아니하므로 집중투표사항이 아니어서 집중투표 불실시가 결의방법의 하자가 아니라고 판결하였다(서울중앙지법 2015.4.1. 2014가합 529247). 이 판결은 서울고등법원 2015.8.28. 2015나2019092 판결에서 유지되었고, 대법원에는 상고이유서를 제출하지 않아 상고 기각되었다(대법원 2015.11.6. 2015다236318). 그러나 집중투표가 요구된 주주제안에서 회사의 의안과 주주제안을 하나로 묶은 변형상정은 이사회구성에 관한 주총권한을 침해하지 않는 것이어야 가능할 것이다. 김선정, "주주제안권을 부당하게 침해한 의제제안의 부당거절이 주총에서 이루어진 다른 결의에 영향을 미치는지 여부," 「2016경영판례연구회 판례평석집」, 프리이코노미북스(2017), 72~73면; 윤영신, "집중투표와 결합한 이사선임 주주제안 변형상정의 경우 주주권리 침해 여부 및 주주총회 결의의 효력," 「비교사법」 제24권 제2호(한국비교사법학회, 2017), 931~932면; 조규석 외, "집중투표제의 실무상 쟁점 – 변형안건 상정이 주주제안권 및 집중투표청구권을 침해하는지 여부 –," 「BFL」 제84호(서울대 금융법센터, 2017), 57면.

129) 이 점을 확인한 일본 판결로 東京高裁 1986.5.15.

130) 다만 부당거절 된 의제가 총회에서 결의된 다른 의제에 앞서 처리되어야만 할 전제적 제안이었다면 부당거절을 이유로 총회결의의 취소를 청구할 수 있다는 의견이 있다. 정관상 이사수가 10인 이하인 회사에서 7인의 이사 모두 임기가 만료되는 총회에 앞서 주주가 이사수를 5인 이하로 하는 제안을 하였으나 부당거절되었고 총회에서 7인의 이사선임이 이루어진 경우와 같이 특정의제제안과 의안통지청구의 내용이 당해 총회의 다른 의제에 대한 전제관계인 경우, 전제된 의제제안의 부당거절의 하자와 다른 결의 간에 직접 인과관계가 있는 경우를 예로 들고 있다. 吉本健一, "株主提案の不當拒絶と株主總會決議の效力," 「阪大法學」 第61卷 第3·4号(2011), 676~678面.

있다.131) 아울러 주주가 제안한 사항을 총회의 목적사항으로 하지 아니한 경우, 이사 또는 감사에게는 500만원 이하의 과태료의 제재가 있다(제635조 제1항 제21호). 또한 이사가 주주제안을 무시하여 회사에 손해를 끼친 때에는 회사에 대하여 손해배상책임을 질 경우가 있을 것이다(제399조, 제408조의9).132)

나) 총회에서 의안을 무시한 경우 등

적법한 의안이 채택되지 않은 경우, 제안된 의안과 관련있는 사항에 대한 결의가 제안된 의안과 상충하는 내용으로 이루어진 경우, 의제나 의안으로 되었으나 주주의 청구를 무시하고 그 의안의 설명 기회를 주지 아니하고 결의한 경우에는133) 그 결의는 소집절차 또는 결의방법에 법령위반의 하자가 있는 것으로 총회결의취소의 소(제635조 제1항 제21호)의 원인이 된다.134) 그러나 이 경우 따로 이사 및 감사에 대한 과태료의 제재 등 상법상 벌칙규정은 없다.135) 이때에 이사에게 손해배상청구 등 민사책임을 추궁할 수 있다는 견해가136) 있다.

---

131) 정찬형, 전게서, 895면; 최기원, 전게서, 522면; 최준선, 전게서, 373면.

132) 손진화, 「상법강의」 제6판(신조사, 2015), 512면; 최기원, 전게서, 522면; 일본에서 손해배상책임을 인정한 첫 사례로 이른바 HOYA사건 판결이 있다. 상세한 것은 서성호, "소수주주의 경영감시기능강화를 위한 법제의 총체적 고찰 – 중·소규모 주식회사 주주의 경영감시기능에 관한 보완책마련을 구상하며 –," 「상사판례연구」 제29집 제3권(한국상사판례학회, 2016), 167면 이하.

133) 설명할 기회를 청구하는 것은 제안주주의 권리이지 의무는 아니다. 더 나아가 제안주주가 총회에 참석하지 않아도 의안에 대한 결의를 하여야 한다. 만일 주주가 의제만 제출하고 의안을 제출하지 아니한 경우에는 총회에서 제출할 수 있다는 견해가 있다. 최기원, 전게서, 522면.

134) 양명조, 「회사법: 판례와 사례」 제2판(법문사, 2012), 225면; 정찬형, 전게서, 895면; 송옥렬, 전게서; 만일 법원이 가처분신청을 받아들이면 회사는 그 의안을 총회안건으로 재공고하여야 한다는 유시창, 「주식회사법」 제2판(법문사, 2013), 237면. 주주의 의안요령의 기재청구가 부당하게 무시되었더라도 그 사실만으로 제안과 상충하는 내용의 결의에 대하여 곧바로 취소사유를 인정할 수는 없으며 상당인과관계가 있어야 한다는 정경영, 「상법학강의」(박영사, 2007), 447면. 한편 일본에서 제안주주가 총회에서 부결된 자신의 제안에 대하여 회사가 방해행위를 하였다는 등의 이유를 들어 취소를 청구한 사안에서, 재판소는 결의취소의 소의 대상이 되는 결의는 제3자에 대하여도 효력이 있는 것인데 제안된 각 의안이 부결된 경우에는 의안이 제3자에 대하여 효력을 지닐 여지가 없으므로 제안된 의안의 부결은 회사법 제831조 소정의 총회결의에 해당하지 아니한다고 판결하였다. 이에 대하여 제안주주는 제안을 부결시킨 결의가 취소되면 다음 총회에서 다시 제안하는 것이 가능하므로 취소를 구할 필요성이 있다고 주장하였다. 東京高裁 2011.9.27.은 부결에 이르기까지 절차상의 하자가 있어 의결권 있는 주식 총수의 10분의 1 이상의 찬성을 얻지 못하였다는 사실을 증명하면 재제한기간은 적용이 없다고 판시하였다.

135) 이 경우도 과태료의 제재가 있다는 견해로 최기원, 전게서, 522면. 일본의 경우 의제제안과 의안제안을 무시한 경우 모두 과료의 제재가 있다.

136) 홍복기 외, 전게서, 221면.

6. 관련문제

가. 주주제안과 총회소집청구의 대체성

제안은 장차 소집될 총회가 열리는 기회에 자신의 제안을 의제로 삼아 줄 것을 청구하는 권리이다. 그러므로 제안은 총회소집청구는 아니다. 만일 주주가 총회를 열어 자신의 제안을 다루어 달라고 하려면 따로 총회소집청구권을 행사하여야 한다.

한편 주주제안을 할 수 있는 주주와 총회소집을 요구할 수 있는 주주요건이 같다는 점에서 동일주주가 이 두 가지를 대체수단으로 활용할 수 있는지가 논의된다. 법령·정관에 위반하는 의안이 아니면서 주주제안은 제한되나 총회소집청구는 받아들여질 수 있는 경우가 있다. 그러나 이는 총회소집청구에 의하여 제안의 법적 제약을 회피하는 결과가 되므로 허용해서 안 된다.[137] 법원도 같은 취지로 결정한 사례가 있다.[138]

나. 감사위원회 위원인 사외이사의 선임이 제안의 대상인지 여부

주주는 제안을 통하여 사외이사 선임을 의제나 의안으로 할 것을 청구할 수 있다. 이 경우 단순한 사외이사가 아닌 '감사위원회 위원인 사외이사'의 선임을 제안할 수 있는지 여부이다. 이는 상법 규정에 따르면 된다. 비상장회사의 경우, 감사위원의 선임은 정관에 다른 정함이 없는 한 이사회에서 결정할 사항이다. 그러므로 당해 회사의 정관에서 감사위원 선임을 총회결의에 의한다고 규정하지 않은 한, 비상장회사의 감사위원 선임은 제안의 대상이 되지 않는다. 이는 상장회사의 경우도 같다. 그러나 상장회사 가운데 이른바 대규모상장회사로서 대통령령으로 정한 회사는[139] 총회에서 삼사위원회 위원인 사외이사를 신임하여야 한다(제542조의12 제1항). 따라서 여기에 해당하는 회사의 경우, 감사위원회 위원

---

137) 이철송, 전게서, 523면.
138) 주주제안을 통하여 총회에 상정하였으나 부결된 안건을 다루기 위해 해당주주가 3년 내에 총회소집을 청구한 사건에 있어 청구를 기각한 서울고등법원 2005.5.13. 자 2004라885.
139) "자산규모 등을 고려하여 대통령령으로 정하는 상장회사"를 말하며 영에 따르면 "최근 사업연도 말 현재 자산총액이 2조원 이상인 상장회사"로서 동 영이 정하는 일정한 회사를 제외한 회사를 말한다(시행령 제37조 제1항).

인 사외이사 선임은 사내이사나 감사위원회 위원이 아닌 사외이사와 별개의 제
안의 대상이 된다.[140] 주주가 임원선임을 의제 또는 의안으로 제안할 때에는 단
지 이사, 사외이사 정도의 구분만 할 수도 있지만 특정인을 특정지위에 선임하
고자 할 경우에는 감사위원을 겸하지 아니하는 사내이사, 감사위원을 겸하는 사
내이사, 감사위원을 겸하지 아니하는 사외이사, 감사위원을 겸하는 사외이사, 상
근감사위원 등 세부적으로 나누어 의제 또는 의안의 제안을 하고, 각 지위에 특
정인을 명시하여 제안하는 것이 필요하다.[141] 우리나라의 경우, 집중투표제를 실
시하고 있는 기업이 적지만 주주가 임원선임을 제안하면서 특정인을 지정하는
의안을 제출하지 아니하거나 일괄선출을 관철하지 아니하는 경우에는 집중투표
제의 실효성을 훼손하는 방향으로 의안이 정리될 가능성이 있다. 제안을 총회
의안으로 상정하고 총회일에 다루는 과정에서 상정안건의 분류나 처리 순서가
회사 측에 의하여 정하여 지는 것은 불가피하다. 이 때 회사가 결의의 특별요건
을 무력화시키는 정도의 처리는 허용되지 않지만, 그 정도가 아니라면 회사는
상정할 의안의 정리나 결의순서 등을 회사 측에 유리하게 조정할 수 있다.[142]
그러므로 허술한 제안으로 인하여 제안의 목적을 달성하지 못하는 것은 주주가
감수하여야 한다.

다. 주주제안의 공시

주주제안이 행하여졌다는 사실만으로 회사가 이를 공시할 의무는 없으나, 제안
이 투자자의 투자판단에 영향을 미칠 수 있는 경우가 있다. 나아가 회사는 제안에
반대하는 주주의 표를 결집하기 위하여 적극적으로 알릴 필요도 있을 것이다.

---

140) 김화진, 전게 「기업지배구조와 기업금융」, 604~605면.
141) 2006년 KT&G 정기총회에 칼-아이칸 측이 감사위원 후보를 특정하지 아니한 주주제안을
    하자 KT&G가 감사위원을 겸하지 아니하는 사외이사 후보제안으로 처리하여 대응한 사례
    가 있다.
142) 법원은 주주의 일괄선출 제안을 무시하고 분리선출방식을 택한 회사의 방식이 주주의 의결
    권, 집중투표에 의한 이사선임청구권을 침해하지 않았다고 보았다. 대전지방법원 2006.3.
    14. 2006카합242. 이 판결에 대하여는 김태진, "2009년 1월 상법 개정에 의하여 감사위원
    인 사외이사 선임방법과 소수주주권 보호는 개선되었는가? - KT&G 사건을 계기로-," 「증
    권법연구」 제11권 제3호(한국증권법학회, 2010), 259면 이하.

라. 제안의 철회

제안은 이사에게 도달한 시점부터 효력이 생긴다. 따라서 주주가 자신의 제안을 철회하기 위해서는 수령자인 이사의 동의가 필요하다고 새긴다.[143] 이사가 동의한다면, 소집통지발송 전에는 제안이 없었던 것으로 다루고, 소집통지서발송 후에는 제안의 철회를 위하여 총회의 전일까지 모든 주주에게 법정요건을 갖춘 재소집통지를 발송하여 철회의 취지를 통지할 필요가 있다. 실제로 이와 같은 재소집통지를 하는 것은 어려우므로 원칙적으로 철회할 수 없다고 새기는 입장도[144] 일본에는 있다. 소집통지 후 철회된 제안은 총회당일에 제안된 의제나 의안에 대하여 총회장에서 주주의 의사를 물어 출석주주의 다수결의 결의로 철회를 인정하면 된다. 그러나 회사로서는 제안에 대한 철회를 거절하고 의안으로 다루어 압도적 반대로 폐기시킴으로써 3년 내에 동일한 제안이 불가능하도록 하는 방법을 택할 수도 있다.

마. 주주제안과 위임장 권유

주주가 제안하는 동기는 회사에 대한 단순한 의사전달, 경영진에 대한 경각심의 촉구, 이익배당이나 주가개선 등 주주의 일회적 이익이나 회사발전의 도모 등 여러 가지가 있을 수 있다. 나아가 주주는 경영진축출이나 지배구조 변경을 목표로 제안하기도 한다. 이 경우 주주는 제안에 그치지 않고 이를 관철하기 위한 적극적인 행동에 나설 수 있고 제안 전부터 회사와 주주 간에는 각자의 의안을 가결시키기 위하여 일반주주를 상대로 위임장쟁탈(proxy contest)을 벌일 수 있다.[145] 일본의 경우 2007년부터 투자펀드를 중심으로 이런 현상이 나타나기 시작하였는데,[146] 경영진측에서 위임장확보를 위하여 주주에게 금품을 제공

---

143) 우리와 같이 일본에서도 제안은 이사에 대하여 하는데 철회함에는 회사의 동의가 있어야 한다고 새긴다. 福岡眞之介・山田愼吾 編, 前揭書, 161面; 松山遙, 前揭書, 20面.
144) 久保利英明・中西敏和, 「新しい株主總會のすべて」(商事法務, 2007), 286面.
145) 우리나라 상장회사들의 의결권대리행사권유 비율은 2008년 기준 21%를 조금 상회하는 수준이며 대부분 회사가 일부주주를 대상으로 권유하고 있다.
146) 주주의 지지를 한 표라도 더 얻기 위하여 회사와 제안주주가 경쟁하는 가운데, 회사는 각종 설명회를 개최하거나 설명문을 송부하고 있고 설명회에 참석한 주주에 대한 식음료제공이 이익공여가 될 수도 있다. 회사가 의결권행사서면 또는 위임장을 제출한 주주에게 500엔 상당의 pre-paid card 1매씩을 증정한 경우 주주의 권리행사에 관한 이익공여행위(일본회사법 제120조, 우리 상법 제634조의2)에 해당하여 회사가 제안한 임원선임의안을 승인

하는 것은 이익공여로 규제되는 반면, 제안주주측의 금품제공은 부정청탁이 없는 한은 금지되지 않은 상황이어서 앞으로 의결권매매를 금지하여야 한다는 주장이 제기되었다.[147] 한편 일본에서는 회사의 의안이 이에 반대하는 주주의 적극적인 위임장권유 결과 불승인되는 사례도 나타났다.

주주가 대리인을 통하여 의결권을 행사하는 것을 의결권의 대리행사라고 하고, 회사 또는 그 밖의 자가[148] 주주에 대하여 주주총회에 있어서의 의결권의 행사를 자기 또는 제3자에게 대리행사 시킬 것을 권유하는 것이 의결권의 대리행사의 권유이다. 흔히 위임장권유라 하며 통상 권유자가 피권유자인 주주에 대하여 위임장용지를 교부하고 그것에 필요사항을 기재하여 권유자에게 송부할 것을 권하는 방법으로 행하여진다.

주주는 영업시간 내에 언제든지 주주명부의 열람 또는 등사를 청구할 수 있고[149] 이를 기초로 위임장권유에 나설 수 있다. 그러나 제안주주와 의견이 다른 경우, 회사는 현실적으로 주주보다 유리한 입장에서 방어하게 된다. 주주가 그 대리인으로 하여금 의결권을 행사하게 할 경우에 그 대리인은 대리권을 증명하는 서면을 회사에 제출하여야 하므로(제368조 제3항), 이 때 회사는 대리권증명 방법을 통하여 주주를 견제하고자 할 것이다. 통상 총회에서 위임장의 성립의 진정이 문제되는 경우는 별로 없기 때문에 회사가 주주에 대하여 송부한 위임장용지의 경우에는 굳이 인감조회를 하지 않는다. 그러나 회사가 주주에 대하여 송부한 위임장용지가 아닌 경우에는 보다 정확하게 주주의 의사를 확인하여야 할 것이다. 그러므로 위임장은 원칙적으로 원본이어야 한다. 그러나 일반주주의 의결권행사를 사실상 제약하는 정도의 엄격한 증명방법을 정할 수는 없다고 새긴다. 또 회사가 의결권행사서면에 주주의 날인이나 찬반의 의사표시를 기재함이 없이 반송만으로 회사제안에 대한 찬성의 의사표시로 본다고 하면서, 제안주

가결한 결의가 취소된 사례가 있다. 東京地裁 2007.12.6. 森・濱田松本法律事務所 編, 前揭書, 157~160面.

147) 예컨대 미국 뉴욕주 일반회사법 제609조(e).
148) 국가기간산업 등 국민경제상 중요한 산업을 영위하는 법인으로서 대통령령으로 정하는 상장법인(공공적 법인)의 경우에는 그 공공적 법인만이 그 주식의 의결권 대리행사의 권유를 할 수 있다(자본시장과 금융투자업에 관한 법률 제152조 제3항).
149) 우리 상법과 달리 일본 회사법 제125조 제3항은 회사가 주주의 주주명부열람을 거절할 수 있는 사유를 명기하고 있어 제안주주가 위임장권유를 위한 주주명부를 확보하는 단계에서 다툼이 생기기도 한다.

주가 확보한 위임장에는 찬성의 의사표시가 명확하여야 찬성으로 보며 나아가 주식보유 주주가 회사에 제출한 것과 동일한 날인이 있어야 한다는 식의 주식취급규정을 하면 이는 사실상 제안주주에게 불리한 것이어서 제안주주의 위임장 권유를 실질적으로 제한하는 것이 된다.[150] 이와 같이 대리행사방법의 제한이나 대리관계의 확인방법이 제안제도를 무력화하거나 주주의 의결권행사의 기회를 부당하게 제약하는 것이어서는 안 되며, 현저하게 불합리한 제한을 두는 것은 위법이다.[151]

대리인이 의결권을 대리행사 함에 있어서 매 총회 때마다 위임장을 제출하여야 하는지 아니면 포괄적으로 위임장을 제출할 수 있는지에 대하여는 의견이 맞서 있다. 우리나라의 경우 실질적으로 편리하고 필요하다는 이유로 후자를 지지하는 것이 다수설이며 판례이다.[152] 이에 비하여 일본 회사법은 경영진이 백지위임의 수집을 통하여 경영진에 의한 회사지배의 수단으로 대리행사제도를 남용할 수 있다는 이유로 의결권행사의 대리권수여는 총회 때마다 하여야 하며 반드시 서면 또는 전자적 기록으로 하여야 한다고 규정한다(제310조).

내용상, 회사제안과 주주제안이 상반하는 경우, 양쪽의 의안에 모두 찬성하는 의결권행사서면 또는 위임장은 무효로 취급한다. 또 표결방법 등도 주요한 의미가 있으므로 제안이 이루어졌을 때에 제안의 취지를 명확히 해 둘 필요가 있다.[153]

일본 회사법에서는 의결권을 행사할 수 있는 주주수가 1,000인 이상인 회사에서는 대회사가 아니어도 서면투표를 채용하거나 모든 주주에 대한 위임장권유를 실시할 것을 의무화하고 있다(제298조 제2항, 제325조, 제311조).[154] 주주수

---

150) 위임장 양식의 송부는 위임계약의 청약이라 할 것이고 단순한 반송도 승낙으로 볼 수 있지만 위임장 권유가 기존 경영진의 자기 영속화수단으로 악용되는 점은 경계할 필요가 있다. 김정호, 「회사법」 제3판(법문사, 2014), 288면 참조.

151) 판례에 따르면 대리권을 증명하는 서면은 원본이어야 하며 사본이나 팩스는 허용되지 않지만(대법원 2004.4.27. 2003다29616), 주주 또는 대리인이 다른 방법으로 위임장의 진정성 내지 위임의 사실을 인정할 수 있다면 회사는 그 대리권을 부정할 수 없다(대법원 2009.5. 28. 2008다85147).

152) 대법원 1969.7.8. 69다688.

153) 예컨대 5%를 배당한다는 회사제안에 대하여 15%를 배당한다는 주주제안이 회사제안 5%에 더하여 10%추가 배당을 해달라는 취지인지, 5%에 더하여 15%를 추가 배당하여 달라는 취지인지, 정관상 이사 수가 5인인 회사에서 임기만료 된 이사 3인을 새로 선임하는 의안에 대하여 다른 후보 3인을 선임하자는 제안은 회사제안후보와 일괄하여 6인의 후보자 중 득표순으로 3인을 선임하자는 제안인지 제안의 취지를 확인할 필요가 있다.

1,000인 이하인 회사에서도 주총소집시 서면투표채용을 이사회가 결정할 수 있
다(제298조 제1항 3호 및 제4항). 이에 따라 서면투표와 위임장권유의 장단점이
따져지고 있다.[155] 그러나 우리의 경우 서면투표는 정관의 상대적 기재사항이며,
위임장 권유에 대하여는 자본시장과 금융투자업에 관한 법률에서 상장주권의 의
결권대리행사의 권유에 대하여 규제하는바, 위임장 용지는 주주총회의 목적사항
각 항목에 대하여 의결권을 권유받은 자가 찬반을 명기할 수 있도록 하여야 한
다(제152조 제4항).[156] 만일 회사제안에 반대하는 제안을 한 주주가 위임장 권유
를 하면서 자신의 의안에 대한 찬반만을 묻고 회사의안에 대한 찬반을 묻지 아
니한 경우에 위임장을 권유받은 주주가 주주제안에 찬성한다는 취지의 기재를
한 위임장은 회사제안에 대하여 반대한다는 취지의 의결권의 대리행사는 불허하
는 것인지 의문이다. 위임장 용지에 찬반의 의사를 명기하도록 한 위임장권유규
제의 취지는 위임장권유자가 백지위임을 받아 총회를 부당하게 지배하는 것을
막기 위하여 총회에 출석하지 아니하는 주주의 의사를 정확히 반영하라는 것이
다. 그렇다면 위임장에 회사제안에 대한 찬반의 의사를 따로 기재하지 않도록
하였다고 하여도 주주제안과 양립할 수 없는 회사제안에 대하여는 반대의 의사
를 표명한 것으로 다루어도 될 것이다. 한편 제안을 행한 주주의 위임장권유에
응한 주주에게 회사가 그 위임을 철회하도록 권유할 수 있는지 의문이다. 가능
하다는 설과 이와 같은 권유는 의결권대리행사의 권유라는 문언에 해당하지 아
니하여 불가능하다 유력설이 있다. 이와 같은 권유는 주주제안에 대한 반대의
위임의 권유라고 보아 실무상 가능하다고 새긴다.[157]

---

154) 서면투표 이용률이 2007년 기준 96%를 상회하여 위임장권유제도 이용률을 크게 상회하고
있다고 한다. 회사 측에서는 서면투표제도를 이용하고, 제안주주 측에서는 위임장권유제도
를 이용하게 되는데 이와 같은 상황은 제안주주가 지지표를 확보하는데 있어서 불리하다.
더구나 회사가 총회소집통지를 하기 까지 제안주주가 알수 없는 경우가 많고 소집통지를
받은 후 위임장용지를 작성하여 송부함으로써 위임장권유를 개시하여야 하기 때문에 실질
적으로 지지표를 확보하기 위한 시간적 여유가 없게 된다. 그 결과 제안주주가 위임장권유
를 통하여 지지표를 획득하는 것은 실질적으로 불가능하다고 평가된다. 더구나 일본에서는
회사가 위임장권유를 하는 대신 제안주주에게 위임한 주주에게 위임을 철회하도록 권유하
는 서면을 발송하는 경우가 있으며 이는 위임장권유에 대한 규제를 받지 않는데, 회사 측
의 권고에 응하여 위임을 철회한 경우는 대리권수여가 없는 것으로 취급한다. 松山遙, 前
揭書, 109~113面.
155) 주주 전원에 대한 서면투표와 위임장권유의 병용도 가능하다고 새기는 三浦亮太 外, 前揭
書, 25~29面, 130面.
156) 동일한 총회에서 다룰 결의사항의 일부에 대하여만 위임장권유를 하는 것이 허용된다. 같
은 취지: 모리테크스총회결의취소청구사건에 대한 東京地裁 2008.12.6.

총회 당일 주주가 제안한 의안에 대하여 다른 주주가 질문한 경우 이사가 설명할 의무는 없지만 평균적 주주가 의안을 판단하는데 합리적으로 필요한 회사정보는 설명하여야 할 것이다. 그러나 제안주주는 다른 주주의 질문에 답변할 의무는 없다. 상황에 따라 의장이 적절한 의사진행권을 행사하면 된다.

참고로 위와 같은 논의는 상장회사의 경우를 전제로 한 것이다.

Ⅶ. 주주의 의결권

1. 의결권의 행사 김 재 범*

가. 의 결 권

1) 의 의

의결권이란 주주가 주주총회에 출석하여 의안에 관한 결의에 참여할 수 있는 권리를 말한다.[1] 의결권이 행사되어 주주총회의 결의가 성립된 후에 회사는 결의의 내용에 따르는 업무를 집행할 수 있게 되므로 의결권은 회사가 업무를 수행하기 위하여 중요한 기능을 하게 된다. 한편 주주는 의결권을 행사함으로써 자신 의사를 결의에 반영하여 경영에 영향을 줄 수 있고, 투자자로서 갖는 경제적 이익을 확보할 수 있다. 통상의 업무집행에 관한 의사결정은 업무집행기관의 결정에 의하지만, 주요한 정책 등의 결정은 주주의 의결권행사로부터 확인되는 다수의 의사에 의한다. 이렇게 회사의 주요한 결정은 주주의 의결권행사를 통하여 이루어지므로 의결권은 주주가 회사경영에 영향력을 행사할 수 있는 주된 수단이 된다.[2]

의결권은 주식을 통하여 주주에게만 부여되므로 주주가 아닌 자에게 의결권

---

157) 福岡眞之介・山田愼吾 編, 前揭書, 122面.

* 경북대학교 법학전문대학원 교수

1) 정동윤, 「상법(상)」 제6판(법문사, 2012), 550면; 정찬형, 「상법강의(상)」 제24판(박영사, 2021), 895면; Heider, Münchener Kommentar zum Aktiengesetz, 5. Auflage, 2019, §12 Rn.6.

2) 권기범, 「현대회사법론」 제8판(삼영사, 2021), 728면; 이철송, 「회사법강의」 제29판(박영사, 2021), 533면.

이 귀속될 수 없다. 또한 의결권은 주주권의 본질적 요소이므로[3] 거래의 대상이 되기 위하여는 주주권과 분리될 수 없고, 주식과 함께 하여야 한다. 의결권이 주주권의 본질적 요소라고 하더라도 이는 통상의 주식에 해당하며, 의결권이 배제되거나 제한되는 주식(제344조의3)이 인정되는데, 이 주식은 의결권을 제외하고 주식이 갖는 나머지 권능을 갖는다.

2) 성 질

의결권은 회사의 관리·운영에 참여할 수 있는 권리로서 공익권으로 분류되며, 공익권 중에서 가장 중요한 권리로 이해된다. 주주는 의결권행사를 통하여 자신에게 경제적 이익이 될 수 있도록 회사의 정책 결정에 참여함과 동시에 경영자의 선·해임결의에 참여함으로써 경영자의 업무집행을 감시·감독할 수 있다. 이렇게 이용되는 의결권은 재산권적·비개성적인 성질을 가지며, 인격권이나 일신전속적인 성질을 가지지 아니하므로 타인에게 의결권의 대리권을 부여해 의결권을 행사시키는 것이 인정되지만, 주식에서 분리된 의결권만의 양도 또는 입질은 불가능하고 주식과 함께 하여야 한다. 또한 주주는 의결권을 포기할 수 없으며,[4] 법률에 의하지 않고는 주주로부터 의결권을 박탈할 수 없다.

3) 의결권의 보장

주주는 의결권을 행사함으로써 경영에 자신의 의사를 반영하여 투자에 대한 이익확보를 꾀할 수 있으므로 상법은 의결권의 행사를 보장하기 위한 여러 제도를 두고 있다.

첫째, 의결권부여의 기준으로서 1주 1의결권원칙을 규정함으로써 보유주식수에 따른 의결권의 행사를 보장한다. 둘째, 의결권행사의 기회를 보장하고, 결의의 성립을 도모할 수 있도록 의안을 사전에 알리거나 소집하는 제도를 규정하고 있다. 예컨대 주주총회 소집통지·공고(제363조), 주주제안(제363조의2), 총회의 소집(제365조) 및 소수주주에 의한 소집청구(제366조) 등이 그러하다. 셋째, 주주총회에서 의결권이 행사가 실효적으로 이루어지도록 의결권의 대리행사(제368조

---

3) 권기범, 상게서(주 2), 729면.
4) 대법원 1999.7.23. 99다14808: 주주권은 주식양도, 주식의 소각 또는 주금 체납에 의한 실권절차 등 법정사유에 의하여서만 상실되고, 단순히 당사자 간의 특약이나 주식 포기의 의사표시만으로는 주식이 소멸되거나 주주의 지위가 상실되지 아니한다.

제2항), 의장의 질서유지권(제366조의2), 서면투표(제366조의3) 및 전자투표(제366조의4) 등이 규정되어 있다. 넷째, 하자 있는 주주총회결의를 시정하는 제도를 규정함으로써 사후적으로 의결권행사의 실효성을 보장하고 있다. 예컨대 주주총회결의취소의 소(제376조), 결의무효확인의 소(제380조), 결의부존재확인의 소(제380조) 및 부당결의취소·변경의 소(제381조)가 그러하다.

4) 의결권의 수(1주 1의결권의 원칙)

상법은 "의결권은 1주마다 1개로 한다."라고 규정(제169조)함으로써 1주식 1의결권의 원칙을 밝히고 있다. 이 규정은 주식을 기준으로 의결권이 인정되며, 1주식에 대하여 인정되는 의결권수가 1개임을 정하고 있다. 첫째, 의결권은 주식을 기준으로 인정되므로 주식을 소유하는 주주에게만 의결권이 인정된다. 둘째, 1주식 당 1개의 의결권이 부여되므로 1주식에 대하여 2개 이상의 의결권을 인정하는 복수의결권제도[5]는 인정되지 않는다. 따라서 1주식에 대하여 복수의 의결권을 부여하는 정관규정 또는 이를 정하는 이사회·주주총회결의에 기초한 의결권의 행사는 무효이다. 또한 일정한 최고금액까지만 의결권을 인정하는 최고의결권제도나 금액 또는 소유주식수의 단계별로 의결권을 인정하는 차등의결권제도[6]는 인정되지 않는다. 또한 주식 수에 따라서 의결권의 수가 부여되므로 주주는 소유주식 수만큼 의결권을 가지고, 이는 사원마다 1개의 의결권만을 가지는 합명회사, 합자회사 또는 유한책임회사의 경우와 다르다.

---

5) 복수의결권주식제도의 도입에 관한 논의가 활발하다. 이를 통하여 적대적 M&A에 대응하고 자금조달도 용이하게 하자는 취지이다. 입법례로서 이를 허용하지 않는 독일에서는 구주식법이 이를 허용하는 규정을 갖고 있었지만 폐기하였다. 구주식법 제12조 제2항: 복수의결권은 허용되지 않는다. 중요한 국가경제적인 이익을 지키기 위하여 필요한 경우에는 회사가 소재하는 주의 최고경제부처가 그 예외를 인정할 수 있다. 반면에 미국에서는 1주 1의결권이 원칙이시만, 정관으로 복수의결권주식을 도입하는 것이 허용된다. MBCA 2016 § 7.21(a). 복수의결권제도는 영국, 중국 및 홍콩 등에서 허용되고 있고, 최근 우리나라에서는 벤처기업에 대하여 복수의결권주식의 도입이 정부 입법안(벤처기업육성에 관한 특별조치법 개정안 제16조의8 등, 2020.12.23.) 및 의원 입법안으로 제안되어 있다(2022. 1. 10. 현재).

6) 일정한 최고금액까지 의결권을 인정하는 최고의결권제도(Höchststimmrechte)나 주식 수의 단계별로 의결권수에 차이를 두는 차등의결권제도, 예컨대 1,000주부터는 10주에 의결권 1개, 2,000주부터는 20주에 의결권 1개로 하는 제도는 독일에서는 비상장회사에 정관으로 도입할 수 있다(주식법 §134 ①). 구주식법은 이 의결권제도를 규정하면서 비상장회사에 대한 제한을 두지 않았으나, 1998년 "기업부문 감독과 투명성에 관한 법률(KonTraG)" 제1조 20호에 의하여 이러한 제한이 부가되었다.

1주 1의결권의 원칙을 규정한 위 조항은 몇몇 예외적인 경우, 예컨대 의결권 없는 주식 및 의결권이 제한되는 경우를 제외하고 엄격하게 규율되는 강행법규로 이해된다. 따라서 상법이나 특별법에 의하여 인정되는 예외를 제외하고 정관이나 이사회·주주총회의 결의에 의하여 의결권을 배제하거나 제한하는 것은 위법으로서 무효이다.[7]

나. 의결권의 행사

1) 의 의

회사의 주요정책이 결정되거나 회사의 주요기관 구성원인 이사 또는 감사가 선임되기 위하여는 주주총회에서 의결권이 행사되어 그에 관한 결의가 성립되어야 한다. 결의의 성립을 위하여 주주의 의결권행사가 필요하므로 주주의 의결권은 법령에 의하여 그 귀속 및 행사가 보장되고 있다. 주주는 자신의 선택에 따라서 의결권을 행사할 것인지 여부 또는 의안에 찬성할 것인지 여부를 결정할 수 있고, 회사는 주주의 의결권 행사를 법령이나 정관의 근거 없이 함부로 제한할 수 없다. 주주가 스스로의 판단으로 의결권을 행사할 수 있다고 하더라도 모든 의결권의 행사가 유효한 것은 아니다. 의결권의 행사가 법령 또는 정관에 반하는 경우 그로부터 성립한 결의는 결의하자의 원인을 갖는다. 또한 주주는 자신의 이익과 회사이익이 상반되는 경우 반드시 회사의 이익을 위하여 의결권을 행사하여야 하는 것은 아니지만, 의결권의 행사가 주주의 고유권을 침해하는 등 소수파주주를 해하거나,[8] 다수결의 남용으로 인정되는 경우[9] 성립한 결의의 효력은 다투어질 수 있다.

한편 주주는 주주총회에 참석하여 의결권을 직접 행사할 수 있지만, 직접 행

---

7) 정동윤, 「회사법」 제7판(법문사, 2005), 332면; 정찬형, 전게서(주 1), 896면.
8) 정동윤, 전게서(주 7), 358면; 강희갑, 「회사법강의」(책과 사람들, 2004), 449면.
9) 이철송, 전게서(주 2), 624면: 다수결의 남용이란 대주주가 자기 또는 제3자의 개인적인 이익을 추구하여 객관적으로 불공정한 내용의 결의를 다수결의 힘으로 성립시키는 것을 의미한다; 권기범, 전게서(주 2), 755면. 다수결의 남용은 의결권행사의 결과로부터 인정되므로 의결권 행사의 문제로 파악된다. 법원도 다수결 남용의 관념을 인정하고 있다. 서울중앙지방법원 2008.9.24. 2008가합49481: "...주주총회 결의는 다수결의 원리에 의하기 때문에 그 남용에 의한 폐해가 생기기 쉬우며, 또한 근래에 이르러 주주총회의 권한이 이사회에 집중되고 기업의 소유와 경영이 분리되는 추세에 있어 이사의 자의적인 업무집행으로 인한 폐해가 생길 수 있으므로, 주주평등의 원칙은 다수결의 남용에 대하여 소수자를 보호함과 아울러 경영자의 전횡으로부터 일반주주를 보호하는 데도 그 목적이 있다..."

사하지 않고 간접적으로 의결권을 행사할 수 있다. 의결권의 간접행사제도로서 상법은 의결권의 대리행사제도(제368조 제2항)를 인정하는데, 이를 통하여 직접 주주총회에 참석하지 않고도 의결권을 행사할 수 있다. 또한 '자본시장과 금융투자업에 관한 법률(이하 '자시법'이라 함)'은 의결권의 대리행사에 관한 권유제도(자시법 제152조 이하)와 한국예탁결제원의 의결권행사제도(자시법 제314조)를 규정하고 있다. 위임장권유제도는 결의에 필요한 정족수를 확보하기 위하여 위임장이 필요한 경영자 또는 주주 등에게 위임장을 효과적으로 확보하게 해 주며, 한국예탁결제원의 의결권행사제도는 주주총회에 직접 참여하지 않는 주주가 많아지고 있는 현실에서 회사가 결의의 정족수를 손쉽게 확보할 수 있게 해 준다.

의결권은 주주의 중요한 권리이지만, 상법이나 특별법에 의하여 그 부여 또는 행사가 제한될 수 있다. 상법상으로는 의결권이 배제되는 주식이나 특정의안에 대하여 의결권을 행사할 수 없는 주식(제344조의3)이 인정되며, 발행회사가 소유하는 자기주식(제369조 제2항), 상호보유주식(제369조 제3항), 특별이해관계인의 주식(제368조 제3항) 및 감사선임 시 대주주의 주식(제409조 제2항, 제542조의12 제3항) 등은 의결권의 행사가 제한된다.

주주의 의결권행사절차는 회사의 중요한 내부절차로서 상법 및 개별회사가 정한 절차가 준수되어야 한다.[10] 회사가 법령에 따르는 절차를 지키지 않고 주주총회를 소집하거나 운영하는 경우 총회에서 성립한 결의는 사후에 주주총회결의하자를 다투는 소송제도에 의하여 그 효력이 부정될 수 있다(제376조 이하). 그러나 의결권행사의 결과가 회사 또는 다른 주주의 이익을 침해하는 경우 성립된 결의의 효력이 문제될 수 있고, 이는 결의하자를 다투는 소송제도에 의하여 시정될 수 있다.

2) 이결권행사의 방법

가) 기명주식의 의결권행사

기명주식은 주주명부에 명의개서되어 있는 주주가 주권의 제시 없이 의결권을 행사할 수 있다. 회사는 주주총회에서 의결권을 행사할 주주를 확정하기 위

---

10) 상법은 의결권행사절차로서 주주총회의 소집 및 운영에 관한 규정(제361조 이하)을 두고 있고, 개별회사로서는 정관 및 주주총회운영규정 등의 내부규정을 통하여 이 절차를 구체적으로 규율한다.

하여 주주명부폐쇄 또는 기준일제도를 이용할 수 있고(제354조), 의결권을 행사
할 수 있는 주주는 주주명부폐쇄의 경우는 폐쇄기간 전일, 기준일제도는 기준일
에 주주명부에 등재되어 있는 주주이다. 주주명부폐쇄기간 또는 기준일을 설정
하지 않은 경우에는 주주총회 개최 전에 주주명부에 등재되어 있는 주주를 의결
권자로 보아야 한다.11)

회사는 회의장에 참석하는 자가 주주 본인인지 그리고 대리인이 선임된 경우
그 대리권의 진정성 여부를 확인할 의무가 있다. 주주가 법인인 경우에는 그 대
표자 또는 그 대리인의 자격을 확인하여야 한다.

나) 의결권의 대리행사

주주는 직접 주주총회에 출석하여 의결권을 행사할 수 있지만, 본인이 직접
출석할 수 없는 경우에는 대리인을 통하여 의결권을 행사할 수 있다. 제368조
제2항은 대리인에 의한 의결권의 행사와 대리권의 증명에 관하여 규정하는데,
누가 대리인이 될 수 있는지, 대리권수여의 방법 등 여러 문제들은 해석에 의하
여 해결되어야 한다.

(1) 대리인의 자격

대리인의 자격에 대한 법률상의 제한이 없으므로 주주는 무능력자도 대리인
으로 선택하여 대리권을 부여할 수 있고(민법 제117조), 법인도 대리인이 될 수
있다. 주식을 발행한 회사가 대리인이 될 수 있는지 여부에 관하여 자기주식에
대한 의결권이 제한됨을 이유로 발행회사는 대리인이 될 수 없다는 견해와 긍정
하는 견해가 대립한다.12) 생각건대 누구를 대리인으로 선임할지 여부는 주주의
선택에 달려있고, 회사가 의결권 대리행사를 어떻게 할 것인지 여부도 주주의
지시를 받는 등 의결권의 행사는 주주의 관리하에 있다는 점에서 그렇지 않은
자기주식의 경우와는 다르므로 발행회사도 대리인이 될 수 있다고 본다.

그런데 정관으로 대리인의 자격을 주주로 제한할 수 있는지 여부가 문제된
다. 이 문제는 임의대리의 경우에 대리인의 자격을 해당회사의 주주로 한정하는
정관규정의 효력으로 논의되는데, 해당 정관규정은 주주의 의결권행사를 어렵게

---

11) 임홍근, 「회사법」 개정판(법문사, 2000), 375면.
12) 발행회사는 대리인이 될 수 없다는 부정하는 견해: 이철송, 전게서(주 2), 545면. 긍정하는
　　견해: 권기범, 전게서(주 2), 745면; 안성포, "상법상 의결권대리행사의 문제점에 관한 소
　　고," 「주주 의결권의 법리」(한국기업법학회, 2015), 314면.

만들기 때문에 무효라는 견해(무효설)[13]와 원칙적으로 유효하나 제한적으로 주주가 아닌 자가 대리인으로 선임되는 경우를 허용하여야 한다는 견해(제한적 유효설),[14] 및 주주총회가 주주 아닌 자에 의하여 교란되는 것을 방지하기 위하여 그러한 정관규정은 유효라는 견해(유효설)[15]가 있다. 판례는 합리적인 이유가 있는 경우 상당하다고 인정되는 정도의 대리인 자격에 대한 제한은 금지되지 않는다고 보지만, 주주인 국가, 지방공공단체 또는 주식회사 등이 그 소속의 공무원, 직원 또는 피용자 등에게 의결권을 대리행사시키는 경우처럼 주주총회가 교란될 염려가 없을 때에는 비주주도 대리인이 될 수 있고 이 경우 정관에 위반되는 것으로 볼 수 없다고 보아 제한적 유효설의 태도를 취하고 있다.[16]

---

13) 무효설에서는 대리인에게 주주의 자격을 요구하면 그 선임에 어려움이 발생하고, 상장회사의 주주들은 서로 지면이 없어서 주주가 의결권행사를 포기하거나 회사에 백지위임할 수밖에 없게 되어 주주의 의결권행사에 커다란 제약을 초래한다고 한다. 이철송, 전게서(주 2), 546면; 채이식, 「상법(상)」(박영사, 1997), 521면; 김정호, 「회사법」 제7판(법문사, 2021), 324면; 장덕조, 「회사법」 제2판(법문사, 2015), 242면; 장덕조, 「상법강의」 제4판(법문사, 2021), 452면. 무효설에서는 상장회사 주주의 현실을 그 근거로 들고 있으나, 실제로 상장회사들은 대리인 자격에 주주자격을 요구하는 정관을 두지 않으며, 주식이 널리 분산된 회사에서 그러한 제한은 의미가 없다고 한다. 김교창, 「주주총회의 운영」 제3판(육법사, 2010), 122면. 주식양도에 회사의 동의가 요구되는 경우 예외적으로 정관에 의한 자격제한이 허용된다는 견해로 Zöllner, Kölner Kommentar zum Aktiengesetz, 1985, §134 Rn.76.

14) 위 정관규정이 제한적으로 유효하다고 보는 견해에서는 법인주주의 직원 또는 종업원, 개인주주의 아들 경우 또는 주주인 국가, 지방공공단체의 소속 공무원 등은 주주총회를 교란시킬 염려가 없으므로 의결권을 대리행사시킬 수 있다고 보거나(정동윤, 전게서(주 1), 556면; 최준선, 「회사법」 제16판(삼영사, 2021), 376면; 홍복기·박세화, 「회사법강의」 제8판(법문사, 2021), 360면), 정관으로 부당하게 대리인의 의결권행사를 제한할 수 없다거나(손주찬, 「상법(상)」 제15보정판(박영사, 2004), 721면), 회사직원 또는 주주의 가족에 의한 대리행사는 주주의 분신인 대행자이므로 합리적 근거가 있는 한 비주주의 의결권행사가 인정되어야 한다거나(최기원, 「신회사법론」 제14대정판(박영사, 2012), 476~477면), 정관에 의한 대리인자격제한이 법규에 위배되거나 주주가 2인뿐인 회사처럼 상당한 한도 이상으로 제한하는 것은 무효라고 본다(권기범, 전게서(주 2), 746면). 이외에도 법정대리인이나 법인의 대리기관이 의결권을 행사하는 경우 주주 본인의 출석과 동일하므로 위 정관규정의 적용이 없고, 상업사용인이 영업주를 대리하는 경우와 부모를 대신하여 자(子)가 총회에 줄석하는 경우도 이에 준하는 것으로 서술하는 견해로 임홍근, 전게서(주 11), 377면.

15) 강희갑, 전게서(주 8), 457면; 정찬형, 전게서(주 1), 904면; 김건식·노혁준·천경훈, 「회사법」 제5판(박영사, 2021), 316면.

16) 대법원 2009.4.23. 2005다22701, 22718: 상법 제368조 제3항의 규정은 주주의 대리인의 자격을 제한할 만한 합리적인 이유가 있는 경우 정관의 규정에 의하여 상당하다고 인정되는 정도의 제한을 가하는 것까지 금지하는 취지는 아니라고 해석되는바, 대리인의 자격을 주주로 한정하는 취지의 주식회사의 정관 규정은 주주총회가 주주 이외의 제3자에 의하여 교란되는 것을 방지하여 회사 이익을 보호하는 취지에서 마련된 것으로서 합리적인 이유에 의한 상당한 정도의 제한이라고 볼 수 있으므로 이를 무효라고 볼 수는 없다. 그런데 위와 같은 정관규정이 있다 하더라도 주주인 국가, 지방공공단체 또는 주식회사 등이 그 소속의

정관으로 대리인자격을 주주로 한정하는 문제는 비주주에 의하여 주주총회의
운영이 교란될 수 있다는 점이 근거이므로 이러한 염려가 없는 경우까지 제한을
하는 것은 다수결에 의한 정관자치의 한계를 넘는 것으로 보인다. 주식양도가
제한되는 회사에서 반대파주주 외에는 대리인을 선임할 수 없는 소유구조라면
이러한 정관규정은 총회에 출석할 수 없는 주주의 의결권행사를 부당하게 제한
하는 것이므로 유효하다고 볼 수 없다. 또한 서면투표 또는 전자투표 등 주주가
의결권을 행사할 수 있는 다른 방법을 제공하는 회사의 경우 그러한 정관규정은
주주의 의결권행사를 제한하는 것으로 볼 수 없으므로 무효라고 해석할 수 없
다. 요컨대 정관으로 대리인의 자격을 제한하는 것은 허용되지만, 주주총회에
관련된 주주권의 보호라는 관점에서 그 정관규정은 엄격히 해석되어야 한다.

대리인의 자격을 정하는 정관규정은 법정대리 또는 회사대표의 경우에는 법
률이 이들에게 대리권을 부여하였으므로 적용되지 않는다.

한편 대리인의 자격에 관한 정관의 제한이 없더라도 회사는 경우에 따라서
대리인의 총회 참석을 거절할 수 있는데, 대리인의 참석으로 주주총회의 개최가
부당하게 저해되거나 혹은 회사의 이익이 부당하게 침해될 염려가 있는 등의 특
별한 사정이 있는 경우 그러하다.[17)

공무원, 직원 또는 피용자 등에게 의결권을 대리행사하도록 하는 때에는 특별한 사정이 없
는 한 그들의 의결권 행사에는 주주 내부의 의사결정에 따른 대표자의 의사가 그대로 반영
된다고 할 수 있고 이에 따라 주주총회가 교란되어 회사 이익이 침해되는 위험은 없는 반
면에, 이들의 대리권 행사를 거부하게 되면 사실상 국가, 지방공공단체 또는 주식회사 등의
의결권 행사의 기회를 박탈하는 것과 같은 부당한 결과를 초래할 수 있으므로, 주주인 국
가, 지방공공단체 또는 주식회사 소속의 공무원, 직원 또는 피용자 등이 그 주주를 위한 대
리인으로서 의결권을 대리행사하는 것은 허용되어야 하고 이를 가리켜 정관 규정에 위반한
무효의 의결권 대리행사라고 할 수는 없다. 일본판례도 동일한 태도를 취한다. 일본 최고재
판소판결 1976.12.24 민집30권 11호 1076.

17) 대법원 2001.9.7. 2001도2917: "...자신이 직접 주주총회에 참석하면서도 소유 주식 중 일부
에 관한 의결권의 대리행사를 피고인 등 5인에게 나누어 위임하는 것은 의결권의 행사를
위하여 필요한 정당한 범위 내라기보다는 회사 대주주측에서 참가하는 주주 수보다 회사와
민사소송을 벌이고 있는 소수주주측 참가자 수를 더 많게 함으로써 주주총회에서 자신들의
위세를 과시하여 정상적인 주주총회의 진행을 저해할 의도가 있다고 보일 뿐만 아니라, 결
산 및 감사보고와 배당금에 관한 의결을 목적으로 하는 정기주주총회에 참석한 주주의 대
리인이 회사의 감사보고에 관한 근거서류를 일일이 요구하는 것은 주주의 의결권 대리행사를
위하여 참석한 대리인의 권한 범위 내에 포함된다고 보기도 어려우므로, 위 공소 외 2로서
는 공소 외 4가 선임한 의결권 행사 대리인인 피고인 등이 위 주주총회에 참석하는 것을
적법하게 거절할 수 있었던 것으로 보이고..."; 대법원 2009.4.23. 2005다22701, 22718: 주
주의 자유로운 의결권 행사를 보장하기 위하여 주주가 의결권의 행사를 대리인에게 위임하
는 것이 보장되어야 한다고 하더라도 주주의 의결권 행사를 위한 대리인 선임이 무제한적으

(2) 대리인의 수

다수의 주주가 공동의 대리인을 선임할 수 있음은 당연한데, 반면에 1인의 주주가 수인의 대리인을 선임할 수 있는지 여부에 관하여 상법에는 제한이 없고, 이에 관한 논란이 있다. 수인의 대리인를 선임할 수 없다는 견해[18]와 선임할 수 있다는 견해가 있는데, 후자에는 정관에 달리 정함이 없는 한 허용하는 견해[19]와 회사가 그 중 1인만을 인정하고 나머지 대리인을 거절할 수 있다는 견해[20]가 있다.

대리인의 수에 관한 상법의 규정이 없으므로[21] 주주의 대리인선임권에는 대리인의 수를 자유로 결정할 권리도 포함한다고 볼 수 있지만, 복수의 대리인은 주주총회의 운영의 효율성을 해할 수 있으므로 이에 관한 제한이 가능하다고 본다. 그 제한은 정관으로써 당연히 할 수 있지만, 정관에 근거 없이도 회사가 대리인 수를 1인으로 제한할 수 있다고 본다. 본인의 대리인선임권이 주주총회의 효율적 운영이라는 회사의 이익과 충돌되는 경우 회사의 이익이 우선되어야 한다고 보는데, 그 이유는 복수의 대리인선임에 존재하는 본인의 이익보다 회사의 불이익이 더 크다고 보기 때문이다. 본인이 2인 이상의 대리인을 선임할 이익은 대리인 상호 견제를 통한 대리권의 남용에 대한 견제이지만, 대리권남용은 1차적으로 본인의 선택에 따르는 위험에 불과하고, 이로부터 회사는 복수의 대리인에 대한 발언권부여, 투표절차의 운영 또는 의결권불통일행사금지(제368조의2)에 대한 잠탈문제 등 총회운영에 상당한 지장을 받을 수 있다.

로 허용되는 것은 아니고, 그 의결권의 대리행사로 말미암아 주주총회의 개최가 부당하게 저해되거나 혹은 회사의 이익이 부당하게 침해될 염려가 있는 등의 특별한 사정이 있는 경우에는 회사가 이를 거절할 수 있다.

18) 임홍근, 전게서(주 11), 379면: 실제로 그 필요성이 없고, 총회의 원활한 운영을 방해할 염려가 있다고 한다. 임재연, 「회사법 II」 제7판(박영사, 2020), 82면.

19) 이 견해에서는 대리인의 대리권남용을 방지하거나 공동대표이사제도 및 주식공유제도 등을 근거로 든다. 최기원, 전게서(주 14), 478면. 최준선, 전게서(주 14), 377면: 실제로 증권투자신탁의 수탁회사, 증권예탁결제원 등 실질상 다수인의 주식을 가지고 있는 경우 복수의 대리인을 출석시킬 수 있다.

20) 정동윤, 전게서(주 1), 556면. 정관에 다른 규정이 없는 한 회사가 1인의 대리인으로 제한할 수 있다고 보는 견해(권기범, 전게서(주 2), 747면)도 이 견해에 속하는 것으로 본다.

21) 대리인의 수에 관한 입법례로서 독일주식법은 주주가 수인의 대리인을 선임하는 경우 회사는 그 중 1인 이상을 거절할 수 있다고 규정(독일주식법 제134조 제3항 제2문)하며, 일본회사법은 회사가 대리인의 수를 제한할 수 있음을 규정(일본회사법 제310조 제5항)한다.

(3) 대리권의 수여, 철회 및 재위임

(가) 대리권수여의 방법

대리권을 수여하는 방법에 관하여 아무런 법령상의 제한이 없으므로 주주는 대리권수여의 의사표시에 의하여 대리권을 수여할 수 있다.[22] 그런데 주주총회에서 의결권을 행사하기 위하여는 회사로부터 대리권자임이 확인되어야 하는데, 다수인이 모이는 총회장에서 본인의 대리권수여의사를 확인하는 방법은 총회운영의 효율성을 위하여 일정한 방법이 정해져야 한다. 이에 관하여 상법은 대리권을 증명하는 서면을 총회에 제출하도록 규정한다(제368조 제2항). 대리권을 증명하는 서면(위임장)에 관하여 판례는 원칙적으로 위임장 원본을 요구하며,[23] 위임장의 진정성을 확인하기 위한 관련 서류로서 회사가 주주총회 참석장과 인감증명서를 요구하는 경우에 이들 서류가 아니더라도 다른 방법으로 그 진정성을 확인할 수 있다면 회사는 그 대리권을 부정할 수 없다고 본다.[24]

대리권의 수여를 매번 총회마다 하여야 하는지 장래의 여러 개의 주주총회에 대하여 포괄적으로 수여할 수 있는지 여부에 관하여 논란이 있다. 매 총회마다 대리권을 수여하여야 한다는 견해와 포괄적 위임이 허용된다는 견해가 대립한다. 포괄적 위임을 허용하지 않는 견해에서는 사실상 의결권신탁을 가능하게 하고 극단의 경우 주주 지위와 분리하여 의결권만을 양도할 수 있게 되거나 이사 등에 의하여 회사지배의 수단으로 악용될 우려 그리고 법률관계의 명확성과 원활한 총회의 운영을 지적하며,[25] 허용하는 견해에서는 주주가 장기간 해외에 체

---

22) 대리권 수권행위의 형식으로 서면이 요구된다는 견해로는 권기범, 전게서(주 2), 747면; 김 정호, 전게서(주 13), 322면.

23) 대법원 2004.4.27. 2003다29616: 상법 제368조 제3항의 규정은 대리권의 존부에 관한 법률관계를 명확히 하여 주주총회 결의의 성립을 원활하게 하기 위한 데 그 목적이 있다고 할 것이므로 대리권을 증명하는 서면은 위조나 변조 여부를 쉽게 식별할 수 있는 원본이어야 하고, 특별한 사정이 없는 한 사본은 그 서면에 해당하지 아니하고, 팩스를 통하여 출력된 팩스본 위임장 역시 성질상 원본으로 볼 수 없다.

24) 대법원 2009.4.23. 2005다22701, 22718: 주주의 대리인의 경우에는 위임장을 제출받아 그 위임장에 기재된 주주 본인의 인적 사항이 맞는지, 위임장에 날인된 주주 본인의 인감이 합병 전 국민은행에 제출된 것과 동일한지 여부와 위임장을 가지고 온 자의 신분증과 위임장에 기재된 대리인의 인적 사항의 대조하는 등의 방법으로 그 사람의 동일성을 확인하는 절차를 거치면 된다는 이유로, 일부 주주 본인들이 참석장을 소지하고 있지 않거나 일부 주주의 대리인들이 위임장 이외에 주주 본인의 신분증 사본, 인감증명서 등을 제출하지 아니하였다는 사정만으로는 이들의 의결권 행사가 무효라고 볼 수 없다

25) 이기수·최병규, 「회사법」 제11판(박영사, 2019), 435면; 임홍근, 전게서(주 11), 378면; 안성포, 전게논문(주 12), 326면.

재하거나 은행 등에 의하여 관리를 받고 있는 회사의 경우 또는 회사지배권의 분배와 관련하여 포괄적인 대리권을 수여할 필요가 있고, 기간이 특정될 수 있는 한 예컨대 동업자금의 회수 시까지 일정한 기간에 걸쳐 포괄적인 위임을 허용하거나, 합리적인 범위 내에서 포괄위임을 허용한다.[26] 판례도 포괄위임을 받은 자는 위임자나 회사 재산에 불리한 영향을 미칠 사항이더라도 그 위임된 주주권행사를 할 수 있다고 보아 포괄위임의 효력을 인정하고 있다.[27]

　생각건대 기간을 정해 대리권을 줄 것인지 또는 의안에 관하여 포괄위임을 할 것인지 여부는 주주와 대리인 사이의 문제이며, 회사는 대리인 선임의 사실 여부에 이해관계를 가지므로 총회마다 대리권 증명 서면인 위임장에 어떤 제한을 둘 것인지 여부는 회사가 정할 문제이다.[28] 따라서 포괄위임장을 부인하는 견해가 주장하는 회사지배에 악용될 가능성은 주주와 대리인 사이의 대리권수여의 동기에 불과하고 이를 이유로 회사가 대리인의 지위를 부정할 수는 없다. 그렇지만 회사는 위임장의 제출시기를 정할 수 있다고 보는데, 이 문제는 위임장의 진실성과 관련되어 회사가 관여할 사항이기 때문이다. 따라서 회사가 정관 또는 주주총회운영규정에 위임장 제출시기를 규정하고 이를 주주에게 알리지 않는 한, 기간의 정함이 없는 위임장을 소지한 대리인이더라도 이를 회사가 거부할 수는 없다고 본다. 의안에 관한 포괄위임에 관하여 회사가 개입하여 규율할 수 없다. 심지어 특별법으로 의안에 관한 구체적 위임을 강제해도[29] 주주는 백지위임을 할 수 있다.

　한편 동일 주주가 수인에게 위임장을 줌으로써 중복위임이 되고 이로 인하여 수인의 대리인이 선임되는 경우가 있다. 이는 위임장에 대한 경쟁이 심화되는 경우 발생할 수 있는데, 이 경우 주주의 의사를 확인하기 힘들므로 사전에 회사가 이에 대한 조치를 취하여야 하지만, 그렇지 못한 경우라도 대리인이 자기 위

---

26) 강희갑, 전게서(주 8), 459면; 권기범, 전게서(주 2), 748면; 손주찬, 전게서(주 14), 722면; 송옥렬, 「상법강의」 제11판(홍문사, 2021), 939면; 정동윤, 전게서(주 1), 555면; 정찬형, 전게서(주 1), 905면; 최준선, 전게서(주 14), 378면; 김건식·노혁준·천경훈, 전게서(주 15), 321면; 홍복기·박세화, 전게서(주 14), 362면; 임재연, 전게서(주 18), 88면; 김홍기, 「상법강의」 제6판(박영사, 2021), 522면.

27) 대법원 1969.7.8. 69다688.

28) 위임장 수여시기에 관하여 상법규정이 없고, 회사도 관련규정을 갖고 있지 않은 상황에서 주주 또는 대리인에게 매번 총회마다 위임장을 제출할 것을 요구할 수는 없다.

29) 상장회사에서 의결권대리행사의 권유 시 위임장용지에 의안의 각 항목에 대하여 찬반을 명기할 수 있도록 규율된다(자본시장과 금융투자업에 관한 법률 제152조 제4항).

임장의 진정성을 입증하지 못하는 한 회사는 중복위임에 의한 대리를 모두 거절할 수 있다고 본다.[30)]

(나) 대리권의 철회와 재위임

민법상으로 대리권수여의 법률관계는 위임이므로 본인 또는 대리인은 언제든지 이를 해지할 수 있는데(민법 제689조 제1항), 의결권의 대리행사에서는 그 철회의 문제로 논의된다. 이에 관하여 상법에는 아무런 규정이 없는데, 주주는 대리인에 대한 관계에서 대리권을 수여하거나 철회하는 것을 자의로 할 수 있음이 기본법리이다.[31)] 그렇지만 항상 그 철회를 할 수 있다고는 볼 수 없고, 대리권을 발생시킨 선행하는 법률관계가 존속한다든지 대리권이 회사에 대한 관계에서 행사되는 등 일방적으로 철회할 수 없는 특별한 사정이 없는 한 주주는 철회할 수 있다고 한다.[32)] 판례는 일정한 기간을 정해 의결권행사를 위임하였다고 하더라도 본인인 주주는 의결권을 직접 행사할 수 있다고 본다.[33)] 또한 주주는 대리권수여를 철회 또는 해지하고 직접 의결권을 행사할 수 있지만, 총회에서 대리인의 투표행위가 있은 후에는 철회 또는 해지할 수 없다고 본다. 이 경우 만

---

30) 의결권의 일부만이 중복위임된 경우 의결권의 불통일행사의 문제와 관련되어 사전에 회사에 대한 통지가 없다면 의결권을 행사할 수 없다는 문제가 생긴다는 서술로 송옥렬, 전게서(주 26), 941면.

31) 위임장에 철회불가의 특약을 기재하여도 법적 효력이 없다는 견해로 김정호, 전게서(주 13), 323면.

32) 동지: 권기범, 전게서(주 2), 749면. 서울중앙지방법원 2008.4.29. 자 2008카합1070: 경영권양도계약을 체결하면서 의결권의 위임도 이루어졌으나, 양도인이 경영권양도계약의 무효를 주장하면서 재차 의결권위임을 한 사례이다. 법원은 "...의결권 위임은 당해 주식 및 경영권의 양도에 수반하여 이루어진 것이어서 거기에는 주식 및 경영권의 양도가 유효한 한 의결권 위임만을 별도로 철회하지 않는다는 묵시적인 특약이 있었다고 봄이 상당하고, 한편, 피신청인이 제출한 소명자료만으로는 위 주식 및 경영권의 양도와 이에 수반된 의결권 위임이 무효라고 보기는 어려우므로, 결국 ○가 △에 대한 의결권 위임을 일방적으로 철회한 것은 부적법하다고 할 것이다. 따라서 그 뒤에 이중으로 위임을 받은 □이 이 부분 주식에 대하여 의결권을 행사한 것은 권한이 없는 자가 의결권을 대리행사한 것으로서 무효라고 할 것이다..."라고 판시하여 주주의 의사는 앞의 위임을 철회하고 다시 뒤의 위임을 한 것으로 보는 것이 상당하지만, 앞의 위임의 당사자 사이에 의결권 위임을 일방적으로 철회할 수 없는 특별한 사정이 있는 경우에는 앞의 위임만이 유효하다고 보고 있다.

33) 대법원 2002.12.24. 2002다54691: "...주주권은 주식의 양도나 소각 등 법률에 정하여진 사유에 의하여서만 상실되고 단순히 당사자 사이의 특약이나 주주권 포기의 의사표시만으로 상실되지 아니하며 다른 특별한 사정이 없는 한 그 행사가 제한되지도 아니한다... 향후 7년간 주주권 및 경영권을 포기하고 주식의 매매와 양도 등을 하지 아니하며 ...에게 정관에 따라 주주로서의 의결권 행사권한을 위임하기로 약정하였고, 이에 따라 ...의결권을 대리행사할 수 있게 되었지만, 이러한 사정만으로는 원용선이 주주로서의 의결권을 직접 행사할 수 없게 되었다고 볼 수 없다."

일 대리인의 의결권행사 후에 본인이 재차 의결권을 행사한다면 이로 인하여 정
족수 산정에 혼란이 초래될 수 있고, 정상적인 주주총회의 운영이 방해받을 수
있다.

주주의 대리인이 대리권을 재위임할 수 있는지 여부가 문제되는데, 대리의
목적인 법률행위의 성질상 대리인 자신에 의한 처리가 필요하지 아니한 경우[34]
에는 본인이 복대리금지의 의사를 명시하지 아니하는 한, 복대리인의 선임에 관
하여 묵시적인 승낙이 있는 것으로 볼 수 있으므로 대리인은 대리권을 재위임할
수 있다.[35]

(4) 의결권대리행사의 권유제도

의결권대리행사의 권유란 의결권의 대리행사를 권유하는 자가 피권유자에 대
하여 의결권의 행사를 자기 또는 타인에게 대리하게 할 것을 권유하는 행위이
다. 이 제도는 대리인이 될 자인 권유자가 본인에게 대리권의 수여를 의뢰하여
의결권을 확보하는 수단으로 이용됨으로써 주주총회의 정족수를 확보하거나 지
배권의 장악이나 경영권의 방어에 이용되기도 한다. 그런데 의결권대리행사의
권유 과정에서 권유자는 의안에 관하여 정확하고 충분한 정보를 제공하여야 하
고, 권유의 승낙에 따르는 의결권행사가 피권유자의 의사에 부합될 필요가 있으
므로 권유절차의 공정성을 확보하기 위하여 특별법이 규제하고 있다(자시법 제
152조).

위임장 권유행위의 성질에 관하여 회사가 권유하는 경우는 의결권행사를 위
한 대리인을 선임하여 주겠다는 내용을 담고 있으므로 대리인선임에 관한 중개
계약의 청약이고, 회사 이외의 자가 권유하는 경우는 권유자가 자신에게 대리권

---

34) 판례에 의하면 대리의 목적인 법률행위의 성질상 대리인 자신에 의한 처리가 필요한 경우
복대리인을 선임할 수 없지만, 그렇지 아니한 경우에는 복대리인을 선임할 수 있다고 본다.
대법원 1996.1.26. 94다30690: 대리의 목적인 법률행위의 성질상 대리인 자신에 의한 처리
가 필요한 경우 복대리인을 선임할 수 없고, 그렇지 아니한 경우에는 복대리인의 선임에
관하여 묵시적인 승낙이 있는 것으로 볼 수 있다. 오피스텔의 분양업무는 그 성질상 분양
을 위임받은 대리인이 광고를 내거나 그 직원 또는 주변의 부동산중개인을 동원하여 분양
사실을 널리 알리고, 분양사무실을 찾아온 사람들에게 오피스텔의 분양가격, 교통 등 입지
조건, 오피스텔의 용도, 관리방법 등 분양에 필요한 제반 사항을 설명하고 청약을 유인함으
로써 분양계약을 성사시키는 것으로서 대리인의 능력에 따라 본인의 분양사업의 성공 여부
가 결정되는 것이므로, 사무처리의 주체가 별로 중요하지 아니한 경우에 해당한다고 보기
어렵다고 한 사례이다.

35) 대법원 2009.4.23. 2005다22701, 22718; 1996.1.26. 94다30690.

을 수여해 달라는 내용을 담으므로 의결권의 대리행사를 목적으로 하는 위임계약의 청약으로 보는 견해가 일반적이다.[36)]

의결권권유자로 될 수 있는 자에 관하여 공공적 법인의 경우 그 법인만이 권유자가 될 수 있다(자시법 제152조 제3항)는 것 외에 법령상의 제한은 없다. 의결권피권유자의 범위와 관련하여 법령상의 제한이 없으므로 권유자는 주주 전체 또는 일부에 대하여 권유를 할 수 있지만, 일부주주에게 권유하는 경우 상장주권의 발행인(그 특별관계자를 포함)과 그 임원(그 특별관계자를 포함) 외의 자가 10인 미만의 의결권피권유자에게 그 주식의 의결권 대리행사의 권유를 하는 경우에는 의결권 대리행사의 권유로 보지 않는다(자시법 시행령 제161조 제1호).

회사가 권유자로 되는 경우에 일부 주주에게만 하는 권유가 주주평등에 반하는 것인지 여부가 문제된다. 이 경우 권유가 회사비용으로 이루어지고 권유받는 주주만 참고서류에 의한 정보를 취득한다는 점에서 불공평하므로 주주 전원에 대하여 권유를 하여야 한다고 주장된다.[37)]

의결권의 권유는 의결권권유자가 위임장용지와 참고서류를 의결권피권유자에게 교부하여 하는데, 위임장용지에는 주주총회의 목적사항 각 항목에 대하여 의결권피권유자가 찬반(찬반)을 명기할 수 있도록 하여야 한다(자시법 제152조 제4항). 또한 의결권권유자는 위임장 용지 및 참고서류를 의결권피권유자에게 제공하는 날 5일 전까지 이를 금융위원회와 거래소에 제출하여야 하고(자시법 제153조), 위임장 용지 및 참고서류에는 의결권피권유자의 의결권 위임 여부 판단에 중대한 영향을 미칠 수 있는 사항이 기재되어야 하며, 이에 관하여 거짓의 기재 또는 표시를 하거나 의결권 위임 관련 중요사항의 기재 또는 표시를 누락하여서는 아니 된다(자시법 제154조). 이렇게 제출된 위임장용지 및 참고서류는 금융위원회의 사전심사를 받게 되는데, 문서의 형식, 의결권 위임 관련 중요사항에 관하여 거짓의 기재 또는 표시, 그 사항의 누락이 있는 경우 금융위원회는 그 정정제출을 요구할 수 있다(자시법 제156조).

---

36) 강희갑, 전게서(주 8), 460면; 이철송, 전게서(주 2), 554면; 임홍근, 전게서(주 11), 380면; 정동윤, 전게서(주 1), 557면; 정찬형, 전게서(주 1), 906면; 최기원, 전게서(주 14), 480면; 최준선, 전게서(주 14), 379면.

37) 권기범, 전게서(주 2), 751면; 임재연, 전개서(주 18), 93면; 김정수, 「자본시장법론」 제2판 (서울파이낸스앤로그룹, 2014), 1008~1009면.

(5) 대리인의 자의적인 의결권행사

대리인에 의한 의결권행사의 효과가 본인에게 귀속됨은 대리의 법리상 당연하다. 그런데 본인의 지시에 반하여 대리인이 의결권을 행사하는 경우 대리인은 본인과의 위임계약을 불이행한 것이고 그로부터 손해배상책임이 발생한다. 그러나 의결권행사의 결과 성립한 결의는 위 위임계약과는 별개의 법률관계를 구성하여 위임계약의 불이행에 영향을 받지 않으므로 유효한 결의가 된다.

한편 의결권대리행사의 권유에 응하여 주주가 찬반을 명기하여 위임하였는데, 주주의 의사에 반하게 의결권이 행사된 경우 대리인에게는 위임계약에 반한 채무불이행책임이 발생하지만 결의의 효력에는 영향이 없다. 그러나 회사가 권유자인 경우에는 무권대리이론을 적용하여 그 의결권행사가 무효가 되고 주주총회결의의 취소사유가 된다는 견해가 있다.[38] 생각건대 의결권피권유자(주주)는 의결권권유자(회사)에게 위임장을 수여함으로써 기본대리권을 수여하였기 때문에 대리권이 없는 무권대리로 볼 수 없으므로 이 문제에는 권한을 넘은 표현대리의 법리(민법 제126조)를 적용하여야 한다. 즉 의결권피권유자는 위임장을 교부하여 의결권행사를 위한 기본대리권을 수여하였고, 의결권권유자(회사)가 그 권한을 넘어 지시에 반한 의결권행사를 한 경우 그 행위에 대하여 권한이 있다고 믿을 만한 정당한 이유가 제3자(회사)에 존재한다면 본인인 의결권피권유자가 책임을 져야 하지만,[39] 위처럼 회사가 권유하는 경우 주주 의사에 반한 의결권행사는 회사가 안다고 볼 수 있다. 따라서 이 경우에는 의결권피권유자(주주)의 책임이 존재한다고 볼 수 없고, 결국 그 의결권의 행사는 무효로 보아야 한다. 해당 의결권행사는 무효라면 이는 결의방법의 하자 문제로 귀결되어 정족수의 부족분의 크기에 따라서 결의부존재확인 또는 결의취소의 소의 원인으로 된다고 본다.

다) 의결권의 불통일행사

(1) 의 의

주주는 2개 이상의 의결권을 가지고 있을 때 의안의 찬부에 관하여 의결권을 통일하지 않고 행사할 수 있는데(제368조의2 제1항 1문), 이를 의결권의 불통

---

38) 이철송, 전게서(주 2), 555면; 권기범, 전게서(주 2), 727면.
39) 본인인 의결권피권유자가 책임을 져야 한다는 의미는 대리인인 권유자의 의결권행사가 유효하게 성립하여 본인이 의결권행사의 결과, 즉 결의의 효력을 다툴 수 없다는 것이다.

일행사라고 한다. 주주는 주식 수만큼 의결권을 가지므로 복수의 의결권을 행사할 수 있지만, 만일 의결권을 일부 찬성, 일부 반대로 행사한다면 결의를 성립시켜 회사의사를 확정하려는 경영자는 예측할 수 없는 어려움에 처하게 된다. 그렇지만 법인이 소유하는 주식의 의결권행사에 대하여 내부의 의사가 통일되지 않은 경우, 공유주식에 관하여 공유자들의 의견이 불일치하는 경우, 다수의 주주로부터 주식을 신탁받거나 예탁받아 관리하는데 주주의 의사가 불일치하는 경우 등 분열된 의사대로 의결권을 행사할 필요성이 인정되어왔다. 이러한 필요성에 따라서 1984년 상법개정에 의하여 의결권의 불통일행사가 허용되는 경우 및 회사의 거절제도가 도입되었다.

(2) 불통일행사의 허용과 거부

상법은 의결권의 불통일행사를 인정하면서 동시에 회사가 거부할 수 있는 경우를 규정하였다. 따라서 주주는 의결권을 불통일하게 행사할 권리를 갖지만, 그 행사에 아무런 제한을 받지 않는 것이 아니고, 일정한 경우에만 허용된다(제368조의2 제2항). 회사가 불통일행사를 거부할 수 없는 경우로서 주주가 주식의 신탁을 인수하였거나 기타 타인을 위하여 주식을 가지고 있는 경우이다. 주주가 '주식의 신탁을 인수한 경우'란 예컨대 금융기관이 주식을 수탁받아 운용하는 신탁계정을 들 수 있고, 기타 '타인을 위하여 주식을 갖고 있는 경우'는 예컨대 위탁매매업자인 증권회사가 자기명의, 고객의 계산으로 주식을 매입한 경우,[40] 주식신탁, 증권투자신탁, 주권예탁결제, 외국예탁증권발행의 경우, 주식공유와 명의개서 미필의 경우 등을 가리킨다.[41]

위의 경우 이외에는 회사가 주주의 의결권 불통일행사를 거부할 수 있지만, 거부를 할 것인지 여부는 회사의 선택에 달려있다. 의결권 불통일행사의 거부는 불통일행사의 결과를 가져올 수 있는 수인의 대리인 선임에 대하여 그들의 총회장 입장을 거부하는 방법으로도 할 수 있다.[42] 회사가 거부하였음에도 이에 위

---

40) 권기범, 전게서(주 2), 753면.
41) 정동윤, 전게서(주 1), 559면.
42) 대법원 2001.9.7. 2001도2917: 주주가 자신이 가진 복수의 의결권을 불통일행사하기 위하여는 회일의 3일 전에 회사에 대하여 서면으로 그 뜻과 이유를 통지하여야 할 뿐만 아니라, 회사는 주주가 주식의 신탁을 인수하였거나 기타 타인을 위하여 주식을 가지고 있는 경우 외에는 주주의 의결권 불통일행사를 거부할 수 있는 것이므로, 주주가 위와 같은 요건을 갖추지 못한 채 의결권 불통일행사를 위하여 수인의 대리인을 선임하고자 하는 경우에는 회사는 역시 이를 거절할 수 있다.

반하여 의결권 불통일행사가 있는 경우 그 행사는 무효로 되어 결의의 효력에 영향을 줄 수 있다.

(3) 불통일행사의 절차

주주는 의결권의 불통일행사를 하기 위하여 주주총회일의 3일 전에 회사에 대하여 서면 또는 전자문서로 그 뜻과 이유를 통지하여야 한다(제368조의2 제1항). 불통일행사에 관한 서면 등에는 불통일행사의 뜻과 이유, 즉 찬성·반대·기권의 의결권 수를 명기하고 그 이유를 기재하여야 한다. 불통일의 뜻과 이유는 각 의안별로 또는 전체 의안에 대하여 표기되어야 한다.[43]

의결권불통일행사에 관한 주주의 통지는 총회일의 3일 전에 하여야 하는데, 3일 전에 도달하지 못한 통지에 대하여 회사는 불통일행사를 거부할 수 있지만, 회사의 재량으로 3일 전에 도달하지 못한 통지를 수령하고 불통일행사를 허용할 수도 있다.[44]

1회의 통지로써 수개의 총회에서 의결권의 불통일행사가 가능한지 여부에 관하여 긍정하는 견해[45]와 부정하는 견해[46]가 있다. 상법이 규정한 불통일행사의 통지에는 그 뜻과 이유를 기재하여야 하는데, 여기에서 '뜻'이란 불통일행사를 한다는 것을 의미하고, '이유'란 불통일행사 사유에 해당한다는 서술이므로 통지에 관한 상법의 규제는 총회에서 의결권을 불통일적으로 행사하겠다는 의사에 국한된다. 따라서 개별총회 시마다 통지를 해야 한다고 풀이할 수 없다. 다만 회사가 매 총회마다 불통일행사의 통지를 하도록 제한하는 것은 허용된다고 본다. 불통일행사를 하는 주주의 찬반주식 수가 매 총회마다 동일하지 않고 변경이 있을

---

43) 권기범, 전게서(주 2), 754면.
44) 대법원 2009.4.23. 2005다22701, 22718: "...여기서 3일의 기간이라 함은 의결권의 불통일행사가 행하여지는 경우에 회사 측에 그 불통일행사를 거부할 것인가를 판단할 수 있는 시간적 여유를 주고, 회사의 총회 사무운영에 지장을 주지 아니하도록 하기 위하여 부여된 기간으로서, 그 불통일행사의 통지는 주주총회 회일의 3일 전에 회사에 도달할 것을 요한다. 다만, 위와 같은 3일의 기간이 부여된 취지에 비추어 보면, 비록 불통일행사의 통지가 주주총회 회일의 3일 전이라는 시한보다 늦게 도착하였다고 하더라도 회사가 스스로 총회운영에 지장이 없다고 판단하여 이를 받아들이기로 하고 이에 따라 의결권의 불통일행사가 이루어진 것이라면, 그것이 주주평등의 원칙을 위반하거나 의결권 행사의 결과를 조작하기 위하여 자의적으로 이루어진 것이라는 등의 특별한 사정이 없는 한, 그와 같은 의결권의 불통일행사를 위법하다고 볼 수는 없다."
45) 정동윤, 전게서(주 1), 558면; 권기범, 전게서(주 2), 754면. 이 견해에 의하면 포괄적인 불통일행사의 통지를 위법으로 볼 수 없다고 한다.
46) 이철송, 전게서(주 2), 543면.

수 있고, 이에 관한 내역은 총회의 운영에 영향을 미칠 수 있으므로 회사가 이를 매 총회 시마다 확인할 수 있도록 불통일행사제도는 운영되어야 한다.

불통일행사의 통지 이후에 주주가 그 이익을 포기하고 의결권을 통일행사를 하는 것은 허용되어[47] 그 행사에 회사의 허락은 요구되지는 않지만, 통일행사할 것을 회사에 통지하여 회사의 총회운영에 지장이 없도록 할 것이 요구된다.

(4) 불통일행사의 효과

회사가 거부하지 아니한 경우 불통일 행사된 의결권수는 그대로 결의의 성립에 산입되며, 상반되게 행사된 의결권이 동수만큼 상계되는 것이 아니다. 만일 회사가 의결권의 불통일행사를 거부하였음에도 불통일행사된 경우 그 의결권행사는 무효로 되며, 이는 결의의 정족수계산에 반영되어 결의하자의 원인으로 된다.

라) 의결권행사에 관한 계약

(1) 의결권(구속)계약

의결권(구속)계약(Voting Agreement)이란 주주가 자신의 의결권을 일정한 방식으로 행사할 것을 약속하는 계약을 말한다. 계약기간 동안 의결권을 행사하지 않겠다는 계약도 허용된다.[48] 주주들은 임원선임이나 주요정책의 결정 등 회사의 경영에 관한 합의를 하고 이를 실현하기 위하여 주주총회에서 의결권의 행사에 관하여 의결권계약을 체결하게 된다. 주주는 의결권을 자신의 이익에 따라서 자유로이 행사할 수 있고, 주주가 개별적으로 할 수 있는 것은 집단적으로도 할 수 있으므로, 이 계약은 일반 사법상의 계약처럼 신의칙이나 강행법규에 반하지 않는 한 계약으로서 유효한 것으로 해석된다.[49]

이 계약은 당사자 사이에서 채권적 효력만을 가지고, 당사자 이외의 범위에서는 효력을 갖지 못하므로 계약당사자는 계약의 효력을 회사 또는 제3자에게 주장할 수 없다.[50] 따라서 계약에 반하여 의결권이 행사되더라도 의결권은 유

---

47) 권기범, 전게서(주 2), 754면.

48) Koch, Hüffer/Koch, Aktiengesetz(15. Auflage, 2021), §133 Rn.25.

49) 권기범, 전게서(주 2), 759면; 정동윤, 전게서(주 1), 562면; 이철송, 전게서(주 2), 556면: 의결권구속계약의 무효를 판단하는 요소로 다른 주주의 권리를 해치거나 내용이 불공정하거나, 사회질서에 반하는 경우를 든다. 그 외에 의결권구속계약의 무효사유로서 독일법에서는 주주의 충실의무 위반, 의결권행사금지의 탈법행위로 이용되는 경우가 거론된다. Heider, a.a.O.(주 1), § 12 Rn.22.

50) 의결권계약이 은밀히 이루어지면 다른 주주의 이익을 침해할 수도 있으므로 이를 공개적으로 하도록 하고, 이에 대한 보호도 회사법 차원에서 이루어져야 한다는 주장으로 윤성승,

효하게 행사된 것이고, 결의의 효력에 영향을 주지 못한다. 이 경우 계약당사자는 주주계약을 위반한 자를 상대로 손해배상책임을 물을 수 있고, 약정에 따른 의결권행사를 구하는 이행의 소를 제기할 수 있으며 이로부터 성립한 판결은 강제집행할 수 있다고 주장된다.[51]

의결권계약은 주주들 사이에서 그리고 주주와 회사 또는 주주와 비주주인 제3자와 체결될 수 있는데, 주주와 회사 또는 제3자 사이의 계약도 유효성이 인정되고 있다.[52] 그런데 의결권계약은 신의칙, 강행법규 또는 주식회사의 기본원리에 반하는 경우 무효로 해석된다. 예컨대 독일법에서는 주주가 회사, 이사회 또는 감사의 지시에 따라 의결권을 행사할 것을 약정하는 계약은 무효이고, 이사회나 감사의 제안에 동의할 것을 약정하는 계약도 무효이다.[53] 이러한 계약은 자본을 투입한 주주의 부담으로 경영진이 자신의 영향력을 유지하는 데 이용되므로 기관구성의 회사법 법리에 부합하지 않는 것이다.[54] 우리 법에서도 동일한 법리에 의하여 회사와 주주, 이사회 또는 감사와 주주의 의결권계약은 무효로 해석되어야 한다.[55] 또한 의결권의 행사에 관하여 반대급부로서 특별한 이익에 관한 약정은 그로 인한 의결권행사 결과 회사에 손해를 초래할 염려가 있다면 무효로 판단해야 한다.[56] 그러나 이사나 감사가 기관 지위의 강화나 유지와는 관계없는 임원선거 의안에 관하여 주주와 맺은 의결권계약은 무효로 볼 수 없다.[57]

의결권행사가 금지된 자와 의결권계약을 맺고 그의 지시대로 의결권이 행사

"의결권신탁과 의결권행사 계약의 비교법적 고찰,"「상사판례연구」제24집 제2권(한국상사판례학회, 2011. 6.), 173~174면. 한편 주주간 의결권계약이 회사에 대하여 효력을 갖지 못하는 한계를 극복하기 위하여 계약의 내용을 종류주식으로 설계하여 정관에 담자는 견해로 곽관훈, "벤처기업에 있어서의 주주간 계약,"「상사법연구」제22권 제1호(한국상사법학회, 2003), 351면.

51) 정동윤, 전게서(주 1), 562면; 진홍기, "주주들간 계약의 내용과 효력에 관한 연구 - 英·미를 중심으로 우리나라와 비교법적 관점에서 -,"「상사법연구」제26권 제4호(한국상사법학회, 2008), 216면.

52) 권기범, 전게서(주 2), 757면.

53) 독일주식법 제136조 2항이 규정하는 내용이다.

54) Koch, a.a.O(Fn. 48), §136 Rn. 25.

55) 동지: 권기범, 전게서(주 2), 760면.

56) Arnold, Münchener Kommentar Aktiengesetz(4. Auflage, 2018) §136 Rn. 68.

57) 독일법에서는 의결권계약이 선량한 풍속, 신의성실 또는 주주의 충실의무에 반하는 경우 무효로 해석되지만, 이러한 해석은 선거의안의 경우에는 적용되지 않는 것으로 본다. Arnold, a.a.O.(Fn. 56), §136 Rn. 68; Koch, a.a.O.(Fn. 48), §133 Rn. 28.

된 경우 의결권행사가 금지된 자에게는 금지를 회피하면서 의결권행사의 효과를 얻는 행위로서 그 의결권계약 및 의결권행사의 효력이 문제 될 수 있다. 예컨대 의안에 대하여 의결권이 배제되는 특별이해관계를 갖는 주주(제368조 제3항)가 다른 주주와 계약을 맺어 자기에게 유리하게 의결권이 행사되도록 하는 행위에서 의결권계약과 의결권행사의 효력이 문제 될 수 있다. 독일법에서는 주식법상으로 의결권행사가 금지된 자[58]가 다른 주주와 의결권계약을 맺고 이에 따라 다른 주주가 의결권을 행사한 경우 이를 무효로 해석하고 있다.[59] 생각건대 의결권행사가 금지된 자가 의결권행사의 결과를 우회적으로 얻으려는 의결권계약은 당연히 위법한 것으로서 그 효력을 부정하여야 한다. 또한 이렇게 맺은 의결권계약에 의하여 의결권이 행사된 경우 그 효력도 부정되어야 한다고 보는데, 그 이유는 위법하여 무효인 계약을 이행하는 의결권행사도 위법성을 가지며, 이는 결국 특별이해관계인이 참여한 의결권행사와 동일하게 보아야 하기 때문이다.[60]

(2) 의결권의 포괄위임

의결권의 포괄위임이란 주주가 의결권의 행사를 위임하면서 특정 주주총회 또는 의안에 한정하거나 의결권의 행사 방향을 지시하지 않는 형태의 의결권 위임을 말한다. 이 경우 수임인은 위임인인 주주의 지시를 받지 않고 자신의 이익을 위하여 의결권을 행사할 수 있다. 이 약정은 실무상으로 부동산프로젝트금융거래, 경영권의 양도 및 주주간 의결권계약 등에서 볼 수 있다.[61] 부동산프로젝트의 경우 시행사(질권설정자)는 그 주식에 질권 기타 담보권을 설정하여 자금을 조달하고, 대주(질권자)는 자금을 빌려주면서 위 주식에 대하여 담보권과 함께

---

58) 주식법 §136 I : 주주를 면책시키는 결의, 그의 채무를 면제하는 결의 또는 그에게 청구권을 행사시킬 것인지 여부에 관한 결의 시에 그 주주는 자기 또는 타인을 위하여 의결권을 행사할 수 없다.

59) 그 이유는 금지된 행위에 반하는 법률행위를 무효로 보는 규정(독일 민법 §134)에 근거하기 때문이다. Koch, a.a.O.(Fn. 48), §133 Rn. 28.

60) 계열회사의 지분소유가 많은 대기업에서 대주주가 특별이해관계인으로서 회사와 거래하고 이를 주주총회에서는 승인하는 경우 비록 대주주가 특별이해관계인으로서 의결권을 행사하지 않더라도 계열회사들이 대주주와의 합의에 따라서 의결권을 행사한다면 대주주의 의사는 쉽게 관철될 수 있다. 이러한 경우 계열회사의 의결권행사를 제한하는 법리로서 의결권계약의 법리를 적용할 수 있다고 본다.

61) 김연미, "의결권 포괄위임의 효력 – 대법원 2014.1.23. 선고 2013다56839 판결과 관련하여,"「기업법연구」제28권 제4호(한국기업법학회, 2014. 12.), 14면 이하.

의결권을 포괄적으로 위임받아 시행사의 주주총회에서 주요결정에 관여한다. 또한 경영권양도와 관련하여 경영권이 부착된 주식의 양도시점 이전에 주주총회에서 양수인이 의결권을 행사하여 회사운영에 관여할 수 있도록 하는 데에도 이용될 수 있다. 의결권계약의 경우에는 위임장의 교부를 계약에 포함시키고 특정 주주총회 또는 의안에 한정하지 않고 포괄적으로 의결권을 위임할 수 있다.

의결권의 포괄위임은 주주의 위임장을 받은 자가 주주를 위하여 의결권을 행사하지 않고 자신의 이익을 위하여 의결권을 행사한다는 점에서 전술한 의결권의 대리행사와 다른 것이다. 이러한 약정은 유효한 것으로 인정되고 있지만,[62] 그 구체적인 법리의 구성과 담보권자가 주주권을 어디까지 행사할 수 있는지 여부가 문제 되고 있다. 의결권의 포괄위임은 주주의 편의를 위한 위임이 아니고, 위임받는 자의 이익을 위한 것이므로 위임의 법리가 그대로 적용될 수 없다. 상법이나 자본시장법상의 의결권 대리행사 또는 그 권유제도와는 달리 운영되어야 하며 의결권의 포괄위임을 약정하게 한 원인이 된 거래관계가 그 운영에 반영되어야 한다. 따라서 원인인 거래관계에서 특정주주총회 또는 의안에 한정하지 않고 장기간 동안 의결권의 포괄위임을 약정하였다면 이는 허용되며, 본인인 주주가 의결권의 포괄위임을 철회하는 행위도 이것이 원인인 거래관계에서 인정된 수임인의 지위를 불리하게 한다면 허용되지 않는다고 보아야 한다.[63]

(3) 의결권신탁과 의결권행사자격의 양도

의결권신탁(Voting Trust)이란 수탁자는 주식을 양도받고, 목적이 달성될 때까지 또는 약정한 기간까지 주식을 보유하면서 의결권을 행사할 권한을 가지고, 위탁자인 주주는 의결권을 제외한 나머지 권리를 계속 보유하기로 하는 약정이다.[64] 의결권신탁은 의결권의 행사를 위한 주식의 신탁이므로 우리 신탁법과 상

---

62) 대법원 2014.1.23. 2013다56839: 대출채권의 담보로서 프로젝트금융 시행사의 주식에 질권 및 시행사의 주주총회에 관한 주주권(총회소집, 참석 및 의결권행사)을 포괄적으로 위임받은 은행이 시행사의 주주총회를 개최하여 대표이사 및 이사를 해임하고 새로운 이사를 선임한 사례. 법원은 주주권의 행사를 포괄적으로 위임할 수 있고, 은행은 경영진을 교체하는 것이 대출금채권을 보존하는 최선의 방안으로 판단하였고, 주주권의 행사를 포괄적으로 위임받은 자는 그 위임자나 회사 재산에 불리한 영향을 미칠 사항이라고 하여 그 위임된 주주권 행사를 할 수 없는 것이 아니므로 이 사건 주주총회결의가 위임의 범위를 벗어난 것이라고 할 수 없다고 판단하였다.
63) 동지: 김연미, 전게논문(주 65), 29면 이하; 임재연, 전게서(주 18), 90면: 근질권설정계약에 따라 근질권설정자로부터 의결권을 포괄적으로 위임받은 근질권자가 근질권 실행방법으로 의결권을 행사하는 것은 허용된다.

법상으로 허용되는 것으로 이해된다.65) 전술하였듯이 의결권(구속)계약이 허용되는데, 이 계약을 정형화하여 다수주주로부터 의결권신탁이 가능하게 하고, 이에 관한 법률관계를 신탁의 법리로써 규율할 수 있다는 점에서 우리 법에서도 활용될 수 있다고 본다.

의결권행사를 위한 자격양도란 주주가 타인에게 의결권을 행사할 수 있는 권한을 수여하고, 타인은 자신의 이름으로 의결권을 행사할 권한을 갖는 제도로서 독일 주식법(제129조 제3항)66)에서 유래한다. 이는 주주가 자격양수인에게 양수인의 이름으로 의결권을 행사할 것을 허용하고 회사에 대한 관계에서도 양수인 이름을 신고하여 양수인이 자기명의로 의결권을 행사하는 것이다. 주주와 자격양수인이 서로 합의하여 양수인 명의로 의결권을 행사하는 계약은 양당사자의 계약으로서 당연히 허용된다. 그런데 회사에 대한 관계에서 양수인이 의결권만을 자기 이름으로 행사하고, 나머지 주주권은 자격양도인이 계속 보유하는 것으로 인정될 것인지 문제 된다. 즉 자격양수인이 명의개서된다면 양수인의 의결권행사에는 문제 될 것이 없지만, 회사가 양도인에게 다른 주주권의 행사를 거절하거나 양도인의 주주권 자체가 부정되는 경우와 관련하여 회사에 대하여 위 의결권자격양도의 효력이 문제 될 수 있다. 주주가 재산권 관리의 한 방식으로서 의결권자격양도계약을 맺는 것이 허용되고,67) 이에 관한 증명이 있다면 회사는 이를 인정해야 한다고 본다. 이러한 결론은 주식의 명의신탁법리가 허용되는 것과 비교하면 보다 명확해진다. 주식 명의신탁의 경우 회사에 대한 관계에서 수탁자가 주주이지만, 신탁자가 명의신탁관계를 해지하고 이를 근거로 그는 회사에 대하여 직접 주주권을 주장할 수 있다.68) 마찬가지로 의결권자격양도의 경우에도 주주가 이 관계를 증명하여 주주권을 행사할 수 있다고 본다. 이러한 해석은 독일주식법이 양수인의 신고를 받아 이 법률관계를 공개적으로 규율하는

---

64) Model Business Corporation Act 2016, §7.30(a).

65) 권기범, 전게서(주 2), 761면; 정동윤, 전게서(주 1), 562면; 최기원, 전게서(주 14), 502면; 김건식·노혁준·천경훈, 전게서(주 15), 327면.

66) 독일주식법 제129조 3항: 주주로부터 자신의 명의로 의결권을 행사할 권한을 부여받은 자는 액면주식은 액면, 무액면주식은 주식수 및 그러한 주식의 종류를 등록하기 위하여 신고하여야 한다. 권한을 부여받은 자의 주주가 등기된 기명주식의 경우에도 동일하다.

67) 정동윤, 전게서(주 1), 562면.

68) 대법원 1992.10.27. 92다16386: 주주명의를 신탁한 사람이 수탁자에 대하여 명의신탁계약을 해지하면 바로 주주의 권리가 명의신탁자에게 복귀하는 것이지 주식의 양도를 위하여 새로 법률행위를 하여야 하는 것은 아니다.

것과 차이가 있지만, 의결권만을 타인에게 양도하여 행사하게 하는 행위를 무효로 볼 수는 없다고 본다.

3) 상법에 의한 의결권 또는 의결권행사의 제한

가) 의결권 없는 주식(의결권의 제한)[69]

상법은 의결권이 배제되거나 제한되는 종류주식의 발행을 허용하는데(제344조의3), 의결권이 배제되는 종류주식은 주주총회의 결의사항에 관하여 의결권이 전면적으로 인정되지 않고, 의결권이 제한되는 종류주식은 특정한 결의사항에 관하여 의결권이 인정되지 않는다. 그렇지만 의결권이 없는 종류주식이라도 창립총회(제308조 제2항), 종류주식 주주의 종류주주총회(제344조 제4항), 정관변경시 종류주주총회(제435조), 종류주식을 발행한 경우 신주의 인수, 주식의 병합·분할·소각 또는 회사의 합병·분할로 인한 주식의 배정에 관하여 특수하게 정하는 경우 및 회사의 분할 또는 분할합병, 주식교환, 주식이전 및 회사의 합병으로 인하여 어느 종류의 주주에게 손해를 미치게 될 경우(제436조)에는 의결권이 인정된다.

나) 주주명부폐쇄기간 중 전환된 주식

상법은 전환주식의 전환청구와 관련하여 주주명부폐쇄기간 중에 전환된 주식의 주주는 그 기간 중의 총회의 결의에 관하여는 의결권을 행사할 수 없다고 정하고 있다(제350조). 전환주식의 주주는 언제든지 전환청구를 할 수 있고, 그 전환청구의 효력은 전환청구와 동시에 발생하므로(제350조 제1항) 전환청구를 한 주주는 청구 이후에는 전환된 주식의 주주로서 모든 권리를 행사할 수 있어야 하지만, 상법은 주주명부폐쇄기간 중에는 의결권을 행사할 수 없도록 규정하였다. 그 취지는 의결권을 인정함으로써 그에 따르는 주주총회의 운영에 관한 회사의 조치가 매우 번잡하게 됨을 우려한 데 있다.[70] 이 규정은 1995년 상법개정을 통하여 도입되었는데 개정법에 의하여 주주명부 폐쇄기간 중에도 전환청구

---

69) 의결권 없는 종류주식(제344조의3 제1항)은 발행 시부터 의결권이 인정되지 않으므로 '의결권'에 대한 상법의 제한으로 볼 수 있고, 의결권이 제한되는 종류주식(제344조의3 제1항)은 의결권이 부여되어 있지만, 주주총회의 특정의안에 대하여 의결권이 제한된다는 점에서 '의결권의 행사'에 대한 상법의 제한으로 분류될 수 있다. 양자는 의결권이 배제되는 범위에 차이가 있을 뿐, 결의정족수를 계산하는 발행주식총수에는 산입되지 않는다는 점에서 차이가 없다.

70) 손주찬, 전게서(주 14), 711면.

를 허용함으로써 주식의 유통을 자유롭게 하여 주주의 투자회수에 대한 제약이
완화되었다.[71]

다) 자기주식

회사는 배당가능이익 금액의 범위 내에서 자기의 명의와 계산으로 자기의 주
식을 취득할 수 있고(제341조), 회사의 합병 또는 다른 회사의 영업전부의 양수
로 인한 경우, 회사의 권리를 실행함에 있어 그 목적을 달성하기 위하여 필요한
경우, 단주의 처리를 위하여 필요한 경우, 주주가 주식매수청구권을 행사한 경
우에도 자기주식을 취득할 수 있다(제341조의2). 그러나 이렇게 취득한 자기주식
은 의결권이 없을 뿐만 아니라(제369조 제2항), 주식이 가지는 다른 권리도 전면
적으로 휴지된다. 의결권을 배제하는 이유는 경영자가 회사가 보유하는 주식을
이용하여 회사지배에 악용할 수 있기 때문에 이를 금지하는 것이다.[72] 그렇지만
자기주식이 양도되어 회사의 소유를 벗어나면 자기주식의 의결권금지가 해제되
어 양수인은 의결권을 행사할 수 있다.

라) 상호보유주식

상법은 두 개 이상의 모자관계가 아닌 회사가 상호 주식을 소유하는 경우 의
결권의 행사를 규제하고 있다. 즉 회사, 모회사 및 자회사 또는 자회사가 다른
회사의 발행주식의 총수의 10분의 1을 초과하는 주식을 가지고 있는 경우 그
다른 회사가 가지고 있는 회사 또는 모회사의 주식은 의결권이 없다(제369조 제
3항). 이 조항은 모자회사간의 주식취득금지규정(제342조의2)과 동일하게 주식의
상호소유가 초래하는 폐해를 규제하고자 도입되었다. 상호출자로부터 자본충실
을 해하고, 경영진에 의하여 상호보유되는 주식의 의결권이 악용되는 등의 부작
용이 발생한다.[73] 이 규정은 세 가지의 상호 주식소유형태에 따르는 의결권행사
를 제한하는데, 첫째, 회사가 다른 회사의 발행주식의 총수의 10분의 1을 초과
하는 주식을 가지는 경우 다른 회사가 가지는 회사의 주식은 의결권이 제한된
다. 이 경우 회사는 다른 회사의 발행주식총수의 100분의 50을 초과하지 않아
야 한다. 이를 초과하면 양자의 관계가 모자관계의 회사로 되며 자회사에 해당

---

71) 손주찬, 전게서(주 14), 711면.
72) 강희갑, 전게서(주 8), 451면.
73) 정동윤, 전게서(주 7), 252~253면; 이철송, 전게서(주 2), 428면.

하는 회사는 모회사의 주식취득이 금지된다(제342조의2).

둘째, 모회사 및 자회사가 다른 회사의 발행주식의 총수의 10분의 1을 초과하는 주식을 가지는 경우 그 다른 회사가 가지고 있는 모회사의 주식은 의결권이 없다. 이 경우 다른 회사가 가지는 자회사의 주식에 의결권이 제한되는지 여부에 관하여 논란이 있다. 제369조의 제3항을 유추하여 의결권이 제한된다는 견해 74) 및 법문을 충실히 해석하여 의결권제한을 부정하는 견해 75) 가 있다. 의결권제한은 상법 등 법률에 의하여 제한이 가능하고 이를 제한하는 법문이 구체적으로 특별한 경우를 정했다면 법문에 충실하게 엄격히 적용하고 유추해석하는 것은 옳지 않다고 본다.

셋째, 자회사가 다른 회사의 발행주식의 총수의 10분의 1을 초과하는 주식을 가지고 있는 경우 그 다른 회사가 가지고 있는 자회사 또는 모회사의 주식은 의결권이 없다. 이는 모자관계에 있는 회사 중 자회사가 다른 회사의 주식의 일정비율을 소유하는 경우에 모회사에 대한 다른 회사의 소유관계에도 의결권행사를 규제하는 것이다.

그런데 비모자회사 간의 주식상호보유의 경우 상법은 의결권만을 제한하므로 상호보유되는 주식의 자익권은 당연히 인정된다. 한편 의결권을 제외한 공익권이 인정되는지 여부가 문제되지만, 의결권 및 의결권을 전제로 하는 공익권만 부정하는 것이 다수의 견해이다.76) 상호보유주식의 주주권 중 의결권은 법률로 제한되고 자익권은 인정되는 것으로 해석되는데, 나머지 의결권을 제외한 공익권은 당연히 인정된다고 판단된다. 다만 의결권과 관련된 권리, 즉 의결권의 실현에 기여하는 권리로서 주주총회 출석권, 총회에서 질문권과 설명청구권 등의 권리는 인정되지 않는다.

마) 특별이해관계인의 의결권행사금지

(1) 취　지

상법은 총회의 결의에 관하여 특별한 이해관계가 있는 자는 의결권을 행사하지 못함을 규정한다(제368조 제3항). 이는 의안에 관하여 특별한 이해관계를 갖는 자에게는 공정한 의결권의 행사를 기대할 수 없고,77) 그러한 자가 의결권을

---

74) 이철송, 전게서(주 2), 436면.
75) 권기범, 전게서(주 2), 733면.
76) 정동윤, 전게서(주 1), 552면; 정찬형, 전게서(주 1), 899면.

행사한다면 성립한 결의로 인하여 회사 또는 전체 주주에게 불이익이 발생할 수 있기 때문에 이를 방지하기 위한 것이다.

특별한 이해관계인의 의결권행사 제한제도가 적절히 적용되기 위하여는 주주총회결의 전에 특별이해관계인의 주주총회 참여가 명확하게 밝혀져야 하고, 실제로 그러한 주주의 의결권행사를 저지하려는 주주총회의 운영이 필요하다. 그러나 이 제도의 적용례를 보면 과연 주주총회 표결 전에 특별이해관계가 모든 주주에게 알려질 수 있을 것인지, 그리고 특별이해관계인이 대주주인 경우 그의 의결권행사를 저지하기 위하여 소주주가 적절히 대처할 수 있을지 여부가 문제된다. 특별이해관계는 표결 직전 주주총회장에서 또는 결의 후에 드러나는 것이 상례이므로 78) 위 조항의 취지대로 결의 전 특별이해관계인의 의결권행사는 저지되기 어려우며, 이 때문에 위 조항의 실효성에 문제가 있다.79) 결국 위 조항은 결의 성립 후 결의의 효력을 부인하는 근거로 활용될 수 있다.

(2) 특별한 이해관계의 의미와 범위

제368조 제3항이 규정하는 특별한 이해관계의 의미에 관하여 학설의 대립이 있다. 첫째, 특정주주가 주주의 지위를 떠나서 갖는 개인적 이해관계로 보는 견해(개인법설)가 통설80) 및 판례81)의 태도이다. 둘째, 해당결의에 의하여 해당주

---

77) 손주찬, 전게서(주 14), 713면. 주주의 사익을 위한 의결권의 남용을 예방함으로써 결의의 공정을 유지하기 위한 것으로 보아 특별이해관계인의 의결권행사 제한을 의결권남용의 개념으로 풀이하기도 한다. 이철송, 전게서(주 2), 538면.

78) 예컨대 회사와 주주 사이에 자산 매매계약을 맺는 경우 그 계약의 거래조건이 공개되어야 회사이익을 침해하는 거래인지, 달리 말하여 거래당사자인 주주가 특별이해관계인인지 여부를 판단할 수 있다.

79) 외국의 입법례에 의하면 특별한 이해관계인의 의결권행사에 대한 제한은 성립된 결의의 효력을 다투는 방법에 의함으로써 사후적으로 규율한다. 우리 상법도 이러한 방식으로 개정되어야 한다. 김재범, "주식회사에서 특별이해관계인 의결권배제제도의 평가,"「영남법학」제40집(영남대학교 법학연구소, 2015. 6.), 146면. 동지: 이철송. 전게서(주 2), 540면; 권기범, 전게서(주 2), 737면; 김건식·노혁준·천경훈, 전게서(주 15), 37면; 김정호, 전게서(주 13), 313면; 송옥렬, 전게서(주 26), 933면; 서완석, "회사법상 의결권규제의 합리화방안,"「주주 의결권의 법리」(한국기업법학회, 2015), 113면; 최문희, "주주총회 결의에 관한 특별이해관계 규율체계 재론: 비교법적 고찰에 기초한 입법론,"「증권법연구」제20권 3호(한국증권법학회, 2019), 41면. 일본회사법 제831조 제1항 제3호: 특별이해관계인이 의결권을 행사하여 현저히 부당한 결의가 성립한 경우 결의취소의 원인으로 규율한다. 독일주식법 제243조 제2항: 주주가 의결권을 이용하여 회사 또는 다른 주주의 손해로 자기 또는 제3자의 특별이익을 얻으려 하거나, 결의가 이러한 목적에 기여하는 경우에 그 결의는 취소될 수 있다.

80) 강희갑, 전게서(주 8), 453면; 홍복기·박세화, 전게서(주 26), 357면; 권기범, 전게서(주 2), 734면; 김정호, 전게서(주 13), 310면; 손주찬, 전게서(주 14), 713면; 이기수·최병규,

주에게 권리의무의 발생·변경·소멸이 초래되는 경우라고 보는 법률상의 이해
관계설,[82] 셋째, 특정주주가 주주의 지위에서 해당결의에 대하여 개인적으로만
이해관계를 갖는 경우로 보는 견해[83]가 있다. 생각건대 의결권은 주주의 주요
권리이므로, 예컨대 이익배당안에 대한 결의처럼 주주가 주주의 지위에서 가지
는 이해관계는 당연히 법으로 보호받아야 하므로 비록 주주가 자기에게 유리한
배당안을 위하여 투표하더라도 위 조항상의 특별이해관계가 아니다. 이러한 주
주 지위와 관계없는 개인적인 이해관계가 위 조항이 규제하는 이해관계로 보아
야 한다.

특별한 이해관계인지 여부에 관하여 논의되는 사안들이 있다. 주주가 이사
또는 감사후보로 된 임원선임결의 또는 임원해임결의에서 해당후보 또는 임원인
주주는 특별이해관계에 있지 않다고 보는 견해가 많다.[84] 주주는 자기가 원하
는 후보에게 투표할 권리가 사단관계에서 당연히 인정되므로 비록 임원후보가
자기이더라도 이는 사단관계상의 이해관계이지 개인적인 이해관계라고 볼 수는
없다. 그러나 부정행위 등을 사유로 하는 해임결의에서 해당이사는 이사지위의
유지를 위하여 회사이익과 대립하는 개인적 이해관계를 가지므로 특별이해관계
인으로 보아야 한다.

전게서(주 25), 445면; 손진화, 「상법강의」 제3판(신조사, 2011), 448면; 임홍근, 전게서(주 11), 389면; 정찬형, 전게서(주 1), 899면; 최기원, 전게서(주 14), 494면; 최준선, 전게서 (주 14), 388면; 김홍수, "특별한 이해관계가 있는 주주의 의결권행사," 「연세법학연구」 제2 집(연세대학교 법학연구원, 1992), 465~466면.

81) 제368조 제3항이 적용된 판결례로서 대법원 2007.9.6. 2007다40000: "...주주총회가 재무제 표를 승인한 후 2년 내에 이사와 감사의 책임을 추궁하는 결의를 하는 경우 당해 이사와 감사인 주주는 회사로부터 책임을 추궁당하는 위치에 서게 되어 주주의 입장을 떠나 개인 적으로 이해관계를 가지는 경우로서 그 결의에 관한 특별이해관계인에 해당함..."; 부산고법 2004.1.16. 2003나12328: "...상법 제368조 제4항은 "총회의 결의에 관하여 특별한 이해관 계가 있는 자는 의결권을 행사하지 못한다."고 규정하고 있고, 여기서 특별한 이해관계라 함은 특정한 주주가 주주의 입장을 떠나서 개인적으로 이해관계를 갖는 것을 말한다고 풀 이되는바, 회사와 주주 사이에 영업양도를 할 경우 그 주주는 특별한 이해관계인에 해당한 다고 볼 수 있으나, 사업의 양도인이 독점규제및공정거래에관한법률상으로 합작회사의 대 주주의 계열회사에 해당한다는 것만으로 그 대주주를 위 규정 소정의 특별한 이해관계인에 해당한다고 할 수는 없다..."

82) 이병태, 「상법(상)」 전정판(법원사, 1988), 603면.

83) 박원선·이정한, 「회사법」(수학사, 1979), 243면.

84) 이철송, 전게서(주 2), 539면; 정동윤, 전게서(주 1), 552면; 정찬형, 전게서(주 1), 900면; 최기원, 전게서(주 14), 494면; 권기범, 전게서(주 2), 735면; 김건식·노혁준·천경훈, 전 게서(주 15), 316면; 김정호, 전게서(주 13), 310면. 특별이해관계에 있다는 견해로는 손주 찬, 전게서(주 14), 713면; 채이식, 전게서(주 13), 478면.

재무제표의 승인결의(제449조, 제449조의2)에서 이사 또는 감사인 주주는 특별이해관계가 없다고 이해된다. 이 승인결의가 있은 후 2년이 경과하면 이사와 감사의 책임이 해제된 것(제450조)으로 의제 되는데, 이사 또는 감사의 책임이 해제되는 계기가 재무제표의 승인결의에 있으므로 이 결의에 대하여 이사 또는 감사는 개인적인 이해관계를 갖는 것으로 생각할 수도 있다. 그러나 재무제표의 승인결의에 대하여 주주는 사단적인 이해관계를 갖는 것으로 보거나,[85] 이사 또는 감사의 책임해제라는 효과는 재무제표의 승인결의가 아니라 그로부터 2년의 기간 경과로부터 오는 것으로 이해한다면,[86] 재무제표승인결의 시 이사 또는 감사인 주주는 개인적인 이해관계를 갖는 것으로 볼 수 없다.

제374조가 규율하는 영업양도·양수, 영업의 임대 또는 경영위임, 손익공통계약이 체결되는 경우 주주총회의 특별결의가 요구되는데, 그 거래의 일방이 주주인 경우 그는 이 결의에 대하여 특별한 이해관계인이라고 일반적으로 인정되고 있다.[87] 그러나 주주가 거래의 당사자인 경우 특별한 이해관계의 인정 여부는 해당주주의 지위, 즉 지배주주처럼 영향력을 가진 자인지 여부 및 거래조건이 고려되어야 한다. 그 이유는 제368조 제3항의 취지는 의결권행사의 공정성을 꾀하자는 것이므로 주주의 영향력을 배제하고 단지 주주와 회사 사이에 이해관계의 충돌 가능성만으로 의결권을 배제하는 것으로는 이해할 수 없기 때문이다. 또한 거래조건상으로 이해충돌의 염려가 없는 경우에 위 조항을 엄격히 적용할 필요가 없다.[88] 대법원도 이사 또는 감사의 책임을 추궁하는 결의 시 특별한 이해관계를 구체적으로 확정할 것을 요구한다.[89]

---

85) 정동윤, 전게서(주 1), 552면.

86) 김교창, 전게서(주 13), 123면; 손주찬, 전게서(주 14), 714면; 최기원, 전게서(주 14), 494면; 홍복기·박세화, 전게서(주 14), 358면.

87) 관련된 판결로서 전술한 부산고법 2004.1.16. 2003나12328: "...회사와 주주 사이에 영업양도의 경우 그 주주는 특별한 이해관계인에 해당한다고 볼 수 있으나, 이 사건과 같이 이 사건 사업의 양도인인 현대모비스가 독점규제법상으로 피고회사의 주주인 현대자동차의 계열회사에 해당한다는 것만으로는 위 규정에서 말하는 특별한 이해관계인에 해당한다고 볼 수는 없으므로..."

88) 만일 위 조항이 주주의 영향력 정도와 거래조건은 상관없이 오로지 거래당사자라는 지위만으로 적용되는 것으로 본다면, 주주권에 대한 침해 문제가 생긴다. 의결권이 배제된 특별이해관계인은 결의 후에 부당결의취소·변경의 소(제381조)로써 구제받을 수는 있겠지만, 의결권행사의 구체적인 불공정성이 드러나지 않은 상태에서 중요한 주주권인 의결권을 제한하는 것이므로 이는 주주권에 대한 침해로 판단된다. 비록 제368조 제3항이 그 적용요건을 구체적으로 정하지는 않았지만, 의결권에 대한 중대한 침해의 우려가 있는 경우에 위 조항은 기계적으로 적용될 수 없다고 본다.

회사에 대한 책임을 면제하는 결의(제400조, 제415조) 및 재무제표승인결의 후 2년 내에 이사 또는 감사의 책임을 추궁하는 결의(제450조)에서 해당 이사 또는 감사가 주주인 경우 이들은 특별한 이해관계인이 된다. 이들은 면책결의로 부터 이익을 얻고 회사는 손해를 입으므로 특별이해관계에 있다. 또한 이사가 제출한 서류와 감사의 보고서를 조사하기 위한 검사인을 선임하는 주주총회의 결의(제367조)에서도 이사 또는 감사인 주주는 특별이해관계인이다.

이사 또는 감사의 보수를 결정하는 결의(제388조)에서 이사 또는 감사인 주 주가 과도한 보수금액을 결정한다면 이로부터 회사의 손해가 발생할 수 있으므 로 그는 특별한 이해관계인이 된다.[90]

합병의 경우 예컨대 소멸회사의 주주가 존속회사인 경우 존속회사는 소멸회 사의 합병승인결의에서 특별한 이해관계인에 해당하는지에 관하여는 합병승인결 의는 조직법상의 행위로서 대등한 가치관계에서 출발하는 채권계약과는 성질이 다르므로 특별한 이해관계가 성립하지 않는다고 한다.[91] 합병은 회사와 주주의 개별이해관계가 공정하게 보호되어야 하는지의 문제와 무관하게 합병을 통하여 새로운 법률관계를 형성하는 데에 그 취지를 두는 것이므로 제368조 제3항은 적 용되지 않는다고 보아야 한다.[92] 그러나 대주주가 반대파 소주주를 회사에서 축

---

89) 대법원 2007.9.6. 2007다40000 판결에 의하면 "... 주주의 의결권은 주주의 고유하고 기본 적인 권리이므로 특별이해관계인이라는 이유로 이를 제한하기 위하여는 그 결의에 관하여 특별한 이해관계가 있음이 객관적으로 명확하여야 하는데, 원심에 의하더라도 이 사건 안 건이 "제13기 결산서 책임추궁 결의에 관한 건"이라는 제목에 비추어 2003. 4. 1.부터 2004. 3. 31.까지의 기간 동안의 재무제표에 대한 경영진에 대한 책임을 추궁하기 위한 것 으로 추측된다는 것일 뿐, 구체적으로 위 기간 동안에 이사나 감사로 재임한 자들 전원의 책임을 추궁하려고 하는 것인지, 그 중 일부 이사나 감사만의 책임을 추궁하려고 하는 것 인지, 나아가 어떠한 책임을 추궁하려고 하는 것인지 알 수 없고, 기록상 이를 알 수 있는 자료도 보이지 않는바, 그렇다면 원심이 들고 있는 사정만으로는 위 소외 1 등이 이 사건 결의에 관한 특별이해관계인에 해당한다고 단정할 수 없다."고 판시하여 이사와 감사의 책 임을 추궁하는 결의에서 특별한 이해관계를 이유로 의결권행사를 제한하려면 책임을 부담 하는 이사 또는 감사를 특정하고, 어떠한 책임이 성립하는지를 구체적으로 확정할 것을 설 시하였다.

90) 이사보수를 결정하는 주주총회의와 관련된 판례로서 서울중앙지방법원 2008.9.4. 2008가 합47805: 피고회사의 주주 겸 대표이사는 임원퇴직금지급규정을 결정하는 주주총회결의에 서 특별한 이해관계가 있다고 보아 성립된 주주총회결의의 취소를 판결하였다.

91) 임홍근, 전게서(주 11), 394면; 최기원, 전게서(주 14), 494면.

92) 제368조 제3항은 다른 합병절차와도 충돌한다. 만일 이를 합병에 적용한다면 상법이 정하 는 간이합병제도(527조의2)는 성립할 수 없다. 간이합병에 의하면 존속회사가 소멸회사의 발행주식총수의 100분의 90 이상을 소유하고 있으면 소멸하는 회사의 주주총회의 승인은 이를 이사회의 승인으로 갈음할 수 있는데, 이는 존속회사가 소유하는 소멸회사 주식의 의

출할 목적만으로 합병을 이용하는 경우는 특별한 이해관계인의 의결권 제한 법리
가 아니라 다수결에 대한 제한 법리로서 합병결의의 효력이 문제 될 수 있다.[93)]

(3) 특별이해관계인과 주주총회의 운영

특별이해관계인인 주주가 행사할 수 없는 의결권의 수를 결의의 정족수와 관
련하여 어떻게 처리하여야 하는지 여부가 문제된다. 특별이해관계 있는 주주의
의결권 수는 출석한 주주의 의결권수에 산입하지 아니하는데(제371조 제2항), 이
조항에서 특별이해관계인의 의결권수가 출석한 주주의 의결권수로써 계산되는
의결정족수에 반영되어 해당 의결권 수만큼 공제하는 것은 분명하다. 그런데 이
러한 공제가 발행주식총수에도 적용되는지 여부에 관하여는 관련 규정이 없다.
발행주식총수에 산입된다고 보는 견해[94)]와 산입되지 않는다고 보는 견해[95)]로
나누어진다.

생각건대 2011년 4월 개정상법 제371조 제1항은 발행주식총수에 산입되지
않는 경우의 주식을 종전과 달리 특정하여 규정하면서 특별이해관계인의 주식은
포함시키지 않았다.[96)] 또한 만일 특별이해관계인의 의결권수를 발행주식총수에
산입한다면 해당주주의 의결권수가 발행주식총수의 75% 또는 감사선임 시 대주

결력을 고려한 제도이므로 만일 제368조 제3항을 적용한다면 소멸회사 주주총회에서 존속
회사는 특별한 이해관계인이 되어 의결권을 행사할 수 없으므로 그의 의결권행사를 배제한
채 나머지 주주가 합병을 결정하여야 하고, 현행법처럼 주주총회결의를 이사회가 갈음할
수 있다는 입법은 성립할 수 없다.
93) 소주주의 이익을 침해하는 결의의 효력은 다수결의 제한 또는 남용 문제로 논의될 수 있고
(다수결의 제한에 관한 서술은 정동윤, 전게서(주 7), 358면. 다수결 남용에 관한 서술은
강희갑, 전게서(주 8), 449면; 이철송, 전게서(주 2), 624면. 일본에서는 다수결남용의 관점
에서 논의된다.), 또한 주주의 충실의무 위반 문제로 논의된다(김재범, "주주 충실의무론의
수용,"「비교사법」제22권 제1호(2015), 175면; 권기범, 전게서(주 2), 506면; 김정호, 전게
서(주 13), 196면; 이기수·최병규, 전게서(주 25), 251면). 독일에서는 회사법상의 명문규
정이 없는 일반조항으로서 충실의무(Treupflicht)를 위반하는 것으로 보며 이는 법령위반으
로 보아 결의취소의 원인(주식법 §243 ①)으로 해석한다. Koch, a.a.O.(주 48) §243
Rn.21, 24.
94) 정동윤, 전게서(주 1), 551면(이 견해에 의하면 특별이해관계인의 주식은 원칙적으로 의결
권이 있지만, 특정의안에 대하여만 의결권이 휴지될 뿐이므로 그 주식의 수는 발행주식총
수에는 산입된다고 본다.); 정찬형, 전게서(주 1), 900면; 임홍근, 전게서(주 11), 391면. 이
견해에 의하면 특별이해관계인도 총회의 구성원이므로 발행주식총수에 산입되어야 한다고
본다.; 이철송, 전게서(주 2), 539면; 최준선, 전게서(주 14), 387면.
95) 강희갑, 전게서(주 8), 454면; 권기범, 전게서(주 2), 736면; 손주찬, 전게서(주 14), 714면.
96) 제371조 제1항에 의하면 발행주식총수에 산입되지 않는 주식은 의결권 없는 종류주식, 의
결권이 제한되는 종류주식(제344조의3 제1항) 및 회사가 소유하는 자기주식 및 의결권이
제한되는 상호보유주식(제369조 제2항 및 제3항)이다.

주의 의결권수가 75%를 초과하는 때에는 총회 결의 자체가 불가능하게 된다는 점[97])에서 특별이해관계인의 의결권수는 출석한 주주의 의결권뿐만이 아니라 발행주식총수에서도 공제되어야 한다고 본다. 최근 법무부는 상법 제371조의 개정안을 마련 중인데, 이에 의하면 총회의 결의에 관하여는 '의결권 없는 주식'과 '의결권을 행사할 수 없는 주식의 수'를 발행주식총수에 산입하지 아니하는 것으로 정하고 있다. 따라서 개정안에 의하면 '의결권을 행사할 수 없는' 특별이해관계인의 주식은 발행주식총수에 산입하지 않게 된다.

한편 상법은 특별이해관계인인 주주가 자신을 위하여 의결권을 행사하는 것을 규제하지만 이 경우뿐만 아니라 그가 대리인을 통하여 의결권을 대리행사시키는 경우 및 그가 다른 주주의 대리인으로서도 의결권을 행사할 수 없다고 보아야 한다.[98]) 타인을 통한 의결권행사 또는 타인의 대리인으로서 의결권을 행사하는 것은 특별이해관계인 스스로 의결권을 행사하는 경우와 동일한 효과를 가져오므로 이처럼 규제되어야 한다.

(4) 특별이해관계인이 참여한 결의의 효력

특별이해관계인 참여하여 성립한 결의의 효력에 관하여 상법은 직접 규정을 두고 있지 않지만, 이 결의는 결의방법이 법령에 위반한 것으로서 결의취소의 원인이 되는 것으로 해석된다.[99]) 한편 특별이해관계인이 의결권을 행사할 수 없었던 경우 총회결의가 현저하게 부당하고 주주가 의결권을 행사하였더라면 이를 저지할 수 있었을 때에는 그 주주는 결의의 취소 또는 변경의 소를 제기할 수 있다(제381조).

바) 감사선임 시 대주주의 의결권행사

상법은 감사 선임결의에서 의결권없는 주식을 제외한 발행주식의 총수의 100분의 3을 초과하는 수의 주식을 가진 주주는 그 초과하는 주식에 관하여 의결

---

97) 권기범, 전게서(주 2), 736면; 자기거래승인의 정족수계산과 관련하여 김홍기, 전게서 (주 26), 527면. 특별이해관계인의 주식수가 발행주식총수에 산입됨으로써 보통결의의 정족수를 충족하지 못하는 경우에는 제368조 제3항이 적용되지 않는다는 견해로 장덕조, 「회사법」 제2판(2015), 233면(장덕조, 「상법강의」(법문사, 2021), 445면).

98) 손주찬, 전게서(주 14), 713면; 임홍근, 전게서(주 11), 392면. 독일주식법 제136조 제1항 제1문은 이를 규정한다. 동 조항 제1문: 해당 주주를 면책하는 결의, 채무를 면제하는 결의 또는 회사가 그에게 청구권을 행사할지 여부에 관한 결의 시에 해당 주주는 자신 또는 다른 자를 위하여 의결권을 행사할 수 없다.

99) 강희갑, 전게서(주 8), 454면; 손주찬, 전게서(주 14), 715면; 정동윤, 전게서(주 1), 551면.

권을 행사하지 못하며(제409조 제2항), 상장회사에서는 최대주주, 최대주주의 특수관계인, 그 밖에 대통령령으로 정하는 자가 소유하는 주식의 합계가 의결권 없는 주식을 제외한 발행주식총수의 100분의 3을 초과하는 경우 그 주주는 그 초과하는 주식에 관하여 감사 또는 사외이사가 아닌 감사위원회위원을 선임하거나 해임할 때에는 의결권을 행사하지 못한다고 규정한다(제542조의12 제3항). 이 규정들은 감사 등의 선임 또는 해임결의 시에 일정비율을 초과 소유하는 주주의 의결권행사를 제한함으로써 대주주의 영향력을 배제하여 중립적인 인물에게 감사의 직무를 수행하기 위한 것이다.[100)]

위 의결권제한에 관하여 주주의 재산권침해로서 위헌의 소지가 있다는 비판이 제기되고 있다.[101)] 주주의 의결권은 법률이 정하는 개별 입법취지에 의하여 배제되거나 제한되고 있는데, 이러한 입법의 취지가 정당한 것인지 여부를 판단하여야 한다. 감사선임에 대한 상법의 제한은 일정한 비율을 초과한 주식의 의결권을 제한하여 대주주의 의결력을 감소시키고자 한다. 대주주는 통상적으로 이사 및 대표이사를 선임할 수 있는 지위를 가지며 그가 감사까지 선임한다면 경영에 대한 감시·감독을 기대할 수 없으므로 위 의결권제한의 취지는 정당하다. 다만 100분의 3이라는 비율이 과도한 제한인지 여부가 문제되는데, 이는 회사들의 현실, 즉 지분 소유구조을 고려하여 결정할 입법정책의 문제로 본다.

4) 특별법에 의한 의결권행사의 제한

여러 특별법들은 일정한 취지를 구현하기 위하여 주주의 의결권행사를 배제하거나 제한하고 있다.

첫째, 자본시장과금융투자업에관한법률(이하 '자시법'이라 함)에 의하면, 공개매수의무를 위반하여 취득한 주식,[102)] 주식 등의 대량보유(주식 등의 총수의 100분의 5 이상인 경우) 또는 보유주식 수의 변동사항(주식 등의 총수의 100분의 1 이상 변동)에 대한 보고의무를 위반한 경우, 또는 중요한 사항을 거짓으로 보고하거나 중요한 사항의 기재를 누락한 경우,[103)] 예탁결제원의 명의로 명의개서된 주권을

---

100) 정동윤, 전게서(주 1), 553면; 정찬형, 전게서(주 1), 902면.
101) 전국경제인연합회, "글로벌스탠더드에 어긋나는 경제규제 개선방안," 「규제개혁시리즈」 11-13(2011. 11.), 62면.
102) 상장법인에 공통으로 적용되는 의결권행사의 제한으로서 공개매수의무를 위반하여 취득한 주식에 대하여 의결권을 행사할 수 없다(자시법 제145조).
103) 이 경우 의무를 위반한 자는 의결권 있는 발행주식총수의 100분의 5를 초과하는 부분 중

소유하고 있는 주주의 경우104)에 의결권의 행사에 제한이 있다. 자시법은 특정한 영업형태에 따르는 의결권의 행사를 제한하는데, 미리 금융위원회의 승인을 받지 아니하고 금융투자업자가 발행한 주식을 취득하여 대주주가 된 자의 경우 그 취득한 주식(자시법 제23조), 집합투자업자가 집합투자재산을 운용함에 있어서 제한되는 투자한도를 초과하여 취득한 주식(자시법 제87조 제4항), 신탁업자가 신탁재산에 속하는 주식 중 동일법인이 발행한 주식 총수의 100분의 15를 초과하여 주식을 취득한 경우 그 초과하는 주식 및 신탁재산에 속하는 주식을 발행한 법인이 자기주식을 확보하기 위하여 신탁계약에 따라 신탁업자에게 취득하게 한 주식(자시법 제112조 제3항) 등의 경우 의결권의 행사가 제한된다. 상호출자제한기업집단에 속하는 종합금융회사와 공공적 법인의 경우 일정한 규제를 위반하여 취득한 주식은 의결권행사가 제한된다.105)

둘째, 독점규제법에 의하여 의결권이 제한된다. 공정거래위원회는 각종 경쟁제한행위로 인한 폐해를 시정하기 위한 조치의 하나로서 주식의 전부 또는 일부의 처분을 명할 수 있고, 이렇게 처분명령을 받은 주식은 그 의결권행사가 제한된다.106)

셋째, 은행법은 동일인의 은행주식 보유한도가 동법에 의한 일정한 비율(은행의 의결권 있는 발행주식총수의 100분의 4, 비금융주력자는 100분의 9)을 초과하는 주식에 대하여는 그 의결권을 행사할 수 없다고 규정한다(은행법 제16조, 제16조

위반분에 대하여 그 의결권을 행사하여서는 아니 된다(자시법 제150조 제1항).

104) 실질주주가 주주총회일 5일 전까지 예탁결제원에 그 의결권의 직접행사·대리행사 또는 불행사의 뜻을 표시하지 아니하는 경우에는 예탁결제원은 그 의결권을 행사할 수 있는데(자시법 제314조 제5항), 이 경우 실질주주는 의결권행사에 제약을 받는다.

105) 상호출자제한기업집단에 속하는 종합금융회사가 다른 상호출자제한기업집단에 속하는 금융기관 또는 회사와 일정한 행위를 하는 것이 금지되는데 이를 위반하여 취득한 주식에 대하여는 의결권을 행사할 수 없다(자시법 제345조 제2항). 공공적 법인이 발행한 주식의 경우 법률 또는 정관이 정하는 소유비율을 초과하여 소유할 수 없고(자시법 제167조 제1항), 이러한 기준을 초과하여 사실상 주식을 소유하는 자는 그 초과분에 대하여는 의결권을 행사할 수 없다(자시법 제167조 제3항).

106) 공정거래위원회는 제7조(기업결합의 제한) 제1항, 제8조의2(지주회사 등의 행위제한 등)제2항부터 제5항까지, 제8조의3(채무보증제한기업집단의 지주회사 설립제한), 제9조(상호출자의 금지 등), 제10조의2(계열회사에 대한 채무보증의 금지)제1항, 제11조(금융회사 또는 보험회사의 의결권 제한), 제11조의2(대규모내부거래의 이사회 의결 및 공시)부터 제11조의4(기업집단현황 등에 관한 공시)까지 또는 제15조(탈법행위의 금지)의 규정에 위반하거나 위반할 우려가 있는 행위가 있는 때에는 당해 사업자 또는 위반행위자에 대하여 주식의 전부 또는 일부의 처분 등의 시정조치를 명할 수 있다(독점규제및공정거래에관한법률 제16조 제1항).

의2).

넷째, 통합도산법에 의하여 의결권이 제한되는데, 회생절차 개시 당시 채무자의 부채총액이 자산총액을 초과하는 때에는 주주·지분권자는 의결권을 갖지 못하며(채무자회생 및 파산에 관한 법률 제146조 제3항), 부당한 이익을 얻을 목적으로 그 권리를 취득한 것으로 인정되는 때에는 법원은 그 의결권을 행사하지 금지시킬 수 있다(제190조 제1항).

2. 주주간계약(의결권구속계약)*　　　　　　　　이 동 건** · 이 수 균***

가. 서 설

1) 주주간계약의 의의

주주간계약은 공동으로 출자하여 주식회사를 설립하는 장래의 주주들 또는 이미 설립된 회사의 주주들 간에 장차 자신들의 권리행사나 회사의 운영에 관하여 서로 구속하는 약정을 의미한다.[1] 정관 역시 주주들 간 합의의 결과라고 할 수 있으나, 정관은 회사법에서 명시적으로 인정하고 있는 회사 내 규범인 반면, 주주간계약은 회사법에 특별한 근거 없이 주주들 사이에 사적으로 체결되는 계약이라고 할 수 있다. 나아가 정관은 그 내용과 형식이 상당히 정형화되어 있으나, 주주간계약은 정관보다 구체적이고 다양한 사항을 포함하기 마련이며, 예를 들어 정관이 규정하지 않는 주주의 이사선임권, 주요경영사항에 대한 주주의 동의권, 동반매각청구권(drag-along right) 또는 동반매도참여권(tag-along right)과 같은 주식양도제한에 관한 내용이 포함될 수 있다.[2]

---

* 이 글은 필자들이 작성한 이동건·류명현·이수균, "주주간계약의 실무상 쟁점 – 작성시 주의사항을 중심으로 –,"「우호적 M&A의 이론과 실무」제2권, BFL 총서 13(소화, 2017) 및 이동건·류명현·이수균, "주주간계약상 주식양도의 제한,"「BFL」제88호(서울대금융법센터, 2018. 3.)를 수정 및 보완한 것임을 밝혀 둔다.
** 법무법인(유) 세종 변호사
*** 법무법인(유) 세종 변호사
1) 이철송, "주주간계약의 회사법적 효력론의 동향,"「선진상사법률연구」통권 제86호(법무부, 2019. 4.), 2면.
2) 이와 같이 정관이 다양하게 발생하는 구체적 대립관계를 해소하는 데 충분하지 않고, 주주총회 결의로 변경 가능하며, 정관 위반에 따른 회사법상 구제가 불확실하다는 점이 정관 대신 주주간계약을 체결하는 이유로 논의되기도 한다(이중기, "주주간계약의 회사규범성과 그 한계,"「홍익법학」제20권 제2호(홍익대학교 법학연구소, 2019), 370~371면).

2) 주주간계약의 목적과 기능

주주간계약은 주주 사이에 일정한 규율을 정하여 주주간의 이해를 조정하는 수단이 되기도 하고, 회사의 지배구조와 운영에 관한 사항을 정함으로써 회사의 경영에 관여할 수 있는 근거가 되기도 한다. 특히 이러한 주주간계약은 대주주보다는 소수주주의 입장에서 그 체결의 필요성이 크다고 할 것인데, 이는 회사는 기본적으로 많은 지분을 가지고 있는 대주주에 의하여 경영이 이루어지고(보다 정확히는 대주주의 뜻에 따라 선임된 이사회 및 대표이사에 의하여 경영이 이루어진다), 소수주주는 주식평등 및 주식 수의 다수결이라는 조직법적인 질서의 회사법 하에서는 직접적으로 회사의 경영에 관여하기 어렵기 때문이다. 물론 회사법상 보장된 각종 소수주주권3)을 활용할 수도 있겠지만 이러한 소수주주권은 경영진을 감독·감시하는 정도에 그칠 뿐 직접적으로 회사 경영 참여를 보장하는 것은 아니다. 반면에 소수주주가 대주주와 사이에서 주주간계약을 체결하여 이사선임권, 주요 경영사항에 대한 거부권 등을 보장받는 경우에는 이를 통해 직접 회사의 경영에 참여할 수 있게 되는 것이다. 이러한 연유로 주주간계약은 실제 소수주주의 권한 확보를 위해 발전한 계약이라고 할 수 있다.

이와 같이 주주간계약이 소수주주의 권한 확보에 기여한다는 점은 결과적으로 다수의 잠재적 투자자로부터 투자를 유인하는 역할을 한다. 회사법적으로는 대주주(예컨대, 51%)가 존재하는 한, 49%를 소유하고 있는 소수주주의 권리와 5%를 소유하고 있는 소수주주의 권리 사이에, 주주총회 특별결의 사항을 저지할 수 있는 지분율이냐 아니냐의 차이를 제외하면, 큰 차이는 없다. 따라서, 투자자로서는 대상회사에 어느 정도의 투자를 하느냐에 있어서 양적 차이가 있을 뿐인바, 특별히 큰 규모의 투자를 할 유인이 없다고 볼 수도 있다. 그러나, 투자자들이 어느 회사에 투자하면서 주주간계약을 체결함으로써 회사법적으로 보장된 권리보다 큰 권리를 확보할 수 있다면, 이는 단순한 포트폴리오 투자에 비하여 질적으로 유리한 투자라 할 수 있기 때문에 주주간계약이 투자를 유인하는 기능을 한다고 볼 수 있는 것이다. 획일화된 회사법상의 규칙만 적용되는 상황에서는 이루어질 수 없었을 투자가, 주주간계약에 따른 주주들간의 권한재분배

---

3) 현행 상법상으로는 임시주주총회 소집청구권(제366조), 검사인 선임청구권(제467조), 주주제안권(제363조의2), 이사 해임청구권(제385조), 위법행위 유지청구권(제402조), 대표소송 제기권(제403조), 회계장부 등 열람등사청구권(제466조) 등이 있다.

를 통하여 성사될 수 있는 것으로 볼 수 있다는 것이다.[4]

한편, 주주간계약이 합작회사의 설립이나 M&A 거래에 있어서 빈번하게 체결되고 있음에도 불구하고, 주주간계약의 효력이나 집행가능성 등과 관련한 법리는 그만큼 확립되어 있지 않다. 이는 주주간계약의 비공개성이나 판례의 축적이 부족한 점에 기인하는 바도 있지만, 기본적으로 주주간계약 내용 자체가 회사법의 기본 원칙(예컨대, 주식양도의 자유, 의결권 행사의 임의성, 소유와 경영의 분리, 이사의 회사에 대한 수임인으로서의 지위 등)과 충돌할 수 있는 내용을 담고 있고 그렇기 때문에 그 효력이나 집행가능성에 의문이 제기될 수밖에 없다는 점에 기인하는 바가 더 크다. 이러한 이유 때문에 기업간의 거래에 있어서 거래 관련 계약의 유효성과 집행가능성에 대하여 의견서(transaction legal opinion)를 발급하곤 하는 자문변호사(이른바, transaction lawyer)들 역시 주주간계약의 유효성이나 집행가능성에 대해서는 의견을 내지 않는 것이 일반적이다.

이러한 점에서 주주간계약의 효력이나 집행가능성에 대한 분석은 M&A 실무에서의 오래된 숙제이고 재미난 과제이며, 주주간계약의 효력이나 집행가능성에 대해서도 상당한 논의가 있어 왔다. 그러나 실무적 관점에서는 그러한 논의도 중요하지만, 주주간계약의 효력이나 집행가능성에 논란이 있는 상황에서 어떻게 주주간계약을 작성하는 것이 당사자들의 의사를 좀 더 확실하게 구현하고, 조금이나마 그 집행가능성을 높일 수 있는지가 더 중요할 수 있다. 이에 이 글에서는 주주간계약의 기본구조와 내용, 그리고 주주간계약의 효력에 관한 논의와 판례를 간략히 살펴본 후 주주간계약의 조항 별로 어떠한 쟁점이 있는지, 그러한 구체적 조항을 작성할 때 유의해야 할 점에 대하여 살펴보도록 하겠다. 단, 상장회사 등 개방회사의 경우에는 보다 복잡한 문제가 있을 수 있는바, 이하의 논의는 폐쇄회사에 대한 주주간계약을 전제로 함을 밝혀둔다.

---

4) 주주간계약이 체결되는 이유에 대한 보다 자세한 논의는 천경훈, "주주간계약의 실태와 법리−투자촉진 수단으로서의 기능에 주목하여,"「상사판례연구」제26집 제3권(한국상사판례학회, 2013), 6~12면 참조. 이 논문은 주주간계약의 체결 동기를, ① 경영관여에의 관심도 내지 지분비율에서 대등한 복수의 당사자가 합작회사를 설립하여 주주간계약을 체결하는 경우, ② 소수주주로서 대상회사에 상당한 지분을 취득하면서 기존 대주주와의 주주간계약을 체결하는 경우(사모펀드, 벤처캐피탈 등의 재무적 투자자가 투자하는 경우) ③ 지분비율 내지 경영관여에의 관심도를 현저히 달리하는 다수의 당사자가 컨소시엄을 형성하여 회사를 설립하거나 인수하고, 컨소시엄 구성원의 관계를 위하여 주주간계약을 체결하는 경우로 주주간계약을 유형화하고 있다.

나. 주주간계약의 기본 구조와 내용

주주간계약의 구조와 내용은 주주간계약의 당사자가 되는 주주의 수, 각 주주의 투자목적, 회사의 지분구조에 따라 달라질 수 있지만, 기본적으로 (i) 회사의 지배구조에 관한 사항, (ii) 지분의 양도 제한에 관한 사항, (iii) 주주의 투자금 회수(exit)에 관한 사항, (iv) 해지에 관한 사항 및 (v) 경업금지, 자금조달, 배당정책 등 기타 부수적 사항으로 나누어 볼 수 있다.

구체적으로는 다음과 같은 내용이 포함되는데, 그에 대한 상세한 사항은 후술하는 관련 부분에서 설명하기로 한다.

(i) 회사의 지배구조에 관한 사항: 주주총회와 관련한 사항(주주총회 개최지, 주주총회 소집 빈도, 통지기간 및 방법, 정족수, 주주총회 특별결의사항 등), 이사회 구성과 관련한 사항(이사 총수, 이사 선임권, 정족수, 통지기간 및 방법, 주주로서 의결권 행사 약정, 이사회 특별결의사항 등), 대표이사 선임에 관련한 사항 등을 규정하는데, 이 중 주요경영사항에 대하여 소수주주의 동의권 또는 거부권(veto power)를 보장하는 의미에서 주주총회 특별결의사항 및 이사회 특별결의사항이 중요하게 협상되며, 그러한 특별결의사항들(reserved matter)과 관련한 교착상태(deadlock)의 해소를 위한 방안도 규정된다.

(ii) 지분의 양도 제한에 관한 사항: 일정 기간 상대방 동의 없이는 지분양도가 제한된다는 내용(lock-up), 우선매수권(right of first refusal)이나 우선청약권(right of first offer), 동반매도참여권(tag-along right), 동반매각청구권(drag-along right) 등이 규정된다.

(iii) 투자금 회수에 관한 사항: 회사(또는 대주주)의 IPO 의무, 주식매수청구권(put option), 이른바 'Drag & Call(또는 'Call & Drag') 등과 같은 내용이 규정된다.

(iv) 해지에 관한 사항: 어떤 경우에 주주간계약이 해지되며(예컨대, 일방 당사자의 지분이 일정비율 이하로 떨어진 경우, 상대방 당사자가 의무를 위반한 경우), 해지되는 경우의 효과(예컨대, 상대방 의무 위반으로 인한 해지의 경우 위약금이나 할인된 가격으로의 콜옵션 또는 할증된 가격으로의 풋옵션 등)

에 대하여 규정하는 것이 일반적이다.

다. 주주간계약의 효력 및 집행가능성

1) 개 관

주주간계약의 효력에 대해서는 우리나라 학설과 판례는 전통적으로 당사자 사이의 채권적 효력을 가질 뿐이고 회사에 대하여 그 효력을 주장할 수 없다는 견해를 취해왔다.[5] 주주간 주식 양도 제한 합의를 위반하여 양도할 경우 다른 주주는 양도인 주주를 상대로 손해배상청구를 할 수 있을 뿐이며 양수인이나 회사에 대하여 그 효력을 주장할 수 없고,[6] 주주간 의결권 구속계약을 위반하여 이루어진 의결권 행사도 유효하며, 다른 주주는 위반 주주를 상대로 송배해상청구를 할 수 있을 뿐이며 그와 같은 의결권 행사에 따른 주주총회 결의의 효력을 다툴 수 없다고 한다.[7] 이와 같이 주주간계약의 회사에 대한 구속력을 부정하면, 주주간계약의 정함에 따라 회사의 법률관계를 형성될 수 없고 주주간계약의 내용을 실현시키기 위하여 회사의 협조가 필요한 경우에도 이를 강제할 수 없게 된다.

이에 대하여 최근 위와 같은 손해배상만으로는 주주간계약을 실효적으로 강제할 수 없으므로 직접강제 등 보다 강한 구속력을 인정할 필요가 있다는 입장을 취하는 견해들이 나오고 있다.[8] 기존 통설적인 견해가 주주간계약의 회사에 대한 구속력을 부정한 근거는 주로 개인법적 거래로 단체법적인 회사 법률관계를 혼란을 주어서는 안된다는 것인데, 주주간계약의 구속력을 인정하자는 견해는 주주들이 주주간계약을 통해 위와 같은 회사 법률관계를 형성하기로 합의한 이상 그러한 의사는 사적자치 원칙에 따라 최대한 존중되어야 하며, 우리나라 주식회사 대부분이 사실상 조합적 운영을 하고 있는 이른바 폐쇄회사라는 점에서 현실에 보다 부합한다는 반론을 제시하고 있다. 이하에서는 주주간계약의 내

---

5) 문호준, "합작 계약의 주요 쟁점: 최근 회사법 개정 사항을 중심으로," 「국재거래법연구」 제21집 제1호(국제거래법학회, 2012); 대법원 2000.9.26. 99다48429 등.
6) 이철송, 「회사법강의」 제29판(박영사, 2021), 397~398면.
7) 권기범, 「현대회사법론」 제8판(삼영사, 2021), 761면; 이철송, 전게서, 555면; 한국상사법학회(편)·김재범(집필), 「주식회사법대계(II권)」 제3판(법문사, 2019), 133~135면.
8) 이러한 최근 학설을 정리한 글로서, 송옥렬, "주주간계약의 회사에 대한 효력," 「저스티스」 통권 제178호(한국법학원, 2020. 6.), 333~335면.

용별로 좀 더 상세히 살펴보도록 하겠다.

2) 의결권행사계약(의결권구속계약)의 효력 및 집행가능성

가) 의 의

주주간계약에서 주주들의 의결권 행사에 관한 약정은 주로 이사의 선임 등 회사의 기관구성에 관하여 체결되는 경우가 일반적이나,[9] 그 외에 정관변경, 이익배당, 회사의 해산 기타 주주총회의 결의가 필요한 회사의 중요한 의사결정사항과 관련하여서도 체결될 수 있다. 이와 같이 주주간계약에 포함된 의결권 행사에 관한 규정은 의결권구속계약(voting agreement)으로서, 의결권구속계약은 의결권을 특정 방향으로 행사한다든지(specific agreement), 일정한 경우에는 의결권을 행사하지 아니한다든지 또는 특정 제3자의 지시에 따라 의결권을 행사한다든지(stock pooling agreement) 하는 것을 내용으로 하는 주주들 전부 또는 일부 간의 채권계약을 의미한다. 이러한 의결권행사계약 또는 의결권구속계약의 효력에 대하여 학설과 판례를 살펴보면 다음과 같다.

나) 학 설

앞서 살핀 바와 같이 의결권구속계약은 일반 사법상의 계약처럼 신의칙이나 강행법규에 위반하지 않는 한 당사자 간에 채권적 효력은 인정된다. 우리 법상으로도 의결권구속계약의 유효성을 전제로 한 규정들을 두고 있다. 예컨대, 자본시장과 금융투자업에 관한 법률 시행령 제141조는 특별관계자의 범위를 규정하면서 제2항 제3호에서 "본인과 합의나 계약 등에 따라 의결권(의결권의 행사를 지시할 수 있는 권한을 포함한다)을 공동으로 행사하는 행위를 할 것을 합의한 자"를 규정하고 있고, 독점규제 및 공정거래에 관한 법률 시행령 제3조는 기업집단의 범위를 규정하면서 제2호 가목에서 "동일인이 다른 주요 주주와의 계약 또는 합의에 의하여 대표이사를 임면하거나 임원의 100분의 50 이상을 선임하거나 선임할 수 있는 회사"를 규정하고 있다.

그러나, 의결권구속계약은 당사자간 채권적 효력에 그치고 회사에 대한 효력이 인정되지 않으므로, 주주가 의결권구속계약에 위반하여 의결권을 행사하였다

---

9) 예컨대, 이사회 구성과 관련하여 각 당사자가 몇 명의 이사 선임권을 가지는지, 감사는 누가 선임권을 가지는지를 규정하고, 각 당사자는 상대방 당사자가 지명하는 자가 이사 또는 감사로 선임될 수 있도록 의결권을 행사하여야 한다고 규정한다.

고 하더라도 그러한 의결권 행사는 유효하며 주주총회 결의의 하자도 발생하지 않는다는 것이 통설적 견해이다.[10]

그런데, 의결권구속계약을 위반하려는 주주가 있을 경우 의결권구속계약의 채권적 효력에 기하여 가처분을 제기하여 의결권 행사를 강제할 수 있는가에 대하여는 학설이 일치되어 있지 않다.[11] 채무자에게 심리적 압박을 가하는 효과가 있으므로 우리 법 하에서도 이를 긍정하여야 한다거나[12] 합작투자회사에서와 같이 주주 전원이 사전적으로 참여한 경우에는 그 계약내용의 실현을 위하여 사전적으로 장래이행의 소 또는 임시지위를 정하는 가처분을 허용해야 한다는 견해,[13] 개인법적 거래로 단체법률관계에 혼란을 주어서는 안 된다는 이유로 이를 인정할 수 없다는 견해[14] 등이 있다.

다) 판 례

법원도 합작투자계약에 따라 자신의 이사 선임권 범위 내에서 지명한 후보를 이사로 선임하는 안건에 있어서 상대방 주주가 찬성의 의결권 행사를 할 것을 구하는 의결권행사가처분 사건에 있어서 "의결권행사계약은 그 합의의 내용이 다른 주주의 권리를 해하거나 기타 불공정한 내용이 아니라면 당사자 사이에 유효하다"고 하거나(이른바 "유한킴벌리사건"),[15] 다른 회사의 주식을 기초자산으로 하여 발행한 교환사채의 발행계약상 의결권구속계약에 대하여 "교환사채를 발행하는 회사가 교환대상으로 보유하는 주식의 의결권을 교환사채권자의 지시에 따라 행사하기로 약정한 유효한 의결권구속계약"이라 판시하여,[16][17] 의결권구속계

---

10) 각주 7) 참조; 주주간계약의 실현을 위하여 보다 적극적인 해석이 필요하다고 하면서도 결의의 하자를 소집절차, 결의 방법, 내용상의 법령 또는 정관 위반으로 한정하고 있는 현행 상법상으로는 통설과 같이 해석할 수밖에 없다는 견해로는 김건식·노혁준·천경훈, 「회사법」 제5판(박영사, 2021), 325면.

11) 미국에서는 주주간계약의 내용에 따라 의결권을 행사하도록 강제하는 특정이행명령 내지 위법행위를 사전에 금지시키는 금지명령을 일반적으로 계약위반에 대한 가장 적절한 수단으로 보고 있으며, 대부분의 주 회사법은 명문으로 이를 허용하고 있으며, 그러한 규정이 없는 주에서도 일정한 경우에는 특정이행명령을 허용한 예가 있다고 한다(박정국, "의결권 행사를 위한 주주간계약의 고찰," 「외법논집」 제36권 제1호(한국외국어대학교, 2012), 247면).

12) 권기범, 전게서, 760면.

13) 김건식 등, 전게서, 326면.

14) 이철송, 전게서, 556면.

15) 서울중앙지방법원 2013.7.8. 2012카합1487.

16) 동아제약이 보유하고 있던 자기주식을 SPC에 매각하고, SPC는 매수한 동아제약의 주식을

약의 채권적 효력을 인정하고 있다.[18]

반면에 이러한 의결권구속계약에 따라 의결권을 행사하도록 하는 가처분을 인용할 것인지에 대해서는 아직 법원의 입장이 확립되어 있지 않은 것으로 파악된다.

(1) 의결권행사가처분을 이론적인 관점에서 부정한 사례

일부 하급심 판례 중에는 원칙적으로 의결권행사가처분은 의사표시를 명하는 가처분신청의 일종으로서 의사표시의무의 강세이행방법에 관하여 채권자로 하여금 채무자의 의사표시에 갈음하는 재판을 청구하도록 하고, 그 의사의 진술을 명한 판결이 확정된 경우 비로소 판결로 의사표시를 한 것으로 간주하도록 정한 민법 제389조 제2항 및 민사집행법 제263조 제1항의 규정에 위반하여 허용되지 아니한다고 판시한 예가 있다.[19] 이는 가처분 형식으로 의결권행사를 명하는 것은 이론적으로 불가능하다는 것이다.

그러나, 이에 대하여는 의사의 진술을 명하는 판결의 대상이 되는 의사표시는 등기이전청구, 채권양도의 통지 · 승낙, 사실의 최고 등과 같이 별도의 사실행위가 개입됨 없이 의사표시가 이루어질 수 있는 경우에 한정되고, 증권에의 서명, 어음의 작성, 배서 교부 등과 같이 채무자 자신의 사실상의 행위를 필요로 하는 경우에는 재판에 의하여 의사표시에 갈음할 수 없으며 이 경우 강제이행은 간접강제에 의하여야 하고 민사집행법 제263조의 적용을 받지 않는다고 보아야 하므로[20] 주주의 의결권 행사는 의사의 진술을 명한 판결의 대상이 되는 의사표시로 볼 것은 아니라는 설득력 있는 비판이 있으며,[21] 비록 주주간계

기초자산으로 하여 교환사채를 발행하였는데, 일부 주주들이 (i) 그와 같은 자기주식 처분이 무효이고, (ii) 여전히 자기계산으로 보유중인 자기주식이며, (iii) 구 증권거래법상 대량보유상황보고를 위반하였다는 등의 이유로 해당 주식에 대한 의결권행사금지가처분을 신청한 사안이다. 본 사안은 자기주식에 대한 파생금융거래로서 자기주식의 성격이 유지되는지 여부가 문제되기도 하였는바, 이에 관한 자세한 분석으로는 박준, "파생금융거래를 둘러싼 법적 문제 개관," 「파생금융거래와 법 1」 BFL 총서 제6호(소화, 2012), 99~104면.

17) 서울북부지방법원 2007.10.25. 2007카합1082.
18) ICC중재판정의 집행이 당사자 사이에 체결된 주주간계약을 위반하는지를 사법(私法)적 관점에서 판단한 사안에서 법원은 "주주간계약은 일반적으로 회사나 회사기관의 의사결정을 직접 구속할 수는 없으나, 계약 자유의 원칙상 계약 당사자들 주주들 사이에서는 그 효력을 지닌다고 볼 것이다"라고 판시하여 주주간계약이 회사법적으로는 효력이 없음을 원칙론으로 설시하였다(서울중앙지방법원 2010.7.9. 2009가합136849).
19) 서울중앙지방법원 2008.2.25. 2007카합2556.
20) 법원실무제요, 「민사집행 III −동산 · 채권 등 집행−」, 법원행정처(2014), 612면.

약과 관련한 사안은 아니지만, 민사집행법 제263조 제1항이 의사의 진술을 명하는 채무의 이행은 반드시 채무의 존재가 증명되고 확정판결의 형식을 갖춘 경우에만 허용된다는 것을 의미하는 것은 아니라면서 의사의 진술을 명하는 가처분이 가능하다고 판시한 예도 있는바,[22] 민사집행법 제263조 제1항에 근거하여 의결권의 행사를 명하는 형식의 가처분마저도 애초에 이론상 불가능하다고 볼 것은 아니라고 본다.

(2) 의결권위임가처분을 인정한 사례

법원이 직접 의결권 행사를 명한 가처분은 찾아보기 어렵다. 다만 법원은 몇몇 사례에서는 의결권 위임을 구하는 가처분을 인정한 바 있다. 대상회사도 당사자이었던 주주간계약의 일방 당사자가 주주간계약에서 정한 의무를 위반하자 상대방(신청인)이 주주간계약의 특약에 따라 의결권위임 및 의결권행사허용가처분을 구한 사안에서 그 특약이 정한 바에 따라 의결권위임을 구할 피보전권리를 인정하였고,[23] 해당 주주간계약에는 일정한 주주간계약상의 의무를 위반하는 경우 상대방 주주는 위반 주주에게 의결권 있는 주식 51% 이상의 위임을 요구할 수 있다고 규정되어 있었는바, 동 규정에 근거하여 위반 당사자에게는 의결권 위임을 구하고 대상회사에 대하여는 위임 받은 의결권의 행사를 허용하여야 한다는 취지의 가처분 신청을 인용하였다.[24] 동 사안에서 법원은 의결권 위임을 명하는 가처분은 부대체적 작위의무를 부과하는 것으로 볼 수 있으며 간접강제를 명함으로써 그 의무의 이행을 강제하는 것이 가능하다고 판시하였고, 실제로 의결권 위임을 명하는 가처분을 위반한 주주에 대하여 소정의 이행강제금을 명하였다.[25]

나아가 법원은 주주 A가 주주 B에게 조건부로 의결권을 위임하기로 약정하고 해당 조건이 성취되어 의결권을 위임하여야 함에도 불구하고 이를 이행하지

---

21) 김태정, "합작투자회사의 지배구조와 주주간계약," 「BFL」 제88호(서울대금융법센터, 2018. 3.), 14면.
22) 서울고등법원 2013.10.7. 2013라916; 대법원 2014.9.4. 2013마1998으로 확정됨.
23) 서울중앙지방법원 2011.11.24. 2011카합2785.
24) 서울중앙지방법원 2012.2.21. 2012카합324.
25) 같은 취지의 판례로는 서울중앙지방법원 2012.3.28. 2012카합711; 2013.3.28.자 2013카합667. 이 때 주문은 "채무자는 대상회사의 ○○○ 정기주주총회에서 별지 주식에 대한 의결권을 채권자에게 위임하는 절차를 이행하라. 채무자가 위 의무를 위반할 경우 ○○○원을 채권자에게 지급하라."는 내용이 된다.

않은 사안에서 회사에 대하여 주주 A의 의결권 행사를 허용하지 않을 것과 주주 B의 의결권 행사를 허용할 것을 명하는 가처분을 내리기도 하였다.[26] 특히 동 사안은 의결권위임약정이 회사가 당사자가 아닌 주주 A와 주주 B 사이의 계약에만 포함되어 있음에도 불구하고 위와 같은 가처분을 명한 것이므로, 주주간계약의 회사에 대한 구속력을 적극적으로 인정한 예로 볼 수 있다.

(3) 의결권행사가처분을 인정할 가능성을 판시한 사례

법원은 앞서 본 유한킴벌리 사안에서 주주간계약의 유효싱을 인정하고 당사자가 주주간계약에 따라 의결권을 행사할 의무를 부담한다고 판시하였으며,[27][28] 주주간계약의 내용에 따라 이사 해임의 건에 대하여 찬성의 의결권 행사를 구한 가처분 사건에서, 비록 주주간계약 내용이 합의 변경되었다는 이유로 기각하였지만, 기본적으로 주주간계약의 당사자인 주주는 주주간계약 내용에 따라 의결권을 행사를 할 의무가 있음을 전제로 판시하기도 하였다(이른바 "정수공업 사건").[29]

또한, 비록 피보전권리 및 보전의 필요성이 고도로 소명되지 않았다는 이유로 기각되었지만, 그 인용 가능성을 전제로 한 최근 하급심 판결[30]이 있다. 해당 사안은 소수주주가 대상회사의 신주를 인수하면서, 주주간계약 상 "소수주주가 이사 1인을 지명할 권리가 있고, 당사자들은 소수주주가 지명한 자가 이사로 선임될 수 있도록 의결권 행사를 포함한 필요한 조치를 하여야 한다"고 규정되어 있고, 신주인수계약서에는 "대상회사는 주주총회에서 소수주주가 지명한 자가 이사로 선임될 수 있도록 필요한 조치를 이행해야 한다"고 규정하고 있었는데, 대주주가 소수주주가 지명한 자를 이사로 선임해주지 않고 오히려 대주주자신이 지명한 이사를 선임하려 하자 소수주주가 대주주 및 대상회사를 상대로 의결권 위임 등 가처분 신청을 한 사안이다.

흥미로운 것은, 해당 사안에서 소수주주는 주위적으로 "(i) 대주주는 그 소유주식에 대하여 소수주주에게 위임의 의사표시를 하라. (ii) 대주주는 동 주식에

---

26) 수원지방법원 2016.3.29. 2016카합10056.
27) 그러나 해당 사안에서 합작투자계약의 내용이 신청인이 주장하는 것과 다른 내용으로 인정되어 결국 해당 의결권행사가처분이 인용되지는 아니하였다.
28) 앞서 본 서울중앙지방법원 2012카합1487.
29) 서울중앙지방법원 2013.7.8. 2013카합1316.
30) 서울중앙지방법원 2020.3.27. 2020카합20533.

대하여 제1항에 따라 의결권을 위임하는 방법 이외의 방법으로 의결권을 행사하여서는 아니 된다. (iii) 대상회사는 제1항에 따라 위임받은 의결권의 행사를 허용하고, 대주주가 직접 또는 제3자에게 위임하여 의결권을 행사하는 것을 허용하여서는 아니 된다"고 신청하고,[31] 제1예비적으로 "(i) 대주주는 그 소유주식에 대하여 소수주주에게 의결권을 위임하라. (ii) 대주주는 제1항에 따라 의결권을 위임하는 방법 이외의 방법으로 의결권을 행사하여서는 아니 된다. (iii) 대상회사는 제1항에 따라 위임받은 의결권의 행사를 허용하고, 대주주가 직접 또는 제3자에게 위임하여 의결권을 행사하는 것을 허용하여서는 아니 된다. (iv) 대주주가 제1항의 내용으로 의결권을 위임하지 아니하는 때에는 각 의안에 대한 위반행위 1회당 10억원을 지급하라"고 신청하고, 제2예비적으로 (i) 대주주는 소수주주 제안 안건에 대하여 찬성하는 내용으로 의결권을 행사하고, 대주주 제안 안건에 대하여는 반대하는 내용으로 의결권을 행사하라. (ii) 대상회사는 제1항과 반대되는 내용의 의결권 행사를 허용하여서는 아니 된다. (iii) 대주주가 제1항의 내용으로 의결권을 행사하지 아니하는 때에는 각 의안에 대한 위반행위 1회당 10억원을 지급하라"는 신청을 하였다는 점이다.[32] 신청인이 이렇게 신청취지를 구성한 것은, 우선 주주간계약상 '의결권을 위임하라'는 명시적 내용은 없고 '의결권 행사를 포함한 필요한 조치를 취한다'는 약정만 있었기 때문에 '필요한 조치'에 의결권 위임이 포함되는 것으로 해석될 수 있을지 여부가 불투명했고, 민사집행법 제263조와의 관계 상 의결권 위임을 명하는 가처분이 과연 의사의 진술을 명하는 형식으로 허용될 수 있을지(즉, 의사표시가 이루어진 것으로 간주되는 형식의 가처분이 가능할지) 여부가 불투명하였기 때문인 것으로 추측된다.

그런데, 법원은 그러한 의사의 진술을 명하는 가처분이 가능한지 여부에 대하여 판단하지 않고, 만족적 가처분의 경우에는 통상의 보전처분보다 피보전권리 및 보전의 필요성에 관하여 한층 더 높은 정도의 소명이 요구됨을 전제한 후, 위 주주간계약 상의 '필요한 조치'에 의결권을 위임하는 것까지 포섭된다고 단정하기 어렵고, 주주간계약의 해지가 다투어지고 있는 사정, 주주간계약 위반

---

31) 주위적 신청취지는 의사표시를 명하는 가처분으로 구성한 것이다. 즉, 의결권 위임이 이루어진 것으로 간주하는 효과를 구하고자 한 것이다. 그렇기 때문에 예비적 신청취지와 달리 간접강제를 신청하지 않은 것이다.

32) 제1예비적 및 제2예비적 신청취지는 이행을 명하는 가처분으로 구성한 것이다. 그렇기 때문에 그러한 가처분을 이행하지 않을 경우에 대비하여 간접강제를 함께 신청한 것이다.

시 위약벌 지급을 규정하고 있다는 점 등을 들어 피보전 권리 및 보전의 필요성이 충분히 소명되었다고 보기 어렵고, 대상회사에 대한 신청은 이에 대응하는 대주주에 대한 신청이 인용됨을 전제로 한다는 점을 들어 소수주주의 대주주 및 대상회사에 대한 주위적 및 예비적 신청 모두를 기각하였다. 이는 마치 피보전 권리 및 보전의 필요성이 충분히 소명된다면, 대주주 및 대상회사를 상대로 하는 의결권 행사 관련 가처분이 인용될 수도 있음을 시사하는 결정례라는 점에서 의미가 있다 하겠다.[33]

라) 소 결

비록 최근 주주간계약의 회사에 대한 구속력까지 인정하자는 논의가 주장되고는 있지만, 미국 특정 주와 같이 주주들 사이에서 체결된 주주간계약의 회사에 대한 구속력을 명시적으로 인정하는 법규정[34]이 없고, 회사의 독립적인 법인격이 인정되며, 1인 주주 회사에 있어서마저도 1인 주주의 이해관계와 준별되는 회사의 독립된 이해관계를 인정해야 한다고 보고 있는 우리나라 법제와 판례 하에서는 주주간의 의결권구속계약은 사인간의 계약으로 채권적 효력을 가지며, 회사를 구속하지 않는다고 볼 수밖에 없다고 본다.

그런데, 위에서 본 학설과 판례는 주로 해당 주주간계약이 주주들만의 계약이라는 것을 전제로 한 것으로 보인다. 만약 회사가 주주간계약의 당사자로서 주주간의 의결권구속계약을 인정하고 그러한 구속계약의 실현에 조력할 것을 약속하며, 동 의결권 약정에 위반한 의결권 행사는 허용하지 않겠다고 약속했다면 결론이 달라질 수도 있을 것으로 생각한다.

의결권구속계약과 관련한 가처분 인정가능성과 관련하여서도, 가사 의결권구속계약의 채권적 효력에 기초하여 상대방의 의결권행사를 명하는 가처분 결정을 받는다 하더라도 회사 역시 해당 가처분의 피신청인이 되지 않는다면 그 실효성에 의문이 있을 수밖에 없다. 예컨대, 주주 A의 신청에 따라 "주주 B는 이사

---

33) 이외에도 주주 및 대상회사를 상대로 하는 의결권 행사 관련 가처분이 인정될 수 있음을 전제로, 피보전 권리 및 보전의 필요성 소명 부족을 이유로 가처분 신청을 기각한 예로는, 서울중앙지방법원 2020.3.27. 2020카합20560; 2021.7.30. 2021카합20983 등이 있다.

34) 예컨대, 미국 Model Business Corporation Act 제7.32조는 주주 사이의 약정은 주주들과 회사 간에서도 효력이 있다고 규정하여 주주간계약의 회사에 대한 구속력을 명시적으로 규정하고 있다. 이러한 미국 특정 주의 법규정에 대한 소개는, 김건식, "이사회 업무집행에 관한 주주간계약," 「비교사법」 제26권 제1호(한국비교사법학회, 2019. 2.), 350면 이하 참조.

후보 ○○○가 이사로 선임될 수 있도록 의결권을 행사하라"라는 결정을 받았다 하더라도, 주주 B가 실제 주총에 참석하지 않거나 또는 동 결정과 달리 의결권을 행사할 경우 통상 의결권행사가처분 신청시 함께 청구하는 간접강제 명령에 따른 효과는 별론으로 하더라도, 주주 B의 의결권 행사를 주주 A가 원하는 방향으로 강제하거나 A가 원하는 방향으로 행사된 것으로 간주할 방법이 없기 때문이다(위와 같은 가처분 결정이 주주 B의 의결권이 특정 방향으로 행사된 것으로 간주할 수 있는 것이 아닐 것이다). 그러한 의미에서, "의결권행사가처분은 의사표시를 명하는 가처분신청의 일종으로서 의사표시의무의 강제이행방법에 관하여 채권자로 하여금 채무자의 의사표시에 갈음하는 재판을 청구하도록 하고, 그 의사의 진술을 명한 판결이 확정된 경우 비로소 판결로 의사표시를 한 것으로 간주하도록 정한 민법 제389조 제2항 및 민사집행법 제263조 제1항의 규정에 위반하여 허용되지 아니한다"고 판시한 위에서 본 서울중앙지방법원 2007카합2556이 이해되는 부분이 있다. 다만, 그렇다고 하여 이행을 명하는 형식의 가처분 까지도 인용하지 않은 것은 납득하기 어렵다.

물론, 이와 관련하여 법원의 가처분결정이 있음에도 불구하고 의결권구속계약의 일방당사자가 가처분결정에 위반하여 의결권을 행사한 경우 당해 주주총회 결의의 효력은 어떻게 될 것인지에 대한 논의가 있긴 하다. 이에 대하여 회사에 관한 법률관계를 획일적으로 처리하기 위해서 그러한 의결권행사도 유효하고 주주총회결의의 효력에는 영향이 없다는 견해[35]와 집행력을 발생시키는 가처분의 효과에 비추어 볼 때 가처분결정에 위반된 의결권행사는 효력이 없다는 견해[36]가 있으며, 절충적인 입장에서 회사의 전체 주주가 의결권구속계약의 당사자로 참가한 경우에는 의결권구속계약에 위반하여 의결권이 행사된 주주총회의 효력을 부정해야 한다는 견해도 있다.[37] 법원은 주주총회결의의 효력에 영향이 없다는 입장인 것으로 파악된다.[38] 의결권구속계약은 당사자간 채권적 효력만을 가

---

35) 정동윤, 「폐쇄회사의 법리」 (법문사, 1982), 167면.
36) 이태종, "주주간의 의결권계약에 관한 연구" (서울대학교 법학석사학위논문, 1984), 90면.
37) 정동윤, 전게서, 168면; 송옥렬 교수도 합작회사나 폐쇄회사에서는 당사자 사이에 미리 경영권을 배분할 필요성이 있으므로 회사에 대하여 효력이 없다는 통설적 견해가 바람직한지는 의문이라고 하고 있어 동일한 입장인 것으로 파악된다(송옥렬, 「상법강의」 제11판(홍문사, 2021), 945면).
38) 광주지방법원 목포지원 2011.10.4. 2011가합257 및 그 항소심인 광주고등법원 2012.10.10. 2011나5799; 대구지방법원 2013.11.19. 2013가합6609.

지며, 집행력 역시 피신청인이 아닌 회사에 미친다고 볼 수 없다는 점에서 첫 번째 견해가 타당하다고 본다. 회사에 구속력이 없는 약정이나 집행력이 회사에 미치지 아니하는 가처분 결정을 위반한 의결권 행사에 의한 주주총회 결의에 하자(결의방법이 법령 또는 정관에 위반하거나 현저하게 불공정한 것)가 있다고 보기 어렵고, 전체 주주가 체결한 계약이냐 아니냐에 따라 결론을 달리하는 것은 회사의 독립적인 법인격을 인정하는 이상 근거를 찾기 어렵고 작위적인 것으로 보인다.

결국 가처분결정에 따라 의결권구속계약에 따른 의결권행사를 강제하기 위해서는 민사집행법 제261조에 의한 간접강제에 의할 수밖에 없다고 생각한다.[39] 그런데, 만약 앞에서 본 바와 같이 회사 역시 주주간계약의 당사자로서 의결권구속계약을 인정하고 조력할 것을 확약하였다면, 가처분 신청 방식이나 결정 주문 및 그 위반의 효과를 달리 볼 여지가 생길 수 있지 않을까? 즉, 가처분 신청 시 상대방 주주뿐만 아니라 회사를 피신청인으로 하여 "주주 B는 …도록 의결권을 행사하여야 하며, 회사는 주주 B의 이와 다른 의결권 행사를 허용하여서는 아니된다"라는 신청을 하는 것이다. 만약 이러한 신청이 인용된다면, 회사는 이러한 가처분 결정에 위반한 의결권 행사를 허용하여서는 아니되며, 그럼에도 불구하고 회사가 그러한 의결권 행사를 허용한다면 그 주총은 결의방법에 하자가 있다고 인정하기에 어려움이 없다고 본다.

그러나, 이렇게 하더라도 소수주주의 이사선임권이 온전히 확보되지 못한다. 즉, 이러한 가처분에도 불구하고 대주주가 간접강제 배상금을 감수하면서 참석하지 않는다면, 회사의 도움이 있더라도 대주주가 원하는 후보의 선임은 막을 수 있을지언정 소수주주가 원하는 후보를 선임할 방법이 없기 때문이다. 이에 대하여는 도대체 대안이 없을까? 위에서 본 바와 같이 하급심이 가처분을 인용한 사례를 보면, 주주간계약 위반시 의결권을 위임하기로 약정한 경우가 대부분인데, 그 경우에도 대주주가 법원의 의결권 위임 결정을 위반하여 실제 의결권

---

[39] 한편, 이와 관련하여 의결권행사를 명하는 판결이 있음에도 불구하고 이를 이행하지 아니하는 경우에는 의결권행사를 의사표시에 준하는 것으로 보아, 그 확정판결을 가지고 의결권행사에 갈음하는 것으로 볼 수 있다는 견해가 있다(송영복, "의결권의 행사 및 회사의 업무에 관한 주주간계약－폐쇄회사를 중심으로－," (서울대학교 법학석사학위논문, 2010), 98면). 그러나 의사의 진술을 명한 판결이 확정된 경우 비로소 판결로 의사표시를 한 것으로 간주하도록 정한 민법 제398조 제2항 및 민사집행법 제263조 제1항을 고려할 때, 확정판결이 아닌 가처분 결정과 관련하여 제기할 수 있는 논거는 아니라고 본다.

위임을 해주지 않는다면 간접강제 배상금을 물을 수 있을 뿐이므로, 대주주가 의결권 위임 가처분 결정을 위반한다면 소수주주가 자신이 원하는 후보를 선임할 수 없게 된다. 그렇다면, 만약 주주간계약 위반시 의결권을 위임하기로 약정하는 것에 그치는 것이 아니라, 주주간계약상 의결권구속계약 위반시에는 대주주의 의결권이 소수주주에게 위임된 것으로 간주한다고 규정하고, 회사 역시 주주간계약의 당사자가 되어 그러한 의결권 위임간주 약정을 인정하고 그 실현에 조력하기로 합의한다면 대주주의 협조 없이도 소수주주가 원하는 후보의 선임이 가능하도록 할 수 있지 않을까 한다. 즉, 그러한 약정이 있다면, 소수주주는 대주주를 상대로 의결권을 위임하라 또는 의결권을 어떤 방향으로 행사하라는 가처분 신청을 할 필요 없이, 회사를 피신청인으로 하여, 주주간계약상 위임간주된 의결권의 행사를 허용받고, 그에 반하는 대주주의 의결권 행사를 금지하는 내용의 가처분 결정을 받을 수 있다면, 소수주주는 대주주의 협조 없이도 자신 소유 주식 및 위임간주된 대주주의 주식에 대한 의결권 행사를 통하여 자신이 원하는 후보를 선임할 수 있지 않을까? 주주간계약 작성시 고려해 볼만한 대안이라고 본다.

결국, 주주간계약을 작성할 때 회사를 당사자로 하여 주주간계약의 내용을 인정하고 그 실현에 조력한다는 내용을 규정하는 것이 중요한 의미를 가질 수 있다고 본다. 그럼에도 불구하고, 의결권구속계약의 이행을 강제하거나 그 위반 우려시 이를 가처분의 형식으로 사전적으로 막을 수 있는지에 대하여 여전히 논란이 있는 상황이며, 이론상 가능하다고 하더라도 피보전권리 및 보전의 필요성에 대한 고도의 소명을 요구하는 법원의 입장을 고려할 때 사전적 가처분 결정을 받아내는 것이 현실적으로 어려울 수 있으므로, 주주간계약 위반시의 구제책 (예컨대, 위약금/위약벌, 해지와 그 효과로서 패널티 풋옵션 등)을 엄격히 규정함으로써 주주들이 그 위반시 효과가 두려워 주주간계약을 위반하지 못하도록 계약서를 작성하는 것이 어쩌면 더 중요하다 하겠다.

3) 주식양도제한약정의 효력 및 집행 가능성

가) 주식양도제한약정의 효력에 관한 논의

주식은 기본적으로 자유롭게 양도할 수 있으므로, 이러한 주식의 양도성을 주주간의 약정으로 제한할 수 있는지에 대하여 논의가 있어 왔다. 특히, 대법원이 주식양도제한의 가장 대표적인 형태인 주식양도금지(lock-up) 조항에 대하여, 그와 같은 약정은 주주의 투하자본회수 가능성을 전면적으로 부정하는 것이어서 무효라는 취지로 판시하여 논란이 된 바 있다(이른바 '신세기통신 사안').[40][41]

종래 주주 사이에 주식양도제한약정은 당사자 사이의 채권적 효력이 있기 때문에 그 계약에 위반하여 주식을 양도하는 경우 그 주식양도는 유효하고 회사도 명의개서를 거부할 수 없지만, 손해배상, 위약금 등 계약위반으로 인한 책임을 부담할 수 있다는 것이 일반적인 이해였다.[42] 그런데 대법원은 위 신세기통신 사안에서 일정 기간 동안 주식양도를 금지한 정관 조항뿐만 아니라 당사자 사이의 약정까지 무효라는 취지라고 판시하였는바, 주식양도제한약정의 채권적 효력까지 부정한 것으로 해석될 수 있어 논란이 되었다.

이와 관련해서는 (i) 주식양도제한약정은 그것이 상법상 보장되는 주주의 투하자본회수라는 주식양도자유의 본질적인 면을 해하지 않는 한 효력을 갖는 것이고 위 대법원 판례 사안에서와 같은 경우는 투하자본회수를 본질적으로 침해하고 있다고 볼 수는 없다는 견해,[43] (ii) 위와 같은 대법원 판례의 취지는 주식양도제한약정이 회사에 대하여 효력이 없다는 취지로 이해하여야 한다는 견해,[44] (iii) 주식양도제한계약의 효력은 계약 주체(회사-주주간, 주주-주주간, 주주-제3자간), 계약의 내용이 어떠한 유형인지, 양도를 제한할 합리적인 이유가 있는지 등에 따라 판단하여야 하고 일정한 기간을 정하여 양도를 금지하는 것은 그 기간이 합리적인 범위 내이고 금지기간을 설정할 정당한 이유가 있다면 유효성을 인정할 수 있다는 견해[45] 등이 제시되어 왔다.

한편, 대법원은 이후 주주들이 적대적 M&A를 대비하여 보유 주식의 우선매수권에 관한 약정이 문제된 사안에서,[46] "주식의 양도를 제한하는 방법으로서

---

40) 동 사안에서 주식양도제한 조항의 내용은 다음과 같다.
   "합작회사가 사전에 공개되는 경우를 제외하고 합작회사의 설립일로부터 5년 동안, 합작회사의 어느 주주도 합작회사 주식의 전부 또는 일부를 다른 당사자 또는 제3자에게 매각, 양도할 수 없다. 단 법률상 또는 정부의 조치에 의하여 그 주식의 양도가 강제되는 경우 또는 당사자들 전원이 그 양도에 동의하는 경우는 예외로 한다."
41) 대법원 2000.9.26. 99다48429.
42) 권기범, 전게서, 606~607면; 송옥렬, 전게서, 856면.
43) 이태종, "주주간의 주식양도제한약정의 효력," 「상사판례연구」 (박영사, 2006), 40~45면.
44) 권오성, "주주간계약의 효력에 관한 연구," 「홍익법학」 제10권 제3호(홍익대학교 법학연구소, 2009), 446면.
45) 한국상사법학회(편)·윤영신(집필), 「주식회사법대계(I권)」 제3판(법문사, 2019), 898~899면.

이사회의 승인을 요하도록 정관에 정할 수 있다는 제335조 제1항 단서의 취지에 비추어 볼 때, 주주들 사이에서 주식의 양도를 일부 제한하는 내용의 약정을 한 경우, 그 약정은 주주의 투하자본회수의 가능성을 전면적으로 부정하는 것이 아니고, 공서양속에 반하지 않는다면 당사자 사이에서는 원칙적으로 유효하다고 할 것이다"라고 판시하면서 우선매수권 약정이 투하자본 회수가능성을 전면적으로 부정하여 강행법규에 위반되거나 공서양속에 반하는 것으로 볼 수 없다고 하였다.[47]

또한, 최근 대법원은 위와 같이 '투하자본회수 가능성' 법리를 유지하면서 주식양도금지 조항에 위배하여 보유 주식을 양도한 주주에 대하여 주주간계약에 따른 위약벌 지급을 인정하기도 하였다. 해당 사안은 드라마 촬영 세트장을 설치하고 그 부지를 관광단지로 개발하기 위하여 설립된 회사의 주주들이 상대방 주주의 동의 없이는 그 보유 주식을 처분할 수 없도록 약정하였고, 일부 주주가 이 약정에 위반하여 주식을 처분하자 상대방 주주가 주주간계약에 따른 위약벌의 지급을 청구한 사안이었다(이른바 '태왕사신기' 사안).[48] 동 사안에서 항소심인 서울고등법원은 기존 대법원 판례를 적용하고, "이 사건 부속약정(필자주: 주식양도제한약정)의 보유 주식 처분금지 조항이 공서양속에 반하는 것이라고 할 수 없고, 이 사건 사업의 안정적 수행을 바라는 원고의 의사에 반하는 주식 처분을

---

46) 동 사안에서 우선매수권 약정은 다음과 같다.
  "만약 합의계약서에 서명한 주주가 주식의 일부 또는 전부에 대하여 위 1항에 해당하는 행위를 하고자 할 경우, 회의소집을 요구하여야 하며, 서명 주주 전원이 반드시 참석하여 그 승인 여부를 만장일치로 결정하고 주식매매를 희망할 경우 서명 주주 중 매수의사가 있는 주주가 우선적으로 매수할 수 있는 권리를 가지며, 매수의사가 있는 주주가 2인 이상일 때에는 매도 주식수를 매수의사 주주로 나눈 주식을 각각의 매수의사를 가진 주주에게 배분한다."

47) 대법원 2008.7.10. 2007다14193.

48) 동 사안에서 주식양도제한 약정은 다음과 같다.
  "갑과 을은 각각 보유하고 있는 대상회사 발행주식 보통주 3,200주(대상회사 발행주식총수의 64%) 및 보통주 1,000주(대상회사 발행주식총수의 20%)의 전부 또는 일부에 대하여 병의 명시적인 사전 서면동의 없이는 매각, 양도, 이전, 무상공여하거나 질권 기타 담보의 목적물로 제공하는 등 갑과 을의 대상회사에 대한 지분비율을 변경시킬 수 있는 일체의 처분행위를 할 수 없다. 다만, 대상회사의 사업 및 운영자금을 조달할 목적임이 명백한 경우에 한하여, 갑과 을은 대상회사 발행주식총수의 33% 범위 이내에서(갑이 처분한 대상회사 발행주식 및 을이 처분할 대상회사 발행주식의 합이 대상회사 발행주식총수의 33% 이내라는 의미) 병의 명시적인 사전 서명동의 없이도 대상회사에 대한 지분비율을 변경시킬 수 있는 처분행위를 할 수 있다. 갑과 을은 각각 보유하고 있는 대상회사에 대한 주식을 예외적으로 처분한 경우에도 대상회사 사업 및 운영자금 등 대상회사를 위하여만 사용하여야 한다."

금지하고 이를 위해서는 원고의 사전 서면동의를 얻도록 하는 것일 뿐이어서 그 제한이 주주의 투하자본회수의 가능성을 원천적으로 봉쇄하는 것은 아니므로, 제335조의 강행법규를 위반하는 것이라고 할 수 없다"라고 판시하였다.[49] 대법원 역시 위와 같은 고등법원 판단을 유지하였다.[50]

이와 같은 점을 종합할 때 현재 실무에서 활용되는 주식양도제한조항들, 즉 일정기간 주식양도를 금지하면서 해당 기간 내에 주식양도를 하려는 경우 다른 주주의 동의를 요하는 주식양도금지(lock-up) 조항, 다른 주주에게 우선적으로 매수할 권리를 부여하는 조항(right of first refusal 또는 right of first offer)은 우리나라 법원에서도 그 채권적 효력을 인정받을 수 있을 것으로 생각된다. 물론, 대법원이 계속하여 '투하자본회수의 가능성'을 기준으로 하고 있고 과거 주식양도금지 조항에 대해서 무효로 판단한 바 있어 아직 다소간의 의문의 여지가 있지만,[51] 주주간계약은 대부분 당사자들의 신뢰관계가 중요하여 일정 기간 상호 주주로 회사에 남아 있어야 하는 상황에서 체결되며, 최근 법원도 실제로 그러한 동기로 체결된 주식양도제한약정이 투하자본회수의 가능성을 봉쇄하는 것은 아니라고 하여 채권적 효력을 인정한 바 있어 그 효력이 부인될 가능성은 낮다고 하겠다.

나) 주식양도제한약정 위반의 효력

앞서 본 바와 같이 주식양도제한의 약정은 당사자 사이에 채권적 효력을 발생시킬 뿐이므로 양도제한약정에 위반하여 주식이 양도되더라도 양수인의 선의·악의와 무관하게 주식양도는 유효하고, 회사는 양수인의 명의개서청구를 거절할 수 없는 것이 원칙이다. 따라서 일방 당사자가 주식양도제한 약정을 위반하여 주식을 양도할 경우 상대방 당사자는 위반 당사자에게 계약 위반에 따른 손해배상을 청구할 수밖에 없다. 그런데, 그러한 위반의 경우 비위반 당사자의 손해를 산정하고 입증하는 것이 매우 어렵다. 예컨대, 주식양도금지 조항을 위

---

49) 서울고등법원 2012.12.28. 2012나65654.
50) 대법원 2013.5.9. 2013다7609.
51) 신세기통신 사안은 5년간 양도를 제한하는 약정이 주주의 투하자본회수의 가능성을 전면적으로 하는 것이라고 본 것은 의문이며 이후 대법원이 두 차례에 걸쳐 주식양도제한약정의 유효성을 인정한 바 있으므로, 주식양도제한약정은 투하자본회수의 가능성을 전면적으로 부정하거나 공서양속에 반하지 않는다면 유효하다는 것이 확립된 판례이론이라는 견해도 있다. 이철송, 전게논문, 6~7면.

반하여 상대방이 자신의 지분을 제3자에게 매각한 경우, 비위반 당사자는 자신의 지분은 그대로 보유하고 있기 때문에 상대방의 지분 양도로 인한 자신의 손해가 무엇이고 얼마인지를 산정하고 입증하는 것이 매우 어렵다. 따라서, 애초 주주간계약에 이러한 손해배상 대신 또는 그에 추가하여 손해배상예정이나 위약벌 조항을 두고, 그러한 손해배상예정이나 위약벌 조항에 근거하여 손해배상금 또는 위약벌의 지급을 청구하는 방안이 가능하도록 주주간계약이 작성될 필요가 있다.52)53)

그럼에도 불구하고, 위약벌이나 손해배상예정에 관한 조항이 없는 주주간계약과 관련하여 주식양도제한 조항 위반이 발생한 경우에는 어떻게 해야 할까? 이와 관련하여서는 손해배상책임과 관련하여 2016년 신설된 민사소송법 제202조의2를 주목할 필요가 있다.54) 민사소송법 제202조의2는 손해가 발생한 사실은 인정되나 구체적인 손해의 액수를 증명하는 것이 사안의 성질상 매우 어려운 경우 법원이 변론 전체의 취지와 증거조사의 결과에 의하여 인정되는 모든 사정을 종합하여 상당하다고 인정되는 금액을 손해배상 액수로 정할 수 있도록 규정하고 있다.

주주간계약에서 상대방의 주식양도제한조항 위반의 경우, 비위반 당사자에게 손해가 발생한 것은 명백하다. 대주주가 주식양도금지 조항을 위반한 경우를 생

---

52) 주주간계약 위반으로 인한 해지시 그 해지효과로 콜옵션을 규정해 놓는 경우에도 그것만으로는 주식양도제한 조항 위반 문제에 대한 대비책이 되지 않음을 주의하여야 한다. 왜냐하면 상대방이 주식양도제한 조항을 위반하여 자신의 주식을 양도한 경우 콜옵션 대상 자체가 없어지기 때문이다.

53) 관련하여, 제335조 제1항 단서에 따라, 정관에 주식의 양도에 관하여 이사회 승인을 받도록 규정하고, 주식의 양도에 관한 이사회 결의는 특별결의사항으로 규정하여, 쌍방 주주가 동의하지 않는 이상 이사회 결의가 이루어지지 않도록 한다면, 주식양도제한약정 위반의 문제는 생기지 않을 수 있다고 생각할 수 있다. 그러나, 정관 및 주주간계약에 그런 내용을 반영한다고 하더라도, 제335조의2 및 제335조의3에 따라 매도희망 주주는 회사에 양도승인을 청구할 수 있고, 회사가 양도승인을 거부하는 경우에는 회사에 대하여 양도의 상대방의 지정 또는 그 주식의 매수를 청구할 수 있으며, 그러한 주주의 청구에 대하여 회사가 상대방을 지정하지 아니한 경우에는 결국 주식의 양도에 관하여 이사회의 승인이 있는 것으로 간주되어, 결국 매도희망 주주는 자신의 주식을 제3자에게 팔 수 있게 된다. 따라서, 주식의 양도에 관하여 이사회 승인을 받도록하고, 그 승인을 특별결의사항으로 규정해 놓는다고 하더라도 주식양도제한 위반의 문제를 원천적으로 막을 수는 없다는 점을 주의해야 한다.

54) 물론, 민법 제202조의2는 새로운 법리를 입법적으로 도입하였다기 보다는 판례를 통해 인정되어 오던 손해배상액 산정의 법리를 명문화한 것이다(대법원 2004.6.24. 2002다6951, 6968; 2009.9.10. 2006다64627 등).

각해 보자. 소수주주는 주주간계약을 통해 이사선임권 등 다양한 권리를 보장받는데, 대주주가 자신의 지분을 제3자에게 매각한 경우에는 더 이상 주주간계약 상의 보호를 받을 수 없게 되어버리는바, 주주간계약을 통해 누릴 수 있었던 권리 박탈이라는 손해가 발생하였고, 주주간계약 상 권리가 있는 상태에서의 소수주주 보유주식의 가치보다 주주간계약 상 권리가 없는 상태에서의 소수주주 보유주식의 가치가 낮을 것이라는 점은 직관상 명백하다고 할 수 있다. 그러나, 소수주주의 보유주식 자체에 어떤 문제가 발생한 것은 아니므로, 과연 그 손해가 얼마인지를 산정해 내는 것은 매우 어렵고 그 정확한 산정은 불가능에 가깝다. 따라서, 주식양도제한조항 위반으로 인하여 손해배상이 문제되는 경우에 법원은 만연히 손해의 입증이 없다고 손해배상 청구를 기각하기보다는 적극적으로 민사소송법 제202조의2를 활용하여 손해배상청구를 인용하여야 할 것이다. 위 조항은 '…정할 수 있다'라고 하여 마치 법원의 재량사항처럼 규정되어 있지만, 손해의 발생은 확실한데 그 구체적인 산정이나 입증이 어려운 상황이라면, 마치 기속 재량의 경우처럼 법원은 위 조항을 적극 활용하여 손해액을 산정하여야 할 것이다. 대법원도 독점규제 및 공정거래에 관한 법률 위반 사안이긴 하지만 "손해가 발생한 사실이 인정되는 경우 법원은 손해액에 관한 당사자의 주장과 증명이 미흡하더라도 적극적으로 석명권을 행사하여 증명을 촉구하여야 하고, 경우에 따라서는 직권으로라도 손해액을 심리 판단하여야 한다"고 판시한 바 있다.[55][56]

또한, 제3자인 주식매수인에게 어떠한 책임을 물을 수 있는지가 문제될 수 있는데, 일반적으로 주식매수인에게 손해배상청구 등을 하는 것은 생각하기 어려우나, 제3자 채권침해 법리에 따라 불법행위에 기한 손해배상책임을 추궁할 수는 있을 것이다. 즉, 주식매수인이 주식매도인과 적극 공모하였다거나 기망 · 협박 등 사회상규에 반하는 수단을 사용하거나 다른 주주를 해할 의도로 주식매도인과 계약을 체결하였다는 등의 특별한 사정을 입증하는 경우에는 주식매수인에게도 손해배상책임이 인정될 수 있다고 생각된다.[57]

---

55) M&A계약 위반으로 인한 손해의 산정과 관련한 보다 구체적인 논의는, 김태진, "M&A계약 위반과 손해 – 손해액 산정과 민사소송법 제202조의2 활용 여부 –,"「외법논집」제42권 제1호(한국외국어대학교 법학연구소, 2017) 참조.
56) 대법원 2016.11.24. 2014다81511.
57) 대법원 2001.5.8. 99다38699 등 참조.

다) 주식처분금지가처분의 가능 여부

앞서 본 바와 같이 주식양도제한의 약정이 적어도 당사자 사이에 채권적 효력을 발생시킨다면 이를 피보전권리로 하여 주식처분금지가처분 등을 구할 수 있는지 문제된다. 이와 관련하여 법원은 (i) 주식처분금지약정이 상법의 규정 취지에 반하여 효력이 없다고 하여 기각하였으며,[58] 주식처분금지약정의 효력은 인정하면서도 (ii) 주주간계약은 당사자 사이에 채권적 효력을 발생시킬 뿐이므로 당사자가 아닌 주식양수인에 대한 주식처분금지가처분은 피보전권리가 인정되지 않는다고 하거나[59] (iii) 주식처분금지가처분이 임시의 지위를 정하는 가처분이라는 전제 하에 보전의 필요성이 충분히 소명되었다고 보기 어렵다고 하여 기각한 바 있다.[60]

이러한 법원의 결론은 가처분의 경우 주식처분금지약정이 유효하여 피보전권리가 소명되었다 하더라도 보전의 필요성까지 소명되었는지 여부의 판단에 따라 달라질 수 있다는 점에 따른 것으로 이는 가처분의 내재적 한계에 불과한 것인바, 동일한 주식처분금지약정에 기한 청구라 하더라도 주식처분금지를 구하는 가처분의 경우와 이미 주식이 처분되었음을 이유로 위약벌 내지 손해배상금의 지급을 구하는 경우는 그 결론이 달라질 수 있다고 한다.[61]

4) 프로큐어 조항의 효력 및 집행가능성

가) 개 관

주주간계약을 체결하는 경우 주주들은 회사의 업무집행에 관하여 미리 합의하기 마련이며, 이는 주주들에게 회사법상 보장된 것보다 직접적인 경영 관여를 보장함으로써 잠재적 투자자를 유인하는 역할을 한다는 점은 앞서 본 바이다.

이러한 회사의 업무집행에 관한 약정은 통상 주주총회 및 이사회의 운영, 주요 경영사항의 처리, 배당결의 등에 관한 합의로 구성되며, 주로 주주에게 회사 또는 자신이 지명한 이사로 하여금 특정 행위를 하도록 또는 특정 행위를 하지 않도록 요구하는 방식(이른바 '프로큐어 (procure) 조항'[62])으로 정하게 된다. 이

---

58) 대법원 2004.11.11. 2004다39269.
59) 서울고등법원 2016.7.4. 2016라20291.
60) 서울고등법원 2017.3.10. 2015라1302.
61) 백숙종, "주주간계약과 가처분," 「BFL」 제88호(서울대학교 금융법센터, 2018. 3.), 84면.
62) 주주간계약에는 "주주 A는 회사로 하여금 … 하도록(또는 하지 못하도록) 하겠다(Shareholders

러한 프로큐어 조항은 이사의 선관주의의무와의 관계에서 그 효력과 집행가능성에 대하여 논란이 있으며, 구체적으로는 (i) 회사로 하여금 특정 행위를 하도록(또는 하지 않도록) 하는 프로큐어 조항과 (ii) 이사로 하여금 특정 행위를 하도록(또는 하지 않도록) 하는 프로큐어 조항으로 나누어 살펴 볼 필요가 있다.[63]

나) 회사 프로큐어 조항

회사 프로큐어 조항, 즉 회사가 당사자로 되지 않은 주주간계약에서 대주주가 회사로 하여금 특정한 행위를 하도록(또는 하지 않도록) 하겠다고 약속하는 조항에 대하여 이사에 대한 프로큐어 조항과 구분하여 논하고 있는 견해를 찾아보기는 어렵다.[64] 다만, 최근 대법원은 주주간계약을 통해 대주주가 회사로 하여금 자회사의 지분비율을 유지하도록 하도록 약정한 사안에서 해당 조항을 근거로 대주주의 회사로 하여금 자회사의 지분율을 유지하게 할 의무를 인정하고 회사가 다른 주주의 동의 없이 자회사의 지분을 매각한 행위에 대하여 대주주의 채무불이행 책임을 인정함으로써 위와 같은 프로큐어 조항의 채권적 효력이 인정됨을 전제로 판시한 바 있다.[65]

이러한 회사 프로큐어 조항 역시 당사자 사이의 약정으로서 사적 자치 원칙에 따라 부인할 이유가 없다. 나아가, 설사 회사가 당사자가 아니어서 또는 이사의 선관주의의무를 이유로 회사에 대한 구속력을 주장하거나 직접 집행하는 것이 어렵다 하더라도, 대주주가 프로큐어 조항을 통해 회사의 특정 행위를 약속한 이상, 최소한 주주인 당사자 사이에는 그러한 결과를 의도한 것이고, 이를

A shall procure the Company …)"거나 "자신이 지명한 이사로 하여금 …하도록 하겠다"는 약정이 포함되는 경우가 많은데, 이 글에서는 그러한 약정을 "프로큐어(procure) 약정"이라 한다.

63) 김건식, 전게논문, 342~343면은 주주간계약을 통해 이사회 업무집행을 통제하는 방식을 (i) 이사회의 업무집행을 직접 규제하는 방식, (ii) 제3자에게 업무집행권한을 부여하는 방식, (iii) 일부 주주에게 거부권을 부여하는 방식 또는 (iv) 주주에게 자신이 지명한 이사로 하여금 특정한 행동을 하도록 요구하는 방식으로 분류하고 있다. 그러나, 해당 논문에서도 지적하듯이 (i)방식은 (iv)와 같은 프로큐어 조항과 같은 의미로 해석되며, (ii)방식은 실무상 활용되지 않는다. 나아가, (iii)방식은 회사가 주주간계약의 당사자가 되지 않는 한 "주주A는 회사로 하여금 … 에 관하여 주주 B의 사전 동의를 받도록 하여야 한다" 내지 "주주A는 회사로 하여금 주주B의 사전 동의 없이 …를 하지 아니하도록 하여야 한다"는 형식이 될 것이므로, 이 또한 프로큐어 조항의 일종이라고 하겠다.

64) 그러나 뒤에서 보는 이사 관련 프로큐어 조항의 효력에 대한 논의가 그대로 적용된다고 본다. 회사의 행위는 이사들의 의사결정을 전제로 하기 때문이다.

65) 대법원 2021.1.14. 2018다223054.

위반할 경우에는 계약해지, 손해배상 등의 책임을 물을 수 있다고 보아야 한다. 그렇지 않으면, 당사자가 일정한 결과를 의도하고 약정하였음에도 불구하고 그와 관련하여 아무런 청구도 하지 못하는 결과가 된다. 이러한 점에서 프로큐어 조항은 대주주가 회사의 특정행위의 이행을 보증한 일종의 이행보증채무를 약속한 것이라고 보아야 할 것이며, 그러한 해석이 주주간계약을 체결하는 당사자들의 실제 의사에 부합하는 것이라고 본다.66)67)

다) 이사 프로큐어 조항

이사 프로큐어 조항의 효력에 대해서도 견해가 나뉜다. 회사의 소유와 경영은 분리되며 회사의 경영은 주주가 아니라 이사들이 회사에 대한 수임인으로서의 지위에서 선관주의의무에 따라 경영하는 것이므로, 이사들이 그러한 회사에 대한 선관주의의무를 벗어나 주주의 뜻에 따라야 할 의무는 없다는 점은 누구나 인정하는 바이다. 따라서 자신이 지명한 이사로 하여금 일정한 행위를 하도록 하겠다는 프로큐어 조항이 이사에 대하여 구속력을 가지지 않아 집행이 불가능하다는 점에 대해서는 의문이 없는 것으로 보인다.

그러나 이사 프로큐어 조항의 채권적 효력에 대해서는 (i) 이사의 선관주의 의무에 반하므로 그 효력을 인정할 수 없다는 견해68)와 (ii) 가급적 당사자들의 합의된 의사를 존중하여야 하며 이사는 주주의 지시가 회사나 다른 주주의 이익

---

66) 프로큐어 조항은 영미법에서 유래한 조항인 만큼 영국 판례를 참고할 필요가 있는데, 영국 법원은 회사가 프로큐어 조항을 통해 그 계열회사에게 실행된 대출에 대하여 상환을 약속한 사안에서, 'procure'가 통상적으로 'see to it(~하도록 확실하게 하다. 즉 make certain)'의 의미를 갖기 때문에 해당 회사가 그의 계열사가 대출금을 '상환하도록 할 것'을 약속한 것이고, 그 의무를 위반하였을 경우에는 손해배상을 하여야 한다고 판시한 바 있다. "In my view the normal meaning of the word procure is to "see to it". Thus a person agreeing to procure that someone else performs a contractual obligation first is required to attempt to procure that person complies with the obligation and in the event that he fails to comply to pay damages calculated by the amount that ought to have been paid by the third party." [Nearfield Ltd v (1) Lincoln Nominees Ltd (2) Lincoln Trust Co (Jersey) Ltd (2006) Royal Courts of Justice, Strand, London, WC2A 2LL, [2006] EWHC 2421 (Ch)]

67) 위 2018다223054판결의 원심은 지분율 유지의무는 인정하면서도, 주주가 어떤 행위를 통해 회사의 경영진으로 하여금 지분매각을 결정하도록 하였다는 것인지에 대한 주장 입증이 없다는 이유로 지분유지의무 위반에 따른 손해배상책임의 성립을 부정하였으나, 상고심에서 원고는 해당 지분유지의무는 일종의 이행보증으로서 결과보장책임을 주장하며 원심이 부당함을 다투었는데, 대법원은 원심을 파기함으로써 손해배상책임을 긍정한바, 대법원도 프로큐어 의무가 일종의 이행보증책임이라는 점을 인정한 것이라고 평가할 수 있을 것이다.

68) 이철송, 전게논문, 23면 및 25~26면.

을 해하는 것이라면 따르지 않으면 되므로 프로큐어 조항이 이사의 선관주의의무에 위반하는 것으로 볼 수 없다는 점을 근거로 그 효력을 인정하는 견해[69]가 있으며, 나아가 (iii) 최대한 주주가 선택한 회사법 질서를 존중하여야 하며 프로큐어 조항의 구속력을 부정할 경우 계약을 위반하면서 자신의 이익을 추구하는 대주주 또는 경영진의 이익을 옹호하는 결과가 될 수 있다는 점을 지적하며 회사에 대한 구속력까지 인정하는 견해[70]도 있다.

　법원은 앞서 살펴 본 정수공업사건[71]에서 이사 프로큐어 조항의 효력에 대하여 판단한 바 있다. 해당 사안에서 신청인은 주주간계약 상의 "회사의 대표이사는 기존 대주주 또는 기존 대주주가 지정한 이사를 선임하기로 하고, 투자자는 자신이 지명한 기타비상무이사로 하여금 이사회에서 기존 대주주 또는 기존 대주주가 기정한 자를 대표이사로 선임하도록 하여야 한다"는 프로큐어 조항에 근거하여 투자자를 피신청인으로 하여 "(i) 피신청인에게 피신청인이 지명한 기타비상무이사로 하여금 이사회에서 신청인을 대표이사로 선임하도록 할 의무가 있음을 임시로 정한다. (ii) 피신청인은 피신청인이 지명한 기타비상무이사로 하여금 신청인을 대표이사로 선임하기 위한 이사회를 소집하게 하고, 소집된 이사회에서 피신청인 지명한 기타비상무이사로 하여금 신청인을 대표이사로 선임하는 안에 동의하게 하여야 한다"는 취지의 경영권침해금지 가처분을 신청하였다. 이에 대하여 법원은 상법과 회사의 정관이 이사회의 결의로 대표이사를 선임하도록 규정하고 있음을 근거로 들면서, "신청인과 피신청인이 이 사건 주주간계약을 통해 신청인을 이 사건 회사의 대표이사로 정하는 데에 합의하였다고 하더라도 피신청인은 이 사건 회사의 이사가 아니어서 위 합의만으로 피신청인이 신청인을 이 사건 회사의 대표이사로 선임할 법률적 권한을 가질 수 없을 뿐만 아니라, 이 사건 회사의 이사들은 이 사건 주주간계약의 당사자가 아니고, 주식회사에 있어 이사의 직무수행은 회사의 수임인으로서 주의의무가 따르는 행위로서 이사는 그 행위에 관해 독자적인 책임을 지므로 주주간의 합의가 이사의 직

---

69) 김건식, 전게논문, 367~370면(그러나 이 견해는 주주가 자신이 지명한 이사가 지시에 따르지 않는 경우 지시에 따른 이사의 행동이 신인의무에 반한다는 점을 증명한 경우에는 책임을 면한다고 보고 있는데, 프로큐어의무를 일종의 이행보증책임으로 보아야 한다는 필자로서는 동의하기 어렵다); 노혁준, "주주인 이사에 대한 주주간계약의 구속력 – 대법원 2013.9.13. 선고 2012다80996 판례 평석 –,"「외법논집」제42권 제1호(2018. 2.), 169면.
70) 송옥렬, 전게논문, 362면.
71) 서울중앙지방법원 2013.7.8. 2013카합1316.

무수행에 대한 구속력을 지닐 수는 없다고 할 것인바, 결국 이 사건 회사의 이사들이 이 사건 주주간계약에 따라 신청인에 대한 대표이사 선임의무를 부담한다고 볼 수 없는 이상, (중략) 제3자인 이 사건 회사의 이사들로 하여금 그들이 법률상 의무를 부담하지 않는 일을 하도록 요구할 의무가 피신청인에게 있다고 할 수 없다"라고 판시한 바 있다.

그런데, 위 판시내용은 해당 이사 프로큐어 조항의 집행가능성뿐만 아니라 채권적 효력까지 부인한 것으로까지 읽힐 수 있어서 의문이 든다. 이사들에게 요구할 의무 자체가 없다는 것은 해당 프로큐어 조항 자체의 효력을 부인한 것으로도 해석될 수 있기 때문이다. 하지만, 앞서 본 회사 프로큐어 조항과 마찬가지로 프로큐어 약정을 일종의 이행보증으로 본다면 당사자의 의사를 존중한다는 점에서 이사 프로큐어 약정의 채권적 효력까지 부인할 이유는 없다고 본다. 따라서, 프로큐어 약정에 터잡아 이행청구나 가처분 신청을 할 수는 없겠지만, 그 약정을 준수하지 못한 경우 그 약정 위반에 따른 손해배상책임은 물을 수 있다고 보아야 할 것이며, 그러한 해석이 주주간계약을 체결하는 당사자들의 실제 의사에 부합하는 것이라고 본다.

라) 소 결

이상에서 살펴본 바와 같이 프로큐어 조항에 대해서는 확립된 견해가 없고, 각 견해마다 나름의 근거를 제시하고 있다. 그러나 무엇보다도 당사자들의 합의 내용은 사적자치 원칙상 최대한 존중되어야 하며, 이사 프로큐어 조항의 효력을 인정하는 견해에서 지적하듯이 이사는 선관주의의무에 따라 주주의 지시를 따를지 여부를 결정할 수 있으므로, 그것이 반드시 이사의 선관주의의무 등 회사법이 예정한 지배구조와 상충된다고 볼 수도 없다고 생각하며, 일종의 이행보증의무로 이해한다면 이사의 선관주의의무와의 충돌여부가 그 채권적 효력의 인정에 영향을 미칠 수 없다고 본다. 그렇다면, 적어도 프로큐어 조항의 채권적 효력은 부인할 이유가 없다고 하겠다.

한편, 이러한 프로큐어 조항의 집행가능성을 높일 수 있는 방법은 없을까?

우선 회사 프로큐어 조항과 관련하여서는 대주주로부터 그러한 프로큐어 확약을 받음과 동시에 대상 회사가 주주간계약의 당사자가 되어 동일한 취지의 확약을 하는 것을 고려해 볼 수 있을 것이다.[72] 그 경우 회사 스스로 의무당사자이기 때문에 회사를 상대로 이행청구나 가처분 신청을 할 수 있는 근거가 생긴다고 할 수 있기 때문이다.[73] 이러한 점이 주주간계약 작성시 회사가 주주간계약의 당사자가 되도록 하는 것이 바람직한 또 다른 이유이기도 한 것이다.

다음으로 이사 관련 프로큐어 조항과 관련하여서는 개별 이사들이 주주간계약의 당사자가 되는 것은 상정하기 어렵고, 당사자가 된다 하더라도 회사의 수임인으로서의 지위 상 무조건 주주의 뜻에 따라 이사회에서 의결권을 행사하겠다는 약정은 그 효력에 대한 논란의 소지가 있는바, 주주간계약 작성 목적 상으로는 주주가 자신이 지명한 이사를 통제할 수 없는 경우(즉, 이사가 주주간계약이 정한 대로 이사회에서 의결권을 행사하지 않는 경우)에는 해당 이사를 선임한 주주에게 그 이사를 해임할 의무를 부과시켜 놓는 정도를 고려할 수밖에 없을 것이다.[74]

라. 주주간계약의 주요 쟁점 및 작성시 고려사항

이상에서 보았듯이 주주간계약은 그 효력이나 집행가능성과 관련하여 불확실성이 크다. 그러나 어차피 그 효력이나 집행가능성에 의문이 있기 때문에 주주

---

72) 그러한 예는 주주간계약이 아니더라도 많이 찾아볼 수 있다. 회사가 차입을 하거나 사채를 발행함에 있어서 채권자들과 사이에, 채권자의 사전 동의 없이는 어떤 행위를 하지 않기로 하는 소극적 확약(negative covenant)이 그 대표적인 예다. 최근 법원은 회사가 상환전환우선주를 인수하는 투자자와 사이에 신주인수계약을 체결하면서 주요경영사항에 대하여 투자자의 사전 동의를 받을 것과 그 위반시 조기상환 및 위약벌 지급을 약정한 사안에서, 그러한 약정은 투자자에게 다른 주주에 비하여 강력하고 절대적인 영향력을 행사할 수 있도록 하고 투하자본의 회수를 절대적으로 보장하는 것이라며 주주평등의 원칙에 반하여 무효라고 판단한 바 있는데다(서울고등법원 2021.10.28. 2020나2049059), 이러한 법원의 판단은 실무상 이해와 논의와 다소 거리가괴리가 커서 시장에 혼란을 주고 있다. 있는 것이고, 회사는 사적 자치의 원칙에 따라 투자자, 채권자, 영업상대방 등과 사이에 주요경영사항에 대한 사전동의약정을 체결하는 경우가 많이 있는데, 이러한 약정을 모두 '주주평등의 원칙'이나 '채권자평등의 원칙'을 들어 모두 무효라고 할 것인지도 의문이다. 다만, 해당 사안은 주요경영사항에 대한 사전 동의 약정에 더하여 '조기상환 및 위약벌'이라는 비교적 강력한 제재를 약정한 사안으로서, 법원이 사전 동의 약정 자체를 무효라고 판단한 것인지, 위반시 다른 적절한 제재를 약정한다면 유효한 것으로 판단할 것인지는 분명하지 않으며, 추후 대법원의 판단을 주목할 필요가 있다. 평등의 원칙은 절대적 평등이 아니라 '같은 것 같게, 다른 것은 다르게' 라는 실질적 평등이 되어야 한다는 점에서도 위 법원의 판단을 일반화 하기는 어렵다고 본다.

73) 물론, 회사가 소극적 확약에도 불구하고 금지된 행위를 하고자 할 경우, 사전적인 금지가처분을 통해 그러한 행위를 막을 수 있는지는 피보전권리와 보전의 필요성의 고도의 소명이라는 측면에서 현실적인 어려움이 있을 수는 있을 것이다.

74) 천경훈, 전게논문, 16면 각주 17).

간계약을 얼마나 잘 작성하느냐가 큰 의미가 없다는 것이 아니라, 오히려 그러한 불확실성을 최소화하고 당사자의 의사가 제대로 실현될 수 있도록 정치하게 작성되어야 한다. 주주간계약이 정치하게 작성되지 않는다면, 향후 주주간의 사이가 틀어지거나 실제 분쟁이 발생하였을 때 정작 주주간계약은 해당 분쟁의 해결에 크게 도움이 되지 못하고, 오히려 애매모호한 규정 때문에 분쟁 해결에 장애가 될 수도 있다.

이하에서는 앞에서 살펴본 이해에 기초하여, 당사자들의 실제 의사를 구현하고, 분쟁 가능성을 최소화하면서 조금이나마 집행가능성을 높이기 위해서 주주간계약의 주요 쟁점 및 그와 관련하여 주주간계약 작성시 고려해야 할 사항을 조항별로 검토해 보고자 한다.

1) 회사의 당사자 포함 여부

통상 주주들 사이에 체결되는 주주간계약은 당사자 사이에 채권적 효력만 있을 뿐이므로, 주주간계약에 위반하여 의결권이 행사되거나 주식이 처분될 경우에는 당사자 사이에 주주간계약 위반에 따른 책임이 따를 뿐이며, 당해 주주총회 결의의 효력이나 주식양도의 효력 자체에는 영향이 없다고 보는 것이 일반적인 견해라는 것은 앞에서 본 바와 같다. 그런데, 주주간계약에 있어 회사를 당사자로 포함시켜 회사에게도 주주간계약의 효력을 미치게 하는 것은 주주간계약에 따른 의무이행의 실효성을 확보한다는 측면에서 의미가 있을 수 있다. 부연하면, 앞에서 본 바와 같이 의결권구속 약정, 주식양도제한 약정, 프로큐어 조항 등의 집행가능성을 높게 한다는 측면에서 대상회사를 당사자로 포함시키고, 대상회사로 하여금 주주들간의 약정을 인정(acknowledge)하고, 그 실현에 조력하겠다는 확약을 하게 하며, 대주주의 회사로 하여금 특정 행위를 하게 할 의무에 대하여는 회사 스스로 그러한 행위를 이행하도록 하는 의무를 부과하는 것이 바람직하다.

물론 회사가 주주간계약의 당사자가 된다 하더라도 주주간계약에 위반한 주주총회결의나 주식양도의 효력이 무효가 된다고 단정지을 수는 없으나, 적어도 주주간계약의 채권적 효력에 기하여 의결권행사(금지)가처분 내지 명의개서금지 가처분 등의 가처분의 제기를 시도해 볼 수 있다는 점에서 의미가 있다 하겠다. 실제로 일본에서는 회사가 당사자로 된 주식양도제한 약정의 경우 회사는 계약에 위반한 주식양도를 승인하여 명의개서청구에 따르지 않을 채무를 부담하기 때문에 회사를 채무자로 하는 명의개서금지의 가처분은 인정된다고 보는 견해가 있다.[75]

이에 대하여 주주간계약의 회사에 대한 구속력은 회사가 계약당사자라는 계약법적 논리가 아니라 주주가 선택한 회사운영의 기본구조가 가장 효율적이라는 회사법적 논리에 있으므로 회사가 주주간계약의 당사자가 된다 하여도 달라질 것이 없다거나,[76] 회사가 주식양도제한, 업무집행약정을 포함하는 주주간계약의 당사자가 되는 것은 상법 규정(제355조 제1항)에 위반되거나 계약의 목적이 강행법규에 위반하여 무효라며 그 효용성에 의문을 제기하는 견해가 있다.[77] 그러나 회사가 독자적인 판단에 따라 주주간계약을 체결한 이상, 그러한 판단이 선관주의의무에 부합하는 것인지 여부는 별론으로 하고, 그러한 주주간계약의 회사에 대한 효력을 부정할 이유가 없으며(회사가 계약을 체결한 경우, 그러한 계약체결을 결정함에 있어서 이사들의 선관주의의무 위반이 문제가 된다고 하더라도, 그 이사들의 손해배상책임이 문제되는 것이지 동 계약의 사법적 효력이 무효가 되는 것은 아님이 원칙이다), 주주간계약의 회사에 대한 구속력이 불확실한 상황에서는 회사를 당사자로 포함시키는 방안이 유효적절한 해결책이 될 수 있다고 생각한다.[78]

2) 이사회 구성 및 대표이사 선임

가) 이사 선임권

회사의 업무집행은 이사회의 결의에 의하는바, 이사회의 구성에 관한 조항은

---

75) 田邊眞敏, 「株主間契約と定款自治の法理」(九州大學出版會, 2010), 278面. 이 견해는 주식양도제한 약정에서 다른 주주에게 우선매수권을 부여하는 규정이 있다면 당해 주주는 우선매수권의 규정을 근거로 하여 회사에 대하여 제3자에게로 주식양도를 불승인하고 자신을 매수인으로 지정할 것을 명하는 내용의 가처분도 가능하다고 한다.

76) 송옥렬, 전게논문, 352면 및 354~356면. 동 논문의 취지는 회사에 대한 구속력은 계약적 근거가 아니라 회사법적 논리에서 찾아야 한다는 것이지, 실무상 그 필요성을 부정하는 것은 아니다.

77) 이철송, 전게논문, 27~28면. 동 논문은 회사가 당사자가 된다고 하여 선임되지도 않은 이사 또는 대표이사를 선임되었다고 볼 수 없다는 점에서 회사가 당사자가 된다고 하여 회사에 대한 구속력이 생긴다고 볼 수 없다는 취지로 주장하나, 이는 필자가 주장하는 회사에 대한 구속력의 의미를 잘 못 이해한 것이다. 필자가 주장하는 회사에 대한 구속력은 회사에 대한 계약적 구속력을 의미하는 것이지, 이사 선임이나 대표이사 선임과 같은 회사법적 효력을 바로 발생시키는 효력이 있다는 주장이 아니다.

78) 같은 취지에서 회사가 주주간계약의 당사자로 참여하는 것이 이사의 신인의무나 주주평등원칙에 위반된다고 볼 수 없다는 견해로는 김건식, 전게논문, 372~373면.

회사지배구조와 관련한 사항 중 가장 중요한 사항이라고 할 수 있다. 통상 주주
간계약은 이사의 정원을 정하고, 각 주주가 지명할 수 있는 이사 수를 정하는
방법으로 이를 규정한다. 이러한 각 주주의 이사지명권은 주주총회에서 각 주주
가 해당 이사 선임의 건에 찬성표를 던짐으로써 목적을 이룰 수 있으므로, 각
주주는 주주간계약의 합의 내용에 따라 의결권을 행사할 의무를 부담한다. 만약
이를 위반하려는 주주가 있을 경우 상대방 주주가 찬성의 의결권행사가처분 신
청을 하고 그 가처분의 집행을 통하여 만족을 얻을 수 있을지에 대하여는 앞에
서 본 바와 같다.

그런데 관련하여 주의할 점이 있다. 이사 선임권을 규정하는 경우에는 이사
의 선임권에 대해서 뿐만 아니라 이사의 해임권에 대하여도 규정해 놓는 것이
바람직하다. 즉, 일방 주주는 자신이 지명한 이사를 언제든지 해임할 수 있으며,
그 주주가 해당 이사의 해임을 원하는 경우 상대방 주주는 주주총회에서 동 이
사의 해임을 위해 의결권을 행사할 것을 규정할 필요가 있다.[79]

앞서 본 유한킴벌리 사안에서도 신청인은 주주간계약 상의 이사 선임권에 기
초하여, 피신청인이 자신이 선임한 이사를 해임하도록 의결권을 행사할 것을 신
청하였는데, 법원은 합작투자계약에 계약당사자의 권리로 규정된 것은 이사 선
임권뿐이고 이사 해임권 내지 교체권은 별도로 규정되어 있지 않은 점을 들어
해당 신청을 받아들이지 않은 바 있다.[80]

나) 대표이사 선임권

주주간계약에서 이사회 구성과 함께 중요한 사항이 대표이사 선임에 관한 사
항이다. 대표이사 선임은 각 주주가 1명씩 공동대표이사를 선임하는 방안이나
각 주주가 1명씩 대표이사를 선임한 후 각자 대표권을 갖도록 하는 방안을 생
각할 수 있다. 그러나 대부분의 주주간계약에서는 일방 당사자(주로 대주주)는
대표이사를 선임하고, 다른 당사자는 재무담당이사 등 다른 중요 임원을 선임하
도록 약정하는 것이 보통이다.

한편, 대표이사를 선임하는 방식과 관련하여 대표이사를 주주총회에서 선임

---

79) 제385조 제1항에 의하면, 정당한 사유 없이 이사를 임기 중에 해임하는 경우 그 이사는 회
   사에 대하여 해임으로 인한 손해의 배상을 청구할 수 있으므로, 주주가 이사 해임권을 행
   사하는 경우에는 그로 인한 이사의 손해배상청구권으로부터 회사를 면책한다는 규정도 넣
   는 것이 바람직하다.
80) 앞서 본 서울중앙지방법원 2012카합1487.

하는 방법과 이사회에서 선임하는 방식을 생각할 수 있다. 전자는 각 주주가 주주총회에서 주주간계약에 따라 대표이사가 선임되도록 의결권을 행사하여야 하고, 후자는 각 주주가 선임한 이사들이 이사회에서 주주간계약에 따라 의결권을 행사하여야 한다. 이와 관련하여 이사는 주주의 지시가 아니라 본인의 판단에 따라 회사에 최선의 이익이 되는 방향으로 의결권을 행사하여야 하므로, 이사의 의결권 행사를 구속하는 약정은 그 집행가능성이 인정되기 어렵고, 법원도 주주 간의 합의가 이사의 직무수행에 대한 구속력을 지닐 수는 없다고 판시한 바 있음은 위에서 본 바와 같다. 따라서 대표이사 선임에 관한 주주간계약을 유효하게 실현하기 위해서는 대표이사를 주주총회에서 선임하는 것으로 정관에서 정하고, 주주간계약의 문구도 그에 맞춰 규정하는 것이 더 실효성이 있다고 볼 수 있다.[81] 다만, 이러한 필요성은 대주주가 대표이사 선임권을 가지는 경우보다는 소수주주가 대표이사 선임권을 가지는 경우 또는 50:50의 합작투자법인에 있어서 어느 일방이 대표이사 선임권을 가지는 경우에 더 크다. 왜냐하면, 대주주는 이사 과반의 선임권을 가지는 것이 일반적인바, 이사회에서 대표이사를 선임하더라도 자신이 원하는 자가 대표이사가 되지 않을 가능성이 적지만, 소수주주의 경우 또는 50:50의 합작투자법인에 있어서의 일방의 경우에는 대주주 또는 합작파트너와의 신뢰 관계가 깨진 경우 이사회에서 자신이 원하는 자가 대표이사로 선임되지 않을 가능성이 높기 때문이다. 물론, 대표이사를 주주총회에서 선임하더라도 대주주나 합작파트너가 주주간계약을 위반하는 경우 소수주주나 일방 합작파트너는 자신이 원하는 자를 대표이사로 선임할 수 없기는 마찬가지지만, 그 경우 의결권행사가처분 신청을 통해 그 위반을 시정할 여지가 있는 반면, 이사회에서 대표이사를 선임하도록 한 경우 이사들이 주주간계약의 내용을 따르지 않는다면 이를 강제할 방법이 없다는 점에서 대표이사를 주주총회에서 선임하도록 하는 것에 실효성이 있다고 하겠다.

다) 소수주주에게 경영권을 보장하는 경우

투자자가 회사에 투자함에 있어서, 동 투자로 인해 대주주가 되어 이사 과반수 선임권을 가짐에도 기존 주주의 경영능력을 높이 사 일정 기간 기존 주주의 경영권을 보장하기로 약정하는 경우가 종종 있다. 그러한 경우 소수주주가 된

---

81) 천경훈, 전게논문, 16면.

기존 주주 입장에서 주주간계약을 작성함에 있어 주의를 요한다.

얼핏 생각하면, 대주주는 이사 과반수의 선임권을 가지고, 소수주주는 대표이사 선임권을 가져 일상적인 업무수행권을 보장받으면 족한 것으로 생각할 수 있다. 그러나, 기본적으로 회사의 중요한 의사결정은 이사회를 통해 결정되는데, 이사회의 과반수는 대주주가 확보하고 있으므로 대표이사 선임권만으로는 소수주주의 경영권을 보장받는 데 한계가 있을 수밖에 없다. 따라서, 소수주주의 경영권 보장을 실효적으로 하기 위해서는 대표이사가 재량으로 결정할 수 있는 사항과 이사회의 결의를 받아야 할 사항을 구분할 필요가 있으며(이때, 대표이사의 권한 범위는 확대하고, 이사회 결의사항은 축소함으로써 대주주의 경영에 대한 간섭을 최소화할 필요가 있을 것이다), 대주주가 소수주주의 동의 없이 의사결정을 해서는 안 되는 사항을 이사회 특별결의사항으로 규정함으로써 중요사항에 대하여는 소수주주가 거부권(veto power)을 갖도록 할 필요가 있다. 그 경우 대주주 측에서는 법상 이사회 결의를 요하는 사항에 대하여는 모두 이사회 결의사항으로 두어야 한다고 주장할 수 있는데, 상법 해석 상 회사의 중요한 의사결정은 이사회 결의사항으로 보므로, 그 주장을 수용하는 경우에도 "이사회 결의사항 중 대표이사 권한 사항에 대해서는 해당 이사들이 이사회에서 대표이사의 결정에 따르도록 의결권을 행사하게 하겠다"는 확약을 B사로부터 받아 놓는 것이 필요할 것이다. 다만, 앞에서 본 바와 같이 이사 관련 프로큐어 조항은 집행가능성에 의문이 있으므로, 이사가 주주간계약이 정한 대로 이사회에서 의결권을 행사하지 않는 경우에는 해당 이사를 선임한 주주에게 그 이사를 해임할 의무를 부과시켜 놓는 것이 필요하다는 점 역시 앞에서 본 바와 같다.

라) 지분율의 변경에 대비한 규정

지분율 변경이 예상되는 경우에는 주주간계약에서 향후 지분율 변동을 주주간계약의 해지사유로 구성하거나, 지분율 변동에 따라 기관 구성에 관한 내용을 변경할 수 있는 규정을 둘 필요가 있다. 일방 당사자의 지분율이 크게 떨어져 주주간계약을 유지할 필요가 없을 정도에 이를 때는 이를 주주간계약의 해지사유로 할 필요가 있고, 그 정도의 변동이 아닌 경우에는 지분율이 변동될 때 각 당사자들이 보유하는 이사선임권, 대표이사 선임권을 변경할 것인지, 변경한다면 구체적인 변경방법이나 비율을 계약서에 명시하는 것이 바람직하다. 예를 들어 "주주1이 회사의 의결권 있는 주식총수의 50% 이상을 보유하는 기간 동안은 2

인의 이사를, 25% 이상을 보유하는 기간 동안은 1인의 이사를 지명할 권리를 가지며, 주주2는 나머지 이사와 감사를 지명할 권리를 가진다"는 식으로 지분율 구간 별로 지명할 수 있는 이사를 규정할 수도 있다. 또는 최소한 "당사자는 지분율과 대략 동일한 비율의 이사 수를 선임할 권리를 가진다"라는 식으로 원칙적인 규정이라도 두는 것이 필요하다. 이러한 지분율 변경을 대비한 규정은 투자자가 전환사채, 신주인수권부 사채, 전환우선주나 상환전환우선주를 인수하는 경우에 특히 필요한데, 전환권, 신주인수권의 행사에 의하여 또는 전환비율의 조정에 의하여 기존 대주주와 투자자의 지분율이 역전되는 상황이 있을 수도 있기 때문이다.

마) 의결권 위임에 관한 규정 등

앞서 본 바와 같이, 이사 선임권과 이사 해임권을 정하는 것에 추가하여 의결권위임에 관한 내용을 정하는 것이 바람직하다. 이는 법원이 주주간계약상 이사선임권 등에 근거하여 특정한 의결권 행사를 명하는 의결권행사가처분 또는 상대방 주주의 의결권 행사를 금지하는 의결권행사금지가처분을 인정하는 것에 소극적이고 가처분 신청 주주에게 의결권을 위임하도록 명하는 의결권위임가처분은 비교적 적극적이라는 점에 기인한 것이다. 특히 법원은 주주간계약에 의결권 행사만을 특정하고 있을 뿐 의결권 위임에 관하여는 규정하고 있지 않다는 점을 이유로 의결권위임가처분 신청을 기각하기도 하였다는 점을 고려할 때 더욱 필요한 규정이라 하겠다.[82]

나아가 대주주가 간접강제 배상금의 부담을 감수하고 의결권위임가처분 결정을 이행하지 않을 가능성까지도 고려한다면, 위와 같은 의결권 위임에 관한 규정에서 나아가 의결권 위임 간주 규정을 주주간계약에 포함시키는 것을 고려해 볼 수 있다는 점 역시 앞서 언급한 바와 같다.

3) 특별결의사항(reserved matter)과 교착상태(deadlock) 해소조항

가) 특별결의사항

(1) 규정의 필요성 및 규정 방식

회사의 의사결정은 주주총회 또는 이사회를 통해 이루어지기 때문에 지분율

---

82) 앞서 본 서울중앙지방법원 2020카합20533.

이 크고 이사 과반수 선임권을 가지는 대주주가 회사의 의사결정을 좌지우지하게 되는 것이 원칙인바, 자신의 지분 가치를 보호해야 하는 소수주주로서는 자신의 이해와 관계가 있는 중요한 사항에 대하여는 자신의 동의 없이는 회사가 동 행위를 할 수 없도록 거부권(veto power)을 갖기 원하는데, 이렇듯 소수주주가 거부권을 가지기 원하는 사항을 이른바 'reserved matter'라 하며, 이러한 reserved matter는 주주총회 또는 이사회의 특별결의사항으로 규정되는 것이 일반적이다.

이러한 reserved matter는 상법상 특별결의로 규정되어 있는 사항 이외에 주로 신주발행, 전환사채 또는 신주인수권부 사채 등과 같이 기존 주주의 지분을 희석화할 수 있는 사항, 그리고 대규모 자금 차입 또는 신규 사업 진출과 같은 회사의 재무상태에 변경을 초래할 수 있는 사항들이다. 주주간계약에서 이와 같은 주요경영사항들을 소수주주의 동의를 요하는 사항으로 규정하고 마는 경우가 있는데, 이는 바람직하지 못하다. 왜냐하면 대주주가 이를 어긴 경우 그것이 상법상 위법행위유지청구 등의 요건에 해당하지 않는 한 금지를 구하는 가처분 등을 청구할 수 없고, 그 구제책은 사후적으로 손해배상을 청구하는 것밖에 없는데, 이 또한 손해를 입증하기 어려운 경우가 많을 것이기 때문이다. 보다 확실하게 하기 위해서는 소수주주의 동의 없이는 그러한 회사의 행위 자체가 불가능하게, 다시 말해 소소주주 또는 소수주주가 선임한 이사의 동의 없이는 그러한 행위를 위한 결의 자체가 불가능하게 만드는 것이 중요하다. 이를 위하여는 해당 행위를 함에 있어서 주주총회 및/또는 이사회의 결의를 받도록 하되, 소수주주 또는 소수주주가 지명한 이사들의 찬성이 없으면 부결되도록 결의요건을 강화하는 방식으로 규정하고, 정관도 그에 맞추어 작성하는 것이 필요하다. 이와 관련해서는 상법상 주주총회에서 결의가 가능한 사항을 이사회의 reserved matter로만 규정하는 경우에는 대주주가 주주제안(제363조의2)을 통해 이사회 결의 없이 주주총회의 결의로 통과시킬 수 있음을 유의하여야 한다. 따라서 소수주주로서는 주주간계약 작성 시 주요경영사항을 이사회뿐만 아니라 주주총회의 reserved matter로 규정할 필요는 없는지를 고려해 보아야 한다.

한편, 이와 같이 주주간계약에 주주총회 및 이사회의 reserved matter를 규정하다 보면, 상법이 주주총회의 결의사항으로 규정하지 않은 사항(또는 이사회의 결의가 필요한 사항)을 주주총회의 결의사항으로 규정한다는 점과 상법이 정한 특별결의요건 보다 강화한 결의요건을 규정한다는 점이 회사법적으로 문제될 수 있다.

(2) 주주총회의 권한 확대 문제

상법에는 본래 이사회의 권한이지만 정관 규정으로써 이를 주주총회의 권한으로 변경하는 것을 명문으로 허용하는 경우가 있다. 신주발행(제416조), 법정준비금의 자본금 전입(제461조 제1항), 전환사채의 발행(제513조 제2항), 대표이사의 선임(제389조 제1항)이 그 예이다.

상법상 위와 같은 명문 규정이 없는 경우에는 정관으로 주주총회의 권한을 확대할 수 있는지에 대해서 견해가 대립되는데, (i) 주주총회의 최고기관성과 권한분배의 자율성을 이유로 주식회사의 본질이나 강행법규에 반하지 않는 이상 이를 긍정하는 확장설,[83] (ii) 주식회사의 각 기관에 권한을 분배하고 있는 상법 규정은 강행규정이라는 점을 근거로 상법이 정관 규정을 통해 주주총회의 권한으로 할 수 있다는 명문의 규정이 없는 이상 주주총회의 권한으로 할 수 없다는 제한설[84]이 있다. 대법원은 이사의 자기거래승인을 정관으로 주주총회의 권한사항으로 규정할 수 있다는 판시를 한 바 있어 확장설을 지지하는 것으로 해석되고 있으나,[85] 이는 자기거래승인에 국한된 사례이고 판례가 방론으로 설시한 것에 불과하여 판례가 확장설을 취한 것이라고 단언하기는 어렵다는 견해가 있다.[86]

주주들이 다수 존재하지 않는 회사에서는 회사의 의사결정에 직접 이해관계를 갖는 주주들의 의사를 반영할 필요가 있는 점, 상법상 이사회의 권한 사항은 주로 주주의 이익이 문제되는 것과 채권자의 이익이나 자금조달의 기동성이 문제되는 것이 있을 수 있고, 전자는 주주총회의 권한으로 하더라도 별 문제가 없고 후자는 주주총회라 하더라도 간섭할 수 없다고 이해하는 것이 바람직하지만, 이를 상법이 일률적으로 할 수 없는 이상 원칙적으로 확장설에 따라 자치적으로 해결하도록 허용하는 것이 바람직한 점[87] 등에 비추어 볼 때 확장설이 타당하

---

83) 권기범, 전게서, 701면; 송옥렬, 전게서, 916면 등 통설적인 견해이다. 다만, 이 견해에 의하더라도 이사회의 주주총회 소집권한(제36조)만은 이를 주주총회의 권한으로 할 수 없다고 한다.

84) 이철송, 전게서, 506면.

85) 대법원 2007.5.10. 2005다4284.

86) 천경훈, 전게논문, 20면.

다고 생각하며, 하급심 판결 중에도 "제393조 등에서 정하고 있는 이사회의 권환 중 일부를 주식회사의 본질 또는 강행법규에 위반되지 않는 한 주주총회의 결의사항으로 할 수 있는 여지가 있기는 하나 이는 어디까지나 정관에 의하여만 가능할 것이다"라고 설시하여 확장설의 입장에서 판시하고 있는 사례도 있다.[88] 확장설에 따르면 상법이 주주총회의 결의사항으로 규정하지 않은 사항 또는 이사회의 결의가 필요한 사항을 주주간계약에서 주주총회의 결의사항으로 규정한다 하더라도 이는 유효하다 할 것이다.

(3) 결의요건의 강화 문제 – 초다수결의 규정의 유효 여부

주주간계약에 reserved matter를 규정하기 위해서는 소수주주의 지분율에 따라 상법상 주주총회의 특별결의요건을 강화해야 하는 경우가 있다. 이사회의 특별결의요건도 소수주주가 지명할 수 있는 이사의 수에 따라 마찬가지의 경우가 발생할 수 있다. 다만, 상법이 이사회 결의요건은 정관으로 그 비율을 높게 정할 수 있도록 규정하고 있어 그 결의요건을 강화하더라도 특별히 문제되지 않는다(제391조 제1항).[89]

주주총회의 결의요건을 강화하는 경우, 이른바 초다수결의제(supermajority)를 채택하는 것이 유효한지에 관해서는 견해가 대립되고 있는데, (i) 소수주주에게 거부권확보 차원에서 특별결의요건을 가중할 수 있고 아울러 총주주의 동의를 요하게 하는 것도 가능하다는 유효설,[90] (ii) 상법상 근거가 없고 특별결의요건의 가중을 허용하면 회사가 교착상태에 빠지는 것을 막을 수 없다는 무효설[91] 이 있다.

이와 관련하여 하급심 판례 중에는 코스닥상장회사에서 이사 해임 결의 요건을 출석주식수의 100분의 75이상, 발행주식총수의 100분의 50 이상으로 강화하는 정관변경 사안에서 "상법상 보통결의는 정관에 의하여 그 요건을 달리 정할

---

87) 송옥렬, 전게서, 916면.

88) 서울고등법원 2010.6.23. 2009나94485.

89) 이에 대해서 결의요건을 강화함에 있어 통상의 업무집행에 관해서는 재적이사 과반수의 찬성을 초과할 수 없다거나 어떠한 경우에도 일부 이사에게 거부권을 주는 것과 같은 정도로 강화할 수 없다는 견해가 있으나(이철송, 전게서, 706면), 상법이 그와 같은 제한 규정을 두고 있지 않아 해석론으로는 한계가 있다고 생각한다.

90) 권기범, 전게서, 776면; 송옥렬, 전게서, 950면.

91) 이철송, 전게서, 570~571면; 송종준, "초다수결의제의 유효성과 그 법적 한계–주주총회 특별결의요건을 중심으로–,"「인권과 정의」제388호(대한변호사협회, 2008), 73~74면.

수 있도록 규정되어 있는 반면, 특별결의는 정관에 의하여 달리 정할 수 있다는 규정이 없는 점, 상법이 정한 것에 비하여 특별결의의 요건을 더 엄격하게 정하면 소수파 주주에 의한 다수파 주주의 억압 내지는 사실상 일부 주주에게 거부권을 주는 것과 마찬가지의 결과를 초래하는 점에 비추어 보면, 다른 특별한 사정이 없는 한 상법이 정하고 있는 것에 비하여 더 엄격한 이사해임요건 및 해임 가능한 이사의 수를 규정하는 회사의 정관은 상법의 취지에 반한다"고 판시한 결정이 있다.[92] 이 결정은 초다수결의제를 무효로 판시한 판례로 소개되고 있으나, 해당 사안은 상장회사의 경영권 분쟁상황에서 기존의 경영진이 경영권 방어를 위해 무리하게 정관 개정을 시도하였던 사안으로 동 결정을 일반화하기는 어렵고,[93] 특히 주주들의 자치가 보다 존중되어야 하는 폐쇄회사의 주주간계약에 적용된다고 보기는 더욱 어렵다고 생각한다.

주주간계약에서는 일방 당사자에게 거부권을 부여하더라도 이러한 거부권은 투자의 조건으로서 필요한 것이고, 투자 유치가 필요한 상대방으로서는 이를 수용함에 따라 이루어진 것으로서 부당한 결과를 초래하지 않는다고 생각한다. 또한, 초다수결의제로 인하여 회사가 교착상태에 빠지는 문제가 있다 하더라도 이는 교착상태를 해소하는 방안을 강구함으로써 해결하면 되는 것이지 초다수결의제의 효력을 부인할 근거가 되기에는 부족하다. 따라서 경영권 분쟁 상황에서 경영권 방어를 위하여 초다수결의제를 도입하는 등의 특별한 사정이 없는 한, 초다수결의제는 그 효력을 인정하여도 무리가 없다고 생각하며, 주주간계약상 초다수결의제와 관련한 약정도 그 유효성이 인정된다고 할 것이다.

나) 교착상태 해소 조항

교착상태(deadlock)란 주주총회나 이사회에서 합작계약당사자나 주주간계약의 당사자들이 의견이 대립하여 회사가 의사결정을 하지 못하고 대립하는 상태를 의미한다.[94] 상법상 주주총회 특별결의 요건에 해당하는 지분을 보유하지 못

---

92) 서울중앙지방법원 2008.6.2. 2008카합1167.

93) 그 이후 하급심 중에도 초다수결규정을 무효라고 본 사례(수원지방법원 안산지원 2009.5. 26. 2009카합74 결정) 및 유효하다고 본 사례(대전지방법원 천안지원 2009.5.28. 2009가합 610)가 혼재하고 있는데, 양 사안 모두 이사해임을 위한 주주총회 결의요건을 강화하는 내용의 정관변경 결의의 효력을 다투는 사안이었다.

94) 실무에서 50:50의 지분 비율과 이사 수를 동일하게 보유할 수 있도록 정하는 경우가 있는데 그러한 경우 교착상태가 될 수 있는 가능성이 커질 수 있어 주주간계약서 작성에 있어 훨씬 더 많은 주의가 요구된다.

하여 특정 안건을 가결시키지 못하는 경우 또는 일정한 사항에 대하여 주주총회
또는 이사회에서 소수주주의 동의나 소수주주가 지명한 이사의 동의를 요하는
사안으로 정해둔 경우, 즉 특별결의사항에 대하여 교착상태가 발생하게 된다.[95]

교착상태를 해소하는 방안에 대해서 주주간계약에 규정하는 것은 대주주에게
는 유리하되 소수주주에게는 불리하다고 볼 수 있다. 일반적으로 주주간계약은
소수주주를 보호하기 위해 소수주주의 권리를 규정하는 조항들이 대부분이라고
할 수 있는데 교착상태 해소에 관한 조항은 대주주를 보호하기 위한 조항이라고
볼 수 있다. 교착상태 해소에 관한 규정이 포함되어 있지 않을 경우 소수주주가
반대할 경우 대주주가 지배하는 회사는 해당 행위를 실행할 수 없는 상태를 유
지할 수밖에 없기 때문이다.[96] 일부 법에서는 교착상태에 대한 규정이 주주간계
약에 포함되어 있지 않을 경우를 상정하여 미리 해당 법에 이에 대해 규정하고
있는 경우가 있다고 한다. 예컨대 미국 델라웨어 주 일반 회사법(Delaware
General Corporation Law) 제226조에서는 회사의 사업에 심각한 차질이 생기거
나 회복할 수 없는 손해가 발생할 우려가 있을 정도의 회사 운영상 이사들간에
분열이 있고 이에 대해 이사회의 결의가 이루어질 수 없거나 주주들이 이와 같
은 분열을 종식시킬 수 없는 수준에 이를 경우에는 델라웨어주 형평법 법원
(Delaware Court of Chancery)의 관리인을 임명할 수 있도록 하고 있으며, 델라
웨어주 유한책임회사(limited liability company)의 경우에는 일정한 경우 형평법
법원이 해당 회사의 해산을 결정할 수 있다고 한다.[97] 우리 상법도 회사의 업무
가 현저한 정돈상태를 계속하여 회복할 수 없는 손해가 생긴 때 또는 생길 염

---

95) 교착상태를 정의한 예는 다음과 같다. "The provisions of this Section shall apply if (i)
the Board cannot reach agreement on any matter requiring unanimous Board
approval pursuant to Section [___], or the Shareholders cannot reach agreement on
any of the matters which, under applicable Korean law, requires shareholder
approval, and (ii) the failure to reach agreement in each case prevents the
Company from carrying on its business in the ordinary course (each such case
being a "Deadlock")."

96) 교착상태 해소에 관한 조항을 포함시키는 것이 대주주에게 유리함에도 불구하고 대주주도
그러한 조항을 포함시키지 않는 것을 선호하는 경우도 많다. 함께 주주로 협력하자는 주주
간계약을 체결하면서 미리 교착상태를 예견한다는 것 자체가 달가운 일이 아니라는 정서상
의 이유도 있겠지만 실제로 교착상태를 해소하는 방안들이 일방 주주의 주식 매각이나 청
산 등 극단적인 경우가 많기 때문이기도 하다.

97) 김현석, "국제 합작 투자와 관련한 주주간계약상의 주요 쟁점," 「국제합작의 협상 및 합작
계약상의 법률적 쟁점」 (국제거래법학회, 2012), 19면.

려가 있는 때에는 발행주식의 총수의 100분의 10 이상에 해당하는 주식을 가진 주주는 회사의 해산을 법원에 청구할 수 있다는 교착상태 해소와 관련한 규정을 두고 있으며(제520조 제1항 제1호), 대법원도 이에 근거하여 주주의 해산청구권을 인정한 바 있다.[98]

교착상태를 해소하는 방안은 다양하며 당사자들이 창의적으로 교착상태를 해소할 수 있는 방안을 고안해 낼 수도 있으나 크게 구분하면 주주관계를 해소하지 않고 유지하면서 교착상태를 해소하는 방안과 주주관계를 종결하면서 교착상태를 해소하는 방안으로 분류할 수 있다.

(1) 주주관계를 유지하는 방안

(가) 캐스팅 보트(casting vote) 부여

주주관계를 유지하는 방안으로는 이사회 의장 등에게 casting vote를 부여하는 방법이 있다.[99] 그러나 우리나라 상법상 casting vote를 부여하는 것은 유효하지 않다. 이러한 방법은 실질적으로는 casting vote를 행사할 수 있는 당사자가 원하는 방식대로 결정을 할 수 있는 권리를 부여하는 것과 다르지 않다.

(나) 추가 이사를 지명

추가 이사를 지명하는 방법도 고려해 볼 수 있으나 이러한 방식도 실질적으로는 일방 당사자가 원하는 방식대로 결정을 할 수 있는 권리를 부여하는 것과 다르지 않다.[100]

(다) 스윙맨(swing-man)을 선임

이는 주주들간에 합의로 중립적인 이사(swing-man director)를 선임하여 교착상태를 해소하는 방안이다.[101] 현실적으로 중립적인 이사를 선임할 수 있는 것이 쉽지 않을 수 있으며 중립적인 이사로 누구를 선임할지 주주들간에 합의에 이르지 못할 경우 결국 교착상태가 해소될 수 없다는 점에서 한계가 있다.

(라) 고위 임원들 간의 협의

각 당사자들의 고위 임원들간에 교착상태를 해소하기 위해 협의를 거치도록

---

98) 대법원 2015.10.29. 2013다53175.
99) 정교화, "합작해소의 다양한 유형과 국제중재를 통한 분쟁해결,"「국제합작의 협상 및 합작계약 상의 법률적 쟁점」(국제거래법학회, 2012), 3면.
100) 정교화, 전게논문, 3면.
101) 정교화, 전게논문, 3면.

하는 경우가 있는데,[102] 실무자급에서는 아무래도 의사결정권이 제한되어 있는 경우가 많고 고위 임원들 간에는 회사의 운영상황이나 전략에 대해 '큰 그림(big picture)'을 보면서 판단과 의사결정을 할 수 있으므로 해소되지 못하고 있는 교착상태를 해소할 수 있는 가능성을 증대할 수 있다고 생각하기 때문에 많이 사용된다. 다만 효과에 대해 비판적인 시각을 가진 실무가들도 많이 있는 것으로 보이는데, 실제로 교착상태에 이를 정도의 사안이라면 주주들의 고위 임원들이 협의를 거친다고 하여 해결될 수 없는 사안일 가능성이 크며 그러한 사안을 협의하는 절차를 의무적으로 부과함으로써 분쟁해결 절차로 나아가야 할 시점만 불필요하게 연기시키고 분쟁상황을 더욱 복잡하게 만들 뿐이라는 시각에 연유한다 하겠다. 고위 임원들 간의 협의 과정은 주주관계를 유지하는 교착상태 해소 방안뿐만 아니라 아래에서 논의할 주주관계를 종결하면서 교착상태를 해소하는 방안에도 함께 사용할 수 있다. 즉 일정 기간 고위 임원들 간의 협의 과정을 통해서도 해소되지 않는 경우에는 주주간의 관계를 종결하는 절차를 진행하도록 하는 것이다.

(2) 주주관계를 종결하는 방안

주주관계를 종결하면서 교착상태를 해소하는 방안은 다양할 수 있겠으나 대표적인 방법으로는 아래와 같은 방법들이 있다.

(가) 러시안룰렛(russian roulette)

러시안룰렛 방식은 일방 주주가 다른 주주에게 통지를 보내 특정한 가격에 자신이 보유한 지분 전체를 사거나 또는 팔 것을 선택하도록 하는 방식이다.[103]

---

102) 영어로는 일반적으로 'escalation'이라고 칭한다.
103) 예는 다음과 같다.
   "(a) At any time after [date] [specified event] [deadlock regarding specified major decision], either Member (the "<u>Initiating Member</u>") may by delivery of a written notice (the "<u>Buy-Sell Notice</u>") to the other Member (the "<u>Responding Member</u>") initiate the buy-sell procedures set forth in this Section [__].
   (b) The Buy-Sell Notice shall contain the following terms: (i) a statement that the notice is the Buy-Sell Notice referred to in this Section [__], (ii) the price per Unit (the "<u>Unit Price</u>") at which the Initiating Member is willing to purchase all, but not less than all, of the Units owned by the Responding Member, (iii) an irrevocable offer of the Initiating Member to the Responding Member to, at the sole election of the Responding Member exercised pursuant to Section [__](c), either (1) purchase from the Responding Member all, but not less than all, of the Units owned by Responding Member for a purchase price per Unit

다른 주주에게 매수 또는 매도할 권리를 주어 선택할 수 있도록 한다는 측면에서는 공정하고 절차도 비교적 간단하며 제3자의 도움을 필요로 하지 않아 신속하게 진행될 수 있는 절차라는 면에서는 매력적인 방법이라고 할 수 있다. 또한, 회사의 가치를 높게 평가하는 주주가 상대방 주주 지분을 매수하여 더 많은 지분을 보유한 주주가 될 수 있다는 점에서는 합리적인 방법이라고도 할 수 있을 듯하다.

다만, 현실적으로는 이러한 극단적인 방법을 교착상태를 해소하는 방법으로 정하는데 대해 당사자들이 많은 경우 저항감이 큰 것이 당연하다고 생각되며, 실제로 이러한 절차를 이행해야 하는 시점에 소송이나 분쟁 없이 자연스럽게 진행될 수 있을지 의문이 들기도 한다. 따라서 계약서를 작성함에 있어서는 분쟁 가능성을 최소화하기 위하여 절차 등에 대해 명확하게 기술하는 것이 중요하다고 하겠다.

(나) 텍사스슛아웃(texas shoot-out)

텍사스슛아웃은 주주들이 각자가 대상 회사의 주당 가격을 기재한 밀봉된 서류를 제출하여 높은 가격을 제출한 주주가 다른 주주의 주식을 그 가격에 매수하는 방식이다. 기본적인 취지는 러시안룰렛 방식과 유사하다. 매도하는 자가 최대한의 매매가격으로 보상받을 수 있다는 장점이 있으나, 입찰 형태로서 절차가 번거로울 수 있다는 단점이 있다.

(다) 덧치액션(dutch action)

덧치액션은 텍사스슛아웃의 변형 형태로서 밀봉된 제안가격을 개찰 후 더 높은 가격을 쓴 당사자가 상대방의 지분을 자신이 쓴 더 높은 가격이 아닌, 상대방 당사자가 쓴 더 낮은 가격에 매수하도록 하는 방식이다.[104)]

---

equal to the Unit Price, or (2) sell to the Responding Member all, but not less than all, of the Units owned by the Initiating Member for a purchase price per Unit equal to the Unit Price.

(c) Within [thirty (30)] days after its receipt of the Buy-Sell Notice (the "Response Period"), the Responding Member shall by delivery of a written notice to the Initiating Member (the "Response Notice") elect to either (1) sell to the Initiating Member all, but not less than all, of the Units owned by the Responding Member for a purchase price per Unit equal to the Unit Price, or (2) purchase from the Initiating Member all, but not less than all, of the Units owned by the Initiating Member for a purchase price per Unit equal to the Unit Price."

(라) 콜/풋옵션(call/put option)

교착상태 발생시 대주주는 특정한 가격이나 별도로 정한 방식에 의해 산출된 가격에 따라 콜옵션을 소수주주는 풋옵션을 갖는 방식을 고려해 볼 수 있다.[105]

우선 교착상태 발생시 대주주는 대상회사의 주식을 계속 보유할 유인을 갖는 것이 일반적이므로 콜옵션을 갖고, 반대로 소수주주는 그 가격에 따라 풋옵션을 갖는 방식이 있다. 그리고 의도적 교착상태의 야기를 통한 주주관계 해소의 위험성을 최소화한다는 측면에서 콜옵션은 공정가격에서 할증된 가격으로, 풋옵션은 공정가격에서 할인된 가격으로 행사하도록 규정하는 것이 바람직할 수 있다. 다만, 그러한 공정한 가격을 결정하는 방법이 다양하고 산정에 있어 분쟁의 소지가 있으므로 계약서에 명확히 기재하여 두어야 한다.

나아가 풋/콜옵션을 활용하면서, 지분 양도를 통한 주주관계 해소 보다는 안건 수락이나 안건 철회를 유도하는 방안이 최근 종종 사용되고 있다. 즉, 교착상태 발생 시 (i) 안건 제안자는 교착상태를 선언하는 통지를 하고, (ii) 이에 대하여 안건 제안자의 상대방은 주식가격을 제안하며(일정 기간 안에 주식가격을 제안하지 못하면 안건 수락으로 간주하여 관련 주주총회 또는 이사회에서 문제가 된 교착상태 사항을 승인하여여 함), (iii) 안건 제안자는 상대방이 제안한 주식가격에 보유 중인 주식을 상대방에게 전부 매도하거나 상대방 보유 주식을 전부 매수하는 선택권을 가지되 일정기간 안에 그 선택권을 행사하지 않는 경우에는 해당 안건을 철회한 것으로 간주하는 방안이다. 이러한 방안은 즉각적인 지분 양도로 주주관계를 바로 해소하기 보다는 그 과정에서 안건 수락이나 안건 철회 간주를 유도함으로써 주주관계 유지를 도모할 수 있게 한다는 점에서 가장 진일보한 방

---

104) 정교화, 전게논문, 9면.
105) 그러한 조항의 예는 다음과 같다.
   "If the Deadlock cannot be resolved within 30 days following the commencement of the discussions between the President & CEO of Party A and the Vice Chairman & CEO of Party B:
   (a) Party A shall have the option ("Call Option")to require Party B to sell all of the shares of the Company held by Party B("Party B Shares")to Party A or any party designated by Party A at the fair market value for the Party B Shares asdetermined by the procedures set forth in Appendix 6; and
   (b) Party B shall have the option ("Put Option") to require Party A to purchase all of the Party B Shares by Party A or any party designated by Party A at the fair market value for the Party B Shares as determined by the procedures set forth in Appendix 6 and Party B."

안으로 평가할 수 있다.

(3) 기타 방안

이 외에도 거래 성격이나 당사자들의 신뢰 관계나 협상 능력에 따라 교착상태 해소방안은 다양할 수 있다. 상호 가격을 높여가며 매수청구를 경쟁하는 top-up 방식이나 중재절차를 통하여 해결하는 방안도 있을 수 있다. 또한, 회사를 청산하여 교착상태를 해소하는 방안도 있을 수 있다. 다만, 청산을 통한 극단적인 방법이 당사자들 간에게 바람직한 방법인지는 신중한 고려가 필요하다.

최근 대법원은 상법 제520조 제1항이 정한 소수주주의 해산청구권과 관련하여, 이사간, 주주간의 대립으로 회사의 목적 사업이 교착상태에 빠지는 등 회사의 업무가 정체되어 회사를 정상적으로 운영하는 것이 현저히 곤란한 상태가 계속됨으로 말미암아 회사에 회복할 수 없는 손해가 생길 염려가 있는 경우에는 '회사의 업무가 현저한 정돈상태를 계속하여 회복할 수 없는 손해가 생긴 때 또는 생길 염려가 있는 때'를 의미한다고 판시함으로써 교착상태를 해산청구권의 사유로 될 수 있음을 인정한 바 있다(앞서 본 대법원 2013다53175). 그러나, 이러한 해산청구권은 소수주주나 회사의 이익침해 정도가 극심하여야 하고 청산이 소수주주의 이익을 보호하기 위한 최후의 수단으로 인정되어야 하는 등 극히 예외적인 경우에 인정된다고 할 수 있으므로, 청산을 통해 교착상태를 해소하기 위해서는 주주간계약에 미리 정해두는 것이 바람직하다.[106]

무엇보다도 교착상태 해소방안와 관련해서는 어느 주주가 주주관계 유지 또는 이탈의 유인을 갖는지, 공정하고 간명한 방법은 무엇인지, 일종의 모럴 헤저드로서 의도적인 교착상태 야기를 통해 주주관계를 해소함으로써 상대방에게 불측의 손해를 가할 우려는 없는지 등을 고려하여야 한다.

4) 주식양도제한조항의 유형

가) 개 관

주주간계약의 주식양도제한은 그 목적에 따라 다양한 국면에서 문제될 수 있다. 이를 크게 구분하자면, (i) 주주간계약 존속기간 중의 주식양도제한, (ii) 교

---

106) 해당 판례에 대한 평석으로는 김태진, "합작투자 해소와 주식회사 해산판결청구권 – 대법원 2015.10.29. 선고 2013다53175 판결의 의의–,"「법학연구」제28권 제2호(연세대학교 법학연구원, 2018. 6.) 참조.

착상태(deadlock) 해소를 위한 주식양도제한, (iii) 재무적 투자자들의 투자금 회수를 위한 주식양도제한 및 (iv) 주주간계약 해지의 효과규정으로서 주식양도제한이 있을 수 있다.

주주간계약 존속기간 중의 양도제한은 주주간계약 당사자들이 신뢰 관계에 기초하여 상호 간의 협력을 바탕으로 하는 경우가 많기 때문에 가급적 새로운 제3자의 참여를 방지하고 상대방의 주식 양도시에도 그로 인한 수익을 공유하기 위하여 주식양도금지(lock-up), 우선매수권, 동반매각청구권 또는 동반매도참여권 조항이 활용된다. 교착상태와 관련해서는 종국적으로는 주주관계를 해소하는 방안을 고안할 수밖에 없는데, 이를 위해서는 주주관계 해소를 위한 주식양도의 절차, 방법을 미리 규정하여야 하고 그 일환으로 풋옵션 또는 콜옵션 등 다양한 주주관계 해소를 위한 방안이 논의된다.107) 재무적 투자자들의 소수지분 투자에 있어서는 투자자들이 항상 출구전략을 염두에 두어야 하는데, 주식양도제한의 측면에서 보자면 풋옵션이나 그 대안으로서 동반매각청구권과 우선매수권의 조합이 활용되고 있다. 마지막으로, 주주간계약 위반으로 인한 주주간계약의 해지시에 해지의 원인을 제공한 당사자에게 일응의 페널티를 줌으로써 주주간계약의 준수를 담보하기 위하여 이른바 페널티 풋옵션 또는 페널티 콜옵션과 같은 주식양도제한 조항이 활용되고 있다.108)

나) 주주간계약 존속기간 중의 주식양도제한 조항

(1) 주식양도금지(lock-up) 조항

주주간계약에서 주식양도를 제한하는 가장 일반적인 방법은 주식양도금지(lock-up) 조항이다. 상대방 주주의 동의를 받지 않는 한 일정 기간(예컨대, 5년간) 주식을 제3자에게 매각하지 못하도록 하는 조항이다.

이러한 주식양도금지 조항의 효력 및 집행가능성에 대해서는 앞서 살펴본 바이나, 실무적으로는 몇 가지 유의할 사항이 있다. 예를 들어, (i) 단순 매각뿐만 아니라 입질 등 담보제공도 함께 금지하여야 하고, (ii) 대상회사에 SPC를 통해 투자하는 경우에는 주식양도금지의 대상을 대상회사의 주식뿐만 아니라 SPC의 지분도 포함시켜야 함을 유의하여야 하며, (iii) 계열회사에 대하여 양도제한의

---

107) 이에 대해서는 앞서 살펴 본 '3. 특별결의사항(reserve matter)과 교착상태(deadlock) 해소 방안'의 해당 내용 참조.
108) 이에 대해서는 항을 바꾸어 '5. 위반시 효과 및 해지에 관한 사항'에서 살펴 본다.

예외를 인정하는 경우에는 양도하는 계열회사(즉, 원래 주주간계약의 당사자)가 양
도 후에도 여전히 주주간계약상의 의무에 대해 연대책임을 부담하도록 하고, 양
도인과 양수인간의 계열 관계가 소멸하는 경우 양도인에게 다시 재양도할 의무
를 부과하도록 규정하는 것이 바람직할 수 있다. 계열회사인 양수인이 주주간계
약상 의무를 이행할 수 있을지 담보할 수 없는 경우가 있을 수 있고, 해당 양수
인과 계열관계가 소멸되는 경우에는 양도인이 해당 양수인을 지배할 수 없어 주
주간계약 체결시 기초가 되었던 신뢰관계를 기대할 수 없기 때문이다.

한편, 주식양도금지 조항에서 상대방 주주의 동의를 얻도록 하는 조항의 효
력을 인정할 수 없다는 견해도 있다. 다른 주주의 동의를 얻도록 하는 것은 주
식 양도 자체를 통제하는 것이고 동의권이 자의적으로 행사되어 결과적으로 주
식 양도 자체가 금지될 수 있으므로 그 유효성을 인정하기 어렵다고 한다.[109]
또는 원칙적으로 무효라는 입장 하에 이를 일률적으로 판단할 수는 없고 사모의
요건을 충족시키거나 이사의 직무 충실성을 위하는 것과 같은 사정이 인정되면
무효로 보지 아니할 수 있다는 견해도 있다.[110]

그러나 앞에서 본 바와 같이, 주주간계약에서 주식양도금지 조항은 주주가
서로의 신뢰관계에 기초하여 약정한 것일 뿐만 아니라 일정 기간 각자의 역할
분담을 통해 회사의 안정적인 성장을 도모하고자 하는 실제적인 필요에 의하여
약정되는 것이 보통이다. 특히 PEF와 같은 재무적 투자자들은 소수지분권자로
투자하는 경우 기존 대주주와 지배주주의 역량을 보고 투자하므로, 주식양도와
그에 따른 주주변경은 애초 투자시 기초되었던 사정이 중대하게 변경되는 것이
라고 할 수 있다. 또한, 앞서 본 바와 같이 대법원도 태왕사신기 사안에서 주식
처분시 상대방의 사전 서면 동의를 얻도록 하는 조항에 대하여 그 채권적 효력
을 인정한 바 있다. 이와 같은 점에 비추어 볼 때 주식양도금지 조항에서 상대
방 주주의 동의를 얻도록 하는 조항을 무효로 볼 것은 아니며, 최소한 일정 기
간 주식양도를 금지하면서 그 기간 동안 주식양도시에는 상대방 주주의 동의를
얻도록 하는 조항은 '투하자본회수의 가능성'을 원천적으로 제한하는 것도 아니
므로, 당연히 유효하다고 봐야할 것이다.[111][112]

---

109) 염미경, "계약에 의한 주식양도제한의 효력,"「경영법률」제19집 제3호(한국경영법률학회,
    2009), 60면.
110) 한국상사법학회(편)·윤영신(집필), 전게서, 900면.
111) 상대방 주주의 동의를 요하는 조항의 효력을 부인하는 견해도 동의조항이 일정한 기간동안

(2) 우선매수청구권(right of first refusal/right of first offer) 조항

주식양도금지 조항 다음으로는 우선매수청구권 조항이 널리 활용된다. 주식양도 자체는 허용하되, 그 상대방에게 우선적으로 매수하거나 협상할 권리를 부여함으로써 간접적으로 주식양도를 제한하는 효과를 갖는다.

이러한 우선매수청구권 조항은 그 효력을 인정함에 별다른 이론이 없다. 양도인의 상대방 선택의 자유를 제한하는 면이 있기는 하나, 투하자본을 회수하여 회사에서 이탈하려는 양도인에게 그러한 이익이 별로 중요하지 않고 고려할 필요가 없기 때문이다.[113] 대법원 역시 앞서 본 바와 같이 우선매수권 약정은 투하자본 회수가능성을 전면적으로 부정하여 강행법규에 위반되거나 공서양속에 반한다는 것으로 볼 수 없다고 하였는바,[114] 대법원 입장에 의하더라도 그 효력이 부인될 것으로 생각되지는 않는다.

우선매수청구권 조항은 우선매수청구권 행사의 대상에 주식뿐만 아니라 전환사채, 신주인수권부사채 등 다른 지분증권들도(equity-linked securities) 포함시켜야 함을 실무상 유의하여야 한다. 그렇지 않을 경우 지분증권을 보유하고 있는 주주가 해당 지분 증권을 제3자에게 매각할 경우 우선매수권의 적용을 받지 않게 되어 지분증권을 인수한 제3자가 전환권이나 신주인수권 등을 행사하게 되어 주식을 보유하게 된다면 지분이 희석(dilution)되는 결과를 초래할 수 있기 때문이다.

그리고 우선매수권과 관련해서는 몇 가지 변형된 유형이 활용될 수 있으므로, 어떠한 유형이 해당 거래에 적합한 것인지 고려할 필요가 있다. 우선매수권은 크게 right of first refusal과 right of first offer로 구분할 수 있는데, right of first refusal은 양도하고자 하는 주주가 제3자로부터 제안 받은 양도가격 등 거래 조건을 다른 주주에게 통지하고 다른 주주는 제안 받은 조건과 동일한 조건으로 해당 주식을 양수할 우선권을 갖는 것을 의미한다. 반면에 right of first

---

만 효력을 갖는 경우에는 그 유효성을 인정할 수 있다고 한다. 염미경, 전게논문, 60면.

112) 동의권 조항이나 주식양도를 전면적으로 금지하는 조항의 경우 그 주식양도제한 기간이 합작투자의 목적을 달성하는 데 합리적인 기간의 범위 내라면 유효하다는 견해도 동일한 취지로 이해된다. 김지환, "주주간계약과 정관자치법리에 관한 연구," 「상사판례연구」 제26집 제3권(한국상사판례학회, 2013), 224~225면.

113) 이태종, 전게 "주주간의 주식양도제한약정의 효력," 40~41면.

114) 대법원 2008.7.10. 2007다14193 등.

offer는 주식을 양도하고자 하는 주주가 매수예정자인 제3자의 출현 전에 상대
방 주주에게 매수 의사 및 매매가격 등의 거래조건을 협상할 수 있는 권리를
우선적으로 부여하는 것을 의미한다. right of first offer는 다시 (i) 주식을 양
도하고자 하는 주주가 조건을 먼저 상대방 주주에게 제안하는 경우[115]와 (ii) 주
식을 양도하고자 하는 주주가 매도 희망 의사만을 상대방 당사자에게 전달하고,
매매 조건은 상대방 주주가 제안하도록 하는 경우[116]로 나누어 볼 수 있는데,

---

115) 그러한 조항의 예는 다음과 같다.

Right of First Offer. After the expiration of the Lock-Up Period or earlier with the
prior written consent of the other Shareholder, a Shareholder (the "Transferring
Shareholder") may Transfer all (but not some) of its Shares and any Company
Securities (collectively, the "Offered Shares") to a third party (other than to its
Affiliate pursuant to Section 12.3) pursuant to the following provisions:

(a) The Transferring Shareholder shall first offer to Transfer its Offered Shares (such
offer being referred to as the "First Offer") to the other Shareholder (the
"Non-Transferring Shareholder") by delivering to the Non-Transferring
Shareholder a written notice (the "ROFO Notice") stating the number(s) of the
Offered Shares and the price (the "ROFO Purchase Price") and other terms and
conditions of such Transfer (together with the ROFO Purchase Price, the "ROFO
Offered Terms").

(b) The Non-Transferring Shareholder shall have a right to accept the First Offer
by delivering a written notice to the Transferring Shareholder (the "ROFO
Acceptance Notice") within a period of ninety (90) days following the receipt
by the Non-Transferring Shareholder of the ROFO Notice (the "ROFO
Acceptance Period"). The First Offer shall be irrevocable during the ROFO
Acceptance Period and shall constitute a binding offer to sell the Offered Shares
on the terms and conditions specified in the ROFO Notice.

116) 그러한 조항의 예는 다음과 같다.

(a) If a Shareholder (the "Transferring Shareholder") proposes to Transfer any of its
Shares in one or more transactions, the Transferring Shareholder shall first
provide written notice of the proposed Transfer (without the prior solicitation or
discussion of offers from or with any third party) to the other Shareholder (the
"Non-Transferring Shareholder"). Following receipt of such notice, the Non-
Transferring Shareholder will have an exclusive forty-five (45) day period
during which to make an offer to acquire all of the Shares proposed to be
Transferred. If the Transferring Shareholder determines not to accept an offer, if
any, from the Non-Transferring Shareholder, or if the Non-Transferring
Shareholder does not make an offer, the Transferring Shareholder may thereafter
Transfer the Shares proposed to be Transferred to a third party at a price at
least [10]% higher than the price, if any, offered by the Non-Transferring
Shareholder (or if no such price was offered by the Non-Transferring
Shareholder, at a price to be determined by the Transferring Shareholder). No
Transfer may be made to such third party unless such person agrees in writing
to be bound by the provisions of this Shareholders' Agreement that would be
applicable to the Transferring Shareholder if it continued to own the Shares so

(i)은 right of last negotiation, (ii)는 right of first negotiation으로 구분되어 칭하여 지기도 한다(이를 구분하지 않고, right of first offer를 right of first negotiation으로 통칭하기도 한다).

한편, 위와 같은 우선매수청구권의 실효성을 위하여 양도하고자 하는 주주는 right of first refusal의 경우 통지하였던 제3자의 제안내용보다, right of first offer의 경우 상대방 주주에게 제안하였던 조건 또는 상대방 주주로부터 제안받았던 조건보다, 불리한 조건으로 제3자에게 양도할 수 없도록 규정함을 주의하여야 한다. 또한, 상대방이 우선매수청구권을 행사하지 않아 제3자에 대한 매도를 진행하였지만 일정기간 안에 그 매도가 이루어지지 않은 경우, 우선매수청구권 조항이 다시 적용된다고 규정할 필요가 있다.

종래에는 우선매수권 중 right of first refusal이 압도적으로 많이 사용되었으나, 최근에는 right of first offer가 보다 적극적으로 활용되는 것 같다. 과거에는 우선매수청구권을 보유하는 자 입장에서 제3자가 제시한 매매조건을 보고 그 행사여부를 결정할 수 있는 right of first refusal이 선호되었으나, right of first refusal이 있는 경우 현실적으로 주식 매수 희망자를 찾는데 어려움이 크다(금호타이어 사례[117]가 대표적인 사례라 할 수 있겠다)는 반성적 고려에 따라 근래에는 right of first offer가 보다 많이 사용되고 있는 것으로 보인다. right of first offer의 경우에는 매도 희망 당사자가 제3자를 물색하고 제3자와의 협상을 선행할 할 필요가 없는 반면, right of first refusal의 경우 양수하고자 하는 제3자를 미리 물색하여 거래 조건을 협의하여야 하기 때문이다. 더구나, right of first refusal의 경우 매수 희망자인 제3자로서는 대상회사 실사와 매도인과의 협상을 마무리한 후에 상대방 주주의 right of first refusal 행사로 인하여 닭 쫓던 개 지붕 쳐다보는 격이 될 수 있어서 제3자의 물색조차 쉽지 않을 수 있다는 반성의 결과이다.

Transferred. If such Shareholder does not effectuate such Transfer within ninety (90) days after the expiration of such forty-five (45) day period, it must again first comply with this Section prior to effectuating any such Transfer

(b) Notwithstanding the foregoing, no Shareholder may Transfer Shares pursuant to subparagraph (a) above to any third party reasonably determined by the Board of Directors of the Company to be a competitor of the Company or any of its subsidiaries.

117) http://www.sedaily.com/NewsView/1OMEZTPFVI.

(3) 풋/콜옵션(put/call option)

주주간계약 존속기간 중의 풋/콜옵션은 일정한 사유가 발생한 경우 또는 주주간계약체결 후 일정 기간 경과 후 일방 주주가 상대방 주주에게 자신이 보유 중인 주식을 매도하거나(put option) 상대방 주주가 보유 중인 주식을 매수할 수 있는 권리(call option)을 의미한다(교착상태 해소를 위한 풋/콜옵션도 생각할 수 있으나, 이에 대해서는 전술하였다). 통상 논의되는 풋/콜옵션의 사유로는 일정 기간이 경과한 경우, 대상회사의 주식이 일정 기한까지 기업공개절차를 완료하지 않은 경우, 대상회사에 회생절차 또는 파산절차 등이 개시되는 경우, 최대주주가 변경되는 경우 등이 있다. 그리고 풋/콜옵션을 정함에 있어서는 대상회사의 주식을 계속 보유하기 원하는 당사자(주로 기존 대주주)에게는 콜옵션을, 그렇지 않고 투자금을 회수하고 이탈하기 원하는 당사자(주로 재무적 투자자)에게는 풋옵션을 부여하는 것으로 규정하는 것이 일반적이다.

풋/콜옵션에 대해서는 상대방 주주의 양도의사를 불문하고 옵션이 행사되면 일종의 형성권 행사로서 주식매매계약 체결이 간주되는 효과가 주어진다는 점에서 그 효력 여부도 문제될 수 있으나, 풋/콜옵션은 '투하자본회수의 가능성'을 높이는 측면이 크고, 단지 양수 상대방을 제한하는 것일 뿐이므로 무효로 보기는 어려우며,[118] 실무상 풋/콜옵션의 효과에 대하여 의문을 제기하는 경우는 보기 어렵다.

문제는 풋/콜옵션의 행사가격 등 조건이다. 먼저 행사가격은 주주간계약에서 미리 정하여 두기도 하고,[119] 아니면 '공정가치'에 의한다고 규정한 후 향후 풋/콜옵션 행사시 회계법인의 평가에 따른 금액에 의하는 것으로 정하기도 한다.[120] 이와 관련하여 터무니없이 낮은 가격으로 환매권을 부여하는 것과 같이 투하자본의 회수를 부당하게 방해하는 등 현저하게 불공정할 때에는 무효라고 하거나,[121] 미리 정한 행사가격이 행사시 그 주식의 진실한 가치와 합리적으로

---

118) 한국상사법학회(편)·윤영신(집필), 전게서, 901~902면; 염미경, 전게논문, 57면.
119) 주로 인수가격에 일정한 IRR 비율을 곱하여 산정하되, 대상회사로부터 지급받은 이익배당금 등이 있을 경우에는 해당 금액을 제외하는 방법이 많이 이용되는 것으로 보인다.
120) 회계법인 선정의 방법과 관련하여서도 주의가 필요하다. 만연히 양 당사자가 합의하여 선정하는 회계법인으로 한다고만 규정할 경우, 회계법인 선정과 관련하여 합의가 이루어지지 않는 경우 해결이 되지 않는다. 따라서, 회계법인 선정과 관련하여 합의가 이루어지지 않을 경우에 대비한 조항까지도 주주간계약에 담아 놓을 필요가 있음을 주의하여야 한다.
121) 권기범, 전게서, 606~607면.

연결되지 않을 때에는 무효의 소지가 있다고 하는 견해가 발견된다.[122] 그러나 (i) 주식가격은 변동성이 커서 주식가격이 상당히 상승하여 합의한 행사가격을 초과한 경우에는 옵션 행사로 양도하게 되는 당사자가 손해를 보고, 반대의 경우에는 옵션 행사로 양수하게 되는 당사자가 손해를 보는 것이어서 어느 한쪽에 불리하다고 단정할 수 없고, (ii) 그러한 위험을 헷지하기 위하여 당사자들이 일정한 가격을 행사가격으로 정한 것은 충분히 타당성이 있으며, (iii) 이미 발행된 주식을 어느 가격에 양도/양수할지는 회사의 자본충실과도 관련이 없으므로, 당사자들이 정한 행사가격이 풋/콜옵션 행사 당시 '공정가치'와 차이가 있다고 하여 그러한 이유만으로 행사가격에 대한 합의의 효력을 부인할 것은 아니라고 본다.

실무상으로는 행사가격 이외의 조건에 대한 고민도 필요하다. 통상 옵션 행사가격만을 정해두는 경우가 많은데, 옵션 행사로 인해 매매계약 체결이 간주되므로 그 체결 간주되는 매매계약 상의 다른 조건들(예컨대, 진술 및 보장, 선행조건 등)은 어떻게 할 것인지도 고민하고 결정해 놓을 필요가 있다. 통상은 'as-is-basis'(현 상태 그대로) 매매가 이루어진다고 함으로써 주식의 소유권과 같은 기본적인 사항 이외의 진술 및 보장은 하지 않는 것으로 정하는 경우가 많다.

(4) 동반매도참여권(tag-along right) 조항

동반매도참여권은 주주간계약의 일방 주주가 제3자에게 보유 주식을 매도하고자 하는 경우 상대방 주주가 그 양도하는 주주와 함께 동일한 조건으로 해당 제3자에게 양도할 수 있는 권리이다. 대상회사에 투자한 소수지분권자의 경우에는 그 지분만의 양도가 용이하지도 않고 경영권 프리미엄에 따른 이익도 누릴 수 없기 때문에 동반매도참여권을 통해 투자금 회수의 기회와 경영권 프리미엄 향유의 기회를 가지게 된다.

동반매도참여권을 행사하기 위해서는 주주간계약에 동반매도참여권을 행사할 수 있는 사유와 동반매도참여권 행사로 인하여 참여할 수 있는 대상주식 수를 규정할 필요가 있다.

먼저 동반매도참여권을 행사할 수 있는 사유와 관련해서는 최대주주나 지배

---

122) 이태종, 전게 "주주간의 주식양도제한약정의 효력," 41면.

주주가 일정 지분율이나 일정 주식 수 이상을 매각하는 거래나 경영권을 수반하여 매각하는 거래에 한해서만 동반매도참여권을 부여할 수도 있고, 대주주 지분 매각에 대해서는 매각되는 지분 수나 지분율과 상관없이 동반매도참여권을 부여하는 경우도 있다.

　다음으로 동반매도참여권 행사로 인하여 참여할 수 있는 대상주식 수를 산정함에 있어서도 양도하는 주주가 양도하고자 하는 주식 수에 주주들이 보유한 전체 지분의 합에서 차지하는 동반매도참여권을 행사한 주주의 지분의 비율을 곱하여 산출되는 주식 수로 정하는 방안 또는 무조건적으로 동반매도참여권을 행사한 주주의 지분을 우선적으로 매도될 수 있도록 하는 방안이 고려될 수 있다. 만약 소수주주 입장이라면, 동반매도참여권 행사 이후 잔여 주식이 남는 경우에는 그 잔여 주식을 매각하는 것이 용이하지 않을 것이므로, 그런 상황을 피하기 위해서는 후자의 방안을 채택할 필요가 있다.

(5) 동반매각청구권(drag-along right) 조항

　동반매각청구권은 주주간계약의 일방 주주가 제3자에게 그 보유 주식을 매도하고자 하는 경우 상대방 주주로 하여금 그 보유 주식을 해당 제3자에게 동시에 매도하도록 강제할 수 있는 권리를 의미한다. 즉, 양도하려는 주주가 동반매각청구권을 행사할 경우에는 상대방 주주는 의무적으로 보유 주식을 함께 처분하여야 한다. 그런데, 단지 함께 처분할 의무만을 부과할 경우에는 그 의무를 위반할 경우에 대한 대비책이 마땅치 않으므로, 실무에서는 매매계약 체결이 간주되는 효과를 부여하기 위하여, 동반매각청구권 행사 통지시 매수예정자와의 사이에 합의된 즉시 체결 가능한 매매계약서 양식을 첨부하고, 동반매각청구권 행사 통지된 후 일정 기간이 지난 시점에 매도주주 및 상대방 주주와 매수예정자 사이에 통지시 첨부된 매매계약서 양식의 매매계약이 체결된 것으로 본다고 규정하는 경우가 많다. 이는 일종의 제3자(매수예정자)를 위한 계약으로 볼 수 있을 것이고, 그렇게 함으로써 매수예정자가 상대방 주주에게도 체결 간주된 매매계약에 기초하여 이행청구를 할 수 있는 기반을 마련하는 것이다.

　동반매각청구권은 주로 대주주가 주식을 매도하고자 할 경우 소수주주의 주식도 함께 매각할 수 있도록 하는 권리인데, 대주주로서는 그 권리를 행사함으로써 더 많은 수의 주식을 매도할 수 있다. 또한, 잠재적 매수인이 기존 소수주주와 파트너 관계 내지 주주간계약에 따른 권리의무관계를 원하지 않는 경우에는 그러한 잠재적 매수인의 요청도 충족시켜 줄 수 있어 매각 가능성을 높일 수도 있다.

이러한 동반매각청구권은 소수주주가 가지도록 규정할 수도 있는데, 앞서 동반매도참여권에서 설명한 바와 같이 소수주주의 경우에는 투자금 회수를 위하여 그 보유 주식만을 양도하는 것이 용이하지 않고 경영권 프리미엄도 향유할 수 없기 때문에 동반매각청구권을 고려하게 되는 것이다. 이와 같이 소수주주가 동반매각청구권을 행사할 경우에는 소수주주가 주도하여 대주주 보유 지분까지 매각할 수 있으므로, 결과적으로 '꼬리가 몸통을 흔드는' 권리를 가질 수 있다.[123] 이에 대해서는 뒤에서 상술한다.

동반매각청구권을 규정함에 있어서도 동반매각청구권을 행사할 수 있는 사유를 규정할 필요가 있는데, 이와 관련하여 특별한 기준은 없으나 단순히 일정 기간(예를 들어 Lock-up 기간)이 경과한 경우로 규정할 수도 있고, 대상회사 주식의 상장에 실패하는 경우, 주식가격이 일정 가격 이상으로 형성되는 경우 또는 회사 경영실적이 일정 기준을 달성하지 못한 경우 등이 주로 규정된다. 이 때 소수주주로서 주의할 것은 동반매각청구권이 행사되는 경우를 양도하려는 주주(대주주)가 보유 중인 주식 전부를 매도하거나 발행주식총수의 50% 이상의 주식을 매도하려는 경우로 한정할 필요가 있다는 점이다. 그렇지 않으면, 대주주가 자신이 보유하고 있는 주식의 일부를 양도하는 경우에도 동반매각청구권을 행사할 수 있어 대주주의 자의에 의하여 퇴출되는 결과가 발생할 수 있기 때문이다.

다) 재무적 투자자의 투자금 회수 방안으로서의 주식양도제한 조항

PEF를 비롯한 재무적 투자자들이 비상장회사의 소수지분에 투자를 하는 경우에는 투자금회수 전략이 제한적일 수밖에 없다. 투자한 주식이 비상장주식이고 경영권이 있는 지분이 아니어서 매수인을 찾기 어려울 뿐만 아니라 대주주가 아니기 때문에 IPO를 주도적으로 진행할 수도 없기 때문이다.

이와 같은 투자금회수의 어려움을 해결하기 위하여 재무적 투자자들은 종래

---

123) 이제원·권철호, "사모투자전문회사의 옵션부투자에 대한 규제," 「BFL」 제63호(서울대학교 금융법센터, 2014), 56면.

에 신주를 인수할 경우 상환전환우선주(redeemable convertible preferred shares)
를 인수하거나 대주주 측으로부터 구주를 인수하는 경우에는 대주주 측에 풋옵
션을 행사할 수 있는 약정을 하는 방법으로 투자금회수의 방안을 모색하였다.
그러나 상환전환우선주는 배당가능이익이 있어야 상환이 가능하고, 상장이 되지
않는 경우에는 보통주로의 전환이 별 의미가 없기 때문에 한계가 있다. 또한,
풋옵션은 금융감독원의 2013. 4. 15.자 '사모투자회사의 옵션부 투자 모범규준'
에 따라 금전대여성 옵션 등이 제한되고,[124] 대주주 입장에서 부채로 계상된다
는 점을 근거로 잘 수용하지 않는 경우가 많다. 이러한 연유로 근래에는 풋옵
션의 대안으로 재무적 투자자의 동반매각청구권과 대주주의 우선매수권을 조
합하는 방안이 활용되고 있다.[125] 이른바 'Drag & Call'과 'Call & Drag'이 그
것이다.

(1) Drag & Call

(가) 재무적 투자자의 동반매각청구권과 대주주의 우선매수권

이 방안은 소수지분에 투자하는 재무적 투자자에게 동반매각청구권을 부여하
고, 재무적 투자자가 동반매각청구권을 행사하여 대주주 지분까지 포함하여 매
각함을 전제로 매수희망자와 합의된 가격(통상 경영권 프리미엄이 포함. 이하 "제
안가격")을 제안하면 대주주 내지 전략적 투자자는 제안가격으로 동반매각청구에
응하거나 재무적 투자자가 보유하고 있는 주식을 제안가격 또는 기 합의되어 있
는 가격[126]에 우선매수권[127]을 행사할 수 있는 선택권을 갖는 방안이다. 경영권

---

124) 위 모범규준은 2015. 2. 10.자로 폐지되었지만, 같은 날 발령된 금감원 유권해석에 따라
   단순 금전대여성 옵션은 여전히 제한되고 있다. 다만, 최근 시행된 자본시장과 금융투자업
   에 관한 법률(법률 제18128호, 2021. 10. 21. 시행)에 따라 기관전용 사모펀드의 경우 대
   출이 허용되므로 이러한 유권해석은 더 이상 유지되지 않을 것으로 보인다.
125) 이와 관련한 자세한 사항은 이제원·권철호, 전게논문, 44~45면; 이제원·권철호, "소수지
   분투자에 있어 원금보장 및 자금회수 방안," 「BFL」 제67호(서울대학교 금융법센터, 2014),
   56~57면 참조.
126) 재무적 투자자의 협상력이 큰 경우에는 2 가격 중 높은 가격으로 규정하고, 대주주의 협상
   력이 큰 경우에는 2 가격 중 어느 하나의 가격으로 대주주가 선택할 수 있도록(결과적으로
   낮은 가격) 규정하는 경우가 많다.
127) Drag & Call에서 Call이라는 것은 콜옵션이라기보다는 우선매수권을 의미한다. Drag &
   Call에서의 Call은 매수희망자가 제안한 가격이 나온 후에 대주주가 우선매수권 행사 여부
   를 결정한다는 점에서 right of first refusal이라 할 수 있다. 반면, 뒤에서 보는 Call &
   Drag에서의 Call은 매수희망자가 나오기 전에 대주주가 그 행사 여부를 결정한다는 점에서
   right of first offer와 유사하다고 하겠다.

을 유지하고자 하는 대주주는 재무적 투자자가 동반매각청구를 하더라도 우선매
수권 행사를 통해 경영권을 보장받을 수 있고, 재무적 투자자로서도 대주주가
우선매수권을 행사하지 않고 동반매각에 응할 경우에는 경영권 프리미엄이 가미
된 가격으로 자신의 지분을 매각할 수 있어서 적절한 투자금 회수수단을 가질
수 있으며,[128] 대주주가 우선매수권을 행사하는 경우에는 대주주에게 지분을 매
각함으로써 투자금을 회수할 수 있게 되는 것이다. 특히, 우선매수권 행사가격
이 (i) 제안가격과 (ii) 투자원금과 그에 대한 일정한 IRR 비율로 산정되고 기
합의된 가격 중 큰 가격으로 규정할 수 있다면, 재무적 투자자에게는 투자수익
까지 확보할 수 있는 방안이 될 수 있다. 특히, 대상회사가 대주주가 포기할 수
없는 핵심회사라면, 사실상 대주주는 동반매각에 응하기 어렵고 결국 우선매수
권을 행사할 가능성이 높은바, 결국 Drag & Call은 사실상 풋옵션과 유사한 기
능을 하게 된다고 보고 고안된 방안이다.

  (나) Drag & Call과 관련한 이슈

  Drag & Call에서는 재무적 투자자가 먼저 동반매각청구권을 행사하고, 이에
대하여 대주주(전략적 투자자)가 (i) 동반매각청구권에 응하여 함께 보유 주식을
매각할지, 아니면 (ii) 우선매수권을 행사하여 재무적 투자자의 보유 주식을 매
수할지 선택하게 된다. 이러한 Drag & Call 구조의 특성상 동반매각청구권 행
사와 관련하여 대주주의 협조의무가 인정되는지, 동반매각청구권의 행사가 대주
주의 우선매수권을 행사하기 위한 조건인지, 우선매수권의 존재가 대주주의 협
조의무의 정도에 차이를 야기하는 것인지, 대주주가 소수지분권자의 동반매각청
구권 행사에 협조하지 않아 투자금 회수가 사실상 불가능해졌을 경우 어떠한 조
치를 취할 수 있는지 등의 이슈가 있다.

  이와 같은 이슈들은 근본적으로 회사의 대주주가 아니고 경영권을 가지지 않
은 재무적 투자자가 동반매각청구권을 행사한다는 점에 기인한다. 동반매각청구
권을 행사하여 대주주 지분까지 좋은 가격에 매각하기 위하여 매수희망자를 물
색하고 최종 매수예정자를 정하여야 하는데, 이를 위해서는 매도주체가 매도자 실

---

128) 나아가, 소수주주의 협상력이 큰 경우에는, 보다 확실한 투자수익 확보를 위해서 동반매각
    대금을 지분비율에 따라 분배하지 않고, 이른바 'waterfall' 조항에 따라, 일정금액까지는
    소수주주에게 우선배분하고, 남는 금원은 일정금액까지 대주주에게 배분한 후, 그리고 또
    남는 금액이 있으면 지분비율에 따라 분배하는 것으로 규정하기도 한다.

사를 통해 대상회사의 현황을 파악하여 매각목표가 및 매각전략을 수립하고, 잠재적 매수희망자들을 상대로 태핑(tapping)도 하여야 하며, 투자설명서(information memorandum)를 작성하여 배포하여야 하고, 입찰에 참가한 매수희망자들에게는 대상회사에 대한 실사 기회도 제공하여야 한다. 즉 이러한 매수인 선정절차, 'M&A 절차'는 경영권을 보유하고 있는 대주주와 대상회사의 협조 없이는 사실상 진행될 수 없기 때문이다.

(다) 최근 대법원 판례(앞서 본 대법원 2018다223054)[129]

최근 대법원은 위와 같은 Drag & Call 관련 이슈들 중 대주주의 협조의무는 그것이 계약에 명시되어 있지 않다 하더라도 신의칙상 인정된다고 판시하였다. 동반매각청구권은 경영권을 행사하고 있는 대주주의 협조가 있어야만 적합한 매수희망자를 물색할 수 있는 정보를 수집하고 회사의 정당한 기업가치를 평가하여 투자소개서를 작성하는 등 일반적인 매각절차 준비과정을 진행할 수 있기 때문이다.

다만, 대법원은 해당 사안에서 대주주가 인수희망자로부터 법적 구속력 없는 인수의향서만을 제출받은 단계에서 자료 동반매각청구권 행사 주주의 자료제공 요청에 응하지 아니하였다는 사정만으로 신의칙에 반하는 협조의무 위반을 인정할 수 없으며, 설사 그러한 협조의무 위반으로 민법 제150조 제1항에 따라 조건 성취가 의제된다 하더라도 동반매각청구권 행사만으로는 매각 상대방, 매각금액이 구체적으로 특정되지 않아 우선매수권에 따른 매매계약 체결을 인정할 수 없다고 판시하였다.

(라) 소 결

우선 대법원이 판시한 바와 같이 동반매각청구권에서 상대방 주주의 협조의

---

129) PEF들이 국내 대기업의 해외 자회사에 Pre-IPO 투자를 하면서 일정 기간 내에 상장이 되지 않을 경우에 대비하여 Drag & Call을 주주간계약에 규정하였는데, 실제 일정 기간 내에 상장이 되지 않았고, PEF들이 동반매각청구권을 행사하고자 대상회사를 파악하여 매각전략을 수립하고 선제적으로 대상회사 관련 이슈를 점검하며 매수희망자 물색을 위해 잠재적 매수희망자에게 배포할 대상회사에 대한 투자설명서(information memorandum)를 작성하기 위한 목적으로 대상회사에 대한 매도자 실사를 하고자 하였는데, 대주주가 주주간계약 상 그에 협조할 의무가 명시적으로 규정된 바 없다며 매도자 실사에 협조하지 않아 동반매각청구권 행사 자체가 사실상 불가능해진 사안이다. 이 사안에서 PEF들이 투자금 회수를 할 방안이 없어지자, 동반매각청구권 행사에 대한 협조의무 위반 등 대주주의 주주간계약 상의 각종 의무 위반에 대한 책임을 청구한 사례이다.

무는 신의칙상 인정되는 것이 타당하다. 즉, 대주주의 협조의무가 명시적으로 규정되지 않았다고 하더라도, 동반매각청구권의 취지나 그 권리성을 고려할 때, 동반매각청구권과 관련한 대주주의 협조의무는 인정되어야 한다고 본다. 동반매각청구권은 상대방이 보유하고 있는 주식까지 '함께' 매각함으로써 경영권 프리미엄이 가미된 높은 가격을 수취하고자 하는 목적에서 규정하는 것이고, 그것은 매각주체인 소수주주가 대상회사를 파악하여 매수희망자에게 대상회사에 대한 정보를 선별하여 제공하는 과정 없이는 불가능하다 할 것인데, 그러한 과정은 대상회사의 경영권을 보유하고 있는 대주주와 대주주를 통한 대상회사의 협조 없이는 불가능하기 때문에 주주간계약에 동반매각청구권을 규정한 이상 대주주는 그에 따른 협조의무를 부담한다고 보아야 한다. 설사 '협조 의무'라는 것이 명시적으로 규정되어 있지 않다 하더라도, 계약 당사자들은 주된 급부의무를 실행하여야 할 뿐만 아니라 계약 내용, 법률의 규정 또는 신의칙이 요구하는 바에 따라 그 계약 목적의 실현에 필요한 일정한 형태의 의무도 부담하므로,130) 협조의무 부담 여부가 달라지지는 않는다고 생각한다.

다음으로 상기 대법원 판례는 민법 제150조 제1항은 계약 당사자 사이에서 정당하게 기대되는 협력을 신의성실에 반하여 거부함으로써 계약에서 정한 사항을 이행할 수 없게 된 경우에 유추적용될 수 있다고 하면서도, 해당 사안에서 회사에 관한 자료제공을 거부하는 등 협조의무를 다하지 않은 것만으로는 신의칙에 반하는 조건성취 방해행위에 해당한다고 단정하기는 어렵다고 판단하여, 그와 같이 대주주가 협조의무를 위반한 경우 민법 제150조 제1항에 따른 조건성취가 의제되고 민법 제385조에 따라 우선매수권이 행사된 것으로 보아 매매계약이 체결된 것으로 간주할 수 없다고 하였는데, 신의칙상 협조의무와 그 위반은 인정하면서도 그러한 협조의무 위반이 신의칙에 반하는 조건의 성취 방해에는 이르지 않는다고 판단한 부분은 이해하기 어려운 점이 있어 아쉬움이 남는다.131) 이와 같이 주주간계약이 정한 매커니즘을 인정하지 않는 경우 동반매각

---

130) 양창수·김재형, 「민법1: 계약법」 제2판(박영사, 2015), 418면.

131) 해당 사안에서 동반매각청구권이 행사되면, 대주주는 그러한 동반매각청구권에 응하거나 우선매수권을 행사하는 것 중에 하나를 선택하여야 한다(아무 것도 선택하지 않을 권리는 없다). 그런데, 동반매각청구권에 응함에 있어서는 대주주의 비협조(방해행위)로 매수예정자를 찾을 수 없어서 매수예정자가 제시하는 매매가격이 있을 수 없어 결국 동반매각청구권에 응할 수 없게 된다는 문제점이 있다. 반면에 우선매수권은 통상 그 행사가격을 미리 정하고, 우선매수권을 행사하는 즉시 그에 따른 매매계약을 성립하게 하는 효과가 있다.

청구권을 행사한 주주로서는 마땅한 대안책이 없기 때문이다. 물론 협조의무 위반에 따른 손해배상을 생각해 볼 수 있으나, 그 손해의 산정이나 입증이 불가능에 가깝고, 일정기간 이후 투자금 회수를 목적으로 투자한 재무적 투자자로서는 손해배상을 받는다고 하더라도 지분을 유지한 채 투자금을 회수(exit)할 수가 없으므로 온전한 구제책이 될 수 없다.[132]

한편, 이와 같은 대법원 판례의 입장에 비추어 볼 때, 주주간계약에 동반매각청구권 또는 Drag & Call 구조를 정함에 있어서는 상대방 주주의 협조의무의 내용을 구체적으로 정하고, 이러한 협조의무를 위반하였을 경우에 대한 법률효과를 명시하거나(예를 들어, 보유 주식에 대하여 특정 금액으로 상대방 주주와 사이에 매매계약이 체결된다는 점), 협조의무 불이행 등을 해지사유로 명시하고 동반매각청구권을 행사한 주주가 해지권 및 해지의 효과로서 풋옵션을 정해 놓을 필요가 있다 하겠다.[133]

(2) Call & Drag

앞서 살핀 바와 같이 Drag & Call 구조 못지 않게 실무상 풋옵션의 대안으로 활용되는 것이 Call & Drag이다. 이는 대상회사가 대주주가 포기할 수 없는 회사라면 굳이 동반매각절차의 과정을 거친 후 대주주에게 우선매수권 행사 여부를 묻기보다는 먼저 대주주에게 재무적 투자자 지분을 매수할지를 묻는 것(즉, right of first offer)이 절차상 간편하고, 대주주 입장에서도 대상회사를 포기하기 어려우므로 우선매수권을 행사할 가능성이 높은데 불필요하게 동반매각절차에서 대상회사 정보가 제3자에게 유출되도록 할 이유가 없다고 판단하기 때문이다. 나아가 재무적 투자자 입장에서도, 대주주가 우선매수권을 행사할 가능성이 높다면 굳이 시간과 비용을 써가면서 동반매각절차를 진행할 이유가 없으며, 기대와 달리 대주주가 우선매수권을 행사하지 않는다면 그때 비로소 동반매각절차를 진행하면 족하기 때문에 Call & Drag이 최근에는 더 선호되고 있는 듯하다. 이

따라서, 이 때에는 선택채권 특정의 법리(민법 제385조)를 적용 또는 유추적용하여 유일하게 남은 선택지인 우선매수권이 행사된 것으로 보아 그 행사가격에 따른 매매계약이 성립한 것으로 간주하는 법리를 생각할 수 있다.

132) 해당 판례에 대한 평석으로는, 송옥렬, "동반매도요구권과 대주주의 실사 협조의무 – 대법원 2021.1.14. 선고 2018다223054 판결–,"「BFL」제108호(서울대학교 금융법센터, 2021. 7.) 참조.

133) 이에 대해서는 후술하는 '5) 위반시 효과 및 해지에 관한 사항' 참조.

는 마치 과거에는 right of first refusal이 많이 사용되다가 최근에는 right of first offer가 좀 더 선호되고 있는 경향과 같다고 하겠다.

5) 위반시 효과 및 해지에 관한 사항

다른 종류의 계약에서도 그러하듯이 주주간계약에서도 상대방의 계약상 의무의 중대한 위반시 해지에 관한 조항이 필요하고, 이러한 해지에 관한 조항에는 해지의 사유와 해지의 효력에 대하여 규정하여야 한다. 특히 주주간계약은 소수주주의 권리 보호를 위하여 규정된 사항들이 많기 때문에 소수주주로서는 대주주가 해당 사항들을 준수하도록 강제하고, 해당 사항을 위반하였을 경우 계약관계를 해소하고 투자금을 회수하는 방안을 강구할 필요가 있다.134) 또한, 앞에서 본 바와 같이 주주간계약은 집행가능성에 의문이 있기 때문에, 상대방의 의무 위반에 따른 해지의 효과를 명백히 규정해 놓음으로써 주주간계약을 위반하지 않게 하는 심리적 효과를 얻는 것도 매우 중요하다.

그럼에도 불구하고, 실무가들이 소수주주의 입장에서 주주간계약을 작성하거나 검토함에 있어서 해지의 사유만 규정하고 해지의 효과에 대해서는 언급하지 않는 실수를 범하는 것을 종종 보게 된다. 이는 해지조항을 중립적 조항으로 보기 때문에 발생하는 실수로 보이는데 이는 매우 바람직하지 못하다. 기본적으로 주주간계약은 소수주주를 위한 계약이고, 대주주의 권한을 제약하는 계약이다. 그런데, 소수주주의 입장에서 주주간계약을 작성하면서 일방 당사자의 의무위반을 해지사유로 규정하고, 해지의 효과에 대해서 규정하지 않는 것은 대주주가 의무위반을 하더라도 해지를 할 수 없게 만드는 것과 같다. 해지의 효과 규정이 없는 상태에서 주주간계약을 해지하는 것은 소수주주 스스로 자신의 보호막을 걷어차 버리는 결과를 낳는 것이기 때문이다(한편, 대주주 입장에서는 해지의 효과 규정이 없더라도 해지를 하는 것이 유리하다. 자신의 권리에 대한 제약에서 벗어날 수 있기 때문이다). 물론, 위반 당사자에게 민법 일반 원리에 따라 약정 위반에 따른 손해배상책임을 물을 수 있겠지만, 주주간계약 위반시 손해의 산정과 입증이 매우 어렵다는 점에서 한계가 있다. 주주간계약 작성시 특별히 유의해야 할

---

134) 반면에 대주주로서는 더 이상 소수주주와의 합작 내지 협력이 필요없거나, 소수주주의 지분율이 일정 수준 이상 하락하였을 경우에 그 계약관계를 종료할 필요가 있으므로, 주주간계약에 "소수주주가 보유하는 주식의 합이 회사발행주식총수의 5% 미만이 되는 경우" 등을 해지 사유로 규정하기도 한다.

점이다.

해지의 효과 규정으로, 일방 당사자가 주주간계약을 중대하게 위반하여 해지를 할 경우에는 일반적으로 풋/콜옵션을 규정하거나 손해배상 규정을 두어 해지와 관련한 법률관계를 해결하도록 하는데, 이는 그러한 해지의 효과를 두려워한 당사자들이 주주간계약을 준수하게 하는 기능을 한다. 예를 들어 (i) 해지하는 당사자(즉, 의무위반 당사자의 상대방)가 대주주인 경우 공정가치(fair market value)보다 할인된 가격에 콜옵션[135]을 갖고 해지하는 당사자가 소수주주인 경우 공정가치보다 할증된 가격에 풋옵션[136]을 갖는 방식, (ii) 해지하는 당사자가 공정가치 보다 할인된 가격에 콜옵션 또는 공정가치보다 할증된 가격에 풋옵션을 선택적으로 행사할 수 있게 하는 방식, (iii) 손해배상의 예정 또는 위약벌을 규정하는 방식 등이 활용될 수 있다. 그런데, 해지의 효과로 일반적인 손해배상 조항만을 규정하는 것은 바람직하지 못하다. 앞서 본 바와 같이 주주간계약 위반시 손해를 산정하고 입증하기가 매우 어렵기 때문이다. 한편, 주주간계약이 대주주와 소수주주에게 가지는 의미를 고려하여 대주주 의무위반으로 인한 경우의 해지의 효과와 소수주주 의무위반으로 인한 해지의 효과를 달리 규정하는 것도 고려할 수 있다(예컨대, 대주주의 의무위반의 경우 대주주를 위한 조항만 선별적으로 해지할 수 있도록 하는 방안이 그러하다).

한편, 앞서 본 바와 같이 주주간계약 의무위반에 대한 또 다른 구제책으로 의무 위반시 의결권을 위임 또는 위임간주 하도록 하는 방안이 논의되기도 한다. 실제 앞서 살펴본 서울중앙지방법원 2011카합2785의 사안에서, 해당 주주간계약에는 일정한 주주간계약 상의 의무를 위반하는 경우 상대방 주주는 위반 주주에게 의결권 있는 주식 51% 이상의 위임을 요구할 수 있다고 규정되어 있었고, 동 규정에 근거하여 위반 당사자에게는 의결권 위임을 구하고 대상회사에 대하여는 위임받은 의결권의 행사를 허용하여야 한다는 취지의 가처분 신청을 제기하였는데, 법원은 동 신청을 인용한 바 있다.

---

135) 할인된 가격으로 사올 수 있기 때문에 상대방에게 위약벌적 성격을 갖는다는 의미에서 통상 패널티 콜옵션(penalty call option)이라 부른다. 패널티성을 좀 더 강화하기 위해서는 콜옵션 행사가격을 '투자원금의 [80]%와 공정가치의 [80]% 중 작은 금액'으로 정하기도 한다.

136) 각주 107)과 같은 취지에서 통상 패널티 풋옵션(penalty put option)이라 부른다. 패널티성을 좀 더 강화하기 위해서는 풋옵션 행사가격을 '투자원금 대비 내부수익률(IRR)이 [7]%가 되도록 하는 금액과 공정가치의 [120]% 중 큰 금액'으로 정하기도 한다.

그런데 철회불능의 위임이라는 것은 있을 수 없다는 점에서 이러한 의결권 위임 약정의 실효성에 대해 의문을 제기하는 견해가 있으며,137) 대리에 관한 일반이론 상 철회불능의 의결권 위임이라는 것은 있을 수 없다는 것이 실무상으로도 지배적인 견해이고, 대법원도 주주권은 주식의 양도나 소각 등 법률에 정하여진 사유에 의하여서만 상실되고 단순히 당사자 사이의 특약이나 주주권 포기의 의사표시만으로 상실되지 아니하며 다른 특별한 사정이 없는 한(필자 강조) 그 행사가 제한되지도 아니하는 것으로 판시하고 있으며, 주주가 일정 기간 주주권을 포기하고 타인에게 주주로서의 의결권 행사권한을 위임하기로 약정한 사정만으로 그 주주가 주주로서의 의결권을 직접 행사할 수 없게 되었다고 볼 수 없다고 판시한 바 있다.138) 꼭 그렇게만 보아야 할까? 먼저, 의결권 위임의 철회가능성에 관하여 보건대, 민법 제689조 제1항에 의하면 위임계약은 각 당사자가 언제든지 해지할 수 있다. 그러나, 위임이 위임인의 이익과 함께 수임인의 이익도 목적으로 하고 있는 경우에는 성질상 위임계약을 해지할 수 없다고 보고, 이와 같이 수임인의 이익을 목적으로 하는 위임계약의 예로 채권자가 자기의 채권을 회수하기 위하여 채무자로부터 경영위임을 받은 사례를 드는 것이 유력한 학설이다.139) 동 학설에 기초한다면, 상대방의 주주간계약 위반에 따라 이루어진 의결권 위임은 수임인의 이익도 목적으로 하는 위임이라고 못 볼 바도 아니다. 다음으로, 위임 주주가 주총장에 참석하여 직접 의결권을 행사하고자 하는 경우에 관하여 보건대, 위 대법원 판례는 "특별한 사정이 있으면" 타인에게 주주로서의 의결권 행사권한을 위임한 주주가 주주로서의 의결권을 직접 행사할 수 없다고 판단한 것으로 볼 수도 있는데, 만약 대상회사가 의결권 위임의 근거가 되는 주주간계약의 당사자로서, "주주간계약 위반으로 인한 의결권 위임이 있는 경우 동 의결권의 행사는 위임받은 주주를 통해서만 할 수 있음을 확인하고 동의한다"는 식의 약정을 한다면, 동 의결권 위임은 대상회사도 구속하는 것이어서, 위 판례에서 말하는 "특별한 사정"이 있다고 볼 수 있지 않을까? 그래서 법원은 "위반 주주는 비 위반 주주에게 의결권을 위임하여야 하며, 회사는 그렇게 위임 받은(또는 위임간주된) 의결권의 행사를 허용하여야 한다"는 주

---

137) 권오성, 전게논문, 437면.
138) 대법원 2002.12.24. 2002다54691.
139) 곽윤직(편)·이재홍(집필), 「민법주해 제XV권」(박영사, 1997), 596면; 日最判 昭 43(1968).
    9. 20.(判示 536, 51).

문과 함께 "회사는 위임 주주의 의결권 행사를 허용하여서는 아니된다"라는 주문을 함께 발할 수 있다고 보아야 한다는 점은 앞서 언급한 바와 같다. 의결권 위임은 언제나 철회가능하고 위임자는 의결권 위임에도 불구하고 언제나 직접 의결권 행사를 할 수 있다는 명제가 과연 불변의 진리인지에 대하여는 재검토가 필요한 것 같다.

마. 결   어

이상과 같이 주주간계약의 기본 구조 및 내용과 주주간계약의 효력 및 집행 가능성에 대한 논의를 살펴본 후 주주간계약 작성시 실무상 유의해야 할 점에 대하여 살펴보았다.

사실 주주간계약은 조직법·단체법적인 성질을 갖는 회사법과 개인법·거래법적인 성질인 주주간계약의 중간지대에 있다고 볼 수 있다. 주주평등의 원칙, 다수결의 원칙, 기관간 권한 분배 및 대표권이라는 요소와 사적 자치, 거래안정 이라는 요소가 충돌하는 국면도 있다. 그러나 한편으로 주주간계약은 단체법인 회사법이 법률관계를 획일적·통일적 확정하는 데에서 오는 단점을 보충하는 역할을 하고, 이는 곧 투자 촉진 및 자금조달의 효율성이라는 효과와 연결되기도 한다. 2011년 개정상법에서도 다양한 종류주식을 도입하고, 정관 자치의 법리를 넓히고 있다. 이러한 점에서 주주간계약에서 당사자들이 합의한 사항은 최대한 존중되는 방향으로 해석되어야 하고, 단행적 가처분 등 구제방법도 적극적으로 인정될 필요가 있으며, 회사법도 보다 탄력적으로 해석될 필요가 있다고 생각한다. 그렇지 않으면 오히려 주주간계약을 위반한 주주의 기회주의적인 행동이 보호될 수 있고, 막상 주주간계약을 준수한 주주는 계약상으로도 회사법상으로도 보호받지 못하는 결과가 야기될 수 있고, 이는 소수주주의 보호 및 투자 촉진이라는 주주간계약의 순기능을 위험하게 할 수 있기 때문이다.

결론적으로 말하면, 주주간계약의 효력과 집행가능성에 대하여 의문이 있을 수밖에 없기 때문에 주주간계약의 작성에 있어서 오히려 더 큰 주의를 요한다는 것이고, 이 글이 실무가들이 좀 더 실효성 있고 수준 높은 주주간계약을 작성하는 데 조금이나마 도움이 되길 바란다.

3. 서면투표와 전자투표   김 영 주*

가. 서 설

주주는 주주총회 참석과 해당 의안에 대한 논의 및 표결을 통해 회사경영에 대한 간접적인 참여를 보장받는다.[1] 주주는 주주총회에 직접 출석하여 표결에 참가함으로써, 주주 본인의 의사를 관철시키는 것이 원칙이다. 구체적으로는 부의된 의제와 의안에 관한 회사 측의 설명을 청취하고, 질의 또는 토론을 진행한 후, 찬성·반대·기권의 표결을 행해야 한다.

그러나 주주가 의결권 행사에 있어 시간적·공간적인 일정한 제한이 있거나 또는 그 행위능력상의 문제로 권리행사의 한계에 직면하는 경우, 총회에 출석하여 직접 표결하는 것은 실질적으로 기대하기 어렵다. 나아가 오늘날 주식회사는 주식의 광범위한 지역적 분산과 주주 구성의 다양화로 인해, 모든 주주가 총회에 참석하여 그 의사를 표시한다는 것 또한 현실적으로 어려운 일이다.[2] 이에 따라 주주총회의 실질적 기능은 점점 약화되기도 하고 심지어 그에 따른 폐단과 문제들이 지속적으로 발생하고 있었다. 예컨대, 주주이익이 경시되거나 주주총회 성립마저 어려워지는 경우도 발생할 수 있다.[3] 이에 1999년 개정상법은 주주총회제도를 개선하고 주주의 경영자에 대한 지배감독기능을 확보할 수 있도록 주주총회 운영방법상 서면투표제도(제368조의3)를 도입하였다.[4] 또한 2009년 5월의 상법개정에서는 인터넷에 따른 정보기술의 발전을 기업경영에 접목시켜 전자투표제도를 마련하였다(제368조의4).

상법이 주주의 의결권 행사방법으로서 서면투표제도와 전자투표제도를 두고 있는 이유는 현대 주식회사에서 발생하는 주주총회의 형해화·무기능화를 방지하고 궁극적으로는 주주총회의 최고기관성을 유지하기 위한 것이다.[5] 서면투표

---

* 대구대학교 경영학부 교수

1) 김재범, "서면투표제도를 이용한 주주총회의 운영,"「경영법률」제12집(한국경영법률학회, 2001. 12.), 173면 [이하 김재범, "서면투표"로 인용].
2) 최준선,「회사법」제16판(삼영사, 2021), 381면.
3) 김건식·노혁준·천경훈,「회사법」제4판(박영사, 2020), 331면.
4) 권재열, "상법상 서면투표제도의 문제점과 그 해결방안,"「상사법연구」제19권 제1호(한국상사법학회, 2000. 6.), 249면 [이하 권재열, "서면투표1"로 인용].
5) 김병연, "상법상 서면투표제도와 그 문제점,"「연세법학연구」제7집 제1권(연세대학교 법학연구원, 2000. 6.) 630면.

제도와 전자투표제도는 이러한 문제들을 해결하기 위한 제도 개선책의 하나로서, 의결권의 대리행사(제368조 제3항) 또는 특별법상의 의결권 대리행사의 권유(자본시장과 금융투자업에 관한 법률(이하 '자본시장법'이라 한다) 제152조 제1항·자본시장법 시행령 제160조)와 같은 일련의 제도들과 동일한 취지에서 인정된 것이라 볼 수 있다.

나. 서면에 의한 의결권의 행사

1) 의 의

가) 서면투표제도

주주는 정관의 규정에 따라 총회에 출석하지 아니하고 서면에 의하여 의결권을 행사할 수 있다(제368조의3 제1항). 이러한 방법의 의결권행사를 이른바 서면투표제도라고 한다. 즉, 서면투표제도란 주주가 주주총회에 출석할 수 없는 경우 투표용지에 필요한 사항을 기재하여 회사에 제출하는 의결권의 행사 방법을 말한다.[6] 서면투표제도는 주주총회의 실제적인 개최를 전제로 하여 총회 개최전에 서면에 의한 의결권 행사를 인정하고, 서면에 의해 행사된 의결권의 수를 총회에 출석한 주주의 의결권 수에 도입시키는 일종의 부재자투표라고도 할 수 있다.[7]

서면투표제도는 정관에 규정을 둔 경우에 한하여 실시할 수 있는 제도이므로(제368조의3 제1항), 그 채택여부는 회사의 재량에 속한다. 그러나 일단 정관에 서면투표를 할 수 있도록 규정하였다면 이는 반드시 실시되어야 한다.[8]

서면투표제도의 채택이 회사의 자유에 속한다 하더라도 상법상 강행법적 원칙에 위배되는 사항을 내용으로 하고 있다면 이는 무효이다. 예컨대, 소액주주와 같은 일부의 주주에게만 서면투표를 허용하는 것은 주주평등의 원칙에 반하므로 정관에 규정을 두더라도 불가능하다. 또한 회사가 서면투표를 채택한 이상 주주총회별로 서면투표의 실시 여부를 달리한다면 당해 주주총회 결의는 취소의 대상이 될 것이다.[9]

---

6) 정찬형, 「상법강의(상)」 제24판(박영사, 2021), 908면.
7) 권재열, 전게 "서면투표1," 252면.
8) 이철송, 「회사법강의」 제29판(박영사, 2021), 575면.
9) 정준우, "주주의 의결권 행사방법의 편의성 제고와 그 문제점,"「법학연구」 제13집 제2호(인하대학교 법학연구소, 2010. 12.), 29면.

나) 구별개념

서면투표제도하에서는 주주의 의사가 대리인을 통하지 않고 직접적인 의결권 행사로 반영된다. 주주는 의결권행사에 필요한 사항을 기재하여 회사에 송부함으로써 그 의사를 의결권행사에 구체화시킬 수 있는 것이다.[10] 이러한 점에서, 서면투표제도는 다음과 같은 경우와는 구별되어야 한다.

첫째, 서면투표제도는 주주나 그 대리인이 총회에 직접 참석하여 회의장에서 서면으로 투표를 하는 경우와는 다르다.[11] 서면투표제도는 원격지에서 서면을 통하여 의결권을 행사할 수 있도록 하는 제도이므로, 주주의 총회 참석여부와는 관련이 없다.

둘째, 서면투표제도는 실제로 총회를 개최한다는 점에서 총회를 개최하지 않고 총주주의 서면에 의한 결의로 갈음하는 서면결의제도와는 구분된다.[12] 서면투표제도의 취지는 주주총회가 개최되고 있음에도 불구하고 이에 출석하지 못하는 주주를 위해 마련된 제도라는 점에 있다. 따라서 회사가 서면투표제도를 채택한 경우 이론상으로는 모든 주주가 서면을 통해 의결권을 행사하더라도 주주총회는 반드시 개최되어야 한다.[13] 모든 사원의 동의로 사원총회의 결의에 갈음할 수 있는, 즉 모든 사원의 동의가 있으면 사원총회의 개최를 생략할 수 있는 서면결의제도와는 근본적으로 다른 것이다.[14]

서면결의는 자본금 총액이 10억 원 미만인 소규모회사와 유한회사에 인정된다. 소규모회사는 주주 전원의 동의가 있을 경우에는 소집절차 없이 주주총회를 개최할 수 있고, 서면에 의한 결의로써 주주총회의 결의를 갈음할 수 있다(제 365조 제5항). 유한회사의 경우에도 총사원의 동의가 있으면 서면에 의한 결의를 할 수 있고, 또한 결의의 목적사항에 관하여 총사원이 서면으로 동의하면 서면에 의한 결의가 있는 것으로 보고 있는데(제577조), 이는 물리적인 회의를 개최

---

10) 최기원, 「신회사법론」 제14대정판(박영사, 2012), 484면.
11) 권기범, 「현대회사법론」 제6판(삼영사, 2015), 682면.
12) 권기범, 전게서, 682면; 권재열, 전게 "서면투표1," 252면; 이철송, 전게서, 575면; 정경영, 「상법학강의」 개정판(박영사, 2009), 475면; 정동윤, 「상법(상)」 제6판(법문사, 2012), 559면; 최기원, 전게서, 484면; 최준선, 전게서, 381면.
13) 권종호, "서면투표제도, 과연 입법상의 성과인가?," 「상사법연구」 제19권 제2호(한국상사법학회, 2000. 10.), 477면 [이하 권종호, "서면투표"로 인용].
14) 서헌제, 「상법강의(상)」 제2판(법문사, 2007), 749면에서는 주주의 서면에 의한 의결권 행사를 서면결의로 표현한다.

함이 없이 총회의 결의자체를 서면으로 대신하는 것이다.[15] 한편 정관에 "긴급을 요하거나 부득이 한 때에는 주주총회를 개최하지 않고 서면결의로 갈음할 수 있다"고 규정하는 경우도 있는데, 법률에 명시적으로 서면결의가 인정되는 경우 (제365조 제5항 및 제577조)가 아닌 한 위와 같은 규정이 있다 하더라도 서면결의로써 주주총회의 결의를 갈음할 수는 없다고 본다.[16]

셋째, 서면투표제도는 주주총회에 출석하지 못하는 주주가 서면을 통해 직접 의결권을 행사한다는 측면에서 의결권 대리행사 및 의결권 대리행사의 권유(위임장 권유)와는 다르다.[17] 주주 본인이 스스로 대리인을 선임하여 그 대리인으로 하여금 의결권을 행사하도록 하는 방법인 의결권 대리행사와 회사나 타인으로부터 권유를 받아 이들이 선임한 대리인을 통하여 의결권을 행사하는 위임장 권유는 기본적으로 의결권의 대리행사를 주주 본인이 적극적으로 하느냐 소극적으로 하느냐의 차이는 있으나, 대리인을 통하여 의결권을 행사한다는 점에서는 그 취지가 동일하다. 의결권 대리행사 등은 주주가 대리인을 통해 간접적으로 주주총회에 출석하여 의결권을 행사한다는 것을 전제로 하고 있는 것이다.

위임장의 기재는 위임계약의 내용만을 정한 것이기 때문에, 대리행사를 위임받은 대리인은 스스로 의사표시를 하는 것이다. 대리인이 의안에 대해 찬부의

---

15) 주식회사에 있어서 서면투표제도와 유한회사에 있어서 서면결의제도는 서면에 의하여 의결권을 행사하는 점에서 공통되나 구체적으로 다음과 같은 차이점이 있다. ① 유한회사는 사원총회를 생략하는 방법이고, 주주의 서면투표는 총회의 개최를 전제로 한다. 따라서 주주총회의 개최를 생략하고 주주의 서면투표만으로 총회의 결의를 할 수는 없다. 즉, 유한회사의 경우는 총회소집의 절차가 필요 없으나, 주식회사의 경우는 총회가 소집되어야 한다. ② 주주의 서면투표는 부분적·개별적으로 하여지나, 유한회사의 경우는 총사원이 전부 서면결의를 하게 된다. ③ 유한회사에서는 총사원의 동의가 요건으로 되어 있으나, 주식회사의 서면투표제도에서는 총주주의 동의를 요하지 않는다. ④ 서면투표제도는 주식회사의 정관에 규정이 있어야 할 수 있지만, 유한회사에서는 정관의 규정이 필요 없다. ⑤ 서면투표제도의 경우 회사가 미리 자료를 소집통지에 첨부하여 발송하는 것이 요건으로 되어 있으나, 유한회사에서는 이러한 절차가 필요 없는 경우가 있고 의안의 요령 등을 사원에게 알릴 필요가 있는 경우도 있다(손주찬, 「상법(상)」 제14정판(박영사, 2003), 729면).

16) 예컨대, 민법상 비영리법인에 관한 대법원 2008.5.29. 2007다63683에서는, "원고의 정관 제13조 제5항은 '전체주민회의가 긴급을 요하거나 경우에 따라 서면결의도 가능하다'고 규정하고 있고, 원고의 정관에 달리 서면결의를 금한다거나 그 결의방법을 제한하는 규정을 두고 있지 아니하므로, 주민들에게 개별적으로 결의사항의 내용을 설명하고 동의를 받은 후 미리 작성한 회의록에 날인받는 방식으로 의결을 하는 이른바 서면결의 방식에 의하여 이루어진 원고의 총회결의가 무효라고 볼 수 없다"고 판시하고는 있다. 그러나 주식회사의 경우에도 이와 같은 논리가 적용될지는 의문이다(임재연, 「회사법Ⅱ」 개정2판(박영사, 2014), 90면, 주 220).

17) 권종호, 전게 "서면투표," 478면.

의사표시를 하기만 하면, 비록 그것이 위임장의 기재와 다르게 행사되었다고 하더라도, 총회결의는 대리인의 의사표시대로 성립한다. 의결권의 대리행사제도에 따르면, 대리인은 독립된 의사주체로서 총회에 출석하고, 총회에서 질의·토론을 통해서 주주 자신의 의사를 총회결의에 반영시킬 수 있다.[18] 반면에 서면투표제도는 주주의 총회출석 자체를 관념적으로 부정하고 총회 밖에서 주주가 대리인과 같은 중개자의 도움 없이 직접 의결권을 행사하는 제도이다. 서면 그 자체가 주주 본인의 의사표시이므로, 의결권 행사의 내용은 서면의 기재에 의해서 정하여진다. 따라서 서면투표제도하에서 주주는 총회에서 질의·토론 등의 방법을 통해 자신의 의사를 관철시키기 힘들다.[19] 이 점에서 서면투표제도는 의결권 대리행사와 위임장권유와는 그 성질을 달리한다 할 것이다.

다) 도입배경

주주가 광범위한 지역에 분산되어 있는 대규모 회사의 경우에는 회사의 본점 소재지에 거주하지 않는 주주가 많고, 외국에 거주하는 사람도 있으므로 이들이 주주총회에 출석하여 의결권을 행사한다는 것은 사실상 기대하기 어렵다. 물론 대리인으로 하여금 의결권을 행사토록 할 수 있으나, 주주가 직접 적합한 대리인을 찾는다는 것도 용이한 일이 아니다.[20]

주권상장법인의 경우에는 위임장 권유제도가 있으나, 이는 회사와 주주 간의 의결권 행사를 위한 대리인 선정의 중개계약에 불과하며, 주주의 의사를 완전하게 반영하지 못한다. 회사가 그 계약에 반하여 대리인을 선정하지 않는 경우 또는 선정을 하였더라도 대리인이 의결권을 행사하지 않거나 주주 의사와는 다른 의결권을 행사할 여지는 언제나 존재하기 때문이다.[21] 또한 공개회사의 경우, 소수주주의 경영참여는 전형적으로 소극적인 경향을 띤다.[22]

서면투표제도는 이와 같이 주주총회에 참석하기 어렵거나 참여를 꺼리는 소

---

18) 임홍근, 「회사법」(법문사, 2000), 388면.
19) 예컨대, 총회에서 의장의 유고시에 의장의 선임을 비롯하여 총회의 연기나 속행 또는 검사인의 선임 등에 관하여 결의를 하게 되는 경우, 이는 총회에 출석한 주주와 주주의 대리인들이 하지 않으면 안된다. 그러므로 총회에 출석하지 않고 서면투표를 한 주주는 이에 아무런 영향력도 행사하지 못하게 되는데, 서면투표는 이 점에서 대리인에 의한 의결권의 대리행사와는 다르다고 할 수 있다(최기원, 전게서, 488면).
20) 최기원, 전게서, 484면.
21) 최기원, 전게서, 484면.
22) 김정호, 「회사법」 제7판(법문사, 2021), 332면.

수주주의 경영참여를 유도할 수 있다. 회사로서도 주주 수에 크게 구애받지 않고 주주총회의 장소를 모색할 수 있으므로 주주총회의 원활한 운영을 지원할 수 있게 된다. 외국인 주주의 의결권 행사에 있어서도 상당한 편의를 도모할 수 있다. 이러한 점들이 고려되어, 1999년 개정상법에 의해 서면투표제도가 도입되었다.[23] 그러나 도입취지와는 달리, 실제로 서면투표제도를 채택·운용하고 있는 회사는 상당히 드문 실정이라 한다.[24]

라) 기 능

서면투표제도는 회사 경영에 무관심한 소수주주의 의결권 행사에 편의를 제공하여 주주총회를 원활하게 하며, 다량의 사표를 방지함으로써 주주총회의 성립을 용이하게 하기 위해 마련된 제도이다. 구체적으로는 다음과 같은 유용한 기능들을 발휘한다.[25]

첫째, 주주총회의 의사결집기능을 강화할 수 있다. 주식소유가 분산된 회사에서 소액의 주식을 가진 주주가 많을 경우에 이들은 자신의 의사를 경영에 관철시킬 수 없으므로 주주총회에 참석조차 하지 않는다. 이로 인하여 주주총회는 많은 주주의 의사를 수령할 수 없으나 서면투표를 이용한다면 주주총회에 참석하지 않더라도 의결권을 행사하여 회사의 의사결정에 참여할 수 있게 된다.

둘째, 주주총회의 민주화에 기여할 수 있다.[26] 일부 대주주만으로 운영되는 주주총회가 다수 주주의 의사를 반영할 수 없음은 당연하다. 만일 무력감에 빠진 소주주들이 서면투표를 통하여 의사를 표시한다면 이로부터 많은 의견이 결집될 수 있고, 그 결과 다수주주의 참여에 의한 총회 운영이 가능해진다. 개별 주주의 측면에서 보면 의결권이 강화되는 효과가 발생하는 것이다.

셋째, 주주총회에 출석하지 못한 주주라 하더라도 자신의 의사를 그대로 총

---

23) 최준선, 전게서, 381면. 1999년 개정상법 이전의 서면투표제도에 관한 해석론 및 입법론에 관하여는 우홍구, "서면투표에 의한 의결권행사," 「사법행정」 제353호(한국사법행정학회, 1990. 5.), 8∼22면 참조.

24) 2020년 한국상장회사협의회에서 시행한 조사에 따르면, 총 776개 상장회사 중, 서면투표제도를 도입한 회사는 77개사(9.9%)로, 도입여부를 이사회에서 선택할 수 있도록 한 회사는 12개사(1.6%)로 나타났다. 그 밖에 687개사는 서면투표제도를 도입하지 않은 것으로 집계되었다(한국상장회사협의회, 「2020 유가증권시장 상장회사 정관 기재유형」, 상장협자료 2020-14(한국상장회사협의회, 2020), 35면).

25) 김재범, 전게 "서면투표," 179∼180면.

26) 권재열, "주주의 서면투표에 의한 의결권 행사," 「상장협」 제41호(한국상장회사협의회, 2000. 3.), 11면 [이하 권재열, "서면투표2"로 인용].

회에 반영시킬 수 있다. 서면투표제도는 의결권 대리행사 또는 위임장권유 등에서 대리인이 주주의 의사에 반하여 행하는 문제들을[27] 효율적으로 차단할 수 있다. 이는 대리인의 개입 없이 주주가 직접 의안에 의사를 표시하도록 한다는 데 그 본질이 있는 것이다.

넷째, 의안에 관한 정보공개가 이루어진다. 회사가 의안에 관한 참고서류를 첨부하여 주주에게 송부함으로써, 주주는 의안에 관련된 정보를 얻을 수 있다.

다섯째, 회사로서는 결의에 필요한 정족수를 확보함에 있어 유리하다. 서면투표로 의결권을 행사함으로써 대리인제도나 위임장을 기피하는 주주의 의결권행사를 규합할 수 있기 때문이다.

2) 외국의 입법례

가) 미 국

미국법상 우리나라의 서면투표제도와 동일한 취지의 주주 의결권행사제도는 존재하지 않는다. 판례법에 따르면, 법률이나 정관에 명시적인 근거 없이 행한 서면에 의한 의결권행사는 대체로 인정되지 않고 있었다.[28] 미국의 경우에는 위임장 규칙이 제도적으로 정착되어 세부적인 규정들이 입법화되어 있고, 다른 국가에 비해 주주 의사가 총회에 비교적 쉽게 반영될 수 있는 제도적 여건이 마련되어 있는 등 여러 가지 현실적 이유에 따라 서면투표를 입법할 특별한 필요성이 없었기 때문이다.

그러나 최근 몇몇 주에서는 주주총회 결의에 갈음하는 서면동의 내지는 서면결의를 인정하고 있는 추세이다.[29] 예컨대, 델라웨어주, 뉴욕주, 캘리포니아주 등 많은 주회사법에서는 주주총회를 개최하지 않고 주주의 서면동의(written consent)에 의하여 회사의 의사를 결정할 수 있는 제도를 채택하고 있다.[30]

모범사업회사법(Model Business Corporation, 이하 'MBCA'라 한다)은 주주 전

---

27) 위임장 권유에 의한 백지위임장제도도 포괄적으로 주주의 의사를 위임한다는 점에서 주주의 의사를 반영할 수 없는 제도이다(김재범, 전게 "서면투표," 180면).

28) De La Vergne Refrigeration Mach. Co. v. German Sav. Inst., 175 U.S. 40 (1899); Stott v. Stott, 242 N.W. 747 (Mich. 1932); Kelly v. Galloway, 68 P.2d 474 (1937).

29) James D. Cox & Thomas Lee Hazen, Business Organizations Law, 5th ed.(West Academic Pub., 2020), p. 370.

30) Cal. Corp. Code §603(a); Del. Code Ann. tit. 8, §§228, 275(c); Mass. Ann. Laws ch. 156B, §43; N.J. Stat. Ann., §14A:5-6; N.Y. Bus. Corp. Law §615; Tex. Bus. Corp. Act Ann., art 9.10.

원의 서면동의(unanimous written consent)가 있는 경우, 주주총회를 개최하지 않고 해당 서면동의에 의한 의결권행사의 효력을 인정하고 있다.[31] 주주 전원이 아니라 다수 주주의 서면동의로도 총회를 개최함이 없이 총회의 결의로 인정하고 있는 주도 있다. 델라웨어주 회사법(Delaware General Corporation Law) 제228조는 "주주총회의 결의사항에 대하여 정관에 다른 정함이 없으면 총회결의에 필요한 주식 수 이상의 의결권을 갖는 주주(a majority of the shareholders)가 의안에 대한 동의 서면을 제출한 경우 주주총회를 개최하지 않고 총회결의로 갈음할 수 있다"고 규정한다.[32] 캘리포니아주 회사법의 경우에도 정관에 명문의 규정이 없더라도 다수의 주주가 서면동의를 하였다면 그로써 총회결의에 갈음할 수 있다고 규정한다.[33]

이와 같이 미국에서는 비교적 소규모 회사의 경우에 한하여 의결절차의 간소화를 위한 방안으로 서면결의를 인정하고 있는데, 이는 모두 주주총회를 개최하지 않는다는 것을 전제로 하고 있다. 우리나라 상법상 서면에 의한 의결권행사는 총회의 개최를 전제로 하고 있으므로, 미국법상 인정되고 있는 서면동의 내지는 서면결의제도와는 다르다 할 것이다.

나) 일 본

일본에서는 1981년의 상법특례법 제21조에 의해 대규모 회사를 대상으로 의결권이 있는 주주의 수가 1,000명 이상이며 자본액이 5억 엔 이상 또는 최종 대차대조표의 부채의 부에 계상한 합계금액이 200억 엔 이상인 주식회사의 경우에 한하여 서면투표를 인정하고 있었다.[34] 이는 주주총회에서의 정족수를 적절하게 확보하고 총회에 출석하지 않은 주주들의 의사반영을 충실히 하기 위하여 마련된 것이었다.[35]

현행법상으로는 주주명부에 의결권이 있는 주주의 수가 1,000명 이상이 있는 회사의 경우 서면투표제도가 법률상 강제되며(일본회사법 제298조 제2항, 일본회사

---

31) MBCA §7.04(a).
32) Del. Code Ann. tit. 8, §§228; Ark. Code Ann. §4-27-704; Fla. Stat. Ann. §607.0704; Wis. Stat. Ann. §180.0704.
33) Cal. Corp. Code §603(a).
34) 일본 구상법(2005년 회사법 제정 이전)상의 서면투표제도에 관하여 자세한 문헌으로는 今井宏, 「株主総会の理論」(有斐閣, 1987), 15~45面 참조.
35) 福岡真之介ほか, 「株主総会の実務相談」(商事法務, 2012), 84~85面.

법 시행규칙 제64조), 그 밖의 회사는 정관으로 이를 채택할 수 있도록 한다.36)
서면투표제도는 주주총회에 출석하지 않은 주주에게 의결권 행사를 할 수 있도
록 하는 제도로서 총회 개최가 전제된다는 점에서 서면결의제도와는 다르다.37)
또한 주주 자신이 총회에 출석하는 일 없이 의결권을 행사할 수 있기 위한 편
의를 도모하는 제도라는 점에서 의결권대리행사의 권유(위임장의 권유)와도 차이
가 있다.38) 이러한 점들은 우리 상법의 입장과 동일하다.

서면투표제도를 채택한 회사는 주주총회의 소집통지 시, 주주가 의결권을 행
사하기 위한 서면(서면투표용지)과 의결권행사와 관련하여 참고가 될 할 사항을
기재한 서류(참고서류)를 주주에게 교부하여야 한다(일본회사법 제301조 제1항).

서면투표용지 및 참고서류의 구체적인 기재사항과 양식은 법무성령으로 정해
져 있다. 서면투표용지에는 주주의 성명·의결권수를 기재하여야 한다(일본회사
법시행규칙 제66조 제1항 제5호). 서면투표의 진정성을 담보하기 위해 주주가 날
인하는 형식을 취하고 있는 경우, 날인된 인감이 주주가 제출한 다른 신고표의
인감과 다르더라도 그것만으로 해당 서면투표의 의결권행사가 무효로 되는 것은
아니다.39) 또한 의안마다 찬성·반대 여부를 기재하는 란이 마련되어야 한다.
기권의 의사표시란을 별도로 두는 것도 가능하다. 만약 찬부의 기재가 없는 것
을 회사가 찬성, 반대 또는 기권의 하나로 취급하고자 할 때에는 그 취지를 기
재하여야 한다(일본회사법 시행규칙 제66조).40) 다만 기권표시란을 마련하지 않았
다고 하여 주주총회결의 취소의 원인이 되는 것은 아니라고 한다.41) 이사 및 임
원 등의 선임과 관련한 의안으로 2명 이상의 후보자가 제안되는 경우에는 주주
가 각 후보자에 대한 찬반여부를 기재할 수 있도록 하여야 한다(일본회사법시행

---

36) 神田秀樹, 「会社法」 第23版(弘文堂, 2021), 201面.
37) 江頭憲治郎, 「株式会社法」 第8版(有斐閣, 2021), 358面. 주주총회 소집권자(이사 또는 주주)
가 주주총회의 목적사항에 대하여 제안을 한 경우 당해 제안에 의결권을 행사할 수 있는
주주 전원이 서면에 의하여 동의의 의사표시를 한 때에는 당해 제안을 가결하는 취지의 주
주총회 결의가 있는 것으로 간주된다(일본 회사법 제319조 제1항).
38) 이에 관하여는 福岡真之介ほか, 前揭書, 84~89面 참조.
39) 주주가 서면투표용지에 서명 또는 날인하는 것은 법정조건은 아니며, 현재 실무적으로는
서면투표용지에 주주의 성명(명칭)이 인쇄되어 날인란은 특별히 마련되지 않는 것이 통례
라고 한다(神戸地判 昭和31·2·1 下民 7巻 2号 185面).
40) 이와 관련하여, 札幌高判 平成9·1·28 「商事法務」(資料版) 155号 107面에서는, 회사제안
에는 찬성, 주주제안에 대해서는 반대로 취급한다는 취지의 기재사항도 인정되었다(近藤光
男, 「最新株式会社法」 第8版(中央経済社, 2015), 213面).
41) 大阪地判 平成13·2·28 金判 1114号 21面.

규칙 제66조 제1항 제1호).[42]

　참고서류에 기재되어야 할 사항도 법무성령에서 정하고 있다. 의결권의 대리행사와는 달리 주주 자신이 서면만으로 의사를 표시해야 하므로, 해당 의안에의 찬반여부를 결정할 수 있는 판단자료를 보충한다는 취지로 이를 규정하고 있는 것이다.[43] 다만 구체적인 기재사항은 개개의 의안마다 다르다.

　주주총회에 참석하지 않는 주주는 회사로부터 송부받은 서면투표용지에 자신의 의사를 기재한 후, 회사에 제출하여 의결권을 행사할 수 있다. 서면투표용지는 주주총회일 직전의 영업시간종료시점까지 회사에 도달해야 한다(일본회사법 시행규칙 제69조).[44] 주주총회 당일 도착한 서면투표용지 인정에 관하여는 회사 재량에 맡긴다고 한다.[45]

　서면투표를 행한 주주도 직접 주주총회에 출석하여 의결권행사를 할 수 있는데, 이 경우 서면에 의한 의결권행사는 효력을 잃는다.[46] 회사가 송부한 서면투표용지 이외의 서면에 해당 사항을 기재하여 회사에 제출하면 이는 무효로 본다.[47] 회사는 찬반의 기재가 없는 서면투표용지가 회사에 제출되었을 경우를 대비하여, 각 의안의 해당 사안별로 찬성·반대·기권의 의사표시가 있던 것으로 취급한다는 취지를 서면투표용지에 기재할 수 있다(일본회사법 시행규칙 제66조 제1항 제2호).

　서면투표에 의해 주주가 의결권을 행사하면 그 의결권수는 주주총회 출석주주의 의결권수에 산입된다(일본회사법 제311조 제1항·제2항). 또한 제출된 서면투표용지는 위임장의 경우와 같이 주주총회일로부터 3개월간 본점에 비치하여야 하고, 주주의 열람·등사에 제공된다(일본회사법 제311조 제3항·제4항).[48]

---

42) 東京地判 平成19·12·6 判タ 1258号 69面. 이 판결에서는 각 후보자마다 각각 다른 의안을 구성하여 문제가 된 사안이었다. 예컨대, 후보자가 10명이 있다면 10개의 의안이 가능한 것이다. 다만 그 타당성에 관하여는 검토의 여지가 있다고 한다(神田秀樹, 前揭書, 202面).
43) 江頭憲治郎, 前揭書, 359面.
44) 다만 주주총회 소집권자는 소집통지 시, 2주일 경과후의 특정한 때를 의결권행사 기한이라고 정할 수 있다(일본회사법 시행규칙 제69조).
45) 神田秀樹, 前揭書, 201面.
46) 中西敏和, 「株主総会と投票の実務」(商事法務, 2009), 29~30面.
47) 福岡真之介ほか, 前揭書, 98面.
48) 이는 서면투표상의 찬반의 표수를 주주가 직접적으로 조사할 수 있도록 하고 이를 근거로 주주총회 결의취소의 여부를 판단할 수 있도록 하기 위한 조치이다. 이와 관련하여서는 和田宣喜·星野隆宏, "議決権行使書頁閲覧·謄写請求をめぐる会社法上の問題点－株主情報保護

다) 영 국

영국에서는 정관에 규정이 없는 한 우편에 의한 서면투표 형태의 결의를 인정하지 않는다. 다만, 소규모 사회사(private company)가 정관에 규정을 두어, 주주 전원의 동의로 주주총회 개최 없이 총회결의를 갈음하는 서면결의는 인정되고 있다.[49] 예를 들어, 사회사의 표준정관에 '의결권이 있는 주주 전원이 서명한 서면결의(written resolution)는 주주총회의 결의로 갈음된다'라는 규정이 있을 수 있는데, 회사가 이 규정을 둔 경우 서면결의가 가능하다는 것이다. 그러나 공개회사에 대하여는 이와 같은 정관 규정이 인정되지 않는다.

라) 독 일

종래 독일은 유한회사법(Gesetz betreffed die Gesellschaften mit beschränkter Haftung, 이하 'GmbHG'라 한다)상 총사원의 동의를 전제로 하여 서면결의제도를 인정하고 있었다.[50] 유한회사의 소규모성 때문에 사원총회를 반드시 현실적으로 개최할 필요가 없으며, 서면결의를 실시함으로써 사원총회의 개최에 드는 비용을 상당부분 절감할 수 있다는 점을 고려한 것이었다.

그러나 2009년 '주주권 지침을 국내법화하기 위한 법률'(Gesetz zur Umsetzung der Aktionärsrechterichtlinie, 이하 'ARUG'라 한다)이[51] 제정됨으로써, 주식회사도 정관 규정이 있는 경우에는 서면투표에 의한 의결권행사가 전면적으로 인정되게 되었다. 주식법상으로는 우편투표(Briefwahl)가 명문으로 규정되어 있고, 직접 주주총회에 참석하지 않은 주주라 하더라도 서면(schriftlich)에 의한 의결권을 행사할 수 있다.[52]

3) 요 건

가) 정관의 규정

상법상 서면에 의한 의결권 행사는 회사 정관에 근거규정이 있어야만 실시할 수 있다(제368조의3 제1항). 즉, 서면투표에 관하여 정관에 아무런 규정이 없다면

の観点から," 「商事法務」 1932号(商事法務, 2011. 5. 25.), 4面 이하 참조.
49) Company Act §381 A(1).
50) GmbHG §8 Ⅱ.
51) Das Gesetz zur Umsetzung der Aktionärsrechterichtlinie vom 30. 7. 2009, BGBl. I
   S. 2479.
52) AktG §118(2).

주주는 서면에 의한 의결권을 행사할 수 없는 것이다. 문제는 후술하는 전자투표제도의 행사요건은 서면투표제도와 달리 이사회의 결의만으로 시행될 수 있도록 하고 있다는 점이다. 양 제도를 이렇게 달리 규율할 합리적인 이유가 없으므로 서면투표도 전자투표와 같이 이사회 결의만으로 시행될 수 있도록 개정될 필요가 있을 것이다.53)

정관에 서면투표제도를 규정하고 있다 하더라도 주주총회 소집은 개최되어야 한다. 의결권 행사를 서면에 의할 것인지 출석에 의할 것인지의 선택은 주주의 자유이므로, 회사가 서면투표제도를 채택하였더라도 주주총회 자체를 생략할 수는 없다. 만약 서면투표를 상황에 따라 탄력적으로 운용하고자 한다면, 정관에 "총회 소집을 결정하기 위한 이사회의 결의 시, 서면투표 여부를 결정할 수 있다"는 취지로 규정하면 될 것이다.54)

정관에는 찬반 표시 없이 반송한 주주의 의결권수를 출석한 주주의 그것에 산입할 것인지 여부, 또는 주식매수청구권을 행사하기 위한 요건으로서의 '반대의 통지'와 서면투표와의 관계, 제출시기와 방법 등 필요한 세부사항에 대하여 규정을 두어야 한다. 만일 정관에 이러한 세부 규정을 두지 아니한 때에는 이사회가 총회소집결의를 하는 때에 같이 결정하여야 한다.55)

서면투표는 주주에게 의안 내용에 관한 찬성과 반대 여부만을 묻는 정도의 단순한 것이어야 한다.56) 예를 들면, 정관개정안의 구체적인 내용을 제시하고 그에 대한 찬반의견을 묻거나, 특정 이사 또는 감사의 해임에 대한 찬반의견을 묻는 정도는 가능할 것이다.

정관에 서면투표를 실시할 수 있다는 규정을 마련한 경우, 소수주주·감사·감사위원회가 이사회에 총회소집을 청구하면서(제366조 제1항, 제412조의3 제1항, 제415조의2 제6항), 동시에 서면에 의한 의결권 행사를 같이 요구할 수 있는가에 관하여는 논란의 여지가 있다. 이 경우에는 이사회의 재량권을 침해하는 것이므로 부정하여야 한다고 본다.57) 다만, 이사회가 이에 불응하여 법원의 허가를 받

---

53) 김건식·노혁준·천경훈, 전게서, 332면; 김재범, "전자적 방법의 상법수용에 관련된 법률문제," 「상사법연구」 제28권 제1호(한국상사법학회, 2009. 5.), 261면 [이하 김재범, 전게 "전자적 방법"으로 인용]; 송옥렬, 「상법강의」 제11판(홍문사, 2021), 943면.
54) 이철송, 전게서, 575면.
55) 권기범, 전게서, 683면.
56) 최준선, 전게서, 382면.
57) 권기범, 전게서, 683면.

아 총회를 소집하는 때에는 정관에 달리 규정이 없는 한 소수주주·감사·감사
위원회가 그 실시를 결정할 수 있다고 보며, 법원의 명령으로 소집하는 때에도
같다고 본다(제467조 제3항).[58] 또한 주주는 서면투표의 채택에 관한 주주제안권
을 행사할 수도 있다.[59]

나) 소집통지 및 참고자료

회사가 서면에 의한 의결권행사제도를 도입한 경우, 주주는 주주총회에 직접
출석하지 않더라도 서면에 의하여 의결권을 행사할 수 있다. 서면투표를 위하여,
회사는 주주총회를 소집하여야 한다. 상장회사의 경우 100분의 1 이하의 소수주
주들에게는 소집통지 대신에 소집공고로 갈음할 수 있으나(제542조의4 제1항, 시
행령 제31조 제1항), 서면투표를 채택한 경우에는 해당 관련서류를 송부하여야
하므로 공고로 갈음할 수 없다.[60] 즉, 무기명주권을 소유한 주주에게는 소집통
지가 불가능하며 소집공고만이 가능하므로(제363조 제3항), 무기명주식의 주주에
게는 서면투표제도가 적용될 수 없는 것이다.

회사는 서면투표를 위해 주주총회의 소집통지서에 ① 서면에 의한 의결권을
행사하는데 필요한 서면과 ② 참고자료를 첨부하여야 한다(제368조의3 제2항).
이는 주주가 의결권의 행사에 필요한 안건 기타 자료를 사전에 검토할 수 있도
록 하기 위한 것이다.[61]

의결권을 행사하는 필요한 서면은 이른바 서면투표용지를 가리키는 것으로
서, 주주가 출석에 갈음하여 찬반의 의사를 표현할 수 있는 서면을 말한다.[62]
따라서 서면투표를 하려는 주주는 이러한 서면에 필요한 사항을 기재하여 회사
에 제출함으로써 의결권을 행사한다. 서면의 양식에 관하여는 상법상 규정이 없
는데, 일반적으로 의안에 대한 필요한 사항을 기재하여야 하고, 의안에 대한 찬
반 및 기권의 의사표시를 할 수 있도록 하여야 한다. 구체적으로 ① 의결권을
행사할 주주의 성명과 의결권을 행사할 수 있는 지주수의 기재란, ② 의안마다

---

58) 권기범, 전게서, 683면.
59) 다만 상법상의 주주제안권은 행사주체, 지분요건의 유지기간, 지분요건의 산정기준, 주식보
   유기간, 행사시기, 행사방법, 회사의 거부사유 등에 있어서 여러 가지 문제점을 초래할 수
   있으므로 이는 제도적 보완이 선결되어야 할 것이다(정준우, 전게논문, 29면).
60) 이철송, 전게서, 575면.
61) 손주찬, 전게서, 719면.
62) 이철송, 전게서, 576면.

주주가 찬반을 기재할 수 있는 란, 특히 이사·감사·임원의 선임에 관한 있어서 2인 이상의 후보자가 제안되고 있는 때에 각 후보마다 찬반을 기재하는 란, ③ 주주가 기명날인할 란 등을 두어야 한다.[63] 찬반 의안 중에서 주주가 제안한 의안은 그 취지가 기재됨으로써 이사회가 제안한 의안과는 구분되어야 한다.[64] 필요서면을 첨부하지 않은 때에는 상법상 소집절차의 위반으로 결의취소의 사유가 된다. 주주가 회사 측이 송부한 서면을 이용하지 않거나 서면에서 지정한 방식이 아닌 개별적 방식으로 의사를 표기한 것은 무효가 된다고 본다.

참고자료란 주주가 의사결정을 함에 있어 고려할 만한 사항으로서, 의안을 상정할 때에 주주들에게 제공되는 정보들이 기재된 서면을 의미한다.[65] 이러한 참고자료는 소집통지와 함께 송부되어야 한다. 참고자료에 기재되는 정보의 범위에 관하여도 상법은 아무런 정함이 없다. 자본시장법에 따르면, 의결권의 대리행사를 권유하는 경우 대통령령이 정하는 바에 따라 작성한 위임장 용지 및 참고서류를 교부하여야 하는데(자본시장법 제152조 제1항), 서면투표의 경우에도 이에 준하는 내용을 기재한 참고자료를 송부하여야 할 것이다. 예컨대, 참고자료에는 주주총회의 ① 의제, ② 의안의 요령, ③ 의안의 제안이유, ④ 기타 의안의 판단에 필요한 사항 등이 기재될 수 있다.[66] 참고자료는 사전적 정보개시로서, 기본적으로 주주총회의 결의사항에 대한 주주의 의결권 행사의 판단자료를 제공함을 목적으로 하지만, 한편으로 주주에게는 정기적이며 계속적인 정보의 공시수단이 되기 때문에 중요한 의미를 갖게 된다.[67]

회사가 참고자료를 송부하지 않거나 부실기재 또는 허위기재를 한 경우 문제가 될 수 있다. 만약 주주가 이를 신뢰하여 서면투표를 하였다면 결의취소의 사유가 될 것이다. 마찬가지로 주주에 의해 적법하게 행해진 서면투표를 회사가 정당한 이유 없이 무시하거나 또는 찬부의 기재를 달리 취급하는 때에도 주주총회 결의의 취소사유에 해당하는 것으로 볼 수 있다.

---

63) 강위두·임재호, 「상법강의(상)」 제4전정판(형설출판사, 2011), 762면.
64) 김재범, 전게 "서면투표," 185면.
65) 이철송, 전게서, 576면.
66) 강위두·임재호, 전게서, 762면.
67) 최기원, 전게서, 480면.

4) 절 차

가) 서면의 제출 · 반송 · 재교부

서면으로 의결권을 행사할 주주는 회사가 보낸 서면에 찬반의 의사를 표기하여 회사에 제출하여야 한다. 이 경우 제출 방법은 우편으로 하든 직접 제출하든 제한이 없다.[68] 주주가 회사에 서면투표용지를 제출한 것은 이미 그 의결권의 행사를 완료한 것이므로, 서면투표용지의 내용에 부가 · 변경 · 삭제 등을 할 수 없다.[69]

주주가 투표용지를 반송하였는지의 문제는 반송된 투표용지를 집계하는 과정에서 경영진 등의 부정행위가 개입될 소지가 있으므로 엄격하게 다루어져야 한다. 예컨대, 투표용지를 우편으로 반송하는 경우에는 등기우편에 의함이 법률관계의 확실성을 위하여 바람직하므로 정관으로 구체적인 사항을 정하는 것이 필요하다. 만약 주주가 등기우편으로 반송하지 않았고 투표용지가 회사에 도달하지 않은 경우에 그 미도달은 회사에 책임이 없는 것으로 보아야 할 것이다.[70] 주주나 제3자가 서면투표할 것을 권유하거나 서면투표용지를 수합하여 제출하는 행위 등은 주주의 자유의사를 제한하지 않는 범위 내에서 유효하다.

서면투표는 회사에서 송부한 투표용지에 해야 하며, 주주가 그 용지를 분실하였다는 등의 이유로 임의로 서면을 작성하여 의결권을 행사하는 것은 허용되지 않는다.[71] 만약 서면투표용지를 분실하는 경우에 그 용지의 재교부가 인정되어야 한다. 원래의 투표용지와 재교부된 투표용지가 함께 반송된 경우에는 재교부된 용지만이 적법하게 교부된 투표용지로 보아야 한다.[72]

나) 제출시기

의결권행사 서면의 제출에는 회사의 총회소집통지와 달리 도달주의가 적용되므로 의결권행사 서면의 부도달에 관해서는 당해 주주가 위험을 부담한다.[73]

서면투표의 제출시기에 관해서는 상법상 명문의 규정이 없다. 이에 관하여는

---

68) 이범찬 · 임충희 · 이영종 · 김지환, 「회사법」(삼영사, 2012), 250면.
69) 강위두 · 임재호, 전게서, 162면.
70) 김재범, 전게 "서면투표," 186면.
71) 김교창, 「주주총회의 운영」 제3개정판(육법사, 2010), 119면.
72) 김재범, 전게 "서면투표," 187면.
73) 이철송, 전게서, 576면.

주주총회 회일의 전일까지는 회사에 도착하여야 한다는 견해[74]와 총회 당일 총회 개시 전이라도 제출되면 회사의 재량에 따라 유효한 것으로 볼 수 있다는 견해[75]가 대립한다. 후술하는 전자투표의 경우 그 종료일은 주주총회 전날까지로 해야 하는데(상법 시행령 제13조 제2항 제2호), 서면투표도 이와 달리 볼 이유가 없으므로, 총회 회일의 전일까지 제출하여야 하는 것으로 해석해야 할 것이다(상장회사 표준정관 제27조의2).[76][77] 정관에 구체적인 서면투표의 제출시기를 규정하는 것이 논란을 방지할 것이다.

다) 서면투표의 철회 및 수정

서면투표는 주주의 의사표시이므로 그 효력발생시기는 원칙적으로 투표용지가 회사에 도달한 시점이다(민법 제111조). 그러나 이를 엄격하게 적용하면, 서면투표의 철회는 불가능하게 된다. 예컨대, 서면투표주주가 서면투표용지를 회사에 제출하여 투표용지가 도달된 이후, 서면투표주주가 직접 총회에 참석하거나 또는 대리인을 통하여 의결권을 행사하는 것은 허용되지 않게 되는 것이다.

그러나 서면투표제도는 기본적으로 주주의 편의를 도모하기 위해 도입된 제도이므로 주주가 서면투표를 했더라도, 총회에 직접 또는 대리인에 의한 의결권 행사를 인정해 주어야 한다.[78] 즉, 서면투표의 실질적인 효력발생시기는 총회 표결에 따른 결의의 성립시점이며, 결의가 성립될 때까지 주주는 총회에 출석하여 서면에 의한 의결권행사를 철회 또는 변경할 수 있다고 본다.[79][80] 서면투표는

---

74) 권기범, 전게서, 684면; 송옥렬, 전게서, 944면; 이철송, 전게서, 576면; 임홍근, 전게서, 388면; 정경영, 전게서, 476면; 정찬형, 전게서, 910면; 최준선, 전게서, 382면.

75) 최기원, 전게서, 487면.

76) 서면투표를 총회 당일 결의 직전까지 제출할 수 있다고 한다면 투표의 집계업무를 행함에 있어 회사의 비용증가가 발생하여 서면투표의 원활한 활성화를 저해할 문제들이 생길 수 있다. 이에 서면투표를 인정하는 다수의 회사들은 정관에 총회 하루 전까지 회사에 도착하여야 한다는 규정을 두고 있다(예: ㈜KB금융지주 정관 제33조 제3항). 논란의 여지를 방지하기 위해서는, 서면투표의 제출시기에 관한 명문화가 필요할 것이다.

77) 여기에서 '전일'까지란 전일 밤 12시(전일 24시)까지로 보는데, 이는 주주가 우송한 경우에 한하는 것이다. 주주가 직접 지참하거나 제3자를 통하여 제출하는 경우에는 전일의 영업시간 내에 한하여 회사가 접수하여도 무방하다. 물론 당직을 두어 밤 12시까지 접수할 수는 있다고 본다(김교창, 전게서, 119면).

78) 김재범, 전게 "서면투표," 189면.

79) 권기범, 전게서, 684면; 김교창, 전게서, 119면; 김재범, 전게 "서면투표," 189면; 송옥렬, 전게서, 944면; 이철송, 전게서, 577면; 정경영, 전게서, 477면; 정동윤, 전게서, 560면; 최기원, 전게서, 487면; 최준선, 전게서, 382면.

80) 다만 총회에 직접 또는 대리인을 통하여 의결권행사를 하는 방법이 아닌 그 밖의 수단으로

의결권 대리행사의 위임과는 달리 그 자체가 의결권 행사이기 때문에, 정관에 특별한 규정이 없는 한 원칙적으로 일단 회사에 도달한 후에는 철회나 변경이 허용되지 않는다고 보아야 하는 견해도 있다.[81]

라) 의결권의 불통일행사

서면에 의하여 의결권을 행사하는 경우에도 의결권의 대리행사 및 불통일행사가 가능하다.[82] 의결권을 불통일행사하기 위해서는 주주총회 당일 바로 행사할 수 있는 것이 아니라 회사에 대한 사전통지가 필요하다.

불통일행사의 경우에는 주주가 총회일 3일 전에 회사에 대하여 서면으로 그 뜻과 이유를 통지하여야 한다(제368조의2 제1항). 통지는 총회일의 3일 전에 하는 한 의결권의 행사서면에 그 뜻과 이유를 기재하여 통지하여도 무방하다. 반드시 별도의 서면으로 통지할 필요는 없다고 본다.

그러나 회사가 불통일행사를 거부할 사유(제368조의2 제2항)가 있고 그 거부가 적법한 때에는 제출된 의결권행사서면은 무효가 될 수 있다. 기간의 여유가 있는 때에는 서면의 재발행을 받아 의결권을 통일적으로 행사할 수 있을 뿐이다.[83]

마) 개   표

서면투표의 개표작업은 주주총회에서 의안의 표결이 있은 직후에 실시되어야 한다. 회사는 개표절차의 공정한 운영을 위하여 개표참관인을 두며, 그 자격 및 선임에 관한 절차를 미리 정관에 규정하여야 한다.[84] 개표참관인은 회사가 추천한 자와 일정비율 이상의 주식을 소유한 주주가 추천하는 자로 구성함이 바람직하다. 총회 개최 전에 회사의 일방적인 개표는 무효가 될 수 있다.

주주가 찬반 표시란에 아무런 기재를 하지 않은 경우에는 무효로 처리될 것이다. 이를 대비하여 회사는 투표용지에 주주가 아무런 기재를 하지 않은 경우 각 의안에 관한 찬성, 반대, 기권의 의사표시를 회사에 위임하는 것으로 처리한다는 문언을 기재해 둘 수도 있다. 만약 회사가 위임장권유를 하면서 서면투표용지도 송부한 경우, 주주가 위임장을 작성하여 송부함과 동시에 서면투표용지

철회·번복하는 것은 결의의 정형성에 반하므로 정관에 특별한 규정이 없는 한 허용되지 않는다고 보아야 할 것이다(이철송, 전게서, 577면).

81) 김건식·노혁준·천경훈, 전게서, 333면.

82) 김홍기, 「상법강의」 제6판(박영사, 2021), 524면.

83) 최기원, 전게서, 487면.

84) 김재범, 전게 "서면투표," 187면.

는 반송하였다면, 위임장만이 주주의사로 고려되어야 할 것이다.[85]

바) 서면투표용지의 공시

개표된 서면투표용지는 절차의 투명성을 확보하고 이후의 분쟁을 방지하는 차원에서 적절히 공시되어야 한다. 상법상 명문의 규정은 없으나, 이사는 주주총회의 종료 후 상당한 기간 동안 회사에 제출된 서면투표용지를 본점에 비치하여 주주로 하여금 열람·등사할 수 있도록 하여야 한다.[86]

5) 효 과

가) 정족수의 산입

주주가 서면에 의하여 의결권을 행사한 경우 직접 총회에 참석하여 표결한 것과 같은 효과가 있다.[87] 즉, 서면투표된 수는 출석정족수의 산정에 있어 발행주식총수에 산입되고(제371조 제1항 참조), 의결정족수 산정에 있어 출석한 주주의 의결권의 수에 산입된다(제371조 제2항 참조).

그러나 주주가 서면투표용지에 서명날인은 하였으나 찬반의 공란에는 기재를 하지 않은 백지를 제출하고, 투표용지의 기재사항에도 그 처리에 관한 기재를 하지 않은 경우, 이를 어떻게 판단할 것인지 문제가 된다. 학설은 찬반 표시를 하지 않은 서면투표의 경우 참석기권으로서 무효가 된다고 보는 견해[88]와 결의에 찬성하지 않은 것으로 간주해야 한다는 견해[89]로 갈리고 있다.

찬반의 표시 없이 보내진 서면투표를 회사가 임의로 찬성 혹은 반대로 처리할 수 있다는 뜻을 주주에게 보내는 서면에 기재하거나, 정관에 같은 취지의 규정을 두어 처리하는 방안이 타당할 수 있느냐 하는 문제도 있다. 이러한 처리방법도 가능하다는 견해[90]와 이는 서면투표제도와 의결권행사의 대리제도를 혼동하여 운영하는 결과가 초래되므로 회사가 이를 임의로 처리할 수는 없다고 보는

---

85) 김재범, 전게 "서면투표," 187~188면.
86) 일본 회사법의 경우 의결권행사서면을 총회일로부터 3개월간 본점에 비치하여야 하고, 주주는 회사의 영업시간내에 의결권행사서면의 열람·등사를 청구할 수 있다(일본회사법 제311조 제3항·제4항).
87) 최준선, 전게서, 383면.
88) 강위두·임재호, 전게서, 763면; 권기범, 전게서, 684면; 김재범, 전게 "서면투표," 190면; 서헌제, 전게서, 751면; 최기원, 전게서, 489면; 최준선, 전게서, 383면.
89) 이철송, 전게서, 576면.
90) 김재범, 전게 "서면투표," 190면; 서헌제, 전게서, 751면.

견해[91]가 있다.

나) 의안의 수정동의

주주총회소집통지서에 기재된 회의의 목적사항의 범위 내에서는 총회 도중에 의안의 수정제안이 가능하다고 보는데, 이렇게 서면투표의 대상인 의안에 대하여 총회에서 수정제안을 한 때에 서면투표의 효력을 인정할 수 있는지에 관하여는 논란이 있다. 왜냐하면 서면투표의 경우에는 주주총회 전에 미리 예고된 의안에 대해 주주가 참고서류 등을 통해 그 의사를 표시함에 있어 부족함이 없으나, 총회 당일 제기된 수정동의에 대해서는 이에 대처할 수 없다는 문제가 발생하기 때문이다.[92]

이처럼 이미 상정된 의안에 대해 총회에서 수정동의가 제출된 경우, 다음과 같은 방법들이 제시되고 있다. 구체적으로, ① 원안에 관하여 서면투표한 주주는 수정제안에 대하여 어떠한 의사표시도 하지 않았으므로 이를 결석한 것으로 취급하는 견해,[93] ② 회사에 제출된 원안에 찬성한 서면투표는 의안의 수정제안에 대하여 반대로 취급하고, 원안에 반대한 서면투표는 수정제안에 대하여는 기권으로 보는 견해,[94] ③ 원안에 대한 찬반에 상관없이 이미 행사된 서면투표는 모두 수정제안에 대하여 기권한 것으로 보는 견해,[95] ④ 서면투표한 주주의 의결권 수를 고려하고, 원안과 수정제안의 내용을 비교하여 보다 주주 의사에 충실을 기하여 해결하자고 하는 견해,[96] ⑤ 원안에 대한 서면투표 결과가 수정

---

91) 이철송, 전게서, 576면.
92) 주로 일본에서 이에 관한 학설상 대립이 있었다. 학설소개에 관하여는 김병연, 전게논문, 638~641면; 양만식, "서면투표와 전자투표에 관한 문제점과 해결방안," 「상사판례연구」 제16집(한국상사판례학회, 2004), 60~62면 참조 [이하 양만식, "서면투표"로 인용].
93) 이는 일본에서 제시된 학설로서 현재 우리나라에서 이 학설을 지지하는 학자는 없다고 본다.
94) 송옥렬, 전게서, 944면; 안동섭, "주주총회의 활성화를 위한 연구," 「비교사법」 창간호(한국비교사법학회, 1995), 238면; 우홍구, 전게논문, 21면; 이범찬·임충희·이영종·김지환, 전게서, 251면; 임재연, 전게서, 91면; 최기원, 전게서, 489면; 최준선, 전게서, 383면; 한국상장회사협의회의 "주주총회 관련 주요상담사례 및 판례" 2009년 자료에 따르면 이 견해를 취하도록 설명한다.
95) 권기범, 전게서, 684면; 권재열, 전게 "서면투표1," 267면; 김병연, 전게논문, 640면; 양만식, 전게 "서면투표," 62면; 정동윤, 전게서, 560면. 이 견해는 수정동의안에 대한 주주의 찬반 의사표시를 명확하게 판단할 수는 없으므로, 기권의 형태로서 결의의 성립을 저지하여 이를 통해 의사형성에 참가하게 하는 것이 타당하다는 취지이다.
96) 김순석, "주주 의결권 행사의 전자화," 「성균관법학」 제15권 제2호(성균관대학교 법학연구소, 2003. 10.), 175~176면; 김재범, 전게 "서면투표," 193~194면. 이 견해는 수정제안에 대해 일괄적인 의제방식으로 해결하는 것을 반대한다. 예컨대, 원안에 서면투표한 의결권수

제안에 대한 현장 투표결과에 영향을 미치지 못하도록 중립투표(shadow voting)의 취지와 같이 현장주주총회 출석자들의 의사를 비례적으로 반영하자는 견해[97] 등이 있다.

의안과 큰 상관이 없는 내용, 예컨대, 의사진행 등에 관한 동의에 대하여는 주주총회에 출석한 주주만이 의결권을 행사하여야 할 것이다.[98]

다. 전자적 방법에 의한 의결권의 행사

1) 의 의

가) 전자투표제도

상법은 서면투표 이외에 주주가 직접 주주총회에 출석하지 않고 의사결정을 하는 방법으로 전자적 방법에 의한 의결권행사제도를 마련하고 있다. 회사는 이사회 결의로 주주가 주주총회에 출석하지 아니하고 전자적 방법으로 의결권을 행사토록 할 수 있는데(제368조의4 제1항), 이러한 의결권 행사를 전자투표제도라고 한다. 전자투표는 그 개념상 여러 가지 의미를 포함할 수 있으나,[99] 일반적으로는 주주가 주주총회에 출석하지 않고 회사의 승낙을 얻어 의결권행사 서면의 내용을 전자적 방법으로 기록한 후, 이를 전자적 방법으로 회사에 전달함으로써 의결권을 행사하는 제도를 말한다.[100]

상법은 단순히 전자적 방법이라고만 명시할 뿐, '전자적 방법'의 구체적인 의미나 범위에 관하여는 명문의 규정을 두고 있지 않다. 일본 회사법의 경우, 전자적 방법을 "전자정보처리조직을 사용하는 방법 그 밖의 정보통신기술을 이용

가 결의에 참가한 의결권수(출석주주의 의결권수 + 서면투표한 의결권수)의 과반수에 해당하는 경우 수정제안은 허용되지 않고 별개의 총회에서 논의해야 하며, 과반수에 미달한 경우에는 원안과 수정안을 비교하여 주주의사에 가장 근접한 의사를 추출하여 수정제안에 대한 찬반을 판단하되 이것이 어려울 경우 기권으로 처리하자는 것이다. 이 견해는 이러한 방식의 구체적인 기준설정을 위해, 시면투표에 예컨대 '어떠한 수정안이 제출되더라도 원안에 찬성한다', 또는 '수정안이 제출되면 그 결의에 대해서는 기권한다' 등의 문구를 삽입하여 수정제안이 있는 경우의 처리문제를 기재하는 방안을 제시하고 있다.

97) 정경영, 전게서, 476면.
98) 최준선, 전게서, 383면.
99) 주주 의결권행사방법으로서의 전자투표는 국회나 공직선거에서 실행되고 있는 전자투표와는 다르다. 상법상 전자투표제도는 주주의 의결권행사를 원격지에서 이루게 하고자 하는 근본 목적이 있는 것이며, 개표의 전자화라든가 오프라인에서의 전자투표와 같은 상황과는 논의의 전제가 다른 것이다. 이에 관하여는 곽관훈, "주주총회 활성화와 전자투표제도의 도입,"「비교사법」제11권 제3호(한국비교사법학회, 2004. 9.), 280면 이하 참조.
100) 김순석, 전게논문, 166면.

하는 방법에 있어 법무성령에서 정한 것"으로 규정하고 있고(일본회사법 제2조 제34호), 해당 시행규칙에서는 이를 구체적으로 ① 인터넷상의 전자메일로 송신 하거나 웹사이트에 접속하는 방법, ② 자기디스크 기타 이에 준하는 방법에 의 해 일정한 정보를 기록·열람·교부할 수 있는 방법 등을 열거하고 있는데(일본 회사법 시행규칙 제222조·제223조·제230조), 이를 참고할 수 있을 것이다.[101]

전자투표제도는 정보통신기술을 응용하여, 주주의 간편한 의결권행사를 통해 주주의 권리를 보호하는데 제도 도입의 일차적인 목적이 있다. 전자투표 역시 주주의 의결권행사에 관한 일종의 부재자투표로서, 서면투표와 마찬가지로 주주 가 주주총회에 출석하지 아니하면서 대리인은 개입시키지 않고 직접 의결권을 행사할 수 있다는 데에 그 의미가 있다.[102] 따라서 현장 주주총회에서 출석주주 의 의결권행사 및 투표수 산정의 편의를 도모하기 위해 전자적인 방식을 사용하 는 경우에는 여기서 말하는 전자투표에는 해당하지 않는다.[103] 전자투표는 현장 주주총회에 출석하지 못한, 즉 원격지에 있는 주주의 권리행사를 확보하기 위해 도입된 제도이기 때문이다.

회사가 전자투표를 채택하더라도 주주총회를 생략할 수 없음은 물론이며 이 는 서면투표에서 설명한 바와 같다.

나) 구별개념

전자투표는 전자적 방식에 의한 의결권 행사라는 일반적 개념을 전제하면서 도 도입주체 또는 행사요건과 관련해서는 일정하게 제한된 방식만을 의미하고 있다.[104] 구체적으로 다음과 같은 개념들과는 차이가 있다.

첫째, 전자투표는 인터넷이라는 가상공간에서 의결권이 이루어진다는 점에서 전자주주총회[105]와 유사한 성질을 가지나 이와는 구별되어야 한다.[106] 전자투표

---

101) 이와 같은 전자적 방법에 의해 전자화된 기록들을 전자기기를 통해 서면으로 출력하여 이 용할 수 있어야 한다고 본다.
102) 권기범, 전게서, 685면.
103) 정경영, 전게서, 477면.
104) 정경영, "전자투표제도 도입을 위한 법제 정비 방안에 관한 연구,"「상사법연구」제23권 제3호(한국상사법학회, 2004. 11.), 99면.
105) 전자주주총회는 '온라인주주총회', '사이버주주총회', '버츄얼주주총회' 등의 다양한 용어로 사용된다. 물리적인 장소에서 개최하는 현장주주총회를 전제로 전자투표를 허용하는 것을 온라인주주총회로, 현장주주총회 없이 오로지 전자적 방법에 의한 출석만 허용하는 주주총 회를 버츄얼주주총회(가상공간상 주주총회)로 구분한다면, 여기서는 양자를 포함하여 전자 주주총회라는 용어를 사용한다.

는 주주총회 운용절차 중 투표만 전자적 방법으로 하는 것이므로, 주주총회의 소집통지, 소집공고, 의결권행사, 의사운영 등에 전자적 방법을 활용하는 전자주주총회와는 다른 것이다. 또한 전자투표는 물리적인 장소에서 개최하는 현장주주총회를 전제로 전자투표를 허용하는 것일 뿐이므로, 전자적 방법에 의해 질의·토론도 가능한 전자주주총회와는 차이가 있다.

둘째, 전자투표는 원격지에서 주주가 총회에 참석하지 않고 직접 의사를 표시한다는 측면에서 서면투표와 그 취지가 유사하다. 2009년 상법개정 이전에는 서면투표에서의 '서면'에 전자문서도 포함되는 것으로 해석하여, 전자투표도 서면투표의 일부로 인정할 수 있다는 견해가 있었다.[107] 그러나 전자투표를 행사하기 위해서는 서면투표와는 전혀 다른 환경과 설비가 필요하고 서면투표에서 제기되지 않는 법률적 절차가 수반되므로 이는 구별되어야 한다는 견해도 있었다.[108] 물론 2009년 개정상법에 의해 전자투표제도가 도입되었으므로 현재는 그 구별 실익이 없다. 상법 제368조의3 서면투표는 찬반이 기재된 서면을 회사에 제출하는 것이고, 상법 제368조의4 전자투표는 동일한 내용을 전자화된 방식으로 제출하는 것이므로, 양자는 사용하는 방식에 있어서 차이가 있을 뿐 '법률적'으로는 사실상 같은 효과를 발생시키는 의결권 행사방법이다.[109]

다) 도입배경

1999년 개정상법은 주주총회의 원활한 운영을 지원하기 위하여 서면투표를 도입하였으나, 그 이용실적은 매우 저조한 상황이었다. 이는 여전히 회사경영에 대한 주주의 무관심이 높고, 회사가 한국예탁결제원에 대하여 중립투표(shadow voting)[110]를 이용함으로써 서면투표 채택에 소극적이었기 때문이었다.[111] 게다

---

106) 김건식·노혁준·천경훈, 전게서, 333면; 김순석, 「전자주주총회」(전남대학교출판부, 2008), 22면; 임재연, 전게서, 92면; 정경영, 전게논문, 100면.

107) 권종호, 전게 "서면投票," 480면; 박상근, 「주식회사법론」(경인문화사, 2007), 99면; 정쾌영, "주주총회의 전자화에 관한 입법론적 고찰," 「상사법연구」 제21권 제3호(한국상사법학회, 2002. 11.), 325~326면; 최완진, "전자주주총회에 관한 법적 고찰-주주의 의결권 행사의 전자화를 중심으로," 「경영법률」 제16집 제2호(한국경영법률학회, 2006. 4.), 318면.

108) 고재종, "가상공간상 주주총회의 운용에 관한 검토," 「상사법연구」 제21권 제1호(한국상사법학회, 2002. 5.), 243면; 김동근, "인터넷기술을 이용한 주주총회제도의 법적 과제," 「기업법연구」 제20권 제1호(한국기업법학회, 2006. 3.), 80면; 김순석, 전게논문, 183면; 이철송, "전자거래기본법의 개정방향 - 전자문서를 중심으로," 「인터넷법률」 제5호(법무부, 2001. 3.), 12면; 정경영, 전게논문, 131~132면; 정대익, "전자공시제도에 관한 법적 고찰," 「상사법연구」 제22권 제3호(한국상사법학회, 2003. 10.), 262면.

109) 임재연, 전게서, 99면.

가 서면투표는 의사진행 과정에 적절하게 대응할 수 없으며 주주총회에 출석한
주주의 토의결과를 반영시킬 수 없다는 것도 문제점으로 지적되고 있었다.[112)
무엇보다 서면투표를 채택한 회사의 경우 서면투표를 실행하기 위해 주주에게
참고자료 등을 송부하여야 하는데, 이 때 발생하는 많은 비용과 시간소모가 제
도 이용의 기피원인으로 작용하였다.[113)

이에 서면투표제도를 보완하고, 정보통신기술을 최대한 이용하여, 주주총회의
활성화시키고 주주의 권익보호를 보다 적극적으로 실현하기 위해, 의결권행사를
전자화하는 방향으로 입법논의가 진행되었다.[114) 결국 2009년 5월 28일 개정상
법은 제368조의4에 전자투표제도를 신설하고, 같은 해 11월 23일에는 전자투표
제도에 관한 시행령을 공포하였다.

전자투표제도는 사원의 수가 상대적으로 적고 시스템 도입으로 초기투자가
요구되는 합명·합자·유한회사보다는 주식회사법상의 제도로 도입되었는데,[115)
기존 서면투표제도가 가진 규정의 미비를 보완하여 시행령에 구체적인 전자투표
제도의 시행방법 및 절차규정들을 함께 마련한 것이 특징이라 하겠다.

---

110) 우리나라는 상대적으로 개인투자자가 많고 대부분의 개인투자자는 주주총회에 무관심한 경
     향을 보이기 때문에 발행회사의 요청에 의하여 예탁결제원이 shadow voting 방식으로 의
     결권행사를 할 수 있었다. 다만, 자본시장법 개정과 함께 2017년 말에 폐지되었다.
     Shadow voting에 관하여는 박철영, "의결권 행사의 전자화와 Shadow voting," 「상사법연
     구」 제29권 제4호(한국상사법학회, 2011. 2.), 89~138면 참조.
111) 정완용, "바람직한 전자투표 인프라 구축방안," 「상사법연구」 제23권 제3호(한국상사법학
     회, 2004. 11.), 187~189면.
112) 홍복기, "전자주주총회 제도의 도입," 「상사법연구」 제22권 제3호(한국상사법학회, 2003.
     10.), 210면.
113) 정찬형, "주주총회 활성화를 위한 제도개선방안," 「상사법연구」 제23권 제3호(한국상사법학
     회, 2004. 11.), 76면 [이하 정찬형, "주주총회"로 인용]. 실제로 서면투표를 채택하고 있는
     회사의 경우, 실질적인 주주 참여율은 1% 미만으로 보고되고 있다고 한다(송옥렬, 전게서,
     943면).
114) 권종호, "주주총회의 IT화, 그 필요성과 방향성에 관하여," 「비교사법」 제11권 제4호(하권)
     (한국비교사법학회, 2004. 12.), 9~12면 [이하 권종호, "IT화"로 인용]; 김동근, 전게논문,
     78면; 김순석, 전게논문, 166~167면; 양만식, "IT화 시대의 진전에 따른 상법의 장래 - 주
     주총회의 IT화를 바라며," 「상사법연구」 제23권 제1호(한국상사법학회, 2004. 5.), 206~
     207면 [이하 양만식, "IT화"로 인용]; 이형규, "전자투표제도의 필요성과 도입방안," 「경영
     법률」 제16집 제1호(한국경영법률학회, 2005. 10), 213~216면; 정경영, 전게논문, 160~
     161면; 정완용, 전게논문, 190~192면; 정찬형, 전게 "주주총회," 78면; 최완진, 전게논문,
     340면; 홍복기, 전게논문, 218~219면.
115) 정경영, 전게서, 477면.

라) 기 능

2009년 도입된 전자투표제도는 다음과 같은 기대효과를 가지고 있다.

첫째, 주주의 의결권행사를 보다 간편화하여 주주총회의 활성화를 촉진시킬 수 있다.[116) 서면투표를 통해 주주가 의결권을 행사하더라도 시간적·공간적 한계로 인한 문제들은 여전히 남아 있는데, 전자투표는 이러한 한계를 근본적으로 극복할 수 있는 것으로, 컴퓨터를 포함한 전자기기와 인터넷에 의한 네트워크 시스템만 구축되어 있다면, 주주는 어디에서라도 신속·간편하게 의결권행사를 실현할 수 있게 될 것이다.

둘째, 전자투표는 개인 주주의 의결권행사 참여율을 확대시켜 궁극적으로는 주주 민주주의 실현에 기여할 수 있게 된다.[117) 개인 주주의 의결권 행사가 확대되므로, 회사는 주주의 투표 성향을 사전에 파악하기 어렵게 되고 투표결과 또한 예측하기 어렵게 된다. 따라서 경영진은 반대가 예상되는 주주와 사전협의에 적극적으로 임할 가능성이 커지며, 결국 주주와 회사 간의 의견 교환 비율은 증가할 것이다. 이러한 방식으로 회사경영이나 주주총회의 운영이 전자투표를 통해 주주 중심으로 이루어지는 주주 민주주의가 자연스럽게 형성될 기반이 마련될 것이다.

셋째, 전자투표를 통해 비용절감 효과를 얻을 수 있다.[118) 회사가 주주총회를 개최하기 위해서는 소집통지 인쇄비·발송비, 기념품비, 신문공고비, 회의운영비, 기타 비용 등 상당한 액수의 비용들이 소요된다. 서면투표제도를 채택한 회사라면 의결권행사서면(투표용지)과 참고서류 제공비 또한 비용에 산입되므로, 회사입장에서는 이러한 비용문제가 총회운영과 관련한 일정한 제약으로 기능하게 되며, 때로는 기업경쟁력 저하요인으로도 작용될 수 있다. 전자투표는 이와 같은 비용을 상당부분 절감할 수 있는 것이다.

넷째, 전자투표제도의 도입으로 국제적 입법추세와 조화를 맞출 수 있게 되었다.[119) 주주총회의 운영에 있어 IT기술을 적극적으로 도입하려는 움직임은 이

---

116) 이형규, 전게논문, 213면; 정완용, 전게논문, 190면; 허항진, "개정상법상 전자투표제도와 법적 논점에 대한 소고," 「법학연구」 제38집(한국법학회, 2010. 5.), 303면.

117) 권종호, 전게 "IT화," 8면.

118) 권종호, 전게 "IT화," 10~11면; 이형규, 전게논문, 215면; 정완용, 전게논문, 192면; 허항진, 전게논문, 304면.

119) 권종호, 전게 "IT화," 11~12면; 이형규, 전게논문, 216~217면; 정완용, 전게논문, 192면;

미 국제적으로 보편화된 추세이며, 미국·영국·독일·일본 등의 주요 선진국들
은 전자투표제도를 모두 법제 인프라로서 정비한 상황이다.[120] 특히 자본시장의
국제화로 인하여 외국인주주의 비율이 지속적으로 증가하고 있는데, 외국인주주
가 그 권리를 효율적으로 행사할 수 있는 시스템을 마련하는 것은 해당 기업의
자본조달뿐만 아니라 우리나라 주식시장의 활성화 내지 국제경쟁력 강화를 위해
서도 필요한 일이다.[121]

2) 외국의 입법례

가) 미 국

미국은 1990년대부터 기업들의 정보통신기술의 사용을 적극적으로 권장해
왔으며, 주주에 대한 정보공시나 위임장권유, 주주총회의 소집통지, 의결권 행사,
의결권의 대리행사 등에 전자적 방법을 접목하여 왔다. 주주의 전자적 방법에
의한 의결권과 관련하여 최초의 입법으로는 2000년 개정된 델라웨어주 회사법
이다. 델라웨어주 회사법은 전자적 방법에 의한 주주총회의 소집통지, 전자주주
총회 개최, 전자적 방법에 의한 의결권의 대리행사 등을 인정하고 있어, 전자투
표제도만을 도입한 우리나라 상법과는 달리 IT기술의 전면적인 법제 수용화가
진행되었다.[122] 그러나 엄격한 의미에서의 전자투표제도는 미국법상 존재하지
않는다고 보아야 한다. 미국의 경우 주주의 의결권행사는 주로 위임장권유제도
를 통하여 이루어지고 있는 것이 현실이므로, 우리 상법과 같은 전자투표제도는
도입되지 않았다. 따라서 주주의 의결권 행사방법의 전자화는 주로 위임장권유
및 반송의 전자화로 이루어지는 것이다.

델라웨어주 회사법은 전자주주총회를 개최할 수 있는 기본 구조를 마련하고
있으나, 전자적 방법에 의한 의결권행사나 또는 온라인상의 주주총회를 개최할
것인지의 여부는 이사회의 재량에 위임하는 입법정책을 취하고 있다. 델라웨어
주 회사법에 의하면, 정관에 다른 규정이 없는 한 이사회는 그 결의로써 주주총

　　　허항진, 전게논문, 304~305면.
120) OECD 기업지배구조원칙에서도 회원국은 전자적 방법 기타 현대적 기술을 이용하여 주주
　　　가 국경을 초월하여 용이하게 주주총회에 참석할 수 있도록 노력해야 한다고 권고한다(권
　　　종호, 전게 "IT화," 12면).
121) 이형규, 전게논문, 216~217면.
122) 예컨대, 2000년 개정에서 추가된 제232조와 9개의 개정조항이 정보통신기술과 관련된 조
　　　항이다(Del. Code Ann. tit. 8 §§141, 211, 219, 222, 224, 228, 229, 230, 231, 232).

회를 특정한 장소에서 개최하지 않고 전자적 원격통신수단에 의해서만 개최할 수 있다.123) 현장주주총회는 물론 원격통신수단에 의해서만 주주총회를 개최할 수 있으며 양자를 병행할 수도 있다. 주주총회의 소집통지는 주주의 동의를 얻은 경우 전자적 송신방법(form of electronic transmission)에124) 의하여 할 수 있다.125) 이에 따라 이사회가 정한 지침과 절차에 따라 주주총회에 직접 출석하지 않는 주주 또는 그 대리인도 원격통신의 방법으로 주주총회에 참석할 수 있고, 정족수의 산정이나 결의에 있어서 주주총회에 본인이 출석하여 투표한 것으로 볼 수 있다.

원격통신의 방법에 따른 주주총회 참가와 의결권행사를 인정하기 위해서는 이사회 결의가 필요하다. 그 밖에 회사는 ① 원격통신으로 주주총회에 참가하여 투표를 하는 자가 주주 또는 대리인(위임장소지인)임을 증명할 수 있는 합리적인 방법을 강구하여야 하고, ② 주주 또는 대리인에게 주주총회의 진행상황에 대한 정보 제공과 함께 주주총회에 참가하여 의결권행사를 할 수 있는 기회를 제공하기 위해 합리적인 조치를 취하여야 한다. 나아가 ③ 주주 또는 대리인이 원격통신 수단에 의한 투표 기타 행위를 하는 경우 그에 대한 기록을 보유하여야 한다.126)

델라웨어주 회사법은 의결권의 대리행사에 사용되는 위임장 규정에 특정한 형식을 요구하지 않고, 주주가 유효하게 위임장을 부여할 수 있는 수단을 열거하고 있는데, 그에 따르면 해당 위임은 무선, 유선, 기타 전자적 송신의 수단에 의하여도 가능한 것으로 되어 있다.127) 다만 전자적 송신에 의한 위임장은 주주로부터 수권된 것을 나타내는 정보를 포함하거나 그러한 정보와 함께 제출되어야 하며, 복사본, 팩시밀리 원격통신, 기타 신뢰할 수 있는 복제물도 위임장으로 인정된다.128)

이와 같이 델라웨어주 회사법상 주주총회의 운영구조에 관한 전자적 방법의

---

123) Del. Code Ann. tit. 8 §211(a).
124) 여기서 전자적 송신이란 서류의 물리적 송부를 제외하고 수신인에 의하여 보유, 검색, 검사될 수 있으며 수신인이 자동화된 절차에 의하여 서면형태로 재작성할 수 있는 기록을 생성하는 통신형식을 의미한다(Del. Code Ann. tit. 8 §232(c)).
125) Del. Code Ann. tit. 8 §232(a).
126) Del. Code Ann. tit. 8 §211(a)(2).
127) Del. Code Ann. tit. 8 §212(c).
128) Del. Code Ann. tit. 8 §212(d).

수용은 각 주회사법에 상당한 영향을 미쳤고, 현재 많은 주에서 비슷한 형태의 입법을 진행하고 있다.[129]

나) 일 본

일본은 2001년 상법개정을 통하여 전자적 방법에 의한 회사관계 서류의 작성 및 공시, 주주총회 소집통지, 주주제안권의 행사 등을 허용함과 동시에 전자적 방법에 의한 의결권행사제도를 도입하였다. 2005년 제정된 회사법에서도 기존 상법상의 이러한 전자투표제도가 그대로 계승되고 있다(일본회사법 제298조 제1항 제4호).[130] 전자투표는 주주총회에 참석하지 않은 주주를 위해 원격지에서 의결권행사를 가능케 하는 것이므로 서면투표와 그 제도적 취지는 동일하며, 서면투표와 병용할 수 있다.[131] 주주총회의 개최를 전제로 하므로, 총회를 물리적으로 개최하지 않고 전자적 방식으로만 총회를 개최하는 전자주주총회와는 개념적으로 구별된다.[132]

일본회사법상 전자투표는 주주의 승낙이 없어도 이사회 결의로 총회마다 재량으로 채택여부를 결정할 수 있다. 왜냐하면 주주는 항상 총회에 출석하여 의결권을 행사할 기회를 보장받기 때문이다.[133] 즉, 전자투표의 채택여부는 회사의 자율사항이며 서면투표와는 달리 주주의 수가 1,000명 이상의 회사라 하더라도 법률상 강제되지 않는다.[134]

전자투표를 채택할 경우, 회사는 주주총회 소집통지 시 전자투표에 관한 취지의 기재가 필요하다(일본회사법 제299조 제2항 제1호·제3항). 회사는 참고서류와 의결권행사서면에 상당하는 양식을 전자적 방법으로 주주에게 제공하여야 한다(일본회사법 제302조 제1항). 주주의 청구가 있는 때에는 총회 관련참고서류를 주주에게 교부하여야 한다(일본회사법 제302조 제2항).

전자투표 시 문제가 되는 것은 주주 본인의 진정성 확인이다. 이에 관하여는

---

129) Ariz. Rev. Stat. Ann. §10-722; Colo. Rev. Stat. §7-107-402; Fla. Stat. Ann. §607.0722; Mich. Comp. L. Ann. §450.1421; Nev. Rev. Stat. Ann. §78.355; N.Y. Bus. Corp. L. §609; N.C. Gen. Stat. Ann. §55-7-22; Va. Code Ann. §13.1-663; Wis. Stat. Ann. §180.0722.
130) 神田秀樹, 前揭書, 202面.
131) 江頭憲治郎, 前揭書, 360面.
132) 岩村充·神田秀樹(編), 「電子株主總会の研究」(弘文堂, 2003), 30面.
133) 神田秀樹, 前揭書, 202面.
134) 江頭憲治郎, 前揭書, 361面.

전자서명을 첨부하거나(일본전자서명인증법 제2조 제1항), 회사가 사전에 주주에게 할당한 등록번호(ID) 및 주주가 신고한 비밀번호를 입력하는 방식으로 본인확인 절차가 진행된다.[135] 만약 전자투표의 의사를 밝히지 않은 주주가 주주총회일의 일주일 전까지 전자투표방식에 의한 의결권행사를 요청하는 경우, 회사는 즉시 해당 주주에게 참고서류와 의결권행사서면에 상당하는 양식을 전자적 방법으로 제공해야 한다(일본회사법 제302조 제4항).

전자투표에 의한 의결권행사에 동의한 주주는 법무성령으로 정한 방법[136] 및 기간 내에 전자적 방법으로 의결권을 행사할 수 있다(일본회사법 제302조 제3항). 전자투표의 도달시기와 관련하여 회사가 재량으로 주주총회 당일 도착한 전자투표를 인정하는 것은 무방하다.[137] 다만 회사가 전자투표와 서면투표를 모두 허용한 경우, 전자투표와 서면투표가 중복하여 제출되었다면 특별한 규정이 없는 한(일본회사법 시행규칙 제63조 제4호 참조) 나중에 도착한 것을 유효한 것으로 해석해야 한다.[138] 이 경우에도 중복된 의결권의 전후를 판별하는 것은 쉽지 않기 때문에, 어느 쪽이든 한쪽의 방법을 우선하겠다는 취지의 내용을 회사가 미리 정하고 이를 통지할 수 있다(일본회사법 제298조 제1항 제5호, 제299조 제4항). 또한 전자투표를 실시한 주주라 하더라도 이후 직접 주주총회에 출석하여 의결권을 행사할 수 있는데, 이 경우 전자투표에 의한 의결권은 효력을 잃고 직접 행사한 의결권의 효력이 우선한다.[139]

전자투표에 의해 행사된 의결권은 주주총회 출석주주의 의결권수에 산입된다(일본회사법 제312조 제1항·제2항·제3항). 나아가 회사에 제공된 전자투표 기록은 주주총회일로부터 3개월 간 본점에 비치하고 주주의 열람·등사에 제공된다(일본회사법 제312조 제4항·제5항).

다) 영 국

영국에서도 1990년대 말부터 정보통신기술의 발달을 회사법상의 규정으로

---

135) 江原健志·太田洋, "平成13年商法改正に伴う政令·法務省の制定 (中)," 「商事法務」 1628号 (商事法務, 2002. 5. 15.), 36面 이하 참조.
136) 예컨대, 전자메일의 송신, 회사의 인터넷 웹사이트 이용, 플로피 디스크 등의 교부 등이다. 실질적으로는 회사가 제공하는 인터넷상의 전자투표관리시스템을 사용하는 방법이 주가 될 것이다(中西敏和, 前揭書, 33面).
137) 神田秀樹, 前揭書, 202面.
138) 神田秀樹, 前揭書, 203面; 江頭憲治郎, 前揭書, 362面; 福岡真之介ほか, 前揭書, 96面.
139) 近藤光男, 前揭書, 215面.

적용시키는 작업이 진행되었다. 2000년 5월에는 전자적 방법에 의한 정보전달과 정보보관 등의 촉진을 목적으로 관계 법률의 개정을 위한 전자통신법(Electronic Communication Act)이 제정되었다. 동법 제8조의 명령에 의해, 1985년 회사법 (전자통신) 명령(The Company Act 1985 (Electronic Communication) Order 2000) 이 상·하원의 승인을 얻어 2006년 회사법의 일부가 개정되었다.[140]

2006년의 개정회사법은 의결권행사의 전자화와 관련하여, 전자문서 등을 통한 주주총회의 소집통지,[141] 전자적 방법에 의한 회계장부 등의 송부·개시,[142] 전자적 방법에 의한 의결권 행사 및 대리인의 선임[143] 등의 규정들을 마련해 두고 있다. 그러나 영국 회사법도 미국의 경우와 마찬가지로 우리 상법상 동일한 취지에서의 전자투표제도 자체를 도입하고 있지는 않고, 주주총회의 전자화 라는 측면에서 주주총회 소집통지와 전자적 방법에 의한 위임장권유 등을 규정하고 있을 뿐이다.[144]

영국 회사법에 의하면 주주는 스스로 또는 대리인에 의하여 의결권을 행사할 수 있는데, 전자적 방법에 의하여도 대리인을 선임할 수 있도록 하고 있다.[145] 따라서 주주는 직접 주주총회에 출석하거나 그 대리인이 실제로 총회에 출석하여 의결권을 행사하여야 한다. 다만 전자적 방법에 의해 총회의 의장을 대리인으로 지정하고 의결권행사에 관해 지시할 경우에는 실질적으로 전자투표를 행한 효과가 발생할 것이다.[146]

---

140) 영국의 전자통신법 제8조는 다른 법률에서 요구되는 문서에 의한 통지나 권리행사에 관해 전자적 방법으로 이행하는 것이 적절할 경우 관할 장관이 법령을 수정하는 명령(statutory instrument)을 제정하는 권한을 부여하고 있다. 이를 기초로 2000년 12월 22일에 회사법의 주무부처인 영국 무역산업부(Department of Trade and Industry)는 주주총회에서 전자적 방법의 사용을 허용하는 내용의 전자적 정보전달명령(Electronic Communication Order)을 제정하였고, 이 명령에 따라 2006년 회사법이 개정된 것이다. 영국법상의 전자투표제도에 관한 소개로는 이형규, 전게논문, 222~224면; 정경영, 전게논문, 117~120면; 정완용, 전게논문, 201~205면; 최완진, 전게논문, 314~315면 참조.
141) Company Act §369.
142) Company Act §§238, 239.
143) Company Act §372.
144) 그러나 실질적으로 많은 수의 회사에서는 정관으로 전자우편 등 전자문서에 의한 전자투표를 인정하고 있다고 한다(정승화, 전게논문, 139면).
145) Company Act §372, 2A·2B.
146) 이형규, 전게논문, 224면; 정경영, 전게논문, 120면.

라) 독 일

독일은 1998년의 '기업의 통제와 투명성에 관한 법률'(Gesetz zur Kontrolle und Transparenz im Unternehmensbereich: KonTraG), 2001년의 '기명주식과 의결권행사 간소화를 위한 법률'(Gesetz zur Namensaktie und zur Erleichterung der Stimmrechtsausübung: NaStraG) 및 2002년의 '주식법·대차대조법의 계속적인 개혁, 투명성 및 공시에 관한 법률'(Gesetz zur weiteren Reform des Aktien- und Bilanzrechts, zu Transparenz und Publizität, Abkürzung: TransPuG) 등에 의하여 주식법상 전자정보매체의 이용가능성이 확대되고 있었다.

독일의 경우, 2009년 '주주권지침을 국내법화하기 위한 법률'(ARUG)에 의해, 정관의 규정 또는 이사회의 결의가 있는 경우, 주주의 전자적 방법(elektronischer Kommunikation)에 의한 의결권행사가 가능하게 되었다.[147] 나아가 ARUG는 온라인주주총회(Online-Hauptversammlung), 온라인에 의한 총회의 참여(Online-Teilnahme) 등도 규정하여 주주총회의 전자화를 위한 제도 기반을 마련해 두고 있다.

3) 요 건

가) 이사회의 결의

전자투표제도를 실시하기 위해서는 이사회의 결의가 있어야 한다. 회사는 이사회 결의로 주주가 총회에 출석하지 아니하고 전자적 방법으로 의결권을 행사할 수 있음을 정할 수 있다(제368조의4 제1항).

서면투표는 정관에 근거규정이 있어야 하는 반면, 전자투표는 이사회의 결의로 결정될 수 있다. 그러나 전자투표의 채택여부를 정관으로 명문화할 수 있음은 물론이다. 정관으로 전자투표제도를 의무화하더라도 주주권이 침해되는 것은 아니다.[148] 주주는 일마든지 주주총회에 식섭 출석하여 의결권을 행사할 수 있기 때문이다.

이사회가 주주총회의 소집을 결정할 때마다 전자투표 채택 여부를 결정하여야 하는지, 아니면 향후의 주주총회를 대상으로 전자투표 채택 여부를 포괄적으로 결정할 수 있는지에 관하여는 상법에 정함이 없어 논란의 여지가 있다. 이에

---

147) AktG §118(2).
148) 임재연, 전게서, 93면.

관하여는 포괄적 결정이 가능하다고 본다. 전자투표의 도입목적은 어디까지나 주주가 의결권을 행사함에 있어 편의를 제공하여 원활한 주주총회의 활성화를 이루고자 하는 것이기 때문이다. 또한 전자투표를 이사회 결정이 아닌 정관 규정으로 두는 것이 허용되는 이상, 굳이 이사회에서 포괄적 결정으로 전자투표를 인정하지 못할 이유도 없을 것이다. 현행법상 전자투표는 이사회 재량이므로, 포괄적 결정으로 이를 승인하였다고 하더라도 언제든 이사회에서 이를 다시 조정할 수 있을 것이다.[149]

회사가 전자투표와 서면투표 모두 채택하는 경우, 동일한 주식에 관하여는 이 중 어느 하나만을 선택해야 한다(제368조의4 제4항). 이것은 서면과 전자적 방식에 의한 중복투표를 방지하기 위함에 있다.

나) 소집통지 및 공고

전자투표를 위하여, 회사는 주주총회 소집을 위한 소집통지 및 공고에 주주가 전자적 방법으로 의결권을 행사할 수 있다는 내용을 포함시켜야 한다(제368조의4 제2항). 구체적으로 회사는 주주총회 소집통지·공고에 ① 전자투표를 할 인터넷 주소, ② 전자투표를 할 기간(전자투표의 종료일은 주주총회 전날까지로 하여야 한다), ③ 그 밖에 주주의 전자투표에 필요한 기술적인 사항을 기재해야 한다(시행령 제13조 제2항).

상법은 회사가 주주총회를 소집할 때, 각 주주의 동의를 받아 전자문서로 통지를 발송하여야 한다고 규정한다(제363조 제1항). 그렇다면 전자투표를 위하여 회사가 주주의 사전승낙을 받아야 하는지가 문제될 수 있는데, 학설은 사전승낙이 필요하다는 견해[150]와 필요하지 않다는 견해[151]로 나뉘고 있다. 전자투표는 주주의 의무사항이 아니며, 얼마든지 총회에 직접 출석하여 의결권을 행사할 수 있으므로 전자투표의 채택에 따른 주주의 사전승낙은 필요하지 않다고 본다.

전자적 방법에 의한 의결권행사를 정한 경우, 회사는 의결권행사에 필요한 양식과 참고자료를 주주에게 전자적 방법으로 제공하여야 한다(제368조의4 제3

---

149) 전자투표 채택에 관한 이사회의 포괄적 결정을 인정하면서도 이사회 결의의 효력을 둘러싼 쟁점을 다소 줄이기 위해, 최초의 전자투표제도 채택을 결의하는 이사회 결의 시 별도의 이사회 결의가 있을 때까지는 전자투표제도의 채택이 지속적으로 유효하다는 부가적인 요건을 두는 것이 바람직하다는 견해가 있다(허항진, 전게논문, 306~307면).
150) 이형규, 전게논문, 229~230면.
151) 정경영, 전게서, 477면; 허항진, 전게논문, 310면.

항). 필요한 양식과 참고자료를 전자적 방법으로 제공하여야 하므로, ① 이러한 정보들이 기록된 자기디스크 혹은 CD-ROM 등을 우편으로 교부하거나, ② 정보를 파일에 저장하여 전자우편으로 전송하거나, ③ 주주가 전자투표 웹사이트에 접속하여 정보들을 확인하거나 다운로드할 수 있도록 해당 인터넷 사이트에 게시하거나 하는 등의 방법이 그 예가 될 것이다.[152)]

서면투표와 같이, 전자투표의 경우에도 회사가 참고자료를 제공하지 않거나 부실기재 또는 허위기재를 하였고 주주가 이를 신뢰하여 전자투표를 하였다면 이는 결의취소의 사유가 된다고 본다.

4) 절 차

가) 전자투표권자

회사가 전자투표제도를 채택하는 경우 투표주체의 실질적인 주주확인 여부는 전자투표의 전제가 되는 매우 중요한 절차이다. 전자투표는 실무적으로 전자투표시스템을 도입한 회사 혹은 전자투표관리기관의 전용 인터넷 웹사이트에서 이루어지므로, 전자투표 시 본인 여부의 확인은 해킹 등의 문제로부터 자유로울 수 없다. 이와 관련하여, 상법 시행령은 주주는 전자서명법 제2조 제3호에 따른 공인전자서명을 통하여 주주 확인 및 전자투표를 하는 방법으로 의결권을 행사하여야 한다고 규정한다(시행령 제13조 제1항).[153)] 공인인증서의 경우 본인확인·전자문서의 진정성에 대한 법률적 효력이 부여되고, 전자투표 행사기록의 위조 및 변조가 방지되며, 전자문서의 송·수신 시점 등의 확인이 가능하다(전자서명법 제3조·제20조). 현재 우리나라는 본인 확인과 관련한 인프라 구축 및 개발이 상당히 발전되어 있고, 전자서명 등 본인인증제도 역시 매우 보편화되어 있다.[154)]

회사가 지정한 전자투표관리기관(시행령 제13조 제4항)은 전자투표권자를 확정하기 위하여 회사가 제출한 주주명부와 실질주주명부를 기초로 하여 전자투표

---

152) 이형규, 전게논문, 230면.
153) 전자인증 또는 전자서명을 요구하는 절차는 의결권행사의 목적인 편리성을 저해할 수 있다고 보는 견해가 있으나(홍복기, 전게논문, 211면), 편리성을 강조하여 사후에 주주총회결의 취소의 소와 같은 법률분쟁의 원인을 제공하는 경우 더 큰 비용을 감안해야 할 것이며, 실제로 서면투표의 경우 인감증명을 하는 것과 비교하여 전자서명을 받는 것이 더 불편하다고도 볼 수 없다(최완진, 전게논문, 319면).
154) 홍복기·박세화, 「회사법강의」 제8판(법문사, 2021), 366면.

권자명부를 작성하여야 한다. 전자투표권자명부의 기재사항은 ① 주주 및 전자
투표권자의 성명(법인인 경우에는 명칭)·주소·주민등록번호(법인인 경우 사업자
등록번호, 외국인인 경우 투자등록번호), ② 주주가 소유한 주식의 종류와 수, ③
전자투표권자가 의결권을 행사할 수 있는 주식수, ④ 그 밖에 전자투표관리업무
에 필요한 사항 등이다(전자투표관리업무규정 제12조).

전자투표권자는 전자투표 위탁회사가 제출한 주주명부에 기재되어 있는 주주
인 것이 원칙이다(전자투표관리업무규정 제11조 제1항). 예외적으로, ① 주식이 자
본시장법에 따른 투자회사재산 또는 투자신탁재산에 속하는 경우 그 투자회사
또는 투자신탁의 집합투자업자, ② 주주가 상임대리인을 선임한 경우 그 상임대
리인, ③ 주식이 해외 주식예탁증권의 원주인 경우 그 원주의 보관기관은 해당
주주에 갈음하여 전자투표권자로 된다(전자투표관리업무규정 제11조 제2항).

만약 주주가 아닌 자가 전자투표에 참석하여 의결권을 행사하는 경우에는 주
주총회결의취소의 사유가 될 것이다.[155]

나) 전자투표관리기관

회사는 전자투표의 효율성 및 공정성을 확보하기 위하여 전자투표관리기관을
지정하여 주주확인절차 등 의결권 행사절차의 운영을 위탁할 수 있다(시행령 제
13조 제4항). 상법은 전자투표관리기관의 자격에 관하여 특별히 규정하고 있지
않다. 즉, 전자투표관리기관업무를 영위하기 위한 법률상의 제한은 없다. 회사는
전자투표를 위탁하여 운영할 수 있다는 상법상의 규정에 따라 전자투표관리기관
과 전자투표의 위탁운영에 관한 위탁계약을 체결할 수 있다.[156]

전자투표제도는 인프라 구축과 시스템 설비 측면에서 여러 가지 복합적인 기
술·정보·노하우 등을 필요로 한다. 따라서 이러한 전자투표를 수행할 수 있는
관리기관으로는 일반적으로 중앙예탁기관인 한국예탁결제원이 지정되어 관련 업
무를 수행한다. 한국예탁결제원은 정관상 전자투표관리업무를 반영하여 금융위
원회의 승인을 얻고 있으며 전자투표관리업무규정을 제정하고 있다.

---

155) 대법원 1983.3.23. 83도748에서는 "주주총회가 적법하게 소집되어 개회된 이상 의결권 없
  는 자가 의결권을 행사하였으며 동인이 의결권을 행사한 주식수를 제외하면 의결정족수에
  미달하여 총회결의에 하자가 있다는 주장은 주주총회 결의방법이 법령 또는 정관에 위반하
  는 경우에 해당하여 결의취소의 사유에 해당한다"고 판시하고 있으므로, 전자투표의 경우
  에도 동일한 법리가 적용된다고 본다.
156) 정승화, 전게논문, 134면.

한국예탁결제원이 회사로부터 전자투표관리를 위탁받아 수행하는 전자투표업무의 범위는 ① 전자투표권자명부의 작성 및 관리, ② 전자투표 행사관리, ③ 전자투표 및 주주총회의 결과 관리, ④ 그 밖에 부수업무이다(전자투표관리업무규정 제3조).

다) 전자투표의 개시 및 도달시기

전자투표권자 본인이 확인되면, 회사는 의결권 행사에 필요한 양식과 참고자료를 주주에게 전자적인 방법으로 제공하여야 힌다(제368조의4 제3항). 주주는 회사가 통지한 인터넷주소로 회사가 정한 방법에 따라 전자투표를 하여야 하는 바, 주주총회의 의안별로 찬성, 반대 또는 기권의 의사표시를 함으로써 의결권을 행사한다(전자투표관리업무규정 제13조 제1항).

전자투표권자는 관련 법령에 따라 의결권의 행사가 일부 제한되는 경우 등을 제외하고는 의결권을 행사할 수 있는 주식 전부에 대하여 전자투표를 하여야 한다(전자투표관리업무규정 제13조 제7항). 전자투표도 격지자 간의 의사표시이므로 회사에 도달하여야 효력이 발생한다. 회사에 도달한 시점은 '전자문서 및 전자거래 기본법'(이하 '전자문서법'이라 한다)상의 규정에 따라 주주가 지정된 전자투표시스템상의 전자투표 기재사항에 자신의 의사표시를 입력한 때가 될 것이다(전자문서법 제6조 제2항 제1호).[157]

라) 전자투표의 행사기간

전자투표의 투표기간은 회사가 정할 수 있다. 다만 그 종료일은 주주총회 전날까지로 하여야 한다(시행령 제13조 제2항 제2호). 전자투표의 종료일을 주주총회 당일이 아니라 전날까지로 제한한 것은 주주총회 당일까지 전자투표를 허용하면 전자투표시스템상의 투표결과의 집계작업이 어려울 수 있다. 즉, 이는 의결권을 행사하는 주주와 투표결과를 집계하는 회사 모두의 편의를 도모하기 위한 것이다.[158]

주주총회 전날까지라는 문언에서, 전날의 의미가 종료일의 24시까지를 가리

---

157) 전자문서법 제6조 제2항 제1호 단서는 "전자문서가 지정된 정보처리시스템이 아닌 정보처리시스템에 입력된 경우에는 수신자가 이를 검색 또는 출력한 때"로 규정하고, 제2호는 "수신자가 전자문서를 수신할 정보처리시스템을 지정하지 아니한 경우에는 수신자가 관리하는 정보처리시스템에 입력된 때"로 규정하나, 이 조항들은 주주들의 의사가 획일적인 방법으로 수령되어야 할 주주총회에는 응용할 수 없는 제도이다(이철송, 전게서, 578면).

158) 임재연, 전게서, 98면.

키는 것인지 아니면, 종료일의 회사영업시간 종료시까지를 가리키는 것인지 해석상 논란이 있다.[159] 주주총회 전날까지라는 규정이 반드시 주주총회 전날 24시까지를 의미하는 것은 아니며, 회사의 영업시간 종료시점을 의미하는 것으로 보아도 시행령상의 규정위반이 아니라는 견해가 있다.[160] 생각건대, 전자투표제도의 도입취지가 의결권행사의 편의성 확보와 주주의 권익보호에 있는 것이라면, 문언 그대로 주주총회 전날, 즉 종료일의 24시까지 전자투표를 허용하는 것으로 보아야 한다. 이는 회사가 지정한 전자투표시스템상의 투표절차 인프라구축의 문제이므로, 시스템상 종료일 24시(종료일 P.M. 11:59)까지 전자투표를 할 수 있도록 하는 여건만 마련되어 있다면 충분히 가능할 것이다. 즉, 회사가 전자투표 종료시점을 주주총회 종료일 24시보다 앞당겨서 정한 경우에는 주주총회 소집의 통지나 공고에서 그 종료시각을 기재하여야 하고, 종료일만 기재하고 종료시각은 별도로 기재하지 않은 경우에는 종료일 24시를 투표의 종료시점으로 보아야 한다.

전자투표의 종료일은 주주총회의 전날까지로 하여야 한다는 규정상 주주총회가 연기·속행되는 경우 전자투표 행사기한도 연장되는 것으로 볼 수 있는지 문제된다. 전자투표에 참여하는 주주는 의안에 대한 질의·토론·심의에 참여하지 않고 사전 배포된 자료만을 기초로 의결권을 행사하는 것이므로, 총회가 연기되거나 속행되더라도 동일 의안에 대하여는 전자투표시스템상 표결 기회가 부여되었다는 점에 변함이 없다. 따라서 주주총회가 연기되거나 속행되더라도 전자투표 행사기한이 연장되는 것은 아니라고 보아야 한다(전자투표관리업무규정 제14조 제2항).

마) 전자투표의 철회 및 수정

전자투표를 한 주주는 전자투표 기간 중 전자투표에 의한 주주의 의결권 행사를 변경 또는 철회할 수 있다.[161] 종전의 상법 시행령에서는 주주 의사의 진

---

159) 이와 관련하여서는 ① 주주총회 전일의 영업시간 이내에 하여야 한다는 견해, ② 주주총회 전일의 24시까지 하여야 한다는 견해, ③ 총회 개최 직전까지 할 수 있다는 견해, ④ 총회 개최 이후 의결 이전까지 가능하다는 견해 등 다양한 의견이 있다(김순석, 전게서, 161면 참조).

160) 임재연, 전게서, 98면; 정찬형, "주식회사법 개정제안,"「선진상사법률연구」제49호(법무부, 2010. 1.), 41면 [이하 정찬형, "개정제안"으로 인용]. 전자투표관리업무규정상 전자투표 기간은 주주총회일의 10일 전부터 주주총회일 전날 오후 5시까지이다(전자투표관리업무규정 제14조 제1항).

정성 확보를 도모하기 위한 차원에서 전자투표를 한 주주는 해당 주식에 대하여 그 의결권 행사를 철회하거나 변경하지 못하도록 하고 있었다(구상법 시행령 제13조 제3항).

그러나 전자투표제도의 본래의 도입취지가 주주의 편의를 위하여 제공된 것이므로, 주주총회에 직접 출석하여 자신의 의사를 번복할 수 없다고 하는 것은 이러한 취지를 무색하게 한다는 점에서 구시행령 규정에 대한 비판이 많았다.[162] 이에 2020년 1월 29일 상법 시행령 개정에 따라, 전자투표 종결 전까지는 의결권 행사의 철회·변경이 가능하게 되었다.

바) 의결권의 대리행사 및 불통일행사

서면투표의 경우에는 의결권의 대리행사가 가능하나, 전자투표의 경우에는 문제가 있다. 서면투표의 경우, 주주가 대리인을 통하여 의결권을 행사하는 경우 대리권을 증명하는 서면을 주주총회에 제출하여야 한다. 전자투표의 경우, 주주확인은 공인전자서명을 통하여 하는데 공인전자서명을 서면으로 보기 곤란하고 공인전자서명은 본인만 할 수 있으므로 대리인을 통한 전자투표는 현행법상 인정되기 힘들다는 것이다.[163] 반면에 회사가 전자적 방법에 의해 위임장 양식을 주주에게 송부하면 주주가 전자식 위임장에 기재한 후, 인터넷을 통하여 대리인에게 송부하여 이로써 의결권의 대리행사가 가능하다고 보는 견해도 있다.[164] 또한 주주가 공인전자서명에 필요한 등록번호와 비밀번호를 대리인에게 알려주어 전자투표를 하게 할 수는 있으나 이것이 유효한 투표로 인정되는지에 관하여도 논란이 있다.

서면투표와 마찬가지로, 전자투표의 경우에도 의결권의 불통일행사는 인정된다고 본다. 전자투표의 경우 의결권의 불통일 행사를 하고자 하는 주주는 주주총회일의 3일 전에 전자투표관리시스템을 통하여 의결권 불통일행사의 뜻과 이유를 위탁회사에 통지하여야 한다(전자투표관리업무규정 제15조).

---

161) 2020년 1월 29일 개정 전의 상법 시행령에서는 전자투표를 한 주주는 해당 주식에 대하여 그 의결권 행사를 철회하거나 변경하지 못한다고 규정하고 있었다(구상법 시행령 제13조 제3항).
162) 정준우, 전게논문, 36면; 허항진, 전게논문, 314면.
163) 임재연, 전게서, 94면.
164) 정완용, 전게논문, 231면; 최완진, 전게논문, 328~329면. 이 견해에 따르면 전자식 위임장에 주주의 공인전자서명을 하면 전자서명법상 전자서명의 시점확인기능과 신원확인기능에 의하여 전자식 위임장의 원본성을 확인할 수 있다고 한다.

사) 전자투표 기록의 비치 · 보존 · 열람 · 비밀유지

회사는 의결권행사에 관한 전자적 기록을 총회가 끝난 다음날부터 3개월간
본점에 비치하여 열람하게 하고, 총회가 끝난 날부터 5년간 보존하여야 한다(제
368조의4 제5항). 그런데 여기서 주주의 의결권행사에 관한 전자적 기록을 회사
의 '본점'에 비치하여 열람케 하여야 한다는 내용은 현대 정보사회의 특성과 기
업경영에의 IT기술의 접목이라는 상법의 입법취지를 고려할 때 적절하지 않다.
즉, 전자투표와 관련된 기록은 회사의 본점만이 아니라 명의개서대리인의 영업
소 및 회사의 홈페이지에도 개시하도록 하여 일반 주주들이 언제라도 확인인증
을 받은 후 그 내용을 열람할 수 있도록 조치하는 것이 옳다고 본다.[165] 열람권
자에 관한 규정은 상법상 정함이 없으나, 주주와 이사, 감사에 한해 열람할 수
있을 것이다.[166]

전자투표를 채택한 회사 및 회사가 지정한 전자투표관리기관은 주주총회에서
개표가 있을 때까지 전자투표의 결과를 누설하거나 직무상 목적 외로 사용할 수
없다(시행령 제13조 제5항). 전자투표도 서면투표와 마찬가지로 총회 개최 전에
투표결과가 확정되므로,[167] 이해관계자가 투표결과에 관한 정보를 유용할 가능
성이 있다. 즉, 이러한 비밀유지의무는 주주총회 결의의 공정성을 확보하기 위
함이다.

5) 효　과

가) 정족수의 산입

주주가 전자적 방법에 의해 의결권을 행사한 경우, 직접 총회에 참석한 것과
같은 효과가 있다. 전자투표에 의해 표결된 의결권수는 출석정족수의 산정에 있
어 발행주식총수에 산입되고(제371조 제1항 참조), 의결정족수의 산정에 있어서도
출석한 주주의 의결권의 수에 산입된다(제371조 제2항 참조). 전자투표로 성립한
결의가 통상의 결의와 동일한 효력이 있음은 물론이다.

---

165) 정준우, 전게논문, 38면.
166) 이철송, 전게서, 579면.
167) 이와 관련하여 주주총회 개최 이전에 전자투표 행사내역을 사전 파악하는 것은 당해 회사
　　나 대주주가 자신들에게 유리한 결의를 얻어내기 위해 악의적으로 주식수를 모집할 수 있
　　기 때문에 전자투표에 의한 의결권행사정보를 총회결의 전까지 공개되어서는 안된다는 견
　　해가 있다(김순석, 전게서, 170면).

한편 2020년 개정상법에 따라, 전자투표에 의하여 감사 또는 감사위원회 위원을 선임하는 경우에는 '발행주식총수의 4분의 1 이상'의 의결정족수 요건이 배제된다(제409조 제3항, 제542조의12 제8항). 이는 전자투표를 실시하여 주주의 총회 참여를 독려한 회사에 한하여 감사 선임 시 주주총회의 결의요건을 완화하고자 하는 취지이다. 즉, 주주의 주주총회 참석이 저조한 상황에서 '3% 의결권 제한'에 따른 발행주식총수 4분의 1 요건을 충족하는 것이 현실적으로 쉽지 않다는 점을 고려한 것이다.168)

나) 서면투표와 전자투표

서면투표와 전자투표는 병행하여 실시될 수 있다. 이는 주주의 의결권행사를 위한 방법의 차이일 뿐 양제도의 취지에 근본적인 차이가 없기 때문에 인정되는 것이다. 그런데 동일한 주주가 소유주식을 나누어 일부는 서면투표로 하고 나머지는 전자투표로 하는 경우에는 문제가 된다. 이 경우, 투표의 내용이 같다면 모두 유효한 투표로 볼 수 있고,169) 투표의 내용이 다르면 의결권불통일행사에 해당하게 될 것이다.

회사가 서면투표와 전자투표를 동시에 허용하는 경우, 동일한 주식에 관하여는 서면투표와 전자투표 중 하나의 방법을 선택하여야 한다(제368조의4 제4항). 만약 동일한 주식에 관하여 주주가 서면투표와 전자투표를 중복으로 한 경우 회사에 먼저 도착한 투표를 유효한 것으로 보아야 한다.170) 이 경우, 전자투표가 방식적인 특성상 서면투표보다 항상 먼저 회사에 도착할 것인데, 그 판단이 어렵다면 회사의 재량으로 이를 결정할 수 있을 것이다.171)

---

168) 예를 들어, 소액주주 비중이 높은 회사들은 의결정족수 부족에 따라 감사 또는 감사위원 선임 안건이 부결되어 발생하여 결원이 발생하거나 기존 감사 또는 감사위원이 그 지위를 유지하게 되는 상황이 발생하기도 한다.

169) 이에 관하여는 명문으로 금지하는 규정이 없으므로 유효로 보아도 무방할 것이다.

170) 임재연, 전게서, 99면; 정준우, 전게논문, 37면. 그러나 도달의 선후관계에 따라 최종적인 의사표시를 결정하는 것은 입증이 곤란할 뿐만 아니라 주주의 진의를 파악하기 어렵다는 문제가 있다. 이러한 문제를 근본적으로 제거하기 위한 입법이 필요하다고 본다(허항진, 전게논문, 320면).

171) 일본 회사법은 1인의 주주가 동일한 안건에 대해 서면투표와 전자투표에 의해 중복적으로 의결권을 행사한 경우, 그 행사내용이 다른 경우의 처리에 관하여 주주총회 소집결정을 할 때 미리 정하도록 하고 있다(일본회사법 시행규칙 제63조 제4호).

다) 의안의 수정동의

전자투표제도를 채택한 회사의 주주총회에서 의안의 수정안이 제출되어 표결된 경우 전자투표에 의한 의결권행사를 어떻게 취급할 것인가가 문제이다. 이에 관하여는 전술한 서면투표에서의 해석론이 그대로 적용될 것이다.

전자투표의 경우에도 서면투표와 같이 의안과 큰 상관이 없는 의사진행 등에 관한 동의에 대하여는 주주총회에 직접 출석한 주주만이 의결권을 행사해야 한다고 본다.[172]

라) 집중투표의 문제

2인 이상의 이사 선임을 목적으로 하는 주주총회의 소집이 있는 때에는 의결권 없는 주식을 제외한 발행주식총수의 100분의 3 이상에 해당하는 주식을 가진 주주는 정관에서 달리 정하는 경우를 제외하고는 회사에 대하여 집중투표의 방법으로 이사를 선임할 것을 청구할 수 있는데(제382조의2 제1항), 이러한 청구는 주주총회일의 7일 전까지 서면 또는 전자문서로 하여야 한다(제382조의2 제2항). 따라서 전자투표제도를 채택한 회사의 경우, 주주총회 소집통지 및 공고 시점부터 집중투표 청구가 있기 전까지의 기간 중 전자투표를 한 경우 집중투표 방식에 의하지 아니한 전자투표의 처리가 문제된다.

이와 같은 집중투표의 문제를 사전에 예방하기 위한 방법으로는 ① 전자투표의 개시일을 상법상 집중투표 청구권 행사기간 마감일의 익일로 정하는 방법, ② 전자투표의 개시일을 주주총회 소집통지 및 공고일로 하되, 집중투표 청구가 있는 때에는 재투표를 실시하고 재투표에 참여하지 아니하는 경우 기존 표결은 기권 처리됨을 사전 고지하는 방법, ③ 단순투표를 하는 동시에 예비적으로 집중투표 방식에 따라 투표를 하는 방법 등이 제시된다.[173] 이 방법들 중 회사가 적절한 방법을 택하여 운용하여야 할 것이다.

마) 전자투표시스템상의 이행불능

전자투표를 실시하는 도중 전자투표시스템상의 문제, 예컨대 일시적인 접속 폭주, 컴퓨터 바이러스 감염, 해킹으로 인한 인터넷 서버다운 등에 의해 전자투표가 원활하게 진행되지 못하는 경우, 해당 전자투표의 효력이 문제가 된다.

---

172) 허항진, 전게논문, 317면.
173) 임재연, 전게서, 100면.

회사나 전자투표관리기관이 시스템 관리를 해태한 과실로 인하여 이러한 투표불능이 발생한 경우 전자투표결과가 결의에 미치는 영향과는 상관없이 주주총회결의의 하자로 볼 수 있을 것이다.[174] 그러나 회사나 전자투표관리기관이 과실 없이 적절한 시스템을 구축하고 있음에도 불구하고 통신수단의 장애로 인해 투표불능이 발생하였다면, 전자투표결과가 결의에 영향을 미치는 경우에만 주주총회 결의의 하자로 결의취소의 원인이 될 것이다.[175]

만약 회사 측의 과실도 없고 투표불능된 의결권수가 주주총회의 결의에 영향을 미치지 않는다면 주주총회결의의 하자가 없는 것으로 판단해야 한다고 본다. 다만 통신장애가 주주 측의 관리영역 내에서 발생하고 그 원인에 대하여 주주의 귀책사유가 있는 경우에는 주주총회 결의의 하자를 인정할 수 없을 것이다.[176]

4. 전자주주총회 金 炳 泰*

가. 서 설

1) 회사법의 전자화 수용

인터넷 등을 통한 정보기술(IT)의 발달과 병행하여 이를 소화하는 상법의 전자화 수용도 빠르게 진행되고 있다. 특히 회사법 분야에서는 최근까지 상법의 개정을 통하여 전자화와 관련된 중요한 법률적 장치들이 많이 도입되었다. 2009년 1월 및 5월 상법개정에 의하여 '전자적 방법에 의한 회사의 공고,' '전자주주명부의 작성,' '전자문서에 의한 주주총회 소집청구,' '주주총회에서의 전자투표제도' 등이 새로이 도입되었거나 그 내용이 변경되었고, 지난 2011년 4월 상법개정(2012. 4. 15. 시행)에 의하여 '전자주식제도'와 '전자사채제도' 등이 새롭게 허용되있다.[1]

---

174) 정경영, 전게논문, 159면.
175) 임재연, 전게서, 100면.
176) 허항진, 전게논문, 318면.

 * 영산대학교 법학과 교수, 미국(뉴욕주) 변호사
 1) 회사법 이외에도 상법의 전자화 규정은 다수가 있다. 예컨대, 전자선하증권(제862조), 전자해상화물운송장의 발행(제863조), 전자문서에 의한 위탁수하물의 일부 멸실·훼손 등에 관한 통지(제911조), 전자여객공권(제921조), 전자항공화물운송장(제924조), 전자신청에 의한 상업등기 및 전자열람제도(상업등기법 제18조 제2항 및 제10조) 등이 이미 허용되고 있다.

이 가운데 주주총회를 중심으로 전자화에 기초한 여러 가지 법률행위들에 대한 새로운 법률적 이슈들도 많이 등장하였다. 반면에 회사법은 아직 전자화의 도입 초기단계이기 때문에 전자화에 따른 여러 문제들에 관한 판례나 이론 등이 충분히 축적되지 않은 상황이다. 이에 불구하고 실무적으로 현재 활용되고 있는 전자주주총회와 같은 상법상의 전자화에 대해서는 현재의 법규정들을 중심으로 이해할 필요가 있고, 여기에서 파생되는 문제에 대해서는 관련된 법해석을 통한 문제해결의 노력이 필요하다.

한편 이와 같이 회사법에서 전자화를 수용함으로써 회사는 경비와 시간의 절감, 회사업무 절차의 신속한 처리 및 전자문서화에 따른 회사업무의 효율성 증진 등을 기대할 수 있게 되었다. 또한 주주의 입장에서도 회사로부터의 통지를 확실히 수령할 수 있고 의결권행사가 용이해질 수 있는 등 보다 편리하고 유용한 권리행사가 가능해졌다.

2) 회사법의 전자화 내용

상법상의 전자화 규정들은 주주총회의 전자화 또는 전자주주총회에만 국한된 것은 아니다. 따라서 상법의 회사편이 수용하고 있는 대표적인 전자화의 규정과 내용들을 전체적으로 살펴보면 다음과 같다.

(1) '전자적 방법'에 의한 회사의 공고(제289조 제3항) 및 '전자문서'에 의한 주주명부의 작성(제352조의2)이 허용되었다. 따라서 2009년 5월 상법개정 전에는 회사의 공고방법이 관보나 일간신문에 국한되었으나 이제는 정관이 정하는 전자적인 방법으로도 가능하게 되었고, 서면 이외의 전자문서에 의한 이른바 전자주주명부의 작성도 가능하게 되었다.

(2) '전자문서'에 의한 주주총회 소집청구권 행사가 가능하여(제366조) 과거 서면으로만 가능하였던 주주총회 소집청구권 행사가 '전자문서'로도 가능하게 되었다. 따라서 100분의 3이상에 해당하는 소수주주는 회의의 목적사항과 소집이유를 기재한 '서면 또는 전자문서'를 이사회에 제출하여 임시총회의 소집을 청구(제366조 제1항)할 수 있고 만약 이사회가 지체 없이 소집절차를 밟지 않은 때에는 법원의 허가를 얻어 직접 소집(제366조 제2항)할 수 있다.

(3) '전자문서 또는 전자적 방법'에 의한 주주총회 소집 통지와 공고가 허용(제363조 제1항 및 제3항)되어 주주총회를 소집할 때에는 주주총회일의 2주 전에

각 주주에게 서면으로 통지를 발송하거나 각 주주의 동의를 받아 전자문서로 통지를 발송하여야 한다. 상장회사에 대해서는 주주총회 소집 공고에 대한 특례조항(제542조의4)을 두어 주주총회를 소집하는 경우 대통령령으로 정하는 일정 수 이하의 주식을 소유하고 있는 소수주주에게는 일간신문의 공고 혹은 전자적 방법에 의한 공고로 주주총회 소집통지를 갈음할 수 있도록 하였다.[2]

(4) 주주총회의 전자투표제도를 도입(제368조의4)하여 주주총회에 출석하지 않고도 '전자적 방법'에 의한 주주의 의결권 행사가 가능하도록 전자투표를 허용하고 있다.

(5) 이외에도 또한 '전자문서'에 의한 주주제안권(제363조의2), '전자문서'에 의한 의결권 불통일행사의 통지(제368조의2) 및 '전자문서'에 의한 집중투표제의 청구(제382조의2 제2항)[3] 등이 가능하게 되어 전자적 방식의 회사운영이 가능해졌다.

(6) 또한 지난 2011년 4월 상법개정에 따라 '주식 및 사채의 전자적 방법에 의한 등록제도'가 허용되어 전자주식 및 전자사채와 같은 보다 더 확장된 전자적 방식이 상법상 구현되고 있다. 제356조의2에서는 주식의 전자등록을 규정하고 있고, 제478조 제3항에서는 사채의 전자등록에 대하여 규정하고 있다.

(7) 회사는 신주인수권증서를 발행하는 대신 정관으로 정하는 바에 따라 전자등록기관의 전자등록부에 신주인수권을 등록할 수 있도록 하여(제420조의4) 신주인수권의 전자등록도 가능해졌다.

(8) 사채권자집회는 사채를 발행한 회사 또는 사채관리회사가 소집하는데, 이때 사채권자는 전자문서에 의한 사채권자집회의 소집을 청구할 수 있다. 사채의 종류별로 해당 종류의 사채 총액(상환 받은 액은 제외)의 10분의 1 이상에 해당하는 사채를 가진 사채권자는 회의 목적 사항과 소집 이유를 적은 '서면 또는

---

2) 상장회사는 회사의 편의를 위하여 의결권 있는 발행주식총수 1% 이하의 주식(상법 시행령 제31조)을 가진 주주에 대하여는 정관이 정하는 바에 따라 그 2주 전에 총회를 소집하는 뜻과 회의 목적사항을 둘 이상의 일간신문에 각각 2회 이상 공고하거나 금융감독원의 전자공시시스템(DART: Data Analysis, Retrieval and Transfer System: http://dart.fss.or.kr)에 게재함으로써 소집 통지에 갈음할 수 있다.

3) 상장회사의 경우에는 상장법인 특례규정인 제542조의7 제1항(집중투표에 관한 특례)에 따라서 상장회사에 대하여 집중투표의 방법으로 이사를 선임할 것을 청구하는 경우 주주총회일(정기주주총회의 경우에는 직전 연도의 정기주주총회일에 해당하는 그 해의 해당일)의 6주 전까지 서면 또는 전자문서로 회사에 청구하여야 한다.

전자문서'를 사채를 발행한 회사 또는 사채관리회사에 제출하여 사채권자집회의 소집을 청구할 수 있다(제491조 제2항).

(9) 신주인수권부사채의 경우 신주인수권의 전자등록도 역시 가능해졌다. 회사는 신주인수권증권을 발행하는 대신 정관으로 정하는 바에 따라 전자등록기관의 전자등록부에 신주인수권을 등록할 수 있다(제516조의7).

(10) 유한회사의 경우 사원총회는 원칙적으로 이사가 소집하며 임시총회는 감사도 소집할 수 있는데 전자문서에 의한 사원총회 소집통지가 가능해졌다. 사원총회를 소집할 때에는 사원총회일의 1주일 전에 각 사원에게 서면으로 통지서를 발송하거나 각 사원의 동의를 받아 '전자문서'로 통지서를 발송하여야 한다(제571조 제2항).

〈최근 회사법상 전자화 관련 규정의 신설 및 개정 내용〉

2009. 1. 30. 상법개정 (2009. 2. 4. 시행)	2009. 5. 28. 상법개정 (2010. 5. 29. 시행)	2011. 4. 14. 상법개정 (2012. 4. 15. 시행)
제363조의2 (전자문서에 의한 주주제안권)	제289조 제3항 내지 제6항 (회사의 전자공고)	제356조의2 (주식의 전자등록)
제542조의4 제1항 (상장회사의 전자문서에 의한 주주총회 소집 특례)	제352조의2 (전자주주명부)	제420조의4 (신주인수권의 전자등록)
제542조의6 제1항 (상장회사의 소수주주에 의한 주총 소집 청구)	제363조 제1항 및 제3항 (전자문서에 의한 주총소집 통지 및 공고)	제478조 제3항 (사채의 전자등록)
제542조의7 제1항 (상장회사의 전자문서에 의한 집중투표 특례)	제366조 제1항 (소수주주의 전자문서에 의한 주총소집 청구)	제491조 제2항 (전자문서에 의한 사채권자집회의 소집)
	제368조의2 제1항 (전자문서에 의한 의결권의 불통일 행사)	제516조의7 (신주인수권부사채의 신주인수권 전자등록)
	제368조의4 (전자적 방법에 의한 의결권의 행사)	제571조 제1항 (유한회사의 전자문서에 의한 사원총회의 소집)
	제382조의2 (전자문서에 의한 집중투표)	

나. 주주총회의 전자화의 의의

1) 주주총회의 전자화의 정의

일반적으로 '주주총회의 전자화'란 상법에 따라 전통적으로 현장에서 이루어지는 주주총회 방식의 전부 또는 일부가 전자적 방식으로 이루어지는 경우를 말한다.[4] 따라서 전자주주총회라는 의미를 넓게 이해한다면 전반적으로 주주총회의 소집통지 및 공고, 주주의 의결권행사, 의사의 운영과 참여, 기타 관련된 주주총회 절차와 효과 등이 전자적으로 이루어지고 또한 법률상 그 효력이 인정되는 경우까지 포함한다고 말할 수 있다.

주주총회의 전자화가 이루어지는 과정을 외국의 입법례와 주주총회의 진행절차에 따라 세분하여 살펴보면, (1) 소집절차의 전자화 단계, (2) 의결권행사의 전자화 단계, (3) 주주총회의 전자적 참여 허용 단계, (4) 완전한 전자주주총회 단계 등 4가지의 단계로 구별하여 볼 수 있다.[5] 우리나라를 비롯한 많은 국가들은 두 번째 단계까지 입법적으로 해결하고 있으며 예외적으로 미국의 경우에는 4단계까지 허용하여 완전한 전자주주총회의 제도를 두고 있다.[6]

현재 우리 상법상 허용되고 있는 제도들을 살펴보면 전자적 방식의 주주총회 소집절차가 허용되고 전자투표와 같은 전자적 방식의 의결권행사까지만 허용되고 있다. 반면에, 아직 주주총회에서 전자적 방법으로 질문과 토론 등의 참여가 허용되지 않으며 현실적인 공간이 아닌 가상의 공간에서만 이루어지는 주주총회도 허용되지 않는다. 또한 현장의 주주총회를 전제로 한 전자투표제도를 인정하고 있기 때문에 우리나라는 엄밀히 말해서 완전한 전자주주총회(위 4단계에 해당: 좁은 의미의 '전자주주총회')와 비교하여 '제한적 범위 내에서 주주총회의 전자화를 구현하고 있다.[7] 비록 현재 상법상 법 제도적으로는 아직 완전한 전자주주총

---

4) 실무에서는 '전자주주총회'라는 용어 이외에도 '주주총회의 전자화', '온라인주주총회', '인터넷주주총회,' '가상의 주주총회,' '사이버주주총회,' '버츄얼주주총회' 등의 용어가 서로 구별 없이 혼용되고 있다. 그러나 모두 현실의 공간에서 현장에서 이루어지는 주주총회에 대응하는 개념이므로 여기서는 통칭하여 '전자주주총회'라는 용어로 통일하여 사용한다.

5) 정경영, "전자투표제도 도입을 위한 법적 정비 방안에 관한 연구," 「상사법연구」 제23권 제3호(한국상사법학회, 2004), 103면 이하.

6) 이세영, "주주총회의 전자화에 관한 법적 연구," 박사학위논문(성균관대학교, 2011), 8면. 기타 전자주주총회에 관한 외국 입법의 비교법적 고찰에 관한 상세는 이세영, 전게논문, 42면 이하 참조.

7) 주주총회의 소집지에 관한 상법 제364조는 정관에 다른 정함이 없으면 본점소재지 또는 이

회의 단계에 이르지는 못하였지만 2020년~2021년에 실시된 주주총회의 경우 전세계적으로 확산된 코로나19 사태로 인하여 전자투표 등 전자적 방식을 가미하거나 온라인 중계를 병행하는 등의 방식으로 반면에 실무적으로는 완전한 전자주주총회의 방향으로 주주총회가 진행된 바 있다.전개되고 있다. 예컨대, 2021년 3월 정기주주총회의 경우[8] 주주총회의 전자화를 통하여 주주의 참여를 확대시키면서 주주총회를 활성화 시킬 수 있고 비용 절감과 효율적인 주주총회 업무가 가능하다는 긍정적인 측면이 있다. 반면에, 완전한 전자주주총회의 경우 해킹 등의 위협과 안정적인 시스템을 위한 기술적 한계가 여전히 존재하고 있고 또한 전자화 제도를 잘못 운영하면 자칫 주주총회 안건의 충분한 토론과 협의 없이 획일화된 의사결정을 위한 전략적인 방식으로 (악용?)전락될 수 있는 등 우려가 제기되고 있다.

2) 현행법상 주주총회 전자화의 단계별 구조

상법상 주주총회의 전자화라고 하여도 기존의 전통적인 방식의 주주총회와는 별개로 존재하는 독립된 제도로 인정되는 것이 아니기 때문에 전통적 방식의 주주총회의 절차 및 방식과 병행하여 전자화 규정의 효력을 추가적으로 인정하고 있는 것으로 해석하여야 한다.

따라서 현재의 일반적인 주주총회의 절차와 운영을 토대로 현행법상 허용되는 전자적 주주총회의 관련 제도들을 이해할 필요가 있으며 이를 간략히 도식화하여 보면 위의 도표와 같다. 아직 전자화 관련 규정이 없는 주주총회의 절차와 운영 방법들은 기존의 주주총회 관련 규정들이 그대로 유효하다.

이상의 주주총회 관련 전자화 규정들 가운데 전자적 방식의 주주총회의 핵심요소이면서 현행법상 전자화가 허용되고 있는 '주주총회 소집청구,' '주주총회 소

에 인접한 지에 주주총회가 소집되어야 한다고 규정하고 있으므로 정관에 주주총회의 소집지로서 '가상공간'이라는 규정을 두어 전자주주총회의 인정근거로 삼을 수 있다는 주장도 가능하겠지만, 이는 허용되지 않는다고 보는 것이 통설의 입장이다[임재연, 「회사법 Ⅱ」 (박영사, 2012), 86면].

8) 2021년 정기주주총회의 경우를 구체적으로 살펴보면, 기업집단 소속 회사 중에서는 삼성그룹 6개 사, 셀트리온그룹 3개 사 등 15개 사, 비기업집단 회사 중에서는 유가증권 시장 5개 사와 코스닥 시장 3개 사 등이 주주총회 소집공고에 전자적인 방법으로 주주총회 또는 온라인중계에 관한 내용을 공시하였으며, 이 외에도 금호석유화학의 경우에는 주주총회 당일 유튜브를 통해 현장주주총회를 생중계하였다[이승희, "2021 정기주주총회 전자투표·온라인주주총회 도입 현황," 「이슈&분석」 제2021-02호(경제개혁연구소, 2021. 4. 15.), 6면].

집의 통지 및 공고,' '주주명부,' '주주의 의결권행사'에 대해서는 특히 아래에서 각각의 전자화에 초점을 맞추어 구체적으로 살펴본다.

〈주주총회의 절차와 주주총회의 전자화 규정 적용〉

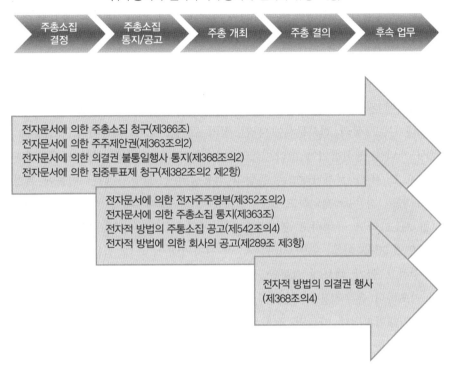

3) 전자화의 수단 − '전자문서' 또는 '전자적 방법'

상법에서 정하고 있는 전자주주총회의 관련 규정들은 그 전자화의 내용에 '전자문서'와 '전자적 방법'이라는 두 가지 방법으로 구별하여 전자화를 구현하고 있다.

상법의 입장은 전자문서 또는 전자적 방법에 대하여 기존의 서면 또는 대면 방식의 대체적 효력을 인정하고 있기 때문에 아직 전면적이고 획일적인 전자적 방식의 도입은 허용되지 않는다. 예컨대, 회사는 전자적 방식의 선택이 임의사항이므로 주주의 동의를 전제로 정관으로 전자문서에 의한 주주총회 소집통지를 선택할 수 있지만, 전부 전자문서로만 소집통지 하도록 정하는 것은 주주의 동의를 강제하는 것으로서 주주의 권리를 침해하게 되어 허용될 수 없다.

가) '전자문서'에 의한 전자화

예컨대, 전자문서에 의한 전자주주명부(제352조의2), 전자문서에 의한 주주총회 소집통지(제363조 제1항), 전자문서에 의한 주주제안권(제363조의2), 전자문서에 의한 주주총회 소집청구권(제366조), 전자문서에 의한 의결권 불통일행사의 통지(제368조의2 제1항), 전자문서에 의한 집중투표제의 청구(제382조의2 제2항) 등은 '전자문서'에 의하여 이루어지는 주주총회 관련 전자화 규정이다.

여기서 말하는 전자문서가 무엇인가에 대하여 논란이 있지만, 상법상 전자문서의 정의에 관한 특별한 규정이 없으므로 '전자문서 및 전자거래 기본법'(이하 '전자거래기본법')상의 전자문서에 관한 정의 규정을 유추 적용하여 상법상의 전자문서 개념을 해석하여야 한다.9) 2012년 6월 전자거래법의 일부가 개정되면서 (2012. 9. 2. 시행) 전자거래법은 동법의 적용범위에 대하여 "다른 법률에 특별한 규정이 있는 경우를 제외하고 모든 전자문서 및 전자거래에 적용한다"(전자거래기본법 제3조)라고 규정하고 있다. 따라서 이전에 '모든 전자거래'에만 국한하여 적용하였던 것을 이제 '모든 전자문서 및 전자거래'에 확대 적용하도록 명시적으로 규정하고 있기 때문에 그동안 상법상 전자문서의 정의를 전자거래법상의 정의에 기초하여 유추적용 하는데 따르는 논란을 해결할 수 있게 되었다.

전자거래기본법에 따르면 '전자문서'란 정보처리시스템에 의하여 전자적 형태로 작성·변환되거나 송신·수신 또는 저장된 정보를 말한다(동법 제2조 제1호). 또한 '정보처리시스템'이란 전자문서의 작성·변환, 송신·수신 또는 저장을 위하여 이용되는 정보처리능력을 가진 전자적 장치 또는 체계를 말한다(동법 제2조 제2호).

이와 같은 정의에 따라 전화, 전신, 텔렉스 등은 일반적으로 전자문서의 정의에 포함되지 않는다고 본다.10) 또한 USB 메모리, CD-ROM과 같은 이동매체를 통하여 정보를 우편 등의 방법으로 전달하는 경우에 전자문서에 의한 행위로 볼 수 있을지에 대해서는 이를 부정하는 견해11)와 긍정하는 견해12)가 있다. 비

---

9) 박상근, "인터넷시대의 회사법을 위한 일시론," 「법학」 제43권 제1호(서울대학교, 2002), 275~ 278면; 권기범, 「현대회사법론」 제4판(삼영사, 2012), 587면.

10) 일부 학자는 정보출력 기능이 없는 전화는 제외하더라도 팩스와 텔렉스는 적법한 것으로 보는 견해도 있다(정경영, "IT와 관련 회사법 개정의견," 「상사법연구」 제24권 제2호(한국상사법학회, 2005), 233면).

11) 정대익, "전자공시제도에 대한 법적고찰," 「상사법연구」 제22권 제3호(한국상사법학회,

록 전자거래기본법상의 전자문서는 정보통신망과 같은 네트워크를 전제로 하고 있지는 않지만 이동매체에 저장된 정보의 전달은 전자적 방식의 송수신이라고 볼 수 없으므로 전자문서에 의한 통지로 보기는 어렵다고 본다.

나) '전자적 방법'에 의한 전자화

반면에 상법은 전자적 방법에 의한 회사의 공고(제289조 제3항), 전자적 방법의 주주총회 소집 공고(제542조의4), 전자적 방법의 의결권 행사(제368조의4) 등에서는 '전자적 방법'에 의하여 주주총회의 전자화가 구현되도록 하고 있다.

'전자적 방법'이란 서면의 기능을 대체하는 전자문서의 개념보다 광의의 의미로서 전자정보의 전달수단을 전자적 방식으로 한다는 방법에 더 큰 의미를 부여한 개념으로 볼 수 있다. 다만, 이에 대해서는 혼란을 방지하기 위하여 상법상 개념정의를 통하여 전자문서를 전자적 방법으로 수정하고 이를 상법 시행령에서 전자적 방법의 개념, 종류 및 내용 등으로 세분화하여 규정하는 것이 바람직하다고 주장되고 있다.[13]

전자적 방법으로는 인터넷 홈페이지를 통한 방법이 가장 보편적으로 활용되고 있다. 이론적으로는 최근에 활용도가 커지고 있는 소셜네트워크 서비스인 예컨대, 카카오톡, 트위터, 페이스북 등을 이용한 방법도 전자적 방법으로 인정할 수 있는 여지가 있겠지만, 소셜네트워크 서비스는 별도의 회원 가입이 필요하고 서비스 이용자가 제한적이라는 문제와 그 성질상 제공될 수 있는 전자정보도 극히 제한적이라는 문제 때문에 아직 상법상의 전자적 방법으로 인정하기에는 어려움이 있다고 본다.

다. 주주총회 소집청구의 전자화

(1) 주주 총회의 소집은 원칙적으로 이사회가 결정하고(제362조) 예외적으로 소수주주(제366조 제2항, 제542조의6 제1항), 감사(제412조의3) 또는 감사위원회(제415조의2 제6항, 제412조의3), 법원의 명령(제467조 제3항)에 의하여 주주총회가

2003), 246면; 임재연, 전게서, 25면.
12) 권재열, "주주총회의 전자화,"「비교사법」제10권 제2호(한국비교사법학회, 2003), 271면; 정경영, 전게논문, 233면; 김동근, "인터넷기술을 이용한 주주총회제도의 법적과제,"「기업법연구」제20권 제1호(한국기업법학회, 2005), 73면.
13) 정찬형, "주식회사법 개정제안,"「선진상사법률연구」제49호(법무부, 2010), 39면; 김순석, 「전자주주총회」(전남대학교 출판부, 2008), 22면 및 145면.

소집될 수 있다. 이 가운데 소수주주에 의하여 주주총회가 소집되는 경우에는 소집청구의 전자화가 허용된다.

(2) 소수주주에 의하여 주주총회가 소집되는 경우는 상장회사와 비상장회사의 경우 모두 서면 이외에도 전자문서에 의한 주주총회 소집청구가 가능하지만, 소수주주의 요건에 대해서는 양자 간 차이가 있다. 즉, '비상장회사'의 경우에는 발행주식총수의 100분의 3 이상에 해당하는 주식을 가진 주주는 회의의 목적사항과 소집의 이유를 적은 '서면 또는 전자문서'를 이사회에 제출하여 임시총회의 소집을 청구할 수 있다(제366조 제1항).

반면에, '상장회사'의 경우에는 6개월 전부터 계속하여 상장회사 발행주식총수의 1,000분의 15 이상에 해당하는 주식을 보유한 자가 회의의 목적사항과 소집의 이유를 적은 '서면 또는 전자문서'를 이사회에 제출하여 주주총회의 소집을 청구할 수 있다(제542조의6 제1항). 관련해서 상장회사의 주주가 상법 제542조의6 제1항이 정하는 6개월의 보유기간 요건을 갖추지 못한 경우에도 제366조에 따른 주주총회 소집청구권을 행사할 수 있을지가 문제되었다. 상장회사의 주주는 상법 제542조의6 제1항이 정하는 6개월의 보유기간 요건을 갖추지 못한 경우라 할지라도 제366조의 요건을 갖추고 있다면 그에 기하여 주주총회 소집청구권을 행사할 수 있다는 하급심 판결[14]도 있었으나 여전히 견해가 나뉘어 있었다. 그리하여 2020년 12월 29일 상법개정을 통해 일반규정(제363조의2 제1항)과 상장회사 특례규정(제542조의6 제2항)을 선택적(중첩적)으로 적용할 수 있음을 명시한 규정을 신설하게 되었다(제542조의6 제10항). 이로써 상장회사 특례상 지분 및 기간요건 외에 일반규정상의 지분요건만을 충족하더라도 주주총회소집청구권을 행사할 수 있다는 것이 명확해졌다.

(3) 여기서 말하는 '전자문서'는 상법의 전자화에 관한 일반적인 규정의 해석과 동일하게 해석한다. 따라서 전자문서란 앞에서 살펴본 바와 같이 전자거래법상의 전자문서 규정을 유추 적용하여 정보처리시스템에 의하여 전자적 형태로 작성되어 저장되고 전자적 형태로 송수신되며 문서로 출력이 가능한 정보를 의미한다.

---

14) 서울고등법원 2011.4.1. 자 2011라123.

라. 주주총회 소집 통지 및 공고의 전자화

1) '전자문서'에 의한 주주총회 소집 '통지'

주주총회의 소집절차 상 '기명주주'에게는 주주총회 소집 사항을 통지하여야 한다. 따라서 전자문서에 의한 주주총회의 소집 '통지' 역시 '기명주주'에 대한 주주총회의 소집절차를 의미한다.

(1) 주주총회를 소집할 때에는 주주총회일의 2주 전에 각 주주에게 서면으로 통지를 발송하거나 각 '주주의 동의'를 받아 '전자문서'로 통지를 발송하여야 한다(제363조 제1항). 다만, 그 통지가 주주명부상 주주의 주소에 계속 3년간 도달하지 않으면 회사는 해당 주주에게 총회의 소집을 통지하지 아니할 수 있다. 자본금 총액이 10억원 미만인 소규모회사가 주주총회를 소집하는 경우에는 기간을 단축하여 주주총회일의 10일 전에 각 주주에게 서면으로 통지를 발송하거나 각 주주의 동의를 받아 전자문서로 통지를 발송할 수 있다(제363조 제4항 전단). 이와 같은 주주총회의 소집통지에 관한 규정은 주주총회 소집통지서에 적은 회의의 목적사항에 제360조의5, 제360조의22, 제374조의2, 제522조의3 또는 제530조의11에 따라 반대주주의 주식매수청구권이 인정되는 사항이 포함된 경우를 제외하고는 의결권 없는 주주에게는 적용되지 않는다(제363조 제7항).

연혁적으로 보면, 2001년 7월 상법개정에 의하여 '기명주주'에 대한 주주총회의 소집통지 방법은 서면 이외에도 전자문서에 의한 통지가 처음으로 가능해졌다.[15] 이후 2009년 5월 상법개정(2010. 5. 29. 시행)에 의하여 전자문서에 의한 주주총회 소집통지에는 '주주의 동의'를 전제로 하는 내용을 명시적으로 포함시켰다.

상법 제363조 제1항의 법문상 주주의 선택에 따라 동의를 전제로 전자문서에 의한 주주총회 소집통지가 이루어질 수 있으며 일반적으로는 이메일에 의한 전자문서의 전달 형태가 보편적으로 사용될 수 있다. 물론 인터넷 사용이 어려운 주주나 전자문서 방식에 동의하지 않은 주주들은 기존의 서면에 의한 주주총회 소집통지가 이루어지므로 전자문서에 의한 주주총회 소집통지가 주주의 권리를 침해하는 경우는 없다.

---

15) 2001년 7월의 상법개정에 따라 주주총회의 소집통지 방법에 관한 제363조 제1항 중 "서면으로"가 "서면 또는 전자문서로" 문구로 변경되었다.

(2) 여기서 말하는 '전자문서'는 앞에서 살펴본 바와 같이 전자거래법상의 전자문서 규정을 유추 적용하여 상법상의 전자문서 개념으로 정의할 수밖에 없다. 따라서 주주총회 소집통지에서 전자문서란 정보처리시스템에 의하여 전자적 형태로 작성되어 저장되고 전자적 형태로 송수신되는, 문서로 출력이 가능한 정보를 말한다.[16] 따라서 제363조 제1항의 전자문서에는 가장 보편적인 형태인 전자우편(이메일)를 비롯하여 이동식 자기매체(플로피디스크, CD-ROM, USB 메모리, 이동식 하드디스크), 스마트폰 등이 전자적 방식의 작성, 출력가능성이 있으므로 포함되는 반면에 음성정보를 이용한 일반전화나 음성메일 등은 제외된다.

그러나 이러한 전자문서의 형태라 할지라도 전자적 방식에 의하여 전달되지 않고 주주 개인에게 직접적으로 전달하는 것은 제363조에서 정하는 주주총회 소집의 통지로 보기 힘들다. 또한 외국의 입법례와 같이 주주총회 소집통지의 내용을 웹사이트에 게시하는 방법은 주주총회 소집통지를 위하여 우리 상법이 정하고 있는 전자문서의 방법이 아니고 전자적 방법에 해당하므로 현재로서는 불가능한 방법이다.

(3) 전자문서에 의한 주주총회의 소집통지는 총회일 2주 전에 통지를 발송하여 완료되는 발신주의를 취하고 있기 때문에 구체적으로 발신시기가 언제인가는 주주총회 소집절차의 확정에 있어서 중요한 문제이다. 이에 대하여 상법의 규정이 없으므로 전자거래기본법 제6조 제1항에 따르면, 전자문서는 수신자 또는 그 대리인이 해당 전자문서를 수신할 수 있는 정보처리시스템에 입력된 때에 송신한 것으로 보게 된다. 따라서 발신자가 전자문서의 송신명령을 입력한 것만으로는 아직 부족하고 발송된 전자문서가 수신자의 정보처리시스템에 입력된 시점이 발송시점이 된다. 이러한 발신주의로 인하여 비록 전자문서의 발신과 도달이 순간적으로 발생하지만 발신인의 메일서버에서 수신자의 메일서버로 전달되어 가는 과정과 그 이전의 과정에서 발생되는 사고로 인하여 전자문서가 전달되지 않은 경우에는 적법한 주주총회 소집통지가 이루어졌다고 볼 수 없다.

또한 전자문서의 발송은 횟수에 대한 제한이 없으므로 서면에 의한 통지와 같이 1회로 충분하다. 만일 수신메일서버 용량초과 등과 같은 수신자의 사정으로 전자문서가 반송되는 경우에도 도달이 의제되어 주주총회 소집통지의 발송이 이

---

16) 박상근, 전게논문, 278면.

루어진 것으로 볼 수 있기 때문에[17] 전자문서의 재발송을 필요로 하지 않는다.

(4) 주주총회의 소집통지 시 서면 또는 전자문서에 의한 '통지서'에는 회의의 목적사항을 기재하여야 한다(제363조 제2항). 만일 회사가 전자적 방식에 의한 의결권행사인 전자투표를 채택하기로 결정한 경우에는 주주총회 소집의 '통지서'에 (i) 주주가 전자투표의 방법으로 의결권을 행사할 수 있다는 뜻, (ii) 전자투표관리시스템의 인터넷 홈페이지 주소, (iii) 전자투표 기간, (iv) 전자투표의 의결권 산입 등 주주총회에서의 선사투표 처리방법, (v) 그 밖에 주주의 전자투표에 필요한 기술적인 사항 등을 기재하여야 한다(전자투표관리업무규정 제10조 제2항).

(5) 2009년 1월 상법개정에 의하여 '상장회사의 기명주주'에 대하여 주주총회 소집을 통지하는 경우에는 특별한 예외 규정이 있다. 즉, 상장회사의 주주총회 소집통지의 경우에는 기명주주에 대하여도 '전자적 소집공고'로 갈음할 수 있는 특칙이 예외적으로 인정된다. 따라서 상장회사의 경우 기명의 소수주주에 대한 소집통지는 신문 공고의 방법 이외에 전자적 방법으로 공고할 수 있다. 즉, 상장회사가 주주총회를 소집하는 경우 의결권 있는 발행주식총수의 100분의 1 이하의 주식을 소유하는 주주에게는 정관으로 정하는 바에 따라 주주총회일의 2주 전에 주주총회를 소집하는 뜻과 회의의 목적사항을 둘 이상의 일간신문에 각각 2회 이상 공고하거나 '전자적 방법'으로 공고함으로써 주주총회의 소집통지를 갈음할 수 있다(제542조의4 제1항 및 시행령 제31조 제1항). 상장회사는 또한 금융위원회의 설치 등에 관한 법률 제24조에 따라 설립된 '금융감독원' 또는 자본시장과 금융투자업에 관한 법률(이하 '자본시장법') 제373조에 따라 설립된 '한국거래소'가 운용하는 '전자공시시스템(DART)'을 통하여 전자공고를 할 수 있다(시행령 제31조 제2항).

만일 상장회사의 정관에 '회사가 공고를 하는 방법'으로 전자적 방법에 의한 공고를 규정하고 있지 않은 경우에도 주주총회 소집통지에 갈음하여 상법 제542조의4 제1항에서 정한 전자적 방법에 의한 주주총회의 소집공고를 할 수 있을지가 문제된다. 주주총회 소집통지를 하는 방법을 서면에 의한 통지, 전자문서에 의한 통지, 전자적 방법에 의한 공고 중 어느 것으로 할 것인지는 회사가 자율적으로 정하여 정관에 규정할 수 있고 '회사가 공고하는 방법'은 정관의 절대

---

17) 정대익, 전게논문, 250면.

적 기재사항이다. 회사는 공고를 할 때 서면이나 전자적 방법을 이용할 수 있지만(제289조 제3항 단서), 법률에서 정관에 기재되지 않은 절대적 기재사항에 해당하는 공고방법을 허용하고 있다고 하더라도 정관에 이에 대한 규정이 마련되지 않은 경우에까지 회사가 법률에 규정된 방법으로 공고하는 것을 허용한다면 주주의 의사에 반할 뿐만 아니라 이해관계자에게 불측의 피해를 줄 수가 있다. 상법 제542조의4 제1항의 전자공고제도는 상장회사의 업무 편의와 공지의 신속성을 보장하기 위하여 기존의 일간신문 이외에 전자공고를 추가하려는 의도에서 도입된 것이다. 따라서 상장회사를 위한 전자공고제도는 회사 정관의 정비를 통하여 새로운 제도가 도입되는 것을 전제로 하고 있고 자치법규인 정관에서 이미 정하여 둔 공고방법을 배제하려는 의도에서 도입된 것이 아니기 때문에 정관변경을 통하여 이에 대한 규정이 신설된 경우에만 전자적 방법에 의한 주주총회 소집공고가 적법하게 되는 것이고 이때 주주총회 소집 통지에 갈음할 수 있게 된다.[18]

2) '전자적 방법'의 주주총회 소집 '공고'

2014년 5월 상법의 개정 전에는 회사가 '무기명식' 주권을 발행한 경우 주주총회일의 3주 전에 총회를 소집하는 뜻과 회의의 목적사항을 '공고'하여야 하였고(개정전 제363조 제3항)[19] 회사는 정관규정에 의하여 이러한 공고를 전자적 방법으로 할 수 있도록 하여 이른바 무기명 주주에 대한 주주총회 소집을 위한 '전자공고제도'가 허용되었다.[20] 그러나 2014년 5월 상법개정에 따라 더 이상 무기명주식의 발행이 허용되지 않게 되었으므로 무기명 주주에 대한 전자공고는 폐지되었고 다만 예외적인 상장회사의 주총소집의 경우와 기타 전자공고가 허용되는 경우에 한하여 전자공고제도는 의미를 갖게 된다.

(1) 상장회사의 경우에는 주주총회 소집통지에 갈음할 수 있는 소집공고에

---

18) 서울고등법원 2011.6.15. 2010나120489.

19) 2014년 상법개정 전에는 자본금 총액이 10억원 미만인 소규모회사가 주주총회를 소집하는 경우에는 무기명식의 주권을 발행한 경우 기간을 단축하여 주주총회일의 2주 전에 주주총회를 소집하는 뜻과 회의의 목적사항을 공고할 수 있었다(개정전 제363조 제4항 후단).

20) 물론 전자공고제도는 주주총회의 소집 공고(제363조 제3항)에만 적용되는 것은 아니다. 전자공고제도는 회사의 일반적인 공고방법으로 서면 이외에 추가로 인정된 방식이므로 기타 회사의 공고사항인 주주명부 폐쇄 및 기준일 공고(제354조), 주주총회결의에 관한 소제기의 공고(제376조, 제187조, 제380조), 재무제표 등의 공고(제449조) 등에서도 전자공고제도는 유효하다.

관한 특칙이 있다. 상장회사가 주주총회를 소집하는 경우 의결권 있는 발행주식 총수의 100분의 1 이하의 주식을 소유하는 주주에게는 정관으로 정하는 바에 따라 주주총회일의 2주 전에 주주총회를 소집하는 뜻과 회의의 목적사항을 둘 이상의 일간신문에 각각 2회 이상 공고하거나 '전자적 방법'으로 공고함으로써 주주총회 소집통지를 갈음할 수 있다(제542조의4 제1항 및 시행령 제31조 제1항). 상장회사는 또한 금융감독원 또는 한국거래소가 운용하는 전자공시시스템을 통하여 전자공고를 할 수 있나(시행령 제31조 제2항). 상장회사의 정관에 '회사가 공고를 하는 방법'으로 전자적 방법에 의한 공고를 규정하고 있지 않은 경우에는 상법 제542조의4 제1항에서 정한 전자적 방법에 의한 주주총회의 소집공고는 주주총회의 소집통지에 갈음할 수 없다.[21]

(2) 2009년 5월 상법개정에 의하여 회사의 공고는 기존의 관보 또는 시사에 관한 사항을 게재하는 일간신문에 하는 방법 이외에 그 공고를 정관으로 정하는 바에 따라 전자적 방법으로도 할 수 있다(제289조 제3항). 회사가 전자공고제도를 원시정관에서 채택하는 경우에는 정관 자체에 규정함으로써 유효하지만, 회사가 설립한 이후에 전자공고제도를 채택하기 위해서는 정관변경 절차인 주주총회의 특별결의에 의하여야 하기 때문에(제433조 제1항) 출석한 주주의 의결권의 3분의 2 이상의 수와 발행주식총수의 3분의 1 이상의 수로써 정관변경 절차를 준수하여야 한다(제434조).

(3) 회사가 정관에서 전자적 방법으로 공고할 것을 정한 경우에는 회사의 인터넷 홈페이지 주소를 등기하고 회사의 인터넷 홈페이지에 게재하는 방법으로 하여야 한다(시행령 제6조 제1항 및 제2항). 또한 회사가 전자적 방법으로 공고하려는 경우 그 정보를 회사의 인터넷 홈페이지 초기화면에서 쉽게 찾을 수 있도록 하는 등 이용자의 편의를 위한 조치를 하여야 하며 회사가 정관에서 전자적 방법으로 공고할 것을 정한 경우라도 전산장애 또는 그 밖의 부득이한 사유로 전자적 방법으로 공고할 수 없는 경우에는 상법 제289조 제3항 본문에 따라 미리 정관에서 정하여 둔 관보 또는 시사에 관한 사항을 게재하는 일간신문에 공고하여야 한다(시행령 제6조 제3항 및 제4항). 회사의 전자공고 방식인 전자적 방법에 대하여 상법은 회사의 인터넷 홈페이지에 게재하는 방법으로 하도록 하고

---

21) 서울고등법원 2011.6.15. 2010나120489.

있으므로(시행령 제6조 제1항) 회사의 전자일간신문이나 기타 전자관보와 같은 형식의 전자공고는 허용되지 않는다.

(4) 회사가 전자적 방법으로 공고하는 경우 일정한 기간까지 계속 공고하여야 한다. 이러한 전자공고 기간에 대해서는 (i) 법에서 특정한 날부터 일정한 기간 전에 공고하도록 한 경우에는 그 특정한 날까지, (ii) 법에서 공고에서 정하는 기간 내에 이의를 제출하거나 일정한 행위를 할 수 있도록 한 경우에는 그 기간이 지난날까지, (iii) 그 외의 경우에는 해당 공고를 한 날부터 3개월이 지난날까지 공고하여야 한다(제289조 제4항 및 시행령 제6조 제5항). 다만, 공고기간에 공고가 중단(불특정 다수가 공고된 정보를 제공받을 수 없게 되거나 그 공고된 정보가 변경 또는 훼손된 경우를 말한다)되더라도, 그 중단된 기간의 합계가 공고기간의 5분의 1을 초과하지 않으면 공고의 중단은 해당 공고의 효력에 영향을 미치지 않는다. 다만, 회사가 공고의 중단에 대하여 고의 또는 중대한 과실이 있는 경우에는 그러하지 아니하다(시행령 제6조 제6항). 한편, 재무제표를 전자적 방법으로 공고할 경우에는 제450조(이사, 감사의 책임해제)에서 정한 기간까지인 2년간 계속 공고하여야 한다(제289조 제4항).

(5) 회사가 전자적 방법으로 공고를 할 경우에는 게시 기간과 게시 내용에 대하여 증명하여야 한다(제289조 제5항). 그러나 입법적 미비로 아직 공고기간이나 공고내용 등의 증명방법에 대해서는 구체적인 법률규정이 없다. 다만, 법무부는 개정상법(법률 제9746호, 2010. 5. 29. 시행)에 따른 회사의 전자공고 시에 전자공고를 증명하는 방법(서면)으로 다음을 제출하도록 하는 의견을 제시하였다.[22] 즉, (i) 공고기간 중 시작일과 종료일의 해당 공고란이 나타나는 회사 홈페이지 초기화면(회사의 해당 공고를 쉽게 열람할 수 있도록 조치한 화면)을 출력한 서면, (ii) 공고기간 중 시작일과 종료일의 해당 공고내용을 출력한 서면, (iii) 대표이사가 위의 서면으로 증명한 공고 사실이 같은 내용으로 공고기간 동안 지속적으로 게시되었음을 확인하는 확인서(대표이사의 서명 포함)를 제출하도록 하여 전자공고의 기간과 내용의 증명에 갈음하고 있다. 그러나 이는 법률적 효력이 없는 가이드라인에 불과할 뿐이므로 보다 명확하고 증명력 있는 증명방법에

---

22) 대법원인터넷등기소, "상업등기 신청 시 전자공고의 증명방법 법무부 안내," (2010. 8. 23.)
⟨http://www.iros.go.kr/pos1/pfrontservlet?cmd=PBOAGetAllNoticeC&notice_seq=201008230001⟩

관한 입법이 조속히 마련되어야 한다.

(6) 기존의 공고방법인 신문 또는 관보의 공고와 전자공고의 두 가지 방법 중 회사는 선택적으로 택할 수는 있지만 두 가지 모두를 공고의 방법으로 정관에 규정하여 회사가 선택적으로 운영할 수 있을지는 의문이다.

첫째, 회사는 전자공고의 방법을 택하더라도 서면의 공고방법인 신문 또는 관보를 지정하는 규정을 정관에 반드시 두어야 한다.[23] 이는 만약 전자공고가 불가능한 경우 신문이나 관보에 공고히여야 하기 때문이다. 상법 시행령 제6조 제4항도 "회사가 정관에서 전자적 방법으로 공고할 것을 정한 경우라도 전산장애 또는 그 밖의 부득이한 사유로 전자적 방법으로 공고할 수 없는 경우에는 미리 정관에서 정하여 둔 관보 또는 시사에 관한 사항을 게재하는 일간신문에 공고하여야 한다"라고 규정하여 회사의 전자공고제도의 채택 시 서면공고와 전자공고의 방법이 정관에 함께 기재되는 것을 전제로 하고 있다. 따라서 회사가 전자공고제도를 채택하는 경우에는 정관에 공고의 방법으로 반드시 서면공고 방법과 전자공고 방법을 모두 규정하여 두어야 한다.

둘째, 서면공고와 전자공고의 규정을 모두 정관에 규정하더라도 회사가 임의적으로 선택하여 공고할 수 있도록 하는 선택공고의 방법은 허용되지 않는다.[24] 이는 비용과 업무부담의 이유로 특별히 두 가지의 공고방법을 다 선택해야 할 이유도 없고 신문 등의 공고와 전자공고를 회사의 임의에 따라 필요시 교체하는 것은 통일적인 공고의 관리와 운영에도 저해할 뿐만 아니라 주주와 제3자의 이익에도 반하기 때문이다. 따라서 회사가 전자공고제도를 채택하였다면 두 가지 방법 중 전자공고를 회사의 원칙적인 공고방법으로 규정하고 나머지 서면공고의 방법은 만일의 사고를 대비한 예비적 공고제도로 채택하는 것이 바람직하다.

(7) 주주총회 소집 '통지'의 경우와 마찬가지로 주주총회 소집 '공고' 시에 만일 회사가 전자적 방법에 의한 의결권 행사인 전자투표를 채택하기로 결정한 경우에는 주주총회 소집의 '공고문'에 (i) 주주가 전자투표의 방법으로 의결권을 행사할 수 있다는 뜻, (ii) 전자투표관리시스템의 인터넷 홈페이지 주소, (iii) 전자투표 기간, (iv) 전자투표의 의결권 산입 등 주주총회에서의 전자투표 처리방법, (v) 그 밖에 주주의 전자투표에 필요한 기술적인 사항 등을 기재하여야 한

---

23) 권기범, 전게서, 338면.
24) 이세영, 전게논문, 109면.

다(전자투표관리업무규정 제10조 제2항).

마. 주주명부의 전자화(전자주주명부)

1) 전자주주명부의 의의

회사는 주주의 성명과 주소 등을 포함하는 주주명부를 반드시 작성하여야 한다(제352조). 주식을 발행한 경우 주주명부에는 주주의 성명과 주소, 각 주주가 가진 주식의 종류와 그 수, 각 주주가 가진 주식의 주권을 발행한 때에는 그 주권의 번호 및 각 주식의 취득년월일을 기재하여야 한다(동조 제1항). 또한 회사가 전환주식을 발행한 때에는 제347조에서 정하는 사항인 (i) 주식을 다른 종류의 주식으로 전환할 수 있다는 뜻, (ii) 전환의 조건, (iii) 전환으로 인하여 발행할 주식의 내용, (iv) 전환청구기간 또는 전환의 기간 등도 주주명부에 기재하여야 한다(동조 제3항).

반면에 회사는 정관으로 정하는 바에 따라서 '전자문서'로 된 주주명부, 즉 전자주주명부를 작성할 수도 있다(제352조의2 제1항). 전자주주명부가 작성되는 경우에는 제352조 제1항에서 정하고 있는 서면주주명부의 기재사항 외에 전자우편주소(이메일 주소)를 기재하여야 한다(제352조의2 제2항).

전자주주명부는 기존의 서면주주명부 대신에 전자문서 형태로 작성하는 것이기 때문에 전자등록부가 아니라 주주명부의 일종에 해당한다.[25] 전자주주명부는 그 자체로서 주주명부의 기능을 수행할 뿐만 아니라 전자문서에 의한 주주총회 소집통지 또는 전자적 방식의 주주의결권 행사 등을 위하여 반드시 필요한 전자화의 인프라 작업이다.

회사의 이사는 회사의 정관, 주주총회의 의사록을 본점과 지점에, 주주명부, 사채원부를 본점에 비치하여야 하는데(제396조 제1항), 전자주주명부의 경우 회사의 본점 또는 명의개서대리인의 영업소에서 전자주주명부의 내용을 서면으로 인쇄할 수 있으면 법 제396조 제1항에 따라 주주명부를 비치한 것으로 본다(시행령 제11조 제1항).

또한 주주와 회사채권자는 영업시간 내에 언제든지 회사가 비치하는 서류의 열람 또는 등사를 청구할 수 있는데(제396조 제2항), 전자주주명부의 경우에도

---

25) 임재연, 「회사법 I」(박영사, 2012), 478면.

주주와 회사채권자는 영업시간 내에 언제든지 서면 또는 파일의 형태로 전자주주명부에 기록된 사항의 열람 또는 복사를 청구할 수 있다. 이 경우 회사는 전자주주명부상에 기재된 다른 주주의 전자우편주소를 열람 또는 복사의 대상에서 제외하도록 조치하여야 한다(시행령 제11조 제2항). 이와 관련하여 대법원 판례 역시 실질주주의 전자우편주소는 열람·등사의 대상이 아니라고 보고 있다.[26] 만일, 회사가 열람 및 복사에 대한 청구의 목적이 정당하지 않음을 증명하는 경우에는 서면주주명부의 경우 이를 거부할 수 있다는 판례의 입장[27]은 전자주주명부의 경우에도 동일하게 적용될 수 있다.

2) 전자주주명부의 효력

(1) 주주명부는 회사의 면책적 효력이 인정되는 근거가 된다. 주주 또는 질권자에 대한 회사의 통지 또는 최고는 주주명부에 기재한 주소 또는 그 자로부터 회사에 통지한 주소로 하면 회사는 면책된다(제353조 제1항).

문제는 전자주주명부가 작성된 경우 이에 포함되는 전자우편주소에도 면책적 효력이 인정되는가이다. 회사의 면책적 효력을 규정한 제353조 제1항은 '주주명부에 기재한 주소 또는 그 자로부터 회사에 통지한 주소'라고 하여 전자주주명부상의 전자우편주소는 명시적으로 포함하고 있지 않으므로 이는 배제되어야 한다. 그러나 전자적 방식에 의한 주주총회 소집통지와 공고가 이루어진 경우(제363조 제1항 및 제3항) 각 주주의 동의를 받아 '전자문서'로 통지를 발송하는 경우에는 면책적 효력이 인정된다고 본다.[28]

(2) 전자주주명부의 작성은 회사의 의무가 아니고 선택이지만 만일 회사가 정관의 규정으로 전자주주명부를 작성하는 경우 전자주주명부는 서면에 의한 주주명부를 대체하여 정본으로 인정받는다. 그럼에도 불구하고 회사가 전자주주명부 이외에 서면의 주주명부도 작성한 경우에는 전자주주명부가 그 정본이 되며 따라서 전자주주명부와 서면주주명부 상호간에 그 내용이 다른 경우에는 전자주주명부가 기준이 된다. 따라서 전자주주명부의 내용에 따라 자격수여적 효력 또

---

26) 대법원 2017.11.9. 2015다235841.
27) 대법원 1997.3.19. 97그7.
28) 이에 대하여 전자주주명부의 전자우편주소에 대해서는 면책적 효력을 부정하고, 다만 주주가 통지받을 주소로서 전자우편주소를 회사에 통지한 경우에는 면책적 효력을 인정하여야 한다는 견해도 있다(이철송, 「회사법강의」 제29판(박영사, 2021), 362면; 이세영, 전게논문, 21면).

는 추정적 효력이 발생한다.[29] 전자주주명부에서도 주주명부의 추정력을 부정하기 위해서는 서면의 주주명부와 동일하게 그 주주권을 부인하는 자가 증명책임을 부담하며,[30] 명의개서 후라도 무권리자라는 사실이 확인되면 명의개서는 창설적 효력이 없고 단지 주주라는 추정력만이 인정되므로 명의개서는 소급적으로 효력을 상실하게 된다.[31]

(3) 2011년 4월 상법개정으로 제356조의2가 신설되어 주권의 전자등록제도가 허용되면서 전자등록부와 현행 전자주주명부와의 관계가 새로운 문제로 등장하였다. 전자등록부에 등록된 권리는 주주명부에 등재된 경우와 동일하게 주식의 소유자와 그 소유주식수를 포함하고 있으므로 전자등록부는 주주명부의 기능을 대신할 수 있다. 그러나 전자등록부와 전자주주명부상 주주가 상이한 경우 누가 주주총회에서 의결권을 행사할 것인가는 아직 불분명한 상태이다.

이에 대한 법규정이나 판례가 아직 없는 상황이지만 현행법상 양자의 법률적 지위는 독립적으로 인정하되 의결권 행사 등의 주주권 행사를 정할 필요가 있을 경우에는 전자등록부에 등록된 자를 주주명부에 명의개서된 것으로 볼 수 있을 것이다.[32] 이는 제356조의2 제3항이 전자등록부에 주식을 등록한 자는 그 등록된 주식에 대한 권리를 적법하게 보유한 것으로 추정한다고 규정하고 있기 때문에 동규정과의 조화로운 해석이 필요하기 때문이다. 이러한 해석은 같은 취지의 자본시장법상 실질주주명부제도에서 찾아 볼 수 있으며 이에 기초하여 유사한 방법으로 문제를 해결할 수 있다(자본시장법 제316조 제2항 참조).[33]

바. 주주의 의결권 행사의 전자화(전자투표제도)

1) 전자투표제도의 의의

주주총회의 의결권은 주주가 주주총회에 출석하여 결의에 참가할 수 있는 권리를 의미하며 주주가 회사의 의사결정에 참여할 수 있는 주주의 공익권이자 고유권으로서 기능한다. 전통적인 방식의 주주총회의 경우 주주의 실질적인 출석에 의한 의결권 행사가 필요하였으나 주주의 적극적인 주주총회 참여를 유도하

---

29) 이철송, 전게서, 347면; 임재연, 전게서, 489면.
30) 대법원 2010.3.11. 2007다51505.
31) 대법원 1989.7.11. 89다카5345.
32) 이세영, 전게논문, 102면 및 103면 참조.
33) 임재연, 전게「회사법 I」, 48면.

기 위한 방법으로 1999년 상법개정에 의하여 서면결의제도(제368조의3)가 도입
된 바가 있다. 서면결의제도를 위해서는 회사정관의 규정이 필요하고 회사는 총
회의 소집통지서에 서면결의를 행사하는데 필요한 서면과 참고자료를 첨부하여
시행하게 된다. 이외에도 의결권의 대리행사(제368조 제2항) 및 상장회사의 경우
의결권대리행사 권유제도(자본시장법 제152조) 역시 주주의 의결권 행사와 밀접
한 관련을 지닌다. 여기에 한 단계 더 나아가 주주의 의결권 행사가 보다 적극
적이고 용이할 수 있도록 도입된 세도가 주주의 전자적 방법에 의한 의결권 행
사, 즉 주주총회의 전자투표제도이다. 전자투표에 의한 의결권 행사는 현장주주
총회에 참석한 주주의 의결권 행사와 동일한 효력을 지닌다.

2009년 5월 상법개정(2010. 5. 29 시행)에 의하여 신설된 상법 제368조의4 제
1항에서는 전자투표제도를 새로이 도입하여 회사는 이사회의 결의로 주주가 총회
에 출석하지 않고도 전자적 방법으로 의결권을 행사할 수 있도록 허용하였다.[34]
전자투표제도란 주주가 주주총회에 직접 참석하지 않고 인터넷 등을 통해 전자투
표시스템에 접속하여 의결권을 행사하는 제도로서 기존의 오프라인(off-line)의 수
작업 방식의 의결권 행사를 온라인(on-line)으로 수용한 제도이다. 전자투표제도
는 주주가 직접 주주총회장에 참석하지 않고 인터넷, 휴대폰 등을 이용하여 의
결권 행사를 가능하게 함으로써 소수주주의 주주총회 참여비율을 높이고 주주총
회의 개최비용을 줄이는 기대효과가 있다. 개정상법상 이사회의 결의만으로 회
사가 자체적으로 전자투표제도를 도입할 수 있도록 규정하여 주주총회의 전자적
운영을 도모하고 있고 구체적 운영방안에 대해서는 상법 시행령에 위임하고 있
지만 아직 이에 관한 충분한 사항을 모두 정하고 있지는 못하다.

일반적으로 주주총회의 운영에 전자적 방법을 도입하는 경우를 보면, 주주총
회 소집통지단계, 전자투표단계 및 전자주주총회단계로 구분될 수 있고 전자주
주총회는 다시 주주총회의 참여와 의사운영의 전자화 단계 및 버츄얼주주총회
단계로 발전적인 모습에 따라 구분하여 볼 수 있다.[35] 그러나 우리 상법은 제

---

34) 외국의 경우에도 이미 많은 국가의 기업들이 2000년대 초부터 주주중시 경영, 기업경영 IT
화 등을 위하여 전자투표제도를 도입한 바가 있다. 예컨대 미국(2000. 6.), 영국(2000. 12.),
일본(2001. 11.), 스위스(2003. 9.), 중국(2004. 12.), 덴마크(2009. 4.) 등이 이미 전자투표
제도를 활용하고 있다[한국예탁결제원, 「한국예탁결제원 전자투표관리업무 안내」(2011. 2.
11.), 13면].
35) 김순석, 전게서, 22면.

368조의4에서 전자적 방법에 의한 의결권 행사만을 규정하고 있고 그 이외에는 주주총회에 필요한 상법상의 절차가 수반되어야 할 것이기 때문에 예외적으로 인터넷 중개 등 전자매체를 이용한 총회운영을 제외하고는 종국적인 전자주주총회 형태인 완전한 형태의 온라인주주총회는 원칙적으로 아직 운영될 수 없다.[36] 그러나 앞에서 설명한 바와 같이 실무적으로는 완전한 전자주주총회의 방향으로 주주총회가 전개되고 있으며 2021년 3월 정기주주총회의 경우를 보더라도 현장 주주총회와 온라인 형식의 전자주주총회가 병행되는 경우가 많이 있었다.[37]

현재는 주주총회의 전자투표제도 도입의 초기 단계에 있기 때문에 관련 법규정과 실무경험의 부족으로 인하여 전자투표제도와 관련된 몇 가지 문제에 대해서는 법률적인 논란의 여지가 남아있다. 그러나 최근에 시행된 전자투표제도는 조만간 더욱 활성화될 것으로 예상되기 때문에[38] 관련된 법률문제의 해결도 시급하다. 회사가 전자투표 방식을 도입하게 되면 전자투표시스템에 따라 주주들은 누구나 온라인상에서 전자서명인증사업자 또는 본인확인기관에서 제공하는 본인확인의 방법에 따라 주주 본인임을 확인하고 전자서명을 통하여 주주의 의결권을 행사할 수 있다. 현재 대표적인 전자투표관리기관인 한국예탁결제원이 운영하는 전자투표시스템(K-VOTE)[39]의 경우 주총 10일 전부터 주총 직전 일까지의 기간 중 K-VOTE를 통하여 주주의 의결권을 행사할 수 있도록 하고 있다.

2) 전자투표제도의 장점과 문제점[40]

회사가 전자투표제도를 채택하게 되면 주식 발행회사(기업)의 측면에서 주주 중시 경영을 실천하여 기업 이미지를 제고할 수 있고 주주총회 의결권을 사전에 확보할 수 있다. 또한 주총 의안에 대한 찬반 동향을 조기에 파악할 수 있고 전

---

36) 김재범, "전자식 방법의 상법수용에 관련된 법률문제," 「상사법연구」 제28권 제1호(한국상사법학회, 2009), 265면.

37) 이승희, 전게 보고서, 6면.

38) 한국경제신문, "주주총회, 전자투표로 빠르고 쉽게 참여한다," (2010. 8. 23.). 특히 최근의 코로나19 사태는 비대면의 전자투표 등을 포함하는 전자주주총회가 더욱 활성화될 수 있는 계기를 만들었다(이승희, 전게 보고서, 2면).

39) K-VOTE 사이트의 홈페이지인 〈http://evote.ksd.or.kr〉 참조. 한국예탁결제원은 2010년 8월 23일 상법상 전자투표제도의 도입에 따라 주주총회 의결권을 인터넷으로 행사하는 '전자투표시스템(K-VOTE)'을 개통하였다.

40) 전자투표제도의 장점과 기능 및 문제점에 관한 상세한 논의는 김병태, "주주총회의 전자투표제도 '의무화'와 문제점," 「기업법연구」 제27권 제3호(한국기업법학회, 2013), 81면.

자화된 주주와의 네트워크를 통하여 보다 많은 기업정보를 제공할 수 있으므로 기업 투자가치를 더욱 제고할 수 있게 된다.

주주(투자자)의 측면에서는 직장이나 가정에서 주주의 의결권을 간편하게 행사할 수 있게 되어 주주총회 참석에 소요되는 시간과 비용을 줄일 수 있고 이에 따른 주주의 회사경영에 대한 관심과 참여가 제고될 수 있다.

시장의 측면에서도 주주총회의 활성화로 기업에 대한 가치 투자를 제고할 수 있고 글로벌 환경에 맞는 투자문화가 정착될 수 있다.

특히 개인주주, 기관투자자, 외국인주주를 대신하는 상임대리인 등을 활용하는 경우 전자투표시스템을 통하여 의결권을 행사하게 됨으로써 회사의 의결권 확보가 보다 용이해 질 수 있으며 한국예탁결제원이 전자투표관리기관으로 선정된 경우 전자투표시스템을 통하여 전자투표를 포함한 주주총회 관리가 가능해질 수 있다. 또한 2018년 이전까지는 섀도보팅(Shadow Voting, 또는 '섀도우보팅')이 허용되는 범위 내에서 이의 관리 역시 가능하였다.[41]

물론 전자투표제도는 장점만을 지니고 있는 것이 아니다. 예컨대, 전자화에 따른 보안체제가 더욱 완벽히 이루어져야 하고 안정적인 시스템이 유지되어야 하며 비록 전자화 제도에도 불구하고 주주와 경영진의 의사소통이 비대면으로 인하여 단절될 수 있는 문제점 등이 보완되어야 한다.

3) 전자투표의 절차와 요건 및 효과

(1) 회사는 '이사회의 결의'로 주주가 총회에 출석하지 아니하고 전자적 방법으로 의결권을 행사할 수 있는 전자투표제도를 정할 수 있다(제368조의4 제1항). 이와 같은 전자투표제도를 채택하는 경우 회사는 주주에 대한 주주총회 소집통지나 공고 시 주주가 전자투표제도에 따른 방법으로 의결권을 행사할 수 있다는 내용을 통지하거나 공고하여야 한다(동조 제2항). 이때 회사는 주주총회 소집통지나 공고에서 (i) 전자투표를 할 인터넷 주소, (ii) 전자투표를 할 기간(전자투표의 종료일은 주주총회 전날까지로 하여야 한다), (iii) 그 밖에 주주의 전자투표에

---

41) 섀도보팅 제도는 2013년 5월 28일 자본시장법이 개정되면서 2015년 1월 1일부터 폐지가 예정되었으나 일정한 경우 2017년 12월 31일까지 한시적으로 3년간 그 폐지가 다시 유예되었다(금융위원회, "「금융투자업규정」 일부 개정규정 고시," 금융위원회 고시 제2015-4호(2015. 2. 3.) 참조). 3년의 유예기간이 2017년 12월 31일에 종료됨에 따라 섀도보팅 제도는 2018년 1월 1일부터 폐지되었다(황현영, "섀도보팅제도 폐지에 따른 주주총회 관련 쟁점과 과제," 「이슈와 논점」 제1435호(국회입법조사처, 2018. 3. 22.), 2면).

필요한 기술적인 사항 등을 기재하여야 한다(시행령 제13조 제2항). 지난 2020년 1월 상법 시행령의 개정에 의하여 회사 또는 전자투표를 관리하는 지정기관은 전자투표의 종료일 3일 전까지 주주에게 전자문서로 주주총회 소집통지의 내용을 한 번 더 통지할 수 있다. 이 경우 주주의 동의가 있으면 전화번호 등을 이용하여 통지할 수 있다(시행령 제13조 제6항).

　(2) 회사가 전자투표제도를 채택하는 경우 회사는 의결권 행사에 필요한 양식과 참고자료를 주주에게 전자적인 방법으로 제공하여야 한다(제368조의4 제3항). 회사가 전자투표제도를 채택하면 주주는 최근 상법 시행령의 개정 내용에 따라서 「전자서명법」 제8조 제2항에 따른 운영기준 준수사실의 인정을 받은 전자서명인증사업자가 제공하는 본인확인의 방법 또는 「정보통신망 이용촉진 및 정보보호 등에 관한 법률」 제23조의3에 따른 본인확인기관에서 제공하는 본인확인의 방법의 어느 하나에 해당하는 방법으로 주주 본인임을 확인하고 「전자서명법」 제2조 제2호에 따른 전자서명을 통하여 전자투표를 하여야 한다(시행령 제13조 제1항). 상법 시행령 제13조 제1항은 전자투표권자의 본인확인을 전자서명인증사업자 또는 본인확인기관에서 제공하는 본인확인의 방법에 의하고 전자서명을 통하여 전자투표를 하도록 규정하고 있지만, 외국인 주주의 경우에는 주민등록번호에 기초한 본인확인과 공인전자서명에 의한 전자투표에 어려움이 있다. 따라서 국내거주 외국인 주주의 경우에는 투자등록번호를 근거로 본인확인과 전자서명에 의하여 전자투표를 이용할 수 있고, 이러한 방법이 불가능한 해외거주 외국인 주주의 경우에는 상임대리인이 해당 외국인 주주를 대신하여 전자투표를 행사할 수 있다.

　(3) 주주가 동일한 주식에 관하여 전자투표 방법 또는 서면투표 방법에 따라 의결권을 행사하는 경우 전자적 방법 또는 서면 중 어느 하나의 방법을 선택하여야 하고(제368조의4 제4항) 동일한 주식에 대하여 이중적인 방식으로 의결권을 행사하지 못한다.[42] 또한 전자투표를 한 주주는 해당 주식에 대하여 전자투표기간 중에는 그 의결권 행사를 철회하거나 변경할 수 있다. 2020년 1월 상법 시

---

42) 제368조의4 제4항의 해석상 동일한 주식에 관하여 전자투표와 서면투표 방법을 동시에 사용하지는 못하지만 주주의 소유주식을 나누어 일부는 서면투표로 의결권을 행사하고 다른 일부는 전자투표로 행사할 수는 있다. 다만, 이 경우 투표의 내용이 서로 다른 경우에는 의결권의 불통일 행사에 해당하기 때문에 의결권 불통일 행사의 요건(제368조의2 제1항)을 별도로 충족하여야 한다.

행령의 개정에 의하여 상법 시행령 제13조 제3항의 전자투표 변경·철회 금지 조항이 삭제됨에 따라 전자투표기간 중에는 전자투표에 의한 주주의 의결권 행사를 변경 또는 철회할 수 있게 된 것이다. 만일 주주총회의 원안이 회의 중 수정동의가 이루어진 경우에는 의안에 대한 수정동의를 전자투표로 다시 할 수는 없고,[43] 원안에 대한 전자투표의 내용이 찬성이었는지 여부와 상관없이 서면투표의 경우와 마찬가지로 수정동의안에 대해 반대 또는 기권한 것으로 취급하여야 할 것이다.[44]

(4) 그 이외에 회사는 전자투표의 효율성 및 공정성을 확보하기 위하여 전자투표를 관리하는 기관을 지정하여 주주 확인절차 등 의결권 행사절차의 운영을 위탁할 수 있다(시행령 제13조 제4항). 이에 따라 현재 한국예탁결제원이 인터넷 기반의 전자투표시스템을 구축하여 2010년 8월 23일부터 대표적인 전자투표관리기관으로서 운영되고 있으며[45] 이외에도 삼성증권 온라인주총장, 미래에셋대우 플랫폼V, 코나아이 코나체인 등이 전자투표를 위한 플랫폼을 제공하고 있다.[46] 다만, 법률상 회사의 전자투표관리기관의 지정에 관한 규정만 있을 뿐이지 전자투표관리기관의 선정과 자격요건 및 책임 등에 대해서는 아무런 규정을 두고 있지 않으므로 이에 대한 입법적 해결이 필요한 상황이다.[47]

(5) 회사 또는 지정된 전자투표를 관리하는 기관 및 전자투표의 운영을 담당하는 자는 주주총회에서의 개표 시까지 전자투표의 결과를 누설하거나 직무상 목적 외에 이를 사용하는 것이 금지된다(시행령 제13조 제5항). 또한 회사가 전자투표제도를 채택한 경우 회사는 의결권 행사에 관한 전자적 기록을 총회가 끝난 날부터 3개월간 본점에 갖추어 두어 열람하게 하고 총회가 끝난 날부터 5년간 보존하여야 한다(제368조의4 제5항).

(6) 전자투표는 현행법상 주주총회의 소집지에서 실제 주주총회가 개최되는

---

43) 최준선, 「회사법」 제16판(삼영사, 2021), 383면.
44) 임재연, 전게 「회사법 Ⅱ」, 94면.
45) 한국예탁결제원의 전자투표관리시스템은 〈http://evote.ksd.or.kr/〉에서 이루어지고 있다.
46) 2021년 3월 정기주주총회를 기준으로 전자투표를 도입한 회사들이 이용하고 있는 전자투표시스템의 플랫폼을 살펴보면, 한국예탁결제원(K-VOTE)이 788개 사(62.8%)로 가장 많은 이용도를 보여 주었다. 그 이외에도 삼성증권(온라인주총장) 318개 사(25.3%), 미래에셋대우(플랫폼V) 148개 사(11.8%), 코나아이(코나체인) 1개 사 등의 순으로 전자투표시스템의 이용이 있었다(이승희, 전게 보고서, 4면).
47) 정찬형, 전게논문, 41면.

전제하에 이와 병행하여 이루어지는 것이기 때문에 실제 주주총회를 아예 개최하지 않고서 전자투표 방식에 의한 주주의 의결권을 전면적으로 행사하도록 하는 것은 허용되지 않는다. 그러나 이와 같은 전자투표제에 관하여 주주 전원의 동의가 사전에 이루어진다면 절차상의 하자는 치유된다고 볼 수 있다.[48]

전자투표에 의하여 의결권을 행사한 주주의 의결권수는 출석한 의결권수와 발행주식총수에 산입되며 일반적인 주주총회 의결권 행사와 동일한 효력이 부여된다.

4) 전자투표의 운영 실무

우리나라는 전자투표관리기관의 구축을 위하여 중앙증권예탁기관인 한국예탁결제원이 직접 전자투표시스템을 운영하는 방식으로 전자투표제도의 실무가 독점적으로 처음 시작되었다. 이후 전자투표를 위한 플랫폼 서비스를 제공하는 삼성증권 온라인주총장, 미래에셋대우 플랫폼V, 코나아이 코나체인 등과 같은 다양한 전문기관이 등장하면서 전자투표를 채택한 회사가 선택할 수 있는 플랫폼 업체의 범위가 많이 넓어졌다.[49] 따라서 각 플랫폼 서비스의 제공업자는 법령의 범위 내에서 제정된 내부 규정에 의하여 전자투표의 운영실무를 도모하고 있다. 여기서는 가장 많은 회사가 선택하고 있는 대표적인 플랫폼 서비스 제공업자인 한국예탁결제원의 전자투표시스템을 중심으로 전자투표의 운영실무를 살펴본다.

현재 한국예탁결제원(KSD)의 전자투표관리시스템인 'K-VOTE'가 업무위탁을 받아서 2010년 8월 23일부터 주주총회의 전자투표 업무를 대표적으로 관장하고 있다. 한국예탁결제원은 전자투표관리업무를 수행하기 위하여 필요한 세부적인 사항을 '전자투표관리업무규정'과 '전자투표관리업무규정 시행세칙'으로 정하여 전자투표업무를 운영하고 있다.[50] 지난 2010년 9월 19일 국내에서는 최초로 '㈜KSF선박금융'이 전자투표를 이용하여 주주가 의결권을 행사할 수 있도록 하였으며[51] 이후 참여 회사의 숫자는 계속 확대되었으며[52] 특히 섀도보팅 제도가

---

48) 이세영, 전게논문, 193면.
49) 이승희, 전게 보고서, 4면.
50) 한국예탁결제원의 전자투표에 관한 규정으로는 '전자투표관리업무규정' 및 '전자투표관리업무규정 시행세칙'이 있다.
51) 한국예탁결제원, "국내 최초로 전자투표 적용한 주주총회 열려-인터넷을 이용한 주주총회 의결권 행사 본격 개시," 보도자료(2010. 9. 17.).
52) 법무부는 사외이사의 독립성 확보와 소액주주의 권익보호를 위하여 주주가 1,000명 이상인

2018년부터 폐지됨에 따라 기업들의 전자투표제 실시율은 더욱 상승하게 되었다.[53] 최근의 2021년 3월 정기주주총회를 기준으로 보면, 주권상장법인의 경우 2,131개 사 중 1,253개 사(58.8%)가 한국예탁결제원의 K-VOTE를 비롯한 다양한 전자투표 플랫폼 서비스를 통하여 전자투표를 시행하고 있다.[54]

다양한 전자투표관리기관 가운데 특히 가장 많은 회원사를 보유하고 있는 한국예탁결제원의 K-VOTE를 기준으로 전자투표의 운영 실무를 절차적으로 간단히 살펴보면 다음과 같다.[55]

(1) 회사의 전자투표 채택과 전자투표관리업무계약의 체결

회사는 이사회의 결의로 전자투표제도를 채택하고 한국예탁결제원과 전자투표관리계약을 체결한다.

(2) 회사의 전자투표 신청

회사는 전자투표시스템을 통해 전자투표를 신청하고 주주명부, 안건·참고자료, 의결권 제한내역 등을 등록한다.

(3) 회사의 전자투표 행사 안내

회사는 주주총회의 소집 통지 시 주주에게 전자투표 행사 절차, 관련양식, 참고자료 등 관련사항을 안내한다.

(4) 주주의 전자투표 행사

주주는 인터넷에 접속하여 공인전자서명을 통해 주주총회 전 10일부터 회일의 전일까지 주주총회의 의안 별로 '찬성', '반대' 또는 '기권'의 의사표시를 함으로써 전자투표에 의한 의결권을 행사한다.

(5) 현장 주주총회의 개최

회사는 주주총회 개최 일에 전자투표 행사 의결권수를 현장 주주총회 의결권수에 산입하여 집계한다.

상장회사에 대하여 전자주주총회의 도입을 의무화하는 상법개정안을 추진 중이므로 이것이 현실화되면 전자주주총회가 더욱 활성화될 것으로 기대된다[임상연, "법무부, 상장사 전자주총 도입 의무화 추진,"(머니투데이, 2012. 6. 13.) 〈https://news.mt.co.kr/mtview.php?no=2012061210365042954&type=1〉].

53) 임현일·임자영, 「2017년 전자투표 시행현황 분석」(한국기업지배구조원, 2017. 12.), 30면.
54) 이승희, 전게 보고서, 3면.
55) 한국예탁결제원, 「전자투표·전자위임장 업무 안내」(한국예탁결제원, 2021. 1.), 9면.

(6) 회사의 전자투표 기록의 비치 및 보존

회사는 전자투표 행사기록을 3월간 본점에 비치하고, 5년간 이를 보존한다.

전자투표제도의 참가자는 (i) 발행회사, (ii) 주주 및 (iii) 전자투표관리기관 (한국예탁결제원)이다. '발행회사'는 주주총회 운영의 주체로서 전자투표관리기관에 전자투표 업무를 위탁하는 자이다. '주주'는 주주총회의 의결권자로서 전자투표시스템을 통해 투표를 행사하는 자로서 여기에는 개인, 일반법인, 신탁업자, 집합투자업자, 해외거주 외국인을 위한 상임대리인 등이 있다.56) 또한 '전자투표관리기관'은 발행회사로부터 전자투표관리업무를 위탁받아 수행하는 자로서 회사가 전자투표서비스를 위탁한 한국예탁결제원이 관리업무를 수행한다. 이와 같은 전자투표제도의 참가자 3인의 관계의 운영구조를 요약하면 다음의 도표와 같다.

---

56) 전자투표를 할 수 있는 자는 전자투표관리기관이 확정한 전자투표권자명부에 전자투표권자로 기재되는 자들로서 다음과 같은 유형이 있다. 전자투표권자는 전자투표시스템에 접속하여 상법 시행령 제13조 제1항에 따라 전자서명인증사업자 또는 본인확인기관에서 제공하는 본인확인의 방법에 의하여 전자투표권자의 본인을 확인하고 전자서명을 통하여 전자투표 행사할 수 있다.
  (1) '일반주주'는 내국인 개인·법인(사업자)주주, 국내거주 외국인 주주로서 예탁증권에 대한 실질주주와 주주명부상의 명부주주로서 회사가 전자투표관리기관에 통지한 개인이나 법인·사업자 주주로서의 전자투표권자이다.
  (2) '상임대리인'은 해외에 거주하는 외국인 주주를 대신하여 보유주식에 대한 제반 권리행사를 위임받은 자를 지칭하며 실질주주명세를 통해 해당 정보가 통지된 상임대리인 또는 전자투표시스템을 통해 상임대리인임을 통보하여 인정된 전자투표권자이다.
  (3) '집합투자업자'는 2인 이상에게 투자권유를 하여 모은 금전 등을 투자자 등으로부터 일상적인 운용지시를 받지 아니하면서, 자산을 취득·처분 그 밖의 방법으로 운용하고 그 결과를 투자자에게 배분하여 귀속시키는 업을 하는 자로서 한국예탁결제원에 보관된 간접투자재산에 대한 자산운용업자로서 동 재산에 대한 권리를 행사하는 전자투표권자이다.
  (4) '신탁업자'는 신탁 설정자(위탁자)의 신탁을 인수한 자(수탁자)로서 위탁자의 이익을 위하여 재산을 관리, 처분하는 일을 업으로 하는 자로서 한국예탁결제원에 보관된 신탁재산에 대한 수탁자로서 신탁재산에 대한 권리를 행사하는 전자투표권자이다.

〈전자투표제도의 운영구조〉[57]

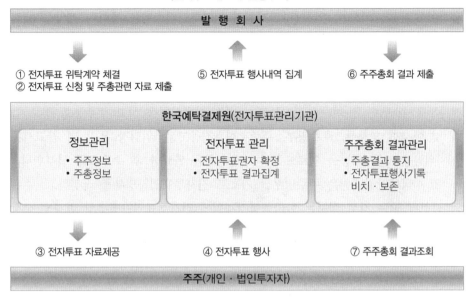

가) 회사의 전자투표 업무 절차[58]

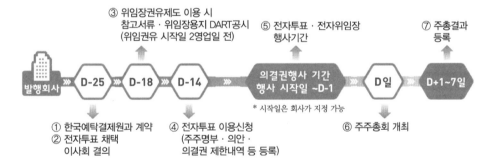

(1) 이사회 결의를 통하여 전자투표를 채택한 회사는 한국예탁결제원과 전자투표관리계약을 체결한다. 이때 전자투표관리업무 위탁계약서와 계약신청에 따른 첨부서류인 근거서류 예컨대, (i) 법인 일반정보 내역(양식기재), (ii) 법인 등기부등본, (iii) 법인 인감증명서, (iv) 사용인감계(양식기재), (v) 사업자등록증

57) 한국예탁결제원, "주주총회 활성화를 위한 전자투표제도 도입," (한국예탁결제원 자료집, 2011. 2. 11.), 〈http://evote.ksd.or.kr〉, 14면.
58) 한국예탁결제원, 「전자투표·전자위임장 업무 안내」(한국예탁결제원, 2021. 1.), 16면 참조.

사본, (vi) 공인인증서 발급신청서(양식기재) 등을 각 1부씩 한국예탁결제원에 제출하여야 한다. 회사는 한국예탁결제원의 전자투표시스템을 통하여 계약을 체결할 수 있다.

(2) 한국예탁결제원과 전자투표관리업무 위탁계약을 체결한 회사는 전자투표시스템에 접속하여 서비스 이용신청을 진행한다. 회사는 주주총회일 2주 전까지 전자투표시스템에 접속하여 전자투표 서비스 이용신청을 하고 주주총회 정보 입력 및 이사회 의사록, 주주명부, 주주총회소집공고문, 위임장 용지 및 참고서류(전자위임장 이용사) 등을 업로드하여 이용신청을 완료한 후 수수료를 납부한다.

(3) 한국예탁결제원은 주주명부를 기초로 전자투표권자명부를 작성하고, 주주의 신청이 있는 경우 회사는 한국예탁결제원에 전자투표권자명부의 변경을 신청한다. 상임대리인의 신청에 의하여 전자투표권자명부가 변경되는 경우 회사는 전자투표권자명부 변경내역을 조회하여 확인한다.

(4) 회사는 전자투표 행사기간 중 진행현황을 실시간으로 파악한다.[59]

(5) 회사는 전자투표결과를 활용하여 주주총회 당일의 현장 주주총회를 관리한다. 전자투표행사결과를 다운로드하여 주주총회 당일 참석주주의 행사, 서면투표, 위임장 행사 등을 집계 및 관리한다.

(6) 회사는 주주총회 종료 후 1주일 이내에 한국예탁결제원 전자투표시스템에 접속하여 주주총회 결과를 등록해야 한다. 의안별 의결권 있는 주식 수, 의안통과 여부(가결/부결), 의결권 행사내역(찬성·반대·기권 주식 수)을 입력하고 주주총회 결과 등록 전 전자투표·전자위임장 행사 주주 대상 인센티브 제공 여부를 입력한다. 또한 주주총회장에서 의안이 수정결의된 경우 표결결과를 '가결(수정)'으로, 후보자의 급작스러운 사퇴 등으로 인해 표결에 상정하지 못한 의안은 표결결과를 '기타'로 입력하고 의결정족수 부족 등으로 주주총회가 불성립된 경우에는 '주주총회 불성립' 버튼을 눌러 결과를 등록한다.

---

59) 섀도보팅이 허용되었던 2018년 이전에는 섀도보팅이 필요한 경우 전자투표시스템에 섀도보팅 행사요청 주식수를 입력하면, 한국예탁결제원이 심사를 통해 섀도보팅 위임장을 교부하였다.

나) 주주의 전자투표 행사 절차[60)

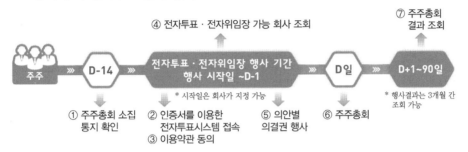

(1) 주주인 전자투표권자는 개인, 일반법인, 신탁업자, 집합투자업자, 실질주주명세에 포함된 상임대리인 등으로서 회사의 주주총회 소집 통지서를 통하여 전자투표관리기관의 인터넷 주소, 행사절차, 필요사항 등 전자투표행사의 안내를 수령한다.

(2) 전자투표권자는 인증서를 이용하여 전자투표시스템에 로그인하고 이용약관에 동의한다.

(3) 전자투표권자는 본인의 전자투표행사 가능회사를 조회하여 회사가 시작일을 달리 정하지 않는 한 원칙적으로 주주총회 개최 10일 전부터 회일의 전일까지 의안별로 전자투표를 행사한다. 이때 전자투표를 행사한 주주는 주주총회 참석하여 주주의 의결권을 행사하지 못한다.

(4) 전자투표권자는 전자투표시스템에 접속하여 주주총회의 결과를 조회한다.

다) 상임대리인의 전자투표 행사 절차[61)

만일 실질주주명세를 통해 관련정보가 통보되지 않은 상임대리인이 있는 경우에는 앞에서 설명한 '주주의 전자투표 행사 절차' 이외에 상임대리인의 통보와 예탁결제원의 승인이라는 두 가지의 추가적인 철자가 필요하다.

(1) 상임대리인은 전자투표 가능회사를 조회하여 상임대리인이 외국인 주주의 전자투표권자로 등록되어 있지 않은 경우 한국예탁결제원에 상임대리인이라는 사실을 통보한다. 이때 상임대리인의 명칭, 사업자등록번호, 주소, 주주와의

---

60) 한국예탁결제원, 「전자투표·전자위임장 업무 안내」(한국예탁결제원, 2021. 1.), 20면 참조.
61) 한국예탁결제원, 「한국예탁결제원 전자투표관리업무 안내」(한국예탁결제원, 2011. 2. 11.), 11면 참조.

관계, 외국인주주 명칭 및 주주번호, 보유 주식수, 상임대리인계약서, 사업자등
록증 사본, 법인인감증명서 등 증빙자료를 제출하여야 한다.

(2) 상임대리인은 한국예탁결제원이 외국인 주주에 대한 전자투표권자로 승
인한 경우 의안별로 의결권을 행사한다. 전자투표를 행사한 상임대리인은 주주
총회에 참석하여 의결권을 행사할 수 없다.

5) 전자투표의 이용 제한

한국예탁결제원은 (i) 위탁회사가 이 규정에 따른 의무를 위반한 경우 또는
(ii) 그 밖에 전자투표관리서비스 이용이 부적합하다고 판단하는 경우로서 세칙
으로 정하는 경우가 발생하면 위탁회사의 전자투표관리서비스 이용을 제한할 수
있다(전자투표관리업무규정 제9조 제2항, 2020.11.11. 개정).

이에 따라 구체적으로 세칙이 정하는 바에 따라 전자투표관리서비스의 이용
이 제한되는 경우로는 (i) 전자투표관리서비스 이용 신청 내용에 허위, 누락 또
는 오기가 있는 경우, (ii) 위탁회사가 다른 기관에 전자투표 관리업무를 위탁한
경우, (iii) 위탁회사가 수수료를 납부하지 않은 경우 등으로서 모두 전자투표의
이용이 제한된다(전자투표관리업무 시행세칙 제3조 제3항, 2020.11.13. 개정).

6) 전자투표제도의 법률적 쟁점사항

가) 이사회의 결의와 주주의 동의 여부

(1) 이사회의 결의 요건

주주총회에서의 전자투표가 가능한지 여부에 대하여 2010년 5월 상법이 개
정되기 전에는 제368조의3에서 정하는 주주의 '서면투표제도'에서 근거를 구하
고자 하였다. 물론 제368조의3에서는 "주주는 정관이 정한 바에 따라 총회에 출
석하지 아니하고 서면에 의하여 의결권을 행사할 수 있다"라고 하고 있어 이러
한 서면에 전자문서가 포함되는지 여부에 대하여 긍정하는 견해와 부정하는 견
해가 대립하였다.

그러나 상법개정으로 제368조의4 제1항이 새로이 신설되면서 회사는 이사회
의 결의로 전자투표제도를 시행할 수 있도록 하는 전자투표제도의 근거규정이
마련되었다. 따라서 기존의 전자투표의 인정 여부에 대한 논란은 이제 제368조
의4의 명문규정에 의하여 모름지기 입법적으로 그 해결을 보게 되었다. 따라서

회사는 주주가 주주총회에 출석하지 아니하고 전자적 방법으로 의결권을 행사할 수 있는 전자투표제도를 '이사회의 결의'로 정할 수 있고 주주는 제368조의4 각 항에서 정하는 절차에 따라 전자적 방법으로 그 의결권을 행사할 수 있다. 따라서 서면투표는 정관에서 정하여야 하는 반면에 전자투표는 보다 간편한 이사회의 결의로 정할 수 있게 하여 그 요건을 완화시켰다.

전자투표제도의 채택을 이사회 결의로 정하고 있는 제368조의4 제1항은 이사회 결의라는 요건만 정하고 있을 뿐이고 이와 관련하여 전자투표제도의 채택을 위한 이사회 결의가 포괄적으로 이루어질 수 있는지 여부에 대해서는 상법상 아무런 규정을 두고 있지 않다.

일반적으로 전자투표제도를 채택하기 위한 이사회 결의는 주주총회 소집결의를 할 때 함께 이루어지지만 회사가 주주총회 소집통지나 공고를 할 때에는 전자투표의 내용을 함께 통지하거나 공고하여야 하므로(제368조의4 제2항) 주주총회 소집통지 전이라면 비록 전자투표제도의 채택을 위한 별도의 이사회 결의가 존재하여도 이는 무방하다. 그러나 이사회 결의를 요건으로 정하고 있는 제368조의4 제1항은 전자투표제도의 채택에 관하여 각 주주총회별로 개별적으로 결정하도록 명시하고 있지 않다. 따라서 이사회는 계속 반복되는 동종 동형의 정형적인 내용에 대해서는 포괄적으로 승인할 수 있으며[62] 이는 주주의 이익을 침해할 여지가 없으므로 매번 이사회에서 전자투표의 채택을 결정할 필요 없이 이를 포괄적으로 결정할 수 있다고 본다. 따라서 실무적으로는 전자투표제도의 채택을 위한 이사회 결의안을 다음과 같이 두 가지 경우로 구분하여 처리할 수 있다.

〈전자투표제도 채택을 위한 이사회 결의안 예시〉[63]

> (1) 주주총회 건별로 전자투표 제도를 이용하는 경우: "상법 제368조의4 제1항에 의거하여 당회사는 20XX년 제○○기 정기(임시)주주총회에서 주주가 총회에 출석하지 않고 전자적 방법으로 의결권을 행사할 수 있음을 의결함"

---

62) 정경영, 「상법학강의」(박영사, 2009), 542면; 이세영, 전게논문, 133면.
63) 한국예탁결제원, 「전자투표・전자위임장 업무 안내」(한국예탁결제원, 2021. 1.), 18면.

(2) 지속적으로 전자투표 제도를 시행한다는 취지의 결의를 하는 경우: "상법 제368조의4 제1항에 의거하여 당회사는 20XX년 제○○기 정기(임시)주주 총회부터 주주가 총회에 출석하지 않고 전자적 방법으로 의결권을 행사할 수 있음을 의결함"

다만, 이사회가 전자투표제도를 포괄적 결의로 채택하여 주주총회의 전자적 방법에 의한 의결권 행사가 지속적으로 허용된다고 하더라도 이는 이사회 결의 요건만을 충족하였을 뿐이다. 따라서 이와는 별도의 요건으로서 회사는 매 주주 총회마다 주주총회의 소집을 위한 통지 또는 공고 시마다 주주가 전자투표의 방법으로 의결권을 행사할 수 있음을 함께 통지 또는 공고하여야 한다.

(2) 주주 동의의 필요성

회사의 전자투표제도 활용을 위한 이사회의 결의가 주주의 전자투표에 의한 의결권 행사를 구속하는지 아니면 주주의 전자투표제에 대한 동의가 필요한지가 문제된다.

이 문제는 회사의 전자투표제도 '도입'의 경우와 주주의 전자투표 '이용'의 경우로 나누어 보아야 한다. 원칙적으로 전자투표제도의 도입은 이사회 결의만으로 족하고 회사의 전자투표제도의 도입에 주주의 동의는 필요하지 않다고 보아야 한다.[64]

그러나 주주가 전자적 방법으로 의결권을 행사하여야 하는지 여부는 주주 스스로가 결정할 문제이고 이에 동의하는 경우에만 전자투표에 참여할 수 있다. 따라서 전자투표에 의한 의결권 행사에는 개별주주의 동의가 필요하고 전자투표를 거부하는 주주는 기존의 방식대로 의결권을 행사할 수 있다.[65] 전자투표에 공인전자서명을 사용하여 의결권을 행사하는 행위 자체는 주주의 전자투표에 대한 동의를 포함하는 것으로 해석할 수 있다. 실무적으로 전자투표관리기관의 홈 페이지에 접속하여 주주 본인의 확인과 함께 전자투표의 내용과 효과 등을 포함하고 있는 '전자투표서비스 이용약관'에 동의한 후 전자투표를 하여야 하므로 이러한 동의절차는 전자투표를 통한 의결권 행사에 대한 동의로 볼 수 있다. 이

---

64) 권기범, 전게서, 614면; 정완용, "주주의 의결권행사의 전자화에 관한 고찰," 「상사법연구」 제28권 제3호(한국상사법학회, 2009), 385면.
65) 박상근, 전게논문, 284면.

경우에 주주의 동의는 전자투표 방식의 '도입'에 관한 동의가 아니고 도입된 투표방식의 '이용'에 관한 동의로 보아야 한다.

비록 회사의 전자투표제도 도입에도 불구하고 주주는 선택에 의하여 전자적 방식이 아닌 종전의 방식대로 의결권을 행사할 수 있을 것이기 때문에 모든 주주에 대한 강제적인 전자투표제의 시행은 불가능하다.[66] 전자투표제도의 시행을 위해서는 개별주주의 동의가 필요하므로 강제적이며 획일적인 전자투표제도의 시행은 법위반이 되어 주주총회 하자로 인한 주주총회 결의무효 또는 결의부존재의 사유가 된다.

따라서 주주는 얼마든지 총회에 직접 출석하여 의결권을 행사할 수 있기 때문에 전자문서에 의한 주주총회 소집통지와는 달리 주주의 동의 없이도 회사는 이사회 결의만으로 전자투표제도를 '도입'할 수 있지만, 반면에 개별주주가 전자투표를 하기 위해서는 전자투표절차에 동의하여야만 가능하기 때문에 전자투표의 '이용'을 위해서는 개별주주의 동의가 필요하다고 보아야 한다.

나) 전자투표의 의결권 행사 기한

(1) 의결권의 행사기간

서면투표의 경우 의결권 행사의 기한에 대해서는 명문규정이 없으나 주주의 의결권을 행사한 서면(투표용지)은 정관에 특별히 정한 바가 없다면 주주총회 회일의 전일까지 회사에 도착하여야 한다고 보는데 이론이 없다.[67]

전자투표제도도 기본적으로 서면투표제도와 유사한 구조이기 때문에 전자적 방법에 의한 의결권 행사는 주주총회 회일의 전 일까지 이루어져야 할 것이다.[68] 상법 시행령에서는 이에 대하여 회사의 주주총회 소집통지나 공고에서 전자투표의 종료일은 '주주총회 전날'까지로 하는 전자투표의 행사기간을 정하여 기재하도록 하고 있으므로(시행령 제13소 세2항) 주주총회 회일의 전일을 전자투표의 의결권 행사기한으로 보고 있다. 따라서 전자투표의 기간은 주주총회 소집통지 또는 공고일로부터 주주총회 전일까지의 기간 중 회사가 자유로이 정할 수

66) 최완진, "전자주주총회에 관한 법적 고찰,"「경영법률」제16집 제2호(한국경영법률학회, 2006), 320면.
67) 정찬형,「상법강의(상)」제24판(박영사, 2021), 900면; 최준선, 전게서, 381면; 이철송, 전게서, 561면; 최기원,「상법학신론(상)」(박영사, 2009), 807면.
68) 최완진, 전게논문, 322면.

있고 주주가 전자적 방식에 의한 의결권에 동의하여 전자투표에 참여하는 경우 이러한 의결권은 주주총회 회일의 전 일까지 행사되어야 한다.

그러나 전자투표는 온라인상에서 실시간으로 이루어지기 때문에 '주주총회 회일의 전날'이 구체적으로 언제까지인지에 대해서는 의견이 다를 수 있다. 이론 적으로 주주총회 전일의 영업시간 이내로 보는 견해, 주주총회 전일의 24시까지 로 보는 견해, 주주총회의 개최 직전까지로 보는 견해, 주주총회 개최 후 의결 전까지로 보는 견해 등 다양한 의견들이 제시될 수 있다. 아직까지 이에 대한 구체적인 명문규정이 상법상 없으므로 각각의 의견들이 제시하는 기준들이 타당 하게 보이지만, 전자투표에 관한 주주총회의 소집통지 및 공고에서 정하고 있는 구체적인 기한을 기준으로 의결권의 행사기한을 정할 수밖에 없다. 예컨대, 총 회 전일의 영업시간 이내로 하였다면 영업시간 종료시점까지를 전자투표의 의결 권 행사기한으로 보아야 할 것이다. 한편, 한국예탁결제원의 전자투표시스템 (K-VOTE)의 경우 전자투표 기간은 주주총회일로부터 역산하여 10일이 되는 날 의 오전 9시부터 주주총회일의 전일 오후 5시까지로 하고 있으며 다만, 위탁회 사의 요청에 따라 예탁결제원이 필요하다고 인정하는 경우에는 전자투표기간의 시작일을 변경할 수 있도록 하고 있다.[69] 다만, 이때 서면투표와의 형평을 고려 하여 전자투표의 기한을 주주총회 회일의 전일 영업시간 종료시점 보다 더 단축 시키는 기한 설정은 불가능하다고 보아야 할 것이다.

(2) 주주총회의 연기 또는 속행

만일 주주총회가 연기되거나 속행되는 경우 전자투표의 기한도 영향을 받을 것인지는 법규정이 없으므로 불분명하다. 주주총회의 속행 또는 연기는 주주총 회에 참석한 주주들의 의사결정에 따르며 이때 주주총회의 속회가 동일한 안건 토의를 위하여 당초의 회의일로부터 상당한 기간 내에 적법하게 거듭 속행되어 개최되었다면 당초의 주주총회와 동일성을 유지하고 있다고 볼 수 있으므로 별 도의 추가적인 주주총회 소집절차는 필요하지 않다(제372조 제1항 및 제2항).[70]

한편 전자투표제도에 의하여 전자적 방법으로 의결권을 행사하는 경우에는 전자투표의 행사기간이 주주총회 개최 이전이기 때문에 전자투표 행사기간이 종 료된 이후에 주주총회가 연기되거나 속행된다. 그러나 전자투표가 이루어진 이

---

69) 한국예탁결제원 전자투표관리업무규정 제14조 제1항(2020. 11. 11. 개정).
70) 대법원 1989.2.14. 87다카3200.

후 주주총회가 연기 또는 속행되더라도 주주총회의 의안은 동일성이 유지된다는 전제에서 전자투표에 영향을 미치지 않는다고 보아야 할 것이다.[71] 한국예탁결제원의 전자투표관리업무규정 제14조 제2항에서도 주주총회가 연기되거나 속행되더라도 전자투표 기간은 연장되지 않는다고 명시적으로 규정하고 있다.

다) 주주총회의 전자적 소집통지 및 공고의 구속력

회사가 주주총회를 소집할 때에는 주주총회일의 2주 전에 각 주주에게 서면으로 통지를 발송하거나 각 주주의 동의를 받아 전자문서로 통지를 발송하여야 한다(제363조 제1항). 다만, 자본금 총액이 10억원 미만인 회사가 주주총회를 소집하는 경우에는 주주총회일의 10일 전에 각 주주에게 서면으로 통지를 발송하거나 각 주주의 동의를 받아 전자문서로 통지를 발송할 수 있으며 주주 전원의 동의가 있는 경우에는 소집절차 없이 주주총회를 개최할 수 있고 서면에 의한 결의로써 주주총회의 결의를 갈음할 수 있다(제363조 제3항, 제4항 및 제5항).

따라서 일반적인 주식회사의 경우 주주에 대한 주주총회 소집통지는 총회 2주전에 서면이나 본인의 사전 동의에 의한 전자문서 방식으로 할 수 있으므로 (i) 기명주주 요건, (ii) 2주 전의 요건 및 (iii) 주주의 동의가 있는 전자문서 요건 등을 모두 충족한다면 전자적 방법에 의한 유효한 주주총회의 소집통지가 된다.

주주총회 소집통지 시 서면 또는 전자문서에 의한 통지서에는 회의의 목적사항을 기재하여야 한다(제363조 제2항). 만일 회사가 전자적 방식에 의한 의결권 행사인 전자투표를 채택하기로 결정한 경우에는 주주총회 소집의 '통지서' 또는 '공고문'에는 (i) 전자투표를 할 인터넷 주소, (ii) 전자투표를 할 기간(전자투표의 종료일은 주주총회 전날까지로 하여야 한다) 및 (iii) 그 밖에 주주의 전자투표에 필요한 기술적인 사항을 포함하여야 한다(시행령 제13조 제2항). 한국예탁결제원의 전자투표관리업무규정은 보다 구체적으로 주주총회 소집의 통지서 또는 공고문에 (i) 주주가 전자투표의 방법으로 의결권을 행사할 수 있다는 뜻, (ii) 전자투표관리시스템의 인터넷(모바일을 포함한다) 홈페이지 주소, (iii) 전자투표를 할 수 있는 기간, (iv) 전자투표의 의결권 산입 등 주주총회에서의 전자투표 처리방법 및 (v) 그 밖에 본인 확인을 위하여 사용할 수 있는 인증서의 종류 등 주주의 전자투표에 필요한 기술적인 사항 등을 기재할 것을 요구하고 있다(전자투표

---

71) 임재연, 전게서, 93면.

관리업무규정 제10조 제2항, 2020.11.11. 개정).

이와 관련하여 전자적 방식인 전자문서에 의한 주주총회 소집 통지에 동의한 주주라고 하여도 전자투표제도의 채택에도 불구하고 여전히 주주총회에 직접 출석하여 의결권을 행사할 수 있다. 뿐만 아니라 반대로 전자적 방식의 주주총회 소집통지에 동의하지 않은 주주가 전자투표제도에 참여하는 것도 모두 가능하다. 회사의 전자공고에 의하여 주주총회 소집이 공고된 경우에도 동일하게 해석하여야 한다.

현실적으로는 주주총회 소집의 전자적 통지에 동의한 주주에게는 주주의 주총 참석권을 침해하지 않는 범위 내에서 전자투표에 의한 의결권 행사를 유도하여 일괄된 처리를 하는 것이 보다 유용할 것이다. 그러나 일단 전자투표에 참여한 주주는 현장의 주주총회에 참석하여 주주의 의결권을 중복하여 행사할 수는 없다.

라) 의결권의 전자위임 가능성

주주의 의결권은 원칙적으로 대리에 의하여 행사할 수 있고 이 경우 대리인은 대리권을 증명하는 서면을 총회에 제출하여야 한다(제368조 제2항). 대리권을 증명하는 서면은 원본이어야 하고 사본은 해당하지 않기 때문에 팩스 등을 통한 위임장 제출은 대리권을 증명하는 정당한 수단으로 간주되지 않는다.[72]

이때 대리권을 증명하는 방식으로 서면만을 인정하고 있기 때문에 전자문서와 같은 전자적 방법으로 대리권의 수여사실을 증명하는 전자위임의 방식이 허용되는지는 의문이다. 전자투표와 관련하여 주주 의결권의 대리행사를 위한 전자위임까지 허용되어야 전자투표의 진정한 의미가 살아날 수 있겠지만 현행 상법의 명문규정상으로는 서면만을 인정하고 있기 때문에 서면 대신에 전자문서로 대리권을 입증할 수 있을지 여부에 대해서는 긍정하는 견해[73]와 부정하는 견해[74]로 나누어져 있다.

전자투표제도에서 주주의 의결권을 위임하는 경우 기존의 방식대로 서면에 의한 위임과 대리권 증명은 상법 제368조 제2항에 의거하여 당연히 허용된다.

---

72) 대법원 2004.4.27. 2003다29616; 1995.2.28. 94다34579.
73) 권종호, "서면투표제도, 과연 입법상의 성과인가," 「상사법연구」 제19권 제2호(한국상사법학회, 2000), 479면.
74) 홍복기, "전자주주총회의 도입," 「상사법연구」 제22권 제3호(한국상사법학회, 2003), 216면; 정대익, 전게논문, 262면; 임재연, 전게서, 89면.

그러나 이러한 방식은 전자투표의 취지에 반할 뿐만 아니라 전자적 방식의 의결권 행사라는 점과 서면에 의한 대리권 증명이라 점으로 인하여 온라인과 오프라인의 이중적인 방식에 의한 혼선과 부담감을 야기한다.

생각건대, 전자문서로 작성된 위임장은 전자서명이라는 방식에 의하여 기명날인 또는 서명과 동일한 효력으로 그 진정성이 보장되고 전자문서의 위조나 변조는 전자서명에 의하여 확인이 가능하다. 그리고 대리권의 존부에 대한 조사가 주주총회 현장에서 충분히 이루어질 수 있기 때문에 전자문서에 의한 대리권의 증명을 인정하더라도 제368조 제3항의 취지에 반하지는 않을 것으로 생각한다.[75] 따라서 전자위임에 의한 대리권 수여와 전자문서에 의한 대리권 증명은 허용될 수 있다고 본다. 아직 명문규정은 없지만 전자투표제도의 취지에 맞게 주주는 전자적 방법에 의하여 의결권을 위임할 수 있어야 하며 이는 전자서명에 의한 전자문서의 작성으로 가능하고 입증될 수가 있다. 입법적으로는 상법에 전자위임을 인정하는 명문규정을 두어 논란을 없애는 것이 보다 바람직스럽다.[76]

다만, 상장회사의 '의결권 대리행사의 권유'에 해당하는 경우 의결권권유자는 그 권유에 있어서 의결권피권유자에게 대통령령으로 정하는 방법에 따라 위임장 용지 및 참고서류를 교부하여야 하며(자본시장법 제152조 제1항), 이때 의결권권유자는 (i) 의결권권유자가 의결권피권유자에게 직접 내어주는 방법, (ii) 우편 또는 팩스에 의한 방법, (iii) 전자우편을 통한 방법(의결권피권유자가 전자우편을 통하여 위임장 용지 및 참고서류를 받는다는 의사표시를 한 경우만 해당), (iv) 주주총회 소집통지와 함께 보내는 방법(의결권권유자가 해당 상장주권의 발행인인 경우만 해당) 또는 (v) 인터넷 홈페이지를 이용하는 방법 가운데 하나의 방법으로 의결권피권유자에게 위임장 등을 교부하여야 한다(자본시장법시행령 제160조). 따라서 의결권권유자가 이 가운데 전자우편 또는 인터넷 홈페이지를 이용하는 방법으로 위임장 등을 교부하는 경우에는 상장회사에 국한하여 전자위임장에 의한 대리권 수여가 가능해진다. 일반적으로 한국예탁결제원과 같이 전자투표관리서비스를 제공하는 플랫폼은 전자투표와 함께 전자위임장에 관한 업무도 함께 취급하고 있다.

---

75) 최완진, 전게논문, 329면; 박상근, 전게논문, 120면.
76) 정완용, 전게논문, 399면.

마) 전자투표에 의한 의결권의 철회 또는 변경

전자적 방법에 의한 의결권 행사는 전자적 방식이라는 장점 때문에 의사표시의 철회나 변경이 쉽게 그리고 자주 일어날 수 있다. 이 때문에 회사의 주주총회 업무는 보다 복잡해지거나 업무처리가 지연될 수 있으며 이는 전자투표제도를 도입한 취지와 기대에 반할 수도 있다. 이 때문에 최근의 상법 시행령 개정 전에는 전자투표를 한 주주는 해당 주식에 대하여 그 의결권 행사를 철회하거나 변경하지 못하도록 하여[(구)시행령 제13조 제3항] 전자투표의 취지에 맞는 신속하고 간편한 제도 도입을 모색하고자 하였다. 따라서 과거에는 주주가 전자투표에서 의결권을 일단 행사하였다면 그 모습은 안건에 대한 찬성, 반대, 기권 등의 의사표시로 이루어지게 되고 이와 같은 전자투표에 의한 의결권은 일단 행사된 이상 이를 철회하거나 취소 또는 변경할 수 없었다.

그러나 2020년 1월 29일 상법 시행령의 개정에 의하여 전자투표의 변경·철회 금지 조항인 제13조 제3항이 삭제되었고, 이에 따라 현재는 전자투표 기간 중에는 전자투표에 의한 주주의 의결권 행사를 변경 또는 철회할 수 있게 되었다. 실제로 온라인상에서 클릭 한 번으로 의사표시를 하는 사정을 감안한다면 의결권의 행사기간 내에는 이를 변경할 수 있는 기회를 제공하는 것이 더욱 바람직할 수 있다. 회사의 주주총회 관련 업무에서 의결권의 최종 산정은 의결권 행사기간이 경과 된 이후이므로 그 이전에 일정기간 동안은 의사표시를 수정할 수 있고 이 기간이 지나면 의사표시를 더 이상 철회하거나 변경하지 못하는 것으로 이해하는 것이 현실에 부합하다.[77] 따라서 이번 상법 시행령의 개정에서는 이러한 사정을 반영하고 주주의 의사에 부합하는 의결권을 더욱 보장하기 위하여 이전의 전자투표의 변경·철회 금지 조항인 제13조 제3항을 삭제하게 된 것이다. 상법 시행령의 개정에 따라 한국예탁결제원의 전자투표관리업무규정도 2020년 2월 6일 개정되어 해당 전자투표의 변경·철회 금지 조항을 삭제하게 되었고,[78] 전자투표시스템 역시 이를 반영하여 변경 및 철회할 수 있도록 수정되었다.

이와는 별도로 소수주주의 청구에 의하여 이사선임의 집중투표제가 허용되는

---

77) 최완진, 전게논문, 324면; 양만식, "서면투표와 전자투표에 관한 문제점과 해결방안," 「상사판례연구」 제16권(한국상사판례학회, 2004), 90면.
78) 한국예탁결제원 전자투표관리업무규정 제13조(2020. 11. 11. 개정) 참조.

경우에도 일정한 조건하에서는 전자투표의 재행사가 허용되는 경우가 있다.79) 또한 상법 제368조의4 제4항에서는 동일한 주식에 관하여 전자투표 방법 또는 서면투표 방법에 따라 의결권을 행사하는 경우 전자적 방법 또는 서면 중 어느 하나의 방법을 선택하도록 하고 있다. 따라서 주주의 서면투표에 의한 의결권 행사 이후에 전자투표에 의하여 의결권을 철회 또는 변경하거나 그 반대로 전자투표 후 서면투표로 의결권을 철회 또는 변경하지 못한다.

바) 의결권의 불통일 행사 및 전부행사

(1) 의결권의 불통일 행사

주주가 2개 이상의 의결권을 가지고 있을 때 주주총회의 의안에 대하여 그 의결권의 일부는 찬성으로 행사하고, 남은 일부는 반대로 행사할 수 있도록 하는 제도를 의결권의 불통일 행사라고 한다. 주주가 의결권의 불통일 행사를 원한다면 주주총회 개최일의 3일 전까지 회사에 대하여 '서면 또는 전자문서'로 그 뜻과 이유를 기재하여 의결권 불통일 행사를 통지하여야 한다(제368조의2 제1항). 다만, 주주가 주식의 신탁을 인수하였거나 기타 타인을 위하여 주식을 가지고 있는 경우 외에는 회사는 주주의 의결권 불통일 행사를 거부할 수 있다(동조 제2항).

상법이 3일의 기간을 정하고 있는 것은 불통일 행사 청구에 대하여 회사의 검토할 시간과 업무준비를 배려하기 위한 규정으로 그 취지를 이해할 수 있다. 따라서 비록 3일전에 의결권의 불통일 행사를 통지하지 못하였더라도 달리 주주와 회사에 불이익이 발생하지 않는 한 회사가 일단 승인한 경우에는 예외적으로 그에 따라 이루어진 의결권의 불통일 행사는 적법한 것으로 볼 수 있다.80)

전자투표에 의하여 의결권의 불통일 행사를 하고자 하는 주주는 전자투표시스템을 통하여 의결권 불통일 행사를 통지할 수 있다. 따라서 전자투표권자가 의결권의 불통일 행사를 하고자 하는 경우에는 주주총회일의 3일 전까지 전자투표관리시스템을 통하여 의결권 불통일 행사의 뜻과 이유를 회사에 통지하여야

---

79) 주주가 이사선임에 관한 집중투표를 하는 경우 한국예탁결제원은 집중투표의 방법으로 변경하는 회사의 신청을 승인하면 지체 없이 전자투표권자가 집중투표의 방법으로 전자투표를 다시 할 수 있도록 하여야 하며, 이 경우 집중투표의 방법으로 재투표하지 아니한 전자투표는 기권으로 처리한다(전자투표관리업무규정 제16조 제3항).

80) 대법원 2009.4.23. 2005다22701, 22718.

한다(전자투표관리업무규정 제15조). 물론 이때에도 제368조의2 제2항이 동일하게 적용되어 타인을 위해 주식을 보유하고 있지 않은 일반주주의 경우 의결권 불통일행사 통지 시 해당 사유와 증빙자료를 제출하더라도 회사는 동 의결권 불통일행사를 거부할 수 있다.

(2) 의결권의 전부행사

전자투표권자가 행사할 수 있는 의결권중 일부만 전자투표를 할 수 있는지 아니면 의결권 전부를 행사해야 하는지에 대해서는 상법상 특별한 규정이 없다. 상법은 이에 대하여 특별히 금지하는 규정을 두고 있지 않기 때문에 이를 근거로 전자투표에 의한 의결권의 일부행사가 가능할 수 있을지가 문제된다.[81] 그러나 이 문제에 대하여는 하위규정인 전자투표관리업무규정에서 해결하고 있다. 동 규정에 따르면, 전자투표권자는 의결권을 행사할 수 있는 주식 전부에 대하여 전자투표를 하여야 하기 때문에(전자투표관리업무규정 제13조 제6항, 2020.11. 11. 개정) 일부 주식은 전자적 방식으로 하고 다른 일부 주식은 주주총회 현장에서 의결권을 행사하는 것은 원칙적으로 허용되지 않는다.

다만, 일부 주식에 대한 전자투표가 부득이한 경우, 예컨대 (i) 상법 또는 그 밖의 관련 법령에 따라 의결권의 행사가 일부 제한되는 경우, (ii) 상임대리인이 외국인 주주의 일부 주식에 대한 의결권 행사지시를 따라야 하는 경우, (iii) 신탁재산을 보관·관리하는 신탁업자가 그 신탁재산에 속하는 주식의 일부에 관하여 위탁자 또는 수익자의 의결권 행사지시를 따라야 하는 경우, (iv) 자본시장법 제184조 제1항에 따라 집합투자업자가 투자회사재산 또는 투자신탁재산에 속하는 주식의 의결권을 행사하는 경우, (v) 자본시장법 제9조 제17항 제3호에 따른 증권금융회사가 같은 법 제326조 제1항 제2호에 따른 대여 업무 수행을 위하여 담보 목적으로 주식을 취득한 경우, (vi) 그 밖에 제(iii)호부터 제(v)호까지의 규정에 준하는 경우로서 예탁결제원이 필요하다고 인정하는 경우 등에는 예외적으로 일부 주식에 대한 전자투표권 행사가 가능하다(전자투표관리업무규정 시행세칙 제4조, 2020. 11. 13. 개정). 이와 같이 예외적으로 전자투표권의 일부행사가 가능한 경우 전자투표를 한 후 잔여 의결권을 주주총회에서 행사하고자 한다면 이는 의결권의 불통일 행사가 되기 때문에 주주총회일의 3일 전까지 회사에 대

---

81) 일부 학자는 상법상 금지규정이 없다는 이유로 전자적 방법에 의한 의결권의 일부 행사가 허용된다고 해석하고 있다(임재연, 전게서, 93면).

하여 '서면 또는 전자문서'로 그 뜻과 이유를 통지하여야 한다(제368조의2 제1항).

사) 집중투표제의 청구와 전자투표의 재행사

소수주주의 이익을 보호하기 위하여 비상장회사 이사의 선임 시 주주의 청구에 의하여 집중투표제가 허용되는 경우 집중투표 전환 이전에 이미 행사된 전자투표가 있었다면 이러한 주주의 의결권 행사의 처리에 문제가 있을 수 있다.

2인 이상의 이사선임을 목적으로 하는 비상장회사의 주주총회 소집이 있는 때에는 의결권 없는 주식을 제외한 발행주식총수의 100분의 3 이상에 해당하는 주식을 가진 주주는 정관에서 달리 정하는 경우를 제외하고는 회사에 대하여 집중투표의 방법으로 이사를 선임할 것을 청구할 수 있으며 이러한 청구는 주주총회일의 7일 전까지 '서면 또는 전자문서'로 하여야 한다(제382조의2 제1항 및 제2항) 또한 한국예탁결제원의 전자투표관리업무규정 제16조 제1항 및 제2항(2020. 11. 11. 개정)도 상법 제382조의2에 따라 주주가 이사선임에 관한 집중투표의 청구를 하는 경우 위탁회사는 한국예탁결제원에 전자투표 행사의 방법을 집중투표의 방법으로 변경하여 줄 것을 신청할 수 있으며 한국예탁결제원의 신청승인이 이루어진 후에 집중투표의 방법으로 주주가 전자투표를 할 수 있도록 규정하고 있다.

전자투표의 행사기간은 달리 회사가 정하지 않는 한 원칙적으로 주주총회 개최일 10일전 오전 9시부터 가능하므로[82] 만일 주주총회 개최일 10일 전부터 집중투표의 청구가 있는 7일전까지의 사이에 일부 전자투표가 이루어졌다면 이미 행사된 전자투표는 집중투표제의 내용을 반영하고 있지 않기 때문에 이미 행사된 전자투표에 대한 의결권의 효력이 문제된다. 이와 같은 경우에 대하여 전자투표관리업무규정 제16조 제2항은 중대한 예외로서 전자투표의 재행사를 허용하고 있다. 즉, 회사의 집중투표의 방법으로의 변경을 승인한 한국예탁결제원은 지체 없이 전자투표권자가 집중투표의 방법으로 전자투표를 다시 할 수 있도록 하고 있으며 이 경우 집중투표의 방법으로 재투표하지 않은 전자투표는 모두 '기권'으로 처리한다(전자투표관리업무규정 제16조 제3항, 2020. 11. 11. 개정). 그러나 기권으로 처리되는 전자투표에 대해서는 상법이 보호하는 주주의 의결권을

---

82) 한국예탁결제원 전자투표관리업무규정(2020. 11. 11. 개정) 제14조 제1항.

하위법령이 무효화하는 것이라는 문제와 전자투표업무에 관한 전자투표관리기관의 원활한 관리 측면만을 고려하고 있다는 비난과 문제점이 제기될 수 있다.

이러한 집중투표의 전환에 따른 전자투표의 효력 문제는 '비상장회사'의 '이사선임' 안건에 대해서만 해당되는 문제이고 상장회사의 경우에는 그러하지 아니하다. 상장회사의 경우에는 상장회사에 대한 집중투표 특례규정에 따라 전자투표 신청 이전인 주주총회일 6주 전까지 '서면 또는 전자문서'에 의하여 회사에 집중투표를 청구하여야 하기 때문에(제542조의7) 집중투표의 채택 내용이 반영된 상태에서 전자투표가 이루어지므로 집중투표의 변경에 따른 전자투표의 재투표 여부 문제는 발생할 소지가 없게 된다.

아) 섀도보팅 제도의 폐지와 전자투표제도

주주총회에 대한 주주의 무관심 때문에 주주총회의 정족수를 확보하기 위한 조치로서 한국예탁결제원이 대신 주주총회의 의사정족수를 충족시켜 줄 수 있도록 지난 1991년 12월에 (구)증권거래법을 개정하여 섀도보팅 제도를 처음으로 도입하였고 1993년 3월부터 시행하였다.[83] 한국예탁결제원의 의결권 행사제도는 실질주주의 의결권 행사에 영향을 미치지 않으면서 주주총회 성립만을 지원하기 위한 제도로서 실질주주제도 도입에 따른 문제점을 해결하기 위하여 정족수 완화 또는 서면투표제도 도입 등에 의하여 주주총회 불성립의 문제가 해소될 때까지 과도기적으로 도입된 제도이었다.[84]

그러나 섀도보팅 제도는 이처럼 기업들의 원활한 주주총회 지원을 위하여 도입되었으나 당초의 취지와는 달리 남용되어 오히려 주주총회 활성화에 장애가 되는 등 많은 문제점이 지속적으로 제기되어 왔다. 지난 2009년 5월 상법개정으로 새로이 도입된 전자투표제도는 섀도보팅 제도의 문제점을 일정 수준 상쇄할 수 있을 뿐만 아니라 회사의 경영진이 소액주주의 주총 참여 유도에 미진한 태도를 보이는 문제를 시정 할 수 있을 것으로 기대하였다. 따라서 섀도보팅에 대한 전자투표제도의 보완적인 역할과 대체적인 기능을 고려하여 섀도보팅을 이용하는 회사에 대하여 전자투표의 이용을 의무화하는 법안이 추진되기도 하였다.[85] 전자투표제도가 도입되기 이전에는 사실 섀도보팅 제도가 주주총회의 결

---

83) (구)증권거래법 제314조 제4항 및 제5항.
84) 서울고등법원 2011.6.15. 2010나120489.
85) 조문환의원 대표발의(의안번호: 1808650), "자본시장과 금융투자업에 관한 법률 일부개정

의요건 충족에 큰 도움이 되었지만, 전자투표제도가 허용된 상황에서는 큰 의미를 상실하였다고 볼 수 있으며 섀도보팅 제도가 폐지되면 전자투표의 중요성이 더욱 증가할 것으로 인식할 수 있었다.[86]

따라서 섀도보팅 제도의 대안으로 제시되고 있는 전자투표제도가 2010년부터 이미 시행되었다는 점을 고려하여 정부는 섀도보팅 제도를 2015년부터 전면 폐지하는 방향으로 관련법 개정작업을 준비하였다.[87] 마침내 지난 2013년 5월 28일 자본시장법이 개정되면서 한국예탁결제원의 섀도보팅에 관한 한국예탁결제원의 권리 규정이 삭제되었고 이에 따라 섀도보팅제도는 2015년 1월 1일부터 폐지될 것이 예정되었다.[88]

그러나 기업들이 그동안 2년간의 유예기간 중 준비할 수 있는 시간이 턱없이 부족하였고 또한 감사 또는 감사위원회의 선임시 의결권 제한에 따른 감사선임의 어려움이 존재하는 등 주주총회 의결기준을 충족할 수 있는 현실적 한계가 존재하였기 때문에 섀도보팅 제도의 폐지는 다시금 2015년 초부터 향후 3년간 유예되기에 이르렀다. 즉, 2014년 12월 30일 자본시장법 개정으로 2013. 5.28.자 자본시장법개정(법 제11845호)의 부칙에 제18조를 신설하여 일정한 경우 섀도보팅제도의 폐지는 2017년 12월 31일까지 한시적으로 유예할 수 있도록 하였다.[89]

법률안에 대한 의견" 참조. 특히, 전자투표제도의 의무화에 대한 문제점과 문제해결에 대해서는 김병태, "주주총회의 전자투표제도 '의무화'와 문제점," 기업법연구 제27권 제3호(한국기업법학회, 2013) 참조.

86) 임재연, 전게서, 87면.

87) 금융위원회, "자본시장과 금융투자업에 관한 법률 개정안 입법예고," 보도자료(2011. 7. 27.); 황세원, "2012년 상반기 한국판 '골드만삭스'나온다," (국민일보, 2011. 7. 27.) ⟨http://news.kmib.co.kr/article/view.asp?arcid=0005195498⟩

88) 자본시장과 금융투자업에 관한 법률 제314조 제4항 및 제5항의 삭제 및 개정부칙 제1조 참조.

89) 자본시장과 금융투자업에 관한 법률 개정(2013. 5. 28. 법 제11845호)의 부칙 제18조 신설
① 예탁결제원은 「상법」 제368조의4에 따라 주주가 총회에 출석하지 아니하고 전자적 방법으로 의결권을 행사하게 하고 의결권 있는 주식을 가지고 있는 모든 주주들을 대상으로 제152조에 따른 의결권 대리행사의 권유를 한 법인의 주주총회 목적사항 중 다음 각 호의 어느 하나에 해당하는 사항에 대하여는 제314조 제5항의 개정규정에도 불구하고 2017년 12월 31일까지 종전의 규정에 따라 의결권을 행사할 수 있다.
  1. 감사 및 감사위원회위원의 선임 또는 해임
  2. 주주의 수 등을 고려하여 금융위원회가 정하여 고시하는 기준에 해당하는 법인의 경우 주주총회 목적사항
② 제314조 제4항·제6항, 제449조 제2항 제13호 및 별표 8 제18호의 개정규정에도 불구하고 제1항에 따른 예탁결제원의 의결권 행사에 관하여는 2017년 12월 31일까지 종전

이에 따라 이후 금융위원회는 제한적인 섀도보팅 제도의 폐지 유예기준을 구체적으로 고시하였다. 즉, 섀도보팅 제도의 폐지가 유예되는 경우는 소액주주(발행주식총수의 1% 미만)들의 주식의 합계가 의결권 있는 발행주식총수의 3분의 2를 초과한 법인이어야 하고 상장법인이 전자투표 및 모든 주주를 대상으로 하는 의결권 대리행사의 권유를 시행한 경우, "감사 및 감사위원회위원의 선임 또는 해임" 및 "금융위원회가 정하여 고시하는 기준에 해당하는 법인의 일반 안건"에 대해서만 3년간 한시적으로 섀도보팅을 적용할 수 있도록 하였다.[90]

마침내 3년의 유예기간이 2017년 12월 31일로 경과하면서 2018년부터 섀도보팅 제도는 완전히 폐지되었고 이에 따라 기업들의 전자투표제도 도입은 더욱 가속화되었다. 단적으로 지난 2021년 3월의 정기주주총회를 기준으로 주권상장법인 2,131개 사 중 1,253개 사(58.8%)가 실제 전자투표를 시행하는 수준에까지 이르렀다.[91] 이와 같은 전자투표제도의 확대는 기업 운영에 대한 주주들의 관심을 고취시킬 수 있으며 이는 앞으로 더욱 활성화될 것으로 예상되는 스튜어드십 코드(stewardship code)와 함께 주주의 의결권 행사에 시너지 효과를 나타낼 것으로 예상된다.[92] 특히 2016년 스튜어드십 코드가 발표된 이후 참여기관이 크게 증가하면서 기관투자자의 주주권 행사가 더욱 활성화 됨에 따라 전자투표와 전자위임장권유 등을 활용한 전자주주총회의 모습은 더욱 가속화 될 것으로 보인다.

따라서 최근의 이러한 섀도보팅 제도의 폐지와 관련된 변화를 관련 회사들은 충분히 인식할 필요가 있으며 장기적으로는 전자투표제도의 채택 및 시행과 같이 기업의 주주총회 의결정족수를 위한 회사 자구책의 노력이 더욱 필요하게 되었다. 이외에도 비록 아직까지는 완전한 전자주주총회가 법적으로 허용되지 않더라도 2021년 정기주주총회에서 일부 회사가 보여준 바와 같이 현장주주총회와 함께 온라인 형식의 주주총회가 병행되는 방식의 전자주주총회가 확산될 수 있다면 주주의 의결권 행사에도 많은 도움이 될 것으로 보인다. 종국적으로는 법적으로도 이를 수용할 수 있는 제도적 지원이 필요하므로 완전한 전자주주총

의 규정에 따른다.

90) 금융위원회, "「금융투자업규정」 일부 개정규정 고시," 금융위원회 고시 제2015-4호(2015. 2. 3.).

91) 이승희, 전게 보고서, 3면.

92) 임현일·임자영, 전게 보고서, 30면.

회를 포함한 최근의 변화를 반영하는 상법개정도 검토할 필요가 있다.

5. 이익 공여 금지

정 쾌 영*

가. 서   설

상법은 회사에 대하여 주주의 권리 행사와 관련하여 누구에게든지 재산상의 이익을 제공하는 것을 금지하고 있다(제467조의2 제1항). 회사가 이 규정에 위반하여 재산상의 이익을 공여한 경우에 그 이익의 공여를 받은 자는 이를 회사에 반환하여야 하고, 이때 회사에 대가를 지급한 것이 있는 때에는 그 반환을 받을 수 있다고 규정하고(제467조의2 제3항), 회사의 계산으로 재산상의 이익을 공여한 자와 그 이익을 수수한 자 및 제3자에게 공여하게 한 자에 대해서는 이익공여죄로 처벌하게 하고 있다(제634조의2).

종래 우리나라 주식회사의 주주총회에 있어서 고질적인 병폐가 이른바 총회꾼에 의한 총회 운영의 교란과 총회의 유명무실화 내지 형해화(形骸化)였는데,[1] 상법은 이러한 총회꾼의 총회장 교란행위에 대해서는 총회 의장의 질서유지권으로 대처하고(제366조의2), 이와 동시에 총회꾼의 배후 작용에 의한 총회의 형식화에 대해서는 이 이익 공여 금지 규정(제467조의2)과 이익공여죄(제634조의2)로 대비하고 있는 것이다.[2]

나. 입법 배경과 입법 취지

1) 입법 배경

주주의 권리 행사와 관련한 이익 공여 금지 규정은 총회꾼과 회사의 불건전한 거래를 근절시키고자 하는 취지에서 둔 규정이다.[3] 총회꾼이란 주주총회에서

---

* 신라대학교 공무원법학과 교수

1) 강위두·임재호, 「상법강의(상)」 제3전정(형설출판사, 2009), 1004면; 최준선, 「회사법」 제16판(삼영사, 2021), 413~414면.
2) 최준선, 상게서, 414면, 417면.
3) 법무부, 상법(회사편)해설자료, 2008. 11., 140면; 이철송, 「회사법강의」 제29판(박영사, 2021), 1010면; 최준선, 상게서, 414면; 정준우; "상법상 이익공여금지규정의 주요쟁점 – 최근의 대법원 판례를 중심으로 –," 「商事判例研究」 제30집 제2권(한국상사판례학회, 2017), 4면; 황남석, "주주에 대한 이익공여금지 규정의 적용범위 – 대법원 2017.1.12. 선고 2015다68355·68362 판결 –," 「법조」 제66권 제2호(법조협회, 2017), 764면.

주주의 발언권을 남용, 회사를 공격하거나 회사에 협력하고 회사로부터 부당한 이익을 취득하는 것을 목적으로 하는 자를 말한다. 과거 대회사의 주주총회에서 회사의 부실 경영이나 부정행위 등의 은폐, 분식 결산 서류의 승인, 이사·감사 의 선임 등에 있어서 소수의 주식을 취득한 총회꾼이 주주총회장에서 회사의 약 점을 들추겠다는 으름장을 놓는가 하면, 의사진행을 방해하거나 다른 주주의 발 언을 봉쇄하는 역할을 하면서 회사나 회사와 대립하는 주주로부터 그 대가로 금 품 등의 이익을 편취하는 부조리가 적지 않았다.[4]

이러한 총회꾼은 종래 우리나라와 일본에서 주로 활동해 왔다.[5] 이들은 금 품의 편취를 목적으로 반대 주주 또는 회사와 결탁하여, 일반 주주들의 총회 참 여를 배제함으로써 주주총회의 기능을 저해하고, 다른 주주의 적정한 주주권 행 사를 왜곡시킬 뿐만 아니라 주주총회를 형해화시키는 원인이 되었다. 총회꾼에 게 제공되는 이익도 회사의 재산으로 공여되는 경우가 많아 회사의 재산적 기초 를 훼손할 우려도 높았다. 물론 총회꾼에 대한 규제책으로서 제631조의 '권리 행사 방해 등에 관한 증수뢰죄'가 있었으나, 이는 부정한 청탁이 있을 것을 그 요건으로 하고 있고, 또 그 입증이 곤란하기 때문에 사실상 실효를 거두기 어려 웠다.[6] 그리하여 우리나라 상법은 이러한 총회꾼을 근절할 목적으로 일본의 입 법을 본받아 1984년 상법 개정 때 이익 공여 금지 규정을 신설하였다.[7]

주지하는 바와 같이 일본에서는 오래전부터 회사가 금품을 제공하지 않으면 주주총회에 참석하여 집요한 질문으로 회사를 공격하거나, 또는 주주의 질문을 봉쇄하여 총회의 진행에 협력하고 회사로부터 금품을 뜯어내는 총회꾼들이 설쳤 다. 이들로 말미암아 총회가 형해화되고, 총회꾼에게 흘러간 자금이 폭력단의 자금원으로 되었으며, 기업과 총회꾼이 결탁함으로써 기업에 대한 불신이 심화

---

4) 이러한 총회꾼은 우리나라에서 1990년대 중반까지 발호하다 사라졌으나, 2008년에 다시 등 장해 주목을 모은 바 있다(헤럴드경제 인터넷판, 2008. 3. 14.); 권재열, "상법상 이익공여 죄에 관한 소고,"「법학연구」(연세대학교 법학연구원, 2008), 128면.
5) 주주에 대한 이익 공여 금지 규정을 두고 있는 입법례는 우리나라와 일본의 경우를 제외하 고는 흔하지 않다. 우리나라 상법과 일본 상법이 강력한 이익 공여 금지조항을 두고 있는 것은 총회꾼이 우리나라와 일본에서 주로 활동해왔던 특이한 현실에 기인한다(권재열, 상게 논문, 129면).
6) 정희철,「상법학(상)」(박영사, 1989), 582면; 박상조,「개정상법해설」(법문사, 1984), 74면; 손주찬 외,「상법개정안해설」(삼영사, 1984), 70~71면.
7) 손주찬,「상법(상)」제15보정판(박영사, 2004), 957면; 정동윤,「회사법」제7판(법문사, 2005), 646면.

되고, 일본 기업의 국제화에도 걸림돌이 되었다.[8]

일본에서는 당시 주주의 권리 행사에 관하여 부정한 청탁을 받고 재산상의 이익을 수수, 요구 또는 약속한 자를 처벌하는 규정(일본 구상법 제494조)이 있었으나, 이 규정의 적용에 있어서 부정한 청탁의 입증이 쉽지 않았다. 그리하여 일본은 회사 자금이 총회꾼에게 유입되는 것을 근절하기 위하여 1981년의 개정 상법에서 이익 공여 금지 규정(동법 제266조 제1항 제1호)을 설치하고, 이에 위반한 이사의 책임에 관한 규정(동법 제266조 제1항 제2호)과 그 벌칙 규정(동법 제497조)을 신설하였다.[9] 현행 상법의 이익 공여 금지 규정과 그 위반에 대한 처벌 규정은 이러한 일본 상법의 규정을 계수한 것이다.[10]

2) 입법 취지

가) 의 의

이익 공여 금지의 입법 취지에 관하여, 우리나라에서는 회사 재산의 낭비 방지에 있다는 견해, 주주총회 운영의 정상화에 그 목적이 있다는 견해, 회사 운영의 공정성 확보에 있다는 견해 등이 있다.

나) 학설의 내용

이 규정의 목적이 회사 재산의 낭비 방지에 있다는 견해는 이 제도가 총회꾼을 배제할 목적으로 도입된 제도로서 이사가 자신에게 부정적인 주주의 권리 행사에 영향을 미치기 위하여 회사의 부담으로 이익을 공여하는 행위를 금지하는 것으로서, 그 입법 목적은 주주의 권리 행사에 관련한 회사 재산의 낭비 방지에 있다고 한다.[11]

---

8) 酒卷俊雄·龍田節, 「逐條解說 會社法」 第2券 株式·1(中央經濟史, 2009), 169면.

9) 酒卷俊雄·龍田節, 상게서, 170면. 일본 상법에서는 그 후 2000년의 회사분할제도 도입 시 자회사의 계산에 의한 이익공여의 금지가 명문화되었고, 2002년의 상법특례법개정 시 위원회등설치회사제도의 도입에 수반하여 집행임원에 대하여도 이익공여를 한 경우 그 이익 상당액의 지급의무를 부담하게 하는 규정을 신설하였으며(구상법특례법 제21조의20), 일본의 현행 회사법에서는 이러한 이익공여금지가 제120조에 규정되어 있다. 일본에서의 논의에 관하여는 이효경, "이익공여금지 규정을 둘러싼 제문제 — 최근 일본에서의 논의를 중심으로," 「경영법률」 제24집 제1호(한국경영법률학회, 2013) 참조.

10) 김선정, "주주의 권리 행사에 관한 이익공여의 금지 — 소위 총회꾼의 횡포에 대한 법적 대응 —," 「개발논총」 제2집(동국대학교, 1992), 24면.

11) 최준선, 전게서, 414면; 최준선, "주주권 행사와 관련한 이익공여 금지 소고," 「成均館法學」 제27권 제1호(성균관대학교 법학연구소, 2015), 198면; 竹內昭夫, "利益供與罪(商法497條)の處罰範圍," 「産大法學」 第34卷 第3号(京都産業大學, 2000), 147~148面; 권재열, 전게논

이 규정의 목적이 주주총회 운영의 정상화에 있다는 견해는 이 규정의 입법 취지에 관하여 '총회꾼을 규제하여 주주총회 운영의 건전화·정상화를 도모하려는 취지에 있다'[12]고 하거나, 또는 '주주총회에서 회사의 부실경영이나 부정행위 등의 은폐, 분식 결산 서류의 승인, 이사·감사 등의 선임 등을 둘러싸고 총회꾼들에게 금품 기타의 재산상의 이익을 공여하여 온 부조리를 제거하여 회사의 이익을 보호하고 주주의 정당한 권리 행사의 방해 요인을 제거하여 주주총회의 운영을 정상화시키는데 이 제도의 목적이 있다'고 한다.[13]

이 규정의 목적이 회사 운영의 공정성 확보에 있다는 견해는 '주주의 의결권의 정당한 행사를 도모하여 회사 지배의 왜곡을 방지하고 있다'[14]거나, '이익 공여 금지는 총회꾼의 개입을 배제하여 주주총회 운영의 적정화를 도모하기 위한 것이나, 더 나아가 이 규정은 대주주의 권리 행사에도 그 적용이 있으므로 단순히 총회꾼에 대한 대책으로서의 의미가 있을 뿐만 아니라 회사 운영의 공정성을 확보하는 뜻도 지니고 있다'고 한다.[15]

다) 학설의 차이점

이러한 견해의 차이는 회사의 이익 제공이 정당한 대가에 의한 것이어서 회사에 손해가 생기지 않는 경우에도 이익 공여가 되는가 하는 점이다. 이 규정의 목적이 회사 재산의 낭비 방지에 있다는 견해에서는 회사가 제공하는 이익과 상대방의 대가가 균형을 이루고 있는 때에는 회사에 경제적 손실이 없으며, 거래가 공정한 한 거래 상대방의 선택은 경영진의 판단에 일임되어 있으므로 그 상대방이 총회꾼이어도 위법하지 않다고 한다. 그러나 나머지 두 견해에서는 이 규정의 보호법익은 주주총회의 운영 정상화 또는 회사 경영의 적정화이며, 정당

문, 132면. 다만 권재열 교수는 위 논문에서 이익공여죄의 입법목적이 회사재산의 낭비방지에 있다고 설명하고 있다.

12) 박상조, 「신회사법론」 제3증보판(형설출판사, 2000), 820면; 안동섭, 「상법강의(Ⅱ) 회사법」(법률행정연구원, 1999), 343면.

13) 최기원, 「신회사법론」 제13대정판(박영사, 2009), 952면.

14) 정희철, 전게서, 582~583면; 정찬형, 「상법강의(상)」 제24판(박영사, 2021), 1254면.

15) 김선정, 전게논문, 25면; 임재연, 「회사법Ⅰ」 개정3판(박영사, 2016), 803면; 강대섭, "주주권 행사에 관한 이익공여와 주주총회 결의의 효력 - 대법원 2014.7.11. 자 2013마2397 결정 -," 「상사법연구」 제34권 제1호(한국상사법학회, 2015), 244면. 최준선 교수는 전게 논문에서 총회꾼의 발호가 거의 소멸된 요즈음 이익공여금지에 관한 규정을 재정립할 필요가 있다고 강조하고, 이익 공여 금지 규정을 총회꾼 대책규정에서 회사 운영의 건전성 확보를 위한 규정으로 재인식하자고 제안한다(최준선, 전게논문, 209면; 최준선, 전게서, 415면).

한 대가에 의한 거래라도 상대방이 수령하는 급부에는 통상적인 거래상의 이익이라도 포함될 것이므로 일종의 이익 공여에 해당한다고 본다.[16]

이 규정의 목적이 주주총회 운영의 적정화에 있다는 견해와 회사 운영의 공정성 확보에 있다는 견해 사이에는 주주가 주식을 양도하거나 양도하지 아니하는 대가로 회사가 이익을 제공하는 것이 이익 공여인가 그렇지 않은가에 그 차이를 엿볼 수 있다. 즉 이 규정의 목적이 주주총회의 운영의 적정화에 있다는 견해에서는 주식의 양도행위 자체는 주주권 행사와 직접 관련이 없기 때문에 주식을 양도하거나 또는 양도하지 않을 대가로 이익을 제공하는 것은 이익 공여가 아니라고 하게 되나, 이 규정이 회사 운영의 공정성 확보에 있다는 견해에 의하면, 가령 신주를 시가로 발행할 계획이 있는 회사의 대주주가 증자계획의 공시 후 그 발행가액의 결정 전에 보유 주식 전부의 매도에 따른 주가 폭락을 우려하여 대주주에게 매도 시기의 연기를 요청하면서 이익을 제공하는 것도 주주의 권리 행사와 관련된 이익 공여로 보게 된다.[17]

다. 이익 공여 금지의 요건

1) 이익 공여의 주체

이익 공여의 주체는 회사이다. 회사는 누구에게든지 주주의 권리 행사와 관련하여 재산상의 이익을 공여할 수 없다(제467조의2 제1항). 여기서 회사의 이익 공여로서 금지되는 것은 '회사의 계산으로' 이익을 공여하는 경우이다.[18] 회사가 이익을 공여할 때에는 대개는 대표이사가 제공하겠지만, 그 밖에 이사·감사·지배인 등도 회사의 계산으로 주주 등에게 이익을 제공한 때에는 회사가 이익을 제공한 것이 된다(통설).[19] 따라서 이사, 임원, 직무대행자, 사용인 등이 자신의 계산으로 하는 이익익 공여는 본조의 이익 공여에 해당하지 아니하나,[20] 이러

---

16) 김선정, 전게논문, 27면. 이에 대하여 일본에서는 법이 대주주나 이사 등 회사 이외의 자의 계산으로 주주의 권리 행사에 관하여 이익을 공여하는 것은 허용되므로 주주의 권리 행사의 공정이 근본적인 목적은 아니라고 본다(竹內昭夫,「會社法の理論 Ⅱ」(有斐閣, 1984), 59면).

17) 김선정, 전게논문, 31면.

18) 최기원, 전게서, 952면; 최준선, 전게서, 415면; 박영길, "이익 공여의 금지,"「고시계」통권 392호(고시계사, 1989), 126면.

19) 정희철, 전게서, 583면; 정동윤, 전게서, 647면; 정찬형, 전게서, 1155면; 강위두·임재호, 전게서, 1005면; 박상조, 전게서, 821면; 이기수·최병규·조지현,「회사법」제8판(박영사, 2009), 625면.

한 자들이 자신의 명의로 공여한 이익이 실질적으로 회사의 부담으로 행해진 경우에는 회사의 공여가 되므로 본조에 의하여 금지된다. 그리하여 임원이나 사용인이 형식상 공여자로 되어 있으나, 회사가 사전에 또는 사후에 공여 상당 분을 보수 인상이나 상여금 지급 형태로 전보하여 주는 것도 허용되지 않는다(통설).21)

이익 공여의 주체에 관하여 자회사나 관련 회사도 포함되는가에 관하여 이들도 공여 금지 주체에 포함시켜야 하며, 자회사나 관련 회사 또는 사업자 단체 등을 이용한 공여라도 그 공여자의 명의나 공여 형식, 공여의 명목에 얽매이지 않고 그 이익 공여가 실질적·최종적으로 회사의 부담이 되는가를 따져 본조의 적용 여부를 확정하면 된다는 견해22)가 있으며, 이 견해가 통설의 입장에 부합한다.

이익 공여자가 이익의 공여 당시에 그 이익 공여가 주주의 권리 행사에 관한 것이라는 인식을 하고 있어야 하는가에 관하여, 학설에서는 공여 주체가 유상의 거래행위를 한 후에 공여받은 상대방이 총회꾼임이 판명된 경우와 같이 이익 공여가 주주의 권리 행사에 관한 것이라는 공여 주체의 인식이 공여 당시에 결여된 때에는 민·형사상 책임을 물을 수 없다고 한다.23)

2) 이익 공여의 상대방

가) 상대방의 범위

제467조의2 제1항은 이익 공여의 상대방에 대하여 '누구에게든지' 라고 하여 특별한 제한을 하지 아니한다(통설). 그리하여 이익 공여의 상대방은 반드시 총회꾼이나 그와 특별한 관계에 있는 자에 한정되지 아니하며, 주주는 물론 친지나 자회사 등 주주와 특별한 관계에 있는 자, 의결권을 대리 행사하는 자, 주주가 지정한 자 또는 주주에 대하여 영향력이 있는 자 등을 포함하며,24) 또 자연

---

20) 다만 이 경우 이사나 감사 등이 부정한 청탁을 위하여 자기의 계산으로 이익을 공여하는 경우에는 제631조의 '권리 행사 방해 등에 관한 증수뢰죄'가 성립한다(김선정, 전게논문, 25면).

21) 정희철, 전게서, 584면; 손주찬, 전게서, 959면; 정동윤, 전게서, 649면; 정찬형, 전게서, 1256면; 박영길, 상계논문, 126면; 김선정, 전게논문, 25면.

22) 김선정, 전게논문, 26면.

23) 김선정, 전게논문, 26면.

24) 강위두·임재호, 전게서, 1005면; 박상조, 전게서, 821면; 안동섭, 전게서, 343면; 최기원, 전게서, 952~953면. 따라서 회사가 대주주의 권리 행사에 관하여 재산상의 이익을 공여한 경우도 이익 공여 금지위반이 된다(최기원, 전게서, 953면).

인뿐만 아니라 법인이나 공공단체, 권리능력 없는 사단이어도 무방하다.[25]

나) 모자회사 간의 경우

모자회사 간의 이익 공여에 관하여, 자회사가 모회사의 보유 주식에 의한 권리 행사와 관련하여 모회사에 재산상의 이익을 공여하는 것이 위법이라는 견해[26]도 있으나, 모자회사 간의 경제관계가 통상의 회사 상호 간의 거래에 비하여 자회사에 불리하다고 인정되는 경우에도 그것으로 이익 공여가 있다고 볼 수 없고, 모자회사의 특성을 감안하여 이익 공여 금지 규정의 적용을 합리적으로 제한할 필요가 있다고 하는 견해[27]가 있다.

이 견해에 따르면, 자회사가 모회사에 대하여 재산상의 이익을 제공하는 경우, 즉 자회사의 이사가 자신의 재임을 목적으로 자회사의 계산으로 모회사나 그 임원에게 금품을 교부하는 경우는 물론, 그 외에도 모회사가 자회사에 대하여 회사의 퇴직자를 채용할 것을 요청하여 자회사가 이들을 정상적인 채용에 비하여 상당성이 결여된 채용을 한 경우, 자회사가 모회사 소유의 유휴 부동산을 용도 불문하고 구입하는 경우, 자회사가 모회사에 대하여 자사 제품을 싸게 판매하는 경우, 자회사가 채무 초과 상태인 모회사에 대하여 무담보의 지급보증을 하는 경우, 자회사가 모회사 주주에게 지급한 것을 모회사가 자회사에게 보전하여 준 경우 등도 이익 공여가 된다.[28]

그러나 이와는 달리 자회사는 모회사의 주식을 취득하거나 모회사에 대하여 주주의 권리를 행사할 수 없으므로, 모회사가 자회사에게 어떤 경제적 이익을 제공하더라도 보통은 이익 공여에 해당되지 않는다.[29] 다만, 모회사와 경영 분쟁 중인 자회사가 모회사의 주주인 제3자와 결탁하여 모회사 주주총회의 원활한 진행을 저지할 것을 예고하고, 모회사가 이를 회피하기 위하여 자회사에게 이익을 공여한 경우는 실질적인 이익 공여로서 제467조의2가 적용된다.

또 자회사가 모회사와 긴밀한 관계에 있는 다른 회사의 주식을 보유하고 있는 경우에 자회사의 다른 회사에 대한 주주권 행사에 관하여 모회사가 자회사에게 이익을 공여하는 것은 이익 공여 금지 규정 위반이 아니나, 모회사가 자회사

---

25) 김선정, 전게논문, 26면.
26) 최기원, 전게서, 953면.
27) 김선정, 전게논문, 39면.
28) 김선정, 전게논문, 39면.
29) 김선정, 전게논문, 40면.

에 지출한 이익을 그 다른 회사가 전보하는 경우에는 이익 공여에 해당한다는 견해가 있다.[30)]

다) 주주 이외의 자의 경우

주주 이외의 자가 앞으로 당해 회사의 주식을 취득하지 않을 것을 조건으로 이익을 제공받는 것도 이익 공여로서 규제 대상이 되는가에 관하여, 그 자가 장차 주주권을 행사하지 못하도록 하기 위하여 그 자가 장래 주식을 취득하지 않는다는 것을 조건으로 회사가 재산상의 이익을 제공할 수 있으므로 통설은 이를 긍정하고 있다.[31)]. 그러나 제467조의2 제1항에서 주주의 권리라 함은 기명주식의 경우 명의개서가 종료된 때로부터 생기는 권리라는 뜻이므로 이 경우에는 이 규정의 이익 공여로 볼 수 없다는 부정설도 있다.[32)]

라) 상대방의 주관적 인식

이익 공여의 상대방이 그 이익 공여가 주주의 권리 행사와 관련된 것이라는 점을 인식하고 있어야 하는가에 관하여, 학설은 이러한 인식은 공여자에게 있으면 족하고, 공여의 상대방에게는 이러한 인식이 없더라도 무방하다고 한다.[33)]

3) 재산상의 이익

가) 경제적 이익

제467조의2 제1항의 이익 공여 금지 규정에 의하여 공여가 금지되는 대상은 재산상의 이익에 한한다. 여기서 재산상의 이익에는 금전의 교부, 물건의 제공, 신용 제공, 노무의 제공, 공사의 도급, 시설 이용의 허용, 각종 이권 등 적극적인 경우는 물론 채무 면제, 채권의 포기, 채무 보증, 변제 기일의 연기 등 재산적 가치가 있는 유·무형의 모든 경제적 이익을 포함한다(통설). 그리하여 골프장 예약권과 상품권의 제공,[34)] 신주인수권의 부여,[35)] 재산상의 이익이 수여되는 지위의 부여,[36)] 여행비나 골프 비용의 지급, 기업비밀이나 비공개 정보의 제

---

30) 김선정, 전게논문, 40면.
31) 최기원, 전게서, 953면; 이철송, 전게서, 1047면; 최준선, 전게서, 415면.
32) 김선정, 전게논문, 27면.
33) 최기원, 전게서, 953면; 김선정, 전게논문, 32면.
34) 대법원 2014.7.11. 자 2013마2397.
35) 이철송, 전게서, 1037면.
36) 이기수·최병규·조지현, 전게서, 625면. 따라서 재산상의 이익이 수반되지 않는 지위의 부여는 제외된다.

공[37] 등이 이러한 재산상의 이익으로서 공여 금지 대상에 속한다.

나) 대가가 있는 경우

재산상의 이익은 반드시 무상이어야 하는 것은 아니며, 유상이라도 그 대가가 통상적인 거래 대가보다 적은 경우에는 그 전체가 이익 공여 금지의 위반이 된다. 공여 이익에 대해 상당한 대가가 있어 균형이 유지되는 경우에도 이익 공여 금지 위반이 되는가에 관하여는 이미 앞에서 본 바와 같이 긍정설[38]과 부정설[39]이 대립하고 있다. 긍정설 중에는 거래 상대방으로부터 반대급부가 있더라도 주주의 권리 행사와 관련된 것은 규제 대상이 되므로, 당해 거래의 필요성과 가격의 상당성 유무 외에 상대방이 어떠한 언동(言動)을 하는 자인지도 고려하여 이익 공여 여부를 결정하여야 한다는 견해[40]도 있다. 또 대가가 상당하더라도 융자나 제품의 납품 등 거래 자체가 이권이 되는 경우에는 여기서 말하는 이익 공여에 해당한다는 견해[41]도 있다.

다) 주주 평등의 원칙과의 관계

회사가 주주에게 특별한 편익을 제공하거나 또는 그 보유 주식의 수에 따라 등급을 매겨 그 이익의 공여에 차등을 두는 주주우대제도에 관하여[42] 종래 우리나라에서는 주주 평등의 원칙과 관련하여 논의되어 왔는데, 이것은 이익 공여 금지와 관련하여서도 문제된다.

이에 관하여 우리나라에서는 주주우대제도가 회사의 경영 전략상 합리적인 범위 내인 경우에는 주주 평등의 원칙에 위반되지 않는다는 견해,[43] 주주가 소

---

37) 박영길, 전게논문, 129면; 김선정, 전게논문, 28면; 이영철, "상법상 주주의 권리행사에 관한 이익공여의 죄의 성립여부에 대한 판단기준 - 대법원 2018.2.8. 선고 2015도7397 판결 -," 「법조」 제67권 제4호(법조협회, 2018), 514면.

38) 최기원, 전게서, 953면.

39) 박영길, 전게논문, 129면.

40) 김선정, 전게논문, 29면.

41) 이철송, 전게서, 1038면.

42) 이에 관하여 일본에서는 주주 평등 원칙에 위반하여 무효라는 견해, 우대의 정도가 경미하다면 주주 평등 원칙에 위반하지 않는다는 견해, 회사의 합리적인 필요성이 있다면 주주 평등 원칙도 이에 양보해야 한다는 견해, 엄격한 주주 평등 원칙의 적용범위는 의결권의 수 또는 배당 등과 같이 명문의 규정이 있는 범위로 제한되며 그 밖의 경우 법의 일반 원칙으로부터 합리적으로 사무를 처리하도록 하는 요청이 있는 것에 불과하므로 위법성이 없다는 견해 등이 있다. 김태진, "주주 평등의 원칙에 관한 소고," 「기업법연구」 제22권 제3호 통권 제34호(한국기업법학회, 2008), 43~44면; 森淳二朗 · 上村達男, 森淳二郎 · 上村達男, 「會社法における主要論点の評價」(中央經濟社, 2006), 107~108면.

유하는 주식의 일정 수의 기준이 지나치게 높아서 일부의 대주주에게만 혜택이 돌아가고 그 우대의 정도가 배당 가능 이익에 현저하여 영향을 미치는 때에는 주주 평등의 원칙에 위배되나, 우대의 정도가 경미하고 회사의 영업성과를 위하여 필요한 조치로 인정되는 때에는 실질적으로 주주 평등의 원칙에 위배되는 것은 아니라는 견해,[44] 주주에게 제공되는 이익이 주주 이탈을 방지하거나 개인 주주의 저변 확대를 위하여 또는 주주들의 거래 참여 활성화를 유도하기 위한 서비스 제고 차원에서 업무에 관한 편익을 제공하는데 불과한 경우에는 업무 집행에 관한 경영 판단의 문제로서 경영자의 자유재량에 맡겨져 있다고 보아야 한다는 견해[45] 등이 있다.

이와 같이 주주에 대한 이익의 제공이 주주 평등의 원칙에 위배되지 아니하는 경우에는 그 이익의 제공이 이익 공여에 해당하지 아니하나, 주주에 대한 우대가 이러한 범위를 넘어서서 주주 평등의 원칙에 위반하는 경우에는 동시에 이익 공여에도 해당한다. 즉 보유 주식 수를 기준으로 한 이익의 차등 지급 등 일부 주주에게 회사의 재산에 속하는 금전 등을 제공하는 것은 실질적으로 배당의 탈법 행위로서 위법 배당의 문제를 제기하며, 이러한 이익의 제공이 주주의 권리 행사와 관련되는 경우에는 이익 공여에 해당한다.[46]

따라서 총회에 참석한 주주들에게 의례적으로 제공하는 음료수나 식사 접대, 기념품 증정, 주차권의 교부나 주차 요금의 회사 부담, 명절·신년의 관행상 선물 등은 이익 공여에 해당하지 아니하나, 출석 주주에게 일당이나 여비, 음식비 상당액을 초과하는 식사비 등의 지급, 고가의 기념품 제공, 대주주에 대한 고가의 신년 하례품 제공, 대주주나 거래처인 주주에 대한 경조금의 지급, 주주 주최 모임에 대한 회사의 찬조 등은 이익 공여에 해당된다.[47]

또 대주주나 총회꾼이 소개한 제3자와의 상거래 개시, 보험 가입, 부동산 매

---

43) 서헌제, 전게서, 620면.
44) 최기원, 「상법학신론(상)」 제18판(박영사, 2009), 650면.
45) 정쾌영, "주주평등의 원칙에 대한 재고," 「상사판례연구」 제23집 제4권(한국상사판례학회, 2010), 156면.
46) 정쾌영, 상게논문, 155면.
47) 김선정, 전게논문, 28~30면. 자선단체나 연구기관에 대한 기부나 정치 헌금은 본조의 이익 공여에 해당하지 않으며, 이 때에는 기부 금액 기타 사정에 따라서는 이사의 선관의무나 충실의무의 위반 등이 문제될 수 있다고 한다. 공익사업을 위한 기부나 종업원 자녀에 대한 장학금 지급, 거래처에 대한 구제 금융 등도 본조의 이익 공여에 해당하지 않는다는 견해는 박상조, 전게서, 821~822면.

입, 공사 하도급 계약의 체결 시 거래 가액이 상당하더라도 소개를 한 주주에게 수수료나 중개료를 지급하는 경우, 결의 반대 주주의 주식 매수 청구 시 회사가 매수 가격의 협의에서 지나치게 높은 가격으로 매수하거나 매매대금 이외에 별도의 금전을 교부하는 경우, 회사가 주주와의 재판상 화해에서 통상적인 양보의 정도를 넘어 대금 또는 이자를 감면하거나 극단적인 장기 분할 변제를 받아들이는 경우, 주주의 소송상 청구에 대해 회사가 정당한 공격 방어 방법을 제출하지 않는 경우, 소의 계속 중에 소의 취하를 조건으로 이익을 제공히는 경우도 이익 공여가 될 수 있으며, 광고에 있어서도 그 매체의 종류와 발행 부수, 독자층, 다른 매체의 광고비 비교 등을 통하여 이익 공여 해당 여부를 판단해야 한다는 견해가 있다.[48]

라) 우리사주조합에 대한 회사의 출연

우리사주조합의 보유주식에 대하여는 그 대표자 또는 조합원이 주주총회 의안에 대한 의결권을 행사한다(근로복지기본법 제46조 제1,2항). 따라서 우리사주 실시 회사가 우리사주조합의 우리사주조합기금의 조성을 위하여 이익을 공여하는 것은 이익 공여 금지 위반이 아닌지 문제된다. 그러나 근로복지기본법은 우리사주제도 실시 회사에 대하여 매년 직전 사업연도의 법인세 차감 전 순이익의 일부를 우리사주조합기금에 출연할 수 있도록 규정하고 있다(동법 제36조 제1항 제1호). 따라서 우리사주제도 실시 회사가 우리사주조합기금의 조성을 위하여 회사 또는 이사가 회사의 계산으로 장려금을 지급하는 경우에 그 금액이 합리적인 범위 내라면 주주의 권리 행사에 관한 이익 공여라 할 수 없다.[49]

4) 이익 공여와 권리 행사의 관련성
가) 의 의

제467조의2 제1항은 회사에 대해 주주의 권리 행사와 관련하여 재산상의 이익을 공여할 수 없다고 규정하고 있으므로, 회사의 이익 공여가 금지되는 것은 주주의 권리 행사와 관련되어 있는 경우이다. 다만, 이 관련성은 주주의 권리 행사에 관한 것이면 족하고, 특정 주주의 구체적인 권리 행사와 관련되어야 하는 것은 아니다. 이 경우 주주의 권리는 공익권은 물론 이익배당청구권, 주식전

---

48) 김선정, 전게논문, 28~30면.
49) 권재열, 전게논문, 140면.

환청구권, 주권교부청구권, 명의개서청구권 등의 자익권도 포함하나,[50] 주주의
자격과는 상관없는 제3자적 권리의 행사는 제외된다.[51]

나) 내 용

제467조의2 제1항의 이익 공여 금지 규정에서 '주주의 권리 행사와 관련하
여'라는 것은 주주의 공정한 권리 행사에 영향을 주는 모든 경우를 의미한다.[52]
즉, 이익 공여와 권리 행사의 관련성은 회사가 주주의 권리 행사에 영향을 주려
는 의도를 가지고 있을 때 인정된다. 그리하여 가령 정족수 확보 등을 목적으로
의결권을 행사한 주주에 대하여 상품권 등을 제공하는 행위는 주주의 의결권 행
사를 촉진하여 주주총회 결의의 성립을 확보하고 회사의 정당한 이익을 보호하
기 위한 목적에서 이루어진 것이므로 이익 공여에 해당하지 않으나, 회사 제안
의 의안에 찬성한 의결권 행사 서면을 송부한 주주에 대해서만 상품권 등을 제
공하는 것은 이익 공여 금지에 위반되며,[53] 비록 의례적인 선물이라도 주주의
권리 행사에 영향을 미칠 염려가 있는 때에는 이익 공여에 해당하는 것으로 본
다.[54]

다) 권리 행사의 태양

주주의 권리 행사는 주주권의 적극적인 행사뿐만 아니라 소극적인 불행사를
포함하며, 그 행사 또는 불행사의 위법성 여부도 묻지 아니한다.[55] 또 권리 행
사도 주주총회에서의 행사는 물론 주주총회 밖에서의 행사를 포함한다(통설).[56]
따라서 주주총회에 참석하여 의사진행에 협조해 줄 것을 조건으로, 또는 주주권
을 행사하지 않을 것을 조건으로, 또는 일정한 사항을 발언해 줄 것을 조건으로
이익을 제공하는 경우,[57] 주주총회에서 주주가 이사 또는 감사에게 설명 청구나

---

50) 김선정, 전게논문, 31면; 최준선, 전게서, 415면.
51) 최기원, 전게서, 953면; 박영길, 전게논문, 127면.
52) 최기원, 전게서, 953면; 김선정, 전게논문, 31면.
53) 양만식, "위임장 권유와 주주총회 결의의 취소," 「기업법연구」 제23권 제3호 통권 제38호
    (한국기업법학회, 2009), 179면.
54) 강대섭, 전게논문, 252면.
55) 박상조, 전게서, 821면; 정동윤, 전게서, 647면; 최기원, 전게서, 953면; 이철송, 전게서,
    1036면.
56) 손주찬, 전게서, 957면; 정동윤, 전게서, 647면; 정찬형, 전게서, 1255면; 최준선, 전게서,
    415면; 이철송, 전게서, 1036면.
57) 이철송, 전게서, 1036면.

의안에 대하여 반대 발언을 하지 않는다는 조건으로 회사 측이 재산상의 이익을 제공하는 경우, 주주의 대표소송 취하 등과 관련한 회사의 금품 제공, 주주총회 결의 취소의 소 제기나 회사의 업무 및 재산 상태 검사를 위한 검사인 선임 청구 등과 관련하여 이익을 공여받는 경우도 주주의 권리 행사와의 관련성이 인정된다.58)

주주의 권리 행사와 이익의 공여가 연관되어 있으면 권리 행사 시기와 이익 공여 시기의 선후는 묻지 아니한다.59) 따라서 주주의 권리 행사 전에 이이을 공여하는 경우는 물론 주주의 권리 행사 후에 이익을 공여하는 경우도 제467조의2의 이익 공여로서 금지된다.

라) 주식의 양도 관련 대가와 권리 행사와의 관련성

주주가 주식을 양도하거나 양도하지 아니하는 대가로 이익을 제공하는 것이 이익 공여가 되는가에 관하여, 학설에서는 주식의 양도행위 그 자체는 주주권 행사와 관련이 없기 때문에 주식을 양도하거나 또는 양도하지 않는 대가로 지급받는 것은 이익 공여가 아니라는 견해도 있으나, 가령 신주를 시가로 발행할 계획이 있는 회사의 대주주가 증자계획의 공시 후 그 발행가액의 결정 전에 보유 주식 전부의 매도에 따른 주가 폭락을 우려하여 대주주에게 매도 시기의 연기를 요청하면서 이익을 제공하는 것도 주주의 권리 행사와 관련된 이익 공여로 보고 있다.60)

또 현재 주주 아닌 자가 장차 주식을 취득하여 주주권을 행사할 것임을 예고하고, 회사가 이를 저지하기 위하여 주주가 되지 말라는 조건으로 금품을 제공하는 경우도 여기서 말하는 이익 공여로서 주주의 권리 행사와의 관련성이 인정된다고 본다.61)

마) 회사에 대한 계약상의 특수한 권리 행사에 관한 문제

제467조의2 제1항에서 금지되는 이익 공여는 주주의 권리 행사와 관련되는 것이며, 여기서 말하는 주주의 권리는 주주로서 당연히 갖는 권리로서 공익권이나 자익권을 포함하나, 주주가 주주로서의 지위가 아니라 회사와의 계약에 의하

---

58) 손주찬, 전게서, 957면; 박상조, 전게서, 821면; 정동윤, 전게서, 647면.
59) 정준우, 전게논문, 13면.
60) 김선정, 전게논문, 31면.
61) 박영길, 전게논문, 127면; 김선정, 전게논문, 31면; 권재열, 전게논문, 138면.

여 채권자의 지위에서 가지는 특수한 권리는 제외된다. 대법원은 주주가 회사와의 주식매매약정에 의하여 가지게 된 임원추천권을 행사하지 않는 대가로 회사로부터 재산상의 이익을 지급받기로 한 약정에 대하여 "임원추천권은 주식매매약정에서 정한 계약상의 특수한 권리이지 주주의 자격에서 갖는 공익권이나 자익권이 아니므로 제467조의2 제1항에서 규정한 주주의 권리의 해당하지 아니하므로 그 지급약정은 제467조의2 제1항에 위배되지 않는다"고 판시하였다.[62]

라. 이익 공여의 추정

1) 추정의 내용

제467조의2 제2항은 회사가 특정의 주주에 대하여 무상으로 재산상의 이익을 공여한 경우에는 주주의 권리 행사와 관련하여 이를 공여한 것으로 추정한다. 또 동조는 회사가 특정의 주주에 대하여 유상으로 재산상의 이익을 공여한 경우에 있어서 회사가 얻은 이익이 공여한 이익에 비하여 현저하게 적은 때에도 주주의 권리 행사와 관련하여 이를 공여한 것으로 추정하고 있다.

따라서 회사가 무상으로 특정 주주에게 재산상의 이익을 공여하거나 유상이라도 회사가 얻은 이익이 공여한 이익에 비하여 현저하게 적은 경우에는 주주의 권리 행사와 이익 공여의 관련성이 추정된다. 이 경우 원고는 특정 주주에게 재산상의 이익이 공여되었다는 사실, 또는 회사가 얻은 이익이 공여한 이익에 비하여 현저하게 적은 사실만 입증하면 되고, 그것이 주주의 권리 행사와 관련되어 있다는 사실을 입증할 필요는 없다. 이때 이익 공여를 받은 특정 주주가 그

---

62) 대법원 2017.1.12. 2015다68355, 68362. 이 판결에 대하여 주식매매약정에서 정한 임원추천권은 주식매매약정에 의하여 발생한 권리로서 채권자의 지위에서 보유하는 권리이며, 주주의 지위에 기한 주주제안권과는 이질적인 것이며, 이 약정을 한 주주는 이 약정에 의하여 일반적인 주주제안권의 일환으로서 임원추천권을 포기했다고 볼 수 없어 여전히 주주로서 상법상 주주제안권에 기하여 임원추천권을 행사할 수 있을 것이므로, 대상판결의 사실관계가 상법 제467조의2 적용요건 중에서 '주주의 권리 행사'를 충족시키지 못한다고 본 대법원의 판단이 타당하다는 견해(황남석, 전게논문, 771면)와 이사나 감사 등 임원의 선임을 주주총회의 전속 권한으로 규정하고 있는 상법의 입법취지에서 주주라면 누구라도 임원후보자를 추천할 수 있고, 주식회사의 기관을 구성하는 임원의 선임에 주주가 아닌 채권자는 개입할 수 없으므로 주식매매약정상의 임원추천권도 순수하게 채권자의 지위에서 갖는 권리로 볼 것이 아니라 주주의 지위와 연계하여 판단해야 한다는 관점에서, 약정에 기한 임원추천권은 특정한 주주에게만 우월적 지위를 보장하는 것이어서 주식 평등의 원칙에 위반하여 무효이고 당사자 간에 계약을 통하여 그러한 약정을 하는 것도 당연히 무효로 보아야 하므로, 그 주식매매약정이 유효함을 전제로 임원추천권이 주주의 권리에 해당하지 않는다고 판단한 이 판결은 문제가 있다는 견해(정준우, 전게논문, 21·30면)가 있다.

반환을 거절하기 위해서는 그 이익의 공여가 주주의 권리 행사와 관련성이 없다는 것을 입증하여야 하는 것이다.[63]

회사가 받은 이익이 공여된 이익에 비하여 현저하게 적은지 여부는 당사자의 주관에 의할 것이 아니고, 사회 통념 내지 경제 법칙에 비추어 객관적으로 판단하여야 한다.[64]

2) 추정의 적용 범위

이 추정이 적용되는 범위에 관하여, 학설에서는 이 추정은 특정의 주주에게 이익이 공여된 경우에 적용되므로, 주주 전체 또는 총회 출석 주주 전원이나 추첨 방법으로 선별된 일부 주주에게 이익이 공여된 경우에는 적용되지 아니한다고 본다.[65]

3) 추정의 한계

이 추정은 이익이 특정의 주주에게 공여된 경우에만 인정된다. 회사가 주주 이외의 자에게 이익을 공여한 경우에는 비록 무상이거나 공여 이익이 회사가 얻은 이익보다 아무리 크더라도 이러한 추정은 인정되지 않는다. 따라서 이익 공여를 받은 자가 주주 이외의 자인 경우에는 그 책임을 추궁하는 회사 또는 대표소송을 제기한 소수주주가 이익 공여와 주주권 행사의 관련성을 입증하여야 한다.[66]

이와 관련하여, 주주와 특별한 관계에 있는 제3자에 대하여 주주의 지시에 의해 이익을 공여한 때 또는 특정한 주주의 가족이나 그 주주가 중요한 구성원인 단체에 이익을 공여한 때도 주주에 대한 이익 공여로 추정되는가에 관하여 이를 긍정하는 견해[67]와, 입증 책임의 전환은 민사소송법상 입증 책임 분배 원칙의 예외인 짐에서 추정되지 않는다는 견해[68]가 대립해 있다.

또 주주인 공익법인에 대하여 회사가 기부 행위를 한 경우에 그 기부가 공익

---

63) 박상조, 전게서, 822면; 이철송, 전게서, 1039면; 최준선, 전게서, 415면; 김선정, 전게논문, 32면.
64) 박영길, 전게논문, 131면.
65) 박영길, 전게논문, 130면; 김선정, 전게논문, 33면.
66) 최기원, 전게서, 955면.
67) 이강룡, "주주의 권리 행사에 관한 이익 공여의 금지," 「고시연구」 통권 제222호(고시연구사, 1992), 110면.
68) 김선정, 전게논문, 33면.

사업을 위한 것임을 입증하면 주주의 권리 행사와의 관련성을 입증하지 않아도 되는가에 관하여, 학설은 이익 공여 금지 규정의 취지에 비추어 그 입증의 필요가 있다고 한다.[69] 이때 권리 행사와의 관련성에 관한 추정이 번복될 수 있기 위해서는 주주의 권리 행사에 영향을 미칠 의도가 없었다거나 그럴 염려가 없었음이 증명되어야 한다고 한다.[70]

마. 이익 공여 금지 위반의 효과

1) 이익 공여를 받은 자의 반환 의무

가) 반환 의무의 내용

제467조의2 제1항의 이익 공여 금지 규정에 위반하여 회사가 재산상의 이익을 공여한 때에는 그 이익의 공여를 받은 자는 이를 회사에 반환하여야 한다(제467조의2 제3항 전문). 원래 이익 공여 금지 규정에 위반하는 이익의 공여는 강행법규에 위반하는 행위로서 무효이므로 그 공여를 받은 자는 그 이익을 부당이득으로 반환해야 한다. 그러나 회사가 채무 없음을 알고 그 이익을 공여한 때에는 비채변제(민법 제742조)가 되고, 또 그 이익 공여에 회사에 불법 원인이 있는 때에는 불법 원인 급여(민법 제746조)가 되어 원칙적으로 그 반환 의무가 없으나, 이 규정은 이에 대한 특칙으로서 회사의 반환청구권을 인정하고 있는 것이다(통설).[71]

이 경우 공여받은 이익의 반환에 있어서 이익 공여를 받은 상대방의 선의 또는 악의는 문제되지 아니한다. 이익 공여의 상대방이 이익을 공여 받을 당시 선의였더라도 반환의무를 진다. 반환 의무를 악의의 상대방에게 한정하면 반환 의무를 실제상 공문화하는 결과가 되기 때문에 그 실효성을 확보하도록 하기 위하여 이익 공여의 상대방이 선의인 경우에도 그 이익을 반환하게 하는 것이다.[72]

나) 반환의 범위

이익 공여를 받은 자는 주주인가 아닌가에 관계없이 이익 공여가 자신의 주

69) 김선정, 전게논문, 33면.
70) 강대섭, 전게논문, 254면.
71) 강위두·임재호, 전게서, 1006면; 정희철, 전게서, 584면; 손주찬, 전게서, 959면; 정동윤, 전게서, 649면; 박상조, 전게서, 823면; 이기수 외, 전게서, 543면; 정찬형, 전게서, 1256면; 이철송, 전게서, 1038면; 최준선, 전게서, 416면.
72) 박영길, 전게논문, 132면; 김선정, 전게논문, 33면.

주권 행사와 관련성이 있는가 없는가를 불문하고 그 받은 이익의 전부를 반환할 의무가 있다.[73]

이때 이익 공여를 받은 자는 공여 받은 금전 등의 전부를 이익으로서 반환하여야 하며, 그 차액을 반환할 것이 아니다. 주주 등의 수익자가 이익을 그대로 반환할 수 없는 때에, 예컨대 물건을 수령하고 그 후 이를 소비한 때에는 그 수령 당시의 이익 상당액을 반환하면 된다.[74]

공여받은 자가 「하는」 행위에 의하여 이익을 공여받은 경우, 회사가 현실로 지급한 액과 동종 거래로부터 판단하여 수익자가 수익하였다고 생각하는 액이 일치하지 않는 때에는 공여받은 자가 반환해야 하는 것은 회사가 지급한 금액인가 아니면 공여받은 자의 수익인가 문제된다. 이에 관하여, 이 반환의 취지가 회사에 발생한 손해 또는 손실의 전보라고 본다면 반환액은 회사가 지급한 금액이고, 수익자에게 수익의 보지를 금지한 것이라고 보면 그 반환액은 수익자가 수익한 일체의 금액이 되는데, 이론상으로는 후자의 입장이 타당하다는 견해[75]가 있다. 다만, 악의의 수익자에 대해서는 제467조의2 제3항이 해석상 민법 제748조 제2항의 적용을 배제하지 않고 있으므로 그 받은 이익에 이자를 붙여, 또 손해가 있으면 이것도 배상하여 반환하여야 한다는 견해가 있다.[76]

이 밖에 주주에게 이익 공여로서 정보가 제공된 경우에는 주주가 그 정보의 활용으로 얻은 이득을 반환하여야 하며,[77] 보험계약의 체결이 이익 공여에 해당하는 때에는 보험자에게 보험료의 반환을 청구할 것이 아니라 보험모집인이 받은 이익(중개수수료나 수당)의 반환을 청구할 수 있으며, 주주가 보험자인 경우에는 그 보험계약 자체가 무효로 된다는 견해[78]가 있다.

다) 불공정한 신주 인수의 경우

회사가 제공한 이익이 '타인으로 하여금 현저하게 불공정한 발행가액으로 신주를 인수시키는 것'을 내용으로 하여 신주인수인의 책임에 관한 제424조의2 제1항의 요건을 충족시키는 경우에는 동 규정을 적용하여 공정한 발행가액과의 차

---

73) 박영길, 전게논문, 132면; 최기원, 전게서, 955면.
74) 박영길, 전게논문, 131면.
75) 박영길, 전게논문, 132면.
76) 박영길, 전게논문, 132면.
77) 김선정, 전게논문, 34면.
78) 김선정, 전게논문, 34면.

액을 지급하게 할 것인가, 그렇지 않으면 이익 공여를 금지하는 제467조의2를 적용하여 이익 즉 주식 자체를 반환하게 할 것인가, 또는 양자가 경합한다고 볼 것인가 문제된다. 이에 관하여 학설은 제467조의2는 이익 공여 자체를 무효로 하는바, 이에 의하면 이익 공여가 신주 인수를 내용으로 하는 경우에는 신주 인수 자체가 무효로 되므로, 불공정한 신주 인수가 유효임을 전제로 하는 제424조의2는 적용될 여지가 없다고 한다.[79)]

2) 회사의 반환 의무

이익 공여 금지 규정에 위반하는 회사의 이익 공여에 대하여 상대방이 회사에 대가를 지급한 때에는 회사는 그 대가를 반환하여야 한다(제467조의2 제3항 후문). 회사의 대가 반환 의무는 형평의 원칙에 의한 법정의무로서 상대방의 반환의무와 동시이행의 관계에 있다(통설).[80)]

이때 회사는 상대방으로부터 받은 대가 전부를 상대방에게 반환하여야 하며, 그 차액을 반환할 것이 아니다. 만일 회사가 상대방으로부터 대가로 수령한 물품을 소비하거나 제3자에게 이전한 경우, 또는 상대방으로부터 서비스를 제공받은 경우에는 상대방은 회사에 대하여 그 가액 상당액의 지급을 청구할 수 있다.[81)] 또 가령 주주가 운영하는 언론매체에 광고를 내는 형태로 이익 공여가 이루어진 경우에, 학설은 회사는 실제 지급한 광고비를 반환받고, 사회상규나 거래 실무상 적정한 광고료 상당액을 지급하면 된다고 한다.[82)]

3) 이익 공여를 받은 주주의 권리 행사의 효력

이익 공여를 받은 자는 그 공여 받은 이익을 회사에 반환할 의무만 부담하는데, 이때 이익 공여를 받은 자에 의한 권리 행사의 효력은 어떻게 되는지 문제된다. 이에 관하여 우리나라에서는 이익 공여를 받은 자가 주주의 권리를 행사한 경우에 그 권리 행사의 효력에는 영향이 없으며,[83)] 이익을 대가로 주주총회에서 의결권을 행사하였더라도 주주총회의 결의 자체의 효력에는 아무런 영향을

---

79) 이철송, 전게서, 1039면.
80) 강위두·임재호, 전게서, 1006면; 최기원, 전게서, 955면; 최준선, 전게서, 416면; 김선정, 전게논문, 34면.
81) 정희철, 전게서, 584면; 정찬형, 전게서, 1256면.
82) 김선정, 전게논문, 34면.
83) 강위두·임재호, 전게서, 1006면; 박상조, 전게서, 822면; 김선정, 전게논문, 34면.

미치지 않는다는 것이 종래 통설이었다.[84]

하급심에서도 사전 투표에 참여하거나 주주총회에서 직접 투표권을 행사한 주주들에게 무상으로 골프장 예약권과 상품권을 제공한 사안에 대하여, 주주의 권리 행사와 관련하여 회사가 재산상의 이익을 공여하였더라도 그것은 주주권 행사의 동기에 불과할 뿐이고 주주가 이익을 얻은 대가로 의결권을 행사하였더라도 주주권 행사의 효력에는 영향이 없으므로 주주총회의 결의는 유효하다는 판결이 있었다.[85]

그러나 대법원은 2014년에 회사가 주주들의 주주총회 의결권 행사와 관련하여 사회 통념상 허용되는 범위를 넘어서는 위법한 이익을 제공한 경우에는 결의 방법이 법령과 정관에 위반한 하자가 있어 주주총회 결의 취소 사유에 해당한다고 판시하였다.[86][87]

---

84) 정동윤, 전게서, 648면; 정찬형, 전게서, 1257면; 최준선, 전게서, 416면.

85) 부산고등법원 2013.11.13. 자 (창원)2013라70.

86) 대법원 2014.7.11. 자 2013마2397. 대법원은 이 결정에서 이익 공여에 따른 의결권 행사를 기초로 한 이 사건 주주총회는 그 결의 방법이 법령에 위반한 것이라고 하나, 이에 대하여 주주총회 결의 취소 사유인 결의 방법의 법령 또는 정관 위반은 의사의 진행과 발안, 질의와 답변, 표결 등 결의에 관한 일련의 절차와 형식에 관한 법령 또는 정관의 규정에 위반하는 것을 말하며, 결의 방법이 현저하게 불공정한 경우란 공정한 결의의 성립을 방해하는 현저한 사유가 있는 경우를 말하는바, 주주총회의 결의에 관련된 이익 공여는 상법의 이익 공여 금지 규정을 위반한 것으로서 법령 위반에 속하는 것은 분명하나, 결의의 절차나 형식에 관한 것이 아니므로, 이익 공여 금지 규정의 위반을 '결의 방법의 법령 위반'으로 보는 것은 무리가 있다고 지적하고, 이익 공여 금지 규정에 위반한 주주총회의 결의는 '결의 방법의 현저한 불공정'에 해당한다고 보는 것이 타당하다는 비판이 있다. 정쾌영, "이익 공여 금지 위반과 주주총회 결의 취소 – 대법원 2014.7.11. 자 2013마2397 결정을 중심으로 –,"「기업법연구」제29권 제1호(한국기업법학회, 2015), 129~130면.

87) 대법원은 이 결정에서 주주총회일 전에 일부 주주가 투표장에 마련된 투표함에 투표하는 것을 사전투표라 지칭한다. 이 사전투표에 대해 서면투표나 전자투표와는 다른 별개의 의결권 행사 방법이라는 견해(김성탁, "사전투표에 의한 주주의 의결권행사 – 필요성, 가능성, 규율의 법리를 중심으로 –,"「상사판례연구」제28집 제2권(한국상사판례학회, 2015), 9면, 강대섭, 전게논문, 240면도 이와 유사한 입장이다)가 있다. 이에 대하여 서면투표를 정한 상법 제368조의3 제1항의 '총회에 출석하지 아니하고'는 주주가 주주총회의 총회일 당일에 회의장에 출석하지 아니한다는 의미이며, 총회일 이전에 투표장에 직접 가는가 여부는 아무런 상관이 없으며, '서면에 의하여 의결권을 행사'하는 것도 총회장 이외의 장소에서 총회일 이전에 서면으로 의결권을 행사한다는 의미이며, 총회일 당일에 총회장에서 의결권을 행사하지 않는 한, 그 의결권 행사 서면을 우편으로 우송하든, 본인이 총회일 이전에 설치된 투표장에 직접 가서 투표하든, 다른 인편에 전달하든 모두 상법 제368조의3 제1항의 서면투표이므로(이철송, 전게서, 576면), 주주가 주주총회일 전에 투표장에 가서 투표하는 사전투표를 상법 제368조의3 제1항의 서면투표로 봐야 한다는 견해(정쾌영, "이익 공여 금지 위반과 주주총회 결의 취소 – 대법원 2014.7.11. 자 2013마2397 결정을 중심으로,"「기업법 총서 Ⅰ: 주주 의결권의 법리」(한국기업법학회, 2015), 680면)가 있다.

4) 주주의 대표소송

이익 공여 금지 규정에 위반하여 회사로부터 이익을 공여 받은 자에 대해서는 회사가 반환청구를 할 수 있다. 이 경우 회사의 이익 반환 청구는 일반적으로 대표이사가 회사를 대표하여 수행할 것이나, 실제 대표이사가 청구하리라 기대하기는 사실상 곤란하다. 따라서 상법은 소수주주가 제403조 내지 제406조의 규정에 따라 주주 대표소송에 의하여 그 반환을 청구할 수 있도록 하고 있다(제467조의2 제4항).

그리하여 비상장회사에서는 발행 주식 총수의 100분의 1 이상에 해당하는 주식을 가진 주주가, 상장회사에서는 6개월 전부터 계속하여 상장회사 발행 주식 총수의 1만분의 1 이상에 해당하는 주식을 보유한 주주가 회사에 대하여 그 이유를 기재한 서면으로 이사의 책임을 추궁하는 소를 제기하도록 청구할 수 있다(제403조 제1, 2항, 제542조의6 제6항).

회사가 이 청구를 받은 날로부터 30일 내에 소를 제기하지 아니하거나, 이 기간의 경과로 인하여 회사에 회복할 수 없는 손해가 생길 염려가 있는 경우에는 소수주주는 즉시 대표소송을 제기할 수 있다(제403조 제3, 4항). 대표소송에서 소수주주가 승소한 경우에는 회사에 대하여 소송비용 그 밖에 소송으로 인하여 지출한 비용 중 상당한 금액의 지급을 청구할 수 있으나(제405조 제1항), 패소한 악의의 주주는 회사에 대하여 손해배상책임을 진다(제405조 제2항).

5) 이사 및 감사의 민사책임

이사가 고의 또는 과실로 이익 공여 금지 규정에 위반하여 이익을 공여한 경우에 이사는 이로 인하여 회사가 입은 손해를 연대하여 배상할 책임이 있다(제399조 제1항)(통설). 이익 공여가 이사회의 결의에 의한 것인 때에는 그 결의에 찬성한 이사도 이와 동일한 책임을 지며(제399조 제2항), 그 결의에 참가한 이사로서 이의를 한 기재가 의사록에 없는 자는 그 결의에 찬성한 것으로 추정된다(제399조 제3항).

또 이사는 다른 이사나 사용인의 업무 집행에 관하여 감시 의무를 부담하므로, 다른 이사나 사용인의 위법한 이익 공여로 회사에 손해가 생긴 때에는 회사에 대하여 감시 의무 위반으로 인한 손해배상책임을 진다(제399조 제1항, 제382

조 제2항, 민법 제681조).[88] 회사의 위법한 이익 공여 행위에 대하여 감사나 감사위원회 위원도 그 임무를 게을리한 때에는 회사에 대하여 이사와 연대하여 손해배상책임을 진다(제414조 제1, 3항, 제415조의2 제7항).

이러한 이사 등의 책임에 관하여 일본에서는 회사가 이익 공여 금지에 위반하여 재산상의 이익을 공여한 경우에 그 이익 공여에 관계한 이사(위원회설치회사에서는 집행임원 포함)로서 법무성령으로 정한 자에게는, 그 직무를 행함에 있어서 주의를 게을리하지 않았음을 증명한 경우를 세외하고는, 당해 회사에 대하여 연대하여 공여 이익의 가액에 상당하는 금액을 지급하도록 규정하고 있다(일본 구상법 제266조 제1항 제2호, 일본 회사법 제120조 제4항).

우리나라에서도 이사 등의 민사책임에 관하여 그 법적 구성을 손해배상책임으로 하는 것보다 일본의 경우처럼 이사 등의 변제 책임으로 하는 것이 바람직하다는 견해[89]가 과거 있었으나, 위법한 공여로 회사에 손해를 입혔을 때에는 그 손해액도 배상하여야 하므로 손해배상책임으로 구성하는 것이 무난하다는 견해[90]도 있다.

이사와 감사 등의 회사에 대한 책임은 주주 전원의 동의가 있는 때에 면제된다(제400조 제1항, 제415조의2 제7항). 이사와 감사 또는 감사위원회 위원이 이익 공여 금지 위반으로 인한 책임을 지는 경우에 주주 전원의 동의가 없더라도 회사는 정관으로 정하는 바에 따라 이사 등이 그 행위를 한 날 이전 최근 1년간의 보수액(상여금과 주식매수선택권의 행사로 인한 이익 등을 포함한다)의 6배(사외이사의 경우는 3배)를 초과하는 금액에 대하여 면제할 수 있다(제400조 제2항, 제415조, 제415조의2 제7항).

이 밖에 회사의 사용인이 위법한 이익 공여를 한 경우에는 고용계약상의 의무 위반이 되어 사용인도 회사에 대하여 채무 불이행으로 인한 손해배상책임을 진다. 다만 사용인의 이 같은 행위가 상사의 명령에 따라 기계적으로 한 경우에는 그 책임을 부정하는 것이 타당하다는 견해[91]도 있다.

---

88) 박영길, 전게논문, 133면.
89) 서돈각, "상법개정시안에서의 '주주등에 대한 이익 공여금지'에 관한 규정의 문제점," 「관봉한석동박사고희기념논총」(1982), 194면.
90) 김선정, 전게논문, 35~36면.
91) 박영길, 전게논문, 133면.

6) 이사 등의 형사책임 - 이익공여죄

가) 의 의

제634조의2는 이익 공여와 관련, 제1항에서 주식회사의 이사, 집행임원, 감사위원회 위원, 감사, 이사 등의 직무대행자, 지배인 기타 사용인이 주주의 권리 행사와 관련하여 회사의 계산으로 재산상의 이익을 공여한 때에 '주주의 권리 행사에 관한 이익공여죄'로 처벌하고, 제2항에서는 그 이익을 수수하거나, 제3자에게 이를 공여하게 한 자도 처벌하고 있다.

원래 상법은 1984년 개정 전부터 주주총회에서의 발언 또는 의결권 행사에 관하여 부정한 청탁을 받고 재산상의 이익을 수수, 요구 또는 약속, 공여 또는 공여의 의사를 표시한 자에 대하여는 제631조에서 '권리 행사 방해 등에 관한 증수뢰죄'로 처벌하여 왔다. 그러나 이 죄는 부정한 청탁이 구성 요건으로 되어 있는 결과, 그 입증이 용이하지 않아 실효성에 의문이 있었고, 이 점을 감안하여 1984년 개정 상법은 이익 공여 금지 규정을 신설하면서 그 실효성을 확립하기 위하여 이 이익공여죄를 신설하였다.

그러나 이에 대하여 이익 공여 금지 규정을 회사 재산의 낭비 방지와 회사 운영의 건전성 확보를 위한 이중적 취지를 가진 규정으로 인식한다면, 이익 공여에 대한 대책으로서 주주총회 결의 취소의 소의 인정으로 충분할 것이고, 이익공여죄는 민사사건의 형사화를 가져오므로 폐지하는 것이 마땅하다는 견해가 있다.

나) 보호법익

이익공여죄의 보호법익에 관하여 이익 공여 금지 규정의 취지와 같이 주주의 권리 행사에 관련한 회사 재산의 낭비 방지에 있다는 견해[92]와 회사 운영의 공정성 내지 건전성의 유지에 있다는 견해,[93] 양자를 모두 포함하여 회사 자산의 소비를 방지하여 회사 운영의 건전성을 확보하는데 있다는 견해[94] 등이 있다.

다) 구성요건

제634조의2 제1항의 이익공여죄는 이사·집행임원 등이 주주의 권리 행사와

---

92) 권재열, 전게논문, 132면.
93) 김선정, 전게논문, 37면.
94) 박영길, 전게논문, 134면.

관련하여 회사의 계산으로 재산상의 이익을 공여한 경우에 성립된다. 이 죄의
행위 주체는 이사, 집행임원, 감사위원회 위원, 감사, 일시이사(제386조 제2항),
직무대행자(제407조 제1항, 제415조), 지배인 기타 사용인이며, 일종의 신분범이
다(통설). 여기서 '기타 사용인'은 주주와 직접적으로 접촉할 기회가 많은 총무부
장, 총무과장, 주식담당과장, 비서실장 등으로서 자신의 독자적인 의사결정에 따
라 이익 공여를 한 경우에만 본 죄의 행위 주체 요건을 충족하는 것으로 보고
있다.[95] 이사나 사용인 등의 행위 주체가 이익 공여와 관련된 주주의 권리 행
사시에도 그 직위에 있어야 하는가에 관하여 학설은 이익 공여 당시에 그 직위
에 있으면 충분하고, 이익을 공여받은 주주가 이익 공여를 한 이사 등의 퇴임
후에 자신의 권리를 행사하더라도 이익공여자에게 본죄가 성립한다고 본다.[96]

이와 관련하여, 사용인이 이사의 지시에 따라 이익 공여를 한 경우에 이사와
사용인 모두 처벌대상이 되는가에 관하여, 학설은 원칙적으로 그 쌍방이 처벌되
나, 사용인이 사정을 알지 못하고 단순히 이사의 지시에 따라 기계적으로 금전
을 지급한 것에 지나지 않는 때에는 사용인은 처벌할 수 없으며, 반대로 이사가
단순히 기부의 지시만을 하였는데도 사용인이 권리 행사와 관련하여 지급한 경
우에는 그 사용인만 처벌된다고 한다.[97]

이 죄의 행위는 i) 이사, 집행임원, 감사위원회 위원, 감사, 일시이사, 직무대
행자, 지배인 그 밖의 사용인이 주주의 권리 행사와 관련하여 회사의 계산으로
재산상의 이익을 공여하거나, ii) 이들 이사 등으로부터 그 이익을 수수하거나
제3자에게 공여하게 하는 것이다. 여기서 재산상의 이익과 주주의 권리 행사와
의 관련성은 앞에서 본 바와 같다. '회사의 계산으로'라 함은 이익 공여에 따른
손익이 회사에 귀속한다는 뜻이다(통설). 따라서 가령 이사가 주주들에게 이사
선임과 관련하여 이익을 공여하였더라도 자기의 계산으로 한 때에는 본 죄는 성
립되지 아니한다.

다만, 이익 공여의 위법성 여부의 판단에 관하여 대법원은 재산상 이익의 공
여라 하더라도 그것이 의례적인 것이라거나 불가피한 것이라는 등의 특별한 사
정이 있는 경우에는, 법질서 전체의 정신이나 그 배후에 놓여 있는 사회 윤리

---

95) 권재열, 전게논문, 135면.
96) 권재열, 전게논문, 135면; 이영철, 전게논문, 513면.
97) 박영길, 전게논문, 134~135면.

내지 사회통념에 비추어 용인될 수 있는 행위로서 형법 제20조의 '사회상규에 위배되지 아니하는 행위'에 해당하며, 그러한 특별한 사정이 있는지 여부는 이익공여의 동기, 방법, 내용과 태양, 회사의 규모, 공여된 이익의 정도 및 이를 통해 회사가 얻는 이익의 정도 등을 종합적으로 고려하여 사회통념에 따라 판단하여야 한다고 판시하였다.[98]

행위자의 주관적 요건에 관하여 학설은 이익공여자가 주주의 권리 행사와 관련하여 이익을 공여한다는 인식 내지 의사가 있어야 한다고 본다.[99] 이익을 공여 받는 자에게도 이에 대한 인식이 있어야 하는가에 관하여 본 죄는 공여자와 상대방의 필요적 공범이 아니므로, 공여받은 자가 그 공여가 주주권 행사에 관계있음을 인식하지 못한 때에는 공여받은 자의 죄는 성립하지 않으나, 공여자의 범죄가 성립함에는 그의 주관적 인식이 필요하다고 한다.[100]

대법원은 "피고인이 재산상 이익을 공여한 사실은 인정하면서도 주주의 권리 행사와 관련 없는 것으로서 그에 대한 범의도 없었다고 주장하는 경우에는, 상법 제467조의2 제2항, 제3항 등에 따라 회사가 특정 주주에 대해 무상으로 또는 과다한 재산상 이익을 공여한 때에는 관련자들에게 상당한 법적 불이익이 부과되고 있음을 감안하여야 하고, 증명을 통해 밝혀진 공여행위와 그 전후의 여러 간접사실들을 통해 경험칙에 바탕을 두고 치밀한 관찰력이나 분석력에 의하여 사실의 연결상태를 합리적으로 판단하여야 한다"고 판시하였다.[101]

이 밖에 재산상의 이익이 회사의 계산으로 공여되는 점에 대한 인식도 있어야 하는가에 관하여 행위자에게 형사책임을 묻기 위해서는 이 점에 대한 인식이 필요하다는 견해[102]도 있다.

라) '권리 행사 방해 등에 관한 증수뢰죄'와의 관계

제631조의 '권리 행사 방해 등에 관한 증수뢰죄'는 그 보호법익이 주주 등의

---

98) 대법원 2018.2.8. 2015도7397. 그리하여 이 판결에서는 피고인이 대표이사로서 회사의 계산으로 사전투표와 직접투표를 한 주주들에게 무상으로 20만원 상당의 상품교환권 등을 각 제공한 것은 주주총회 의결권 행사와 관련된 이익의 공여로서 사회 통념상 허용되는 범위를 넘어서는 것이어서, 상법상 이익공여죄에 해당한다고 하였다.

99) 김선정, 전게논문, 36면; 권재열, 전게논문, 137면. 권재열 교수는 이러한 인식이 이익공여자의 주관에 있어서 적어도 이익 공여의 동기로서 존재하여야 한다고 한다.

100) 김선정, 전게논문, 36면.

101) 대법원 2018.2.8. 2015도7397.

102) 박영길, 전게논문, 135면.

회사법상 권리 행사의 공정성 내지 적정성의 확보이며,[103] 비신분범으로서 행위
주체에 대한 제한이 없으며, 그 행위가 동조 제1항에서 정하는 일정한 권리 행
사에 한정될 뿐만 아니라, 특히 부정한 청탁을 요건으로 하고 행위자가 대향범
의 관계에 있으며, 처벌에 있어서도 제633조에 의하여 수수한 이익의 몰수 또는
추징도 가능하다는 점에서 제634조의2의 이익공여죄와는 다르다. 따라서 만일
주주의 권리 행사에 관한 이익 공여에 있어서 부정한 청탁이 입증되면 제634조
의2의 이익공여죄와 이 증수뢰죄는 상상적 경합의 관계에 있다.[104]

마) 처벌의 내용

주식회사의 이사나 사용인 등이 주주의 권리 행사와 관련하여 회사의 계산으
로 재산상의 이익을 공여하거나, 또는 그 이익을 수수하거나, 제3자에게 이를
공여하게 한 자는 1년 이하의 징역 또는 300만 원 이하의 벌금에 처한다(제634
조의2 제1항, 제2항).

6. 정관의 변경   최 병 규*

가. 의의와 범위

1) 의 의

정관의 변경(amendment of articles of incorporation; alternation of memo-
randum; Satzungsänderung; Modifikation des Statuts)이라 함은 회사의 조직과
활동에 관한 근본규칙인 정관의 기재사항을 수정, 삭제 또는 신설하는 것을 말
한다. 절대적 기재사항이든 상대적 기재사항이든 정관에 기재된 사항의 변경은
모두 정관변경에 해당한다. 그러나 회사의 연혁과 설립자의 훈시 등과 같은 역
사적 사항들을 정관에 규정한 경우, 그 변경은 여기서 의미하는 정관변경이 아
니다.[1] 정관은 실질적 의미(그 규범내용)와 형식적 의미(규범내용이 쓰여진 서면)
로 나누어지는데 여기서의 정관변경은 실질적 의미의 정관의 변경만을 의미한

---

103) 김선정, 전게논문, 37면; 권재열, 전게논문, 142면; 박영길, 전게논문, 134면.
104) 최기원, 전게서, 956면; 김선정, 전게논문, 37면; 권재열, 전게논문, 143면.

 * 건국대학교 법학전문대학원 교수
 1) 권기범, 「현대회사법론」(삼영사, 2021), 1189면.

다. 형식적 의미의 정관을 변경하는 것은 단지 문서를 고치는 사실행위이다.

2) 범 위

정관은 자유로이 변경할 수 있는 것이 원칙이다. 회사의 목적, 상호 등 어떠한 사항이라도 변경할 수 있으며 내용 전부를 변경할 수도 있다. 원시정관 (Ursatzung)에서 정관변경을 불허하거나 특정규정은 변경할 수 없다고 규정하였더라도 그 규정은 정관의 한 내용에 불과하므로 정관변경의 절차에 의하여 변경할 수 있다.[2] 내용적 한계로서 정관의 내용이 사회질서나 강행법규에 위반하여서는 아니되며, 주식회사의 본질과 주주의 고유권을 침해하여서도 안 된다. 주주평등의 원칙은 주식회사의 고유의 원칙으로서 이에 어긋나는 변경은 허용되지 않는다. 만약 이러한 한계를 넘은 정관변경에 관한 주주총회의 결의가 있다면 그 결의는 무효이다.[3] 한편 정관은 사단관계를 규율하는 자치법이므로 정관변경으로 회사채권자의 권리를 박탈할 수는 없다. 가령 정관의 상대적 기재사항으로 되어 있는 발기인이 받을 특별이익은 회사성립 후에는 회사에 대한 채권적 권리가 되는데 이를 정관변경으로 박탈하는 것은 허용되지 않는다.[4] 그리고 정관은 일반규범으로서의 성질을 잃지 않아야 하므로 특정인에 국한하여 적용하는 것이나 특정인만의 적용제외를 위한 변경도 허용되지 않는다. 정관이 변경되더라도 회사의 동일성에는 아무런 영향이 없다. 회사의 동일성은 법인격이 존속하는 한 유지되는 것이며, 정관의 내용변화와는 관계가 없다.[5]

특별법상 금융투자회사(자본시장법 제418조 제2항) 등이 정관을 변경할 때에는 해당 감독관청에게 보고를 하여야 하는 경우가 있다.[6]

나. 절   차

1) 주주총회의 특별결의

정관변경을 위해서는 주주총회의 특별결의가 필요하다(제433조). 정관의 기재사항 가운데 사실관계나 법령에 기초하고 있는 경우, 가령 본점의 지명, 지번이

---

2) 유주선, 「회사법」(형지사, 2016), 249면.
3) 강위두·임재호, 「상법강의(상)」(형설출판사, 2011), 1125면.
4) 정동윤(편집대표), 「주석상법」, 회사(IV)(한국사법행정학회, 2014), 204면.
5) 이철송, 「회사법강의」(박영사, 2021), 970면.
6) 최준선, 「회사법」(삼영사, 2021), 762면.

나 법령의 개폐에 의해 정관의 일부규정이 실효되는 경우에는 그 규정은 사실이나 법령의 변경으로 주주총회의 결의를 요하지 않고 당연히 변경된다.[7] 정관변경을 위한 주주총회를 소집할 때 소집의 통지와 공고에 의안의 요령을 기재하여야 한다(제433조 제2항). 정관 제 몇 조를 어떠한 내용으로 변경한다는 내용의 기재를 필요로 한다. 그리고 정관변경은 주주총회의 전속사항이므로 다른 기관에 위양할 수 없다.

회사가 종류주식을 발행할 경우 정관을 변경함으로써 어느 종류의 주주에게 손해를 미치게 될 때에는 주주총회의 결의 이외에 그 종류의 주주총회의 결의가 있어야 한다(제435조 제1항). 종류주주총회의 결의가 없는 동안 일반주주총회의 결의의 효력에 대하여 다음과 같은 세 가지 주장이 제기되고 있다. ① 일반주주총회의 결의의 효력은 무효도 아니고 취소할 수 있는 것도 아닌 부동적인 상태에 있다가 뒤에 종류주주총회의 결의를 얻으면 확정적으로 유효로 되고 이를 얻지 못하면 확정적으로 무효로 된다는 견해로서 우리의 통설의 입장(부동적 무효설)[8]이다. ② 일반주주총회의 결의의 효력은 곧바로 무효라고 보는 견해(무효설)[9]도 주장된다. ③ 일반주주총회의 결의에 대한 취소의 소의 사유가 됨에 불과하다고 보는 견해(취소사유설)[10]도 있다.[11] 그런데 우리 대법원(대법원 2006.1. 27. 2004다44575 · 44582[12][13])은 민사소송법상의 확인의 소의 형태로 정관변경의 무효를 구하면 족하다는 입장을 취하고 있다.

---

7) 최기원, 「신회사법론」(박영사, 2012), 836면; 홍복기 · 박세화, 「회사법강의」(법문사, 2021), 673면.

8) 이기수 · 최병규, 「회사법」(박영사, 2019), 569면; 정동윤, 「회사법」(법문사, 2001), 377, 656면.

9) 김정호, 「회사법」(법문사, 2021), 366면; 손주찬, 「상법(상)」(박영사, 2002), 790면; 최기원 저 · 김동민 보정, 「상법학신론(상)」(박영사, 2014), 949면.

10) 서헌제, 「상법강의(상)」(법문사, 2007), 775면; 이철송, 전게서, 656면.

11) 이 논의에 대한 상세는 정동윤, "종류주주총회의 결의를 얻지 아니한 정관변경결의의 효력," 「상법연구의 향기」(정희철교수 정년20년기념)(2004), 46면 아래 참조.

12) 이 판결에 대한 평석으로는 문영화, "정관변경을 위하여 필요한 종류주주총회 결의가 이루어지지 않은 하자를 다투는 방법으로서 주주총회결의 불발효 확인청구를 인정할 것인지 여부," 「판례실무연구 Ⅷ」(2006), 520면 아래 참조.

13) 이 판결을 비판하면서 어느 시점 이후에는 확정적 무효가 되고, 정관변경을 위해서는 다시 주주총회결의를 거치도록 설계하는 것이 바람직하다는 입장으로는 송옥렬, 「상법강의」(홍문사, 2021), 985면.

2) 등 기

정관변경 자체는 등기할 필요가 없으나, 정관변경으로 등기사항이 변경된 때에는 변경등기를 요한다(제317조 제4항, 제183조).

다. 정관변경의 한계

1) 발행예정주식총수의 증가 및 감소

회사가 발행할 주식의 총수는 정관의 절대적 기재사항이므로(제289조 제1항 제3호), 이를 변경하려면 정관변경절차를 거쳐야 한다. 발행예정주식총수를 감소하는 경우에도 주주의 신주인수권을 침해하는 것이 아니므로 아무런 제한 없이 가능하다.

2) 액면주식에서 주금액의 변경

액면주식의 경우 1주의 금액은 절대적 기재사항이므로(제289조 제1항 제4호) 1주의 금액을 인상하거나 인하하려면 정관변경의 절차가 필요하다. 1주의 금액을 인하하는 경우 그로 인하여 자본금 감소의 문제가 발생하는 경우에는 자본금 감소의 절차를 별도로 밟아야 한다.[14] 자본금감소가 발생하지 않는 주금액의 인하의 경우[15]에만 주주총회의 정관변경결의만으로 가능하다. 다만 이 경우에도 액면주식의 경우 액면가의 법정 최저액인 100원 미만으로 인하할 수 없다(제329조 제3항).

무액면주식을 분할하는 경우에는 상법상 액면분할 절차가 당연히 요구되지 않는다. 그 경우에는 주식수만이 증가하게 되는 것이다. 따라서 정관을 변경하는 절차가 필요 없게 된다. 그렇지만 우리 상법은 액면주식과 무액면주식을 구분하지 아니하고 주식을 분할하는 때에는 주주총회의 특별결의를 요구하고 있다(제329조의2 제1항). 그런데 무액면주식의 주식분할은 이사회의 결의로 가능하다고 하는 취지를 동법규정에 추가할 필요성이 존재한다.[16]

---

14) 정찬형, 「상법강의(상)」(박영사, 2021), 1207면.
15) 가령 1주의 금액 6,000원, 발행주식총수 10,000주의 주식회사가 발행주식수를 그대로 둔 채 1주의 금액을 5,000원으로 인하하면 자본금이 6,000만원에서 5,000만원으로 감소하게 되므로 자본금 감소의 절차를 밟아야 하지만, 1주의 금액 10,000원, 발행주식총수 5,000주의 주식회사가 1주의 금액을 5,000원으로 인하하면서 발행주식총수를 10,000주로 하면 자본금은 변하지 않고 종전의 1주가 2주로 분할될 뿐인 것이다. 정동윤, 전게서, 659면.

라. 액면주식에서 주금액 인상의 특수문제

액면주식에서 주금액을 인상하는 방법에는 인상한 분만큼 주주로 하여금 추가로 주금을 납입하게 하는 방법과 주식을 병합하는 방법이 있다. 추가납입의 방법의 경우 금액을 추가로 납입하게 함은 주주의 유한책임의 원칙에 반하므로 총주주의 동의가 있어야 한다.[17]

가령 준비금을 자본전입시키고 그 무상신주와 구주를 병합하여 주금액을 100% 인상시키는 경우와 같이 현실적인 추가납입이 요구되지 않는 주식병합에 의한 신주금액의 변경 등에는 주주총회의 특별결의로 족하다. 한편 주식의 병합의 경우 병합에 의하여 단주가 발생하는 경우와 단주가 발생하지 않는 경우로 나누어볼 필요가 있다. 단주가 발생하지 않는 경우에는 주주총회의 특별결의에 의하여 주금액을 인상할 수 있다. 그러나 병합에 의하여 단주가 발생하는 경우에는 다수설[18]은 단주가 발생하여 주주평등의 원칙을 파괴하므로 총주주의 동의를 요한다고 보고 있으며, 이 다수설이 타당하다.

마. 정관변경의 효력

1) 효력발생시기

정관변경은 원칙적으로 주주총회의 결의가 있은 때에 즉시 효력이 발생한다.[19] 주주총회의 결의 뒤에 이사가 변경된 내용을 문서화하거나 등기를 하지만 이것은 정관변경의 효력발생요건이 아니다.[20] 변경된 정관에는 공증인의 인증이 필요없다.[21] 원래 최초 정관은 공증인의 인증이 있어야 효력이 발생하지만 2009년 5월 상법개정 이후 자본금총액이 10억원 미만인 회사를 발기설립 하는 경우

---

16) 동지: 김순석, "자본금제도상 채권자보호의 법적 과제,"「기업법연구」제26권 제2호(한국기업법학회, 2012), 17면.

17) 양승규, "주식회사의 정관변경에 의한 자본증가에 따르는 문제,"「상법의 쟁점」(삼지원, 2002), 265면.

18) 이기수·최병규, 전게서, 177면; 정동윤, 전게서, 658~659면; 정찬형, 「회사법강의」(박영사, 2003), 751면; 장덕조, 「회사법」(법문사, 2020), 599면.

19) 김건식·노혁준·천경훈, 「회사법」(박영사, 2021), 881면; 정경영, 「상법학쟁점」(박영사, 2021), 262면.

20) 채이식, 「상법강의(상)」(박영사, 1996), 809면.

21) 김두진, 「회사법강의」(동방문화사, 2015), 427면; 김홍기, 「상법강의」(박영사, 2021), 712면. 같은 취지의 판례: 대법원 1978.12.26. 78누167; 2007.6.28. 2006다62362.

에는 발기인들의 기명날인 또는 서명이 있으면, 공증인의 인증이 없어도 정관에 효력이 발생한다.[22]

2) 소급효의 허용여부

주주총회에서 정관변경의 내용을 소급적으로 적용한다고 결의하더라도 회사 법률관계의 안정을 위하여 그 소급효는 인정하기가 어렵다.[23] 소급효는 이해관계자의 이익을 해치고 회사법률관계의 불안정을 초래하기 때문이다.[24] 그렇지만 정관변경의 효력 발생을 조건부 또는 기한부로 하는 것은 회사를 둘러싼 법률관계를 불안정하게 하는 것은 아니므로 허용된다고 보는 것이 다수의 견해이다.[25] 즉 정관변경의 결의가 조건부 또는 기한부인 때에는 조건의 성취 또는 기한의 도래에 의하여 비로소 그 효력이 발생하게 된다.[26] 그리고 일정한 경우에는 행정관청의 인가 또는 허가, 구체적인 실행행위가 이행된 후에 정관변경이 이루어지는 경우가 있다.[27] 그런데 이러한 정관변경에 대한 제한적 효력은 주식회사의 본질이나 강행법규에 위반되지 않고 결의사항의 특성과 관련하여 합리적인 경우에만 인정된다. 정관변경결의의 효력을 다른 기관이나 제3자의 승낙 또는 장래 불확실한 사실 등을 조건으로 하여 발생시키는 것까지 인정할 수는 없는 것이다.[28]

바. 사실상의 정관변경과 하자있는 정관변경

1) 사실상의 정관변경

사실상의 정관변경(faktische Satzungsänderung)은 정관변경의 일종은 아니다. 예를 들어 회사가 100% 자회사를 설립하고 이에 대부분의 영업용 재산을 출자하여 모자관계가 성립되는 경우 기존 회사의 영업목적은 사실상 지주회사로 전

---

22) 유주선, 「회사법」(청목출판사, 2013), 160면.
23) 김두진, 「회사법강의」(동방문화사, 2019), 492면; 오성근, 「회사법」(박영사, 2021), 875면; 이종훈, 「회사법」(박영사, 2020), 387면; 이철송, 전게서, 972면; 정경영, 「상법학강의」(박영사, 2009), 609면; 장덕조, 「상법강의」(법문사, 2021), 776면; 최준선, 전게서, 763면.
24) 임재연, 「회사법 Ⅰ」(박영사, 2020), 703면.
25) 정동윤, 전게서, 657면.
26) 이기수·최병규, 전게서, 178면.
27) 권기범, 전게서, 1189면.
28) 정동윤(편집대표), 전게서, 209면.

환한 것과 같다. 이러한 경우 사실상 정관이 변경된 것과 같은 상태가 도래함에도 불구하고 정관변경절차가 없었으므로 현물출자 등의 법적 효력을 정관변경의 흠결을 주장하여 다툴 수 있는 것이다.29)

2) 하자있는 정관변경

정관변경을 위한 주주총회의 결의가 부존재하거나 무효 또는 취소사유가 있는 경우에는 회사법상 총회결의의 하자를 다투는 소(訴)를 활용하는 것이 가능하다. 정관의 변경은 주주총회의 결의에 의하므로 통지와 공고의무 위반(제433조 제2항), 결의요건 위반(제434조) 등과 같은 주주총회결의의 하자는 정관변경의 절차적 요건 위반에 해당한다. 종류주주총회 결의의 흠결도 마찬가지이다. 상법의 강행규정에 반하는 내용을 정관에 규정하는 경우 그 규정은 무효이므로 정관변경무효의 사유가 된다. 정관의 절대적 기재사항이 누락되면 정관이 무효로 되기 때문에 정관의 절대적 기재사항을 삭제하는 것도 정관변경무효사유가 된다.30)

정관변경을 위한 주주총회결의에 대하여 결의취소의 소를 제기하는 경우에는 결의일로부터 2월 내에 소를 제기하여야 한다(제376조 제1항). 그러나 결의무효확인, 결의부존재확인의 소를 제기하거나 민사소송법상 주주총회결의 불발효결의의 소 또는 정관변경 무효확인의 소를 제기하는 경우에는 제소기간에 제한이 없다. 정관변경을 위한 주주총회결의의 취소, 무효확인, 부존재확인 등의 판결은 대세적 효력이 인정된다. 그렇지만 종류주주총회의 결의의 흠결이나 하자를 원인으로 하는 민사소송법상 확인판결인 주주총회결의 불발효확인판결 또는 정관변경무효 확인판결은 대세적 효력이 인정되지 않는다.31)

정관변경에 하자가 있어 총회결의의 하자를 다투는 경우에도 가령 정관변경무효의 소에서 원고가 승소하였다면 그 효력을 소급시킬 것인가가 문제이다. 그런데 위에서 검토하였듯이 주주총회에서 정관변경내용을 소급적으로 적용한다고 결의하더라도 회사법률관계의 안정을 위하여 그 소급효는 인정하기 어렵다는 점에서, 이 경우도 소급효를 인정할 수 없다고 본다. 그러나 이 점에 대해서 소급

---

29) 김정호, 전게서, 772면.
30) 임재연, 전게서, 706면.
31) 임재연, 상게서, 706면.

효 여부를 일률적으로 정할 수 없고 사안별로 나누어서 결정하는 것이 합리적이라는 견해[32]도 있다.

사. 외국의 경우

정관변경을 비교법적으로 이해하기 위하여 대륙법계의 대표적인 국가인 독일과 일본의 법제상황을 간략히 고찰한다.

1) 독 일

독일에서도 주주총회가 정관변경을 할 수 있다(독일 주식법 제179조).[33] 정관이나 주주총회결의로도 이 권한을 이양할 수 없다. 그에 대한 예외는 조직증서(Verfassungsurkunde)의 편집상의 변경을 하는 경우뿐이다. 그러한 편집상의 변경은 감사회에 이양할 수 있다(독일 주식법 제179조 제1항 제2문). 그런데 그러한 변경으로는 주식회사의 실질적인 조직의 변경은 일어나지 않는다. 정관변경은 회사의 조직을 변경하는 결의의 전형적인 경우이다. 조직변경결의에서는 공통되는 점이 있다. 바로 주주들의 권한에 전속한다는 점과 상업등기부에 등기를 하여야 한다는 점이다. 이러한 이유로 자신의 이익을 위하여 이용하려는 주주총회결의 취소소송의 원고들이 구조를 변경하는 주주총회결의를 자주 타겟의 대상으로 삼기도 한다.[34] 가중된 다수를 요구하는 사항은 변경할 수 없다. 그리고 구조변경을 위해서는 주주총회결의를 거쳐야 하는 점도 강행적이다. 이사회가 정관변경에 해당하는 사항을 법률행위의 방법으로 처리하는 사실상의 정관변경은 법위반이고 모든 주주들은 그에 대하여 원래의 법률과 정관에 합치되는 법상황으로 복귀를 요구할 수 있는 청구권이 주어진다. 주주총회도 정관을 단순다수결로는 변경할 수 없다. 정관에 반하는 주주총회 결의는 취소할 수 있다.[35] 정관에 반하는 주주총회결의로 인하여 정관에 위반되는 상태가 지속되면 이는 독일 연방대법원의 판례에 의하면 그 자체에 의하여 당연히 무효가 된다.[36]

---

32) 김정호, 전게서, 773면.
33) Raiser/Veil, Recht der Kapitalgesellschaften, 5. Aufl., München, 2010, S. 194; Windbichler, Gesellschaftsrecht, 23. Aufl., München, 2013, S. 441.
34) K. Schmidt, Gesellschaftsrecht, 4. Aufl., Köln·Berlin·Bonn·München, 2002, S. 919.
35) Hüffer, in: MünchKomm AktG. § 243, Rdn. 16 ff; BGH, AG 1994, S. 177.
36) BGHZ 123, S. 15.

　　정관변경은 주주총회의 결의(Beschluss)를 통하여 이루어진다. 이 결의는 결의시 기본자본 의결권의 4분의 3의 다수를 요한다(독일 주식법 제179조 제2항 제1문).[37] 그런데 이 규정 자체는 강행규정이 아니고 처분이 가능하다.[38] 다만 회사의 목적을 변경하는 경우에는 그보다 더 엄격한 다수결 요건만이 가능하다(독일 주식법 제179조 제2항 제2문). 그리고 정관으로 그 밖의 요건을 설정하는 것이 가능하다(독일 주식법 제179조 제2항 제3문).[39] 한편 보통주와 의결권 없는 우선주와 같이 종류주식이 발행되었고 정관변경으로 그들 주식 상호관계에 변경을 초래하는 경우에는 그 종류주식의 종류주주총회결의를 필요로 하고 이는 또한 정관변경의 결의 다수 요건을 충족하여야 한다(독일 주식법 제179조 제3항). 결의가 가령 감사회 구성원을 해임할 권한(독일 주식법 제101조 제2항)과 같은 특별권(우선권)을 침해하거나 주주에게 부수적인 의무를 부과하는 경우(독일 주식법 제180조 제1항)에는 모든 주주의 동의가 필요하다. 그리고 결의를 통해 기명주식 또는 중간증권(Zwischenschein)[40]의 양도에 회사의 동의를 필요로 하도록 하는 경우(독일 주식법 제180조 제2항)에도 모든 주주의 동의가 필요하다. 정관변경은 원칙적으로 상업등기부에 등기된 때에 효력을 발한다(독일 주식법 제181조 제3항). 특히 상호변경, 본점소재지변경, 회사의 목적 변경, 기본자본 변경, 회사의 존속기간의 변경, 인허자본에 대한 규정의 변경은 상업등기부에 등기하여야 효력을 발생하게 된다. 그 밖의 사항의 경우에는 법원에 제출된 증서에서 등기가 언급이 되어 있으면 족하다(독일 주식법 제181조 제2항). 등기는 이사회가 한다(독일 주식법 제181조 제1항 제1문).[41]

2) 일 본

　　일본의 경우도 정관의 변경은 주식회사의 근본규범인 정관(실질적 의의의 정관)을 변경하는(현 조항의 변경·삭제, 신소항의 추가) 회사의 행위로 이해하고 있다.[42] 정관의 내용은 절대적 기재사항, 상대적 기재사항 또는 임의적 기재사항

---

37) Raiser/Veil, Recht der Kapitalgesellschaften, 5. Aufl., München, 2010, S. 213.

38) Grunewald, Gesellschaftsrecht, 8. Aufl., Tübingen, 2011, S. 291.

39) Grunewald, Gesellschaftsrecht, 8. Aufl., Tübingen, 2011, S. 291.

40) 중간증권이란 주권이 발행되기 까지의 사이에 주권에 대신하는 것으로서 假發行된 증권을 가리킨다. Raiser/Veil, Recht der Kapitalgesellschaften, 5. Aufl., München, 2010, S. 40.

41) K. Schmidt, Gesellschaftsrecht, 4. Aufl., Köln·Berlin·Bonn·München, 2002, S. 920.

42) 江頭憲治郎, 「株式會社法」(有斐閣, 2011), 739面; 大隅健一郎·今井宏, 「會社法(中卷)」(有斐

이 있으며 일정한 절차에 의하여 변경된다. 정관의 변경은 설립 시에 있어서 정관을 작성하는 것과는 달리 공증인의 인증이 필요하지 않다. 정관의 조항이 등기사항일 때에는 그 변경은 본점소재지에서 2주내 등기하여야 한다(일본 회사법 제915조 제1항, 제976조 제1항 제1호, 일본 상법등기법 제46조 제1항). 한편 특례유한회사를 주식회사로 변경하는 것은 특례유한회사를 정관을 변경하여 상호 중에 주식회사라는 표현을 사용하는 상호를 변경함으로써(일본 회사법 제27조 제2호) 통상의 주식회사로 전환하는 것이다(일본 회사법정비법 제45조 제1항).

일본에서도 주식회사의 정관을 변경함에는 주주총회의 특별결의를 요한다(일본 회사법 제466조, 제309조 제2항 제2호, 일본 회사법정비법 제14조 제3항). 또한 당해 주주총회 소집통지를 서면 또는 전자적 방법으로 할 경우에는 정관변경에 관한 의안의 개요를 소집통지에 기재할 것이 요구된다(일본 회사법 제299조 제4항, 제298조 제1항 제5호). 회사가 발행한 전부의 주식을 양도제한주식(일본 회사법 제2조 제17호)으로 하는 정관변경 또는 전주식양도제한회사에서 잉여금의 배당, 잔여재산의 분배, 주주총회의 의결권에 관한 속인적 정함(일본 회사법 제109조 제2항)을 하는 정관변경에서는 주주총회의 특수결의를 요한다. 전자의 정관변경에 반대하는 주주에게는 주식매수청구권이, 또 신주예약권자에게는 신주예약매수청구권이 인정된다(일본 회사법 제116조 제1항 제1호, 제118조 제1항 제1호).

종류주식발행회사(일본 회사법 제2조 제13호)에 있어서 어떤 종류의 주식을 ① 양도제한주식, 또는 ② 전부취득조항부 종류주식(일본 회사법 제108조 제1항 제7호, 제2항 제7호, 제171조~제173조)으로 하는 정관변경을 할 경우에는 통상의 정관변경결의 이외에 그에 의해 영향을 받는 주주로 구성되는 종류주주총회의 결의를 요한다. 그리고 당해반대주주, 신주예약권자는 주식매수청구권, 신주예약매수청구권을 갖는다.[43] 그리고 종류주식발행회사에서 ① 주식의 종류의 추가, ② 주식의 내용의 변경, 또는 ③ 발행가능주식총수, 발행가능종류주식총수의 증가를 하는 정관변경이 어떤 종류의 주식의 주주에게 손해를 야기할 경우에는 동시에 당해 종류주주로 구성되는 종류주주총회의 결의를 요한다.

발행한 전부의 주식을 취득조항부주식(일본 회사법 제107조 제1항 제3호, 제2항 제3호)으로 하는 정관의 정함을 신설하거나 또는 당해 정관의 정함을 변경하는

---

43) 江頭憲治郎, 「株式會社法」(有斐閣, 2011), 741面.

경우(일본 회사법 제110조), 또는 특정한 주주로부터의 자기주식취득에 관해 매주추가청구권(賣主追加請求權)을 배제하는 정관의 정함을 신설하거나 또는 당해 정함을 변경하는 경우에는 주주전원의 동의를 요한다. 종류주식발행회사에서 어떤 종류주식의 발행 후에 정관을 변경하여 ① 당해 종류주식을 취득조항부 종류주식으로 하거나 또는 당해 정관을 변경할 경우, ② 당해 종류주식을 특정의 주주로부터 회사가 주기주식을 취득함에 있어 매주추가청구권을 배제하는 정관의 정함을 신설할 때 또는 당해 성함을 변경할 경우(일본 회사법 제164조 제2항), 또는 ① 당해 종류주주에게 손해를 미칠 염려가 있는 행위를 할 때에도 종류주주총회의 결의를 요하고, 주식매수청구권을 부여하는 뜻의 정관의 정함을 하는 경우(일본 회사법 제322조 제4항)에는 통상의 정관변경절차 이외에 그 종류주식을 갖는 주주전원의 동의를 얻어야 한다.

Ⅷ. 주주총회결의의 하자

1. 결의하자를 다투는 소송제도 개관　　　　　　　이 철 송*

가. 총　설

　주주총회의 결의는 다수 출자자의 의사를 단일한 단체의사로 수렴하는 제도이므로 그 내용과 절차면에서 적법하고 타당하게 이루어져야 함은 물론이다. 그렇지 않고 결의절차나 내용에 하자가 있을 경우에는 정당한 단체의사로 인정할 수 없고 그 효력이 부정되어야 한다. 법률행위의 하자에 관한 일반원칙을 적용한다면 주주총회의 결의에 무효원인이 있으면 특별히 주장하지 않더라도 결의의 효력이 처음부터 발생하지 않고, 취소원인이 있다면 취소권자의 일방적 취소로 결의는 소급하여 효력을 상실하게 될 것이다.

　그러나 주주총회의 결의는 사단적 법률행위이므로 그 성립과정에 다수인의 의사와 이해관계가 개재되며, 결의후에는 이를 기초로 다수의 법률관계가 누적되므로 결의를 무효·취소의 일반 법리에 따라 해결한다면 단체법률관계의 불안

* 건국대학교 법학전문대학원 석좌교수

정을 초래한다. 그러므로 상법은 결의의 효력을 부정할 원인이 되는 하자의 유형을 법정하고, 각별로 적절한 소송의 종류를 규정하고, 그 절차와 효력에 관한 특칙을 마련하였다.

상법은 결의의 하자를 결의의 내용이 위법한 경우와 결의에 이르는 과정 즉 절차가 위법·부당한 경우로 구분하고, 이러한 결의의 효력을 부정하는 쟁송으로서, 후자의 하자에 대하여는 결의취소의 소(제376조)를, 전자의 하자에 대해서는 결의무효확인의 소(제380조)를 마련해 두고 있다. 이 두 가지 소송을 기본틀로 하되, 이해관계 있는 주주의 의결권행사가 봉쇄됨으로 인해 생긴 부당한 결의를 치유하는 쟁송으로서 부당결의취소·변경의 소를 두고(제381조), 절차상의 하자가 지나치게 중대하여 결의취소의 소가 배려하는 단체법적 안정을 위한 특례의 적용이 부적합한 하자에 대해서는 결의부존재확인의 소(제380조)라는 쟁송 수단을 마련하고 있다.

나. 근거규정의 체계

상법에서는 회사를 당사자(피고)로 하는 형성의 소를 다수 인정하는데, 각 소송마다 절차와 판결에 관한 조문을 다수 요하지만, 규정이 산만해 짐을 꺼려 축약적인 방법으로 조문을 배치하고 있다. 각 소마다 제소권자, 소의 원인, 제소기간을 달리하지만, 관할·소절차·판결의 효력 등은 대부분 공통적이다. 그러므로 상법은 합명회사의 설립무효·취소의 소를 기본틀로 삼아 완결적인 규정을 두고, 다른 소송에 관해서는 각 소송별로 제소권자, 소의 원인, 제소기간에 관해서만 규정하고, 나머지 사항은 합명회사의 설립무효·취소의 소에 관한 규정을 준용하고 있다. 주주총회의 결의의 하자에 관한 소송에 관해서도 같은 방법을 취하여 다음과 같은 체계로 규정을 베풀고 있다.

상법 제376조 제1항은 결의취소의 소의 원인, 제소권자, 제소기간을 규정하고, 소의 절차와 판결의 효력에 관해서는 동조 제2항에서 합명회사의 설립무효·취소의 소의 절차와 판결의 효력에 관한 규정(제186조 내지 제188조, 제190조 단서, 제191조)을 준용한다. 그리고 결의무효확인의 소 및 결의부존재확인의 소의 원인에 관해서는 제380조에서 규정을 두고, 소의 절차와 판결의 효력에 관해서는 결의취소의 소에서와 마찬가지로 같은 조문을 준용한다. 끝으로 제381조 제1항에서 부당결의취소·변경의 소의 원인, 제소권자 및 제소기간에 관해 규정

을 두고, 동소의 절차와 판결의 효력에 관해서는 결의취소의 소 및 결의무효확
인의 소에서와 같은 조문을 준용한다(제381조 제2항). 합명회사의 설립에 관한
소에는 없는 제도이지만, 결의하자에 관한 소에는 남소의 우려가 있다고 보아
제소주주에게 담보제공을 명할 수 있는 제도를 두고 있으며(제377조, 제380조, 제
381조 제2항), 이를 신주발행무효의 소와 감자무효의 소에 준용하고 있다(제430
조, 제446조). 그리고 결의의 내용이 등기된 사항이면 결의가 무효·취소됨에 따
라 등기를 고쳐야 하므로 동판결이 확정될 경우에는 등기하도록 하는 규정을 두
고 있다(제378조, 제380조, 제381조 제2항). 끝으로 결의취소의 소에 관해서는 법
원의 재량기각을 허용하는데(제379조), 제도의 성질상 다른 하자가 있을 때에는
적용될 수 없으므로 취소의 소에 관해서만 허용한다. 재량기각은 다른 소송에서
도 볼 수 있는 제도이지만, 후술하는 바와 같이 결의취소의 소에는 특유한 점이
있다.

다. 하자에 관한 소의 절차

기술한 바와 같이 상법은 네 가지 소의 원인, 제소권자, 제소기간은 각별로
다루지만, 소의 절차와 판결의 효력에 관해서는 동일한 원칙을 적용하고 있다.
상세한 내용은 다음과 같다.

1) 관 할

결의의 취소·무효확인·부존재확인의 소(이하 '결의하자에 관한 소'라 한다)는
회사의 본점 소재지의 지방법원의 관할에 전속한다(제376조 제2항이라 함, 제380
조, 제186조). 수 개의 재판적을 허용할 경우 하자를 다투는 소가 수 개의 법원
에 제기되어 구구한 판결이 내려질 우려가 있기 때문이다.

2) 소가의 산정

결의하자에 관한 소는 재산권을 목적으로 하지 아니한 소로 보므로 소가는
5,000만 100원이 된다(즉 합의부 관할)(민사소송 등 인지법 제2조 제4항, 민사소송
등 인지규칙 제15조 제2항, 제18조의2 단서).

3) 소제기의 공고

소가 제기된 때에는 회사는 지체없이 공고하여야 한다(제376조 제2항, 제380조, 제187조). 현존하는 이해관계인들과 잠재적인 이해관계인들에게 회사의 법률관계가 가변적임을 예고하기 위함이다.

4) 소의 병합심리

합명회사의 설립무효·취소의 소송이 수 개 제기된 경우 병합하여야 한다는 제188조가 각각의 결의하자에 관한 소에 준용되므로 수 개의 결의취소의 소가 제기된 때, 수 개의 결의무효확인소송 또는 결의부존재확인소송이 제기된 때, 수 개의 부당결의취소·변경의 소가 제기된 때에는 병합하여야 한다(제376조 제2항, 제380조, 제381조 제2항). 병합에 의해 수 개의 소는 유사필수적 공동소송의 형태를 띠게 된다(민사소송법 제67조 제1항).[1]

가) 병합의 범위

동일한 주주총회의 결의에 관해 결의취소소송, 결의무효확인소송 또는 부존재확인소송이 각각 제기된 경우에도 병합할 수 있는가? 상법이 결의하자에 관한 소송에서 병합을 명하는 이유는 취소·무효·부존재판결의 효력은 대세적 효력이 있으므로 모든 당사자에 대하여 획일확정되어야 하기 때문이다. 이러한 획일확정의 필요성은 단일한 결의에 관해 이종(異種)의 소송이 제기된 경우에도 인정되므로 이종소송간에도 병합이 강제된다고 보아야 한다(병합긍정설).[2][3] 한편 상법 제188조가 설립무효의 소와 설립취소의 소의 병합을 허용하고 있는 것도 병합긍정설의 간접적 논거를 제공해 준다.

나) 병합의 강제성

상법상 결의의 하자를 다투는 소송은 위와 같이 병합이 강제되는데, 법원이 이를 간과하고 병합하지 않은 경우 그 효력은 어떠한가? 일본에서는 병합에 관

---

1) 이시윤, 「신민사소송법」 제9판(박영사, 2015), 733면.
2) 동지: 임재연, 「회사법 Ⅱ」 개정2판(박영사, 2014), 198면.
3) 독일주식법 제249조 제2항에서는 무효소송간의 병합을 강제하면서(동조항 1문), 무효소송과 취소소송도 병합할 수 있다는 명문의 규정을 두고 있는데, 후자의 병합은 법원의 재량에 맡기는 취지의 문언이지만, 이 경우에도 반드시 병합해야 한다는 해석이 일반적이다(Karsten Schmidt/Marcus Lutter, AktG, Otto Schmidt, 2008, §249 Rn. 8(Schwab)).

한 규정은 법원에 대한 훈시규정으로 보고 그에 위반하여 병합하지 않더라도 판결의 효력에는 영향이 없다고 하며,4) 같은 설명을 하는 국내 학설도 있다.5) 민사소송법학에서 훈시규정이란 그에 위반하더라도 소송행위의 효력에는 영향이 없는 규정을 뜻하므로 병합하지 않더라도 판결의 효력에 영향이 없다면 훈시규정이라고 볼 수도 있을 것이다.

그러면 수 개의 결의취소소송이 병합되지 않은 채 그에 대한 판결이 내려진 경우 선후 판결간의 효력관계는 어떠한가? 두 개의 결의취소수송이 병합되지 않고 각각 판결이 내려졌다고 가정하자(먼저 내려진 판결을 「제1판결」, 뒤에 내려진 판결을 「제2판결」이라 한다). 이 두 판결의 내용에 관해서는 네 가지 조합이 가능하다. i) 제1판결과 제2판결이 공히 원고패소 즉 결의취소청구를 기각한 경우, ii) 제1판결은 원고패소판결이고, 제2판결은 원고승소판결인 경우, iii) 제1판결은 원고승소판결이고 제2판결은 원고패소판결인 경우, iv) 두 판결 공히 원고승소판결, 즉 결의취소판결을 내린 경우이다. 원고패소판결은 대세적 효력이 없으므로 i)의 경우에는 소송이 분산되었더라도 별 문제는 생기지 아니한다. ii)의 경우에는, 제1판결에 의해 일응 결의가 유효한 상태가 되었더라도 이 판결에는 대세적효력이 없으므로 누구든 제2의 취소소송으로 다툴 수 있는 바이고, 이에 대해 원고승소판결(결의취소)이 내려지고 확정되었다면 결의취소의 효력은 그 소송의 원고와 회사만이 아니라 제1판결의 원고에게도 미치므로 역시 문제될 것이 없다. iii)의 경우에는, 제1판결이 확정되면 결의취소의 효력이 대세적효력을 발휘하였으므로 제2판결의 대상이 된 소송은 중복제소(민사소송법 제259조)로서6) 제1판결이 확정되면 각하하여야 할 것이고, 이를 간과하고 내린 판결은 확정되더라도 무효라고 해야 할 것이다. 이 경우 조문상으로는 제2판결이 재심사유가 된다고 볼 여지도 있으나(민사소송법 제451조 제1항 제10호),7) 결의취소판결이 확정되었다는 것은 대세적으로 결의가 존재히지 않는다는 형성력이 이미 발생하였음을

---

4) 上柳克郎외, 「新版 注釋會社法(5)」(有斐閣, 1986)(이하 "日注釋"으로 인용), 343面에서 전거로서 일본의 舊최고법원의 판례(大審院 1933.3.10., 民集 12권466)를 인용하고 「통설」이라고 부기하고 있다.
5) 최기원, 「신회사법론」 14대정판(박영사, 2012), 545면.
6) 원래 당사자가 동일한 소송일 때 동일한 사건으로 볼 수 있고 따라서 중복제소에 해당하지만, 당사자가 다르더라도 후소의 당사자가 전소의 판결의 기판력을 받을 때에는 동일한 사건으로 보아야 한다(이시윤, 전게서, 281면).
7) 이시윤, 전게서, 930면 참조.

뜻하고, 따라서 제2판결이 기판력을 발휘할 여지가 없으므로 무효로 보는 것이 옳다고 생각된다. iv)의 경우에도 제2판결은 존재하지 않는 결의를 취소한다는 판단이므로 효력을 부정해야 하겠지만, 제1판결과 저촉하는 바 없으므로 현실적으로 문제될 것이 없다.[8] 이같이 병합을 하지 아니한다 해서 해결할 수 없는 상황이 발생하는 것은 아니지만, 국가의 재판권이 무의미하게 행사되어 당사자들을 혼란시키므로 법원은 필히 병합하도록 하여야 할 것이다. 2005년 이전 일본상법(회사법 제정이전의 상법)에서는 결의취소의 소가 제기된 경우 제소기간(3월)내에는 변론을 개시하지 못하도록 하였는데(동법 제248조 제2항. 우리의 구(舊)상법에도 같은 위치에 같은 조문이 있었다).[9] 이는 병합이 그만큼 중요하다는 생각에서 법원으로 하여금 병합을 게을리하지 않도록 하기 위함이다.

5) 담보제공

취소 등의 소를 제기한 경우 회사는 주주가 악의임을 소명하여 주주의 담보제공을 청구할 수 있으며, 법원은 이에 따라 주주에게 상당한 담보를 제공할 것을 명할 수 있다(제377조 제1항 본문, 동조 제2항, 제380조, 제176조 제4항). 주주의 남소를 억제하기 위함이다. 다만 주주가 이사·감사인 때에는 담보제공의무가 없다(제377조 제1항 단서). 이사와 감사의 부적절한 제소에 따른 책임은 선관주의의무에 의해 추궁되므로 주주의 제소와 같이 다룰 필요가 없다고 본 것이다. 「악의」란 취소·무효·부존재의 사유가 없음을 알고 소를 제기한 것을 뜻한다. 담보제공명령은 소제기로 인하여 회사가 받았거나 장차 받게 될 손해의 배상을 담보하는 것이 목적이므로(제376조 제2항, 제380조, 제191조) 그 가액은 회사가 받게 될 불이익을 표준으로 법원이 재량으로 정한다.[10]

6) 화해의 가능성

결의취소 등의 소의 당사자는 화해를 할 수 없다.[11] 소가 단체법률관계를 대

---

8) 1995년 개정전 상법하에서 결의취소판결이 장래효만 가질 때에는(제376조 제2항, 제190조) 본문에서와 같은 경우 어느 판결이 우선하느냐에 따라 회사법률관계가 달라지지만, 현재는 취소판결이 소급효를 가지므로 논의가 무의미하다.

9) 이 제도가 재판을 지연시킨다는 비판이 있어, 2005년 회사법 제정시에 폐지되었다(日法制審議會 會社法(現代化關係)部會, 會社法制の現代化に關する要綱試案(補足說明), 第四部 第三 13(2)).

10) 대법원 1963.2.28. 63마2.

11) 대법원 2004.9.24. 2004다28047.

상으로 하고, 그 판결의 효력은 회사와 제3자에게도 미치므로 제소권자가 임의로 처분할 수 있는 이익이 아니기 때문이다. 같은 이유에서 회사가 청구를 인낙하는 것도 허용할 수 없다.[12]

라. 하자에 관한 소의 판결

1) 원고승소(취소·무효·불존재)판결의 효력

가) 대세적 효력

취소·무효·부존재판결(이하 '취소 등 판결'이라 한다)의 효력은 제소자와 회사는 물론 그 밖의 제3자에게도 미친다(제376조 제2항, 제380조, 제190조 본문). 따라서 누구도 새로이 결의의 유효를 주장하지 못한다. 이는 기판력의 주관적 범위를 당사자에 국한시킨 민사소송법상의 원칙(민사소송법 제218조 제1항)에 대한 예외이다. 이와 같이 대세적 효력을 인정하는 이유는 주주총회의 결의는 그에 의해 다수인이 회사와 동종의 법률관계를 맺게 되는 단체법적 특성을 가지므로 이들 모두에게 획일적 확정이 필요하다는 데에 있다.[13]

나) 소급효

설립무효(제328조), 신주발행의 무효(제429조), 합병무효(제529조) 등 회사법상의 형성의 소에서는 예외없이 판결이 장래효만 가질 뿐이나, 취소 등 판결은 예외이다. 취소 등 판결이 내려지면 당해 주주총회의 결의는 결의 당시로 소급하여 효력을 상실한다.[14] 그 결과 결의의 유효를 전제로 축적된 과거의 법률관계가 일시에 무너지는 문제점이 생긴다. 예컨대 결의사항이 정관변경이라면 변경된 정관에 따라 이루어진 모든 행위가 무효가 되는 것이다.

---

12) 대법원 1993.5.27. 92누14908.
13) 예컨대 갑을 이사로 선임한 결의에 관해 A주주가 취소소송을 제기하여 승소한 경우, 기판력의 일반원칙을 적용한다면 갑은 A주주와의 관계에서만 이사가 아니고 기타의 주주·회사·제3자와의 관계에서는 계속 이사라는 기이한 현상이 생길 것이다.
14) 1995년 개정 전에는 제190조 단서가 주주총회결의의 취소 등 판결에 준용되었으므로(개정 전 제376조 제2항, 제380조), 판결 이전에 결의의 유효를 전제로 회사와 주주 및 제3자와의 사이에서 이루어진 모든 행위는 취소 등 판결의 영향을 받지 않았다. 그 결과 결의사항이 이사의 책임면제(제400조), 임원의 보수결정(제388조, 제415조), 이익배당(제462조)과 같이 일회적이고 완료적인 것은 취소 등 판결을 얻더라도 무익한 결과가 되어 위법한 결의에 의해 이익을 얻은 자에게 기득권을 인정해 주는 중대한 맹점이 되었다. 그리하여 1995년 개정법에서는 제190조의 규정 중 판결의 소급효를 제한한 단서의 규정을 준용에서 제외함으로써 위와 같은 문제점을 해소하였다.

가장 심각한 것은 이사를 선임한 결의에 대해 취소 등 판결이 내려질 경우 그 이사들이 선임한 대표이사 역시 소급하여 대표이사의 자격을 상실하고 따라서 그 대표이사가 행한 모든 대외적 거래가 전부 무효가 되는 것이다.

이같이 대외적인 거래에 생기는 문제는 부실등기의 주장을 제한한 상법 제39조와 제395조의 표현대표이사제도를 원용함으로써 해결해야 할 것이다. 즉 위의 예에서 대표이사의 대외거래는 표현대표이사의 거래로 보거나, 대표이사의 무자격에 관한 회사의 주장을 차단함으로써 거래 상대방을 보호하는 것이다.[15]

2) 원고패소판결의 효력

원고가 패소한 경우, 그 각하 또는 기각판결은 취소 등 판결과 달리 대세적 효력이 없다. 따라서 다른 소제기권자가 새로이 소를 제기할 수 있으나, 취소소송의 경우 실제로는 대부분 제소기간이 경과하여 소제기가 불가능할 것이다.

원고가 패소하면 악의 또는 중과실이 있는 때에는 회사에 대하여 연대하여 손해를 배상할 책임을 진다(제376조 제2항, 제380조, 제191조). 손해배상책임의 이행을 확보하기 위하여 원고에게 담보제공을 명할 수 있음은 기술한 바와 같다.

마. 소의 종류와 소송물

제소자가 청구취지를 그르친 경우, 예컨대 취소사유가 있는데 부존재확인이나 무효확인을 구하는 경우 혹은 반대의 경우, 불적법한 소로서 각하하여야 하는가, 아니면 가능한 범위에서 청구취지의 동일성을 인정할 것인지가 문제된다. 또 제소자가 예컨대 결의부존재확인을 구하며 예비적으로 결의취소를 구하는 경우와 같이 다른 종류의 청구를 예비적 청구로 한 경우 이를 어떻게 취급할 것인지도 문제된다.

신소송물이론에 의하면 주주총회결의의 효력을 다투는 각 소는 하자 있는 결의에 의해 발생한 효력을 대세적으로 해소시키려는 점에서 소송목적 나아가서는 소송물을 같이한다고 본다.[16] 소송경제를 기하고 당사자(제소자)의 권리구제를 충실히 한다는 뜻에서, 각 소송의 형식적 차이를 무시하고, 결의의 「효력을 부정하는 것」이라는 공통의 소송물을 가지는 것으로 파악하는 것이 타당하다(소송

---

15) 대법원 2004.2.27. 2002다19797.
16) 이시윤, 전게서, 245면.

물일원론).[17]

판례 중에는 부존재원인이 있는데 취소소송을 제기한 것을 불적법한 소로 다룬 예가 있다.[18] 그러나 부존재확인소송은 취소소송의 원인이 되는 소집절차와 결의방법의 위법·불공정의 결의가 존재한다고 볼 수 없을 만큼 심한 정도에 이른 것을 원인으로 하므로 부존재의 원인은 당연히 취소의 원인으로 포섭된다(부존재원인⊂취소원인). 따라서 이 같은 경우에는 취소판결을 해야 한다. 이후의 판례는 부존재원인이 있는데 무효확인소송을 제기한 사건에서 무효확인청구를 부존재확인청구로 받아들일 수 있다고 하였으며,[19] 결의의 무효를 주위적으로, 결의의 취소를 예비적으로 청구한 사건에서 그 적법성 여부를 문제 삼지 않고 본안판단을 한 하급심판례도 있다.[20] 이 판례를 보면 명백히 부존재확인청구와 무효확인청구를 동일소송물로 파악할 수 있음을 시사하고 있다. 그렇다면 역으로 무효원인이 있는데 부존재확인을 구한 경우 이를 무효확인을 구하는 취지로 볼 수도 있을 것이고, 취소의 소와도 같은 관계를 인정할 수 있을 것이다. 최근의 판례 중에는 부존재확인의 소와 취소의 소의 동일성을 인정하는 데에까지는 이르지 않았으나, 부존재확인의 소를 취소의 소의 제소기간 내에 제기한 이상, 그 기간이 경과한 후에 취소소송으로 변경하거나 새로운 취소소송을 추가한 경우에는 소급하여 기간을 준수한 것으로 보아야 한다고 판시한 예가 있다.[21] 이른바 「전환설」이라 부를 수 있는 입장을 취하여 소송물일원설에 다가간 판결이

17) 일본에서는 다수의 소송법학자 및 상법학자들이 소송물일원론에 가담하고 있다. 일원론에 의하면 결의취소, 결의무효, 결의부존재라는 것은 그 자체가 소송물을 구성하는 것이 아니고, 결의의 효력을 부정하기 위한 이유에 지나지 아니하고, 결의의 효력을 부정하는 소송에서의 공격방어방법에 지나지 않는다는 것이다(梅津昭彦, "決議無效確認の訴えと決議取消の主張,"「會社判例百選」(別冊ジュリストNo.180, 2006. 4.), 108面).

18) 대법원 1978.9.26. 78다1219.

19) 대법원 1983.3.22. 82다카1810 전원합의체: "… 위 사원총회 …는 법률상 그 결의가 존재한다고 볼 수 없는 것이나 원심은 이 사건 무효확인청구를 부존재확인청구의 의미로 해석하여 이를 받아들였음이 명백하므로 이는 정당하며, 부존재확인청구로 나오지 않는 한 이 사건 무효확인청구는 부적법한 것으로 각하되어야 한다는 논지는 이유 없다." 이 판례는 유한회사의 사원총회의 결의에 관한 것이나 주주총회의 결의에 관해서도 다를 바 없다.

20) 서울고등법원 1998.8.25. 98나5267.

21) 대법원 2003.7.11. 2001다45584: "주주총회결의 취소의 소는 상법 제376조에 따라 결의의 날로부터 2월 내에 제기하여야 할 것이나, 동일한 결의에 관하여 부존재확인의 소가 상법 제376조 소정의 제소기간 내에 제기되어 있다면, 동일한 하자를 원인으로 하여 결의의 날로부터 2월이 경과한 후 취소소송으로 소를 변경하거나 추가한 경우에도 부존재확인의 소 제기시에 제기된 것과 동일하게 취급하여 제소기간을 준수한 것으로 봄이 상당하다."

라 할 수 있다.[22)]

취소원인을 가지고 무효확인이나 부존재확인을 구한 경우 취소소송으로서의
제소기간·원고적격은 갖추어야 할 것이며, 그렇지 않을 경우에는 부적법한 소
로 각하하여야 할 것이다. 이러한 점은 부당결의취소·변경의 청구를 다른 소의
형태로 제기하는 경우에도 마찬가지이다.

소송물을 여하히 보느냐에 따라 이종의 소간의 병합 가능성이 달리 판단될
것임은 기술한 바와 같다.

바. 다른 소송과의 관계

주주총회의 결의에 기초하여 이루어지는 후속행위에 대해 별도로 그 효력을
다투는 소가 인정되는 경우가 있다. 예컨대 신주발행무효의 소(신주발행을 주주총
회가 결의하는 회사의 경우), 감자무효의 소, 합병무효의 소, 분할무효의 소, 주식
의 포괄적 교환·이전무효의 소 등과 같다. 이 경우 주주총회의 결의에 하자가
있는 경우에는 결의취소(무효, 부존재)의 사유도 되지만 동시에 신주발행, 합병
등의 무효사유도 된다. 이 경우 어느 소를 제기하여야 하느냐에 관해 오래전부
터 견해가 대립해 왔지만, 이러한 결의의 하자로 인한 다툼은 후속행위에 관한
소에 주어진 효력(예: 신주발행무효판결의 장래효)에 의해 궁극적으로 해결될 수
있으므로 주주총회의 결의의 하자는 후속행위의 하자로 흡수되는 것으로 보아
후속행위의 무효를 주장하는 소만을 제기할 수 있다고 보아야 한다. 판례도 신
주발행의 무효, 자본금감소의 무효 그리고 합병의 무효를 다툼에 있어 각각 신
주발행무효의 소, 감자무효의 소, 합병무효의 소를 제기해야 한다는 입장을 거
듭 밝히고 학설도 같은 방향으로 정리된 것으로 보인다.[23)]

사. 결의존재의 확인(소극결의의 부정)

상법은 적극결의(가결)의 효력을 다투는 소송에 관해서만 규정을 둘 뿐, 소극
결의(부결)의 효력을 다투는 소송에 관해서는 규정을 두고 있지 않다. 즉 소정의

---

22) 일본의 판례는 취소사유를 가지고 무효확인소송을 제기한 후, 취소소송의 제소기간이 경과
한 후라도 다른 취소소송의 요건을 구비하는 한 무효소송을 제기한 시점에 취소소송이 세
기된 것으로 다룬다(전환설)(日最高裁判所 1979.11.16. 判決, 民集 제33권 제7호 709面).

23) 대법원 2004.8.16. 2003다9636; 2010.2.11. 2009다83599; 1993.5.27. 92누14908.

결의요건을 실질적으로 충족하여 가결되었음에도 불구하고 의장이 부결을 선포하고 의사록에도 부결된 것으로 기재되는 등 부결의 외관을 갖춘 경우, 이를 가결된 것으로 주장하는 방법에 관해서는 규정을 두고 있지 않은 것이다. 예컨대 의결권이 없는 주주가 반대를 하였는데, 이 점을 간과하고 그 의결권을 반대표에 산입하여 부결된 것으로 선언하였으나, 의결권 있는 주주의 표결만을 계산하면 결의요건을 충족하는 경우 어떤 방법으로 가결결의가 있었음을 주장하느냐는 문제이다.

이러한 경우 결의존재의 주장은 결의취소의 소에 의해야 한다는 입장도 생각해 볼 수 있으나, 결의에 「하자가 있었다」는 주장에 적용되는 소절차를 「결의가 있었다」는 주장에 적용할 수 있느냐는 의문이 제기되는 외에, 결의취소의 소는 적합한 구제방법이 될 수 없다는 문제점을 안고 있다. 왜냐하면 결의의 존재를 주장하는 방법으로서 결의취소의 소를 제기하여 취소판결을 얻은 경우, 그 판결이란 부결결의를 취소하는 것에 지나지 않고, 원고가 원하는 결의의 존재를 확정해 주는 것이 아니기 때문이다. 즉 부결결의를 취소소송으로만 다툴 수 있다고 한다면, 결국 구제방법이 없다는 모순에 이르는 것이다. 그리고 결의취소의 소를 제기하여야 한다면 제소기간의 제한을 받는 문제도 있다. 그러므로 부결결의의 효력을 부인하는 다툼에는 결의취소소송의 법리를 적용할 것이 아니며, 결의의 존재확인은 민사소송법상의 일반 확인의 소에 의해 주장할 수 있다고 보아야 한다.

독일에서도 결의의 존재는 민사소송법상의 일반확인의 소(독일 민사소송법 제256조)에 의해 주장할 수 있다고 보고 있으나, 결의취소의 소(독일 주식법 제241조)의 제소기간과 절차를 준수하여야 한다고 해석하고 있다. 이는 민사소송법상의 일반확인판결은 대세적 효력이 없으므로 관련 법률관계의 안정을 도모해 주기 위한 고려이나, 이같이 해석하는 이유는 총회결의의 성립에 관한 제도가 우리와 근본적으로 다르기 때문이다.

독일에서는 의사록작성과 공증이 주주총회결의의 성립요건이므로(독일 주식법 제130조 제1항), 주주총회의 결의결과가 의장에 의해 선언되고 의사록에 기재되어 공증을 받음으로써 주주총회의 결의가 확정된 것으로 이해한다. 그리고 이 규정 및 해석론은 적극결의(가결)에는 물론 소극결의(부결)에도 적용되는 것으로 해석하고 있다.[24]

그리하여 어느 안이 부결된 것으로 의사록에 기재되고 공증을 받으면 그 때에 부결결의가 성립된 것으로 이해하는 것이다. 따라서 결의의 존재를 주장하는 것은 즉 부결결의의 효력을 부정하는 것이므로 결의취소의 청구로 볼 여지가 있는 것이다. 다만 주식법상의 결의취소의 소나 무효의 소는 부결결의의 다툼을 예상한 구제방법이 아니므로 일반확인의 소로 다툴 수 있되, 제소기간이나 제소절차만은 결의취소의 소에 관한 규정을 따라야 한다는 것이다.

2. 결의취소의 소

가. 총   설

하자있는 결의의 효력을 부정하는 방법으로 절차의 하자는 결의취소의 소(제376조)가, 내용의 하자는 결의무효확인의 소(제380조)가 각기 분장하고 있음은 기술한 바와 같다. 결의의 내용이 공정·타당하다면 결의의 과정(절차)에서 생긴 흠은 양해될 수도 있다는 실용주의적인 사고도 있을 수 있겠으나, 결의절차의 흠은 회사의 의사결정에 참여할 주주들의 권리, 즉 의결권의 원만한 행사를 방해한다는 의미를 가지므로 내용상의 하자에 못지않게 중요한 실질적 흠을 구성한다. 이 점에서 결의취소의 소는 주주들의 의결권의 만족스러운 행사를 보장하는 제도적 장치로서, 결의의 흠을 다투는 쟁송체계상 가장 기본적인 제도이고, 주주의 단체적 의사결정제도를 건전하게 운영하기 위한 중요한 제도라고 할 수 있다. 결의취소의 소에 관해서는 결의무효확인이나 결의부존재확인의 소에 비해 상세한 조문을 두고 있지만, 소송절차의 각 요소마다 다수의 법률적 쟁점을 안고 있고 관련된 이론도 풍부하다. 이 제도의 연혁을 참고함으로써 문제의 성격이 분명해지고 논의가 간명해질 수 있으므로 관련 규정의 해설에 앞서 현행법상의 결의취소의 소에 이르기까지의 제도의 변천을 살펴본다.

24) Wulf Götte/Martias Habersack/Susanne Kalss, *Munünchener Kommentar zum Aktiengesetz*(Munünchener Komm.), 3. Aufl. C. H. Beck, 2011 §130 Rn. 4(Kubis); Biedenkopf *et al.*, *Kölner Kommentar zum Aktiengesetz*(Kölner Komm.), Heymanns Verl., 1981, Aufl. §130 Rn. 10(Zöllner).

나. 결의취소의 소의 연혁

1) 구상법하에서의 연혁

가) 1962년 상법 제정 후 결의취소의 소에 관해 개정이 있기는 했지만, 기본적인 내용은 구상법상의 결의취소의 소에 관한 규정을 답습한 것이고, 구상법상의 결의취소의 소에 관한 규정은 일본의 1938년 개정상법과 동일하므로 결국 우리 상법상의 결의취소의 소의 연혁이라 함은 일본상법상의 결의취소의 소에 관한 제도의 변천을 뜻한다.

나) 일본이 서구의 상법을 계수하여 제정한 1890년 구상법에는 결의의 하자에 관한 규정이 전혀 없었지만, 입법자들은 결의의 내용에 관한 것이냐 절차에 관한 것이냐를 불문하고 하자 있는 결의는 무효라는 생각을 가지고 있었다고 한다. 구상법에 이어 1899년에 제정된 신상법(통칭 "명치상법")에 비로소 결의하자를 다투는 소에 관한 규정이 설치되었다. 동법 제163조에 「총회소집의 절차 또는 그 결의의 방법이 법령 또는 정관에 반하는 때에는 주주는 그 결의의 무효의 선고를 법원에 청구할 수 있다」라는 규정(동조 제1항), 그리고 「전항의 청구는 결의의 날로부터 1월내에 하여야 한다」(동조 제2항)라는 규정을 두었다. 결의의 내용에 흠이 있는 경우에는 종전과 마찬가지로 특별한 규정이 없이도 당연히 무효라는 것이 일반적으로 이해된 바이고, 이 규정은 절차에 하자가 있을 경우의 효력을 다룬 것이다. 당시에는 오늘날 사용하는 「취소」라는 용어가 생기기 전이므로 이를 「무효의 선고」를 구한다는 말로 표현한 것인데, 이 규정의 해석론으로서는, i) 법원에 의한 무효의 선언에 의해 비로소 결의를 무효로 다루는 창설적효과가 생긴다는 설명, ii) 무효의 선언이 없이도 당연무효로서 항변 등에 의해서도 다툴 수 있지만, 1월이라는 제소기간의 취지에 비추어 1월 후에는 소 이외의 방법으로 주상하는 것도 불가능해진다는 설명이 있었다.[25] 판례는 전자의 입장을 취하였으나,[26] 규정의 애매함을 제거하고자, 1911년 상법개정시에 제163조 제1항을 「총회소집의 절차 또는 그 결의의 방법이 법령 또는 정관에 반하는 때에는 주주, 이사, 감사는 소만으로써 그 결의의 무효를 주장할 수 있다」라고 수정하였다. 이같이 절차적 하자는 소만으로 다툴 수 있음을 분명히 하면

---

25) 岩原紳作, "株主總會決議を爭う訴訟の構造,"「法學協會雜誌」 제96권 제6호, 674~681面.

26) 日本 大審院(현 最高裁判所 이전의 最高法院) 1902.7.4. 民錄8集7卷19.

서, 제소권자를 이사와 감사로까지 넓힌 외에 소의 병합, 전속관할, 공고 등에 관한 절차도 보완하였다(동법 제163조 제3항, 제99조의3, 제163조의2).

다) 이같이 개정되었음에도 불구하고 법문이 「결의의 무효」라는 말을 사용하였으므로 법체계적으로는 동소는 무효를 확인하는 소송이라는 설이 주장되고 판례도 유사한 표현을 하였으므로 동규정은 아직 불분명한 점을 안고 있었다.[27]

라) 1938년에 상법이 대폭 개정되면서 개정전의 제163조는 제247조로 옮겨오고, 내용에도 큰 변화가 생겼다. 달라진 점을 보면, i) 과거의 「결의무효의 선고」를 구하는 소를 현재와 같이 「결의취소」를 구하는 소로 바꾸고, ii) 1911년 개정에서는 제소자격이 있는 주주를 총회의 결의에 이의를 제기한 주주, 정당한 이유없이 총회출석을 거부당한 주주, 자신에 대한 소집절차가 법령·정관에 위반하여 총회에 출석하지 못한 주주로 한정하였으나, 1938년 개정에서는 이러한 제한을 삭제하였으며, iii) 1911년 개정에서는 결의무효를 선고하는 판결의 효력이 주주에게만 미치도록 하였으나, 1938년 개정법에서는 제3자에게도 미치도록 하였다.

이상의 과정을 거쳐 만들어진 1938년 법상의 결의취소의 소에 관한 규정은 제247조 제1항에서 「총회소집의 절차 또는 그 결의의 방법이 법령 또는 정관에 위반하거나 현저히 불공정한 때에는 주주, 이사 또는 감사는 소로서 결의의 취소를 청구할 수 있다」라는 기본적인 내용을 담고, 동조 제2항에서 결의취소의 소의 관할, 공고, 판결의 효력에 관해 합명회사의 합병무효의 소에 관한 규정을 준용하는 방식으로 구성되었다. 그리고 제248조 제1항에 제소기간(1월)을, 제249조에서 담보제공에 관한 사항을 각기 규정하고, 제250조에서 결의사항이 등기할 사항인 경우 결의취소판결이 확정되면 이를 등기하도록 하고, 제251조에서 법원의 재량에 의한 기각제도를 두었다.

주지하는 바와 같이 1945년 해방 이전에는 일본의 상법이 우리나라에서 의용되었으므로 1938년 개정법은 해방 당시 우리나라의 현행 상법이었다. 그리고 해방 후에는 미군정법령에 의해, 그리고 정부 수립 후에는 헌법의 경과규정에 의해, 1963년 신상법이 시행되기 전까지 우리의 상법(구상법)으로 시행되었다.

---

27) 日注釋(5), 313面.

2) 신상법하에서의 연혁

1963년 1월 1일부터 시행된 신상법(현행상법)은 구상법을 토대로 하여 규정을 첨삭, 수정하는 방식으로 만들어졌는데, 주식회사에 관한 한 미국의 수권자본주의를 비롯하여 주식의 종류와 지배구조에 관해 대폭적인 개혁이 이루어졌으나, 주주총회의 하자에 관한 소송에 관련해서는 조문의 위치가 바뀌었을 뿐, 내용에 있어서는 거의 수정 없이 구법상의 제도를 수용하였다. 구체적으로 말하면, 구법 제247조 제1항과 제248조를 합쳐 제소기간만을 1월에서 2월로 변경한 채 제376조 제1항으로 개편하였고, 구법의 제247조 제2항의 준용규정들은 신상법의 제376조 제2항으로 내용변화 없이 가져왔고, 구법의 제249조(담보제공), 제250조(등기), 제251조(법원의 재량기각)은 각각 제377조, 제378조, 제379조로 위치를 바꾸어 같은 내용을 유지시켰다.

한편 일본에서는 1945년 패전 후 자본과 지배구조에 관한 제도의 상당 부분을 미국법화시킨 1950년 개정을 비롯하여 수차 상법의 개정이 이루어졌는데, 결의취소의 소에 관해서도 1950년에 중요한 점이 개정되었다. 그때까지는 결의의 하자의 효력에 관한 일본상법의 방침은 「내용상의 하자」와 「절차상의 하자」로 구분하여 전자는 무효로, 후자는 취소로 취급하는 것이었다. 그리하여 결의의 내용이 정관에 위반하는 것은 결의내용이 법령에 위반하는 경우와 더불어 무효확인의 소의 대상으로 삼았다.[28]

그러나 결의의 취소와 무효를 상법이 정하는 효력면에서 분류한다면 취소사유는 회사의 구성원들이 특히 주장하지 않는 한 시간의 경과에 의해 치유될 수 있는 하자이고(제소기간의 제한, 제376조 제1항), 무효는 구성원들의 주장유무에 불구하고 치유되지 않는 하자(제소기간의 제한이 없다, 제380조)라고 설명할 수 있다. 이러한 구분을 토대로 결의의 하자가 주식회사의 본질적 요청과 공적이익에 관한 것이 아니고 주주 등 사단관계자의 포기할 수 있는 이익에 관한 것일 때에는 결의취소사유로 보는 것이 옳다는 생각이 확산되었다. 그리하여 정관이란 구성원, 즉 주주들의 합의에 의해 정해진 규범이고 주주총회의 결의 역시 주주들의 합의의 성격을 가진 것이므로 총회의 결의가 정관에 위반한다는 것은 선합의에 위반한다는 의미를 갖는 것으로 이에 관한 다툼은 구성원들이 포기할 수

---

28) 우리의 1995년 개정전 상법 제380조 및 구상법(일본 1950년 개정전 상법) 제252조 참조.

있는 이익으로 다루는 것이 옳다는 생각에서 1950년 개정에서 결의취소의 대상으로 변경하였다.

이후 같은 논의가 우리나라에서도 있었고, 1995년 개정시에 일본의 예를 본받아 내용이 정관에 위반한 것은 결의취소의 사유로 바꾸었다(제376조 제1항). 그리고 일본의 1950년 개정에서는 이해관계 있는 주주의 의결권제한에 관한 규정29)을 폐지하고, 대신 이해관계 있는 주주에 의해 결의가 불공정하게 이루어진 경우를 결의취소사유로 추가하였으나(동법 제247조 제1항 제3호), 우리 상법은 종전의 방침을 유지하고 있다.

다. 결의취소의 원인

총회의 소집절차 또는 결의방법이 법령 또는 정관에 위반하거나 현저하게 불공정한 때 또는 결의의 내용이 정관에 위반한 때에 결의취소의 소를 제기할 수 있다(제376조 제1항).

1) 소집절차와 결의방법의 의의

주주총회의 소집절차는 이사회의 소집결정과 주주에 대한 통지로 구성되는데, 전자는 소유와 경영의 분리원칙하에서 총회소집권을 이사회에 귀속시킴으로써 주주의 무질서한 경영간섭을 차단하는 기능을 하고, 후자는 주주에 대해 주주총회에 참석하고 의사를 개진할 기회를 부여하는 기능을 한다. 그리고 결의방법은 총회장에서 공정한 결의를 이끌어 내기 위해 행해지는 절차와 형식을 뜻한다. 그러므로 소집절차와 결의방법의 적법·공정성은 결의내용의 여하에 관계없이 중요한 단체법적 질서라 할 것이고, 따라서 이에 위반하였을 때에는 취소사유가 된다.

2) 소집절차상의 하자

가) 이사회의 소집결의의 하자

주주총회를 소집하기로 하는 이사회의 결의가 존재하고, 그 효력에 다툼의 소지가 있는 경우에는 결의취소사유가 된다.30) 이와 달리 아예 이사회결의 없

---

29) 우리의 상법 제368조 제4항 및 구상법(일본 1950년 개정전 상법) 제239조 제4항 참조.
30) 대법원 1980.10.27. 79다1264.

이 주주총회를 소집하는 경우에는 주주총회가 성립할 수 있는 법적 기초가 결여되어 있으므로 결의부존재사유로 보는 것이 타당하다. 그러나 판례는 이 경우에도 정당한 소집권자에 의해 소집된 것이라면 취소사유에 불과한 것으로 본다.[31]

나) 소집권한 없는 자에 의한 소집

이사회의 소집결의는 있으나 대표이사 또는 정관상의 소집권자가 아닌 자가 소집한 경우이다.[32] 소수주주나 감사의 청구에 의하여 주주총회를 소집하는 경우(제366조 제1항, 제412조의3 제2항)에도 역시 정당한 소집권이 없는 자가 소집하면 취소사유가 된다.[33]

다) 통지상의 하자

일부주주에게 소집통지를 하지 않은 경우, 통지기간(총회일 2주 전)을 준수하지 않은 경우 또는 통지방법을 그르친 경우(예: 구두로 연락) 등이다.[34] 그 밖에 통지사항의 일부가 미비한 경우(예: 목적의 불기재, 시간 또는 장소의 누락 등)도 소집절차가 위법한 경우이며, 주주의 참석을 어렵게 하는 장소·시간을 선택한다면 소집절차가 현저히 불공정한 것으로 역시 취소사유가 된다. 회사가 주식양수인의 명의개서청구를 거부하고 소집통지를 하지 않은 경우는 원칙적으로는 취소사유이지만, 당해 양수인의 소유주식이 발행주식의 대다수를 이룬다면(예: 과반수) 이는 부존재사유로 보아야 한다.

라) 목적사항 이외의 결의

총회의 소집목적 이외의 사항(소집통지서에 기재되지 않은 사항)에 관해 결의하면 설혹 긴급한 안건이라 하더라도 취소사유가 된다.[35] 법원의 허가를 얻어 소집하는 총회에서 허가받은 목적 이외의 사항을 결의하는 것도 취소사유가 된다.[36]

---

31) 대법원 1987.4.28. 86다카553; 2009.5.28. 2008다85147.
32) 대법원 1993.9.10. 93도698; 1962.11.11. 4294민상490.
33) 대법원 1975.7.8. 74다1969.
34) 대법원 1993.10.12. 92다21692; 1981.7.28. 80다2745.
35) 대법원 1969.2.4. 68다2284.
36) 서울고등법원 2008.7.30. 2007나66271.

3) 결의방법의 하자

가) 주주 아닌 자의 결의참가

주주(또는 대리인) 아닌 자가 주주총회에 출석하여 결의에 참가한 경우이다.[37] 그러나 정도가 지나쳐 주주 아닌 자가 대다수인 경우에는 결의부존재사유가 된다.

나) 의결권이 제한되는 주주의 의결권행사

결의에 특별한 이해관계가 있는 자가 의결권을 행사한 경우(제368조 제4항),[38] 의결권 없는 주주가 의결권을 행사한 경우(제344조의2), 회사가 자기주식을 가지고 또는 자회사가 모회사주식을 가지고 의결권을 행사한 경우(제341조, 제342조의2), 타회사가 의결권이 휴지되는 상호주(제369조 제3항)를 가지고 의결권을 행사한 경우, 감사선임결의에서 어느 주주가 100분의 3을 초과하는 의결권을 행사한 경우(제409조 제2항)는 취소사유가 된다. 의결권을 부적법하게 불통일 행사한 경우(제368조의2)에도 같다.

다) 결의요건의 위반

정족수·의결권의 계산이 위법한 경우, 예컨대 특별결의사항을 보통결의로 가결시킨 경우, 찬성주식수가 발행주식총수의 4분의 1 혹은 3분의 1에 미달하는데 의장이 가결된 것으로 선포한 경우 등이다.[39]

라) 불공정한 의사진행

부당하게 주주의 발언을 제한하거나 퇴장시키는 경우, 총회꾼을 동원하는 등 불안정한 분위기를 조성하여 결의하는 경우 등은 결의방법이 현저하게 불공정한 경우이다. 결의에 반대가 예상되는 주주의 출석을 지연시키고 이를 틈타 의안을 가결시킨 경우, 표결이 주주의 의사표시를 왜곡시키는 방법으로 이루어진 경우에는 현저히 부공정한 결의라고 한 판례가 있다.[40] 체결방법이 그릇되어 주주의 찬반의사가 왜곡되게 집계된 경우도 불공정한 결의방법에 해당하여 취소사유가 된다.[41] 결의에 필요한 정보를 허위로 제공하거나 필요한 정보를 제공하지

---

37) 대법원 1962.1.31. 4294민상452; 1983.8.23. 83노748.
38) 대법원 1965.11.16. 65다1683.
39) 대법원 1996.12.23. 96다32768.
40) 대법원 1996.12.20. 96다39998.

않음으로써 주주의 의결권행사를 오도한 경우에는 현저히 불공정한 결의로서 취소대상이 된다고 보아야 한다.[42)]

마) 무효인 정관에 따른 결의

소집절차 또는 결의방법을 다룬 정관의 규정이 강행법에 위반하여 무효인 경우, 그 규정에 따른 결의는 소집절차 또는 결의방법에 하자가 있는 결의이다. 예컨대 1주 1의결권의 원칙에 위반하는 방법으로 감사선임시의 의결권을 제한한 정관규정에 의해 일부 주주에게 의결권을 부여하지 않고 감사를 선임한 경우 그 선임결의는 결의방법에 하자가 있는 것이므로 결의취소사유에 해당한다.[43)]

바) 의장의 무자격

정관에 기재된 의장(예: 대표이사)이 아닌 자가 의장으로서 회의를 진행한 경우에 결의의 효력은 어떠한가? 판례는, 정당한 의장을 제지하고 주주 중 1인이 스스로 의장이 되어 의사를 진행한 사건에서는 취소사유가 된다고 하였으나,[44)] 특별한 사정이 있어 정관상의 의장이 아닌 임원이 의장이 되어 진행한 사건[45)] 및 의장이 부당하게 사회를 거부하여 주주끼리 임시로 의장을 선출하여 진행한 사건[46)]에서는 적법하다고 하였다.

사) 종류주주총회의 흠결

종류주주총회의 결의를 요하는데도 그 결의 없이 주주총회의 결의만으로 정관변경·합병계약승인 등을 한 경우에는 주주총회결의가 효력을 발생하기 위한 절차적 요건을 결했다고 보아야 하므로 결의취소사유가 된다고 해야 할 것이다.[47)]

---

41) 대법원 2001.12.28. 2001다49001: 의장이 의안에 반대하지 않는 주주는 모두 찬성한 것으로 간주하여 가결선포한 것을 취소한 예.

42) 독일 주식법에서는 주주에게 그릇된 정보를 제공하거나 정보의 제공을 거절하여 주주가 의결권행사에 필요한 판단을 그르친 경우에는 결의를 취소할 수 있도록 규정하고 있다(동법 제243조 제4항 제1문).

43) 대법원 2009.11.26. 2009다51820.

44) 대법원 1977.9.28. 76다2386.

45) 서울고등법원 1964.2.7. 63나480.

46) 대법원 1983.8.23. 83도748; 2001.5.15. 2001다12973.

47) 반대: 권기범, 「현대회사법론」, 제5판(삼영사, 2014), 708면; 손주찬, 「상법(상)」 15보정판(박영사, 2004), 788면; 정동윤, 「상법(상)」(법문사, 2012), 577면; 정찬형, 「상법강의(상)」 제24판(박영사, 2021), 935면; 최기원, 전게서, 541면 - 정관이 불발효한다는 설. 판례는 일반확인의 소로서 정관의 무효확인을 구하면 족하다는 입장이다(대법원 2006.1.27. 2004

4) 결의내용의 정관위반

결의내용이 정관에 위반한 예로서는, 정관이 정하는 이사의 자격에 미달하는 자를 이사로 선임하는 결의, 정관이 정하는 정원을 초과하여 이사를 선임하는 결의, 이사에게 정관에서 정한 금액 이상의 보수를 지급하는 결의 등이다. 결의의 내용이 정관을 위반함과 동시에 법령을 위반하는 경우에는 취소가 아니고 무효사유(제380조)가 된다.

라. 소의 성질

결의취소의 소는 그 연혁을 보아서도 알 수 있듯이 형성의 소라는 점에 이설(異說)이 없다. 따라서 결의는 판결에 의해 취소되기 전에는 유효한 것으로 다루어지고,[48] 소에 의하지 아니하고 다른 청구의 공격·방어방법으로 주장할 수 없다. 예컨대 취소원인이 있는 결의에 의해 이사로 선임된 자가 지급받은 보수를 반환시키고자 한다면, 우선 결의취소소송을 제기하여 이사선임결의의 취소판결을 받고 그에 기초하여 보수의 반환을 청구해야 하고, 선임결의에 취소사유가 있음을 이유로 하여 처음부터 보수의 반환을 청구할 수는 없는 것이다.

그리고 제소권자·제소원인·절차·판결의 효력 등은 모두 법에 정해진 바에 따라야 하므로 반소(민소 제269조)나 중간확인의 소(민소 제264조)로 주장할 수 없다.[49]

마. 제소권자

결의취소의 소를 제기할 수 있는 자는 주주, 이사 또는 감사에 한한다(제376조 제1항). 결의취소판결의 단체적 효과를 감안하여 소송과의 관계에서 이해관계가 가장 크고 또 충실한 소송수행을 기대할 수 있는 자에 한하여 원고적격을 인정한 것이다. 이사와 감사의 제소자격은 그 신분에 의하여 간명하게 주어지므로 특별히 논의할 점이 많지 않다. 그러나 주주는 주주총회의 의사결정의 주체로서, 결의결과에 관해 가장 큰 적극적 및 소극적 이해를 가지므로 결의의 하자

나445/5, 44582. 동지: 임채현, 전게서, 131면; 최준선, 「회사법」 제16판(삼영사, 2021), 407면).

48) 대법원 1965.11.16. 65다1683.

49) Zöllner, in Kölner Komm. §246 Rn. 2~4.

에 관해서도 가장 큰 다툼의 이익을 가진다고 할 수 있는 한편, 주주는 다양한 법적 속성을 지닐 수 있어, 주주라 할지라도 입법론적으로 또는 해석상 제소자격을 획일적으로 단언하기 어려운 면이 있다. 이하 주식 또는 주주와 관련된 법적 상황에 따라 제소자격에 관해 견해가 갈리거나, 기타 설명이 필요한 점을 검토한다.

1) 단독주주권

상법 제376조는 제소권에 관해 주주의 소유주식수에 제한을 두지 않으므로 단독주주라도 제소할 수 있다. 소송의 결과에 따라 기존에 형성된 회사의 법률관계가 소급적으로 붕괴될 수 있음을 감안하면, 단독주주에게는 과도한 권리라고 보아 제소권을 소수주주권으로 하는 입법론도 생각해 볼 수 있다. 그러나 결의취소의 소가 주주의 의결권행사를 침해하는 절차적 흠에 관한 다툼이고, 단독주주라도 같은 방법으로 의결권행사를 침해당할 수 있으므로 제소권은 성질상 소수주주권의 대상으로 삼을 수 있는 권리가 아니다.

2) 하자와의 관련성

주주총회의 소집 및 결의방법의 하자가 특정의 주주에게만 국한된 경우도 있다. 예컨대 일부의 주주에게 소집통지를 결했다든지, 일부주주의 의결권을 인정하지 않은 것과 같다. 상법 제376조 제1항은 제소권자로서 단지 「주주」라고만 표현하고 있으므로 이 경우 하자로 인한 피해를 입은 주주에 국한하여 제소권을 부여할 것인지는 법문상으로 분명치 않다.

기술한 바와 같이 일본상법의 1911년 개정에서는 제소자격이 있는 주주를 총회의 결의에 이의를 제기한 주주, 정당한 이유없이 총회출석을 거부당한 주주, 자신에 내한 소집질차가 법령·정관에 위반하여 총회에 출석하지 못한 주주로 한정하였으나, 1938년 개정에서는 이러한 제한을 삭제하였는데, 이는 모든 주주가 소의 이익을 가지고 있다고 본 것이다. 이러한 연혁적 배경에서 볼 때 결의취소의 소는 주주총회의 의사형성의 공정성과 적법성을 회복시킴으로써 회사조직의 건전성을 유지하기 위한 제도로서 현재의 모든 주주가 이해관계를 갖는다고 보아야 한다. 판례도 결의에 의해 주주가 개별적으로 불이익을 입었느냐를 묻지 않으며,[50] 하자와 무관한 주주도 다른 주주에 대한 소집절차의 하자를 이

유로 소를 제기할 수 있다고 거듭 밝힌 바 있다.[51] 요컨대 하자에 관련된 주주
(앞의 예에서 소집통지를 받지 못한 주주, 의결권을 부인당한 주주)가 아니라도 소를
제기할 수 있다. 이 논리를 연장하면 결의에 찬성했던 주주라도 제소할 수 있다
고 해야 하며, 그가 결의취소의 소를 제기한다고 신의성실에 반하는 것은 아니
다.[52]

그러나 우리와 일본의 결의취소제도의 모법이 되었던 독일 주식법에서는 주
주의 경우, 주주총회 현장에서 하자를 다툰 자와 절차의 하자로 인해 주주총회
의 참석이 불가했던 자에 한해 제소권을 인정한다(동법 제245조 제1항 제1호, 제2
호). 따라서 우리 법의 해석론으로 인정되는, 결의에 찬성한 자 혹은 절차상의
하자와 무관하게 결의에 참여하지 않은 자는 취소의 소를 제기할 수 없다. 결의
의 하자를 다툰 자에 한해 제소권을 인정하는 이유는 선행하는 자신의 언행에
반하는 행동을 금한다는 원칙(Verbot des venire contra factum proprium)에 근
거한 것이고,[53] 총회에 참석이 불가했던 자에 국한하는 이유는 연혁적으로 결의
취소의 소는 절차의 흠으로 인해 결의에서 배제된 자를 구제하기 위한 제도였던
데 기인한다. 누구에게 제소권을 인정할 것이냐는 것은 입법정책의 문제이므로
어떤 제도에 당위성이 있다는 단정은 하기 어렵다. 우리 상법과 같이 재량기각
을 허용하고 제소자의 담보제공을 요구할 수 있는 입법례에서는 제소권자의 폭
을 넓힐 수 있을 것이고, 그렇지 않은 경우에는 제소권의 범위에 관해 숙고할
필요가 있을 것이다. 우리나라에서는 전자의 여건을 갖추고 있으므로 제소권을
널리 허용할 여지가 있지만, 상장회사의 경우 다수의 주주를 상대하고 주주관리
상의 기술적인 사유로 절차상의 하자가 발생하기 쉬운 점을 감안하면, 독일의
제도를 입법론적으로 참고할 필요가 있다고 본다.

3) 주주의 시기

주주는 결의 당시의 주주임을 요하지 않으며 제소 당시의 주주이면 족하
다.[54] 주주라 함은 주주명부에 등재된 주주만을 뜻하므로 명의개서를 하지 아니

---

50) 대법원 1998.5.12. 98다4569; 2003.7.11. 2001다45584.
51) 대법원 2003.7.11. 2001다45584.
52) 통설 내법원 1977.4.26. 76다1440, 1441은 결의부존재확인의 소에 관해 본문에서와 같은
    판시를 하였다. 이 법리는 취소의 소나 무효확인의 소에서도 적용되어야 한다.
53) Spindler/Stilz, AktG, Band 2., C.H.Beck, 2007, §245 Rn.30.
54) 통설: 손주찬·정동윤, 「주석 상법[회사Ⅱ]」 제4판(한국사법행정학회, 2003), 135면 등.

한 주식양수인은 제소권이 없다.[55] 독일은 2005년에 주주의 남소를 방지하기 위한 목적으로 주주총회의 소집공고를 하기 이전에 주식을 취득한 주주에 한해 소제기를 인정하도록 개정하였다(독일주식법 제245조 제1호). 즉 주주총회의 소집이 공고된 이후에 결의취소의 소를 제기할 목적에서 주식을 취득하는 것을 막고자 함인데,[56] 앞서 설명한 제소권의 범위와 아울러 입법론으로서 검토해 볼 만하다.

4) 의결권의 유무

결의취소의 소는 의결권이 있는 주주에 한해 제기할 수 있는가? 과거에는 결의취소권은 의결권을 전제로 하는 공익권이라는 논거에서 의결권없는 주주에게는 결의취소의 소제기권을 부정하는 학설이 다수였으나,[57][58] 최근에는 의결권 없는 주주에게도 소제기권을 인정하는 것이 통설이다.[59] 기술한 바와 같이 결의에 찬성한 주주, 결의 당시에 주주가 아니었던 주주, 하자와 관련되지 아니한 주주도 제소할 수 있다는 것이 현재의 통설인데, 이는 결의취소의 소는 의결권의 행사와 무관하게 제기될 수 있음을 전제로 한 것이라 할 수 있다. 그렇다면 의결권 없는 주주라 해서 소제기가 불가하다고 보는 것은 모순된 설명이라고 할 수 있다. 결의에 찬성한 주주, 결의당시에 주주가 아니었던 주주 등에 소제기를 허용하는 이유는 주주라면 누구나 회사의 구성원으로서 총회의 적정한 운영에 이익을 갖는다고 보기 때문이고, 의결권 없는 주주도 같은 이익을 가지므로 당연히 소제기권을 가진다고 보아야 하기 때문이다.

한편 독일주식법에는 「의결권 없는 우선주식은 의결권을 제외하고 주식으로

---

55) 대법원 1991.5.28. 90다6774.
56) Huffer, in *Munünchener Komm.* §245 Rn.24; Spindler/Stilz, a.a.O., §245 Rn.23.
57) 손주찬, 전게서, 742면; 안동섭, 「상법강의(II)」 (법률행정연구원, 1999), 377면; 안택식, 「회사법강의」 (형설출판사, 2009), 331면; 이병태, 「전정 상법(상)」 (법원사, 1988), 614면; 임홍근, 「회사법」, 개정판(법문사, 2001), 416면; 정무동, 「상법강의(상)」 제2전정판(박영사, 1996), 401면.
58) 일본의 통설도 같은 입장이다(江頭憲治郎, 「株式會社法」 第6版(有斐閣, 2015), 366面, 주(2)).
59) 강위두·임재호, 「제3전정 상법강의(상)」 (형설출판사, 760면); 강희갑, 「회사법강의」 (책과사람들, 2004), 487면; 권기범, 「현대회사법론」 제5판(삼영사, 2014), 712면; 서헌제, 「상법강의(상)」 제2판(법문사, 2007), 777면; 이범찬·임충희·이영종, 「회사법」 (삼영사, 2012), 275; 임재연, 전게서, 184면; 정동윤, 「상법(상)」 (법문사, 2012), 579면; 정찬형, 「상법강의(상)」 제24판(박영사, 2021), 941면; 최기원, 전게서, 541면; 최준선, 전게서, 424면.

인해 모든 주주에게 인정되는 권리를 부여한다」라는 규정을 두고 있으므로(독일 주식법 제140조 제1항) 의결권없는 주주에게도 소제기권이 인정된다고 해석한다. 일본의 부정설은 일본 상법(회사법)에는 이러한 규정이 없음을 논거의 하나로 제시한다.[60] 그러나 독일에서는 이 규정에 근거해서만 무의결권주주에게 소제기권을 인정하는 것은 아니고, 그 당위성에 관해 소제기권은 의결권에 부수하거나 속성(Annex od. Element des Stimmrechts)을 이루는 것이 아니고, 의결권과는 독립적으로 인정되는 주주권(selbständiger Teil des Mitgliedschaftsrechts)으로 보아야 한다는 설명을 보탠다.[61]

5) 소송계속중의 주주의 지위변동

소를 제기한 주주는 소제기 후 변론종결시까지 그 자격을 유지하여야 한다(이설 없음). 그러므로 제소 후 주주가 사망하거나 주식을 양도하는 등의 이유로 주주지위를 잃을 때에는 제소권의 소멸을 이유로 소를 각하하여야 한다. 주주가 사망하거나 주식을 양도한 경우 타인이 소송을 수계할 수 있는가?

일본의 통설·판례는 제소주주가 사망한 경우에는 상속인이 소송을 수계할 수 있지만, 주식이 양도된 경우 양수인은 수계할 수 없다고 한다.[62] 국내에서도 이 점을 언급하는 학자는 같은 설명을 하고 있다.[63]

그러면 제소주주가 사망한 경우 다른 주주 또는 이사나 감사가 수계할 수 있는가? 이 경우 수계를 인정할 만한 근거규정이 없으므로 소를 각하해야 한다는 것이 실정법적으로 설득력 있는 설명일 수도 있다. 그러나 결의취소의 소는 회사 전체의 이익을 위해 제기되는 공익(共益)적 성격의 소이므로 제소자의 개인적 사정에 결부시켜 종결짓는 것은 부당하다. 결의취소의 소를 이사 또는 감사가 제기하고, 그 제소한 이사 또는 감사가 사망한 경우에 아무도 수계할 수 없

---

60) 日注釋(5), 320면.

61) Zöllner, in *Kölner Komm.* §245 Rn. 8; Uwe Hüffer, *Kommentar zum Aktiengesetz*, 7. neubearbeitete Aufl., C.H.Beck, 2006, §245 Rn. 5.

62) 日最高裁判所 1970.7.15. 民集24卷7号 804面. 주식이 양도된 경우에도 양수인의 수계를 인정해야 한다는 설도 있다(日注釋(5), 330面).

63) 손진화, 「상법강의」 제6판(신조사, 2015), 536면; 임재연 저게서 185면; 최기인, 겐게니 541면; 손수찬·정동윤, 전게 주석, 135면에서는 결의취소의 청구권이 「재산권적 성질을」 갖기 때문에 양도 가능하고, 따라서 상속인이 소송을 승계한다고 설명하는데, 결의취소의 제소권 자체가 독립적인 재산권으로서 이전의 대상이 되는 것이 아니므로 적절한 설명이 아니다.

다면 그 결론이 부당함이 명백하다. 이사 또는 감사의 제소는 제3자의 소송담당에 준하는 예로, 이들이 사망한 경우 민사소송법 제237조 제1항을 유추적용하여 다른 이사 또는 감사 또는 주주가 수계할 수 있다고 보아야 한다. 주주가 제소한 경우에도 동 주주는 자기의 권리에 기한 측면도 있지만, 회사의 기관이라는 병행적 지위에서 제소한 것으로 보아 같이 취급해야 할 것이다. 즉 주주가 사망한 경우에는 다른 주주 또는 다른 이사·감사의 소송수계를 허용해야 한다(민사소송법 제237조의 유추적용).

바. 피   고

상법에 명문의 규정은 없으나 회사를 피고로 한다는 데 이설이 없다.[64) 기판력이 회사를 중심으로 한 모든 법률관계에 미치는데, 회사 이외의 자를 피고로 한다면 타인간의 소송으로 회사법률관계가 변동되는 문제점이 생기기 때문이다.

대표이사가 회사를 대표하여 소송을 수행할 것이지만, 이사가 취소의 소를 제기한 경우에는 감사가 회사를 대표하여 수행하여야 한다(제394조 제1항). 회사를 대표하여 소송을 수행하는 대표이사가 비록 취소소송의 대상인 주주총회결의에서 선임된 자라 하더라도 회사를 대표할 권한이 있는 자임에는 변함이 없다.[65)

회사만이 피고적격을 가지나 결의취소에 대해 제3자가 반대의 이해를 가질 수 있다. 예컨대 영업양도결의의 취소소송이 제기된 경우 양수인이 이에 해당한다. 이러한 이해관계인에게는 소송참가를 허용해야 할 것이다.

사. 제소기간

1) 결의취소의 소는 결의가 있은 날로부터 2월내에 제기하여야 한다(제376조 제1항). 이와 같이 단기의 제소기간을 둔 것은 취소소송의 경우 하자가 비교적 경미한데, 회사의 법률관계를 장기간 불안정한 상태(취소가능한 상태)로 방치하는 것은 바람직하지 않기 때문이다. 또 연혁적으로 볼 때, 결의의 절차상의 하자는 회사의 내부문제에 지나지 않으므로 이해당사자의 주장이 없을 경우 시간의 경과에 의해 치유되는 하자로 다루어야 한다는 사고도 작용한 것이다.[66)

---

64) 독일 주식법에서는 회사를 피고로 한다는 명문의 규정을 두고 있다(동법 제246조 제2항).
65) 대법원 1983.3.22. 82다카1810 전원합의체.

2) 이 제소기간의 제한과 관련하여, 제소기간이 경과한 후에 제소시에 주장하지 않았던 새로운 제소이유를 주장할 수 있느냐는 의문이 제기된다. 예컨대 제소기간 내에 결의내용이 정관에 위반했음을 이유로 취소의 소를 제기해 놓고 제소기간이 경과한 후에 소집절차의 흠을 주장하는 것과 같다. 이를 허용한다면 새로운 제소이유를 구성하는 법률관계에 관한 다툼을 제소기간을 넘어서까지 허용하는 결과가 되므로 제소기간을 제한하는 취지에 어긋난다. 그래서 학설은 거의 일치하여 제소기간 경과후에는 제소이유를 추가할 수 없다고 설명한다.[67] 이 점을 다룬 판례는 아직 없다. 그러나 판례는 신주발행무효의 소와 감자무효의 소에 있어서는 제소기간(6월)을 경과하여 새로운 제소이유의 주장을 허용하지 않는다.[68] 결의취소의 소에 있어서의 제소기간의 제한도 같은 본질의 제약이라고 보아야 하므로 결의취소의 소에도 같은 법리가 적용되어야 한다.

3) 결의취소의 소의 소송물의 단위는 개개의 결의이다. 따라서 동일한 총회일에 수건의 결의가 이루어졌다면 다투고자 하는 결의별로 제소기간을 준수해야 하며, 앞서 제소기간 경과후에 제소이유를 추가할 수 없다고 하는 것도 단일한 결의의 취소를 구하는 소송에서 취소의 사유를 추가하여 제출할 수 없다는 의미이다. 동일한 총회일에 수건의 결의가 이루어졌다면 다투고자 하는 결의별로 제소기간을 준수해야 한다.[69]

아. 재량기각

1) 제도 일반

상법은 대부분의 회사관련 형성의 소에서 원고의 주장이 이유 있더라도 법원으로 하여금 제반의 사정을 참작하여 재량으로 청구를 기각할 수 있도록 규정하고 있다.[70] 회사법률관계의 무효·취소는 이미 형성된 단체법률관계를 무너뜨려

---

66) 岩原紳作, 前揭論文, 676面.

67) 일본에서의 통설·판례도 같다(日最高裁 1976.12.24. 判決, 民集 30卷 11号 1076面).

68) 대법원 2004.6.25. 2000다37326(신주발행무효의 소); 2010.4.29. 2007다12012(감자무효의 소).

69) 대법원 2010.3.11. 2007다51505: 이사선임결의, 정관변경결의, 감사선임결의가 이루어진 주주총회 종료 후 2월 내에 이사선임결의의 취소의 소를 제기하고, 2월이 경과한 후 정관변경결의와 감사선임결의의 취소를 추가적으로 병합하였던바, 후 2자는 제소기간을 준수하지 못하였다고 각하한 예.

70) 재량기각이 가능한 소송은 각종 회사의 설립무효 또는 취소의 소(제189조, 제269조, 제287조의18, 제328조 제2항, 제552조 제2항), 주식교환·이전 무효의 소(제360조의14 제4항,

다수의 피해자를 생산하므로 공익적 견지에서 바람직하지 못하고, 기업유지의 관점에서도 당초 법률관계의 효력을 유지시키는 것이 합리적이기 때문이다.

같은 정신에 입각하여, 결의취소의 소가 제기된 경우에 결의의 내용, 회사의 현황과 제반사정을 참작하여 그 취소가 부적당하다고 인정한 때에는 법원은 그 청구를 기각할 수 있다(제379조). 결의취소가 원칙적으로 제소기간의 경과로 자동치유될 수 있는 절차적 하자라는 특성을 가지기 때문에 인정되는 것이므로 결의무효확인의 소나 부존재확인의 소에는 있을 수 없는 제도이다.

2) 결의취소의 소에서의 재량기각의 특성

상법은 합명회사의 설립의 무효·취소의 소에 관해 「설립무효의 소 또는 취소의 소가 심리중에 원인된 하자가 보완되고 회사의 현황과 제반 사정을 참작하여 설립을 무효 또는 취소로 하는 것이 부적당하다고 인정할 때에는 법원은 그 청구를 기각할 수 있다」는 규정을 두고(제189조) 이를 주주총회결의취소의 소를 제외한 다른 소송에 준용하고 있다(위 각 소송관련 법조 참조).

결의취소의 소의 재량기각에 관해서는 다른 내용의 규정을 두고 있다. 상법 제379조는 「결의취소의 소가 제기된 경우에 결의의 내용, 회사의 현황과 제반사정을 참작하여 그 취소가 부적당하다고 인정한 때에는 법원은 그 청구를 기각할 수 있다」라고 규정하고 있다. 제189조와 제379조를 비교해 보면 중대한 차이가 있음을 알 수 있다. 제189조에서는 재량기각을 위해서는 원인된 하자가 보완될 것을 요건으로 하지만, 제379조는 하자의 보완을 요건으로 하지 않는 것이다. 이에 의해 결의취소의 소를 제외한 나머지 무효·취소의 소는 하자가 보완될 경우에 이익교량을 거쳐 법원이 재량기각을 할 수 있는 반면, 결의취소의 소에서만은 하자가 보완되지 않았더라도 재량기각을 할 수 있음을 의미한다. 이 차이는 다른 소송의 원인된 하자는 시간의 경과에 따라 보완될 가능성이 있는 반면, 결의취소의 원인된 하자는 결의가 종결된 이상 역사적 사건이 되어 보완될 수 없으나 그래도 재량기각의 필요성은 다른 소송과 다름없기 때문에 생긴 것이다.

여기서 결의취소의 소 외의 소송의 경우에 하자의 보완을 요하는 명문의 규

제360조의23 제3항), 주주총회결의취소의 소(제379조), 신주발행무효의 소(제430조), 감자무효의 소(제446조), 합병무효의 소(제240조, 제269조, 제530조 제2항, 제603조), 분할무효의 소(제530조의11 제1항)이다.

정이 있음에도 불구하고, 하자가 보완되지 않은 상태에서 하자의 경미함을 들어 재량기각이 가능하다고 해석할 여지가 있느냐는 문제가 제기되는데, 이 글의 주제와 직접 관련되는 것은 아니므로 상론을 피한다.[71]

3) 재량기각의 사유

가) 기각 판단의 기준

재량기각은 가급적 회사법률관계의 안정을 유지하려는 배려에서 나온 것이나, 주주총회의 위법·부당한 운영을 사법작용을 통해 지원하는 결과를 가져오므로 일응 반가치적인 외양을 보인다. 그러므로 재량기각은 매우 엄격한 기준에 의해 행해져야 한다는 데에 이견이 없다. 판례는 법원이 원고 주장의 원인된 하자의 성질 및 정도 등, 관련된 조직법적 정의의 중요성과 회사에서 이미 형성된 단체법률관계의 공익성을 비교교량하여 기각여부를 결정하여야 한다는 기준을 제시하고 있다.[72]

나) 하자의 결의 상관성

하자가 결의의 결과에 영향이 없다거나 적다고 하여 취소가 부적당하다 할 수 없음은 물론이다.[73] 이 문제를 쟁점으로 삼은 우리 판례는 아직 없으나 발행주식총수의 15%를 가진 주주에게 소집통지를 하지 아니하고 한 결의를 취소한 예[74]를 보면 결의의 결과에 구애받지 아니하고 하자의 중대성만을 가지고 판단

---

71) 이 점에 관해 상세는 이철송, 「회사법강의」 제29판(박영사, 2021), 109~111면 참조.

72) 대법원 1987.9.8. 86다카2917: "상법 제379조는 결의의 절차에 하자가 있는 경우에 결의를 취소하여도 회사 또는 주주의 이익이 되지 않든가, 이미 결의가 집행되었기 때문에 이를 취소하여도 아무런 효과가 없든가 하는 때에 결의를 취소함으로써 오히려 회사에게 손해를 끼치거나 일반거래의 안전을 해치는 것을 막고 또 소의 제기로써 회사의 질서를 문란케 하는 것을 방지하려는 취지이므로, 원심이 그 인정의 결의내용, 피고의 현황, 다른 금융기관의 실태, 원고들의 제소목적 등 제반 사정을 참작하여 원고들의 청구를 기각하였음은 정당하다."

서울고등법원 1998.8.25. 98나5267: 제일은행의 주주총회에서 이사 19인을 선임하는 결의를 하였는데, 찬성하는 주식수를 정확히 계산하지 않아 결의정족수를 충족하였는지 확인할 수 없다는 이유로 일부 주주가 결의취소의 소를 제기하였다. 이에 대해, 법원은 이 하자를 비교적 경미하다고 보았고, 한편 이를 이유로 결의가 취소된다면, 이사들이 소급적으로 지위를 잃고, 따라서 이 결의에 의해 선임된 이사들로 구성된 이사회의 결의에 의해 행해진 자본감소와 정부출자, 부실채권의 매각 등 은행의 정상화를 위한 후속행위가 전부 무효가 되어 은행이 지급불능이 되고, 나아가 금융위기를 초래할 가능성이 있다는 이유에서 재량기각을 하였다.

73) 같은 취지의 판결: 日最高裁判所 1971.3.18. 判決, 民集 25卷 2号 183面.

74) 서울고등법원 1972.2.2. 71나2199.

한다고 볼 수 있다.

상법은 결의의 내용이 정관에 위반한 때를 취소사유로 다투는데, 결의 당시에는 정관에 위반하였으나 추후 정관변경에 의해 결의내용이 정당화된 때에는 재량기각을 하여야 할 것이다.

다) 하자의 중요성과 영향력

일본의 회사법은 재량기각의 요건을 하자가 「중요하지 않고 결의에 영향을 미치지 않았으리라고 인정되는 경우」로 규정하고 있으므로 법원은 하자의 중요성과 영향력을 반드시 판단하여야 한다(일본회사법 제831조 제2항). 이와 달리 우리 법은 결의의 내용, 회사의 현황과 제반사정을 참작하여 기각여부를 결정하도록 하므로 법원의 재량의 폭이 넓다고 할 수 있다. 그러나 중요한 하자를 무시하고 기각하거나 결의에의 영향이 결정적인데도 기각할 수는 없으므로 중요성과 영향력은 우리 법의 운영에서도 고려사항이라고 할 수 있다.

4) 직권탐지의 요부

판례는 재량기각여부는 직권탐지사항으로 보고, 제379조 소정의 사정이 인정되는 경우에는 당사자의 주장이 없더라도 법원이 재량으로 기각할 수 있다고 하며,[75] 같은 취지의 학설도 있다.[76] 이는 일본의 매우 오래된 학설·판례를 따른 것인데, 현재는 일본에도 이러한 설이 주장되고 있지 않다.[77]

결의의 효력을 다투는 것은 회사의 이해관계인들간의 법률관계의 효력에 관한 분쟁으로서 전형적인 사인간의 다툼이므로 변론주의가 적용되어야 할 대상이고, 취소여부가 공익성을 인정할 사안도 아니므로 재량기각이 직권탐지사항이라

---

75) 대법원 2003.7.11. 2001다45584.

76) 권기범, 전게서, 714면; 손주찬·정동윤, 전게주석, 146면; 이시윤, 전게서, 330면; 임재연, 전게서, 204면.

77) 日大審院 1941.4.5. 民集 20卷 7号 411面. 일본에서는 1950년 개정전 상법에 있던 재량기각제도(동법 제251조)를 법원의 정책적 재량을 인정한 규정으로 파악하고 재량기각사유를 직권탐지사항으로 보았다. 그리하여 소제기의 동기가 불순한 경우, 일부주주에게 소집통지가 누락되었지만, 그 주주의 소유주식이 극소량이라서 의결권을 행사하였더라도 결의의 결과에 영향이 없었을 경우, 결의를 취소하더라도 회사 또는 주주에게 이익이 되지 않는 경우 등 재량기각의 요건을 구비한 경우에는 법원은 기각해야 한다고 풀이하였다. 그러나 이는 규정의 오해로 생긴 해석으로 보고 1950년에 동조문을 삭제하였다가, 1981년에 법원의 재량을 크게 축소하는 방향으로 요건을 강화하여 현행과 같은 문언으로 신설하였으므로 직권탐지설은 1950년의 삭제시점에서 사라졌다(日注釋(5), 372面; 江頭憲治郎, 前揭書, 371面).

고 볼 근거는 없다.

5) 재량기각제도의 적용범위

상법 제378조는 구상법, 즉 일본의 1938년 상법 제251조를 그대로 가져온 것이다. 그리고 일본은 기술한 바와 같이 1950년에 동규정을 폐지하였다가, 1981년에 요건을 정비하여, 「전항의 소[결의취소의 소]가 제기된 경우에 있어서, 주주총회등의 소집의 절차 또는 결의의 방법이 법령 또는 정관의 규정에 위반하는 때에도 법원은 그 위반하는 사실이 중대하지 않고, 결의에 영향을 미치지 아니하였으리라고 인정하는 때에는 청구를 기각할 수 있다」라는 규정을 신설하였다(2005년 이전 상법 제251조, 현행 회사법 제831조 제2항). 이 규정에 주목할 점이 있다. 일본 회사법상, i) 주주총회 소집절차 또는 결의방법이 법령 또는 정관의 규정에 위반한 때, ii) 또는 현저히 불공정한 때, iii) 결의내용이 정관에 위반하는 때는 결의취소의 대상이 되며,[78] 이 점은 우리 상법 제376조 제1항과 일치한다. 그런데 일본 회사법 제831조 제2항에서는 이 중 i)의 사유 즉 소집절차 또는 결의방법이 법령 또는 정관의 규정에 위반한 때에만 재량기각을 허용하고, ii), iii)의 경우, 즉 소집절차, 결의방법이 현저히 불공정한 경우 및 결의내용이 정관에 위반하는 경우에는 재량기각을 허용하지 아니한다. 절차상의 하자라 하더라도 현저히 불공정한 것을 이해관계자들에게 수용하도록 할 수는 없고, 결의의 내용에 있는 하자는 당초 법원의 재량판단의 대상이 될 수 없기 때문이다. 상법에서는 이러한 예외를 두고 있지 않다. 현저히 불공정한 경우에 대한 배려가 결여된 것은 구상법상의 잘못을 이어 온 것이고, 결의내용이 위법한 경우에 관한 불비는 1995년 개정시에 결의내용이 정관에 위반한 것을 무효사유에서 취소사유로 바꾸면서 고려했어야 마땅하나, 간과해서 생긴 문제이다.

이 두 가지 경우에는 성질상 법원이 재량을 발휘할 문제는 아니라고 보아야 하므로 명문의 규정은 없으나, 상법 제379조의 적용대상이 아니라고 해석해야 한다.

---

78) 일본회사법에서는 특별한 이해관계 있는 주주가 의결권을 행사하여 부당한 결의가 이루어진 때에도 결의취소사유가 되지만, 본문에서는 무관하므로 설명을 생략한다.

3. 결의무효확인의 소   최 준 선*

가. 의   의

총회의 결의내용이 법령을 위반한 경우에는, 원칙적으로 누구든지, 언제든지, 어떠한 방법으로든지 그 무효를 주장할 수 있으며, 필요하면 결의무효확인의 소를 제기할 수도 있다(제380조).[1]

나. 소의 원인

결의무효확인의 소의 대상은 적극결의(가결)만을 대상으로 한다. 부결한 결의는 내용상 위법이 없어서 대상이 되지 않는다.[2]

결의의 내용이 법령을 위반한 경우란, 예컨대 결의의 내용이 주주평등의 원칙에 반하는 결의,[3] 주주유한책임원칙을 위반한 결의, 주식회사의 본질에 반하는 결의, 자산평가원칙에 위반하여 작성된 재무제표의 승인, 법률에 위반한 이익배당안의 승인, 주주총회의 권한에 속하지 아니한 사항에 관한 결의, 주주총회의 전속적 결의사항에 관한 결정권을 이사 또는 임원에게 일임하는 결의, 주주의 고유권을 침해하는 결의,[4] 결의의 내용이 선량한 풍속 기타 사회질서에 위반하는 경우, 기타 법령에 위반하는 결의 등이다.[5]

결의의 내용에는 하자가 없고, 단지 결의를 하게 된 동기 또는 목적에 사회질서위반의 불법이 있는데 불과한 때에는 결의가 무효로 되지 아니한다.[6]

불공정한 결의, 특히 다수결을 남용한 결의도 무효가 된다는 견해가 있다. 예컨대, 대주주가 자기 또는 제3자의 개인적인 이익을 추구하여 객관적으로 현저히 불공정한 내용의 결의를 다수결의 힘으로 성립시키거나, 회사의 규모·영

---

 * 성균관대학교 법학전문대학원 명예교수
 1) 최준선, 「회사법」 제16판(삼영사, 2021), 432면.
 2) 임재연, 「회사법 Ⅱ」 개정2판(박영사, 2014), 210면.
 3) 그러나 불합리한 취급을 받은 주주 전원의 동의가 있는 때에는 그러하지 아니하다. 대법원 1980.8.26. 80다1263: 주주총회에서 대주주에게는 30%를, 소주주에게는 33%의 이익배당을 하기로 한 것은 대주주가 스스로 배당받을 권리를 포기하거나 양도하는 것과 마찬가지여서 상법 제464조에 위배된다고 할 수 없다.
 4) 정동윤, 「상법(상)」 제6판(법문사, 2012), 582면.
 5) 최기원, 「회사법」 제14판(박영사, 2012), 555면; 최준선, 전게서, 432면.
 6) 정동윤, 전게서, 582면.

업실적·이사의 직무내용 등에 비추어 과다한 금액으로 이사의 보수를 정하는 결의, 매우 불리한 조건으로 영업을 양도하는 결의, 소수주주의 청구에 의해 해임판결을 받은 이사를 재차 이사로 선임하는 결의, 대주주가 지배하고 있는 회사 또는 다른 지배회사와의 경쟁을 피하기 위해 회사의 목적사항을 변경하는 결의 등은 그 내용이 불공정하다는 하자를 안고 있으므로 결의무효사유로 보아야 한다는 것이다.7) 그러나 불공정한 내용의 결의라거나 다수결 남용이라 하여 결의를 무효 또는 취소사유가 있는 것이라고 주장하는 것은 실정법에 근거를 둔 주장이 아니므로 이러한 주장을 인정하는 데 매우 신중하여야 한다. 그리고 회사 또는 그 이외의 자(주주 포함)가 주주에 대하여 주주총회에서의 의결권을 자기 또는 제3자에게 대리행사하게 할 것을 권유하는 것을 위임장권유라고 하는데(자본시장법 제3절 제152조 이하 "의결권 대리행사의 권유 제한" 참조), 위임장권유 규제위반은 결의무효사유가 아닌 결의취소사유로 본다.8)

다. 일부무효

주주총회에서 여러 가지의 안건이 결의되고 그 중 일부 안건에 대하여 무효사유가 있는 경우, 나머지 결의는 유효한 것으로 보아야 한다(민법 제137조).9) 따라서 무효인 안건에만 한정하여 결의무효확인의 소를 제기할 수 있다. 예컨대, 정관에 임원의 자격을 주주로 정한 경우에 일부는 주주가 아닌 자를 이사 또는 감사로 선임하고, 나머지는 주주인 자를 이사에 선임한 경우, 자격이 없는 임원선임은 무효이고 자격이 있는 임원선임은 유효한데,10) 이것은 일부무효의 법리를 적용한 것이 아니라, 각 임원선임에 대하여 각각 별개의 안건으로 총회에 상정되어 결의가 이루어진 것으로 보기 때문이다. 하나의 안건에서 일부 무효판결은 가능하지 않으며 전부 유효이거나 전부 무효로 된다. 이 점은 결의취소나 부존재의 경우도 같다.11)

---

7) 이철송, 「회사법강의」 제29판(박영사, 2021), 624면. 이에 대하여 다수파주주가 의결권을 남용한 때에는 결의취소의 원인이 된다고 보는 견해도 있다: 정동윤, 전게서, 578면.

8) 양만식, "위임장권유와 주주총회결의의 취소," 「기업법연구」 제23권 제3호(한국기업법학회, 2009. 9.), 184~186면 참조.

9) 최기원, 전게서, 558면.

10) 대법원 1962.10.18. 62다395.

11) 이철송, 전게서, 623면.

라. 소의 성질

1) 학 설

가) 개 관

주주총회결의무효확인의 소(결의부존재의 확인의 소도 같다)(제380조)의 성질에 관하여는 형성의 소라는 학설[12]과 확인의 소라는 학설[13]이 대립되어 왔다. 이것이 형성의 소라고 한다면 결의의 무효는 소로써만 주장할 수 있다는 섯이 되고, 확인의 소라고 한다면 기타 다른 방법으로도 주장할 수 있다는 차이가 있다. 이러한 논란이 발생한 근본적인 이유는 구상법 제380조가 제190조를 준용하여 결의무효의 소에 불소급효를 규정하여, 결의무효판결에 의하여 비로소 장래에 향하여 그 결의가 무효인 것으로 형성되는 것으로 보아 이를 형성의 소라는 주장을 할 수 있는 여지를 남겼기 때문이다.[14] 그러나 1995년의 개정상법에서는 상법 제380조에서 제190조 본문만을 준용함으로써 소급효가 인정되고, 따라서 이미 무효인 것을 확인한다는 의미가 되었다. 그 결과로 소의 성질론의 실익은 크게 감퇴되었다. 일단 각 학설에 관하여 소개한 후 간단히 검토하기로 한다.

나) 형성의 소라는 학설

이 견해는 상법 제380조 및 제190조 단서의 해석상 결의무효사유가 있다고 하더라도 결의무효판결이 확정될 때까지는 유효한 것으로 보아야 하므로 결의무효확인의 소는 형성의 소이고, 형성의 소인 이상 결의의 무효는 소로써만 주장할 수 있다고 한다.[15] 상법 제380조가 소의 절차에 관하여 법정하고 있고, 판결의 효력에 대세적 효력을 부여한 것도 형성의 소로 보아야 하는 근거가 된다고

---

12) 정동윤, 전게서, 585면; 이철송, 전게서, 625면.
13) 최준선, 전게서, 435면; 손주찬, 「상법(상)」 제14판(박영사, 2003), 748~749면; 임홍근, 「회사법」(법문사, 2002), 424면; 최기원, 전게서, 554면; 강위두·임재호, 「상법강의(상)」 제2판(형설출판사, 2006), 729면; 채이식, 「상법강의(상)」 제2판(박영사, 1996), 509면; 정찬형, 「상법(상)」 제24판(박영사, 2021), 948면; 서헌제, 「회사법」(법문사, 2000), 343면; 권기범, 「현대회사법론」 제5판(삼영사, 2014), 718면. 일본의 통설이다: 江頭憲治郎, 「株式會社法」第6版(有斐閣, 2015), 372面; 神田秀樹, 「會社法」, 第15版(弘文堂, 2013), 187面.
14) 최준선, 전게서, 434면.
15) 방순원, 「민사소송법(상)」(한국사법행정학회, 1989), 186면; 이시윤, 「신민사소송법」 제15판(박영사, 2009), 171면; 이영섭, 「민사소송법(상)」 제7판(박영사, 1980), 198면; 송상현, 「민사소송법개론(상)」(경문사, 1979), 187면; 정동윤, 전게서, 585면.

한다. 특히 확인소송설은 상법이 무효확인판결에 대세적 효력을 인정한 것과 명백히 모순된다고 한다. 즉, 무효확인판결에는 대세적 효력이 인정되는 결과 결의무효판결의 효력은 모든 이해관계인에게 창설적으로 미치는데 이는 형성판결의 효력과 같으며, 결과적으로 무효확인소송은 소를 제기하지 않으면 확인소송이 되고 제기하면 형성소송이 된다는 모순이 생긴다고 한다. 또한 동일한 결의에 관하여 복수의 원고가 각각 다른 소송을 동일 또는 다른 법원에 제기할 경우, 법원이 결의무효를 전제하고 후속소송을 진행하는 경우도 있고 결의의 유효를 전제로 판결할 경우도 있게 되어 모순된 판결이 나올 가능성도 있다고 한다.[16] 따라서 형성의 소라는 학설은 법률관계의 안정 및 획일적 처리의 장점이 있다고 한다. 일본의 소수설이다.[17]

다) 확인의 소라는 학설

이 견해는 결의무효사유가 있으면 그 결의는 당연히 무효이고, 따라서 무효확인의 소는 그 확인을 구하는 소라고 한다. 상법이 취소소송과는 달리 제소권자나 제소기간에 제한을 두지 않은 것도 확인의 소로 볼 수 있는 근거가 된다고 한다. 만약 이를 형성의 소로 보아 결의의 무효를 소로써만 주장할 수 있다고 한다면 공익이나 자본충실을 해하는 결의 내지는 주식회사의 본질에 반하는 결의를 하더라도 일단 유효하게 되어 부당하며, 결의의 무효를 소로써만 주장하도록 하는 것은 결의의 무효를 전제로 하는 청구, 예컨대 위법배당금의 반환청구, 무효인 결의에 의하여 선임된 이사가 받은 보수에 대한 부당이득반환청구 등을 함에 있어 2중의 절차를 강요하는 것이 되어 부당하다고 한다. 따라서 무효는 반드시 소에 의하여서만 주장할 필요는 없고 소 외에서 항변으로 주장할

---

16) 예컨대, 동일한 주주총회에서 결의된 이사의 보수에 관하여 이사의 보수지급청구소송과 회사의 채무부존재확인의 소의 결과가 서로 다르게 나올 수 있다: 임재연, 전게서, 195면.

17) 형성소송설의 입장에서는 1995년 개정전 상법에서 결의무효확인의 소는 결의는 결의취소의 소와 마찬가지로 판결의 불소급효가 규정되어 있어서 양자에 차이가 없다는 것도 결의무효확인의 소를 형성소송으로 볼 수 있는 근거가 된다고 주장하기도 하였다. 이러한 논의의 근원은 일본상법에 그렇게 되어 있었기 때문이다. 일본상법상 결의의 내용이 정관에 위반하는 결의는 결의무효확인의 소로 다툴 수 있는 것으로 규정하였다. 그러나 1981년 일본상법의 개정으로 이를 결의취소의 소로 다툴 수 있는 것으로 변경하였다(2005년 개정 일본회사법 제831조 제1항 제2호 참조). 정관위반결의는 사단관계자만이 이를 다툴 수 있는 것이므로 결의취소의 소로 다툴 수 있는 것으로 규정하는 것이 옳기 때문이다. 우리 상법도 종래 정관에 위반하는 결의는 결의무효확인의 소의 대상으로 규정하였으나, 1995년 개정에서 이를 결의취소의 소의 대상이 되는 것으로 개정하였다. 아울러 소급효도 인정하였다. 이로써 형성소송설의 입지는 더욱 약화되었다: 최기원, 전게서, 553면.

수도 있으며,[18] 그 결의가 무효인 이상 상법 제190조의 규정에도 불구하고 소급효 문제는 생기지 않는다(당연히 소급)고 한다.[19]

라) 사견(확인소송설)

생각건대 형성의 소라는 견해는 무효확인판결의 대세적 효력(제380조, 제190조 본문)으로 인하여 이를 형성의 소라고 주장하나, 대세적 효력은 상법이 결의무효확인의 소에 대하여 법률관계를 획일화하기 위하여 정책적으로 인정한 것으로 볼 수 있다. 그리고 소를 제기하지 않으면 누구든, 어떠한 방법으로는 그 무효를 주장할 수 있는 확인소송이 되고, 소를 제기하면 대세적인 효력이 있는 형성의 소가 된다는 주장은 현행 상법이 결의무효확인의 소에 대세인 효력을 인정한 당연한 결과이므로 새로울 것이 없다. 예컨대, 요건이 흠결된 무효인 어음도 문제없이 결제되는 사례가 많은 것처럼, 무효인 결의도 이의 없이 집행되는 경우도 허다할 것이다. 이를 소에 의하여 다투면 대세적 효력이 생기는 것이다. 다만, 형성의 소라는 학설은 법률관계를 안정적 및 획일적으로 처리할 수 있다는 것은 큰 장점이지만, 상법은 이를 입법적으로 해결하여 결의무효확인의 소에 대세적 효력을 인정하였으므로 결과적으로 이 장점도 큰 의미는 없다.

필자의 견해로는 ① 결의가 주식회사의 본질에 반하거나 강행법규를 위반하는 경우, 선량한 풍속 기타 사회질서에 반하는 경우 등에는 이를 처음부터 무효라고 보는 것이 정당하다.[20] ② 결의무효의 주장도 반드시 소에 의하여 하여야 한다고 하면 결의의 무효를 전제로 하는 청구권의 행사에서는 이중의 절차를 강요하는 결과가 되어 결의무효를 전제로 하는 청구권의 행사를 제한하는 불합리한 결과가 초래된다.[21] 예컨대, 주주가 배당금지급청구의 소를 제기하는 경우 재무제표승인결의의 무효를 이유로 배당금지급청구를 할 수 있을 터인데, 형성의 소라는 학설에 의하면 먼저 결의무효의 소를 제기하여 승소하면 배당금지급청구의 소를 다시 제기하여야 한다. ③ 형성의 소에서는 제소권자가 한정되어야 하는데, 상법 제380조에서는 제소권자의 제한이 없다.[22]

---

18) 대법원 1962.5.17. 4294민상1114; 1992.8.18. 91다39924; 1992.9.22. 91다5365.
19) 대법원 2011.10.13. 2009다2996.
20) 최기원, 전게서, 554면.
21) 최기원, 전게서, 554면; 독일 주식법 제249조 제1항 제2문은 무효확인의 소 이외의 방법으로 무효를 주장할 수 있다(Es ist nicht ausgeschlossen, die Nichtigkeit auf andere Weise als durch Erhebung der Klage geltend zu machen.)고 명문으로 규정하고 있다.

라) 양 학설의 실제적인 차이

형성의 소라는 학설에 의하면 무효확인소송은 후속법률관계에 관한 소송의 선결소송이 되나, 확인의 소라는 학설에 의하면 그러하지 않다는 차이가 있다. 즉, 형성의 소라는 학설에 의하면 결의무효의 주장은 소로써만 할 수 있고, 무효판결이 있기 전에는 결의는 유효한 것으로 본다. 따라서 확인소송은 후속법률관계에 관한 소송의 선결소송이 된다. 그러나 확인의 소라는 학설에 의하면 소이외의 방법, 예컨대 소에서의 청구원인이나 항변으로도 무효를 주장할 수 있고, 처음부터 결의는 무효이므로 별도로 결의무효를 주장함이 없이 그 무효를 전제로 결의의 후속행위의 무효를 주장할 수 있다는 차이가 있다. 예컨대, 무효인 주주총회결의에 의해 A가 이사로 선임되어 1년간 보수를 받았는데, 감사 B가 회사를 대표하여 A에게 그간에 받은 보수를 부당이득으로 반환하려고 한다고 하자. 확인의 소라는 학설에 의하면 B는 A를 상대로 처음부터 부당이득의 반환을 청구하고 그 이유로서 A를 이사로 선임한 주주총회결의의 무효를 주장하면 된다. 그러나 형성의 소라는 학설에 의하면 A를 이사로 선임한 주주총회결의는 일응 유효한 것으로 처리되므로 B는 먼저 주주총회결의무효확인의 소를 제기하여 승소판결을 받은 다음에만 이를 근거로 A에게 부당이득의 반환을 청구할 수 있게 된다.[23)]

2) 판례의 태도

판례는 확인소송설을 취하고 있다.[24)] 또한 결의의 효력이 회사가 아닌 제3자 간에서 선결문제가 된 경우에도 확인소송의 성격을 갖는다고 한다고 하여,[25)] 확인소송설을 견지하고 있다.

---

22) 최기원, 전게서, 554면; 최준선, 전게서, 436면.

23) 이철송, 전게서, 627면.

24) 대법원 1963.5.17. 4294민상1114: 주주총회의 결의 내용이 법령 또는 정관에 위반되는 경우에는 그 결의는 당연히 무효인 것이므로 일반원칙에 의하여 누구나 언제든지 여하한 방법으로라도 그 무효를 주장할 수 있는 것이고, 그 무효의 주장은 소의 방법에 한한다고 해석할 수 없다.

25) 대법원 1992.9.22. 91다5365: 주총회결의의 효력이 그 회사 아닌 제3자 사이의 소송에 있어 선결문제로 된 경우에는 당사자는 언제든지 당해 소송에서 주주총회결의가 처음부터 무효 또는 부존재하다고 다투어 주장할 수 있는 것이고, 반드시 먼저 회사를 상대로 제소하여야만 하는 것은 아니며, 이와 같이 제3자간의 법률관계에 있어서는 상법 제380조, 제190조는 적용되지 아니한다. 동지: 대법원 2011.6.24. 2009다35033.

마. 소의 당사자

1) 원 고

무효확인의 소는 결의취소의 소와는 달리 제소권자에 관하여 아무런 제한이 없다. 그러나 그 무효확인에 관하여 법률상 정당한 이익(소의 이익)이 있는 자만이 소를 제기할 수 있다.[26) 주주, 이사, 감사 및 회사채권자는 대체로 확인의 이익이 있을 것이나, 제3자의 경우는 확인의 이익을 증명하여야 한나. 의결권이 없는 주주도 소를 제기할 수 있으며, 총회에 출석하여 찬성한 주주도 같다.[27) 결의 당시에는 주주가 아니었더라도 확인의 이익이 있으면 제소권이 있고, 당사자인 지위를 상실하지 않는다.[28) 마찬가지로 소 제기 후 주식을 양도한 주주도 확인의 이익이 존재하는 한 당연히 제소권과 당사자인 지위를 상실하지 않는다고 보지만,[29) 독일에서는 이를 반대하는 견해도 있다.[30) 판례는 신주발행무효의 소 계속 중 그 원고 적격의 근거가 되는 주식이 양도된 경우에, 그 양수인은 제소기간 등의 요건이 충족된다면 새로운 주주의 지위에서 신소(新訴)를 제기할 수 있을 뿐만 아니라, 양도인이 이미 제기한 기존의 소송을 적법하게 승계할 수도 있다고 한다.[31)

가) 판례상 소의 이익이 없는 자는 다음과 같다.[32)

i) 회사에 대하여 주주로서의 자격이 인정되지 않는 자(예컨대, 명의차용주주, 주권발행 전 또는 명의개서 전의 주식양수인, 제권판결을 받은 주식의 소지인)는 소의 이익이 없다.[33) 따라서 회사에 대하여 효력이 없는 주권발행 전의 주식양수인은 주식양도인에 대하여 채권자에 불과하므로 주주총회결의의 무효확인을 구할 법률상의 이익이 없다.[34)

---

26) 대법원 1959.12.3. 4290민상669.
27) 대법원 1980.8.26. 80다1263; 1977.4.26. 76다1440, 1441(원심: 서울고등법원 1976.4.20. 75나1890, 1891).
28) 최기원, 전게서, 556면.
29) 최기원, 전게서, 556면.
30) 최기원, 전게서, 556면.
31) 대법원 2003.2.26. 2000다42786.
32) 최준선, 전게서, 437면.
33) 대법원 1991.5.28. 90다6774.
34) 대법원 1962.5.17. 4294민상1114.

ii) 사임한 이사·감사는 재임시의 자신의 행위의 효력이 문제되지 않는 한 다른 총회결의의 무효를 다툴 소의 이익이 없다.[35]

iii) 법원의 해산판결로 해산등기가 마쳐졌고 법원이 선임한 청산인의 취임등기까지 종료된 경우, 해산 당시 이사가 설사 해산판결 이전에 부적법하게 해임된 바 있어 주주총회의 이사해임결의가 무효라고 하더라도 그 이사로서는 청산인의 지위에 이를 방도가 없게 되었고, 한편 그 이사의 주주 지위에는 아무런 영향이 없다 할 것이므로 해산판결 전에 이루어진 회사의 주주총회결의 무효확인을 구할 법률상의 이익이 없다.[36]

iv) 주주총회의 임원선임결의의 무효확인을 구하는 소에 있어서 그 결의에 의하여 선임된 임원들이 모두 그 직에 취임하지 아니하거나 사임하고 그 후 새로운 주주총회의 결의에 의하여 후임임원이 선출되어 그 선임등기까지 마쳐진 경우라면 그 새로운 주주총회의 결의가 무권리자에 의하여 소집된 총회라는 하자 이외의 다른 절차상, 내용상의 하자로 인하여 부존재 또는 무효임이 인정되거나 그 결의가 취소되는 등의 특별한 사정이 없는 한 설사 당초의 임원선임결의에 어떠한 하자가 있었다고 할지라도 그 결과의 부존재나 무효확인 또는 구 결의의 취소를 구할 소의 이익은 없는 것이라 본다.[37]

v) 회원제 골프장을 운영하는 주식회사가 주주회원들 중 일부로 구성된 주주회원모임과 체결한 '주주회원의 골프장 이용혜택을 변경할 경우 주주회원모임과 협의하고 중요한 사항은 주주총회에 회부하여야 한다'는 내용의 약정에 따라 주주총회에서 주주회원의 골프장 이용혜택을 축소하는 결의는 회사와 그 기관 및 주주들 사이의 단체법적 법률관계를 획일적으로 규율하는 의미가 전혀 없으므로, 이에 반대하는 주주회원들이 제기한 결의무효 확인은 소의 이익이 없다.[38]

나) 소의 이익이 있는 자는 다음과 같다.[39]

i) 무효인 주주총회의 결의로 대표이사직(또는 이사직)에서 해임당한 자는 그가 주주인지 여부를 막론하고 주주총회결의의 무효확인을 청구할 수 있다.[40]

---

35) 대법원 1992.8.14. 91다45141; 1982.9.14. 80다2425.
36) 대법원 1991.11.22. 91다22131.
37) 대법원 1993.10.12. 92다21692; 1995.2.24. 94다50427; 1996.10.11. 96다24309; 2008.8.11. 2008다33221.
38) 대법원 2013.2.28. 2010다58223.
39) 최준선, 전게서, 438면.

ii) 사임으로 인하여 법정 또는 정관 소정의 이사의 원수를 결한 경우에는 무효확인을 구할 법률상의 이익이 있다.[41]

iii) 임기만료로 퇴임하는 이사는 후임이사의 취임시까지는 이사로서의 권리의무가 있으므로 후임이사를 선임하는 주주총회결의에 대하여 그 무효확인을 구할 법률상 이익이 있다.[42]

iv) 총회의 결의에 의하여 임기 전에 해임된 이사도 원고가 될 수 있다. 다만 그 후 후임이사가 적법한 절차에 의하여 선임되었을 경우에는 당초의 이사해임결의가 무효라도 그에 대한 무효확인을 구하는 것은 과거의 법률관계 내지 권리관계의 확인을 구하는 것에 귀착되어 확인의 소로서의 권리보호요건을 결한 것이다. … 그러나 후임이사를 선임한 총회의 결의가 부존재임이 인정되는 경우에는 후임이사 선임결의의 무효확인을 구할 이익이 있고, 당초에 해임된 이사가 후임이사로 선임된 경우에도 예외가 아니다.[43]

v) 주주총회의 소집통지를 받지 못한 주주도 무효확인을 구할 법률상의 이익이 있다.[44]

vi) 증자의 경우 신주인수인은 주권발행 전이라 하더라도 사실상 주주이므로 무효확인을 구할 정당한 이익이 있다.[45]

vii) 회사의 구조조정으로 주주의 지위를 상실한 자도 당해 주주총회결의의 하자를 다툴 수 있다.[46] 구조조정행위 자체로 인하여 주주의 지위를 상실하게 된 주주(예컨대, 주주총회결의에 의하여 합병교부금을 받고 주주의 지위를 상실한 자)는 당연히 주주총회무효확인을 구할 이익이 있다.

viii) 원고가 상환주식의 상환권을 행사한 경우 주주 지위를 상실하는 시기에 관하여 달리 정한 바가 없으므로 원고가 상환권을 행사하였더라도 피고로부터 그 상환금을 지급받을 때까지는 여전히 피고의 주주라고 할 것이고, 주주총회결의의 무효확인을 구할 이익이 있고, 주주총회결의 취소의 소를 제기할 당사자

---

40) 대법원 1962.1.25. 4294민상525; 1966.9.27. 66다980; 1975.4.22. 74다1464; 1982.4.27. 81 다358.
41) 대법원 1985.12.10. 84다카319; 1992.8.14. 91다45141.
42) 대법원 1982.12.14. 82다카957.
43) 대법원 1995.7.28. 93다61338.
44) 대법원 1995.7.28. 93다61338.
45) 서울고등법원 1967.1.27. 66나880; 대구고등법원 1969.10.22. 69나265.
46) 東京高等裁判所 2010.7.7. 判決(日本商事法務 제1942호 참조).

적격이 있다.

2) 피 고

주주총회결의무효확인의 소의 피고에 대하여도 상법에는 규정이 없으나, 회사로 한정된다는 것이 통설·판례이다.[47] 총회의 결의는 회사의 의사결정이며, 회사가 그 행위주체이기 때문이다. 회사 이외의 자는 공동피고도 될 수 없다.

주식회사의 이사·감사를 선임한 주주총회결의의 무효확인을 구하는 소송에 있어서, 동 결의에 의하여 선임된 이사·감사는 회사를 대표할 수 있다고 본다. 이에 대하여 과거의 판례는 이를 부정하였으나,[48] 근래에는 판례를 변경하여 이를 긍정한다.[49] 당해 이사·감사가 그 소에 있어 가장 절실한 이해관계자일 뿐만 아니라, 전후의 사정을 가장 명확히 알고 있는 자라 할 수 있으므로 이를 긍정하는 것이 옳다고 본다.[50] 다만 해임된 이사·감사는 회사를 대표할 수는 없고, 회사를 상대로 총회결의무효확인의 소를 제기할 수 있을 것이다.

바. 제소기간

결의취소의 소와는 달리 결의무효확인의 소의 경우에는 상법상 제소기간의 제한이 없다.[51]

사. 소의 절차

피고·관할법원·회사의 공고·원고의 담보제공·소의 절차 및 판결의 효과 등 결의취소의 소의 절차에 관한 상법상의 대부분의 규정은 결의무효의 확인의 소에도 준용된다(제380조). 다만 법원의 재량에 의한 청구기각의 규정(제379조)

---

47) 대법원 1982.9.14. 80다2425; 서울고등법원 1967.3.14. 66나1816, 1853.
48) 대법원 1963.4.25. 62다836.
49) 대법원 1983.3.22. 82다카1810: 회사의 이사선임결의가 무효 또는 부존재함을 주장하여 그 결의의 무효 또는 부존재함을 구하는 소송에서 회사를 대표할 자는 현재 대표이사로 등기되어 그 직무를 행하는 자라고 할 것이고 그 대표이사가 무효 또는 부존재확인청구의 대상이 된 결의에 의하여 선임된 이사라고 할지라도 그 소송에서 회사를 대표할 수 있는 자임에는 변함이 없다. 이 판결에 대한 찬성평석으로, 정동윤, "대표이사인 이사를 선임한 주주총회결의의 효력을 다투는 소에서의 피고회사를 대리할 자,"「민사소송」제3권(한국민사소송법학회, 2000. 2.), 74면 이하 참조; 同旨: 대법원 1985.12.10. 84다카319.
50) 최준선, 전게서, 440면.
51) 최준선, 전게서, 440면.

은 주주총회결의 자체가 법률상 존재함을 전제로 하므로 주주총회결의 자체가 무효이거나 부존재한 경우에는 동 규정이 적용될 여지가 없으므로 이를 준용할 수 없다고 본다.52) 상법 제380조에서도 제379조를 준용하지 아니한다. 주주총회결의의 부존재·무효를 확인하거나 결의를 취소하는 판결이 확정되면 당사자 이외의 제3자에게도 그 효력이 미쳐 제3자도 이를 다툴 수 없게 되므로, 주주총회결의의 하자를 다투는 소에 있어서 청구의 인낙이나 그 결의의 부존재·무효를 확인하는 내용의 화해·조정은 할 수 없고, 가사 이러한 내용의 청구인낙 또는 화해·조정이 이루어졌다 하여도 그 인낙조서나 화해·조정조서는 효력이 없다.53)

아. 판결의 효력

결의무효확인의 소의 판결의 효력도 결의취소의 소의 판결의 효력과 같다. 따라서 소급효와 대세적 효력이 있다.54) 무효인 법률행위는 추인하여도 그 효력이 생기지 아니하지만(민법 제139조 본문), 당사자가 그 무효임을 알고 추인한 때에는 새로운 법률행위로 보므로(민법 제139조 단서),55) 추인결의에는 소급효가 인정되지 않는다.

4. 결의부존재확인의 소

가. 의   의

총회의 소집절차 또는 결의방법에 총회결의가 존재한다고 볼 수 없을 정도의 중대한 하자가 있는 경우에는 필요하면 결의부존재확인의 소를 제기할 수도 있다.56) 소의 원인이 총회소집절차와 결의방법에 중대한 하자가 있는 경우에 결의부존재확인의 소를 제기할 수 있으므로 본질적으로는 결의취소의 소와 같고 다만 하자의 중대성만 다른 것으로 볼 수 있지만, 상법은 결의부존재확인의 소를

52) 동지: 최기원, 전게서, 557면; 정동윤, 전게서, 586면; 정찬형, 전게서, 947면; 대법원 1978. 9.26. 78다1219.
53) 대법원 2004.9.24. 2004다28047.
54) 대법원 2011.10.13. 2009다2996.
55) 대법원 2011.6.24. 2009다35033.
56) 이철송, 전게서, 629면; 최준선, 전게서, 441면.

제380조 결의무효확인의 소와 동일한 조문에 규정함으로써 제소권자와 제소기간의 제한을 받지 않는 점에서 결의취소의 소와는 달리 취급하여야 하게 되었다. 결의취소의 소와 결의부존재확인의 소는 하자의 질적인 면에서는 동일하나, 하자의 크기에 따라 구분된다. 절차상의 경미한 하자의 경우에는 2개월 내에 결의취소의 소에 의하여 제거되지 않으면 유효하게 되나, 절차상의 중대한 하자는 결의부존재로서 아무리 시간이 지나도 구제되지 아니한다는 차이가 있다.

소규모의 폐쇄된 주식회사가 많은 우리나라에서는 총회를 부실하게 운영하는 경우가 많아 결의부존재확인의 소가 가장 널리 이용되고 있고, 더구나 취소소송과는 달리 결의부존재확인의 소에는 제소기간 및 제소권자의 제한이 없으므로 결의취소사유가 있는 경우에도 결의부존재확인의 소를 제기하는 경향이 있다.[57] 그런데 본래 총회결의의 하자를 공격하는 소송은 중소기업에서 경영과 지배에서 배제된 소수주주가 제기하는 경우가 많은데, 이것은 승소판결 자체보다는 다수파 주주가 적절한 가격에 주식을 매수해 줄 것을 요구하는 등 화해를 목적으로 하는 경우가 많으므로 재판부에서는 원고의 의도를 잘 파악하여야 한다.[58]

나. 소의 원인

소의 원인은 총회의 소집절차 또는 결의방법에 총회결의가 존재한다고 볼 수 없을 정도의 중대한 하자가 있는 경우이다. 결의부존재로 볼 수 있는 원인에는, 결의 자체가 물리적으로 존재하지 않는 경우뿐 아니라, 예컨대 소집권한이 없는 자에 의한 총회소집,[59] 유효하게 회의가 종료한 후 일부 주주들만 모여 결의한 경우,[60] 주주총회가 유회(流會)된 후 적법한 새로운 소집절차 없이 동일장소, 동일자, 다른 시간에 개최된 총회에서의 결의,[61] 소집절차를 밟지 않은 총회의 결의, 이사회 결의 없이 무권한자가 일부주주에게만 구두통지하여 소집한 총회결

---

57) 이철송, 전게서, 629면.
58) 江頭憲治郎, 전게서, 363面 각주(1).
59) 대법원 1959.11.19. 4292민상604; 1959.12.31. 4291민상150, 151; 1962.12.27. 62다473; 1969.9.2. 67다1705; 1973.6.9. 73다326; 1973.6.29. 72다2611; 1990.2.9. 89누4642; 2010. 6.24. 2010다13541; 2011.6.24. 2009다35033. 다만, 대표이사 아닌 이사가 이사회의 소집 결의에 따라서 주주총회를 소집한 것이라면 위 주주총회에 있어서 소집절차상 하자는 주주 총회결의의 취소사유에 불과하고 그것만으로 바로 주주총회결의가 무효이거나 부존재가 된 다고 볼 수 없다: 대법원 1993.9.10. 93도698; 홍복기(회), 275면.
60) 대법원 1993.10.12. 92다28235, 28242; 서울남부지방법원 2001.6.14. 2001카합841.
61) 대법원 1964.5.26. 63다670; 1993.10.12. 92다28235, 28242.

의,[62] 주주들에게 통지하거나 주주들의 참석 없이 주주 아닌 자들이 모여서 개최한 임시주주총회의 경우,[63] 대부분 주주가 아닌 자들로 이루어진 총회 결의,[64] 의사록에만 결의가 있었던 것으로 기록되어 있으나 실제로는 결의가 없었던 경우,[65] 일반주주에게만 소집통지를 하고 대주주에게는 소집통지를 아니한 경우,[66] 주식수탁자에 의한 결의,[67] 발행주식총수의 50% 이상의 주주에게 소집통지를 하지 아니한 경우,[68] 명의개서 않은 주식양수인들에 의한 결의,[69] 부존재인 총회결의에 의하여 선임된 대표이사가 소집한 총회에서의 결의,[70] 불가항력적인 사유로 대표이사를 포함한 이사 전원이 총회에 불참한 경우,[71] 주권발행 전의 주식양수인들이 한 주주총회결의[72] 등이 있다. 또한 적법하게 소집되었으나 대부분의 주주가 불참한 가운데 결의가 이루어진 경우도 결의부존재로 보아

---

62) 대법원 1973.6.29. 72다2611; 1990.2.9. 89누4642; 2010.6.24. 2010다13541. 그러나 이사회 결의 없이 주주총회를 소집한 경우에는 정당한 소집권자가 소집한 이상 취소사유에 불과하다고 본다: 대법원 1987.4.28. 86다카553; 2009.5.28. 2008다85147; 日本最高裁判所 1970.8.20. 판시607-79.

63) 대법원 1989.7.25. 87다카2316; 1995.7.28. 93다61338.

64) 대법원 1968.1.31. 67다2100.

65) 대법원 1969.9.2. 67다1705; 2004.8.20. 2003다20060. 실제의 소집절차와 회의절차 없었다면 절대다수의 주식을 소유하는 대주주로부터 주주권의 위임을 받은 자에 의하여 주주총회의결서가 작성된 경우에도 주주총회결의의 부존재에 해당한다: 대법원 1992.9.22. 91다5365; 日本最高裁判所 1963.8.8. 民集 제17권 제6호 323面.

66) 대법원 1980.12.9. 80다128.

67) 대법원 1975.7.8. 74다1969.

68) 대법원 1973.6.9. 72다2611; 1978.11.14. 78다1269; 1980.12.9. 80다128. 반대로 발행주식총수의 41% 또는 43% 또는 9.22%를 소유한 주주에게 소집통지를 하지 아니한 것은 취소사유가 된다고 한다: 대법원 1993.1.26. 92다11008; 1996.12.23. 96다32768; 2010.7.22. 2008다37193(이 판결에 대한 평석으로, 김성진, "소수주주의 주식매수청구권 박탈로 인한 주주총회결의의 무효 여부," 한국기업법학회, 「기업법연구」 제25권 제3호(2011. 9.), 95면 이하 참조).

69) 대법원 1980.1.15. 79다71.

70) 대법원 1975.7.8. 74다1969; 1989.7.11. 89다카5345; 日本最高裁判所 1990.4.17. 民集44-3-526. 이 경우에는 이사의 선임이 소급하여 무효가 됨으로써 연쇄적인 법률관계의 혼란이 발생할 여지가 있다. 따라서 이 경우에는 결의부존재의 연쇄효과를 차단하기 위한 해석론으로 이사선임결의의 부존재를 확인하는 판결의 소급효를 부정하거나 특단의 사정을 유연하게 해석할 것을 주장하는 견해가 있다(江頭憲治郎, 전게서, 374면). 그러나 주주총회결의가 존재하지 않는 것을 확인하는 판결은 그 사실(이사선임결의)이 처음부터 존재하지 않는 사실을 확인하는 것이므로, 확인판결이 나오기까지는 그 사실이 존재하고 있는 것으로 인정하는 것은 논리적 모순이기 때문에 이와 같은 해석론은 옳지 않다: 田邊光政, 「會社法讀本」(2008), 188面.

71) 대법원 1964.5.26. 63다670.

72) 대법원 1977.6.7. 77다54. 1984년 개정상법 하에서는 달리 해석될 수 있을 것이다.

야 할 것이다.[73)

우리나라 대법원 판례는 소집통지를 받지 못한 주주가 소유한 주식 비율을 50%로 기준으로 삼아 50%를 넘는 경우 '부존재하는' 결의로 판단하고[74) 50%에 미달하면 '취소할 수 있는'[75) 결의로 구분하고 있으나, 이는 지나치게 형식적인 판결이라는 비판을 면할 수 없다. 대부분의 주식을 가진 과점대주주에게만 통지하고 소액주주라는 이유로 통지하지 아니한 경우 그들의 이익이 침해되기 쉽다. 왜냐하면 지분의 합계가 50%에 미달하는 소수주주들은 결의일로부터 2개월을 넘긴 이후에는 주주총회하자를 전혀 주장할 수 없게 되기 때문이다. 소수의 주식을 보유한 주주들에게 그 회의의 참석과 토의, 의결권행사의 기회를 전혀 배제하고 나아가 법률상 규정된 주주총회소집절차를 무시한 채 의견을 같이하는 일부주주들만 모여서 한 결의는 비록 그 소수주주의 지분의 합계가 50%에 미치지 못하더라도 결의는 부존재하다고 판결하여야 할 경우가 있다. 특히 합병 등을 반대하는 주주가 소수인 경우, 그들이 합병결의를 할 주주총회소집통지를 받지 못하는 경우에는 결의의 존재여부도 알 수 없을 뿐 아니라, 상법 제360조의5 제1항에서 주식매수청구는 주주총회의 결의일로부터 20일 이내에 서면으로 청구하여야 한다고 하여 20일간의 제척기간을 두고 있는데, 반대주주로서의 주식매수청구권을 행사할 기회마저 박탈당한다. 이는 정의와 형평에 어긋난다. 대법원은 50%를 기준으로 하는 이러한 형식적 기준의 적용을 시정하여야 할 것이다.[76) 다만, 이 경우에도 합병등기일로부터 6개월 내에 합병무효의 소를 제기한다면 소수주주도 구제받을 수 있다고 본다.[77)

---

73) 이철송, 전게서, 631면.
74) 50% 이상의 주주에게 통지하지 아니하였다고 하여 부존재사유로 본 사례: 대법원 1973.6.9. 72다2611; 1978.11.14. 78다1269; 1980.12.9. 80다128; 1991.8.13. 91다14093; 1993.7.13. 92다40952; 2002.10.25. 2002다44151.
75) 50% 미만의 주주에게 통지하지 아니하였다고 하여 취소사유로 본 사례: 대법원 1981.7.28. 80다2745, 2746; 1987.4.28. 86다카553; 1993.1.26. 92다11008; 1993.12.28. 93다8719; 1996.12.23. 96다32768; 2010.7.22. 2008다37193.
76) 김성진, 전게 "소수주주의 주식매수청구권 박탈로 인한 주주총회결의의 무효 여부," 109면 이하 참조).
77) 서울서부지방법원 2007.6.15. 2006가합5550. 이 사안은 분할합병에 관한 것으로서 일부주주에게 주주총회소집통지를 하지 아니한 결과, 해당 주주들이 주식매수청구권을 행사할 기회를 박탈당하였으므로 분할무효의 소를 제기하였던 사건이다. 주주에게 주식매수청구권이 인정되지 않는 단순분할의 경우에도 주주총회소집통지의 흠결로 인한 분할무효의 소를 제기할 수 있는지에 관하여는 좀 더 논의가 필요하다고 한다. 김상곤·이승환, "분할관련소송," 「BFL」 제54호(서울대학교 금융법센터, 2012. 7.), 35면 각주 27 참조. 생각건대 주식

한편, 전술한 바와 같이 판례는 1인회사의 경우에는 주주총회를 개최한 사실이 없더라도 특별한 사정이 없는 한 의사록이 작성되어 있으면 대체로 결의의 존재를 인정하고 있으며,[78] 의사록이 작성되지 않았더라도 총회를 개최한 것처럼 보이는 증거가 있으면 결의의 존재를 인정한다.[79] 또한 2인의 공동대표이사 중 1인이 다른 공동대표이사와 공동으로 임시주주총회를 소집하지 않았던 경우에도 부존재사유로 인정되지 아니하며,[80] 명의개서가 되지 않은 주주들에게 통지하지 아니한 총회의 결의,[81] 발행주식총수의 50% 미만의 주주에게 소집통지를 하지 아니한 경우도 부존재사유가 아닌 취소사유일 뿐이라고 한다.[82]

판례는 주주총회결의부존재확인의 소를 제기하려면 우선 주주총회의 결의자체는 존재하지만 총회의 소집절차 또는 결의방법에 총회결의가 존재한다고 볼 수 없을 정도의 중대한 하자가 있는 경우이거나, 적어도 주주총회가 소집되어 그 결의가 있었던 것과 같은 외관이 남아있는 결과 현재의 권리 또는 법률관계에 장애를 초래하므로 그 외관을 제거할 필요가 있는 경우라야만 할 것인데, 주주총회 자체가 소집된 바도 없다는 것일 뿐만 아니라 결의서 등 그 결의의 존

매수청구권 인정여부를 떠나 소수주주에게 주주총회소집통지를 하지 아니하여 주주들이 심각한 피해를 입는다면 단순분할의 경우에도 분할무효의 소를 제기할 수 있다고 본다.

78) 대법원 1964.9.22. 63다792; 1966.9.20. 66다1187, 1188; 1967.2.28. 63다981; 1976.4.13. 74다1755; 1977.2.8. 74다1754; 1992.6.23. 91다9500; 1993.6.1. 93다8702; 2002.12.24. 2002다54691. 그러나 총회소집절차 없이 발행주식의 98%를 소유한 지배주주의 의사에 의해 의사록을 작성한 것을 결의부존재로 본 예가 있다: 대법원 2007.2.22. 2005다73020.

79) 대법원 2004.12.10. 2004다25123: 주식회사에 있어서 회사가 설립된 이후 총 주식을 한 사람이 소유하게 된 이른바 1인회사의 경우에는 그 주주가 유일한 주주로서 주주총회에 출석하면 전원 총회로서 성립하고 그 주주의 의사대로 결의가 될 것임이 명백하므로 따로 총회소집절차가 필요 없고, 실제로 총회를 개최한 사실이 없다 하더라도 그 1인 주주에 의하여 의결이 있었던 것으로 주주총회의사록이 작성되었다면 특별한 사정이 없는 한 그 내용의 결의가 있었던 것으로 볼 수 있고, 이는 실질적으로 1인회사(이 사건에서는 회사의 회장이라는 직함을 가지고 1주도 소유하지는 않으며 그 자녀들 3명이 주식을 나누어 소유하고 있지만 그 회장이 실질적으로 회사를 경영하여 온 경우 실질적 1인 주주에 의한 사실상 1인회사로 인정되었다 - 필자 주)인 주식회사의 주주총회의 경우도 마찬가지이며, 그 주주총회의사록이 작성되지 아니한 경우라도 증거에 의하여 주주총회 결의가 있었던 것으로 볼 수 있다. … 임원퇴직금지급규정에 관하여 주주총회 결의가 있거나 주주총회의사록이 작성된 적은 없으나 위 규정에 따른 퇴직금이 사실상 1인회사의 실질적 1인 주주의 결재·승인을 거쳐 관행적으로 지급되었다면 위 규정에 대하여 주주총회의 결의가 있었던 것으로 볼 수 있다.

80) 대법원 1993.1.26. 92다11008.

81) 대법원 1989.5.23. 88다카16690: 1996.12.23. 96다32768.

82) 대법원 1993.1.26. 92다11008(다른 공동대표이사와 41%의 주식을 보유한 주주에게 소집통지를 하지 않은 경우); 1993.12.28. 93다8719.

재를 인정할 아무런 외관적인 징표도 찾아 볼 수 없는 경우에는 그 확인의 이익이 없어 부적법하다고 한다(비결의. 후술).83)

일본에서도 결의부존재는 물리적으로 결의가 존재하지 않는 경우뿐만 아니라, 대표권이 없는 이사가 총회를 소집한 경우,84) 소집통지가 되지 않은 경우,85) 또는 소집통지 누락이 현저한 경우86) 등 법적으로 총회결의라고 평가할 수 없는 경우에도 인정되어왔다. 나아가 의장이 아닌 자가 주재한 주주총회결의도 법적으로 부존재하다고 판시하였다.87) 다만 우리나라의 판결은 정관상 의장이 될 사람이 아닌 자가 정당한 사유없이 주주총회의 의장이 되어 의사에 관여한 사유만으로서는 주주총회결의가 부존재한 것으로 볼 수 없고 주주총회결의취소사유에 해당한다고 한다.88)

결의부존재확인의 소의 규제내용은 결의무효확인의 소와 같다(제380조).

다. 증명책임

주주총회가 있었다는 사실 자체에 관하여는 회사가 증명책임을 부담하고, 그 결의에 부존재로 볼 만한 중대한 하자가 존재한다는 점에 관하여는 원고(주주)가 증명하여야 한다.89)

라. 소의 성질

1) 상법상의 소

결의부존재확인의 소에 대하여 1984년의 개정상법 이전에는 상법에 규정이 없었기 때문에, 이것이 민사소송법상의 소인가 아니면 상법상의 소인가에 대하여 학설·판례는 나뉘어 있었다. 그러나 1984년의 개정상법은 결의부존재확인의 소를

---

83) 대법원 1993.3.26. 92다32876.
84) 日本最高裁判所 1970.8.20. 判時 제607호 79면; 東京地方裁判所 2010.10.26. 2010년 (ワ) 제40317호.
85) 東京地方裁判所 2010.6.24. 判時 제2090호 137면; 東京地方裁判所 1955.7.8. 下民集 제6권 제7호 1353面.
86) 日本最高裁判所 1958.10.3. 民集 제12권 제14호 3053면; 福島地方裁判所 2007.11.22. 金判 제1321호 56面.
87) 日本最高裁判所 2011.1.26. 2009년 (ワ) 제5675호.
88) 대법원 1977.9.28. 76다2386.
89) 최기원, 전게서, 564면; 이철송, 전게서, 629면; 대법원 2010.7.22. 2008다37193.

결의무효확인의 소와 함께 제380조에 규정하여 이를 입법적으로 해결하였다.[90]

2) 확인의 소 또는 형성의 소

주주총회결의부존재확인의 소가 '형성의 소'인가 아니면 '확인의 소'인가에 관하여도 학설은 결의무효확인의 소의 경우와 동일하게 견해가 나뉘어 있으며, 판례는 확인의 소라고 판시하고 있다.[91] 이에 관한 사견(私見)도 결의무효확인의 소의 경우와 같이 확인의 소라 본다. 무효확인의 경우에는 당연히 처음부터 무효이므로 확인의 소가 옳다는 점에는 의문이 없다. 부존재의 경우도 무효와 마찬가지로 본래부터 당연히 존재하지 아니하는 것이니, 이를 반드시 소에 의하여만 주장할 수 있는 것은 아니라고 본다.[92]

마. 소의 당사자

1) 원 고

원고는 결의무효확인의 소의 경우와 마찬가지로 누구나 언제든지 제기할 수 있으나,[93] 총회부존재확인에 관하여 정당한 법률상의 이익(소의 이익)이 있는 자여야 한다.

i) 먼저, 주주는 대부분 소의 이익이 있을 것이다. 결의에 찬성한 주주도 부존재를 주장할 수 있고,[94] 주권발행 전 주식양도제한규정에 위반하여 주식을 양도한 자는 결의부존재확인을 구할 수 있다.[95] 그러나 주식을 양수하였으나 명의개서를 하지 않은 주주는 부존재를 구할 이익이 없으며,[96] 주주명부에 기재된 자만이 소를 제기할 수 있다.[97] 또 회사의 소유 및 경영권을 양도한 지배주주,[98] 주권의 교부의무를 이행하지 않은 주식양도인[99] 등은 신의성실의 원칙에

---

90) 최준선, 전게서, 445면.
91) 대법원 1992.8.18. 91다39924; 1992.9.22. 91다5365.
92) 최준선, 전게서, 446면.
93) 대법원 1965.9.28. 65다940.
94) 대법원 1977.4.26. 76다1440, 1441.
95) 대법원 1970.3.10. 69다1812; 1980.1.15. 79다71. 주권발행 전의 주식양도제한규정에 위반하여 주식을 양도한 경우에는 절대적 무효였으므로 양도인에게 결의부존재를 구할 이익이 있다는 상기의 판결이 나왔으나 1984년 개정상법에서 신주의 납입기일 후 6월이 경과한 때에는 주권발행 전의 주식양도도 유효한 것으로 개정되었으므로, 이 판결의 취지가 현재에도 그대로 유지되기는 어려울 것이다.
96) 대법원 1991.5.28. 90다6774.
97) 대법원 2017.3.23. 2015다248342.

반하므로 소권을 인정할 수 없다.[100]

ii) 다음으로 임원도 대부분 소의 이익이 있다. 퇴임한 이사나 감사도 후임이
사·감사가 취임할 때까지 이사·감사로서의 권리의무를 보유하는 경우에는 결
의부존재를 주장할 수 있다.[101] 부존재인 결의에 의해 해임된 이사는 그 결의의
부존재를 주장할 수 있고,[102] 하자 있는 결의에 의하여 선임된 이사라도 재임
중에 있었던 총회결의의 부존재를 주장할 수 있다.[103] 사임한 이사는 결의부존
재를 주장할 이익이 없다.[104] 이사가 임원개임의 주주총회결의에 의하여 임기만
료 전에 이사직에서 해임당하고 그 후임이사의 선임이 있었다 하더라도 그 후에
적법한 절차에 의하여 후임이사가 선임되었을 경우에는 당초의 이사개임결의가
부존재한다 할지라도 이에 대한 부존재확인을 구하는 것은 과거의 법률관계 내
지 권리관계의 확인을 구하는 것에 귀착되어 확인의 소로서의 권리보호요건을
결여한 것이라 할 것이나,[105] 후임이사 선임결의가 부존재하거나 무효 등의 사
유가 있어 상법 제386조 제1항에 의하여 구이사가 계속 권리의무를 가지게 되
는 경우에는 당초의 해임결의의 부존재확인을 구할 법률상의 이익이 있다.[106]
정기총회에서 적법하게 대표권 있는 이사를 선출하였으나 등기업무의 편의상 정
기총회를 열지 않은 날에 정기총회를 열어 이사를 선출한 것처럼 총회 의사록을
작성하여 이사의 취임등기를 마친 경우, 총회 의사록에 따른 총회결의의 부존재
확인을 구할 소의 이익이 없다(즉, 이사선임은 적법하다).[107]

iii) 회사의 채권자는 자신의 권리 또는 법적 지위에 영향을 미친 총회결의의
부존재확인을 구할 이익이 있다.[108] 예컨대, 주식회사의 금전적인 채권자는 그
회사의 주주총회결의의 부존재확인을 구할 법률상의 이익이 있으며,[109] 회사의

---

98) 대법원 1992.8.14. 91다45141; 1988.10.11. 87다카113.
99) 대법원 1991.12.13. 90다카1158; 1992.2.28. 91다8715.
100) 최준선, 전게서, 445면.
101) 대법원 1985.12.10. 84다카319; 1992.8.14. 91다45141.
102) 대법원 1962.1.25. 4294민상525.
103) 대법원 1969.9.27. 66다980.
104) 대법원 1982.9.14. 80다2425.
105) 대법원 1991.12.13. 90다카1158.
106) 대법원 1985.12.10. 84다카319; 1991.12.13. 90다카1158; 1992.2.28. 91다8715; 1995.2.
　　24. 94다50427; 2002.9.24. 2002다8452.
107) 대법원 2006.11.9. 2006다50949.
108) 대법원 1970.2.24. 69다2018; 1980.1.29. 79다1322; 1980.12.27. 79다2267.
109) 대법원 1970.2.24. 69다2018.

단순한 채권자는 그 결의로 인하여 권리 또는 법적 지위에 현실적으로 직접 어떠한 구체적인 영향을 받게 되는 경우에 한하여 소의 이익이 있다.[110] 따라서 채권자가 이사를 선임하거나 정관에 사업목적을 추가하는 등과 같이 회사의 대내적 사항에 관한 결의에 대해서는 부존재를 주장할 수 없다.[111]

2) 소송참가

결의부존재확인의 소가 제기된 경우 소송참가가 인정된다.[112]

3) 피 고

결의부존재확인의 소의 피고는 결의취소의 소 및 결의무효확인의 소의 경우와 같이 회사로 한정된다.[113]

바. 제소기간

결의무효확인의 소의 경우와 같이 상법상 제소기간의 제한이 없다.

사. 소의 절차

결의무효확인의 소의 경우와 동일하다.

---

110) 대법원 1977.5.10. 76다878; 1980.1.29. 79다1322; 1980.10.27. 79다2267; 1992.8.14. 91다45141.

111) 대법원 1980.1.29. 79다1322; 1980.10.27. 79다2267; 1992.8.14. 91다45141.

112) 대법원 1988.10.11. 87다카113. 이 사건에서 법원은 공동소송참가가 가능하다는 원칙을 밝히기는 하였으나, 이 사건에서는 신의성실에 반하는 제소로써 소권의 남용에 해당함을 이유로 공동소송참가가 거부되었다.

113) 최준선, 전게서, 448면; 대법원 1982.9.14. 80다2425: 결의부존재확인판결의 효력은 제3자에게 미치고 그 부존재확인소송에 있어서 피고가 될 수 있는 자는 회사로 한정된다. 대법원 1991.6.25. 90다14058: 확인소송은 즉시확정의 이익이 있는 경우, 즉 원고의 권리 또는 법률상 지위에 대한 위험 또는 불안을 제거하기 위하여 확인판결을 얻는 것이 법률상 유효적절한 경우에 한하여 허용되는 것인바(동지: 대법원 2018.3.15. 2016다275679), 합명회사나 합자회사의 사원총회결의는 회사의 의사결정으로서 그로 인한 법률관계의 주체는 회사이므로 회사를 상대로 하여 사원총회결의의 존부나 효력유무의 확인판결을 받음으로써만 그 결의로 인한 원고의 권리 또는 법률상 지위에 대한 위험이나 불안을 유효적절하게 제거할 수 있는 것이고, 회사가 아닌 사원 등 개인을 상대로 한 확인판결은 회사에 그 효력이 미치지 아니하여 즉시확정의 이익이 없으므로 그러한 확인판결을 구하는 소송은 부적법하다.

아. 판결의 효력

결의취소의 소 및 결의무효확인의 소의 경우와 동일하다. 따라서 소급효와 대세적 효력이 있다.[114] 소급효의 범위에 관하여 일률적으로 소급효를 인정하는 것이 타당하다.[115] 이에 대하여 결의사항을 기준으로 하지 않고 하나의 결의(이사선임결의)의 취소에 관하여도 어느 문제(보수청구권)의 해결에 관하여는 소급효를 인정하고 다른 문제(거래적 행위)의 해결에 관하여는 소급효를 부정하는 등 법률관계에 따라 소급효의 인정여부를 결정하여야 한다는 견해가 있다.[116] 1995년 개정상법이 불소급효에 관한 규정을 준용하지 않는다고 하여 그것이 곧 소급효를 인정한다는 뜻은 아니며, (취소)판결의 효력이 소급하느냐의 여부는 여러 가지 사정을 종합하여 판단하여야 할 문제이기 때문이라고 한다. 그러나 이러한 견해는 소급효의 범위에 관하여 법원의 자의에 맡겨지는 결과가 되므로 찬성할 수 없다.

판례와 같이 일률적으로 소급효를 인정하는 경우, 결의취소 또는 무효가 확정되고, 그 소급효로 인하여 선의의 제3자가 어떻게 보호되어야 할지 의문이다. 이 경우에 제3자의 보호는 부실등기의 효력에 관한 상법 제39조, 표현대표이사에 관한 상법 제395조 및 민법 제126조 등의 외관이론에 따라 해결되어야 한다.[117] 이러한 취지에서 판례는 전술한 결의취소의 소에서 언급한 바와 같이 이사선임의 주주총회결의에 대한 취소판결이 확정된 경우에는 회사가 상법 제39조에 의하여 회사의 부실등기책임이 인정된다고 한다. 반면, 주주총회결의부존재가 확인된 경우에는 회사에 상법 제39조에 의한 부실등기 책임을 물을 수 없다고 한다.[118] 주주총회결의취소의 소의 경우에는 이사 선임등기는 상법 제39조의 부실등기에 해당된다고 하였지만, 부존재인 총회에서 선임된 이사로 구성된 이사회에서 선임된 대표이사가 등기신청을 한 경우에는 회사에 상법 제39조에 의한 부실등기 책임을 물을 수 없다는 것이다. 이것은 전술한 바와 같이 회사의 관여 정도에 따라 회사에 부실등기에 대한 귀책사유가 있는 경우는 회사가 책임

---

114) 대법원 2011.10.13. 2009다2996.
115) 대법원 2004.2.27. 2002다19797(결의취소의 소에 관한 판결).
116) 정동윤, 전게서, 581면.
117) 이철송, 전게서, 641~642면.
118) 대법원 2011.7.28. 2010다70018; 2008.7.24. 2006다24100.

을 져야 하는 것으로 판단한 것으로 볼 수 있다.

부존재하는 총회에서 선임된 이사들이 제3자와 거래행위를 한 경우, 회사가 상법 제395조에 의하여 표현대표이사의 행위에 대하여 책임을 질 수 있는지가 문제되나, 이 문제 역시 표현대표이사의 성립요건을 갖춘 경우에 한하여 인정될 수 있다.[119)]

자. 부존재결의의 추인

결의부존재로 판단된 결의(예컨대, 이사의 해임결의가 부존재로 판명된 경우)의 내용을 다시 결의한 경우(재차 이사를 해임하기로 결의함) 소급효가 있는지가 문제된다. 결의가 부존재한 이상 형식론으로는 추인의 여지는 없다고 해석하는 것이 자연스럽다. 그러나 일본의 판례는 무효행위에 관한 일본 민법 제119조(한국 민법 제139조)에 대한 해석론을 원용하여 추인을 인정할 수 있다고 한다.[120)] 예컨대, 이사를 해임한 총회가 부존재로 판명되었으나 후에 부존재한 결의를 추인할 수 있다고 한다(추인에 의하여 결의 내용이 확정되고 이사의 해임도 확정됨). 이와 같이 추인에 의하여 비로소 그 해임이 확정되었으므로 그동안 받지 못한 보수를 받을 수 있고 부당한 해임으로 인한 손해를 배상받을 수 있게 된다.[121)] 이 같이 법적으로 부존재한 주주총회에 대한 추인결의에는 원칙으로서 소급효가 인정될 수 없다고 한다.[122)] 민법 제139조 단서에 따라 부존재임을 알고 추인한 경우 새로운 법률행위를 한 것으로 보는 것이 옳다.[123)]

차. 비 결 의

1) 개 념

상법 제380조가 규정한 결의의 부존재와 구별되는 개념으로 비결의(非決議)의 개념이 인정되고 있다. 비결의는 "주주총회의 의사결정 자체가 없는 경우"를 말한다. 결의의 부존재는 주주총회로서 소집, 개최되어 결의가 이루어지는 등

---

119) 대법원 2011.7.28. 2010다70018.
120) 특히 무효행위의 추인은 제3자에게 불이익을 주지 않는 범위 내에서는 소급효도 있다고 한다.
121) 東京地方裁判所 2011.1.26. 2009년 (ワ) 제5675호.
122) 東京地方裁判所 2011.1.26. 2009년 (ワ) 제5675호.
123) 최준선, 전게서, 450면.

회사 내부의 의사결정이 존재하기는 하지만 소집절차나 결의방법에 중대한 하자
가 있어 결의가 존재한다고 볼 수 없는 경우를 말하는 데 비하여, 비결의는 당
해 회사와 무관한 자가 의사록을 위조하거나[124] 전혀 주주총회를 소집한 바도
없으면서 의사록만 작성하거나, 주주총회로 볼 수 없는 회의를 개최하여 의사록
을 작성한 경우[125] 등 총회소집절차나 결의 자체가 전혀 없는 경우이다.[126] 판
례는 이들 경우에는 상법상의 결의부존재로 볼 수 없다고 한다.[127]

2) 실   익

비결의는 상법 제380조의 적용을 받지 않으므로 결의부존재에 대해서도 소
급효가 제한되던 1995년 개정전 상법하에서는 크게 유익하였다. 현행법은 결의
부존재에도 소급효를 인정하므로 소급효에 관한 한 비결의의 인정실익은 크게
감소하였으나,[128] 비결의를 다투는 주장은 상법 제380조의 제약(소의 절차, 판결
의 대세적 효력 등)을 받지 않고 민사소송법상의 일반 확인의 소로 자유롭게 할
수 있는 실익이 있다고 한다.[129] 그러나 상법은 회사와 관련된 소송은 회사법에
서 해결하도록 설계하고 있으므로 이와 같이 상법상의 소를 회피하기 위하여 일
반 확인의 소에 의존하는 것은 바람직하지 않다. 앞으로는 비결의의 개념을 인
정하지 않는 것이 바람직하다.[130]

---

124) 대법원 1992.8.18. 91다39924.
125) 대법원 1992.8.18. 91다14369; 1992.8.18. 91다39924; 1995.9.15. 95다13302; 1996.6.11.
     95다13982. 同旨: 대법원 1993.9.14. 91다33926.
126) 결의부존재사유를 "비결의"와 "표현결의"로 나누고(정동윤(상) 582면; 정찬형(상) 950면),
     대법원은 상법 제380조를 비결의에는 적용하지 않는다고 설명하면서, 2003다9636, 2005다
     73020, 91다14369 및 91다39924를 비결의 판결로 설명하는 견해가 있다(정동윤(상)
     582~583면; 정찬형(상) 950면). 이에 대하여 "주주총회의 의사결정 자체가 없는 경우"를
     표현결의라고 하면서 대법원에 따르면 상법 제380조는 표현결의에 적용되지 않는 것이라
     고 설명하는 견해가 있다(이철송(상) 633면). 요컨대 정동윤, 정찬형 두 교수님은 상법이
     규정하고 있는 것은 표현결의이고, 비결의는 규정하고 있지 않으므로 상법의 적용도 없다
     고 주장하는 데 비하여, 이철송 교수님은 표현결의에 관하여는 상법이 규정하고 있지 않고
     상법의 적용도 없다고 한다. 한편 독일에서는 주주총회가 회사와는 아무런 관계가 없는 사
     람들에 의하여 소집된 경우를 표현총회(Scheinversammlung)라 하고, 이러한 총회에서 한
     결의를 비결의(Nichtbeschluß)라고 하며, 이러한 비결의에는 아무런 효력이 생기지 않는다
     고 한다(최기원(상) 559면). 이와 같이 동일한 현상에 대하여 용어를 달리 쓰고 있는데, 사
     견으로는 결의가 있었던 경우는 표현결의, 외형상 결의가 없었던 경우는 비결의라는 표현
     이 가장 적절하지 않는가 생각한다. 따라서 비결의에 대하여는 상법의 적용이 없다고 본다.
127) 대법원 1992.8.18. 91다39924.
128) 홍복기 등 8인, 「회사법」 제4판(박영사, 2015), 275면.
129) 이철송, 전게서, 633면.

3) 판 례

판례는 당해 회사의 주주총회의 결의의 존재를 인정하기 어려운 경우 비결의의 개념을 인정하고 있다. 즉, 판례는 "주주총회의 의사결정 자체가 전혀 존재하지 않았던 경우에는, 상법 제39조(부실의 등기)나 제395조(표현대표이사의 행위와 회사의 책임) 또는 민법에 정하여져 있는 제3자 보호규정 등에 의하여 선의의 제3자를 개별적으로 구제하는 것은 별론으로 하고, 특별한 사정이 없는 한 그와 같이 처음부터 존재하지도 않는 주주총회의 결의에 대하여 주식회사에게 책임을 지울 이유가 없고, … 상법 제380조가 규정하는 주주총회결의부존재확인판결은 '주주총회결의'라는 주식회사 내부의 의사결정이 일단 존재하기는 하지만 그와 같은 주주총회의 소집절차 또는 결의방법에 중대한 하자가 있기 때문에 그 결의를 법률상 유효한 주주총회의 결의라고 볼 수 없음을 확인하는 판결을 의미하는 것으로 해석함이 상당하고, 실제의 소집절차와 실제의 회의절차를 거치지 아니한 채 주주총회의사록을 허위로 작성하거나 회사와 무관한 제3자가 의사록을 위조한 경우, 의사록 자체도 없고 결의에 따른 효과로 볼 만한 사실도 존재하지 않는 경우 등 도저히 그 결의가 존재한다고 볼 수 없을 정도로 중대한 하자가 있는 경우에는 아무런 소의 실익이 없는 것이니, 상법 제380조 소정의 주주총회결의부존재확인의 소를 제기할 수도 없고 상법 제190조가 준용되지도 않는다"고 한다.[131] 이와 같이 비결의는 주로 구상법 제190조 본문만을 준용하여 소급효를 인정하지 않는 경우의 불합리를 제거하기 위하여 상법 제190조의 적용자체를 배제하고, 결의부존재판결의 소급효를 인정하고자 함에 있다.[132]

한편 대법원은 "의사록을 작성하는 등 주주총회결의의 외관을 현출시킨 자가 회사의 과반수 주식을 보유하거나 또는 과반수의 주식을 보유하지 않더라도 사실상 회사의 운영을 지배하는 주주인 경우와 같이 주주총회결의의 외관 현출에 회사가 관련된 것으로 보아야 할 경우에는 그 판결 확정 전에 회사와 거래한 제3자에 대한 회사의 책임을 인정할 여지가 있다."고 판시하여,[133] 형식상 회사

---

130) 최준선, 전게서, 451면.
131) 대법원 1992.8.18. 91다39924; 1992.8.18. 91다14369; 1992.9.22. 91다5365; 1993.3.26. 92다32876; 1994.3.25. 93다36097·36103; 1995.6.29. 94다22071; 1995.9.15. 95다13302; 1996.6.11. 95다13982.
132) 최준선, 전게서, 451면.
133) 대법원 1996.6.11. 95다13982; 1993.9.14. 91다33926; 1992.8.18. 91다14369.

내부의 의사결정을 거친 회사의 외부적 행위를 유효한 것으로 믿고 거래한 제3자를 보호하여야 한다는 취지의 판결을 하였다. 이 경우는 대주주의 의사에 합치하는 거래로서 유효한 것으로 보아야 할 것이다.[134)]

1995년 개정상법에 의하여 비결의의 의미가 퇴색되고, 부존재확인판결의 소급효가 인정되므로, 취소, 무효 또는 부존재인 주주총회 결의에 따라 행한 모든 행위는 소급하여 무효가 된다. 따라서 1995년 상법의 개정이후 총회결의부존재확인의 소의 판결의 소급효가 인정된 후의 판결을 보면, "주주총회의 소집을 위한 각 주주에 대한 아무런 서면통지나 소집공고 없이, 또 실제 결의를 한 바 없이, 주주 전원이 참석하여 주주총회의 결의를 한 것처럼 허위의 주주총회의사록만 작성한 사건"에서 법원은 총회결의부존재확인의 소를 인정하고 있다.[135)] 이와 같이 비결의의 개념은 위에서 언급한 것처럼 더 이상 불필요하다.[136)]

4) 비결의의 효력

비결의로 판결된 경우 당연히 소급효가 있으나 총회결의부존재확인의 소의 경우와는 달리 대세적 효력은 없다.

5. 부당결의 취소·변경의 소

가. 의 의

특정 주주가 특별한 이해관계가 있기 때문에 주주총회에서 의결권을 행사할 수 없었던 경우에(제368조 제3항), 그 결의가 현저하게 부당하고, 그 주주가 의결권을 행사하였더라면 부당결의를 저지할 수 있었을 때에는, 그 특별한 이해관계가 있는 주주는 결의의 날로부터 2월 내에 회사를 피고로 하여 결의의 취소 또는 변경을 청구하는 소를 제기할 수 있다(제381조 제1항). 특별한 이해관계가 있는 주주의 의결권을 제한하는 취지는 자신과 관계된 사적 이익때문에 공정한 결의가 이루어지지 못하게 되는 것을 방지하기 위한 것인데, 그 주주의 의결권

---

134) 이에 대하여 이는 총회결의를 거치지 않고 한 거래행위에 대하여도 그 효력을 인정하는 것으로서 총회결의 자체를 무의미하게 만드는 것이므로 타당하지 않다고 보는 견해도 있다. 정동윤(상) 586면; 이철송, 전게서, 635면.
135) 대법원 2004.8.20. 2003다20060.
136) 최준선, 전게서, 452면.

행사의 봉쇄를 잔여 주주가 악용하여 오히려 불공정한 결의가 된 경우 공정성을 회복할 필요가 있다.[137] 특히 결의의 변경을 인정한 것은 동일한 총회절차가 반복되는 것을 저지하고, 잔여 주주가 같은 결의를 다시 하는 것을 막기 위한 것이다. 그러나 부당결의 취소·변경의 소는 결의취소소송의 일종이므로(일본 회사법 제831조 제1항 제3호 참조) 이를 별개의 유형의 소로 인정할 실익이 없고, 이에 관한 판례도 거의 없다.

나. 소의 성질

부당결의 취소·변경의 소의 성질은 '형성의 소'라는데 이견이 없다.[138]

다. 소의 요건

1) 결의에 특별한 이해관계가 있는 주주가 의결권을 행사하지 못했을 것

특별한 이해관계가 있는 주주가 상법 제368조 제3항에 따라 의결권을 행사할 수 없었어야 한다. 예컨대, 주주가 자신의 개인사정으로 총회에 불참하여 의결권을 행사하지 못한 경우에는 본 소의 대상이 되지 않는다.[139]

2) 결의가 현저하게 부당할 것

결의가 법령이나 정관에 위반하지는 않았더라도 사회통념상 이해관계자의 이익을 현저하게 해한다고 볼 수 있는 경우여야 한다. 예컨대, 부당한 염가로 제3자에게 영업을 양도하기로 결의한 경우 등이다.[140]

3) 특별한 이해관계가 있는 주주가 의결권을 행사하였더라면 결의를 저지할 수 있었을 것

이해관계가 있는 주주가 의결권을 행사하였더라도 결과에 영향을 미치지 못한다면 이 소를 인정할 수 없다. 이것은 특별한 이해관계가 있는 주주의 소유주식 수를 회의일의 출석주주의 의결권의 수에 산입하고(제371조 제2항), 결의에 찬성한 의결권의 수가 결의요건에 해당하는지 여부에 따라 판단하여야 한다.[141]

---

137) 최기원, 전게서, 567면; 이철송, 전게서, 643면.
138) 정동윤, 전게서, 586면; 최준선, 전게서, 451면.
139) 이철송, 전게서, 643면~644면.
140) 이철송, 전게서, 644면.

라. 소의 당사자

1) 원 고

주주총회결의에 관하여 특별한 이해관계가 있어 의결권을 행사할 수 없었던 자가 원고가 된다(제381조 제1항).[142]

2) 피 고

회사가 피고로 된다(제381조 제1항).

마. 제소기간

결의의 날로부터 2월 내이다(제381조 제1항). 이 기간은 제척기간이다.[143]

바. 소의 절차

부당결의 취소·변경의 소의 관할, 제소기간, 소의 병합, 원고승소판결의 대세적 효력, 원고패소의 경우의 배상책임, 제소주주의 담보제공의무, 결의취소의 등기 등의 절차와 소급효의 인정 등은 결의취소의 소의 경우와 동일하다(제381조 제2항).[144] 다만, 법원의 재량에 의한 청구기각(제379조)에 관한 규정은 준용되지 않는다(제381조 제2항).[145]

사. 판결의 효력

합명회사의 설립무효 또는 설립취소의 판결의 효력과 같이 대세적 효력이 있으며, 소급효도 있다(제381조 제2항, 제190조 본문, 제191조).[146]

---

141) 이철송, 전게서, 644면.
142) 최준선, 전게서, 452면.
143) 정동윤, 전게서, 587면; 최준선, 전게서, 454면.
144) 최준선, 전게서, 454면.
145) 최준선, 전게서, 454면.
146) 최준선, 전게서, 454면.

6. 효력 · 집행에 관한 가처분

주주총회의 결의에 관하여 형식적인 하자 또는 실질적인 하자가 있거나 부당한 결의가 있는 경우, 그리고 결의부존재 등의 사유로 인하여 소가 제기된 때에는 이를 본안으로 하여 그 결의의 집행 또는 효력정지의 가처분을 신청할 수 있다.[147] 그러나 이사선임결의의 하자로 인하여 가처분을 하는 경우는 상법 제407조의 이사직무집행의 정지의 가처분으로 하게 된다.[148]

이 경우의 가처분은 임시의 지위를 정하는 가처분이다. 가처분의 당사자는 본안소송의 원고와 피고이다. 집행을 요하는 주주총회의 결의는 그 집행을 정지하는 가처분을 하여야 하고, 집행을 요하지 않고 그 효력이 생기는 결의의 경우에는 그 효력을 정지하는 가처분을 하여야 한다.[149]

---

147) 최기원, 전게서, 568면.
148) 최기원, 전게서, 568면; 최준선, 전게서, 454면.
149) 최기원, 전게서, 568면; 최준선, 전게서, 453면.

제 2 절   이사 · 이사회 · 대표이사 · 집행임원

Ⅰ. 임원의 자격규제

김 상 규*

1. 서   설

개인이 영리 활동을 하는 데는 그 규모가 크면 클수록 자본 조달, 경영 전문성 및 위험 분산 등에서 적지 않은 어려움이 있다. 이러한 문제점을 해소하는 하나의 방법이 공동으로 영업을 하는 공동기업 제도이지만, 이 제도도 의사 결정의 신속성이나 책임 분배 등에서 문제를 안고 있다.

상법 제170조는 회사의 종류를 합명회사, 합자회사, 유한책임회사, 유한회사 및 주식회사의 다섯 가지로 한정하여 허용하고 있다. 이 가운데 소자본을 모아 대자본을 집적하고, 출자액만큼만 책임을 부담하며, 출자자가 아닌 제3의 전문인이 기업을 경영하도록 할 수 있는 적절한 유형의 회사가 주식회사이다. 그러나 제3자로 하여금 기업을 경영토록 하는 데는 또 다른 문제가 발생한다. 그것은 비전문가인 출자자가 경영진을 평가하거나 감시한다는 것이 쉽지 않다는 점이다. 이에 이를 감시하는 기관을 두는 방법을 취한다. 즉 경영하는 자와 이들을 감시하는 자를 필요로 하는데, 이를 흔히 '임원'이라 한다. 법이 임원에 관한 규정을 두는 것은 한편에서는 이해충돌을 막기 위하여, 다른 한편에서는 임원들 사이의 담합에 의한 기능 상실을 막기 위함 때문이다. 이에 법은 이들에게 각기 주어진 기능을 수행하는데 필요한 적정성 또는 적절성을 갖추도록 요구한다.

'임원'과 관련하여 상법에서는 제7장 벌칙 규정 제622조와 제630조에서 "발기인, 이사 기타의 임원"이라는 규정을 두고 있지만, 이에 대한 정의나 범위에 대해서는 침묵하고 있다. 민법도 상법과 같이 제68조에서 "이사 또는 기타 임원"이라고만 규정할 뿐이다. 독점규제 및 공정거래에 관한 법률(이하 "공정거래

---

* 한양대학교 법학전문대학원 명예교수

법"이라고 함) 제3조, 제3조의2, 제18조, 제23조의3 및 제30조 등에서도 정의 규정 없이 '임원'이라는 용어를 사용하고 있으며, 자본시장과 금융투자업에 관한 법률(이하 "자본시장법"이라고 함) 제24조 제7호에서는 임원과 직원으로 구분하고 있지만 역시 임원에 대한 정의 규정은 찾을 수 없다.

상법은 주식회사에 대해 자기 기관을 강요하지 않는다. 이에 따라 주식회사는 소유와 경영의 분리가 가능하고, 회사 경영은 주주가 아니더라도 전문인이 있으면 이들에게 맡길 수 있다. 다만 우리는 직지 않은 기업에서 대주주나 지배주주가 직접 경영에 참여하여 경영진을 구성하거나 자신들의 영향력 아래 있는 자들로 경영진을 구성하는 것을 보게 된다. 어느 경우건 이른바 소수파 주주는 대주주나 지배주주의 직·간접적인 경영에 의존하는 선에 머무르게 되고, 이들에 대한 감독은 간접적·우회적인 방법만이 가능하지만 실제로 책임을 추궁하는 예는 그다지 많지 않다. 이와 같은 미온적인 책임추궁은 경영진으로 하여금 회사나 주주, 특히 소수주주에 대한 배려를 등한시하게 하였다.

이사의 건전한 회사 경영이나 회사의 이사에 대한 책임추궁을 회사의 구조 문제와 연관 지우는 논의가 그동안 있었고, 이른바 'IMF사태' 이후에는 기업지배구조에 대한 전면적인 재검증이 강하게 요구되었다. 특히 국제기구 등에 의한 기업 경영의 투명성을 보장하라는 요구가 강하였다. 효율적인 경영의 투명성 보장은 우리 기업의 지배구조를 근본적으로 재검토하여야 한다는 점에서 찾았다. 이에 따라 주식회사의 기관 구성과 관련한 상법과 증권거래법의 개정이 있었다.

1999년 12월 개정된 상법은 이사회 내 위원회를 둘 수 있도록 하면서, 위원회의 하나로 감사위원회를 둘 수 있도록 하는 규정을 신설하였다. 그런데 증권거래법이 일정 규모 이상의 법인에 대해 감사위원회의 설치를 강제하는 것과는 달리 상법은 감사위원회를 둘 수 있음을 밝힐 뿐 강요하지는 않았다. 감사위원회는 기능적인 측면에서 기존의 감사에 갈음하는 것으로 이해된다. 그것은 상법이 감사위원회의 설치를 강요하지는 않지만, 회사가 감사위원회를 두는 경우에는 감사를 둘 수 없도록 하는 데서 찾을 수 있다(제415조의2 제1항). 다른 한편에서는 감사가 이사회와는 관련성이 없는 독립적인 대등한 지위에 서는 것에 비해, 감사위원회는 이사회 내 위원회의 형태로 존속하는 데서 기능상의 차이가 있다. 상법은 이러한 기능상의 유사점과 상이점을 전제로 감사위원회의 선·해임에 관하여 이사나 감사의 선·해임에서와 다른 규정을 두고 있다.

감사위원회의 구성과 관련하여 상법은 일정한 자는 감사위원회 위원이 될 수 없다고 규정하고(제415조의2 제2항), 감사위원회의 독립성을 보장하기 위하여 위원 가운데 일정 비율 이상은 사외이사로 구성하도록 하였다. 이와 관련하여 감사위원회 위원이 될 수 없도록 배제한 자를 사내이사로 보는 견해가 있었다. 상법에서 사외이사라는 용어는 2009년 상법 개정에서부터 사용되었다. 즉 상법 제382조 제3항을 신설하여 사외이사에 대한 정의 규정을 둠과 아울러 이들의 자격 제한에 관한 규정을 두었다.

2011년 개정된 상법에서는 종전 실무에서 이용되던 이른바 집행임원에 관한 사항을 제도화하였다. 즉 이사회나 감사위원회에서 일정 비율 이상의 사외이사 선임을 강제하는 것을 회피하기 위하여 이사의 수를 최소화하면서, 필요한 부분에 대하여는 이사회에서 임원이라는 형태로 선정하여 이사에 준하는 업무를 처리하도록 하면서도 책임 문제에서는 정확한 법률상 근거를 찾기가 쉽지 않았다. 이에 이른바 집행임원제도를 도입하였다.

2. 임원의 범위

가. 서 언

임원에 대한 정의는 어떤 법률에서도 찾을 수 없음은 앞서 밝힌 바 있다. '임원'의 사전상 의미는 '어떤 단체에 소속하여 그 단체의 중요한 일을 맡아보는 사람'을 말한다. 법에서도 이 용어는 위와 엇비슷하게 사용되고 있지만, 어느 직책까지를 임원으로 보아야 하는지는 명확하게 규정하고 있지 않다. 일반적으로 회사의 이사와 감사, 감사위원회가 있는 회사에서는 감사위원회 위원, 집행임원 설치회사에서는 집행임원 정도를 임원으로 본다. 그 밖에도 이들의 직무대행자도 그 기능이 비슷하다는 점에서 임원으로 보는 예가 적지 않다. 상업사용인은 지배인과 부분적 포괄대리권을 가진 상업사용인 및 점원이라 일컫는 물건판매점포의 사용인 세 가지가 있는데, 이 가운데 앞의 두 종류의 상업사용인을 임원으로 본다. 회사의 상업사용인도 법률에 따라 임원으로 취급하기도 한다. 다른 한편 회사 발기인의 경우에는 임원으로 보는 법률과 임원과 달리 별도로 규정하고 있는 법률로 구분된다.

'임원'의 기능은 임원의 권리나 의무 등을 통해서 알 수 있다. 임원의 범위에 대해서는 개별 법률이 각기 다른 형식을 취하고 있다. 자본시장법은 직접 범위를 밝히고 있지만, 상법은 그러하지 아니하다. 상법은 물론 자본시장법도 준법지원인이나 준법감시인에 대해서 별도의 자격 요건을 요구하면서도, 이들이 임원인지에 대해서는 명문의 규정을 두고 있지 않다.

임원에 관한 규정과 관련하여 문제되는 것은 자본시장법이 적지 않은 부분에서 '사실상 임원과 동등한 지위에 있는 자'를 임원으로 보면서, 상법상의 업무집행지시자 등을(제401조의2 제1항) 예시한다. 이른바 업무집행지시자, 무권대행자 및 표현이사 모두를 포함하거나(자본시장법 제28조의2 제1항, 제172조 제1항; 보험업법 제13조 제1항, 같은 법 시행령 제19조 제1항, 제89조의2 제2항, 같은 법 시행령 제33조의3 제2항), 표현이사만을 임원으로 보는 규정도 있다(자본시장법 제24조; 은행법 제18조 제1항). 그러나 업무집행지시자 등에 관한 규정의 취지는 일시적이고 구체적인 행위에 대해 책임을 묻기 위해 이사에 대해 묻는 정도의 책임을 묻기 위한 규정으로,[1] 이들에게는 지위의 상시성이 존재하지 않는다는 점에서 문제가 있다. 영향력이 있다고 하여도 그 영향력을 행사하지 않는 경우도 있을 수 있기 때문이다. 더욱이 업무집행지시자의 범위나[2] 업무집행에의 영향력[3] 등에 대한 논의가 그치지 않는데, 이들을 임원으로 포함하는 것은 수범자에게는 임원 선임의 폭을 부당하게 제한하는 결과를 가져온다.

나. 상법상의 임원

상법에서 임원이라는 용어는 제7장 벌칙 규정 제622조와 제630조에서 찾을 수 있다. 즉 '발기인, 이사 기타의 임원'이라는 표현을 쓰고 있다. 제622조에서는 회사의 발기인, 업무집행사원, 이사, 집행임원, 감사위원회 위원, 감사 또는 제386조 제2항, 제407조 제1항, 제415조 또는 제567조의 직무대행자, 지배인

---

1) 정찬형, 「상법강의(상)」 제24판(박영사, 2021), 1078면.
2) 상법 제401조의2 제1항 제1호 소정의 '회사에 대한 자신의 영향력을 이용하여 이사에게 업무집행을 지시한 자'(이하 '업무지시자'라고 한다)에는 자연인뿐만 아니라 법인인 지배회사도 포함함(대법원 2006.8.25. 2004다26119).
3) 피고인은 3개 회사의 대주주로서 3개 회사의 경영에 상당한 영향력을 행사해오다가 그 증자과정을 지시·관여하였다는 것인바, 그러한 사실관계라면 피고인은 상법 제401조의2에서 규정하는 업무집행지시자로 볼 수 있을지언정 … 않는다고 한 사례(대법원 2006.6.2. 2005도3431).

기타 회사영업에 관한 어느 종류 또는 특정한 사항의 위임을 받은 사용인에 관하여 규정하고 있다. 이어 제630조에서는 위에서 규정한 자 이외에 사채권자 집회의 대표자나 그 결의를 집행하는 자(제623조)와 검사인, 공증인(제298조 제3항, 제299조의2, 제310조 제3항 또는 제313조 제2항)과 감정인(제299조의2, 제310조 제3항 또는 제422조 제1항)을 기타의 임원에 포함하고 있다.

적지 않은 기업에서 주주총회에서 이사(임원)로 선임하지 않은 자를 이른바 비등기이사나 임원 또는 집행임원이라는 명칭을 사용하도록 하여 이를 활용하였다. 그러나 이들의 지위 등에 대한 규정이 없어, 이에 대한 다툼이 있었다.4) 이

---

4) 근로기준법상의 근로자에 해당하는지 여부는 계약의 형식이 고용계약인지 도급계약인지보다 그 실질에 있어 근로자가 사업 또는 사업장에 임금을 목적으로 종속적인 관계에서 사용자에게 근로를 제공하였는지 여부에 따라 판단하여야 하고, 위에서 말하는 종속적인 관계가 있는지 여부는 업무 내용을 사용자가 정하고 취업규칙 또는 복무(인사)규정 등의 적용을 받으며 업무 수행 과정에서 사용자가 상당한 지휘·감독을 하는지, 사용자가 근무시간과 근무장소를 지정하고 근로자가 이에 구속을 받는지, 노무제공자가 스스로 비품·원자재나 작업도구 등을 소유하거나 제3자를 고용하여 업무를 대행하게 하는 등 독립하여 자신의 계산으로 사업을 영위할 수 있는지, 노무 제공을 통한 이윤의 창출과 손실의 초래 등 위험을 스스로 안고 있는지와, 보수의 성격이 근로 자체의 대상적(대상적) 성격인지, 기본급이나 고정급이 정하여졌는지 및 근로소득세의 원천징수 여부 등 보수에 관한 사항, 근로 제공 관계의 계속성과 사용자에 대한 전속성의 유무와 그 정도, 사회보장제도에 관한 법령에서 근로자로서 지위를 인정받는지 등의 경제적·사회적 여러 조건을 종합하여 판단하여야 한다. 다만 기본급이나 고정급이 정하여졌는지, 근로소득세를 원천징수하였는지, 사회보장제도에 관하여 근로자로 인정받는지 등의 사정은 사용자가 경제적으로 우월한 지위를 이용하여 임의로 정할 여지가 크다는 점에서, 그러한 점들이 인정되지 않는다는 것만으로 근로자성을 쉽게 부정하여서는 안 된다(대법원 2006.12.7. 2004다29736 등 참조)(대법원 2011. 6.9. 2009두9062).

원고 회사 이사회의 결의를 통하여 집행이사로 선임되어 본부장 또는 강서지역본부장으로 근무한 피고보조참가인(이하 '참가인'이라 한다)이 근로기준법 소정의 근로자인지의 여부에 관하여, 그 채용 증거들에 의하여 판시와 같은 사실을 인정한 다음에, 법인등기부에 등재되는 이사와 달리 참가인 업무의 내용은 집행이사제운영규정, 직제규정 등 원고 회사가 마련한 규정에 의하여 정해질 뿐 아니라 징계에 있어서도 직원에 준하여 행해지며, 보수 및 퇴직금에 관하여도 원고 회사의 규정을 적용받게 되는 점, 집행이사제운영규정에 의하여 집행이사는 임원이 아님을 명백히 하고 있고, 인사규정에서 본부장은 직원으로 명시되어 있는 점(원심의 인정 사실에 의하면, 참가인이 집행이사로 선임된 후 근무한 본부장, 지역본부장은 이사대우, 1급 또는 2급 직원 중에서도 임명될 수 있다), 참가인은 원고 회사의 대표이사에 의하여 근무 장소를 지정받고 근무 시간에 대하여도 제한을 받고 있을 뿐 아니라 대표이사의 지휘·감독을 받는 점(원심의 인정 사실에 의하면, 참가인은 강서지역본부장으로서 자신보다 하위 직급인 1급 상당인 개인사업본부장의 지휘·감독도 받아 그 업무를 수행하였다), 참가인 근무의 사무실 및 그 비품 등에 관한 권리가 원고 회사에게 있는 점, 원고 회사가 참가인에 대하여 고용보험에 가입한 점 등에 비추어 볼 때, 원고가 주장하는 것처럼 집행이사가 취업규정상 원고 회사의 직원에 포함되지 아니할 뿐 아니라 보수 및 처우에 있어서도 임원과 유사하게 대우받고 있고, 참가인이 본부장으로 재임할 당시에는 경영협의회에 참여하여 소관 업무에 관한 집행권을 행사하는 부분이 있다 하더라도 실질적으로

에 상법은 집행임원을 제도화하였다.

다. 자본시장법상의 임원

1) 서 언

자본시장법은 제9조 제2항에서 "이 법에서 임원은 이사와 감사"를 말한다고 명확히 밝히고 있다. 그 밖에도 외국 금융투자업자의 국내 대표자는 임원으로 본다(제65조 제1항). 그러나 같은 법 제6편 제2장 한국예탁결제원과 제7편 제2장 한국거래소 조직 등에서는 임원의 범위를 달리 정하고 있기 때문에 제9조의 "이 법에서"는 표현상 문제가 있다.

자본시장법은 위와 같은 원칙에 대해 부분적으로 임원의 범위를 달리 정하는 경우가 있다. 예컨대 대표이사, 감사 및 사외이사가 아닌 감사위원회의 위원을 제외한 자를(제45조 제1항 제2호) 또는 비상근감사를 제외하는 경우가 있다(제45조 제2항 제2호).

다른 한편 자본시장법은 겸업에서의 임원의 범위를 달리 정하고, 업종에 따라 임원의 결격 사유를 다르게 규정하고 있다. 또 금융투자업 관련 기관의 임원 구성도 별도로 정하고 있다.

2) 겸업에서의 임원

은행이나 보험회사가 이 법에 따라 집합투자업, 신탁업(집합투자재산의 보관·관리업무를 포함) 또는 일반사무관리회사의 업무를 영위하는 경우에는 임원(상법상의 업무집행지시자를 포함)을 두어야 한다(제250조 제7항, 제251조 제3항; 시행령 제272조 제2항, 제273조 제2항). 다만 보험회사가 투자신탁을 운용하는 경우의 임원은 제외한다(제251조 제3항).[5]

임원과 동등한 지위와 권한을 부여받은 것은 아닐 뿐만 아니라, 이러한 권한 및 직무는 모두 원고 회사의 규정에서 정한 소관 업무에 한정되고 대표이사의 지휘·감독을 받고 있다 할 것이므로 참가인은 그 실질에 있어 사업 또는 사업장에 임금을 목적으로 종속적인 관계에서 사용자에게 근로를 제공하는 근로기준법 소정의 근로자에 해당한다고 판단하였는바, 위에서 본 법리와 기록에 비추어 살펴보면, 원심의 위와 같은 사실인정과 판단은 모두 정당하여 수긍이 가고, 거기에 상고이유의 주장과 같은 근로자에 관한 법리를 오해하였거나 채증법칙을 위배하여 사실을 오인한 위법이 없다(대법원 2005.5.27. 2005두524).

5) "대통령령으로 정하는 방법"이란 보험회사가 투자신탁재산을 ① 운용과 운용지시업무 전체를 다른 집합투자업자에게 위탁하는 방법, ② 투자신탁재산 전체를 투자일임으로 운용하는 방법 또는 ③ 투자신탁재산 전체를 다른 집합투자증권에 운용하는 방법 가운데 어느 하나

3) 업종에 따른 특례

자본시장법은 위의 일반적인 규정 이외에도 개별 업무의 종류에 따라 별도의 추가적인 자격 요건을 요구하고 있다.

투자자문업 또는 투자일임업을 영위하려는 자는 이른바 등록업무 단위의 전부나 일부를 선택하여 금융위원회에 하나의 금융투자업등록을 하여야 하고(제18조 제1항), 등록 요건의 하나는 임원이 금융투자업의 임원에 적용되는 결격사유 해당하지 않아야 한다는 것이다(제18조 제2항 제4호).

일반사무관리회사, 집합투자기구평가회사 및 자금중개회사는 금융위원회에 등록하여야 하는데, 등록요건 가운데 하나가 금융투자업자의 임원에게 요구하는 임원의 자격에 결격사유가 없는 자가 임원이어야 한다(제254조 제2항 제5호, 제258조 제2항 제6호, 제355조 제2항 제5호, 제24조). 채권평가회사에 대해서도 위와 같은 자격을 요구한다(제263조 제2항 제6호, 제24조). 다만 상근 임직원 가운데에는 일정한 전문인력을 보유하여야 한다(제263조 제2항 제4호). 여기에서 말하는 전문인력이란 ① 증권분석전문인력의 능력을 검증하기 위하여 협회에서 시행하는 시험에 합격한 자, ② 일정한 기관6)이나 채권평가회사에서 증권의 평가·분석업무에 3년 이상 종사한 자의 어느 하나에 해당하는 증권분석전문인력 3인 이상을 포함하여 증권의 평가·분석업무에 상근하는 10인 이상의 집합투자재산 평가전문인력을 말한다(시행령 제285조 제3항).

증권금융회사는 금융위원회의 인가를 받아야 하며, 인가요건 가운데 하나가 금융투자업자의 임원에게 요구하는 임원의 자격에 결격사유가 없는 자가 임원일 것이다(제324조 제2항 제5호, 제24조, 제327조 제2항). 다른 한편 증권금융회사의 상근임원은 금융투자업자의 임직원 외의 자이어야 한다(제327조 제1항). 또 종합 금융회사가 투자신탁의 설정·해지 및 투자신탁재산의 운용업무를 영위하는 경우에는 임원을 두어야 하는데, 여기에는 사실상 임원과 동등한 지위에 있는 자

에 해당하는 방법으로 운용하는 것을 말한다(자본시장과 금융투자업에 관한 법률 시행령 제273조 제1항).

6) ① 「금융위원회의 설치 등에 관한 법률」 제38조에 따른 검사대상기관, ② 외국 금융투자업자 또는 ③ 「국가재정법」 제8조 제1항에 따른 기금관리주체가 같은 법 제77조 제1항에 따라 설치한 자산운용을 전담하는 부서나 같은 법 별표 2에 따른 기금설치 근거 법률에 따라 기금의 관리·운용을 위탁받은 연금관리공단 등을 말한다(자본시장과 금융투자에 관한 법률 시행령 제276조 제3항 제1~3호).

로서 상법상의 업무집행지시자(상법 제401조의2 제1항)를 포함한다(제341조 제2항; 시행령 제333조 제1항).

4) 금융투자업 관련 기관

자본시장법은 금융투자업 관계기관인 한국예탁결제원과 한국거래소에도 임원을 두도록 하고 있다. 한국예탁결제원의 임원은 사장·전무이사·이사 및 감사로 하고 있다(제301조 제1항). 한국거래소도 역시 이와 비슷하게 이사장, 상근이사인 감사위원회 위원, 시장감시위원장 및 이사를 임원으로 보면서(제380조 제1항), 집행간부와 구별하고 있다(제376조 제1항 제9호). 시장감시위원장은 임원에 포함되지만, 시장감시위원회 위원이 제외되었다는 점이 특이하다. 그것은 시장감시위원회 위원장과 위원의 기능상의 차이는 거의 없다는 점과 위원의 자격규제도 시장감시위원장에 대한 규제 규정(제24조)을 준용하고 있기 때문이다(제402조 제6항).

라. 보험업법상의 임원

1) 보험회사 일반

보험업법은 보험회사의 임원으로 이사·감사 또는 사실상 이와 동등한 지위에 있는 자, 즉 상법상의 업무집행지시자를(시행령 제19조 제1항) 들고 있다(보험업법 제13조 제4항). 또 외국보험회사 국내 지점의 대표자는 이 법에 따른 보험회사의 임원으로 본다(보험업법 제76조 제3항).

다른 한편 보험모집과 관련하여 보험회사의 임원 가운데 대표이사·사외이사·감사 및 감사위원은 제외한다고 하여(보험업법 제83조 제1항 제4호) 그 밖에도 임원이 있는 것으로 보인다. 그렇지 않으면 사외이사를 제외하고 사내이사는 포함되는 것으로 보아야 한다.

2) 법인 보험대리점

보험업법은 법인 보험대리점 임원의 자격에 관한 규정에서 임원으로 예시한 것은 이사·감사 또는 사실상 이와 동등한 지위에 있는 자로서 대통령령으로 정하는 자를 말한다고 규정하고 있다(보험업법 제87조의2 제1항).

마. 은행법상의 임원

은행법은 은행업 인가를 받으려는 자에게 일정한 요건을 갖춘 임원을 요구하고 있다(은행법 제8조 제2항 제6호). 그러나 임원의 범위에 대해서는 침묵하고 있다. 특이한 점은 발기인을 임원과 별도로 규정하고 있다는 점이다.

은행이 자본시장법에 따라 집합투자업, 신탁업(집합투자재산의 보관·관리업무를 포함) 또는 일반사무관리회사의 업무를 영위하는 경우에는 임원을 두도록 하면서, 여기의 임원에 사실상 임원과 동등한 지위에 있는 자로서 상법상의 업무집행지시자(상법 제401조의2 제1항)를 포함한다(자본시장법 제250조 제7항, 같은 법 시행령 제272조 제2항).

3. 임원의 자격에 대한 규제

가. 서 언

임원의 자격에 대한 규제는 기업에서 그가 갖는 법적 지위에 상응하는 정도의 자격을 요구하여야 한다는 점에서 필요하다. 그러나 자격에 대한 요구나 제한이 사기업의 기관 구성에 폭넓게 관여할 수 있음을 의미하는 것은 아니다. 즉 자격에 대한 요구나 제한 필요한 최소한에 그쳐야 한다.

거의 대부분의 법률에서는 임원에 대해 적극적으로 어떠한 요건을 요구하기보다는 소극적으로 일정한 자를 임원에서 배제 또는 제외하는 방식을 택하고 있다. 상법은 사외이사를 제외한 이사나 감사의 자격에 대해 크게 문제 삼지 않지만, 그 밖의 금융 관련 법률에서는 이사나 감사 모두에 대해 자격 제한 규정을 두고 있다. 다른 한편 개인 기업의 상업사용인에 대해서는 제한 규정을 두고 있지 않음에 비해 법인의 상업사용인에 대해서는 업종에 따라 그 자격을 규제하고 있다.

임원의 자격과 관련하여 문제되는 것은 자연인에 대한 제한 규정이 없는 경우 제한 없이 임원 자격이 주어지는지와 법인이 임원이 될 수 있는지에 관한 것이다. 다른 한편 회사의 정관으로 임원의 자격을 제한할 수 있는지와 가능하다면 그 한계를 어디까지로 정할 것인지도 문제된다.

나. 자격규제 일반론

1) 서

임원은 크게 영업활동을 하는 자와 이를 감시·감사하는 임원으로 구분된다. 따라서 자격 제한은 아니지만 불가양립성의 규정(Inkompatilitaetsregel)으로 업무를 감시하거나 감사하는 지위에 있는 자는 업무를 집행하는 기관이나 그 구성원이 될 수 없다(제411조).[7]

이사의 자격과 관련하여 상법은 사내이사와 집행임원에 대해서는 특별히 제한 규정을 두고 있지 않지만, 특정 영업을 규율하는 특별법에서는 그러하지 아니하다. 자연인의 임원 자격과 관련하여서도 상법과 달리 특별법에서는 당사자의 적격성을 적극적 소극적으로 요구하거나 제한하고 있다. 법인의 이사 또는 업무집행사원의 자격에 관하여 이를 허용하는 법률과 이에 대해 침묵하는 법률이 있다. 우리 상법은 회사는 다른 회사의 무한책임사원이 될 수 없다고 규정함으로써(제173조) 합명회사와 합자회사의 무한책임사원이 될 수 없다. 또 2011년 도입된 유한책임회사의 업무집행자로 법인을 선임할 수 있는 규정을 두고 있어 (제287조의15) 법인의 업무집행자의 자격을 명시하고 있다. 문제는 법인이 이른바 물적 회사 특히 주식회사의 이사가 될 수 있는지에 관한 것이며, 이에 대한 학설상의 논의가 첨예하게 대립하고 있다.

다른 한편 법은 해당 회사의 상무에 종사하지 아니하는 이사, 즉 사외이사 제도를 도입하고, 일정 규모의 회사에는 이의 선임을 강제한다. 사외이사의 자격에 대해서는 선임이 강제되는 회사와 그러하지 아니한 회사를 구분하여 규정하고 있다. 또 감사위원회가 감사와 같은 기능을 한다는 점에서 사외이사인 감사위원회 위원에 대해 앞서 밝힌 사외이사의 자격을 갖출 것을 요구한다.

2) 임원의 자격

가) 자연인

이사의 자격과 관련하여 법은 자연인에 대해 어떠한 규정도 두고 있지 않다. 따라서 반드시 주주이어야 하는 것은 아니다. 다만 자연인인 한 행위무능력을

---

7) 상법 제411조는 업무집행임원은 대표이사와 유사한 지위를 갖는데도 겸직금지 규정에서 빠뜨리고 있다.

묻지 않는다는 주장이 있다.8) 이에 대해 행위무능력자의 이사 자격을 부인하는 견해가 있다.9)

나) 법 인

법인이 주식회사의 이사가 될 수 있는지에 관하여 법적으로 해결하는 입법례도 있으나,10) 우리 상법은 이에 대하여 침묵하고 있다. 이와 관련하여 명문의 규정이 없음에도 회사 설립 시 법인이 발기인 자격을 갖는다는 점에 대해서는 의론이 없는데 비해, 법인이 이사 또는 대표이사의 자격이 있는지에 대해서는 그러하지 아니하다. 긍정설은 법인도 회사의 발기인이 될 수 있음과 채무자 회생 및 파산에 관한 법률(이하 "채무자회생법"이라고 함)상 관리인이 될 수 있음을 들어 법인도 이사가 될 수 있다고 본다.11) 이에 대해 부정설은 인적 개성에 의하여 임면되고, 법인의 대표기관이 바뀔 때마다 회사의 이사가 바뀌게 되어 경영의 불안정을 초래한다는 점을 들어 반대한다.12) 그 밖에도 업무를 담당하지 않는 이사에 한하여 법인도 이사가 될 수 있다는 주장이 있다.13)

다) 정관상의 자격 제한

회사의 정관(articles of incorporation; Satzung)은 회사의 기본 규칙을14) 말하는 것으로 실질적·형식적 의미의 두 가지로 이해된다. 실질적 의미에서의 정관은 회사의 조직과 활동을 정한 규칙을, 형식적 의미에서는 이러한 기본 규칙이 기재된 서면을 뜻한다.15) 정관은 법률을 보충하거나 변경하여 회사의 단체적 법

---

8) 강위두, 「회사법」(형설출판사, 1995), 513면; 권기범, 「현대회사법」(삼지원, 2001), 628면; 손주찬, 「상법(상)」(박영사, 2004), 759면; 정찬형, 전게서, 965면; 채이식, 「상법강의(상)」(박영사, 1996), 546면: 최준선, 「회사법」 제16판(삼영사, 2021), 463면.
9) 정동윤, 「상법(상)」(법문사, 2012), 594면; 이철송, 「회사법강의」 제29판(박영사, 2021), 661면.
10) 영국 회사법 제289조와 프랑스 상사회사법 제91조는 허용하는데 대해, 독일 주식법 제76조 제3항은 허용하지 않는다.
11) 강위두, 전게서, 513면; 권기범, 전게서, 629면; 서헌재, 381; 서돈각·정완용, 전게서, 427면; 이병태, 전게서, 626면; 정동윤, 전게서, 594면; 손주찬, 전게서, 759면.
12) 임홍근, 전게서, 448면; 이철송, 「회사법강의」 제26판(박영사, 2018), 645면; 최기원, 전게서, 996면; 채이식, 전게서, 546면; 이기수, 전게서, 379면; 정찬형, 전게서, 965, 483~484면; 최기원, 전게서, 552면; 최준선, 전게서, 463면.
13) 손주찬, 전게서, 759면.
14) 유효하게 작성된 정관을 변경할 경우에는 주주총회의 특별결의가 있으면 그때 유효하게 정관변경이 이루어지는 것이고, 서면인 정관이 고쳐지거나 변경 내용이 등기사항인 때의 등기 여부 내지는 공증인의 인증 여부는 정관변경의 효력발생에는 아무 소장이 없다(대법원 2007. 6.28. 2006다62362).

률관계들을 규정한 총체를 말한다.[16] 법은 주주나 회사채권자 등 이해관계인의 이익을 보호하기 위하여 일정한 사항은 반드시 정관에 기재하도록 하고 있다(제179조, 제270조, 제287조의3, 제289조, 제543조). 그 밖에도 회사의 필요에 따라 일정한 사항을 규정할 수 있다. 즉 정관에 기재하여야 효력이 있는 사항, 이른바 상대적 기재사항과 강행법규, 선량한 풍속이나 그 밖에 사회질서나 주식회사의 본질에 반하지 않는 범위 내에서 필요한 사항을 기재할 수 있다. 이에 따라 회사는 이사의 자격 요건을 정관에 규정할 수 있다.

상법은 회사는 정관으로 이사가 가질 주식의 수를 정할 수 있다는 규정을 두고 있다(제387조). 이 요건은 이사 선임 시에는 물론 이사직의 유지에도 필요하며, 이를 위반하는 경우 이사의 지위를 잃게 된다. 다른 규정이 없으면 이사는 정관에 정한 수의 주권을 감사에게 공탁하여야 한다(제387조). 이러한 제한이 없으면 이사가 소유 주식을 처분하여도 그 직을 상실하는 것은 아니다.[17] 대표이사나 공동대표이사제도 아래에서 이들은 이사의 자격을 충족하여야 하는 이외에 회사의 정관 등으로 이사와 별도로 그 자격을 정한 때에는 이에 따라야 한다.

이사 이외의 임원에 대해 자격 요건을 정관에 둘 수 있는지 문제된다. 회사의 정관을 자치법규로 보건 계약으로 보건,[18] 정관의 기재사항은 사적 자치의 원칙에 따라 회사는 자유로이 임원의 자격을 정할 수 있다.[19] 그러나 그 자격

---

15) 정관은 실질적으로는 내용인 사항이지만 형식적으로는 일정한 서면이므로 어느 사항이 발기인의 협의에 의하여 결정된 경우에도 이를 서면에 기재하고 법정수의 발기인이 서명하여야 한다(日大審 1930.9.20.).

16) Hans Würdinger, 「Aktienrecht und das Recht der verbundenen Unternehmen」, 4. Aufl., 1981, S. 339; Hebert Wiedemann, 「Gesellschaftsrecht」 Bd. I. S. 158.

17) 주식회사의 대표이사는 회사의 주주인 여부에 관계가 없으므로 대표이사가 그 소유주식을 모두 매도하였다 하여 회사를 대표할 권한을 상실하는 것은 아니다(대법원 1963.8.31. 63다254).

18) 회사의 정관을 법원리 혹은 법리라고 보는 견해와 채권법적 계약으로 보는 주장이 있다. 이에 대해 정관이 2인 이상의 발기인에 의해 이루어지면 계약이지만, 1인의 발기인에 의해 이루어지는 때에는 일방적 법률행위로 보는 학설도 있다(권기범, 전게서, 286면). Renaud(Das Recht der Actiengesellschaften, 1863, 243ff.)에 의해 주장되었고 O.v. Gierke(Deutsches Privatrecht, Bd.I(1895), 150, 486; Das Wesen der menschlichen Verbaende(1902), 31: so ist die freie Willenstat, die eine Verbandsperson in Leben ruft, kein Vertrag, sondern ein schöpferischer Gesamtakt. Dies gilt fuer die Gründung des Norddeutschen Bundes und des Deutschen Reichs und gilt nicht minder fuer jede Vereinsgruendung)가 상술하듯이 사회적 창설적 합동행위로 본다. 통설은 민법규정들이 준용되는 사적자치의 법률행위(privatautonome Rechtsgeschäfte, Wiedemann, a.a.O., §3 I b) bb)), 즉 조직계약(Organisationsvertrag; Kölner Komm. AktG/Kraft, 2. Aufl., §2 Rdn. 16; Hans Würdinger, a.a.O., S. 39)으로 파악한다.

요건이나 제한이 극히 소수의 자에 한하도록 함으로써 사실상 임원 선임을 제한하는 정관 규정은 무효이다.[20]

다. 상법상의 규제

1) 서

상법은 개인 기업의 상업사용인의 자격에 대해 어떠한 규정도 두고 있지 않다. 그것은 영업주의 개인적인 판단에 의해 고용 여부를 결정하도록 하기 위함이다. 그러나 회사 기업은 그 경제적 영향력이 크다는 점과 법인격을 악용할 수 있다는 점에서 임원의 자격에 대해 일정한 제한을 두고 있다. 특히 규모가 큰 기업에 대해서는 지배구조까지 강제하고, 경영기관이나 감독기관의 구성원 자격에 대해 엄격한 규정을 두고 있다.

2) 상업사용인

가) 지배인

지배인(Prokura)은 영업주에 갈음하여 본점 또는 지점에서 그 영업에 관하여 재판상 또는 재판외의 모든 행위를 할 수 있는 자를 말한다(제11조 제1항, 제10조). 지배인의 권한이 영업에 관한 한 포괄적이라는 점에서 다른 상업사용인과 다르며, 이러한 막강한 권한으로 영업주에게는 alter ego, 또는 '제2의 나(Das zweite Ich)'라 할 정도이다.[21]

지배인의 자격에는 제한이 없다. 다수설은 발기인이나 회사의 이사에서와 달리 의사능력 있는 자연인에 한하지만, 행위능력 여부는 묻지 않는다고 본다(제117조).[22] 익명조합의 조합원, 인적 회사의 사원, 물적 회사의 이사 등은 지배인을 겸할 수 있지만,[23] 주식회사나 유한회사의 감사는 불가양립성 때문에 지배인

---

19) 사단법인의 정관은 … 그 법적 성질은 계약이 아니라 자치법규로 보는 것이 타당(대법원 2000.11.24. 99다12437).

20) 최기원, 전게서, 866면.

21) Capelle/Canaris, 「Handelsrecht」, Verlag C.H.Beck München, 19. Aufl., S. 57.

22) 서돈각·정완용, 「상법강의(상권)」(법문사, 1999), 82면; 이병태, 「상법(상)」(법원사, 1990). 103면. 독일의 다수설이다(Ernst Gessler/Wolfgang Hefermehl/Wolfgang Hildebrandt/ Georg Schröder, 「Schlegelberger HGB」, 5. Aufl., Bd. II, Verlag, Franz Vahlen. §48 Rdn. 9, 10).

23) 주식회사의 기관인 상무이사라고 하더라도 부분적 포괄대리권을 가지는 동 회사의 사용인을 겸임할 수 있다고 할 것이다(대법원 1968.7.23. 68다442 참조) (대법원 1996.8.23. 95

을 겸할 수 없다. 그 밖에 법인은 지배인이 될 수 없다는 주장이 있다.[24]

다른 한편 상인 자신은 자기가 자기를 대리할 필연성이 없다는 점에서 상인 자신이 지배인이 될 수 없음은 당연하며, 주식회사의 대표이사나 집행임원은 지배인을 겸할 수 없다고 본다.[25] 그러나 이사는 가능하다고 본다.

나) 부분적 포괄대리권을 가진 사용인

지배인은 영업에 관한 모든 권한을 행사할 수 있다는 점에서 영업주는 지배권을 제한할 수 있지만, 이러한 제한은 선의의 제3자에게 대항할 수 없다(제11조 제3항). 이 경우 오히려 처음부터 지배인이 아닌 사용인으로 선임하여 업무를 대시케 하는 것이 유리할 수 있다. 또 영업에 관한 모든 분야가 아니라 일정한 분야에 대해서만 보조를 받을 필요가 있다. 이에 법은 영업의 특정한 종류나 사항, 예컨대 구매나 판매 등에 대하여서만 사용인에게 대리권을 수여할 수 있도록, 즉 부분적 포괄대리권을 가진 사용인(Handlungsvollmacht)제도를 두고 있다(제15조 제1항). 따라서 이러한 사용인은 지배인을 겸할 수 없음은 당연하다. 다른 한편 주식회사의 이사는 이 직을 겸할 수 있다고 본다.

3) 발기인

발기인(incorporator, promoter; Gründer)이란 일반적으로 정관작성 전부터 회사의 설립을 주관하는 자를 이르나, 법은 정관에 발기인으로 기명날인 또는 서명한 자로 한정한다. 발기인은 대내적으로는 발기인조합의 구성원으로 회사의 설립사무를 주관하여 처리하고, 대외적으로는 설립중의 회사의 기관으로 활동한다.

법은 발기인의 자격에 관해 제한을 두고 있지 않다. 그러나 법인격을 갖추어야 하므로 민법상의 조합이나 권리능력 없는 사단은 발기인이 될 수 없다. 자연인은 무능력자도 발기인이 될 수 있지만, 설립과정상의 법률행위가 있으므로 대리인의 포괄적인 동의를 받아야 한다. 법인의 발기인 자격에 대해 다수설은 긍정하지만,[26] 소수설은 발기인은 완전한 행위능력이 있는 자연인으로 제한한다.[27] 법인의 능력과 관련하여 목적상의 제한을 부인하는 견해에 따르면 발기인

다39472).

24) 최기원, 「상법학신론(상)」(박영사, 2009), 82면; 독일의 다수설이다(Schlegelberger HGB, a.a.O., §58 Rdn. 11).

25) 최기원, 전게서, 82면.

26) 임홍근, 「회사법」(법문사, 2000), 108면.

자격에 전혀 문제가 없으며, 비록 목적상의 제한을 인정한다고 보더라도 목적범위 내에서 발기인 자격을 갖는다. 다만 이른바 인적 회사는 회사의 발기인이 될 수 있지만, 무한책임을 부담하는 사원은 회사와 별도로 개인적으로 발기인이 될 수 없다는 주장이 있다.28)

다른 한편 발기인은 1주 이상의 주식을 인수하여야 한다는 규정(제293조)을 단지 발기인에 대한 의무규정에 불과하다고 본다. 이에 대해 1인의 발기인에 의한 발기설립까지 허용된다면 입법론으로 이를 자격요건으로 하여야 한다는 주장이 있다.29)

4) 이사 등

가) 이 사

이사(director; Vorstandsmitglied)는 주주총회에서 선임하고, 이들이 이사회를 구성한다. 이사는 이사회의 구성원으로 회사의 업무집행에 관한 의사결정에 참여하여 의결할 권한과 다른 이사의 직무집행을 감독할 권한을 갖는다. 그 밖에도 주주총회에 출석할 수 있으며(제373조 제1항), 회사설립무효의 소(제328조 제1항), 총회결의취소의 소(제376조 제1항), 신주발행무효의 소(제429조) 감자무효의 소(제445조), 합병무효의 소(제529조) 등의 소권을 갖는다. 다른 한편 이사의 회사에 대한 관계에 대해 민법상의 위임에 관한 규정을 준용하는 데서(제382조 제2항), 이사는 회사에 대해 선량한 관리자로서의 주의의무를 진다. 그 밖에도 법은 이사에게 충실의무를 요구하며 아울러 개별적이고 구체적인 작위·부작위 의무규정을 두고 있다.

상법은 이사의 자격에 대해 특별한 규정을 두고 있지 않다.30) 즉 상법은 사내이사에 대해서는 상장회사인지 비상장회사인지를 묻지 않고 그 자격에 대해서는 크게 문제삼지 않는다. 다만 불가양립성 때문에 회사의 감사는 이사를 겸할 수 없지만(제411조), 이와 무관한 지배인 기타 상업사용인은 겸할 수 있다.

---

27) 정찬형, 전게서, 659면.
28) 최기원, 전게서, 554면.
29) 권기범, 전게서, 282면.
30) 주식회사의 이사 및 대표이사 전원이 결원인 경우에 법원이 선임하는 일시이사 및 일시대표이사의 자격에는 아무런 제한이 없으므로 동 회사와 무슨 이해관계가 있는 자만이 일시이사 등으로 선임될 자격이 있는 것이 아니다(대법원 1981.9.8. 80다2511).

집행임원이 대표이사가 될 수 없음은 규정상 명백하지만, 이사가 될 수 없는 지는 의문이다.[31] 이사 가운데에서 대표이사를 선정하도록 한 제도와 달리 집행임원제도를 두었다는 점에서는 집행임원이 이사 자격을 갖는 것은 부인하여야 한다고 보지만, 논리적 근거가 빈약하다. 입법적 해결이 요구된다.

이사와 회사의 관계는 민법의 위임에 관한 규정을 준용하는데(제382조 제1항), 민법은 위임의 종임 사유로 수임인의 파산 또는 성년후견개시의 심판을 들고 있다(제690조). 따라서 파산한 자나 성년후견개시의 심판을 받은 자는 이사가 될 수 없다.[32] 이에 대해 파산자만 결격자로 보는 견해,[33] 파산자와 행위무능력자를 결격자로 보는 견해가[34] 있다.[35] 다른 한편 감사위원회를 두는 회사와 사외이사를 선임하여야 하는 회사는 이사의 자격에 대한 제한을 두고 있다(제382조 제3항, 제415조의2 제2항, 제542조의8).

이사회 의장은 이사회를 주관하는 기능을 갖지만, 상법은 이를 강제하지 않는다. 다만 집행임원 설치회사에서는 정관에 규정이 없으면 이사회 결의로 이사회의 회의를 주관하기 위하여 이사회 의장을 두어야 한다(제408조의2 제4항). 따라서 이사회 의장은 명문의 규정이 없으나 반드시 이사이어야 하며, 이사인 한 사내이사인지 사외이사인지를 묻지 않는다. 이사회 의장은 이사회를 주관하여야 한다는 점에서 자연인에 한한다고 본다.

대표이사는 이사 가운데에서 선정하므로(제389조 제1항), 이사이어야 하므로 이사의 자격을 갖추어야 한다. 그 밖에 회사의 정관으로 대표이사의 자격에 관하여 이사와 다른 자격요건을 요구할 수 있다.

나) 집행임원

2011년 개정 상법은 제3편 제4장 제3절 제2관에 제408조의2부터 제408조의9까지를 신설하여 집행임원에 관하여 규정하고 있다. 이에 따르면 집행임원 설치회사는 대표이사를 두지 못하도록 하였다(제408조의2 제1항). 따라서 집행임원은 회사의 대표이사가 될 수 없다. 아울러 이사도 될 수 없다고 보아야 한다.

---

31) 이철송, 전게서(2021), 858면.
32) 권기범, 전게서, 628면; 임홍근, 전게서, 445면.
33) 최기원, 전게서, 517면.
34) 이철송, 전게서(2021), 661면.
35) 범법자, 금치산자, 파산자로서 복권되지 아니한 자 등은 이사가 될 수 없도록 규제하여야 한다는 주장이 있다(정동윤, 전게서, 594면).

그러나 감사가 집행임원이 될 수 있는지에 대해 침묵하고 있다. 상법 제411조에서 감사에게 금지되는 겸임의 예에 집행임원을 삽입하지 않고, 예전처럼 그대로 둔 것은 입법상의 착오로 보인다. 대표이사는 이사이기 때문에 위 규정이 적용되지만, 집행임원은 이사가 아니므로 별도의 규정이 없으면 겸임이 허용된다고 볼 수 있다.[36] 그러나 집행임원은 대표이사의 기능을 수행한다는 점에서 상법 제411조에 집행임원을 삽입하여 겸직이 금지된다는 점을 명확하게 밝힐 필요가 있다. 명문의 규정이 없지만, 해석론으로 집행임원의 감사 겸직은 허용되지 않는다고 본다.

집행임원이 1명인 회사에서는 그 자가 회사를 대표하지만, 2인 이상의 집행임원을 선임한 회사에서는 이사회 결의로 회사를 대표할 대표집행임원을 선임하여야 한다(제408조의5 제1항). 이에 따라 대표집행임원은 집행임원의 자격을 갖추어야 하며, 회사는 정관으로 대표집행임원에 대한 자격을 요구할 수 있다.

5) 감사 등

가) 서

1900년대 말의 경제적 위기 해소와 관련하여 1999년 12월 개정된 상법에서는 이사회에 위원회를 둘 수 있도록 하면서,[37] 감사기관으로서 감사위원회에 관한 규정을 신설하였다(제415조의2).[38] 다만 상법은 이사회 내 위원회의 하나로 감사위원회를 둘 수 있음을 밝히고 있었을 뿐이지만, 증권거래법은 일정 규모 이상의 회사에 대하여 감사위원회의 설치를 강제하고 있었다.[39] 이후 2009년 개정 상법에서 자산 규모가 일정한 기준을 넘는 상장회사에 대해서는 감사위원회의 설치를 강제하였다(제542조의11). 또 증권거래법을 폐지하고 제정된 자본시장법에서도 일정 규모 이상의 금융투자업자에게 상법에 따른 감사위원회를 설치하도록 하였다(자본시장법 제26조).

---

36) 이철송, 전게서(2021), 860면.
37) 위원회를 규정하게 된 직접적인 계기는 감사위원회의 도입 때문이라고 한다(최완진, "주식회사의 감사제도의 개선방안에 관한 연구,"「21세기 한국상사법의 진로」(내동 우홍구박사 정년기념논문집, 2002), 319면).
38) 감사제도의 연혁에 대해서는 서돈각·정완용, 전게서, 476면 주 2) 참조.
39) 감사위원회의 도입 이유에 관하여는 최병규, "증권거래법·상법상 감사제도의 문제점과 개선방안,"「21세기 한국상사법의 진로」(내동 우홍구박사 정년기념논문집, 2002), 292면 이하 참조.

감사위원회는 기능적인 측면에서 기존의 감사에 갈음하는 것으로 이해된다. 그것은 상법이 감사위원회의 설치를 강요하지는 않지만, 회사가 감사위원회를 두는 경우에는 감사를 둘 수 없도록 하고(제415조의2 제1항), 감사에 관한 거의 모든 규정을 감사위원회에 관하여 이를 준용하도록 하고 있기 때문이다(제415조의2 제7항). 다만 감사가 이사회와는 독립적인 대등한 지위에 서는 것에 비해, 감사위원회는 이사회 안에 위원회의 형태로 설치하는 데서 구성상, 기능상 및 효율성의 측면에서 적지 않은 문제점을 안고 있다.

나) 감 사

감사의 자격에는 제한이 없다. 따라서 자연인은 행위능력을 묻지 않는다. 다만 이사에서와 같이 감사와 회사의 관계도 민법의 위임에 관한 규정을 준용하는 데서(제382조 제2항, 제415조), 민법상 위임의 종임 사유에 해당하는 파산한 자나 성년후견개시의 심판을 받은 자는(민법 제690조) 이사가 될 수 없다.[40]

감사의 자격과 관련하여 법은 불가양립성의 규정(Inkompatilitätsregel)을 두고 있다. 이에 따르면 감사는 당해 회사 및 자회사의 이사나 지배인 혹은 기타의 사용인을 겸할 수 없도록 규정하고 있다(제411조).[41] 이사는 감사의 감사를 받아야 할 지위에 있고, 상업사용인은 이사의 지휘·감독을 받기 때문에 겸직을 허용하면 감사 업무의 공정성과 객관성을 기대할 수 없다는 점, 자회사의 이사가 모회사의 감사가 될 경우 자기를 지배하는 자를 감사한다는 점, 즉 모회사의 감사는 자회사의 조사권을 갖는다는 점에서(제412조의5), 자회사의 이사나 사용인이 모회사의 감사를 겸임하게 되면 자기가 자기를 감사한다는 결과를 가져온다는 점 때문이다.

법인의 감사 자격에 대해서도 이사에서와 같은 논의가 있다. 반드시 자연인에 한한다는 주장과[42] 구태여 자연인에 한정할 필요가 없다거나[43] 실제적으로 필요하다는 주장이[44] 있다. 이와 관련하여 주식회사의 외부감사 등에 관한 법률(이하 "외부감사법"이라고 함)은 법인이 감사가 될 수 있음은 밝히고 있다. 즉 감

---

40) 임홍근, 전게서, 554면.
41) 이 규정은 1995년 상법 개정에서 신설된 규정으로, 감사기관으로서의 임무수행의 공정을 기하기 위한 것이다(손주찬, 전게서, 828면).
42) 최기원, 전게서, 996면.
43) 이병태, 전게서, 709면.
44) 임홍근, 전게서, 555면.

사인의 자격에 회계 법인을 포함하고 있기 때문이다(외부감사법 제3조 제1항). 예외적으로 일시적으로 이사의 대리인이 될 수 있다는 주장이 있다.[45]

다른 한편 상법은 감사가 집행임원이 될 수 없음을 명문화하고 있지 않지만, 집행임원의 업무가 감사의 대상이라는 점에서 집행임원은 감사가 될 수 없다.[46]

다) 감사위원회 위원

감사위원회 위원에 대해 2009년 개정되기 전 상법은 일정한 자가 감사위원회 위원의 3분의 1을 넘을 수 없도록 하였다.[47] 2009년 개정 상법에서는 이 규정을 사외이사가 3분의 2 이상이 되도록 하였다. 이것은 상법 개정에서 사외이사에 대한 정의 규정을 두면서(제382조 제3항) 사외이사의 자격으로 대체되었고, 감사위원회를 사외이사가 위원의 3분의 2 이상으로 구성하도록 하였기 때문이다. 한편 감사위원회 위원의 자격과 관련하여 법은 이사의 자격주에 관한 규정(제387조)을 감사위원회에 준용하도록 하고 있다. 이 규정은 감사위원회가 아니라 감사위원회 위원에 준용하였어야 한다. 이에 따라 사외이사 여부와 관계 없이 회사는 다시 감사위원회 위원에 대하여 별도의 자격요건을 정관으로 정할 수 있다.

라) 감사위원회 대표

상법은 이사회 내 위원회의 대표 선정에 대해 별다른 규정을 두고 있지 않지만, 오직 감사위원회에 대해서는 감사위원회를 대표할 자를 선정하도록 명문으로 강제하고 있다(제415조의2 제4항). 즉 감사위원회 대표는 위원 가운데에서 선정하는 것으로, 감사위원회 위원과 달리 특별히 대표로서의 자격을 요구하고 있지는 않다. 이에 비해 상장회사의 감사위원회 대표는 반드시 사외이사이어야 한다(제542조의11 제2항 제2호).

---

45) 최기원, 전게서, 996면.
46) 정동윤, 전게서, 667면.
47) 이에 따르면 ① 회사의 업무를 담당하는 이사 및 피용자 또는 선임된 날부터 2년 이내에 업무를 담당한 이사 및 피용자이었던 자, ② 최대주주가 자연인인 경우 본인·배우자 및 직계 존·비속, ③ 최대주주가 법인인 경우 그 법인의 이사·감사 및 피용자, ④ 이사의 배우자 및 직계 존·비속, ⑤ 회사의 모회사 또는 자회사의 이사·감사 및 피용자, ⑥ 회사와 거래관계 등 중요한 이해관계에 있는 법인의 이사·감사 및 피용자 및 ⑦ 회사의 이사 및 피용자가 이사로 있는 다른 회사의 이사·감사 및 피용자 등은 감사위원회의 3분의 1 이상을 점할 수 없도록 제한하고 있다(제415조의2 제2항 제1~7호).

라. 자본시장법상의 규제

1) 서

자본시장법은 금융투자업을 영위하려는 자는 금융위원회의 인가를 받도록 하고(제12조 제1항), 인가요건의 하나로 임원이 결격사유에 해당하지 아니할 것을 요구하고 있다(제12조 제2항). 이에 따르면 임원의 자격에 대해 당사자 개인의 적격성 요건과 금융투자업이 갖는 공공성 때문에 당사자의 투자자 보호 및 건전한 거래질서에 대한 담보를 요구하고 있다(제24조). 다른 한편 이 자격을 예탁결제원과(제301조 제4항) 한국거래소(제382조 제1항)의 임원 및 시장감시위원회 위원에게도(제402조 제6항) 요구한다. 투자회사의 이사에 대해서는 일반적인 제한 이외에도 별도의 규정을 두고 있다.[48]

2) 당사자의 적격성

자본시장법은 앞서 상법에서와 달리 거의 모두가 임원 개인의 적격성을 그 기준으로 정하고 있다. 이에 따르면 개인의 합리적인 임원으로서의 기능을 기대하기 어려운 자로서 미성년자, 금치산자 또는 한정치산자(제24조 제1호), 합리적인 경제활동에 문제가 있었던 자로서 예컨대 파산선고를 받은 자로서 복권되지 아니한 자(제24조 제2호)는 임원의 자격이 없다.

금융 관련 법규를 위반하여 법인 등의 취소와 관련이 있었던 자에 대해서도 임원의 자격을 인정하지 않는다.[49] 이에 따르면 이 법이나 앞에 밝힌 금융 관

---

48) 투자회사는 집합투자업자인 이사, 이른바 법인이사와 감독이사를 두어야 하는데(제197조 제1항), 전자의 자격에 대해서는 제한 규정이 없는데 비해 후자에 대해서는 일정한 자격을 요구하고 있다. 이에 따르면 ① 금융투자업자의 임원의 자격제한 규정(제24조)에 해당하는 자, ② 해당 투자회사의 발기인, ③ 투자회사의 대주주 및 그 특수관계인, ④ 법인이사의 특수관계인 또는 법인이사로부터 계속적으로 보수를 지급받고 있는 자, ⑤ 그 투자회사의 주식을 판매하는 투자매매업자 또는 투자중개업자의 특수관계인, ⑥ 그 투자회사의 이사가 다른 법인의 이사로 있는 경우 그 법인의 상근 임직원인 자는 감독이사가 될 수 없다(제199조 제4항 제1~6호). 그 밖에도 감독이사로서의 중립성을 해할 우려가 있는 자, 예컨대 ① 해당 투자회사의 일반사무관리회사의 임직원, ② 해당 투자회사를 평가하는 집합투자기구평가회사의 임직원, ③ 해당 투자회사의 투자회사재산의 가격을 평가하는 채권평가회사의 임직원, ④ 해당 투자회사의 주식을 판매하는 투자매매업자 또는 ⑤ 투자중개업자의 직원 또는 해당 투자회사의 회계감사인 등은 감독이사가 될 수 없다(제199조 제4항 제7호, 시행령 제231조).

49) 금융관련법령을 종전에는 증권거래법 시행령(제18조의2 제2항)에서 규정하여 주요한 법령이 모두 포함되었으나 외국금융관련법령에 대해서는 "증권거래법에 상당하는 외국의 법령"

련 법령 또는 외국 금융 관련 법령에 따라 영업의 허가·인가·등록 등이 취소된 법인 또는 회사에서 임원은 물론 직원으로 재직하였던 자로서 그 취소사유의 발생에 관하여 직접 또는 이에 상응하는 책임이 있는 자로서 대통령령으로 정하는 자는50) 그 법인 또는 회사에 대한 취소가 있는 날부터 5년이 경과되지 아니하면 임원 자격을 갖지 못한다(제24조 제5호). 또 이 법이나 금융관련법령 또는 외국 금융관련 법령에 따라 해임되거나 면직된 날부터 5년이 경과되지 아니하였거나(제24조 제6호), 재임 또는 재직 중이었더라면 위 규정 등에 따라 해임요구 또는 면직요구의 조치를 받았을 것으로 통보된 퇴임한 임원 또는 퇴직한 직원으로서 그 통보된 날부터 5년(통보된 날부터 5년이 퇴임 또는 퇴직한 날부터 7년을 초과하는 경우에는 퇴임 또는 퇴직한 날부터 7년으로 한다)이 경과되지 아니한 자(제24조 제7호)도 위와 같다.

다른 한편 형사제재를 받은 자도 역시 임원 자격을 인정하지 않는다. 즉 이 법, 대통령령으로 정하는 금융 관련 법령51) 또는 외국 금융 관련 법령(이 법 또

이라 하여 결격사유의 형평성에 대한 지적이 있었는데, 자본시장과 금융투자업에 관한 법률에서는 "이 법 또는 금융관련법령에 상당하는 외국의 법령"으로 개정하여 문제를 해결하고 있다.

50) "대통령령으로 정하는 자"란 영업의 허가·인가·등록 등의 취소의 원인이 되는 사유가 발생한 당시의 임직원(「금융산업의 구조개선에 관한 법률」 제14조 제2항에 따라 허가·인가·등록 등이 취소된 법인인 경우에는 같은 법 제10조에 따른 적기시정조치의 원인이 되는 사유가 발생한 당시의 임직원을 말한다)으로서 ① 감사 또는 감사위원회의 위원, ② 허가·인가·등록 등의 취소의 원인이 되는 사유의 발생과 관련된 위법·부당한 행위로 인하여 금융위원회(금융감독원 원장을 포함)로부터 해임요구, 직무정지, 문책경고, 주의적 경고, 주의, 그 밖의 조치를 받은 임원, ③ 허가·인가·등록 등의 취소의 원인이 되는 사유의 발생과 관련된 위법·부당한 행위로 인하여 금융위원회로부터 면직요구 또는 정직요구 조치를 받은 직원 또는 ④ 앞의 ②와 ③에 따른 제재 대상자로서 그 조치를 받기 전에 퇴임 또는 퇴직한 자 가운데 어느 하나에 해당하는 자를 말한다(자본시장과 금융투자업에 관한 법률 시행령 제27조 제2항).

51) "대통령령으로 정하는 금융관련 법령"이란 ① 「한국은행법」, ② 「은행법」, ③ 「한국산업은행법」, ④ 「중소기업은행법」, ⑤ 「한국수출입은행법」, ⑥ 「보험업법」, ⑦ 「상호저축은행법」, ⑧ 「신용보증기금법」, ⑨ 「기술신용보증기금법」, ⑩ 「신용협동조합법」, ⑪ 「새마을금고법」, ⑫ 「신용정보의 이용 및 보호에 관한 법률」, ⑬ 「외국환거래법」, ⑭ 「금융위원회의 설치 등에 관한 법률」, ⑮ 「자산유동화에 관한 법률」, ⑮ 「금융기관부실자산 등의 효율적 처리 및 한국자산관리공사의 설립에 관한 법률」, ⑰ 「금융실명거래 및 비밀보장에 관한 법률」, ⑱ 「외국인투자촉진법」, ⑲ 「금융산업의 구조개선에 관한 법률」, ⑳ 「한국주택금융공사법」, ㉑ 「부동산가격 공시 및 감정평가에 관한 법률」, ㉒ 「주택법」, ㉓ 「예금자보호법」, ㉔ 「주택저당채권유동화회사법」, ㉕ 「담보부사채신탁법」, ㉖ 「금융지주회사법」, ㉗ 「근로자퇴직급여보장법」, ㉘ 「농업협동조합법」, ㉙ 「수산업협동조합법」, ㉚ 「전자금융거래법」, ㉛ 「특정 금융거래정보의 보고 및 이용 등에 관한 법률」, ㉜ 「주식회사의 외부감사에 관한 법률」, ㉝ 「대부업의 등록 및 금융이용자보호에 관한 법률」, ㉞ 「공사채등록법」, ㉟ 「공인회계사법」,

는 금융관련법령에 상당하는 외국의 법령을 말함)에 따라 벌금 이상의 형을 선고받고 그 집행이 종료(집행이 종료된 것으로 보는 경우를 포함)되거나 집행이 면제된 날부터 5년이 경과되지 아니한 자(제24조 제3호)와 금고 이상의 형의 집행유예의 선고를 받고 그 유예기간 중에 있는 자(제24조 제4호) 등도 금융투자업자의 임원이 될 수 없다. 그 밖에도 굳이 금융 관련 형사범이 아닌 일반 형사범으로 금고 이상의 실형의 선고를 받고 그 집행이 종료(집행이 종료된 것으로 보는 경우를 포함한나)되거나 집행이 면제된 날부디 5년이 경괴되지 아니한 지도 임원의 자격에 제한이 뒤따른다(제24조 제3호).

3) 공공성 기준

자본시장법은 금융투자업사의 임원에 대해 앞서 밝힌 개인적인 적격성 이외에 공공성 측면, 즉 투자자 보호 및 건전한 거래질서를 해할 우려가 없는 자를 요구한다(제24조 제8호). 그 주된 내용은 금융 관련 법령에 따라 일정한 조치를 받은 자를 제외하고 있다.

임원 자격이 제한되는 자는 자본시장법이나 금융 관련 법령이나 외국 금융 관련 법령(법 제24조 제3호에 따른 외국 금융 관련 법령을 말함)에 따라 금융위원회, 외국 금융감독기관 등으로부터 해임요구, 직무정지 또는 문책경고 조치를 받은 후 그 임기가 만료된 임원으로서 해임요구일부터 5년, 직무정지가 끝난 날부터 4년 또는 문책경고를 받은 날부터 3년의 기간이 지나지 아니하거나(시행령 제27조 제3항 제1호), 면직이나 정직 또는 감봉을 요구받은 직원으로서 면직 요구일부터 5년, 정직요구일부터 4년 또는 감봉요구일부터 3년이 지나지 아니한 자(시행령 제27조 제3항 제2호) 또는 이 법이나 금융 관련 법령 또는 외국 금융 관련 법령에 따라 소속기관으로부터 직무정지나 문책경고 조치를 받은 후 그 임기가 끝난 임원 또는 정직이나 감봉 조치를 받은 직원으로서 직무정지 또는 정직이 끝난 날부터 4년 또는 문책경고 또는 감봉 조치를 받은 날부터 3년이 지나지 아니한 자는 임원에서 제외된다(시행령 제27조 제3항 제3호). 그 밖에도 재

㊱ 「유사수신행위의 규제에 관한 법률」, ㊲ 「사회기반시설에 대한 민간투자법」, ㊳ 「부동산투자회사법」, ㊴ 「선박투자회사법」, ㊵ 「문화산업진흥 기본법」, ㊶ 「산업발전법」, ㊷ 「중소기업창업 지원법」, ㊸ 「여신전문금융업법」, ㊹ 「벤처기업육성에 관한 특별조치법」, ㊺ 「부품·소재전문기업 등의 육성에 관한 특별조치법」, ㊻ 「해외자원개발 사업법」, ㊼ 「한국정책금융공사법」, ㊽ 「농림수산식품투자조합 결성 및 운용에 관한 법률」을 말한다(자본시장과 금융투자업에 관한 법률 시행령 제27조 제1항).

임 또는 재직중이었더라면 법, 금융 관련 법령이나 외국 금융 관련 법령에 따라 제1호부터 제3호까지의 조치(제1호 가목 및 제2호 가목의 조치는 제외)를 받았을 퇴임한 임원이나 퇴직한 직원으로서 퇴임하거나 퇴직한 날부터 3년이 지나지 아니한 자가 포함된다(자본시장법 시행령 제27조 제3항 제4호).

이 규정을 한국거래소 임원에게도 준용한다(자본시장법 제382조 제1항). 또 시장감시위원회 위원에게도 이 규정을 준용한다(자본시장법 제402조 제6항).

다른 한편 일정한 금융투자업자는 1인 이상의 상근감사를 두어야 하며(제27조 제1항), 이의 자격은 금융투자업자의 사외이사가 아닌 감사위원회 위원의 자격에서와 같다(제27조 제2항). 이에 따르면 해당 회사의 주요주주나 상근 임직원 또는 최근 2년 이내에 상근 임직원이었던 자와(제26조 제3항 제1, 2호), 그 밖에 해당 회사의 경영에 영향을 미칠 수 있는 자 등 사외이사가 아닌 감사위원회의 위원으로서의 직무를 충실하게 수행하기 곤란한 자로서 예컨대 주요주주와 상근 임원의 배우자와 직계존·비속(시행령 제29조 제3항 제1, 2호)과 계열회사의 상근 임직원이나 최근 2년 이내에 상근 임직원이었던 자(시행령 제29조 제3항 제3호)는 임원이 될 수 없다(제26조 제3항 제3호).

마. 보험업법상 규제

1) 보험회사 임원의 자격규제

보험업법상 임원의 자격에 대한 규제도 자본시장법에서의 그것과 거의 같다. 이에 따르면 앞서 밝힌 개인의 합리적인 판단이나 경제활동 능력 등에 문제가 있는 자를 제외하였다(제13조 제1항, 제2항). 또 금융 관련 법령 위반과 관련하여 법인의 취소와 관련이 있거나(제13조 제6호) 개인적으로 형사벌을 받은 자(제13조 제3호, 제4호, 제5호)에 대해 임원의 자격을 제한하고 있다.

보험업법이 특별하게 규정하고 있는 자격 결격사유는 금융산업의 구조개선에 관한 법률(이하 "금융산업구조개선법"이라고 함) 제10조 제1항에 따라 금융위원회로부터 적기시정조치를 받거나 같은 법 제14조 제2항에 따라 계약이전의 결정 등 행정처분, 이른바 적기시정조치등을 받은 금융기관(같은 법 제2조 제1호에 따른 금융기관을 말한다)의 임직원으로 재직하거나 재직하였던 자(그 적기시정조치등을 받게 된 원인에 대하여 직접 또는 이에 상응하는 책임이 있는 자로서 대통령령으로 정하는 자만 해당한다)로서 그 적기시정조치등을 받은 날부터 2년이 지나지 아니한 자(제13조 제7호), 이 법이나 이에 상당하는 외국의 법령이나 그 밖에 대통령령으로 정하는 금융 관계 법률에 따라 해임되거나 징계면직된 자로서 해임 또는 징계면직된 날부터 5년이 지나지 아니한 자(제13조 제8호) 또는 보험업법 제135조 또는 대통령령으로 정하는 금융 관계 법률에 따라 재임 또는 재직 중이었더라면 해임 또는 징계면직의 조치를 받았을 것으로 통보된 퇴임한 임원 또는 퇴직한 직원으로서 그 통보가 있었던 날부터 5년(통보가 있었던 날부터 5년이 되는 날이 퇴임 또는 퇴직한 날부터 7년을 넘는 경우에는 퇴임 또는 퇴직한 날부터 7년으로 한다)이 지나지 아니한 자(제13조 제9호)[52] 등은 보험회사의 임원이 될 수 없다.

앞서의 소극적인 자격 규제와 달리 보험업법은 적극적으로 보험회사의 임원으로 보험업의 공익성 및 건전경영과 거래질서를 해칠 우려가 없는 자를 요구한다(제13조 제2항). 그러나 앞서 일반적 규제에서 보는 바와 같은 소극적 제한 규정을 담고 있다. 보험업법 시행령에 따르면 보험업법이나 이에 따른 규정·명령 또는 지시를 위반하여 보험회사의 건전한 경영을 해칠 우려가 있다고 인정되어 금융위원회 또는 금융감독원장으로부터 문책을 받거나(제134조 제1항 제1호), 해임권고·직무정지의 조치를 받은 자(제134조 제1항 제3호)로서 4년을 초과하지 아니하는 범위에서 금융위원회가 정하는 기간이 지나지 아니한 사람(시행령 제19조 제5항 제1호), 재임 또는 재직 당시 그 소속 기관 또는 금융위원회 및 금융감

---

52) 보험업법 제13조 제1항 제4호, 제6호, 제8호 및 제9호에서 "대통령령으로 정하는 금융 관계 법률"이란 ①,「공사채등록법」, ②「공인회계사법」, ③「근로자퇴직급여 보장법」, ④「금융기관부실자산 등의 효율적 처리 및 한국자산관리공사의 설립에 관한 법률」, ⑤「금융산업의 구조개선에 관한 법률」, ⑥「금융실명거래 및 비밀보장에 관한 법률」, ⑦「금융위원회의 설치 등에 관한 법률」, ⑧「금융지주회사법」, ⑨「기술신용보증기금법」, ⑩「농림수산식품투자조합 결성 및 운용에 관한 법률」, ⑪「농업협동조합법」, ⑫「담보부사채신탁법」, ⑬「대부업 등의 등록 및 금융이용자 보호에 관한 법률」, ⑭「문화산업진흥 기본법」, ⑮「벤처기업육성에 관한 특별조치법」, ⑯「부동산투자회사법」, ⑰「부품·소재전문기업 등의 육성에 관한 특별조치법」, ⑱「사회기반시설에 대한 민간투자법」, ⑲「산업발전법」, ⑳「상호저축은행법」, ㉑「새마을금고법」, ㉒「선박투자회사법」, ㉓「수산업협동조합법」, ㉔「신용보증기금법」, ㉕「신용정보의 이용 및 보호에 관한 법률」, ㉖「신용협동조합법」, ㉗「여신전문금융업법」, ㉘「예금자보호법」, ㉙「외국인투자 촉진법」, ㉚「외국환 거래법」, ㉛「유사수신행위의 규제에 관한 법률」, ㉜「은행법」, ㉝「자본시장과 금융투자업에 관한 법률」, ㉞「자산유동화에 관한 법률」, ㉟「전자금융거래법」, ㊱「주식회사의 외부감사에 관한 법률」, ㊲「주택법」, ㊳「주택저당채권 유동화회사법」, ㊴「중소기업은행법」, ㊵「중소기업창업 지원법」, ㊶「채권의 공정한 추심에 관한 법률」, ㊷「특정 금융거래정보의 보고 및 이용 등에 관한 법률」, ㊸「한국산업은행법」, ㊹「한국수출입은행법」, ㊺「한국은행법」, ㊻「한국정책금융공사법」, ㊼「한국주택금융공사법」 및 ㊽「해외자원개발 사업법」을 말한다(보험업법 시행령 제19조 제2항).

독원 외의 감독·검사기관으로부터 문책에 준하는 조치를 받은 사실이 있는 사람으로서 정한 기간이 지나지 아니한 사람(시행령 제19조 제5항 제2호) 및 위에 해당하는 사유로 조치를 받기 전에 사임하거나 사직한 사람으로서 사임하거나 사직한 날부터 3년이 지나지 아니한 사람(시행령 제19조 제5항 제1호)은 임원이 될 수 없다.

2) 법인 보험대리점의 임원

법인 보험대리점 임원(이사·감사 또는 사실상 이와 동등한 지위에 있는 자로서 대통령령으로 정하는 자를 말함)의[53] 자격에 대해서도 제한 규정을 두고 있다(제87조의2 제1항). 이에 따르면 자본시장법에서와 같이 개인의 합리적인 판단 능력이나 경제활동 능력이 부족하거나(제87조의2 제1항 제1호, 제13조 제1항 제1, 2호) 금고 이상의 형의 집행유예를 선고받고 그 유예기간 중에 있는 자(제87조의2 제1항 제2호, 제13조 제1항 제5호)와 금고 이상의 실형을 선고받고 그 집행이 끝나거나(집행이 끝난 것으로 보는 경우를 포함한다) 집행이 면제된 날부터 3년이 지나지 아니한 자(제87조의2 제1항 제3호) 및 이 법에 따라 벌금 이상의 형을 선고받고 그 집행이 끝나거나(집행이 끝난 것으로 보는 경우를 포함한다) 집행이 면제된 날부터 3년이 지나지 아니한 자는 법인인 보험대리점의 임원이 되지 못한다(제87조의2 제1항 제4호). 다른 한편 보험업법은 행정처분을 받은 법인의 임직원에 대해 일정한 경우 임원의 자격을 제한하고 있다. 이에 따르면 보험설계사·보험대리점 또는 보험중개사의 등록이 취소된 후 2년이 지나지 아니한 자나 이 규정에도 불구하고 이 법에 따라 보험설계사·보험대리점 또는 보험중개사 등록취소 처분을 2회 이상 받은 경우 최종 등록취소 처분을 받은 날부터 3년이 지나지 아니한 자 또는 이 법에 따라 과태료 또는 과징금 처분을 받고 이를 납부하지 아니하거나 업무정지 및 등록취소 처분을 받은 보험대리점·보험중개사 소속의 임직원이었던 자(처분사유의 발생에 관하여 직접 또는 이에 상응하는 책임이 있는 자로서 대통령령으로 정하는 자만 해당한다)로서 과태료·과징금·업무정지 및 등록취소 처분이 있었던 날부터 2년이 지나지 아니한 자(제87조의2 제1항 제2호, 제84조 제2항 제5~7호)도 임원 자격이 없다.

---

53) '사실상 이와 동등한 지위에 있는 자'란 상법 제401조의2 제1항 각 호의 어느 하나에 해당하는 사람을 말한다(보험업법 제87조의2 제1항; 보험업법 시행령 제33조의3).

3) 법인 보험중개사의 임원

법인인 보험중개사 임원의 자격에 대해 규제하고 있지만 그 내용은 앞서 법인 보험대리점의 임원 자격 제한에 관한 규정과 같다(제89조의2 제1항). 이들 임원의 자격요건에 관하여 구체적인 사항은 대통령령으로 정한다(제89조의2 제2항).

바. 은행법상의 규제

1) 서

은행법은 제18조 '임원의 자격 요건 등'에서 은행의 임원이 될 수 없는 자를 예시하면서(제18조 제1항), 아울러 임원의 자격요건에 관하여 구체적인 사항은 대통령령으로 정하도록 하였다(제18조 제3항). 그 밖에 은행에 대해 이사회에 상법 제415조의2에 따른 감사위원회를 설치하도록 하였지만(제23조의2 제1항). 감사위원회 대표에 관한 규정을 두고 있지는 않다.

2) 임원의 자격 요건

은행법은 은행의 임원(상법 제401조의2 제1항 제3호에 따른 자로서 대통령령으로 정하는 자를 포함)이 될 수 없는 자를 예시하고 있다. 예시되고 있는 사항은 자본시장법상의 내용과 크게 다르지 않다.

은행법은 자본시장법에서와 같이 개인의 합리적인 판단 능력이나 경제활동 능력이 부족하거나(제18조 제1항 제1호, 제2호) 금고 이상의 형의 집행유예를 선고받고 그 유예기간 중에 있는 자(제18조 제1항 제5호)와 금고 이상의 실형을 선고받고 그 집행이 끝나거나(집행이 끝난 것으로 보는 경우를 포함한다) 집행이 면제된 날부터 5년이 지나지 아니한 자(제18조 제1항 제3호) 및 은행법에 또는 외국의 은행 법령, 그 밖에 대통령령으로 정하는 금융 관련 법령(이에 상당하는 외국의 금융 관련 법령을 포함한다)에 따라 벌금 이상의 형을 선고받고 그 집행이 끝나거나(집행이 끝난 것으로 보는 경우를 포함한다) 집행이 면제된 날부터 5년이 지나지 아니한 자는 임원이 되지 못한다(제18조 제1항 제4호).

그 밖에도 형사벌은 아니지만, 일정 기관으로부터 일정한 조치와 관련이 있었던 자를 임원의 적격성에서 제외하고 있다. 이에 따르면 은행법, 한국은행법, 금융위원회의 설치 등에 관한 법률, 금융산업구조개선법 또는 외국의 금융 관련 법령에 따라 해임되거나 징계면직된 자로서 해임되거나 징계면직된 날부터 5년 이 지나지 아니하거나, 금융산업구조개선법 제10조 제1항에 따라 금융위원회로 부터 적기시정조치를 받거나 같은 법 제14조 제2항에 따라 계약이전의 결정 등 행정처분, 이른바 적기시정조치등을 받은 금융기관(같은 법 제2조 제1호에 따른 금융기관을 말함)의 임직원으로 재직 중이거나 재직하였던 자(그 적기시정조치 등 을 받게 된 원인에 대하여 직접 또는 이에 상응하는 책임이 있는 자로서 대통령령으로 정하는 사람54)만 해당)로서 그 적기시정조치 등을 받은 날부터 2년이 지나지 아 니한 자는 은행의 임원이 될 수 없다(제18조 제1항 제6호, 제7호). 또 은행법 또 는 외국의 은행 법령, 그 밖에 대통령령으로 정하는 금융 관련 법령(이에 상당하 는 외국의 금융 관련 법령을 포함)에 따라 영업의 허가·인가 등이 취소된 법인 또는 회사의 임직원이었던 자(그 취소 사유의 발생에 직접 또는 이에 상응하는 책임 이 있는 자로서 대통령령으로 정하는 자55)만 해당)로서 그 법인 또는 회사에 대한 취소가 있었던 날부터 5년이 지나지 아니하거나 은행법 또는 대통령령으로 정하 는 금융 관련 법령에 따라 재임 중이었거나 재직 중이었더라면 해임 요구(해임 권고를 포함한다) 또는 면직 요구의 조치를 받았을 것으로 통보된 퇴임한 임원 또는 퇴직한 직원으로서 그 통보가 있는 날부터 5년(통보가 있는 날부터 5년이 퇴 임 또는 퇴직한 날부터 7년을 초과하는 경우에는 퇴임 또는 퇴직한 날부터 7년으로 한 다)이 지나지 아니한 자 등이다(제18조 제1항 제8호, 제9호).56)

---

54) 이에 해당하는 자는 ① 해임권고 또는 업무집행정지명령을 받은 임원, ② 정직 또는 면직 의 처분을 받은 직원 또는 ③ 위에 따른 제재 대상자로서 그 제재를 받기 전에 퇴임하거나 퇴직한 사람 등이다(은행법 시행령 제13조 제2항).

55) 여기에 해당하는 사람은 ① 감사 또는 감사위원회의 위원, ② 허가·인가 등의 취소 원인 이 되는 사유의 발생과 관련하여 위법·부당한 행위로 금융위원회 또는 금융감독원장으로 부터 주의·경고·문책·직무정지·해임요구, 그 밖의 조치를 받은 임원, ③ 허가·인가 등 의 취소 원인이 되는 사유의 발생과 관련하여 위법·부당한 행위로 금융위원회 또는 금융 감독원장으로부터 직무정지요구 이상에 해당하는 조치를 받은 직원 또는 ④ 바로 앞의 두 규정에 따른 제재 대상자로서 그 제재를 받기 전에 퇴임하거나 퇴직한 사람 등을 말한다 (은행법 시행령 제13조 제3항).

56) 여기에서 말하는 금융관련 법령에 대해서는 같은 법 시행령에서 밝히고 있다. 이에 따르면 ① 「공사채등록법」, ② 「공인회계사법」, ③ 「근로자퇴직급여 보장법」, ④ 「금융기관부실자 산 등의 효율적 처리 및 한국자산관리공사의 설립에 관한 법률」, ⑤ 「금융산업의 구조개선 에 관한 법률」, ⑥ 「금융실명거래 및 비밀보장에 관한 법률」, ⑦ 「금융위원회의 설치 등에 관한 법률」, ⑧ 「금융지주회사법」, ⑨ 「기술신용보증기금법」, ⑩ 「농업협동조합법」, ⑪ 「담 보부사채신탁법」, ⑫ 「대부업 등의 등록 및 금융이용자 보호에 관한 법률」, ⑬ 「문화산업진 흥 기본법」, ⑭ 「벤처기업육성에 관한 특별조치법」, ⑮ 「보험업법」, ⑯ 「부동산투자회사법」, ⑰ 「부품·소재전문기업 등의 육성에 관한 특별조치법」, ⑱ 「사회기반시설에 대한 민간투

3) 구체적 자격 요건

은행법은 임원의 자격 규정과는 별도로 다시 임원의 자격요건에 대해 구체적으로 시행령에서 정하고 있다(제18조 제3항). 이에 따르면 ① 은행법, 금융관련법령 또는 외국 금융 관련 법령(이 법 또는 금융관련법령에 상당하는 외국의 금융관련 법령을 말함)에 따라 금융위원회, 금융감독원장 또는 외국 금융감독기관으로부터 해임요구(해임권고를 포함)를 받은 날부터 5년, 직무정지가 끝난 날부터 4년, 문책경고를 받은 날부터 3년, 면직요구를 받은 날부터 5년, 정직요구를 받은 날부터 4년, 감봉요구를 받은 날부터 3년이 지나지 아니한 사람과 ② 재임 또는 재직 당시 법, 금융관련법령 또는 외국 금융 관련 법령에 따라 그 소속 기관 또는 감독기관 외의 감독·검사기관으로부터 제1호 또는 제2호에 준하는 제재를 받은 사실이 있는 사람으로서 제1호 또는 제2호에서 정하는 기간이 지나지 아니한 사람, ③ 재임 또는 재직 중이었더라면 법, 금융관련법령 또는 외국 금융관련법령에 따라 제1호부터 제3호까지의 조치를 받았을 퇴임 또는 퇴직한 임직원으로서 퇴임 또는 퇴직한 날부터 제1호부터 제3호까지에서 정하는 기간이 지나지 아니한 사람 또는 ④ 해당 은행, 해당 은행의 자회사등(법 제37조 제2항 각호 외의 부분 단서에 따른 자회사 등을 말함), 해당 은행의 자은행(법 제37조 제5항에 따른 자은행을 말함), 해당 은행을 자회사로 하는 은행지주회사 및 그 자회사등(금융지주회사법 제4조 제1항 제2호에 따른 자회사 등을 말함)과 여신거래가 있는 기업과 특수 관계에 있는 등 해당 은행의 자산운용과 관련하여 특정 거래기업 등의 이익을 대변할 우려가 있는 사람은 임원이 될 수 없다(시행령 제13조 제4항).

그 밖에도 은행의 임원 자격에 대해 금융에 대한 경험과 지식을 갖춘 자로서 은행의 공익성 및 건전경영과 신용질서를 해칠 우려가 없는 자를 요구한다(제18

자법」, ⑲ 「산업발전법」, ⑳ 「상호저축은행법」. ㉑ 「새마을금고법」, ㉒ 「선박투자회사법」, ㉓ 「수산업협동조합법」, ㉔ 「신용보증기금법」, ㉕ 「신용정보의 이용 및 보호에 관한 법률」, ㉖ 「신용협동조합법」, ㉗ 「여신전문금융업법」, ㉘ 「예금자보호법」, ㉙ 「외국인투자 촉진법」, ㉚ 「외국환 거래법」, ㉛ 「유사수신행위의 규제에 관한 법률」, ㉜ 「자본시장과 금융투자업에 관한 법률」, ㉝ 「자산유동화에 관한 법률」, ㉞ 「전자금융거래법」, ㉟ 「주식회사의 외부감사에 관한 법률」, ㊱ 「주택저당채권유동화회사법」, ㊲ 「중소기업은행법」, ㊳ 「중소기업창업 지원법」, ㊴ 「특정 금융거래정보의 보고 및 이용 등에 관한 법률」, ㊵ 「한국산업은행법」, ㊶ 「한국수출입은행법」, ㊷ 「한국은행법」, ㊸ 「한국정책금융공사법」, ㊹ 「한국주택금융공사법」, ㊺ 「해외자원개발 사업법」, ㊻ 「채권의 공정한 추심에 관한 법률」 등이다(은행법 시행령 제13조 제1항).

조 제2항).

4. 임원의 겸직 규제

가. 서   언

임원의 범위가 명확하지 않지만, 이들이 기업에서 차지하는 위치가 경영과 관련한 주요 사항을 결정하거나, 이를 집행하는 지위에 있다. 따라서 이들이 이러한 지위를 이용하여 회사의 희생 아래 자기나 제3자의 이익에 우선할 수 있다. 이에 법은 이들에게 충실의무, 선관의무 등을 부과할 뿐만 아니라 이해충돌을 방지하기 위하여 구체적인 의무규정을 두고 있다. 예컨대 경업을 제한하거나 이사와 회사 사이의 거래를 제한하거나 회사의 기회를 이용하는 것을 제한하는 것 등이다.

위와 같은 제한 이외에도 일정한 회사에서 위와 같은 지위, 즉 임원으로서의 지위를 갖는 것도 역시 회사의 이익을 해칠 우려가 크다. 이에 상법은 이사에게 일정한 겸직을 금하고, 상업사용인에게는 회사의 종류에 관계없이 모든 회사의 임원을 겸할 수 없도록 하였다. 그 밖에 특별법에서도 특별법상의 목적 달성과 이해 충돌을 방지하기 위한 규정을 두고 있다.[57]

나. 상법상의 규제

1) 상업사용인

가) 서

상법은 상업사용인은 영업주의 허락 없이 회사의 무한책임사원이나 이사 또는 다른 상인의 상업사용인 겸직을 제한하고 있다(제17조 제1항 후단).

규정의 취지에 대해 학설상 다툼이 있다. 소수설은 규정의 취지를 오직 영업주와의 이익충돌을 방지하는 데 있는 것으로 보는데 비해, 다수설은 지배인은 고도의 신뢰관계를 기초로 하는 광범위한 대리권이 주어지므로 겸직에 따른 정력의 분산 없이 전심전력 영업주를 위하여 봉사할 충실의무를 구현한 규정으로

---

57) 경업금지제도의 연혁에 대해서는 이병태, 「주식회사의 이사회제도」(법원사, 1986), 218면 참조.

본다. 이에 따라 전자는 경업금지의 범위를 동종 영업을 목적으로 하는 경우로 제한하여 설명하는데 비해,[58] 후자는 모든 겸직이 제한된다고 본다.[59] 이 규정은 대리상(제98조), 회사의 무한책임사원이나 이사(제198조, 제269조, 제397조, 제567조)의 경우 명문으로 "동종영업"에 국한시키는 점에서 모든 업종에까지 미친다고 보는 것이 타당하다.

나) 내 용

영업주의 허락은 앞서와 같이 묵시적으로도 가능하다. 허락은 매 겸직사유가 있을 때마다 받아야 한다. 겸직이 금지되는 것은 다른 회사의 무한책임사원이나 이사 또는 다른 상인의 상업사용인이 되지 못한다. 금지되는 업종은 주식회사의 이사에서와 달리 모든 업종에 해당한다.

다) 위반의 효과

경업금지에서와 달리 위반의 효과에 대해 상법은 침묵하고 있다. 따라서 계약위반에 따른 손해배상을 청구할 수 있고, 이를 해임할 수 있다. 이와 관련하여 경업금지규정 위반 시 인정되는 개입권을 행사할 수 있다는 주장이 있다.[60] 인적 회사의 사원이나 물적 회사에서 경영기관(구성원)은 성질상 양도할 수 있는 것이 아니라는 점에서 무리라고 본다.

2) 이사 등

가) 서

회사의 경영기관 또는 이의 구성원으로서 (대표)이사나 집행임원은 그 지위로부터 회사의 업무에 대하여 관여하게 되고, 이에 의해 회사의 영업에 관련된 비밀을 쉽게 접할 수 있는 위치에 있다. 따라서 이사가 이러한 사실을 회사의 이익에 앞서 자기나 제3자의 이익에 우선하여 이용할 위험성이 적지 않다. 이에 법은 이사에 대해 이사회(회사)의 승인이 없으면 상업사용인에서와 달리 동종영업을 목적으로 하는 다른 회사의 무한 책임사원이나 이사의 겸직을 금하고(제397조 제1항), 집행임원에 대해 위 규정을 준용하고 있다(제408조의9).[61] 이를 겸

---

58) 서돈각·정완용, 전게서, 82면.
59) 권기범, 전게서, 652면; 손주찬, 전게서, 795면; 최기원, 전게서, 103면.
60) 채이식, 전게서, 556면.
61) 독일 주식법 제88조 제1항은 "Mitglied des Vorstands oder Geschaeftsführer oder

직금지(의무)라 한다. 이 규정에 대해 법정의 부작위의무 또는 선관의무에 대한 특수의무로 보거나[62] 이사의 충실의무의 구체적 표현이라고 보는 주장이 있다.[63]

판례는 "이사로 하여금 선량한 관리자의 주의로써 회사를 유효적절하게 운영하여 그 직무를 충실하게 수행하여야 할 의무"로 보고 있다.[64][65]

나) 규정의 취지

겸직금지에 관한 규정의 취지에 관해 상업사용인에서와 달리 의론이 있다. 하나는 이사와 회사 사이의 이해충돌을 방지하려는 데서 찾는 견해이며,[66] 다른 하나는 회사의 업무에 전심전력하여야 한다는 주장이다. 이에 따르면 회사의 이익이 침해되는 것을 방지하기 위하여 경업이나 겸직을 금지함으로써 이사로 하여금 선량한 관리자의 주의로써 회사를 적절하게 운영하여 그 직무를 충실하게 수행토록 하려는 데 있다고 본다.[67] 그것은 겸직제한은 동종영업을 목적으로 하는 회사에 국한하기 때문이라고 한다.[68]

다) 적용 대상자

겸직이 금지되는 이사는 현재 이사의 직을 가지고 있는 자에 한한다. 그 밖

---

persönlich haftender Gesellschafter einer anderen Handelsgesellschaft sein"이라 하여 영업의 종류를 묻지 않고 임원의 겸직을 제한하고 있다는 점에서 우리와 차이가 있다. 독일에서는 이를 이사의 정력분산으로부터 회사를 보호하는 것이 그 주된 목적으로 이해한다 (Hans-Joachim Mertens, §84 Rdn. 2, in Kölner Kommentar zum Aktiengesetz, Bd. 2; Uwe Hueffer, 「AktG」, 2. Aufl., C.H.Beck, §88 Rdn. 1).

62) 정찬형, 전게서, 1041~1042면.

63) 강위두, 전게서, 558면; 임홍근, 전게서, 503면; 정동윤, 전게서, 628면.

64) 이사의 경업금지의무를 규정한 상법 제397조 제1항의 규정취지는 이사가 그 지위를 이용하여 자신의 개인적 이익을 추구함으로써 회사의 이익을 침해할 우려가 큰 경업을 금지하여 이사로 하여금 선량한 관리자의 주의로써 회사를 유효적절하게 운영하여 그 직무를 충실하게 수행하여야 할 의무를 다하도록 하려는 데 있으므로(대법원 1993.4.9. 92다53583). 동지: 대법원 1990.11.2. 자 90마745.

65) 상법 제398조 전문이 이사와 회사 사이의 거래에 관하여 이사회의 승인을 얻도록 규정하고 있는 취지는, 이사가 그 지위를 이용하여 회사와 거래를 함으로써 자기 또는 제3자의 이익을 도모하고 회사 나아가 주주에게 불측의 손해를 입히는 것을 방지하고자 함에 있는바(대법원 2007.5.10. 2005다4284).

66) 이철송, 전게서(2018), 749면. 주 1)에서는 독일 주식법 제88조 주석을 인용하고 있다. 또 바로 이 점을 들어 우리 법의 취지를 독일에서와 같이 보는 것은 문제가 있다는 지적이 있다(최기원, 전게서, 940면).

67) 강위두, 전게서, 558면; 이병태, 전게서, 666면; 최기원, 전게서, 940면.

68) 최기원, 전게서, 940면.

에도 이사에 준하는 자, 예컨대 이사직무대행자, 청산인 등도 포함된다. 따라서 이사이었던 자에 대해서는 제한을 두고 있지 않다. 따라서 회사와의 임용계약에 이에 대한 약정이 없으면 퇴임 후에는 이 규정의 적용을 받지 않는다. 다른 한 편 이사의 임기가 만료되거나 이사직을 사임하였음에도 법령이나 정관에 정한 이사의 수를 결함으로 이사로서의 권리의무를 갖는 퇴임 이사에게도 겸직제한규 정이 적용된다. 다만 이 경우 회사에 대해 이러한 사정을 밝히고 지체 없는 후 임이사의 선임을 요구하였으나 회사가 이에 응하지 않는 경우 후임이사를 선임 할 합리적인 기간이 경과한 후에는 이 의무로부터 벗어난다고 본다.

라) 겸직의 범위

상법은 이사의 겸직을 회사와 동종영업을 목적으로 하는 회사의 무한책임사 원이나 이사직의 겸직을 제한하고 있다. 제한되는 겸직의 범위는 주식회사와 유 한회사의 이사 및 합명회사와 합자회사의 무한책임사원이다. 문제는 2011년 개 정된 상법에서 유한책임회사에는 이사나 무한책임사원이 아닌 업무집행자를 두 면서도 이사의 겸직 제한 규정에서는 이를 제외하고 있다는 점이다. 유한책임회 사의 업무집행자는 회사를 대표하며(제287조의19 제1항), 이에 관하여 같은 법 제209조를 준용하도록 하였다(제287조의19 제5항). 그 밖에도 경업금지(제287조의 10), 회사와 사원 간의 소에서 대표권 제한(제287조의21), 책임추궁에 대표소송 에 관한 규정(제287조의22) 등을 두어 등 주식회사의 대표이사에 유사한 지위를 갖는 것으로 인식된다. 따라서 비록 법문에 제한되는 겸직의 범위에 유한책임회 사의 업무집행사원이 포함되어 있지 않더라도, 제도의 취지상 주식회사의 이사 는 회사의 승인 없이 유한책임회사의 업무집행자가 될 수 없다고 보아야 한다.

다른 한편 법문상 이사가 상업사용인이 될 수 있다고 보인다며, 상업사용인 에 대한 겸직금지의무의 취지에 비추어 주식회사의 이사는 다른 상인의 상업사 용인이 될 수 없다는 주장이 있다.[69] 그러나 법에서 겸직을 금지하고 있지 않 는데도 굳이 이를 금할 필요가 있는지 의문이다. 상업사용인의 겸직금지 규정의 취지를 회사 임원의 겸직금지 규정의 취지와 다르다고 보는 주장에 따르면 본말 이 전도된 것 같다. 이와 달리 이사가 집행임원 설치회사의 집행임원이 되는 경

---

69) 정찬형, 전게서, 1045면; 최기원, 전게서, 644면; 최준선, 전게서, 534면; 채이식, 전게서, 555면.

우에는 이사회의 승인을 받아야 한다. 제397조의 해석에서 대표이사가 당연히 포함된다고 보아야 하는데, 집행임원의 지위가 대표이사와 거의 같기 때문이다.

겸직을 제한하는 업종은 영업이 회사와 동종인 경우에 한한다. 이 점에서 상업사용인에 대한 겸직금지의 범위를(제17조 제1항) "이종영업"까지로 폭넓게 제한하는 것과는 차이가 있다. 상법상 겸직이 제한되는 "동종영업"의 범위는 회사가 실제 영업을 수행하는 사업만이 아니라 개업을 준비하는 단계까지도 포함된다.[70] 따라서 이사가 "동종영업을 목적으로 하는 회사"를 설립한 후 이사로 취임하거나 겸직하려면 개업 준비 전에 이사직을 사임하여야 한다.

주식회사의 집행임원에 대해 상법 제397조를 준용하고 있으므로, 집행임원에 대한 겸직 규제도 이사의 그것과 같다.

마) 회사의 승인

1995년 상법 개정 전에는 이사의 겸직에 대하여 이사회가 아닌 주주총회의 승인을 받도록 하였다. 그러나 승인을 위하여 매번 주주총회를 소집한다는 것이 비현실적이고 비효율적이라는 점과[71] 이사의 자기거래에 대하여 이사회의 승인을 얻도록 하고 있는 점과의 균형을 고려하여 승인기관을 이사회로 대치하였다고 한다.[72] 그러나 단지 절차의 복잡성 때문에 승인기관을 바꾸는 것은 바람직하지 않은 개정이었다고 본다. 또 이사와 회사 간의 거래에 이사회의 승인을 얻도록 한 규정과의 균형을 맞추기 위한 개정 이유 역시 이사의 회사와의 거래는 다른 거래 당사자로부터 얻을 수 있었을 이익의 손실이라는 적극적 손실의 측면이 존재하는 반면 이사의 겸직이나 경업은 회사의 손실발생을 감안하면서 회사의 정보 등에 밝은 이사에게 회사의 영리추구의 기회를 이용할 수 있는 기회를 주는 소극적 손실에 대한 문제로서 양자의 성격이 다르다는 점에서 문제가 있다. 개정하려면 오히려 감사(위원회)의 승인을 받도록 하는 것이 바람직하다.[73]

이사회 구성과 관련한 이사의 수에 대한 예외가 적용되지 않는 회사의(제383

---

70) 경업의 대상이 되는 회사가 영업을 개시하지 못한 채 공장의 부지를 매수하는 등 영업의 준비작업을 추진하고 있는 단계에 있다 하여 위 규정에서 말하는 "동종영업을 목적으로 하는 다른 회사"가 아니라고 볼 수는 없다(대법원 1993.4.9. 92다53583; 1990.11.2. 자 90마 745).

71) 손주찬, 전게서, 796면; 임홍근, 전게서, 504면.

72) 손주찬, 전게서, 796면; 정동윤, 전게서, 630면 주 2); 최기원, 전게서, 941면.

73) 정찬형, 「상법강의(상)」 제21판(박영사, 2018), 1030면 주 2).

조 제1, 3항) 이사가 겸직을 하려면 사전에 이사회의 승인을 받아야 한다. 이사
회의 승인은 사전에 회사의 허락을 받는 것을 말한다.[74] 승인의 시기와 관련하
여 2011년 상법 개정에서는 상법 제398조 이른바 이사 등과 회사 간의 거래에
대한 규정의 개정에서 종전과 달리 "미리"라는 단어를 삽입하였다. 그러나 경업
금지에 관한 상법 제397조에 대해서는 개정이 없어, 이사회가 사후에 승인할 수
있는지에 대한 종전의 논의는 아직도 유효하다.

　논의의 실익은 사후 승인을 인정하면 사후 승인에 따라 법령위반을 이유로
한 해임 여부 문제는 제외하더라도 최소한 손해배상책임으로부터는 자유로울 수
있기 때문이다.[75] 추인은 일종의 책임면제와 같은 효과가 있기 때문에 상법 제
400조에서 이사의 책임면제에 총주주의 동의를 요하는 것과의 균형상 인정하기
곤란하다는 주장이 있다.[76] 이에 대하여 추인은 단지 이사회의 승인을 얻지 않
고 한 법률행위의 하자가 치유될 뿐이고 손해배상책임이 면제되는 것은 아니라
고 하여 추인을 인정하는 견해가 있다.[77]

　승인결의 요건과 관련하여 2011년 개정 상법은 자기거래에 관해 종전과 달
리 이사 3분의 2 이상의 수를 요구하고(제398조), 신설한 회사의 기회 및 자산

---

74) 감사가 회사 또는 자회사의 이사 또는 지배인 기타의 사용인에 선임되거나, 반대로 회사
　　또는 자회사의 이사 또는 지배인 기타의 사용인이 회사의 감사에 선임된 경우에는, 그 선
　　임행위는 각각의 선임 당시에 있어 현직을 사임하는 것을 조건으로 하여 효력을 가지고,
　　피선임자가 새로이 선임된 지위에 취임할 것을 승낙한 때에는, 종전의 직을 사임하는 의사
　　를 표시한 것으로 해석하여야 할 것이다(대법원 2007.12.13. 2007다60080).
75) 이사회의 승인을 얻은 경우 민법 제124조의 적용을 배제하도록 규정한 상법 제398조 후문
　　의 반대해석상 이사회의 승인을 얻지 아니하고 회사와 거래를 한 이사의 행위는 일종의 무
　　권대리인의 행위로 볼 수 있고 무권대리인의 행위에 대하여 추인이 가능한 점에 비추어 보
　　면, 상법 제398조 전문이 이사와 회사 사이의 이익상반거래에 대하여 이사회의 사전 승인
　　만을 규정하고 사후 승인을 배제하고 있다고 볼 수는 없다(대법원 2007.5.10. 2005다
　　4284). 1995. 12. 29. 개정되어 1996. 10. 1.부터 시행된 상법 중 개정법률(법률 제5053호)
　　은 제411조에서 감사는 당해 회사뿐 아니라 자회사의 이사 또는 지배인 기타의 사용인의
　　직무도 겸하지 못하도록 규정하면서, 부칙 제2조에서 "이 법은 특별한 정함이 있는 경우를
　　제외하고는 이 법 시행 전에 생긴 사항에 대하여도 이를 적용한다. 다만, 종전의 규정에 의
　　하여 생긴 효력에는 영향을 미치지 아니한다."고 규정하고 있으므로, 위 개정 상법 시행 전
　　에 모회사의 감사와 자회사의 이사 또는 지배인 기타 사용인으로 각 선임되어 양 지위를
　　겸임하고 있는 자의 지위는 위 부칙 제2조 단서에 의하여 그 효력에 영향이 없게 되어, 악
　　의 또는 중대한 과실로 인하여 감사로서의 임무를 해태하면 그 책임을 지게 된다(대법원
　　2009.11.12. 2007다53785).
76) 김표진, 「회사법총람」(진명문화사, 1965), 346면; 이철송, 전게서(2021), 765~766면; 정동
　　윤, 전게서, 630면.
77) 권기범, 전게서, 654면; 최기원, 전게서, 942면.

의 유용금지에 관해서도 이사 3분의 2 이상의 수를 요구하면서도(제397조의2) 특별한 이유 없이 이 규정의 요건만을 과반수로 한 것은 이해하기 어렵다.

바) 겸직의 수

상법은 겸직에 대해 사전적 승인을 요하며, 이사가 몇 개의 회사에서 겸직을 할 수 있는지는 제한하지 않고 있다. 따라서 해당 이사에 대한 겸직의 허용은 회사의 의사에 따른다.

상장회사의 사외이사에 대해서는 일정한 제한을 두고 있다. 이에 따르면 사외이사로서의 직무를 충실하게 수행하기 곤란하거나 상장회사의 경영에 영향을 미칠 수 있는 자를 사외이사가 될 수 없다고 밝히면서(제542조의8 제2항 제7호), 그 하나로 해당 상장회사 외에 2개 이상의 다른 회사의 이사·집행임원·감사로 재임 중인 자(시행령 제34조 제5항 제3호)를 들고 있다. 이에 따라 해당 상장회사의 사외이사는 해당 회사 이외에 2개 이상의 다른 회사의 이사·집행임원·감사가 될 수 없다. 역으로 어느 회사의 감사도 2개 이상의 이사·집행임원·감사를 겸하는 경우 상장회사의 사외이사를 겸할 수 없다.

사) 위반의 효과

이사가 이사회의 승인 없이 겸직하는 경우 회사는 당해 이사에 대해 손해배상을 요구할 수 있다. 또 회사는 해당 이사 등을 해임할 수 있으며, 규정 위반 그 자체가 법령에 위반한 중대한 사실이 있는 것으로[78] 이를 이유로 해임하는 것은 정당한 해임사유가 된다. 따라서 이사가 겸직금지규정에 위반한 것을 이유로 해임되더라도 회사에 대하여 해임으로 인한 손해의 배상을 요구할 수 없다.[79]

다른 한편 개입권은 경업금지규정에 위반한 경우에 한하며, 겸직금지규정에 위반한 경우에는 적용되지 않는다. 이에 대해 경업금지에서와 같이 손해에 대한 입증이 쉽지 않고 부당이득을 취할 수 있다는 점에서 거래의 의미를 넓게 해석

---

78) 상법 제397조 제1항 소정의 경업금지의무를 위반한 행위로서 특별한 다른 사정이 없는 한 이사의 해임에 관한 상법 제385조 제2항 소정의 "법령에 위반한 중대한 사실"이 있는 경우에 해당한다고 보아야 할 것이다(대법원 1990.11.2. 자 90마745; 1993.4.9. 92다53583).

79) 회사와 동종영업을 목적으로 하는 다른 회사를 설립하고 다른 회사의 이사 겸 대표이사가 되어 영업준비작업을 하여 오다가 영업활동을 개시하기 전에 다른 회사의 이사 및 대표이사직을 사임하였다고 하더라도 이는 상법 제397조 제1항 소정의 경업금지의무를 위반한 행위로서 특별한 다른 사정이 없는 한 이사의 해임에 관한 상법 제385조 제2항 소정의 '법령에 위반한 중대한 사실'이 있는 경우에 해당한다(대법원 1993.4.9. 92다53583).

하여야 한다는 점을 들어 개입권을 행사할 수 있다는 주장이 있지만[80] 법문이 개입권의 행사를 "거래"를 한 경우에 인정하고 있다는 점에서 개입권의 인정은 무리라고 본다.[81]

3) 감사 등

감사에 대해서는 이사에서와 같은 겸직금지에 관한 규정이 없다. 따라서 감사는 회사의 정관에 달리 정하지 않는 한 겸직에서 자유롭다. 그러나 감사는 이사의 직무의 집행을 감사할 뿐만 아니라 이사회의 소집을 요구할 수 있고, 비록 의결권은 없지만 이사회에 출석할 수 있다는 점에서 이사 못지않게 회사의 영업비밀이나 회사의 중장기 계획을 쉽게 접할 수 있는 지위에 있다. 따라서 이러한 정보를 이용하여 겸직을 하는 경우 회사에 손해를 줄 개연성이 높다. 따라서 감사에게도 이사에게 준하는 겸직금지규정을 명문화하여야 한다.

비상장회사의 감사위원회 위원은 이사회가 이사 가운데에서 선임한다(제393조의2 제2항 제3호). 따라서 이들에 대한 겸직 규제는 정관에 달리 정하지 않았다면, 앞서 이사에 대한 규제가 그대로 적용된다. 상장회사의 감사위원회 위원도 주주총회에서 선임된 이사 가운데에서 선임하므로 이사에 대한 겸직 규제 규정이 적용된다.

상장회사의 사외이사는 해당 회사 외의 2개 이상의 다른 회사의 이사·집행임원·감사로 재임할 수 없다는 규정(제542조의8 제2항 제7호, 시행령 제34조 제5항 제3호)으로부터 어느 회사의 감사도 2개 이상의 이사·집행임원·감사를 겸하는 경우 상장회사의 사외이사를 겸할 수 없다.

'상근감사'를 상근의 직업을 가지고 있지 않아 감사의 직무에 전념할 수 있는 감사라는 의미로 해석하면서, 상근감사는 다른 회사의 상근의 이사 또는 감사 또는 사용인을 겸임할 수 없다는 견해가 있다.[82]

상근감사에 대해서는 사외이사의 겸직 제한에 관한 규정(제542조의8 제2항 제7호, 시행령 제34조 제5항 제3호)을 준용하지 않으므로(제542조의10 제2항 제1호),

---

80) 채이식, 전게서, 58, 556면.
81) 독일에서는 겸직제한규정에 위반한 경우에도 개입권을 인정한 예가 있다(BGHZ 38, 296, 306.; BGHZ 89, 162, 171.). 회사가 지급한 보수에 대해서는 개입권을 행사할 수 없지만 상대방회사가 얻은 이익의 배분에 대하여는 가능하다는 견해가 있다(Hans-Joachim Mertens in Koelner Kommentar §88 Rnd. 17; Meyer-Landrut in Großkommentar §88 Rn. 7.).
82) 임홍근, 전게서, 555면.

겸직의 수에 대한 제한은 없다.

다. 자본시장법상의 규제

자본시장법은 사외이사로서의 직무를 충실하게 수행하기 곤란하거나 해당 회사의 경영에 영향을 미칠 수 있는 자를 사외이사로 선임할 수 없도록 하였다. 이에 따르면 금융투자업자의 사외이사는 해당 금융투자업자 외에 둘 이상의 다른 주권상장법인의 사외이사·비상임이사 또는 비상임감사로 재임 중인 자로서 겸직할 수 없다는 규정이다(제25조 제5항 제8호; 시행령 제28조 제3항 제1호).

다른 하나의 규제는 정보교류의 차단을 위하여 금융투자업자는 그 영위하는 금융투자업(고유재산 운용업무를 포함) 간에 이해상충이 발생할 가능성이 큰 경우로서 대통령령으로 정하는 경우에[83]는 임원(대표이사, 감사 및 사외이사가 아닌 감사위원회의 위원을 제외) 및 직원을 겸직하지 못하도록 하였다(제45조 제1항 제2호). 또 계열회사, 그 밖에 대통령령으로 정하는[84] 회사와 이해상충이 발생할 가능성이 큰 경우에는 임원(비상근감사를 제외) 및 직원을 겸직하게 하거나 파견하여 근무하게 하는 행위를 할 수 없도록 하였다(제45조 제2항 제2호).

자본시장법은 금융투자업자의 사외이사에 대해 다른 주권상장법인의 임원이 될 수 없다고 규정하고 있을 뿐이어서 비상장법인의 사내이사나 사외이사·비상임이사 또는 비상임감사를 무제한적으로 겸직할 수 있는지가 문제된다. 즉 법이 "다른 주권상장법인"이라고만 규정하고 있는 데서, 주권상장법인에서의 겸직만을 제한하고 그 밖의 비상장법인에서의 겸직은 제한 없이 여러 기업에서 겸직이 가능한지이다. 법이 직무를 충실하게 이행하기 곤란한 경우 또는 회사의 경영에 영향을 미칠 수 있는 경우로 위와 같이 겸직을 제한한다는 점에서 상장 여부나

---

83) ① 고유재산운용업무·투자매매업·투자중개업과 집합투자업·신탁업 간의 경우, ② 기업금융업무와 고유재산운용업무·금융투자업 간의 경우. ③ 금융투자업자가 법 제249조의2에 따른 적격투자자대상 사모집합투자기구에 대하여 일정한 업무를 집합투자재산의 효율적인 운용에 기여할 가능성 등을 고려하여 금융위원회가 정하여 고시하는 방법에 따라 제공하는 전담중개업무와 고유재산운용업무·금융투자업(전담중개업무는 제외) 간의 경우 또는 ④ 기업금융업무와 전담중개업무 간의 경우 등이다(자본시장과 금융투자업에 관한 법률 시행령 제50조 제1항).

84) ① 금융투자업자가 집합투자업을 경영하는 경우에는 그 금융투자업자가 운용하는 집합투자기구의 집합투자증권을 판매하는 투자매매업자·투자중개업자와 ② 금융투자업자가 제16조 제10항에 따른 외국 금융투자업자등의 지점, 그 밖의 영업소인 경우에는 그 외국 금융투자업자등을 말한다(자본시장과 금융투자업에 관한 법률 시행령 제51조 제1항).

등록 여부에 관계없이 당해 회사를 제외한 2개 이상의 다른 회사의 사외이사직·비상임이사 또는 비상임감사를 겸임하는 것은 허용되지 않는다고 본다.

또 다른 하나의 문제는 상법이 이사에게 동종영업을 목적으로 하는 회사의 임원 겸직을 제한하는 데서, 자본시장법에서 제한하는 다른 주권상장법인도 상법에서 말하는 동종영업을 목적으로 하는 회사에 한하는지 또는 단지 겸직 제한 회사가 주권상장법인에 한하는지 명백하지 않다. 물론 상법과 자본시장법을 조화시켜 "동종영업"을 목적으로 하는 2개 이상의 다른 주권상장법인의 경영관여적 지위를 겸병할 수 없다는 취지로 해석할 수도 있다. 그러나 자본시장법상의 "다른 주권상장법인"을 군이 "동종영업을 목적으로 하는 다른 주권상장법인"이라고 해석하여야 할 필연성을 찾기 어렵고 충실한 의무이행을 위해서도 많은 수의 기업에 종사하는 것은 무리라고 본다.[85) 또 상법은 겸직의 수는 묻지 않고 오직 회사의 승인을 요구하는데 비해, 자본시장과 금융투자업에 관한 법률은 회사의 승인이 있어도 다른 2개 이상의 주권상장법인의 임원을 겸할 수 없다는 점이 다르다.

라. 보험업법상의 규제

보험업법은 임원의 겸직 제한 규정을 별도로 두고 있다. 이에 따르면 보험회사의 상근임원은 다른 영리법인의 상시적인 업무에 종사할 수 없다(제14조 본문). 그러나 ① 해당 보험회사를 자회사로 하는 금융지주회사법에 따른 금융지주회사의 임원 또는 사용인이 되는 경우, ② 채무자회생법에 따라 관리인으로 선임되는 경우, ③ 자회사의 임원 또는 사용인이 되는 경우,[86) ④ 그 밖에 보험계약자와 이해가 상충될 우려가 없는 경우[87) 등에는 그러하지 아니하다(제14조 단서). 따라서 상근임원이 아닌 예컨대 사외이사는 이 규정의 적용을 받지 않기 때문에 회사의 승인이 있으면 동종영업을 하는 법인의 상근임원은 물론 회사의 승인과 관계없이 그 밖의 법인의 상근임원이 될 수 있다. 그러나 상법의 적

---

85) 김상규·이형규, 「이사의 책임강화에 따른 대응방안에 관한 연구」(코스닥등록법인협의회, 2002), 20면.

86) 그러나 「금융산업의 구조개선에 관한 법률」 제2조 제1호 가목부터 아목까지 및 차목에 따른 금융기관의 상근임원 또는 사용인이 되는 경우는 그러하지 아니하다(보험업법 시행령 제20조 제1항).

87) 「금융산업의 구조개선에 관한 법률」 제10조 제1항 제4호에 따라 관리인으로 선임되는 경우를 말한다(보험업법 시행령 제20조 제2항).

용을 받아 동종영업을 하는 법인의 임원이 되려면 회사의 승인을 받아야 한다.

마. 은행법상의 규제

은행법은 은행 임원 등의 겸직 제한 규정을 별도로 두어 은행 임직원의 겸직을 제한하고 있다. 이에 따르면 은행의 임원은 한국은행, 다른 은행 또는 「금융지주회사법」에 따른 은행지주회사의 임직원이 될 수 없다(제20조 제1항 본문). 그러나 ① 자은행[88]의 임직원이 되는 경우, ② 해당 은행을 자회사로 하는 은행지주회사의 임직원이 되는 경우 및 ③ 해당 은행을 자회사로 하는 은행지주회사의 다른 자회사인 은행의 임원이 되는 경우 어느 하나에 해당하는 경우에는 그러하지 아니하다(제20조 제1항 단서).

다른 한편 은행의 상임임원은 다른 영리법인의 상시적인 업무에 종사할 수 없다(제20조 제2항 본문). 그러나 ① 앞서 인정한 예외에 해당하는 경우, ② 「채무자 회생 및 파산에 관한 법률」에 따라 관리인으로 선임되는 경우 및 ③ 자회사등의[89] 임직원이 되는 경우에는 그러하지 아니하다(제20조 제2항 단서, 제37조 제2항).

5. 임원 구성에서의 사외이사

가. 서 언

1) 서

주식회사의 경영에 대한 견제와 균형을 어떠한 틀에 맞출 것인지는 영원한 과제인 것 같다. 그것은 경제적 측면에서의 소유자인 주주를 단순히 지분율에 따라서만 대우할 수 없다는 점에서 문제의 해결을 더 어렵게 한다. 즉 주주가 경영에서 벗어나 있는 상태에서 어느 누구에게 경영권을 맡기고, 누구에게 이를 감독하게 할 것인가의 문제에 국한되지 않고, 이들과 주주 또는 주주 사이의 관

---

88) 은행이 다른 은행의 의결권 있는 발행주식 총수의 100분의 15를 초과하여 주식을 소유하는 경우, 주식을 소유하는 은행을 모은행, 그 다른 은행을 자은행이라 한다(은행법 제37조 제5항).

89) 은행이 다른 회사 등의 의결권 있는 지분증권의 100분의 15를 초과하여 소유하는 회사 등을 "자회사등"이라 한다(은행법 제37조 제2항).

계를 어떻게 설정하여야 하는지의 문제까지를 포함한다.

회사의 지배구조는 그 국가의 기업에 대한 인식이나 사회적 요구 등을 고려하여야 하는 점도 역시 문제 해결을 어렵게 한다. 특히 이러한 고려 없이, 또는 기왕의 제도에 대한 면밀한 검증 없이 새로운 제도를 도입한다는 것은 어떤 의미에서는 큰 위험이 뒤따른다. 제도의 개정은 언제나 있을 수 있고 또한 있어야 하지만, 가장 중요한 것은 도입의 필요성이 얼마나 큰지의 문제이다.

2) 제도화의 도입 배경

주식회사의 경영진인 이사는 주주총회에서 선임한다. 이 과정에서 대주주나 지배주주는 자기들 스스로 또는 자기들이 영향력을 쉽게 행사할 수 있는 자들을 이사로 선임함으로써, 회사의 경영을 전횡한다. 이러한 폐해를 막을 수 있는 방안의 하나로 거론된 것이 사외이사제도이다.

우리 기업의 지배구조와 관련하여 높은 내부 지분율을 기반으로 하는 대주주의 경영권행사나 이사·감사에 대한 통제 및 소수주주의 경영감시기능이 미흡하다고 지적되었다. 또 기업 경영 투명성에 대한 국민적 요구가 증대하고, 경영환경이 변화함에 따른 기업지배구조에 대한 새로운 틀을 짜야 할 필요성이 제기되었다.[90] 이에 정부는 기업의 투명한 경영과 신뢰도를 높이기 위하여 기업의 구조조정을 지원하기로 하고 그 일환으로써 이사회의 건전한 운영을 위하여 사외이사제도를 도입하기로 하였다.[91]

다른 한편 기존 감사제도와 병행하여 감사위원회제도를 도입하였다. 도입 이유는 감사제도의 단점을 제거하고 이를 보완하기 위한 것으로 설명한다.[92] 즉 감사가 1인으로 가능한 단임 기관이라는 점에서 활동상의 장애, 감사 권한 행사의 한계 문제를 극복할 수 있고, 내부감사와 외부감사를 효율적으로 연결할 수 있다는 점 등을 든다.[93] 또 기존 감사제도의 단점을 제거하고 이를 보완하기 위한 것으로[94] 이해한다.[95]

---

90) 사외이사제도(사외감사제도)에 관한 설명회(설명회자료 98-2)(한국상장회사협의회, 1998. 3. 6.), 12~13면.
91) 입법취지는 최기원, 전게서, 857면 참조.
92) 미국은 40여년 전부터 이사회 내에 위원회를 설치하려는 경향이 있었으며, 그 중 일반적이고 상시적인 위원회의 하나가 감사위원회이다.
93) 보다 자세한 것은 최병규, "증권거래법·상법상 감사제도의 문제점과 개선방안,"「21세기 한국상사법의 진로」(내동 우홍구박사 정년기념논문집, 2002), 292면 이하 참조.

위와 같은 제도 도입의 필요성에도 불구하고 제도의 도입 초기부터 그 실효성에 대한 의구심이 적지 않았다.96) 가장 큰 문제점으로 지적된 것은 감사위원회가 이사회의 하부 위원회라는 점에서 이사회에 대한 감독의 투명성을 기대하기 어렵다는 점을 든다.97) 다른 한편에서는 감사위원회제도가 미국에서도 아직 검증되지 않았고, 사외이사의 확보가 어렵다는 점을 이유로 들어 도입을 주저하는 견해를 제시한다.98) 물론 감사제도의 실효성에 대한 문제를 들어 새로운 시도가 필요하다는 주장,99) 사외이사의 비율을 점차적으로 높이는 방향으로 가야 한다는 입장이 있었다.100) 또 이와 관련하여 단계적이고 점진적인 방법의 강구를 요구하기도 하였다.101)102)

3) 제도화

우리나라에서 사외이사 제도는 1997년 초 현대그룹이 사외이사제를 자율적으로 도입한 것을 그 효시로 보고 있다. 이후 은행법에서는 금융기관의 이사회는 이사 총수의 100분의 50 이상을 비상임이사로 구성하도록 하였으며(은행법 제22조 제2항), 2000년 1월 21일 개정에서도 그 구성비율을 그대로 유지하고, 단지 "비상임이사"라는 표현을 "사외이사"로 바꾸었을 뿐이다. 또 공기업의 경영구조개선 및 민영화에 관한 법률(이하 "공기업구조개선법"이라고 함)에서도 소정의 공기업에는 이사회는 상임이사와 비상임이사로 구성하고, 그 구성비율은 "사장을 포함한 상임이사의 수가 이사의 정수의 100분의 50 미만으로" 하도록 하여 비상임이사를 두도록 하였다(같은 법 제5조 제2항).103)

---

94) 전우현, "주식회사 감사위원회제도의 개선에 관한 일고찰," 「상사법연구」 제23권 제3호, (한국상사법학회, 2004), 263면.

95) 도입배경과 제도화과정에 대하여는 김상규·윤선희, 「사외이사와 감사위원회제도의 개선에 관한 연구」(한국상장회사협의회, 2000), 3면 이하 참조.

96) 권종호, "감사제도의 개선과 감사위원회제도의 과제," 「상사법연구」 제19권 제3호(한국상사법학회, 2001), 101면.

97) 박준, "1999. 9. 14., 상법개정공청회 자료," (법무부, 1999), 90면; 임홍근, "1999. 9. 14., 상법개정공청회 자료," (법무부, 1999), 55면.

98) 정준영, "1999. 9. 14., 상법개정공청회 자료," (법무부, 1999), 74면.

99) 최병규, 전게논문, 297면.

100) 엄기웅, "1999. 9. 14., 상법개정공청회 자료," (법무부, 1999), 63면.

101) 권종호, "일본의 기업지배구조 동향과 우리나라 감사제도의 개선," 「상장협」 제39호(한국상장회사협의회, 1999년 춘계호), 100면.

102) 감사위원회의 장점에 대한 자세한 검토는 강희갑, "미국의 주식회사의 감사위원회제도의 현황과 그 개선논의," 「사회과학논총」 제20집(명지대학교, 2003), 18면 이하 참조.

다른 한편 주권상장법인에 대해 초기에는 사외이사의 선임을 유가증권 상장 규정에서 강요하였다. 이에 따르면 "주권상장법인은 회사경영의 공정과 투자자 의보호를 위하여 이사수의 4분의 1(최소 1인) 이상을 이사로서의 직무수행에 필요한 전문지식이나 경험이 풍부한 자중에서 사외이사로 선임하여야 한다."고 하고, 아울러 '98사업년도(사업개시연도를 기준) 정기주총 이전까지(1차년도)에는 1인 이상, '98사업년도 정기주총 이후(2차년도 이후)에는 총 이사수의 4분의 1(최소 1인) 이상을 사외이사로 둘 것을 상징요건으로 하고 있이 사실상 일반 민간 상장회사에도 사외이사가 강제되었다(규정 제48조의5 제1항, 부칙(1998.2. 20.) 제2항 제1호).[104] 더욱이 기업지배구조모범규준에서는 "이사회에는 경영진과 지배주주로부터 독립적으로 기능을 수행할 수 있는 사외이사를 두어야 하며, 그 수는 이사회가 실질적으로 독립성을 유지할 수 있는 규모이어야 한다. 특히 금융기관과 대규모 공개기업의 경우에는 점진적으로 전체 이사의 1/2 이상(최소한 3인 이사)을 사외이사로 선임하도록 권고한다"(동 규준 II 2 2.2)고 규정하여 사외이사 제도의 정착에 한 걸음 더 나아갔다.

2000년 1월 21일 개정된 증권거래법에서는 종전 유가증권상장규정에서 강제하던 사외이사제도의 도입을 법에 명문화하였다. 개정되면서 신설된 동법 제54조의5조는 "사외이사의 선임"에 관한 규정을 두어 증권회사에 대해 사외이사의 선임을 강제하였다. 또 동법 제191조의16를 신설하여 "사외이사의 선임"에 관한 규정을 두고, 주권상장법인에 대해 사외이사의 선임을 요구하였다.

증권거래법이 폐지된 후 개정된 상법과 제정된 자본시장법에서도 종전 증권거래법에서와 같은 정도의 규정을 두고 있다.

4) 사외이사

"사외이사"라는 용어는 상법 개정과 자본시장법의 제정 이전에는 증권거래법

---

103) 이들의 자격 요건 등에 관하여는 제9조에서 밝히고 있다. 이에 따르면 비상임 이사는 경제·경영·법률 또는 관련 기술 등에 관한 전문적인 지식이나 경험이 있는 자이어야 하지만, 대상기업과 중대한 이해관계가 있거나 이에 따라 정관에서 정한 중대한 이해관계가 있는 자는 제외된다.

104) 이에 관하여 "주식의 상장은 현대 기업 활동에 결정적인 영향을 미치는 요소이므로 그 상장의 조건을 상법, 증권거래법 등 법률에 하등의 근거 없이 단지 증권거래소의 상장규정에 의해 제한하는 것은 법률에 의하지 않고 국민의 기본권을 제한하는 것으로 위헌의 소지가 크다"는 비판이 있다(최기원, "IMF 극복을 위한 상법개정방향"(법정신문, 1998. 5. 4), 3면).

에서 사용하고 있었다. 증권거래법은 사외이사를 "당해 회사의 상무에 종사하지 아니하는 이사"라고 정의하고 있다(제2조 제19항). 이에 비해 상법은 2009년 개정 전까지는 '사외이사'라는 용어를 전혀 사용하고 있지 않았다. 다만 이사의 수에 대하여는 원칙적으로 3인 이상을 선임하도록 하는 규정을 두고 있었지만, 사외이사와 관련하여서는 어떠한 규정도 두고 있지 않았다. 다만 정관으로 이사회의 하부 조직으로 위원회를 둘 수 있음을 정하고 있을 뿐이었다(제393조의2). 이와 관련하여 상법상의 감사위원회의 위원회 구성에서 위원의 자격제한요건에 해당하는 자를 사내이사로, 그 밖의 자를 사외이사로 이해하는 견해가 있다.[105] 그러나 상법이 감사위원회제도를 도입하여 위원회 위원의 일부에 대한 소극적 배제요건을 두었다고 하여 이를 곧바로 사외이사제도를 도입한 것으로 보기 어렵다. 따라서 감사위원회 위원에 대한 제한 규정을 사외이사에 대한 자격요건으로 보는 것은 무리다. 다른 한편 공기업구조개선법은 이사를 상임이사와 비상임이사로 구분하고(제5조 제1항), 사장을 포함한 상임이사의 정수는 이사 정수의 100분의 50 미만으로 하도록 한다(제5조 제2항). 여기에서는 사외이사와 비슷한 비상임이사의[106] 자격을 적극적으로 요구하고 있다. 즉 경제·경영·법률 또는 관련 기술 등에 관한 전문적인 지식이나 경험이 있는 자로 하는 추상적인 규정을 두면서, 대상기업과 중대한 이해관계가 있는 자를 제외하고 있다(제9조 제2, 3항). 법은 기업과 중대한 이해관계가 있는 자의 범위를 정관으로 정하도록 하고 있으나, 입법의 올바른 자세는 아니다. 기업과 중대한 이해관계 여부의 판단은 자본시장과 금융투자업에 관한 법률을 유추 적용하는 것이 바람직하다고 본다.

상법은 2009년 개정에서 직접적으로 사외이사에 대하여 규정하였다. 그것은 감사위원회에서 간접적으로 사외이사에 대해 규정하고 있었지만(제415조의2 제2항), 사외이사에 대한 정의 규정이 없어 법을 적용하는 데 어려움이 있었기 때문이다.[107] 아울러 사외이사가 될 수 없는 자의 범위를 구체적으로 예시함으로

105) 임재연, 「자본시장법」(박영사, 2010), 641면; 정찬형, 전게서(2021), 965면; 최기원, 전게서, 1009면; 최준선, 전게서, 456~457면.
106) 자본시장과 금융투자업에 관한 법률은 주식매수선택권과 관련하여 「공기업의 경영구조개선 및 민영화에 관한 법률」, 「은행법」, 그 밖의 법률에 따라 선임된 주권상장법인의 비상임이사 또는 사외이사는 「상법」에 따른 요건 및 절차 등에 따라 선임된 사외이사로 본다는 규정을 두고 있다(자본시장과 금융투자업에 관한 법률 제165조의17 제2항).
107) 법무부, 「상법 회사편 해설」(동강, 2012), 206면.

써 사외이사의 자격을 간접적으로 밝히고 있다. 다른 한편 감사위원회의 구성과 관련하여 개정 전 상법 제415조의2 제2항 단서에서 위원의 3분의 1을 넘을 수 없는 자로 예시하던 규정, 즉 제1호부터 제7호까지를 삭제하였고, 규정을 간명히 하기 위하여 단서에 사외이사가 위원의 3분의 2 이상일 것을 요구하였다.[108]

　　다른 한편 상법은 물론 금융 관련 법들이 사외이사의 자격과 관련하여 일반적으로 이른바 냉각기간(cooling-off period)을 2년으로 정하고 있다. 이에 대해 사외이사의 독립성을 보장하고[109] 이른바 경력세탁이 이루어진다는 점을 들어 냉각기간을 3~4년으로 연장하고, 은행이나 보험 그 밖에 금융관련 회사에서도 사외이사의 독립성, 회사 기밀 유출 가능성 및 경영진과의 결탁 등의 문제를 해결하기 위하여 냉각기간을 공직퇴직자에게도 위와 같은 기간으로 정하자는 주장이 있다.[110]

　　상법에 따르면 상장회사는 사외이사의 사임·사망 등의 사유로 인하여 사외이사의 수가 법정 이사회의 구성요건에 미달하게 되면(제542조의8 제1항), 그 사유가 발생한 후 처음으로 소집되는 주주총회에서 위 요건에 합치되도록 사외이사를 선임하도록 하고 있다(제542조의8 제3항). 그 밖의 법률에서도 이와 같은 내용을 담고 있다(은행법 제22조 제6항; 자본시장법 제25조 제6항). 그러나 이러한 규정은 사외이사제도의 취지를 몰각한 입법이다. 이사회의 4분의 1, 2분의 1 이상 또는 과반수의 사외이사를 요구한 것은 독립적인 이사들에 의한 견제를 위한 것인데도,[111] 이들에 결원이 생겨도 그 상태 그대로 다음 주주총회까지 이사회를 운영하도록 한 것은 사외이사 제도를 무의미하게 만들기 때문이다. 예컨대 이사수의 과반수를 사외이사로 선임하여야 하는 회사에서(제542조의8 제1항 단서; 자본시장법 제25조 제1항; 보험업법 제15조 제5항; 은행법 제22조 제2항) 사외이사 모두가 사망한 경우에도 다음 주주총회, 즉 사외이사를 선임하기로 하는 안건 이외의 안건이 있는 주주총회에서 선임하도록 한 것은 문제가 있다. 이사의 과반수가 사망하였으므로 이사회를 개최할 수 없는 문제가 있기 때문이다(제391조

---

108) 법무부, 전게서, 277면.
109) 정재규, 전게논문, 33면.
110) 정쾌영, "사외이사제도의 개선방향,"「기업법연구」제25권 제3호(한국기업법학회, 2011), 131면.
111) 비율의 강제는 사외이사의 독립성과 감독기능을 관철하기 위한 전제라고 본다(박강익·박수영, "사외이사의 현황과 문제점에 관한 연구,"「기업법연구」제21권 제1호(한국기업법학회, 2007), 190면.

제1항). 비록 금융 관련 법에서는 2분의 1 이상으로 정하고 있지만(자본시장법 제25조 제1항; 보험업법 제15조 제1항), 사내이사로만 이사회를 운영하는 것도 문제지만, 그 가운데 하나만 참석하지 않아도 이사회가 성립될 수 없으며, 더욱이 정관으로 결의요건을 강화한 경우에는 앞서와 같은 문제가 발생한다. 따라서 사외이사에 결원이 생기면 바로 이를 충원하기 위한 주주총회를 소집하도록 하여야 한다.

다른 한편 이사가 소수인 회사에서는 감사위원회를 구성하는데 문제가 생긴다. 즉 감사위원회는 위원이 3인 이상이어야 하고, 그 가운데 3분의 2 이상이 사외이사이어야 하므로(제415조의2 제2항; 자본시장법 제26조 제2항 제1호; 보험업법 제16조 제2항 제1호; 은행법 제23조의2 제2항 제1호), 이사가 3인인 회사에서는 2인 이상이 사외이사이어야 하고, 이들 모두가 감사위원회 위원이 되어야 한다. 그러나 사외이사 1인이 사망한 그대로는 이사회를 운영할 수 없으며, 감사위원회의 구성에서 사외이사의 비율을 높인 취지가 몰각되는 상태로 위원회가 운영될 수밖에 없게 된다.

나. 상법상 사외이사 제도

1) 서

상법은 해당 '회사의 상무에 종사하지 아니하는 이사,' 즉 사외이사제도를 도입하였다(제382조 제3항). 그러나 이사회의 구성에서 사외이사의 선임을 규정하지 않고, 감사위원회와 감사 가운데 하나를 선택할 수 있도록 하고, 감사위원회를 설치한 회사는 사외이사가 위원의 3분의 2 이상이 되도록 요구한다(제415조의2 제2항).

이에 대해 상장회사에 대해서는 일정 규모 이상의 회사에[112] 대해서는 감사

---

112) ① 「벤처기업육성에 관한 특별조치법」에 따른 벤처기업 중 최근 사업연도 말 현재의 자산총액이 1천억원 미만으로서 코스닥시장(「자본시장과 금융투자업에 관한 법률」 제9조 제13항 제2호에 따른 코스닥시장을 말한다. 이하 같다)에 상장된 주권을 발행한 벤처기업인 경우, ② 「채무자 회생 및 파산에 관한 법률」에 따른 회생절차가 개시되었거나 파산선고를 받은 상장회사인 경우, ③ 유가증권시장(「자본시장과 금융투자업에 관한 법률」 제9조 제13항 제1호에 따른 유가증권시장을 말한다. 이하 같다) 또는 코스닥시장에 주권을 신규로 상장한 상장회사(신규상장 후 최초로 소집되는 정기주주총회 전날까지만 해당한다)인 경우. 다만, 유가증권시장에 상장된 주권을 발행한 회사로서 사외이사를 선임하여야 하는 회사가 코스닥시장에 상장된 주권을 발행한 회사로 되는 경우 또는 코스닥시장에 상장된 주권을 발행한 회사로서 사외이사를 선임하여야 하는 회사가 유가증권시장에 상장된 주권을 발행

위원회를 설치하도록 하고(제542조의11 제1항), 사외이사의 선임과 관련하여서는 별도의 규정을 두고 있다. 이에 따르면 최소한 3명 이상의 사외이사를 두도록 하며, 규모에 따라 이사 총수의 4분의 1 이상 또는 과반수[113])의 사외이사를 선임하여야 한다(제542조의8 제1항). 다만 일정 회사에 대해서는 예외를 인정한다(제542조의11 제1항).[114]) 감사위원회의 구성과 관련하여 위원회의 독립성을 보장하기 위해서는 감사위원회를 독립적인 사외이사로만 구성하도록 하여야 한다는 주장이 있다.[115])

상법은 물론 그 밖의 금융 관련 법률에서도 사외이사의 자격에 대해서는 거의 대부분 자격에 관하여 소극적으로 규정하고 있다. 즉 일정한 자는 사외이사가 될 수 없다고 규정하고 있다. 이에 대해 주주들이 사외이사 후보자가 결격요건에 해당하는지 알 수 없는 경우가 많다는 지적이 있다.[116])

사외이사의 자격과 관련하여서도 상법은 비상장회사와 상장회사를 구분하여 다르게 정하고 있다. 이에 따르면 후자에 대해서는 전자에서 요구하는 요건에 덧붙인 자격 제한 규정을 두고 있다.

한 회사로 되는 경우에는 그러하지 아니하다, ④ 「부동산투자회사법」에 따른 기업구조조정 부동산투자회사인 경우 또는 ⑤ 해산을 결의한 상장회사인 경우는 제외된다(시행령 제34조 제1항).

113) 최근 사업연도 말 현재의 자산총액이 2조원 이상인 상장회사를 말한다(시행령 제34조 제2항).

114) ① 「벤처기업육성에 관한 특별조치법」에 따른 벤처기업 중 최근 사업연도 말 현재의 자산총액이 1천억원 미만으로서 코스닥시장(「자본시장과 금융투자업에 관한 법률」 제9조 제13항 제2호에 따른 코스닥시장을 말한다. 이하 같다)에 상장된 주권을 발행한 벤처기업인 경우, ② 「채무자 회생 및 파산에 관한 법률」에 따른 회생절차가 개시되었거나 파산선고를 받은 상장회사인 경우, ③ 유가증권시장(「자본시장과 금융투자업에 관한 법률」 제9조 제13항 제1호에 따른 유가증권시장을 말한다. 이하 같다) 또는 코스닥시장에 주권을 신규로 상장한 상장회사(신규상장 후 최초로 소집되는 정기주주총회 전날까지만 해당한다)인 경우. 다만, 유가증권시장에 상장된 주권을 발행한 회사로서 사외이사를 선임하여야 하는 회사가 코스닥시장에 상장된 주권을 발행한 회사로 되는 경우 또는 코스닥시장에 상장된 주권을 발행한 회사로서 사외이사를 선임하여야 하는 회사가 유가증권시장에 상장된 주권을 발행한 회사로 되는 경우에는 그러하지 아니하다, ④ 「부동산투자회사법」에 따른 기업구조조정 부동산투자회사인 경우 또는 ⑤ 해산을 결의한 상장회사인 경우는 제외된다(시행령 제34조 제1항).

115) 최완진, 전게논문, 326면.

116) 이형규·이상복, 「사외이사 선임제도 개선방안에 관한 연구」(한국상장회사협의회, 2002), 43면; 박강익·박수영, 전게서, 186면.

2) 비상장회사의 사외이사

감사위원회의 설치가 강제되지 아니한 회사에 대해서는 사외이사의 자격은 의미가 없다. 그러나 감사위원회를 설치하는 회사는 그 구성에서 사외이사가 위원의 3분의 2 이상이어야 한다는 점에서(제415조의2 제2항 단서) 이와 다르다. 위와 같은 회사에서의 사외이사 자격과 관련하여 최대주주의 사외이사 자격에도 제한을 두고 있다. 이에 따르면 최대주주가 자연인인 경우 본인과 그 배우자 및 직계 존속·비속과 법인인 경우 그 법인의 이사·감사·집행임원 및 피용자(제382조 제3항 제2호, 제3호)는 사외이사가 될 수 없다.

다른 한편 회사와 일정한 관계에 있는 회사의 임원, 예컨대 회사의 모회사 또는 자회사의 이사·감사·집행임원 및 피용자와 회사의 이사·집행임원 및 피용자가 이사·집행임원으로 있는 다른 회사의 이사·감사·집행임원 및 피용자는 사외이사가 될 수 없으며(제382조 제3항 제5호, 제7호), 회사와 일정한 관계가 있는 자와 그와 특수한 관계에 있는 자, 예컨대 회사의 상무에 종사하는 이사·집행임원 및 피용자 또는 최근 2년 이내에 회사의 상무에 종사한 이사·감사·집행임원 및 피용자(제382조 제3항 제1호)와 이사·감사·집행임원의 배우자 및 직계 존속·비속, 등은 사외이사가 될 수 없고(제382조 제3항 제4호), 회사와 거래관계 등 중요한 이해관계에 있는 법인의 이사·감사·집행임원 및 피용자(제382조 제3항 제6호)도 사외이사가 될 수 없다.

3) 상장회사의 사외이사

상장회사의 사외이사는 일반 회사의 사외이사의 자격 규제에 덧붙여 당사자의 (경제적인) 합리적 판단을 기대하기 어려운 자로서 예컨대 ① 미성년자, 금치산자 또는 한정치산자, ② 파산선고를 받고 복권되지 아니한 자(제542조의8 제2항 제1호, 제2호)와 당사자의 신뢰성을 기대하기 어려운 자로서 예컨대 금고 이상의 형을 선고받고 그 집행이 끝나거나 집행이 면제된 후 2년이 지나지 아니한 자(제542조의8 제2항 제3호)나 대통령령으로 별도로 정하는 법률을 위반하여 해임되거나 면직된 후 2년이 지나지 아니한 자(제542조의8 제2항 제4호),117)의 사

---

117) "대통령령으로 별도로 정하는 법률"이란 ① 「한국은행법」, ② 「은행법」, ③ 「보험업법」, ④ 「자본시장과 금융투자업에 관한 법률」, ⑤ 「상호저축은행법」, ⑥ 「금융실명거래 및 비밀보장에 관한 법률」, ⑦ 「금융위원회의 설치 등에 관한 법률」, ⑧ 「예금자보호법」, ⑨ 「금융기

외이사 자격을 제한한다. 또 다량의 주식을 보유한 자의 사외이사 진입을 막음
으로써 대주주 등에 의한 이사회의 장악을 배제하고 있다. 이에 따르면 상장회
사의 주주로서 의결권 없는 주식을 제외한 발행주식 총수를 기준으로 본인 및
그와 대통령령으로 정하는 특수한 관계에 있는 자가 소유하는 주식의 수가 가장
많은 경우 그 본인, 이른바 최대주주 및 그의 특수관계인(제542조의8 제2항 제5
호)과118) 누구의 명의로 하든지 자기의 계산으로 의결권 없는 주식을 제외한 발
행주식 총수의 100분의 10 이상의 주식을 소유하거니 이시·집행임원·감시의
선임과 해임 등 상장회사의 주요 경영사항에 대하여 사실상의 영향력을 행사하
는 주주, 이른바 주요주주 및 그의 배우자와 직계 존속·비속 등은 사외이사가
될 수 없도록 하였다(제542조의8 제2항 제6호).

다른 한편 상법은 사외이사로서의 직무를 충실하게 수행하기 곤란하거나 상
장회사의 경영에 영향을 미칠 수 있는 자의 사외이사 자격을 제한하고 있다(제

관부실자산 등의 효율적 처리 및 한국자산관리공사의 설립에 관한 법률」, ⑩ 「여신전문금
융업법」, ⑪ 「한국산업은행법」, ⑫ 「중소기업은행법」, ⑬ 「한국수출입은행법」, ⑭ 「신용협
동조합법」, ⑮ 「신용보증기금법」, ⑯ 「기술신용보증기금법」, ⑰ 「새마을금고법」, ⑱ 「중소
기업창업지원법」, ⑲ 「신용정보의 이용 및 보호에 관한 법률」, ⑳ 「외국환거래법」, ㉑ 「외
국인투자촉진법」, ㉒ 「자산유동화에 관한 법률」, ㉓ 「주택저당채권유동화회사법」, ㉔ 「금
융산업의 구조개선에 관한 법률」, ㉕ 「담보부사채신탁법」, ㉖ 「금융지주회사법」, ㉗ 「기업
구조조정투자회사법」, ㉘ 「한국주택금융공사법」과 이에 상응하는 외국의 금융관련법령을
말한다(시행령 제34조 제3항).

118) "대통령령으로 정하는 특수한 관계에 있는 자"(제542조의8 제2항 제5호)에 관하여 본인이
개인인 경우와 법인 또는 단체인 경우로 나누어 규정하고 있다. 본인이 개인인 경우에는
① 배우자(사실상의 혼인관계에 있는 사람을 포함한다), ② 6촌 이내의 혈족, ③ 4촌 이내
의 인척, ④ 본인이 단독으로 또는 본인과 가목부터 다목까지의 관계에 있는 사람과 합하
여 100분의 30 이상을 출자하거나 그 밖에 이사·집행임원·감사의 임면 등 법인 또는 단
체의 주요 경영사항에 대하여 사실상 영향력을 행사하고 있는 경우에는 해당 법인 또는 단
체와 그 이사·집행임원·감사 및 ⑤ 본인이 단독으로 또는 본인과 앞에 열거한 관계인과
합하여 100분의 30 이상을 출자하거나 그 밖에 이사·집행임원·감사의 임면 등 법인 또
는 단체의 주요 경영사항에 대하여 사실상 영향력을 행사하고 있는 경우에는 해당 법인 또
는 단체와 그 이사·집행임원·감사 가운데 어느 하나에 해당하는 자를 말한다(제542조의8
제4항 제1호). 본인이 법인 또는 단체인 경우에는 ① 이사·집행임원·감사, ② 계열회사
및 그 이사·집행임원·감사, ③ 단독으로 또는 이사·집행임원·감사와 합하여 본인에게
100분의 30 이상을 출자하거나 그 밖에 이사·집행임원·감사의 임면 등 본인의 주요 경
영사항에 대하여 사실상 영향력을 행사하고 있는 개인 및 그와 제1호 각 목의 관계에 있
는 자 또는 단체(계열회사는 제외한다. 이하 이 호에서 같다)와 그 이사·집행임원·감사
및 ④ 본인이 단독으로 또는 본인과 앞에 열거한 관계인과 합하여 100분의 30 이상을 출
자하거나 그 밖에 이사·집행임원·감사의 임면 등 단체의 주요 경영사항에 대하여 사실상
영향력을 행사하고 있는 경우 해당 단체와 그 이사·집행임원·감사 가운데 어느 하나에
해당하는 자를 말한다(시행령 제34조 제4항).

542조의8 제2항 제7호). 이에 따르면 해당 상장회사의 계열회사의 상무에 종사하는 이사·집행임원·감사 및 피용자이거나 최근 2년 이내에 계열회사의 상무에 종사하는 이사·집행임원·감사 및 피용자였던 자(시행령 제34조 제5항 제1호)와 지배주주나 대주주 등으로부터 독립성을 보장하기 위하여 해당 상장회사의 발행주식 총수의 100분의 1 이상에 해당하는 주식을 보유(자본시장법 제133조 제3항에 따른 보유를 말한다)하고 있는 자도 사외이사에서 제외시켰다(시행령 제34조 제5항 제5호).

다른 한편 당사자의 회사에 대한 전심전력을 요구하는 의미에서 해당 상장회사 외의 2개 이상의 다른 회사의 이사·집행임원·감사로 재임중인 자도 사외이사가 될 수 없도록 하였다(시행령 제34조 제5항 제3호). 또 회사와 일정한 업무나 거래를 지속적으로 행하는 상대방의 인적 구성원에 대해, 즉 ① 해당 상장회사에 대한 회계감사 또는 세무대리를 하거나 그 상장회사와 법률자문·경영자문 등의 자문계약을 체결하고 있는 변호사(소속 외국법자문사를 포함), 공인회계사, 세무사, 그 밖에 자문용역을 제공하고 있는 자(시행령 제34조 제5항 제4호)와 ② 해당 상장회사와의 거래(약관의 규제에 관한 법률 제2조 제1호의 약관에 따라 이루어지는 해당 상장회사와의 정형화된 거래는 제외한다) 잔액이 1억원 이상인 자 가운데 어느 하나에 해당하는 자는(시행령 제34조 제5항 제6호) 사외이사가 될 수 없도록 하였다.

그 밖에 일정한 법인 등의 이사·집행임원·감사 및 피용자이거나 최근 2년 이내에 이사·집행임원·감사 및 피용자였던 자를 사외이사가 될 수 없다고 규정하고 있다(시행령 제34조 제5항 제2호). 일정한 법인 등의 이사·집행임원·감사 및 피용자란 법무법인, 법무법인(유한), 법무조합, 변호사 2명 이상이 사건의 수임·처리나 그 밖의 변호사 업무수행 시 통일된 형태를 갖추고 수익을 분배하거나 비용을 분담하는 형태로 운영되는 법률사무소, 외국법자문법률사무소의 경우에는 해당 법무법인 등에 소속된 변호사, 외국법자문사를 말한다. 일정한 법인이란 ① 최근 3개 사업연도 중 해당 상장회사와의 거래실적의 합계액이 자산총액(해당 상장회사의 최근 사업연도 말 현재의 대차대조표상의 자산총액을 말한다) 또는 매출총액(해당 상장회사의 최근 사업연도 말 현재의 손익계산서상의 매출총액을 말한다. 이하 이 조에서 같다)의 100분의 10 이상인 법인, ② 최근 사업연도 중에 해당 상장회사와 매출총액의 100분의 10 이상의 금액에 상당하는 단일의 거래계약을 체결한 법인, ③ 최근 사업연도 중에 해당 상장회사가 금전, 유가증권, 그 밖의 증권 또는 증서를 대여하거나 차입한 금액과 담보제공 등 채무보증을 한 금액의 합계액이 자본금(해당 상장회사의 최근 사업연도 말 현재의 대차대조표상의 자본금을 말한다)의 100분의 10 이상인 법인, ④ 해당 상장회사의 정기주주총회일 현재 그 회사가 자본금(해당 상장회사가 출자한 법인의 자본금을 말한다)의 100분의 5 이상을 출자한 법인, ⑤ 해당 상장회사와 기술제휴계약을 체결하고 있는 법인, ⑥ 해당 상장회사의 감사인으로 선임된 회계법인 및 ⑦ 해당 상장회사와 주된 법률자문·경영자문 등의 자문계약을 체결하고 있는 법무법인, 법무법인(유한), 법무조합, 변호사 2명 이상이 사건의 수임·처리나 그 밖의 변호사 업무수행 시 통일된 형태를 갖추고 수익을 분배하거나 비용을 분담하는 형태로 운영되는 법률사무소, 외국법자문법률사무소, 회계법인, 세무법인, 그 밖에 자문용역을 제공하고 있는 법인을 말한다(시행령 제34조 제5항 제2호).[119)

4) 감사위원회 구성과 사외이사

회사는 정관이 정한 바에 따라 이사회 안에 위원회를 설치할 수 있다(제393

---

119) 그러나 ① 「은행법」에 따른 은행, ② 「한국산업은행법」에 따른 한국산업은행, ③ 「중소기업은행법」에 따른 중소기업은행, ④ 「한국수출입은행법」에 따른 한국수출입은행, ⑤ 「농업협동조합법」에 따른 농업협동조합중앙회 및 농협은행, ⑥ 「수산업협동조합법」에 따른 수산업협동조합중앙회, ⑦ 「상호저축은행법」에 따른 상호저축은행중앙회 및 상호저축은행, ⑧ 「보험업법」에 따른 보험회사, ⑨ 「여신전문금융업법」에 따른 여신전문금융회사, ⑩ 「신용협동조합법」에 따른 신용협동조합중앙회, ⑪ 「산림조합법」에 따른 산림조합중앙회, ⑫ 「새마을금고법」에 따른 새마을금고중앙회, ⑬ 「한국주택금융공사법」에 따른 한국주택금융공사, ⑭ 「자본시장과 금융투자업에 관한 법률」에 따른 투자매매업자 및 투자중개업자, ⑮ 「자본시장과 금융투자업에 관한 법률」에 따른 종합금융회사, ⑯ 「자본시장과 금융투자업에 관한 법률」에 따른 집합투자업자 및 ⑰ 「자본시장과 금융투자업에 관한 법률」에 따른 증권금융회사 어느 하나에 해당하는 법인인 기관투자자 및 이에 상당하는 외국금융회사는 제외한다(제34조 제6항 제1~17호). 또 법률에 따라 설립된 기금을 관리·운용하는 법인으로서 ① 「공무원연금법」에 따른 공무원연금공단, ② 「사립학교교직원 연금법」에 따른 사립학교교직원연금공단, ③ 「국민체육진흥법」에 따른 서울올림픽기념국민체육진흥공단, ④ 「신용보증기금법」에 따른 신용보증기금, ⑤ 「기술신용보증기금법」에 따른 기술신용보증기금, ⑥ 「무역보험법」에 따른 한국무역보험공사, ⑦ 「중소기업협동조합법」에 따른 중소기업중앙회 및 ⑧ 「문화예술진흥법」에 따른 한국문화예술위원회 등도 역시 이에 포함된다(제34조 제6항 18호). 이 경우 법률에 따라 공제사업을 영위하는 법인, 즉 ① 「한국교직원공제회법」에 따른 한국교직원공제회, ② 「군인공제회법」에 따른 군인공제회, ③ 「건설산업기본법」에 따라 설립된 건설공제조합 및 전문건설공제조합, ④ 「전기공사공제조합법」에 따른 전기공사공제조합, ⑤ 「정보통신공사업법」에 따른 정보통신공제조합, ⑥ 「대한지방행정공제회법」에 따른 대한지방행정공제회 및 ⑦ 「과학기술인공제회법」에 따른 과학기술인공제회 등은 제외된다(시행령 제34조 제6항 제18호).

조의2 제1항)고 규정하고 있다. 따라서 정관의 규정이 없는 이사회 내 위원회는 비록 위원회라는 명칭을 사용하더라도 상법상의 위원회로서의 기능은 할 수 없다. 이에 따라 회사가 감사위원회를 두기 위해서는 정관에 이에 관한 규정을 두어야 하며, 이러한 규정이 없으면, 주주총회의 특별결의로 감사위원회를 설치할 수 있다. 회사가 감사위원회를 설치하는 경우 감사를 둘 수 없도록 하였다(제 415조의2 제1항).[120] 다른 한편 일정 규모 이상의 상장회사에 대해서는 감사위원회를 설치하도록 한다(제542조의11 제1항).[121]

이사회 내 위원회는 원칙적으로 2인 이상의 이사로 구성하여야 한다. 2인 이상으로 구성하도록 한 것은 소규모 회사를 고려한 것이다.[122] 다만 감사위원회는 다른 위원회와 달리 최소한 3인의 이사를 요구하고 있다(제393조의2 제3항, 제415조의2 제2항 본문). 위원의 수를 다른 위원회의 경우보다 많은 수로 한 것은 의사 결정의 신중을 기할 수 있다는 점과 분업과 공동행동의 이점 때문이라고 한다.[123]

회사설립 시 정관에 감사위원회를 설치할 수 있도록 한 경우에도 상법의 해석상 설립 시에 감사위원회 위원을 선임할 수 있는지의 문제가 있다. 그것은 법이 회사설립 시의 임원 선임에 관한 조문에서 감사위원회에 관한 규정을 두고 있지 않고 오직 감사의 선임에 관한 규정만을 두고 있기 때문이다. 즉 발기설립에서는 납입과 현물출자의 이행이 완료된 때에는 발기인은 지체 없이 이사와 감사를 선임하여야 하고(제296조 제1항), 모집설립에서는 창립총회에서 이사와 감사를 선임하여야 한다(제312조)고만 규정하고 있기 때문이다. 이에 대해 설립등기 시의 등기사항에서는 감사위원회를 설치한 때에는 "감사위원회 위원의 성명

---

120) 위원회를 규정하게 된 직접적인 계기는 감사위원회의 도입 때문이라고 한다(최완진, "주식회사의 감사제도의 개선방안에 관한 연구," 319면).

121) 최근 사업연도 말 현재의 자산총액이 2조원 이상인 상장회사를 말하며, ① 「부동산투자회사법」에 따른 부동산투자회사인 상장회사, ② 「공공기관의 운영에 관한 법률」 및 「공기업의 경영구조 개선 및 민영화에 관한 법률」을 적용받는 상장회사, ③ 「채무자 회생 및 파산에 관한 법률」에 따른 회생절차가 개시된 상장회사 또는 ④ 유가증권시장 또는 코스닥시장에 주권을 신규로 상장한 상장회사(신규상장 후 최초로 소집되는 정기주주총회 전날까지만 해당한다). 다만, 유가증권시장에 상장된 주권을 발행한 회사로서 감사위원회를 설치하여야 하는 회사가 코스닥시장에 상장된 주권을 발행한 회사로 되는 경우 또는 코스닥시장에 상장된 주권을 발행한 회사로서 감사위원회를 설치하여야 하는 회사가 유가증권시장에 상장된 주권을 발행한 회사로 되는 경우는 제외된다(시행령 제37조 제1항).

122) 최완진, 전게논문, 319면.

123) 최병규, 전게서, 293면.

및 주민등록번호"를 들고 있다(제317조 제2항 제12호). 입법의 미비로 보이며 설립 시에도 감사위원회를 설치한 회사는 감사위원회 위원도 함께 선임하도록 하여야 한다. 비송사건절차법에서는 "감사 또는 감사위원회 위원의 취임을 승낙하는 증명하는 서면"으로 규정하고 있어(비송사건절차법 제203조 제9호) 회사설립 시에도 감사위원회를 둘 수 있는 것으로 해석된다. 따라서 상법이 회사설립 시 임원 선임에서 감사위원회에 관한 규정을 두지 않은 것은 입법의 미비이며, 감사위원회를 두는 회사는 감사를 선임하지 않고 이사만 선임하여야 하고, 이들로 구성된 이사회에서는 이 이사들 가운데 3인을 감사위원회 위원으로 선임하여야 한다. 이와 관련하여 이사 모두가 감사위원회 위원이 되는 것은 결과적으로 자기 감독이 되어, 허용되지 않는다고 본다. 따라서 감사위원회를 설치하는 회사는 설립 시 최소한 4인 이상의 이사를 선임하여야 한다.[124]

감사위원회의 구성 비율과 관련하여 상법은 사외이사가 위원의 3분의 2 이상이 되도록 하였다(제415조의2 제2항). 감사위원회 위원인 사외이사에 대해서는 별도의 자격을 요하지 않는다. 감사위원회는 3인 이상의 이사로, 그 가운데 3분의 2 이상이 사외이사이어야 한다는 규정으로부터 나머지 3분의 1에 대해서는 이사에 대한 자격 요건을 갖춘 것으로 족하다(제415조의2 제2항). 이에 대해 나머지 3분의 2인 사외이사인 위원의 자격은 제한하고 있다. 이에 따르면 ① 회사의 상무에 종사하는 이사·집행임원 및 피용자 또는 최근 2년 이내에 회사의 상무에 종사한 이사·집행임원 및 피용자, ② 최대주주가 자연인인 경우 본인과 그 배우자 및 직계 존속·비속, ③ 최대주주가 법인인 경우 그 법인의 이사·감사·집행임원 및 피용자, ④ 이사·감사·집행임원의 배우자 및 직계 존속·비속, ⑤ 회사의 모회사 또는 자회사의 이사·감사·집행임원 및 피용자, ⑥ 회사와 거래관계 등 중요한 이해관계에 있는 법인의 이사·감사·집행임원 및 피용자 및 ⑦ 회사의 이사·집행임원 및 피용자가 이사·집행임원으로 있는 다른 회사의 이사·감사 및 피용자 등은 감사위원회의 3분의 1 이상을 점할 수 없도록 제한하고 있다(제382조 제3항 제1∼7호).

상장회사 감사위원회의 사외이사인 위원 가운데 1명 이상은 회계 또는 재무 전문가이어야 한다(제542조의11 제2항 제1호). 또 사외이사가 아닌 감사위원회 위

---

124) 최기원, 전게서, 1009면.

원의 자격에 대해 제한하고 있다(제542조의11 제3항). 이러한 제한은 당사자 개인의 사외이사로서의 적격성, 당사자의 회사에 대한 영향력이나 지배력의 행사가능성, 다른 회사의 사외이사를 겸하는 데서 올 수 있는 담합가능성 측면에서 사외이사가 아니더라도 감사위원회의 위원에서 제외하도록 하였다. 이러한 제한은 선임 당시만이 아니라 선임된 후에까지 미친다(제542조의11 제3항, 제542조의10 제2항).

당사자 개인의 사외이사직의 수행적정성과 관련하여 법은 ① 미성년자 · 금치산자 또는 한정치산자, ② 파산선고를 받고 복권되지 아니한 자, ③ 금고 이상의 형을 받고 그 집행이 끝나거나 집행이 면제된 후 2년이 지나지 아니한 자 및 ④ 대통령령으로 별도로 정하는 법률을 위반하여 해임되거나 면직된 후 2년이 지나지 아니한 자는 제외된다(제542조의11 제3항, 제542조의10 제2항 제1호, 제542조의8 제2항 제1~4호). 당사자 개인의 수행 적정성 등은 사외이사의 독립성과는 무관한 규정으로 오히려 이사의 자격에서 요구하였어야 한다고 본다.

다른 한편 당해 회사의 주식을 다량 보유함으로써 영향력을 행사할 수 있는 경우, 예컨대 누구의 명의로 하든지 자기의 계산으로 의결권 없는 주식을 제외한 발행주식 총수의 100분의 10 이상의 주식을 소유하거나 이사 · 집행임원 · 감사의 선임과 해임 등 상장회사의 주요 경영사항에 대하여 사실상의 영향력을 행사하는 주주 및 그의 배우자와 직계 존속 · 비속의 사외이사 선임을 제한하고 있다(제542조의11 제3항, 제542조의10 제2항, 제542조의8 제6호).

회사와 일정한 관계에 있거나 있었던 자들 역시 대주주의 영향력으로부터 독립적이기 어렵다는 면에서 회사의 상무에 종사하는 이사 · 집행임원 및 피용자 또는 최근 2년 이내에 회사의 상무에 종사한 이사 · 집행임원 및 피용자도 제외하고 있다(제542조의11 제3항, 제542조의10 제2항 제2호, 제542조의8 제6호). 그 밖에도 회사의 경영에 영향을 미칠 수 있는 자로서 대통령령으로 정하는 자도 제외된다(제542조의11 제3항, 제542조의10 제2항 제3호). 이에 따르면 ① 해당 회사의 상무에 종사하는 이사 · 집행임원의 배우자 및 직계존속 · 비속과 ② 계열회사의 상무에 종사하는 이사 · 집행임원 및 피용자이거나 최근 2년 이내에 상무에 종사한 이사 · 집행임원 및 피용자들이 여기에 해당한다(시행령 제36조 제2항).

다. 자본시장법상 사외이사 제도

1) 서

자본시장법 제정 이전에는 증권거래법에서 사외이사의 자격에 관하여 적지 않은 규정을 두고 있었다. 증권거래법은 크게 당사자 개인의 사외이사로서의 적격성, 당사자의 회사에 대한 영향력이나 지배력의 행사가능성, 다른 회사의 사외이사를 겸하는 데서 올 수 있는 담합가능성, 회사의 업무 등과 관련하여 일정한 관계에 있는 경우의 담합가능성 측면에서 사외이사의 자격을 제한하고 있다. 이러한 제한은 선임 당시만이 아니라 선임된 후에까지 미치게 되어, 비록 사외이사로 선임되어 사외이사직을 보지하고 있더라도 위의 자격요건을 갖추지 못하면 사외이사직을 잃게 된다(자본시장법 제54조의5 제4항 본문). 따라서 이러한 자가 이사회의 결의에 출석하여 의결권을 행사하는 것은 이사회의 결의를 무효로 할 수 있다. 자본시장법은 증권거래법과 크게 다르지 않게 사외이사의 자격을 규제하고 있다.

자본시장법에서는 "사외이사"를 회사의 상시적인 업무에 종사하지 아니하는 자를 말하면서(제9조 제3항), 한편에서는 대통령령이 정하는 금융투자업자는[125] 3인 이상의 사외이사를 두도록 하였다(제25조 제1항). 자본시장법은 주식매수선택권 부여신고 등과 관련한 규정에서 공기업구조개선법, 은행법, 그 밖의 법률에 따라 선임된 주권상장법인의 비상임이사 또는 사외이사는 상법에 따른 요건 및 절차 등에 따라 선임된 사외이사로 보고 있다(제165조의17 제2항). 한국거래소의 사외이사는 한국거래소의 상시적인 업무에 종사하지 아니하는 자로서, 그 자격에 대해서는 거래소의 정관에서 정하고 있다(제380조 제6항). 아울러 한국거래소의 사외이사에 대해서는 최대주주와 최대주주의 특수관계인을 제외한 규정을 금융투자업자의 사외이사에 관한 규정(제25조 제5항)을 준용하고 있다(제382

---

125) "대통령령으로 정하는 금융투자업자"란 ① 최근 사업연도말을 기준으로 자산총액이 2조원 미만인 금융투자업자(다만, 최근 사업연도말을 기준으로 그 금융투자업자가 운용하는 집합투자재산, 법 제85조 제5호에 따른 투자일임재산 및 신탁재산의 전체 합계액이 6조원 이상인 경우는 제외), ② 외국 금융투자업자의 국내지점, 그 밖의 영업소, ③ 주주총회일부터 6개월 이내에 합병 등으로 인하여 소멸하는 금융투자업자 또는 ④「채무자 회생 및 파산에 관한 법률」에 따라 회생절차가 개시되거나 파산선고를 받은 금융투자업자 가운데 어느 하나에 해당하는 자를 말한다(자본시장과 금융투자업에 관한 법률 시행령 제28조 제1항).

조 제2항).

2) 사외이사제도의 강제

금융투자업자는 3인 이상의 사외이사를 두어야 하며, 사외이사는 이사 총수
의 2분의 1 이상이 되도록 하여야 한다(제25조 제1항).[126]

사외이사의 자격에 대해 자본시장법은 ① 최대주주, ② 최대주주의 특수관계
인, ③ 주요주주 및 그의 배우자와 직계존비속, ④ 해당 회사 또는 그 계열회사
(공정거래법에 따른 계열회사를 말함)의 상근 임직원이거나 최근 2년 이내에 상근
임직원이었던 자, ⑤ 해당 회사의 임원의 배우자 및 직계존비속, ⑥ 해당 회사
와 대통령령으로 정하는 중요한 거래관계가 있거나 사업상 경쟁관계 또는 협력
관계에 있는 법인의 상근 임직원이거나 최근 2년 이내에 상근 임직원이었던
자,[127] ⑦ 해당 회사의 임직원이 비상근이사로 있는 회사의 상근 임직원 및 ⑧
그 밖에 사외이사로서의 직무를 충실하게 수행하기 곤란하거나 해당 회사의 경
영에 영향을 미칠 수 있는 자로서 대통령령으로 정하는 자[128] 등은 금융투자업

---

126) 상법이 과반수로 규정하고 있어 자본시장과 금융투자업에 관한 법률 등 상법 이외의 금융
관련법에서 2분의 1 이상으로 하고 있는 점이 다르다는 점을 지적하며, 양자를 정할 필요
가 있다는 주장이 있다(정재규, "금융회사의 사외이사 제도,"「상사법연구」제29권 제4호
(한국상사법학회, 2011), 29면. 그러나 위 금융관련법의 적용을 받는 회사가운데 비상장회
사가 없다면 이러한 논의는 큰 의미가 없다.

127) 법 제25조 제5항 제6호에서 "해당 회사와 대통령령으로 정하는 중요한 거래관계가 있거나
사업상 경쟁관계 또는 협력관계에 있는 법인"이란 ① 최근 3개 사업연도 중 해당 금융투자
업자와의 거래실적의 합계액이 자산총액(그 금융투자업자의 최근 사업연도말 현재의 대차
대조표상의 자산총액을 말한다)이나 매출총액(그 금융투자업자의 최근 사업연도말 현재의
손익계산서상의 매출총액을 말한다. 이하 이 조에서 같다)의 100분의 10 이상인 법인, ②
최근 사업연도 중에 해당 금융투자업자와 매출총액의 100분의 10 이상의 금액에 상당하는
단일의 거래계약을 체결한 법인, ③ 최근 사업연도 중에 해당 금융투자업자가 금전·증권
을 대여하거나 차입한 금액과 담보제공 등 채무보증을 한 금액의 합계액이 자기자본(그 금
융투자업자의 최근 사업연도말 현재의 대차대조표상의 자기자본을 말한다)의 100분의 10
이상인 법인, ④ 해당 금융투자업자의 정기주주총회일 현재 그 금융투자업자가 자본금(그
금융투자업자가 출자한 법인의 자본금을 말한다)의 100분의 5 이상을 출자한 법인, ⑤ 해
당 금융투자업자와 기술제휴계약을 체결하고 있는 법인, ⑥ 해당 금융투자업자의 회계감사
인으로 선임된 회계법인 또는 ⑦ 해당 금융투자업자와 법률자문·경영자문 등의 자문계약
을 체결하고 있는 법인을 말한다(자본시장과 금융투자업에 관한 법률 시행령 제28조 2항).
다만, 한국은행, 제10조제2항 각 호의 어느 하나에 해당하는 자, 제10조 제3항 제1호부터
제13호까지의 어느 하나에 해당하는 자와 이들에 준하는 외국법인은 제외한다.

128) 법 제25조 제5항 제8호에서 "대통령령으로 정하는 자"란 ① 해당 금융투자업자 외에 둘
이상의 다른 주권상장법인의 사외이사·비상임이사 또는 비상임감사로 재임 중인 자, ②
해당 금융투자업자에 대한 회계감사나 세무대리를 하거나 해당 금융투자업자와 법률자문·
경영자문 등의 자문계약을 체결하고 있는 공인회계사·세무사·변호사, 그 밖에 이에 준하

자의 사외이사가 될 수 없도록 하였다. 다만, 사외이사가 됨으로써 최대주주의 특수관계인에 해당하게 된 자의 경우에는 사외이사가 될 수 있다(제25조 제5항).

한국거래소의 사외이사에게는 위 ①과 ②를 제외한 규정을 준용한다(제380조 제2항).

3) 감사위원회의 사외이사

자본시장법도 감사위원회의 구성은 상법상의 상장회사에서와 같은 정도를 요구하고 있다. 즉 감사위원회 위원의 3분의 2 이상이 사외이사이어야 하며, 위원 가운데 1명 이상은 회계 또는 재무전문가이어야 한다(제26조 제2항).[129] 사외이사인 감사위원회 위원은 앞서 밝힌 사외이사의 요건을 갖추면 족하다.

자본시장법은 감사위원회가 감사 기능을 한다는 점에서 그 구성원의 자격에 대해 엄격하게 제한하고 있다(자본시장법 제26조 제3항). 이에 따르면 사외이사가 아닌 위원에 대해서도 ① 해당 회사의 주요주주, ② 해당 회사의 상근 임직원 또는 최근 2년 이내에 상근 임직원이었던 자(해당 회사의 상근감사 또는 사외이사

는 자로서 자문용역을 제공하고 있는 자, ③ 해당 금융투자업자의 발행주식총수의 100분의 1 이상에 해당하는 주식을 보유(법 제133조 제3항 본문에 따른 보유를 말한다)하고 있는 자, ④ 해당 금융투자업자와의 거래(「약관의 규제에 관한 법률」 제2조 제1항에 따른 약관에 따라 행하여지는 그 금융투자업자와의 정형화된 거래는 제외한다) 잔액이 1억원 이상인 자 또는 해당 금융투자업자와 법률자문, 경영자문 등의 자문계약을 체결하고 있는 법률사무소·법무조합(「변호사법」 제31조 제2항에 따른 법률사무소와 제58조의18에 따른 법무조합을 말함)와 해당 금융투자업자의 회계감사인으로 선임된 감사반(「주식회사의 외부감사에 관한 법률」 제3조 제1항 제2호에 따른 감사반을 말한다) 가운데 어느 하나에 해당하는 단체에 소속된 변호사, 공인회계사 및 세무사 또는 최근 2년 이내에 그 단체에 소속되었던 변호사, 공인회계사 및 세무사를 말한다(자본시장과 금융투자업에 관한 법률 시행령 제21조 제3항).

129) 법 제26조 제2항 제2호에서 "대통령령으로 정하는 회계 또는 재무전문가"란 ① 공인회계사의 자격을 가진 자로서 그 자격과 관련된 업무에 5년 이상 종사한 경력이 있는 자, ② 회계 또는 재무 분야의 석사학위 이상의 학위소지자로서 연구기관 또는 대학에서 회계 또는 재무 관련 분야의 연구원 또는 조교수 이상의 직에 합산하여 5년 이상 근무한 경력이 있는 자, ③ 주권상장법인에서 회계 또는 재무 관련 업무에 합산하여 임원으로 5년 이상 근무하거나 임직원으로 10년 이상 근무한 경력이 있는 자 또는 ④ 가. 국가, 나. 한국은행, 다. 제10조 제2항 각 호의 어느 하나에 해당하는 기관 라. 제10조 제3항 제1호부터 제14호까지의 어느 하나에 해당하는 기관, 마. 다목 및 라목 외에 「금융위원회의 설치 등에 관한 법률」 제38조에 따른 검사대상기관, 바. 나목부터 마목까지의 기관 외에 「공공기관의 운영에 관한 법률」에 따른 공공기관(금융위원회가 정하여 고시하는 기관은 제외한다), 사. 「공인회계사법」에 따른 회계법인, 아. 가목부터 사목까지의 기관에 준하는 외국법인등에서 회계 또는 재무 관련 업무나 이에 대한 감독업무에 합산하여 5년 이상 근무한 경력이 있는 자를 말한다(자본시장과 금융투자업에 관한 법률 시행령 제29조 제2항).

가 아닌 감사위원회의 위원으로 재임 중이거나 재임하였던 자는 제외) 사외이사가 아
닌 감사위원회의 위원이 될 수 없다(자본시장법 제26조 제3항 제1호, 제2호). 그
밖에 해당 회사의 경영에 영향을 미칠 수 있는 자 등 사외이사가 아닌 감사위
원회의 위원으로서의 직무를 충실하게 수행하기 곤란한 자도 역시 감사위원회
위원이 될 수 없다(자본시장법 제26조 제3항 제3호). 즉 ① 자본시장법상 주요주
주의 배우자와 직계존비속, ② 상근임원의 배우자와 직계존비속 및 ③ 계열회사
의 상근 임직원이나 최근 2년 이내에 상근 임직원이었던 자는 감사위원회 위원
이 될 수 없도록 하였다(시행령 제29조 제3항).

4) 감사위원회 대표

자본시장법이 사외이사의 선임이 강제되는 회사는 감사위원회를 두어야 함은
앞서 밝힌 바 있다. 이와 관련하여 감사위원회의 대표에 관하여 별도의 규정을
두고 있지 않으므로 상법의 규정에 따라 그 결의로 위원 가운데에서 감사위원회
대표를 선정하여야 한다(제415조의2 제4항). 상장회사인 경우 감사위원회 대표는
반드시 사외이사이어야 한다(제542조의11 제2항 제2호).

라. 보험업법상 사외이사 제도

1) 서

보험업법은 일정한 규모 이상의 보험회사에 대해 감사위원회의 설치를 강제
하면서, 상시적인 업무에 종사하지 아니하는 이사, 즉 사외이사를 두도록 하여
임원의 사외성을 구현하고 있다. 이에 따르면 보험회사의 이사회는 3명 이상의
사외이사를 두어야 하고, 그 수는 전체 이사의 2분의 1 이상이 되어야 한다(제
15조 제1항). 감사위원회의 설치가 강제되는 회사는 최근 사업연도 말 현재 자산
총액이 2조원 이상인 보험회사를 말한다. 다만 채무자회생법에 따라 회생절차가
개시된 보험회사와 정기 주주총회 또는 사원총회 회의일부터 6개월 이내에 합병
등으로 인하여 소멸이 확정된 보험회사는 제외된다(시행령 제21조).

2) 사외이사제도

보험회사의 사외이사는 ① 앞서 임원의 자격에서 밝힌 제한 규정에 해당하는
자(제13조 제1항 제1~9호), ② 최대주주, ③ 최대주주의 특수관계인, ④ 주요주

주 및 그의 배우자와 직계 존속·비속, ⑤ 그 보험회사 또는 계열회사(「독점규제 및 공정거래에 관한 법률」에 따른 계열회사를 말한다. 이하 같다)의 상근 임직원이거나 최근 2년 이내에 상근 임직원이었던 자, ⑥ 그 보험회사의 상근임원의 배우자 및 직계 존속·비속, ⑦ 그 보험회사와 대통령령으로 정하는 중요한 거래관계가 있거나, 사업상 경쟁관계 또는 협력관계에 있는 법인[130]의 상근 임직원이거나 최근 2년 이내에 상근 임직원이었던 자, ⑧ 그 보험회사의 상근 임직원이 비상임이사로 있는 회사의 상근 임식원, 및 ⑨ ㄱ 밖에 사외이사로서의 직무를 충실하게 이행하기 어렵거나 그 보험회사와 이해관계가 있거나 경영에 영향을 미칠 수 있는 자로서 대통령령으로 정하는 자[131] 어느 하나에 해당하는 자는 보

---

130) 제21조의2(사외이사의 선임 등) ① 법 제15조 제4항 제7호에서 "대통령령으로 정하는 중요한 거래관계가 있거나, 사업상 경쟁관계 또는 협력관계에 있는 법인"이란 다음 각 호의 법인(「법인세법 시행령」 제161조 제1항 제4호에 따른 기관투자자, 이에 상당하는 외국금융기관은 제외한다)을 말한다.
 1. 최근 3개 사업연도 중 해당 보험회사와의 거래실적 합계액이 자산총액(해당 보험회사의 최근 사업연도 말 현재의 대차대조표상의 자산총액을 말한다) 또는 매출총액(해당 보험회사의 최근 사업연도 말 현재의 손익계산서상의 매출총액을 말한다. 이하 이 조에서 같다)의 100분의 10 이상인 법인
 2. 최근 사업연도 중에 해당 보험회사와 매출총액의 100분의 10 이상의 금액에 상당하는 단일 거래계약을 체결한 법인
 3. 최근 사업연도 중에 해당 보험회사가 금전, 유가증권, 그 밖의 증권 또는 증서를 대여하거나 차입(借入)한 금액과 담보제공 등 채무보증을 한 금액의 합계액이 자본금(해당 법인의 최근 사업연도 말 현재의 대차대조표상의 자본금을 말한다)의 100분의 10 이상인 법인
 4. 해당 보험회사의 정기주주총회일 또는 정기사원총회일 현재 해당 보험회사가 자본금(해당 회사가 출자한 법인의 자본금을 말한다)의 100분의 5 이상을 출자한 법인
 5. 해당 보험회사와 기술제휴계약을 체결하고 있는 법인
 6. 해당 보험회사의 감사인으로 선임된 회계법인
 7. 해당 보험회사와 법률자문, 경영자문 등의 자문계약을 체결하고 있는 법인
131) 법 제15조 제4항 제9호에서 "대통령령으로 정하는 자"란 다음 각 호의 어느 하나에 해당하는 사람을 말한다.
 1. 해당 보험회사 외에 2개 이상의 다른 주권상장법인의 사외이사, 비상임이사 또는 비상임감사로 재임 중인 사람
 2. 해당 보험회사에 대한 회계감사 또는 세무대리를 하거나 해당 보험회사와 법률자문, 경영자문 등의 자문계약을 체결하고 있는 변호사, 공인회계사, 세무사, 그 밖의 자문용역을 제공하고 있는 사람
 3. 해당 보험회사의 발행주식 총수 또는 출자총액의 100분의 1 이상에 해당하는 주식 또는 지분을 보유(「자본시장과 금융투자업에 관한 법률」 제133조 제3항에 따른 보유를 말한다)하고 있는 사람
 4. 제3호 외에 해당 보험회사와의 거래(「약관의 규제에 관한 법률」 제2조 제1호에 따른 약관에 따라 이루어지는 그 보험회사와의 정형화된 거래는 제외한다) 잔액이 1억원 이상인 사람
 5. 다음 각 목의 어느 하나에 해당하는 단체에 소속된 변호사, 공인회계사 및 세무사 또는

험회사의 사외이사가 되지 못하며, 사외이사가 된 후 이에 해당하게 되면 그 직을 잃는다(제15조 제4항).

3) 감사위원회의 사외이사

보험업법은 사외이사의 선임이 강제되는 보험회사에 대해 상법 제415조의2 제1항에 따른 감사위원회의 설치를 강제한다(제16조 제1항). 아울러 위원회의 구성에서 위원의 3분의 2 이상이 사외이사일 것과(제16조 제2항 제1호) 1명 이상은 회계 또는 재무 전문가일 것을(제16조 제2항 제2호)[132] 요구한다.

다른 한편 사외이사가 아닌 감사위원회 위원과 관련하여 별도의 규정을 두고 있다(보험업법 제16조 제3항). 이에 따르면 ① 앞서 보험회사의 임원의 자격에서 밝힌 자(제13조 제1항 제1~9호), ② 보험법상 최대주주와 그의 특수관계인 및 주요주주와 그의 배우자와 직계 존속·비속(제15조 제4항 제2~4호), ③ 그 보험회사의 상근 임직원이거나 최근 2년 이내에 상근 임직원이었던 자는 사외이사가 아니더라도 감사위원회 위원이 될 수 없다(제16조 제3항 제1~2호). 그 밖에도 법은 그 보험회사의 경영에 영향을 미칠 수 있는 자의 감사위원회 자격을 허용하

최근 2년 이내에 그 단체에 소속되었던 변호사, 공인회계사 및 세무사
　가. 해당 보험회사와 법률자문, 경영자문 등의 자문계약을 체결하고 있는 법률사무소(「변호사법」 제31조 제2항에 따른 법률사무소를 말한다)
　나. 해당 보험회사와 법률자문, 경영자문 등의 자문계약을 체결하고 있는 법무조합(「변호사법」 제58조의18에 따른 법무조합을 말한다)
　다. 해당 보험회사의 회계감사인으로 선임된 감사반(「주식회사의 외부감사에 관한 법률」 제3조 제1항 제3호에 따른 감사반을 말함)(시행령 제21조의2 제2항).

[132] 법 제16조 제2항 제2호에서 "대통령령으로 정하는 회계 또는 재무 전문가"란 다음 각 호의 어느 하나에 해당하는 사람을 말한다.
　1. 공인회계사 자격이 있는 사람으로서 자격 취득 후 그 자격과 관련된 업무에 5년 이상 종사한 경력이 있는 사람
　2. 재무 또는 회계 분야의 석사 이상의 학위를 가진 사람으로서 학위 취득 후 연구기관이나 대학에서 재무 또는 회계 관련 분야의 연구원 또는 조교수 이상의 직(職)에 5년 이상 근무한 경력이 있는 사람
　3. 주권상장법인에서 재무 또는 회계 관련 업무에 임원으로 5년 이상 근무하거나 임직원으로 10년 이상 근무한 경력이 있는 사람
　4. 국가, 지방자치단체, 「공공기관의 운영에 관한 법률」에 따른 공공기관, 금융감독원, 「자본시장과 금융투자업에 관한 법률」에 따른 한국거래소 또는 같은 법 제9조 제17항에 따른 금융투자업관계기관(금융투자 관계 단체는 제외한다)에서 재무 또는 회계 관련 업무 또는 이에 대한 감독업무에 5년 이상 종사한 경력이 있는 사람
　5. 「금융위원회의 설치 등에 관한 법률」 제38조에 따른 검사대상기관(이에 상당하는 외국 금융기관을 포함한다)에서 재무 또는 회계 관련 업무에 5년 이상 종사한 경력이 있는 사람(시행령 제21조의3 제1항).

지 않는다(제16조 제3항 제3호). 즉 ① 보험업법상 주요주주의 배우자와 직계 존속·비속, ② 상근임원의 배우자와 직계 존속·비속 또는 ③ 계열회사의 상근임직원 또는 최근 2년 이내에 상근 임직원이었던 사람을 말한다(시행령 제21조의3 제2항).

4) 감사위원회 대표

보험업법은 감사위원회의 설치를 강제하면서도(보험업법 제16조 제1항), 감사위원회 대표에 관한 규정을 두고 있지 않았다. 다만 보험업법 제16조 제1항에 따른 감사위원회의 구성에 관하여는 상법 제415조의2 제2항 단서 규정(사외이사가 위원의 3분의 2 이상이어야 한다)을 적용하지 않는다는 예외 규정만 두고 있다. 따라서 상법 규정에(제415조의2) 따라 감사위원회 대표를 사외이사 가운데에서 선정하여야 한다(제16조 제1항).

상법 제415조의2 제2항 단서 규정의 적용을 배제하는 것은 감사위원회 구성과 관련한 자본시장과 금융투자업에 관한 법률 제16조 제2항 제1호에서 총 위원의 3분의 2 이상이 사외이사일 것을 요구하는 조항이 있기 때문이다. 그러나 이 조문을 없애면 제5항도 필요 없다는 점에서, 입법에서 세심한 주의를 요하는 부분이다.

마. 은행법상 사외이사 제도

1) 서

은행법은 이사회에 상시적인 업무에 종사하지 아니하는 이사, 이른바 사외이사를 3명 이상 두도록 하면서, 그 수는 전체 이사의 과반수가 되도록 하였다(제22조 제2항). 즉 사외이사는 전체 이사 수의 반이 아니라,[133] 반을 넘어야 한다.

2) 이사의 사외성

은행법은 ① 임원의 자격 제한에 해당하는 자(제18조 제1항), ② 은행법상 대주주 및 그 특수관계인(대주주 및 그 특수관계인이 법인인 경우에는 그 법인의 직원을 포함),[134] ③ 은행과 자회사등(은행법 제37조 제2항) 또는 은행지주회사의 상

---

[133] 2010년 개정 전에는 사외이사의 수를 전체 이사의 100분의 50 이상이 되도록 규정하고 있다(은행법 제22조 제2항).

[134] 다만, 사외이사가 됨으로써 대주주의 특수관계인에 해당하게 된 자는 사외이사가 될 수 있

임 임직원, ④ 해당 은행과 그 은행의 자회사등(은행법 제37조 제2항) 및 자은행 (은행법 제37조 제5항) 또는 해당 은행을 자회사로 하는 은행지주회사 및 그 은행지주회사의 자회사등(금융지주회사법 제4조 제1항)의 상임 임직원과 그의 배우자 및 직계존·비속이거나 최근 2년 이내에 상임 임직원이었던 자, ⑤ 바로 앞에 열거한(④)자와 대통령령으로 정하는 중요한 거래관계에 있거나 사업상 경쟁관계 또는 협력관계에 있는 법인의 상임 임직원이거나 최근 2년 이내에 상임 임직원이었던 자, ⑥ 해당 은행의 상임 임직원이 비상임이사로 있는 회사의 상임 임직원 또는 ⑦ 그 밖에 사외이사로서 직무를 충실하게 이행하기 어렵거나 그 은행과 이해관계가 있거나 경영에 영향을 미칠 수 있는 자로서 대통령령으로 정하는 자 어느 하나에 해당하는 자는 사외이사가 될 수 없으며, 사외이사가 된 후에 이에 해당하게 되는 경우에는 그 직을 잃는다. 다만, 사외이사가 됨으로써 제2호에 따른 대주주의 특수관계인에 해당하게 된 자는 사외이사가 될 수 있다 (제22조 제7항).

3) 감사위원회의 사외이사

은행법은 이사회에 상법 제415조의2에 따른 감사위원회의 설치를 강제하면서(은행법 제23조의2 제1항), 총 위원의 3분의 2 이상이 사외이사일 것(은행법 제23조의2 제2항 제1호)과 위원 가운데 1명 이상은 대통령령으로 정하는 회계 또는 재무 전문가일 것(은행법 제23조의2 제2항 제2호)을 요구하고 있다. 따라서 감사위원회 위원 가운데 3분의 1에 대해서는 은행법상의 임원자격 제한규정에 해당하지 아니하면 족하다.

은행법은 사외이사가 아닌 감사위원회 위원, 이른바 상임감사위원의 자격에 일정한 제한을 두고 있다. 이에 따르면 ① 제18조 제1항 각 호의 어느 하나에 해당하는 자, ② 해당 은행의 대주주(대주주가 법인인 경우에는 그 법인의 임직원을 포함한다), ③ 해당 은행의 상임 임직원이거나 최근 2년 이내에 상임 임직원이었던 자,[135] ④ 그 밖에 해당 은행의 경영에 영향을 미칠 수 있는 사람 등 상임감사위원으로서의 직무를 충실하게 수행하기 어렵다고 인정되는 자로서 대

다(은행법 제22조 제7항).
[135] 다만, 해당 은행의 상임감사위원으로 재임 중이거나 재임하였던 자는 상임감사위원이 될 수 있다(은행법 제23조의2 제3항 단서).

통령령으로 정하는 자는 상임감사위원이 될 수 없으며, 상임감사위원이 된 후이에 해당하게 되면 그 직을 잃는다. 다만, 해당 은행의 상임감사위원으로 재임중이거나 재임하였던 자는 제3호에도 불구하고 상임감사위원이 될 수 있다(제23조의2 제3항).

4) 감사위원회 대표

은행법은 사외이사의 선임에서와 같이 예외 없이 모두 은행에 대해 감사위원회를 두도록 하였다(은행법 제23조의2 제1항). 그러나 감사위원회의 대표에 관하여 별도의 규정을 두고 있지 않으므로 상법의 규정에 따라 그 결의로 위원 가운데에서 감사위원회 대표를 선정하여야 한다(제415조의2 제4항). 상장회사인 은행의 감사위원회 대표는 반드시 사외이사이어야 한다(제542조의11 제2항 제2호).

6. 보 충 론

가. 서　언

2015년 7월 31일 제정되고 2016년 8월 1일 시행될 금융회사지배구조법(법률제13453호)에서는 종전 금융 관련 회사별로 각각의 특별법에서 규제하던 임원의 자격과 겸직에 대한 규정을 '금융회사'에 대한 규제로 일원화하였다. 여기에는 은행법에 따른 인가를 받아 설립된 은행, 자본시장법에 따른 금융투자업자 및 종합금융회사, 보험업법에 따른 보험회사, 상호저축은행법에 따른 상호저축은행, 여신전문금융업법에 따른 여신전문금융회사, 금융지주회사법에 따른 금융지주회사와 그 밖의 법률에 따라 금융 업무를 하는 회사로서 대통령령으로 정하는 회사가 해당된다(제2조 제1호).

법의 제정 이유 가운데 하나는 "글로벌 금융위기 이후 전 세계적으로 금융회사의 바람직한 지배구조에 관한 중요성이 강조되고 있고, 금융회사의 이사회와 감사위원회의 역할 강화 등 금융회사의 지배구조에 관한 규율을 강화할 필요성이 제기됨에 따라, 이사회의 사외이사 비율, 임원의 자격요건 등 개별 금융업권별로 차이가 나는 지배구조에 관한 사항을 통일적이고 체계적으로 규정하여 금융업 간의 형평성을 제고"하기 위해서이다.[136]

---

136) 관보 제18566호(2015. 7. 31.), 36면.

법의 주된 내용은 이른바 업무집행책임자를 임원의 범위에 포함하여 자격 요건을 강화하고, 특히 이사회의 감독·통제를 통하여 금융회사의 책임 경영에 이바지할 수 있도록 하기 위해 전략 기획이나 재무 관리 등 주요 업무를 집행하는 주요 업무집행책임자는 이사회의 의결을 거쳐 임면하도록 하였다.

사외이사와 감사위원의 자격 요건을 강화함과 아울러 이의 선임과 관련한 절차를 개선하였다.

이사회의 경영진에 대한 감시 기능을 강화하기 위하여, 이사회를 사외이사 중심으로 구성하도록 하고, 이사회의 심의·의결 권한을 규정하였다.

부칙에서는 이 법의 시행일과 무관하게 경과 규정을 두고 있다. 이에 따르면 이 법 시행 당시 재임 중인 금융회사의 임원자격에 관하여는 그 임기가 만료되는 날까지는 종전의 은행법, 자본시장법, 보험업법, 상호저축은행법, 여신전문금융업법 및 금융지주회사법에 따른다(제8조). 이 법 시행 당시 재임 중인 금융회사의 임원으로서 다른 회사의 임직원을 겸직하고 있는 사람은 금융회사의 임원으로서의 임기 만료일과 그 임원이 겸직하고 있는 다른 회사의 임원으로서의 임기 만료일 중 먼저 도래하는 날(임기 만료일이 이 법 시행 후 3년 이후이거나 다른 회사의 직원을 겸직하고 있는 경우에는 이 법 시행 후 3년이 되는 날로 한다)까지는 이 법에 따라 겸직하고 있는 것으로 본다(제9조). 금융회사의 주요 업무집행책임자는 그 임기가 만료되는 날(임기 만료일이 이 법 시행 후 3년 이후이거나 직원으로 재직 중인 경우에는 이 법 시행 후 3년이 되는 날로 한다)까지는 이 법에 따라 선임된 주요 업무집행책임자로 본다(제10조). 그 밖에도 금융회사(제3조 제3항에 해당하는 금융회사는 제외한다)는 이 법 시행 후 최초로 소집하는 주주총회 회의일까지 이 법에서 요구하는 이사회를 구성하여야 하고(제11조), 임원후보추천위원회, 감사위원회, 위험관리위원회 및 보수위원회를 설치하여야 하며(제12조), 감사위원을 선임하여야 한다(제13조 제1항).

나. 용어 정의

종전 금융 관련법에서 각기 달리 규정하던, 임원이나 업무집행책임자에 대한 용어를 통일적으로 규정하였다. 이에 따르면 "임원"이란 이사, 감사, 집행임원(상법에 따른 집행임원을 둔 경우로 한정한다) 및 업무집행책임자를(제2조 제2호), "이사"란 사내이사, 사외이사 및 그 밖에 상시적인 업무에 종사하지 아니하는 이사(이하 "비상임이사"라고 함)를(제2조 제3호), "사외이사"란 상시적인 업무에 종사하지 아니하는 이사로서 제17조에 따라 선임되는 사람을(제2조 제4호), 그리고 "업무집행책임자"란 이사가 아니면서 명예회장·회장·부회장·사장·부사장·행장·부행장·부행장보·전무·상무·이사 등 업무를 집행할 권한이 있는 것으로 인정될 만한 명칭을 사용하여 금융회사의 업무를 집행하는 사람을 말한다(제2조 제5호).

"대주주"란 이른바 최대주주와 주요주주로 나누어 정의하고 있다. 최대주주은는 금융회사의 의결권 있는 발행주식(출자 지분을 포함) 총수를 기준으로 본인 및 그와 대통령령으로 정하는 특수한 관계가 있는 자, 이른바 '특수관계인'이 누구의 명의로 하든지 자기의 계산으로 소유하는 주식(그 주식과 관련된 증권예탁증권을 포함)을 합하여 그 수가 가장 많은 경우의 그 본인을 말한다. 주요주주는 누구의 명의로 하든지 자기의 계산으로 금융회사의 의결권 있는 발행주식 총수의 100분의 10 이상의 주식(그 주식과 관련된 증권예탁증권을 포함)을 소유한 자 또는 임원(업무집행책임자는 제외)의 임면 등의 방법으로 금융회사의 중요한 경영 사항에 대하여 사실상의 영향력을 행사하는 주주로서 대통령령으로 정하는 자를 말한다.

다. 임원의 선임

금융회사의 지배구조, 즉 금융회사 임원의 자격 요건에 관하여 이 법에 특별한 규정이 없으면 상법을 적용한다(제4조 제2항). 따라서 금융회사지배구조법에서 별도로 정하지 않은 임원의 선임에도 앞서 밝힌 이사, 사외이사 및 감사(위원)의 선임과 해임에 관한 규정이 적용된다.

금융회사는 주주총회 또는 이사회에서 임원 가운데 사외이사, 대표이사, 대표집행임원 및 감사위원을 선임하려는 경우 임원후보추천위원회의 추천을 받은 사람 중에서 선임하여야 한다(제17조 제1항, 제3항). 임원후보추천위원회는 3명 이상의 위원으로 구성한다(제17조 제2항).

전략 기획, 재무 관리, 위험 관리 및 그 밖에 이에 준하는 업무로서 대통령령으로 정하는 주요 업무를 집행하는 업무집행책임자, 이른바 '주요 업무집행책임자'는 이사회의 의결을 거쳐 임면한다(제8조 제1항). 주요 업무집행책임자의 임기는 정관에 다른 규정이 없으면 3년을 초과하지 못한다(제8조 제2항).

금융회사는 감사위원이 되는 사외이사 1명 이상에 대해서는 다른 이사와 분리하여 선임하여야 한다(제19조 제5항). 감사위원을 선임하거나 해임하는 권한은 주주총회에 있다. 이 경우 감사위원이 되는 이사의 선임에 관하여는 감사 선임 시 의결권 행사의 제한에 관한 상법 제409조 제2항 및 제3항을 준용한다(제19조 제6항). 또 최대주주, 최대주주의 특수관계인, 그 밖에 대통령령으로 정하는 자가 소유하는 금융회사의 의결권 있는 주식의 합계가 그 금융회사의 의결권 없는 주식을 제외한 발행주식 총수의 100분의 3을 초과하는 경우 그 주주는 100분의 3을 초과하는 주식에 관하여 감사위원이 되는 이사를 선임하거나 해임할 때에는 의결권을 행사하지 못한다. 다만, 금융회사는 정관으로 100분의 3보다 낮은 비율을 정할 수 있다(제19조 제7항). 금융회사는 감사위원의 사임·사망 등의 사유로 감사위원의 수가 감사위원회의 구성요건에 미치지 못하게 된 경우에는 그 사유가 발생한 후 최초로 소집되는 주주총회에서 요건을 충족하도록 조치하여야 한다(제19조 제3항).

라. 임원의 자격 요건

1) 서   언

금융회사지배구조법에서는 사외이사를 임원에 포함하면서도 임원의 자격 요건에 관한 규정과는 별도로 사외이사의 자격 요건에 관한 규정을 두고 있다. 그러나 후자는 전자를 전제로 하는 것으로 사외이사는 임원의 자격 요건을 갖추고 사외이사에 요구되는 자격 요건을 충족하여야 한다. 그 밖에도 감사기관의 구성원에 관한 자격 요건을 사외이사의 자격 요건에 관한 규정을 준용한다.

2) 자격요건의 규제

법은 금융회사 임원의 자격 요건을 일반적인 개인적인 상황에 따라 규제하거나 일정한 제재가 가해진 자에 대해 규제하고 있다.

① 미성년자·피성년후견인 또는 피한정후견인,[137] ② 파산선고를 받고 복권

---

[137] 2011년 3월 7일 민법(법률 제19650호) 개정에서는 종전 금치산자와 한정치산자를 피성년후견인과 피한정후견인으로 개정하고, 다른 법령에서 "금치산" 또는 "한정치산"을 인용한 경우에는 성년후견 또는 한정후견을 받는 사람에 대하여 부칙 제2조 제2항에 따른 5년의 기간에 한정하여 "성년후견" 또는 "한정후견"을 인용한 것으로 본다(부칙 제3조). 민법이 개정된 이후에도 상법은 물론 금융 관련법의 개정이 있었음에도 불구하고 이 부분에 대한

(復權)되지 아니한 사람, ③ 금고 이상의 실형을 선고받고 그 집행이 끝나거나 (집행이 끝난 것으로 보는 경우를 포함한다) 집행이 면제된 날부터 5년이 지나지 아니한 사람, ④ 금고 이상의 형의 집행유예를 선고받고 그 유예기간 중에 있는 사람 및 ⑤ 이 법 또는 금융 관계 법령에 따라 벌금 이상의 형을 선고받고 그 집행이 끝나거나(집행이 끝난 것으로 보는 경우를 포함한다) 집행이 면제된 날부터 5년이 지나지 아니한 사람은 금융회사의 사외이사가 될 수 없다(제5조 제1항 제1 호~제5호).

다른 한편 행정조치와 관련된 자, 예컨대 ① 금융 관계 법령에 따른 영업의 허가·인가·등록 등의 취소, ② 금융산업구조개선법 제10조 제1항에 따른 적 기 시정 조치. ③ 같은 법 제14조 제2항에 따른 행정처분을 받은 금융회사의 임직원 또는 임직원이었던 사람(그 조치를 받게 된 원인에 대하여 직접 또는 이에 상응하는 책임이 있는 사람으로서 대통령령으로 정하는 사람으로 한정한다)으로서 해 당 조치가 있었던 날부터 5년이 지나지 아니한 사람과(제5조 제1항 제6호) 이 법 또는 금융 관계 법령에 따라 임직원 제재조치(퇴임 또는 퇴직한 임직원의 경우 해 당 조치에 상응하는 통보를 포함한다)를 받은 사람으로서 조치의 종류별로 5년을 초과하지 아니하는 범위에서 대통령령으로 정하는 기간이 지나지 아니한 사람도 금융회사의 사외이사가 될 수 없다(제5조 제1항 제7호).

법은 그 밖에도 해당 금융회사의 공익성 및 건전 경영과 신용 질서를 해칠 우려가 있는 사람을 사외이사에서 제외하고 있다(제5조 제1항 제8호). 이에 대한 사항은 대통령령으로 정한다.

위와 같은 요건은 선임 시는 물론 재임 중에도 요구되므로, 재임 중에도 위 의 어느 하나에 해당하게 되면 곧바로 그 직을 잃는다(제5조 제2항 본문). 예외 적으로 대통령령으로 정하는 자에 대해서는 그러하지 않도록 하였다(제5조 제2항 단서).

3) 사외이사의 자격 요건

법은 금융회사의 사외이사 자격 요건과 관련하여 크게 두 가지를 두고 있다. 하나는 적극적 요건이며, 다른 하나는 소극적 요건이다. 후자의 요건은 선임 시 는 물론 재직 중에도 요구되므로 어느 하나의 요건에 해당하게 되면 그 직을

개정은 거의 없었다.

잃는다(제6조 제2항).

적극적 요건으로는 금융회사의 사외이사는 금융, 경제, 경영, 법률, 회계 등 분야의 전문 지식이나 실무 경험이 풍부한 사람으로서 대통령령으로 정하는 사람이어야 한다(제6조 제3항).

소극적 요건으로는 ① 다음 각 호의 어느 하나에 해당하는 사람은 금융회사의 사외이사가 될 수 없다. 최대주주 및 그의 특수관계인(최대주주 및 그의 특수관계인이 법인인 경우에는 그 임직원을 말한다), ② 주요주주 및 그의 배우자와 직계존속·비속(주요주주가 법인인 경우에는 그 임직원을 말한다), ③ 해당 금융회사 또는 그 계열회사(공정거래법 제2조 제3호에 따른 계열회사를 말한다)의 상근 임직원 또는 비상임이사이거나 최근 3년 이내에 상근 임직원 또는 비상임이사이었던 사람, ④ 해당 금융회사 임원의 배우자 및 직계존속·비속, ⑤ 해당 금융회사 임직원이 비상임이사로 있는 회사의 상근 임직원, ⑥ 해당 금융회사와 대통령령으로 정하는 중요한 거래 관계가 있거나 사업상 경쟁 관계 또는 협력 관계에 있는 법인의 상근 임직원이거나 최근 2년 이내에 상근 임직원이었던 사람, ⑦ 해당 금융회사에서 6년 이상 사외이사로 재직하였거나 해당 금융회사 또는 그 계열회사에서 사외이사로 재직한 기간을 합산하여 9년 이상인 사람은 금융회사의 사외이사가 될 수 없다(제6조 제1항 제1호~제7호). 그 밖에도 금융회사의 사외이사로서 직무를 충실하게 이행하기 곤란하거나 그 금융회사의 경영에 영향을 미칠 수 있는 사람으로서 대통령령으로 정하는 사람도 금융회사의 사외이사가 될 수 없다(제6조 제1항 제8호). 이러한 제한 규정에도 불구하고 사외이사가 됨으로써 최대주주의 특수관계인에 해당하게 되는 사람은 사외이사가 될 수 있다(제6조 제1항 단서).

4) 감사(위원)의 자격 요건

자산 규모 등을 고려하여 대통령령으로 정하는 금융회사는 회사에 상근하면서 감사 업무를 수행하는 감사, 이른바 '상근감사'를 1명 이상 두어야 한다. 다만, 이 법에 따른 감사위원회를 설치한 회사(감사위원회 설치 의무가 없는 금융회사가 이 조의 요건을 갖춘 감사위원회를 설치한 경우를 포함)에는 상근감사를 둘 수 없다(제19조 제8항).

감사기관의 구성원의 자격 요건과 관련하여 법은 상근감사 및 사외이사가 아닌 감사위원에는 앞서 밝힌 사외이사의 자격 요건에 관한 규정(제6조 제1항 및 제2항)을 준용한다(제19조 제10항 본문). 다만, 해당 금융회사의 상근감사 또는 사외이사가 아닌 감사위원으로 재임 중이거나 재임하였던 사람은 제6조 제1항 제3호에도 불구하고 상근감사 또는 사외이사가 아닌 감사위원이 될 수 있다(제19조 제10항 단서).

5) 임원 자격 요건 충족성 관리

금융회사는 임원을 선임하려는 경우 법정의 적극적, 소극적 자격 요건을 충족하는지를 확인하여야 한다(제7조 제1항). 아울러 금융회사는 임원을 선임한 경우에는 지체 없이 그 선임 사실 및 자격 요건 적합 여부를 금융위원회가 정하여 고시하는 바에 따라 인터넷 홈페이지 등에 공시하고 금융위원회에 보고하여야 한다(제7조 제2항). 금융회사는 임원을 해임(사임을 포함한다)한 경우에는 금융위원회가 정하여 고시하는 바에 따라 지체 없이 그 사실을 인터넷 홈페이지 등에 공시하고 금융위원회에 보고하여야 한다(제7조 제3항).

마. 겸직 제한

1) 겸직 제한과 예외

금융회사의 상근임원은 다른 영리법인의 상시적인 업무에 종사할 수 없다(제10조 제1항 본문). 법은 회사와 이해 상충이 크게 문제시되지 않는 겸직은 예외적으로 허용하고 있다. 이에 따르면 ① 채무자회생법 제74조에 따라 관리인으로 선임되는 경우, ② 금융산업구조개선법 제10조 제1항 제4호에 따라 관리인으로 선임되는 경우 및 ③ 금융회사 해산 등의 사유로 청산인으로 선임되는 경우에는 예외가 인정된다(제10조 제1항 단서).

또 다른 예외는 해당 금융회사가 은행 또는 상호저축은행 또는 보험회사인 경우 그 은행 또는 보험회사가 의결권 있는 발행주식 총수의 100분의 15를 초과하는 주식을 보유하고 있는 다른 회사의 상근 임직원을 겸직하는 경우 인정된다(제10조 제2항 제1호~제3호). 다만 보험회사의 경우 금융산업구조개선법 제2조 제1호 가목부터 아목까지 및 차목에 따른 금융기관의 상근 임직원을 겸직하는 경우는 그러하지 아니하다(제10조 제2항 제3호). 그 밖에도 이해 상충 또는 금융회사의 건전성 저해의 우려가 적은 경우로서 대통령령으로 정하는 경우에는 예외적으로 겸직이 허용된다(제10조 제2항 제4호).

은행의 임직원은 위의 경우 이외에도 한국은행, 다른 은행 또는 금융지주회사법 제2조 제1항 제5호에 따른 은행지주회사의 임직원을 겸직할 수 없다. 다만, 은행법 제37조 제5항에 따른 자은행의 임직원이 되는 경우에는 겸직할 수 있다(제10조 제3항).

다른 한편 다른 법령, 금융회사지배구조법 제6조(제1항 제3호는 제외), 제10조 제1항 및 제3항에도 불구하고 금융지주회사 및 그의 자회사 등(금융지주회사법 제4조 제1항 제2호에 따른 자회사등을 말함)의 임직원은 ① 금융지주회사의 임직원이 해당 금융지주회사의 자회사등의 임직원을 겸직하는 경우, ② 금융지주회사의 자회사등(금융업을 영위하는 회사 또는 금융업의 영위와 밀접한 관련이 있는 회사로서 대통령령으로 정하는 회사로 한정한다. 이하 이 호에서 같다)의 임직원이 다른 자회사등의 임직원을 겸직하는 경우로서 자본시장법 제6조 제4항에 따른 집합투자업(대통령령으로 정하는 경우는 제외한다), 보험업법 제108조 제1항 제3호에 따른 변액보험계약에 관한 업무 및 그 밖에 자회사등의 고객과 이해가 상충하거나 해당 자회사등의 건전한 경영을 저해할 우려가 있는 경우로서 금융위원회가 정하여 고시하는 업무를 겸직하지 않는 경우에는 겸직할 수 있다(제10조 제4항).

2) 겸직의 승인과 보고

금융회사는 회사의 임직원이 다른 회사의 임직원을 겸하려는 경우 금융위원회의 승인을 받거나 금융위원회에 보고하여야 한다.

금융회사는 해당 금융회사의 임직원이 겸직 제한 규정에 따라(제10조 제2항부터 제4항까지) 다른 회사의 임직원을 겸직하려는 경우에는 이해 상충 방지 및 금융회사의 건전성 등에 관하여 대통령령으로 정하는 기준, 이른바 '겸직기준' 갖추어 미리 금융위원회의 승인을 받아야 한다(제11조 제1항 본문).

위와 같은 겸직에도 이해 상충 또는 금융회사의 건전성 저해의 우려가 적은 경우로서 대통령령으로 정하는 경우에는 ① 겸직하는 회사에서 수행하는 업무의 범위, ② 겸직하는 업무의 처리에 대한 기록 유지에 관한 사항 및 ③ 그 밖에 이해상충 방지 또는 금융회사의 건전성 유지를 위하여 필요한 사항으로서 대통령령으로 정하는 사항을 대통령령으로 정하는 방법 및 절차에 따라 금융위원회에 보고하여야 한다(제11조 제1항 단서). 다른 한편 금융위원회는 금융회사가 겸

직기준을 충족하지 아니하는 경우 또는 위의 보고 방법 및 절차를 따르지 아니
하거나 보고한 사항을 이행하지 아니하는 경우에는 해당 임직원 겸직을 제한하
거나 그 시정을 명할 수 있다(제11조 제3항).

3) 손해배상책임

임직원을 겸직하게 한 금융지주회사와 해당 자회사등은 금융업의 영위와 관
련하여 임직원 겸직으로 인한 이해상충 행위로 고객에게 손해를 끼친 경우에는
연대하여 그 손해를 배상할 책임이 있다(제11조 제4항 본문).

그러나 ① 금융지주회사와 해당 자회사등이 임직원 겸직으로 인한 이해 상충
의 발생 가능성에 대하여 상당한 주의를 한 경우, ② 고객이 거래 당시에 임직
원 겸직에 따른 이해 상충 행위라는 사실을 알고 있었거나 이에 동의한 경우
및 ③ 그 밖에 금융지주회사와 해당 자회사 등의 책임으로 돌릴 수 없는 사유
로 손해가 발생한 경우로서 대통령령으로 정하는 경우에는 책임으로부터 벗어난
다(제11조 제4항 단서).

II. 이 사

1. 이사의 개념 및 법적 지위

김 지 환*

가. 이사의 개념

이사(director; Vorstandsmitglied)는 이사회에서 업무집행에 대한 의사결정에
참여하고, 대표이사의 업무집행을 감독하며, 대표이사의 전제 자격이 된다.[1] 이
사가 1인인 소규모 주식회사의 경우에는 이사회가 존재하지 않으므로 이사가 의
사결정을 하고, 대표이사로서 업무집행을 하게 된다(제383조 제6항).

이사와 회사와의 관계에는 민법의 위임에 관한 규정을 준용하므로(제382조
제2항), 이사는 주주총회 또는 주주의 대리인이 아니다.[2] 이것은 상업사용인과

---

* 경남대학교 법학과 교수

1) 최준선, 「회사법」 제16판(삼영사, 2021), 455면; 정찬형, 「상법강의(상)」 제24판(박영사, 2021),
   959면.
2) 영미에서 이사는 회사의 agent라 하거나 trustee라 하기도 한다. 그런데 이사를 agent라고

회사와의 관계가 일반적으로 고용관계란 점과도 구별된다. 따라서 이사가 근로
기준법상 근로자에 해당하는가에 관하여, 판례는 "이사가 회사로부터 위임받은
사무를 처리하는 것으로 볼 수 있는지 여부(한정 적극) 및 보수나 퇴직금을 지급
받는 사정을 이유로 이사의 지위를 달리 볼 것인지 여부(원칙적 소극)"로 판단해
야 한다고 하여, 원칙적으로 소극적 입장이다.[3] 다만 등기이사라도 실질적으로
임금을 목적으로 한 종속적 관계에서 사용자에게 근로를 제공한 정도에 불과하
다면 근로기준법상의 근로자에 해당할 수도 있다.

민법상 위임계약이 무상인 점과 달리 회사가 이사에게 보수를 지급하는 유상
계약이다. 상법 제388조에서 정관 또는 주주총회에서 이사의 보수를 정할 것을
규정한 것에서 알 수 있다. 판례도 "법적으로는 주식회사 이사·감사의 지위를
갖지만 회사와의 명시적 또는 묵시적 약정에 따라 이사·감사로서의 실질적인
직무를 수행하지 않는 이른바 명목상 이사·감사도 법인인 회사의 기관으로서
회사가 사회적 실체로서 성립하고 활동하는 데 필요한 기초를 제공함과 아울러
상법이 정한 권한과 의무를 갖고 그 의무위반에 따른 책임을 부담하는 것은 일
반적인 이사·감사와 다를 바 없으므로, 과다한 보수에 대한 사법적 통제의 문
제는 별론으로 하더라도, 오로지 보수의 지급이라는 형식으로 회사의 자금을 개
인에게 지급하기 위한 방편으로 이사·감사로 선임한 것이라는 등의 특별한 사
정이 없는 한, 이사는 회사에 대하여 상법 제388조, 제415조에 따라 정관의 규
정 또는 주주총회의 결의에 의하여 결정된 보수의 청구권을 갖는다"고 한다.[4]
그리고 판례는 이사의 퇴직금 중간정산을 위해서는 정관의 규정 또는 주주총회
의 결의가 있어야 유효하다고 한다.[5]

하는 것은 법인의 본질에 관하여 의제설을 취하고 있고, 대륙법에서 논쟁이 된 기관이론이
발달하지 않았기 때문이라는 분석이 있다. 또한 이사를 trustee라 하는 것은 그 나라의 회
사법이 형성되는 과정에서 법인격 없는 주식회사가 생겨나서 그 이사에 관하여 형평법원이
신탁에 있어서 수탁자적 지위에 있다고 인정하여 수탁자와 동일한 의무를 부과한 것에 기
인한다고 한다(大森忠夫·矢澤惇 編集/星川 執筆,「注釋會社法」(有斐閣, 1968), 261面). 그
런데 현재 미국 회사법은 이사와 회사와의 관계는 신인적 법률관계(fiduciary relation)라
하는데, 신인적 법률관계란 계속적·포괄적 관계에 있어서 타인의 사무를 처리하는 자의
지위에 관하여 인정되는 관계로 위임관계 보다는 넓다. 그래서 이 관계에서는 수임자에게
신인과 신뢰를 요구하기 때문에 그 신인에 반하지 않도록 다양한 의무가 부과되고 그 중
가장 중요한 것이 충실의무라고 한다.

3) 대법원 1992.12.22. 92다28228; 2013.9.26. 2012도6537; 2014.5.29. 2012다98720; 2015.4.
23. 2013다215225.
4) 대법원 2015.7.23. 2014다236311.

나. 이사의 법적 지위

이사가 주식회사의 필요적 상설기관이냐에 관하여,[6] "이사의 지위와 이사회 구성원으로서의 지위는 동시성을 가지며 이사에게 각종의 단독적인 권한을 부여하고 있으므로 이론적으로는 이사도 회사의 기관"이라는 소수설이 있다.[7] 그러나 다수설은 이사는 주식회사의 기관인 이사회의 구성원에 불과하고 대표이사의 전제 자격에 불과하다고 본다.[8] 이사의 권한과 의무는 상법상 명문화되어 있다. 그러므로 이사가 회사의 기관이든 아니든 실제적인 차이는 없다.[9]

이사는 이사회의 구성원으로서 이사회의 업무집행 결정에 참여하게 된다. 이사회는 중요한 자산의 처분 및 양도, 대규모 재산의 차입, 지배인의 선임 또는 해임과 지점의 설치, 이전 또는 폐지 등에 관하여 결정할 권한을 갖고 있으므로 (제393조 제1항), 이사는 그 결정에 참여하게 된다. 이사는 대표이사를 포함한 이사의 직무집행 감독에 참여할 권한이 있다. 그렇지만 실무적으로 회사의 정관 또는 내규에 대표이사가 아닌 일정한 이사에게 업무집행권한을 부여하고 있고 (업무담당이사), 상법상 이사회의 권한은 이사회 내 각종 위원회에 위임할 수 있다(제393조의2 제2항). 예컨대 경영위원회나 상무회에 실제 위임이 되어 업무결정이 이루어지므로 이사가 회사의 업무집행을 결정한다는 것은 법형식에 불과하고 이사회는 사실상 재차 분화되어 있는 것이 현실이다.[10]

상법에 명문화된 이사의 권한에는 주주총회출석권 및 총회의사록에의 기명날인(서명)권(제373조 제2항), 주주총회결의 취소의 소권(제376조) 등 각종의 소권(제328조, 제429조, 제445조, 제529조), 이사회 소집권(제390조), 검사인 선임청구권(제298조 제4항)이 있다. 또한 이사는 대표이사로 하여금 다른 이사 또는 피용자의 업무에 관하여 이사회에 보고할 것을 요구할 수 있으며(제393조 제3항), 이사는 3월에 1회 이상 업무집행상황을 이사회에 보고하여야 한다(제393조 제4항).

이사의 일반적인 의무는 선관주의의무(제382조 제2항)와 충실의무(제382조의3)

---

5) 대법원 2019.7.4. 2017다17436.

6) 의용상법에서는 이사가 업무집행의 단독기관이었다. 일본의 구상법도 마찬가지이다.

7) 이철송, 「회사법강의」 제29판(박영사, 2021), 657면, 659면.

8) 이범찬·임충희·이영종·김지환, 「회사법」(삼영사, 2018), 301면; 최준선, 전게서, 454면; 정찬형, 전게서, 959면.; 최기원, 「신회사법론」 제10대정판(박영사, 2000), 526면.

9) 이철송, 전게서, 659면; 장덕조, 「회사법」(법문사, 2019), 288면.

10) 이철송, 전게서, 717면.

가 있으며, 개별적인 의무로서 감시의무(제393조 제3항), 보고의무(제412조의2), 비밀유지의무(제382조의4), 경업금지의무(제397조), 회사의 자산 및 기회유용금지의무(제397조의2), 자기거래금지의무(제398조) 등이 있다.

이사가 1인인 주식회사의 경우 그 이사가 회사의 업무집행권과 대외적으로 회사를 대표할 권한을 가진다(제383조 제1항 단서, 제6항).

2. 이사의 종류와 자격

가. 이사의 종류

상법은 「사내이사」, 「사외이사」, 「그 밖에 상무(常務)에 종사하지 아니하는 이사」로 구분하여 등기하도록 하고 있다(제317조 제2항 제8호). 상법상 일반적으로 「이사」라고 할 때에는 위의 3가지 이사를 통칭한 것을 말한다. 그러나 회사 실무상 「대우이사」나 「이사」라고 부르는 비등기이사가 있는데, 속칭 이러한 이사는 주주총회에서 선임되고 등기되지 않은 이상 상법상의 이사는 아니며, 이사로서의 권한과 의무도 없다.[11]

「사내이사」란 상무에[12] 종사하는 이사를 말한다.[13]

「사외이사」란 회사의 상무에 종사하지 않는 이사로서 상법이 규정하고 있는 결격사유가 없어야 하며 사내이사와 구분하여 주주총회에서 선임된 이사를 말한다(제382조 제3항). 사외이사제도는 이사회의 감독기능을 제고하기 위한 것으로서 영미법에서 도입하였다.

「그 밖에 상무에 종사하지 아니하는 이사」란 회사의 일상적인 업무에 종사하지 않는 이사를 말한다.[14] 이것은 기업실무에서 사외이사가 아니면서 비상근이사, 평이사(平理事) 등으로 부르며 상무에 종사하지 않는 이사를 두어 왔는데,[15] 이를 법제화한 것이다.[16] 등기실무상은 이런 이사를 「기타 비상무이사」로

---

11) 대법원 2003.9.26. 2002다64681.
12) 「상무」란 상시 회사의 일상 업무를 집행한다는 뜻이다. 예컨대 회사의 일상 업무를 총괄하는 대표이사, 부사장, 전무이사, 상무이사, 본부장 등 대표이사의 지시를 받아 업무집행을 수행하는 이사가 이에 해당한다. 집행임원제도를 도입한 회사에서 집행임원을 겸직하는 사내이사는 당연히 상무에 종사하는 사내이사가 된다.
13) 장덕조, 「상법강의」 제4판(법문사, 2021), 491면.
14) 대법원 2007.6.28. 2006다62362에서는 「회사의 상무」란 회사가 영업을 계속함에 있어서 통상의 업무범위에 속하는 사무를 말한다고 한다.

지칭한다.[17] 기타 비상무이사는 사외이사와 같이 당해 회사의 상무에 종사하지 않지만, 사외이사와 같이 독립성이 요구되지 않고 법적 규율에 있어서는 사내이사와 차이가 없다.

나. 이사의 자격

사내이사 또는 기타 비상무이사는 회사의 감사직을 겸직할 수 없는 경우를 제외하고 상법상 이사의 자격에 제한이 없다. 그렇지만 정관으로 제한할 수 있고, 해석상 자격 제한 여부 논란 사항이 있다. 나아가 금융회사의 지배구조에 관한 법률(이하 "금융회사지배구조법"이라고 함)에서 은행, 보험회사, 종합금융회사, 상호저축은행, 금융지주회사 등의 임원의 자격요건을 제한하는 규정을 두고 있다(동법 제5조, 제6조).[18]

사외이사의 경우 그 지위의 독립성을 뒷받침하기 위하여 상법에서 그 결격사유를 규정하고 있다(제382조 제3항). 나아가 금융회사지배구조법에서 금융기관의 사외외사 자격요건은 따로 두고 있다(동법 제6조).

정관으로 이사의 자격을 제한하는 경우가 있는데, 그 정관 내용이 사회질서에 반하지 않는 한 유효하다. 예컨대, 정관으로 이사가 가질 주식 수를 정한다면(이를 資格株라 한다), 그러한 정관규정은 유효하다. 자격주에 관한 정관 규정이 있는 경우에는 이사는 주권을 감사·감사위원회에 공탁하여야 한다(제387조). 이는 이사의 자격요건을 유지시키면서도, 이사의 내부자거래를 방지하기 위함이다(자본시장법 제172조, 제174조).

통설은 파산선고를 받은 자는 이사가 될 수 없다고 해석한다.[19]

행위무능력자가 이사가 될 자격이 있는지 찬반 양론이 있다.[20] 등기실무에서

---

15) 기타비상무이사를 비상근이사라고 부르는 견해도 있다(송옥렬, 「상법강의」(홍문사, 2013), 946면). 그런데 상무의 개념과 상근의 개념이 동일한 것인가에 관해서는 해석의 논란 소지가 있다.

16) 이철송, 전게서, 659면.

17) 임재연, 「회사법 II」(박영사, 2012), 230면.

18) 금융회사 임원을 선임하고자 하는 경우 자격요건 충족하는지 확인하고 인터넷 홈페이지에 공시하며(금융회사지배구조법 제7조 제2항), 금융위원회에 보고하여야 한다(제7조 제3항).

19) 이범찬·임충희·이영종·김지환, 전게서, 302면.

20) 무능력자는 이사가 될 수 없다는 부정설에는, 이철송, 전게서, 661면; 긍정하는 견해는, 최준선, 전게서, 463면; 최기원, 「신회사법론」 제12대정판(박영사, 2006), 569면; 김동훈, 「상법개설」(한국외국어대학교 출판부, 2009), 314면.

는 미성년자 등 행위무능력자라 하더라도 이들이 의사능력이 있는 한 이사선임 등기신청을 수리하고 있다. 이에 대하여 이사는 전문적인 판단을 요하는 각종의 법률행위를 하고 회사나 제3자에 대해서 책임을 지므로 무능력자는 이사가 될 수 없다는 반대의 견해도 있다.[21] 그런데 상법상 상장회사의 경우 미성년자는 사외이사가 될 수 없다고 명시하고 있다(제542조의8 제2항 제1호, 제2호).

이사가 피성년후견인이 되면 종임사유가 되므로 피성년후견인은 이사가 될 수 없다. 법인이 이사가 될 수 있느냐에 대하여 논란이 있다. 긍정설은 법인 이사가 자연인 이사보다 대외적 신용이나 자격에 있어서 나은 경우가 많다는 점, 비업무담당이사는 법인이 되지 못할 이유가 없다는 점 등을 이유로 든다.[22] 부정설은 이사는 그 직무의 성질상 개인적 신뢰를 기초로 하므로 법인은 이사가 될 수 없다고 한다.[23] 부정설이 다수설이다. 그런데 채무자회생 및 파산에 관한 법률(이하 "채무자회생법"이라고 함)은 법인이 발기인이나 회생절차상의 관리인이 될 수 있도록 명시하고 있다(동법 제74조 제6항).

상법상 감사는 그 회사 및 자회사의 이사가 될 수 없다(제411조). 지배인 기타의 상업사용인은 영업주의 허락이 없으면 다른 회사의 이사가 되지 못한다(제17조 제1항). 즉 상업사용인이 다른 회사의 이사가 되려면 영업주의 허락을 받아야 한다. 뿐만 아니라 형법상 이사의 자격정지를 선고받은 자도 그 자격정지 기간 내에는 이사가 될 수 없다(형법 제44조).

사외이사의 결격사유에 해당하면 사외이사로 선임될 수가 없고, 재임 중에 그에 해당되게 되면 이사직을 상실한다. 상법상 사외이사의 결격사유에는, ① 회사의 상무에 종사하는 이사·집행임원 및 피용자 또는 최근 2년 이내에 회사의 상무에 종사한 이사·감사·집행임원 및 피용자, ② 최대주주가 자연인인 경우 본인과 그 배우자 및 직계 존속·비속, ③ 최대주주가 법인인 경우 그 법인의 이사·감사, 집행임원 및 피용자, ④ 이사·감사·집행임원의 배우자 및 직계 존속·비속, ⑤ 회사의 모회사 또는 자회사의 이사·감사, 집행임원 및 피용

---

21) 이철송, 전게서, 661면.
22) 정경영, 「상법학강의」 개정판(박영사, 2009), 501면; 홍복기, 「주식회사법」(박영사, 2010), 176면; 강위두·임재호, 「상법강의(상)」(형설출판사, 2006), 473면; 정동윤, 「회사법」 제7판(법문사, 2001), 387면.
23) 최준선, 전게서, 463면; 이철송, 전게서, 661면; 김정호, 「상법상의(상)」 제3판(법문사, 2000), 660면; 최기원, 전게서, 568면; 임홍근, 「회사법」(법문사, 2000), 448면; 이기수·최병규·조지훈, 「회사법」 제8판(박영사, 2009), 318면.

자, ⑥ 회사와 거래관계 등 중요한 이해관계에 있는 법인의 이사·감사, 집행임원 및 피용자, ⑦ 회사의 이사·집행임원 및 피용자가 이사, 집행임원으로 있는 다른 회사의 이사·감사, 집행임원 및 피용자가 있다(제382조 제3항). 사외이사가 된 경우에도 이러한 하나의 결격사유에 해당하게 되면 그 직을 상실한다(제382조 제3항 제2문).

한편, 상장회사 사외이사의 경우에는 추가적인 결격사유를 규정하고 있다. 즉, ① 미성년자, 피성년후견인 또는 피한정후견인, ② 파산선고를 받고 복권되지 아니한 자, ③ 금고 이상의 형을 선고받고 그 집행이 끝나거나 집행이 면제된 후 2년이 지나지 아니한 자, ④ 대통령령으로 별도로 정하는 법률을 위반하여 해임되거나 면직된 후 2년이 지나지 아니한 자(상법 시행령 제34조 제3항), ⑤ 상장회사의 주주로서 의결권 없는 주식을 제외한 발행주식총수를 기준으로 본인 및 그와 대통령령으로 정하는 특수한 관계에 있는 자(이하 '특수관계자')가 소유하는 주식의 수가 가장 많은 경우 그 본인(이하 '최대주주') 및 그의 특수관계인(상법 시행령 제34조 제4항), ⑥ 누구의 명의로 하든지 자기의 계산으로 의결권 없는 주식을 제외한 발행주식총수의 100분의 10 이상의 주식을 소유하거나 이사, 집행임원, 감사의 선임과 해임 등 상장회사의 주요 경영사항에 대하여 사실상의 영향력을 행사하는 주주(이하 '주요주주') 및 그의 배우자와 직계 존속·비속, ⑦ 그 밖에 사외이사로서의 직무를 충실하게 수행하기 곤란하거나 상장회사의 경영에 영향을 미칠 수 있는 자로서 대통령령으로 정하는 자는 사외이사로 선임될 수 없다(제542조의8 제2항). 나아가 상법 시행령 제34조 제4항과 제5항에서 대통령령으로 정하는 사외이사 결격사유를 더욱 상세히 규정하고 있다.

3. 이사의 정원과 결원

가. 이사의 정원

이사는 3인 이상 선임되어야 한다(제383조 제1항). 이사회를 구성하고 의결체로서 가부동수가 발생하는 것을 막기 위함이다. 이사 수는 3인 이상이면 되고 그 상한에는 제한이 없다. 다만 정관에서 그 상한의 제한을 두거나, 하한과 상한의 제한을 둘 수 있다. 한편, 자본금 10억원 미만인 회사는 1명 또는 2명의 이사를 선임해도 무방하며, 이 경우 이사회를 설치하지 않아도 된다(제383조 제1항 단서). 이런 회사의 경우 이사회 대신 이사가 회사의 기관이 된다.

상장회사는 대통령령으로 정하는 경우를 제외하고(상법 시행령 제34조 제1항) 이사 총수의 4분의 1 이상을 사외이사로 선임해야 한다(제542조의8 제1항). 더욱이 최근 사업연도 말 현재의 자산총액이 2조원 이상인 상장회사의 경우 사외이사는 3인 이상으로 하되, 이사 총수의 과반수가 되도록 구성하여야 한다(제542조의8 제1항, 상법 시행령 제34조 제2항). 상장회사는 사외이사후보를 추천하기 위하여 사외이사후보추천위원회를 설치하여야 하는데, 사외이사후보추천위원회는 사외이사가 총위원의 과반수가 되도록 구성하여야 한다(제542조의8 제4항). 상장회사가 주주총회에서 사외이사를 선임하려는 때에는 사외이사후보추천위원회의 추천을 받은 자 중에서 선임하여야 하는데, 이때 상법 제542조의6 제2항 주주제안권 행사로 추천된 사외이사 후보를 포함시켜야 한다(제542조의8 제5항).

상장회사의 사외이사는 추가로 다른 한 개 회사의 이사·집행임원·감사로만 겸직할 수 있으므로(상법 시행령 제34조 제5항 제3호), 총 2곳까지 사외이사를 겸직할 수 있다.

상장회사는 사외이사의 사임이나 사망 등의 사유로 결원이 생긴 경우에는 그 사유가 발생한 후 처음으로 소집되는 주주총회에서 결원에 해당하는 사외이사를 선임하여야 한다(제542조의8 제3항).

사외이사 선임 의무가 없는 회사가 감사위원회를 설치할 경우 감사위원회 총위원의 3분의 2 이상은 사외이사로 구성해야 하므로, 당해 회사는 그에 해당하는 수의 사외이사를 선임하여야 한다(제415조 제1항, 제2항).

금융회사지배구조법에서 이사회 구성은 사외이사 3인 이상으로 구성하여야 하고 이사회 과반수는 사외이사로 구성하여야 한다(동법 제12조). 금융회사의 상근 임원은 다른 영리법인의 상시적인 업무에 종사할 수 없다(동법 제10조).

나. 이사의 결원

1) 퇴임이사

법률 또는 정관에 정한 이사의 원수를 결한 경우에는 임기의 만료 또는 사임으로 인하여 퇴임한 이사는 새로 선임된 이사가 취임할 때까지 이사의 권리의무가 있다(제386조 제1항). 이를 퇴임이사라 부르기도 한다. 이러한 퇴임이사의 권한은 이사의 직무대행자와 달리 본래의 이사와 동일한 권한을 갖는다.

이사의 수가 정관상의 정원을 결하지만 상법상의 정원(3인)은 충족한 경우에도 항상 퇴임이사가 이사로서의 지위를 가지는가? 이에 관하여 퇴임이사제도는 이사의 결원으로 회사가 정상적인 활동을 할 수 없게 되는 사태를 타개하고자 하는 취지이므로 정관상의 정원을 일부 결하더라도 회사의 운영에 장애가 없다면 이 규정을 적용할 필요가 없다는 것이 학설과 판례의 입장이다.[24]

2) 일시이사

이사의 임기만료 또는 사임으로 인하여 법률 또는 정관에 정한 이사 수를 결한 경우에 필요하다고 인정할 때에는 법원은 이사, 감사, 기타 이해관계인의 청구에 의하여 일시이사의 직무를 행할 자를 선임할 수 있다(제386조 제2항). 이를 일시이사, 가이사 또는 임시이사라[25] 한다. 일시이사를 선임한 경우에는 본점소재지에서 그 등기를 하여야 한다(제386조 제2항 후단).

일시이사는 상법 제386조 제1항의 임기만료 또는 사임의 사유만에 의하여 법원이 선임할 수 있는 것이 아니라, 이사의 사망이나 해임 등 어떤 사유에서든 정원 미달 사유가 발생한 경우 선임할 수 있다.[26]

일시이사의 권한은 본래의 이사의 모든 권리를 갖는다.

4. 이사의 선임

가. 이사의 선임기관

이사는 주주총회에서 선임하며(제382조 제1항), 상업등기부에 이사로 등기된 자이다(제317조 제2항). 이사의 선임은 제3자나 다른 기관에 위임할 수가 없다(제382조 제1항). 왜냐하면 주주는 이사의 임면을 통하여 회사에 대한 지배권을 행사할 수 있고, 능력 있는 이사를 선임하며 무능력자로 판명된 이사를 해임할 수 있기 때문이다. 다만 회사의 설립 시, 발기설립의 경우에는 발기인들의 호선

---

24) 이철송, 전게서, 678면; 대법원 1988.3.22. 85누884.
25) 대법원 2001.12.6. 2001그113.
26) 대법원 1964.4.28. 63다518; 2000.11.17. 자 2000마5632.

으로(제296조 제1항), 모집설립의 경우에는 창립총회에서 선임한다(제312조).

한편, 감사위원회를 설치하고 있는 상장회사의 경우 감사위원회 위원은 주주총회에서 선임 또는 해임하게 된다(제542조의12 제1항). 이 경우 감사위원회 위원은 이사를 선임한 후 감사위원회 위원으로 선임하는 순이나, 감사위원회 위원 중 1명(정관에서 2명 이상으로 정할 수 있으며, 정관으로 정한 경우에는 그에 따른 인원으로 한다)은 이사 선임 시 주주총회 결의로 다른 이사들과 분리하여 감사위원회 위원이 되는 이사로 선임하여야 한다(제542조의12 제2항 단서). 이 경우 감사위원회 위원이 주주총회의 특별결의로 해임되면 이사와 감사위원회 위원의 지위를 모두 상실한다(제542조의12 제3항).

나. 이사 선임방법과 절차

이사의 선임은 주주총회의 고유권한으로 정관이나 주주총회 결의로도 다른 기관에 위임할 수 없다.

주주총회의 결의는 보통결의에 의하는데, 보통결의는 출석한 주주의 의결권의 과반수와 발행주식총수의 4분의 1 이상의 수로써 선임한다(제368조 제1항). 다만 정관의 정함으로 선임요건을 달리 정할 수 있지만 그 요건을 완화할 수는 없고,[27] 강화할 수는 있다고 본다.

회사설립시 발기설립의 경우 발기인 의결권의 과반수로 이사를 선임하고(제296조 제1항), 모집설립의 경우 창립총회에 출석한 주식인수인의 의결권의 3분의 2 이상이며 인수된 주식 총수의 과반수에 해당하는 다수로 선임한다(제309조).

상장회사의 경우 회사는 주주총회 소집통지서에 사내이사, 사외이사 그 밖에 상무에 종사하지 아니하는 이사로 구분하여 통지하여야 한다(제317조 제2항 제8호). 그러나 비상장회사의 경우 이와 같이 구분하여 통지할 의무가 없다.[28]

상장회사가 이사 선임에 관한 사항을 목적으로 주주총회를 소집통지 또는 공고하는 경우, 이사후보자의 성명, 약력, 추천인, 기타 대통령령으로 정하는 후보자에 관한 사항을 통지하거나 공고하여야 한다(제542조의4 제2항). 여기서 「대통

---

27) 최준선, 전게서, 457면; 이철송, 전게서, 663면(다만 이철송 교수는 현행 보통결의요건보다 강화할 수 없다고 해석되는데, 그것은 상법 연혁상 「출석의결권의 과반수」를 기준으로 강화할 수 없다고 해석한다).
28) 최준선, 전게서, 459면; 서울고등법원 2010.11.15. 2010라1065.

령령으로 정하는 사항」이란, ① 후보자와 최대주주와의 관계, ② 후보자와 해당 회사와의 최근 3년간 거래 내역, ③ 주주총회 개최일 기준 최근 5년 이내에 후보자가 국세징수법 등에 따른 체납처분을 받은 사실이 있는지 여부, ④ 주주총회 개최일 기준 최근 5년 이내에 후보자가 임원으로 재직한 기업이 채무자 회생 및 파산에 관한 법률에 따른 회생절차 또는 파산 절차를 진행한 사실이 있는지 여부, ⑤ 법령에서 정한 취업제한 등 이사, 감사 결결 사유의 유무를 말한다(상법 시행령 제31조 제3항).

사외이사의 경우에는 사내이사나 기타 비상무이사와 구분하여 선임하여야 한다. 상장회사가 주주총회 소집의 통지 또는 공고를 하는 경우 사외이사 등의 활동내역과 보수에 관한 사항, 사업개요 등 대통령령으로 정하는 사항을 통지 또는 공고하여야 한다(제542조의4 제3항). 여기서 대통령령으로 정하는 사항이란 사외이사, 그 밖에 해당 회사의 상무에 종사하지 아니하는 이사의 이사회 출석률, 이사회 의안에 대한 찬반 여부 등 활동내역과 보수에 관한 사항, 상법 제542조의9 제3항 각호에 따른 거래 내역, 영업 현황 등 사업개요와 주주총회 목적별로 금융위원회가 정하는 방법에 따라 작성한 참고서류, 자본시장법 제59조에 따른 사업보고서 및 주식회사 외감법 제23조 제1항 본문에 따른 감사보고서(이 경우 해당 보고서는 주주총회 개최 1주전까지 전자문서로 발송하거나 회사의 홈페이지에 게재하는 것으로 갈음할 수 있음)를 말한다(상법 시행령 제31조 제4항). 다만 상장회사가 그 사항을 대통령령으로 정하는 방법으로 일반인이 열람할 수 있도록 하는 경우에는 그러하지 아니하다(제542조의4 3항 단서). 여기서 대통령령으로 정하는 방법이란 상장회사가 상법 시행령 제31조 제4항 각 호에 따른 서류를 회사의 인터넷 홈페이지에 게재하고, ① 상장회사의 본점 및 지점, ② 명의개서대행회사, ③ 금융위원회, ④ 거래소 등의 장소에 갖추어 두어 일반인이 열람할 수 있도록 하는 방법을 말한다(상법 시행령 제31조 제5항).

회사는 주주총회 통지 또는 공고한 이사후보자 중에서만 이사를 선임하여야 한다(제542조의5). 이것은 이사 후보자를 미리 공시하여 주주의 올바른 판단을 유도하기 위함이다. 만약 통지한 이사후보자와 달리 다른 후보를 이사로 선임한 경우 그 선임결의는 취소할 수 있다.[29]

그런데 주주총회 소집통지 또는 공고한 이후에 이미 통지하거나 공고된 후보

---

29) 서울중앙지방법원 2004.3.18. 2003가합56996.

자들이 사망하는 등 비자발적 사유가 발생할 경우, 현행법에서는 후보자를 추가할 수 없으므로 소집절차상 후보자 통지 또는 공고를 다시 하는 수밖에 없다. 이런 문제를 해결하기 위하여 2012년 상법개정(안)에서는 상장회사의 경우「통지하거나 공고한 후보자에 관하여 사망 또는 부득이한 사정에 의한 사임 등의 사유가 발생한 때」(개정(안) 제542조의5 제1항 단서)에는 주주총회 개최 48시간 전까지 대통령령이 정하는 바에 따라 전자적 방법으로 새로운 후보자에 관한 사항을 공고하여, 그 새로운 후보자가 주주총회에서 이사 또는 감사로 선임될 수 있도록 하는 예외규정을 제안하였다(개정(안) 제542조의5 제2항).

사내이사로 선임된 자가 주주총회 결의 없이 기타 비상무이사로 변경되거나, 사외이사를 사내이사로 또는 사외이사를 기타 비상무이사로 변경하는 등의 절차는 밟을 수 없다. 이 경우에는 반드시 주주총회에서 새롭게 선임 절차를 거쳐야 한다고 해석함이 바람직하다.

이사 선임결의시에 이사 1인에 대하여 주주는 1주 1의결권으로써 투표함이 원칙이다. 이 때 자기주식(제369조 제2항), 주주명부 폐쇄기간 중에 전환된 주식(제350조 제2항), 상호보유주식(제369조 제3항)은 의결권이 휴지된다. 이 경우 의결권 없는 주주가 가진 주식의 수는 발행주식총수에 산입하지 않는다(제371조 제1항). 그러나 이사 후보자가 주주인 경우 그 이사 선임에 관하여 통설인 개인법설에 따를 때 특별이해관계인에 해당하지 않으므로, 의결권을 행사할 수 있다.30)

집중투표방식을 채용할 때 주주는 1주 1의결권이 아니라, 선임하고자 하는 이사의 수만큼 의결권을 갖고, 이 의결권의 개수를 동시에 행사한다. 집중투표제는 1주 1의결권의 예외는 아니고, 순차적으로 행사할 의결권 개수를 동시에 한꺼번에 행사한다는 뜻이다.

다. 집중투표제에 의한 선임

1) 의 의

일반적으로 주주총회에서 여러 명의 이사를 선임하는 경우라도 1안건(하나의 선임결의)으로 1인 이사만 선임하는 단순투표제(straight voting)의 순차선임방식

---

30) 이범찬 · 임충희 · 이영종 · 김지환, 전게서, 240면.

은 1주에 1투표만 할 수밖에 없으므로(3인의 이사를 선임한다면 결의를 세 번 나누어서 하게 된다), 결국 회사 발행주식총수의 50% 초과 주식을 가진 주주는 항상 이사 전원을 독점적으로 선임하게 된다(승자독식방식).[31] 단순투표제의 승자독식을 막고 소수주주를 대표하는 이사를 선임하여 지배주주 경영진의 독단을 막을 수 있는 방법이 집중투표제이다.

집중투표제(cumulative voting, 제382조의2)란 어느 회사가 동일한 주주총회에서 2인 이상의 이사를 하나의 선임결의로써 선임하고자 할 때 주주가 가진 1주에 대하여 선임해야 할 이사의 인원수만큼의 복수의 의결권을 부여해서 이사를 선임하는 것을 말한다. 예컨대 3인의 이사를 선임하고자 할 때 甲주주가 의결권주식 100주를 보유하고 있는 경우, 집중투표제에 의할 때 300개(3인×100주)의 의결권을 동시에 행사하는 것이다. 위의 예에서 甲주주는 100개의 의결권을 3번 행사해서, 3명의 이사 선임 결의에 참가한다(결국 甲주주가 300개의 의결권을 행사한다는 점은 동일하다). 그렇지만 집중투표제에 의할 경우 甲주주는 300개의 의결권을 동시에 행사한다. 따라서 집중투표제에 의하면 소수파주주도 그 지주수에 비례하는 수의 이사를 선임할 수 있다. 그러나 실제 집중투표는 제2대 내지 제3대 대주주를 대표하는 자를 이사로 선임하는 것이 사실이고, 나아가 이론적으로는 제2대 주주가 이사회를 장악할 수 있다는 역현상이 발생할 수 있다는 비판을 받고 있다.[32] 그럼에도 불구하고 집중투표제에 의할 경우 기업인수자가 이사 전원을 교체하는 것이 곤란하므로, 적대적 M&A에 대한 예방책도 된다.[33]

회사설립시 창립총회에서 최초의 이사를 선임하는 경우(제312조)에는 집중투표제를 적용하지 않는다.[34] 회사설립단계인 창립총회에서 집중투표제를 실시하는 것은 절차상 어렵고, 또한 창립총회에서의 이사 선임요건은 출석한 주식인수인의 의결권의 3분의 2 이상이며 인수된 주식 총수의 과반수에 해당하는 다수결로(제309조), 이는 주주총회 특별결의요건 보다 강화되어 있어 의사결정에 신중을 기하고 발기인을 견제할 수도 있기 때문에 굳이 집중투표제를 인정할 실익

---

31) 김화진, 「상법입문」 제3판(박영사, 2012), 205면.
32) 권재열, "집중투표제의 의무와 주장에 대한 비판적 검토,"「기업법연구」 제14집(한국기업법학회, 2003), 196면, 207면.
33) 임재연, 전게서, 233면.
34) 최준선, 전게서, 459면; 최기원, 전게서, 531면; 大森忠夫・矢澤惇 編集/星川 執筆, 前揭書, 253面.

이 없다.

2) 요건과 절차

집중투표는 2인 이상의 이사 선임을 목적으로 하는 주주총회에서 채택할 수 있다. 그리고 다음 요건을 갖추고 절차를 따라야 한다.

첫째, 집중투표제는 상법에 의해 직접 강제되는 것은 아니다.[35] 따라서 회사는 정관 규정으로 집중투표제를 배제할 수 있다(opt-out 방식, 제382조의2 제1항). 반대로 정관에 집중투표제를 허용하지 않는다는 명문 규정이 없는 한 집중투표제는 허용된다.

둘째, 정관에 배제 규정이 없더라도 집중투표제를 실시하려면 의결권 있는 발행주식총수의 100분의 3 이상에 해당하는 주주가 집중투표제에 의하여 이사를 선임할 것을 회사에 청구하여야 한다(제382조의2 제1항).[36] 최근 사업연도말 현재 자산총액 2조원 이상 상장회사의 경우 집중투표청구권을 가진 소수주주는 의결권 있는 발행주식총수의 100분의 1 이상에 해당하는 주식을 소유한 주주이다(제542조의7 제2항). 또한 최근 사업연도 말 현재의 자산총액 2조원 이상의 상장회사는 집중투표를 정관으로 배제하거나 그 배제된 정관을 변경하려는 경우에는 의결권 없는 주식을 제외한 발행주식총수의 100분의 3을 초과하는 수의 주식을 가진 주주는 그 초과하는 주식에 관하여 의결권을 행사하지 못한다(제542

---

35) 집중투표제를 강제하자는 의견, 유진희, "집중투표제의 장단점과 그 실효성," 「상장협」 제44호(한국상장회사협의회, 2001), 40면; 정준우, "현행 집중투표제도의 비판론적 고찰," 「법과 정책연구」 Vo.5 No. 1(한국법정책학회, 2005), 19면, 이에 반대하고 회사의 자율에 맡기자는 견해는, 정찬형, "IMF경제체제 이후 회사지배구조에 관한 상법개정에 대한 평가," 「현대상사법논집」(우계강희갑박사화갑기념논문집, 2001. 12.), 30면 이하: 이형규, "집중투표제와 그 의무화에 대한 검토," 「현대상사법논집」(우계강희갑박사화갑기념논문집, 2001. 12.), 114면; 이문지, "집중투표에 의한 이사선임의 득과 실," 「상장」 제292호(한국상장회사협의회, 1999. 4.), 13면; 김광록, "집중투표방법에 의한 이사선임의 무효," 「상사판례연구」 제12집(한국상사판례학회, 2001), 65면; 권재열, 전게논문, 211면.

36) 주주가 '현재 재직 중에 있는 이사 이외에 2명의 이사를 추가로 선임하는 사항'을 주주제안하였고, 동시에 집중투표를 청구하였는데, 회사가 주주제안 내용을 변형하여 '현 이사 외 2명의 이사 추가선임의 당부'라는 안건으로 상정하고 부결된 사건에서, 법원은 "이사회가 변형된 안건을 주주총회의 목적사항으로 한 것은 상법이 규정하고 있는 주주제안권 및 집중투표제의 규정 취지를 잠탈하는 것으로 주주가 제안한 의제를 주주총회의 목적사항으로 상정하였다고 볼 수 없으므로 원고들의 주주제안권이 침해되었다"고 판시하였다(서울고등법원 2015.8.28. 2015나2019092; 윤영신, "집중투표와 결합한 이사선임 주주제안 변형상정의 경우 주주권리 침해 여부 및 주주총회 결의의 효력," 「비교사법」 제24권 제2호(한국비교사법학회, 2017. 5.), 903면).

조의7 제3항). 정관에서는 이 보다 낮은 주식보유비율을 정할 수 있다(제542조의7 제3항 단서). 이것은 주주총회의 다수결로써 집중투표제를 배제하는 것을 방지하기 위함이다. 또한 상장회사가 주주총회의 목적사항으로 집중투표 배제에 관한 정관변경의안을 상정하려는 경우 그 밖의 사항의 정관변경에 관한 의안과는 별도로 상정하고 의결하여야 한다(제542조의7 제4항).[37]

집중투표의 청구는 이사선임을 위한 주주총회의 7일전까지 서면 또는 전자문서로 하여야 한다(제382조의2 제2항). 그런데 상장회사의 경우에는 주주총회일(정기주주총회의 경우에는 직전 연도의 정기주주총회일에 해당하는 그 해의 해당일)의 6주전까지 서면 또는 전자문서로 회사에 집중투표의 방법으로 이사를 선임할 것을 청구하여야 한다(제542조의7 제1항).[38] 청구 서면에는 특별한 방식이 없고, 집중투표를 청구하는 뜻을 표시하고 청구자가 서명 또는 기명날인하면 된다. 청구 서면은 그 내용을 본점에 비치하여 주주총회가 종결될 때까지 주주로 하여금 열람할 수 있게 하여야 하고(제382조의2 제6항), 주주총회의 의장은 주주총회에서 이사선임결의를 하기 전에 집중투표의 청구가 있었음을 알려야 한다. 이는 주주가 의결권 행사시에 주주의 주의를 환기시키기 위한 조치이다. 이러한 공시절차를 거치지 않으면, 결의취소의 소의 원인이 된다.

3) 투표방법

집중투표시 각 주주는 1주에 대하여 선임해야 할 이사의 수와 동수의 의결권을 가진다. 즉 각 주주는 보유하고 있는 주식의 수에다 선임해야 하는 이사의 인원수를 곱한 수의 의결권을 가지고 임의로 이를 1인에게 모두 투표하든지 또는 몇 사람에게 분산하여 투표한다. 투표는 기명투표이다. 집중투표결과 최다 득표를 한 이사후보자 순으로 선임해야 할 이사 수만큼 선임한다. 만약 득표수가 동수라면 정관 또는 주주총회의 결의로써 연령순, 추첨 등에 의한다는 뜻의 정함이 있으면 그에 의하나, 그렇지 않으면 재투표해야 한다. 이사로 선임된 자가 취임을 허락하지 않을 때에는 차점자가 차례로 선임되는 것으로 해석되지만, 일단 선임된 자가 후에 퇴임하는 경우에는 다시 후임자를 선임하여야 하지 차점

---

37) 그럼에도 불구하고 현재 상장회사의 경우 정관에서 집중투표제를 배제하고 있는 경우가 다수이다(김화진, 전게서, 207면; 장덕조, 전게서, 496면).

38) 이것은 주주제안권과 마찬가지로 6주간의 기간으로 맞추었고 그래야 회사에서도 주주총회 개최를 위한 준비(소집 통지와 공고, 위임장 용지 작성)를 할 수 있기 때문이다.

자를 선임할 일은 아니다.

N명의 이사를 자기 뜻대로 선임하기 위해 보유하여야 할 주식수(X)의 공식은, X＝[S×N/D＋1]＋1이다(이상 [ ]는 가우스 기호임). 예컨대 어느 회사의 발행주식총수가 100주이고 이 중 60의결권주가 주주총회에 출석하고, 동 주주총회에서 3명의 이사를 선임한다면, X＝[60/(3＋1)]＋1, 결국 최소 보유 주식수 X＝16주이다.

이러한 공식에 의할 때 집중투표제도 하에서는 선임하고자 하는 이사의 수가 많으면 많을수록 주주가 자기 뜻대로 이사를 선임하기 위하여 보유해야 할 주식의 수는 줄어들게 마련이고, 그만큼 소수주주를 대변하는 이사를 선임하기 쉬워진다.[39) 이에 회사는 집중투표제를 무력화시키기 위하여 실무에서는 시차임기제, 이사 수의 감원 등의 방안을 강구하여 사용하고 있다. 그래서 집중투표를 강제하는 입법례에서는 시차임기제를 금지하기도 한다.[40)

라. 이사 선임결의의 효력

주주총회에서 이사로 선임된 경우 피선임자의 승낙만 있으면 즉시 이사의 지위를 취득하는지, 아니면 회사의 대표이사가 피선임자에게 임용계약체결을 위한 청약을 하여야 하는지에 관한 논란이 있다(임용계약체결 필요설과 임용계약체결 불요설).[41) 종래 대법원은 "주주총회의 선임결의가 있었다고 하여 바로 피선임자가 감사의 지위를 취득하는 것은 아니고, 주주총회의 선임결의에 따라 회사의 대표기관이 임용계약의 청약을 하고 피선임자가 승낙을 함으로써 비로소 피선임자가 감사의 지위에 취임하여 감사로서의 직무를 수행할 수 있게 된다"고 판시하였다.[42) 그러나 이런 입장은 대표기관의 마음에 들지 않는 이사 또는 감사가 선임된 경우 대표기관의 임용계약 청약을 차일피일 미루어서, 결국 이사 또는 감사 지위를 취득하지 못하는 문제가 발생한다. 최근 대법원 전원합의체는 종래 판결을 변경하면서 "주주총회에서 이사나 감사를 선임하는 경우, 그 선임결의와

39) 김지환, "이사해임법제의 유연화에 관한 검토," 「상사판례연구」 제23집 제3권(한국상사판례학회, 2010. 9.), 60면.
40) 캘리포니아 회사법 제301조(a).
41) 장덕조, 전게서, 492~493면; 김영주, "주주총회의 이사·감사 선임결의의 효력－일본 회사법과의 비교 검토－," 「경영법률」 제29집 제3호(한국경영법률학회, 2019), 174면 이하.
42) 대법원 1995.2.28. 94다31440; 2005.11.8. 자 2005마541; 2009.1.15. 2008도9410.

피선임자의 승낙만 있으면, 피선임자는 대표이사와 별도의 임용계약을 체결하였는지 여부와 관계없이 이사나 감사의 지위를 취득한다고 보아야 한다"고 판시하였다.[43] 그 이유로 "이사나 감사의 지위가 주주총회의 선임결의와 별도로 대표이사와 임용계약이 체결되어야만 비로소 이사나 감사의 지위가 인정된다고 보는 것은 이사나 감사의 선임을 주주총회의 전속적 권한으로 규정하여 주주들의 단체적 의사결정으로 정한 상법의 취지에 반한다"는 점을 들고 있다. 판례의 견해에 찬성한다. 임용계약체결 필요설에 따른다면 대표이사의 임용계약 청약 없이는 이사 지위를 취득하지 못하게 되고, 이는 이사 지위 취득이 대표이사에 달려 있는 것처럼 되기 때문이다.

한편 판례와 같이 임용계약불요설을 취하면서 주주총회의 선임결의와 피선임자의 관계 파악에 있어서, 피선임자의 동의를 정지조건으로 하는 단독행위라는 견해가 있다.[44]

마. 등기 구분

사내이사와 기타 비상무이사는 구분해서 등기한다. 이때 주주총회에서는 구분하여 선임해야 할 것인가 아니면 주주총회에서는 구분하지 않고 선임한 후에 이사회의 결의로 구분해서 등기해도 무방한가.[45] 사내이사와 기타 비상무이사는 회사의 상무에 종사하는지 여부의 차이일 뿐 이사회에서 기대하는 역할과 기능에 있어서 별다른 차이가 없기 때문에 주주총회에서 구분하지 않아도 된다는 해석이 있을 수 있지만, 등기실무에서는 주주총회에서 구분하여 선임할 것을 요구하고 있다.

바. 이사 선임결의 하자

주주총회에서 이사선임결의에 하자가 있는 경우에는 이사선임 주주총회결의

---

43) 대법원 2017.3.23. 2016다251215 전원합의체.
44) 김영주, 전게논문, 205면.
45) 주주총회에서 이사 선임시 그 종류에 따라 구분해서 선임해야 한다는 견해(김교창, "상장회사의 특례에 관한 2009년 개정상법의 논점,"「인권과 정의」제396호(대한변호사협회, 2009), 63면)와 사외이사는 구분하나 사내이사와 기타비상무이사는 주주총회에서 구분하지 않고 이사회에서 구분해도 무방하다는 견해(이철송, 전게서, 663면)로 나뉜다. 실무에서 상업등기선례에서는 정관에서 이사회에서 구분해도 된다는 규정이 없는 한 주주총회에서 이사 종류마다 구분해서 선임해야 한다는 입장이다.

취소의 소(제376조), 주주총회부존재확인의 소[46] 또는 주주총회결의무효확인의 소 (제380조)를 제기할 수 있다. 이러한 소가 제기된 경우 당사자의 신청에 의해 법원은 이사의 직무집행정지가처분을 할 수 있고, 직무대행자를 선임할 수도 있다 (제407조 제1항).[47]

이사 선임의 주주총회 결의에 대한 취소판결이 확정된 경우 그 결의취소 판결은 소급적 효력이 생긴다. 따라서 이사선임 주주총회결의가 취소판결이 확정된 경우 그 결의에 의하여 선임된 이사들에 의하여 구성된 이사회에서 선정된 대표이사는 소급하여 그 자격을 상실하고, 그 대표이사가 이사 선임의 주주총회 결의에 대한 취소판결이 확정되기 전에 한 행위는 대표권이 없는 자가 한 행위로서 무효가 된다.[48]

5. 이사의 임기

이사의 임기는 3년을 초과하지 못한다(제383조 제2항). 회사는 일반적으로 이사의 임기를 정관에서 규정하고 있으나, 회사가 임기를 정하지 않은 경우 상법에 따라 3년으로 본다는 뜻은 아니라는 것이 판례의 입장이다.[49] 판례와 입장을 같이 하면서 임기를 정하지 않는 경우 언제든지 해임할 수 있지만, 임기를 정한 경우 정당한 이유 없이 해임하는 경우 회사에 손해배상의무가 생긴다는 차이가 있다는 점을 근거로 든다.[50] 그러나 이 판례는 임기 만료 전에 해임된 이사의 손해배상청구권에 관한 것이고, 현실적으로는 정관이나 주주총회에서 이사의 임기를 정하지 않은 경우에는 3년으로 될 수밖에 없을 것이라는 견해도 있다.[51] 이사 지위의 독립성 보장 및 상법에서 이사 임기를 3년 내에서 정할 수 있도록 한 점에서 임기의 정함이 없다면 3년으로 보는 후자의 견해에 찬성한다.

---

46) 판례는 이사를 피고로 한 이사지위부존배확인의 소는 그 판결의 효력이 회사에 미치지 않기 때문에 확인의 이익이 없다고 한다(대법원 2018.3.15. 2016다275679). 이에 대한 연구는. 윤성승, "이사지위 부존재확인의 소와 임시주주총회 소집기간," 「강원법학」 제54권(강원대학교 비교법학연구소, 2018), 439면 이하.
47) 정찬형, 전게서, 969면.
48) 대법원 2004.2.27. 2002다19797; 2013.2.28. 2012다74298.
49) 대법원 2001.6.15. 2001다23928.
50) 장덕조, 전게서, 499면.
51) 임재연, 전게서, 244면.

정관에서 이사의 임기를 정하고 있더라도 주주총회에서 이사를 선임할 때 이보다 단기의 임기를 정할 수 있다고 보며, 이사별로 임기를 달리해도 무방하다.[52] 또한 이사가 결원이 되어 보궐선임을 하는 경우에 새로 임기가 개시되는 것으로 할 수도 있고, 후임 이사의 임기를 전임자의 잔임기간으로 할 수도 있다. 등기 실무에서는 "보결에 의하여 선임된 이사의 임기는 전임자 또는 현재 임원의 나머지 기간으로 한다"는 취지의 정관규정이 있더라도, 이는 이사의 일부에 결원이 생긴 경우에만 적용될 뿐 이사 전원을 선임하는 경우에는 적용되지 않는다고 할 것이므로, 주식회사의 이사 전원을 선임한 주주총회결의에 대한 취소판결이 확정된 후 정기주주총회에서 이사 전원을 다시 선임한 경우에 있어서 새로 선임된 이사의 임기는 정관에서 이사의 임기로 정하고 있는 3년이 될 것이다"고 하고 있다.[53]

이사의 임기 개시는 선임결의시에 임기 개시일을 정한 때에는 그날부터, 정하지 않은 경우에는 선임결의를 한 날로부터 임기가 개시한다고 보는 견해가 있고,[54] 취임한 날 또는 동의한 날에 개시한다는 견해도[55] 있다. 전자의 견해는 이사의 임기 개시는 대외적으로 명확해야 하고 수인의 이사 간에 획일적으로 개시일이 정해져야 한다는 이유를 들고 있으며, 후자의 견해는 본인이 승낙하지도 않은 상태에서 임기가 개시한다는 것은 불합리하다는 이유를 들고 있다.

이사의 임기는 3년을 초과할 수 없으므로 정관 또는 주주총회에서 이를 단축할 수는 있어도 연장할 수는 없다. 다만 예외적으로 정관으로 임기 중의 최종의 결산기에 관한 정기총회의 종결시까지 그 임기를 연장할 수 있다(제383조 제3항). 이사는 일반적으로 정기총회에서 선임되나 정기총회의 회일은 매년 같은 날인 것만은 아니기 때문에 당해 총회의 종결시까지 연장하는 것이 합리적일 수 있어 정관으로 연장할 수 있게 한 것이다.[56] 예컨대, 2월 20일의 정기총회에서 이사가 선임된 경우, 임기만료시의 정기총회가 2월 25일에 개최된다면, 임기만료의 이사는 2월 25일 주주총회의 종결시까지 연장되는 것이고, 이 경우 3년을 초과할 수도 있게 된다.

---

52) 이철송, 전게서, 672면.
53) 등기선례 제6-643호, 1999. 4. 21. 등기 3402-434 질의회답.
54) 이철송, 전게서, 672면.
55) 최준선, 전게서, 462면; 정찬형, 전게서, 970면.
56) 이범찬·임충희·이영종·김지환, 전게서, 306면.

우리나라에서 적대적 M&A 방어나 집중투표제의 효과를 억제하는 방안으로[57] 시차임기제(staggered terms)를 도입하는 회사가 있다. 시차임기제란 이사의 임기를 달리하여 이사의 임기만료가 동시기에 되는 일이 없도록 하는 제도이다.[58]

이사는 임기 만료로 퇴임한다. 다만 이사의 퇴임으로 이사의 법정 원수를 결하게 되면 새로 선임된 이사가 취임할 때까지 임기 만료된 이사에게 이사로서의 권리와 의무가 있다(제386조 제1항).[59] 상장회사의 경우 사외이사의 사임, 사망 등의 사유로 인하여 사외이사의 수가 이사 총수의 4분의 1 이상에 미달하는 경우에는 그 사유가 발생한 후 처음으로 소집되는 주주총회에서 미달하는 사외이사를 선임하여야 한다(제542조의8 제3항).

6. 이사의 퇴임

이사의 퇴임은 임기만료, 사임, 해임, 정관에 의한 자격상실 사유 발생, 회사의 해산 및 위임의 일반적인 종료사유가 생긴 때, 즉 이사의 사망, 파산 또는 성년후견 개시 심판을 받은 때에 퇴임한다(민법 제690조).

가. 이사의 사임

이사는 언제든지 사임할 수 있다(민법 제689조 제1항). 이사의 사임은 회사에 대한 일방적인 의사표시에 의하여 효력이 발생하는 단독행위이므로, 회사의 승낙을 요하지 않고 또 변경등기를 하지 않더라도 즉시 그 자격을 상실한다.[60] 사임의 의사표시는 대표이사 또는 대표집행임원에게 하여야 하며, 의사가 도달함으로써 효력이 발생하지만, 그 의사가 도달하기 전에는 사임의 의사표시를 철회할 수 있다.[61] 이사의 사임에 대하여 주주총회나 이사회의 승인을 얻도록 하

---

57) 미국의 초기 판례는 시차임기제가 집중투표권을 침해하는 것으로 본 것도 있지만, 1956년 이후에는 침해하지 않는 것으로 판시하고 있다(박영준, "집중투표제 - 비교법적 고찰을 중심으로 -,"「기업법연구」제14권(한국기업법학회, 2003. 9.), 379면.
58) 시차임기제는 허용되는 것으로 해석하는 견해는 송종준,「적대적 M&A의 법리」(개신, 2008), 146면.
59) 대법원 2007.3.29. 2006다83697.
60) 서울고등법원 1980.5.23. 79나2290.
61) 일반적으로 기업실무에서는 이사의 해임 사유가 있을 때 또는 대주주와의 갈등이 생긴 때,

는 정관 규정은 민법 제689조의 규정상 무효로 본다는 견해가 있다.[62]

회사실무에서는 재신임을 묻기 위하여 대표이사에게 사표의 처리를 일임한 경우가 있다. 이 때 이사 사임의 의사표시의 효력 발생 여부는 대표이사의 의사에 따르도록 한 것이므로, 대표이사가 사표를 수리함으로써 사임의 효과가 생긴다는 것이 학설과 판례의 입장이다.[63] 이 경우 법리적으로는 이사가 대표이사에게 사임의 의사표시에 관한 대리권을 수여한 것이다.[64]

대표이사를 포함하여 이사 전원이 일괄하여 사임하는 경우에는 대표이사는 이사의 사임의 의사표시를 수령할 대리인을 선임한 다음 그 자에게 대리권을 부여한 후에 사임의 의사표시를 하면 된다.

이사는 사임의 사유가 무엇이든지 언제라도 사임할 수 있다. 다만 회사가 불리한 시기에 사임하는 경우, 이사의 질병 기타 부득이한 사유가 있는 경우를 제외하고는, 회사가 입은 손해가 있는 경우 손해배상을 해야 하는 경우가 생긴다(민법 제689조 제2항).

나. 이사의 해임

1) 주주총회에 의한 이사해임결의

가) 이사 해임에 관한 입법 변천

임기 중의 이사에 대하여 자유롭게 해임할 수 있도록 할 것인가(해임자유설),[65] 아니면 해임을 제한하여 경영의 안정성을 도모할 것인가(해임제한설[66])에 관하

이사의 해임보다는 사임으로 해결하고 있다.

62) 임재연, 전게서, 249면.

63) 대법원 1998.4.28. 98다8615; 임재연, 상게서, 249면.

64) 이철송, 전게서, 673면.

65) 해임자유설의 논거는, 첫째 주주가 회사의 소유자라는 지위에서 경영자인 이사해임의 자유권을 가진다고 한다. 둘째 소유와 경영이 분리된 주식회사에 있어서 한편으로 감독기능을 확보하고 다른 한편으로 이사의 지위의 안정을 꾀하는 견지에서 해임은 주주의 감독기능에 근거한 것이기 때문에 자유라는 것이다. 그래서 주주의 신뢰를 이미 상실한 이사에게 회사의 중대한 경영을 맡기지 않는 것은 당연하고, 주주총회의 이사해임결의를 통하여 경영에 간섭할 수 있다고 한다(迷津昭, "株主總會の決議による取締役の解任,"「法學研究」60卷 12號(慶應義塾大學, 1987. 12.), 28面).

66) 이사 해임제한설의 근거는, 첫째 소수주주의 보호를 도모하기 위함이다. 선임된 이사는 자기를 선임한 주주뿐만 아니라 회사의 모든 주주에 대하여 의무를 부담하나, 이유없이 해임되는 경우 이사는 부당하게 다수파주주의 요구를 들어 주지 않을 수 없게 된다는 것이다. 둘째, 이사해임을 제한하는 것이 주주이외의 회사의 이해관계자의 이익을 보호한다는 것이다. 셋째, 이사해임제한은 회사자체의 이익을 도모한다고 한다. 회사의 경영에 관하여는 이

여 외국의 경우 입법의 변천이 있었다.[67] 역사적으로 보면 이사 해임을 제한하였던 것에서 자유로운 해임으로 변경되었다.[68]

미국의 1984년 모범사업회사법은 이사의 해임에 관하여 정당한 이유의 유무나 해임의 결의요건에 관하여 정관에서 정하도록 하고 있으며, 특별한 정함이 없으면 이사 선임과 마찬가지로 해임결의도 보통결의사항으로 하고 있다(MBCA §8.08). 그러나 종류주주총회에서 선임된 이사는 그 종류주주총회에서만 해임할 수 있다(MBCA §8.08(b)). 또한 집중투표제도에 의하여 선임된 이사의 해임은 집중투표로 이사 선임에 충분한 의결권의 수만큼 반대표가 있으면 그 이사를 해임할 수 없도록 하고 있다(MBCA §8.08(c)). 우리 상법상에도 미국의 이러한 입법례를 고려하여야 한다는 견해도 있다.[69]

한편, 미국의 경우 해임당하는 이사에게 방어의 기회를 보장하고 있다. 구체적으로는 해임 이유의 통지, 이사에게 변명하기 위한 기회의 보장, 위임장을 권유하기 위한 기회의 보장을 들 수 있다(MBCA §8.08). 우리 상법에서도 이사 해임의 자유를 인정하면서도 영미의 입법례처럼 해임되는 이사에게 방어의 기회를 보장하는 절차를 마련해주는 것이 바람직하다.[70]

일본의 경우 이사해임결의는 보통결의로 하고 있다가 1950년(昭和 25) 개정법에서 특별결의로 변경하였다(일본 구상법 제257조).[71] 이 개정상법에서는 이사의 임기를 종래 최장 3년에서 2년으로 단축하고 있다.[72] 이사해임결의요건을

사가 가장 잘 알고 있고 주주에 의한 간섭을 조금이라도 허용한다면 회사가 얻을 수 있는 경영판단의 질을 저하시킬 수 있다는 것이다(Traver, "Removal of the corporate Directors during His term of Officer," 53 Iowa L. Rev. 366. 374(1915)).

67) 김지환, 전게논문, 32~44면.

68) 미국 뉴욕주 법원은 1935년 Abberger v. Kulp 판결에서 이유의 유무를 불문하고 주주가 이사를 해임할 수 있다는 뜻을 정한 부속정관 채택을 허용하여(Abberger v. Kulp 156 Misc. 210, 281, N. Y. S. 373(Sup. Ct. 1935), 종래 이사해임을 제한하던 것에서 시각을 바꾸기 시작하였다. 일본의 경우 明治 23년 상법(구상법)에서 이사해임의 자유를 인정하였는데, 한 때 이사해임의 자유론과 제한론의 논쟁이 있었다(김지환, 상게논문, 38면).

69) 임재연, "미국 회사법상 이사의 해임에 관한 연구,"「성균관법학」제20권 제3호(성균관대학교 법학연구소, 2008. 12.), 842면.

70) 김지환, 전게논문, 61면; 정병덕, "주식회사 이사의 해임,"「경영법률」제18권 제4호(한국경영법률학회, 2008), 200면.

71) 芝 園子, "取締役の解任法制の檢討(一),"「法政論集」195號(名古屋大學, 2003. 3.), 189面.

72) 비공개회사는 정관의 규정으로 이사의 임기를 10년까지 연장할 수 있도록 하였다(일 회사법 제332조 제2항). 만약 회사가 임기를 단축하는 정관변경을 한 경우 현재 이사에게도 임기 단축의 효과는 미치지만, 현재 이사의 기대를 보호하기 위하여 제339조 제2항(정당한 이유없이 해임된 이사의 손해배상청구권)의 유추적용을 인정하고 있다(일회사법 제214조).

이렇게 강화한 이유는 1950년 개정상법이 주주총회의 권한을 축소하고 이사회의 권한을 확대하였기 때문에 아울러 이사 지위의 안정을 위하여 이사 해임의 결의요건을 엄격히 한 것이다. 그렇지만 2005년 제정된 일본 회사법은 이사 해임은 주주총회의 보통결의요건으로 완화하고 이사해임자유의 원칙을 한층 더 높였다(일본 회사법 제339조, 제341조). 이것은 이사에 대한 선출모체인 주주총회의 감독이 미칠 수 있도록 하기 위함과 다수의 주주가 부적임한 것으로 판단한 이상 당해 이사의 임기 만료시까지 경질을 늦출 이유가 없다고 판단했기 때문이다.[73] 이때 주주총회의 해임결의는 선임결의와 마찬가지로 정관으로 완화할 수는 있지만, 완화하더라도 의결권을 행사할 수 있는 주주의 의결권의 3분의 1 미만으로 완화하여 정할 수는 없다(일본 회사법 제341조, 제347조). 또한 종류주주총회에 의하여 선임된 이사를 주주총회의 결의에 의해서는 원칙적으로 해임할 수 없고, 동일한 주주총회에서 해임하여야 한다(일본 회사법 제347조 제1항). 뿐만 아니라 집중투표에 의하여 선임된 이사 해임은 특별결의요건으로 하고 있다(일본 회사법 제309조 제2항 제7호). 즉 집중투표제의 취지를 감안하여 해임결의요건을 높였다. 한편, 주주간 계약으로 정당한 이유없이 어떤 이사를 해임하지 않는다고 하여도 이는 채권적 효력밖에 없다.[74]

　　우리 상법은 1963년 제정 당시부터 이사의 임기를 정한 경우에도 정당한 이유 없이 이사를 해임할 수 있도록 하였다(제385조 제1항). 즉 해임자유설을 따랐다. 다만 상법 제정 당시에 이사의 임기는 2년을 초과할 수 없도록 하였으나, 현행 상법은 3년을 초과하지 못하도록 연장하였다(제383조 제2항).

　나) 해임결의

　　우리 상법상 이사는 언제든지 주주총회의 특별결의로 해임될 수 있다(제385조 제1항, 제434조). 이사의 임용계약에 임기 중에 해임되지 않는다는 특약조항이 존재한다고 하더라도 해임 결의가 가능하다고 한다.[75] 왜냐하면 회사와 이사 간은 위임관계이고, 위임계약은 각 당사자가 언제든지 해지할 수 있기 때문이다(민 제689조 제1항). 이에 대해 법인 정관에서 이사의 해임 사유 및 절차 등을 따로 정한 경우 그 규정은 법인과 이사와의 관계를 명확히 함은 물론 이사의

　73) 龍田 節, 「會社法大要」(有斐閣, 2007), 74面.
　74) 江頭憲治郎, 「株式會社法」 第6版(有斐閣, 2015), 395面.
　75) 임재연, 전게서, 251면.

신분을 보장하는 의미도 아울러 가지고 있으므로 이 경우 이사의 중대한 의무위
반 또는 정상적인 사무집행 불능 등의 특별한 사정이 없는 이상, 정관에서 정하
지 않은 사유로 이사를 해임할 수 없다는 견해도 있다.[76]

이사의 해임은 주주총회의 결의에 의해서만 해임할 수 있고, 정관의 규정으
로도 이사회의 결의나 대표이사의 결정에 의하여 해임할 수 있도록 위임할 수는
없다. 즉, 이사해임권은 주주총회의 고유 권한이다. 이사 해임의 주주총회 소집
통지서에는 해임의 대상인 이사를 표시해야 한다.

이사 해임의 효과는 피해임자에게 해임의 고지를 한 때에 생기며, 해임결의
즉시 발생하는 것은 아니다.[77]

다) 해임결의요건의 감경 또는 가중

상법의 규정과 달리 정관의 정함으로 이사해임요건을 달리 정할 수 있을 것
인가에 관하여 논란이 있다. 일반적으로 정관자치의 원칙상 이를 인정하나, 그
허용범위에 관해서는 견해가 대립된다. 우선 결의요건을 감경하는 것인데, 특별
결의요건보다 감경할 수 있을 것인가, 나아가 보통결의요건 보다도 감경할 수
있을 것인가이다. 이렇게 결의요건을 감경하는 것은 우리 상법이 금지하고 있다
고 해석하는 것이 옳다.[78] 따라서 특별결의요건보다 이사 해임을 감경하는 정관
규정은 상법 위반이다.

반대로 적대적 M&A 방어나 이질적인 주주의 경영권 참여시도 시에 기존
이사의 해임을 저지하기 위하여 해임의결정족수를 정관으로 가중하는 초다수결
의제(Supermajority vote)를 도입하고 있는 회사가 있는데, 찬반 논란이 있다.[79]
이에 대하여 공개회사의 경우에는 이사해임자유론의 입법 변천사에 비추어, 그
리고 주주의 경영 감독을 위하여 반대하는 견해가 있다.[80] 초다수결의를 허용
한다면 일부 주주에게 거부권을 주게 되는 등의 문제점이 있고, 주주총회의 보
통결의나 특별결의사항은 주식회사의 의사결정방법에 관한 기본 구상으로 제도

---

76) 최준선, 전게서, 466면; 대법원 2013.11.28. 2011다41741.
77) 최준선, 상게서, 464면; 정동윤, 「회사법」 제7판(법문사, 2001), 366면; 이기수·최병규·조
　　지훈, 전게서, 323면.
78) 김지환, 전게논문, 58면; 송종준, "초다수결의제의 유효성과 그 법적 한계," 「인권과 정의」
　　제388호(대한변호사협회, 2008. 12.), 71면.
79) 상장회사협의회, 전게자료 52면.
80) 김지환, 전게논문, 58면.

화된 것이므로, 상법상의 특별결의요건은 과반수 출석까지의 가중만을 허용하는 강행규정으로서 그 이상의 강화는 허용되지 않는다는 견해도 있다.[81] 이에 반해, 이사 해임 결의요건을 상법상의 특별결의요건 보다 가중하는 정관 규정은 정관자치의 원칙상 합리적인 범위 내에서 허용된다고 보거나 심지어 총주주의 동의를 요하게 하는 것도 가능하다는 견해가 있다(만장일치를 요구하는 것에 대하여 폐쇄회사라면 가능하다는 견해도 있다.[82]).[83] 생각건대, 특별결의요건 보다 가중하는 것은 가능하나 그 한계는 있다고 본다. 왜냐하면 이사해임에 있어서 초다수결의를 한계 없이 허용하는 것은 지배권의 공고화를 초래하고, 외국의 이사해임에 관한 입법례와도 맞지 않기 때문이다.

라) 해임된 이사의 손해배상청구권

이사의 자유로운 해임에 대한 제한과 임기만료 전에 해임된 이사의 구제수단으로 정당한 이유 없이 해임된 이사에게 손해배상청구권을 인정하고 있다.[84] 이것은 미국, 영국 및 일본의 입법례가 동일하다.[85] 그런데 이사의 손해배상청구권의 구체적인 해석을 둘러싸고 여러 가지 논란이 있다. 먼저 손해배상책임의 성질에 관한 것이다. 불법행위책임이라는 견해는, 해임 그 자체는 손해배상을 부담할 필요는 없지만 정당한 이유 없이 해임하는 것에 관하여는 고의나 과실이 있다는 것을 입증하여 손해배상책임을 물을 수 있다는 것이다. 채무불이행책임은 임기 중에는 해임할 수 없다는 특약을 위반하였으므로 채무불이행책임이 성립한다고 한다. 불법행위책임이나 채무불이행책임설은 이사해임제한설에 입각한 것이다. 그러나 통설은 이사해임자유론에 따라 해임된 이사의 손해배상청구권은 상법상의 법정책임이라 한다. 즉 정당한 이유없이 해임한 것에 고의나 과실을 요구하지 않고 상법상 주식회사에 특별히 과해진 법정책임이라는 것이다.

법정책임설에 의하더라도 정당한 사유의 구체적인 유형이나 내용에 있어서는 입장의 차이가 있다. 일반적으로 이사가 법령이나 정관에 위반하는 행위, 배신행위 등의 직무상의 부정행위, 직무상의 의무위반, 임무를 게을리하는 행위, 그

---

81) 이철송, 전게서, 673면; 서울중앙지방법원 2008.6.2. 2008카합1167.

82) 송종준, 전게논문, 75면.

83) 정경영, 전게서, 462면; 정찬형, 전게서, 924면, 974면; 정동윤, 전게서, 354면; 송옥렬, 전게서, 847면.

84) 창원지방법원 2019.9.19. 2018가합52986.

85) 김지환, 전게논문, 45면.

리고 이사로서의 직무수행에 객관적으로 장애가 생긴 경우로 장기간의 입원 요양이 필요한 경우가 정당한 이유에 해당한다. 또한 지병인 고혈압, 뇌혈전 등이 있어 대표이사직을 사임한 이사를 해임한 것은 정당한 이유에 해당한다는 일본의 판례가 있다.[86] 그런데 논란이 되는 사항으로 다음과 같은 것이 있다. 첫째 직무행위의 부적임 또는 능력의 결여인데, 다수설과 판례는 이를 정당한 이유로 해석하고 있다.[87] 둘째, 이사의 경영판단의 실패이다. 이에 대하여 일본의 견해는 이사에 대한 경영위임제도를 어느 정도 존중하는가의 문제에 관계되는 것으로 정당한 이유에 포함되지 않는다고 보는 견해와 경영실패로 회사가 손해를 입은 경우에는 정당한 이유에 포함된다는 견해로 나뉜다. 후자의 견해가 타당하다고 본다. 셋째, 단순한 신임관계의 파탄은 주관적 이유에 불과하므로 정당한 이유에 해당하지 않는다. 또한 이사의 직무와 전혀 관계가 없는 사유로 해임된 경우나 더욱이 적임자가 나타났다고 해서 해임하는 경우, 지배주주와 이사 간의 사적 분쟁 때문에 해임하는 경우에는 정당한 이유에 해당하지 않는다. 이와 관련하여 판례는 다음과 같이 설시하고 있다. 즉 "상법 제385조 제1항에 의하면, 이사는 언제든지 주주총회의 특별결의로 해임할 수 있으나, 이사의 임기를 정한 경우에 정당한 이유 없이 그 임기만료 전에 이사를 해임한 때에는 그 이사는 회사에 대하여 해임으로 인한 손해의 배상을 청구할 수 있다. 여기에서 '정당한 이유'란 주주와 이사 사이에 불화 등 단순히 주관적인 신뢰관계가 상실된 것만으로는 부족하고, 이사가 법령이나 정관에 위배된 행위를 하였거나 정신적·육체적으로 경영자로서의 직무를 감당하기 현저하게 곤란한 경우, 회사의 중요한 사업계획 수립이나 그 추진에 실패함으로써 경영능력에 대한 근본적인 신뢰관계가 상실된 경우 등과 같이 당해 이사가 경영자로서 업무를 집행하는 데 장해가 될 객관적 상황이 발생한 경우라야 할 것이다"고 한다.[88]

정당한 사유의 입증책임에 관하여 회사 측에서 정당한 이유가 있다는 것을 입증한 경우에 한하여 손해배상책임이 부정된다는 견해와 이사가 정당한 사유 없이 해임된 것을 입증하여 배상을 요구하여야 한다는 견해가 있다. 일본의 다

---

86) 近藤光男, "會社經營者の解任," 「八十年代商事法の諸相」(有斐閣, 1985), 404面.
87) 판례는 이사가 회사의 경영계획 중 1년 동안 어느 것 하나 제대로 실천된 것이 없을 정도로 투자유치능력 및 자질이 부족하였고 이로 인하여 이사와 회사간의 신뢰관계가 무너졌다면, 이사 해임에 정당한 이유가 있다고 한다(대법원 2004.10.15. 2004다25611).
88) 대법원 2004.10.15. 2004다25611; 2014.5.29. 2012다98720.

수설과 판례는 전자의 입장이다.[89] 그런데 우리 판례는 정당한 이유의 존부에 관한 입증책임은 손해배상을 청구하는 이사에게 있다고 한다.[90]

손해배상의 범위에 관해서는 당해 이사가 해임되지 않았다면 잔존임기 기간 중과 임기만료시에 얻을 수 있었던 소득(이익)의 상실에 의한 손해라고 해석하거나, 이러한 기간 중과 만료시에 회사로부터 얻을 수 있었던 상당한 정도의 확실한 경제적 이익 모두를 의미한다고 해석한다. 구체적으로는 이사의 보수 외에도 지급받을 가능성이 높은 상여금, 퇴직위로금이다.[91] 그러나 변호사 비용은 부당 응소 등 특단의 사정이 없는 한 인정되지 않는다. 또한 이사 해임으로 인하여 이사가 받은 정신적인 고통에 대한 위자료는 손해배상의 범위에 포함되지 않으며, 과실상계도 적용되지 않는다.[92]

이사의 임기를 정하지 아니한 경우에는 언제든지 이사를 해임할 수 있으며, 이 경우에는 손해배상을 할 필요가 없다는 것이 판례의 입장이다.[93]

한편, 이사 해임의 정당한 이유 존재 여부를 불문하고 해임당하는 이사에게 해직보상금을 지급하기로 하는 약정이 있을 수 있다. 이 경우 정당한 이유에 의한 이사 해임의 경우에도 보상을 하게 되는 것이다. 이에 대하여 우리 판례는 "주식회사와 이사 사이에 체결된 고용계약에서 이사가 그 의사에 반하여 이사직에서 해임될 경우 퇴직위로금과는 별도로 일정한 금액의 해직보상금을 지급받기로 약정한 경우, 그 해직보상금은 형식상으로는 보수에 해당하지 않는다 하여도 보수와 함께 같은 고용계약의 내용에 포함되어 그 고용계약과 관련하여 지급되는 것일 뿐만 아니라, 의사에 반하여 해임된 이사에 대하여 정당한 이유의 유무와 관계없이 지급하도록 되어 있어 이사에게 유리하도록 회사에 추가적인 의무를 부과하는 것인 바, 보수에 해당하지 않는다는 이유로 주주총회 결의를 요하지 않는다고 한다면, 이사들이 고용계약을 체결하는 과정에서 개인적인 이득을 취할 목적으로 과다한 해직보상금을 약정하는 것을 막을 수 없게 되어, 이사들

---

89) 鈴木千佳子, "株主總會による取締役の解任に関する一考察," 「法學研究」 66卷 1號(慶應義塾大學, 1993. 1.), 184面.
90) 대법원 2006.11.23. 2004다49570; 2014.5.29. 2012다98720; 2013.9.26. 2011다42348.
91) 김재범, "1인회사에서 주주총회와 이사회의 운영," 「상사법연구」 제17권 제3호(한국상사법학회, 1999), 105면; 한철, "대표이사직의 해임에 따른 보수청구와 회사의 손해배상책임," 「상사판례연구」 제18집 제3권(한국상사판례학회, 2005. 9.), 117면.
92) 서울고등법원 1990.7.6. 89나46297.
93) 대법원 2001.6.15. 2001다23928.

의 고용계약과 관련하여 그 사익 도모의 폐해를 방지하여 회사와 주주의 이익을 보호하고자 하는 상법 제388조의 입법 취지가 잠탈되고, 나아가 해직보상금액이 특히 거액일 경우 회사의 자유로운 이사해임권 행사를 저해하는 기능을 하게 되어 이사선임기관인 주주총회의 권한을 사실상 제한함으로써 회사법이 규정하는 주주총회의 기능이 심히 왜곡되는 부당한 결과가 초래되므로, 이사의 보수에 관한 상법 제388조를 준용 내지 유추 적용하여 이사는 해직보상금에 관하여도 정관에서 그 액을 정하지 않는 한 주주총회 결의가 있어야만 회사에 대하여 이를 청구할 수 있다"고 판시하였다.[94] 이에 대하여 판례의 결론에는 찬성하지만, 논리 구성은 상법 제385조 제1항을 강행규정으로 보고 정당한 이유로 해임한 경우에 보상금을 지급하는 약정은 무효라고 해석하여야 한다는 견해가 있다.[95]

2) 소수주주에 의한 해임청구의 소

가) 의의 및 성질

이사가 직무를 수행함에 있어서 부정행위 또는 법령이나 정관에 위반한 중대한 사실이 있음에도 불구하고 주주총회에서 그 이사의 해임을 부결한 경우에는 발행주식총수의 100분의 3 이상을 가진 주주는 총회결의가 있은 날로부터 1월 이내에 그 이사의 해임을 법원에 청구할 수 있다(제385조 제2항). 상장회사의 경우에는 6월 전부터 계속하여 발행주식총수의 1만분의 50(자본금이 1,000억원 이상인 법인의 경우에는 1만분의 25) 이상에 해당하는 주식을 보유하는 주주에게 해임청구권을 행사할 수 있도록 그 요건을 완화하고 있다(제542조의6 제3항, 제385조). 또한 은행, 종합금융회사, 보험사업자 등 금융회사의 경우, 6개월 전부터 계속하여 금융회사의 발행주식 총수의 10만분의 250 이상(대통령령으로 정하는 금융회사의 경우에는 10만분의 125 이상)에 해당하는 주식을 대통령령으로 정하는 바에 따라 보유한 자는 해임청구의 소를 제기할 수 있다(금융회사 지배구조에 관한 법률 제33조 제3항). 이사해임청구권은 의결권 행사를 전제로 하는 것은 아니므로, 무의결권주주도 할 수 있다.

이사해임청구권을 소수주주에게 부여한 취지는 위법행위를 한 이사가 다수결의 힘을 배경으로 보신을 도모하는 것은 부당하므로, 그것을 막기 위함이다.

---

94) 대법원 2006.11.23. 2004다49570.
95) 이철송, 전게서, 674~675면.

이사해임의 소는 회사와 이사 간의 위임관계를 해소하는 형성의 소에 해당한다.[96]

나) 소송당사자

원고는 발행주식총수의 3% 이상에 해당하는 주식을 가진 주주이며, 판결확정시까지 그 지주요건을 유지하여야 한다.[97] 다만 소제기 후 신주발행으로 인하여 지주비율이 낮아지는 경우에는 제소권자의 지위에 영향이 없다.[98]

해임청구에 의한 소의 피고에 관하여는, ① 회사를 피고로 한다는 설, ② 당해 이사를 피고로 한다는 설, ③ 회사와 당해 이사 모두를 공동 피고로 하여야 한다는 설이 있는데, ③의 견해가 통설이다.[99] 왜냐하면 이사해임의 소는 회사와 이사 간의 위임관계의 해소를 청구하는 것으로 회사의 이사해임결의의 수정을 목적으로 하면서 그 판결의 효력은 해임될 이사에게도 미치기 때문이다. 그러나 이사해임의 소를 본안소송으로 하는 가처분의 경우에는 이사 개인만이 피신청인이 된다.

임기 중의 이사가 직무상 부정행위 또는 법령이나 정관에 위반한 중대한 사유가 있음에도 불구하고 주주총회에서 이사의 해임이 부결된 때 소수주주가 이사해임청구를 제기하여 잔여임기를 박탈한다.

그런데 퇴임이사에 대하여도 해임청구의 소의 피고적격을 가지는가. 퇴임이사란 법률 또는 정관에서 정한 이사의 인원수를 결한 경우에 임기의 만료 또는 사임으로 인하여 퇴임한 이사가 새로 선임된 이사가 취임할 때까지 이사로서의 권리 및 의무를 갖는 이사를 말한다. 학설과 판례는 퇴임이사가 그 직무에 관하여 부정행위 등을 저지르는 경우 주주는 이해관계인으로서 상법 제386조 제2항에 의거하여 법원에 대하여 일시이사(가이사 또는 임시이사)의 선임을 청구할 수 있으므로,[100] 해임청구를 인정할 실익 내지는 소의 이익이 없다고 한다.[101] 이

---

96) 임재연, 전게서, 255면.
97) 최준선, 전게서, 465면.
98) 임재연, 전게서, 256면.
99) 최준선, 전게서, 465면; 정찬형, 전게서, 977면.
100) 이사의 정원을 결한 경우 법원이 필요하다고 인정할 때에는 이사·감사 기타의 이해관계인의 청구에 의하여 일시 이사의 직무를 행할 자를 선임할 수 있다(제386조 제2항). 이를 일시이사, 가이사 또는 임시이사라고 한다(대법원 2001.12.6. 2001그113).
101) 이철송, 전게서, 676면; 임재연, 전게서, 257면; 서울지방법원 서부지원 1998.6.12. 97가합 11348; 대법원 2009.10.29. 2009마1311.

에 대하여 퇴임이사제도는 일시이사제도와 그 입법취지, 이념이 상이하고 이사
에 대한 직무집행정지가처분이 허용되지 않는다는 실정법적 근거도 없으며, 현
실적 필요성도 있으므로 퇴임이사에 대한 직무집행정지가처분을 허용해야 한다
는 반대 견해도 있다.102)

이사해임의 소가 제기된 후에 당해 이사가 사임하고 나서 다시 주주총회에서
이사로 재선임된 경우에 종래 제기된 이사해임의 소가 부적법 각하되는가? 이사
해임의 소는 이사 개인의 부적격을 원인으로 하는 것이므로 해당 이사가 사임하
고 주주총회에서 재선임되었다 하더라도 당초의 청구이유가 유지된다고 보아야
하므로 부적법 각하되지 않는다고 본다.103)

다) 소의 원인

이사의 직무에 관한 부정행위 또는 법령이나 정관에 위반한 중대한 사실이
이사해임의 소의 원인이 된다. 따라서 단순한 임무해태는 해임청구의 사유가 될
수 없다.

이사의 직무에 관한 부정행위는 이사가 그 의무위반에 의하여 회사에 손해를
끼치는 고의행위를 말한다. 그러나 법령 또는 정관에 위반한 중대한 행위는 과
실이라도 해임사유가 된다. 부정행위 등 소의 원인은 이사의 재임 중에 발생한
사유이다.104)

라) 소송절차

이사해임의 소의 제소는 주주총회에서 이사 해임안건이 부결된 후에 할 수
있다. 이사해임 안건이 부결된 때란 주주총회를 개회하여 해임을 부결한 적극적
인 결의가 있었던 경우뿐만 아니라 해임안이 상정되었으나 의사정족수 미달로
심의되지 않았거나, 해임안이 상정되지 않아서 심의조차 되지 않음으로써 의안
의 채택이 없었던 경우 등 해임을 가결하지 않은 모든 경우를 말한다.105)

소수주주가 이사해임의 소를 제기하기 전에 주주총회에서 이사해임안이 부결
되어야 하므로, 이사해임을 다루는 주주총회가 먼저 개최되어야만 한다. 절차적

---

102) 이철기, "퇴임이사에 대한 직무집행정지 가처분,"「성균관법학」제22권 제3호(성균관대학교
   법학연구소, 2010), 992면.
103) 이철송, 전게서, 676면; 임재연, 전게서, 259면; 부산지방법원 2004.4.14. 2002가합16791.
104) 대법원 2006.11.23. 2004다49570.
105) 임재연, 상게서, 260면.

으로 보면, 주주가 임시주주총회의 소집을 청구하면서 이사해임에 관한 주주제안을 하는 것이다. 그러나 상장회사의 경우 임기 중의 임원의 해임에 관해서는 이사회가 주주제안을 거부할 수 있어서(제363조의2 제3항, 시행령 제12조 제4호), 상장회사에 있어서는 소수주주의 이사해임청구권이 큰 의미가 없다는 견해가 있다.106) 이에 대하여 실무상으로는 이사해임을 구하는 본안소송을 제기하기보다는 이사직무집행정지가처분을 신청하는 예가 대부분이고, 이 경우에는 이러한 문제점이 별다른 장애사유가 되지 않는다고 한다.107)

이사해임의 소는 주주총회의 결의가 있은 날로부터 1월내에 제기하여야 한다 (제385조 제2항).

이사해임의 소는 회사의 본점소재지의 지방법원의 관할에 전속한다(제385조 제3항, 제186조).

마) 판결의 효력

이사해임판결은 형성판결이므로 판결의 확정에 의하여 당해 이사는 이사로서의 지위를 상실한다. 이사해임의 소는 상법 제190조가 준용되지 않으므로 기판력이 제3자에게 미치지 않고, 다만 형성판결로서 형성력이 제3자에게 미친다.108)

7. 이사의 직무집행 정지

주식회사 이사의 직무집행을 정지하고 직무대행자를 선임하는 가처분결정을 신청하고 법원이 이를 인용할 수 있다. 상법은 이사선임결의의 무효나 취소 또는 이사해임의 소가 제기된 경우에는 법원은 당사자의 신청에 의하여 가처분으로써 이사의 직무집행을 정지할 수 있고 또는 직무대행자를 선임할 수 있다고 한다(제407조 제1항 전단). 또한 급박한 사정이 있는 때에는 본안소송의 제기전에도 그 처분을 할 수 있다(제407조 제1항 후단). 이러한 직무집행정지 가처분 신청은 보전소송으로 민사집행법상 임시지위를 정하는 가처분이다.109) 가처분

---

106) 송옥렬, 전게서, 951면.
107) 임재연, 전게서, 260면.
108) 임재연, 상게서, 261면.
109) 대법원 1972.1.31. 71다2351.

신청을 하기 위해서는 본안소송이 제기되거나 급박한 사정이 있는 경우로 피보 전권리가 존재하여야 하며 보전의 필요성이 인정되어야 한다.

법원은 당사자의 신청에 의하여 그 가처분을 변경·취소할 수 있다(제407조 제2항). 이 경우 본점과 지점소재지에서 그 등기를 하여야 한다(제407조 제3항).

가처분은 성질상 당사자뿐만 아니라 제3자에 대한 관계에서도 효력이 미치므 로 가처분에 반하여 이루어진 행위는 선의의 제3자에 대한 관계에서도 무효이 다.[110] 뿐만 아니라 가처분에 의하여 선임된 이사직무대행자의 권한은 법원의 취소결정이 있기까지 유효하게 존속한다. 이때 등기할 사항인 직무집행정지 및 직무대행자 선임 가처분은 상법 제37조 제1항에 의하여 이를 등기하지 아니하 면 위 가처분으로 선의의 제3자에게 대항하지 못하지만 악의의 제3자에게는 대 항할 수 있고, 주식회사의 대표이사 및 이사에 대한 직무집행을 정지하고 직무 대행자를 선임하는 법원의 가처분결정은 그 결정 이전에 직무집행이 정지된 주 식회사 대표이사의 퇴임등기와 직무집행이 정지된 이사가 대표이사로 취임하는 등기가 경료되었다고 할지라도 직무집행이 정지된 이사에 대하여는 여전히 효력 이 있으므로 가처분결정에 의하여 선임된 대표이사 및 이사직무대행자의 권한은 유효하게 존속하고, 반대로 가처분결정 이전에 직무집행이 정지된 이사가 대표 이사로 선임되었다고 하더라도 그 선임결의의 적법 여부에 상관없이 대표이사로 서의 권한을 갖지 못한다.[111]

가처분결정에 의하여 직무대행자로 선임된 이사는 원칙적으로 회사의 상무에 속하는 업무만[112] 할 수 있지만(제408조 제1항), 가처분명령에 다른 정함이 있거

---

110) 장덕조, 전게서, 502면; 대법원 2008.5.29. 2008다4537.

111) 대법원 2014.3.27. 2013다39551.

112) 상무에 속하는가에 관하여 당해 회사의 기구, 업무의 종류·성질, 기타 제반 사정을 고려하 여 객관적으로 판단되어야 한다. 판례는 정기주주총회의 소집은 상무에 속하나 임시주주총 회의 소집은 상무에 속하지 않고(대법원 1959.12.3. 4290민상669), 변호사에게 소송대리를 위임하고 그 보수계약을 체결하는 것은 상무에 속하나 회사 상대방 당사자의 변호사 보수 지급 약정은 법원의 허가를 받지 않는 한 상무에 속하지 않는다(최준선, 전게서, 468면). 또한 제1심판결에 대한 항소취하는 회사의 상무가 아니며(대법원 1982.4.27. 81다358), 소 송상의 인락이나 타인에게 그 권한의 전부를 위임하여 회사의 경영을 일임하는 행위도 회 사의 상무에 속하지 않는다(대법원 1975.5.27. 75다120; 1984.2.14. 83다카875, 876, 877). 정기주주총회를 소집함에 있어서도 그 안건에 이사회의 구성 자체를 변경하는 행위나 상법 제374조의 특별결의사항에 해당하는 행위 등 회사의 경영 및 지배에 영향을 미칠 수 있는 것이 포함되어 있다면, 그 안건의 범위에서 정기총회의 소집은 상무에 속하지 않는다(대법 원 2007.6.28. 2006다62362).

나 법원의 허가가 있으면 예외적으로 가능하다. 다만 직무대행자가 그 권한범위를 넘어 상무에 속하지 않는 행위를 한 경우에도 회사는 선의의 제3자에 대하여 책임을 부담한다(제408조 제2항).

8. 이사의 선임 및 퇴임 등기

이사 선임이나 퇴임의 등기는 본점에서는 2주간 내에, 지점에서는 3주간 내에 등기하여야 한다(제317조 제1항, 제2항 제8호, 동조 제4항 및 제183조). 즉 이사 선임과 퇴임 사실은 필요적 등기사항이다.[113] 그런데 이사의 선임·해임 등기와 관련하여 등기신청권이 대표이사에게 달려 있는 것의 부당성을 비판하면서, 주주총회 또는 당해 이사에게 우선 선임·해임 등기신청권을 부여할 필요가 있다는 주장도 있다.[114]

이사의 선임에 관한 주주총회 결의는 피선임자를 이사로 선임하겠다는 취지의 회사 내부의 결정에 불과하고, 주주총회의 선임결의에 따라 회사의 대표기관이 임용계약의 청약을 하고 피선임자가 이에 승낙함으로써 이사 선임의 효력이 발생한다는 견해가 있다.[115] 그러나 이사선임결의는 창설적 효력을 갖는 행위로서 그 자체에 청약의 효력이 있고 피선임자가 동의하면 바로 이사 지위를 취득한다고 보는 견해도 있다.[116] 판례는 후자의 입장이다.[117] 어쨌든 이사 선임의 등기는 효력발생요건이 아니라 대항요건으로 해석하고 있다.[118] 이사 퇴임의 경우에도 효력발생은 원인된 사실이 발생한 때이고 등기는 그 효력발생요건이 아니다. 그렇지만 법인 등기부에 이사로 등재되어 있으면 특단의 사정이 없는 한 정당한 절차에 의하여 선임된 적법한 이사로 추정된다.[119] 그렇기 때문에 실제 경영권 분쟁 과정에서 경영권을 먼저 장악하기 위하여 이사의 선임등기를 먼저

113) 박인호, "이사의 선임 및 퇴임과 상업등기의 관계,"「기업법연구」제35권 제2호(한국기업법학회, 2021. 6.), 16면.
114) 박인호, 상게논문, 28면.
115) 정동윤, 전게서, 388면; 강위두·임재호, 전게서, 839면; 권기범,「현대회사법」제2판(삼지원, 2005), 644면.
116) 이철송, 전게서, 665면.
117) 대법원 2017.3.23. 2016다251215 전원합의체.
118) 최준선, 전게서, 470면.
119) 대법원 1983.12.27. 83다카331.

마치는 것이 중요하다. 경영권 분쟁이 있는 회사 실무에서 두 개의 주주총회가 별도로 개최되고 각각 이사 선임결의를 하고 상업등기소에 이사선임등기를 경쟁적으로 마치려고 하는 경우가 발생한다. 이런 사례에서 대법원은 원칙적으로 등기공무원은 등기신청에 대하여 형식적 심사권한밖에 없다고 하면서, 등기관은 접수번호의 순서에 따라 등기를 하여야 하므로 동일한 등기사항에 관하여 양립할 수 없는 내용의 등기신청이 순차로 접수된 경우, 먼저 접수된 등기신청에 구법 제159조(현행 상업등기법 제27조) 각 호의 사유가 없는 이상 선행 등기신청에 따라 등기를 실행한 후, 나중에 접수된 등기신청은 「사건이 그 등기소에 이미 등기되어 있는 때」에 해당한다고 보아, 그 신청을 각하하여야 한다고 판시하고 있다.[120] 이에 대하여 대법원 판례에 동의하면서도 만일 두 개의 등기신청에 모두 무효 또는 취소의 사유가 의심되는 경우에는 어느 하나에 대한 적극적 처분을 하여 당사자로 하여금 해결할 수 없는 문제를 야기하지 말고, 최소한 두 개의 등기신청을 모두 각하하여 이해관계인이 이의신청을 하게 한 후 법원의 판단과 기재명령에 따라 등기를 하는 것이 바람직하다는 견해가 있다.[121]

이사선임결의에 하자가 있지만 이사선임등기가 되어 있고, 당해 이사가 회사를 대표하여 제3자와 거래행위를 하였으나, 그 후 이사선임결의 하자를 이유로 총회결의취소 또는 무효판결이 확정된 경우에 회사의 보호라는 측면과 거래를 한 상대방 보호 측면이라는 이익조정의 문제가 있다. 이에 대하여 학설과 판례는 상법 제39조 부실등기의 효력과 외관법리로 거래상대방을 보호하려는 입장이다.[122]

한편, 퇴임이사의 변경등기의 기산일에 관하여 판례는 "대표이사를 포함한 이사가 임기의 만료나 사임에 의하여 퇴임함으로 말미암아 법률 또는 정관에서 정한 대표이사나 이사의 원수(최저인원수 또는 특정한 인원수)를 채우지 못하게 되는 결과가 일어나는 경우에, 그 퇴임한 이사는 새로 선임된 이사(후임이사)가 취임할 때까지 이사로서의 권리의무가 있는 것인 바(제386조 제1항, 제389조 제3

---

120) 대법원 2008.12.15. 자 2007마1154, 1155.
121) 정응기, "이사선임등기과 등기관의 심사권," 「법조」 통권 제646호(한국사법행정학회, 2010. 7.), 226~227면.
122) 김연미, "주식회사 이사 선임의 하자와 거래상대방 보호," 「성균관법학」 제24권 제2호(성균관대학교 법학연구소, 2012), 481면 이하; 대법원 2004.2.27. 2002다19797; 2008.7.24. 2006다24100.

항), 이러한 경우에는 이사의 퇴임등기를 하여야 하는 2주 또는 3주의 기간은 일반의 경우처럼 퇴임한 이사의 퇴임일부터 기산하는 것이 아니라 후임이사의 취임일부터 기산한다고 보아야 하며, 후임이사가 취임하기 전에는 퇴임한 이사의 퇴임등기만을 따로 신청할 수 없다고 봄이 상당하다"고 판시하고 있다.[123] 이것은 퇴임 후 바로 변경등기를 한다면, 퇴임이사로서의 권리와 의무가 있는데, 오히려 등기상은 이사로서의 지위를 상실한 것처럼 공시되어, 사실관계와 불일치하는 내용을 공시하는 결과가 되기 때문이다.

9. 이사의 보수 　　　　　　　　　　　문 상 일*

가. 서　　설

오늘날 한국 경제발전의 중추적 역할을 담당하고 있는 주식회사 형태의 기업들은 경영을 담당하거나 주요 의사결정을 담당하는 임원과 이사들에 대해 다양한 형태의 보수(compensation)를 지급하고 있고, 상법을 비롯한 경제 관련 법령에서는 보수와 관련된 최소한의 규정들을 마련해 두고 있으며, 최근까지 보수와 관련된 사항은 회사 정관에 의해 구체적인 내용을 정할 수 있도록 하는 등 기업의 자율에 맡겨져 있었고, 더불어 개인의 사생활 보호 측면에서 보수의 구체적인 세부 내용에 대한 공개가 이루어지지 않고 있었다. 따라서 법학자, 경제학자, 실무가들은 물론 법원에서조차도 보수의 적정성 또는 과다성에 대해서는 별다른 관심을 두지 않고 있었던 것이 사실이다. 하지만, 2008년 글로벌 금융위기를 기점으로 미국 등 주요 선진국에서 금융위기를 초래한 주요한 지배구조적 문제점 가운데 하나가 부실한 보수제도에 있었다는 인식이 공감대를 형성하면서 보수제도 개혁을 위한 강도 높은 개혁작업이 진행되어왔다. 이러한 세계적 추세에 발맞추어 우리나라에서도 현행 보수체계의 지배구조적 문제점을 찾아내어 이를 개선할 필요가 있다는 견해들이 점차 증가하고 있으며, 이와 관련된 문헌들도 다수 발표되었고 그 결과 최근까지 국내 관련 법령 및 금융감독원의 기업공시서식 작성기준의 개정 작업이 이루어져 임원보수시스템의 투명성 확보를 위한

---

123) 대법원 2005.3.8. 자 2004마800 전원합의체.

　* 인천대학교 법학부 교수

일련의 개혁 노력이 추진되어 왔다. 이하에서는 이처럼 오늘날 기업지배구조 논의에서 점차 중요성을 더해가고 있는 이사(임원) 보수제도에 관해 지금까지의 논의들을 정리해 보고 우리나라 기업임원 및 이사보수제도의 문제점을 분석해보기로 한다. 또한, 적절한 개선방안을 찾아보기 위해 미국과 같은 선진국에서의 보수제도 개선노력의 과정과 주요 내용들을 참고할 필요가 있다고 보고 이에 관해서도 살펴보기로 한다.

나. 보수 일반론

1) 보수의 의의

상법에는 보수에 대한 일반적 정의 규정은 없으며, 일반적으로 기업 임원 또는 이사에게 지급되는 보수(compensation)라 함은 월급, 상여금, 퇴직위로금 등 그 명칭을 불문하고 직무수행에 대한 반대급부로 회사가 지급하는 일체의 대가로서 금전적 급부 외 모든 경제적 이익을 포함하는 것으로 정의되고 있다.[1] 임원 또는 이사와 회사 간의 관계는 위임에 해당하므로 다른 약정이 없는 한 무상이 원칙이지만[2] 영리추구를 목적으로 하는 기업관계에 있어서는 무보수로 직무를 수행하는 경우는 거의 찾아볼 수 없으며 일정 수준의 보수를 지급하는 것이 일반적이다. 이러한 보수정의에 따를 경우 정기적으로 지급되는 급여뿐 아니라 비정기적이거나 관행적으로 지급되는 경우라 하더라도 임원 또는 이사의 지위를 근거로 하여 지급되는 경제적 이익의 경우에는 모두 보수로 취급해야 할 것이다. 따라서 급여(월급 또는 연봉) 및 상여금뿐 아니라 주식매수선택권과 같은 다양한 형태의 주식기반형 보수(Stock-Based Compensation)를 비롯하여 퇴직위로금, 연금 및 복지형 혜택 등도 개념상 보수에 해당한다고 보아야 한다.

이처럼 보수의 개념이 중요한 이유는 임원이나 이사에게 지급되는 다양한 형태의 금전적·경제적 이익들은 결국 해당 기업 내 자금을 그 원천으로 하고 있으므로 자칫 과다하게 지급될 경우에는 회사는 물론 주주와 회사채권자들에게 경제적 손실을 초래할 우려가 있기 때문에 입법례마다 정도의 차이는 있지만, 보수책정 및 지급보수액 등에 대해 일정한 제한을 두고 있기 때문이다. 특히,

---

1) 홍복기, 「회사법강의」(법문사, 2010), 312면; 이철송, 「회사법강의」 제29판(박영사, 2021), 680면.
2) 제382조 제2항, 민법 제686조 제1항.

21세기에 들어서면서 엔론(Enron)이나 월드컴(World-Com)에서 문제되었던 대형 기업회계부정사건3)과 연이은 금융위기(Financial Crisis)를 겪으면서 상장기업의 고위직 임원이나 이사들에게 지급되는 보수의 규모가 해당 기업의 경영성과와는 무관하게 책정되어 지급되었던 사례들이 큰 사회적 이슈로 제기되면서 최근 10여 년간 임원 보수에 대해 집중적인 논의가 이루어져 오고 있는 실정이며, 그러한 논의의 중요한 전제가 되는 것이 규제 대상 범위에 해당하는 보수인지 여부에 대한 개념 설정에 관한 것이다.

그렇다면 오늘날 기업들이 임원이나 이사들에게 직무수행의 대가 형태로 제공하는 경제적 이익으로 볼 수 있는 보수의 종류에는 구체적으로 어떤 것들이 있는지부터 살펴보기로 한다.

2) 보수의 종류

실무상 기업은 임원이나 이사에게 직무수행의 대가로서 정액급여뿐 아니라 다양한 형태의 금전적·경제적 이익을 제공하고 있으며, 그 종류에 따라 조금씩 그 취지와 지급 형태는 달리하고는 있지만 사실상 경제적 이익을 제공한다는 측면에서 보수에 해당한다는 점에서는 공통점을 가지고 있다.

가) 정액급여 및 상여금

보수에 있어서 가장 기본적인 유형에 속하는 것이 현금성 정액급여(fixed compensation)이며, 통상 1년 단위로 개인별 총액이 미리 책정되어 월단위로 분할 지급되는 것이 일반적이다. 그 외 기업의 경영성과에 따라 일정한 상여금(bonuses)을 지급하는 경우가 있는데 이 또한 보수에 해당한다. 정액급여가 기업의 경영성과와 무관하게 지급되는 고정급인데 반해 상여금은 어느 정도 경영성과와 연계성을 가진다는 점에서 차이는 있지만, 기업의 경영성과 목표 달성

---

3) 두 회사에서의 과다보수 지급관행의 예로 스톡옵션 남용을 들 수 있는데, 최고임원들의 경우 기업주가에 영향을 미칠 악재성 뉴스가 여론에 공개되기 전에 자신들이 보유한 회사주식을 미리 처분할 수 있는 정보능력을 가지고 있기 마련인데, 엔론 사태의 주역이었던 임원들은 엔론의 부정회계사건이 세상에 공개되어 엔론 주가가 폭락하기 직전에 자신들이 보유한 대부분의 엔론 주식을 처분하였고, 그 결과 전 최고경영자였던 케네스 레이(Kenneth Lay)의 경우 자신이 보유하던 수억 달러 가치의 옵션주식을 매도함으로써 큰 이익을 챙겼다. Lucian Arye Bebchuk & Jesse M. Fried, Executive Compensatio as an Agency Problem, 17 J. Eco. Persp. 71, 86 (2003); Charles M. Elson & Christopher J. Gyves, The Enron Failure and Corporate Governance Reform, 38 Wake Forest L. Rev. 855, 863 (2003).

여부에 상관없이 지급된다는 점에서 이사가 받을 수 있는 전체 보수에 있어 최소 보장소득이라는 점에서는 공통점을 가진다.4) 오늘날 상장기업 이사에게 지급되는 보수액은 매년 조금씩 증가하고 있지만, 과거에 비해 정액급여와 상여금이 전체 보수에서 차지하는 비중은 인센티브형 보수의 비중이 증가함에 따라 상대적으로 감소하는 경향이 있다.

나) 주식매수선택권

주식매수선택권은 가장 대표적인 주식기반형 보수로서 미국의 스톡옵션(stock-options)제도를 우리 법에서 도입한 인센티브형 보수형태이다. 이는 회사의 임원이나 이사 등에게 장래 일정 시기에 미리 정한 행사가격(exercise price 또는 strike price)으로 회사의 주식을 매수하거나 이를 포기할 수 있는 권리(option right)를 부여하는 제도이다. 따라서 주식매수선택권을 부여받은 자는 그러한 권리를 행사하는 시점에 이르러 회사의 주가가 행사가격보다 높게 형성되어 있으면 매수권리를 행사하여 그 차액에 해당하는 이익을 취득할 수 있으며, 만약 행사 시점의 주가가 행사가격보다 저가인 경우에는 매수권리를 포기해 버림으로써 어느 경우에도 주가 변동에 따른 추가손실을 회피할 수 있는 제도이다. 이러한 주식매수선택권은 임원이나 이사의 경영능력에 따라 회사의 경영실적이 향상되어 주가가 상승하는 경우에는 주가상승분에 해당하는 경제적 이익을 일종의 경영 인센티브로 임원 등에게 제공한다는 측면에서 주식매수선택권을 보유한 자들로 하여금 회사경영에 최선을 다할 수 있도록 유도할 수 있다는 점과 회사 입장에서도 고액의 현금성 보수를 일시에 지출하지 않아도 된다는 장점이 있다.

이런 이유에서 1980년대 실리콘 밸리(Silicon Valley)의 벤처기업들을 시작으로 최근까지 미국을 비롯한 주요 선진국들의 상장기업들이 대표적인 성과연동형 보수(performance-based compensation)로 스톡옵션을 활용해 오고 있으나, 스톡옵션의 순기능에도 불구하고 주가연동형 보수라는 본질적 한계로 인해 옵션보유자(option grantee)로 하여금 기업의 장기적인 성과보다는 단기적인 주가상승에 치중한 위험경영활동을 유발하는 등의 부작용도 발생한 경우도 많다. 더욱이,

---

4) 이 점에서 주식매수선택권과 같은 인센티브형 보수는 경영성과와의 연계성을 기초로 한 보수 형태라는 것과 구분된다.

스톡옵션이 임원이나 이사들에게 지급되는 총 보수 규모에서 차지하는 비중이
점차 증대되는 추세에 비추어 볼 때 스톡옵션제도가 남용되는 경우에는 회사뿐 아
니라 주주, 회사채권자 등에게 심각한 경제적 손실을 야기할 위험성도 크다.[5] 대
표적인 스톡옵션 남용유형으로는 옵션백데이팅(option backdating),[6] 옵션부여시
기 조정행위(spring-loading),[7] 그리고 옵션행사가격 조정행위(option repricing)[8]
을 들 수 있다.

우리 상법상 인정되는 주식매수선택권에는 자기주식양노형과 신주발행형 두
가지 유형이 있다.[9] 자기주식양도형 주식매수선택권은 회사가 보유하고 있는 자

---

5) 스톡옵션의 기능과 효과, 그리고 남용유형에 대해서는 문상일, "스톡옵션의 인센티브효과에
관한 고찰 – 미국의 옵션남용 사례를 중심으로 –,"「비교사법」제17권 제2호(한국비교사
법학회, 2010. 6.); 안수현, "회사법상 스톡옵션의 행사가격조정(Option Repricing)에 따른
문제점 및 개선방안,"「상사법연구」제22권 제2호(한국상사법학회, 2003) 참조.

6) 2005년 아이오와(Iowa) 대학의 에릭 리(Erik Lie)교수의 스톡옵션 통계연구에 의해 세상에
알려진 백데이팅 관행은 그 전까지 미국 내 다수 상장기업들이 암암리에 활용하던 옵션남
용행위였는데, 당시 미국법상 회계연도 말까지는 옵션부여사실이 감독당국에 보고되지 않
는다는 법석인 허점을 악용해 실제 옵션부여일과는 상이한 임의적 시점을 선택하여 옵션행
사가격을 연중 최저 주가형성시점으로 소급 설정함으로써 결국 옵션보유자의 옵션행사 이
익을 극대화하는 수법으로, 이로 인해 소수 옵션보유자의 경제적 이익을 극대화하기 위해
회사와 주주들에게 막대한 경제적 손실을 입혔다는 비난을 받기도 했다. Erik Lie, On the
Timing of CEO Stock Option Awards, 51 Mgmt. Sci. 802 (2005).

7) 회사내부정보를 보유한 최고경영진 임원들이 기업주가에 영향을 미칠 호재가 시장에 공시
되어 주가가 상승하기 직전에 스톡옵션을 부여받는 방법으로서, 미국에서는 백데이팅에 대
한 규제가 강화된 이후 사실상 이와 동일한 경제적 효과를 가지는 스프링로딩이 많이 이용
되었다. 가장 대표적인 사례로는 의료기기회사인 사이버로닉스(Cyberonics Inc.)가 2004년
자사가 생산하는 의료기기에 대한 규제완화 정보를 입수한 당일 저녁 긴급이사회를 소집하
여 상급임원들에 대한 스톡옵션 부여를 의결하였고, 다음 날 정보가 시장에 공개되어 회사
주식이 급등함과 동시에 전날 스톡옵션을 부여받은 최고경영자였던 로버트 커민스(Robert
P. Cummins)는 단 몇 시간 만에 230만 달러의 행사차익을 실현시킨 사례가 유명하다.

8) 이는 경제여건과 무관하게 옵션보유자의 옵션행사이익을 실현시켜 주기 위해 기업의 주가
가 옵션행사기간 만료 이전에 옵션행사가격보다 하락하게 되는 경우, 옵션의 행사가격을
주가보다 낮은 수준으로 사후에 재조정함으로써 애초의 옵션행사이익을 보장해 주는 방법
이다. 이러한 가격재조정 행위는 기업 입장에서는 경제 불황기에도 고액의 현금성 보수를
지급하지 않고도 가격 재조정이 가능한 스톡옵션을 부여하여 우수한 경영인력을 유치할 수
있음은 물론 옵션가격가치 하락의 우려를 해소함으로써 보유자로 하여금 재직동기를 부여
한다는 점에서 유용한 보수수단으로 볼 수 있다는 견해가 있으나 업무성과형 보수원리에
기초한 스톡옵션제도의 취지에 명백히 반하는 것으로서 가격재조정에 의해 주주들의 주식
가치를 희석화시킴으로써 주주와의 경제적 이해관계를 일치시키겠다는 스톡옵션제도의 본
래 취지에도 어긋난다고 보아야 한다. 결국 스톡옵션 가격 재조정행위는 옵션보유자가 부
담할 위험을 회사나 주주들에게 전가시키는 것으로 허용되어서는 안되는 남용행위의 일종
으로 보아야 한다. Dan R. Dalton & Catherine M. Dalton, On the Decision to Reprice
Stock Options: Almost Never, 26 J. of Bus. Strategy 8-9 (2005).

9) 제340조의2 제1항 본문.

기주식을 행사가격으로 매수할 수 있는 권리를 부여하는 방법이며 회사는 선택권자의 매수권 행사에 대비해서 자기주식을 취득하는 것이 허용된다.[10) 반면, 신주발행형 주식매수선택권은 선택권 행사에 따라 회사가 신주를 발행하여 부여하는 방법으로서 선택권 행사 시점의 주가가 행사가액보다 높은 경우에는 자칫 제424조의2에 따른 선택권자의 차액반환책임이 문제될 소지가 있지만, 동조의 통모요건이 충족되지 않는 것으로 보아야 한다.[11)

다) 퇴직(위로)금 및 해직보상금

회사의 임원이나 이사 등이 그 직에서 퇴임함으로 인해 지급받게 되는 금전적 보상을 퇴직금이라고 하는데, 퇴직위로금 또는 이와 유사한 해직의 경우에도 일정한 해직보상금을 지급받는 경우가 있다. 이러한 퇴직(위로)금이나 해직보상금이 보수에 해당하는지가 문제될 수 있는데, 이는 보수에 해당하는 경우라면 상법상 보수 결정 및 지급에 관한 제한규정이 적용되기 때문이다. 앞서 살펴본 바와 같이, 회사의 임원이나 이사 등은 회사로부터 일정한 사무처리의 위임을 받아 직무를 수행하는 것으로 보아야 하므로, 사용자의 지휘·감독에 따라 일정한 근로를 제공하고 그 대가로 임금을 받는 고용관계에 있는 것이 아니다. 그 결과 이사 등이 받는 보수의 법적 성격에 대해서도 이를 근로기준법상의 임금으로 볼 수 없다는 것이 우리 판례의 입장이다. 즉, 회사 규정에 따라 이사 등에게 퇴직금을 지급하는 경우에도 그러한 퇴직금은 근로기준법상의 퇴직금으로 볼 것이 아니라 재직 중 직무집행의 대가로 제공되는 보수에 해당한다고 보며,[12) 퇴직위로금에 대해서도 같은 입장에 있다.[13) 그리고 이사 등에게 지급되는 해직보상금에 대해서도 제388조의 보수규정이 준용 또는 유추적용되는 것으로 본다.[14)

3) 보수청구권 인정 여부

가) 학 설

우리 상법상 이사는 주주총회 결의에 의해 선임되지만 주주의 대리인으로 보

---

10) 제341조의2 제1항.
11) 이철송, 전게서, 688면.
12) 대법원 2003.9.26. 2002다64681.
13) 대법원 2004.12.10. 2004다25123; 2003.10.24. 2003다24123; 2000.12.26. 99다72484; 1999. 2.24. 97다38930; 1977.11.22. 77다1742.
14) 대법원 2006.11.23. 2004다49570.

지 않으며, 또한 회사의 사용인으로도 보지 않으므로 근로기준법상의 근로자와 같이 당연히 보수청구권을 가지는 것으로 볼 수 없다. 즉, 이사는 회사와의 위임에 따른 수임인의 지위에 있으며 그로 인해 이론상 민법 제681조 제1항에 의해 특별한 약정이 없는 한 보수청구권이 인정되지 않는다. 그리고 상법 제388조에 의하면 주식회사 이사의 보수에 대해 정관에서 구체적인 금액을 정하고 있지 않은 경우에는 주주총회에서 이를 정하도록 하고 있는데, 이러한 보수 관련 조항의 해석으로도 이사의 보수청구권을 당연히 인정하기는 어려움이 있다. 따라서 주식회사의 이사는 민법상 수임인의 지위에 있으므로 정관이나 주주총회 결의가 없는 경우에는 보수청구권을 행사할 수 없는지에 대해 상법 학자들 간에 견해의 대립이 있다.

이러한 학설대립은 크게 두 내용으로 요약할 수 있는데, 표현상의 차이는 있지만 이사보수는 무상이 원칙이나 특약에 의한 보수청구권을 인정하는 견해와 특약 존재 여부에 불문하고 당연히 보수청구권을 가진다는 견해로 나누어지며, 두 입장 모두 사실상 이사의 보수청구권을 인정하고 있음에는 차이가 없다. 전자와 같이 특약에 따른 보수청구권을 인정하는 견해도 1) 회사와 이사의 관계는 위임에 해당하는 무상이 원칙이지만, 이사의 업무집행에 의해 영리를 실현하는 주식회사의 경우에는 무보수원칙이 오히려 이례에 속하고 이사에 대해 보수를 지급하는 것이 통례라는 견해,[15] 2) 민법상 수임인이 무상인 것과는 달리 주식회사의 이사는 선임된 사실만으로 명시적이거나 묵시적인 보수지급의 특약이 있었던 것으로 취급해야 한다는 견해,[16] 그리고 3) 이사는 특약이 없는 한 보수청구권을 행사할 수 없음이 원칙이지만, 대표이사나 업무집행이사는 특약에 의해 보수를 받는 것이 통례라는 견해[17]로 나누어진다. 또한 후자와 같이 이사와 회사 간의 관계는 위임에 관한 규정이 준용되지만 민법상 수임인과는 달리 보아야 하므로 이사는 당연히 보수청구권을 가진다는 견해[18]도 있다. 상법상 영리추구를 목적으로 하는 주식회사의 이사가 그 직무 특성상 무상으로 직무를 수행할 것으로 예정하고 임용계약을 체결할 것으로 예상하기는 어렵기 때문에 보수지급에 관한 명시적 특약이 없는 경우라 하더라도 묵시적 특약이 존재하는 것으로

---

15) 이철송, 전게서, 681면.
16) 정찬형, 「상법강의(상)」 제24판(박영사, 2021), 981면.
17) 최기원, 「회사법」 제13대정판(박영사, 2009), 584면.
18) 최준선, 「회사법」 제16판(삼영사, 2021), 474면.

보아 당연히 보수청구권을 행사할 수 있다고 보는 것이 기업실무에도 부합하는 해석이다. 이러한 견해에 의할 경우, 제388조의 해석에 있어서도, 주주총회의 결의가 보수청구권의 발생요건이라는 것이 아니라 이미 임용계약과 동시에 묵시적인 보수청구권이 발생한 것으로 보아야 하며, 정관규정이나 주주총회 결의에 따른 보수액이 정해지지 않은 경우라 하더라도 보수청구권을 행사할 수 있다는 취지로 해석하는 것이 타당하다.[19)]

나) 판 례

주식회사 임원이나 이사에게 보수청구권이 인정되는지 여부를 다룬 우리 대법원 판례는 대부분 퇴직금이나 퇴직위로금에 관한 것이며, 초기 판례에서는 정관이나 주주총회 결의가 없는 경우라도 보수청구권을 적극적으로 인정해 왔으나 근래에는 소극적인 태도를 취하고 있다. 즉, 초기 판례에서는 두 차례에 걸쳐 이사회결의에 의해 일정한 금액이 상무이사에게 보수 형태로 지급된 사건에서 "정관이나 주주총회의 결의 또는 주무부장관의 승인에 의한 보수액의 결정이 없었다고 하더라도 주주총회의 결의에 의하여 상무이사로 선임되고 그 임무를 수행한 자에 대하여는 보수금 지급의 특약이 전혀 없었다고 단정할 수 없고 명시적이든 묵시적이든 그 특약이 있었다고 볼 것"으로 해석하였고, 또 다른 사례에서는 "퇴직금은 상법 제388조 소정의 이사의 보수에 해당하는 것인바 … 주식회사의 이사선임이 민법상의 위임관계에 해당되는 것이라 할지라도 상법 제388조가 '이사의 보수는 정관에 그 액을 정하지 아니한 때에는 주주총회의 결의로서 이를 정한다'라고 규정하고 있는 만큼 그 문의를 주식회사가 영리법인이라는 점에 비추어 풀이하면 그 규정은 정관에 이사의 보수액에 관한 규정이 없는 주식회사의 주주총회는 그 보수액에 관한 결의를 하여야 한다는 취지를 정하였던 것이었다고 보여지는바"라고 판시함으로써 이사회가 정한 보수지급에 관한 내규가 있다든지, 취임 후 관례적으로 일정한 보수를 지급받았던 경우에는 그에 상응하는 수준의 보수지급에 관해 주주총회의 묵시적 승인이 있다고 보아 이사의 보수청구권을 적극적으로 인정하고 있었다.

하지만, 이후 판례들은 이사는 수임인의 지위에 있다는 전제하에 주주총회의 결의를 보수청구권의 행사요건으로 보고 "회사의 업무집행권을 가진 이사 등 임

---

19) 임재연, 「회사법 Ⅱ」(박영사, 2012), 290면.

원은 그가 그 회사의 주주가 아니라 하더라도 회사로부터 일정한 사무처리의 위임을 받고 있는 것이므로 특별한 사정이 없는 한 사용자의 지휘감독 아래 일정한 근로를 제공하고 소정의 임금을 받는 고용관계에 있는 것이 아니어서 근로기준법상의 근로자라고 할 수 없고, 정관 및 관계 법규상 이사의 보수 또는 퇴직금에 관하여 주주총회의 결의로 정한다고 규정되어 있는 경우 그 금액, 지급방법, 지급시기 등에 관한 주주총회의 결의가 있었음을 인정할 증거가 없는 한 이사의 보수나 퇴직금청구권을 행사할 수 없다"라고 판단하였다.[20] 또한 "상법 제388조에 의하면, 주식회사 이사의 보수는 정관에 그 액을 정하지 아니한 때에는 주주총회의 결의로 이를 정한다고 규정되어 있는바, 이사에 대한 퇴직위로금은 그 직에서 퇴임한 자에 대하여 그 재직 중 직무집행의 대가로 지급되는 보수의 일종으로서 상법 제388조에 규정된 보수에 포함되고, 정관 등에서 이사의 보수 또는 퇴직금에 관하여 주주총회의 결의로 정한다고 규정되어 있는 경우 그 금액·지급방법·지급시기 등에 관한 주주총회의 결의가 있었음을 인정할 증거가 없는 한 이사의 보수나 퇴직금청구권을 행사할 수 없다"는 소극적 태도로 일관하고 있다.[21] 이러한 판례의 입장은 앞서 살펴본 다수학설의 태도와 정반대되는 것으로서 비난의 여지가 있으나, 우리 대법원은 주주총회 결의 요건을 매우 완화하여 해석함으로써 다소 절충적 태도를 취하고 있다. 즉, "주식회사에 있어서 회사가 설립된 이후 총 주식을 한 사람이 소유하게 된 이른바 1인회사의 경우에는 그 주주가 유일한 주주로서 주주총회에 출석하면 전원총회로서 성립하고 그 주주의 의사대로 결의가 될 것임이 명백하므로 따로 총회소집절차가 필요 없고, 실제로 총회를 개최한 사실이 없었다 하더라도 그 1인 주주에 의하여 의결이 있었던 것으로 주주총회의사록이 작성되었다면 특별한 사정이 없는 한 그 내용의 결의가 있었던 것으로 볼 수 있고, 이는 실질적으로 1인회사인 주식회사의 주주총회의 경우도 마찬가지이며, 그 주주총회의사록이 작성되지 아니한 경우라도 증거에 의하여 주주총회 결의가 있었던 것으로 볼 수 있다"[22]라고 하여 보수청구권을 인정한 사례가 다수 존재한다. 하지만, 이사에 대한 보수지급을 1인 주주가 아닌 지배주주가 약속한 경우 이를 주주총회 결의와 동일하게 취급하여

---

20) 대법원 1992.12.22. 92다28228.
21) 대법원 2004.12.10. 2004다25123; 2003.10.24. 2003다24123; 2000.12.26. 99다72484.
22) 대법원 2004.12.10. 2004다25123.

보수청구권을 인정하고 있는 판례[23]의 태도는 회사법이 근간으로 하고 있는 기관분화 및 권한분배에 관한 법리를 무시하였다는 점에서 재고의 여지가 있다.[24]

이런 입장에서 최근의 대법원 판례에서는 상법 제388조가 이사의 배신적인 사익 추구를 방지하면서 회사의 채권자는 물론 주주의 이익을 보호하기 위한 강행규정이라는 전제하에서 1인회사가 아닌 경우 대주주의 승인만으로 이사의 보수 증액이 정당화될 수 없다고 판단한 바 있으며,[25] 동일한 취지에서 대주주의 승인이 있었다는 사정만으로는 이사의 보수에 대하여 주주총회의 결의를 거치지 않은 하자가 치유될 수 없다는 전제에서, 성과급, 특별성과급 등의 명칭으로 경영성과에 따라 지급하는 금원이나 성과 달성을 위한 동기를 부여할 목적으로 지급하는 금원도 적법한 주주총회의 결의를 거치지 아니하는 한 부당이득반환의 대상이 된다고 판시하였다.[26]

4) 보수결정절차

제388조에서는 정관 또는 주주총회 결의에 의해 이사의 보수를 정하도록 하고 있으며, 이러한 보수 결정에 관한 규정은 강행규정으로 보아야 한다. 미국 회사법에서는 이사회 결의로써 이사보수를 결정할 수 있는 것과는 달리 특별히 우리 상법이 주주총회의 결의를 요건으로 하고 있는 취지는 이사회에 의한 과다 보수책정 위험이 존재하기 때문이며, 보수결정과정에 주식회사의 주인인 주주들의 적극적 개입을 통해 능력에 상응한 적정보수를 지급하도록 하기 위함이다. 하지만, 상법 규정에 따를 경우 반드시 개별 이사의 보수를 주주총회의 결의로써 정해야 하는 것은 아니며 이사 전원에게 지급될 보수총액만을 주주총회가 정하고, 각 이사에 대한 개별 보수액은 이사회에 위임할 수 있다는 것이 통설적 견해이다. 실제 기업실무를 살펴보더라도 정기주주총회에서는 독립된 안건으로

---

23) 대법원 1978.1.10. 77다1788("회사주식의 80%를 가진 대표이사가 주주총회 결의에 의하지 않고 이사에게 공로상여금 지급을 약속한 경우에도 주주총회에서 이를 지급하기로 하는 결의가 이루어질 것은 당연하므로 주주총회의 결의가 있었음과 다름이 없다"라고 판시하고 있다). 이와 반대로 대표이사가 주주총회 결의 없이 이사에게 보수약정을 한 사례에서, 대표이사가 회사의 전체 주식의 3분의 2를 소유하고 있다 하더라도 주주총회 결의가 없는 이상 이러한 보수약정은 회사에 대해 효력이 없다고 본 판례도 있다. 대법원 1979.11.27. 79다1599.
24) 이철송, 전게서, 508면.
25) 대법원 2020.6.4. 2016다241515, 241522.
26) 대법원 2020.4.9. 2018다290436.

서 「임원의 보수에 관한 건」이 상정되어 결의되거나, 재무제표상 임원보수 내역을 기재한 후 재무제표 승인을 구하는 형식으로 결의가 이루어지는데, 일반적으로 임원이나 이사들에게 지급될 연간총보수액에 대해서만 결의가 이루어지고, 개별 보수액은 주주총회의 위임에 따라 이사회가 회사 내 직급서열에 따라 배분하는 형식을 취하고 있다. 하지만, 이러한 보수결정방법은 제388조에서 반드시 주주총회 결의를 거치도록 한 본래의 취지에 부합한다고 보기 어렵다.

제388조의 입법취지에 의하면 이사의 보수결정을 주주총회 결의에 의해 이사회에 전적으로 일임하는 정관 규정은 무효로 보아야 하며, 본 조의 취지가 이사 자신에 의한 과다보수 책정위험을 방지하기 위한 것이므로 실무에서와 같이 주주총회 결의로써 개별 이사에 대한 보수액 결정권을 이사회에 위임하는 경우에도 정관규정이나 주주총회결의 내용은 과다 보수에 대한 통제가 가능하도록 구체적일 필요가 있다.[27] 이 경우 이사인 주주는 주주총회결의에서는 특별이해관계인으로서 의결권이 제한되지만, 구체적인 개별 이사에 대한 보수액 결정에 관한 이사회 결의에 있어서는 특별이해관계인의 지위에 있지 않다는 것이 다수견해이다.[28] 그리고, 주주총회에서 정한 내규에 따라서 이사회가 보수결정권을 위임받고 이를 다시 대표이사에게 재위임하는 결의를 하는 것은 허용되지만, 주주총회가 이사회를 거치지 않고 곧바로 대표이사에게 개별 이사에 대한 보수결정권을 일임하는 것은 허용되지 않는다고 보는 것이 지배적 견해이다.[29]

일단 정해진 이사에 대한 보수지급을 정관변경이나 주주총회 결의에 의해 박탈하거나 감액할 수 있는지 여부가 문제될 수 있으며, 퇴직금을 정한 정관 규정이 이사 재임 중에 변경된 경우에는 퇴직 당시의 변경된 정관 규정에 의해 퇴직금이 지급되어야 한다는 판례[30]가 있는가 하면, 퇴임한 이사에게 지급될 퇴직위로금이 이미 정관이나 주주총회 결의로 그 액이 결정된 경우라면 이후 주주

---

27) 이철송, 전게서, 681면. 서울중앙지방법원 2008.7.24. 2006가합98304에서도 이와 같은 취지로 판단하고 있다("'이사의 퇴직금 지급은 이사회결의로 정하는 임원퇴직금 지급규정에 의한다'고 정한 주식회사 정관 규정은, 이사회의 이사 퇴직금 결정에 관한 재량권 행사의 범위를 일정한 기준에 의하여 합리적인 범위 내로 제한하지 아니한 채 퇴직금 액수의 결정을 이사회에 무조건적으로 위임함으로써, 이사회가 주주로부터 아무런 통제도 받지 않고 이사의 퇴직금 및 퇴직위로금을 지급할 수 있도록 한 것이므로, 강행규정인 상법 제388조를 위반하여 무효이다").

28) 정찬형, 전게서, 9841면; 최준선, 전게서, 475면; 임재연, 전게서, 295면.

29) 최기원, 전게서, 588면; 임재연, 전게서, 295면.

30) 대법원 2006.5.25. 2003다16092, 16108.

총회 결의로써 보수청구권을 박탈하거나 감액하는 결의를 하더라도 효력이 없다고 본 판례[31]도 있다. 생각건대, 정관 규정이나 주주총회 결의로써 이미 금액이나 지급이 확정된 퇴직금과 같은 보수는 이사임용계약의 중요한 내용을 구성하는 부분으로 보아야 하므로, 특별한 사유가 없는 한 사후에 이를 변경할 수 없다고 보아야 할 것이다.

5) 보수의 과다성과 적정성

임원이나 이사의 보수는 성질상 직무수행의 대가로 지급되므로 당연히 해당 이사 등의 업무능력이나 회사 경영성과에의 기여도에 따라 적정수준의 보수가 지급되어야 한다. 하지만 우리 상법에서는 보수의 적정성을 담보하는 규정이 없으며, 그 결과 보수의 과다성과 적정성에 대한 논란이 발생할 소지가 크다. 하지만, 아직까지 우리나라에서는 이 부분에 대한 심각한 논의가 이루어지지 않고 있는 상황인데, 미국과 같은 주요 선진국 기업의 임원이나 이사들의 보수액과 비교해 볼 때 우리나라 기업 임원이나 이사의 보수액이 상대적으로 월등히 낮은 수준이므로 어느 정도 적정하다는 선입견이 있기 때문인 것으로 생각된다. 하지만, 뒤에서 설명하는 바와 같이, 최근 선진국에서의 보수논의에 있어 가장 핵심 논제가 업무능력이나 성과에 상응하지 않는 과다한 보수지급에 대한 규제마련에 있음을 주지할 필요가 있으며, 과다한 보수지급으로 인해 회사 및 주주뿐 아니라 전체 경제에 끼칠 수 있는 악영향을 감안해 볼 때 더 이상 우리나라 기업 임원이나 이사보수논의에 있어서도 단순하게 취급해서는 안 될 중요한 이슈라 생각한다. 그간의 우리 판례를 살펴보면, 임원보수에 대한 적정성 여부를 직접적으로 다룬 사례는 발견할 수 없으며, 다만 이사보수에 관하여, 정관이나 주주총회 결의가 없는 경우라면 보수지급에 관한 상관습이나 민법, 또는 조리에 의해 정해야 한다는 취지의 판례[32]가 있을 뿐이다.

비록 정관 규정이나 주주총회 결의라는 적법한 절차에 따랐다 하더라도 개별 이사의 업무능력에 비해 과다하게 책정된 보수가 지급된 경우에는 자본충실의 원칙에 비추어 그 효력을 인정할 수 없을 뿐 아니라 배당가능이익이 감소된 결과 주주와 회사채권자의 이익도 침해하는 결과를 초래한다. 따라서, 정관규정이

---

31) 대법원 1977.11.22. 77다1742.
32) 대법원 1965.8.31. 65다1156.

나 주주총회 결의에 의해 과다한 보수가 책정된 경우에는 그 결의 자체가 자본충실의 원칙에 반하여 무효로 보아야 하며, 정관 규정이나 주주총회 결의로 정한 기준에 따라 이사회가 개별 보수를 과다하게 책정한 경우에는 해당 이사회 결의를 무효로 보아야 한다.33)

다. 보수규제 입법론

1) 보수규제론의 이론적 기초

최근 들어 임원이나 이사의 과다보수에 대한 규제논의가 미국을 비롯한 선진국에서 활발하게 이루어지고 있다. 물론, 보수에 대한 규제 자체가 자유시장원리에 반하기 때문에 수요와 공급 원리에 따라 보수가 정해져야 하므로 이에 대한 규제가 불필요하다는 견해도 있지만, 어떤 형식으로든 기존의 보수체계에 대한 일정한 규제가 이루어져야 한다는 목소리가 더욱 높다. 특히, 기업의 경제활동 규모가 과거에 비해 월등히 증대됨에 따라 그러한 기업의 주요 임원이나 이사들에게 지급되는 보수의 규모도 급증하는 추세에 있고, 근래의 대형 기업관련 스캔들이나 금융위기를 야기한 주요 기업들이 업무성과와 무관하게 천문학적인 보수를 지급했었다는 사실이 알려지면서 과다보수에 대한 강도 높은 규제가 필요하다는 공감대가 형성되고 있는 실정이다. 이러한 규제논의는 법제상의 차이로 인해 나라마다 조금씩 방식과 정도가 다르지만, 과다보수에 대한 규제 필요성과 그 근거에 있어서는 공통점 발견할 수 있다.

그렇다면, 오늘날 보수규제론이 기업지배구조론의 주요 논제로 등장하게 된 배경은 무엇이며, 과연 보수를 규제해야 할 필요성이 있는지, 그렇다면 규제의 당위성을 인정할 수 있는 이론적 근거는 무엇인지에 관해 먼저 살펴볼 필요가 있다. 그간 보수규제에 관한 많은 저서와 논문들이 공통적으로 제시하고 있는 보수규제론의 근거로는 현대 주식회사구조에서 필연적으로 발생하는 대리인문제(Agency Problem)를 들 수 있다. 오늘날 가장 보편화된 회사 형태가 주식회사이며, 주식회사는 주식의 분산과 소유와 경영의 분리를 본질로 하고 있다. 이러한 주식회사의 특성이 다양한 기업형태 중에서 주식회사가 지배적 지위를 차지하게

---

33) 이철송, 전게서, 681, 686면. 동일한 취지에서 부당하게 이사들의 퇴직금을 책정하는 내용의 보수지급기준을 마련한 이사회결의가 자본충실의 원칙에 반하여 무효로 본 판례도 있다. 서울고등법원 2009.6.5. 2008나78820.

된 요인으로 작용하였다는 것은 주지의 사실이다. 하지만, 주식의 분산과 소유와 경영의 분리로 인해 이론상 회사의 소유자인 주주들은 이사들을 선임하여 경영진의 회사 운영을 감독하도록 위임함으로써 일상적인 경영활동에 대해서는 실질적인 감독기능을 수행하지 못하게 되었다. 그 결과 실질적인 회사경영을 담당하는 최고경영진들의 권한과 재량이 확대되었음은 물론 이를 적절하게 통제하고 감독해야 할 지위에 있는 이사회의 기능마저 최고경영진의 영향으로 무능화되는 결과가 초래되었다. 특히, 주식회사 구조에서는 애초 소유와 경영이 분리로 인해 경영진이 기업 소유자인 주주의 대리인으로서의 역할을 충실히 수행할 것으로 예정하였고, 그 결과 기업경영에 있어 경영진은 주주에게 최선의 이익이 되는 방향으로 업무를 수행할 것으로 기대하였다. 하지만, 경영진과 주주의 이해관계가 항상 일치할 것이라는 전제는 잘못된 것이었으며, 이로 인해 경우에 따라서는 경영진과 주주의 이해가 상충되는 상황이 초래되기도 하는데, 이를 주식회사에서의 대리인문제라고 한다.[34] 그리고, 이러한 대리인문제로 인한 경영진의 사익추구활동으로 인해 부득이하게 기업이나 주주의 이익 감소 현상이 발생하는바, 이러한 감소이익을 대리인비용(Agency Costs)이라고 한다.

대리인문제로 인한 대리인비용의 발생은 주식회사 본질상 부득이한 것이기는 하지만, 기업규모가 거대화되고 거래 규모가 확대되어 감에 따라 대리인비용도 증가하게 되었으며, 이러한 대리인비용을 발생시키는 영역 중의 하나가 임원이나 이사의 보수와 관련된 의사결정이다. 다시 말해, 경영진 임원이나 이사들은 최대한 많은 보수를 받으려 노력할 것이며 이는 주주들의 이해관계와는 상충되는 결과를 초래하게 된다. 물론, 업무능력이 탁월한 임원이나 이사들에게는 고액의 보수가 지급됨으로 인해 경영성과가 증대됨으로써 주주의 이익도 향상된다면 문제가 없겠지만, 보수규모에 비해 열등한 경영성과가 발생하는 경우에는 대리인비용이 주주들에게 전가되는 것이다. 따라서, 보수문제와 관련해서 대리인비용을 줄일 수 있는 최선의 수단은 대리인 경영진의 이해관계와 주주들의 이해관계를 일치시킬 수 있는 보수방식을 적극적으로 개발해서 활용하는 방법과 경영능력에 상응하는 적정한 보수를 책정해서 지급하는 방법이 있을 수 있으며,

---

34) 주식회사에서의 대리인문제를 다룬 대표적 논문으로는 Michael C. Jensen & William Meckling, "Theory of the Firm: Managerial Behavior, Agency Costs, and Ownership Structure," 3 J. Fin. Econ. 305 (1976)이 있다.

전자의 대표적인 예가 스톡옵션과 같은 인센티브형 보수를 활용하는 것이다. 하지만, 이러한 인센티브형 보수도 제도상의 허점을 이용한 남용가능성이 있으며, 실제 옵션백데이팅과 같은 남용사례도 다수 발생하였다. 그 결과 오늘날 주요 선진국에서 임원 보수 논의의 초점이 후자의 방법인 보수의 과다성 방지 및 적정성 확보에 집중되고 있으며, 그 구체적인 방법은 나라마다 조금씩 다르게 구현되고 있다. 이하에서는 이러한 각국의 보수규제노력이 어떤 형태로 전개되고 있는지 상세하게 살펴보기로 한다.

2) 각국의 보수규제 동향

가) 미 국

(1) 서 론

최근 임원 보수에 관한 논의가 가장 활발하게 이루어지고 있으며, 다양한 형태의 규제 수단이 마련되고 있는 나라가 미국이다. 미국 각 주의 회사법에서는 기업의 일상적인 업무집행을 위해 부속정관(bylaws)이나 이사회결의로 임원(officer)을 둘 수 있다고 규정하고 있을 뿐, 이러한 임원에 관한 정확한 개념이나, 그 권한과 역할에 대해서는 구체적인 규정이 없다.[35] 대신, 각 주 회사법에서는 이러한 임원들을 회사의 대리인으로 취급하여, 이사회로 하여금 임원의 업무집행을 감독하게끔 하고 있다. 비록, 최근 일부 연방 법률에서 이러한 임원의 법적 의무에 관한 사항을 규정[36]하고 있기는 하지만 이를 임원의 일반적인 권한과 책임에 관한 규정으로 볼 수는 없다. 하지만, 실제 미국기업 내에서 임원은 이사회가 명시적으로 제한하지 않은 범위 내에서 회사의 일상적인 업무에 관해 폭넓은 재량권을 행사하게 되며, 그로 인해 그 책임 또한 이사에게 요구되는

---

35) Charles R.T. O'Kelley & Robert B. Thompson, Corporations and Other Business Associations; Cases and Materials 143 (5th ed. 2006); Del. Code Ann. tit. 8, § 142 (2006). 다만 미국법조협회(American Law Institute)에서 마련한 기업지배구조원칙(ALI's Principles of Corporate Governance)에서는 임원의 종류로써 CEO(Chief Executive Officer), COO(Chief Operating Officer), CFO(Chief Financial Officer), CLO(Chief Legal Officer), 그리고 CAO(Chief Accounting Officer)들을 최고상급 집행임원(principal senior executive officer)으로 분류하고, 그 외 President, Vice President, Secretary, 및 Treasurer 등을 상급집행임원(senior executive officer)이라고 규정하고 있다.

36) 예를 들면, 기업회계법(Sarbanes-Oxley Act of 2002: SOX) 제302조에서는 최고집행임원(chief executive officer: CEO)와 최고재무담당임원(chief financial officer: CFO)으로 하여금 미연방 증권법상의 공시규정에 따른 기업회계보고서 작성시 CEO와 CFO의 인증의무를 명시하고 있다.

수준보다 더 높은 정도의 주의의무와 충실의무 기준이 적용되고 있다. 임원 보수의 업무연관성 결여(pay without performance)와 과다성(excessiveness)에 대해서는 오래 전부터 학계와 여론의 비판이 있었지만, 최근의 금융위기와 이로 인한 글로벌 경제위기에 즈음하여 임원 보수의 적정성을 담보할 수 있는 제도적 장치가 강화될 필요가 있다는 공감대가 형성되었으며, 그 결과 다른 나라에 비해 강도 높은 보수규제 장치들이 마련되어 있음을 알 수 있다.

(2) 미국법상 임원보수 제한규정

(가) 일정한 형태의 보수지급 금지

① 상여금 등의 지급 제한(limitations on bonuses)

일반적으로 기업이 임원들에게 지급하는 상여금은 전년도와 비교해 기업이윤이 초과 달성된 경우에 이에 대한 인센티브로 부여되는 것이다. 하지만 상여금 지급기준을 동종 경쟁기업과의 업무성과 비교가 아닌 개별 기업의 전년도 이윤만을 기준으로 해서 결정하는 경우, 전반적인 경기 호황에 따라 동종 업계 전체의 이윤이 증가한 경우라면 해당 기업의 업무성과가 업계 최저에 해당하는 경우에도 그 임원들에게 상여금을 지급하게 되는 불합리한 결과가 발생할 수 있다.37) 또한, 많은 미국 기업은 상여금 지급결정을 이사회 또는 이사회 내의 보수위원회의 주관적인 재량판단에 맡기고 있다. 하지만, 이사회와 임원간의 상호 협력적 유대관계로 인해 이사회의 재량에 따른 상여금 지급판단은 임원보수와 경영성과 간의 연관성을 제고하는데 한계가 있다.38) 그 결과 이사회는 경영성과가 현저히 저조한 임원들에게조차 상여금을 지급하기 위한 목적으로 임원별 성과목표의 수준을 하향 조정함으로써 상여금을 지급하기도 한다.39)

---

37) 미국 최대의 모바일 통신회사인 버라이즌(Verizon Communications Inc.)은 2001년 3억8천 9백만 달러의 순이익이 발생했다고 보고하였고, 이를 기준으로 회사 임원들에게 상여금을 지급하였으나, 순이익 산정의 기준이 되었던 연금기금의 투자기대이익이 실제로는 31억 달러의 손실을 입게 됨으로써 사실상 2001 회계연도의 기업이익은 적자였던 것으로 밝혀졌다.

38) Bebchuk & Fried, *supra* note 35, at 124-27.

39) Bebchuk & Fried, *supra* note 35, at 127. 일례로, 코카콜라(The Coca-Cola Company) 이사회는 2001년 CEO로 취임한 더글라스 대프트(Douglas Daft)에게 기업이윤이 연간 15% 이상 상승할 경우 상여금을 지급하기로 약정했으며, 이에 따라 CEO에게 지급될 2001년 예상 상여금액은 3천만 달러~6천만 달러 수준이었다. 하지만, 이사회의 보수위원회는 몇 달 뒤 상여금지급기준이 되는 연 15% 이윤달성률을 연 11%로 하향조정함으로써 CEO에 대한 상여금지급기회를 확대시켰다.

이와 같이, 임원에게 지급되는 상여금 형태의 보수는 해당 임원의 경영성과 및 기여도에 대한 보상의 의미로 산정되어야 하므로 상여금 규모와 임원의 경영성과 간에는 밀접한 연관성이 존재하여야 함에도 불구하고, 지금까지의 상여금 산정 및 지급 관행을 살펴보면 임원 개인의 업무성과보다는 해당 산업경기나 경제 전반적인 호황도와 더 밀접한 관련을 가지고 있었음은 물론, 상여금 지급결정권을 보유한 이사회의 재량이 절대적인 영향력을 가짐을 알 수 있다.

이러한 인식에서, ARRA에서는 상여금 형태의 보수지급에 대한 제한 규정을 두었다. 즉, TARP 대상기업은 원조기간(TARP period)[40] 동안 특정 임원들에게 상여금(bonus), 잔류상여금(retention award) 기타 인센티브형 보수(incentive compensation)를 일체 지급하지 못한다. 본 조에 따라 상여금 지급 제한 대상이 되는 임원의 범위는 TARP 대상기업이 받은 금융원조금액에 따라 다르다. 구체적인 대상임원은, (1) 2,500만 달러 이하의 금융원조를 받은 대상기업의 경우는 보수총액 상위 1위인 임원, (2) 금융원조액이 2,500만 달러 이상 2억 5천만 달러 이하의 기업은 보수총액 상위 5위내에 해당하는 임원들, (3) 금융원조액 규모가 2억 5천만 달러 이상 5억 달러 이하의 기업은 상급집행임원들(senior executive officers: SEOs)과 그 외 보수총액 상위 10위 내에 해당하는 임원들, 그리고 (4) 금융원조액이 5억 달러 이상인 대상기업의 경우에는 SEOs와 그 외 보수총액 상위 20위 내에 해당하는 임원들이 상여금 지급금지 대상 임원에 속한다.[41] 여기서 SEOs는 공개기업 임원들 중 미국 증권거래법상 보수에 대한 공시의무를 부담하는 보수총액 상위 5인에 속하는 임원을 의미한다.[42]

② 퇴직형 보수의 지급금지(prohibition on golden parachute payments)

기존의 미국 기업의 임원보수계약에서 중요한 비중을 차지하고 있었던 항목이 임원의 퇴직이유와 상관없이 지급하기로 약정한 일명 '황금낙하산'(golden parachute)이라 부르는 퇴직형 보수에 관한 것이었다. 지금까지 퇴직형 보수는 퇴직 임원의 재직 중의 업무성과를 기준으로 산정되는 것이 아니라, 임원 고용시 작성하는 고용계약서상의 보수조항에 미리 구체적인 지급금액이 결정되는 경

---

[40] TARP 대상기업에 대한 EESA와 ARRA상의 보수제한규정이 적용되는 기간을 원조기간이라 하며, TARP에 의한 금융원조를 받음과 동시에 기업이 부담하게 될 각종 의무존속기간을 의미한다. EESA § 111(a)(5).

[41] Emergency Economic Stabilization Act § 111(b)(3)(D)(ii)(I)-(IV).

[42] Emergency Economic Stabilization Act § 111(a)(1).

우가 대부분이기 때문에 업무성과에 따른 보수라고 보기 어렵다.[43] 또한, 통상
임원계약기간이 3년이며, 퇴직형 보수로 지급되는 금액이 퇴직임원이 재직 중에
받는 연간보수총액의 3배 이상에 해당하는 액수인 경우가 대부분인 점을 감안하
면, 오히려 교용계약 만료시까지 근무하는 것보다 계약 만료 전에 퇴직해서 다
른 기업의 임원이 되는 것이 더 유리하게 받아들여질 수도 있다. 이러한 고액
퇴직형 보수지급 관행에 대해 ARRA에서는 대상 기업의 임원에 대해 지급금지
를 내용으로 하는 규정을 두고 있다. 즉, TARP 대상기업은 기업의 SEOs 및 그
외 보수총액 상위 5인의 임원에게는 TARP 기간 중 퇴직형 보수(golden para-
chute)의 지급이 일체 금지된다.[44] 이 조항에 따라 지급이 금지되는 퇴직보수는
임원이 업무수행과 관련해 지급받는 보수를 제외하고, 해당 기업으로부터 퇴직
과 관련해 받는 모든 보수를 포함한다. ARRA에서 퇴직형 보수의 지급을 제한하
지 않고 이를 완전히 금지하는 규정을 둔 것은, 이러한 퇴직형 보수는 본질상
업무성과 연동형 보수로 보기 어렵다는 인식을 반영한 것으로 보인다.

(나) 보수위원회 독립성 요건 강화

미국에서는 공개회사 이사의 독립성을 담보하기 위한 규정들이 이미 제도화
되어 있다.[45] 즉, SEC 규칙에 의해 미국 공개회사는 이사회 소속 이사의 과반
수를 독립이사들로 구성해야 할 뿐 아니라,[46] 뉴욕증권거래소(New York Stock
Exchange: NYSE)와 나스닥(National Association of Securities Dealers Automated
Quotation: NASDAQ)의 상장규칙에서도 모든 상장회사는 이사회 이사의 과반수
를 독립이사로 구성할 것을 상장요건으로 하고 있다.[47] 나아가, 보수위원회 구

---

43) 미국에서의 이러한 퇴직형 보수의 남용사례는 헤아릴 수 없이 많다. 특히, 홈디포(The Home
   Depot)의 CEO였던 로버트 나델리(Robert Nardelli)의 보수계약서상의 퇴직형 보수지급조
   항에 따르면, CEO 고용계약기간인 3년 이내에 자의에 의해 사직하거나 또는 해고되는 경
   우에도, 회사는 고용계약상 보장된 3년간의 보수액을 지급함은 물론, 회사로부터 받은 개인
   대출금 1,000만 달러의 반환을 면제하며, 추가로 2,000만 달러의 현금을 지급하기로 되어
   있었다. 심지어, 디즈니(The Walt Disney Company)사의 CEO였던 마이클 아이즈너
   (Michael Eisner)의 경우에는 사직 또는 해고의 경우에도 퇴직 후 2년간 최소 600만 달러
   에 달하는 상여금을 지급하기로 약정되어 있었다.

44) Emergency Economic Stabilization Act § 111(b)(3)(C).

45) 이사의 '독립성'(independence) 판단기준에 대해, 일반적으로 이사가 해당 기업의 전·현
   직 직원이 아니고, 이사직 외에는 해당 기업과 아무런 인적·경제적 관련성이 없는 경우에
   는 독립된(independent) 것으로 볼 수 있다. Bebchuk & Fried, supra note 35, at 24.

46) SEC Release No. 34-48745 (Nov. 4, 2003); SEC Release No. 34-48863 (Dec. 1,
   2003).

성에 있어서는 독립성 요건을 강화하여, NYSE 규칙에서는 보수위원회 이사 전원에 대해 독립성 요건을 갖출 것을 요구하며,[48] NASDAQ 규칙에서는 독립이사 과반수 요건을 충족한 이사회 또는 전원 독립이사로 구성된 보수위원회에서 CEO 보수를 결정하도록 요건화하고 있다.[49]

하지만, 이사회의 보수위원회는 미국 공개기업 임원의 보수결정과정에서 개별 임원의 보수 규모와 내용을 정하는데 있어 결정적인 역할을 담당하고 있지만, 기업지배구조상 이사와 경영진 임원 간의 상호 협력적 유대관계 및 이사들의 친경영진 성향으로 인해 독립성 요건을 갖추었다 하더라도 보수위원회 소속 이사들이 적정한 임원보수계획을 수립하는 데에는 일정한 한계가 있다.[50] 이러한 시각에서, 도드-프랭크법에서는 보수위원회 이사의 권한과 의무를 강화함으로써 보수결정절차에서의 보수위원회의 독립성을 강화하기 위한 규정들을 두고 있다. 즉 도드-프랭크법 제952조에서는 미국 내 모든 상장기업은 이사회 내에 보수위원회를 구성함에 있어 전원 독립성(independence) 요건을 충족한 이사(independent director)로 구성해야 함은 물론 독립성 기준에 대해서도 상세한 기준을 제시하고 있다. 또한, 이사뿐 아니라 보수결정에 있어 중요한 역할을 수행해 온 외부 보수전문가(compensation consultant)에 대해서도 독립성 요건을 충족시키도록 의무화 하고 있다.

(다) 주주승인투표(Say-on-Pay)제도의 도입

미국 임원보수제도의 근본적 문제점으로 지적되어 오던 이사회의 주주에 대한 책임의식 결여와 주주의 보수결정절차에의 참여권 부재에 대한 해결책으로, 이사회의 전권사항에 속하는 임원보수결정에 대해 간접적이나마 주주의 의견을 반영하자는 취지에서 그간 주주권익 보호론자(shareholder advocates)와 일부 기관투자자 단체(institutional investment group)를 중심으로 그 도입 필요성이 강조되어 왔던 것이 주주승인투표(shareholder vote on executive compensation; 일명 'Say-on-Pay')제도이다. 미국 회사법상 임원 보수에 관한 사안은 이사회 전권

---

47) NYSE, Inc., Listed Company Manual, § 303A.01 (2009); NASD Rule 5605(b)(1) (2009).
48) NYSE, Inc., Listed Company Manual, § 303A.05.
49) NASD Rule 5605(d)(1)(B).
50) 이는 SEC 규칙과 NYSE/NASDAQ 상장규칙상의 독립성 요건이 기존에 존재했었음에도 불구하고, 최근까지 과다임원보수 지급사례가 여전히 지속되고 있는 것을 보면, 이러한 요건들의 보수위원회 독립성 보장기능에 한계가 있음을 알 수 있다.

사항이므로 주주가 임원 보수와 관련해 영향력을 행사하기 위한 유용한 압법 중의 하나가 회사의 부속정관(bylaws) 개정[51]을 통하여 주주승인투표 제도를 도입하는 것이다.

이러한 목적에서, 도드-프랭크법에서 이 제도를 도입하기 전부터 이미 많은 기관투자자나 주주단체에서 SEC 규칙 14a-8[52]의 주주제안권(shareholder proposal)을 이용해 경영진의 위임장설명서(proxy statements)에 주주승인투표제의 도입을 내용으로 하는 부속정관 개정안을 포함시켜 주주총회 의결을 거쳐 도입하려는 시도가 있었지만, 이러한 주주제안을 채택하는 기업은 극히 소수에 불과한 실정이었다.[53] 이미 오래전부터 과다한 임원 보수의 규제 수단 중의 하나로서 도입 필요성이 강조된 주주승인투표 제도와 관련해서는 그간 반대의견도 많았지만,[54] 서브프라임모기지(subprime mortgage) 사태에서 비롯된 미국발 금융위기에 즈음하여 이 제도의 도입을 찬성하는 의견이 광범위한 지지를 얻게 되어 급기야 도드-프랭크법상 가장 중요한 제도의 하나로서 입법화된 것이다.[55]

---

51) 미국 대다수 州 회사법은 정관에 달리 정한 바가 없는 경우, 부속정관 개정권은 주주에게 있다고 규정하고 있다. See e.g., Del. Code. Ann. tit. 8, § 109(a) (2007).

52) 주지하는 바와 같이, 미국 공개기업의 주주는 단독으로 정기주주총회 안건 상정을 위해 의결권 대리행사의 권유(proxy soliciation)를 할 수 있지만, 비용상의 문제로 대부분 경영진의 위임장설명서(proxy statements)에 자신들의 안건이 포함될 수 있도록 요구할 수가 있는데 그 근거가 증권거래소법에 따라 SEC가 제정한 규칙 14a-8이다. 이 조항에 근거해서 과거 수많은 기관투자자단체나 주주행동단체들이 임원보수와 관련된 다양한 주주제안을 해 왔으며, 회사측에서는 동 규칙상의 배척조항(excludable provisions)을 들어 총회안건상정을 방해해 왔다. 이러한 분쟁 과정에서 동 규정 및 배척조항의 구체적인 해석을 SEC가 내림으로써 사안이 최종적인 법원의 판단에 맡겨지지 전까지는 SEC의 직권해석에 따라 주주제안의 위임장설명서 포함여부가 결정되어 진다.

53) SEC 규칙 14a-8(i)에서는 회사측이 주주가 제안한 안건에 대해 일정한 사유가 있는 경우에는 이를 회사측의 위임장설명서에 포함시키지 않음으로써 주주총회 안건에서 제외할 수 있는 13가지 제외사유를 명시하고 있다. 특히, 주주승인투표제도의 도입과 관련한 주주제안에 대해서는 규칙 14a-8(i)(3)상의 '위임장규칙 위반'(violation of proxy rules)을 근거로 제외하는 사례가 많았다. See e.g., Citigroup Inc., SEC No-Action Letter (Jan. 31, 2007). 주주승인투표제 도입을 내용으로 하는 주주제안은 2006년 7건을 시작으로 해마다 증가하여 2007년에는 51건에 달하여 블록버스터(Blockbuster Inc.)·모토롤라(Motorola, Inc.)·버라이존(Verizon Communication Inc.)에서는 이러한 주주제안에 대한 주주총회에서의 투표가 실시되었고, 이들 중 버라이존은 2009년부터 주주승인투표를 실시하기로 의결하였다. 2008년에는 76건의 주주승인투표제도 도입을 내용으로 하는 주주제안이 채택되어 주주총회안건으로 제출되어 애플컴퓨터(Apple Inc.)를 비롯한 9개 회사에서 이를 채택하게 되었다.

54) 주주승인투표제도 도입여부에 대한 찬반론의 논거에 대한 상세한 내용은 문상일, "임원보수제도의 개혁 – 미국의 주주승인권(Say-on-Pay) 제도를 중심으로 –,"「상사법연구」제28권 제3호(한국상사법학회, 2009), 427~432면 참조.

도드-프랭크법 제951조에 따르면, 미국 증권거래법 제14조A에서 주주승인투
표제도 규정을 마련토록 하고 있으며, 주요 내용으로는 미국 내 모든 상장기업
은 최소 3년에 1회 이상 주주총회에서의 임원보수계획(compensation plan)에 대
한 별도의 결의내용에 대해 공시하도록 하고 있으며, 최소 6년에 1회 이상은 해
당 기업의 주주승인투표의 주기(1년, 2년 또는 3년)에 대해 공시토록 하고 있다.
뿐만 아니라, 그간 폐해가 많았던 황금낙하산 보수에 대해서도 주주승인을 얻도
록 하는 규정을 마련하고 있다. 이러한 주주승인투표의 효력과 관련해서 구속력
이 없이 단지 권고적(advisory) 효력밖에 없다는 점에서 이 제도의 실효성에 대
해 의문을 제기하는 비판적 견해도 있지만, 주주총회에서의 부정적 투표결과는
차후 이사회 의결행위에 대한 경고신호로서의 의미를 가짐은 물론, 주주총회에
서의 승인을 얻기 위해 이사회로 하여금 보수계획 수립단계에서부터 주주 대표
들과의 사전 의견조율을 통해 주주의 의견을 적극적으로 반영하게끔 유도하는
기능을 가짐으로써 과다보수에 대한 규제 효과가 있다고 본다.[56)]

(라) 지급보수 환수조항(compensation clawbacks)

과다한 임원보수에 대한 또 다른 형태의 직접적 규제수단으로 이미 SOX
(Sarbanes-Oxley Act) 제304조에 의해 인정되어 오던 것이 지급보수에 대한 환

---

55) 도드-프랭크법 제951조. TARP 시행 전에도 주주승인권의 도입을 주요 내용으로 하는 입
법안들이 수차례 의회에 상정되었는데, 대표적으로 2007년 3월 하원의원 바니프랭크
(Barney Frank)가 입법 제안한 '주주승인투표에 관한 법률'(Shareholder vote on Executive
Compensation Act)과 동년 4월 당시 상원의원이었던 오바마(Obama) 미국 대통령이 프랭
크 의원이 제안한 것과 동일한 명칭의 법률안을 상원에 입법 제안하였다. 한편 TARP 시행
이후인 2009년 5월 상원의원 찰스슈머(Charles Schumer)가 발의한 '주주권리장전법'
(Shareholder Bill of Rights Act of 2009)과 '미국기업 및 금융기관의 적정보수를 위한 법
률'(Corporate and Financial Institution Compensation Fairness Act of 2009)에서도 미
국 내 모든 상장기업에 대해 이 제도의 도입을 의무화하는 내용의 한층 강화된 주주승인투
표제의 도입을 예고하고 있었다. Shareholder Vote on Executive Compensation Act,
H.R. 1257, 110th Cong. (2007); Shareholder Vote on Executive Compensation Act, S.
1181, 110th Cong. (2007); Shareholder Bill of Rights Act of 2009, S. 1074, 111th
Cong. (2009); Corporate and Financial Institution Compensation Fairness Act of
2009, H.R. 3269, 111th Cong. (2009) 참조.

56) 실제 2002년부터 주주승인제를 시행하고 있는 영국의 경우에도, 임원보수안이 주주총회의
승인을 얻지 못한 대다수의 기업들이 익년도 임원보수계획을 수립할 때 전년도에 주주들의
불만의 대상이 되었던 보수조항에 대해서는 이를 삭제 또는 수정하였고, 이를 위해 사전에
지분율이 높은 대주주의 의견을 미리 보수계획에 반영하는 등의 조치를 취함으로써, 차년도
임원보수안에 대한 주주의 반대투표율이 급격히 감소하는 현상이 나타나기도 했다. Fabrizio
Ferri & David A. Maber, Say on Pay Votes and CEO Compensation: Evidence from
the U.K. (June 15, 2009) [http://ssrn.com/abstract=1420394].

수조치이다.[57] 이러한 환수제도는 불법행위의 대가로 취득한 보수에 대해서는 징벌적 의미의 환수조치를 통해 임원으로부터 그 이익을 다시 회사로 환급하게끔 함으로써 회사와 주주의 권익을 보호하자는 의미도 가진다. 하지만, 도드-프랭크법 제954조에서는 환수대상 임원을 전·현직 집행임원으로 확대시켰음은 물론, 환수범위를 확대함과 동시에 인센티브형 보수지급방식에 대한 상세한 공시요건을 추가함으로써 상장기업 임원 보수에 대한 규제를 강화하고 있다.

즉, 동조에 따르면, 증권거래법 제10조D를 신설하여 상장기업은 증권법에 의거해 공시되는 기업정보에 근거해서 인센티브형 보수를 책정 및 지급할 수 있도록 하고 있으며, 만일 허위로 작성·보고된 재무공시자료에 근거해서 이러한 보수가 지급된 경우에는 이전 3년 이내에 기지급된 인센티브 보수에 대한 환수를 인정함으로써 허위공시 및 과다한 지급보수에 대한 회복조치가 가능하도록 하고 있다.

(마) 보수의 공시요건 강화

도드-프랭크법 제953조에 따라 신설된 증권거래법 제14조 후단에서는 SEC로 하여금 상장기업에 대한 보수와 업무성관 간 연계성에 관한 상세한 공시요건을 마련하도록 함에 따라 새롭게 SEC 규칙이 제정되었다. 본조에 의하면, 모든 상장기업은 정기주주총회를 위한 위임장설명서에 임원에게 실제 지급된 보수액과 기업의 경영성과 간 연계성에 대한 자료를 반드시 포함시켜야 하며, 이 경우 '기업성과'에 대한 명확한 개념규정은 없지만, SEC의 규칙 제정시 주식가치와 이익배당액의 변화 등의 요소를 고려하도록 명시하고 있다.[58] 개정된 SEC 보수 관련 규칙에 따라 기업은 보수에 관한 철학과 기타 성과지표 등을 자세하게 기술하고 기본급여를 비롯한 보너스, 주식, 스톡옵션, 성과연동형 보수, 연금 및 기타 보수 등을 모두 상세히 공시해야 하며, 더불어 보수위원회의 보수 관련 논

---

57) SOX 제304조에서는 최고집행임원(CEO)과 최고재무임원(CFO)에 대해 증권법상의 회계보고의무 위반의 경우에 상여금 등의 보수를 회사에 반환토록 규정하고 있다. Sarbanes-Oxley Act, §304, 15 U.S.C. §7243 (2002). 이 조항에 따라 유나이티드헬스그룹(United-Health Group)의 전 CEO였던 맥과이어(William W. McGuire)는 12년간 옵션백데이팅 혐의가 인정되어 자신이 백데이팅으로 취득한 이익금을 포함하여 2003년부터 2006년 기간 동안 자신이 지급받은 보수를 합산한 금액인 $468 Million을 화해금으로 회사에 반환하였다. Press Release, Former UnitedHealth Group CEO/Chairman Settles Stock Options Backdating Case for $468 Million (Dec. 6, 2007) [http://www.sec.gov/news/press/2007/2007-255.htm].

58) See Restoring American Financial Stability Act, §953.

의 및 분석(Compensation Discussion & Analysis; CD&A)을 통해 보수와 업무성과 간 연계성에 관한 정보도 공시토록 의무화하고 있다. 이와 함께, 보수요약도표(Summary Compensation Table)를 이용해 공시하도록 함은 물론 (i) Regulation S-K Item 402(c)의 지정집행임원 보수계산기준에 따라, CEO를 제외한 전체 직원(all employees)의 연간 총보수액의 평균, (ii) CEO의 연총보수액 및 (iii) (i)과 (ii)의 비율도 공시하도록 하고 있다. 이러한 미국의 보수공시제도는 우리법제와 비교해 볼 때 공시강도가 훨씬 높은 수준이며, 특히 미국에서는 등기 여부와 무관하게 CEO, CFO 및 10만 달러 이상 보수를 받는 보수총액 상위 3인들의 개인별 지급보수를 공시토록 요구함에 따라 실질적으로 상장기업 전체를 그 대상으로 공시를 요구한다는 점에서 우리법제상 공시대상임원의 범위보다 훨씬 규제대상범위가 확대되어 있다는 차이가 있다.

나) 독　일[59]

독일에서도 임원 보수의 과다성 및 적정성에 대한 논의와 더불어 규제 필요성에 대한 공감대가 어느 정도 형성되어 있다고 보여진다. 이를 위해 독일 주식법 제87조에서는 이사에 대한 보수결정권을 감사회가 보유하는 것으로 정하고 있으며, 감사회는 개별 이사들의 보수액을 결정하는데 있어 해당 이사의 업무성과와 회사 경영상황에 비추어 적정한 지 여부를 고려하도록 하고 있으며, 특별한 이유 없이 과다해서는 안 된다는 제한 규정을 마련하고 있다.[60] 또한, 상장회사의 경우에는 보수책정에 있어 회사의 장기적인 발전을 고려하도록 하고 있으며, 감사회가 이사의 보수결정권을 소위원회에 위임할 수 없도록 제한하고 있다.[61]

이와 별도로, 독일 연방정부의 기업지배구조 위원회(Regierungskommission)는 위원회 보고서에서 이사보수 및 스톡옵션 공시에 관한 입법제안을 하였으며, 이 보고서의 제안내용은 2002년 제정된 회사지배구조에 관한 규준(Deutscher

---

59) 독일에서의 임원보수 규제동향에 대해서는 다음 논문을 참조하기 바란다. 정성숙, "이사보수의 공개에 관한 독일과 우리나라의 입법동향,"「기업법제의 최근 동향과 쟁점」(건국대학교 법학연구소 특별세미나 자료집, 2010. 3. 19.), 75면 이하; 최문희, "임원의 보수규제에 관한 고찰 - 최근의 국제적 동향과 입법례를 중심으로 -,"「경영법률」제20집 제3호(한국경영법률학회, 2010. 4.), 149면 이하.
60) AktG 제87조.
61) AktG 제107조 제3항 제3문.

Corporate Governance Kodex; 이하 'DCGK')에 대부분 수용되었는데, 주요 내용으로는 주주 및 투자자에 대한 보수 투명성을 강화하고 이사보수를 규제하기 위한 방법으로써 보수에 대한 공시의무를 권고하고 있다. 즉, 이사의 보수를 고정급과 가변급으로 구성하고, 보수시스템의 요강과 스톡옵션 또는 이에 상당하는 인센티브형 보수의 세부 내용을 이해하기 쉬운 형태로 회사 웹사이트에 게시함과 동시에 사업보고서에도 포함시키도록 하고 있지만, 강제성이 없는 관계로 이를 준수하는 기업은 소수에 불과했다. 하지만 이러한 규준 내용은 강제성이 없는 관계로 규제의 실효성이 없었으나, 이후 2005년 제정되어 2006년부터 시행된 이사보수공개에 관한 법률(Das Gesetz über die Offenlegung von Vorstandsvergütungen) 및 2009년 제정된 이사보수의 적정성에 관한 법률(Gesetz zur Angemessenheit der Vorstandsvergütung)에 의해 실질적인 법적 규제가 이루어지고 있다. 특히, 2009년 제정법에서는 장기적이고 지속적인 기업경영의 촉진, 임원 보수의 산정에 대한 감사위원회 책임의 구체화 및 강화, 주주와 투자자에 대한 임원보수의 투명성 제고 등의 내용이 포함되어 있다. 특기할 점은, 동법에서도 주주승인투표제도를 도입하였다는 점이다. 동법상의 주요 보수규제 내용을 살펴 보면, 우선 임원보수와 경영성과 간 연계성요건이 강화되었으며, 특별한 사정이 없는 한 임원보수액은 동종업계의 통상적인 임원보수액을 초과하지 못하도록 제한하고 있다. 또한, 보수체계를 기업의 장기성과 연계되도록 하고, 비정상적인 성과달성의 경우라 하더라도 감사위원회가 보수최고액에 대해 제한을 가할 수 있도록 하고 있다. 또한, 스톡옵션이 부여된 경우에도 행사시기를 부여일로부터 4년 이후로 제한하고 있으며, 감사위원회는 회사 경영사정이 악화된 경우에는 보수액 삭감조치권을 연장행사 할 수 있도록 허용하고 있다. 본 법에서는 이와 같이 감사위원회의 보수규제 권한을 강화시킴과 동시에 보수가 과다한 것으로 판명되는 경우에는 회사에 대한 엄격한 책임을 부담하도록 함으로써 보수결정이 감사위원회의 가장 중요한 임무에 해당함을 명시하고 동 법 위반의 경우 감사위원 개인 책임을 인정하고 있다. 또한, 주주들이 임원보수계약 내용을 실질적으로 파악할 수 있도록 하기 위해 해당 임원이 임기 만료 전 퇴직하게 되는 경우에는 해당 임원의 보수 및 연금지급에 관한 세부정보를 공시하도록 의무화하고 있다.[62]

다) 우리나라

(1) 상법상 규제

현행 상법의 보수 관련 규정으로는 우선 이사 및 감사의 보수결정에 관한 제388조와 제415조를 들 수 있는데, 이 규정에 따라 국내 기업들은 주주총회의 보통결의를 거쳐 이사와 감사의 보수를 결정하고 있다. 또한, 상장회사 특례규정인 제542조의4 제3항에서는 상장회사가 주주총회 소집통지 및 공고를 하는 경우 상법 시행령에 따라 사외이사 등의 보수에 관한 사항을 포함시키도록 정하고 있는데, 해당 시행령 규정에 의하면 사외이사 및 상무에 종사하지 않는 이사들의 보수에 관한 사항이 그 대상이 된다.[63] 그 외에도 보수 형태 중에서도 중요한 비중을 차지하고 있는 주식매수선택권 부여 절차에 관한 규정을 마련해 두고 있는데, 제340조의2 및 상장회사 특례규정인 제542조의3에서는 원칙적으로 정관 규정에 따라 주주총회 결의를 거쳐야 이사, 집행임원, 감사 등에 대한 주식매수선택권 부여가 허용됨을 명시하고 있으며, 상장회사는 자본금 규모별로 발행주식총수의 100분의 10 이내에서 이사회 결의로써 주식매수선택권을 부여할 수 있으나, 반드시 부여일 이후 최초로 소집되는 주주총회의 승인을 얻도록 하고 있다. 이와 더불어, 2011년 개정 상법에서 도입한 집행임원의 보수에 관해서도 근거 규정을 마련해 두고 있는데, 일반적으로 이사나 감사 보수규정과 동일한 내용으로 되어 있으나, 다만 제408조의2 제3항 제6호에서는 집행임원 설치회사의 경우에는 집행임원의 보수결정권이 정관 규정이 없거나 주주총회 승인이 없는 경우에는 이사회에 귀속된다고 정하고 있다. 이와 같은 입법 태도는 집행임원제도가 미국법제에서 발달한 제도이고 미국 법제 하에서 집행임원 보수결정권을 이사회가 보유하고 있다는 점에 기인한 것으로 판단된다. 하지만, 최근 미국 내에서도 상장기업 집행임원들의 보수를 규제하기 위해서는 이사회의 보수결정권한에 일정한 제한을 두어야 하며, 이를 위해 주주총회에서 주주들이 직접 임원보수지급계획에 대해 승인투표를 거치도록 해야 한다는 개혁법안이 통과되어 상장기업을 대상으로 적용되고 있음을 감안해 볼 때, 이사나 감사 보수에 비

62) Germany: 'Say on pay' arrives and other remuneration reforms (Corporate Law and Governance, 2009. 9. 17), available at http://corporatelawandgovernance.blogspot.kr/2009/09/germany-say-on-pay-arrives-and-other.html.
63) 상법 시행령 제31조 제4항 제1호.

해 훨씬 과다성 논란이 많은 집행임원들의 보수에 대해 우리 개정 상법은 규제를 더 완화함으로써 세계적 추세에 역행하고 있다는 지적이 가능하다.

(2) 자본시장법상 규제

상법 외에도 자본시장과 금융투자업에 관한 법률(이하 '자본시장법')에서도 임원 보수 관련 규정들을 발견할 수 있는데, 주로 상장회사 임원 보수의 공시에 관한 규정들이다. 상법과는 달리 자본시장법에서는 '임원'에 대한 정의규정을 마련하고 있는데 상장기업의 이사와 감사를 임원으로 보고 있다.[64) 우선 동법 제159조에 의하면 주권상장법인으로서 사업보고서 제출대상법인은 사업보고서에 주식매수선택권을 포함한 임원 보수에 관한 사항을 기재함으로써 이를 공시토록 하고 있으며, 동조에 따라서 사업보고서에 기재될 보수 관련 사항에 대해서는 시행령에 위임하고 있다. 더불어 2013년 동법 개정을 통해 상장기업에서 연간 5억원 이상의 보수를 받는 임원들의 개인별 보수금액은 물론 구체적인 보수산정 기준과 방법을 사업보고서에 공시하도록 의무화함에 따라,[65) 과거 등기임원의 보수총액만을 공시하던 수준에서 개인별 보수액까지 공시하게 함으로써 투명한 보수지급시스템을 구축하였다고 볼 수 있다.[66) 하지만, 동법 시행령 제168조 제1항에서는 구체적인 보수의 종류 등을 정하지는 않고 있으며, 단지 '임원 모두에게 지급된 그 사업연도의 보수총액'으로만 규정하고 있다. 따라서, 상법에서와 마찬가지로 자본시장법에서도 보수의 종류나 범위에 관한 상세한 규정은 마련되어 있지 않다. 또한, 자본시장법 위임에 따라 금융위원회가 제정한 '증권의 발행 및 공시 등에 관한 규정'에서도 보수 공시와 관련한 규정이 마련되어 있지만, 의결권대리행사 권유의 경우, 주주총회의 목적사항이 보수한도 승인에 관한 것인 경우 보수 총액 또는 최고 한도액을 기재해야 한다는 정도이며 구체적인 보수내용이나 범위에 관한 규정은 아니다.[67)

이와 같이 현행법상 임원 보수에 대한 실정법상의 규제는 그리 크지 않은

---

64) 자본시장법 제9조 제2항.
65) 자본시장법 제159조 제2항 제3호 신설.
66) 동법에서는 주권상장법인 등 사업보고서 제출대상법인은 임원의 보수, 임원의 개인별 보수와 그 구체적인 산정기준 및 방법(개인에게 지급된 보수가 5억원 이내의 범위에서 대통령령으로 정하는 금액 이상인 경우), 보수총액 기준 상위 5명의 개인별 보수와 그 구체적인 산정기준 및 방법 등을 사업보고서에 기재하여 공시하여야 한다. 자본시장법 제159조 제1항, 제2항 제2호, 제3호, 제3호의2 참조.
67) 증권의 발행 및 공시 등에 관한 규정 제3-15조 제3항 제9호, 제10호.

관계로 기업실무에서는 통상 주주총회 결의시 보수총액이나 최고 한도만 기재하며, 전년도 주주총회에서 승인한 총보수액 중에서 실제 지급된 보수액이 다음 정기주주총회에서 보고되는 수준에 그치고 있어 개별 이사나 임원에게 지급된 구체적인 항목별 지급액에 대한 공시는 이루어지지 않고 있다. 그리고, 사업보고서 중 '임원의 보수'란에 이사 등에 대한 보수 관련 사항이 기재되는데, 일반적으로 사외이사를 포함한 등기이사와 감사의 보수에 관한 사항, 주식매수선택권 부여 및 행사현황을 구분해서 기재하고 있다. 이때, 이사와 감사 보수는 주주총회가 승인한 총보수액만을 기재하고, 사내이사와 사외이사, 그리고 감사위원회 위원으로 구분하여 각각 지급 총액과 1인당 평균 지급보수액을 기재하고 있다.

(3) 기업공시서식 작성기준

자본시장법 및 동법 시행령과 '증권의 발행 및 공시 등에 관한 규정'에 따른 각종 공시서류 작성에 관한 구체적인 실무지침을 제공하고 있는 금융감독원의 '기업공시서식 작성기준'에서는 2013년 자본시장법 제159조 제2항 제3호의 신설로 인해 공시대상인 등기임원의 보수 산정 근거와 산출방식 등을 구체적으로 공개하도록 개정되었다.[68] 이에 따라 자본시장법상 보수공시대상에 해당하는 상장기업 임원 개인별 보수의 산정기준 및 방법에 관한 핵심사항들을 기재하도록 개정되었다. 금융감독원이 제시한 작성예시에 따르면, 개인별 보수총액과 함께 보수의 종류, 지급근거, 산정항목, 산출과정 등을 명확히 기재하도록 하였고, 보수총액을 소득세법에 따라 근로소득, 퇴직소득, 기타소득으로 분류하였다. 또한 근로소득은 급여와 상여금, 주식매수선택권의 행사이익, 기타 근로소득으로 구분하였다. 특히 기본 급여 이외에 성과급 개념의 상여금은 산출 방식을 계량·비계량 지표를 이용해 상세히 나타내도록 하였으며, 주식매수선택권의 행사이익의 산출내역과 기타 근로소득 또한 포함시키도록 명시하고 있다. 이러한 공시서식 작성기준은 보수와 업무성과 간 연계성을 확보하려는 취지로 보여지며 기존의 회사 자율에 맡겨 두었던 사항들에 대해 의무공시토록 하였다는 점에서 한층 강화된 수준이다. 더불어 이러한 내용의 개정된 작성기준은 미국, 영국 등 해외 선진 각국에서 개별 임원보수 공시가 의무화되거나 강화되고 있는 최근의 국제

---

68) 기업공시서식 작성기준 제9-2-1조(이사·감사의 보수현황 등).

적 경향을 어느 정도 반영하고 있는 것이다.

하지만, 본 작성기준이 적용된 이후 상장기업들의 사업보고서상 보수공시 현황은 상당히 실망스러운 수준에 머물렀으며, 특히 급여 및 상여금 산정기준이 근거가 불명확한 회사 내부의 '임원처우규정'이나 '이사보수지급규정' 등을 기준으로 보수위원회가 결정하였다는 식의 공시를 한 기업이 대다수였다. 이에 금융감독원은 2015년 2월 개정 기업공시서식 작성기준을 제시하였으며, 주요 내용으로는 임원보수 산정기준 및 방법을 성실히 공시하도록 하는 한편 재무제표 주석을 사업보고서 본문에 기재하도록 함으로써 투명공시가 이루어질 수 있도록 하고 있다. 특히 상여금 산정기준의 문제를 해결하기 위해 회사가 실제 적용하고 있는 산정근거, 산정항목, 산출과정 등을 충실히 기재하도록 함으로써 보수와 성과간 연계성을 도모할 수 있을 것으로 기대한다. 동 개정된 공시서식은 2014년 사업보고서 제출분부터 적용되는 것으로 하고 있다.

(4) 성과보상체계 모범규준[69]

글로벌 금융위기를 계기로 금융회사의 단기실적형 보수체계에 대한 개선 필요성이 대두되었고, 그 일환으로써 금융안정위원회(Financial Stability Board; 이하 'FSB')는 2009년 9월 보수건전성을 위한 원칙(FSB Principles for Sound Compensation Practices: Implementation Standards)[70]을 제정하였는데, 이를 기초로 우리나라에서도 금융위원회의 행정지도에 따라 국내 금융회사에 적용될 모범규준으로 '성과보상체계 모범규준'이 금융기관 업종별로 제정되었다.[71] 이와 별도로 업종별로 '사외이사 모범규준'도 제정하여 사외이사 보수에 관한 규정들을 마련하고 있다.

업권별(은행, 증권, 보험, 금융지주회사) 성과보상체계 모범규준의 주요 내용은 보수체계와 리스크의 조화, 보수체계를 리스크를 완화할 수 있는 방향으로 설계할 것, 경영진으로부터 독립된 보수위원회를 구성할 것, 성과급의 이연지급 등 성과와 리스크를 연계시킬 것, 보수공시의무의 강화 등을 들 수 있다. 그 중에서 공시와 관련해서는 보수위원회의 구성, 권한과 책임 등 보수결정 절차, 보수와

---

69) 이에 관해서는 최문희, 전게논문, 170면 이하에 상세하게 기술되어 있다.

70) 상세한 내용은 http://www.financialstabilityboard.org/publications/r_090925c.pdf 참조.

71) 은행권 성과보상체계 모범규준의 제정을 시작으로 금융투자회사 성과보상체계 모범규준, 보험회사 성과보상체계 모범규준 및 금융지주회사 성과보상체계 모범규준들이 2010년 1월에 모두 마련되었으며, 그 내용들은 FSB의 보수원칙의 내용을 상당 부분 반영하고 있다.

업무성과와의 연계성, 경영진 및 특정 직원의 보수공시, 보수액, 퇴직 관련 보수액 등이 포함되도록 함으로써 자본시장법의 공시규정보다 한층 강화되어 있다.

(5) 현행 보수제도의 문제점과 개선방안

금융위기 이후 세계 각 국에서 보수체계에 대한 대대적인 개혁작업이 전개되고 있으며, 우리나라에서도 현행 보수제도에 대한 재검토가 필요하다는 견해가 급증하고 있다. 특히, 오늘날 우리나라 상장기업들의 임원보수시스템의 문제점에 대한 다양한 분석자료들이 나오고 있으며, 이와 더불어 보수결정절차의 투명성을 높이고 적정성을 담보할 수 있는 보수규제시스템을 구축하기 위한 개선안들도 제시되고 있다. 이러한 논의는 특히 임원보수제도의 개선작업이 가장 활발한 미국에서의 제도적 개선 노력이 유용한 방향지표가 될 수 있다고 본다. 그렇다면, 우리 제도하에서의 보수 시스템은 어떠한 구조적 문제점이 있는지부터 분석해 보고 효율적 개선방안은 어떤 것들이 제시될 수 있는지를 살펴보기로 한다.

(가) 현행 보수제도의 문제점

우리 상법상 이사 등 임원의 보수를 결정하는 기관은 주주총회로 되어 있으나, 이는 총액에 대한 승인권에 불과할 뿐 실질적 결정권은 이사회가 보유하고 있다. 더욱이, 이사회 구성원 중 사외이사들은 보수 문제에 적극적으로 관여하지 않으려는 경향이 있는 것이 사실이며 그로 인해 실제 이사나 임원의 보수를 결정하는데 있어서 가장 큰 영향력을 행사하는 자는 이사 자신 또는 그들에게 다양한 형태의 외압을 행사할 수 있는 경영진이 된다. 이사회 내 보수위원회가 마련된 경우라도 사정은 동일한데, 결국 주주총회의 승인권은 형식적인 통제장치로서의 불완전한 권한으로 전락한 실정이다.[72] 또한, 과다보수에 대한 사후통제 수단이 되는 공시제도도 규제 실효성을 인정하기 어렵다. 미국에서와 같은 개인별 세부공시가 아닌 구체적인 내용을 파악하기 힘든 총액공시제도에 머물고 있기 때문에 보수규제 효과가 없다고 보아야 한다. 이러한 총액공시제도는 보수제도의 가장 중요한 근간이 되는 경영성과에 상응한 보수지급이라는 요소를 전혀 중요시하지 않고 있는 것이며, 어쩌면 아직까지도 우리나라에서 기업임원 보수의 과다성 여부에 대한 논의가 제대로 이루어지지 않는 주요한 원인이 되기도 한다. 이러한 우리나라 보수제도의 문제점을 해결할 수 있는 개선방안으로 몇

---

72) 최완진, 「기업지배구조법 강의」(한국외국어대학교 출판부, 2011), 51~52면.

가지를 제시하고자 한다.

(나) 개선방안

① 주주의 이사후보추천권 도입

우리 상법상 이사선임에 관한 사항은 주주총회의 전결사항으로, 실무에서는 대부분 정기주주총회에서 이사회가 제출한 이사후보자명부에 대해 일괄하여 주주들의 찬반결의를 묻는 형식적 결의를 통해 선임 여부가 결정되어진다. 특히 우리 상법은 이사후보자 선정과정에서 이사들 간의 이해충돌을 방지하고 중립성을 보장하기 위해 이사회 내에 별도의 이사추천위원회를 설치할 수 있도록 하고 있으며,[73] 이사추천위원회에서 선정한 이사후보자가 이사회결의를 거쳐 주주총회 선임결의에 상정되어진다. 이사후보자가 이사회의 추천위원회의 심의과정을 거쳐 선정된다는 점 및 후보자로 선정된 자는 이사회의 형식적 결의과정을 거쳐 최종 이사회결의안으로 채택되어 주주총회에 상정되어진다는 측면에서 우리 법과 미국법 간에 차이가 없다. 그렇다면, 우리 법에서도 도드-프랭크법 제971조[74]에서와 같은 이사후보자지명권이 주주에게 인정되는지, 다시 말해서 이사회가 총회안건으로 상정한 이사후보자명단 외에 주주들이 추천하는 이사후보자가 주주총회 의안으로 추가 상정될 수 있는지 살펴볼 필요가 있다.

이와 동일한 목적을 달성할 수 있는 유용한 수단이 우리 상법상 일정한 지분요건을 충족한 소수주주에게 인정되고 있는 주주제안권이다. 상법 제363조의2 제1항에서는 비상장회사의 경우 의결권 없는 주식을 제외한 발행주식총수의 100분의 3 이상에 해당하는 주식을 보유한 주주에게 주주제안권을 인정하고 있으며, 상장회사의 경우에는 소수주주권 행사요건을 1%(자본금 1천억원 이상인 회사의 경우에는 0.5%)로 완화하면서 행사 전 6개월 보유요건을 추가하고 있다.[75] 또한 주주제안의 목적사항에 대해서도 특별한 제한이 없어 의제제안권과 의안제안권이 모두 인정되고 있다고 본다. 주주제안권의 효용성과 관련해서 중요한 논점은, 미국법상 회사는 주주제안사항에 대한 광범위한 거절사유가 인정됨으로

---

73) 상법 제393조의2 제1항.
74) 본 조에 따라 제정된 SEC Rule 14a-11에 의하면, 3년 이상 의결권 있는 발행주식총수의 3% 이상을 보유한 상장회사 주주는 회사의 비용으로 경영진의 위임장설명서에 주주가 원하는 이사후보자 명단을 포함시킬 수 있으며, 이사회 전체 의석총수의 4분의 1에 해당하는 수의 이사후보자를 추천할 수 있도록 허용하고 있다.
75) 상법 제542조의6 제2항.

인해서 주주제안의 내용이 이사후보자추천에 관한 것인 때에는 명문으로 회사가 이를 거절할 수 있도록 허용되고 있어, 실제 주주제안권을 행사하여 주주들이 원하는 이사 후보를 주주총회안건으로 상정할 수 있는 길이 사실상 사전에 봉쇄되어 있다는 점이다.[76] 이러한 미국법상의 주주제안 거절사유와 달리, 우리 상법에서는 주주제안 거절사유로서 이사후보추천 및 선거에 관한 사항을 포함하고 있지 않다.[77] 따라서, 미국과 달리 우리 법제도 하에서는 일정 요건을 구비한 소수주주들은 자유로이 이사후보자지명권을 행사할 수 있는 것으로 본다.[78] 하지만, 최근까지 이러한 내용의 주주제안권이 행사되어 이사회 구성에 있어 주주 의견이 반영된 예는 극소수에 불과하며, 설사 주주제안이 받아들여져 주주들이 추천한 이사후보자가 주주총회 선임결의에 상정된다 하더라도 위임장쟁탈전에서 우월한 위치에 있는 회사측의 반대로 인해 선임에 성공할 수 있는 경우는 매우 드물 것으로 예상되고, 특히 재벌형 지배구조의 특성상 기업 내 지배주주의 영향력으로 인해 경영신에 적대적인 이사후보사의 선임 가능성은 너욱 낮아질 수밖에 없다.

또한, 실제 대다수 소액주주들의 주주총회에서의 관심은 이익배당이나 경영진 교체와 같은 안건에 집중되어 있으므로 이사선임을 위해 번거로운 절차와 많은 비용이 소요되는 주주제안권을 행사하려 하지 않을 것으로 예상된다. 하지만, 임원보수결정에 있어 실질적 영향력을 이사회가 보유하고 있다는 현실을 감안해 볼 때 보수결정절차에서의 투명성과 공정성 및 보수 규모의 적정성을 담보하기

---

76) SEC Rule 14a-8(i), 17 C.F.R. § 240.14a-8(i). 동 규칙에 따르면 주주제안을 회사가 거절할 수 있는 13가지 사유 중 하나로, 주주제안의 내용이 이사추천 또는 이사선거에 관한 사항인 경우를 포함하고 있다.

77) 상법 시행령 제12조에서는 주주제안 거절사유로서, 제안내용이 (1) 주주총회에서 의결권의 100분의 10 미만의 찬성밖에 얻지 못하여 부결된 내용과 동일한 의안을 부결된 날로부터 3년 내에 다시 제안하는 경우, (2) 주주 개인의 고충에 관한 사항, (3) 주주가 권리를 행사하기 위해서 일정 비율을 초과하는 주식을 보유해야 하는 소수주주권에 관한 사항, (4) 임기 중에 있는 임원의 해임에 관한 사항, (5) 회사가 실현할 수 없는 사항 또는 제안이유가 명백히 거짓이거나 특정인의 명예를 훼손하는 사항에 해당하는 경우로 국한하고 있다. 이들 다섯 가지 사유 중 주주의 이사후보자추천 또는 이사선거를 그 내용으로 하는 경우에 해당되는 거절사유는 없다. 다만, 상법 제363조의2 제3항 해석상 회사 정관에 주주의 이사후보자추천에 관한 주주제안권 행사를 제한하는 규정이 포함된 경우에는 이를 근거로 이사회는 주주총회상정을 거절할 수 있는 여지가 남아 있다.

78) 실제 최근 현대증권은 주주제안형태로 지명된 시민단체 출신 변호사 2인을 사외이사로 선임하였다. "현대證 주주제안으로 시민단체 사외이사 선임," 헤럴드경제(2010. 5. 13.), http://biz.heraldm.com/common/Detail.jsp?newsMLId=20100513000307.

위해서는 그 전제로서 지금과 같은 경영진과 이사회 간의 상호유착관계를 근절
시킬 필요성이 있다는 점을 감안해 볼 때 이사회 구성원 결정에 있어 보다 적
극적으로 주주들의 참여가 요구된다는 점은 미국과 다를 바가 없다고 생각되며,
최근 각국의 지배구조논의가 '이사회의 독립성 강화' 및 '주주의 참여권 확대'에
그 초점이 맞추어져 진행되고 있다는 점을 감안해 볼 때, 우리 상법상의 주주제
안권을 적극적으로 활용함으로써 이사회구성에 있어 주주참여권을 현실적으로
보장할 필요가 있다.

② 보수공시제도의 강화

자본시장에서 공시제도가 담당하는 규제역할의 중요성은 비단 발행시장에서
뿐만 아니라 유통시장에서도 간과할 수 없는 부분이다. 특히, 유통시장에서 증
권을 매매하는 투자자의 시각에서는 매매 여부를 결정하는 가장 중요한 정보의
대부분이 이러한 공시제도를 통해 투자자들에게 제공되고 있는데, 투자자의 판
단을 위한 해당 기업의 지배구조형태에 대한 상세하고 구체적인 정보의 제공이
강조되는 이유이다. 이러한 취지에서, 도드-프랭크법에서도 기업지배구조와 관
련된 상세한 의무공시규정을 마련하고 있으며, 그 중에서도 임원보수의 경영성
과 연관성 및 적정성에 대한 공시요건은 이러한 공시장치를 마련하지 않고 있는
우리 법에 시사하는 바가 크다.

앞서 살펴보았듯이, 우리 법상 보수공시제도는 일견 미국법과 유사한 구조를
갖추고 있는 듯 보이지만, 실제 금융위기와 관련해서 문제가 된 상급경영진 임
원들에 대한 보수내용에 대한 공시 부분에 있어서는 큰 차이가 있음을 알 수
있다. 우선, 우리 자본시장법상 상장기업은 사업보고서를 통해 임원 보수에 관
한 사항을 공시하도록 의무화되어 있으며,[79] 공시되어야 할 구체적인 보수내용
에는 주식매수선택권을 포함한 해당 사업연도 임원보수총액으로 정하고 있다.[80]
또한 개정된 공시서식 작성기준에서 임원 개인별 보수공시에 관한 상세한 기준
을 마련하고 있지만, 실제 기업의 사업보고서상 보수공시내용을 살펴보면 미국
등 선진국과 비교해 볼 때 공시율이 저조하고 공시내용 역시 불명확한 근거에
기초한 부분이 많은 실정이다.

임원보수규제를 위한 공시제도의 중요성을 감안해 볼 때 한국기업의 현행 보

---

79) 자본시장법 제159조 제2항.
80) 자본시장법 시행령 제168조 제1항.

수공시제도는 개인 임원의 업무성과에 따른 보수체계라기보다는 아직까지 기업 내 임원의 직급서열에 따른 총액보수의 분배에 지나지 않음을 알 수 있으며, 특히 2014년 사업보고서상 임원보수 공시현황을 분석한 자료에 의하면 보수지급 근거 자체가 모호하고 형식적인 공시형식을 취하고 있는 기업이 다수임을 알 수 있다. 또한 주주총회 승인보수총액 대비 80% 미만 수준에서 실제 보수가 지급되고 있다는 점은 지급보수의 적정성에 대한 오해를 야기할 수 있는 부분으로 생각된다. 더욱 간과할 수 없는 부분은 공시대상이 되는 세부 항목에 있어서도 미국에 비해 매우 단순하다는 점이며 이는 보수제도의 투명성 확보에 미흡하다는 제도적 난점을 드러내는 부분으로서 미국에서와 같이 보수형태로 취급될 수 있는 모든 항목에 대한 구체적인 공시가 이루어져야 하는 방향으로 제도적 보완 작업이 시급하다고 생각된다.[81] 더불어, 보수공시대상 임원의 범위를 설정함에 있어서도 '등기 임원'이라는 제한으로 인해 미등기 임원으로 전환한 고액보수 수령 임원들의 보수공개 회피 현상이 여전히 확대되고 있다는 점에 대한 보완책이 마련되어야 할 것으로 본다.

③ 이사회의 독립성 강화

금융위기 이후 미국에서 진행된 일련의 개혁논의의 핵심 논제 중 하나는 이사회의 독립성 확보 및 강화를 위한 제도적 장치를 마련하자는 데 있다. 이는 미국 등 선진국에서의 보수제도 개혁의 주된 목적이 경영진으로부터 독립한 이사회를 구성함으로써 이사회가 중립적인 위치에서 주주와 기업의 가치를 제고할 수 있는 방향으로 의사를 결정하고 경영진을 감독할 수 있도록 기업지배구조를 개선하자는 데 있다고 판단된다. 이사회의 독립성 강화라는 이러한 개혁 취지는 비단 미국뿐 아니라 유럽 선진국에서의 지배구조논의에서도 중요한 논제로서 우리 법에서도 진지하게 논의될 필요가 있다고 본다.

물론 우리 법에서도 이사회의 독립성 확보를 위한 여러 장치들을 마련하고 있다. 대표적으로 사외이사제도와 감사위원회제도의 운용을 들 수 있는데, 이러한 제도들이 이사회의 독립성 확보를 위해 도입은 되었지만 얼마나 효율적으로 운용이 되고 있는지에 대해서는 회의적인 시각이 우세하다. 제도적 장치를 마련

---

81) 실제 Regulation S-K, Item 402에서는 위에서 제시한 보수요약표와 별도로 세부항목별 지급내역에 대해서도 도표형식으로 공시가 이루어지고 있다. http://taft.law.uc.edu/CCL/regS-K/SK402.html 참조.

하는 것도 중요하지만 그 도입 취지에 맞는 실질적 운용이 이루어지지 않는다면 의도한 개선결과를 기대하기는 힘들다. 미국의 예를 보더라도 이미 오래전부터 사외이사제도와 감사위원회제도를 운용해 왔지만 이사회의 독립성을 확보하는 장치로 기능하는 데에는 실패했음을 보아도 알 수 있다. 추후 우리 법에서도 이사회의 실질적 독립성을 확보할 수 있는 방향으로 기업지배구조를 개선할 필요가 있으며, 이로써 자연스럽게 보수제도의 문제점도 시정될 수 있을 것으로 생각한다.

Ⅲ. 이 사 회 김 주 영*

1. 서 설

가. 의 의

이사회(Board of Directors[1])는 회사의 업무집행에 관한 의사결정을 위하여 이사 전원으로 구성된 주식회사의 상설기관이다. 종전에는 이사회를 주식회사의 필요적 상설기관이라고 보았으나[2] 자본금 10억원 미만의 소규모 주식회사의 경우 이사회를 두지 않아도 되고 그 경우 주주총회나 이사가 이사회의 권한을 행사하므로 이사회를 더 이상 주식회사의 필요적 상설기관이라고 보기는 어려울 것이다.

1) 업무집행에 관한 의사결정기관

이사회는 회사의 업무집행에 관한 의사결정을 하는 기관으로서 이사의 선임 등 회사의 지배구조에 관한 의사결정을 하는 주주총회와 구별된다. 또한 이사회

---

* 법무법인 한누리 변호사
1) Board of Directors라는 용어는 영국이나 식민지시절 미국에서 회사의 사업을 감독하는 사람들이 정기적으로 회합을 할 때 톱질할 때 쓰는 작업대를 양쪽에 놓고 그 사이에 긴 나무판자(board)를 걸쳐 임시 테이블로 사용한 것에서 유래하였다고 한다(최준선, "미국과 영국의 기업지배구조와 그 동향,"「비교사법」제6권 제2호 통권 제11호(한국비교사법학회, 1999. 12.), 54면; 최준선, 「회사법」제13판(삼영사, 2018), 475면; 김화진, 「이사회」(박영사, 2005), 30면.
2) 임재연, 「회사법 Ⅱ」(박영사, 2018), 366면; 이철송, 「회사법강의」제26판(박영사, 2018), 681면.

는 의사결정기관이지 실제로 업무를 집행하는 기관은 아니다. 회사의 업무를 실제로 집행하는 기능은 이사회에서 선임한 대표이사나 집행 임원에 의해서 수행된다.

2) 이사 전원으로 구성된 상설기관

이사는 별도의 절차 없이 당연히 이사회의 구성원이 되며, 이사회는 이사 아닌 자가 구성원이 될 수 없다. 또한 이사회는 주주총회와 마찬가지로 현실적으로 개최되는 회의 주기와는 상관없이 상설기관에 해당한다.

나. 이사회의 존재의의와 기능

이사회는 기업지배구조에 있어서 중요한 위치를 차지하는 기관이다. 기업지배구조란 한마디로 기업이라는 경제활동 단위를 둘러싼 여러 이해관계자들 중 누구에게 의사결정권을 줄 것이냐의 문제라고 볼 수 있다. 이러한 이해관계자들에는 주주, 경영자, 종업원, 채권자뿐만 아니라 지역사회와 국가까지 포함되므로 기업지배구조는 매우 복잡한 양상을 띤다.[3] 예컨대 기업이 어떤 자원을 조달하여 경제활동을 영위할 것이며, 이렇게 경제활동을 영위하여 수익을 확보하였을 경우 이를 어디에 사용해야 할 것인가라는 의사결정을 함에 있어서 여러 이해관계자들은 각기 다른 입장을 가질 수밖에 없다.[4] 주식회사의 이사회는 이러한 여러 이해관계자들의 이해를 반영하여 기업의 업무집행에 관한 책임 있는 의사결정을 하는 조직이라고 할 수 있다. 물론 주식회사의 이사회를 구성할 권한은 주주에게 있다. 하지만 이 사실에서 곧바로 이사회는 주주의 이익에만 봉사한다는 명제가 성립하지는 않는다. 예컨대 이사회는 아무리 주주에게 이익이 되더라도 제3자인 채권자에게 피해를 주는 위법배당의 의사결정을 할 수 없다. 이사회는 여러 이해관계자들이 다양한 이해관계를 맺고 있는 기업으로 하여금 그 본연의 역할을 감당하고 지속가능한 발전을 할 수 있도록 의사결정을 해야 하는 것이다.[5]

---

3) 김화진, 「이사회」(박영사, 2005), 1면.

4) 기업의 수익이 발생하면 종업원들은 임금을 더 달라고 할 것이고, 지역사회에서는 지역사회에 대한 투자를 늘리라고 할 것이며, 주주는 배당을 늘리라고 할 것이다.

5) 한국기업지배구조원에서 발간한 Best Practice에 해당하는 '기업지배구조모범규준'은 이사회가 기업의 이익을 위해서 다음과 같은 기능들을 수행하여야 한다고 규정하고 있다(기업지배구조모범규준, 2016. 7. 26. 2차 개정).

다. 이사회의 구성

이사회는 이사 전원으로 구성한다. 이사에는 사외이사, 사내이사, 상근이사, 비상근이사 등의 구분이 있으나 이사회는 이런 구분에 상관없이 이사 전원으로 구성한다. 이사회의 구성에 있어서 사외이사를 일정비율 이상이 되도록 법령 또는 정관상 의무화하는 경우가 있다. 예컨대 상장회사의 경우에는 이사 총수의 4분의 1 이상을 사외이사로 선임해야 하고, 최근 사업연도 말 현재의 자산총액이 2조원 이상인 대규모 상장회사의 경우에는 사외이사를 3인 이상 그리고 이사 총수의 과반수가 되도록 선임해야 한다(제542조의8 제1항, 시행령 제34조 제2항). 예컨대 정관에 5인 이상의 이사로 구성하도록 되어 있는 이사회가 3인으로 구성되어 있을 경우와 같이 정관이나 법령상 이사회 구성요건에 반하는 이사회가 행한 이사회결의의 효력은 어떠한가. 어떠한 구성요건에 반하는지 그리고 그러한 이사회가 행한 결의내용이 어떠한 것인지를 보아 과연 그러한 구성요건의 하자가 없다면 이사회 결의에 영향을 미칠 것인가에 따라 구체적 개별적으로 판단해야 할 것이다.[6] 이사회의 구성에 있어서 스태걸드 보드(staggered board), 즉

〈주요기능〉
· 경영목표와 전략의 설정
· 경영진의 임면 및 경영진에 대한 감독
· 경영성과의 평가와 보상수준의 결의
· 기타 지배구조개선을 위한 정책의 수립

〈세부기능〉
· 사업계획 및 예산의 결의
· 대규모 자본지출의 결의
· 대규모 차입 및 지급보증의 결의
· 대규모 담보제공 및 대여의 결의
· 중요자산의 처분 및 양도
· 기업인수합병 관련 주요 사항의 결의
· 영업소 설치, 이전 또는 폐지의 결의
· 법령 및 윤리규정 준수의 감독
· 회계 및 재무보고체계감독
· 위험관리 및 재무통제의 감독
· 정보공시의 감독
· 기타 기업지배구조의 유효성 평가 및 개선

---

6) 예컨대 정관상 5인 이상의 이사로 구성되도록 되어 있음에도 이사수가 3인에 불과할 경우, 3인 모두가 출석하여 찬성하였다면 유효한 이사회 결의로 보아야 할 것이지만 2인이 출석하여 찬성하였다면 정관에서 요구하는 의사 및 의결정족수에 반하는 무효인 결의로 보아야 할 것이다.

임기를 달리하는 시차임기제를 도입함으로써 이사회의 안정화를 도모하기도 한다.[7] 이사의 선임에 있어서 집중투표제를 도입하고 시차임기제를 도입할 경우 대주주의 변동에도 불구하고 이사회를 바꿀 수 없어 경영권방어기능을 수행하기도 한다.

2. 이사회의 권한

가. 이사회 권한의 분류

1) 내용에 따른 분류

이사회의 권한을 그 내용에 따라 '업무집행에 관한 의사결정권'과 이사에 대한 '감독권'으로 분류할 수도 있다. 예컨대 중요재산의 처분이나 대규모 재산의 차입 등에 관한 의사결정권이 전자에 해당하고 대표이사에 대한 보고 요구권은 감독권의 일종으로 볼 수 있다.

이들 두 가지 부류 중 딱히 어디에 속한다고 보기 어렵지만 이사회 권한의 가장 중요한 부류로서 '경영진을 구성·변경하는 권한'을 빼놓을 수 없다. 비록 정관에 주주총회의 권한으로 규정할 수도 있지만 실무상 이사회의 가장 중요한 권한 중 하나는 대표이사를 선임하고 해임하는 권한이다. 그리고 2011년 개정상법에 따라 도입된 집행임원을 선임하고 해임하는 권한도 이사회에 속한다. 주주 → 이사회 → 경영진에 이르는 근대 기업지배구조의 기본 형태를 고려할 때 이사회의 가장 중요한 권한 중 하나는 '경영진을 구성·변경하는 권한'이라 볼 수 있다.

2) 고유권한과 비고유권한의 분류

상법상 명문으로 이사회의 고유권한으로 명시하여 정관으로도 주주총회나 대표이사의 권한으로 할 수 없는 이사회의 고유권한(예, 주주총회의 소집권)과 정관 규정에 따라 주주총회의 권한으로 전환할 수 있는 비고유권한(예, 대표이사의 선임권)으로 구분할 수 있다.

---

7) 김화진, 「이사회」(박영사, 2005), 269면.

나. 경영진을 구성·변경하는 권한

1) 대표이사 선임권

회사는 이사회의 결의로 회사를 대표할 이사를 선정하여야 한다. 그러나 정관으로 주주총회에서 대표이사를 선정할 것을 정할 수 있다(제389조 제1항, 제2항). 비록 주주총회에서 대표이사를 선정할 것을 정관에서 정할 수는 있지만 대표이사 선임권은 이사회의 가장 중요한 권한 중 하나이고 대부분의 회사들은 이사회에서 대표이사를 선임하고 또 해임한다. 간혹 대주주와 이사회가 경영권을 둘러싸고 분쟁을 벌이는 경우가 있다. 대주주가 주주총회를 소집하여 이사회를 재구성할 수 있지만 시간이 소요되고 또 늘 성공하는 것은 아니므로 경영권 분쟁상황에서 이사회의 장악여부는 매우 중요한 변수에 해당한다.

2) 집행임원 선임권

2011년 개정상법에서 주식회사 지배구조의 개선책의 하나로 도입된 집행임원은 회사의 선택에 따라 대표이사에 갈음하는 기구로 설치되어 회사의 업무집행과 회사 대표에 관한 권한을 행사할 수 있는 기관이다. 이러한 집행임원 설치 회사의 이사회는 집행임원과 대표집행임원의 선임 및 해임에 관한 권한을 가질 뿐만 아니라 집행임원에게 업무집행에 관한 의사결정을 위임할 권한, 집행임원이 여러 명인 경우 집행임원의 직무 분담 및 지휘·명령관계, 그 밖에 집행임원의 상호관계에 관한 사항을 결정할 권한도 보유한다(제408조의2 제3항).

3) 실무집행임원 선임권

2011년 개정상법에 따른 '집행임원'과는 별도로 회사의 사장, 부사장, 전무, 상무 등의 명칭을 가지고 회사의 실무를 담당하는 임원을 실무집행임원이라고 부를 수 있다. 이러한 실무집행임원들은 이사의 직을 겸할 수도 있고 또 겸하지 않을 수도 있다(일명 비등기임원). 많은 회사들은 정관에 아래와 같은 규정을 두어 이러한 실무집행임원의 선임을 이사회에서 담당하도록 하고 있다.[8]

---

8) 사장, 부사장, 전무, 상무 등은 상법상 기관은 아니지만 이들 명칭은 회사를 대표할 권한이 있는 것으로 인정될 만한 명칭으로 간주되어 이들의 행위에 대해서는 비록 이들 회사를 대표할 권한이 없는 경우에도 회사는 선의의 제삼자에 대하여 그 책임을 지도록 하고 있다 (제395조).

> 회사는 이사회의 결의로 사장, 부사장, 전무이사 및 상무이사 약간 명을 선임할 수 있다.

4) 지배인의 선임 · 해임권

지배인은 영업주에 갈음하여 그 영업에 관한 재판상 또는 재판외의 모든 행위를 할 수 있는 대리권을 가진 상업사용인을 말한다.[9] 제393조 제1항은 지배인의 선임과 해임을 이사회의 결의로 한다고 하고 있다.

다. 업무집행에 관한 의사결정권

1) 중요한 자산의 처분, 대규모 재산의 차입, 지점의 설치 · 이전 · 폐지에 관한 의사결정권

제393조 제1항은, 중요한 자산의 처분 및 양도, 대규모 재산의 차입, 지배인의 선임 또는 해임과 지점의 설치 · 이전 또는 폐지 등 회사의 업무집행은 이사회의 결의로 한다고 규정하고 있다. 여기서 말하는 중요한 자산의 처분에 해당하는지의 여부는 당해 재산의 가액, 총자산에서 차지하는 비율, 회사의 규모, 회사의 영업 또는 재산의 상황, 경영상태, 자산의 보유목적, 회사의 일상적 업무와 관련성, 당해 회사의 종래 취급 등에 비추어 대표이사의 결정에 맡기는 것이 타당한지 여부에 따라 판단하여야 하고, 중요한 자산의 처분에 해당하는 경우에는 이사회가 그에 관하여 직접 결의하지 아니한 채 대표이사에게 그 처분에 관한 사항을 일임할 수 없으므로 이사회규정상 이사회 부의사항으로 정해져 있지 않더라도 반드시 이사회의 결의를 거쳐야 한다.[10]

영업에 불가결한 중요재산을 처분하는 경우에는 제374조 제1항 제1호가 규정하는 영업의 양도에 포함시켜 주주총회의 특별결의를 요하는 것으로 해석하는데, 제393조 제1항이 중요한 자산의 처분을 이사회의 결의사항으로 하였다고 해서 주주총회의 특별결의가 필요 없는 것은 아니며 이사회가 처분을 결의한 특정한 중요자산이 제374조 제1항 제1호에 해당하는 자산이라면 동조에 따라 주주

---

9) 송옥렬, 「상법강의」(홍문사, 2018), 27면.
10) 대법원 2011.4.28. 2009다47791; 2005.7.28. 2005다3649.

총회의 승인도 받아야 한다.[11]

2) 신주발행 등 소유구조에 관한 의사결정권

신주발행이나 전환사채 등의 발행은 회사의 소유구조를 결정하는 중요한 사항이다. 이사회는 신주발행(제416조), 전환사채나 신주인수권부사채 등 주식관련 사채의 발행(제513조 제2항, 제516조의2 제2항)에 관한 의사결정권을 갖고 있다. 또한 이사는 준비금의 자본전입을 통해서 무상주를 발행하는 의사결정을 할 수도 있다(제461조). 물론 이러한 권한은 정관상 요건에 따라 이루어져야 하며 정관으로 주주총회의 권한으로 전환할 수도 있게 되어 있다. 실무상 이사회가 가진 소유구조에 관한 의사결정권은 경영권분쟁 상황에서 매우 중요한 역할을 수행한다. 종종 이사회가 제3자 배정 등을 통해서 소유구조를 변경시킴으로써 경영권분쟁에 있어서 주도권을 행사하려는 경우가 있다. 따라서 소유구조에 관한 이사회의 의사결정권을 법령 또는 정관에서 어떻게 통제할 것인가는 매우 중요한 문제에 해당한다. 통상은 주주의 신주인수권을 배제하는 제3자 배정의 사유를 정관에 명시하거나 금액한도를 설정함으로써 이사회의 소유구조에 관한 의사결정권을 통제한다.

3) 재무제표의 승인 등 회사의 회계 및 재무와 관련한 의사결정권

이사는 결산기마다 재무제표와 그 부속명세서를 작성하여 이사회의 승인을 받아야 한다(제447조). 이 외에도 이사회는 영업보고서의 승인권한(제447조의2), 사채의 발행에 관한 권한(제469조), 중간배당의 승인권한(제462조의3) 등 회사의 회계 및 재무와 관련한 의사결정권도 보유하고 있다.

4) 주주총회 소집 등 회사의 지배구조와 관련한 의사결정권

주주총회를 소집할 권리는 이사회의 고유한 권리이다. 다만 소수주주가 이사회에 주주총회의 소집을 요구할 수 있으므로 절대적인 권한은 아니라고 볼 수 있다. 이 이외에도 주식의 양도를 제한할 경우 그 승인권을 갖고 주주제안에 대한 채택권을 갖는 등(제335조 제1항 단서, 제363조의2 제3항) 이사회는 회사의 지배구조에 관한 의사결정권도 보유한다.

---

11) 이철송, 「회사법강의」 제26판(박영사, 2018), 682면.

5) 기타 업무집행관련 의사결정권

제393조 제1항은 중요한 자산의 처분 및 양도, 대규모 재산의 차입, 지배인의 선임 또는 해임과 지점의 설치·이전 또는 폐지 등 회사의 업무집행은 이사회의 결의로 한다고 규정함으로써 열거된 사항에 한하지 않고 회사의 업무집행에 관한 결정권을 이사회가 행사하도록 규정하고 있다. 회사들은 이사회 운영규정 등을 두어서 이사회에 부의해야 할 중요한 업무집행의 범위를 규정하는 것이 일반적이다.

라. 직무감독권

1) 의 의

이사회는 이사의 직무의 집행을 감독한다(제393조 제2항). 여기서 말하는 이사의 직무라 함은 이사회의 업무집행에 관한 의사결정권에서 말하는 '업무'보다 더 포괄적이라고 보아야 한다. 즉 이사회는 이사가 이사회의 일원으로 업무집행에 관한 의사결정권을 행사하는 것, 또는 대표이사나 집행임원이 수행하는 회사의 대내외적인 업무집행을 감독하는 것을 넘어서서 이사회의 일원으로서 이사가 수행하는 일체의 직무를 감독할 권한을 갖고 있다고 보아야 한다. 이사회의 중요한 역할 중 하나는 이사가 이사회의 일원으로서 역할을 제대로 수행하는지를 평가하고 이에 관한 보상을 하는 것이다. 제393조 제2항은 이러한 포괄적인 이사회의 이사직무감독권을 명문화한 것으로 보아야 한다. 따라서 이러한 직무감독권의 대상은 업무를 집행하는 대표이사나 집행임원에 한하지 아니하며 사외이사나 비상근이사도 포함한다.

2) 직무감독권의 종류

가) 경업 등 이해상충에 관한 감독권

이사회는 이사의 경업 및 겸직에 대한 승인권한을 보유하며(제397조), 이사의 회사기회이용에 대한 승인권도 보유한다(제397조의2). 또한 이사의 자기거래에 대한 승인권도 보유한다(제398조). 이러한 제반 권한은 이사와 회사 간의 이해상충상황에 대한 감독권의 일환으로 이해할 수 있다. 2011년 개정상법에 회사기회이용에 대한 규제가 강화되고, 통제대상인 자기거래의 범위가 늘어남에 따라 이사회의 감독권은 그만큼 강화되었다고 볼 수 있다.

나) 해임권 및 징계권

이사회는 이사에 대한 징계권을 갖는가. 이사의 자격은 주주총회에서 부여한 것으로서 이사의 자격이나 권한을 박탈하거나 정지할 수는 없으나 대표이사를 해임하여 평이사로 되도록 하거나 집행임원 또는 실무집행임원을 해임하여 그 지위를 박탈할 수 있는 권리는 있다. 따라서 이사의 자격이나 권한의 박탈이나 정지에 해당하지 않는 징계조치(예컨대 겸임중인 상근임원으로서의 직무변경 등)는 결의할 수 있다고 보아야 한다.

다) 기타 감독권

감독권의 대상 및 내용은 포괄적이어서, 감독의 범위에는 이사에게 질문하고 보고를 청취하는 것은 물론이고, 이사의 업무집행의 방법·내용 등이 위법하거나 정관의 규정·이사회의 결의에 위배되거나 부당할 때에는 이의 중단 혹은 정지를 명하고 다른 방법·내용으로 할 것을 지시하는 것을 포함한다. 그리고 이사회의 감독은 일종의 자기시정을 위한 행위이므로 감독권은 위법·부당한 행위의 견제와 같은 소극적인 시정목적에서뿐 아니라 합목적성·능률성을 이유로 한 경영정책목적에서도 행사할 수 있다.12)

3) 감독권의 수단으로서의 정보접근권

이사회의 감독권이 실효적으로 행사되기 위해서는 이사들이 회사의 업무에 관해 충분한 정보를 가지고 있어야 한다.13) 이사회는 감독권의 일환으로 대표이사 등 이사들에게 정보를 요구할 수 있음은 물론이고 이사도 감시권의 일환으로 대표이사 등 다른 이사들에게 정보를 요구할 수 있음은 당연하다. 상법은 이사회의 감독권 및 이사의 감시권의 실효성을 제고하기 위하여 이사의 정보요구권을 명문으로 규정하였다. 즉 이사는 대표이사로 하여금 다른 이사 또는 피용자의 업무에 관해 이사회에 보고할 것을 요구할 수 있다(제393조 제3항). 동시에 이사회에 대한 정보제공을 원활히 하기 위하여 이사는 3월에 1회 이상 업무의 집행상황을 이사회에 보고하도록 하였다(제393조 제4항).

---

12) 이철송, 「회사법강의」 제26판(박영사, 2018), 685면; 최기원, 「신회사법론」(박영사, 2012), 620면.

13) 이철송, 「회사법강의」 제26판(박영사, 2018), 686면.

이사의 정보요구에 대해 대표이사가 기업비밀임을 이유로 정보제공을 거절할 수 있는가. 이사는 대표이사로 하여금 다른 이사 또는 피용자의 업무에 관하여 이사회에 보고할 것을 요구할 수 있는 바(제393조 제3항), 대표이사는 기업비밀임을 이유로 정보제공을 거절하거나 이사회에 대한 보고에서 제외할 수 없다는 것이 다수설의 입장이다.[14] 하지만 현실적으로 경영진은 중요한 사항에 관하여 기업비밀 또는 해당 이사와의 이해상충 등의 이유로 이사에 대한 정보제공을 거절해야 할 경우가 있을 수 있으며 구체적인 사안에서는 이를 제공하라는 이사의 요구가 권리남용에 해당하는 경우가 있을 수 있다. 물론 상법은 이사의 비밀준수의무를 신설하여 기업비밀의 유지를 보장하고 있으나(제382조의4) 기밀 누설에 따른 회복할 수 없는 손해를 방지하기에는 현실적으로 부족할 것이다. 참고로 종전 기업지배구조모범규준은 기업의 중요한 기밀사항에 대하여는 그 유출을 억제하고 악용을 방지하기 위하여 사외이사 과반수의 요청에 의해 정보를 제공하도록 하고, 이 경우 최고경영자나 경영진은 정당한 사유가 없는 한 이에 응하도록 권고한 바 있으나 개정 규준은 이러한 내용을 삭제함으로써 사외이사의 정보접근권을 좀 더 강하게 인정하려는 태도를 보이고 있다.[15]

4) 이사회 활동에 대한 지원

이사에 대해서는 민법상 위임의 규정이 준용되므로 이사가 이사의 업무에 관하여 비용을 지출하거나 채무를 부담한 경우 회사로 하여금 이를 부담하도록 청구할 수 있다. 기업지배구조모범규준은 이사, 특히 사외이사는 필요한 경우에 적절한 절차를 통하여 임·직원이나 외부감사인·법률고문·경영자 보상관련 컨설턴트 등과 같은 외부전문가의 지원 또는 자문을 받을 수 있어야 하고 이때 소요된 비용이 합리적인 범위내의 것이라면 기업은 그 비용을 부담할 것을 권고하고 있다.[16] 또한 이 규준은 기업으로 하여금 사외이사의 정보요청을 용이하게 하기 위하여 기업 내에 담당부서를 지정할 것을 권고하고 있다.

---

14) 이철송, 「회사법강의」 제26판(박영사, 2018), 686면.
15) 기업지배구조모범규준 Ⅱ 3.4.
16) 기업지배구조모범기준 Ⅱ 3.6.

3. 이사회의 소집

가. 소집권자

이사회의 소집은 각 이사가 한다(제390조 제1항 본문). 그러나 이사회의 결의로 소집할 이사를 정한 때에는 그 이사가 소집한다(제390조 제1항 단서). 보통 정관에 대표이사를 이사회의 의장으로 정하고 그가 소집하도록 하고 있다. 하지만 이러한 조항의 취지는 이사 각자가 본래적으로 할 수 있는 이사회 소집에 관한 행위를 대표이사로 하여금 하게 하는데 불과하므로 대표이사가 다른 이사의 정당한 이사회 소집요구가 있을 때에는 정당한 사유 없이 이것을 거절할 수 없고, 만일 대표이사가 정당한 사유 없이 거절할 경우에는 그 이사회의 소집을 요구한 이사가 이사회를 소집할 수 있다고 보는 것이 타당하다.[17] 2001년 7월 개정상법은 소집권자가 정당한 이유 없이 이사회 소집을 거절할 때에는 다른 이사가 이사회를 소집할 수 있다는 점을 명문화하였다.

2011년 개정상법에 의해서 감사의 이사회 소집청구권이 신설되었다. 감사는 필요하면 회의의 목적사항과 소집이유를 서면에 적어 이사(소집권자가 있는 경우에는 소집권자)에게 제출하여 이사회 소집을 청구할 수 있고 이러한 청구를 하였는데도 이사가 지체 없이 이사회를 소집하지 아니하면 그 청구한 감사가 이사회를 소집할 수 있다(제412조의4).

또한 2011년 개정상법에 의해서 집행임원제가 도입됨에 따라 집행임원의 이사회 소집청구권도 신설되었다. 집행임원은 필요하면 회의의 목적사항과 소집이유를 적은 서면을 이사(소집권자가 있는 경우에는 소집권자를 말한다)에게 제출하여 이사회 소집을 청구할 수 있다. 이 청구를 한 후 이사가 지체 없이 이사회 소집의 절차를 밟지 아니하면 소집을 청구한 집행임원은 법원의 허가를 받아 이사회를 소집할 수 있고 이 경우 이사회 의장은 법원이 이해관계자의 청구에 의하여 또는 직권으로 선임할 수 있다(제408조의7).

---

17) 대법원 2017.12.1. 2017그661; 1975.2.13. 74마595.

나. 소집절차

이사회를 소집함에는 회일을 정하고 1주간 전에 각 이사에 대하여 통지를 발송해야 한다(제390조 제3항 본문). 다만 통지기간은 주주총회의 경우와는 달리 정관으로 단축할 수 있으므로(제390조 제3항 단서), 많은 회사들이 정관을 통해 1일 또는 3일로 통지기간을 단축하고 있다. 감사를 두는 경우 감사도 감사에게도 소집통지를 해야 한다(제390조 제3항 본문) 통지방법은 서면에 국한하지 않고, 구두나 기타 개개의 이사를 상대로 한 의사전달방법이면 족하다.

소집통지에는 소집일시와 장소가 들어가야 하는 것이 자명하나 회의의 목적사항을 포함해야 하는지가 문제된다. 이사회는 회사의 업무집행에 관한 사항을 결정하는 기관으로서 수시로 필요한 사항에 대하여 적절한 결정을 하여야 하고 사전에 회사업무에 관한 사항이 의제가 된다는 것이 충분히 예측되기 때문에,[18] 또는 이사들은 원래 회사의 일상적인 업무수행자들로서 이사회에 참석할 의무를 지며, 주주와 달리 목적에 따라 참석여부를 선택할 지위에 있는 자가 아니기 때문에 회의의 목적사항을 포함시킬 필요는 없다는 것이 지배적인 견해이다.[19] 대법원도, 이사회를 소집할 때에는, 정관에서 회의의 목적사항을 함께 통지하도록 정하거나, 목적사항을 미리 통지하지 아니하면 이사회에서 심의·의결에 현저한 지장을 초래하는 등의 특별한 사정이 없는 한, 회의의 목적사항을 함께 통지할 필요는 없다고 판시한 바 있다.[20] 하지만 통상 회의의 소집통지라고 하면 회의의 목적사항을 포함하는 것이 일반적이라는 점, 그리고 점차 상근하지 않는 사외이사들이 이사회에서 차지하는 비중이 커서 소집통지의 필요성이 크다는 점을 감안할 때 이사회의 소집통지에도 회의의 목적사항이 포함되도록 해석하는 것이 바람직하다.[21]

일단 회의의 목적을 통지한 경우 결의범위는 이에 의해 제한되는가. 회의의 목적사항을 통지한 경우 이사·감사 전원이 출석한 경우를 제외하고는 통지에 전혀 포함되어 있지 않은 사항은 결의할 수 없다는 견해와[22] 결의사항의 중요

---

18) 정동윤·손주찬, 「주석상법」(한국사법행정학회, 1999), 409면.
19) 이철송, 「회사법강의」 제26판(박영사, 2018), 687면.
20) 대법원 2011.6.24. 2009다35033.
21) 최기원, 「신회사법론」(박영사, 2012), 608면.
22) 정동윤·손주찬, 「주석상법」(한국사법행정학회, 1999), 409면.

성과 이례성, 결의의 배경, 이사회의 운영현황 등 구체적인 사정을 고려하여 의사결정방법의 합리성이라는 관점에서 결정할 문제라는 견해가 있는바,[23] 일단 회의의 목적사항이 통지된 이상 이를 벗어난 안건의 심의는 일종의 반칙에 해당하므로 절차상 현저히 불공정하여 하자가 있는 이사회결의라고 보아야 한다.

이사회는 이사 및 감사 전원의 동의가 있으면 소집절차를 밟지 않고 언제든지 회의를 개최할 수 있다(제390조 제4항). 주주총회와는 달리 동의는 이사 및 감사 전원으로부터 받은 후 이사 전원이 출석하지 않아도 무방하다고 해석된다.[24]

일부의 이사에게 통지하지 않고 소집하여 행한 결의는 무효사유가 있는 결의에 해당한다. 통지를 받지 못한 이사가 출석하여 반대 표결을 하였더라도 결의에 영향이 없었을 경우에는 어떻게 볼 것인가? 대법원 판례가운데는 일체 경영에 참가한 일 없이 항상 다른 이사에게 결정을 위임하고 의사록에 날인만 해주던 이사에게 소집통지를 하지 않고 개최한 이사회를 유효하다고 본 판례가 있다.[25] 이 판결은 그러한 이사에게 소집통지를 하였더라도 결과에 영향을 미치지 않았을 것이라는 점을 근거로 들고 있으므로 반대해석상으로 볼 때 일반적인 경우, 즉 실질적으로 이사로서의 직무를 수행하던 이사의 경우에는 비록 그 이사가 참석하여 반대를 하였더라도 결의에 영향을 미치지 못하였을 경우라도 무효라고 보는 것이 타당하다. 반대하는 이사가 출석하여 다른 이사들과의 토론을 통해 다른 결론을 도출할 수 있기 때문이다.[26]

다. 소집시기와 장소

이사는 3월에 1회 이상 업무의 집행상황을 이사회에 보고하여야 하므로(제393조 제4항), 이사회는 최소한 분기에 1회 이상 열리는 것이 원칙이다. 기업지배구조모범규준은 이사회가 원칙적으로 정기적으로 개최될 것과 정기 이사회는 최소한 분기별로 1회 이상 개최될 것을 권고하고 있다. 이사회는 긴급을 요하지 않는 한 가급적 많은 이사가 출석할 수 있는 시기에 소집해야 할 것이다. 예컨

23) 이철송, 「회사법강의」 제26판(박영사, 2018), 688면; 최기원, 「신회사법론」(박영사, 2012), 608면.
24) 정동윤·손주찬, 「주석상법」(한국사법행정학회, 1999), 410면.
25) 대법원 1992.4.14. 90다카22698.
26) 이철송, 「회사법강의」 제26판(박영사, 2018), 688면.

대 의안에 대해 반대의견을 가진 이사들이 해외출장중인 틈을 타서 소집하여 결
의한다거나, 대표이사가 출장 중에 대표이사의 해임을 결의하는 것 등은 경영권
을 둘러싼 내분이 있는 회사에서 일어날 수 있는 상황인데, 이같이 이루어진 결
의는 그 절차가 현저히 불공정하여 무효사유에 해당한다.[27]

주주총회와는 달리 이사회의 소집장소에 관해서는 규정을 두고 있지 않으므
로 일응 소집장소는 회사내외를 불문하고 제한받지 않는다고 해석되지만, 합리
적인 이유 없이 혹은 이사들의 동의 없이 일부 이사의 참석이 현실적으로 어려
운 장소나 회사와 무관한 장소를 선택하는 것은 위법하다고 보아야 한다.[28]

4. 이사회의 진행

가. 의   장

이사회의 의장을 누구로 할 것인지에 관하여는 상법이 특별한 규정을 두고
있지 아니하므로 정관이 정하는 바에 따르고 정관에도 정한 바가 없으면 이사회
에서 호선에 의해서 정해야 한다. 많은 기업들이 정관으로 대표이사가 이사회
의장이 된다고 규정하고 있지만 최근에는 이사회 의장과 대표이사를 분리하는
것이 바람직한 지배구조라는 인식 때문에 이사회 의장을 따로 호선하도록 정관
에 정하는 경우도 있다.[29] 집행임원을 설치한 회사는 대표이사가 없으므로 이사
회의 회의를 주관하기 위하여 의장을 두어야 하며 이 경우 정관에 다른 규정이
없으면 이사회에서 호선한다(제408조의2 제4항).

나. 이사 등의 출석

1) 의사 정족수

이사회는 이사 과반수가 출석하여야만 결의를 할 수 있다(제391조 제1항). '이

---

27) 이철송, 「회사법강의」 제26판(박영사, 2018), 689면.
28) 이철송, 「회사법강의」 제26판(박영사, 2018), 689면.
29) 기업지배구조모범규준은 이사회 의장과 대표이사의 분리가 상호간의 견제와 균형을 통하여
    기업경영의 효과를 높이는 데 도움을 줄 수 있기 때문에 이들 직책의 분리 선임은 바람직
    하다고 하고 있으며, 이사회 의장과 대표이사가 분리되지 않을 경우에는 사외이사들이 임
    무를 수행하는데 있어 주도적 역할을 할 수 있는 선임사외이사(lead director)를 선임하여
    공시할 것을 권고하고 있다(기업지배구조모범규준 II 2.3).

사 과반수'란 재임하는 이사 전원의 과반수를 말하며, 결원으로 인해 이사로서의 권리·의무가 있는 퇴임이사(제386조 제1항), 일시이사(제386조 제2항), 직무대행자(제407조 제1항)는 재임하는 이사의 수에 포함되나, 직무집행이 정지된 이사는 포함되지 아니한다. 특별이해관계 있는 이사는 출석은 가능하고 의결권만을 행사하지 못하므로 의사정족수를 판단함에 있어서 재임하는 이사의 수와 출석한 이사의 수에는 포함된다. 이사회는 주주총회와는 달리 의사정족수요건이 있으므로 재적 6명의 이사 중 3인이 참석하여 참석이사의 전원의 찬성으로 의결하였다다 하더라도 상법상의 의사정족수가 충족되지 아니한 이사회에서 이루어진 것으로 무효이다.[30)]

2) 대리 출석

주주총회에서의 의결권 대리행사에 관한 상법규정은 이사회에 준용되지 않는다. 따라서 주식회사 이사회는 주주총회의 경우와는 달리 이사 자신이 이사회에 출석하여 결의에 참가하여야 하며 대리인에 의한 출석은 인정되지 않고 이사 개인이 타인에게 출석과 의결권을 위임할 수도 없다.[31)]

3) 원격 이사회

정관에서 달리 정하는 경우를 제외하고 이사회는 이사의 전부 또는 일부가 직접 회의에 출석하지 아니하고 모든 이사가 음성을 동시에 송·수신하는 원격통신수단에 의하여 결의에 참가하는 것을 허용할 수 있다. 이 경우 당해 이사는 이사회에 직접 출석한 것으로 본다(제391조 제2항). 종전에는 음성뿐만 아니라 동영상까지 동시에 송·수신하는 수단에 의해서만 인정되었는데 2011년 상법개정으로 이 부분이 완화되어 이제는 통상적인 전화회의(Tele-conference)에 의해서도 이사회를 개최할 수 있게 되었다.

4) 감사의 이사회 출석 의견진술권

감사는 이사회에 출석하여 의견을 진술할 수 있다(제391조의2 제1항). 감사는 이사가 법령 또는 정관에 위반한 행위를 하거나 그 행위를 할 염려가 있다고 인정한 때에는 이사회에 이를 보고하여야 한다(제391조의2 제2항). 다만 감사의

---

30) 대법원 1995.4.11. 94다33903.
31) 대법원 1982.7.13. 80다2441.

출석이나 기명날인은 이사회 결의의 유효요건은 아니다.[32)]

다. 이사회의 연기·속행

주주총회에 관한 제372조의 규정이 이사회에 관하여도 준용되므로(제392조), 이사회도 연기·속행되는 경우 열리는 연회 및 속회는 재소집절차가 불필요하다.

라. 이사회 운영규정

이사회는 다수의 사내·사외이사들로 구성되어 있기 때문에 이사회 운영에 대한 명확한 기준이 사전에 마련되어 있지 않으면 실제 운영과정상 분쟁이 발생할 수 있다. 이에 대비하고 이사회를 효율적으로 운영하기 위해서는 각 기업이 이사회의 운영에 관련된 사항을 포괄적으로 규정한 이사회운영규정을 작성해 두어야 한다. 기업지배구조모범규준은 이사회운영규정에 이사회의 권한, 구성, 운영절차 등에 관한 사항이 명시하고, 실제로 이사회를 이 규정에 따라 운영되어야 할 것을 권고하고 있다.[33)]

이러한 이사회 운영규정은 내규에 불과하므로 이러한 운영규정에 반하여 이루어진 업무집행도 그 효력에는 문제가 없다. 하지만 이러한 이사회 운영규정에 반하여 이루어진 업무집행에 대해서는 업무집행을 담당한 대표이사나 집행임원의 책임이 거론될 수 있다.

5. 이사회의 결의

가. 결의요건

이사회의 결의는 이사 과반수의 출석과 출석이사의 과반수로 해야 한다(제391조 제1항). 의사정족수를 갖춘 상태에서 출석이사의 과반수가 찬성하면 결의가 이루어진다. 다만 의사정족수를 따질 때와는 달리 의결정족수를 따질 때에는 특별한 이해관계가 있는 출석이사는 출석이사의 숫자에서 제외된다.

---

32) 대법원 1992.4.14. 90다카22698.
33) 기업지배구조모범규준 II 4.2.

나. 결의요건의 강화 또는 완화

이사회의 결의요건은 법령 또는 정관의 규정에 의해서 강화될 수 있다. 예컨대 사업기회이용에 대한 이사회의 승인 시나 이사 등과 회사 간의 거래에 대한 이사회 승인 시에는 이사 3분의 2 이상의 수로 승인하도록 법령상 의무화되어 있다(제397조의2 제1항, 제398조).

또한 이사회의 결의는 정관으로 그 비율을 높게 정할 수 있다(제391조 제1항). 결의요건을 강화함에 있어서 통상의 업무집행에 관해서는 재적이사 과반수의 찬성을 초과할 수 없다거나 어떠한 경우에도 일부 이사에게 거부권을 주는 것과 같은 정도로 강화할 수는 없다는 견해가 있으나[34] 상법에 이러한 제한을 두지 않고 있으므로 이러한 견해는 채용하기 어렵다.[35]

제391조 제1항의 반대해석상 이사회의 결의요건을 완화하는 것은 허용되지 않는다고 보아야 한다. 가부동수 시 의장 또는 특정이사에게 결정권을 부여하는 것(소위 casting vote)을 허용하자는 견해가 있으나[36] 역시 결의요건을 완화하는 것에 해당하므로 허용되지 않는다고 보아야 한다.[37]

다. 정족수요건의 요구시점

이사회 의사정족수는 개회 시뿐 아니라 토의·결의의 전 과정을 통해 유지되어야 한다는 것이 지배적인 견해이다.[38] 예컨대 재적 9인의 이사 중 5인이 출석했다가 1인이 중간에 퇴장했다면 나머지 인원으로 결의할 수 없는 것은 당연

---

34) 이철송, 「회사법강의」 제26판(박영사, 2018), 690면; 임재연, 「회사법 Ⅱ」(박영사, 2018), 372면.
35) 동지, 최기원, 「신회사법론」(박영사, 2012), 610면.
36) 정동윤, 「회사법」(법문사, 2009), 405면; 서헌제, 「회사법」(법문사, 2000), 374면.
37) 1995. 6. 17. 대통령령 제14670호로 개정되기 전 군인사법시행령 제70조는 '징계위원회의 회의는 위원 3인 이상의 출석과 출석위원 과반수의 찬성으로써 의결하되, 위원장은 표결권을 가지며 가부 동수인 때에는 결정권을 가진다'고 규정하고 있었던 바, 대법원은 이러한 가부동수시 의장 결정권 조항의 효력을 인정한 바 있다(대법원 1985.5.14. 85누13). 따라서 가부동수시 의장 결정권 부여가 어떠한 법 원칙에 반하는 것은 아니라고 볼 것이다. 하지만 주식회사의 이사회에 관해서는 제391조 제1항 단서의 규정에 따라 허용되지 않는다고 보아야 한다.
38) 이철송, 「회사법강의」 제26판(박영사, 2018), 691면; 최기원, 「신회사법론」(박영사, 2012), 609면; 최준선, 「회사법」 제13판(삼영사, 2018), 483면; 임홍근, 「회사법」(법문사, 2001), 471면.

하다. 하지만 개회 시에 불참했던 이사가 나중에 의안에 대한 표결을 할 때 참석을 한다든지 개회 시에 참석했던 이사가 중간에 자리를 이탈했다가 표결 시에 참석하는 경우에 출석으로 인정할 것인지가 문제된다. 표결 시에 출석하였더라도 개회 시 또는 토의 시 불참했다면 의사정족수에 산입하지 말아야 한다는 견해도 있으나[39] 이는 너무 엄격한 해석이라고 여겨진다. 이사회 역시 주주총회와 마찬가지로 여러 가지 안건을 다룰 수 있는데 각 안건에 대한 의사정족수 충족여부 또는 결의의 성립여부는 각 안건을 기준으로 판단하는 것이 원칙이라고 보여지며,[40] 각종 회의에 관한 분쟁에 있어서 각 안건에 대한 의사정족수의 판단시점은 개회 당시가 아니라 표결당시라고 하는 것이 대법원의 견해이므로[41] 의사정족수는 각 안건에 대한 표결당시에 충족되면 된다고 보아야 할 것이다.

한편 이사회 결의요건을 충족하는지 여부는 이사회 결의 당시를 기준으로 판단하여야 하고, 그 결의의 대상인 행위가 실제로 이루어진 날을 기준으로 판단할 것이 아니므로 결의의 집행행위가 이루어질 시점에서 이사회의 인적 구성이 결의 당시의 이사들과 달라지거나, 이사의 총수가 증원되어 결의에 필요한 이사 수가 늘어났다고 하더라도 결의의 효력에는 영향이 없다.[42]

라. 결의방법

이사회의 결의시 표결방식에는 제한이 없으므로 거수, 기립, 투표 등의 방법으로 할 수 있다. 이사회 결의에 대해서는 이사가 책임을 져야 하고(제399조 제2항) 이사회 의사록에 반대하는 자와 그 반대이유를 기재하게 되어 있으므로(제391조의3 제2항) 무기명투표는 허용되지 않는다는 것이 통설이나[43] 꼭 그렇게 해석할 것은 아니고, 의안에 따라서는 소신 있는 표결을 위해서 무기명투표가 필요한 경우도 있을 것이다. 다만 무기명투표에 의해서 결의하였을 경우에는 출석이사들 전원이 그 결의에 찬성한 것으로 추정될 것이다(제399조 제3항).

이사들은 자기의 책임 하에 독립적으로 의결권을 행사해야 하므로 이사회에

---

39) 임재연, 「회사법 II」(박영사, 2018), 374면.
40) 대법원 2010.3.11. 2007다51505.
41) 대법원 2010.4.29. 2008두5568; 2001.7.27. 2000다56037.
42) 대법원 2003.1.2. 2000다20670.
43) 이철송, 「회사법강의」 제26판(박영사, 2018), 693면; 박상조·주기종·윤종진, 「신회사법론」 (한울출판사, 2003), 371면.

서 일정한 방향으로 의결권을 행사하기로 하는 소위 이사 간 약정은 그 효력을
인정할 수 없다는 것이 통설의 태도이다.[44]

마. 특별이해관계인의 의결권제한

이사회의 결의에 대하여 특별한 이해관계가 있는 이사는 의결권을 행사할 수
없다(제391조 제3항, 제368조 제3항). 예컨대 자기거래를 하고자 하는 이사, 경업
에 대한 승인을 얻고자 하는 이사, 사업기회이용의 승인을 얻고자 하는 이사는
그 승인 여부를 다루는 이사회에서 특별한 이해관계 있는 자이다. 하지만 대표
이사를 선임 또는 해임함에 있어서 그 결의의 대상인 이사 또는 대표이사는 특
별한 이해관계 있는 자에 포함되지 않는다. 정관이나 주주총회 결의에 의하여
정해진 보수총액의 범위 내에서 각 이사에 대한 배분액을 정하는 이사회 결의에
있어서도 각 이사는 특별이해관계인이 아니라고 할 것이다.[45]

의결권을 행사할 수 없는 이사는 이사회의 의사정족수에는 포함되나 의결정
족수의 계산에서는 출석이사 속에 산입하지 아니한다(제391조 제3항, 제371조 제2
항). 예컨대 회사의 이사 3인 중 1명이 특별이해관계가 있는 이사인데 이 특별
이해관계인을 포함한 2인이 출석하여 결의를 한 경우 의사정족수는 3인 중 2인
이 출석한 것으로 보아 충족된 것으로 보게 되고, 의결정족수에 있어서는 출석
한 1인 중 1인이 찬성한 것으로 보아 충족된 것으로 보게 된다.[46]

특별이해관계 있는 이사의 의결권제한은 제391조 제1항에 의한 보통결의 뿐
만 아니라 특별결의요건이 규정된 사업기회이용이나 자기거래에 대한 승인에도
유추적용된다고 보아야 한다.[47]

바. 이사회 결의의 하자

주주총회 결의의 하자에 관하여는 상법에 명문의 규정을 두어 결의취소, 무
효, 부존재로 나누어 각각 달리 규정하지만 상법은 이사회 결의의 하자에 관하

---

44) 이철송, 「회사법강의」 제26판(박영사, 2018), 693면; 박상조 외, 「신회사법론」(한올출판사,
   2003), 371면; 정찬형, 「회사법」(박영사, 2003), 560면.
45) 최기원, 「신회사법론」(박영사, 2012), 614면; 최준선, 「회사법」 제13판(삼영사, 2018), 484
   면.
46) 대법원 1992.4.14. 90다카22698; 1991.5.28. 90다20084.
47) 임재연, 「회사법 II」(박영사, 2018), 376면.

여는 별도의 규정을 두고 있지 않다. 따라서 이사회 결의의 하자에 관해서는 민법과 민사소송법의 일반이론과 회의체에 관한 일반원칙에 따라 해결할 수밖에 없다.[48]

1) 하자의 유형

이사회 결의의 하자는 무효와 부존재의 경우로 나뉠 수 있다. 무효란 이사회 결의가 존재하기는 하지만 그 절차나 내용에 하자가 있어 그 효력을 인정할 수 없는 경우를 의미하며 부존재란 이사회 결의라는 것의 존재 자체를 인정하기 어려운 경우를 의미한다. 하지만 이사회 결의의 무효나 부존재나 효과에 있어서는 별다른 차이가 없으므로 구별할 실익은 없다고 보아야 한다.

2) 이사회 결의 무효 내지 부존재의 사유

이사회 결의 무효사유는 이사회 소집절차 또는 결의방법이 법령이나 정관에 위반하거나 현저히 불공정한 경우 등 절차상 하자가 있는 경우와 이사회 결의 내용이 법령이나 정관에 위반한 경우이다.

판례에서 나타난 무효 내지 부존재사유를 살펴보면, 일부 이사에 대해서 소집통지를 하지 아니한 채 이루어진 이사회결의,[49] 이사가 타인에게 출석과 의결권을 위임하여 이루어진 이사회 결의,[50] 의사정족수 또는 의결정족수에 미달한 이사회 결의,[51] 주주의 의결권행사를 불가능하게 하거나 현저히 곤란하게 하는 것을 내용으로 하는 이사회 결의,[52] 실제로 이사회가 개최되지는 않았지만 참석 이사들과 감사 자신의 의사에 기하여 한 날인이 담긴 이사회의사록이 작성된 이사회 결의[53]는 이사회 결의 무효사유에 해당하며, 부존재한 주주총회에서 선임된 이사들에 의해서 개최된 이사회는 부존재사유가 존재하는 이사회 결의에 해당한다.[54]

---

48) 정동윤·손주찬, 「주석상법」(한국사법행정학회, 1999), 413면.
49) 대법원 2007.2.22. 2005다77060, 77077.
50) 대법원 1982.7.13. 80다2441.
51) 서울고등법원 2007.5.29. 2005노2371.
52) 대법원 2011.6.24. 2009다35033.
53) 대법원 2004.8.20. 2003다20060. 판시내용은 해당 이사회 결의가 부존재하다고까지 볼 수는 없다는 내용이나 해당 판시의 전후 문맥상 무효의 하자는 있다는 취지로 해석된다.
54) 대법원 1989.7.25. 87다카2316.

3) 이사회결의 무효확인·부존재확인의 소

가) 의 의

상법은 이사회 결의에 하자가 있는 경우 이를 다투는 방법에 대하여 아무런 규정을 두고 있지 않다. 하자 있는 이사회 결의는 당연무효이고 따라서 이해관계인은 언제든지 또 어떠한 방법에 의하든지 그 무효를 주장할 수 있으며 소를 제기하는 경우에는 민사소송법에 의한 결의무효확인의 소 또는 결의부존재확인의 소를 제기할 수 있다.[55]

나) 피 고

주식회사의 이사회 결의는 회사의 의사결정이고 회사는 그 결의의 효력에 관한 분쟁의 실질적인 주체라 할 것이므로 그 효력을 다투는 사람이 회사를 상대로 하여 그 결의의 무효확인을 소구할 수 있다 할 것이나 그 이사회 결의에 참여한 이사들은 그 이사회의 구성원에 불과하므로 특별한 사정이 없는 한 이사 개인을 상대로 하여 그 결의의 무효확인을 소구할 이익은 없다.[56]

다) 원고적격 및 확인의 이익

이사회 결의 무효확인·부존재확인의 소를 제기할 수 있는 자는 원고자격을 갖추어야 하고 또 확인의 이익이 있어야 한다. 통상 확인의 소의 경우처럼 확인의 이익 내지 법률상 이해관계를 갖는 자는 누구든지 원고적격을 가진다고 보아야 할 것이고, 나아가 확인의 소에서 확인의 이익은 원고의 권리 또는 법률상 지위에 현존하는 불안·위험이 있고 그 불안·위험을 제거하기 위하여 확인판결을 받는 것이 가장 유효적절한 수단일 때에만 인정된다.[57]

이사회의 결의로써 대표이사직에서 해임된 사람이 그 이사회 결의가 있은 후에 개최된 유효한 주주총회 결의에 의하여 이사직에서 해임된 경우, 그 주주총회가 다른 절차상·내용상의 하자로 인하여 부존재 또는 무효임이 인정되거나 그 결의가 취소되는 등의 특별한 사정이 없는 한 대표이사 해임에 관한 이사회 결의에 어떠한 하자가 있다고 할지라도, 그 결의의 부존재나 무효확인 또는 그 결의의 취소를 구하는 것은 과거의 법률관계 내지 권리관계의 확인을 구하는 것

---

55) 대법원 1988.4.25. 87누399; 1982.7.13. 80다2441.
56) 대법원 1982.9.14. 80다2425 전원합의체.
57) 대법원 2011.9.8. 2009다67115.

에 귀착되어 확인의 소로서 권리보호요건을 결여한 것으로 보아야 한다.[58]

사. 이사회 결의 없이 또는 하자 있는 이사회 결의에 따라 이루어진 행위의 효력

1) 대내적인 행위

이사회 결의를 거쳐야 함에도 불구하고 결의 없이 또는 하자 있는 결의에 기하여 이루어진 대내적인 행위는 무효인 이사회 결의에 의한 행위로서 하자있는 행위가 된다. 따라서 원칙적으로 무효라고 보아야 하며 그 행위의 무효를 주장할 수 있다. 예컨대 집행임원 선임에 있어서 이사회 결의가 있어야 함에도 불구하고 이사회 결의 없이 집행임원을 선임한 것으로 등기를 하였을 경우 집행임원 선임의 무효를 확인하기 위한 소를 제기할 수 있다.

그런데 이사회 결의 이후 어떠한 대내적인 후속행위가 이루어지고 그러한 후속행위에 대하여 별도의 소가 인정되는 경우에는 이사회 결의의 하자는 후속행위의 하자로 흡수되어 후속행위자체의 효력을 다투는 소에 의하여 그 효력을 다투어야 한다. 따라서 하자 있는 이사회 결의에 의하여 소집된 주주총회 결의, 신주발행 등은 각각 주주총회 결의취소의 소(제376조)나 결의부존재확인의 소(제380조), 신주발행무효의 소(제429조)에 의하여 그 효력이 다투어진다.[59]

대법원 판결 중에는 주식회사의 신주발행은 주식회사의 업무집행에 준하는 것으로서 대표이사가 그 권한에 기하여 신주를 발행한 이상 신주발행은 유효하고, 설령 신주발행에 관한 이사회의 결의가 없거나 이사회의 결의에 하자가 있더라도 이사회의 결의는 회사의 내부적 의사결정에 불과하므로 신주발행의 효력에는 영향이 없다고 판시한 것이 있으나[60] 통상의 대외적인 거래가 아닌 신주발행과 같은 회사법적 행위에 관하여 이렇게 보는 것은 신주발행에 이사회 결의를 요하는 법조항을 무의미하게 만드는 것으로서 문제가 있다고 생각한다.[61]

---

58) 대법원 2007.4.26. 2005다38348; 1996.10.11. 96다24309.
59) 이철송, 「회사법강의」 제26판(박영사, 2018), 698면; 임재연, 「회사법 Ⅱ」(박영사, 2018), 382면.
60) 대법원 2007.2.22. 2005다77060, 77077.
61) 동지, 김정호, 「회사법」(법문사, 2012), 409면.

2) 대외적인 거래행위

실무상 가장 문제가 되는 경우는 법령이나 정관 또는 이사회규정에 따라 대
외적인 행위에 이사회 결의가 필요한 경우 이사회 결의 없이 또는 하자 있는
이사회 결의에 기하여 어떠한 대외적인 행위가 이루어질 경우 그 대외적인 행위
의 효력을 어떻게 볼 것인가이다.

대법원은 이에 관하여, 주식회사의 대표이사가 이사회의 결의를 거쳐야 할
대외적 거래행위에 관하여 이를 거치지 아니한 경우라도, 이와 같은 이사회 결
의사항은 회사의 내부적 의사결정에 불과하다 할 것이므로, 그 거래 상대방이
그와 같은 이사회 결의가 없었음을 알았거나 알 수 있었을 경우가 아니라면 그
거래행위는 유효하다 할 것이고, 이 경우 거래의 상대방이 이사회의 결의가 없
었음을 알았거나 알 수 있었음은 이를 주장하는 회사 측이 주장·입증하여야
한다고 판시하여 왔으며62) 더 나아가, 특별한 사정이 없는 한 거래 상대방으로
서는 회사의 대표자가 거래에 필요한 회사의 내부절차는 마쳤을 것으로 신뢰하
였다고 보는 것이 일반 경험칙에 부합하는 해석이라고 판시하여 왔다.63)

이러한 대법원 판례의 취지는 큰 틀에서는 유지되어 왔으나 최근 대법원 전
원합의체 판결은 대표이사의 대표권이 법령에 따라 제한된 경우인지, 아니면 정
관이나 이사회규정에 의해 내부적으로 제한된 경우인지를 불문하고, 거래 상대
방인 제3자가 이를 알기 어려우므로 거래 상대방이 악의이거나 중대한 과실이
있는 경우에만 거래행위가 무효라고 해석함이 타당하다고 판시하여 거래 상대방
인 제3자에게 선의·경과실만이 인정되는 경우에는 그 거래행위가 유효하다는
입장으로 판례를 변경하였다. 이는 거래 상대방 보호 기준을 종래의 '선의·무
과실'에서 '선의·무중과실'로 변경함으로써 거래 상대방을 보다 두텁게 보호하
는 취지이지만 이에 대하여는 대표이사가 이사회의 결의 없이 보증과 같은 거래
행위를 한 경우에 회사의 재정건전성을 악화시키는 결과를 가져올 수 있다는 반
대의견이 개진되었다.64)

---

62) 대법원 2008.5.15. 2007다23807; 2005.7.28. 2005다3649.
63) 대법원 2009.3.26. 2006다47677; 2005.5.27. 2005다480; 1990.12.11. 90다카25253.
64) 대법원 2021.2.18. 2015다45451 전원합의체.

6. 이사회 의사록과 공시

이사회의 의사에 관하여는 의사록을 작성하여야 한다(제391조의3 제1항). 의사록에는 의사의 안건, 경과요령, 그 결과, 반대하는 자와 그 반대이유를 기재하고 출석한 이사·감사가 기명날인 또는 서명하여야 한다(제391조의3 제2항). 이사회 결의에 참가한 이사로서 이의를 제기한 기재가 의사록에 없는 자는 그 결의에 찬성한 것으로 추정한다(제399조 제2항 제3항).

주주는 영업시간 내에 이사회의사록의 열람·등사를 청구할 수 있다(제391조의3 제3항).[65] 회사는 이러한 청구에 대하여 이유를 붙여 이를 거절할 수 있다. 이 경우 주주는 법원의 허가를 얻어 이사회의사록을 열람·등사할 수 있다(제391조의3 제4항). 이사회결의 등을 위해 이사회에 제출된 관련 서류라도 그것이 이사회 의사록에 첨부되지 않았다면 이는 이사회 의사록 열람·등사청구의 대상에 해당하지 않으나, 이사회 의사록에서 '별첨', '별지' 또는 '첨부' 등의 용어를 사용하면서 내용을 인용하고 있는 첨부자료는 해당 이사회 의사록의 일부를 구성하는 것으로서 이사회 의사록 열람·등사청구의 대상에 해당한다.[66] 법원은 주주의 열람·등사청구가 부당한지 여부를 판단하여 허가여부를 결정하는데, 판례에 따르면, 주주의 열람·등사권 행사가 부당한 것인지 여부는 그 행사에 이르게 된 경위, 행사의 목적, 악의성 유무 등 제반 사정을 종합적으로 고려하여 판단하여야 할 것이고, 특히 주주의 열람·등사권의 행사가 회사업무의 운영 또는 주주 공동의 이익을 해치거나 주주가 회사의 경쟁자로서 그 취득한 정보를 경업에 이용할 우려가 있거나, 또는 회사에 지나치게 불리한 시기를 택하여 행사하는 경우 등에는 정당한 목적을 결하여 부당한 것이라고 보아야 한다.[67] 다만, 주주가 회사의 이사에 대하여 대표소송을 통한 책임추궁이나 유지청구, 해임청구를 하는 등 주주로서의 권리를 행사하기 위하여 이사회 의사록의 열람·등사가 필요하다고 인정되는 경우에는 특별한 사정이 없는 한 그 청구는 회사의 경영을 감독하여 회사와 주주의 이익을 보호하기 위한 것이므로, 이를 청구하는

---

65) 1999. 12. 31.자로 상법개정이 이루어지기 전에는 이사회 의사록을 본점에 비치하도록 되어 있었으나 이러한 비치의무는 없어졌다.
66) 대법원 2014.7.21. 2013마657.
67) 대법원 2004.12.24. 2003마1575.

주주가 적대적 인수·합병을 시도하고 있다는 사정만으로 청구가 정당한 목적을 결하여 부당한 것이라고 볼 수 없다.[68] 상법 제391조의3 제4항의 규정에 의한 이사회 의사록의 열람 등 허가사건은 비송사건절차법 제72조 제1항에 규정된 비송사건이므로 민사소송의 방법으로 이사회 회의록의 열람 또는 등사를 청구하는 것은 허용되지 않는다.[69]

기업지배구조규준에는 이사회 회의시마다 의사록을 상세하게 작성하고 회의내용을 녹취하여 이를 유지·보존하도록 권고하고 있으며 특히 중요한 토의내용과 결의사항은 이사별로 기록하도록 권고하고 있다.[70] 이사의 선관주의의 위반을 다투는 소송에서 이사가 선량한 관리자로서의 주의의무를 다하였다든지 심사숙고 하에 경영판단을 내렸다든지 하는 것을 입증하기 위해서 이사회 의사록, 속기록, 이사회 참고자료 등을 제시하는 것이 유리하므로 많은 기업들이 이사회 의사록 이외에도 이사회 속기록이나 참고자료 등을 유지·보관하고 있다.

7. 이사회 내 위원회

가. 의 의

이사회는 정관이 정한 바에 따라 위원회를 설치할 수 있다(제393조의2 제1항). 이사수가 많고 그 중 사외이사가 많은 대규모기업의 경우 전체 이사가 수시로 모여 기업의 모든 업무를 처리하기에는 적당하지 않다. 특히 사외이사 수가 대폭 증가하면서 이사회를 빈번하게 소집하기가 더욱 어렵게 되었다. 또한 이사회의 규모나 회의 시간상 이사회에서 충분한 토의와 원만한 의사결정을 하는 것도 쉬운 일이 아니다. 따라서 주기적으로 발생하는 중요한 사항이나 집중적인 검토가 필요한 사안은 이사회 내에 관련 분야별 위원회를 설치하고 당해 분야에 전문적 지식과 관심을 가진 이사들을 배치하여 그 위원회에서 이를 집중적으로 검토하게 하는 제도가 필요하다. 이러한 위원회의 운영을 통하여 이사회는 업무수행의 전문성과 효율성을 높일 수 있다.[71]

---

68) 대법원 2014.7.21. 2013마657.
69) 대법원 2013.11.28. 2013다50367; 2013.3.28. 2012다42604.
70) 기업지배구조모범규준 Ⅱ 4.3.
71) 기업지배구조모범규준 Ⅱ 5.1.

나. 종 류

이사회 내 위원회의 대표적인 예로는 경영위원회(또는 상무위원회), 보수위원회, 감사위원회, 사외이사후보추천위원회 등을 들 수 있다. 경영위원회는 상근이사들로 구성되어 회사의 업무집행에 관한 주요 사항을 이사회 상정 이전에 미리 논의하는 위원회이고, 보수위원회 또는 보상위원회는 이사 및 임원에 대한 보상을 결정하는 위원회이며 감사위원회는 회사의 업무집행에 관한 감사기능을 수행하는 위원회, 그리고 추천위원회는 각종 직위에 대한 추천기능을 수행하는 위원회이다.

정관에는 이사회 내에 설치하는 위원회의 종류를 명시함과 더불어 각 위원회의 구성, 권한, 운영 등에 관한 세부사항은 이사회의 결의로 정하도록 규정하는 것이 통례이다. 이사회 내 위원회는 이사회가 의사결정의 전문성과 신속성을 기하기 위해서 필요에 따라 설치하는 것이지만 예외적으로 법에 의해서 설치가 강제되는 경우가 있다. 즉 최근 사업연도 말 자산총액이 2조원 이상인 상장회사는 제542조의8 제4항 및 제542조의11에 의하여 사외이사후보추천위원회와 감사위원회를 반드시 설치하여야 한다.

다. 구 성

위원회는 2인 이상의 이사로 구성한다(제393조의2 제3항). 감사위원회나 사외이사후보추천위원회를 제외하고는 사외이사 구성비율 등 제약도 없다. 다만 감사위원회는 3인 이상의 이사로 구성하고 사외이사가 위원의 3분의 2 이상을 차지해야 한다. 사외이사 후보추천위원회는 사외이사가 총위원의 2분의 1이상이 되도록 구성하여야 한다(제542조의8 제4항). 위원회 소속 위원에 대한 선임, 해임권은 이사회가 갖는 것이 원칙이지만 제542조의11 제1항이 정하는 대규모 상장회사의 경우에는 감사위원회위원을 선임하거나 해임하는 권한이 주주총회에 있다. 이는 감사위원회가 단순히 이사회 내 위원회라기보다는 상법상 의무화되어 있었던 감사를 대체하는 기관으로서의 역할을 하기 때문에 대규모상장법인의 경우에는 감사위원회의 위원을 선임함에 있어서 주주가 권한을 행사하도록 한 것이라고 볼 수 있다. 결국 감사위원회는 단순히 이사회 내 위원회라고 하기에는 좀 특별한 위원회라고 볼 수 있다.

라. 위원회의 권한

이사회는 ① 주주총회의 승인을 요하는 사항의 제안, ② 대표이사의 선임 및 해임, ③ 위원회의 설치와 그 위원의 선임 및 해임, ④ 정관에서 정하는 사항을 제외하고는 그 권한을 위원회에 위임할 수 있다(제393조의2 제2항).

위원회는 결의된 사항을 각 이사에게 통지하여야 한다. 이 경우 이를 통지받은 각 이사는 이사회의 소집을 요구할 수 있으며, 이사회는 위원회가 결의한 사항에 대하여 다시 결의할 수 있다(제393조의2 제4항). 그러나 감사위원회에는 제393조의2 제4항을 적용하지 않는다(제415조의2 제6항). 이는 감사위원회의 독립성을 확보하기 위한 것이다.[72]

8. 소규모회사에 대한 특례

가. 소규모회사의 의의

소규모회사는 회사법상 각종 특례의 적용을 받는 작은 규모의 회사를 의미한다. 현행 상법상 소규모회사는 자본금 총액이 10억원 미만인 회사이다.[73] 자본금총액은 납입자본 즉 발행주식의 액면총액을 의미한다. 따라서 대차대조표상 자기자본 내지 순자산과는 다른 의미이다. 상당한 규모의 회사의 경우에도 납입자본금이 10억원에 미치지 못하는 회사가 적지 않은 점을 감안할 때 자본금총액 기준으로 10억원은 매우 높은 기준이라고 할 수 있으며 상당한 비율의 주식회사들이 이에 해당한다고 할 수 있다.

나. 소규모회사의 이사회에 관한 특례

1) 의 의

원래 주식회사의 이사는 3명 이사이어야 하지만 소규모회사는 1명 또는 2명으로 할 수 있다(제383조 제1항 단서). 소규모회사가 이사를 1명 또는 2명으로 할 경우 제383조 제4항부터 제6항까지에서 각종 특례를 규정하고 있다.

---

72) 임재연, 「회사법 Ⅱ」(박영사, 2018), 389면.
73) 1998년 도입될 당시에는 5억원이 기준이었으나 2009년 상법개정시 10억원으로 증액되었다.

　　문제는 소규모회사가 정관에 이사정원을 3인 이상으로 하였음에도 불구하고 이사를 1명 또는 2명만 선임하였을 경우 이러한 회사에 대해서도 이러한 특례를 적용할 것인가의 여부이다. 이에 관하여 소규모회사가 이사를 1명 또는 2명만 선임하면 소규모회사의 특례가 적용되고 그 후 이사를 추가 선임하여 3명 이상이 되면 특례가 적용되지 않는다는 취지로 설명하는 견해도 있다.[74] 그러나 정관상 이사 정원이 3명 이상인 경우 이사 1명 또는 2명을 선임하는 것은 정관에 반하는 것이며 이를 들어 이사를 1명 또는 2명으로 정한 경우라 할 수 없으므로 이 경우에는 주주총회에서 실제로 선임된 이사가 2인 이하인 경우에도 이사회에 관한 소규모회사의 특례가 적용되지 않는다고 보아야 한다.[75]

2) 주주총회가 이사회를 대신하는 경우

　　소규모회사가 이사의 원수를 1인 또는 2인으로 정한 경우 상법상 이사회에 관한 규정에서 "이사회"는 "주주총회"로 본다(제383조 제4항). 1인의 이사만 두는 경우에는 이사회의 구성이 원천적으로 불가능하고, 2인의 이사로 협의체를 구성하더라도 명칭에 불구하고 이는 상법상 이사회가 아니고 따라서 상법상 이사회에 관한 규정이 적용되지 않는다. 그리고 자본금의 총액이 10억원 미만인 소규모회사가 1인 또는 2인의 이사만을 둔 경우 상법상 이사회가 없으므로 집행임원설치회사가 될 수 없다.

　　소규모회사가 1인 또는 2인의 이사만을 둔 경우에는 주주총회가 업무집행기관이므로, 제302조 제2항 제5호의2(주식양도승인), 제317조 제2항 제3호의2(주식양도승인), 제335조 제1항 단서 및 제2항(주식양도승인), 제335조의2 제1항·제3항(양도승인의 청구), 제335조의3 제1항·제2항(양도상대방 지정청구), 제355조의7 제1항(주식양수인의 승인청구), 제340조의3 제1항 제5호(주식매수선택권 부여취소), 제356조 제6호의2(주식양도승인), 제397조 제1항·제2항(경업금지), 제397조의2 제1항(회사의 기회 및 자산의 유용 금지), 제398조(이사 등과 회사 간의 거래), 제416조 본문(발행사항의 결정), 제451조 제2항(무액면주식의 자본금계상), 제461조 제1항 본문 및 제3항(준비금의 자본금 전입), 제462조의3 제1항(중간배당), 제464조의2 제1항(이익배당의 지급시기), 제469조(사채의 발행), 제513조 제2항 본문(전

---

74) 이철송, 「회사법강의」 제26판(박영사, 2018), 730면.
75) 임재연, 「회사법 Ⅱ」(박영사, 2018), 391면.

환사채발행사항 결정) 및 제516조의2 제2항 본문(신주인수권부사채 발행사항 결정, 준용되는 경우를 포함) 중 "이사회"는 각각 "주주총회"로 보며, 제360조의5 제1항 (반대주주의 주식매수청구권) 및 제522조의3 제1항(합병반대주주의 주식매수청구권) 중 "이사회의 결의가 있는 때"는 "제363조 제1항에 따른 주주총회의 소집통지 가 있는 때"로 본다(제383조 제4항).

소규모회사의 이사회의 권한사항을 주주총회의 권한사항으로 하는 경우, 이 사회는 주주총회로 본다는 규정 외에는 달리 결의요건에 관한 규정이 없는데, 달리 규정이 없으므로 주주총회의 보통결의에 의한다고 해석해야 한다. 이는 제 397조의2 제1항(회사의 기회 및 자산의 유용 금지), 제398조(이사 등과 회사 간의 거래) 등과 같이 가중된 이사회 결의요건이 규정된 경우에도 마찬가지이다.[76]

3) 이사회에 관한 규정 중 적용이 배제되는 경우

소규모회사가 1인 또는 2인의 이사만을 둔 경우, 제341조 제2항 단서(자기주 식 취득결의), 제390조(이사회의 소집), 제391조(이사회의 결의방법), 제391조의2 (감사의 이사회출석·의견진술권), 제391조의3(이사회의 의사록), 제392조(이사회의 연기·속행), 제393조 제2항부터 제4항까지(이사회의 권한), 제399조 제2항(결의찬 성이사의 책임), 제408조의2 제3항·제4항(집행임원설치회사 이사회의 권한), 제408 조의3 제2항(집행임원의 임기), 제408조의4 제2호(집행임원의 권한), 제408조의5 제1항(대표집행임원 선임), 제408조의6(집행임원의 이사회에 대한 보고), 제408조의 7(집행임원의 이사회 소집청구), 제412조의4(감사의 이사회 소집청구), 제449조의2 (재무제표 등의 승인에 대한 특칙) 제462조 제2항 단서(이익배당 결의), 제526조 제3항(흡수합병의 보고총회), 제527조 제4항(신설합병의 창립총회), 제527조의2(간 이합병), 제527조의3 제1항(소규모합병) 및 제527조의5 제2항(채권자보호절차)은 적용하지 않는다(제383조 제5항).

4) 대표이사 및 이사회의 권한을 이사가 단독으로 하는 경우

이사가 2인 이하인 소규모회사에서는 각 이사가 회사를 대표하고, 제343조 제1항 단서(주식의 소각), 제346조 제3항(전환주식), 제362조(주주총회 소집결정), 제363조의2 제3항(주주제안 보고), 제366조 제1항(소수주주에 의한 소집청구 보고),

---

76) 임재연, 「회사법 Ⅱ」(박영사, 2018), 393면.

제368조의4 제1항(전자적 방법에 의한 의결권의 행사 결정), 제393조 제1항(중요자산처분결의), 제412조의3 제1항(감사의 소집청구서 제출처), 제462조의3 제1항(중간배당)에 따른 이사회의 기능을 담당한다(제383조 제6항).

Ⅳ. 이사회내 위원회

이 재 혁* · 조 성 호**

1. 의   의

이사회의 규모에 따라 매번 모든 이사들이 모여 회의를 하고 결의를 하는 것은 의사결정의 신속성 측면에서 문제가 있을 수 있다. 그리고 특정 안건들의 경우 객관성과 전문성을 확보한 이사들로 구성된 이사들을 중심으로 심의·의결하는 것이 더 효율적일 수 있다. 이에 상법은 이사회 내에 하부조직으로 위원회를 두어 이사회의 권한을 위임할 수 있도록 하고 있다(제393조의2). 이러한 위원회 제도는 미국에서 널리 활용되고 있던 것인데, 1999년 개정상법을 통해 국내에도 도입되었다.[1]

2. 설치 근거

이사회는 정관이 정한 바에 따라 위원회를 설치할 수 있다(제393조의2). 즉, 이사회 내에 위원회를 두려면 반드시 정관에 근거 규정이 있어야 한다. 그런데 정관에 어느 정도로 구체적인 근거를 두어야 하는지가 문제 된다. 실무상으로는 위원회 명칭을 구체적으로 명시하지 않고 '기타 이사회가 필요하다고 인정하는 위원회'라고만 규정한 회사도 있으며, '각 위원회의 구성, 권한, 운영 등에 관한 세부사항은 이사회 결의로 정한다.'[2]고 규정하고 있는 회사도 많다.

이에 대해 위원회 기능의 중요성에 비추어 정관의 규정은 단지 위원회를 둘 수 있다는 형식적인 근거 설정에 그쳐서는 안 되고, 위원회의 권한, 구성방법

---

 * 한국상장회사협의회 정책2본부장, 법학박사
** 한국상장회사협의회 변호사

 1) 최준선, 「회사법」 제21판(삼영사, 2021), 492면.
 2) 한국상장회사협의회, 상장회사 표준정관(2021) 제39조의2 제2항 참조.

및 운영방법을 명기해야 한다는 견해가 있다.[3]

그러나 정관에는 최소한의 설치 근거 규정만 두면 족하고 위원회의 종류나 각종 세부사항들은 이사회에 위임할 수 있다고 보는 것이 타당하다. 그 이유는 다음과 같다.

첫째, 위원회 제도의 취지 중 하나는 의사결정의 신속성과 효율성을 도모하고 탄력적인 이사회 운영을 가능하게 한다는 것이다. 정관에 세부사항까지 구체적으로 규정하도록 하면 경직성으로 인해 위원회 제도의 취지가 퇴색될 수 있다. 둘째, 위원회 결의에 대한 감시 · 감독 방안이 마련되어 있어 위원회의 권한 남용에 대한 통제가 가능하다. 즉, 위원회는 그 결의사항을 각 이사에게 통지할 의무가 있고, 이를 통지받은 이사는 이사회의 소집을 요구할 수 있으며, 이사회는 언제든 위원회의 결의를 번복할 수 있다(제393조의2 제4항). 셋째, 상법이 '정관이 정한 바에 따라 위원회를 설치할 수 있다'라고만 규정하고 있는 이상, 이를 정관에 얼마나 구체적으로 정할 것인지 또는 어떤 사항들을 정관을 통해 이사회에 위임할 것인지도 기본적으로 주주들의 자율에 맡겨져 있다고 보아야 한다.

따라서, 앞서 본 바와 같이 '기타 이사회가 필요하다고 인정하는 위원회'라고 규정하고 있는 회사의 경우 이사회 결의로 필요에 따라 위원회를 설치할 수 있으며, 그 결의방법이나 구성에 대하여도 정관에 달리 정함이 없는 이상 이사회 결의를 통해 정할 수 있다고 본다. 참고로 2021. 4. 1 현재 유가증권시장 상장회사 780개사(신규상장 제외)의 사업보고서에 첨부된 정관을 기준으로 정관상 위원회 설치 근거를 둔 회사는 510개사(65.4%)이다.[4]

한편, 실무상 대표이사 직속으로 경영 등 각종 의사결정을 담당하는 위원회(경영위원회, 전략위원회, ESG위원회 등)를 운영하기도 하는데, 이러한 위원회는 정관에 근거 규정이 있더라도 위 상법상 위원회가 아니며 단순히 대표이사를 보좌하는 자문조직 정도의 의미를 가짐에 그친다.[5]

---

3) 이철송, 「회사법강의」 제29판(박영사, 2021), 717면.
4) 한국상장회사협의회, 「2021 유가증권시장 상장회사 정관 기재유형」(2021), 43면.
5) 송옥렬, 「상법강의」 제11판(홍문사, 2021), 1015면.

3. 위원회의 구성

위원회는 원칙적으로 2인 이상[6]의 이사로 구성되며(제393조의2 제3항), 이사의 종류나 자격, 이사 구성 비율 등에 대한 제한은 없다.

다만 상법상 감사위원회의 경우 3인 이상의 이사로 구성하되 사외이사가 3분의 2 이상이어야 한다는 제한이 있다(제415조의2 제2항). 또한 최근 사업연도말 자산총액 2조원 이상의 상장회사(이하 '대규모 상장회사')[7]는 의무적으로 감사위원회를 설치하여야 하는데(제542조의11 제1항), 이 경우 감사위원회위원(이하 '감사위원') 중 최소 1인은 회계 또는 재무 전문가이어야 하며, 감사위원회 대표는 사외이사이어야 한다는 제한이 있다(동조 제2항). 또한 상근감사 결격사유[8]가 있으면 대규모 상장회사의 사외이사 아닌 감사위원이 될 수 없으며, 상근감사 결격사유에 해당하는 사유가 발생하면 감사위원의 직을 상실한다(동조 제3항). 만일 상장회사의 사외이사인 감사위원의 사임·사망 등의 사유로 인해 사외이사의 수가 위 구성에 미달하게 된 경우, 회사는 그 사유 발생 이후 최초로 소집되는 주주총회에서 그 요건에 합치되도록 하여야 한다(동조 제4항). 또한, 대규모 상장회사는 사외이사후보추천위원회를 설치해야 하는데, 동 위원회는 사외이사가 과반수로 구성되어야 한다는 제한이 있다(제542조의8 제4항).

위원의 선임과 해임에 대해서는 상법에 특별한 규정이 없기 때문에 이사회가 결정하며 임기도 정관에 정함이 없으면 이사회가 정한다.[9] 위원의 퇴임으로 위원회의 정원이 미달하게 되면 퇴임한 위원이 새로운 위원 취임 전까지 위원으로서의 권리와 의무를 가진다(제393조의2 제5항, 제386조 제1항).

한편, 금융회사지배구조법상 금융회사는 임원후보추천위원회, 감사위원회[10],

---

6) 미국의 모범회사법[MBCA §8.25(a)]이나 델라웨어주 회사법[DGCL § 141(c)(2)]은 위원의 구성을 '1인' 이상으로 규정하고 있다. 즉 이사회에서 그 권한을 1인에게 위임하는 것도 가능하다.

7) 시행령 제37조 제1항. 자산총액 요건은 연결재무제표를 기준으로 한다는 등의 문구가 없는 한 원칙적으로 개별(별도)재무제표를 기준으로 한다. 따라서, 연결재무제표 작성 대상 회사라 하더라도 감사위원회 등 각종 위원회 의무설치법인 기준 적용 여부를 판단할 때에는 개별(별도) 재무제표 기준으로 판단한다. 법무부, 「상법 회사편 해설」(2012. 4.), 458면.

8) 제542조의10 제2항, 시행령 제36조 제2항.

9) 최준선, 전게서, 493면.

10) 최근 사업연도말 자산총액 1천억원 이상 금융회사는 상근감사로 갈음할 수 있다(동법 제19조 제8항, 동법 시행령 제16조 제3항 참조).

위험관리위원회, 보수위원회[11]를 설치하여야[12] 하는데(동법 제16조 제1항), 해당 위원회는 원칙적으로 위원의 과반수를 사외이사로 구성해야 한다(동조 제3항). 다만, 감사위원회의 경우 상법상 감사위원회와 마찬가지로 사외이사가 3분의 2 이상으로 구성되어야 하며, 최소 1인 이상은 회계 또는 재무 전문가여야 한다 (제19조 제1항, 제2항). 그리고 위 각 위원회의 대표는 사외이사여야 한다(동조 제 4항).

〈상법 및 금융회사지배구조법 위원회 구성 비교〉

법령(대상)	구 분		사외이사	회계·재무 전문가	대표
상 법 (상장회사)	감사 위원회	특 례*	3분의 2 이상	1인 이상	사외이사
		일 반		−	−
	(특 례) 사외이사 후보추천위원회		과반수	−	−
금융회사 지배구조법 (금융회사)	감사위원회		3분의 2 이상	1인 이상	사외이사
	임원후보추천위원회 위험관리위원회 보수위원회		과반수	−	

* 최근 사업연도 말 자산총액 2조원 이상 또는 자산총액 1천억원 이상 2조원 미만인 상장회사 가 임의로 상근감사에 갈음하여 감사위원회를 설치한 경우

4. 이사회내 위원회의 종류

상법상 위원회의 종류에 대한 제한은 없으며 원칙적으로 회사의 선택에 따라 경영위원회, 보수위원회 등 각종 위원회를 둘 수 있다.[13] 다만, 전술한 바와 같 이 대규모 상장회사는 감사위원회와 사외이사후보추천위원회를 반드시 두어야

---

11) 다만, 보수위원회의 경우 금융회사 정관에서 정하는 바에 따라 감사위원회가 일정한 사항 을 심의·의결하는 경우에는 보수위원회를 설치하지 않을 수 있다. 그러나 최근 사업연도 말 자산총액 5조원 이상인 금융회사는 보수위원회를 반드시 설치해야 한다(동법 제16조 제 2항, 동법 시행령 제14조).

12) 금융지주회사의 완전자회사등은 경영 투명성 등 일정요건(동법 시행령 제18조)을 갖추면 이사회 내 위원회 설치의무가 면제된다(동법 제23조 제1항).

13) 미국 델라웨어주 회사법은 위원회 내에 다시 1개 이상의 소위원회(Subcommittee)를 둘 수 있도록 하고 있다[DGCL §141(3)].

하고, 금융회사지배구조법상 금융회사는 일정한 위원회의 설치가 강제된다.

참고로 2021. 4. 1 현재 유가증권시장 상장회사 780개사(신규상장 제외)의 사업보고서에 첨부된 정관을 기준으로 조사한 결과 법령에 따라 의무적으로 설치해야 하는 감사위원회 등을 제외하면 경영(또는 운영)위원회(123개사, 25.5%)를 둔 회사가 가장 많은 것으로 집계되었다.[14]

가. 감사위원회

상법은 감사에 갈음하여 이사회 내의 위원회로 감사위원회를 둘 수 있도록 하고 있다(제415조의2 제1항). 1997년 IMF 구제금융 이후 이사회 감독 기능 강화를 위해 1999년 상법 개정으로 미국식 감사위원회(Audit Committee) 제도를 도입한 것이다. 그런데 미국식의 감사위원회는 집행임원 등이 담당하는 업무집행기관에 대해 독립적으로 감독업무를 수행하는 감독형 이사회를 전제로 한 것이다. 따라서 집행임원 제도가 활성화되지 않은 우리나라에서 상법이 감사에 갈음하여 감사위원회를 둘 수 있도록 한 것은 다소 정합성이 떨어지는 측면이 있다.[15]

감사 대신 감사위원회를 둘 것인지는 원칙적으로 정관을 통해 선택할 사항이나, 전술한 바와 같이 대규모 상장회사는 반드시 감사위원회를 두어야 한다. 이렇게 상장회사 특례에 따라 설치된 감사위원회의 경우 감사위원의 선·해임 권한이 주주총회에 있으며(제542조의12 제1항), 이사를 선임한 후 선임된 이사 중에서 감사위원을 선임해야 한다(동조 제2항 본문, '일괄선임'). 다만 2020년 상법 개정으로 감사위원 중 1명[16]은 다른 이사들과 분리하여 감사위원이 되는 이사로 선임해야 한다(동항 단서, '분리선임'). 해임은 주주총회 특별결의에 의하는데, 해임 결의가 있더라도 원칙적으로 감사위원의 지위만 상실하고 이사로서의 지위는 유지된다. 다만, 분리선임된 감사위원의 경우 해임 결의가 있으면 감사위원

---

14) 한국상장회사협의회, 전게자료, 43면.

15) 이는 애초에 1962년 상법 제정 당시 감사의 집행기능만을 담당하는 독일식 이사회도 아니고 감독 기능만을 담당하는 미국식 이사회도 아닌 양자가 서로 혼합된 일본식 이사회 제도를 그대로 계수하였기 때문이다. 김영주, 「사외이사 및 감사·감사위원회 제도에 관한 해외 입법례 연구」 (한국상장회사협의회, 2021), 428~429면.

16) 2인 이상을 감사위원이 되는 이사로 분리선임하기 위해서는 정관에 별도의 근거 규정이 있어야 한다(제542조의12 제2항). 반면 금융회사지배구조법상 금융회사는 별도의 정관 규정 없이도 '1명 이상' 감사위원이 되는 사외이사를 분리선임할 수 있다(동법 제19조 제5항).

의 지위와 이사의 지위를 모두 상실한다(동조 제3항).

〈일괄선임분리선임 의안 상정 방식 비교〉

개정 전(일괄선임 방식)	개정 후(분리선임 방식)
제1호 의안 : 이사 선임의 건 　제1-1호 사내이사 A 선임의 건 　제1-2호 사외이사 B 선임의 건 　제1-3호 사외이사 C 선임의 건 　제1-4호 사외이사 D 선임의 건	제1호 의안 : 이사 선임의 건 　제1-1호 사내이사 A 선임의 건 　제1-2호 사외이사 C 선임의 건 　제1-3호 사외이사 D 선임의 건
	제2호 의안: 감사위원이 되는 사외이사 B 　　　　　 선임의 건
제2호 의안: 사외이사인 감사위원 선임의 건 　제2-1호 감사위원 B 선임의 건 　제2-2호 감사위원 C 선임의 건 　제2-3호 감사위원 D 선임의 건	제3호 의안 : 사외이사인 감사위원 선임의 건 　제3-1호 감사위원 C 선임의 건 　제3-2호 감사위원 D 선임의 건

주주총회에서 감사위원 선·해임시 의결권 없는 주식을 제외한 발행주식총수의 3%를 초과한 주식은 의결권이 제한되는데, 최대주주의 경우 사외이사 아닌 감사위원 선·해임 시에는 특수관계인 등[17]이 보유한 주식을 합산한다(동조 제4항). 자산총액 1천억원 이상 2조원 미만 상장회사로 기존에 상근감사를 설치한 회사가 자발적으로 감사위원회를 설치하는 경우에도 감사위원 분리선임 및 의결권 제한 규정이 그대로 적용된다. 상법 제542조의10 제1항 단서는 상근감사에 갈음하여 "이 절에 의한" 감사위원회를 둘 수 있을 뿐이라고 규정하고 있기 때문이다.[18]

---

17) 상법 시행령 제38조 제1항에 따라 최대주주 또는 그 특수관계인의 계산으로 주식을 보유하는 자(제1호)와 최대주주 또는 그 특수관계인에게 의결권 행사 또는 의결권 행사 지시 권한을 위임한 자(제2호)를 포함한다. 그리고 특수관계인의 범위는 상법 시행령 제34조 제4항에서 정하고 있는데, 이에 대해서는 주요국 회사법과 비교해 그 범위가 지나치게 넓고 형식적이라는 비판이 있다. 김은경, "회사법상 특수관계인 규정에 관한 비교법적 고찰"「법학논문집」제33권 제2호(중앙대학교 법학연구원, 2009), 185~210면.
18) 송옥렬, 전게서, 1130면; 법무부, 전게서, 457~458면.

〈감사 기구 선해임 및 의결권제한〉

회사 구분		감사 기구	선임 기관	3% 의결권 제한		분리선임
				합산*	개별	
상장 회사	자산총액 2조원 이상	사외이사 아닌 감사위원	주주총회	○	○	○
		사외이사인 감사위원		×	○	○
	자산총액 1천억원 이상 ~ 2조원 미만	상근감사	주주총회	○	○	×
		사외이사 아닌 감사위원		○	○	○
		사외이사인 감사위원		×	○	○
	자산총액 1천억원 미만	감사	주주총회	○	○	×
		감사위원	이사회	×	×	×
비상장회사		감사	주주총회	×	○	×
		감사위원	이사회	×	×	×

* 합산 기준은 최대주주 및 그 특수관계인등에게만 적용

한편, 3% 의결권 제한으로 인해 감사위원 선임의 건이 부결되어 감사위원회 구성 의무 요건이 미달하는 경우가 발생할 수 있는데, 이 경우 임기만료 또는 사임으로 인하여 퇴임한 감사위원이 후임 감사위원 선임 시까지 권리·의무를 유지한다(제393조의2 제5항, 제386조 제1항). 이때 일시 감사위원 선임 청구도 가능한지에 대해서 상법에 명문의 규정이 없으나[19] 하급심 결정 중에 이를 받아들인 사례[20]가 있다.

대규모 상장회사가 감사위원회 설치·구성의무를 위반하면 상법상 과태료 부과(제635조 제3항 제5호 내지 제8호) 외에 거래소 관리종목으로 지정될 수 있다.[21] 그리고 관리종목 지정 상태에서 최근 사업연도에도 해당 사유를 해소하지

19) 상법 제393조의2 제5항은 제386조 제1항(퇴임이사)만을 준용하고 동조 제2항(일시이사)을 준용하고 있지 않다.
20) 대전지방법원 2018.6.29. 2018비합19.
21) 유가증권시장 상장규정 제47조 제1항 제6호 다목 및 라목; 코스닥시장 상장규정 제53조 제1항 제7호 나목.

못하면 상장폐지 사유가 된다.[22] 다만 그 의무 위반이 주주총회 정족수 미달로 발생한 경우에는 거래소가 전자투표제도 도입 등의 노력을 한 사실들을 종합적으로 고려하여 관리종목 지정 대상에서 제외할 수 있도록 하고 있다.[23] 또한 정족수 미달로 인한 의무 위반은 상장폐지 사유에서도 제외된다.[24]

나. 후보추천위원회

1) 상법상 사외이사후보추천위원회

사외이사후보추천위원회 제도는 2000. 1. 21. 구증권거래법 개정 당시 상장회사 사외이사의 독립성을 확보할 목적으로 도입된 것으로, 그 주된 내용은 이사회에 비하여 보다 중립적인 사외이사후보추천위원회가 추천한 후보 중에서 사외이사를 선임하여야 한다는 것이다[25]. 이에 따라 대규모 상장회사는 사외이사가 과반수로 이루어진 사외이사후보추천위원회를 설치해야 하고, 해당 회사 주주총회에서 사외이사를 선임할 때에는 반드시 동 위원회의 추천을 받은 자 중에서 선임하여야 한다(제542의8조 제5항 전단). 만일 주주제안[26]의 요건을 갖춘 주주가 주주총회일 6주 전에 사외이사 후보를 추천하면 동 위원회는 이를 반드시 사외이사 후보에 포함시켜야 한다(동항 후단). "회일의 6주전"으로 정한 것은 주주제안권과 사외이사후보추천권에 대해 특별히 행사기간을 달리할 필요가 없기 때문에 이를 일치시킨 것이다.[27]

사외이사후보추천위원회 설치·구성의무를 위반하거나 사외이사 후보추천 절

---

22) 유가증권시장 상장규정 제48조 제1항 제6호; 코스닥시장 상장규정 제54조 제1항 제13호.
23) 유가증권시장 상장규정 제47조 제1항 제6호 단서, 코스닥시장 상장규정 제53조 제1항 제7호 단서.
24) 유가증권시장 상장규정 제48조 제1항 제6호 단서, 코스닥시장 상장규정 제54조 제1항 제13호 단서.
25) 2001년부터 2012년까지 한국거래소 유가증권시장 상장 비금융기업 중 사외이사후보추천위원회를 자발적으로 도입한 174개의 기업을 대상으로 한 연구결과에 의하면 사외이사후보추천위원회의 독립성은 이사회의 사외이사 비율, 이사회 전공 다양성 및 사외이사의 이사회 참석률에 유의적인 양의 영향을 미친다고 한다. 이상철·윤종철, "사외이사후보추천위원회 독립성과 이사회 특성," 「회계와 정책연구」 제25권 제1호(한국회계정책학회, 2020), 205~233면.
26) 2020년 상법개정으로 ① 6개월 전부터 계속하여 상장회사의 의결권 없는 주식을 제외한 발행주식 총수의 1% 이상을 보유하거나(제542조의6 제2항), ② 의결권 없는 주식을 제외한 발행주식 총수의 3% 이상을 가진 주주(제363조의2 제1항)는 주주제안을 할 수 있다(소수주주권 행사요건 선택적 적용 명문화, 제542조의10 제10항).
27) 법무부, 전게서, 448면.

차를 위반하면 상법상 과태료 부과(제635조 제3항 제2호 및 제3호) 대상이 된다.

한편, 위 특례 규정 적용 대상이 아님에도 불구하고 회사가 이사회 내 위원회로 사외이사후보추천위원회를 설치하는 회사도 있는데, 이 경우는 위와 같은 제한을 받지 않고, 일반적인 상법상 위원회와 같이 취급된다.

2) 금융회사지배구조법상 임원후보추천위원회

한편, 금융회사지배구조법상 금융회사는 임원후보추천위원회를 두어야 하는데, 동법은 사외이사뿐만 아니라 대표이사, 대표집행임원, 감사위원[28]을 주주총회 또는 이사회에서 선임하는 경우에도 동 위원회의 추천을 받은 사람 중에서 선임하도록 하고 있다(동법 제17조 제1항, 제3항).

그리고 금융회사 임원후보추천위원회의 위원은 본인을 임원 후보로 추천하는 임원후보추천위원회 결의에 관하여 의결권을 행사하지 못한다(동조 제5항). 그런데 이사회내 위원회 결의와 관련하여 특별이해관계가 있는 자는 의결권을 행사하지 못하고, 여기서 '특별이해관계'는 회사의 지배와 상관없는 개인적인 이해관계라고 해석된다(개인법설).[29] 따라서 일반적으로 이사 자신이 후보라고 하여 의결권이 제한되지 않는 것이 원칙이다. 그럼에도 불구하고 동법이 위와 같이 의결권을 제한한 것은 임원후보추천위원회의 경우 임원 후보를 추천한다는 단일한 목적을 가지고 있는 점, 금융회사는 그 공익성에 비추어 더 객관적인 후보추천이 이루어져야 한다는 점 등을 고려한 것으로 보인다.[30] 의결정족수 산정에 대하여는 동법에서 별도의 규정을 두고 있지 않으나 상법상 특별이해관계인의 의결권 제한과 마찬가지로 출석위원 수에서 제외해야 할 것이다. 사외이사를 추천하는 경우 주주제안의 요건을 갖춘 주주[31]가 추천한 사외이사 후보를 포함시켜

---

28) 위원회의 후보추천결의는 원칙적으로 재적위원 과반수의 출석과 출석위원 과반수의 찬성에 의하지만, 감사위원 후보추천의 경우 독립성 확보를 위해 특별히 재적위원 총수 3분의 2 이상의 찬성을 요구하고 있다(동법 제19조 제4항 후문).

29) 송옥렬, 전게서, 1010면; 임재연, 「회사법II」 개정7판(박영사, 2020), 391면.

30) 상법상 사외이사후보추천위원회는 별도의 의결권 제한 규정이 없기 때문에 특별이해관계인의 의결권 제한에 관한 개인법설을 기계적으로 적용하면 본인을 사외이사 후보로 추천하는 결의에서 그 본인도 의결권을 행사할 수 있다고 볼 수 있다. 그러나 금융회사 임원 후보추천에 강한 객관성과 독립성이 요구된다는 점을 고려하더라도 양자를 근본적으로 달리 볼 필요가 있는지는 의문이다. 실제로 회사에 따라 사외이사후보추천위원회 규정 등을 통해 위원 본인을 사외이사 후보로 추천하는 결의에 대해 의결권을 제한하는 경우도 있다(한화시스템, 「사외이사후보추천위원회 규정(2019. 6. 26.자)」 제8조 제3항 참조).

31) 금융회사지배구조법에 따라 6개월 전부터 계속하여 금융회사의 의결권 있는 발행주식 총수

야 한다는 점은 상법과 같다(동조 제6항).

다. 보수위원회

상법상 이사의 보수는 정관에 정함이 없는 한 주주총회의 승인을 받아야 한다(제388조). 그러나 실무상 주주총회에서는 보수 총액에 대한 승인을 할 뿐이고, 실제 각 이사에 대한 보수는 사실상 이사회에 의해 결정되는 경우가 많다.[32] 그러나 이와 같은 방식으로는 경영진의 보수에 대한 결정이 객관적으로 이루어지기 어렵기 때문에 미국에서는 보수(내지 보상)위원회(Compensation Committee)를 활용하여 이 문제를 해결하고 있다[33].

우리나라는 전술한 바와 같이 금융회사를 제외하면 보수위원회의 설치가 강제되지 않지만, 일부 대규모 상장회사들은 이사에 대한 보상 여부나 보상 정도 및 방법 등을 결정하기 위해 보수위원회를 설치하여 운영하고 있다.[34]

참고로 2021. 4. 1 현재 유가증권시장 상장회사 780개사(신규상장 제외)의 사업보고서에 첨부된 정관을 기준으로 한 조사에 의하면 2020년에 보수위원회를 설치한 회사는 99개(21.1%)였으나, 위조사 시점 기준으로는 106개(22.%)로 늘어난 것으로 확인됐다.[35]

5. 위원회의 권한

가. 이사회 권한의 위임

제393조의2 제2항은 이사회가 위원회에 위임할 수 있는 사항을 매우 넓게 인정하고 있다. 즉, 이사회는 주주총회의 승인을 요하는 사항의 제안(제1호), 대표이사의 선임 및 해임(제2호), 위원회의 설치와 그 위원의 선임 및 해임(제3호),

---

의 0.1%에 해당하는 주식을 보유한 주주(동법 제33조 제1항) 또는 의결권 없는 주식을 제외한 발행주식 총수의 3% 이상을 가진 주주는 주주제안을 할 수 있다(동법 제33조 제8항, 상법 제363조의2 제1항).

32) 판례도 포괄위임이 아니라면 개별 이사에 대한 지급액 등 구체적인 사항을 이사회에 위임하는 방식을 인정한다(대법원 2020.6.4. 2016다241515, 241522).

33) 김화진, 「ESG와 이사회 경영」(더벨, 2021), 151~152면.

34) 대표적으로 네이버 주식회사의 리더십&보상위원회[동사 분기보고서(2021.9) "Ⅵ-1-라.이사회 내 위원회" 항목 참조] 등.

35) 한국상장회사협의회, 전게자료, 44면.

기타 정관에서 정하는 사항(제4호)을 제외하고는 이사회의 권한을 위원회에 자유롭게 위임할 수 있다.[36] 따라서 신주발행, 사채발행 또는 중요한 자산의 처분 등도 위원회에 위임할 수 있다.[37]

또한, 이사의 경업이나 회사기회이용, 자기거래에 대한 승인도 위원회에 위임할 수는 있다.[38] 다만, 자기거래에 대한 승인과 회사기회이용에 대한 승인은 재적이사 3분의 2 이상의 찬성을 요하는바, 그 취지를 고려했을 때 위원회 승인도 전체 이사 총수의 3분의 2 이상의 찬성으로 이루어져야 한다고 본다. 따라서 이를 위임할 실익이 크지는 않을 것이다.[39] 실제로 상장회사들 중 내부거래위원회를 두고 있는 회사들을 보면 상법상 자기거래 등이 아닌 공정거래법상 대규모 내부거래 관련 사항만을 부의사항으로 정하고 있거나, 이사회 부의 전 사전 심의 권한만 부여하는 회사들이 대부분이다.[40]

나. 금융회사의 특례

반면, 금융회사지배구조법상 금융회사의 경우 위원회에 위임할 수 있는 사항이 추가적으로 제한된다. 즉, 동법상 금융회사는 「1. 경영목표 및 평가에 관한 사항, 2. 정관의 변경에 관한 사항, 3. 예산 및 결산에 관한 사항, 4. 해산·영업양도 및 합병 등 조직의 중요한 변경에 관한 사항, 5. 내부통제기준 및 위험관리기준의 제정·개정 및 폐지에 관한 사항, 6. 최고경영자의 경영 승계 등 지배구조 정책 수립에 관한 사항, 7. 대주주·임원 등과 회사 간의 이해상충 행위 감독에 관한 사항」의 경우 반드시 이사회의 심의·의결을 거쳐야 하는데(동법 제15조 제2항), 이사회의 심의·의결·사항은 반드시 정관에 기재하도록 하고 있으므로(동조 제2항), 금융회사 이사회는 이러한 사항들을 위원회에 위임할 수 없다고 해석된다.[41] 참고로 공정거래법에 따라 공시대상기업집단에 속하는 국내회사는 특수관계인과 일정규모 이상의 대규모내부거래를 하려면 미리 이사회 의결

---

36) 최준선, 전게서, 493면.
37) 송옥렬, 전게서, 1015면.
38) 송옥렬, 전게서, 1015면; 이철송, 전게서, 717면.
39) 송옥렬, 전게서, 1015면.
40) 주식회사 케이티(KT) 「내부거래위원회 운영규정(2016.01.28 규정 제706호)」 제4조 제2항; 주식회사 지에스리테일(GS리테일) 「내부거래위원회 운영규정(2021. 3. 25.자)」 제5조 제1항 등 참조.
41) 임재연, 전게서, 405면.

을 거치고 이를 공시하여야 하는바(동법 제26조 제1항), 해당 회사가 상장회사이
고 '사외이사 3인 이상·위원 총수 3분의 2이상이 사외이사로 구성된 위원회'에
서 위 내부거래에 관한 사항을 의결한 경우에는 동법에 따라 이사회 의결을 거
친 것으로 간주된다(동조 제5항).

6. 위원회의 운영

가. 위원회의 소집

위원회의 소집, 결의방법, 의사록 및 회의의 진행에 관하여는 이사회에 관한
규정이 준용된다(제393조의2 제5항, 이하 준용규정 생략). 따라서 위원회의 결의로
위원회 소집권자를 따로 정하지 않았다면, 원칙적으로 각 위원은 위원회를 소집
할 수 있다(제390조 제1항). 위원회를 소집하려면 정관 (또는 위원회 규정)에 달리
정함이 없는 한 회일 1주일 전에 각 위원 및 감사에 대해 소집통지를 발송해야
한다. 다만 각 위원과 감사 전원의 동의가 있는 때에는 동 절차 없이 언제든지
회의할 수 있다(동조 제4항).

그런데 감사 대신 감사위원회를 두고 있는 회사는 감사위원회 이외의 위원회
결의 시 감사위원들에게 소집통지를 하고, 소집절차 생략의 동의도 감사위원 전
원의 동의를 얻어야 하는지 문제될 수 있다.[42] 이사회 내지 위원회 개최 시 감
사에게 통지하도록 한 것은 감사의 출석·의견진술권(제391조의2 제1항)을 보장
하기 위함이다. 이러한 취지를 강조하면 감사위원들에게도 통지를 보내야 하는
것으로 볼 여지도 있다. 그러나 감사의 출석·의견진술권 보장도 결국 위원회
결의에 대한 객관적인 감시·감독이 이루어지도록 하기 위함이고 위원회의 결의
에 대해서는 이사회 재결을 통한 감독권이 보장되고 있으므로 따로 감사위원에
대한 소집통지를 하거나 위원회 소집절차 생략시 감사위원의 동의까지 받을 필
요는 없다고 본다.

---

[42] 상법 제415조의2 제7항은 상법상 "감사"를 "감사위원회위원"으로 의제하는 조항인데 당해
조항에는 제390조(이사회의 소집)가 포함되어 있지 않다.

나. 위원회의 회의

위원회는 정관에서 달리 정함이 없는 한 위원 전부 또는 일부가 직접 회의에 출석하지 않고 모든 위원이 음성을 동시에 송수신하는 원격통신수단에 의해 결의에 참가하는 것을 허용할 수 있다(제391조 제2항). '음성'을 동시에 송·수신해야 하므로 이른바 휴대전화 단체 대화방 등을 통해 문자메시지를 주고받는 방식의 위원회 회의는 허용되지 않는다고 해석된다.

한편, 위원회는 위원회 의사록을 작성해야 하는데 의사록에는 위원회의 안건, 경과요령, 그 결과, 반대하는 자와 그 반대이유를 기재하고 출석위원 전원이 기명날인 또는 서명하여야 한다(제391조의3 제1항, 제2항). 한편, 주주는 영업시간 내에 위원회 의사록의 열람 또는 등사를 청구할 수 있고, 회사가 거절하면 법원에 위원회 의사록의 열람·등사를 구할 수 있다(동조 제3항, 제4항).

7. 위원회의 결의

가. 결의방법

위원회의 결의도 정관에서 달리 정하지 않으면 위원 과반수의 출석과 출석위원 과반수의 찬성으로 이루어진다(제391조 제1항). 그리고 특별이해관계 있는 위원의 경우 해당 안건에 대해 의결권이 제한된다(동조 제3항, 제368조 제3항). 이사회와 마찬가지로 토론에 의한 상호의견교환 절차 자체가 중요하기 때문에 서면결의나 의결권 대리 행사는 허용되지 않는다고 본다.

나. 결의의 효력과 변경

위원회는 이사회의 권한을 위임한 것이기 때문에 그 위임한 사항에 대한 결의는 이사회의 결의와 같은 효력을 가진다.[43] 위원회는 결의된 사항을 회사의 각 이사에게 통지하여야 하고, 이를 통지받은 각 이사는 이사회의 소집을 요구할 수 있으며, 이사회는 위원회가 결의한 사항에 대해 다시 결의할 수 있다(제393조의2 제4항). 이는 위원회의 결의가 부당한 경우 그 권한을 위임한 이사회가

---

43) 송옥렬, 전게서 1015면; 이철송, 전게서, 718면; 최준선, 전게서, 493면.

해당 결의를 취소하거나 수정할 수 있도록 하기 위함이다. 따라서 소집통지의
대상은 회사의 모든 이사이고, 이렇게 소집된 이사회에 의한 재결의가 있으면
위원회의 결의는 효력을 잃는다.

다. 결의의 효력 발생시기

위원회 결의의 효력발생 시기에 대해 위와 같은 이사회 재결 제도의 취지를
고려하여 '위원회 결의 사항의 통지를 받은 이사의 요구에 의해 이사회를 소집
할 수 있는 상당한 기간 내에는' 위원회 결의의 효력이 정지된다고 해석하는 견
해도 있다.[44]

그러나 이사회 재결에 필요한 상당한 기간이 어느 정도인지 불분명한 점, 위
원회 제도의 취지 중 하나는 신속하고 효율적인 의사결정을 가능하게 한다는 것
인 점 등을 고려하면 위원회 결의는 즉시 이사회 결의로서 효력을 발생한다고
볼 수도 있다. 특히 상장회사의 경우, 예를 들어 일정 규모 이상의 투자 결정이
있으면 결정 당일 이를 지체 없이 공시해야 하는데[45] 이러한 회사들의 공시의
무 발생 시점이 문제 될 수 있다. 실무상으로는 위원회 결의 단계에서 공시하고
있다.[46]

라. 결의 변경의 제한

감사위원회에는 이사회의 재결의 가능성에 관한 제393조의2 제4항 후단이
적용되지 않는다(제415조의2 제6항). 따라서 감사위원회가 결의한 사항에 대해서
는 이사회가 이를 변경하거나 취소시킬 수 없다. 감사위원회의 독립성과 감사의
실효성을 확보하기 위함이다.

사외이사후보추천위원회가 결의한 사항에 대해 이사회가 이를 다시 결의할
수 있는지 문제 된다. 이사회가 동 위원회에서 추천한 후보를 다른 후보로 변경
하여 결의하는 것이 허용되지 않는다는 점은 분명하다. 법문 상 '사외이사후보추
천위원회의 추천을 받은 자 중에서' 선임하여야 한다고 되어있기 때문이다. 그런
데 이사회에서 후보 변경 결의를 하는 것이 아니라 단순히 위원회 후보추천 결

---

44) 이철송, 전게서, 718면.
45) 유가증권시장 공시규정 제7조 제2호 나목.
46) 한국거래소, 「유가증권시장 상장·공시 업무해설서」(2020), 31면.

의의 전부 또는 일부를 취소하는 것도 허용되지 않는지는 분명하지 않다. 그러나 후보추천 단계에서부터 독립성을 확보하고 지배주주의 영향력을 배제한다는 동 제도의 취지를 고려했을 때 단순한 결의 취소도 허용되지 않는다고 보아야 할 것이다.

마. 결의의 하자

위원회 결의의 하자에 대해서는 상법에 규정이 없다. 따라서 이사회 결의와 마찬가지로 하자 있는 위원회 결의는 절차상 하자나 내용상 하자를 불문하고 당연 무효로 본다.[47] 그러므로 이해관계인은 언제든지 무효를 주장할 수 있고, 확인의 이익이 있으면 위원회 결의무효확인의 소를 제기할 수도 있다.[48] 하자 있는 위원회 결의에 따라 외부적으로 대표이사의 집행까지 이루어진 경우에는 전단적 대표행위의 문제가 발생한다. 이사회 결의의 흠결과 전단적 대표행위에 관하여 최근 변경된 판례는 대표권의 내부적 제한뿐만 아니라 법률적 제한에 대해서도 상대방이 선의·무중과실이면 거래행위를 유효로 보는 바,[49] 위원회 결의의 흠결도 마찬가지로 볼 것이다.

8. 위원회에 대한 감시·감독

위원회의 권한은 이사회로부터 위임받은 것이므로 이사회는 위원회에 위임한 업무에 대하여 적법성 및 타당성에 대한 감독권을 가지며, 각 이사는 감시의무를 진다. 이사의 감시의무는 결국 위법 또는 부당한 위원회 결의를 통지받은 이사가 이사회를 소집하고 이를 번복하는 결의를 함으로써 이루어지게 되므로, 위원회 결의를 통지받은 이사가 재결의를 위한 이사회 소집을 게을리 하거나, 이후 소집된 이사회에서 재결의에 반대표를 행사하면 임무해태에 해당하여 회사(제399조 제1항, 제2항) 또는 제3자(제401조)에 대하여 손해배상책임을 질 수 있

---

47) 다만 판례는 이사회 결의에 하자가 있더라도 이를 회사의 내부적 의사결정에 불과하다고 보아 신주발행의 효력에는 영향이 없다는 입장인바(대법원 2007.2.22. 2005다77060, 77077), 이에 따르면 신주발행에 관한 사항을 위원회에 위임한 경우 위원회 결의에 하자가 있더라도 신주발행은 유효하다고 볼 것이다.
48) 최준선, 전게서 493면.
49) 대법원 2021.2.18. 2015다45451 전원합의체.

다.[50]

9. 해외 주요국의 이사회 내 위원회 제도

가. 미 국

미국의 주식회사는 기관구조 상으로 이사회에 의한 업무 감독과 집행임원에 의한 업무 집행이 분리되어 있는바, 감사 등 별도의 감사기관이 존재하지 않는 대신에 이사회에 산하에 수인의 독립이사들로 구성된 감사위원회 등 각종 위원회를 설치하여 감사업무나 임원 지명과 같은 개별적인 권한들을 위임하는 구조이다.[51]

실제로 미국회사들은 위원회 제도를 널리 활용하고 있는 바,[52] 모범회사법[53]이나 델라웨어주 회사법[54]을 포함한 대다수의 주법에서는 위원회의 설치 근거와 권한, 구성 등에 관한 조항을 두고 있을 뿐 특정위원회의 설치를 의무화하지는 않고 있다.[55] 그런데 엔론 회계부정 사건으로 인해 이사회의 감독 기능 강화 필요성이 대두되었고, 이후 2002년 제정된 사베인-옥슬리법(Sarbanes-Oxley Act)에서 상장회사 감사위원회의 설치를 의무화하고 그 권한 및 의무와 책임을 대폭 강화시켰다.[56] 현재 거래소 상장규정을 보면 뉴욕 증권거래소는[57] 구성원 전원이 독립이사로 구성된 보수위원회와 감사위원회 및 지명/기업지배구조위원

---

50) 이철송, 전게서, 719면; 김병연, "상법상 위원회제도의 활성화를 통한 지배구조의 개선,"「일감법학」제48호(건국대학교 법학연구소, 2021), 611면.

51) 김영주, 전게논문, 60면.

52) 감사위원회, 보수위원회, 지명/지배구조 위원회를 제외하면 경영위원회와 재무위원회가 가장 흔하며, 이는 대규모 상장회사의 경우 더 두드러지게 나타난다고 한다(Russell 3000 회사 중 500억 달러 이상 회사 중 38%가 경영위원회를 36%가 재무위원회 설치), The Conference Board・ESGAUGE,「Corporate Board Practices」(2021), 19면.

53) MBCA §8.25.

54) DGCL §141 (c).

55) 김영주, 전게논문, 428~429면.

56) 동법 §301, 1934년 증권거래법(Securities Exchange Act) §10A-3, 동법의 제정 경과 등에 관하여 자세한 내용은, 이재혁,「주식회사 감사위원회제도의 개선방안에 관한 연구」박사학위논문(성균관대학교 대학원, 2007. 12.), 7~23면; Bryan A. McGrane「The Audit Committee: Director Liability in the Wake of the Sarbanes-Oxley Act and Tello V. Dean Witter Reynolds」, 18 Cornell J.L. & PUB. POL'Y (2009), 575~607면 등 참조.

57) NYSE Listed Company Manual §303A.00(Corporate Governance Standards) 이하 참조(보수위원회 §303A.05, 감사위원회 §303A.07, 지명/기업지배구조위원회 §303A.04).

회를 반드시 설치하도록 하고 있다. 반면, 나스닥 상장규정[58]은 보수위원회와 감사위원회의 설치만 의무화하고 있다.

나. 영   국

영국 회사법상에는 이사회 내 위원회에 관한 일반적인 규정을 두고 있지 않다. 다만, 자율규제(연성규범)의 일종으로 기업지배구조 모범규준(UK Corporate Governance Code, 이하 'CG코드'라 한다)에서 위원회와 관련된 각종 요구 사항을 규정하고 있으며, CG코드의 준수여부 및 미준수시 그 이유에 대한 설명(Comply or Expain)을 공시하도록 하고 있다. CG코드는 지난 1980년대 후반부터 1990년대 초반까지 일어난 영국의 대규모 기업 부정 사건들로 인해 촉발된 일련의 지배구조 개혁 논의를 거쳐 제정된 것으로서[59] 영국 런던증권거래소 프리미엄 상장회사에 대하여 감사위원회, 지명위원회, 보수위원회를 설치할 것을 요구하고 있다. 이때 감사위원회와 보수위원회는 2인 또는 3인 이상의 독립사외이사로만 구성해야 하며, 지명위원회도 과반수는 독립사외이사로 구성해야 한다.[60]

다. 독   일

독일은 주식회사의 경영을 이사회가 담당하고 그에 대한 감독은 감사회가 담당하는 이원적 기관구조 체계를 가지고 있으며, 이사회가 아닌 감사회 내에 위원회를 둘 수 있도록 하고 있다. 즉, 감사회는 의사 또는 결의를 준비하거나 결의의 실행을 감사하기 위해 감사회 구성원 중 1인 또는 수인을 선임하여 위원회를 설치할 수 있으며, 특히 회계 처리 과정 등의 실효성 확보를 위해 감사위원회를 둘 수 있다.[61] 이는 1998년 주식법 개정을 통해 앞서 살핀 영미의 위원회 제도를 차용한 것이다.[62] 실무상으로는 총괄위원회, 감사위원회, 인사위원회, 재정위원회 등을 설치하여 운용하고 있으며 이 중 이사의 임용계약 체결과 변경

---

58) NASDAQ Listing Rules § 5600(Corporate Governance Requirements) 이하 참조[보수위원회 § 5605(d), 감사위원회 § 5605(c)].
59) Cadbury 보고서(1992), GreenBury 보고서(1995) 등 영국의 기업지배구조 개혁과정에서 보고된 리포트와 CG코드의 제정 경과 등에 관하여 자세한 내용은 김영주, 전게논문, 95~106면 참조.
60) 2018년 CG코드 참조(지명위원회 §17; 감사위원회 §24; 보수위원회 §32).
61) 독일 주식법(Aktiengesetz) §107 Abs.3.
62) 김영주, 전게논문, 222면.

등을 결정하는 인사위원회는 거의 모든 회사에서 설치·운용하고 있다고 한다.63)

라. 일   본

일본은 이사회 이외에 감사를 별도로 두는 전통적 기관구조 외에 개별회사가 기업의 여건과 규모 등에 따라 다양한 형태의 지배구조를 정관으로 선택할 수 있도록 하고 있는데, 이 중 집행임원을 별도로 두는 형태인 지명위원회등설치회사의 경우 3인 이상·과반수 사외이사인 위원으로 구성된 지명위원회, 감사위원회, 보수위원회 3개의 위원회를 반드시 두도록 하고 있다.64) 역시 미국식의 위원회 제도를 본받은 것으로 2002년 개정 회사법을 통해 도입되었다.

그런데 지명위원회등설치회사(당시 명칭은 위원회등설치회사)는 위와 같이 사외이사가 과반수를 차지하는 지명위원회와 보수위원회의 설치가 강제된다는 점에서 도입을 꺼리는 회사들이 많았다. 이에 2014년 회사법 개정을 통해 지명위원회와 보수위원회의 설치를 필요로 하지 않는 감사등위원회설치회사가 도입됐다.65) 감사등위원회설치회사는 감사 대신 이사회 내에 감사 등 위원 3인 이상으로 구성하되 감사등위원은 이사이어야 하며, 그 과반수가 사외이사로 구성된 감사등위원회를 설치해야 하는데,66) 감사등위원은 주주총회에서 다른 이사들과 분리하여 선임한다.67) 다만, 감사등위원을 주주총회에서 분리선임하도록 한 것은 지배주주로부터의 독립성을 확보하기 위함이 아니라,68) 감사위원인 이사와 감사위원이 아닌 이사의 임기가 다른 점,69) 감사위원인 이사에게 신규 감사위원인 이사 선임에 대한 주주총회에서의 의견진술권이 법적으로 보장되는 점70) 등을 고려한 것에 불과하다.

---

63) 정순현, 「독일 회사법 개설」(도서출판 한아름, 2019), 218면.
64) 일본 회사법(会社法) 第2条 第12号, 第400条 第1項·第3項.
65) 河本一郎·川口恭弘, 권용수 역, 「신·일본 회사법」 제2판(박영사, 2021), 337면.
66) 동법 第331条 第6項.
67) 동법 第329条 第1項·第2項.
68) 일본 회사법은 우리 상법처럼 3% 의결권 제한 제도를 두고 있지 않다.
69) 감사등위원 이외의 이사 임기는 1년이지만, 감사등위원인 이사의 임기는 2년이다(동법 第332条 第1項·第3項).
70) 동법 第342条の2.

10. 이사회내 위원회 최근 동향 및 관련 문제

가. ESG위원회(지속가능경영위원회)

최근 이른바 'ESG[71]' 내지 '지속가능경영'을 표방하며 이사회 내의 위원회로 ESG 위원회(내지 지속가능경영위원회 등 명칭 불문)를 설치하는 회사들이 늘어나고 있다. 그러나 ESG라는 개념이 워낙 추상적이고 광범위하기 때문에 ESG 위원회가 하는 역할이나 권한 등도 아직은 다소 불분명한 측면이 있다. 실제로 ESG위원회를 운영하고 있는 회사들이 공시한 내용이나 동 회사들의 ESG위원회 규정을 보면 해당 위원회에서 어떤 구체적인 결의를 하기 보다는 이사회의 본의결에 앞서 'ESG의 관점'에서 사전 검토 내지 토의를 하거나 ESG 관련 사항에 관하여 보고를 받는 데에 중점을 두고 운영되고 있는 것 보인다.[72]

참고로, 관련 조사결과에 따르면 미국 상장회사들은 ESG 이슈와 관련하여 별도의 위원회를 창설하기보다는 기존의 지명/지배구조 위원회 등에 관련 권한 등을 추가적으로 부여하는 경우가 많다고 한다.[73] 별도의 위원회를 창설하고 있는 회사도 있으나,[74] 위원회의 활동 내역에 대해 구체적으로 공시하고 있지 않기 때문에 실제로 어떤 역할을 하고 있는지는 역시 분명하지는 않다. 다만 이러한 회사들의 공개된 위원회 규정을 보면 우리나라와 마찬가지로 어떤 구체적인 의결을 하기 보다는 사전 검토나 조사에 중점을 두고 운용되고 있는 것으로 보인다.[75]

---

71) Environmental(환경), Social(사회), Governance(지배구조)의 약자로 자본시장 투자자 관점에서 주요 투자 의사결정 요인이자 기업의 가치에 영향을 미치는 비재무적 요소를 통칭하는 개념이다.

72) SK주식회사 반기보고서(2021. 8. 17.) Ⅵ.1.다.이사회 내의 위원회 활동내역 및 동사 ESG위원회 규정(2021. 4. 1.) 등 참조.

73) The Conference Board·ESGAUGE, 전게자료, 18~21면 참조.

74) 예를 들어 Microsoft의 경우 ESG이슈를 담당하는 '규제 및 공공정책 위원회 (Regulatory and Public Policy Committee)'를 두고 있고, ExxonMobil도 '공공 이슈 및 기여 위원회 (Public Issues and Contributions Committee)'를 별도로 두고 있다.

75) Microsoft의 상기 위원회 규정(Charter)을 보면 동 위원회는 기업의 사회적 책임이나 중요 공공 이슈 등에 관한 정책이나 프로그램에 대해 검토하고 가이던스를 제시할 의무가 있으며 해당 의무 이행을 위해 외부 전문가의 조력 등을 받을 권한이 있다고 규정하고 있다.

나. 감사위원 분리선임

1) 분리 선임된 감사위원 임기 유지 시 감사위원회 구성의 적법성

개정상법에서 감사위원 1인을 분리선임 하여야 한다는 의미는 감사위원회 구성에 있어 분리선임한 1인을 감사위원으로 유지시켜야 한다는 의미이다. 따라서 분리 선임된 감사위원의 임기가 유지되고 있는 이상 감사위원회 구성의 적법성은 유지되고 새로이 감사위원을 선임할 때 다시 분리선임 방식으로 선임할 필요는 없다.[76]

2) 전자투표 도입 시 결의요건 완화와 정관 개정 문제

종래 실무상 3% 의결권 제한으로 인해 '발행주식총수의 4분의 1 이상 찬성'이라는 요건을 충족하지 못해 감사 또는 감사위원 선임에 곤란을 겪는 회사들이 많았다. 이에 개정상법은 전자투표 도입으로 주주의 의결권 행사를 용이하게 한 회사의 경우 발행주식총수의 4분의 1이상의 찬성을 얻지 못하더라도 출석 주주의 의결권의 과반수로써 감사(제409조 제3항) 또는 감사위원(제542조의12 제8항)을 선임할 수 있도록 하였다.

그런데 현재 상당수의 회사가 정관에 '주주총회의 결의는 법령에 별도의 규정이 없는 한 출석한 주주의 의결권의 과반수와 발행주식총수의 4분의 1이상의 수로 하여야 한다.'는 규정을 두고 있는 바, 위 개정상법 규정의 적용을 받기 위해 정관의 개정이 선행되어야 하는지 문제된다. 즉, 위 정관 규정의 '법령에 별도의 규정이 없는 한'이라는 문구상 '법령'에 위 개정상법도 당연히 포함되는 것으로 보아 별도의 정관 개정 없이도 전자투표를 실시하기만 하면 완화된 결의요건을 적용할 수 있는지의 문제이다.

이에 대해 법무부[77]는 정관의 개정이 선행되어야 한다는 입장이다. 발행주식총수의 4분의 1 이상이라는 보통결의 정족수 요건은 정관 규정으로도 완화할 수 없다는 것이 다수설인 점, 위 정관 규정상 '법령에 다른 정함이 있는 경우를 제외하고는'이라는 부분은 특별결의와 같이 정족수가 강화된 경우를 예정한 것

---

76) 법무부, 상법개정 질의응답(2021), 4면.
77) 법무부 상사법무과-1878(2021. 4. 20.자) 감사(위원) 선임 안건 부결 상장회사의 임시주총 개최 관련 안내 사항.

이라는 점을 고려하면 정관 개정이 선행되어야 한다고 볼 수도 있을 것이다. 이러한 입장을 따른다면 의결정족수와 관련하여 위와 같은 규정을 두고 있는 회사가 위 개정상법의 적용을 받기 위해서는, ① 전자투표를 실시한 경우 감사(위원) 선임 시 출석주주 과반수로 결의할 수 있음을 정관에 명시하거나, ② 의결정족수에 관한 기존 정관 규정을 삭제해야 한다.

다만, 정관의 규정으로 발행주식총수의 4분의 1 이상이라는 보통결의 요건을 완화할 수 없다는 다수설의 근거가 분명하지 않고,[78] 전자투표 도입을 통해 주주의 의결권 행사를 독려한 회사에게 감사 내지 감사위원 선임에 있어서 인센티브를 제공한다는 개정상법의 취지 등을 고려하면 위와 같이 엄격하게 해석해야 하는지는 다소 의문이다.

3) 감사위원이 되는 이사 후보(분리선임)추천과 주주제안

가) 감사위원 3명인 회사에서 올해 임기만료자가 있어 감사위원 신규 선임이 필요한 상황인데 주주제안이 제출된 경우에 그 결의방법

상법상 감사위원회는 3명 이상이어야 하므로 감사위원이 3명인 회사의 경우 올해 임기만료자가 있으면 감사위원을 새로 선임해야 한다. 그리고 감사위원이 되는 이사 선임안에 대해 적법한 주주제안이 있으면 회사는 별도의 거부 사유(시행령 제12조)가 없는 이상 주주가 제안한 후보를 선임안에 포함시켜야 한다. 그런데 실무상 이와 관련하여 표결 방식을 어떻게 처리할 것인지 문제 된다.

일반적으로는 수인의 이사를 선임하는 경우 각 후보자마다 찬반을 묻는 의안을 하나씩 순차적으로 상정하여 심의 · 표결하고 그 결과 상법 또는 정관에서 정한 결의요건을 충족하면 후보 선임 결의가 성립한 것으로 처리하면 족하다. 그러나 사안은 ① 정관에 다른 규정이 없는 한 분리선임 대상 감사위원이 1명으로 제한되고, ② 감사(위원)선임의 독립성 확보라는 명목하에 3% 초과분에 대한 의결권 제한이 이루어지며, ③ 감사위원이 되는 이사 후보 추천안에 관한 주

---

[78] '발행주식총수의 4분의 1 이상' 요건이 조리상 허용할 수 있는 최소한의 요건 또는 '총회 대표성'을 구현할 수 있는 최소한의 요건이므로 정관을 통해 이를 가중할 수는 있으나 감경할 수는 없다고 한다. 그러나 '발행주식총수의 4분의 1 이상'이 '조리'에 맞다는 근거는 없으며, '대표성'도 마찬가지이다(최준선, 전게서 398면). 만일 다수설대로라면 위 개정상법 규정을 통해 출석주주 과반수로만 선임된 감사 내지 감사위원은 조리 상 허용되지 않거나 총회 대표성이 흠결된 결의에 의해 선임된 것이라는 결론에 도달하는데, 이는 받아들이기 어렵다.

주제안이 제출됐다는 점에서 복잡한 문제를 야기한다. 상법은 이에 대해 별다른 규정을 두고 있지 않기 때문에 결국 해석을 통해서 가장 합리적인 방안을 찾아야 하는데, 크게 다음과 같이 5가지 방안을 생각해볼 수 있을 것이다. 이는 결국 해당 결의가 상법 제376조의 '결의방법이 현저히 불공정한 때'에 해당하여 취소 사유가 되는지의 문제이다.

〈감사위원이 되는 이사 후보(분리선임)추천 주주제안과 의안 상정 방안〉

개별상정	①	이사회가 정한 상정 순서에 따라 이사회 추천 후보 선임안을 먼저 상정하고 결의 성립 시 주주제안 후보 선임안을 자동 폐기하는 방안
	②	이사회가 추천한 후보 선임안과 주주제안 후보 선임안의 순서를 정하는 의안을 상정하고(보통결의), 해당 결의에서 정해진 순서에 따라 먼저 상정된 선임안이 통과되면 이후 선임안은 자동 폐기하는 방안
	③	주주제안 후보 선임안을 먼저 상정하고 결의 불성립 시에 이사회 추천 후보 선임안을 산정하는 방안
일괄상정	④	주주들에게 후보자 중 1명을 선택하도록 하고 결의요건을 충족한 자를 선임하는 방법
	⑤	각 후보자에 찬반을 투표하고 결의요건을 충족한 자 중 최다득표자를 선임

방안①은 소수주주의 의안 발의 기회를 제공한다는 주주제안 제도의 취지, 감사(위원)의 독립성 확보라는 3% 의결권 제한의 취지를 잠탈하는 것으로 결의방법의 불공정성 문제가 제기될 가능성이 높다. 사외이사후보추천위원회를 두고 있는 회사라면 상법 제542조의8 제5항 단서 위반도 문제될 수 있다.

방안②는 의안 상정의 순서를 주주들이 정한다는 점에서 방안①과 차이가 있다. 그러나 의안 상정 순서를 정하는 결의를 할 때부터 3% 의결권 제한이 이루어지지 않는 한 역시 위 방안①과 유사한 문제가 제기될 수밖에 없다. 일반적으로 의결권 제한이 없는 상태에서 결의가 이루어지면 주주제안 후보 선임안은 후순위로 밀릴 것이기 때문이다.

방안③은 주주제안 후보 선임안을 먼저 상정하므로 주주제안제도나 3% 의결권 제한의 취지를 잠탈한다는 문제점은 없다. 그러나 주주제안 후보가 선임되어 이사회 추천 후보 선임안이 자동폐기되면 이사회가 추천한 후보 선임에 찬성하는 주주의 의사결정 권한이 제한되는 문제점이 있다.[79] 그리고 후보추천 주주제

안자가 여러 명일 경우 그 순서를 어떻게 처리할지의 문제도 남는다.[80]

결국 일괄상정안인 방안④와 방안⑤가 가장 무난한 방식으로 보인다. 즉, 이 둘 중 어느 하나를 택하더라도 해당 결의방법이 '현저하게 불공정한' 것으로 결의취소의 소의 원인이 되기는 어렵다고 본다. 실제 2021년 정기주주총회에서 감사위원이 되는 이사 후보추천 주주제안이 제출된 회사들을 보면 방안④를 택한 회사[81]도 있고, 방안⑤[82]를 택한 회사도 있다.

나) 감사위원회 구성에 관한 법정요건을 충족하는 회사에서 감사위원이 되는 이사 후보추천 주주제안이 제출된 경우

예를 들어, 감사위원회가 4명 이상으로 구성되어 올해 임기만료자를 감안하더라도 '3명 이상'이라는 법정요건을 충족하는 경우 또는 감사위원회가 3명으로 구성됐는데 올해 임기만료자가 없는 경우에 이사회는 감사위원 추가 선임안 자체를 상정하지 않을 수 있을 것이다. 그러나 이러한 경우에도 적법한 요건을 갖춘 (감사위원이 되는) 이사 후보추천 주주제안이 들어올 경우 이사회는 이를 거부할 수 없다. 이때 주주제안에 대응하여 이사회에서도 후보를 추천한다면 위 '(1) 감사위원 3명인 회사에서 올해 임기만료자가 있어 감사위원 신규 선임이 필요한 상황인데 주주제안이 제출된 경우' 같은 문제가 발생한다.

그런데 이 경우 회사가 감사위원이 되는 이사 선임안을 상정하기에 앞서, ⓐ 감사위원 1명을 추가로 선임할 것인지 여부를 결정하는 의안을 상정하거나, ⓑ 정관을 변경하여 감사위원회 구성을 3명으로 제한하는 것[83]이 허용되는지에 대해서는 논란이 있을 수 있다. 즉, 이사회의 위와 같은 대응이 실질적으로 주주

---

79) 이는 양립불가능한 의안의 상정 순서를 정하고 선순위안이 통과되면 후순위안을 자동폐기하는 방식에 필연적으로 제기되는 문제이다. 김지평, "주식회사의 이사 및 감사위원 선임의 실무상 쟁점," 「저스티스」 통권 제169호(한국법학원, 2018. 12.), 91~93면 참조.

80) 다만, 사외이사인 감사위원(개별 3%)과 사외이사 아닌 감사위원(합산 3%)은 의결권 제한의 내용이 다르기 때문에(제542조의12 제4항) 일괄상정이 불가능하고 개별상정에 의하는 수밖에 없다. 이 경우 방안①~방안③ 중 하나를 선택해야 하는 바 각각의 문제점이 있음은 위에서 살펴본 바와 같다. 종국적으로는 입법을 통해 결의방법을 명확히 할 필요가 있다고 본다.

81) 금호석유화학 2021. 3. 10.자 주주총회소집공고 참조.

82) 한국앤컴퍼니 2021. 3. 15자 주주총회 공고 참조, 동 회사는 '분리선출 이사(감사위원이 되는 사외이사) 선임 의안의 투표방식 결정의 건(일괄표결 다득표자 선임)' 의안을 먼저 상정하여 표결 방식에 대해 주주총회의 결의를 거침으로써 결의방법과 관련된 공정성 시비 문제를 최소화시켰다.

83) 정관 변경의 효력은 가결 즉시 발생하므로, 이후 감사위원이 되는 이사 선임의 건은 정관에 위배되어 자동폐기된다.

제안이나 3% 의결권 제한 제도의 취지를 잠탈하는 것으로 허용되지 않는다고 볼 것인지의 문제이다. 생각건대, 이사회 내지 위원회 규모는 법령의 제한 범위 내에서 증원 필요성 등을 고려하여 주주총회에서 결정할 문제인 점[84], 소수주주의 주주제안 가능성이 영구히 배제되는 것도 아닌 점[85] 등에 비춰볼 때 방안 ⓐ나 방안ⓑ가 '현저하게 불공정한' 결의방법이라고 보기는 어렵다고 본다.

4) 분리선임된 감사위원의 사임과 제386조 퇴임이사 규정 적용 문제

분리선임 방식으로 선임된 감사위원이 중도 사임하였으나 회사 감사위원은 여전히 법률 및 정관상 정원인 3인 이상을 유지하고 있는 경우, 사임한 감사위원에 대해 퇴임이사에 관한 상법 규정(제398조의2 제5항, 제386조)이 적용되어 이사 및 감사위원으로서의 지위를 계속 유지하는지 문제 된다.

개정상법상 감사위원 분리선임 의무규정은 상법 개정 이후 감사위원회에 결원 등이 발생하여 감사위원을 새로이 선임해야 하는 경우 그 선임과정에 적용되는 조항으로 이해될 뿐, 감사위원회 정원에 대한 규정으로 해석하기는 어렵다. 따라서 분리 선임된 감사위원이 임기만료 전 사임하였다고 하여 퇴임이사에 관한 상법규정이 적용되지는 않는다고 본다.

---

84) 비록 집중투표에 관한 사안이나 "소수주주가 복수의 이사를 추가로 선임할 것을 제안한 경우 이사 증원의 필요성 및 적정 증원 인원수에 대한 판단이 필수적으로 동반되는데 이사의 선임은 주주총회의 고유권한이므로 주식회사의 정관에 관하여 특별히 규정한 바가 없다면 이사 증원의 및 적정 증원 인원수에 대한 판단은 주주총회의 결의사항"이라고 보면서 이사회의 이사 추가 선임과 관련한 변형 결의안에 대해 "주주제안권을 잠탈하거나 침해하는 것으로서 위법하다고 단정하기 어렵다"고 판단한 하급심 판례가 있다(서울고등법원 2015.10. 15. 자 2015라651). 반면, 위와 같은 변형 결의안에 대해 "상법이 정한 주주제안의 규정취지를 잠탈하는 것으로서 위법하다고 볼 여지가 있다"고 판시한 하급심 판례(서울고등법원 2015.5.29. 2014나2042552)도 있다.

85) 위 예시에서 올해 임기가 만료하는 감사위원으로 인해 감사위원회가 3인으로 됐다고 해도, 추후 임기가 만료된 감사위원인 이사가 생기면 감사위원회 구성에 관한 법정 최소 구성원수 요건(3인)을 충족하기 위해 반드시 감사위원을 추가 선임해야 한다.

V. 대표이사

1. 대표이사의 임면과 권한   강 대 섭*

가. 대표이사의 의의

상법은 주식회사의 합리적인 운영을 위해 이사회제도를 채택하여 업무집행에 관한 의사는 이사회의 결의로 정하도록 하고 있다(제393조 제1항). 그런데 이사회는 회의체기관이므로 결의한 사항을 구체적으로 집행하기에는 그 성격상 적합하지 않기 때문에, 상법은 업무집행에 관한 의사를 결정하는 기관인 이사회와는 별개로, 회사의 업무를 집행하고 대외적으로 회사를 대표하는 필요적 상설기관으로 대표이사를 두도록 하고 있다. 다만 집행임원을 두는 주식회사는 대표이사를 둘 수 없다(제408조의2 제1항). 자본금 총액이 10억원 미만으로 이사가 1인 또는 2인인 소규모 주식회사의 경우에는 원칙적으로 각 이사가 회사를 대표하고 이사회에 갈음하여 특정한 사항에 관하여 업무집행 의사를 결정하지만, 정관의 규정에 의하여 대표이사를 따로 둘 수 있다(제383조 제6항).

대표이사인지의 여부는 선임에 따른 대표권 유무에 의하여 결정된다. 대표권이 부여되어 있는 한, 회사 내부적으로 사용되는 명칭 여하를 묻지 아니하고 대표이사가 된다. 그러나 대표이사는 대외적으로 대표이사라는 명칭을 부기하여야 한다.

대표이사는 경제계의 실제에서 대표권이 없이 대내적인 업무집행만을 담당하는 업무담당이사와 구별된다. 회사는 내부의 조직질서를 정하고 이사의 직무의 범위를 정하기 위해 이사에게 사장, 부사장, 전무, 상무 등의 명칭을 부여하여 회사의 내부적인 업무집행을 담당하도록 하고 있는데,[1] 회사의 내부에서 업무집행을 담당하지만 회사를 대표하지 않는 이사를 업무담당이사라 한다.

---

* 부산대학교 법학전문대학원 교수

1) 상장회사 표준정관 제33조(대표이사 등의 선임)는 집행임원을 설치하지 않는 회사는 "이사회의 결의로 대표이사(사장), 부사장, 전무 및 상무 약간 명을 선임할 수 있다."라고 규정한다. 이 외에 회사에 따라 회장, 부회장 등 다른 직위명의 임원을 선임할 수도 있다.

나. 선임과 종임

1) 선 임

가) 선임기관

대표이사는 이사회의 결의로 선임되나, 정관에 정함이 있는 때에는 주주총회에서 선임한다(제389조 제1항). 대표이사를 이사회에서 선임하여야 하는 경우, 대표이사의 선임과 해임에 관한 이사회의 권한은 '이사회 내의 위원회'를 두고 있는 회사의 경우에도 그 위원회에 위임할 수 없다(제393조의2 제2항 제2호). 자본금 총액이 10억원 미만인 소규모 주식회사가 이사를 1인 또는 2인 두는 경우에는 각 이사(정관에 따라 대표이사를 정한 경우에는 그 대표이사를 말한다)가 회사를 대표하므로 대표이사의 선임절차가 필요 없다.

대표이사의 선임시 후보자인 이사 또는 주주(정관의 규정에 의해 주주총회에서 대표이사를 선임하는 경우)는 대표이사의 선임결의에 대해서는 특별한 이해관계를 갖는 것으로 보지 않는다(통설).

대표이사는 적법한 선임기관에 의하여 선임되어야 한다. 적법한 선임기관인 이사회 또는 주주총회의 결의에 의하여 대표이사로 선임되지 아니한 이사가 사실상 대표이사와 같은 역할을 하였더라도 그가 법률상 대표이사로 되지는 않는다.[2] 대표이사로 선임되어 그 권한을 갖는 한, 사용되고 있는 명칭은 상관이 없으며, 그 선임결의의 효력이 다투어지더라도 판결이 있을 때까지 대표이사의 지위를 갖는다.[3]

선임의 효력은 대표이사로 선임된 이사가 승낙한 때에 발생한다.[4] 그러나

---

2) 최준선, 「회사법」 제16판(삼영사, 2021), 497면. 대법원 1989.10.24. 89다카14714. 동지: 대법원 1994.12.2. 94다7591(회사의 운영권을 인수한 자라 하더라도 그가 이사회에서 대표이사로 선정된 바 없는 이상, 회사의 적법한 대표자라고 볼 수 없다); 대법원 2009.3.12. 2007다60455(회사의 운영을 사실상 지배하는 자가 주주들로부터 주주권의 행사를 위임받았으나 그 위임취지를 벗어나 자신을 대표이사로 선임하였다는 취지의 주주총회 의사록과 이사회 의사록을 작성한 경우에도 그가 이사 및 대표이사로서의 지위를 갖지 못한다).

3) 대법원 1985.12.10. 84다카319(주식회사의 이사 및 대표이사 선임결의가 부존재임을 주장하여 생긴 분쟁 중에 그 결의부존재 등에 관하여 주식회사를 상대로 제소하지 아니하기로 하는 부제소 약정을 함에 있어서 주식회사를 대표할 자는 현재 대표이사로 등기되어 그 직무를 행하는 자라 할 것이고, 그 대표이사가 부존재라고 다투어지는 대상이 된 결의에 의하여 선임되었다 할지라도 위 약정에서 주식회사를 대표할 수 있는 자임에 틀림없다).

4) 상업등기규칙에서는 이사, 대표이사. 집행임원, 대표집행임원, 감사 또는 감사위원회 위원의 취임 또는 퇴임으로 인한 변경등기를 신청하는 경우에는 그 취임승낙 또는 퇴임을 증명하

선임결의 전에 대표이사 후보자가 선임결의를 조건으로 승낙한 때에는 선임결의와 동시에 선임의 효력이 생긴다.

대표이사를 선임한 이사회의 결의에 하자가 있는 때에는 이사회결의의 무효 또는 부존재확인의 소를 제기할 수 있고, 주주총회의 대표이사 선임결의에 하자가 있는 때에는 그 하자의 내용과 경중에 따라 결의취소, 결의무효확인 및 결의 부존재확인의 소를 제기할 수 있다.

나) 대표이사의 자격, 원수 및 임기

(1) 자 격

대표이사는 이사의 지위를 전제하는 외에 그 자격에 특별한 제한이 없다. 정관으로 이사가 가질 주식의 수를 정한 경우(제387조, 자격주)를 제외하고는 주주가 아닌 자도 대표이사가 될 수 있다. 대표이사는 이사로서 이사회의 구성원을 겸하는 결과 업무집행에 관한 의사결정과 업무집행 자체가 연계되어, 대표이사는 이사로서 회사의 업무집행에 관한 의사결정에 참가할 수 있고, 이사회는 대표이사에 의한 업무집행을 효율적으로 감독할 수 있다.

대표이사는 집행기관이기 때문에 이사직무집행정지의 가처분을 받은 이사는 대표이사로 선임될 수 없다.[5] 판례는 "대표이사 및 이사의 직무집행을 정지하고 그 직무대행자를 선임하는 법원의 가처분결정이 내려지기 전에 대표이사가 퇴임하고 당해 이사가 대표이사로 선임되어 취임등기까지 마친 경우에도, 당해 이사에 대해 법원의 직무집행정지 가처분결정이 내려진 때에는 당해 이사는 그 선임결의의 적법 여부에 관계 없이 대표이사로서의 권한을 가지지 못한다"고 한다.[6]

(2) 인원수

대표이사의 인원수에 관하여는 제한이 없으므로 1인 또는 수인의 대표이사를 둘 수 있다.[7] 정관에서 대표이사의 수를 정한 때에는 그에 따르고, 그렇지 아니

는 정보를 제공하도록 하고 있다(상업등기법 제24조 제3항, 상업등기규칙 제130조). 주주 총회에서 이사나 감사를 선임하는 경우 선임결의와 피선임자의 승낙만으로 그 지위를 취득하고, 회사와의 임용계약을 요하지 않는다는 대법원 판결(2017.3.23. 2016다251215 전원합의체) 참조.

5) 권기범, 「현대회사법론」 제7판(삼영사, 2017), 955면.

6) 대법원 2014.3.27. 2013다39551.

7) 정관에 대표이사인 사장을 여러 명 둘 수 있다고 정하거나, 부사장·전무·상무 등을 대표이사로 할 수도 있다.

한 경우에는 대표이사를 선임할 때에 그 수를 정할 수 있다.[8] 그런데 이사 전원을 대표이사로 할 수 있는가에 관해서는 견해가 대립한다. 이사 전원을 대표이사로 하는 것은 업무집행에 대한 감독권한을 이사회에 부여한 취지에 어긋난다고 하여 이를 부정하는 견해가 있다.[9] 그러나 상법상 대표이사의 수에 제한이 없고, 이사의 지위와 대표이사의 지위는 엄연히 구별되며, 또한 회사는 업무분담이 다른 이사 모두에게 대표권을 부여할 실제상의 필요도 있다는 이유로 이를 긍정하는 견해도 많다.[10] 다만 상장회사는 일정한 경우를 제외하고는 일정 수의 사외이사를 선임하여야 하므로(제542조의8 제1항) 그 범위 내에서는 이사 전원을 대표이사로 할 수 없다.

(3) 임   기

상법은 대표이사의 임기에 관해 규정하지 않고 있고, 실제에서 대표이사의 임기는 정관에 의해 정해지고 있다. 대표이사의 임기는 이사로서의 임기(제383조 제2항과 제3항)를 초과할 수 없다.

다) 등   기

회사가 대표이사를 선정한 때에는 본점소재지에서는 2주간 내에, 지점소재지에서는 3주간 내에 그 성명, 주민등록번호 및 주소를 등기하여야 한다(제317조 제2항 제9호, 제183조). 등기가 대표이사 선임의 효력발생요건은 아니다. 그러나 대표이사의 선임등기를 하지 아니한 때에는 회사는 그가 대표이사임을 선의의 제3자에 대항하지 못한다(제37조 제1항).

법원이 임시대표이사(일시대표이사)를 선임한 때에는 본점의 소재지에서 그 등기를 하여야 하는데(제389조 제3항, 제386조 제2항 제2문), 이 경우에는 법원의 등기촉탁에 의하여 등기가 이루어진다(비송사건절차법 제107조 제4호).

---

8) 강위두·임재호,「상법강의(상)」제4전정판(형설출판사, 2011), 863면.
9) 강위두·임재호, 전게서, 863면; 정동윤,「상법(상)」제6판(법문사, 2012), 613면; 김정호,「회사법」제7판(법문사, 2021), 401면.
10) 최기원,「신회사법론」제14대정판(박영사, 2012), 625면(그러나 이 경우에는 동일인이 업무집행기관의 구성원이 되고 동시에 그 감독기관의 구성원의 자격을 겸하게 되어 상법의 의도에 어긋난다); 정찬형,「회사법강의(상)」제24판(박영사, 2021), 1005면; 이철송,「회사법강의」제29판(박영사, 2021), 720면; 최준선, 전게서, 498면; 송옥렬,「상법강의」제10판(홍문사, 2020), 1014면; 서헌제,「상법강의(상)」초판(법문사, 2003), 807면.

2) 종 임

가) 종임사유

(1) 일반적 종임사유

대표이사는 이사의 지위를 전제하므로, 이사의 임기만료, 사임, 사망, 파산, 금치산 등 이사의 종임사유로 이사의 지위를 잃게 되면 대표이사의 지위도 상실하게 된다. 반대로 이사회에서 대표이사를 해임하는 경우와 같이 대표이사의 종임사유가 발생하더라도 이사의 지위를 당연히 상실하는 것은 아니다. 정관으로 이사가 가질 주식의 수를 정한 경우를 제외하고 대표이사는 그 소유주식 전부를 매도하였다고 하더라도 대표이사의 지위를 상실하지 않는다.[11] 회사와 대표이사의 관계는 위임에 유사한 관계이므로 대표이사의 임기만료, 사임, 해임 등 대표이사의 종임사유가 있는 때에는 대표이사는 퇴임한다.

대표이사는 언제든지 사임할 수 있다. 다만 부득이한 사유 없이 회사의 불리한 시기에 사임하여 회사에 손해가 발생한 때에는 이를 배상하여야 한다(제382조 제2항, 민법 제689조 제2항). 대표이사직에서 사임하는 경우 이사직까지 사임하는 것인지 여부는 의사표시해석의 문제이다.[12]

대표이사가 사임하는 행위는 상대방 있는 단독행위인데 그 의사표시를 누구에게 하여야 하는가? 판례는 "대표이사의 사임의 의사표시는 대표이사의 사임으로 그 권한을 대행하게 될 자에게 하면 되고 그 의사표시가 도달한 때에 사임의 효력이 발생하지만, 사임서 제출 당시 그 권한대행자에게 사표의 처리를 일임한 경우에는 권한대행자의 수리행위가 있어야 사임의 효력이 발생하고 사임의 효력이 발생한 이후에는 마음대로 이를 철회할 수 없다"고 한다.[13] 이에 관하여는 권한대행자에게 사표처리가 일임되었다는 것은 이미 권한대행자의 권한행사

---

11) 대법원 1963.8.31. 63다254.
12) 대법원 2007.6.19. 자 2007마311에서는 대표이사직에서 사임한 경우 대표이사 및 이사의 지위에서 퇴임한 것으로 판단하고 있다.
13) 대법원 2007.5.10. 2007다7256. 법인 이사의 사임의 효력발생시기와 철회에 관한 대법원 2008.9.25. 2007다17109(그러나 법인이 정관에서 이사의 사임절차나 사임의 의사표시의 효력발생시기 등에 관하여 특별한 규정을 둔 경우에는 정관에서 정한 바에 따라 사임의 효력이 발생하므로, 이사가 사임의 의사표시를 하였더라도 정관에 따라 사임의 효력이 발생하기 전에는 그 사임의사를 자유롭게 철회할 수 있다). 동지: 김건식·노혁준·천경훈, 「회사법」 제3판(박영사, 2018), 373면; 임재연, 「회사법 Ⅱ」 개정7판(박영사, 2020), 414면: 장덕조, 「상법강의」 제4판(법문사, 2021), 525면.

가 개시되었다는 것을 의미하고, 이는 대표이사의 지위가 소멸되었음을 전제로
하는 것이므로 새삼 철회할 수 있다고 보는 것은 모순이라는 비판이 있다.[14) 대
체로 학설은 대표이사의 지위의 특성상 신속한 후임결정을 해야 하므로 이사회
를 소집하고 이사회에 대해 의사표시를 하거나 이사 전원에게 통지하여야 한다
고 본다.[15)

(2) 해   임

회사와 대표이사의 관계는 위임에 준하므로, 회사는 정당한 이유의 유무를
불문하고 언제든지 이사회의 결의로 대표이사를 해임할 수 있다(제382조 제2항,
민법 제689조 제1항). 정관의 정함에 따라 주주총회에서 대표이사를 선임한 경우
에는 특별한 규정이 없는 한, 주주총회의 보통결의로 해임할 수 있다.[16) 대표이
사의 해임은 이사의 지위까지 박탈하지는 않는다. 만약 이사회가 선임한 대표이
사를 주주총회에서 해임하고자 하는 경우에는 주주총회의 특별결의로 이사의 지
위를 박탈하면 된다.[17) 해임은 결의만으로 그 효력이 발생하고 본인에게 통지할
필요는 없다고 보는 견해와,[18) 본인에 대하여 해임의 통지를 한 때에 그 효력이
생긴다고 보는 견해로 나뉜다.[19)

(가) 대표이사의 해임과 손해배상

대표이사의 임기가 정해져 있는 경우에 정당한 이유 없이 임기만료 전에 대
표이사를 해임한 때에 그 대표이사는 회사에 대하여 해임으로 인한 손해배상을
청구할 수 있는가에 관하여는 이사의 해임의 경우와 같은 규정(제385조 제1항 단
서)이 없다. 학설은 대체로 이사의 해임에 관한 상법의 규정을 대표이사의 해임
에 유추적용하여 그 손해의 배상을 청구할 수 있다고 한다.[20) 반면에 대표이사

---

14) 이철송, 전게서, 722면.
15) 이철송, 전게서, 721면. 동지: 강위두·임재호, 전게서, 864면.
16) 권기범, 전게서, 958면; 이철송, 전게서, 720면; 김건식·노혁준·천경훈, 전게서, 373면.
17) 송옥렬, 전게서, 1015면. 동지: 김홍기, 「상법강의」 제6판(박영사, 2021), 587면.
18) 정동윤, 전게서, 614면(해임결의는 대표이사의 자격만을 박탈하는데 그치고, 또 회사의 손
    해를 줄여야 하기 때문이다); 김건식·노혁준·천경훈, 전게서, 373면(해임의 실효성확보를
    위함이다); 최준선, 전게서, 499면(다만 자격상실로 인한 종임은 본인에게 통지함으로써 효
    력이 발생한다).
19) 손주찬, 「상법(상)」 제15보정판(박영사, 2004), 784면(그러나 해임된 자의 동의를 요하는
    것은 아니다); 강위두·임재호, 전게서, 864면; 최기원, 전게서, 628면(그 이유로서는 해임
    결의라는 단체법상의 행위에 의하여 즉시 개인법상의 관계까지도 소멸한다면 대표이사가
    알지 못하는 사이에 해임의 효과가 생기기 때문이다); 정찬형, 전게서, 1006면.

는 이사와 달리 집행임원의 성격이 강하므로 대표이사에 대하여는 이 규정을 유추적용할 수 없다는 견해도 있다.[21] 후술하는 바와 같이 대법원 판례는 후자를 따르고 있다. 그렇다면 대표이사는 중도해임의 위험에 대비하기 위해 취임 시에 회사와의 계약으로 해직보상금을 약정해 둘 필요가 있다.[22] 이 경우 해직보상금에 대해서는 이사의 해직보상금과 같은 규제를 받는다고 본다.[23]

대법원 판례는 "이사회가 대표이사를 해임하는 경우에는 상법 제385조 제1항 단서는 유추적용될 수 없고, 이 점은 대표이사가 그 직에서 해임되어 무보수·비상근의 이사로 되었다고 하여 달라지지 않는다"고 한다.[24] 이렇게 보는 이유는 상법이 대표이사의 임기에 대해 규정하고 있지 않은 점에서 이사와 대표이사는 그 지위·성질·권한이 다르고, 대표이사는 이사회의 경영판단에 따라 언제든지 해임할 수 있다고 보아야 하므로 주주총회에서의 이사해임과 이사회의 대표이사 해임이 유사한 사실이라고 볼 수 없고, 상법 제385조 제1항 단서는 임기가 정하여진 이사가 그 임기 전에 정당한 이유 없이 해임당한 경우에는 회사에 대하여 손해배상을 청구할 수 있게 함으로써 주주의 회사에 대한 지배권 확보와 경영자 지위의 안정이라는 주주와 이사의 이익을 조화시키려는 규정이고 이사의 보수청구권을 보장하는 것을 주된 목적으로 하는 규정은 아니라는데 있다.

(나) 해임결의와 의결권행사의 제한

대표이사를 이사회 또는 주주총회에서 해임하는 경우 해당 대표이사가 이사로서 또는 주주로서 특별이해관계인에 해당하여 의결권을 행사할 수 없는가? 일부에서는 해임의 대상이 된 대표이사가 모든 사심을 버리고 회사의 이익에 따라

---

20) 강위두·임재호, 전게서 864면; 최기원, 전게서, 628면; 이철송, 전게서, 721면(이사의 해임에 관한 상법 제385조가 적용될 수 없더라도, 위임의 해지의 일반원칙에 따라 손해배상청구는 가능하고, 그 때 손해배상액은 대표이사로서 지급받은 보수를 기준으로 해야 한다); 최준선, 전게서, 498면; 권기범, 전게서, 958면.
21) 정동윤, 전게서, 614면; 정찬형, 전게서, 1006면; 김건식·노혁준·천경훈, 전게서, 373면; 장덕조, 전게서, 525~526면.
22) 김건식·노혁준·천경훈, 전게서, 373면.
23) 판례는 대표이사에게 지급된 특별성과급은 직무수행에 대한 보상으로 보수에 해당한다고 본다(대법원 2020.4.9. 2018다290436).
24) 대법원 2004.12.10. 2004다25123. 원심법원인 서울고등법원은 상법 제385조 제1항이 유추적용될 수 있다고 하여 원고의 손해배상청구를 인정하였다(서울고등법원 2004.4.13. 2003나13835).

공정하게 의결권을 행사할 수 없으므로, 이사회의 공정성을 도모하기 위하여 해임결의의 대상인 대표이사는 특별이해관계인에 해당하여 의결권을 행사할 수 없다고 해석한다.[25] 그러나 다수의 견해는 대표이사의 선임의 경우와 마찬가지로 해임결의의 대상인 대표이사는 특별이해관계인으로 되지 않는다고 본다. 그 이유로서는 대표이사의 선임·해임을 위한 결의는 회사지배의 일면이고 이사로서의 임무와 모순되지 않는다거나, 대표이사의 해임은 중대한 사유의 존재를 요건으로 하지 않고 주주총회에서 이사의 자격까지 동시에 해임시키려고 할 때에는 회사지배권의 방어를 위하여 의결권의 행사가 인정되어야 한다는 등의 이유로 이사회 또는 주주총회에서 대표이사를 해임하는 경우에도 특별이해관계인으로 볼 필요가 없다고 한다.[26]

나) 결원시의 구제

(1) 퇴임대표이사(계속대표이사)

대표이사의 퇴임에 의하여 법률상(적어도 1인도 없게 된 경우) 또는 정관상 대표이사의 결원이 있는 경우에는 임기의 만료 또는 사임으로 인하여 퇴임한 대표이사는 새로 선임된 대표이사가 취임할 때까지 대표이사의 권리의무가 있다(제389조 제3항, 제386조 제1항). 이에 의하면 사임한 대표이사는 새로운 이사(후임이사)를 선임한 주주총회의 결의부존재의 확인을 구하고, 그 주주총회에서 선임된 이사들로 구성되어 대표이사를 선임한 이사회의 결의부존재의 확인을 구할 이익이 있다.[27]

---

25) 정동윤, 전게서, 608면.

26) 이기수·최병규, 「회사법」 제11판(박영사, 2019), 410면; 최기원, 전게서, 613면(다만 그 대표이사가 이사회의 의장으로서 회의를 불공정하게 진행한 때에는 결의의 무효사유가 된다). 동지: 손주찬, 전게서, 776면; 강위두·임재호, 전게서, 864면; 이철송, 전게서, 708면 (대표이사의 선임·해임결의는 회사지배에 관한 주주의 비례적 이익이 연장·반영되는 문제이다); 권기범, 전게서, 892면; 임재연, 전게서, 327면 참조(이사 해임의 경우 의결권 인정). 일본에서도 대표이사의 해임결의에 대해서는 다툼이 있다. 대표이사가 스스로 적임자라고 생각하여 해임에 반대표를 던지는 것은 회사에 대한 충실의무를 수행하는 방법이 될 수 있으므로 의결권의 행사가 배제되어서는 아니된다고 하여 이를 부정하는 견해도 있으나, 이사회에서는 주주총회와 달리 자본다수결은 타당하지 않고 대표이사해임결의는 오로지 그 대상으로 된 이사에 관한 결의로서 그 이사에게 의결권행사를 인정하는 것은 공정한 행사를 기대할 수 없기 때문에 특별이해관계인에 해당한다고 하여 이를 긍정하는 견해가 통설이고, 판례도 이 결론을 따르고 있다고 한다(前田庸, 「會社法入門」(有斐閣, 2005), 428面; 日最判 1969.3.28. 民集 23卷 3號 645面).

27) 대법원 1992.8.14. 91다45141(또한 후임이사를 선임한 주주총회나 후임대표이사를 선임한 이사회결의의 부존재확인을 구하고 있는 이상 그 이후의 주주총회 또는 이사회의 결의의

퇴임대표이사는 이사의 지위를 전제하므로 이사의 지위를 상실하는 한 계속하여 대표이사의 지위를 유지한다고 보기는 어렵다. 판례는 "회사의 유일한 대표이사가 대표이사 및 이사의 직에서 사임하였을 때에 이사의 결원은 발생하지 아니하였으나, 대표이사의 결원이 발생한 경우에 해당한다"고 하여 사임한 대표이사는 후임 대표이사가 취임할 때까지 대표이사로서의 권리의무가 있다고 하였다.[28] 이 판례에 대해서는 대표이사의 대표이사직 및 이사직 사임이 있었으나 이사의 결원이 발생한 것이 아니므로 사임으로 퇴임한 대표이사는 이사의 지위를 상실하였음에도 계속하여 대표이사가 된다고 본 것은 수긍하기 어렵다는 지적이 있다.[29] 학설 중에는 대표이사에 관하여는 명문의 준용규정이 있고 대표이사가 주식회사의 필요적 상설기관이라는 점에 비추어, 대표이사의 결원이 있는 경우에는 이사의 결원 여부를 불문하고 대표이사의 지위가 연장된다고 하여 판례와 같은 입장을 취하는 견해도 있다.[30]

(2) 임시대표이사(일시대표이사, 가이사)

대표이사의 임기만료 또는 사임의 경우에 한하지 않고 대표이사의 결원이 있는 경우에 필요하다고 인정할 때에는, 법원은 이사, 감사 기타의 이해관계인의 청구에 의하여 일시 대표이사의 직무를 행할 자(임시대표이사 또는 일시대표이사)를 선임할 수 있다(제389조 제3항, 제386조 제2항 제1문). 여기서 '필요한 때'라 함은 대표이사의 사망으로 결원이 생기거나 종전의 대표이사가 해임된 경우, 대표이사가 중병으로 사임하거나 장기간 부재중인 경우 등과 같이 퇴임한 대표이사로 하여금 대표이사로서의 권리의무를 가지게 하는 것이 불가능하거나 부적당한 경우를 의미한다.[31] 회사 동업자들 사이에 동업을 둘러싼 분쟁이 계속되고 있다는 사정만으로는 이에 해당한다고 할 수 없다.

법원이 선임하는 임시대표이사의 자격에는 제한이 없으므로 회사와 아무런

하자를 주장하여 부존재의 확인을 구할 이익이 있다); 1985.12.10. 84다카319 참조; 1968. 5.22. 자 68마119.

28) 대법원 2007.6.19. 자 2007마311.

29) 권기범, 전게서, 825~826면. 그런데 이사직에서 사임함으로써 대표이사직에서도 퇴임하는 경우에 이사의 결원이 발생하지만 이사회의 선임결의에 의하여 대표이사의 결원이 발생하지 않는 때에는 퇴임한 이사는 계속이사가 될 수 있으나 계속대표이사로 되지는 않는다(최기원, 전게서, 630면).

30) 임재연, 전게서, 415면.

31) 대법원 2000.11.17. 자 2000마5632.

이해관계가 없는 자도 임시대표이사로 선임될 수 있다. 선임된 임시대표이사는 종전의 대표이사와 동일한 권리의무를 갖고, 회사가 해산한 경우 원칙적으로 대표청산인이 된다.[32] 임시대표이사를 선임한 때에는 본점의 소재지에서 임시대표이사의 선임등기를 하여야 한다(제386조 제2항 제2문).

다) 직무집행정지 및 직무대행자선임

(1) 가처분에 의한 직무집행정지 및 직무대행자선임

상법은 이사의 직무집행정지 및 직무대행자의 선임에 관한 규정(제407조)을 대표이사에 준용하는 규정을 두고 있지 않지만, 대표이사를 선임한 이사회 또는 주주총회의 결의에 하자가 있는 때에는 결의무효(부존재)확인의 소, 결의취소의 소를 본안으로 하여 대표이사의 직무집행정지 및 직무대행자선임의 가처분을 신청할 수 있다고 본다. 판례는 가처분 신청을 인정하고 있다.[33] 판례에 따르면 직무집행정지 가처분결정에 의하여 회사를 대표할 권한이 정지된 대표이사가 그 정지기간 중에 체결한 계약은 절대적으로 무효가 된다.[34] 그리고 대표이사의 직무집행정지 및 직무대행자 선임의 가처분이 이루어진 이후에 대표이사가 해임되고 새로운 대표이사가 선임되었다고 하더라도, 가처분결정이 취소되지 아니하는 한 직무대행자의 권한은 유효하게 존속하는 반면 새로이 선임된 대표이사는 그 선임결의의 적법 여부에 관계없이 대표이사로서의 권한을 가지지 못한다.[35] 대표이사의 직무집행정지 및 직무대행자 선임의 가처분은 이를 등기하지 아니하면 가처분으로 선의의 제3자에 대항하지 못한다.[36]

---

32) 대법원 1981.9.8. 80다2511.

33) 대법원 2014.3.27. 2013다39551; 2008.5.29. 2008다4537; 1992.5.12. 92다5638; 1990.10.31. 자 90그44.

34) 대법원 2008.5.29. 2008다4537 (그 후 가처분신청의 취하에 의하여 보전집행이 취소되었다고 하더라도 집행의 효력은 장래에 향하여 소멸할 뿐 소급적으로 소멸하는 것은 아니므로, 가처분신청이 취하되었다고 하여 무효인 계약이 유효하게 되지는 않는다). 이홍주, "직무집행정지가처분으로 직무집행이 정지된 대표이사가 한 행위의 효력,"「민사판례연구」제32권 (민사판례연구회, 2010), 784면 (이 판례는 직무집행정지가처분의 대세적 절대적 효력이 인정됨을 전제로 그에 위반된 행위를 절대적으로 무효라고 판시한 것이다).

35) 대법원 2014.3.27. 2013다39551; 1991.12.24. 91다4355. 대법원 1992.5.12. 92다5638(가처분은 그 성질상 당사자 사이에서 뿐만 아니라 제3자에게도 효력이 미치므로, 새로이 선임된 대표이사가 위 가처분에 위반하여 회사 대표자의 자격에서 한 법률행위는 결국 제3자에 대한 관계에서도 무효이고 이때 위 가처분에 위반하여 대표권 없는 대표이사와 법률행위를 한 거래상대방은 자신이 선의였음을 들어 위 법률행위의 유효를 주장할 수는 없다); 대법원 1990.10.31. 자 90그44.

36) 대법원 2009.3.12. 2007다60455.

대표이사의 직무대행자는 가처분명령에 다른 정함이 있거나 법원의 허가를 얻은 경우 외에는 회사의 상무에 속하지 아니한 행위를 하지 못한다(제408조 제1항 참조). 회사의 '상무'라 함은 일반적으로 회사에서 일상 행해져야 하는 사무, 회사가 영업을 계속함에 있어서 통상 행하는 영업범위 내의 사무 또는 회사경영에 중요한 영향을 주지 않는 통상의 업무 등을 의미한다. 어느 행위가 구체적으로 상무에 속하는가 하는 것은 당해 회사의 기구, 업무의 종류·성질, 기타 제반 사정을 고려하여 객관적으로 판단되어야 한다. 구체적인 예로서 판례는 "대표이사 직무대행자는 이사회의 구성 자체를 변경하는 행위나 상법 제374조의 특별결의사항에 해당하는 행위 등 회사의 경영 및 지배에 영향을 미칠 수 있는 사항을 안건으로 하는 정기주주총회를 소집할 수 없다"고 하고,[37] "종업원이 회사로부터 지급받을 출장비 대신에 부동산을 대물변제 받기로 한 약정에 따라 회사에게 그 소유권이전등기절차의 이행을 구하는 소송에서 그 부동산이 회사의 기본재산이나 중요한 재산에 해당하지 않는 한, 대표이사 직무대행자가 행한 변론기일 불출석 및 항소 포기 등의 행위는 회사의 상무행위에 해당한다"고 한다.[38] 또한 "대표이사 직무대행자로 선임된 자가 변호사에게 소송대리를 위임하고 그 보수계약을 체결하거나 그와 관련하여 반소제기를 위임하는 행위는 회사의 상무에 속하지만, 회사의 상대방 당사자의 변호인의 보수지급에 관한 약정은 회사의 상무에 속하지 않는다"고 한다.[39]

대표이사의 직무대행자가 선임된 경우에 그 직무대행자는 이사의 직무대행자 자격도 갖는가 하는 점이 문제된다. 이사의 지위와 대표이사의 지위가 구별되는 한, 대표이사의 직무대행자는 이사의 직무대행자의 자격을 갖지 않는다고 본다.

(2) 정관에 의한 직무대행자

실제에 있어서 회사는 대표이사가 직무를 수행할 수 없는 경우에 업무의 지속을 위하여 정관에 '대표이사의 유고시에는 부사장, 전무, 상무 및 이사의 순서로 그 직무를 대행한다'는 취지의 규정을 두어 대표이사의 직무대행자를 정하는 경우가 많다. 이러한 정관의 규정은 주주총회의 특별결의에 의한 것이고 대표이사의 선임요건인 이사회의 결의(주주총회에서 선임하는 경우 보통결의)보다 상위의

---

37) 대법원 2007.6.28. 2006다62362.
38) 대법원 1991.12.24. 91다4355.
39) 대법원 1989.9.12. 87다카2691.

효력을 갖기 때문에 유효하다고 한다.40) 판례도 정관상의 직무대행자 규정의
효력을 인정하고 있다. 판례는 '유고시'의 해석과 관련하여 '대표이사가 신병 또
는 장기의 해외여행 등으로 사무를 집행할 수 없는 경우'를 말한다고 하여, 정
당한 사유 없이 대표이사의 사무(주권발행)를 수행하지 않는 것과 같은 경우에는
대표이사의 유고로 볼 수 없어 직무대행자가 주권발행사무를 대리할 수 없다고
하였다.41) 그러나 다른 판례에서는 "회장이 적법한 소집통지를 받고도 이사회에
출석하지 아니한 이상, 회장이 의장으로서 이사회를 진행할 수 없으므로 이는
정관 소정의 회장 유고시에 해당한다"고 하였다.42) 유고시의 해석 여부는 회사
의 경영조직에 큰 분쟁의 소지를 남길 수 있으므로 제한적으로 인정해야 하고,
정관이 정하는 대표이사의 직무대행자의 권한도 회사의 상무에 한정되는 것으로
보아야 한다.43)

라) 퇴임등기

(1) 등기의무

대표이사가 종임사유로 퇴임한 때에는 본점소재지에서는 2주간, 지점소재지
에서는 3주간 내에 퇴임으로 인한 변경등기(퇴임등기)를 하여야 한다(제317조 제
2항 제9호와 제4항, 제183조). 대표이사의 지위는 종임사유가 발생한 때에 당연히
상실되고,44) 그 등기 유무에 의하여 영향을 받지 아니한다. 따라서 주식회사의
대표이사직에서 사임한 자가 사임등기를 하지 아니한 때에도 그가 사임 이후에
회사의 대표이사 자격으로 한 법률행위의 효력이 회사에 대하여 당연히 미치지
않는다.45) 그러나 그 등기를 하지 아니한 때에는 회사는 대표이사의 퇴임을 선
의의 제3자에 대항하지 못한다(제37조 제1항).

---

40) 권기범, 전게서, 957면.
41) 대법원 1970.3.10. 69다1812 (대표이사가 주권을 발행하지 아니하여 정관의 규정에 따라
   전무이사가 그 명의로 회사의 주권을 발행한 것은 무효이다).
42) 대법원 1984.2.28. 83다651. 위의 판례가 "회장의 불출석의 경우까지도 회장 유고로 보지
   말라는 취지는 아니므로 이 해석이 위의 판례와 상반되지 않는다"고 하였다.
43) 이철송, 전게서, 723면.
44) 소송절차의 진행 중에 법인 대표자의 대표권이 소멸한 경우에는 이를 상대방에게 통지하지
   아니하면 그 소멸의 효력을 주장하지 못한다(민사소송법 제64조, 제63조 제1항); 대법원
   1998.2.19. 95다52710 전원합의체.
45) 대법원 1995.2.14. 94다42174. 이 경우에도 상법 또는 정관에 정한 대표이사의 인원수에
   부족이 생기거나 부실의 등기에 관한 상법 제39조 또는 표현대표이사에 관한 상법 제395
   조가 적용되는 경우에는 회사에 그 법률행위의 효력이 미칠 수 있다.

(2) 등기기간의 기산일

대표이사의 퇴임으로 인한 변경등기 기간은 원칙적으로 그 등기사항이 발생한 날, 즉 대표이사가 퇴임한 날부터 기산한다. 다만 임기의 만료 또는 사임으로 인한 대표이사의 퇴임등기의 경우에는 그 기산일은 일반의 경우와 달리 퇴임한 대표이사가 퇴임한 날이 아니라 새로 선임된 대표이사(후임대표이사)가 취임한 날이다. 최근 판례는 이 점을 분명히 하였다.[46]

대법원은 오래 전에 "임기의 만료로 인하여 퇴임한 이사가 상법 제386조(제389조에서 준용됨)에 의하여 후임이사가 취임할 때까지 여전히 이사로서의 권리의무가 있는 경우에도 퇴임이사의 임기만료일부터 2주간 또는 3주간 내에 상법제317조에 의하여 퇴임의 변경등기를 하여야 한다"고 판시한 적이 있다.[47] 그러나 최근 대법원은 "임기만료 또는 사임으로 인한 이사의 퇴임등기를 하여야하는 2주 또는 3주의 기간은 일반의 경우처럼 퇴임한 이사의 퇴임일부터 기산하는 것이 아니라 새로 선임된 이사(후임이사)의 취임일부터 기산한다고 보아야하며, 후임이사가 취임하기 전에는 퇴임한 이사의 퇴임등기만을 따로 신청할 수없다"고 판시하면서, 종전의 대법원 결정을 변경하였다. 그 이유로서는 임기의만료나 사임으로 퇴임한 이사가 이사의 일시적 결원을 메워주기 위하여 계속 이사의 권리의무를 가지게 됨에도 불구하고 그 이사에 관한 퇴임등기를 하게 하는것은, 이사의 권리의무가 유지됨에도 불구하고 그렇지 않은 것처럼 실제와 다른내용을 등기부에 공시하는 결과가 되어 상업등기제도의 올바른 운용이라는 목적에 배치될 우려가 있으므로, 오히려 이 경우에는 후임이사가 취임할 때까지 그퇴임한 이사가 여전히 이사의 권리의무를 가짐을 공시하기 위하여 이사로서의 등기를 일시 유지하게 하는 것이 옳기 때문이다. 이후 판례는 이를 따르고 있다.[48]

(3) 등기의 해태와 벌칙

상법 제635조 제1항 제1호는 '본편에 정한 등기를 해태한 때', 같은 항 제8호는 '법률 또는 정관에 정한 이사 또는 감사의 원수를 궐(闕)한 경우에 그 선임

---

46) 대법원 2005.3.8. 자 2004마800 전원합의체.
47) 대법원 1968.2.28. 자 67마921. 이 판례는 임기만료로 퇴임한 이사가 임기만료일로부터 2주 내에 변경등기를 하지 아니한 것은 상법 제317조, 제183조 소정의 변경등기를 해태한것이라고 결정하였다.
48) 대법원 2007.6.19. 자 2007마311.

절차를 해태한 때'에는 이를 해태한 회사의 대표이사 등에 대해 과태료에 처하 도록 되어 있다.

변경된 판례에 따르면 임기만료 또는 사임으로 퇴임한 대표이사가 후임대표 이사가 취임한 날로부터 2주 내에 퇴임등기를 신청한 이상 상법 제635조 제1항 제1호를 위반한 것은 아니다.[49) 이사의 정원에 결원이 생겼는데도 후임이사를 선출하지 아니하고 있는 것은 상법 제635조 제1항 제1호에 규정된 등기의 해태 가 아니라 같은 조항 제8호에 규정된 선임절차의 해태에 해당하여 과태료에 처 할 사유가 된다.[50) 그런데 상법 제635조 제1항 제8호는 '법률 또는 정관에 정 한 이사 또는 감사의 원수를 궐(闕)한 경우에 그 선임절차를 해태한 때'에 그 선 임을 위한 총회소집절차를 밟아야 할 지위에 있는 자에 대하여 과태료의 제재를 가하고 있다. 여기서 선임의 대상이 되는 '이사'에 '대표이사'는 포함되지 아니하 므로, 대표이사의 결원이 발생하여 퇴임한 대표이사가 후임대표이사가 취임할 때까지 대표이사로서의 권리의무를 갖는 기간 동안에는 후임대표이사의 선임절 차를 해태하였다고 하여 퇴임한 대표이사를 과태료에 처할 수는 없다.[51)

다. 대표이사의 지위

1) 대표이사와 이사회의 관계

가) 문제 상황

상법은 주주총회의 권한사항으로 정해져 있지 아니한 업무집행에 관한 사항 으로서 개별적으로 정한 사항 외에도 '중요한 자산의 처분 및 양도, 대규모 자 산의 차입, 지배인의 선임 또는 해임과 지점의 설치·이전 또는 폐지 등 회사의 업무집행'은 이사회의 결의로 하고(제393조 제1항), 대표이사는 회사를 대표하며 회사의 영업에 관하여 재판상 또는 재판외의 모든 행위를 할 권한이 있다(제389 조, 제209조)라고 규정하고 있다. 이 규정만으로 이사회와 대표이사가 어떠한 관 계에 있는지를 명확하게 알기 어렵다. 이사회와 대표이사의 관계에 관해서는 독 립기관설과 파생기관설이 대립하고 있다.

---

49) 대법원 2007.6.19. 자 2007마311.
50) 대법원 2005.3.8. 자 2004마800 전원합의체.
51) 대법원 2007.6.19. 자 2007마311; 채동헌, "주식회사 대표이사의 퇴임으로 인한 변경등기의 무," 「상장」 2008년 1월호(한국상장회사협의회, 2008), 123면.

일반적으로 업무집행기관은 업무집행에 관한 의사결정기관인 이사회와 그 집행기관인 대표이사로 구분된다. 이처럼 대표이사가 업무집행기관으로 분류되더라도 세부적인 업무집행에 관하여 의사결정권을 가지고 업무집행을 한다는 점은 인정하지만, 그 구체적인 내용은 분명하지 않다. 대표이사가 가지는 의사결정권의 성질과 범위는 이사회와 대표이사의 관계를 어떻게 파악하느냐에 따라 달리 이해되고 있다.

나) 학 설

(1) 독립기관설

독립기관설은 대표이사는 이사회로부터 독립된 회사의 기관으로 보는 견해이다. 이에 의하면 이사회와 대표이사는 다 같이 회사의 업무집행기관이지만, 이사회는 업무집행에 관한 의사를 결정하고, 대표이사는 그 결정된 의사에 따라 회사의 업무를 집행하고 회사를 대표하며, 대표이사는 대표권을 가지는 범위 내에서 업무집행권을 가지고 법률·정관 또는 이사회의 결의에 의하여 이사회의 결정사항으로 유보되어 있지 아니하는 한, 일상의 업무에 관하여 스스로 의사결정을 할 수 있는 권한을 가진다고 본다(다수설).

그런데 이사회와 대표이사는 독립적 기관이라고 보면서도, 대표이사는 이사회에서 선임되고 또 그 직무집행에 관하여 이사회의 감독을 받으므로 대표이사는 이사회의 하부기관으로 보기도 한다.[52]

(2) 파생기관설

파생기관설은 대표이사는 이사회의 파생기관에 지나지 않는다고 보는 견해이다.[53] 이에 의하면 이사회는 회사의 유일한 업무집행기관으로 업무집행에 관한 모든 권한을 갖지만, 그 성질상 구체적인 업무집행을 하기에 적당하지 않을 뿐만 아니라 이사회에서 모든 업무를 결정할 필요도 없고, 따라서 이사회는 상법 또는 정관에 의하여 고유한 권한으로 되어 있는 사항과 중요한 업무집행에 관하여서는 스스로 의사결정을 하고 그 결정사항의 집행에 관한 세부적인 사항이나 중요하지 아니한 업무집행에 관한 의사결정은 대표이사에게 위임할 수 있다고

---

52) 정동윤, 전게서, 612면; 김정호, 전게서, 401면.
53) 채이식, 「상법강의(상)」 개정판(박영사, 1997), 517면(상법의 규정이나 회사법 일반이론상 파생기관설이 타당하다).

한다. 이 견해에서는 회사의 일상적인 업무집행에 관한 의사결정은 대표이사의 선임결의시에 당연히 그에게 위임한 것으로 추정하고 있다.

(3) 검 토

회의체기관인 이사회가 처음부터 업무집행에 관한 의사결정권 외에 구체적인 업무집행권까지 갖는다고 보기는 어렵다. 상법은 대표이사의 대표권의 범위를 정하는 규정을 두고 있으나 대표이사의 업무집행에 관하여서는 명문의 규정을 두지 않고 있다. 그러나 회사의 대표는 대내적으로 보면 항상 업무집행이기 때문에 대표이사는 대표권의 범위 내에서 업무집행의 권한을 갖는다고 해석한다.

이사회는 회사의 업무집행에 관한 의사를 결정하는 기관이고, 대표이사는 그 결정된 의사에 따라 업무를 집행하고 회사를 대표하는 기관이다. 대표이사는 그 대표권의 범위 내에서 업무집행에 관한 세부적인 의사를 결정할 수 있고, 법률·정관 또는 이사회의 결의에 의하여 이사회의 결정사항으로 유보되지 아니한 일상적인 업무에 관해서는 의사결정권을 갖는다고 보는 독립기관설이 다수의 지지를 받고 있다. 판례도 일상업무에 속하는 사항에 대하여는 대표이사에게 의사결정권한이 있는 것으로 보고 있다.54)

대표이사를 이사회의 파생기관으로 보는 한, 대표이사가 가지는 권한이 원래 이사회에 속하였던 것이라고 보아야 하고, 대표이사가 정관의 정함에 따라 주주총회에서 선임되는 경우에도 이사회가 그 고유의 권한을 위임하였다고 보아야 하는 것은 자연스럽지 못하다.55) 그러나 파생기관설에서도 이사회는 법정사항과 중요한 업무집행을 제외하고56) 업무집행에 관한 의사결정을 대표이사에게 위임할 수 있고 회사의 일상적인 업무집행에 관한 의사결정은 대표이사에게 위임되어 있는 것으로 추정하므로, 실제의 적용에 있어서 양 학설 사이에 큰 차이는 없게 된다.57)

---

54) 대법원 1997.6.13. 96다48282.
55) 김건식·노혁준·천경훈, 전게서, 371면에 의하면 대표이사가 이사회에서 선임되는 경우에는 파생기관설이 타당하다고 한다.
56) 상법이 구체적으로 이사회의 결의사항으로 정한 사항, 즉 중요한 업무집행(제393조) 외에도 주주총회의 소집결정(제362조), 대표이사의 선임과 공동대표의 결정(제389조 제1항과 제2항), 이사 등과 회사간의 거래의 승인(제398조), 신주발행사항의 결정(제416조), 재무제표와 영업보고서의 승인(제447조와 제447조의2), 준비금의 자본금전입의 결정(제461조), 중간배당의 결정(제462조의3), 사채발행의 결정(제469조) 등과 정관에 의하여 이사회의 권한으로 유보된 사항에 관해서는 그 결정권을 대표이사 기타 기관에 위임할 수 없다.
57) 강위두·임재호, 전게서, 862면; 정동윤, 전게서, 615면; 이철송, 전게서, 724면.

2) 대표이사의 권한

가) 의 의

상법은 대표이사의 일반적 권한으로서 '회사를 대표'하며, "회사의 영업에 관하여 재판상 또는 재판외의 모든 행위를 할 권한이 있다"(제389조 제1항 제1문 및 제3항, 제209조)라고 하여, 대표이사의 대표권과 그 권한의 범위에 관하여 규정하고 있다. 그러나 회사를 대표하는 행위는 대내적으로 보면 회사의 업무를 집행하는 행위가 되기 때문에 대표이사는 회사대표권의 범위 내에서는 업무집행의 권한도 가진다고 보아야 한다. 회사의 내부적인 업무집행에서는 회사의 대표는 문제가 되지 않지만, 내부적인 업무집행도 대표이사의 권한에 속한다고 본다. 왜냐하면 이사회제도를 채택하고 있는 상법상으로는 각 이사는 당연히 업무집행의 권한을 가지지 못하므로, 그렇게 해석하지 않으면 주식회사에는 회사의 업무를 집행할 기관이 없어지는 결과가 되기 때문이다. 따라서 대표이사의 대표권을 정한 상법의 규정은 대표이사가 원칙적으로 회사의 영업에 관한 모든 업무를 집행할 권한을 가진다는 것을 전제로 하여 그 업무집행이 대외관계를 수반하는 경우의 회사대표권에 관하여 특별히 규정한 것이라고 해석된다.

회사의 대표권은 회사의 대외관계에서 행사되고, 업무집행권은 대내관계에서 행사된다. 대표권과 업무집행권은 별개의 독립된 권한이지만 업무집행권과 대표권이 서로 결합되어 행사되기도 한다. 업무집행권은 업무에 관한 의사결정권과 집행권으로 나눌 수 있다. 업무에 관한 의사결정권은 대표이사와 이사회가 나누어 갖기 때문에 대표이사가 단독으로 업무에 관하여 결정할 수 있는 사항의 범위는 이사회가 가지는 의사결정권의 범위와 관련하여 논의된다.

나) 회사대표권

(1) 대표권의 범위

회사대표권이란 회사를 대표하여 행위하고 그 행위가 회사의 행위로 인정되는 행위를 할 수 있는 대표이사의 권한을 말한다. 대표는 제3자에 대해 의사표시를 하는 능동대표와 제3자로부터 의사표시를 수령하는 수동대표에 미친다. 대표권이 행사되면 본인인 회사에 그 행위의 효과가 귀속된다는 점에서 대리제도와 비슷하지만, 대표행위는 바로 회사가 행위한 것으로 되는 점에서 대리와 다르다. 대표는 대리와 달리 사실행위 또는 불법행위에도 미친다.[58]

대표이사는 회사의 영업에 관하여 재판상 또는 재판외의 모든 행위를 할 수 있고, 그 대표권의 범위는 회사의 권리능력의 범위와 일치한다. 회사의 권리능력의 범위가 정관에 정한 목적에 의하여 제한받는지의 여부에 관하여서는 다툼이 있다. 판례는 정관상의 목적에 의한 권리능력의 제한을 인정하고 있는데,[59] 이에 따르면 정관상의 목적의 범위 외에서는 회사의 권리능력이 없어 그 행위의 효과는 상대방의 선의·악의를 묻지 않고 회사에 대해 무효가 된다. 학설은 목적에 의한 권리능력의 제한을 부인하고 있다(다수설). 이에 따르면 정관상의 목적은 대표이사의 권한에 대한 회사의 내부적인 제한에 불과하고,[60] 회사의 목적에 일치하지 않는 대표권의 행사도 회사에 대하여 효력을 가진다고 해석한다.

상법에는 '회사'를 행위나 의사표시 또는 이행의 주체 또는 객체로 하고 있는 규정들이 다수 있는데(주권의 발행에 관한 제355조 제1항,[61] 신주인수권자에의 통지에 관한 제419조 제1항, 주권의 반환에 관한 제432조 제1항, 이사의 손해배상책임에 관한 제399조 제1항, 합병계약서의 작성에 관한 제522조 제1항 등), 이들 규정에서 정한 사항은 당연히 대표이사의 대표행위에 의하여 이루어져야 한다. 또한 대표이사의 직무권한에 속한 사항을 이사의 직무권한으로 표시한 경우도 있다(정관·주주총회의사록·주주명부·사채원부의 비치·작성에 관한 제396조 제1항, 주식청약서의 작성에 관한 제420조, 현물출자시 검사인의 선임청구에 관한 제422조 제1항 등). 대표이사는 회사의 소송대리인으로서 소송행위도 할 수 있으므로, 대표이사의 선임결의 또는 대표이사를 이사로 선임한 주주총회의 결의의 하자를 다투는 소송에서도 대표이사가 회사를 대표한다.[62]

---

58) 임재연, 전게서, 416면. 대법원 2007.3.29. 2006다79742 (매도인인 주식회사가 매매목적물에 존재하는 하자를 고지하지 아니하여 채무불이행책임의 존부가 문제되는 경우 채무자인 주식회사가 그 하자의 존재를 미리 알았는지 또는 알 수 있었는지에 관하여는 원칙적으로 주식회사를 대외적으로 대표할 권한이 있는 대표이사의 인식을 기준으로 판단하여야 한다).

59) 대법원 2004.3.26. 2003다34045; 1999.10.8. 98다2488; 1975.12.23. 75다1479.

60) 권기범, "회사의 권리능력,"「상법논총(인산정희철선생정년기념)」(논문집간행위원회, 1985), 107면; 김재범, "대표이사 권한의 제한과 대표행위 효력,"「기업구조의 재편과 상사법(Ⅰ), 회명박길준교수화갑기념논문집」(논문집간행위원회, 1998), 595면.

61) 대법원 1996.1.26. 94다24039에서는 주권의 발행은 대표이사의 권한이라고 한다.

62) 대법원 1983.3.22. 82다카1810 전원합의체 (이사선임결의의 무효 또는 부존재확인을 구하는 소송에서 회사를 대표할 자는 일단 대표이사로 등기되어 그 직무를 행하는 자이고, 그 대표이사가 무효 또는 부존재확인청구의 대상이 된 결의에 의하여 선임된 이사라고 할지라도 그 소송에서 회사를 대표한다). 동지: 대법원 1985.12.10. 84다카319 (이사선임결의 및 이에 근거한 이사회의 대표이사선임결의의 부존재를 주장하여 생긴 분쟁 중에 그 결의부존재에 관하여 주식회사를 상대로 부제소 약정을 하는 경우에도 그 대표이사가 부존재라고

　대표이사의 대표권은 회사의 영업 전반에 미치는 포괄적이고 정형적인 것이어서 거래상대방이 대표이사의 행위를 회사의 행위로 신뢰하는 것은 당연하다. 그런데 대표이사의 대표권에는 법률상의 제한이 있는 외에도 회사 내부적으로 일정한 제한을 가하고 있는 경우가 있는데, 이를 신뢰하는 제3자의 보호 문제는 대표권의 제한, 위법한 대표행위의 효력 및 대표권의 남용행위에서 별도의 문제로 다루어진다.

(2) 대표권의 행사방법

　회사는 1인 또는 수인의 대표이사를 둘 수 있는데, 대표이사가 여러 명 있는 경우에도 각 대표이사는 원칙적으로 독립하여 회사를 대표한다. 그러나 회사가 공동대표를 정한 경우에는 수인의 대표이사가 공동으로 회사를 대표한다(제389조 제2항).

　대표이사가 대표권을 행사할 때에는 대표이사의 명칭을 부기하여야 한다. 왜냐하면 대표이사가 제3자와 거래를 하는 경우 회사의 거래인지 아니면 자기를 위한 거래인지를 상대방에게 명확히 표시할 필요가 있기 때문이다. 그런데 이에 관하여 다수의 이해관계인이 존재하는 회사의 법률관계에서 획일적으로 현명주의를 배제할 수는 없으나, 상법 제48조를 유추적용하여 회사에 대하여 상행위가 되는 행위를 대표할 경우에는, 현명을 하지 않더라도 상대방이 회사와 거래를 할 의사를 가지고 있고 또 대표이사란 사실을 알고 거래를 한 때에는 회사에 대하여 효력이 있다고 함으로써 상거래의 상대방을 두텁게 보호하고자 하는 견해가 있다.[63] 그러나 어음·수표와 같은 서면의 요식행위를 할 경우에는 현명주의 원칙에 따라 대표이사는 반드시 대표자격을 표시하고 기명날인 또는 서명하여야 한다.[64]

　대표이사는 대표권을 이사, 상업사용인 기타 제3자에게 위임하여 이들로 하

다투어지는 대상이 된 결의에 의하여 선임되었다 할지라도 위 약정에서 주식회사를 대표한다).

[63] 이철송, 전게서, 725면; 권기범, 전게서, 962면; 임재연, 전게서, 418면. 대법원 1990.3.23. 89다카555; 2009.1.30. 2008다79340 참조(조합대리에 있어서도 그 법률행위가 조합에게 상행위가 되는 경우에는 조합을 위한 것임을 표시하지 않았다고 하더라도 그 법률행위의 효력은 본인인 조합원 전원에게 미친다).

[64] 대법원 1994.10.11. 94다24626(수표에 대표이사 자격기재 없이 회사 이름과 대표이사 개인 이름만을 병기하고 대표이사 직인(회사명과 대표자격이 표시된 것)을 날인하여 배서하였다면 대표이사가 회사를 대표한다는 뜻이 표시되어 있다고 볼 수 있다).

여금 회사를 대표하게 할 수 없다. 그러나 대표이사가 회사를 대표하여 개별적·구체적으로 그 권한범위 내에서 이사, 상업사용인 기타 제3자에게 회사를 위하여 행위할 대리권 또는 대행권을 수여하는 것은 가능하다.65)

(3) 대표권의 제한

(가) 대표권자의 제한

상법은 일정한 사항에 관하여 회사의 대표권자를 다르게 정함으로써 대표이사의 대표권을 제한하고 있다. 즉 회사가 이사에 대하여 또는 이사가 회사에 대하여 소를 제기하는 경우에는 감사가 그 소에 관하여 회사를 대표하며,66) 회사가 소수주주로부터 이사의 책임을 추궁할 소의 제기의 청구를 받은 때에도 마찬가지이다(제394조 제1항). 이 경우 자본금 총액이 10억원 미만인 소규모 주식회사가 감사를 선임하고 있지 아니한 때에는 회사, 이사 또는 이해관계인은 법원에 회사를 대표할 자를 선임하여 줄 것을 신청하여야 한다(제409조 제4항과 제5항). 회사의 정관이 정하는 바에 따라 감사에 갈음하여 설치된 감사위원회의 위원이 회사와의 소의 당사자인 경우에는 감사위원회 또는 이사의 신청에 의하여 법원은 회사를 대표할 자를 선임하게 되고(제394조 제2항), 이 경우에는 대표이사는 당해 소송에 관하여 대표권을 갖지 않는다. 이와 같은 소에 있어서는 대표이사와 이사 또는 감사위원회의 위원이 다 같이 이사로서의 지위를 가지고 있어 대표이사의 공정한 소의 수행을 기대하기 어렵기 때문에 그 대표권이 제한되고 있다. 그러나 이미 퇴임한 이사를 상대로 소송을 수행하는 경우에는 감사가 대표하지 않고 당연히 대표이사가 회사를 대표한다.67) 마찬가지로 회사의 이사로 등기되어 있던 사람이 회사를 상대로 사임을 주장하면서 이사직을 사임한 취지의 변경등기를 구하는 소에서는 상법 제394조 제1항이 적용되지 아니하므로 그 소에 관하여서는 대표이사가 회사를 대표한다.68)

---

65) 권기범, 전게서, 969면; 김건식·노혁준·천경훈, 전게서, 371면; 대법원 2008.11.27. 2006 도2016 (그러나 대표이사는 그 권한을 포괄적으로 위임하여 다른 사람으로 하여금 대표이사의 업무를 처리하게 하는 것은 허용되지 않는다).

66) 대법원 1990.5.11. 89다카15199 (따라서 이사가 회사에 대하여 소를 제기한 경우에 대표이사를 회사의 대표자로 표시한 소장의 부본이 송달되고 회사의 대표이사로부터 소송대리권을 위임받은 변호사에 의하여 소송이 수행되었다면 소장의 송달은 물론 그 소송행위도 모두 무효이다).

67) 대법원 2002.3.15. 2000다9086; 1978.6.27. 78다389.

68) 대법원 2013.9.9. 자 2013마1273. 그 이유로서는 "이러한 소에서 적법하게 이사직 사임이

대표이사에게 회사를 대표할 권한이 없는 경우에 대표이사가 회사를 대표하여 한 소송행위나 이사가 회사의 대표이사에 대하여 한 소송행위는 모두 무효가 된다.[69] 이러한 소송이 제기된 경우 법원은 대표권의 흠결을 보정할 수 없음이 명백한 때가 아닌 한 기간을 정하여 보정을 명하여야 한다(민사소송법 제64조, 제59조).[70]

또 다른 법률상의 제한으로서 청산중인 회사는 대표청산인이 회사를 대표하며(제542조 제1항, 제254조 제3항), 파산한 회사는 파산관재인이 회사를 대표한다(채무자 회생 및 파산에 관한 법률 제360조와 제362조).

(나) 대표권의 행사방식과 범위의 제한

회사는 이사회의 결의 또는 주주총회의 결의로 수인의 대표이사가 공동으로 대표권을 행사할 것을 정할 수 있다(제389조 제2항). 공동대표이사의 경우 대표권을 행사하는 때에는 정해진 방식에 따라 공동대표이사라는 명칭이 사용되어야 한다. 이에 위반하여 대표권이 행사된 경우 회사내부에서의 업무집행은 무효로 되지만, 회사 외부의 거래상대방이 있는 경우에 그 행위를 무효라고 단정할 수 없다. 공동대표이사가 회사를 대표할 권한이 있는 것으로 인정될 만한 명칭을 사용한 경우 또는 단순히 대표이사라는 명칭을 사용한 경우에는 표현대표이사의 성립이 인정될 수 있다.

회사는 정관, 주주총회 또는 이사회의 결의 등 내부적 절차 또는 내규 등에 의하여 대표이사의 대표권에 제한을 가할 수 있다.[71] 즉 수인의 대표이사가 있

이루어졌는지는 심리의 대상 그 자체로서 소송 도중에는 이를 알 수 없으므로 법원으로서는 소송관계의 안정을 위하여 일응 외관에 따라 회사의 대표자를 확정할 필요가 있고, 이사가 회사를 상대로 소를 제기하면서 스스로 사임으로 이사의 지위를 상실하였다고 주장한다면, 적어도 그 이사와 회사의 관계에서는 외관상 이미 이사직을 떠난 것으로 보기에 충분하고, 또한 대표이사로 하여금 회사를 대표하도록 하더라도 공정한 소송수행이 이루어지지 아니할 염려는 거의 없기 때문이다"라고 한다.

69) 대법원 2011.7.28. 2009다86918; 1990.5.11. 89다카15199.

70) 대표권의 흠결이 보정되지 않는 한 법원은 소송대리권이 없는 자에 의한 소제기는 부적법한 소이므로 판결로써 소를 각하할 수 있다(민사소송법 제219조). 소장에 일응 대표자의 표시가 되어 있는 이상 설령 그 표시에 잘못이 있다고 하더라도 재판장이 이를 정정 표시하라는 보정명령을 하고 그에 대한 불응을 이유로 명령으로 소장을 각하하는 것은 허용되지 아니한다(대법원 2013.9.9. 자 2013마1273).

71) 대법원 2008.11.27. 2006도9194 참조(그러나 회사의 운영을 실질적으로 장악·통제하고 있는 1인주주가 적법한 대표이사의 권한행사를 사실상 제한하고 있다는 것만으로 대표이사의 대표권을 적법하게 제한하였다고 할 수 없다).

는 경우에 대표이사 사이에 업무분담을 정하여 대표이사의 대표권을 포괄적으로 제한하거나, 구체적으로 대표이사가 대표할 행위의 종류·금액·장소 및 시기 등을 제한할 수 있다. 이 경우에는 대표이사는 제한된 범위 내에서만 대표권을 갖는데 불과하지만, 대표권의 내부적 제한을 무시하고 대표이사가 대표권을 행사한 경우라 하더라도 그것이 회사의 권리능력의 범위 내에 속하는 행위인 한 대표권의 내부적 제한을 알지 못하고 그 행위를 회사의 대표행위라고 믿은 제3자의 신뢰는 보호되어야 한다.[72]

이와 같은 대표권의 내부적 제한에 관하여, 학설과 일부 판례는 상법 제389조 제3항을 적용하여 회사는 상대방의 과실 여부를 묻지 않고 그 제한으로서 선의의 제3자에 대항할 수 없다고 보는 견해와[73] 선의에 중과실이 있는 제3자에 대해서는 회사가 대항할 수 있다고 보는 견해로 나누어져 있다.[74] 대표이사와 거래하는 상대방으로서는 회사내부에서 업무분장 등에 의하여 대표권이 제한되고 있음을 쉽게 알 수 없고, 예상할 수 있는 사실도 아니기 때문에 이에 대한 과실 여부를 문제로 삼는 것은 거래의 안전과 상대방의 보호에 미흡하다.

그런데 대표권의 범위에 관한 내부적 제한이 이사회의 승인을 얻어야 하는 경우에는, 후술하는 바와 같이 종전 판례는 대체로 비진의 의사표시의 규정을 유추적용하여 대표권의 내부적 제한을 알았거나 알 수 있었을 때에는 선의로 보호받지 못한다고 해석하면서 그 입증책임은 회사에 있다고 하였다. 즉 과실이 있는 상대방을 선의의 보호대상에서 제외하였다.

(다) 의사결정권의 제한

대표이사는 대표행위를 하기에 앞서 그에 관한 의사결정을 하게 된다. 대표이사가 독자적으로 결정할 수 있는 경우가 있고, 다른 기관인 주주총회와 이사회의 결정에 따라 할 수 있는 경우도 있다. 상법은 대표이사의 대표권 행사에

---

72) 대법원 1997.8.29. 97다18059.

73) 강위두·임재호, 전게서, 867면; 정찬형, 전게서, 1015면; 이철송, 전게서, 726면. 대법원 2004.3.26. 2003다34045; 1997.8.29. 97다18059.

74) 이기수·최병규, 전게서, 423면; 정동윤, 전게서, 617면; 권기범, 전게서, 968면; 송옥렬, 전게서, 1019면(지배권의 내부적 제한과 동일하다). 대법원 판례는 지배인이 그 대리권의 제한에 위반하여 한 행위의 효력에 관하여, 제3자가 그 사실을 알고 있었던 경우뿐만 아니라 알지 못한 데에 중대한 과실이 있는 경우에도 영업주는 그러한 사유를 들어 상대방에게 대항할 수 있다고 한 경우도 있고(대법원 1997.8.26. 96다36753), 그 상대방이 악의인 경우에 한하여 대항할 수 있다고 한 경우도 있다(대법원 1987.3.24. 86다카2073).

앞서 회사의 영업에 관한 일정한 사항에 대해서는 주주총회 또는 이사회의 결의에 의한 사전 승인을 거치도록 하고 있다(제374조, 제375조, 제398조, 제416조 등). 이외에도 회사의 정관이나 이사회규칙 등에 의하여 주주총회 또는 이사회의 결의사항으로 정하는 경우도 있다. 이 경우 대표이사는 해당 사항에 관하여 스스로 의사결정을 할 수 없고 주주총회 또는 이사회의 결의를 얻지 아니하면 회사를 대표할 수 없다.

이처럼 대표이사가 대표권을 행사하는 때에는 다른 기관의 의사결정에 따르도록 되어 있음에도 불구하고 이에 따르지 아니한 경우 그 대표행위의 효력이 문제된다. 이에 관하여 회사의 정관이나 이사회규칙 등으로 주주총회 또는 이사회의 결의가 필요한 것으로 정하고 있는 경우에는 대표이사의 대표권에 대한 내부적 제한으로 이해하여 회사는 선의의 제3자에 대항할 수 없다고 보는 견해가 있다.75) 그런데 법령 또는 정관이나 이사회규칙 등에 의하여 주주총회 또는 이사회의 결의를 거치도록 되어 있는 경우에, 그 결의를 거치지 아니한 대표이사의 행위의 효력 문제는 단순히 거래안전의 보호를 목적으로 하는 대표권의 범위에 대한 제한의 효력과는 그 성질이 다르고, 거래 상대방으로서는 주주총회 또는 이사회의 결의가 필요한 거래인지의 여부를 사안으로부터 어느 정도 예상할 수 있다는 이유로 대표권의 내부적 제한과는 문제해결을 위한 접근방법을 달리하는 견해가 있다.76)

(4) 위법한 대표행위의 효력

(가) 의 의

상법 또는 회사의 정관이나 이사회규칙 등이 주주총회 또는 이사회의 권한사항으로 규정하고 있는 사항에 대하여 대표이사가 그 결의를 얻지 않거나(결의가 무효·부존재로 된 경우도 포함한다) 그 결의에 위반하여 한 대표행위의 효력이 문제된다. 이러한 대표행위는 대표권의 범위에 관한 내부적 제한의 위반행위와

---

75) 강위두·임재호, 전게서, 869면; 이철송, 전게서, 727면. 백정현, "하자 있는 이사회결의에 대한 주식회사법의 규제,"「대한변호사회지」제138호(대한변호사협회, 1988), 122면. 이러한 입장에 있는 판례로서는 대법원 1997.8.29. 97다18059.

76) 이철송, 전게서, 727면; 김재범, 전게논문, 601면(의사결정권에 대한 제한은 대표이사·이사회 및 주주총회라는 회사기관 사이의 권한분배를 정하여 합리적이고 신중한 업무결정을 하도록 하는데 그 취지가 있어 단순히 거래안전의 보호를 목적으로 하는 대표권의 범위에 관한 제한과는 그 성질이 다르고, 이러한 제한에 대한 거래 상대방의 예상 정도가 다르기 때문에 거래 상대방이 행사하여야 할 주의의무의 내용도 달라져야 한다).

구별되고, 그 효력에 대하여는 상법이 정하고 있는 바가 없다.

따라서 이 문제는 주주총회 또는 이사회의 결의를 얻도록 함으로써 보호하려는 회사 또는 주주 전체의 이익과 대표행위의 유효로부터 보호되는 제3자의 이익을 비교 형량하여 해결할 수밖에 없다. 이 경우에 대표이사의 행위가 회사의 대내적인 행위인지 아니면 대외적인 행위인지, 어느 기관의 결의를 얻어야 하고 그 근거는 무엇인지, 그 결의가 법령상 요구되는 것인지 아니면 회사의 내부적인 제한인지 등이 이익형량의 판단기준이 되고 있다. 이에 관해서는 견해가 크게 대립하고 있다.

(나) 주주총회의 결의를 얻지 아니한 경우

상법이 주주총회의 결의를 얻도록 하였음에도 불구하고, 대표이사가 주주총회의 결의를 얻지 않거나 그 결의에 위반하여 대표행위를 한 경우에는 제3자의 선의·악의 및 과실 여부를 불문하고 무효라고 해석되고 있다.[77] 왜냐하면 주주총회의 결의사항은 대체로 회사에 중요하고 주주의 이익에 중대한 영향을 미치므로 그 결정에 주주의 의사를 반영하도록 함으로써 주주의 이익을 보호하기 위한 것인 점에서 주주총회의 승인을 요구하는 상법의 규정은 강행법규이며, 제3자로서도 그 결의가 법률상 필요하다는 것을 당연히 알아야 하므로 이 경우 주주총회의 결의는 효력요건이며, 제3자보다 회사의 이익을 보호할 필요성이 더 크다고 평가되기 때문이다. 따라서 영업의 전부 또는 중요한 일부의 양도, 정관의 변경, 회사의 합병, 자본금의 감소 등은 주주총회의 결의가 없는 한 무효라고 본다(다수설).

판례는 '주식회사가 영업의 전부 또는 중요한 일부를 양도한 후 주주총회의 특별결의가 없었다는 이유를 들어 스스로 그 약정의 무효를 주장할 수 있고, 주주 전원이 그와 같은 약정에 동의한 것으로 볼 수 있는 등 특별한 사정이 인정되지 않는다면 그와 같은 무효 주장이 신의성실 원칙에 반하는 것도 아니'라고 하였다.[78] 같은 취지에서 판례는 영업용 재산의 처분으로 말미암아 회사 영업의 전부 또는 일부를 양도하거나 폐지하는 것과 같은 결과를 가져오는 경우에는 주

---

77) 강위두·임재호. 전게서, 870면; 정동윤, 전게서, 618면; 최기원, 전게서, 635면; 정찬형, 전게서, 1014면; 이철송, 전게서, 726면; 최준선, 전게서, 503면; 권기범, 전게서, 966면; 임재연, 전게서, 420면.

78) 대법원 2018.4.26. 2017다288757.

주총회의 특별결의가 필요하고, 그러한 특별결의가 없는 때에는 그 재산의 처분행위는 무효로 보고 있다.[79]

상법이 주주총회의 결의사항으로 정하지 아니한 사항을 회사가 정관 등 내부규칙에 의하여 주주총회의 결의사항으로 정한 경우, 이는 회사가 임의로 선택한 것이고 제3자가 그 결의가 필요하다는 사실을 당연히 알아야 한다고 볼 수는 없다. 이에 관해서는 후술하는 바와 같이 이사회의 결의를 얻지 아니한 경우에 준하여 거래 상대방이 선의이고 과실이 없는 한 유효하다거나,[80] 선의이고 중대한 과실이 없는 한 유효하다고 한다.[81]

(다) 이사회의 결의를 얻지 아니한 경우

이사회의 결의를 얻어야 하는 경우에 이를 얻지 않고 이루어진 대표행위의 효력문제는 먼저 대표이사가 대표행위를 하기 전에 상법상 이사회의 결의를 얻어야 하는지 그리고 그 대상이 거래의 안전을 고려할 필요가 없는 회사의 내부적 사항인지 아니면 거래의 안전을 고려해야 하는 회사의 외부적 사항인지에 따라 그 결과가 달라질 수 있다.

① 이사회의 결의사항의 범위

상법 제393조 제1항은 "중요한 자산의 처분 및 양도, 대규모 자산의 차입, 지배인의 선임 또는 해임과 지점의 설치·이전 또는 폐지 등 회사의 업무집행은 이사회의 결의로 한다"고 규정하여, 이사회는 회사의 업무집행에 관한 의사결정권한이 있음을 밝히고 있다. 그런데 이사회가 회사의 모든 업무집행에 대해 결정할 필요는 없기 때문에 이 조항에서는 예시되고 있는 정도의 중요한 업무집행에 한해서는 이사회가 결정할 것을 요구하고 있다고 해석된다. 이사회와 대표이사의 관계에 관한 학설은 서로 다른 이론구성을 하지만, 어느 학설에 의하든

---

79) 대법원 2004.7.8. 2004다13717; 1997.4.8. 96다54249, 54256; 1998.3.24. 95다6885 등. 주주총회의 결의가 없더라도 주주의 의사에 합치한다고 보아 그 효력을 인정한 대구고등법원 1981.2.13. 80나1012 참조(절대 다수의 대주주가 스스로 대표이사에 취임하여 주주총회의 특별결의 없이 영업재산 전부를 양도한 경우 그 처분행위를 함에 있어서 굳이 주주총회의 특별결의라는 형식적인 절차를 밟지 아니하였다 하여도 회사는 위 처분행위의 효력을 부인할 수 없다).

80) 최기원, 전게서, 635면; 정찬형, 전게서, 1014면.

81) 최준선, 전게서, 504, 489면(상대적 무효설); 장덕조, 전게서, 334, 332면; 송옥렬, 전게서, 1018, 29면. 주주총회의 결의가 필요하지만 정관에 의하여 이사회의 결의로써 주주총회의 결의에 갈음하는 것이 인정되는 경우(예컨대 제341조 제2항)에도 동일하게 해석하여야 하는지에 관하여는 논의의 여지가 있다.

결과적으로 상법·정관·이사회규칙·이사회결의에 의하여 이사회의 결의사항으로 유보한 업무집행 및 이에 준하는 중요한 것에 대해서는 이사회가 의사결정권을 갖고, 대표이사는 업무집행에 관한 세부적인 사항 또는 일상적인 업무에 대하여 의사결정권을 갖는다고 보는 점은 동일하다.

대법원 판례는 "법률 또는 정관 등의 규정에 의하여 주주총회 또는 이사회의 결의가 필요한 것으로 되어 있지 아니한 업무 중 이사회가 일반적·구체적으로 대표이사에게 위임하지 아니한 업무로서 일상적인 업무에 속하지 아니한 중요한 업무에 대해서는 이사회의 결의를 거쳐야 한다"고 판시하였다.[82] 중요한 업무집행에 해당하면 이사회의 결의사항이라고 하고 있으나, 무엇이 일상적인 업무인지에 관하여서는 판단기준을 제시하지 않고 있다. 판례는 '주식회사의 회생절차 개시신청'은 대표이사의 업무권한인 일상 업무에 속하지 아니한 중요한 업무에 해당하여 이사회 결의가 필요하다고 하고,[83] "회사에 대한 대여금 채권에 기초한 공정증서 작성행위는 새로운 채무를 부담하는 행위가 아니라 기존 채무에 집행력을 부여하는 행위에 불과하고 이는 대표이사에게 부여된 일상적인 업무집행 행위에 속한다"라고 한다.[84]

일상적인 업무의 범위와 관련하여서는 '일상적인 업무'란 회사의 목적사업의 수행을 위한 관리업무로서 관례적인 기준에 의해 처리할 수 있는 업무를 뜻한다고 이해된다.[85] 업무가 경상성과 반복·계속성을 가지지 않으면 중요하다고 볼 수 있다는 의견도 제시되고 있다.[86] 판례는 자산의 처분, 자산의 차입 등이 이사회의 결의가 필요한 '중요한 자산의 처분' 등 중요한 업무에 해당하는지 여부는 당해 재산의 가액, 총자산의 가액, 총자산에서 차지하는 비율, 회사의 규모, 회사의 영업 또는 재산의 상황, 경영상태, 자산의 보유목적, 회사의 일상적 업무와의 관련성, 당해 회사에서의 종래의 취급 등에 비추어 대표이사의 결정에 맡기는 것이 상당한지 여부에 따라 판단하고 있다.[87] 회사의 중요한 업무에 해당하는 경우에는 이사회가 그에 관하여 직접 결의하지 아니한 채 대표이사에게 그

---

82) 대법원 2019.8.14. 2019다204463; 2010.1.14. 2009다55808; 1997.6.13. 96다48282.
83) 대법원 2019.8.14. 2019다204463.
84) 대법원 2010.1.14. 2009다55808.
85) 이철송, 전게서, 724면.
86) 김재범, 전게논문, 604면.
87) 대법원 2011.4.28. 2009다47791; 2010.1.14. 2009다55808; 2005.7.28. 2005다3649 등.

처분에 관한 사항을 일임할 수 없는 것이므로, 이사회규정상 이사회 부의사항으로 정해져 있지 아니하더라도 반드시 이사회의 결의를 거쳐야 한다.[88]

② 대내적인(내부적) 사항인 경우

상법 또는 정관이나 이사회규칙 등에 의하여 이사회의 결의를 얻어야 하는 사항에 대하여 그 결의를 얻지 아니한 대표이사의 행위는 원래 회사가 책임을 져야 하는 행위가 아니다. 더욱이 그것이 회사의 내부적인 사항에 불과한 때에는 거래의 안전을 고려할 필요가 없으므로 그 행위는 당연히 무효가 된다.[89] 구체적으로 준비금의 자본금전입이 이사회의 결의 없이 이루어진 경우가 그 예인데, 이 때 주주에게 교부된 무상신주도 당연히 무효처리되어야 한다고 한다.[90]

이사회의 승인 없이 이루어진 이사 등과 회사 사이의 거래도 당사자 사이에서는 당연히 무효로 되어야 한다. 그런데 이사 등과 회사 사이의 거래의 효과가 제3자에게 미치는 경우 그 거래행위의 효력에 관하여 다투어진다. 통설과 판례가 취하고 있는 상대적 무효설에 의하면, 이사회의 승인이 없는 자기거래는 이사 등과 회사 사이에서는 무효이고 그 거래의 효과가 제3자에게 미치는 때에는 선의의 제3자에 대해 무효를 주장할 수 없다. 회사가 제3자에 대하여 그 거래의 무효를 주장하기 위해서는 거래의 안전과 선의의 제3자를 보호할 필요에서 회사가 이사회의 승인이 없었다는 사실과 이에 대한 제3자의 악의를 주장·입증하여야 한다.[91] 그런데 판례 중에는 거래 상대방이 선의였다고 하더라도 자기거래에 관한 이사회의 승인이 필요하다는 점과 이사회의 승인을 얻지 못하였다는 사실을 알 수 있었음에도 불구하고 중대한 과실로 이를 알지 못한 경우에는 악의와 동일하게 보아 그 거래행위는 무효라고 판시하는 경우가 있다.[92] 그런데 자

---

88) 대법원 2008.11.27. 2006도2016; 2005.7.28. 2005다3649.

89) 강위두·임재호. 전게서, 870면(준비금의 자본금전입은 단순한 회사의 내부적인 회계처리의 문제이며 또 이사회의 결의는 그 회계처리의 유효요건이다); 정동윤, 전게서, 619면; 최기원, 전게서, 635면; 정찬형, 전게서, 1014면. 대표이사가 이사회의 결의 없이 집행임원을 선임하여 등기한 경우에도 그 집행임원의 선임은 무효이다.

90) 최기원. 전게서, 635면; 김정호, 전게서, 404면.

91) 정동윤, 전게서, 619면; 이철송, 전게서, 786면 참조. 대법원 1984.12.11. 84다카1591(대표이사직을 겸임하는 자가 어느 일방 회사의 채무에 관하여 다른 회사를 대표하여 연대보증을 한 경우). 동지: 대법원 2003.1.24. 2000다20670; 1996.1.26. 94다42754; 1994.10.11. 94다24626 등.

92) 대법원 2013.7.11. 2013다5091(대표이사직을 겸임하는 자가 전무이사로 하여금 회사를 대

기거래의 경우에도 간접거래인 경우에는 그 거래는 항상 대외적인 사항으로 나타난다.

③ 대외적인(외부적) 사항인 경우

상법상 요구되는 이사회의 결의를 얻지 아니한 대표이사의 행위가 회사의 외부적인 사항에 관한 것인 때에는, 거래의 안전을 위하여 그 행위를 신뢰한 제3자를 보호할 필요가 있다. 문제는 보호되는 제3자의 범위를 어떻게 할 것인가 하는 점이다. 이에 관해서는 대외적 행위가 개별적 거래행위인지 또는 집단적 행위인지에 따라 그 보호 범위가 달라지고, 개별적 거래행위의 경우에는 대표이사와 거래한 제3자의 과실 여부에 따라 그 효력이 달라지고 있다.

먼저 중요한 자산인 부동산의 처분, 대규모의 연대보증과 같이 개별적인 거래행위의 경우, 종전의 판례는 이사회 결의사항은 회사의 내부적 의사결정에 불과하다고 할 것이므로 그 거래의 상대방이 이사회 결의가 없었음을 알았거나 알 수 있었을 경우가 아니라면 그 거래행위는 유효하다고 보았다.[93] 이 경우 거래 상대방이 이사회의 결의가 없었음을 알았거나 알 수 있었던 사정은 이를 주장하는 회사가 주장·증명하여야 할 사항에 속한다. 판례는 이사회의 결의가 없다고 의심할 만한 특별한 사정이 없는 한 거래 상대방으로서는 회사의 대표이사가 거래에 필요한 회사의 내부절차는 마쳤을 것으로 신뢰할 수 있기 때문에 이사회의 결의 요부를 확인하는 조치를 취할 의무는 없다고 한다.[94]

표하여 다른 회사의 채무에 관하여 연대보증을 하게 한 경우 보증상대방의 중과실 불인정); 대법원 2005.5.27. 2005다480(대표이사가 회사를 대표하여 자신의 채무를 위하여 제3자에 연대보증을 한 경우 보증상대방의 중과실 불인정); 대법원 2004.3.25. 2003다64688(대표이사 개인의 연대보증채무 담보를 위하여 대표이사 본인 앞으로 회사 명의의 약속어음을 발행하여 여신전문 취급 은행에 교부한 경우에 어음취득은행의 중과실 인정).

93) 대법원 2012.4.26. 2010다11415(지급보증); 2011.4.28. 2009다47791(부동산의 양도); 2005. 7.28. 2005다3649(부동산의 양도); 2003.1.24. 2000다20670(연대보증); 1999.10.8. 98다2488(연대보증); 1994.10.28. 94다39253(영업용재산의 양도) 등. 이사회의 결의가 있었다고 하더라도 그 결의가 무효인 경우 거래상대방이 이사회결의 부존재 또는 무효 사실을 알 수 있었던 경우가 아니라면 그 거래는 유효하다(대법원 1998.7.24. 97다35276; 1995.4.11. 94다33903 등 참조).

94) 대법원 2014.6.26. 2012다73530; 2005.7.27. 2005다480; 1990.12.11. 90다카25253 등. 거래상대방의 신뢰를 보호할 수 없는 특별한 사정이 있었다고 본 대법원 2009.3.26. 2006다47677 참조(어느 주식회사(을회사)가 증권회사의 주선으로 은행과 보유주식을 매각하기 위한 환매조건부주식매매계약을 체결하고 을회사 및 증권회사와 동일 기업집단 내 계열회사인 다른 주식회사(갑회사)가 증권회사를 위하여 은행과 주식매수청구권 부여계약을 체결하고 을회사와 증권회사로부터 손실보상각서를 교부받은 사안에서, '갑회사는 을회사에 대한 관계와 달리 증권회사에 대한 관계에서는 위 손실보상약정에 관하여 증권회사의 이사회 결

　　종전의 판례는 상법상 이사회의 결의가 필요한 경우(법률상 제한)와 정관이나 이사회규칙 등에 의하여 이사회의 결의를 얻도록 한 경우(내부적 제한)를 구분하지 않고, 예외 없이 비진의 의사표시 규정을 유추적용하여 해결하였다. 이렇게 한 이유는 보호 범위에서 이를 완전히 구별하여 다루기보다는 개별 사건에서 사안에 따라 거래 상대방의 선의나 과실을 고려하여 판단하는 것이 타당하다고 이해하였다.[95] 이에 관하여 학설은 이 문제를 해결하는 방법으로서 전자의 경우에는 이사회의 결의가 결여되어 있다(또는 하자가 있다)는 사실에 대한 단순한 선의로는 부족하고 과실이 없어야 하지만, 후자의 경우에는 악의가 있는 때에는 보호되지 않지만 선의에 과실이 있는 때에도 보호되는 것으로 본다.[96] 전자의 경우에도 악의 또는 중과실이 있는 자에 대하여 악의의 항변으로 대항할 수 있다고 하고,[97] 후자의 경우에도 상대방에게 악의 또는 중대한 과실이 없는 한 대표이사의 행위는 유효하다거나[98] 상법 제389조 제3항을 적용하여 선의의 제3자에 대해서는 회사가 대항할 수 없다고 보는 견해도 있다.[99]

　　그런데 대법원은 최근 반대의견이 있음에도 불구하고, 대표권의 '법률상 제한'과 '내부적 제한'을 구별하지 않고 제3자의 보호 범위를 '선의·무과실'에서 '선의·무중과실'로 변경하였다. 즉 양자를 구별함이 없이 대표이사가 이사회의 결의를 거쳐야 할 대외적 거래행위를 이사회의 결의 없이 한 경우에 거래상대방이 이를 알았거나 중대한 과실로 알지 못한 경우가 아닌 한 그 거래행위는 유효하다고 판시하였다.[100] 그 이유로서는 회사 정관이나 이사회 규정 등에서 이

의가 존재하였는지 여부에 관하여 확인하는 등의 조치를 취할 것이 요구되고, 이러한 조치를 취하지 아니한 이상 위 약정은 증권회사에 대한 관계에서 효력이 없다'고 하였다. 그 이유로서는 증권회사는 이 사건 주식매매계약이나 이 사건 주식매수청구권 부여계약의 당사자가 아니라 다만 그 각 계약의 체결을 주선하거나 중개해 준 역할을 한 것으로서, 을회사와 달리 갑회사가 그 거래로 인하여 입게 될 비용 기타 손실 등을 보상하여 줄 법적 의무는 없었고, 당시 시행중인 증권거래법 관계 법령 등에 의하면 증권회사는 일정한 경우를 제외하고는 특수관계인에 대한 금전 대여나 신용공여가 금지되어 있었던 점 등의 사정을 고려하면 갑회사가 증권회사와 손실보전약정을 체결할 당시 이 약정에 관하여 증권회사의 이사회 결의 등 필요한 내부절차를 마쳤을 것이라고 그대로 신뢰하기 어려운 특별한 사정이 있었다고 보아야 하기 때문이다).

95)　대법원 2021.2.18. 2015다45451 전원합의체.
96)　이철송, 전게서, 726면.
97)　이기수·최병규, 전게서, 424면.
98)　최기원, 전게서, 635면.
99)　김정호, 전게서, 404면; 김건식·노혁준·천경훈, 전게서, 372면; 송옥렬, 전게서, 1019면.
100)　대법원 2021.2.18. 2015다45451 전원합의체. 종전에도 하급심이 같은 취지의 판결을 내린

사회 결의를 거치도록 대표이사의 대표권을 제한한 경우(내부적 제한)에도 선의의 제3자는 상법 제209조 제2항에 따라 보호받을 수 있고, 그 보호를 위해서는 선의 이외에 무과실까지 필요하지는 않지만, 중대한 과실이 있는 경우에는 제3자의 신뢰를 보호할 만한 가치가 없다고 보아 거래행위가 무효라고 해석한다. 대표권이 법률상 제한되는 경우에도 이와 마찬가지로 보는 것이 '법률상 제한'과 '내부적 제한'에 따라 거래 상대방의 보호를 달리함으로써 발생하는 회사를 둘러싼 거래관계의 불필요한 혼란과 거래비용을 방지할 수 있다고 한다. 이 때 제3자에게 중과실이 있는지는 이사회 결의가 없다는 점에 대한 제3자의 인식가능성, 회사와 거래한 제3자의 경험과 지위, 회사와 제3자의 종래 거래관계, 대표이사가 한 거래행위가 경험칙상 이례에 속하는 것인지 등 여러 가지 사정을 종합적으로 고려하여 판단할 것을 요구하고 있다.

개별적 거래행위와 달리 사채의 발행과 같은 집단적인 행위인 경우에는 그 효력을 일률적으로 확정하여 거래의 안전을 도모하여야 하므로 제3자의 선의·악의를 불문하고 언제나 유효하다고 본다.[101] 대체로 전환사채 또는 신주인수권부사채 발행의 경우에도 동일하게 보고 있다. 그러나 전환사채 또는 신주인수권부사채를 주주 이외의 제3자에게 발행하는 경우에는 일정한 사항에 관하여 정관에 규정이 없으면 주주총회의 특별결의를 얻어야 하고(제513조 제3항, 제516조의2 제4항), 주주총회의 특별결의 없이 이루어진 전환사채 또는 신주인수권부사채의 발행은 상법의 규정에 의하여 주주총회의 결의를 요하는 사항에 대하여 그러한 결의 없이 이루어진 대표이사의 대표행위와 동일하게 무효라고 보아야 할 것이다.[102]

이사회의 결의 없는 신주발행의 효력에 관하여는 다툼이 있는데, 신주발행 후의 새로운 주주 또는 제3 취득자를 보호하고 또 획일적 처리를 위하여 이를 유효로 보는 견해[103]와 신주발행무효의 원인이 된다는 견해가 대립한다.[104]

경우도 있다(대구고등법원 1993.1.28. 92나7758).
101) 강위두·임재호, 전게서, 871면; 정동윤, 전게서, 619면; 최기원, 전게서, 635면; 정찬형, 전게서, 1002면; 송옥렬, 전게서, 1020면.
102) 정찬형, 전게서, 1002면; 최준선, "경영권 방어를 목적으로 하는 전환사채 발행의 효력," 「고시계」 제554호(고시계사, 2003), 34면(이사회의 결의 없는 전환사채의 발행도 무효이다); 최준선, 전게서, 505면.
103) 강위두·임재호, 전게서, 871면; 정동윤, 전게서, 619면; 정찬형, 전게서, 1002면; 권기범, 전게서, 967면과 1076면; 임재연, 전게서, 404면; 송옥렬, 전게서, 1020면; 정경영, 「상법학

(5) 대표권의 남용행위의 효력

(가) 의 의

대표이사가 객관적으로는 그 대표권의 범위 내에 속하는 행위(대표권의 제한을 초과하지 않고, 상법상 필요한 절차를 거친 경우)를 하였으나 주관적으로 자기 또는 제3자의 이익을 위하여[105] 대표행위를 한 경우를 대표권의 남용행위라고 한다. 대표이사가 개인 채무의 변제를 위하여 회사의 명의로 약속어음을 발행하는 경우가 이에 해당한다. 대표권의 남용행위는 대표이사로서의 선량한 관리자의 주의의무 및 회사를 위하여 그 직무를 충실하게 수행하여야 할 의무를 위반한 것이라 할 수 있다.

대표권의 남용행위가 있는 경우에 대표이사가 회사에 대하여 그로 인한 손해의 배상책임을 지는 것은 당연한데, 대외적으로 그 효력이 문제된다. 대표권의 남용행위라고 하더라도 객관적으로 대표권의 범위 내의 행위인 이상, 그 대외적 효력은 거래의 안전을 위하여 원칙적으로 유효로 보아야 한다. 다만 권한남용의 사실을 알고 있거나 이를 알지 못한데 과실이 있는 상대방에 대하여 그 권한남용행위의 효력을 부인할 수 있다고 보아야 할 것인데, 그 이론구성에 관하여 학설과 판례는 나뉘어져 있다.

(나) 학 설

① 비진의 의사표시설(심리유보설)

대표이사가 자기 또는 제3자의 이익을 위하여 외관상 회사의 대표자로서 법률행위를 한 경우에 상대방이 대표이사의 진의를 알았거나 알 수 있었을 때에는

강의」 개정판(박영사, 2009), 594면. 대법원 2007.2.22. 2005다77060, 77077(신주발행에 관한 이사회의 결의가 없거나 이사회의 결의에 하자가 있더라도 이사회의 결의는 회사의 내부적 의사결정에 불과하므로 신주발행의 효력에는 영향이 없다).

104) 최기원, 전게서, 636면 (신주발행은 단순한 업무집행행위가 아니라 조직법상의 행위이므로 이사회의 결의는 유효요건이다); 이철송, 전게서, 945면; 김정호, 전게서, 404면. 판례로서는 대법원 2010.4.29. 2008다65860 참조(이사회의 결의의 하자 외에 신주인수권을 무시한 신주발행에서는 이사회 결의의 하자는 중대한 하자에 해당하여 무효판결의 원인이 된다).

105) 대표권의 남용에 해당하기 위해서는 대표이사가 자기 또는 제3자의 이익을 위한 행위로 회사에 손해가 발생해야 한다. 그러므로 예컨대 대표이사가 주권발행 전의 주식양도를 승낙하더라도 승낙 그 자체만으로는 회사에 어떠한 불이익이 발생하는 것이 아니므로 그 주식양수인에게 주식보관증을 작성하여 준 행위는 대표이사 개인의 이익을 도모할 목적으로 이루어졌다고 할지라도 대표권의 남용은 아니다(대법원 2006.9.14. 2005다45537). 동지: 임재연, 전게서, 423면.

민법 제107조 단서의 규정을 유추적용하여 그 행위를 무효로 보는 견해이다.[106)] 이 견해에 의하면 대표권남용행위는 원칙적으로 유효하지만, 상대방이 대표이사의 진의를 알았거나 알 수 있었을 때에만 예외적으로 무효가 된다. 이렇게 보는 이유는 대표이사의 의사는 회사의 이익을 위하여 의사표시를 하고 직접 회사에 그 법률효과를 발생시키려는 것인데, 대표권 남용의 경우에는 회사를 위한다는 의사가 없기 때문에 비진의 의사표시에 해당하고, 따라서 상대방이 대표이사의 대표행위에 회사를 위한 의사가 없다는 것을 알았거나 알 수 있었을 때에는 그 행위는 무효로 된다고 해석한다.

대표권의 남용은 행위자의 진의와 외견(표시행위)이 다른 점에서 비진의 의사 표시(심리유보)에 유사한 점이 있다. 그런데 비진의 의사표시의 경우에는 특정한 행위를 하려는 효과의사가 표의자의 내심에 실제로 존재하지 않음에 반하여 대 표권의 남용의 경우에는 법률효과를 회사에 발생시키려는 의사는 있고, 다만 그 경제적 효과를 자기 또는 제3자에게 귀속시키려는 의사가 추가될 뿐이다. 대표 행위가 유효하게 성립하기 위해서는 회사에 법률효과를 발생시키려는 의사가 있 으면 충분하고 회사의 이익을 위한다는 의사의 존재는 필요하지 않기 때문에, 대표권의 남용행위에 대해 비진의 의사표시의 법리를 유추적용하는 것은 타당하 지 않다고 한다.[107)] 보호되는 제3자의 범위에서 보면 비진의 의사표시설에 의하 면 권리남용설이나 대표권제한설에 비하여 과실 있는 선의의 경우에도 보호받지 못하므로 제3자의 보호범위가 좁다.

② 권리남용설

대표권의 남용행위도 제3자의 선의·악의 여부에 관계없이 일단 대표행위로 서는 유효하고, 다만 상대방이 대표권남용의 사실을 알고 있는 때에는 회사에 대하여 그 권리를 행사하는 것은 권리남용 또는 신의칙위반으로서 허용되지 않 는다는 견해이다(다수설).[108)] 이에 의하면 상대방에게 과실이 있는 경우에도 회

---

106) 최기원, 전게서, 639면; 서헌제, 전게서, 813면.
107) 정동윤, 전게서, 617면; 이철송, 전게서, 731면.
108) 손주찬, 전게서, 786면; 강위두·임재호, 전게서, 878면; 정동윤, 전게서, 617면; 이철송, 전 게서, 730면; 이영철, "대표권남용과 어음행위,"「상사법연구」제19권 제3호(한국상사법학 회, 2001), 165면; 최성호, "대표이사의 대표권한과 제한위반의 효과에 관한 고찰,"「판례 월보」제336호(판례월보사, 1998), 68면에서는 구체적으로 일반악의의 항변에 의해 회사는 책임을 면한다고 한다. 상대방이 대표권남용의 사실을 중과실로 모른 경우에도 적용된다고 보는 견해로서는 이기수·최병규, 전게서, 427면; 정찬형, 전게서, 1017면; 권기범, 전게서,

사가 책임을 진다는 점에서 비진의 의사표시설보다 거래의 안전이 더 잘 보호될 수 있다. 이에 따르면 대표권 남용행위도 일단은 유효한 행위가 되므로 악의자가 취득한 권리를 선의의 제3자에게 양도한 경우에는 더 이상 다툴 수 없게 된다.[109)]

③ 대표권제한설(내부적 제한설)

대표권에는 '본인의 이익을 위하여 행사되어야 한다'는 내재적 제한이 있는 것으로 보고 대표권의 남용행위를 월권대표(대리)행위에 준하여 대표이사의 대표권에 대한 제한(제389조 제3항, 제209조 제2항)을 위반한 것으로 보아, 회사는 대표권의 남용을 선의의 제3자에게 대항하지 못한다고 보는 견해이다.[110)] 이 견해에 의하면 회사는 대표권의 남용을 악의의 제3자에게 대항할 수 있고 그 행위의 효력을 부인할 수 있게 된다.

④ 이익형량설(상대적 무효설)

대표권의 남용문제는 회사와 거래상대방의 이익형량에 의하여 해결하여야 한다는 견해이다. 이에 의하면 대표권의 남용행위는 회사를 위하여 행사되어야 할 대표권이 대표이사 개인이나 제3자의 이익을 위하여 행사된 경우로서 원칙적으로 무효이지만, 거래의 안전을 보호하기 위하여 선의의 상대방에게 대해서는 무효를 주장할 수 없게 된다. 다만 상대방에 악의 또는 중과실이 있는 때에는 원칙으로 돌아가 무효가 된다.[111)]

(다) 판 례

대법원 판례는 처음에는 "대표이사가 그 대표권의 범위 내에서 한 행위는 설사 대표이사가 회사의 영리목적과 관계없이 자기 또는 제3자의 이익을 도모할 목적으로 그 권한을 남용한 것이라 할지라도 일응 회사의 행위로서 유효하고, 다만 그 행위의 상대방이 그와 같은 정을 알았던 경우에는 그로 인하여 취득한

964면; 김정호, 전게서, 406면.

109) 최준선, 전게서, 508면.

110) 손지열, "대표권의 남용,"「민사판례연구」제11권(민사판례연구회, 1989), 11면; 최기원, 전게서, 638면에서는 중대한 과실이 있는 경우에도 회사는 책임을 면한다는 입장으로 이해하고 있다.

111) 이에 대해서는 대표이사가 대표행위를 하는 내심의 목적이 자기 또는 제3자의 이익에 있다고 하더라도 그것이 객관적으로 대표이사의 권한 내에 속하고 외견상 아무런 하자가 없는 행위를 당연무효라고 보는 것은 법률행위 해석의 일반원칙에 어긋나고 남용행위의 본질에도 부합하지 않는다는 비판이 있다(정동윤, 전게서, 416면).

권리를 회사에 대하여 주장하는 것이 신의칙에 반하므로 회사는 상대방의 악의를 입증하여 그 행위의 효과를 부인할 수 있다"고 하여 권리남용설을 취하였다.112) 그러나 그 후 대표이사가 그 권한을 남용한 경우에 "상대방이 대표이사의 진의를 알았거나 알 수 있었을 때에는 회사에 대하여 무효가 된다"고 하여 비진의 의사표시설의 입장을 취하였다.113) 때로는 권리남용설과 비진의 의사표시설을 절충하여 "권한을 남용한 경우 상대방이 대표이사의 진의를 알았거나 알 수 있었을 때에는 그로 인하여 취득한 권리를 회사에 대하여 주장하는 것은 신의칙에 반하는 것이므로 회사는 상대방의 악의를 입증하여 그 행위의 효력을 부인할 수 있다"라고 판시한 적도 있다.114)

지금까지 대부분의 대법원 판례는 비진의 의사표시설을 취하여 "주식회사의 대표이사가 이사회의 결의를 요하는 대외적인 거래행위를 하면서 실제로 이사회의 결의를 거치지 아니하였거나 이사회의 결의가 있었다고 하더라도 그 결의가 무효인 경우, 거래상대방이 그 이사회 결의의 부존재 또는 무효 사실을 알았거나 알 수 있었다면 그 거래행위는 무효이다"는 취지의 판시를 하고 있다.115) 그런데 드물기는 하지만 최근 '대표이사가 회사의 영리 목적과 관계 없이 자기 또는 제3자의 이익을 도모할 목적으로 권한을 남용한다는 것을 알았던 경우에는 거래 상대방이 그로 인하여 취득한 권리를 회사에 대하여 주장하는 것이 신의칙에 반하므로 회사는 상대방의 악의를 입증하여 행위의 효과를 부인할 수 있다'고 하여 권리남용설을 취한 경우도 있고,116) '대표이사가 대표권을 남용하여 회사의 명의의 약속어음을 발행하였다면 상대방이 그 남용의 사실을 알았거나 중대한 과실로 알지 못한 때에는 회사는 상대방에 대하여 채무를 부담하지 않는다'고 한 경우도 있다.117) 이런 점에서 권리남용설과 심리유보설을 구체적 사안

---

112) 대법원 1987.10.13. 86다카1522.
113) 대법원 1988.8.9. 86다카1858.
114) 대법원 1990.3.13. 89다카24360.
115) 대법원 1998.7.24. 97다35276; 1995.4.11. 94다33903. 동지: 대법원 2012.5.24. 2012도 2142; 2010.5.27. 2010도1490; 2005.7.28. 2005다3649; 1997.8.29. 97다18059; 1993.6. 25. 93다13391 등.
116) 대법원 2016.8.24. 2016다222453. 회사의 대표이사가 대표권을 남용하여 회사의 명의의 약속어음을 발행하였다면 상대방이 그 남용의 사실을 알았거나 중대한 과실로 알지 못한 때에는 회사는 상대방에 대하여 채무를 부담하지 않는다고 한 대법원 2013.2.14. 2011도 10302 참조.
117) 대법원 2013.2.14. 2011도10302.

의 내용에 따라 탄력적으로 적용하는 방법이 제안되기도 한다.[118]

다) 업무집행권

(1) 업무집행권의 범위

업무집행은 기관의 행위가 회사의 사무처리로 인정되는 것을 말한다. 회사의 업무집행은 대표권이 문제 되지 않는 순전히 내부적인 업무집행과 대표관계를 수반하는 대외적인 업무집행이 있다. 대외적인 업무집행의 경우에는 대표이사의 행위는 회사를 대표한 행위로 된다. 이사회제도를 두고 있는 상법 하에서는 이사는 업무집행권을 갖는다고 볼 수 없고, 그 대신 대표이사가 업무집행권을 갖는다고 일반적으로 이해되고 있다. 상법 제389조 제3항(합명회사의 대표사원의 권한을 정한 제209조를 준용하고 있음)은 대표이사가 원칙적으로 회사의 모든 업무에 관하여 집행권을 갖는다는 것을 전제로 하고 그 업무집행이 대외관계를 수반하는 경우의 회사대표권의 범위를 정한 것으로 해석된다.

상법은 주권과 채권의 기명날인·서명(제356조 및 제478조 제2항)과 같이 일정한 사항을 대표이사의 직무권한으로 규정하고 있다. 그런데 상법에는 형식상 '이사'의 직무권한으로 규정된 사항 중에도 집행적 성질을 갖는 것으로서 대표이사의 직무권한에 속하는 것이 있다. 예컨대 주주총회 또는 이사회의 의사록, 정관, 주주명부와 사채원부의 비치(제396조), 재무제표와 영업보고서의 작성·제출·비치·공고 등(제447조, 제447조의2, 제447조의3, 제448조, 제449조), 주식청약서 또는 사채청약서의 작성(제420조, 제474조 제2항), 신주인수권증서·신주인수권증권의 기명날인 또는 서명(제420조의2 제2항, 제516조의5 제2항), 합병계약서의 작성(제522조) 등이 그것이다. 이 외에도 회사를 그 주체로 하거나 그 주체를 명시하지 아니한 규정(예컨대 총회의사록의 작성에 관한 제373조 제1항 및 이사회의사록의 작성에 관한 제391조의3 제1항)에서 정한 회사의 대내적 업무는 당연히 대표이사의 직무권한에 속한다.

대표이사는 주주총회 또는 이사회의 결의사항으로 되어 있는 중요한 업무집행 및 이에 준하는 사항에 대해서는 의사결정권을 갖지 아니한다. 대표이사는 오로지 주주총회 또는 이사회에서 결정한 업무를 집행하고, 이사회가 정한 일반적 규칙 또는 구체적 결의에 의하여 위임한 사항과 일상적인 업무에 관한 의사

---

118) 김정호, 전게서, 406면.

를 결정하고 집행할 권한을 갖는다.

(2) 업무집행방법

대표이사가 수인 있는 경우에도 대표이사 각자가 단독으로 업무를 집행하는 것이 원칙이지만, 공동대표인 경우에는 예외적으로 대외적인 행위는 수인의 대표이사가 공동으로 집행하여야 한다(제389조 제2항).

(3) 업무담당이사에 의한 업무집행

(가) 의 의

대표이사가 회사의 모든 업무를 집행하고 회사를 대표하지만, 대규모의 주식회사의 경우 1인 또는 수인의 대표이사가 대내적인 일상의 업무집행을 직접 담당하는 것은 가능하지도 않고 또 그럴 필요도 없다. 상법이 대표이사의 선정을 요구하고 있다고 하여, 회사가 업무담당이사를 두는 것을 금지한다고 볼 수는 없고, 또한 인적회사에서는 업무집행자와 대표자를 분리하여 대표권이 없는 업무집행사원을 둘 수 있음에(제207조, 제269조)[119] 비추어 볼 때, 이러한 규정이 없는 물적회사의 경우에도 이사로 하여금 대표권을 갖지 않고 대내적인 업무집행만을 담당하게 하고 서로간에 상하관계를 정할 수 있다고 해석된다.[120] 이와 같이 대표권이 없이 대표이사의 업무집행권의 일부를 위임받아 회사 내부적으로 업무집행만을 담당하는 이사를 업무담당이사(사내이사 또는 상근이사)라고 한다.

실제에서도 회사는 이사회 또는 이사회로부터 위임받은 위원회(이사회 내의 위원회)의 결의로 사장, 부사장, 전무 및 상무를 선임하고 있다. 대표이사인 사장은 회사의 모든 업무를 총괄(통괄)하고, 선임된 부사장·전무·상무 및 이사는 대표이사인 사장을 보좌하고 이사회가 정하는 바에 따라 회사의 업무를 분장 집행하며, 대표이사인 사장의 유고시에는 정관에 정하거나 이사회에서 정한 순서로 그 직무를 대행하게 된다.[121] 이처럼 회사는 직위에 따른 상하관계를 설정하여 업무집행을 분배함으로써 업무집행의 통일성과 효율성을 기하고 있다.[122]

---

119) 합명회사의 사원은 원칙적으로 회사의 업무를 집행할 권리와 의무가 있고(업무집행에 관한 의사결정과 집행), 각 사원이 회사를 대표한다(제200조 제1항, 제207조 제1항 제1문). 그러나 정관으로 업무집행사원을 정한 때에는 그 사원이 업무집행권을 갖고 회사를 대표한다. 정관 또는 총사원의 동의로 수인의 업무집행사원 중에서 특히 회사를 대표할 자를 정한 경우(제207조 제1항 제3문 단서) 나머지 업무집행사원은 대표권이 없다.

120) 최기원, 전게서, 631면.

121) 상장회사 표준정관(2021. 1. 5. 개정) 제33조 및 제34조 제2항 참조.

대표권이 없는 업무담당이사가 대외적인 행위를 한 경우에 그 명칭이 회사를 대표할 권한이 있는 것으로 인정될 만한 것에 해당하는 때에는 그 행위에 대하여는 회사는 선의의 제3자에 대하여 표현대표이사의 책임을 지게 된다(제395조).

(나) 상무회(임원회의)

실제에서는 기업활동의 신속한 처리와 회사의 기밀보존의 필요에서 대표이사인 사장을 포함한 수명의 부사장, 전무, 상무, 이사로 구성되는 상무회(임원회의)를 두는 예가 있다. 그 성격은 다양한데, 단순히 대표이사의 자문기관에 지나지 않는 것도 있고, 실질적으로 이사회를 대신하여 업무집행사항을 결정하는 기관의 성격을 갖는 것도 있다. 그러나 상무회는 법적으로는 대표이사 또는 이사회를 보좌하는 기관에 지나지 않기 때문에, 이사회가 결의해야 할 사항을 상무회에 위임하여 결정하게 할 수 없다.

(4) 업무집행에 대한 감독

대표이사가 이사회와는 별개의 독립된 기관으로 존재한다고 하더라도 대표이사는 이사회가 결정한 의사에 따라 업무집행을 하고 회사를 대표하므로 대표이사는 필연적으로 이사회의 명령·감독을 받지 않을 수 없다. 그래서 상법은 대표이사를 포함한 이사의 직무집행에 대해 이사회가 감독권을 갖는 것으로 하였다(제393조 제2항). 여기서 업무집행이라고 하지 아니하고 직무집행이라고 한 것은 협의의 업무집행(일상의 업무집행)에는 신주발행과 같은 회사조직의 기본의 변경 등은 포함되지 아니하므로 이러한 것을 포함하는 대표이사의 직무집행의 전반에 대하여 이사회가 감독할 수 있도록 하기 위한 것이다.[123]

상법은 대표이사에 대한 이사회의 감독권을 강화하면서, 이사는 대표이사에게 다른 이사 또는 피용자의 업무에 관하여 이사회에 보고할 것을 요구할 수 있게 하였고, 이사는 3월에 1회 이상 업무의 집행상황을 이사회에 보고하도록 하였다(제393조 제3항과 제4항).

---

122) 인적회사의 경우 수인의 업무집행사원 사이에는 우열이 인정되지 않는 관계로 회사의 업무집행의 통일과 감독을 위하여 각 업무집행사원의 행위에 대하여 다른 업무집행사원의 이의권을 인정하고 있다(제201조 제2항).

123) 강위두, "주주총회·이사회·대표이사의 권한관계," 「고시연구」 제16권 제7호(고시연구사, 1989), 150면.

3) 대표이사의 책임

가) 임무해태로 인한 책임

대표이사는 이사의 지위에서 법령 또는 정관에 위반한 행위를 하거나 그 임무를 해태한 때에는 회사에 대하여 연대하여 책임을 지고, 악의 또는 중대한 과실로 임무를 해태한 때에는 제3자에 대하여 연대하여 손해를 배상할 책임이 있다(제399조 제1항, 제401조 제1항). 판례는 주식회사의 대표이사가 그의 개인적인 용도에 사용할 목적으로 회사 명의의 수표를 발행하거나 타인이 발행한 약속어음에 회사 명의의 배서를 함으로써 회사가 그 지급책임을 부담·이행하여 손해를 입은 경우에는 이사회의 승인 여부를 불문하고 대표이사에게 제399조에 의한 손해배상책임 외에도 대표권의 남용에 따른 불법행위책임을 인정하고 있다.124) 제3자에 대한 책임과 관련하여 대표이사가 대표이사로서의 업무 일체를 다른 이사 등에게 위임하고, 대표이사로서의 직무를 전혀 집행하지 않는 것은 그 자체가 이사의 직무상 충실의무 및 선관주의의무를 위반하는 행위에 해당하고, 그 위반의 행위로서 위법성이 있는 경우에는 악의 또는 중대한 과실로 그 임무를 해태한 경우에 해당한다.125)

또한 대표이사는 회사의 영업에 관하여 재판상 또는 재판 외의 모든 행위를 할 권한이 있으므로 모든 직원의 직무집행을 감시할 의무를 부담할 뿐만 아니라 이사회의 구성원으로서 다른 대표이사를 비롯한 업무담당이사의 전반적인 업무집행을 감시할 권한과 책임도 있다. 따라서 대표이사가 다른 대표이사나 업무담당이사의 업무집행이 위법하다고 의심할 만한 사유가 있음에도 불구하고 감시의무를 위반하여 이를 방치한 때에는 이로 말미암아 회사가 입은 손해에 대하여 배상책임을 지고, 악의 또는 중대한 과실로 그 감시의무를 위반한 때에는 제3자에 대하여 배상책임을 진다.126) 이러한 감시의무의 구체적인 내용은 회사의 규모나 조직, 업종, 법령의 규제, 영업상황 및 재무상태에 따라 크게 다를 수 있지

---

124) 대법원 1989.1.31. 87누760.
125) 대법원 2010.2.11. 2009다95981; 2003.4.11. 2002다70044. 동지: 대법원 2002.3.29. 2000다47316; 1985.11.12. 84다카2490 참조(단순히 통상의 거래행위로 인하여 부담하는 회사의 채무를 이행하지 않는 것만으로 악의 또는 중대한 과실로 그 임무를 해태한 것이라고 할 수 없다).
126) 대법원 2009.12.10. 2007다58285. 이사의 감시의무 위반에 관한 것으로 대법원 2004.12.10. 2002다60474; 1985.6.25. 84다카1954.

만, 고도로 분업화되고 전문화된 대규모의 회사에서 공동대표이사와 업무담당이사들이 내부적인 사무분장에 따라 각자의 전문 분야를 전담하여 처리하는 것이 불가피한 경우라 할지라도 그러한 사정만으로 다른 이사들의 업무집행에 관한 감시의무를 면할 수는 없다.127)

나) 불법행위책임

대표이사가 그 업무집행으로 인하여 타인에게 손해를 가한 때에는 회사는 대표이사와 함께 연대하여 배상할 책임이 있다(제389조 제3항, 제210조). 이 규정은 대표이사의 불법행위로 인한 회사의 불법행위책임을 인정한 것으로 대표이사의 책임의 근거가 된다고 보기는 어려운데, 판례는 이 규정에 근거한 대표이사의 공동불법행위책임을 인정하고 있다.128) 대표이사가 그 업무집행에 관하여 제3자에게 손해를 가함으로써 회사가 손해배상책임을 지는 경우에, 대표이사의 행위가 제3자에 대한 불법행위를 구성한다면 대표이사도 제3자에 대하여 손해배상책임을 져야 한다(민법 제35조 제1항).129) 이 때 대표이사가 제3자에 대하여 자연인으로서 민법 제750조에 기한 불법행위책임을 진다고 보기 위해서는 그의 행위가 회사 내부의 행위를 벗어나 제3자에 대한 관계에서 사회상규에 반하는 위법한 행위라고 인정될 수 있는 정도에 이르러야 한다.130)

법인의 대표자에는 그 명칭이나 직위 여하, 대표자로서의 등기 여부를 불문하고 당해 법인을 실질적으로 운영하면서 법인을 사실상 대표하여 법인의 사무를 집행하는 사람이 포함된다고 보는 최근의 대법원의 판례를 따르면131) 회사를 사실상 대표하는 자의 직무상의 불법행위의 경우에도 상법 제210조가 적용된다고 보고 있다.132) 그러나 회사를 대표할 권한이 없는 이사, 집행임원 또는 대표기관이 선임한 대리인 등의 업무집행상의 불법행위에 대해서는 상법 제210조가 적용되지 않고 사용자배상책임에 관한 민법 제756조가 적용된다. 대표이사의 불법행위에 의한 회사의 손해배상책임은 민법상의 사용자책임이 아니라 상법이 인

---

127) 대법원 2008.9.11. 2006다68636.
128) 대법원 2013.6.27. 2011다50165 판결에서는 대표이사도 민법 제750조 또는 상법 제389조
　　　제3항, 제210조에 의하여 주식회사와 공동불법행위책임을 부담한다고 보았다; 2007.5.31.
　　　2005다55473. 대표이사의 책임근거는 민법 제750조가 되는 것이 옳고 본다.
129) 대법원 2020.6.25. 2020다215469; 2013.6.27. 2011다50165; 2009.3.26. 2006다47677.
130) 대법원 2020.6.25. 2020다215469; 2009.1.30. 2006다37465.
131) 대법원 2011.4.28. 2008다15438.
132) 법학전문대학원 상법교수 17인, 「상법판례백선」 제8판(법문사, 2021), 542면.

정하는 책임이다.[133)

대표이사의 불법행위가 성립하기 위해서는 일반불법행위의 성립요건 외에 대
표이사의 행위가 업무집행으로 인한 것이어야 하는데, 여기서 '업무집행으로 인
한' 것이란 대표이사의 직무와 밀접한 관련이 있고 외형상 대표이사의 직무범위
내의 행위로 볼 수 있는 행위로 인한 것을 말한다.[134) 판례는 '대표이사의 업무
그 자체에는 속하지 않으나 행위의 외형으로부터 관찰하여 마치 대표이사의 업
무 범위 안에 속하는 것으로 보이는 경우'도 포함된다고 하면서, '행위의 외형상
주식회사의 대표이사의 업무집행이라고 인정할 수 있는 것이라면 설령 그것이
대표이사의 개인적 이익을 도모하기 위한 것이거나 법령의 규정에 위배된 것이
라고 하더라도' 주식회사의 손해배상책임을 인정하고 있다.[135) 대표이사의 행위
가 업무집행행위에 해당하지 아니함을 피해자인 타인이 알았거나 또는 중대한
과실로 알지 못한 경우에는 회사에 대해 손해배상책임을 물을 수 없다.[136)

대표이사는 회사와 공동불법행위책임을 부담하는데,[137) 대표이사가 회사 및
회사 이외의 제3자와 공동불법행위책임을 지는 경우에 주식회사 및 대표이사 이
외의 다른 공동불법행위자 중 한 사람이 자신의 부담부분 이상을 변제하여 공동
의 면책을 얻게 한 후 구상권을 행사하는 경우에 그 주식회사 및 대표이사는
구상권자에 대한 관계에서는 하나의 책임주체로 평가되어 각자 구상금액의 전부
에 대하여 책임을 부담한다.[138)

---

133) 임재연, 전게서, 425면(주식회사의 대표이사에게도 준용되는 제210조는 법인실재설의 입장
    에서 합명회사의 불법행위능력을 전제로 하는 규정이다).
134) 서헌제, 전게서, 814면.
135) 대법원 2017.9.26. 2014다27425; 2007.4.12. 2006다11562(증권회사 지점장의 투자권유와
    그에 따른 금원수령행위는 그의 사무집행의 범위를 벗어난 것이지만 외형상 증권회사의
    사무집행과 관련된 행위로 보아야 한다고 하여 증권회사의 사용자책임을 인정); 2001.10.
    12. 2000다53342(특허권자가 특허권 침해 여부가 불명확한 제품의 제조자를 상대로 손해
    예방을 위한 법적 구제절차를 취하지 아니한 채, 사회단체나 언론을 통하여 불이익을 줄
    수 있음을 암시하면서 위 제품의 구매자로 하여금 구매계약을 해제하도록 강요하고 기왕에
    설치되어 있던 제품을 철거하게 하였다면 이는 정당한 권리행사의 범위를 벗어난 행위로서
    위법한 행위이고, 특허권자가 회사의 대표이사로서 위와 같은 행위를 하였다면 회사도 특
    허권자와 연대하여 손해를 배상할 책임이 있다).
136) 중과실의 의미에 관해서는 비영리사단법인의 대표자의 불법행위에 관한 대법원 2004.3.
    26. 2003다34045 참조. 비법인사단의 대표자의 행위로 인한 비법인사단의 책임과 관련한
    동지의 판례로서는 2003.7.25. 2002다27088; 사용자책임의 성립에 관한 판례로서는 2008.
    1.18. 2006다41471; 2007.4.12. 2006다11562 등이 있다.
137) 대법원 2007.5.31. 2005다55473; 2003.3.11. 2000다48272(대표이사가 실용신안권 침해행
    위를 결정하고 집행한 경우).

2. 공동대표이사 임 중 호*

가. 총　설

1) 의　　의

상법은 회사의 대표에 관하여 단독대표를 원칙으로 하고 있으므로, 회사가 수인의 대표이사를 두는 경우에도 각 대표이사는 단독으로 회사를 대표한다. 그러나 상법은 이에 대한 예외로서, 수인의 대표이사가 공동으로 회사를 대표하도록 정하는 것을 인정하고 있다(제389조 제2항).[1] 이 경우 수인의 대표이사가 공동으로 회사를 대표하는 것을 공동대표라고 하고, 공동으로 대표권을 행사하는 수인의 대표이사를 공동대표이사라고 한다. 이와 같이 상법은 단독대표를 원칙으로 하고 있으며, 공동대표는 예외적인 제도이다.

공동대표제도는 대표권의 범위를 제한하는 것이 아니라, 대표권의 행사방법을 제한하는 것이다. 공동대표이사의 대표권의 범위는 단독대표이사의 대표권의 범위와 동일하다. 즉 공동대표이사는 회사의 영업에 관한 재판상·재판외의 모든 행위를 할 권한이 있으며(제389조 제3항, 제209조 제1항),[2] 이러한 포괄적인 대표권의 범위에 대한 제한은 선의의 제3자에게 대항할 수 없다(제389조 제3항, 제209조 제2항). 그러나 공동대표이사가 대표권을 행사하는 경우에는 다른 공동대표이사의 협력이 필요하므로, 공동대표이사는 단독으로 회사를 대표할 권한이

---

138) 대법원 2007.5.31. 2005다55473(공동면책을 얻은 다른 공동불법행위자가 공동대표이사 중 한 사람을 상대로 구상권을 행사하는 경우 그 공동대표이사는 주식회사가 원래 부담하는 책임부분 전체에 관하여 구상에 응하여야 하고, 주식회사와 공동대표이사들 사이 또는 각 공동대표이사 사이의 내부적인 부담비율을 내세워 구상권자에게 대항할 수는 없다); 2003. 3.11. 2000다48272; 1980.1.15. 79다1230 등.

* 중앙대학교 법학전문대학원 명예교수

1) 공동대표제도는 주식회사의 대표집행임원(제408조의5 제2항), 합명회사·합자회사의 대표사원(제208조, 제269조), 유한책임회사의 업무집행자(제287조의19 제3항), 유한회사의 이사(제562조 제3항) 등의 경우에도 채용될 수 있다. 그리고 지배인의 경우에도 공동지배인을 둘 수 있다(제12조 제1항). 공동대표와 공동대리는 같은 취지의 제도이므로, 그의 행사방법 등에 관해서는 동일한 법리가 적용된다.

2) 그러나 회사와 이사 간의 소송과 소수주주의 제소청구에 의한 이사의 책임을 추궁하는 소송의 경우에는 감사(감사위원회)가 회사를 대표한다(제394조 제1항, 제415조의2 제7항). 이 경우 대표이사의 대표권은 법률에 의하여 배제된다. 임중호, "감사(감사위원회)의 소송대표권," 「중앙법학」 제11집 제1호(중앙법학회, 2009. 4.), 267면 이하.

없다. 공동대표이사가 단독으로 대표권을 행사하는 경우에는 무권대표가 되므로, 원칙적으로 대표행위로서의 효력이 생기지 아니한다.

공동대표권의 행사와 관련하여 상법은 수인의 대표이사가 공동으로 회사를 대표하도록 규정하고 있을 뿐, 구체적인 행사방법에 대해서는 언급이 없다. 따라서 공동대표권의 행사방법에 관해서는 학설과 판례에 의한 다양한 해석론이 모색되고 있다. 이 경우에는 공동대표에 의하여 보호되어야 할 회사의 이익과 이로 인하여 희생될 수 있는 거래의 안전을 어떻게 합리적으로 조정할 것인지에 관한 가치판단의 문제가 개입된다. 실무에서 공동대표를 둘러싼 분쟁도 주로 공동대표권의 행사방법의 적법성 여부와 관련된 것이 많다.

2) 공동대표의 적용범위

공동대표는 회사를 위하여 제3자에 대하여 의사표시를 하는 능동대표에만 적용되고, 회사를 위하여 제3자의 의사표시를 수령하는 수동대표에는 적용되지 아니한다(제389조 제3항, 제208조 제2항). 능동대표에 관한 한, 공동대표는 법률행위뿐만 아니라 준법률행위에도 적용된다. 따라서 회사가 각종의 통지를 하는 경우에도 공동대표가 적용된다.[3] 공법상의 의사표시에도 공동대표가 적용된다.[4] 소송행위에도 공동대표가 적용되므로 공동대표이사 전원이 공동으로 소송행위를 하여야 한다. 따라서 공동대표이사 1인이 단독으로 제기한 소는 부적합한 소로서 각하의 대상이 된다.[5] 공동대표이사 1인에 의한 소송대리인의 선임행위와 지급명령에 대한 이의신청은 효력이 없다.[6] 공동대표이사 1인이 단독으로 조정에 갈음하는 결정에 대한 이의신청을 하는 것도 적법한 공동대표권의 행사가 아니다.[7]

공동대표제도는 불법행위에는 적용되지 아니한다. 따라서 공동대표이사 1인이 회사의 업무집행으로 인하여 타인에게 손해를 가한 경우에도 회사의 불법행위책임이 인정된다.[8] 이 경우 회사는 당해 공동대표이사와 연대하여 손해배상책

---

3) 판례(대법원 1993.1.26. 92다11008; 2014.4.30. 2013다99942)에 의하면 공동대표이사가 공동으로 주주총회를 소집하지 아니하였거나 일부 주주에게 소집통지를 하지 않은 것은 주주총회결의의 부존재나 무효의 사유에는 해당되지 아니한다.
4) 대법원 1996.10.25. 95누14190.
5) 의정부지방법원 2004.2.18. 2003가단27702(확정).
6) 인천지방법원 1997.8.22. 97가합7505(확정).
7) 대법원 2000.5.29. 2000마934.

임을 진다(제389조 제3항, 제210조). 대표기관을 통하여 대외적인 법률행위를 할 수 있는 가능성을 가지게 되는 회사는 대표기관이 업무집행과 관련하여 제3자에게 입힌 손해에 대해서도 책임을 부담하여야 하는 것이 형평성의 원칙에 부합된다.[9] 따라서 대표기관의 불법행위가 단독대표에 의한 것인지 또는 공동대표에 의한 것인지를 구별할 필요는 없다.

3) 공동대표제도의 채용실태

상법은 회사의 대표에 관하여 단독대표를 원칙으로 하고 있으므로, 공동대표제도는 각 회사의 개별적 사정에 따라 채용되고 있다. 즉 우리나라에서 공동대표제도는 지배주주와 전문경영인이 공동으로 회사를 운영하는 경우,[10] 2개의 회사가 동등한 지분을 가진 다른 회사를 공동으로 운영하는 경우,[11] 2개 이상의 회사가 특정한 사업을 공동으로 수행하기 위하여 설립한 합작회사의 경우[12] 그리고 채권자가 채권 확보의 목적으로 회사의 경영에 관여하고자 하는 경우[13] 등에 주로 채용되는 것으로 보인다.

4) 공동대표제도의 입법연혁

공동대표에 관한 상법 제389조 제2항은 연혁적으로는 일본 상법상의 공동대표제도를 본받은 것이다. 1912년의 조선민사령에 의하여 우리나라에 의용된 일본 상법은 1911년의 개정상법이었다. 1911년 개정상법은 독일 상법을 모범으로 하는 공동대표에 관한 규정을 신설하였다. 즉 동법은 각 취체역(取締役)의 단독대표를 원칙으로 하면서,[14] 예외적으로 정관이나 주주총회의 결의에 의하여 수인의 취체역이 공동으로 또는 취체역과 지배인이 공동으로 회사를 대표하는 것

---

8) 이철송, "공동대표이사제도,"「고시계」통권 제398호(고시계사, 1990. 3.), 44면; 임재연,「회사법 II」(박영사, 2018), 412면; 대법원 1999.2.26. 98다55529.
9) BGH NJW 1986, 2941.
10) 대법원 1986.9.23. 86다카915 판결의 사안의 경우.
11) 대법원 1996.10.25. 95누14190 판결과 대법원 2016.8.24. 2014두6340 판결의 사안의 경우.
12) 대법원 2015.10.29. 2013다53175 판결의 사안의 경우.
13) 대법원 1992.10.27. 92다19033 판결의 사안의 경우.
14) 1911년 개정상법은 각 취체역의 단독대표를 원칙으로 하면서 예외적으로 정관이나 주주총회의 결의에 의한 대표취체역의 선임을 인정하였고(동법 제170조 제1항), 1938년의 개정시에는 정관에 의하여 취체역의 호선으로 대표취체역을 선임하는 규정을 추가하였다(동법 제261조 제2항). 이로써 취체역 중에는 대표권이 있는 자와 없는 자가 병존하게 되어, 취체역 간에 일종의 위계질서가 형성되었다(倉澤康一郎, "代表取締役制度の半世紀,"「法學研究」第73卷 12号(慶應義塾大學, 2000. 12.), 132面).

을 인정하였다(동법 제170조 1항).

공동대표제도의 입법화 과정에서는 신용이 충실하지 못한 취체역의 단독대표
에 대한 주주의 불안과 자신이 신임하는 취체역이 있더라도 다른 취체역의 단독
대표에 대한 대주주의 불안을 불식할 필요가 있다는 의견 그리고 외국의 자본가
가 일본에 투자하지 않는 하나의 이유로서, 취체역 1인의 단독대표는 위험하다
는 의견 등이 고려되었다.15) 그러나 1911년 개정상법이 도입한 공동대표는 외
국의 입법례와 달리, 정관이나 주주총회의 결의에 의하여 인정되는 예외적인 제
도이었고 또 대표권 행사의 위임에 관한 규정을 두지 아니한 것 등에 대한 문
제점이 입법 당시부터 제기되었다.16) 1938년의 상법 개정 시에는 공동대표에
관한 조문의 번호만 변경되었을 뿐(동법 제261조 제2항), 그 내용은 개정 전 상
법과 동일하였다.

1938년의 개정상법은 해방 후에는 군정법령 그리고 정부 수립 후에는 제헌
헌법(제100조)에 의하여 1962년까지 우리나라에 의용되었다. 1962년에 제정된
현행 상법은 단독대표를 원칙으로 하면서, 예외적으로 공동대표를 인정하는 의
용상법의 기조를 유지하고 있다. 즉 상법 제389조 제2항은 수인의 대표이사가
공동으로 회사를 대표할 것을 정할 수 있도록 하였다. 이는 1950년의 일본 상
법 제261조 제2항을 본받은 것으로서, 취체역과 지배인간의 공동대표(혼합대표)
를 폐지한 것이 의용상법과 다를 뿐 공동대표제도의 취지는 동일하다.

5) 공동대표에 관한 주요국의 입법태도

가) 독 일

회사의 업무집행 및 대표기관인 이사(Vorstand)17)는 1인 또는 수인의 자연인
으로 구성된다(주식법 제76조 제2항 1문, 제3항 1문). 회사가 수인의 이사를 두는

---

15) 法律新聞社 編, 改正商法理由(法律新聞社, 1912), 95面 이하.
16) 松本烝治, 「商法改正法評論」(巖松堂書店, 1911), 73面; 毛戸勝元, 商法改正法評論(有斐閣,
    1911), 13面.
17) 주식법은 기관으로서의 Vorstand와 그 구성원인 자연인을 Vorstandsmitglied라고 하여 양자
    를 개념상 구별하고 있다(동법 제76조 제2항, 제84조). Vorstand가 수인의 자연인으로 구성
    되는 경우에도 이사회라는 법정기관이 별도로 설치되는 것은 아니다. 따라서 여기서는
    Vorstand와 Vorstandsmitglied를 공히 이사로 번역한다. 이러한 用例는 의용상법에서도 볼
    수 있다. 즉 의용상법은 업무집행 내지 대표기관으로서의 취체역(제260조, 제261조)과 그
    권한을 행사하는 자연인으로서의 취체역(제254, 제264조, 제266조 등)에 대하여 취체역이라
    는 개념을 혼용하였다. 정관으로 이른바 취체역회라는 회의체기구를 설치하여 업무집행의
    의사결정을 하도록 하였으나, 법정기관은 아니었다.

경우에는 그 전원이 공동으로 회사를 대표하는 것이 원칙이다(주식법 제78조 제2항 1문). 이와 같이 주식회사의 대표에 관해서는 1861년의 구상법(ADHGB) 이래 공동대표를 원칙으로 하고 있으며(동법 제229조), 현행 주식법도 그 기조를 유지하고 있다. 그러나 이사 전원이 공동으로 대표권을 행사하는 것은 불편하므로 정관에 의한 단독대표, 부진정공동대표, 혼합공동대표 등의 예외가 인정되고 있다(주식법 제78조 제3항). 단독대표는 실제에는 거의 이용되지 아니하며, 2인의 이사가 공동으로 대표권을 행사하는 부진정공동대표가 주로 이용되고 있다.[18] 그리고 주식법 제78조 제4항은 거래의 간이화를 위하여, 공동대표이사가 다른 공동대표이사에게 특정한 사항 또는 특정한 종류의 사항에 관하여 대표권 행사의 권한을 위임하는 것을 인정하고 있다.

나) 일 본

2005년 개정 전 일본 상법은 주식회사의 대표에 관해서 단독대표를 원칙으로 하면서, 예외적으로 공동대표를 인정하였다(동법 제261조 제2항). 그러나 공동대표를 채용하는 회사가 적고 또 공동대표가 거래상의 분쟁의 원인으로 작용하는 경우가 많다는 등의 문제점이 지적되면서, 오래 전부터 공동대표제도의 폐지론이 제기되었다.[19] 이에 2005년에 제정된 회사법은 공동대표이사제도(공동대표집행역, 공동지배인제도 포함)와 그 등기제도를 폐지하였다. 그러나 회사가 정관 등의 규정으로 공동대표이사를 두는 것은 사적 자치의 원칙에 따라 허용된다. 즉 회사는 공동대표를 채용할 수는 있으나, 이는 대표권의 내부적 제한으로써 선의의 제3자에게는 대항할 수 없다(회사법 제349조 제5항).[20]

다) 미 국

업무집행권과 대표권을 준별하지 아니하는 미국 회사법의 경우, 경영(management)은 업무집행·대표·감독을 포괄하는 개념이다.[21] 대부분의 주회사법은

---

18) Spindler, Münchener Kommentar zum Aktiengesetz(C.H.Beck, 2019), § 78 Rn. 40.

19) 法務省民事局參事官室, 會社法制の現代化に關する要綱試案 補足說明(2003), 46面. 한편 공동대표와 이사회는 기능이 중복한다는 전제하에, 1950년 개정상법이 이사회제도를 도입하였으므로 공동대표이사제도는 폐지되어야 한다는 견해도 있었다(岩原紳作, 判例評釋, 「法學協會雜誌」 93卷 11號(東京大學法學協會, 1976. 11.), 1729面; 中村一彦, 「會社法判例の研究」(信山社, 1999), 221面. 그러나 이는 1950년 일본의 개정상법이 미국의 이사회제도를 도입하였으나, 미국의 이사회제도와는 달리 법정대표기관으로서 대표이사를 별도로 두고 있는 점을 간과하고 있다.

20) 神田秀樹, 「會社法」(弘文堂, 2010), 199面.

법문의 표현에는 다소의 차이가 있으나, 대체로 회사의 경영은 이사회에 의하여 또는 이사회의 지휘하에(managed by or under the direction of a board of directors) 이루어지는 것을 명시하고 있다.22) 공개회사의 경우에는 이사회의 감독기능이 중시되면서 이사회의 경영권은 집행임원에게 위임되고 있으나, 법형식상 이사회는 여전히 최고의 경영기관으로서의 지위를 유지하고 있다.23) 업무집행권과 대표권을 비롯한 회사의 경영권은 기관으로서의 이사회에 부여되고 있다. 이는 대표권이 전체로서의 이사에게 귀속되는 것을 의미하므로, 그 행사는 원칙적으로 이사 전원이 공동으로 하여야 한다.24) 그러나 이사 전원에 의한 대표권의 행사는 비실용적이므로, 이사회는 그 권한을 집행임원 등에게 위임하여 행사하도록 하는 것이 허용되고 있다.

라) 비교법적 검토

주식회사의 대표제도에 관하여 독일이나 미국은 공동대표를 원칙으로 하고 있으나, 우리나라와 일본은 단독대표를 원칙으로 하고 있다. 인적 신뢰관계가 전제되는 사원들이 자기기관을 구성하는 합명회사와 같은 인적 회사의 경우에는 단독대표가 타당할 것이다. 그러나 물적 회사로서 제3자기관을 구성하는 주식회사의 경우에도 단독대표를 원칙으로 하는 것은 비교법적으로는 이례적이라고 할 수 있다. 전술한 바와 같이 독일 주식법과 미국 각주의 회사법에 의하면 대표기관의 대표권의 행사는 그 구성원 전원이 공동으로 하는 것이 원칙이다. 이런 취지에서 과거 일본에서는 주식회사의 대표에 관하여 공동대표를 원칙으로 하고, 단독대표를 예외로 하는 것이 바람직하다는 주장이 제기된 바 있다.25)

나. 공동대표제도의 취지

상법은 거래의 안전보호를 위하여 대표이사에게 포괄적인 대표권을 부여하는 한편, 이에 대한 제한은 선의의 제3자에게 대항할 수 없도록 규정하고 있다(제

---

21) Conard/Mace/Blough/Gibson, Functions of Directors under existing System, 27 Bus. Law. 23(1972).

22) 델라웨어주 회사법 §141(a).

23) MBCA §8.01(b); Cox/Hazen/O'Neal, Corporations(Aspen, 1997), p.154.

24) Cox/Hazen/O'Neal, op.cit., p.156.

25) 松本烝治, 前揭書, 72面 이하; 山口幸五郎, "株式會社における代表取締役の地位に關する一考察,"「商事法の研究(大隅先生還曆記念)」(有斐閣, 1968), 169面 이하.

389조 제3항, 제209조 제1항, 제2항). 그리고 회사의 대표관계는 상업등기에 의하여 공시되고 있으므로(제317조 제2항 제9호), 거래상대방은 대표이사의 대표권의 유무를 조사·확인할 필요가 없다. 그러므로 포괄적이고 불가제한적인 대표권을 가지고 있는 대표이사가 대표권을 남용·오용하는 경우, 이에 대한 위험은 원칙적으로 회사가 부담하여야 할 것이다. 이에 상법은 대표권의 남용·오용으로부터 회사의 이익을 보호하기 위하여, 수인의 대표이사로 하여금 공동으로 회사를 대표할 것을 정할 수 있도록 한 것이다(제389조 제2항). 회사가 공동대표를 채용하는 경우에는 공동대표이사 간의 상호 견제를 통하여 대표권이 경솔 또는 불성실하게 행사되는 것을 사전에 방지할 수 있을 것이다. 이와 같이 공동대표제도는 공동대표이사 간의 상호 견제를 통하여 대표권의 행사가 남용·오용되는 것을 방지하고, 아울러 대외적인 업무집행의 통일성을 확보하는 데 그 목적이 있는 것이다(통설·판례).[26] 이에 대해서 대표권의 남용·오용방지는 공동대표제도의 부차적인 목적에 불과한 것이고, 공동대표제도의 본래의 목적은 업무집행의 통일성을 대외적으로도 확보하기 위한 것으로 이해하는 견해가 있다.[27]

생각건대 공동대표제도의 취지를 대표권의 남용·오용의 방지 측면과 업무집행의 대외적인 통일성의 확보 측면으로 구별하여 그 경중(輕重)을 가릴 실익이 있는지는 의문이다. 공동대표제도의 채용실태에 비추어 보면 이러한 획일적인 판단이 곤란한 경우가 많다. 2개의 회사가 공동출자하여 설립한 합작회사의 경우에는 오히려 공동대표이사 간의 상호 견제에 의한 대표권의 남용·오용을 방지하기 위한 목적이 더 클 것으로 보인다.[28]

다. 공동대표의 본질

공동대표의 본질에 관해서는 오래 전부터 논의되어 왔으나, 공동대표권의 행

---

26) 권기범, 「현대회사법론」(삼영사, 2017), 969면; 김홍기, 「상법강의」(박영사, 2018), 586면; 손주찬, 「상법(상)」(박영사, 2000), 833면; 이철송, 「회사법강의」 제29판(박영사, 2021), 732~733면; 임재연, 전게서, 410면; 정찬형, 「상법강의(상)」 제24판(박영사, 2021), 1010면; 채이식, 「상법강의(상)」(박영사, 1996), 536면; 홍복기·박세화, 「회사법강의」(법문사, 2017), 448면; 대법원 1989. 5.23. 89다카3677; 2000.5.29. 2000마934.

27) 최준선, "공동대표이사,"「고시계」통권 제434호(고시계사, 1993. 3.), 115면; 山口幸五郎, 「新版註釋會社法(6)」(有斐閣, 1987), 174面.

28) 대법원 2015.10.29. 2013다53175. 그리고 대법원 1996.10.25. 95누14190 판결의 사안에서도 공동대표제도는 다른 회사의 지분을 각각 50% 소유하고 있는 2개의 회사가 상호 견제하기 위하여 채용되었다.

사에 관한 복잡한 문제를 해결하는데 그다지 실익이 있는 것은 아니다. 따라서 공동대표의 본질에 관한 학설을 개관한다.

1) 대표권총유설

전체로서의 공동대표이사 그 자체를 공동대표권의 귀속주체로 이해한다.[29] 즉 공동대표의 경우, 수인의 공동대표이사는 하나의 인적 결합체를 구성한다. 이러한 인적 결합체는 현행법상 대표권의 주체가 될 수 없으므로, 결국 대표권은 공동대표이사 전원에게 총유(總有)적으로 귀속되는 것이다. 따라서 각 공동대표이사는 대표권의 주체가 될 수 없다.

2) 대표권합유설

공동대표이사 상호 간에는 대표권에 관하여 일종의 합유관계가 설정된다. 이 경우 공동대표이사는 대표권에 대한 관념적인 지분을 가지고 있으므로, 공동대표이사 상호 간에는 대표권을 공동으로 행사하여야 할 법률관계가 형성된다. 이와 같이 공동대표의 경우에는 하나의 대표권이 수인의 대표이사에게 합유적으로 귀속되고 있으므로, 각 공동대표이사는 대표권의 주체가 된다. 독일의 통설이 취하는 견해이며,[30] 우리나라와 일본의 다수설의 견해이다.[31]

3) 행사방법공동설

수인의 대표이사는 단독대표의 원칙에 따라 단독으로 대표기관을 구성하지만, 대표권의 권한행사를 공동으로 하는 것에 불과한 것으로 보는 것이다.[32] 이

---

29) KG KGJ 20 A 76; Endemann, Das deutsche Handelsrecht(Bangel & Schmitt, 1865), S.137.

30) Gierke/Sandrock, Handels- und Wirtschaftsrecht(Walter de Gruyter, 1975), S. 358; Hupka, Die Vollmacht(Duncker & Humblot, 1900), S. 364; Jung, Gesamtvertretung · Gesamtvollmacht, Diss. Gießen(1909), S. 32; vom Rath, Schwierigkeiten bei der Ausübung der Gesamtvertretung beim Vorstand der Aktiengesellschaft, Diss. Köln (1965), S. 6.

31) 서돈각·정완용, 「상법강의(상)」(법문사, 1999), 82면; 이병태, 「상법(상)」(법원사, 1988), 109면; 임중호, 「상법총칙·상행위법」(법문사, 2015), 116면; 정동윤, 「상법총칙·상행위법」 (법문사, 1993), 117면; 채이식, 전게서, 536면; 大隅健一郎, 「商法總則」(有斐閣, 2004), 152面.

32) 이철송, 전게서, 733~734면; 최준선, 전게논문, 117면; 西本辰之助, 「商法總論」(慶應義塾出版局, 1914), 287面. 진정공동대표의 경우에는 대표권합유설이 타당하지만, 단독대표를 원칙으로 하면서 부진정공동대표를 인정하는 경우에는 행사방법공동설이 타당한 것으로 보는 견해(山口幸五郎, 전게서, 175面)도 있다.

에 의하면 공동대표의 경우에는 공동대표이사의 수만큼의 동일한 내용의 대표의
사와 대표행위가 공동으로 이루어지는 것이라고 한다.

4) 대표권의 내부적 제한설

공동대표는 회사 내부의 특수한 사정에 기초하여 회사가 설정한 대표권의 내
부적 제한에 불과한 것으로 이해하는 것이다.[33] 즉 공동대표의 경우 대표이사가
공동으로 대표행위를 하여야 하는 것은 대표권에 대한 내부적 제한이지만, 이를
등기한 경우에는 선의의 제3자에 대해서도 대항할 수 있도록 한 것이다.

5) 학설의 검토

수인의 공동대표이사 그 자체를 공동대표권의 법적 주체로 이해하는 대표권
총유설의 법리구성은 무리가 있다. 행사방법공동설과 내부적 제한설은 공동대표
의 본질을 적극적으로 밝히지는 아니한 것으로 보인다. 따라서 대표권에 대한
관념적 지분을 전제로, 공동대표이사는 대표권을 공동으로 행사하여야 하는 것
으로 이해하는 대표권합유설의 법리구성이 무난한 것으로 생각된다.

라. 공동대표의 채용과 유형

1) 공동대표의 채용

가) 결정기관

상법은 단독대표를 원칙으로 하고 있으므로, 회사가 공동대표를 채용하고자
하는 경우에는 이에 관한 결정을 하여야 한다. 공동대표의 채용에 관한 결정은
대표이사의 선임기관이 한다. 즉 대표이사의 선임기관인 이사회가 수인의 대표
이사를 선임하는 경우, 수인의 대표이사가 공동으로 회사를 대표하도록 정할 수
있다(제389조 제1항 본문, 제389조 제2항). 그리고 정관에 의하여 주주총회가 대표
이사를 선임하는 경우에는 주주총회의 결의로 공동대표를 정할 수 있다(제389조
제1항 단서, 제389조 제2항). 이와 같이 정관에서 공동대표에 관한 특별한 규정을
두지 아니한 경우에도, 대표이사의 선임기관인 이사회(또는 주주총회)의 결의로써
공동대표이사를 선임할 수 있다. 공동대표를 채용한 회사는 이사회 또는 주주총

---

33) 新山雄三, "代表權の內部的制限としての共同代表,"「現代企業法の理論(菅原菊志先生古稀記念
論集)」(信山社, 1998), 451面 이하.

회의 결의로써 공동대표를 폐지하고 단독대표로 전환시킬 수 있다.[34]

공동대표이사는 단독대표이사와 마찬가지로 회사의 영업에 관한 포괄적이고 불가제한적인 대표권을 가진다(제389조 제3항, 제209조). 따라서 중요한 사항에 대해서만 공동대표로 하고, 그 밖의 사항에 대해서는 단독대표로 하는 것은 허용되지 아니한다.[35]

나) 공동대표의 등기

공동대표는 회사의 이익보호를 위한 제도이지만, 대외적으로는 회사의 거래 상대방에게도 중대한 이해관계가 있으므로 상법은 공동대표를 등기사항으로 하고 있다(제317조 제2항 제10호). 회사가 공동대표를 등기하지 아니한 경우에는 선의의 제3자에게 대항할 수 없으나, 등기한 경우에는 선의의 제3자에게 대항할 수 있다(제37조 제1항).[36] 따라서 공동대표를 등기한 경우, 회사는 선의의 제3자에 대해서도 공동대표이사 1인이 단독으로 한 대표행위의 무효를 주장할 수 있다.

다) 공동대표이사의 결원

공동대표이사 1인이 질병 등의 사유로 일시적으로 대표권을 행사할 수 없거나 또는 해임이나 사망 등의 사유로 대표권이 소멸된 경우에도, 다른 공동대표 이사의 대표권이 단독대표권으로 확장되는 것은 아니다. 따라서 새로운 공동대표이사의 선임이 없는 한, 공동대표권의 적법한 행사는 불가능하게 된다. 이는 공동대표이사 간의 상호 견제에 의하여 대표권의 남용·오용을 방지하고자 하는 공동대표제도의 목적에 비추어 당연한 것이다.

공동대표이사의 결원이 있는 경우, 대표권의 행사가 불가능하게 되는 것은 공동대표의 본질에 관해서 어느 견해를 취하더라도 차이가 없다. 대표권합유설을 취하면 공동대표이사 전원의 대표권이 소멸되는 것으로 이해하는 견해가 있으나,[37] 의문이다. 대표권합유설에 의하더라도 해임이나 사망 등의 사유가 생긴 공

---

34) 권기범, 전게서, 970면; 임재연, 전게서, 411면. 판례(대법원 1993.1.26. 92다11008)에 의하면 정관으로 수인의 대표이사가 공동으로 회사를 대표할 것을 특별히 정하지 않은 이상, 이사회가 공동대표이사제도를 폐지하는 결의를 함에 있어서 반드시 정관변경의 절차를 거쳐야 되는 것은 아니다.

35) Heymann/Emmerich, HGB(Walter de Gruyter, 1989), §125 Rn. 19; Schmidt, Münchener Kommentar zum HGB(C.H.Beck, 2016), §125 Rn. 32.

36) 대법원 2014.5.29. 2013다212295.

동대표이사의 대표권만 소멸되고, 다른 공동대표이사의 대표권은 소멸되지 아니한다.[38] 다만 이 경우 다른 공동대표이사만으로는 공동대표권의 행사가 불가능할 뿐이다.

2) 공동대표의 유형

가) 진정공동대표

대표이사 전원이 공동으로 대표권을 행사하도록 하는 것을 말한다. 예컨대 갑, 을, 병 3인의 대표이사를 두고 있는 회사가 갑, 을, 병 전원이 공동으로 대표권을 행사하도록 정한 경우가 이에 해당된다.

나) 부진정공동대표

수인의 대표이사를 두고 있는 회사의 경우, 각 대표이사는 반드시 다른 대표이사와 공동으로 회사를 대표하도록 정할 수 있다. 이 경우에는 진정공동대표에 비하여 대표권의 행사가 다소 간이화될 수 있다. 부진정공동대표는 다양한 유형으로 조합될 수 있다. 예컨대 갑, 을, 병 3인의 대표이사를 두고 있는 회사의 경우 ① 반드시 2인의 대표이사로 하여금 공동으로 대표권을 행사하도록 정하거나 ② 특정한 대표이사는 단독으로 회사를 대표하지만, 다른 대표이사는 공동으로 회사를 대표하도록 정할 수가 있다. 예컨대 갑은 단독으로 대표권을 행사하지만, 경험이 부족한 신임 대표이사인 을과 병은 각각 갑과 공동으로써만 회사를 대표할 것을 정할 수 있다.

마. 공동대표권의 행사방법

1) 문제의 소재

공동대표권의 행사와 관련하여 상법은 수인의 대표이사가 공동으로 회사를 대표할 것을 규정하고 있을 뿐(제389조 제2항), 구체적인 행사방법에 관해서는 언급을 하지 아니하고 있다. 상법 제389조 제2항의 '공동'이란 원래 공동대표이사 전원이 공동으로 의사결정을 하고, 이를 공동대표이사 전원이 상대방에 대하여 공동으로 표시하는 것을 의미한다. 즉 공동대표의 경우, 적법한 회사대표를

---

37) 이철송, 전게서, 734면.
38) 同旨, 정동윤, 전게서, 119면; 大隅健一郎, 「商法總則」(有斐閣, 2004), 153面. 따라서 이 경우 다른 공동대표이사는 수동대표를 할 수 있다.

위해서는 내부적인 의사결정뿐만 아니라 그의 외부적인 표시행위에도 공동대표 이사 전원의 협력이 요구되는 것이다. 이와 같이 공동대표이사 전원이 직접 상대방에 대하여 의사표시를 하는 방법으로 공동대표권을 행사하는 것을 외부적 공동(externe Mitwirkung)이라고 한다.[39]

그러나 공동대표이사 전원이 직접 상대방에 대하여 의사표시를 하는 방법으로 대표권을 행사하는 것은 번잡하여 비실용적이다. 특히 일상적인 거래의 경우에도 공동대표이사 전원이 직접 상대방에 대하여 의사표시를 하여야 하는 것은 회사의 대외적인 업무집행의 효율적인 처리를 저해한다. 따라서 오래 전부터 학설과 판례는 공동대표제도의 의미와 목적에 반하지 아니하는 범위 내에서 공동대표권의 행사방법의 완화를 모색하고 있다. 즉 공동대표이사 1인이 직접 상대방에 대하여 의사표시를 하고, 다른 공동대표이사는 내부적으로 동의하는 방법으로 공동대표권을 행사하는 것이 그것이다. 이와 같이 공동대표이사 상호 간의 내부적인 협력에 의하여 공동대표권이 행사되는 것을 내부적 공동(interne Mit-wirkung)이라고 한다.[40]

공동대표권의 행사방법과 관련해서는 이론적인 측면에서 뿐만 아니라 실제적인 측면에서도 복잡한 문제가 제기된다. 이하에서는 공동대표권의 행사방법을 외부적 공동과 내부적 공동으로 나누어서 구체적으로 검토하기로 한다.

2) 외부적 공동

가) 개 관

공동대표이사 전원이 직접 상대방에 대해서 의사표시를 하는 방법으로 공동대표권을 행사하는 외부적 공동에는 2개의 형태가 있다. 즉 공동대표이사 전원이 하나의 공동행위에 의하여 의사표시를 하는 경우와 공동대표이사가 동일한 내용의 의사표시를 순차적으로 하는 경우가 그것이다.

나) 공동행위에 의한 공동대표권의 행사

공동대표이사 전원이 하나의 공동행위(Gesamtakt)에 의하여 대표권을 행사하는 것을 말한다.[41] 이는 공동대표권의 행사방법의 원형으로서, 상법 제389조 제

---

39) Spindler, a.a.O., § 78 Rn. 60; 中西正明, "共同代表の場合の代表權の行使方法," 「現代商法學の課題(下)(鈴木竹雄先生古稀記念)」(有斐閣, 1975. 12. 10.), 1536面.
40) Spindler, a.a.O., § 78 Rn. 63.

2항의 '공동으로'라는 법문에 가장 충실한 공동대표권의 행사방법이라고 할 수 있으나, 일상적인 것은 아니다. 공동대표이사 전원이 하나의 공동행위에 의하여 직접 상대방에게 의사표시를 하는 방법으로 대표권을 행사하는 것은 가장 명백하고 확실한 방법이다. 예컨대 공동대표이사 전원이 한 장의 계약서에 공동으로 기명날인 또는 서명을 하는 경우가 이에 해당된다. 구두계약의 경우에는 공동대표이사 1인이 상대방에게 명시적인 의사표시를 하고, 동석한 다른 공동대표이사가 이에 묵시적으로 동의하는 것도 가능하다.[42]

다) 부분적 의사표시에 의한 공동대표권의 행사

(1) 개 관

공동대표이사는 직접 상대방에 대하여 동일한 내용의 의사표시를 하여야 하지만, 공동대표이사 전원이 동일한 장소에서 동시에 의사표시를 할 필요는 없다. 따라서 공동대표이사는 동일한 내용의 의사표시를 순차적으로 할 수도 있다.[43] 공동대표이사가 서로 다른 시간과 장소에서 별도로 의사표시를 하더라도 여전히 상호 견제를 할 수 있으므로, 대표권의 남용·오용을 방지하기 위한 공동대표제도의 취지는 유지되고 있는 것이다.

(2) 각 공동대표이사의 의사표시의 법적 의미

공동대표이사 1인이 상대방에 대하여 의사표시를 하는 경우, 그의 의사표시는 공동대표행위를 구성하는 의사표시의 일부분에 지나지 아니한다. 이와 같이 각 공동대표이사의 의사표시는 그 자체로서는 부분적 의사표시에 불과하므로, 다른 공동대표이사의 부분적 의사표시와 결합하여야 비로소 회사의 의사표시가 되는 것이다.[44] 따라서 공동대표이사는 동일한 내용의 부분적 의사표시를 직접 상대방에게 하여야 한다. 이러한 법리구성에 의한 공동대표권의 행사방법을 부분적 의사표시설(Konstruktion der Teilerklärung)[45]이라고 한다.

41) Mertens, Kölner Kommentar zum Aktiengesetz(Carl Heymanns Verlag, 1992), § 78 Rn. 46; Koppensteiner, Rowedder GmbHG(Vahlen, 1985), §35 Rn. 31.
42) Altmeppen, Altmeppen GmbHG(C.H.Beck, 2021), §35 Rn. 54.
43) 이철송, 전게서, 735면; 최준선, 「회사법」 제16판(삼영사, 2021), 509면; 채이식, 전게서, 536면.
44) 임중호, 전게서, 117면; Spindler, a.a.O., §78 Rn. 60.
45) 부분적 의사표시설이라는 명칭은 독일 라이히최고법원(RGZ 81, 327)이 명명한 것이다.

(3) 공동대표권의 행사요건

공동대표이사의 부분적 의사표시는 다른 공동대표이사의 부분적 의사표시와 결합하여 하나의 의사표시로 완성된다. 각 공동대표이사의 부분적 의사표시가 하나의 의사표시로 완성되기 위한 요건을 구체적으로 보기로 한다.

(가) 공동대표이사는 의사표시를 동시에 할 필요는 없으나, 각 공동대표이사는 자신의 의사표시를 반드시 상대방에게 하여야 한다.[46] 공동대표이사 1인이 상대방에게 의사표시를 하더라도, 다른 공동대표이사가 그의 의사표시를 상대방에게 하기 전에는 완성된 의사표시가 성립하지 아니한다. 다른 공동대표이사가 그의 의사표시를 상대방에게 하는 시점에 비로소 하나의 완성된 의사표시가 성립하여 대표행위로서의 효력이 발생한다.[47] 따라서 공동대표이사 1인이 단독으로 상대방에게 의사표시를 한 경우, 다른 공동대표이사가 이에 대하여 내부적으로 동의하더라도 이를 민법 제130조의 추인의 의미로 이해해서는 안된다. 추인은 완성된 법률행위가 존재하는 것을 전제로 하지만, 이 경우에는 다른 공동대표이사가 부분적 의사표시를 상대방에게 하기 전에는 아직 완성된 법률행위가 존재하지 아니하기 때문이다. 그리고 단독으로 의사표시를 한 공동대표이사는 공동대표이사로서 자신에게 귀속되는 지분만큼의 대표권을 행사한 것이므로 무권대표행위를 한 것도 아니다.[48] 이와 같이 부분적 의사표시설에 의하면 공동대표이사 1인이 단독으로 의사표시를 한 경우에는 무권대리의 추인에 관한 민법 제130조는 적용되지 아니한다.

(나) 각 공동대표이사의 부분적 의사표시가 결합하여 하나의 의사표시가 완성되는 것이므로, 공동대표이사 1인의 부분적 의사표시가 무효인 경우에는 유효한 의사표시는 존재하지 아니한다. 그리고 각 공동대표이사의 부분적 의사표시는 동일한 가치를 가지고 있으므로, 요식행위의 경우에는 각 공동대표이사의 의사표시가 당해 법률행위가 요구하는 방식을 구비하여야 한다.[49] 따라서 어음행

---

46) 이철송, 전게서, 735면; 이병태, 전게서, 109면; 정희철, 「상법학(상)」(박영사, 1989), 84면; RGZ 61, 225; Lehmann, Das Recht der Aktiengesellschaften, Zweiter Band(Carl Heymann, 1904), S. 318; Spindler, a.a.O., §78 Rn. 60; 東京地判, 1958.5.24(判例時報, 제152호, 35面).

47) 이철송, 전게서, 735면; 최준선, 전게서, 509면; Spindler, a.a.O., §78 Rn. 60.

48) vom Rath, a.a.O., S. 24f.

49) 이철송, 전게서, 735면.

위의 경우에는 어음증권에 공동대표이사 전원의 기명날인 또는 서명이 있어야 한다. 그러나 불요식행위의 경우에는 각 공동대표이사는 반드시 동일한 방식으로 의사표시를 할 필요가 없다. 의사표시의 내용이 동일한 경우 공동대표이사 1인은 구두로, 다른 공동대표이사는 서면으로 각각의 의사표시를 하여도 상관이 없다.[50] 그리고 서면의 경우에도 공동대표이사 전원이 한 장의 서면에 기명날인 또는 서명을 할 필요가 없으므로 각각의 부분적 의사표시의 관련성이 인식되는 한, 각각 별도의 서면에 기명날인 또는 서명을 하여도 상관이 없다.[51]

(다) 전술한 바와 같이 공동대표이사는 자신의 의사표시를 동시에 할 필요는 없으나, 예외적으로 공동대표이사가 동시에 의사표시를 하여야 하는 경우가 있다. 예컨대 다른 주식회사의 주식을 소유하고 있는 회사의 공동대표이사가 주주총회에서 의결권을 행사하는 경우가 이에 해당된다.[52] 같은 취지에서 의사표시가 일정한 기간 내에 이루어져야 하는 경우에도 각 공동대표이사의 의사표시는 그 기간 내에 이루어져야 한다.

(라) 공동대표이사 전원의 합의에 의하여 결정된 의사를 공동대표이사 전원이 상대방에 대하여 표시하여야 한다. 2인의 공동대표이사가 있는 경우에는 의사결정과정에서 상호 간에 의견 대립이 있는 때에도 다수결에 의한 의사결정은 무의미하므로, 이사회의 결의로써 결정하여야 할 것이다.[53] 그러나 대표행위에는 다수결의 원칙이 허용되지 아니하므로, 이사회의 결의에 반대한 공동대표이사도 당해 결의사항의 대표행위에는 협력할 의무가 있다. 의사결정에 반대한 공동대표이사의 협력이 없으면 공동대표권의 행사 자체가 실행될 수 없기 때문이다. 그러나 3인의 공동대표이사가 있는 경우에는 다수결의 원칙에 의한 의사결정이 가능하므로, 의견대립이 있는 때에는 공동대표이사들의 다수결에 의한 의사결정을 인정할 필요가 있을 것이다. 일상적인 거래의 경우, 공동대표이사들의 의견이 대립될 때마다 이사회의 결의를 요구하는 것은 비실용적일 것이다. 그러나 전술한 바와 같이 의사결정에 반대한 공동대표이사도 당해 사항의 대표행위에는 협력할 의무가 있다.[54]

---

50) 임중호, "공동대표의 행사방법,"「고시연구」통권 제161호(고시연구사, 1987. 7.), 51면; Schwoerer, Die Ausübung der Gesamtvertretung, Diss. Heidelberg(1931), S.18.

51) Lenz, MHLS GmbHG(C.H.Beck, 2017), § 35 Rn. 70.

52) Schwoerer, a.a.O., S. 21.

53) 임재연, 전게서, 413면; 최준선, 전게논문, 119면.

⑷ 부분적 의사표시에 의한 공동대표권 행사의 문제점

부분적 의사표시설에 의하면 공동대표이사 전원이 공동으로 의사결정을 하고, 이를 상대방에게 표시하는 행위도 공동대표이사 전원이 공동으로 하여야 한다. 따라서 공동대표이사 상호 간의 동의나 추인의 방법으로 공동대표권을 행사하는 것은 공동대표제도의 취지에 반하는 것으로서 허용되지 아니한다. 이와 같이 부분적 의사표시설에 의한 공동대표권의 행사요건이 엄격하다. 따라서 공동대표를 원칙으로 하고 있는 독일에서도 외부적 공동에 의한 공동대표권의 행사방법은 거의 이용되지 아니하고, 후술하는 내부적 공동에 의한 공동대표권의 행사방법이 주로 이용되고 있다고 한다.55) 독일 라이히최고법원(Reichsgericht)은 부분적 의사표시에 의한 공동대표권의 행사방법을 배척하였으나,56) 회사와 거래상대방이 외부적 공동의 방법으로 공동대표권을 행사하기로 합의한 경우에는 이를 부정할 필요는 없을 것이다.

3) 내부적 공동

가) 문제의 소재

공동대표이사 전원이 직접 상대방에 대해서 의사표시를 하는 방법으로 공동대표권을 행사하는 것은 번거롭고 불편하여, 회사의 대외적인 업무집행의 효율적인 처리를 저해한다. 따라서 공동대표이사가 다른 공동대표이사에게 대표권의 행사를 위임하는 것이 적법한 공동대표권의 행사방법으로서 허용되는지의 여부가 문제된다. 공동대표를 정하는 이사회가 특정한 사항의 대표행위와 관련하여 공동대표를 일시적으로 해제하는 조치를 취하거나, 공동대표의 예외를 인정하는 결의를 하는 경우에는 문제가 없다. 그러나 이러한 이사회의 결의가 없는 경우에도 공동대표이사가 다른 공동대표이사에게 대표권의 행사를 위임할 수 있는지 그리고 이를 긍정하는 경우 어느 범위까지 대표권의 행사를 위임할 수 있는지가 문제된다.

다른 한편 공동대표이사가 다른 공동대표이사의 위임을 받지 않고 단독으로 대표행위를 한 경우, 다른 공동대표이사가 이를 추인할 수 있는지의 여부도 문

---

54) Lehmann, a.a.O., S. 317; Wieland, Handelsrecht, Zweiter Band(Duncker & Humblot, 1931), S. 130.

55) Heymann/Emmerich, a.a.O., § 125 Rn. 23; Spindler, a.a.O., § 78 Rn. 58.

56) RGZ 81, 329.

제된다. 이러한 위임과 추인을 긍정하는 경우, 공동대표권은 공동대표이사 상호간의 내부적인 협력에 의해서도 행사될 수 있다. 그러나 이를 부정하는 경우, 공동대표권은 전술한 외부적 공동의 방법에 의해서만 행사되어야 한다.

나) 대표권 행사의 위임

(1) 개 관

회사가 공동대표를 채용한 경우, 공동대표이사는 공동으로 대표권을 행사하여야 한다. 이는 공동대표이사의 회사에 대한 의무이다. 이 경우 공동대표이사가 다른 공동대표이사에게 대표권의 행사를 위임하는 것이 허용되는지의 여부에 대해서는 논의가 있다. 공동대표를 원칙으로 하고 있는 독일의 경우에는 거래의 간이화를 위하여, 공동대표권의 행사방법을 완화하는 특별규정을 두어서 이에 관한 문제를 입법적으로 해결하고 있다. 즉 주식법 제78조 제4항 1문에 의하면 공동대표이사들은 그 중의 1인에게 특정한 행위 또는 특정한 종류의 행위를 할 수 있는 권한을 부여할 수 있다.[57] 이에 따라 공동대표이사가 다른 공동대표이사에게 대표권의 행사를 위임한 경우에도 공동대표의 원칙은 존속된다.[58] 유한회사법에서는 이러한 위임에 관한 명문의 규정이 없으나, 통설은 위임에 의한 공동대표권의 행사방법을 인정한다.[59] 따라서 독일에서는 위임에 의한 공동대표권의 행사방법은 회사법상의 일반원칙으로 이해되고 있다.[60] 그러나 대표권 행사의 위임에 관한 명문의 규정이 없는 우리나라와 일본[61]의 경우, 공동대표이사가 다른 공동대표이사에게 대표권의 행사를 위임할 수 있는지의 여부에 대해서는 학설이 대립되고 있다.

(2) 대표권 행사의 위임의 가부

공동대표제도의 취지 내지 회사의 이익보호를 중시하는 입장에서는 대표권 행사의 위임을 부정한다. 부정설의 논거는 다음과 같다.[62] ① 대표권 행사의 위

---

57) 단독대표를 원칙으로 하는 합명회사가 예외적으로 공동대표를 채용한 경우에도 독일 상법 제125조 제2항 2문은 주식법 제78조 제4항과 같은 내용의 규정을 두고 있다.

58) Schwarz, Die Gesamtvertreterermächtigung – Ein zivil– und gesellschaftsrechtliches Rechtsinstitut, NZG 2001, S. 530.

59) Stephan/Tieves, Münchener Kommentar GmbHG(C.H.Beck, 2019), § 35 Rn. 155.

60) Schmidt, a.a.O., §125 Rn. 43.; Schwarz, a.a.O., S. 530.

61) 2005년 공동대표제도가 폐지되기 전 일본의 학설과 판례의 상황을 말한다.

62) 김성태, 「상법총칙·상행위법강론」(법문사, 2002), 208면; 김영호, 「상법총론」(대학출판사, 1990), 137면; 서돈각·정완용, 전게서, 83면 이하; 정희철, 전게서, 84면; 이병태, 전게서,

임은 대표권의 남용·오용을 방지하고자 하는 공동대표제도의 취지에 반한다. ② 공동대표권은 수인의 대표이사에게 합유적으로 귀속되고 있으므로 대표권은 공동으로 행사하여야 한다. ③ 위임은 민법 제124조(자기계약·쌍방대리의 금지)에 반한다. ④ 공동대표이사 전원이 공동으로 의사결정을 한 경우에도 표시행위를 공동으로 하지 아니하는 한, 표시행위의 과정에서 대표권의 남용·오용의 우려가 있을 뿐만 아니라 상대방도 그 행위가 전원의 의사에 합치된 것인지의 여부를 판단하기 곤란하다.

이에 대하여 긍정설은 회사의 이익침해의 우려가 없는 한, 거래상대방의 이익보호를 고려한다. 긍정설의 논거는 다음과 같다.[63] ① 공동대표이사 간에 의사의 합치가 있는 경우에는 회사의 이익이 침해될 우려가 없다. ② 출장이나 질병 등으로 인하여 공동대표이사 1인이 장기 부재하는 경우, 위임에 의한 대표권 행사를 부정하면 회사의 업무가 지체된다. ③ 회사가 불리한 거래의 책임을 회피하기 위하여 대표행위의 형식적 불비를 이유로 그 효력을 부정하면 상대방을 해할 우려가 있다. ④ 대표권 행사의 위임 여부에 대한 증명책임은 이를 주장하는 상대방에게 있으므로, 위임을 인정하더라도 회사의 보호에는 지장이 없다.

공동대표제도의 목적이 회사의 이익보호에 있는 한, 회사의 이익이 침해될 염려가 없는 경우에는 대표권 행사의 위임을 부정할 이유는 없을 것이다. 거래 안전의 보호와 신의성실의 원칙이 중시되는 오늘날의 기업적 생활관계에서 공동대표권의 행사방법을 엄격하게 해석하는 것은 바람직하지 아니할 것으로 생각된다.[64]

(3) 대표권 행사의 위임에 관한 판례이론을 확립한 라이히최고법원 판결

1913년 2월 14일의 독일 라이히최고법원의 판결[65]은 부분적 의사표시설에 입각한 기존판례를 변경하면서, 공동대표권의 행사방법에 관한 하나의 전기(轉

110面; 西原寬一,「日本商法論」一卷(日本評論社, 1950), 361面; 米澤 明, "共同代表の定めと代表權行使の委任,"「法律時報」48卷 1號(日本評論社, 1976. 1.), 103面 이하; Wieland, Handelsrecht, Ⅰ. Band(Duncker & Humblot, 1921), S. 366(공동지배).

63) 권기범, 전게서, 971면; 김건식·노혁준·천경훈,「회사법」(박영사, 2018), 378면; 손주찬, 전게서, 834면; 이철송, 전게서, 737면; 정찬형, 전게서, 1010면; 채이식, 전게서, 536면; 최기원,「신회사법론」(박영사, 2012), 641면; 최준선, 전게논문, 124면; 岩原紳作, "判例評釋,"「法學協會雜誌」第93卷 第11號(東京大學法學協會, 1976. 11.), 1731面.

64) 同旨, 岩原紳作, 前揭評釋, 1731面 이하.

65) RGZ 81, 325ff.

機)가 되는 새로운 판례이론을 확립한 것으로 평가된다. 대상판결의 사안에서는 원고는 경업을 중지하고, 피고는 원고에게 이에 대한 일정한 대가를 지급하기로 하는 내용의 계약이 성립하였는지의 여부가 문제가 되었다. 유한회사인 피고는 A와 B 2인의 공동대표이사를 두고 있으나, 위의 계약서에는 A만이 서명하였다. 이에 원고는 B가 A에게 대리권을 수여하였거나 적어도 A의 행위를 추인하는 의사표시를 A에게 한 것을 이유로 계약의 성립을 주장하였다. 원심은 대리권수여 내지 추인의 의사표시는 상대방에게 하여야 한다는 기존 판례의 입장을 유지하였으나, 라이히최고법원은 이에 관한 원심의 판단이 부당하다고 하면서 원심을 파기하였다.

대상판결에서는 유한회사의 공동대표이사가 다른 공동대표이사에게 대표권의 행사를 위임할 수 있는지 그리고 위임의 의사표시는 공동대표이사 간에 내부적으로도 할 수 있는지가 문제되었다. 당시 독일 상법은 합명회사와 주식회사의 경우에는 대표권 행사의 위임에 관한 규정을 두고 있으나(동법 제125조 제2항 제2문, 제232조 제1항 제2문), 유한회사법에는 이에 관한 규정이 없다. 라이히최고법원은 위임에 관한 상법의 규정은 공동대표의 모든 경우에, 공동대표자가 다른 공동대표자에게 대표권의 행사를 위임할 수 있다는 입법자의 의사를 확인시키는 것이라고 전제하면서, 유한회사의 경우에도 위임에 의한 공동대표권의 행사방법을 인정하였다. 이 경우 대표권 행사의 위임은 공동대표이사 상호 간에 내부적으로도 할 수 있다고 판시하면서, 이를 부정한 부분적 의사표시설에 입각한 기존의 판례를 변경한 것이다. 그리고 사전동의와 사후동의를 구별할 이유가 없으므로, 추인의 경우에도 동일한 법리가 적용되는 것으로 보았다. 위의 판결 이후 공동대표권의 행사요건이 완화되어, 공동대표이사 상호 간의 내부적 동의(위임 또는 추인)에 의해서도 공동대표권을 행사할 수 있게 된 것이다. 그리고 단독으로 의사표시를 하는 공동대표이사는 부분적 의사표시를 하는 것이 아니라, 완성된 의사표시를 하는 것으로 이해하였다. 이에 따라 공동대표이사의 단독대표행위를 무권대표행위로 추정하고, 이에 무권대리에 준하는 효력을 인정하는 이론구성이 가능하게 된 것이다.

(4) 위임의 범위

대표권 행사의 위임이 허용되는 경우, 위임을 받은 공동대표이사는 위임의 범위 내에서 단독으로 유효한 대표행위를 할 수가 있다. 위임의 범위와 관련하여 통설은 특정한 사항에 관한 위임(Spezialermächtigung), 특정한 종류의 사항에 관한 위임(Artermächtigung), 포괄적 위임(Generalermächtigung) 등 3개의 형태로 구별한다.66) 어느 경우든 위임의 내용이 특정되어야 하므로, 사항이나 종류별로 특정되지 아니한 포괄적 위임은 후술하는 바와 같이 공동대표제도의 취지에 반한다.

(가) 포괄적 위임

① 학 설

공동대표이사가 다른 공동대표이사에게 대표권의 행사를 일반적·포괄적으로 위임하는 것은 허용되지 아니한다(통설).67) 이 경우 공동대표이사 1인에 의한 대표행위는 무효가 된다. 포괄적 위임에 의한 대표권의 행사는 사실상 단독대표를 가능하게 하는 것이므로, 공동대표를 채용하는 취지에 반한다.68) 위임에 의한 대표권의 행사를 입법화하고 있는 독일의 경우에도 포괄적 위임은 허용되지 아니한다.69)

② 판 례

판례도 포괄적 위임에 의한 대표권의 행사를 인정하지 아니한다. 대법원 1989.5.23. 89다카3677 판결의 사안에서 원고회사는 갑과 을을 공동대표이사로 정하고 있었으나, 을은 자신의 인감 및 명판을 다른 공동대표이사인 갑에게 보관시켜 두고, 실제 회사경영은 공동대표이사인 갑과 이사 병에게 위임하여 처리하게 하였다. 피고가 병에 대한 채무의 변제를 요구하면서 원고회사에 대하여 추가보증을 요구하자, 공동대표이사 갑은 원고회사가 피고에 대한 병의 채무를 보증하기로 하였다. 이에 공동대표이사 갑은 병에게 채무액 상당의 원고회사 명의의 약속어음의 발행을 위임하였으며, 병은 공동대표이사 갑의 인감도장 및 명

---

66) 우리나라, 독일, 일본의 통설이다. 권기범, 전게서, 971면; 최준선, 전게서, 509면; Schwarz, Rechtsfragen der Vorstandsermächtigung nach §78 Abs. 4 AktG, ZGR 2001, S. 756ff.; 森本 滋, "共同代表と小切手振出權限の包括委任の効力,"「民商法雜誌」第82卷 第1號(有斐閣, 1980), 59面.

67) 손주찬, 「상법강의(상)」(박영사, 2000), 833면; 이철송, 전게서, 736면; 정동윤, 「회사법」(법문사, 1999), 419면; 정찬형, 전게서, 1010면; 최기원, 전게서, 641면; 홍복기·박세화, 전게서, 449면.

68) 김홍기, 전게서, 586면; 이철송, 전게서, 736면; 홍복기·박세화, 전게서, 449면.

69) Schwarz, a.a.O., S. 757.

판 등을 이용하여 이 사건 약속어음을 발행한 후 이에 관한 공정증서를 작성하여 피고에게 교부하였다. 이에 원고회사는 공동대표이사 1인인 갑의 위임에 의한 약속어음의 발행과 공정증서의 작성은 무효라고 주장하였다.

　　원심(서울고등법원 1989.1.20. 87나2670)은 이 사건 약속어음은 다른 공동대표이사의 위임에 의하여 발행된 것이라는 것을 전제로, 무효를 주장하는 원고의 주장을 배척하였다. 그러나 대법원은 "공동대표이사 1인이 특정사항에 관하여 개별적으로 대표권의 행사를 다른 공동대표이사에게 위임함은 별론으로 하고, 일반적·포괄적으로 그 대표권의 행사를 위임함은 허용되지 아니하는 것"으로 판시하면서 원심을 파기하였다. 학설도 대법원의 견해를 지지하고 있다.[70] 한편 대상판결의 사안에서와 같이 공동대표는 형식에 불과하고 회사의 대표권이 사실상 공동대표이사 1인에 의하여 행사되는 경우, 회사가 공동대표의 정함을 이유로 대표행위의 무효를 주장하는 것은 신의성실의 원칙에 반하는 것으로 볼 수 있을 것이다.[71]

　　(나) 특정사항의 위임

　　① 개　관

　　공동대표이사가 다른 공동대표이사에게 특정한 사항에 관하여 대표권의 행사를 개별적으로 위임할 수 있는지의 여부에 대해서 논의가 있다. 공동대표제도의 목적에 반한다는 것을 이유로 특정한 사항에 관한 위임을 부정하는 견해가 있으나, 다수설은 이를 긍정한다.[72] 이하에서 특정한 사항에 관한 위임을 긍정하는 경우에 제기되는 구체적인 문제를 살펴보기로 한다.

　　② 위임의 대상

　　특정한 사항에 관하여 대표권 행사의 개별적 위임을 긍정하는 경우, 위임의 대상이 표시행위인지 아니면 의사결정도 포함되는지에 대해서는 논의가 있다. 공동대표이사 상호 간에 특정한 사항에 관한 기본적인 내용이 합의된 경우에는

---

70) 강위두, "공동대표이사의 대표권행사의 위임,"「상사판례연구」제3권(한국상사판례학회, 1989. 11.), 161면; 손주찬, 전게서, 833면; 채이식, 전게서, 536면.
71) 최명규, "공동대표이사 중 1인의 행위와 회사의 책임,"「사법행정」제30권 제7호(한국사법행정학회, 1989. 7.), 99면.
72) 권기범, 전게서, 971면; 김홍기, 전게서, 586면; 손주찬, 전게서, 834면; 이철송, 전게서, 737면; 정찬형, 전게서, 1010면; 최기원, 전게서, 641면; 최준선, 전게서, 509~510면; 홍복기·박세화, 전게서, 449면.

그 후의 대표행위는 공동대표이사 1인에게 위임할 수 있다는 전제에서, 양자를 구별하여 논의할 실익이 없는 것으로 보는 견해도 있다.[73] 특정한 사항에 관한 위임을 한 경우에는 당해 행위가 실행되면 대표권도 소멸된다.[74]

⑦ 표시행위의 위임

공동대표이사 전원의 합의에 의하여 특정한 사항에 관한 의사결정이 이루어진 경우, 그의 외부적인 표시행위만을 1인의 공동대표이사에게 위임하는 것을 말한다. 예컨대 특정한 매도인이 제시하는 조건으로 특정한 물건의 매매계약의 체결에 관하여 공동대표이사 간에 합의가 이루어진 경우, 그 합의에 따라 공동대표이사 1인이 단독으로 매도인과 계약을 체결하는 것이 이에 해당된다. 다수설에 의하면 이러한 표시행위만의 위임은 대표권 행사의 남용의 우려가 없고 또 회사의 이익을 해치는 것이 아니므로 공동대표제도의 취지에 반하는 것은 아니다.[75]

공동대표이사 1인이 작성해 준 동의서가 옥외광고물표시 허가신청 시 요구되는 건물소유자의 승낙서류에 해당하는지의 여부가 문제된 사안에서, 대법원 (1996.10.25. 95누14190)은 "공동대표이사 2명 중 1명인 갑이 단독으로 동의한 것이라면 특별한 사정이 없는 한 이를 소외 회사의 동의라고 볼 수 없고, 다만 나머지 1명의 대표이사가 위 갑으로 하여금 이 사건 건물의 관리에 관한 대표행위를 단독으로 하도록 용인 내지 방임하였고 또한 원고가 위 갑에게 단독으로 회사를 대표할 권한이 있다고 믿은 선의의 제3자에 해당한다면, 이를 소외 회사의 동의로 볼 수 있을 것"이라고 판시하고 있다. 대상판결에서 대법원은 단독대표권에 대한 상대방의 선의를 요건으로 하고 있으나, 특정한 사항에 관한 표시행위의 위임을 원칙적으로 긍정하는 입장을 취하고 있는 것으로 보인다.

일본 최고재판소 판례는 공동대표이사 1인이 다른 공동대표이사에게 표시행위를 위임하는 것은 적법한 공동대표권의 행사방법으로 인정하고 있다.[76] 즉 A,

---

73) 森本 滋, 前揭論文, 63面.

74) Heymann/Sonnenschein, HGB(Walter de Gruyter, 1989), § 54 Rn. 21.

75) 송옥렬, 「상법강의」(홍문사, 2018), 1021면; 임홍근, 「회사법」(법문사, 2000), 492면; 장덕조, 「회사법」(법문사, 2017), 327면; 정찬형, 전게서, 1010면; 최준선, 전게서, 511면; 대법원 2009.2.12. 2007두8201; 中西正明, 前揭論文, 1542面 이하. 그러나 위임관계를 대외적으로 표시할 것을 요구하는 견해(이철송, 전게서, 737면)가 있다.

76) 最高裁判所 1974.11.14. 最高裁判所民事判例集 第28卷 第5號, 1605面.

B, C 등 3인의 공동대표이사를 두고 있는 X회사가 부동산을 Y에게 매도함에 있어서, 매매계약의 내용에 관하여 공동대표이사 A, B, C의 의사가 합치하였으나, C는 의사표시를 하는 것을 A에게 위임하여 매매계약은 A, B와 Y간에 체결되었다. 이에 X회사는 공동대표이사 A와 B만에 의하여 체결된 부동산매매계약은 공동대표제도에 위반하는 것이라는 이유로 무효를 주장하였다. 일본최고재판소는 "공동대표이사 상호 간에 특정사항에 관하여 의사가 합치한 경우, 이를 외부에 표시하는 행위만을 다른 공동대표이사에게 위임하고 위임을 받은 공동대표이사 1인이 회사를 대표하여 의사표시를 하여도 회사의 이익이 침해되는 것은 아니므로, 이러한 위임에 의한 대표이사의 대표행위는 공동대표의 정함에 반하는 것은 아니다"라고 판시하였다. 이는 표시행위의 위임을 인정한 일본최고재판소의 최초의 판례로서, 특정사항에 관하여 내부적인 의사가 합치된 경우에는 외부적인 표시행위만을 다른 대표이사에게 위임하는 것은 허용된다는 것을 확실히 한 것이다.[77]

㈏ 의사결정의 위임

공동대표이사가 다른 공동대표이사에게 표시행위뿐만 아니라, 의사결정도 위임할 수 있는지에 대해서는 견해가 대립되고 있다. 학설 중에서는 양자를 엄격히 구별하여 판단하는 것은 아니지만, 특정한 사항의 위임의 경우에는 대체로 의사결정에 관한 위임이 포함되는 것으로 해석하는 견해가 있다.[78] 긍정설의 논거는 다음과 같다.[79] ① 공동대표이사 전원이 회사를 대표하여 공동대표이사 이외의 제3자(예컨대 지배인 이외의 상업사용인)에게 특정한 사항에 관하여 대리권을 수여하는 것이 가능한 이상, 공동대표이사 1인에게 이러한 권한을 수여할 수 없는 것으로 해석하는 것은 타당하지 아니하다. ② 특정사항의 위임을 인정하여도 위임을 하는 공동대표이사는 위임한 사항의 내용을 인식하고 있으므로 공동

---

77) 일본의 하급심판례 중에는 공동대표이사 전원이 어음발행에 관한 합의를 하고 이에 따라 공동대표이사 1인이 어음증권에 서명을 하여 단독으로 어음을 발행한 경우, 당해 어음발행행위를 유효한 것으로 본 것이 있다(東京地判 1969.6.26. 判例時報 第585號, 79面).

78) 권기범, 전게서, 971면; 손주찬, 전게서, 834면; 최기원, 전게서, 641면; 채이식, 전게서, 536면. 의사결정의 위임의 가부에 대한 판례의 입장은 분명하지는 않지만, 다른 공동대표이사의 '위임이나 승낙없이' 공동대표이사 1인이 단독으로 한 금전차입행위와 어음의 배서행위의 회사에 대한 효력을 부정한 것이 있다(대법원 1999.2.26. 98다55529).

79) 田邊光政, "共同代表制度と代表權の行使,"「企業法判例の展開(本間輝雄先生・山口幸五郎先生還曆記念)」(法律文化社, 1988), 136面.

대표이사의 단독대표행위를 감시할 수 있다. ③ 위임을 하는 공동대표이사는 위임을 받은 공동대표이사와 당해 대표행위에 관하여 회사에 대하여 연대책임을 부담하므로 공동대표제도의 취지에 반하지 아니한다.

특정한 사항에 관한 의사결정의 위임을 긍정하는 경우, 위임이 가능한 의사결정의 범위를 어떻게 설정할 것인지가 문제된다. 의사결정을 위임하는 경우에도 공동대표의 원칙은 존속되고 있으므로, 의사결정의 위임의 범위가 공동대표의 취지를 몰각시킬 정도로 넓은 것은 허용되지 않는다. 따라서 의사결정의 위임이 허용되는 특정한 사항이란 각 법률행위의 종류와 내용이 구체적으로 분명하게 개별화되어 있는 것을 말한다. 이 경우 특정한 개개의 법률행위의 수, 종류, 내용 등이 구체화될 수 있으나, 세부적인 모든 사항까지 확정될 필요는 없으므로 매수대금의 상한선을 정하여 매매계약의 체결을 위임하는 것도 가능할 것이다.[80] 따라서 특정사항에 관한 위임은 위임을 하는 공동대표이사의 책임하에 이루어지는 것이다.

이와 같이 위임을 받은 공동대표이사에게 다소의 재량의 여지가 부여될 수 있으나, 위임의 범위의 제한 내지 불확실성으로 인하여 거래의 안전보호가 요구된다. 따라서 부분적 포괄대리권을 가진 상업사용인에 관한 제15조의 해석론이 원용될 수 있을 것이다.[81] 즉 위임을 받은 공동대표이사는 위임된 특정한 사항의 실행을 위하여 필요한 모든 행위를 할 수 있는 것으로 해석하여야 할 것이다. 계약의 구체적인 내용까지 합의된 경우에만 위임이 가능한 것으로 해석하는 경우에는 의사결정의 위임에 의한 대표권의 행사는 사실상 이용될 수 없을 것이다. 공동대표이사 전원이 대표행위를 하는 경우에도 그 중 1인이 사실상 독단적으로 의사결정을 하고, 다른 공동대표이사는 그 결정에 따르는 방식으로 대표권이 행사되는 경우도 있을 것이다. 따라서 공동대표제도에 대한 엄격한 해석은 거래안전을 해치지 아니하는 범위 내에서 이루어져야 할 것이다.

(다) 특정종류의 위임

① 개 관

특정한 종류의 사항에 관한 위임은 특정한 사항에 관한 위임보다 대표권의

---

80) Schwarz, a.a.O., S. 758.
81) Spindler, a.a.O., §78 Rn. 69; 中西正明, 前揭論文, 1543面.

위임의 범위가 넓다. 따라서 특정한 종류는 매매계약, 임대차계약 등과 같이 법률행위의 법적 성질을 기준으로 정할 수도 있고 또 판매행위, 구매행위 등과 같이 거래행위의 종류를 기준으로 정할 수도 있다. 특정한 종류의 사항에 관한 위임을 받은 공동대표이사는 특정한 사항에 관한 위임의 경우와는 달리, 위임된 특정한 종류의 사항에 속하는 행위를 반복적으로 할 수 있는 권한을 가지게 된다.[82]

② 위임의 가부

공동대표이사 1인에 대한 대표권 행사의 위임을 긍정하는 학설 중에는 특정한 종류의 사항에 관한 대표권 행사의 위임을 긍정하는 견해가 있다.[83] 그 논거로서는 부정설을 취하면 ① 공동대표이사 전원이 회사를 대표하여 경리부장 등의 상업사용인에게 특정한 종류에 관한 사항의 대리권을 부여할 수 있으나, 공동대표이사에게는 이러한 권한을 위임할 수 없고[84] ② 회사에게 책임면탈의 구실을 주는 결과가 될 우려가 있다는 점[85] 등이 제시되고 있다. 특정한 종류의 사항에 관한 위임으로 인하여 회사에 손해가 생긴 경우, 공동대표이사들은 회사에 대한 손해배상책임을 부담할 것이므로 대표권의 남용도 방지될 수 있을 것이다. 이와 같이 특정한 종류의 사항에 관하여 위임을 인정하는 경우에도 대표권 행사의 남용·오용의 방지라고 하는 공동대표제도의 목적은 유지된다. 따라서 특정한 종류의 사항에 관한 대표권 행사의 위임을 긍정하는 것이 타당할 것이다.

③ 위임의 범위

㉮ 학 설

특정한 종류의 사항에 관하여 대표권의 행사를 위임하는 경우, 위임의 범위는 법률행위의 종류에 따라 특정되어야 하고 또 거래안전의 견지에서 다른 종류의 거래와 객관적인 기준에 따라서 구별될 수 있어야 한다.[86] 법률행위의 종류를 정하지 아니한 채, 일정한 금액의 상한선을 정하는 것은 포괄적 위임에 해당되는

---

82) 정동윤, 전게서, 419면; Schwarz, a.a.O., S. 759f.
83) 권기범, 전게서, 971면; 정동윤, 전게서, 419면; 채이식, 전게서, 536면; 岩原紳作, 前揭評釋, 1732面 이하; 中西正明, 前揭論文, 1543面.
84) 岩原紳作, 前揭評釋, 1732面 이하; 中村一彦, 前揭書, 222面 이하.
85) 中西正明, 前揭論文, 1521面.
86) Schwarz, a.a.O., S. 759f.

것으로 볼 수 있으므로 허용되지 아니한다. 특정한 종류의 사항의 위임에 관하여 명문의 규정을 두고 있는 독일의 다수설에 의하면 일정한 금액의 상한선은 정할 수 있으나, 단순히 금액만을 제한하는 것은 특정한 종류에 관한 언급이 없으므로 허용되지 아니한다. 따라서 예컨대 공동대표이사 1인에게 1,000만원까지의 모든 일반적인 거래행위를 위임하는 것은 허용되지 않는다. 그러나 구매행위라는 특정한 종류의 사항에 관하여 일정한 금액의 상한선, 예컨대 1,000만원까지의 구매행위를 위임하는 것은 허용되는 것으로 해석한다.87) 상법 제15조는 부분적 포괄대리권을 가진 사용인에게 특정한 종류에 관한 대리권을 수여하는 것을 인정하고 있으므로, 공동대표의 경우에도 제15조의 해석론이 원용될 수 있을 것이다.

다른 한편 회사가 공동대표이사 상호 간의 업무분담을 정하여 각 공동대표이사에게 업무집행권을 분담시키는 경우, 각 공동대표이사는 자신에게 분담된 업무에 대해서 단독대표권이 위임된 것으로 볼 수 있는지에 대해서 논의가 있다. 이를 인정하면 공동대표이사 상호 간의 견제가 무의미하게 될 것이므로 부정되어야 할 것이다.88)

㉯ 판 례

일본판례 중에는 공동대표이사가 다른 공동대표이사에게 수표발행권한을 위임할 수 있는지의 여부가 문제된 것이 있다. 택지조성사업을 하는 X회사(원고)의 대표이사 A의 권유에 의하여 동 사업에 참가한 B는 A와 함께 X회사의 공동대표이사가 되었다. X회사는 Y신용조합(피고)과 당좌계정거래계약을 체결하였고, B소유의 부동산을 담보로 Y조합으로부터 금전을 차입한 후 그 전액을 당좌예금으로 Y조합에 예입하였다. A와 B를 포함한 X회사의 임원들은 당좌예금의 인출을 위한 수표발행은 B가 단독으로 하는 것을 합의하였으며, 이에 관한 이사회 회의록을 작성하여 Y조합의 담당자에게 교부하였다. 이에 Y조합은 B가 단독으로 발행한 수표에 대해서 당좌예금에서 지급을 하였다. 그러나 X회사의 사업이 부진하자 B는 사업에서 물러나기로 결정하여 대표이사를 사임하고 X회사의 차

---

87) Koch, Hüffer/Koch, Aktiengesetz(C.H.Beck, 2021), §78 Rn. 21; Mertens, Kölner Kommentar zum Aktiengesetz(Carl Heymann, 1992), §78 Rn. 55.

88) Spindler, a.a.O., §78 Rn. 68; BGH NJW 1988, 1200; 일본의 하급심 판례 중에는 다른 공동대표이사가 어음할인의뢰에 관하여 구체적으로 특정하여 승낙을 하였는지를 불문하고, 경리업무의 결정집행의 권한이 부여된 공동대표이사는 단독으로 어음할인을 의뢰할 수 있는 권한이 있는 것으로 본 것이 있다(東京地判 1971.2.6. 岩原紳作, 前揭評釋, 1728面 참조).

입금의 원리금을 Y조합에 변제하였다. X회사는 대표이사 B에 대한 수표발행권한의 위임과 B에 의한 수표발행은 무효라고 주장하면서 당좌예금의 지급을 청구하였다.

　1심과 2심법원은 X회사의 청구를 기각하였다. 이에 X회사는 A가 B에게 모든 수표의 발행권한을 위임한 것은 포괄적 위임에 해당되는 것이라는 이유로 무효를 주장하면서 상고하였다. 일본최고재판소는 공동대표이사 A가 공동대표이사 B에게 수표발행권한을 위임하였으며, 이러한 위임에 의하여 B가 단독으로 한 수표발행행위는 공동대표의 정함에 반하는 것은 아니라고 판시하였다.[89]

　전술한 바와 같이 특정한 종류의 사항에 관한 위임을 받은 공동대표이사는 위임된 특정한 종류의 사항에 속하는 동종의 행위를 반복적으로 할 수 있는 권한을 가진다. 따라서 당좌거래에서 수표발행의 권한을 위임한다는 것은 당좌거래가 계속되는 한, 수표발행이 반복되는 것을 전제로 하는 것이다. '특정'의 의미를 좁게 해석하면, 당좌거래는 포괄적 위임에 해당되는 것으로 볼 수 있을 것이다. 그러나 수표발행권한을 위임하는 경우에는 수표발행이라는 특정한 종류의 사항으로 제한되어 있으므로, 거래안전보호를 중시하는 견지에서 특정한 종류의 위임에 해당되는 것으로 볼 수 있을 것이다.[90]

　(5) 대표권 행사의 위임의 법리구성

　공동대표이사가 다른 공동대표이사에게 특정한 사항 또는 특정한 종류의 사항에 관하여 대표권의 행사를 위임하는 경우, 위임의 법적 성질을 어떻게 이해할 것인지가 문제된다. 우리나라에서는 이에 관한 논의가 활발하지 아니하므로 독일에서의 논의[91]를 중심으로 살펴보기로 한다.

　(가) 대리권수여설

　공동대표이사가 회사를 대표하여 다른 공동대표이사에게 대리권을 수여하는

---

89) 日本最高裁判所 1979.3.8. 最高裁判所民事判例集 第33卷 第32號, 245面.

90) 奧島孝康, "共同代表取締役の一人に對する小切手振出權限の委任,"「法學セミナー」, No. 394 (1987. 10.), 112面; 中村一彦, 前揭書, 222面 이하.

91) 독일 주식법 제78조 제4항 1문은 대표권 행사의 위임과 관련하여 'Ermächtigung'(수권, 권한부여, 권한위임)이라는 개념을 사용하고 있는데, 그 법적 성질에 대해서는 학설이 대립하고 있다. 학설은 대리법적 제도로서 이해하는 견해와 수권법적 제도로서 이해하는 견해로 대별할 수 있다. 한편 주식법 제78조 제4항 1문의 Ermächtigung은 독일 민법 제185조 제1항이 의미하는 처분수권(Verfügungsermächtigung)의 성질을 가지지 않는다는 점에서는 다툼이 없다(Spindler, a.a.O., §78 Rn. 64).

것으로 이해한다.[92] 이 경우 대리권의 수여주체는 회사이다. 위임을 받은 공동대표이사는 대표기관으로서 회사를 대표하는 것이 아니라, 대리인으로서 회사를 대리하는 것이다.

(나) 복대리권수여설

공동대표이사가 다른 공동대표이사에게 회사를 대리할 대리권을 수여하는 것으로 이해한다.[93] 즉 공동대표이사는 제3자에게 대리권을 수여할 수 있는 권한을 가지고 있는 것을 전제로, 다른 공동대표이사에게 이러한 대리권을 수여하는 것으로 보는 것이다.

(다) 단독대표권확장설

위임을 받은 공동대표이사의 공동대표권은 위임받은 사항에 한하여 단독대표권으로 확장된다. 따라서 위임을 받은 공동대표이사는 위임받은 사항에 대해서는 회사의 대표기관으로서 단독대표권을 행사하는 것이다. 독일의 판례와 다수설의 견해이다[94]

(라) 대표권행사수권설

공동대표이사가 다른 공동대표이사에게 그의 공동대표권을 행사할 수 있는 권한을 수여하는 것이다.[95] 피수권(被授權)공동대표이사는 자신의 공동대표권 이외에 수권공동대표이사의 공동대표권을 자기의 이름으로 행사하는 것이다.[96] 이 견해에 의하면 위임받은 사항에 대해서도 공동대표의 원칙은 존속하므로, 공동대표권 자체는 수권공동대표이사에게 유보되고 다만 그 행사를 위한 권한만이

---

92) 독일 라이히최고법원에 의하여 주장되었으며(RGZ 48, 58; RGZ 80, 182; RGZ 81, 329), 이를 지지하는 학설도 있다(Flume, Juristische Person(Springer, 1983), S. 362). 라이히최고법원은 이 경우의 대리권을 독일 상법 제54조(상법 제15조)의 의미의 상업대리권(Handlungsvollmacht)으로 이해한다.

93) 이철송, 전게서, 737면; 최준선, 전게논문, 123면 이하; BGHZ 13, 65; 田邊光政, 前揭論文, 137面.

94) BGHZ, 64, 75; Heymann/Emmerich, HGB, Band 2(Walter de Gruyter, 1989), § 125 Rn. 25; Mertens, a.a.O., §78 Rn. 56; Spindler, a.a.O., §78, Rn. 64.

95) Schwarz, Die Gesamtvertreterermächtigung – Ein zivil – und gesellschaftsrechtliches Rechtsinstitut, NZG 2001, S. 535; Schmidt, a.a.O., §125 Rn. 44; Spindler/Stilz/ Fleischer, Aktiengesetz(C.H.Beck, 2015), §78 Rn. 42.

96) 이 견해는 대표권 행사의 위임의 법적 성질을 授權(Ermächtigung)법리를 기초로 파악한다. 수권은 대리권과 유사하지만 형식적 구조에서 차이가 있다. 피수권자는 자기의 이름으로 일정한 행위를 하는 점에서 대리인과 다르다. 그러나 행위의 법적 효과가 직접 타인에게 귀속되는 점에서는 차이가 없다.

다른 공동대표이사에게 수여되는 것이다.

(마) 학설의 검토

공동대표이사 1인이 단독으로 회사를 대표할 수 있는 권한을 위임받은 경우에도 공동대표의 원칙은 존속된다.[97] 대표권 행사의 위임은 다른 공동대표이사에 의하여 수여되고 또 위임은 언제든지 철회될 수 있으므로, 공동대표이사 상호 간의 견제가 가능하기 때문이다. 이는 위임의 법적 성질에 관하여 어느 견해를 취하더라도 마찬가지이다.

대표권 행사의 위임을 대리법적 제도로 이해하는 대리권수여설과 복대리권수여설에 의하면 위임을 받은 공동대표이사는 회사의 대리인이다. 따라서 위임을 받은 공동대표이사는 일반적인 공동대표권의 행사의 경우에는 대표기관으로서 대표권을 행사하는 반면에, 위임된 공동대표권 행사의 경우에는 대리인으로서 대리권을 행사하게 된다. 그러나 위임을 받은 공동대표이사가 동일한 영역에서 대표기관으로서의 지위와 대리인의 지위를 동시에 가지는 것이 타당한지는 의문이다.[98]

대표권의 행사를 위임하는 경우에도 공동대표의 원칙은 존속되고 있으며, 다만 위임을 받은 공동대표이사에게 특정한 사항 내지 특정한 종류의 사항에 관하여 단독으로 회사를 대표할 수 있는 권한이 부여되는 것이다. 그러므로 권한의 위임을 받은 공동대표이사는 회사의 대표기관으로서 대표권을 행사하는 것으로 이해하는 것이 타당할 것이다.[99] 그러나 이사회의 결의에 의하여 채용된 공동대표가 이사회의 결의 없이 단독대표권으로 확장되는 것으로 이해하는 것은 바람직하지 아니하다. 이 점에서 단독대표권확장설의 법리구성은 문제가 있다. 대표권의 행사를 위임한 경우에도 공동대표의 원칙은 존속되고 있으므로, 위임을 받은 대표이사는 공동대표이사로서 대표권을 행사하는 것이다.[100] 따라서 위임된 사항에서도 공동대표권이 존속하는 것을 전제로 하면서, 공동대표이사가 다른 공동대표이사에게 공동대표권을 행사하는 권한만을 수여하는 것으로 이해하는

97) Frels, Überweisung von Vertretungsmacht an einzelne Mitglieder des Vorstands der Aktiengesellschaft, ZHR 122, S. 176; Schwarz, a.a.O., S. 530; Stephan/Tieves, a.a.O., § 35 Rn. 158.

98) Schwarz, a.a.O., S. 532; Spindler, a.a.O., § 78 Rn. 64.

99) Hölters/Weber, AktG(C.H.Beck/Vahlen, 2017), § 78 Rn. 35; Schwarz, a.a.O., S. 535ff.

100) Schwarz, a.a.O., S. 537.

대표권행사수권설이 타당한 것으로 생각된다.

(6) 위임의 방식

대표권 행사의 위임에는 특별한 방식이 요구되지 아니한다. 공동대표이사가 다른 공동대표이사에 대하여 명시적 또는 묵시적인 의사표시에 의하여 위임을 할 수 있다. 공동대표이사 1인이 단독으로 대표행위를 하는 것을 다른 공동대표 이사가 알면서도 방임하거나 용인하는 경우에는 묵시적인 위임이 있는 것으로 볼 수 있을 것이다. 위임의 의사표시는 공동대표이사 상호 간에 내부적으로도 할 수 있고 또 거래상대방에 대해서도 할 수 있다.

대표권 행사의 위임은 위임을 하는 공동대표이사가 위임을 받는 공동대표이 사를 상대로 하는 단독행위이다.[101] 대표권 행사의 위임과 관련하여 민법 제124 조(자기계약·쌍방대리)의 적용 여부에 대한 논의가 있다.[102] 대표권 행사의 위임 의 경우, 민법 제124조의 적용 여부를 문제로 하는 것은 위임을 받는 공동대표 이사를 포함한 공동대표이사 전원이 위임의 의사표시를 하는 것을 전제로 하기 때문이다. 즉 위임은 공동대표이사 전원에 의하여 대표되는 회사에 의하여 수여 되는 것으로 이해하는 것이다. 그러나 위임의 주체는 공동대표이사 전원에 의하 여 대표되는 회사가 아니라, 위임을 하는 공동대표이사로 이해하는 것이 타당하 다. 이 경우 위임을 받는 공동대표이사는 위임의 의사표시를 수령하는 자에 불 과하므로, 민법 제124조의 적용 문제는 생기지 아니한다.[103]

대표권 행사의 위임은 위임을 한 공동대표이사에 의하여 언제든지 철회될 수 있다. 이 경우 위임을 받은 공동대표이사의 동의도 요구되지 아니하고, 철회에 대한 정당한 사유의 존재 여부도 불문한다.[104] 이는 공동대표제도의 의미 내지 목적에서 비추어 당연한 것이다.

(7) 입법론

전술한 바와 같이 공동대표의 경우 대표권 행사의 권한을 위임할 수 있는지 에 대해서는 학설이 대립되고 있으며, 이를 긍정하는 경우에도 위임의 범위 등

---

101) Schmidt, a.a.O., § 125 Rn. 43; Schwarz, Rechtsfragen der Vorstandsermächtigung nach § 78 Abs. 4 AktG, ZGR 2001, S. 750.
102) 정재영, "공동대표의 논리," 「법학연구」 제6권 제1호(부산대학교 법학연구소, 1961. 9.), 5 면; 정희철, 전게서, 84면; 中西正明, 前揭論文, 1541面.
103) Schmidt, a.a.O., § 125 Rn. 43.
104) Schwarz, a.a.O., S. 774f.

구체적인 문세에 대해서는 학설이 대립된다. 이러한 학설의 대립은 결국 상법이 대표권 행사의 위임에 관한 입법적 불비가 지적되었던 일본 상법상의 공동대표 제도[105]를 그대로 수용한 것에서 비롯되는 것이다. 공동대표권의 행사방법을 둘러싼 분쟁을 방지하고, 나아가서 유연하고 효율적인 공동대표제도의 운용을 위하여 대표권 행사의 위임에 관한 문제를 입법적으로 해결하는 것이 바람직할 것이다.

다) 단독대표행위의 추인

공동대표이사가 단독으로 한 법률행위를 다른 공동대표이사가 추인할 수 있는지의 여부가 문제된다. 전술한 바와 같이 공동대표이사가 다른 공동대표이사에게 대표권의 행사를 위임하는 것이 인정되면, 공동대표이사가 위임을 받지 아니하고 단독으로 한 법률행위에 대한 추인도 인정되어야 할 것이다. 사전동의(위임)와 사후동의, 즉 추인을 구별할 이유가 없기 때문이다. 이 경우 추인을 하는 다른 공동대표이사는 당해 법률행위가 회사의 이익에 반하는지의 여부를 검토할 수 있으며, 이를 통하여 대표권의 남용·오용 여부에 대한 판단이 가능할 것이다. 따라서 추인을 인정하는 것은 공동대표제도의 취지에 반하는 것이 아니다. 통설과 판례도 추인을 인정하고 있다.[106]

공동대표이사가 단독으로 한 법률행위를 다른 공동대표이사가 추인하는 경우, 당해 법률행위는 행위 시로 소급하여 회사에 대하여 효력이 생긴다(민법 제133조). 추인의 법적 성질은 단독행위로서 특별한 형식이 요구되지 아니하므로, 당해 법률행위에 요구되는 형식에 따를 필요는 없다. 요식행위의 경우에도 공동대표이사 1인의 의사표시가 당해 법률행위가 요구하는 방식을 구비하면 유효한 공동대표권의 행사로서 인정된다.[107] 추인의 의사표시는 단독으로 법률행위를 한 공동대표이사에 대하여 하거나 또는 거래상대방에 대해서도 할 수 있

---

105) 전술한 바와 같이 일본의 1911년 개정상법은 독일법을 모법으로 하는 공동대표제도를 입법화하였으나, 독일법과는 달리 대표권 행사의 위임에 관한 규정을 두지 아니하였다. 그 이유는 불분명하며, 당시 국회나 개정안을 심의한 정부의 법률취조(取調)위원회에서도 이에 관해서는 전혀 논의가 없었다고 한다(岩原紳作, 前揭評釋, 1730面 註3).

106) 권기범, 전게서, 971면; 이철송, 전게서, 737면; 정동윤, 전게서, 419면; 채동헌, "주식회사 공동대표이사의 무권대표행위에 대한 회사의 추인여부,"「상장」제436호(한국상장회사협의회, 2011. 4.), 96면; 최준선, 전게서, 509면; 홍복기·박세화, 전게서, 449면; 대법원 2010.12.23. 2009다37718; 2010.12.23. 2009다48206.

107) Schwoerer, a.a.O., S. 56; 中西正明, 前揭論文, 1546面.

다.108) 그리고 추인의 의사표시는 묵시적으로 할 수 있으며,109) 추인을 하는 공동대표이사가 거래의 구체적인 내용까지 알고 있을 필요는 없다.110) 이와 같이 공동대표이사 1인이 단독으로 한 모든 법률행위는 추인할 수 있는 것이 원칙이다. 그러나 행위의 성질에 비추어 효력의 불확정 상태가 허용되지 않는 경우에는 추인은 인정되지 아니한다. 예컨대 공동대표이사 1인이 단독으로 다른 회사의 주주총회에서 의결권을 행사하는 경우가 이에 해당되며, 이 경우 의결권 행사는 확정적으로 무효가 된다.111)

대법원 2010.12.23. 2009다37718 판결의 사안에서는 공동대표이사 1인이 단독으로 체결한 계약에 대한 묵시적 추인이 있었는지의 여부가 문제되었다. 즉 상가빌딩(이 사건 건물)을 관리하는 회사인 피고는 상가빌딩의 주차장관리 및 건물경비업자인 원고와 주차장관리 및 건물경비에 관한 용역계약을 2004년 11월 30일까지 연장하는 계약(제2차 계약)을 체결하였다. 그 후 피고회사는 공동대표를 정하여 갑과 을 2인을 공동대표이사로 선임하여 등기하였다. 그러나 공동대표이사 1인인 을은 단독으로 원고와 위의 제2차 계약의 계약기간을 2006년 11월 30일까지 연장하는 내용의 계약(제3차 계약)을 체결하였다. 피고는 제2차 계약기간이 만료된 이후에도 원고의 주차장관리 및 건물경비업무에 대하여 이의를 제기하거나 퇴거를 요구하지 아니하고, 오히려 기간이 만료된 제2차 계약의 계속적인 이행을 요구하는 통고서를 원고에게 발송하였다. 그 후 2005년 8월 8일 피고의 단독대표이사가 된 병은 제3차 계약의 무효를 주장하면서 이 사건 건물에서 퇴거할 것을 요구하였으나, 원고는 제3차 계약의 유효를 주장하면서 주차장관리 및 건물경비업을 계속하여 수행하던 중 2006년 3월 7일 업무수행을 중단하였다. 이에 원고는 피고와의 계약에 따라 2006년 3월 7일까지 주차장관리 및 건물경비업무에 대한 용역비의 지급을 청구하였으나, 피고는 공동대표이사 1인인 을이 단독으로 체결한 제3차 계약은 무효이므로 2004년 12월 1일 이후의 용역비의 청구는 부당하다고 주장한다.

원심(서울고등법원 2009.4.9. 2008나25611)은 제3차 계약에 대한 피고의 추인을 인정할 만한 증거가 없다는 이유로 2004년 12월 1일 이후의 용역비의 청구

---

108) 대법원 1981.4.14. 80다2314; 1992.10.27. 92다19033.
109) 대법원 2010.12.23. 2009다37718; 2010.12.23. 2009다48206.
110) Spindler, a.a.O., §78 Rn. 75.
111) Spindler, a.a.O., §78 Rn. 78.

를 배척하였다. 그러나 대법원은 피고가 제2차 계약의 기간만을 연장한 제3차 계약의 체결사실을 인식하고 있으면서, 원고에게 기간이 만료된 제2차 계약의 계속적인 이행을 요구하는 통고서를 발송한 것은 공동대표이사 1인에 의하여 단독으로 체결된 제3차 계약을 묵시적으로 추인한 것으로 보고, 2004년 12월 1일 이후의 용역비청구에 관한 원고패소부분을 파기하였다.

4) 외부적 공동과 내부적 공동의 구별기준

공동대표이사가 상대방에 대하여 단독으로 의사표시를 한 경우, 외부적 공동의 방법으로 대표권이 행사된 것인지 아니면 내부적 공동의 방법으로 대표권이 행사된 것인지의 여부가 명확하지 아니할 수 있다. 어느 경우에 해당되는지는 공동대표이사가 어떤 형식으로 의사표시를 한 것인지에 따라 결정되어야 할 것이다. 단독으로 의사표시를 하는 공동대표이사가 상대방에 대하여 공동대표이사로서 의사표시를 하는 것임을 분명히 한 때에는 특별한 문제는 없다. 이 경우 단독으로 의사표시를 한 공동대표이사는 공동대표이사로서 자신의 권한만큼의 대표권을 행사한 것이므로, 무권대표행위를 한 것은 아니다. 이 경우에는 무권대리에 관한 민법의 규정이 적용되지 아니한다. 따라서 다른 공동대표이사가 상대방에 대하여 동일한 의사표시를 하는 경우에 한하여 유효한 대표행위가 된다.

그러나 실제 공동대표이사가 상대방에 대하여 공동대표이사로서 대표권을 행사한다는 것을 분명히 하는 것은 드물 것이다. 따라서 어느 경우에 해당되는지가 불분명한 때에는 내부적 공동의 방법으로 대표권을 행사한 것으로 추정하여야 할 것이다.[112] 이 경우 단독으로 의사표시를 한 공동대표이사는 무권대표행위를 한 것으로 취급되는 것이다. 따라서 사전에 단독대표권이 위임되었거나 또는 사후에 추인이 있는 경우에 한하여 유효한 대표행위가 된다. 위임이나 추인이 없는 경우에는 단독으로 대표행위를 한 공동대표이사가 상대방에 대하여 책임을 지게 된다(민법 제135조 제1항).

바. 공동대표에 있어서 의사흠결과 인식의 귀속 문제

민법 제116조 제1항에 의하면 의사표시의 효력이 의사의 흠결, 착오, 사기,

---

[112] 이철송, 전게서, 737면; 임재연, 전게서, 412면; 최준선, 전게서, 511면; 대법원 2010.12.23. 2009다37718; 中西正明, 前揭論文, 1547面; 독일의 통설이다. Spindler, a.a.O., §78 Rn. 61.

강박 또는 어느 사정을 알았거나 과실로 알지 못한 것으로 인하여 영향을 받을 경우에 그 사실의 유무는 대리인을 표준하여 결정한다. 민법 제116조 제1항은 법인의 대표의 경우에도 준용된다(민법 제59조 제2항).[113] 그리고 의사흠결과 인식의 귀속문제와 관련하여 단독대표와 공동대표를 구별할 필요는 없다.[114]

(1) 공동대표이사 전원이 상대방에 대하여 의사표시를 하는 방법으로 공동대표권을 행사하는 경우(외부적 공동), 착오 등의 의사표시의 효력에 영향을 주는 사실은 각 공동대표이사를 기준으로 판단하여야 한다(민법 제116조 제1항). 공동대표이사는 각자의 부분적 의사표시를 하는 것이므로, 공동대표이사 1인이 착오 등에 의하여 의사표시를 한 경우에도 공동의사표시는 취소될 수 있다(민법 제109조, 제110조).[115] 공동대표이사 1인의 부분적 의사표시가 취소되는 경우에는 당해 법률행위는 소급하여 무효가 된다(민법 제140조).

공동대표이사가 다른 공동대표이사의 위임에 의하여 단독으로 의사표시를 하는 방법으로 공동대표권을 행사하는 경우(내부적 공동), 착오 등으로 인한 의사표시의 취소 여부는 원칙적으로 단독으로 의사표시를 하는 공동대표이사를 기준으로 판단하여야 한다. 그리고 위임의 의사표시를 하는 다른 공동대표이사가 착오 등에 의하여 위임의 의사표시를 한 경우에는 위임의 의사표시를 취소할 수 있다. 위임의 의사표시가 취소되는 경우, 당해 법률행위는 무권대표행위로서 무효가 된다.[116]

(2) 의사표시의 효력이 어느 사정의 知·不知에 의하여 영향을 받을 경우, 그 사실의 유무는 각 공동대표이사를 기준으로 결정하여야 한다(민법 제116조 제1항).[117] 따라서 공동대표이사 전원이 상대방에게 의사표시를 하는 방법으로 공

---

113) 우리나라에서는 대체로 민법 제116조를 대표기관의 인식을 법인에게 귀속시키는 실정법적 근거로 이해하고 있으나, 독일에서는 민법 제166조(우리 민법 제116조) 이외에 수동대표에 관한 주식법 제78조 2항, 법인의 손해배상책임에 관한 독일 민법 제31조(우리 민법 제35조)를 실정법적 근거로 이해하는 견해도 있다. 이에 대해서는 송호영, "이른바 인식의 귀속 (Wissenszurechnung)에 관하여 – 법인의 경우를 중심으로 –,"「비교사법」제8권 제1호 (한국비교사법학회, 2001. 6.), 49면 이하; 이병준, "법인에 있어서의 인식의 귀속과 인식의 책임,"「외법논집」제35권 제2호(한국외국어대학교 법학연구소, 2011. 5.), 103면 이하.

114) Hölters/Weber Aktiengesetz(C.H.Beck, 2017), §78 Rn. 16; Wiesner, Münchener Handbuch des Gesellschaftsrechts(C.H.Beck, 1988), §23 Rn. 21.

115) Spindler, a.a.O., §78 Rn. 94.

116) Spindler, a.a.O., §78 Rn. 95.

117) 수동대표에 관한 상법 제208조 제2항도 인식의 귀속에 관한 실정법적 근거가 될 수 있을 것이다. 수동대표에 관한 독일 주식법 제78조 제2항 2문의 인식의 귀속에 관한 실정법적

동대표권을 행사하는 경우(외부적 공동), 공동대표이사 1인의 어느 사정에 대한 지·부지는 곧 회사의 지·부지가 되는 것이다(민법 제116조 제1항).[118]

어느 사정을 알고 있는 공동대표이사가 다른 공동대표이사에게 대표권의 행사를 위임하는 경우에는 민법 제116조 제2항이 적용될 수 있다. 민법 제116조 제2항의 본인의 "지시"는 넓게 해석되므로, 지시가 없어도 본인이 어느 사정을 알면서 대리인에게 그 사정과 관련된 특정한 법률행위를 하도록 하는 경우도 포함된다.[119] 따라서 어느 사정을 알고 있는 공동대표이사가 다른 공동대표이사에게 특정한 사항에 관하여 대표권의 행사를 위임하여 법률행위를 하도록 한 경우(내부적 공동), 위임을 하는 공동대표이사의 인식은 회사에 귀속된다. 이 경우 회사는 단독으로 대표권을 행사하는 공동대표이사의 부지를 주장할 수 없다.[120]

사. 공동대표와 회사·공동대표이사의 책임

1) 외관법리에 의한 회사의 제3자에 대한 책임

가) 개 관

공동대표이사가 다른 공동대표이사의 협력없이 단독으로 대표행위를 하는 것은 적법한 공동대표권의 행사가 아니다. 공동대표이사의 단독행위는 무권대표행위로서 무효가 되므로, 회사는 그 이행을 거절할 수 있는 것이 원칙이다.[121] 그러나 공동대표이사의 단독대표행위에 대해서 회사가 외관법리에 의하여 책임을 지는 경우가 있다. 공동대표이사의 단독대표행위에 대하여 상법 제395조가 유추적용되는 경우와 공동대표이사의 일정한 행위에 대하여 추인의 외관이 인정되는 경우가 그것이다.

나) 공동대표이사의 단독대표행위에 대한 제395조의 유추적용 여부

공동대표이사가 단독으로 대표행위를 하는 경우, 표현대표이사에 관한 제395조의 유추적용 여부에 대해서는 견해가 대립된다. 상업등기의 적극적 공시력과 회사의 이익보호를 중시하는 소수설[122]은 제395조의 유추적용을 부정한다. 그러

근거에 대해서는 Spindler, Wissenszurechnung in der GmbH, der AG und im Konzern, ZHR 181(2017), S. 315.
118) 권기범, 전게서, 971면; 최준선, 전게서, 511면.
119) 이영준, 「한국민법론」 총칙편(박영사, 2004), 515면.
120) vom Rath, a.a.O., S. 120f.
121) 대법원 2000.5.29. 2000마934.

나 거래안전보호를 중시하는 통설[123]은 제395조의 유추적용을 긍정한다.

원래 공동대표이사의 단독대표행위는 제395조의 적용대상은 아니지만, 동조의 기초가 되고 있는 외관법리는 공동대표의 경우에도 원용될 수 있을 것이다. 판례에서 제395조의 적용 여부가 문제가 된 사안에서는 '대표이사'라는 명칭의 사용 이외에 공동대표이사가 다른 공동대표이사에게 아파트건물의 신축 및 분양 업무의 일체를 위임하였거나[124] 또는 공동대표이사 1인에 의한 연대보증이나 도급계약의 체결 등이 방임 내지 묵인되었다.[125] 이는 전술한 대표권 행사의 위임의 문제로 파악할 수도 있을 것이며, 이 경우 위임의 범위는 특정한 사항 또는 특정한 종류의 사항으로 제한된다. 따라서 공동대표이사의 단독대표행위를 대표권 행사의 위임의 문제로 파악하는 경우, 공동대표이사가 위임된 범위 내의 행위를 하였는지 여부는 중요한 의미가 있다.[126]

이에 대하여 공동대표이사의 단독대표행위를 제395조의 유추적용의 문제로 파악하는 경우에는 공동대표이사가 사용한 명칭이 중요한 의미를 가지지만, 위임의 범위 내의 행위를 하였는지 여부는 중요하지 아니하다. 공동대표이사가 '사장'이나 '대표이사 사장' 등의 명칭을 사용하는 경우에는 대체로 유추적용을 긍정한다.[127] 그러나 위의 사안에서와 같이 공동대표이사가 '대표이사'라는 명칭을 사용하는 경우, 통설[128]과 판례[129]는 제395조의 유추적용을 긍정하지만 소수설[130]은 부정한다.

---

122) 酒卷俊雄・尾崎安央, 「會社法重要判例解說」(成文堂, 2004), 151面.
123) 권기범, 전게서, 981면; 이기수・최병규, 「회사법」(박영사, 2015), 411면; 임홍근, 「회사법」(법문사, 2000), 499면; 정찬형, 전게서, 1025면; 최준선, 전게서, 513면; 홍복기・박세화, 전게서, 455면.
124) 대법원 1992.10.27. 92다19033.
125) 대법원 1991.11.12. 91다19111.
126) 中西正明, 前揭論文, 1549面.
127) 김정호, 「회사법」(법문사, 2015), 456면; 손진화, 「상법강의」(신조사, 2017), 591면; 이철송, 전게서, 744면; 정동윤, 전게서, 426면; 홍복기・박세화, 전게서, 456면.
128) 권기범, 전게서, 981면; 송옥렬, 전게서, 1031면; 안수현, "대표이사의 명칭으로 한 공동대표이사 1인의 단독대표행위와 회사책임," 「상사판례연구(1)」(박영사, 1996), 602면; 장덕조, 전게서, 329면; 정연욱, "공동대표이사의 단독거래행위에 대한 회사의 표현책임," 「국민과 사법(윤관대법원장퇴임기념판례평석집)」(박영사, 1999), 148면; 최준선, 전게서, 513면. 대표이사라는 명칭 이외에 단독대표권으로 인정될 만한 부수적인 사정의 존재를 요구하는 견해(정대근, "공동대표이사의 표현책임," 「상사판례연구」 제5집(한국상사판례학회, 1992), 248면 이하)도 있다.
129) 대법원 1991.11.12. 91다19111; 1992.10.27. 92다19033; 1993.12.28. 93다47653.
130) 이문봉, "공동대표이사와 표현대표이사와의 관계," 「법조」 제24권 제6호(법조협회, 1975.

공동대표이사의 단독대표행위를 대표권 행사의 위임의 문제로 제한하는 경우에는 거래상대방의 보호가 미흡할 수 있다. 따라서 공동대표이사가 단독대표권이 있는 것으로 보이는 외관을 야기한 경우에는 제395조를 유추적용하여 거래상대방을 보호하는 것이 타당할 것이다. 공동대표를 등기하여 그 보호를 받는 회사가 단독대표의 외관을 야기한 경우, 공동대표의 등기에 의하여 생긴 효력은 회사가 야기한 단독대표의 외관에 의하여 제거되었다. 이 경우 회사가 단독대표의 외관을 신뢰한 상대방에 대하여 공동대표의 등기의 효력을 주장하는 것은 신의성실의 원칙에 반한다.[131]

다) 추인의 외관에 대한 책임

공동대표이사가 단독으로 대표행위를 한 경우, 이러한 사실을 모르는 다른 공동대표이사가 이에 대하여 침묵하더라도 상대방의 외관신뢰는 문제가 되지 아니한다. 이 경우 회사의 책임이 인정되면 공동대표제도의 기반이 흔들리게 된다. 공동대표이사들은 일반적으로 정보를 교환할 의무가 있는 것으로 볼 수 있으나, 이를 해태하였다고 하여 회사의 책임을 인정하면, 공동대표제도가 의도하는 회사의 이익보호가 무시될 것이다. 그러나 신의성실의 원칙에 비추어 회사의 의사표시가 요구되는 사항임에도 불구하고, 아무런 언급이 없는 경우에는 예외적으로 침묵을 추인의 의미로 인정할 수가 있을 것이다. 예컨대 상대방이 공동대표이사 1인과 구두로 체결한 계약의 내용을 문서로 작성하여 그 일치 여부의 확인을 요청하는 문서를 발송하였으나, 다른 공동대표이사가 이 사실을 알면서도 아무런 이의를 제기하지 아니한 경우, 상대방은 다른 공동대표이사가 당해 계약을 추인한 것으로 신뢰할 수 있을 것이다.[132] 이 경우 회사는 추인에 대한 상대방의 신뢰에 대한 책임을 져야 할 것이다.

2) 공동대표이사와 회사의 제3자에 대한 책임

공동대표이사가 다른 공동대표이사의 위임 없이 단독으로 하는 대표행위는 무권대표행위로서 원칙적으로 무효이다. 이 경우 다른 공동대표이사의 추인이

6.), 106면; 이철송, 전게서, 745면.

131) 임중호, 전게서, 228면 이하.

132) Canaris, Handelsrecht(C.H.Beck, 2006), S. 363; vom Rath, a.a.O., S. 125; Schwoerer, a.a.O., S. 74.

없는 한, 단독으로 대표행위를 한 공동대표이사는 무권대리인으로서 제3자에 대하여 책임을 지게 된다(민법 제135조 제1항). 따라서 회사의 제3자에 대한 책임은 원칙적으로 문제가 되지 아니한다. 이 경우 회사의 책임을 인정하는 것은 회사이익의 보호를 위한 공동대표제도의 목적에 반하는 결과가 된다.

그러나 단독으로 대표행위를 한 공동대표이사의 행위가 불법행위를 구성하는 경우에는 제3자가 입은 손해에 대해서 회사의 불법행위책임이 문제될 수 있다(제389조 제3항, 제210조). 판례도 공동대표이사 1인이 단독대표권이 있는 것처럼 제3자를 기망하여 금전을 차용한 행위와 그 담보를 위한 어음의 배서행위에 대해서 회사의 불법행위책임을 인정하고 있다.[133] 다른 한편 공동대표이사의 단독대표행위로 인하여 제3자가 손해를 입은 경우, 제3자는 당해 공동대표이사에 대하여 상법 제401조에 의한 손해배상책임을 물을 수 있다.[134]

3) 공동대표이사의 회사에 대한 책임

회사가 공동대표를 채용한 경우, 공동대표이사는 공동으로 대표권을 행사할 의무가 있다. 따라서 공동대표이사가 이러한 대표권의 행사방법에 대한 제한을 위반하여 단독으로 대표행위를 함으로써 회사에 손해를 입힌 경우에는 회사에 대하여 손해배상책임을 부담한다(제399조 제1항). 그리고 다른 공동대표이사가 당해 대표행위를 추인하는 경우에도 선관주의의무를 가지고 추인 여부를 판단하여야 한다. 추인을 하는 다른 공동대표이사가 선관주의의무를 위반하여 회사에 손해를 입힌 경우에는 단독대표행위를 한 공동대표이사와 연대하여 회사에 대하여 손해배상책임을 지게 된다.[135]

아. 수동대표

제3자가 회사에 대하여 하는 의사표시는 공동대표이사 1인에게 하여도 회사에 대하여 효력이 있다(제389조 제3항, 제208조 제2항).[136] 이와 같이 수동대표의 경우에는 각 공동대표이사의 단독대표가 인정된다. 수동대표의 경우에는 제3자의 회사에 대한 의사표시를 수령하는 것이므로, 대표권의 남용·오용의 염려가

---

133) 대법원 1999.2.26. 98다55529.
134) 이철송, 주 26) 전게서, 738면; 최준선, 전게서, 511면.
135) 서울고등법원 2008.1.22. 2006나76394.
136) 소송서류의 송달과 관련하여 민사소송법 제180조도 같은 취지의 규정을 두고 있다.

없기 때문이다. 이는 강행규정이므로 정관으로 의사표시의 수령에 대한 단독대
표권을 배제하거나 제한할 수 없다. 이와 같이 수동대표의 경우 각 공동대표이
사는 의사표시를 수령할 권한이 있으므로, 제3자의 회사에 대한 청약이나 해
제·해지·취소·상계 등의 의사표시는 공동대표이사 1인에게 한 경우에도 회
사에 대하여 효력이 생긴다. 공동대표이사 1인에게 구두로 하는 청약은 대화자
간의 청약(제51조)이 아니고, 격지자간의 청약(민법 제528조 제1항)으로 보아야
할 것이다. 왜냐하면 청약에 대한 승낙 여부는 공동대표이사 전원에 의하여 결
정되어야 하는 사항이므로, 각 공동대표이사는 단독으로 즉시 승낙 여부를 결정
할 수 있는 권한이 없기 때문이다.[137] 그리고 공동대표이사 1인에 대한 변제의
청구나 어음의 제시도 회사에 대하여 효력이 있다. 수동대표에 관한 상법 제208
조 제2항은 의사표시만을 언급하고 있으나, 입법취지에 비추어 의사표시의 수령
이외에 준법률행위도 포함되는 것으로 해석하여야 할 것이다. 따라서 수동대표
는 각종의 최고, 매매목적물의 하자통지(제69조), 채권양도의 통지(민법 제450
조)[138] 등의 경우에도 적용된다.

3. 표현대표이사

권 종 호*

가. 서   설

표현대표이사란 회사의 승인 아래 대표이사가 아니면서 대표이사로 오인할
만한 명칭을 사용하여 대표행위를 한 자를 말한다. 표현대표이사에 관한 제395
조는 표현대표이사의 대표행위를 신뢰하여 거래한 선의의 제3자에 대해 회사의
책임을 인정하고 있다. 표현대표이사의 외관 현출에 귀책사유가 있는 회사에 대
해 표현대표이사의 외관을 신뢰하여 거래한 상대방에 대한 책임을 인정함으로써
상거래의 안전을 도모하기 위함이다.

주식회사의 경우 대표이사만이 회사의 영업에 관하여 재판상, 재판외의 모든
행위를 할 수 있다. 다만 대표이사의 이러한 권한은 내부적으로 제한할 수 있지

---

137) Jung, a.a.O., S. 94f.
138) 부산지방법원 2008.5.28. 2007가합21590.
 * 건국대학교 법학전문대학원 교수

만 선의의 제3자에 대해서는 대항하지 못한다(제389조 제3항, 제209조). 이처럼 대표이사의 대표권은 정형적이고 포괄적이며 그에 대한 제한은 선의의 제3자에게 대항할 수 없다는 점에서 불가제한적이기도 하다. 이러한 점을 고려하여 상법은 회사로 하여금 대표이사의 성명 등을 등기하도록 의무화하고(제317조 제2항 제9호, 제3항) 등기를 경료한 경우에는 원칙적으로 선의 제3자에 대해서도 대항할 수 있도록 하여(제37조 제1항의 반대해석) 회사의 이익을 보호해 주고 있다.

그러나 기업실무에서는 사장, 부사장, 전무이사, 상무이사 등의 직제를 두어 대표이사가 아님에도 불구하고 대표이사로 오인할 수 있는 명칭을 사용하여 상대방의 신뢰를 얻고, 이를 통해 거래를 유리하게 전개하려는 경우가 적지 않다. 대표이사가 아닌 자가 회사의 승인 아래 대표이사로 오인할 만한 명칭을 사용하여 대표행위를 한 경우에 이를 믿고 거래를 한 상대방에게 등기부를 조회하지 않은 책임을 묻거나 혹은 신뢰에 대한 과실책임을 물어 불이익을 주는 것은 신속을 요하는 상거래에서는 비현실적이며 거래의 안전에 반한다.[1] 그리하여 제395조는 이러한 경우 선의의 제3자를 보호하기 위하여 "사장, 부사장, 전무, 상무 기타 회사를 대표할 권한이 있는 것으로 인정될 만한 명칭을 사용한 이사의 행위에 대해서는 그 이사가 회사를 대표할 권한이 없는 경우에도 회사는 선의의 제3자에 대하여 그 책임을 진다"고 규정하고 있다.

나. 제395조의 입법취지와 근거법리

1) 입법취지

제395조의 입법취지는 "회사의 대표이사가 아닌 이사가 외관상 회사의 대표권이 있는 것으로 인정될 만한 명칭을 사용하여 거래행위를 하고, 이러한 외관이 생겨난 데에 관하여 회사에 귀책사유가 있는 경우에 그 외관을 믿은 선의 제3자를 보호함으로써 상거래의 신뢰와 안전을 도모하는데 있다.[2]

제395조의 입법배경은 등기의 일반적 효력에 관한 제37조가 회사의 책임회피수단으로 악용되는 것을 차단하기 위해서이다. 즉 대표이사의 성명은 등기사항이며 제37조에 의하여 일단 등기를 한 후에는 회사는 원칙적으로 선의의 제3자에게도 대항할 수 있다. 이 점을 악용하여 종래 이사 중 1인만을 대표이사로

---

1) 이철송, 「회사법강의」 제29판(박영사, 2021), 738면.
2) 대법원 2003.9.26. 2002다65073; 2003.7.22. 2002다40432; 1995.11.21. 94다50908 등.

등기하고 나머지 이사에 대해서는 사장, 전무 등의 명칭을 부여하여 어음을 발행하거나 거래를 하도록 하고 나중에 문제가 발생하면 대표이사가 1인뿐인 등기부를 제출하여 회사의 책임을 회피하려고 하는 폐단이 있었다.[3] 표현대표이사는 이를 방지하기 위한 것으로서 일본에서는 1938년 상법개정시 구상법 제262조를 통해 도입하였고[4] 우리나라에서는 1962년 신상법 제정시에 도입하였다.

2) 근거법리

표현대표이사제도의 근거에 관해서는 ① 자기의 의사에 기하여 표시를 한 자는 이를 신뢰하여 행위를 한 선의자에 대해 그 표시와 모순되는 항변을 제출할 수 없다는 영미법상의 금반언의 법리(Estoppel by representation)에서 찾는 견해,[5] ② 외관과 내용이 일치하지 않은 경우 외관을 작출한 자는 외관을 신뢰하여 행위를 한 자에 대해 외관에 따라 책임을 져야한다는 독일법상의 외관이론(Rechtsscheintheorie)에서 찾는 견해[6]가 있다. 그러나 다수설은 양 이론은 모두 외부에 표현된 것을 기초로 법효과를 부여하려는 것이고 외관 또는 표시에 당사자의 유책을 요구하는 점으로 보아 양이론 간에는 본질적인 차이가 없고 법리자체가 발전해나가는 것인 이상 그 어느 법리에 의하더라도 결론에는 차이가 없다는 입장이다.[7] 양이론은 기본적으로 표시나 외관을 신뢰한 자를 보호하려는 것이고 행위자가 아니라 표시나 외관을 현출한 자에게 책임을 묻는다는 점에서 동일하므로 양이론간에는 본질적인 차이가 없다고 보는 다수설이 합리적이라 하겠다. 판례의 경우는 금반언의 법리에서 그 근거를 찾는 것도 있으나[8] 다수설과 마찬가지로 제395조는 제3자를 보호하려는 거래의 안전의 표현이고 금반언의 법리 내지는 외관이론의 정신에서 나온 것으로 판단하고 있다.[9]

---

3) 최기원, 「신회사법론」(박영사, 2012), 644면; 염미경, "표현대표이사가 대표이사를 대행한 행위에 대한 회사의 책임," 「재산법연구」 제22권 제1호(한국재산법학회, 2005), 329면.

4) 加藤良三·吉田直·田中裕明, 「株式会社法の法理 2」(中央経済社, 1995), 117面.

5) 이기수, 「회사법학」(박영사, 1999), 413면.

6) 최정식, "대표이사 명의를 사용한 표현대표이사의 행위에 대한 회사의 책임," 「법학연구」 제45집(한국법학회, 2012. 2. 25.), 415면 참조.

7) 정찬형, 「상법강의(상)」 제24판(박영사, 2021), 1019면: 이철송, 전게서, 739면; 정동윤, 「회사법」 제7판(법문사, 2001), 420면; 최기원, 전게서, 644면; 강위두·임재호, 「상법판례연습」(법문사, 2009), 361면; 上柳克郎·鴻常夫·竹内昭夫, 「新版注釈会社法(6)」(1987), 182面.

8) 대법원 1985.6.11. 84다카963.

9) 대법원 2013.9.26. 2011다870; 1998.3.27. 97다34709; 1992.7.28. 91다35816; 1979.2.13. 77다2436.

다. 표현대표이사의 성립요건

표현대표이사로서 그 행위에 대해 회사의 책임을 인정하기 위해서는 외관법리의 일반 원칙에 따라 ① 대표권이 없는 이사가 대표이사로 오인할 수 있는 명칭을 사용하여 제3자와 거래를 하고(외관의 존재), ② 회사는 이러한 외관의 사용을 허락하는 등 귀책사유가 있어야 하며(외관에 대한 귀책사유), 그리고 ③ 제3자는 상대방의 행위에 대해 대표이사의 행위라고 신뢰하여야 한다(외관의 신뢰).

1) 외관의 존재

가) 표현적 명칭사용

표현대표이사가 성립하기 위해서는 대표이사가 아닌 이사가 회사를 대표할 권한이 있는 것으로 인정할 만한 명칭, 즉 표현적 명칭을 사용하여야 한다. 표현적 명칭으로 제395조는 사장, 부사장, 전무, 상무를 예시하고 있으나 회장·부회장·이사장·부이사장·총재·은행장 등 일반적인 거래통념상 회사를 대표할 권한이 있는 것으로 보이는 명칭은 모두 포함된다.

표현적 명칭여부에 대한 판단은 구체적인 상황과 사회 일반의 거래통념에 따라 결정하여야 한다.[10] 판례 중에는 일반인도 대표이사제도에 익숙해져 있음을 이유로 금융기관의 임직원이 단지 전무나 상무라는 명칭을 사용한 자를 대표이사로 신뢰한 것에 대해 중과실을 인정한 것이 있고,[11] 경리담당이사라는 직함을 가진 자가 그 명칭으로 자금을 차용한 사건에서 경리담당이사는 회사를 대표할 권한이 있는 표현적 명칭에 해당하지 않는다고 한 판례[12]도 있다. 경리담당이사라는 명칭은 이사가 경리업무를 담당하는 사용인의 지위를 겸하고 있는 경우에 주로 사용하므로 표현대표이사가 아니라 표현지배인으로 보는 것이 합리적일 것이다. 그런 맥락에서 이사지사장도 표현대표이사라기보다는 표현지배인으로 해석함이 타당할 것이나, 지사의 영업 범위 내의 업무에 대해서는 표현대표이사가 성립한다는 견해[13]도 있다. 그리고 하급심 중에 영업담당상무, 운수회사의 사고

---

10) 대법원 1999.11.12. 99다19797. 이철송, 전게서, 740면.
11) 대법원 1999.11.12. 99다19797.
12) 대법원 2003.2.11. 200다62029.
13) 広島高判 1956.11.9. 下民集 第7卷 第11号, 3201面.

처리담당이사와 같이 회사의 업무 중 일부에 관해 대표권이 있다고 인정될 만한 명칭을 사용한 경우 그 부분적인 업무에 관련되는 한 표현대표이사는 성립한다고 본 예[14]도 있다. 이사회 회장의 경우 표현적 명칭에 해당하는지 논란이 있는데, 표현적 명칭에 해당하지 않는다는 견해도 있지만,[15] 대표이사가 겸하는 경우도 예상되므로 해당한다고 봄이 타당할 것이다.[16] 대표이사직무대행자의 경우에도 비록 임시직이기는 하지만 대표권이 부여된 자로 생각하는 것이 통상이므로 표현적 명칭에 해당한다고 볼 것이다.[17]

나) 이사자격의 요부

제395조는 표현대표이사가 성립하기 위해서는 이사의 자격을 요구하고 있으나 실제에 있어서는 이사가 아닌 자가 대표이사로 오인할 수 있는 명칭을 사용하는 경우가 많다. 이러한 경우에도 제395조가 유추적용되는지가 문제된다. 제395조는 표현적 명칭을 사용한 자와 거래를 한 상대방의 신뢰를 보호하기 위한 것이므로 동조에 있어서 중요한 것은 신뢰할 만한 표현적 명칭의 사용여부이고 그 명칭의 사용자가 누구인지는 중요하지 않다. 따라서 표현적 명칭의 사용자가 이사가 아닌 경우에도 제395조는 유추적용되는 것으로 보아야 할 것이다.[18] 다만 이사가 아닌 자도 표현대표이사가 될 수 있다고는 하나 표현대표이사가 성립하기 위해서는 상대방의 선의·무중과실이 요구되기 때문에 회사와 전혀 무관한 자가 표현대표이사로 인정되는 경우는 드물 것이다.

판례도 표현대표이사의 성립요건으로 이사의 자격을 요구하지 않지만, 제395조의 유추적용을 인정한 사례는 대부분 회사와 밀접한 관계에 있는 자이다. 즉 평소 대표이사의 승인 아래 대표권이 있는 것으로 오인할 만한 명칭을 사용한 사용인,[19] 무효 또는 부존재인 주주총회결의에 의해 선임된 이사,[20] 회사설립당

---

14) 서울고등법원 1972.12.30. 72나2141.

15) 加藤良三 외2, 前揭書, 120面.

16) 江頭憲治郎,「株式会社法」第8版(有斐閣, 2021), 425面.

17) 最判 1969.11.27. 民集 第23卷 第11号, 2301面.

18) 이철송, 전게서, 740면; 정동윤, 전게서, 421면; 정찬형,「상법강의(상)」제21판(박영사, 2021), 1019면; 최준선,「회사법」제16판(삼영사, 2021), 515면; 권기범,「현대회사법론」제8판(삼영사, 2021), 1018면: 김재범, "회사법률관계에서 표현대리와 표현대표이사제도의 적용,"「경영법률」(한국경영법률학회, 2007), 190면.

19) 最判 1960.10.14. 民集 第14卷 第12号, 2499面.

20) 대법원 1998.3.27. 97다34709; 1994.12.27. 94다7621.

시의 대표이사,[21] 대표이사로 선임된 적이 없는 자,[22] 대표이사로부터 경영권을 위임받은 자,[23] 이사직을 사임한 자[24]등의 행위에 대해 제395조를 유추적용하고 있다. 판례는 거래안전의 보호라는 측면에서 제395조의 적용범위를 확대하는 경향이 있는데, 그 결과 상법사용인의 대리권에 관한 규정(제14조, 제15조)이나 상업등기의 효력에 관한 규정(제37조, 제39조)의 적용 여지는 그만큼 축소되고 있다.[25]

다) 명칭의 사용방법

명칭의 사용방법과 관련해서는 특별한 제한은 없다. 어음행위와 같은 요식행위인 경우에는 행위자의 표현적 명칭과 성명을 기재하여야 하며, 불요식행위인 경우에는 일일이 행위 시마다 그 명칭을 표시하지 않아도 상대방에게 자신이 대표권이 있는 자임을 인식시키면 표현대표이사가 성립한다.[26]

2) 회사의 귀책사유

가) 명칭사용의 허락

회사가 표현대표이사의 행위에 대해 책임을 지기 위해서는 회사에 귀책사유가 있어야 한다. 여기서 귀책사유는 회사가 표현대표이사에게 대표권이 있는 것으로 인정될 말한 명칭의 사용을 허락하는 것을 의미한다. 회사가 표현적 명칭의 사용을 허락하지 않았음에도 불구하고 행위자가 임의로 그와 같은 명칭을 참칭한 경우라면 원칙적으로 제395조는 적용되지 않는다.[27] 제395조는 행위자의 표현적 명칭사용에 대해 회사에게 책임을 물을 수 있는 귀책사유가 있을 때에만 적용되기 때문이다.

회사가 명칭사용을 허락하는 방법에는 발령, 위촉 등 적극적으로 명칭사용을 허락한 경우(명시적인 허락)뿐만 아니라 묵시적인 승인(묵시적인 허락)도 포함된다.[28] 회사가 명시적으로 명칭사용을 허락하는 방법으로는 위의 발령 등의 방법

---

21) 대법원 1992.7.28. 91다35816.
22) 대법원 1985.6.11. 84다카963.
23) 대법원 1998.3.27. 97다34709; 1994.12.2. 94다7591.
24) 대법원 1989.5.23. 89다카3677.
25) 권기범, 전게서, 1018면.
26) 최준선, 전게서, 516면; 정찬형, 전게서, 1029면; 임재연, 「회사법Ⅱ」(박영사, 2020), 432면.
27) 홍복기·박세화, 「회사법강의」 제8판(법문사, 2021), 478면; 정찬형, 전게서, 1027면.
28) 최준선, 전게서, 516면.

이외에도 정관이나 이사회규칙에 기하여 이사회결의로써 정식으로 표현적 명칭을 부여하거나[29] 대표이사가 경영권과 영업에 관한 일체의 운영권을 양도하면서 표현적 명칭의 사용을 허락한 경우[30] 등이 있다.

묵시적 허락의 경우는 회사가 정식으로 명칭의 사용을 허락하지는 않았지만 그 사용을 알면서도 묵시적으로 인정(묵인)하거나 방치하는 경우이다. 이런 경우로는 회사가 알면서 아무런 조치도 취하지 않고 그대로 용인한 상태에 두거나, 동조하거나 장기간 방치함으로써 소극적으로 용인한 경우가 이에 해당한다.[31]

묵시적 허락을 이유로 회사측의 책임을 묻기 위해서는 ① 회사는 표현적 대표행위를 인지하고, ② 그럼에도 불구하고 이를 방치하거나, ③ 묵인하여야 한다.

①의 인지와 관련해서는 어느 상황을 두고 회사의 인지가 있었던 것으로 볼 것인지가 쟁점인데, 이 문제는 허락의 주체와 관련하는 문제이므로 후술하기로 한다. ②의 방치의 경우 회사의 방치여부를 판단하기 위해서는 표현대표행위자가 거래에서 표명한 명칭이 나타내는 직위에 수반하는 사정이 고려되어야 한다.[32] 예컨대 퇴임한 대표이사가 회사의 아무런 제지를 받지 않고 대표이사 사무실을 자유롭게 출입하였다는 사정은 회사의 방치로 평가될 것이다. 그리고 방치의 경우에도 대표이사의 명칭을 임의로 참칭한 자의 행위에 대해 회사가 알고 방치한 경우와 몰라서 방치한 경우가 있을 수 있는데, 판례는 전자의 경우에는 제395조의 적용을 인정하지만[33] 후자의 경우에는 설령 명칭참칭에 대해 알지 못한 점에 대해 회사에게 과실이 있다고 할지라도 제395조는 적용되지 않는다는 입장이다.[34] 그러나 학설 중에는 회사가 알고 방치한 경우에도 회사에 이러한 행위를 배제할 적극적인 작위의무가 존재하지 않는다는 이유로 본조의 적용을 부정하는 견해가 있으며,[35] 회사가 몰라서 방치한 경우에도 묵인과 비견되는 정도의 과실에 기한 경우라면 본조를 적용하여야 할 것이라는 견해가 있다.[36]

그리고 ③의 묵인은 표현대표이사의 행위를 회사가 작위 또는 부작위를 통해

---

29) 장덕조, 「상법강의」 제4판(법문사, 2021), 539면.
30) 대법원 1998.3.27. 97다34709.
31) 김재범, 전게논문, 193면.
32) 김재범, 전게논문, 194면.
33) 대법원 2005.9.9. 2004다17702; 1998.3.27. 97다34709; 1985.6.11. 84다카963 등.
34) 대법원 1995.11.21. 94다50908; 1975.5.27. 74다1366.
35) 정경영, 「상법학강의」(박영사, 2007), 506면.
36) 강위두·임재호, 전게서, 883면; 이철송, 전게서, 741면.

간접적으로 승인한 것으로 인식될 때 성립한다. 판례는 표현대표이사가 한 계약을 회사가 아무런 이의를 제기하지 않고 이행한 경우,[37] 표현대표이사가 자금을 차입하여 회사의 부채를 변제한 사실을 알면서 아무런 조치를 취하지 않은 경우,[38] 적법한 대표이사가 회사를 방치하는 사이 이사 1인이 실질적인 대표이사로서 대외거래를 한 경우[39]에 회사의 묵인이 있었던 것으로 판단하고 있다. 묵시적 허락은 법률행위뿐만 아니라 사실행위에 대해서도 성립한다. 예를 들면 명함에 대표이사라는 직함을 사용하는 등 대표이사의 명칭을 참칭한 사실을 알면서 회사가 아무런 조치를 취하지 않고 그대로 방치하였다면 묵시적 허락이 있었던 것으로 보아 제395조가 적용될 수 있다.[40]

나) 허락의 주체

표현대표이사가 성립하기 위해서는 명시적 허락의 경우에는 누가 허락하면, 묵시적 허락의 경우에는 표현적 명칭사용에 대해 누가 인지하면 회사의 귀책사유로 인정될 것인지가 문제이다. 즉 명시적 허락의 경우에는 허락의 주체가 문제된다면 묵시적 허락의 경우에는 인지의 주체가 문제된다. 그러나 어느 경우이든 정관 등 회사 내규에 특별한 규정이 없으면 이사회, 대표이사 등 업무집행기관의 허락 내지는 인지여부로 명칭사용에 대한 허락여부를 판단하게 된다.[41]

판례는 "회사가 표현대표이사를 허용하였다고 하기 위해서는 진정한 대표이사가 이를 허용하거나 이사 전원이 아닐지라도 적어도 이사회결의의 성립을 위하여 회사의 정관에서 정한 이사의 수, 그와 같은 정관의 규정이 없다면 최소한 이사 정원의 과반수이사가 적극적 또는 묵시적으로 허용한 경우이어야 한다"는 입장이다.[42] 학설도 대체로 이 입장을 지지하여,[43] 대표이사, 이사전원은 물론이고 이사 과반수, 공동대표 중의 1인, 수인의 대표이사 중 1인의 허락 내지는 인지가 있으면 명칭사용에 대한 회사의 허락이 있었다고 본다.[44] 다만 위 판례

---

37) 대법원 1979.2.13. 77다2436.
38) 대법원 2005.9.9. 2004다17702.
39) 대법원 1988.10.11. 86다카2936.
40) 上柳・鴻・竹内, 前揭書, 193面.
41) 정찬형, 전게서, 1028면.
42) 대법원 2011.7.28. 2010다70018; 1992.9.22. 91다5365.
43) 이철송, 전게서 742면; 정동윤, 전게서, 622면; 강위두・임재호, 전게서, 883면; 정경영, 전게서, 506면, 임재연, 전게서, 435면, 장덕조, 전게서, 539면.
44) 정찬형, 전게서, 1028면: 채이식, 「상법강의(상)」(박영사, 1997), 537면.

에서 정관에 정한 이사회결의의 정족수를 기준으로 이사회의 허락여부를 판단하는 것은 회사내부관계에서만 효력이 있는 정관의 규정에 의하여 제3자의 보호가 좌우될 수 있다는 점에서 부당하다는 지적이 있는데,[45] 경청할 필요가 있을 것이다. 특히 묵시적 허락여부를 결정할 인지와 관련해서는 회사의 인지여부는 인지의 주체를 기준으로 그 자가 인지하였다면 표현대표행위를 저지할 수 있는 조치를 취할 수 있었는지 여부로 판단해야 한다고 하면서 개별이사의 경우 업무집행에 대한 감시의무와 이사회소집청구권을 가지므로 개별이사의 인지도 회사의 인지로 보아야 할 것이라는 주장이 있다.[46] 그러나 개별 평이사가 실제로 회사에서 차지하는 위상을 고려할 때 개별 평이사의 인지까지 회사의 인지로 보는 것은 결국 개별 평이사와 대표이사를 동격으로 보는 것이라는 점에서 지나칠 뿐만 아니라 제395조의 적용범위를 지나치게 확대하는 결과를 초래할 가능성이 있다는 점에서도 찬성하기 어렵다.

3) 외관의 신뢰

회사가 표현대표이사의 행위에 대해 책임을 지는 것은 선의의 제3자에 대해서이다. 즉 표현대표이사의 명칭을 신뢰하고 그 자에게 회사를 대표할 권한이 있다고 믿고 거래를 한 제3자에 대해서만 회사가 책임을 진다.

가) 제3자의 범위

표현대표이사의 행위에 대해 회사가 책임을 지는 제3자의 범위에 관해서는 표현대표이사와 거래를 한 직접의 상대방뿐만 아니라 표현대표이사가 사용한 명칭의 표시를 신뢰한 제3자 모두를 포함한다는 것이 통설이다.[47] 따라서 표현대표이사가 어음의 발행인인 경우에는 그 어음을 선의로 취득한 모든 자가 제3자에 포함되며 회사는 본조의 책임을 진다. 판례의 경우도 마찬가지로 표현대표이사가 다른 대표이사의 명칭을 사용하여 어음행위를 한 사안에서 회사가 책임을 지는 선의의 제3자의 범위에는 표현대표이사로부터 직접 어음을 취득한 상대방뿐만 아니라 그로부터 어음을 다시 양도받은 제3취득자도 포함된다는 입장을 취

---

45) 최기원, 전게서, 650~651면.
46) 김재범, 전게논문, 193면.
47) 임재연, 전게서, 435면; 최기원, 전게서, 651면; 정동윤, 전게서, 622면; 김건식·노혁준·천경훈, 「회사법」(박영사, 2021), 406면.

694 제4장 기 관

하고 있다.[48][49]

나) 선 의

표현대표이사제도는 표현적 명칭을 신뢰하여 거래를 한 상대방을 보호하기 위한 것이므로 상대방은 선의이어야 한다. 여기서 선의는 표현대표이사가 대표권이 없음을 알지 못한 것을 의미한다.[50] 법적으로 대표이사가 아니라는 것을 알지 못해야 한다는 뜻은 아니다.[51] 제3자의 선의여부에 대한 입증책임은 회사가 부담하고,[52]따라서 표현대표이사의 행위에 대해 책임을 면하려면 회사가 제3자의 악의를 증명하여야 한다.

다) 과실의 유무

제3자의 선의에는 과실도 없어야 하는가에 관하여 통설은 제3자의 무과실을 요하지 않지만, 중과실은 악의와 동등하게 평가되므로 중과실은 없어야 한다는 입장이다(중과실면책설).[53] 판례도 같은 입장이다.[54] 여기서 중과실이란 상대방이 조금만 주의를 기울였더라면 표현대표이사의 행위가 대표권에 기한 것이 아니라는 사정을 알 수 있었음에도 이를 대표권에 기한 행위라고 믿음으로써 거래통념상 요구되는 주의의무에 현저히 위반하는 것으로서 공평의 관점에서 제3자를 구태여 보호할 필요가 없다고 봄이 상당하다고 인정되는 상태를 말한다.[55] 이 입장에서는 등기부를 열람하거나 어음행위의 경우라면 지급담당자나 회사에 조회만 하여도 대표권의 유무를 쉽게 확인할 수 있으므로 표현대표이사의 대표권에 의문을 가질만한 중대한 사유가 있음에도 조사를 게을리한 때에는 그 신뢰에 중과실이 있는 것이고, 따라서 제395조에 의한 보호는 받지 못한다는

---

48) 대법원 2003.9.26. 2002다65073; 1997.8.26. 96다36753.
49) 하급심판결 중에는 표현대표이사에 관한 제395조가 아니라 권한을 넘는 표현대리에 관한 민법 제126조의 제3자를 대상으로 한 것이지만, 이때의 제3자라 함은 당해 표현대리행위의 직접 상대방이 된 자만을 지칭하는 것으로 본 것도 있다(서울고법 2002.10.24. 2001나73277).
50) 정찬형, 전게서, 1029면.
51) 대법원 1998.3.27. 97다34709.
52) 대법원 1971.6.29. 71다946.
53) 김홍기, 「상법강의」 제6판(박영사, 2021), 600면; 김건식·노혁준·천경훈, 전게서, 406면; 송옥렬, 「상법강의」 제8판(박영사, 2018), 1027면; 정찬형, 전게서, 1029면: 홍복기·박세화, 전게서, 480면.
54) 대법원 1999.11.12. 99다19797; 1973.2.28. 72다1907.
55) 대법원 1999.11.12. 99다19797.

것이다.

그러나 소수설은 제395조의 법문상 단지 선의라고만 하고 있을 뿐 중과실을 제외하는 규정이 없고, 원래 본조가 표현대표이사의 행위에 대하여 회사가 책임을 지게 하는 것은 외관을 부여한 데 대한 회사의 책임을 묻는 것이므로 제3자는 선의이면 충분하고 과실의 유무는 불문한다는 입장이다.[56] 이 입장에 의하면 제3자가 선의이면 과실유무에 상관없이 회사가 책임을 지게 된다. 즉 제3자에게 악의가 있는 경우에 한하여 회사가 책임을 면하게 된다(악의면책설). 그러나 이에 의하면 예를 들어 10억의 채무를 담보하기 위하여 전무이사라고 기재된 명함과 함께 백지어음을 배서양도 받으면서 회사에 대해 확인도 하지 않았더라도[57] 배서인에게 대표권이 있는 것으로 믿기만 했다면 회사는 배서인으로서 책임을 져야한다는 것인데, 이는 부당하다.[58]

거래상대방의 중과실 여부를 판단하기 위해서는 대표권을 나타내는 명칭과 함께 명칭상의직위에 부수하는 사정, 예컨대 대표이사, 사장 등의 명칭이 사용된 경우라면 집무실, 비서, 명판, 직인 등 대표권 또는 대행권의 존재를 추정하게 하는 사실을 고려하여야 한다. 만일 대표권의 부존재를 추정하게 하는 사정이 있다면 이를 확인하여야 하고 이를 게을리하면 상대방에게 과실이 성립할 것이다.

라) 대표이사제도의 보편화와 상대방의 신뢰

우리나라의 표현대표이사제도는 일본의 제도를 수용한 것이지만, 비교법적으로 표현대표이사제도를 명문규정으로 직접 두고 있는 예는 드물다. 영미법계 국가의 경우에는 표현대표이사의 문제는 대리법(agency law)상의 금반언의 법리와 사실상이사(de facto director)제도를 통해 규율하고 있으며,[59] 대륙법계에서는 외관법리를 통해 해결하고 있다. 일본에서 이사의 표현적 명칭사용에 대한 선의의 제3자를 보호하기 위한 제도가 도입된 것은 1938년으로 대표이사와 이사회

---

56) 강위두・임재호, 전게서, 866면.

57) 대법원 1999.11.12. 99다19797은 이 경우 배서인에게 대표권이 있는지 여부를 확인해 보지 않은 것은 중대한 과실이라고 한다.

58) 학설 중에는 제395조의 보호를 받기 위해서는 제3자는 선의・무과실이어야 한다는 입장(加藤良三 외2, 前揭書, 147面 참조)이 있다. 이 입장에서는 제3자에게 경과실이 있어도 회사는 면책된다는 것인데(경과실면책설), 표현적 명칭을 신뢰하여 거래한 자를 보호하여 거래의 안전을 도모한다는 제395조의 입법취지에 비추어 제3자의 신뢰를 지나치게 좁게 인정할 우려가 있다는 점에서 찬성하기 어렵다.

59) 김재범, 전게논문, 182면.

가 주식회사법상의 제도로서 도입(1948년)되기 전이다. 이때에는 이사 개개인에게 회사를 대표할 권한이 있었다. 따라서 사장, 부사장, 전무이사, 상무이사 등 이사로 오인할 수 있는 명칭을 사용하면 거래상대방은 대표권이 있는 것으로 신뢰할 가능성이 매우 높았다. 표현대표이사제도는 이처럼 개별이사가 대표권을 갖던 시기에 선의의 거래상대방을 보호하려는 입법정책의 소산이지만, 이 제도는 회사제도에 대한 일반대중의 이해가 충분하지 못한 시대의 유물로 현재는 대표이사에게만 대표권이 인정되고 있고, 대표이사제도에 대한 일반대중의 이해 또한 충분한 점을 고려하면 표현대표이사제도를 존치하는 것에 대해 신중히 검토할 필요가 있다는 지적이 있다.[60] 같은 입장에서 제395조는 회사가 사장과 대표이사를 분리시켜 회사에 불리한 사장의 행위에 대한 책임을 면하려 하는 경우와 같이 대표이사만이 대표권이 있음을 악용한 경우나 회사와 거래경험이 없이 주식회사와 거래한 억울한 거래상대방의 보호에만 극히 제한적으로 원용되어야 한다는 지적[61]도 있다.

이러한 입장에서는 표현대표이사제도가 없더라도 사실상의 이사제도나 일반적인 외관이론에 의하여 제3자를 보호할 수 있다고는 하나,[62] 표현대표이사제도는 이러한 일반법리를 실체법화한 것이고, 동제도를 폐지할 경우에는 민법의 표현대리제도나 상법등기제도와 같은 공시제도가 대체법리로서 활용할 수밖에 없는데[63] 전술한 바와 같이 민법의 표현대리제도에 비해 선의자를 보호하는 제도로서는 표현대표이사제도가 우월하며, 상법등기제도와는 보호법익을 달리할 뿐만 아니라 적용범위도 다르므로 상법등기제도로 표현대표이사제도를 갈음할 수도 없다. 그런 의미에서 기업실무에서 대표이사제도가 정착된 현재에도 표현대표이사제도의 존재의의는 크다고 하겠다.

다만 대법원도 "대표이사제도는 상법이 시행된 이후 상당한 기간 동안 변함 없이 계속하여 시행되어 왔고 국민 일반의 교육수준이 향상되고 일반인들이 회사제도와 대표이사제도를 접하는 기회도 현저하게 많아졌기 때문에 일반인들도

---

60) 정동윤, 전게서, 421면.
61) 양명조, "표현대표이사의 성립범위," 「민사판례연구」 제21권(민사판례연구회, 1999. 7.), 419면; 양명조, "거래상대방의 중과실과 표현대표이사의 성립부인," 「법학논집」 제4권 제4호(이화여자대학교 법학연구소, 2002. 2.), 190면.
62) 정동윤, 전게서, 421면.
63) 김재범, 전게논문, 183면.

그와 같은 상법의 대표이사제도를 보다 더 잘 이해하게 되었다"고 인정하듯이[64] 대표이사제도에 대한 일반의 인식은 이미 보편화되었다는 사실은 표현적 명칭에 대한 제3자의 신뢰를 판단하는데 고려할 필요는 있을 것이다.

라. 적용범위

대표이사의 행위에 대해 회사가 책임을 지는 경우는 대표이사의 행위가 대표이사의 권한내에 속하는 행위일 때이다. 그러므로 표현대표이사의 행위에 대해 제395조가 적용되기 위해서는 표현대표이사의 행위가 대표이사의 권한내의 행위이어야 한다. 따라서 대표이사의 권한에 속하지 않는 행위(이사·감사의 임면)나 주주총회나 이사회의 결의가 필요한 사항에 대해서는 본조가 적용되지 않는다.[65] 그리고 표현대표이사제도는 표현대표이사의 대표행위를 신뢰하여 거래를 한 상대방을 보호하기 위한 제도이므로 대표행위에만 적용되고 대내적인 업무집행행위에는 적용되지 않는다.[66]

1) 소송행위·불법행위

제395조는 거래의 상대방의 신뢰를 보호하고 거래의 안전을 위한 제도이므로 거래행위에만 적용되고, 소송행위나 불법행위 및 조세의 부과·징수행위에는 적용되지 않는다.[67] 불법행위의 경우에는 제3자가 표현대표이사에게 대표권이 있음을 신뢰하여 피해자가 된 것이 아니기 때문이다. 사기 등 거래적 불법행위의 경우에는 대표이사의 명칭을 참칭한 자의 개인적인 불법행위책임을 묻고 회사의 책임은 민법상의 사용자책임의 문제로 해결하면 될 것이다.[68] 판례 중에는 소송행위, 즉 대표권이 없는 전무이사가 특허법에 의거하여 한 항고심판청구 취하 행위에도 본조가 적용되는 것으로 본 사례가 있고[69] 이에 대해서는 찬성하는 견해도 있으나[70] 본조의 입법취지나 본조와 입법취지를 같이 하는 표현지

---

64) 대법원 1999.11.12. 99다19797.
65) 이철송, 전게서, 742면.
66) 이철송, 전게서, 742면; 최준선, 전게서, 517면; 임재연, 전게서, 437면.
67) 이철송, 전게서, 742면; 강위두·임재호, 전게서, 886면; 정찬형, 전게서, 1031면; 권기범, 전게서, 1023면.
68) 송옥렬, 전게서, 1028면.
69) 대법원 1970.6.30. 70후7.
70) 김상수, "표현대표이사가 한 소송행위의 효력," 「경영과 법」(창간호), 58면 참조.

배인에 관한 제14조 제1항 단서에서 재판상의 행위는 예외로 하고 있는 점을 고려하면 소송행위에는 적용되지 않는다고 봄이 타당하다.[71]

2) 대표이사의 대표권제한 위반행위

대표권이 제한된 경우 그 대표이사는 제한된 범위에서만 대표권을 갖는다.[72] 따라서 대표이사가 대표권 제한에 위반하는 대표행위는 대표권이 없음에도 불구하고 대표권이 있는 것과 같은 명칭을 사용하여 대표행위를 한 것에 해당하므로 표현대표이사에 관한 제395조가 적용된다는 것이 통설이다.[73] 대표권 제한을 위반한 전단적 대표행위는 적법하게 선임된 대표이사가 대표권 제한으로 인하여 대표권이 없음에도 불구하고 마치 대표권이 있는 것처럼 대표행위를 한 경우이므로 거래의 상대방이 대표권 제한에 관해 선의이면 표현대표이사의 법리에 따라 회사의 책임을 인정함이 타당하다. 다만 ① 표현대표이사의 행위와 ② 대표권 제한에 위반한 대표이사의 행위(전단적 대표행위)는 모두 본래는 회사가 책임을 질 수 없는 행위들이지만 거래의 안전과 외관이론의 정신에 입각하여 그 행위를 신뢰한 제3자가 보호된다는 점에 공통점이 있다. 그러나 거래의 상대방인 제3자의 신뢰의 대상이 ①의 경우에는 대표권의 '존재'인 반면, ②의 경우에는 대표권의 '범위'라는 점에서는 차이가 있다.[74] 이러한 차이로 인하여 표현대표이사의 행위와 전단적 대표행위의 경우를 준별하여 판례는 제3자가 보호받기 위한 요건을 달리 적용해 왔다. 즉 ①의 경우에는 제3자의 무과실을 요하지는 않지만, 중과실은 악의와 동등하게 평가되므로 중과실은 없어야 한다는 입장을 취하고 있다.[75] 이에 대해 ②의 경우 종래 대법원은 "표현대표이사의 행위로 인정이 되는 경우라고 하더라도 만일 그 행위에 이사회의 결의가 필요하고 거래의 상대방인 제3자의 입장에서 이사회의 결의가 없었음을 알았거나 알 수 있었을 경우라면 회사로서는 그 행위에 대한 책임을 면한다"고 판시하고 있다.[76] 이 판례는

---

71) 이철송, 전게서, 742면, 송옥렬, 전게서, 1028면.
72) 대법원 1997.8.29. 97다18059.
73) 이철송, 전게서, 743면; 송옥렬, 전게서, 1026면; 권재열, "대법원 판례상의 표현대표이사제도 – 성립요건과 상업등기와의 관계를 중심으로–,"「법조」제699호(법조협회, 2014), 18면.
74) 대법원 1998.3.27. 97다34709.
75) 대법원 1999.11.12. 99다19797; 1973.2.28. 72다1907 외 다수.
76) 대법원 1998.3.27. 97다34709 등.

전단적 대표행위를 한 대표이사에게도 표현대표이사의 법리가 적용되지만, 이 경우 거래상대방이 보호받기 위한 요건은 대표권 제한에 관해 선의이고 그 선의에 경과실도 없어야 한다는 것이다(선의·무과실). 따라서 이 판례에 의하면 전단적 대표행위에 표현대표이사의 법리가 적용되더라도 거래상대방이 보호되기 위해서는 표현대표이사의 요건(선의·무중과실)이 아니라 전단적 대표행위의 요건(선의·무과실)이 적용되므로 표현대표이사 법리의 적용 실익은 없었다.

이 판례의 입장은 2021년 대법원 전원합의체 판결[77]에서 선의·무중과실로 변경되어, 현재는 ①과 ②의 행위 모두 회사에 대해 책임을 묻기 위해서는 거래상대방은 선의·무중과실이면 가능하게 되었으나 표현대표이사 법리의 적용실익이 없음은 변함이 없다. 다만 ②의 행위의 경우 표현대표행위는 대표권 제한 위반행위이므로 선의·무중과실은 대표권 제한에 대한 것이어야 한다.

3) 대표권남용

표현대표이사가 자신과 제3자의 이익을 위하여 행동한 경우 대표권 남용의 법리가 적용될 수 있을까? 예컨대 사장이라는 명칭을 사용하고 있지만 대표이사로 선임된 적이 없는 자가 친지를 위하여 대량으로 물품을 구입한 경우 그 명칭사용에 귀책사유가 있는 회사는 그 자(사장)를 신뢰하여 거래를 한 제3자에 대해 책임을 져야 하는가의 문제이다.

표현대표이사의 대표권 남용행위는 이론상은 성립하기 어렵다. 왜냐하면 표현대표이사는 대표권이 없는 이사가 마치 대표이사인 것처럼 대표행위를 한 경우이고, 대표권 남용은 대표권이 있는 진정한 대표이사가 사적 이익을 추구할 목적으로 그 대표권을 행사한 경우이기 때문이다. 즉 대표권이 없는 자에 대해 대표권이 있는 것을 전제로 하는 행위를 할 수 있는지를 묻는 문제이기 때문이다.

그러나 사안에서처럼 현실의 세계에서는 충분히 일어날 수 있는 일이다. 표현대표이사가 인정되는 경우는 회사가 그 표현대표이사의 대표행위를 묵인하는 등의 귀책사유가 있을 때이므로 실제는 회사를 위하여 대표행위를 하는 경우가 대부분일 것이지만, 경우에 따라서는 진정한 대표이사도 그러는 것처럼 자신의 개인적 이익이나 제3자의 이익을 도모할 목적으로 대표행위를 할 수 있다(위 사안의 사장을 생각해 보라). 그리고 표현대표이사는 대표권이 없는 자이기는 하지

---

77) 대법원 2021.2.18. 2015다45451 전원합의체.

만 표현대표이사의 대표행위에 대해 회사가 책임을 진다는 것은 표현대표이사가 대표권을 가지는 것을 전제로 할 때 가능한 설명이다. 그런 점에서 표현대표이사에게도 대표권 남용법리가 적용된다고 봄이 타당하다.[78]

다만 표현대표이사의 대표권 남용행위에 대한 회사의 책임론은 표현대표이사가 성립하지 않으면 무의미하다. 대표권 없는 자의 대표행위에 대해 표현대표이사의 법리를 적용할 수 없다는 것은 회사에 귀책사유가 없음을 의미하기 때문이다. 따라서 표현대표이사의 대표권 남용행위는 표현대표이사의 성립을 전제로 하는 것이므로 그 행위의 대외적 효과는 대표권남용의 문제로 다루면 된다. 따라서 표현대표이사가 자기 또는 제3자의 이익을 도모하기 위하여 대표행위를 한 경우에는 다수설인 권리남용설에 의하면 거래상대방이 대표권 남용행위라는 것에 대해 선의이면 과실의 유무에 상관없이 회사는 책임을 져야 하고,[79] 판례의 입장인 심리유보설에 의하면 상대방이 선의이되 경과실도 없어야 회사가 책임을 진다.[80]

4) 소규모주식회사

자본금 10억원 미만의 소규모주식회사는 이사를 1명 또는 2명을 둘 수 있으며(제283조 제1항 단서), 이 경우에는 각 이사에게 대표권이 있다(제383조 제6항). 따라서 이러한 소규모회사의 경우에는 이사에게 표현대표이사에 관한 규정이 적용될 여지는 없다.[81] 그러나 이사가 아닌 자가 대표행위를 하고 동시에 표현대표이사의 요건을 충족한 행위를 하면 당연히 제395조가 적용된다.

마. 다른 제도와의 관계

1) 표현대리제도와의 관계

표현대표이사와 민법상의 표현대리는 외관법리에 근거하고 있다는 점에서 동

---

78) 동지: 권기범, 전게서, 1021면; 장덕조, 전게서, 547면.
79) 강위두, "대표이사의 대표권의 남용,"「상사판례연구」제4권(한국상사판례학회, 1991), 43쪽; 최준선, 전게서, 508면; 문상일, "대표이사의 대표권의 남용과 배임죄,"「연세법학」제20호(연세법학회, 2012), 184면. 대법원 2016.8.24. 2016다222453; 1990.3.13. 89다카24360; 1987.10.13. 86다카1522 등.
80) 대법원 2014.5.29. 2014다202004; 2013.7.11. 2013다16473; 2008.5.15. 2007다23807; 2005.7.28. 2005다3649; 2004.3.26. 2003다34045; 1988.8.9. 86다카1858 등.
81) 정찬형, 전게서, 1019면.

일한 취지의 제도이다. 제395조는 대표권이 있는 것으로 오인될 수 있는 명칭을 부여하였음을 근거로 회사의 표현책임을 인정하는 것이라는 점에서는 대리권수여의 표시에 의한 표현대리에 관한 민법 제125조의 특칙으로 볼 수 있지만, 제395조의 취지가 포괄적이고 불가제한적인 대표권의 존재를 추정하게 하는 명칭을 신뢰한 선의의 제3자를 두텁게 보호함으로써 상거래의 안전과 신뢰를 도모하는데 있고, 표현대표이사는 민법 제126조처럼 대표권의 범위를 넘는 대표권의 행사나 민법 제129조처럼 대표권소멸 후의 대표권 행사의 경우에도 성립할 수 있는 점을 고려하면 제395조는 민법 제125조뿐만 아니라 제126조 및 제129조의 특칙으로도 볼 수 있을 것이다.[82]

이처럼 제395조를 민법상 표현대리에 대한 특칙으로 보면 제395조의 요건을 충족하지 않더라도 민법상의 표현대리가 성립하여 회사가 책임을 부담할 여지가 있다. 그러나 민법상 표현대리가 성립하려면 상대방의 선의·무과실을 요하나 제395조의 경우에는 선의·무중과실을 요하므로 제395조는 민법상 표현대리에 비해 제3자를 보호하는 범위가 넓다. 그 결과 제395조가 적용되는 경우에는 민법상 표현대리에 관한 규정이 적용될 여지는 거의 없을 것이다.[83]

2) 상업등기제도와의 관계

대표이사의 성명과 주소는 등기사항이고(제317조 제2항 제9호), 등기사항은 일단 등기를 하면 상업등기의 적극적 공시력에 의해 제3자는 정당한 사유가 없는 한 악의로 의제된다(제37조 제1항 반대해석 및 제2항). 따라서 회사는 대표이사에 관해 등기만 해두면 대표이사가 아닌 자가 한 대표행위에 대해서 원칙적으로 책임을 지지 않는다. 그런데 제395조는 대표이사가 아닌 자가 한 대표행위에 대해 이를 신뢰한 자를 보호하기 위한 제도이므로 동조에 의하면 설령 대표이사에 관해 등기가 이루어져 있더라도 대표이사가 아닌 자가 한 대표행위를 신뢰한 선의자가 존재하면 회사는 책임을 져야하는 모순이 발생한다. 이처럼 제37조에 의하면 대표이사에 관한 등기가 이루어진 경우에는 대표이사가 아닌 자가 행한 대표행위에 대해 회사는 책임을 지지 않으나, 제395조에 의하면 대표이사에 관

---

82) 권기범, 전게서, 1016면; 최기원, 전게서, 644면; 정동윤, 전게서, 420면; 정찬형, 전게서, 1019면; 염미경, 전게논문, 331면; 김홍기, 전게서, 601면.
83) 송옥렬, 전게서, 1024면; 장덕조, 전게서, 543면; 염미경, 전게논문, 332면.

한 등기여부에 관계없이 제3자가 선의인 경우에는 대표이사가 아닌 자가 행한 대표행위에 대해서도 회사는 책임을 져야 한다.

이러한 모순을 해결하기 위하여 학설은 제395조와의 관계에서는 제37조는 적용되지 않는다고 본다. 다만 그 이유에 관해서는 견해가 나뉘는데, ① 먼저 제395조는 제37조의 원칙에 대한 예외적 규정이라는 "예외규정설"이다. 이에 의하면 회사가 회사를 대표할 이사를 등기하였을 때에는 기타의 이사는 대표권이 없다는 것을 선의의 제3자에게 대항할 수 있지만 회사가 스스로 만든 외관에 대하여 책임을 져야하는 경우에는 이 범위에서 제37조의 적용이 배제된다는 입장이다.[84] ② 둘째는 제395조는 제37조와는 다른 차원에서 회사의 표현책임을 정한 것이라는 "이차원설(異次元說)"이다. 즉 제37조는 기업관계가 외부에 공시된 후에는 상대방의 희생 아래 공시자의 면책을 보장함으로써 당사자의 이해를 조정하려는 제도이며, 제395조는 표현적 명칭이라는 부진정한 외관작출에 유책인 자를 희생시키고 외관대로의 법효과를 인정함으로써 상거래의 신속과 안전을 도모하려는 제도이므로 서로 법익을 달리한다는 입장이다.[85] 그리고 ③ 셋째는 표현대표이사의 명칭에 비추어 대표권이 있는 것으로 신뢰한 것이 제37조 제2항의 정당한 사유에 속한다는 "정당사유설"이다.[86] 판례는 "상법 제395조와 상업등기와의 관계를 헤아려 보면 본조는 상업등기와는 다른 차원에서 회사의 표현책임을 인정한 규정이라고 해야 옳으니 이 책임을 물음에 상업등기가 있는 여부는 고려대상에 넣어서는 아니된다고 하겠다"고 하여 이차원설을 취하고 있다.[87]

생각건대, 정당사유설의 경우 제37조 제2항에서 말하는 정당한 사유란 등기열람을 사실상 불가능하게 하는 천재지변 등 불가항변적인 사유를 의미한다는 것이 통설이므로 단순히 표현적 명칭을 신뢰한 것을 정당한 사유로 보는 것은 문제가 있다. 그리고 예외규정설의 경우도 제37조는 상업등기의 공시력에 관한 규정이고 제395조는 전형적인 외관이론에 관한 규정임에도 불구하고 제395조를 제37조의 예외규정으로 보는 것은 문제가 있다. 특히 예외규정설에 의하면 제

---

84) 최기원, 전게서, 645~646면; 정찬형, 전게서, 1021면; 손주찬, 「상법(상)」(박영사, 2004), 790~791면; 권기범, 전게서, 1017면; 최준선, 전게서, 525면: 장덕조, 전게서, 544면.

85) 이철송, 전게서, 739면; 임재연, 전게서, 439면; 정동윤, 전게서, 424면; 송옥렬, 전게서, 1024면; 김홍기, 전게서, 6091면.

86) 服部榮三, 「商法總則」(1972), 488面.

87) 대법원 1979.2.13. 77다2436.

395소와 제37조는 숭접적 적용이 불가능하다. 그러나 양규정은 적용범위를 달리
하므로 중첩적용이 가능하다. 예컨대 갑이 대표이사에서 해임되었으나 아직 해임
등기를 하지 않아서 갑이 회사의 등기부상으로는 대표이사로 되어 있는 것을 기
화로 을과 거래를 하였을 경우, 을은 제395조의 요건을 입증하여 표현대표이사
를 주장할 수 있을 뿐만 아니라 해임등기가 없으므로 제37조에 근거하여 거래의
유효를 주장할 수도 있을 것이다.[88] 그런 의미에서도 이차원설이 타당하다.

3) 부실등기제도와의 관계

제395조는 전형적인 외관법리에 기초한 제도인 반면에 부실등기의 효력에
관한 제39조는 전술의 제37조와 마찬가지로 상업등기의 공시적 효력에 관한 규
정이므로[89] 보호법익을 달리할 뿐만 아니라 적용범위도 다르다. 따라서 제39조
가 적용되는 상황이어도 제395조는 중첩적으로 적용될 수 있다. 예를 들어 회사
가 대표이사가 아닌 자를 고의 또는 과실로 대표이사로 부실등기하여 둔 경우라
면 그 대표이사와 거래한 선의의 제3자는 회사에 대해 제39조에 기하여 거래의
유효를 주장할 수 있을 뿐만 아니라 제395조의 요건을 입증하여 표현대표이사
로서 회사의 책임을 주장할 수 있을 것이다.

이와 유사한 경우로는 대표이사에 선임되어 등기를 완료한 상태에서 당해 대
표이사를 선임한 이사회나 주주총회가 절차상의 하자로 인하여 그 효력을 상실
한 경우를 생각할 수 있다. 이때에도 결과적으로 대표이사가 아닌 자를 고의 또
는 과실로 대표이사로서 등기를 한 채 제3자와 거래를 한 경우이므로 이 경우
에도 마찬가지로 제3자는 부실등기의 문제로서 제39조에 기하여 회사의 책임을
묻거나 표현대표이사의 문제로서 제395조에 기하여 회사의 책임을 묻는 것이
가능할 것이다. 판례도 이와 같은 입장을 취하고 있으며,[90] 학설 역시 이 경우
에는 제395조와 제39조는 중첩적으로 적용될 수 있다는 입장이다(통설).[91]

---

[88] 송옥렬, 전게서, 1025면.

[89] 제39조에 대해 상업등기의 공시력의 문제로 보지 않고 공신력의 문제로 보는 견해도 있고, 공신력과는 무관한 외관법리에 기초한 제도라는 시각도 있다(이철송, 「상법총칙 · 상행위법」 제15판(박영사, 2018), 258면 참조).

[90] 제395조의 적용을 인정한 판례로는 대법원 1998.3.27. 97다34709; 1992.7.28. 91다35816; 1977.5.10. 76다878 등이 있으며, 제39조의 적용을 인정한 판례로는 대법원 2011.7.28. 2010다70018; 2004.2.27. 2002다19797; 1974.2.12. 73다1070 등이 있다.

[91] 정찬형, 전게서, 1022면; 임재연, 전게서, 440~441면; 김건식 · 노혁준 · 천경훈, 전게서, 404면; 장덕조, 전게서, 544면; 홍복기 · 박세화, 전게서, 482면.

제39조의 적용과 관련해서는 주주총회나 이사회의 개최는 존재하지만 무효 또는 취소사유가 있는 경우와는 달리, 회사가 아닌 '제3자'가 주주총회회의록이나 이사회회의록을 허위로 작성하여 대표이사를 선임한 것처럼 꾸미고 이를 바탕으로 대표이사를 등기한 경우라면 회사에 고의 또는 과실로 부실등기를 한 것과 동일시할 수 있는 특별한 사정이 없는 한 회사의 부실등기책임을 물을 수 없을 것이다.[92) 주주총회 소집절차나 결의방법에 결의가 존재한다고 볼 수 없을 정도의 중대한 하자가 있는 경우, 즉 부존재 사유가 있는 주주총회 결의에서 선임된 대표이사가 '회사와는 무관하게' 스스로 대표이사로 선임등기한 때에도 마찬가지일 것이다.[93) 이러한 경우에는 제395조에 의한 표현대표이사의 책임을 묻는 것도 어려울 것이다.[94) 왜냐하면 회사측에 고의나 과실이 인정되지 않아 제39조의 부실등기의 책임이 성립하지 않을 상황이라면 제395조의 표현대표이사의 성립에 필요한 회사의 귀책사유(표현적 명칭사용에 대한 명시적 혹은 묵시적 허락)를 인정하기 어렵기 때문이다.

4) 표현지배인제도와의 관계

표현지배인과 표현대표이사는 거래의 상대방에게 표출된 외관은 차이가 있지만 모두 외관법리에 기초를 하여 외관을 신뢰한 제3자에 대해 회사의 책임을 인정한다는 점에서는 동일하다. 제395조는 표현대표이사가 성립하기 위한 요건으로 이사일 것을 요구하고 있지만 전술한 바와 같이 판례와 통설은 이사의 자격을 요하지 않는다. 따라서 상업사용인이나 이사직을 사임한 자도 회사를 대표할 권한이 있는 것으로 인정할 만한 명칭을 사용한 경우에는 표현대표이사제도가 유추적용된다. 즉 표현지배인이냐 표현지배인이냐는 결국 표출된 명칭의 문제이고 명칭의 사용 주체와는 상관이 없다. 따라서 지배인의 외관을 형성한 경우라면 그 자가 설령 이사이더라도 표현지배인의 법리가 적용되고, 반대로 대표이사의 외관을 형성한 경우라면 그 자가 사용인이더라도 표현대표이사의 법리가 적용된다.[95)

---

92) 대법원 2008.7.24. 2006다24100; 1975.5.27. 74다1366.
93) 대법원 2014.11.13. 2009다71312; 2011.7.28. 2010다70018 등.
94) 대법원 1975.5.27. 74다1366.
95) 정동윤, 전게서, 420면; 정찬형, 전게서, 1020면; 송옥렬, 전게서, 1024면; 정경영, 전게서, 504면.

바. 표현대표이사제도의 유추적용

1) 선임이 무효·취소된 대표이사의 행위

이사를 선임한 주주총회의 결의가 취소·부존재·무효 등으로 소급하여 효력이 없어진 때 또는 대표이사를 선임한 이사회의 결의가 무효인 때 그 확정판결 전에 사실상 이사나 대표이사로서 한 거래행위의 효력은 어떻게 되는가? 어느 경우이든 거래의 효력은 소급하여 무효이지만 전술한 바와 같이 통설은 이러한 경우에 거래를 한 선의의 상대방을 보호하기 위하여 본조를 유추적용하여 회사의 책임을 인정하고 있다.[96] 판례도 마찬가지이다.[97] 특히 1995년 상법개정에서 주주총회결의의 취소 등의 판결에 대해 소급효를 인정하였기 때문에 취소나 무효판결 전에 사실상 이사나 대표이사와 거래를 한 선의의 제3자를 보호하기 위하여 표현대표이사제도를 적용할 실익은 훨씬 커졌다.[98]

판례 중에는 선임이 무효인 대표이사의 행위에 대해 제39조의 부실등기의 문제로 보아 회사는 선의의 제3자에게 무효임을 대항하지 못하는 것으로 판단한 예도 있지만[99] 전술한 바와 같이 제395조와 제39조는 별개의 제도이므로 제3자는 제395조의 요건을 입증하여 회사의 책임을 물을 수도 있고, 제39조에 따라 부실등기의 책임을 묻는 것도 가능하다.

2) 공동대표이사의 단독대표행위

공동대표이사의 정함이 있는 경우 그 가운데 1인이 단독으로 대표행위를 하였다면 제395조가 적용되는가? 공동대표이사가 단독으로 대표행위를 하는 방법에는 (i) 사장, 부사장 등 단독으로 회사를 대표하는 권한이 있는 것처럼 보이는 명칭을 사용한 경우와 (ii) 공동대표이사라는 명칭이 아니라 '대표이사'라는 명칭을 사용한 경우가 있을 수 있다. (i)의 경우에는 표현대표이사의 자격에는 어차피 제한이 없으므로 공동대표이사라 하더라도 사장, 부사장 등 단독으로 회사를 대표할 권한이 있는 것처럼 보이는 명칭을 사용하였다면 제395조가 적용되는 것에는 의문이 없다.[100]

---

96) 정찬형, 전게서, 1024면.
97) 대법원 1992.9.22. 91다5365; 1992.7.28. 91다35816; 1985.6.11. 84다카197.
98) 이철송, 전게서, 745면; 최준선, 전게서, 512면.
99) 대법원 2004.2.27. 2002다19797 등 다수.

문제는 (ii)의 경우인데, 공동대표이사의 1인이 회사나 다른 공동대표의 허락 또는 묵인하에 '대표이사'라는 명칭을 사용하여 단독으로 대표행위를 행한 경우에도 제395조가 적용되는가이다. 공동대표이사제도는 대표이사의 대표권이 회사의 영업에 관하여 재판상 또는 재판외의 모든 행위를 할 수 있도록 포괄적이고 정형적으로 주어짐에도 불구하고 불가제한적인 것(제389조 제3항)에 따른 회사의 이익을 보호하기 위한 것으로서 상법은 공동대표이사를 등기사항으로 하여(제317조 제2항 제10호) 일단 등기를 하면 제37조에 의해 선의의 제3자에게도 대항할 수 있도록 하고 있다. 그런데 만일 대표이사의 명칭을 사용한 공동대표이사의 단독행위에 대해 표현대표이사를 인정한다면 공동대표이사를 등기하였더라도 회사는 선의의 제3자에게 대항하지 못하므로 공동대표이사제도의 입법취지는 심각히 훼손되기 때문이다. 이 문제는 결국 회사의 정적 안전을 보호하기 위한 제도(공동대표이사제도)와 거래 상대방의 동적 안전(거래안전)을 보호하기 위한 제도(표현대표이사제도)간에 충돌이 있는 경우 어느 쪽의 가치를 우선할 것인지의 문제이다.

가) 유추적용부정설

회사의 정적 안전을 우선하는 입장에서는 제395조의 적용을 부정하는데, 그 논거는 다음과 같다.

① 제395조는 대표권이 없는 자, 즉 표현대표이사에 관한 규정이므로 이를 대표권이 있는 공동대표이사에 적용함은 법률상의 무리이고, ② 대표이사는 법률이 인정한 명칭인데 공동대표이사라고 명시하도록 하지 않았다고 하여 회사의 귀책사유가 될 수는 없으며,[101] ③ 공동대표이사제도는 회사의 이익을 보호하기 위한 제도인데 동조를 적용한다면 공동대표이사제도를 둔 취지가 무색해지고, ④ 공동대표는 등기사항인데 동조를 적용한다면 등기의 대항력을 인정하는 제37조의 의의가 상실되며, ⑤ 유추적용긍정설은 거래의 안전에는 충실하지만 거래안전의 부분적인 희생을 감수하고 대표이사의 권한남용으로 인한 위험을 예방하려는 공동대표제도의 기본취지에 반한다[102]는 것이다. 따라서 이 경우에는 제395조는 적용되지 않으며, 등기를 한 이상 회사는 선의의 제3자에 대해 제37조

---

100) 송옥렬, 전게서, 1030면.
101) 加藤良三 외2, 前揭書, 131面.
102) 이철송, 전게서, 745면.

에 의해 대항할 수 있다.

나) 유추적용긍정설

이에 대해 거래의 안전(선의의 제3자 보호)을 우선하는 입장에서는 제395조의 적용을 긍정한다. 그 논거는 ① 단독대표가 원칙이고 공동대표가 예외인 상황에서 대표이사라는 명칭은 가장 뚜렷하게 대표권의 존재를 나타내는 명칭이므로 공동대표이사가 회사의 승낙이나 묵인하에 사용하였다면 회사는 당연히 제395조에 의해 책임을 져야 한다.[103] ② 제395조의 해석상 대표권이 없는 평이사는 물론 이사가 아닌 자의 표현대표행위에 대하여도 회사의 책임을 인정하고 있는데 이들보다 광범위한 권한을 가진 공동대표이사의 행위에 대하여는 책임을 물을 수 없다고 한다면 형편에 어긋나고,[104] ③ 공동대표제도는 거래의 안전을 해치지 않는 범위 내에서 인정되는 것으로서 법률정책적으로 거래의 안전을 위하여 공동대표이사제도의 실효성을 다소 희생할 수 있으며,[105] ④ 학설·판례가 입법목적에 비추어 제395조의 적용범위를 이사에 한하지 않고 상업사용인등으로 확장하는 경향에 있고, 공동대표이사의 단독대표행위에 대해 제395조를 적용하지 않으면 부득이 민법의 표현대리법리나 법령에 의한 대표권제한위반에 관한 해석론으로 선의의 제3자를 보호할 수밖에 없게 되므로 거래안전이 심히 위협받게 된다는 것[106] 등이다. 유추적용긍정설은 현재 통설이며, 판례도 같은 입장이다.[107]

다) 사 견

어느 설이 타당한가의 문제는 결국은 공동대표이사제도의 취지를 존중하느냐 아니면 선의의 거래상대방을 보호하여 거래의 안전을 우선적으로 도모할 것인가의 선택의 문제이지만, 부정설을 취하게 되면 결국 대표권이 없는 자의 대표행위에 대해서는 회사가 책임을 지면서 대표권이 있는 자의 행위에 대해서는 오히려 책임을 지지 않은 모순이 발생한다. 그런 면에서 공동대표이사제도의 취지의 훼손이 있더라도 유추적용긍정설이 타당하다고 본다. 실제 공동대표이사 중 1인

---

103) 송옥렬, 전게서, 1031면; 정찬형, 전게서, 1011면; 최기원, 전게서, 654면.
104) 강위두·임재호, 전게서, 890면.
105) 최준선, 전게서, 522면. 학설의 상세는 최준선, 전게서, 521~522면 참조.
106) 권기범, 전게서, 847면.
107) 대법원 1993.12.28. 93다47653; 1992.10.27. 92다19033; 1991.11.12. 91다19111.

이 단독으로 대표이사라는 명칭을 사용하여 거래행위를 하고 이를 다른 공동대
표이사가 허락 내지는 묵인한 경우라면 회사에 귀책사유가 있다고 보는 것이 제
395조의 입법취지인 금반언의 법리에도 합치한다고 생각된다.

3) 표현대표이사의 무권대행

표현대표이사로서의 요건을 갖춘 자가 대표행위를 하면서 자신의 명칭을 사
용한 경우, 즉 표현대표이사의 무권대표행위에 제395조가 적용된다는 것에는 다
툼이 없다. 그러나 자신의 명칭이 아니라 진정한 대표이사의 명칭을 사용한 경
우(표현대표이사의 무권대행행위)에도 본조가 적용되는가에 대해서는 학설은 긍정
하는 설과 부정하는 설로 나뉘어 있다.

가) 유추적용긍정설

먼저 긍정설이 제시하는 논거는 다음과 같다. ① 표현대표이사가 자기명의로
법률행위를 한 경우 상대방의 신뢰는 대표권에 대한 것인데 반해, 타인명의로
한 경우 상대방의 신뢰는 대행권에 대한 것이므로 양자가 서로 다른 것은 사실
이나 제395조의 취지는 외관을 신뢰한 선의자 보호에 있으므로 대리방식인가
대행방식인가는 중요하지 않다.[108] ② 상대방이 거래의 교섭단계에서 표시된 표
현대표이사의 명칭을 신뢰하고 거래에 임한 것이라면 계약의 체결단계에서 또는
어음행위의 기명날인단계에서 표현대표이사가 직접 대표이사의 명의로 행위를
한 경우에도 이를 보호할 필요가 있으며, 만일 표현대표이사가 표현대표이사의
명의로 거래를 한 경우에만 본조가 적용된다고 하면 동일한 행위가 그 명칭 여
하에 따라 효과가 달라지므로 부당하다.[109] ③ 표현대표이사가 가지는 것으로
보이는 대표권에는 대표이사의 기명날인을 대행하는 권한이 포함되어 있다고 볼
수 있다.[110] ④ 기명날인의 대행의 경우 표현대표이사의 외관을 신뢰받게 된 자
가, 대표이사로부터 기명날인의 대행권을 수여받았다는 외관을 갖춘 행위를 하
였다는 이중의 외관을 갖춘 경우는 제395조의 적용을 긍정함이 타당하다.[111] ⑤

---

108) 최준선, 전게서, 521면.
109) 정동윤, "표현대표이사," 「상법논집」(정희철 선생 화갑기념, 1979), 90면; 강위두, "표현대
표이사가 다른 대표이사의 명칭으로 행위한 경우," 「상사판례연구」 제3집(한국상사판례학
회, 1988. 10.), 167면.
110) 정동윤, 상게논문 91면; 강희갑, 전게서, 570면.
111) 이광렬, "표현대표이사가 대표이사의 명칭을 사용하여 한 법률행위," 「대법원판례해설」 제
10호(1989), 117면.

표현내표이사세노에서 중요시 되는 것은 표현적 지위의 명칭이지 표의자의 명칭은 아니며 더욱 법인제도상 대표자의 명의여부가 법률효과의 귀속에 영향을 미치지 않을 뿐만 아니라 동일한 행위가 그 명칭 여하에 따라 효과가 다르게 되는 것은 부당하다.[112] ⑥ 표현대표이사제도는 표현적 대표권의 존재를 신뢰하고 거래한 제3자를 보호함으로써 거래의 안전을 기하고자 하는 것이므로 표현대표이사의 명칭을 신뢰한 이상 행위자가 자기의 명칭을 사용하였든 다른 대표이사의 명칭을 사용하였든 그것은 표현대표이사제도에 있어서 본질적 중요성을 가지는 것은 아니다.[113] ⑦ 표현대표이사가 타인명의로 법률행위를 한 경우 상대방의 신뢰는 대표권이 아니라 대행권에 대한 것이므로 이 경우에는 표현대리에 관한 민법규정을 적용함이 이론적으로는 타당하나 표현대리에 의할 경우 거래상대방의 선의·무과실을 요하는 데 반하여 제395조의 경우에는 선의·무중과실을 요하므로 제3자보호라는 측면에서는 제395조가 적용되는 것으로 봄이 타당하다 등이다.[114]

나) 유추적용부정설

표현대표이사가 진정한 대표이사의 명칭을 사용한 경우에는 제395조가 아니라 민법의 표현대리에 관한 규정이 유추적용된다는 견해이다. 그 논거는 다음과 같다.

① 진정한 대표이사의 명의로 대표행위를 하는 경우까지 표현대표이사의 성립을 인정한다면 제3자의 2단계의 오인을 보호하게 되는데(첫째, 대표권이 있다고 오인하고, 둘째 다시 다른 대표이사의 대리권(대행권)이 있다고 오인), 본조는 제3자가 외부에 나타난 명칭을 믿었다는 것만으로 등기부를 조사하지 않은 과오를 묻지 않은데 그 취지가 있는 점에 비추어 그 이상의 보호는 본조의 범위를 일탈하는 것이다. 따라서 이 경우에는 민법 제126조의 표현대리규정으로 해결할 수밖에 없다.[115]

② 표현대표이사가 자기명의로 행위를 한 경우에 거래의 상대방의 신뢰의 대상은 그 명칭(전무이사, 상무이사등)에 의한 대표권임에 반하여 표현대표이사가

---

112) 신용석, "표현대표이사가 다른 대표이사의 명칭을 사용한 경우 제3자의 선의나 중과실의 대상 및 제3자의 중대한 과실의 의미,"「대법원판례해설」제47호(2004), 131면.

113) 염미경, 전게논문, 342면.

114) 장덕조, 전게서, 547면.

115) 최준선, 전게서, 520면 참조: 임재연, 전게서, 433면 참조.

대표이사명의로 한 경우에 거래의 상대방의 신뢰의 대상은 그 명칭과는 무관한 대행권이다. 이와 같이 상대방의 신뢰의 대상이 다른 경우를 동일하게 취급하여 모두 제395조를 유추적용하는 것은 타당하지 않다. 따라서 표현대표이사가 대행 권한 없이 대표이사 명의로 한 행위는 무권대행(위조)이 되고 회사에 무권대행 에 대한 귀책사유가 있다면 민법상의 표현대리에 관한 규정을 유추적용하여야 할 것이다.[116]

③ 표현대표이사가 진정한 대표이사의 명칭으로 대표행위를 한 경우에는 상 대방의 신뢰는 대표행위가 아니라 대리행위를 할 권한이 있는 듯한 외관에 있었 다고 할 것이므로 본조의 보호대상이 아니며, 표현대리의 법리로 해결하여야 할 것이다.[117]

다) 사 견

유추적용설이 현재 통설이고,[118] 판례도 같은 입장이다. 이 문제는 제395조 의 적용범위를 표현대표이사의 자기명의로 한 행위로 제한할 것인지 타인명의로 한 경우로까지 확대할 것인지의 문제인데, 초기 판례는 제395조는 표현대표이사 가 자기명의로 한 행위에 대해서만 적용된다는 입장이었으나[119] 그 후 진정한 대표이사의 명의로 한 행위에 대해서도 본조를 적용하고 있다.[120]

이론적으로는 표현대표이사가 자기명의로 한 행위와 진정한 대표이사명의로 한 행위에 있어서 상대방의 신뢰대상은 엄연히 다른데(전자는 대표권, 후자는 대 행권) 이러한 차이를 무시하고 양자에 대해 동일한 규정(제395조)을 적용한다는 것은 타당하지 않으나 거래의 안전을 우선한다면 거래상대방의 선의·무과실을 요하는 민법상의 표현대리법리보다는 선의·무중과실을 요하는 제395조를 적용 함이 타당할 것이다. 그리고 대표와 대행은 분명 행위의 형식에 있어서는 구별 되는 제도이지만 본인의 수권에 따라 행위자가 본인을 위하여 한다는 의사를 가 지고 행위하고, 그 결과 행위의 효력이 본인에게 귀속된다는 점에서 매우 유사

---

116) 정찬형, 전게서, 1027면.
117) 이철송, 전게서, 746면.
118) 권기범, 전게서, 844면; 강위두·임재호, 전게서, 882면; 송옥렬, 전게서, 1031면; 임재연, 전게서, 433면; 정동윤, 전게서, 421면.
119) 대법원 1968.7.30. 68다127; 1968.6.11. 68다334.
120) 대법원 2011.3.10. 2010다10039; 2003.7.22. 2002다40432; 1999.11.12. 99다19797; 1988. 10.25. 86다카1228; 1988.10.11. 86다카2936; 1979.2.13. 77다2436.

한 구조를 가시고 있으며, 또한 회사가 거래를 할 때는 대표이사가 직접 서명날인하는 경우도 있지만 전무이사나 실무자 등이 대표이사를 대행하는 것도 일반적이라는 거래관행을 고려하면 제395조에서 예시하고 있는 사장, 부사장, 전무, 상무 등의 표현적 명칭은 거래상대방에게 대표권의 존재는 물론 대표권을 대행할 권한의 존재를 신뢰하게 하는 명칭으로 인식할 수 있을 것이다.[121] 그런 의미에서 긍정설이 합리적이라고 본다.

이처럼 긍정설을 취하더라도 표현대표이사가 진정한 대표이사의 이름으로 행위한 경우에는 상대방의 악의 또는 중과실의 유무는 표현대표이사에게 대표권이 있는지 여부가 아니라 대표이사를 대리하여 행위할 권한(대행권)이 있는지 여부에 관해 판단하여야 할 것이고, 판례도 같은 입장이다.[122]

사. 제395조의 적용효과

표현대표이사가 성립하여 제395조가 적용되게 되면 회사는 대표이사의 경우와 마찬가지로 표현대표이사가 한 행위에 대해 거래상대방인 제3자에 대하여 권리를 취득하고 의무를 부담한다. 다만 동조가 적용되는 경우 민법의 무권대리에 관한 규정(민법 제130조 이하)의 적용여부가 문제되나 통설은 적용되지 않는다는 입장이다. 즉 무권대리에 관한 규정이 적용되면 상대방은 그 법률행위를 취소할 수 있고(민법 제134조) 회사도 표현대표이사의 행위를 스스로 추인하여 상대방의 취소권도 소멸시킬 수 있다(민법 제130조, 제133조). 그러나 거래의 상대방이 제395조에 기하여 표현대표이사의 대표행위에 대해 회사의 책임을 묻는 실익은 그 대표행위가 유효하기 때문인데, 거래의 상대방이 회사에 대해 제395조에 기해 책임을 물으면서 그 전제가 되는 표현대표이사와 행한 법률행위를 취소한다는 것은 생각하기 어려우므로 본조의 적용이 있는 경우에는 민법의 무권대리규정은 배제되는 것으로 보아야 할 것이다.[123] 다만 어음행위의 경우에는 회사가 본조의 책임을 지는 경우에도 표현대표이사는 무권대리인으로서 어음법 제8조에 의해 책임을 지는 경우가 있을 수 있다. 그리고 회사가 본조에 기하여 제3자에

---

121) 염미경, 전게논문, 342~343면.
122) 대법원 2011.3.10. 2010다10039; 2003.7.22. 2002다40432.
123) 최기원, 전게서, 655면; 정찬형, 전게서, 1030면; 정동윤, 전게서, 425면; 홍복기·박세화, 전게서, 481면; 장덕조, 전게서, 542면; 최준선, 전게서, 519면(적용설).

게 책임을 지고 그 결과 회사에 손해가 발생한 경우에는 표현대표이사에게 손해배상을 청구할 수 있음은 말할 필요가 없다.[124]

VI. 이사의 의무

1. 이사의 선관의무 및 감시의무　　　　　　　　　　　　박 수 영*

가. 이사의 의무

1) 이사의 선관의무와 충실의무

회사와 이사(집행임원 설치회사에서는 '집행임원'을 포함한다)와의 관계에 대하여는 민법상의 위임에 관한 규정이 준용된다. 따라서 이사는 이사회의 구성원으로서 또는 대표이사로서 직무권한을 행사함에 있어서는 회사의 수임인으로서 일반적 의무인 선량한 관리자의 주의의무를 부담한다(제382조 제2항, 민법 제681조).[1] 이 경우에 주의의무는 이사의 지위에 있는 자에게 요구되는 상당한 정도의 주의를 하여야 하는 의무이다. 그러나 상법은 이사의 선관의무의 의미나 내용에 대해서는 별도의 규정을 두고 있지 않다.

선관의무 이외에 이사가 회사에 대하여 충실의무를 부담하는가에 대하여 논란이 있었으며, 1998년 개정상법은 「이사의 충실의무」라는 표제 하에 "이사는 법령과 정관의 규정에 따라 회사를 위하여 그 직무를 충실하게 수행하여야 한다."(제382조의3)는 규정을 신설하여 이사의 책임강화를 통한 건전한 기업운영을 촉진하기 위하여 이사에게 법령과 정관의 규정에 따라 회사를 위하여 충실히 그 직무를 수행할 의무를 명시적으로 부과하였다.[2][3][4] 이는 이사와 회사 간에 신

---

124) 권기범, 전게서, 1026면; 최준선, 전게서, 519면.

　* 전북대학교 법학전문대학원 교수
　1) 감사도 회사와의 관계에서 수임인의 지위에 있으므로 그 직무와 관련하여 선량한 관리자의 주의의무가 있다. 그러나 감사는 업무집행을 하지 않으므로 경업금지의무나 자기거래 제한 의무는 없다. 감사도 법령위반 또는 의무해태시 회사나 제3자에 대한 손해배상의무를 부담 하는 것은 이사와 마찬가지이다.
　2) 이는 일본 구상법 제254조의3(현행 일본회사법 제355조)을 참조한 것이다.
　3) 충실의무를 명문화한 입법례로는 미국 RMBCA §8.30(a); California Corporation Code §309(a); N.Y. Business Corporation Law §717(a); 일본회사법 제355조 등이 있다.

뇌관계(fiduciary relation)가 존재하므로 이사는 그 지위를 이용하여 자기 또는 제3자의 이익을 도모할 목적으로 회사의 이익을 해하여서는 안 되는 충실의무(duty of loyalty)를 부담하도록 한 것이다.5) 따라서 상법상 이사는 회사와 위임관계에 있으므로 선량한 관리자의 주의를 다하여 회사를 위하여 충실하게 업무를 집행하여야 할 의무를 부담한다.(제382조 제2항, 제382조의3)6)

또한 이사는 회사의 실정을 잘 알고 업무집행의 결정에 참여하게 되므로 그 지위를 악용하여 사리를 도모할 염려가 있다. 이에 상법은 이사와 회사 간의 이익조정을 위하여 구체적으로 이사에게 경업금지의무(제397조), 회사의 사업기회 및 자산의 유용금지의무(제397조의2), 자기거래 제한의무(제398조) 및 비밀유지의무(제382조의4) 등을, 이사회의 이사에 대한 감시강화를 위하여 업무집행상황의 이사회에 대한 보고의무(제393조 제4항), 감사의 실효성을 확보하고 회사의 손해를 사전에 방지하기 위하여 이사의 감사 또는 감사위원회에 대한 보고의무(제412조의2, 제415조의2 제7항), 학설과 판례가 인정하는 감시의무 등을 부담시키고 있다.7) 2011년 개정상법은 회사의 사업기회 및 자산의 유용금지의무를 신설하

---

4) 그러나 선관의무와는 달리 충실의무위반에 대한 이사의 손해배상책임에 대해서는 아무런 규정을 두고 있지 않아 단순한 선언적 규정으로 해석될 수 있으므로 위반에 대한 책임문제도 고려해야 할 것이다.

5) 이사는 이사회의 구성원으로서 회사의 업무집행에 관한 의사결정에 참여하고, 대표이사의 직무의 집행을 감독할 권한을 가지므로 이에 이사가 지위를 이용하여 자신의 이익을 꾀하는 경우 회사의 이익과 충돌할 위험이 있다. 이를 예방하기 위하여 1998년 상법개정으로 이사의 충실의무를 신설하여 이사의 책임강화를 통한 건전한 기업운영을 촉진하기 위하여 이사에게 법령과 정관의 규정에 따라 회사를 위하여 충실히 그 직무를 수행할 의무를 명시적으로 부과하였다(제382조의3).

6) 이사의 의무를 선관의무와 충실의무로 구분하는 것은 영미법의 전통으로서, 영미법에서는 이사는 회사에 대하여 신인의무(fiduciary duty)를 부담한다고 하고, 신인의무를 다시 주의의무와 충실의무로 구분한다. 주의의무를 이사와 회사간 이해충돌가능성이 없는 영역에서의 신인의무로, 충실의무를 이사와 회사간 이해충돌가능성이 존재하는 영역에서 나타나는 신인의무로 구분하기도 하고(김정호, 「회사법」 제4판(법문사, 2015), 465면), 이사의 주의의무가 문제되는 상황에서는 경영판단의 원칙에 의하여 비교적 쉽게 이사가 면책되는 것에 비하여, 충실의무가 문제되는 상황에서는 단순히 경영판단이라는 것만 가지고는 이사가 면책되지 않고 그 거래가 전체적으로 공정하다는 점이 입증되어야만 면책될 수 있는 것으로 구분하기도 한다(송옥렬, 「상법강의」 제11판(홍문사, 2021), 1039면). 즉, 영미법에 있어서 이사의 책임에 대한 사법심사의 주요한 기준은 선관주의의무 위반의 경우에는 경영판단의 원칙, 충실의무 위반의 경우에는 공정성(Fairness)의 원칙이 주로 적용되며, 그 중간적인 형태로 변형된 경영판단의 원칙(Modified Business Judgment) 또는 비례성의 원칙(Proportionality Test)이 적용된다(강희주, "주식회사의 이사의 책임에 관한 판례의 법리," 「증권법연구」 제8권 제2호(한국증권법학회, 2007. 12.), 390~391면).

7) 이사의 기관성을 긍정하는 견해에서는 상법이 규정하고 있는 이사의 의무를 「기관인 이사의 지위에 따르는 의무」라 하나, 이사의 기관성을 부정하는 견해(다수설)에서는 상법이 규

고(제397조의2), 회사의 사업기회 및 자산의 유용과 자기거래의 승인을 받기 위한 이사회의 결의요건을 강화하였다(제397조의2 제1항, 제398조).

2) 이사의 구체적 의무의 성격

상법은 이사의 경업금지의무(제397조), 회사의 사업기회 및 자산의 유용금지의무(제397조의2), 자기거래 제한의무(제398조), 비밀유지의무(제382조의4), 이사회에 대한 보고의무(제393조 제4항), 감사 또는 감사위원회에 대한 보고의무(제412조의2, 제415조의2 제7항) 등을 규정하고 있고, 학설과 판례가 감시의무를 인정하고 있다.[8] 이러한 의무가 선관의무를 구체화한 것(선관의무설)인지 충실의무를 구체화한 것(충실의무설)인지에 대하여 견해가 나뉘어져 있다. 제382조의3의 충실의무규정의 성질에 대하여 선관의무와의 관계에 대하여 동질설을 취하는 경우에는 선관의무설을, 이질설을 취하는 경우에는 충실의무설을 각각 취하게 된다.[9]

가) 선관의무설

선관의무설[10]은 충실의무는 선관의무를 구체화한 것에 지나지 않는다는 것을 전제로 한 견해로서, 상법 제382조의3의 충실의무는 상법상 선관의무 이외에 특별히 가중된 의무를 규정한 것이라고 보기 어렵고 선관의무를 구체화한 것이거나 다시 강조한 것에 불과하다고 보기 때문에, 상법상 이사에게 인정된 경업금지의무나 이사의 자기거래 제한의무 등은 이사의 회사에 대한 선관의무를 구체화한 것이라고 한다. 선관의무설에 의하면 선관의무의 내용을 반드시 기관관계의 측면에서 요구되는 이사의 의무로 제한하여 볼 이유는 없고 매우 탄력적으로 해석하여 회사에 최선의 이익이 되는 결과를 추구해야 할 의무(적극적 의무)를 포함하는 것으로 볼 수 있다. 이렇게 해석하면 선관의무와 충실의무는 크게

정하고 있는 이사의 의무를 「기관의 구성원으로서 이사 개인의 지위에서 갖는 의무」라고 본다.

8) 선관의무의 한 유형으로서 "이사는 법령과 정관의 규정에 따라 회사를 위하여 그 직무를 충실하게 수행하여야 한다."(제382조의3)는 규정을 근거로 회사의 업무집행이 법의 테두리 내에서 이루어지도록 확보할 의무로 이사의 법령준수의무를 논하기도 한다.

9) 이사의 각 의무의 성질에 대하여는 각 의무 부분에서 별도로 논하고 여기에서는 견해만 살펴본다.

10) 정찬형, 「상법강의(상)」 제24판(박영사, 2021), 1041~1042면; 최기원, 「신회사법론」 제14대정판(박영사, 2012), 660~661면.

구별되는 것이 아니라는 점에서 볼 때, 이사의 경업금지의무 등을 반드시 이사의 충실의무에 의하여만 설명할 필요는 없다고 본다. 따라서 상법에서 인정한 이사의 의무와 판례에서 인정한 이사의 감시의무 등은 모두 이사의 회사에 대한 선관의무를 구체화한 것으로 볼 수 있다고 한다.[11]

나) 충실의무설

충실의무설[12]은 충실의무를 선관의무와는 그 성질과 기능면에서 다르다는 것을 전제로 한 견해로서, 민법상의 수임인은 원칙적으로 무보수인데, 이러한 수임인(이사)이 위임과 관계없는 개인적 사항에 관하여 위임인(회사)의 이익을 우선시키고 자기의 이익을 무시해야 할 의무를 부담한다고 보는 것은 어렵고, 또 우리 상법은 영미법상의 이사회제도를 도입하여 이사회의 권한을 확대하였으므로 이에 맞추어 이사의 의무와 책임도 강화해야 할 필요가 있으며, 상법이 기업경영의 투명성을 제고하고 기업지배구조의 선진화를 꾀하기 위하여 이사의 책임을 강화하는 개정을 하면서 이사의 충실의무를 특히 규정한 점에 비추어, 이사의 경업금지의무 등을 충실의무에 의하여 설명하여야 한다고 한다. 충실의무설에서는 이사가 회사를 위하여 직무를 집행하는 측면(기관관계의 측면)에서 요구되는 의무는 선관의무이고, 이사가 그 지위를 이용하여 자기 또는 제3자의 이익을 위하여 행동하는 측면(개인관계의 측면)에서 요구되는 의무를 충실의무라 한다.

다) 판 례

충실의무가 상법에 규정되기 이전부터 지금까지 대법원은 선관의무와 충실의무를 구별하여 특별한 의미를 부여하지 않고 있는 것으로 여겨 왔다. 예컨대, "이사의 직무상 충실 및 선관의무위반의 행위,"[13] "이사의 직무상 충실 및 선관의무를 위반하는 행위,"[14] "이사로서 직무상 충실 및 선관주의의무를 해태한 행위,"[15] "회사에 대한 선량한 관리자의 주의의무 내지 충실의무를 다한 것"[16]처럼 선관의무와 충실의무를 구체적으로 크게 구별하지 않고 회사의 최선의 이익

---

11) 최준선, 「회사법」 제16판(삼영사, 2021), 531면.
12) 정동윤, 「상법(상)」 제3판(법문사, 2008), 604면.
13) 대법원 1985.11.12. 84다카2490.
14) 대법원 2009.5.14. 2008다94097.
15) 대법원 2010.7.29. 2008다7895.
16) 대법원 2011.10.13. 2009다80521.

을 추구해야 할 의무라고 포괄적으로 볼 수 있을 것이다.[17] 이러한 의미에서 상법이 규정하는 이사의 경업금지의무, 자기거래 제한의무, 비밀유지의무, 보고의무, 회사의 기회 및 자산의 유용금지의무, 감시의무 등도 포괄적인 개념으로서 선관의무 및 충실의무를 구체화한 것이라 할 수 있다.

3) 이사의 의무의 상대방

이사는 개별 주주에게 아무런 의무도 지지 않기 때문에 회사에 대하여만 책임을 부담한다. 즉 이사가 의무를 부담하는 상대방은 원칙적으로 주주가 아니라 회사이다.[18] 그러나 의무위반이 고의나 중과실에 의한 경우에는 주주에 대하여도 손해배상책임이 발생할 수도 있으므로 실질적으로는 주주에 대한 의무도 인정되는 결과가 된다.

나. 이사의 선관의무

1) 선관의무의 의의

회사와 이사의 관계는 민법상의 위임에 관한 규정을 준용하므로, 이사는 회사의 수임인으로서 위임의 본지에 따라 선량한 관리자의 주의로써 위임사무를 처리하여야 한다(제382조 제2항, 민법 제681조).[19] 따라서 이사는 위임관계에 따라 회사의 업무를 집행함에 있어서 선량한 관리자의 주의의무를 부담한다.[20] 선량한 관리자의 주의의무를 선관주의의무, 주의의무 또는 선관의무 등으로 사

---

17) 정찬형, 전게서, 1041면.

18) 김건식·노혁준·천경훈, 「회사법」 제5판(박영사, 2021), 418면; 장덕조, 「회사법」 제5판(법문사, 2020), 353면.

19) 1890년에 제정된 일본의 舊民法에서 프랑스 민법상의 家父長의 注意(les soins d'un bon père de famille, 동법 제1137조 제1항), 그리고 독일민법에서의 「去來상의 注意」(im Verkehr erforderliche Sorgfalt, 동법 제276조의2) 대역어로서 「선량한 관리자의 주의」라는 개념을 창설한 이래, 同주의의무는 일본과 우리나라의 私法去來에서 모든 유상계약의 의무이행을 위해, 그리고 부분적으로는 무상계약의 의무이행에서도 채무자가 일반적으로 준수해야 하는 기본적인 행위규범으로서의 역할을 수행해 왔다. 앞으로도 이를 대체하는 규범이 만들어지기 전에는 선관주의의무는 사법거래에서 채무자가 준수해야 할 일반규범이자, 채무자가 의무이행을 위해 취한 행동의 합규범성을 판단하기 위한 기준으로서의 역할을 계속할 것이다: 이철송, "善管注意義務와 忠實義務에 관한 이론의 발전과 전망," 「비교사법」 제22권 제1호(한국비교사법학회, 2015. 2.), 2면.

20) 선량한 관리자로서의 주의의무의 어원은 로마법의 bonus paterfamilias(선량한 가장으로서의 주의의무: good family father)라고 한다: 박기령, "이사의 충실의무에 관한 법적 연구," 「법학논집」 제14권 제3호(이화여자대학교 법학연구소, 2010. 3.), 354면.

용하며, 여기서는 통일하여 선관의무(duty of care)라 한다.

이사의 선관의무는 이사의 의무 중 가장 기본적인 의무이며, 고도의 인적 신뢰(persönliches Vertrauen)를 기초로 하는 매우 높은 주의의무로, 이사는 회사에 대한 관계에서 회사경영의 주체라는 중요한 지위에 있기 때문에 그에 상응하여 요구되는 상당한 정도의 주의를 하여야 하는 의무이다. 따라서 상법상 이사에게 요구되는 선관의무는 그 이사가 가진 구체적 능력을 묻지 않고 이사의 지위(그 직업의 사회적·경제적 지위)에 있는 자에게 그의 모든 직무의 수행에 대하여 일반적·객관적으로 요구되는 정도의 주의의무를 말한다.[21][22]

이사의 선관의무는 거래의 통념상 이사 또는 대표이사에게 일반적·객관적으로 요구되는 주의로써 회사의 인적·물적 자원을 최대한 활용하여 위험을 감수하면서도 적극적으로 업무를 집행하여 회사에 대하여 최선의 이익이 되는 결과를 추구해야 하는 작위 및 부작위 의무이며, 이러한 의무를 위반한 때에는 회사에 대하여 손해배상책임을 지고, 고의 또는 중대한 과실이 있는 때에는 제3자에 대하여도 손해배상책임을 부담한다.(제399조, 제401조)

2) 선관의무와 충실의무와의 관계

1998년 개정상법이 이사의 일반적 의무인 선관의무와 함께 충실의무도 명문화하여 선관의무와 충실의무가 함께 규정됨에 따라 이사의 회사에 대한 일반적 의무로서 선관의무와 별도로 영미법상의 충실의무를 인정할 것인가와 양자의 내용과 범위의 차이에 대하여 견해의 차이가 있다. 이에 충실의무는 종래의 선관의무를 구체화한 것에 지나지 않으므로 선관의무와 충실의무를 동일한 관계로 보는 동질설과 양자를 구별하여 선관의무와는 별도로 영미회사법상의 충실의무를 의미한다고 보는 이질설이 있다.[23]

---

21) 이에 대하여 이사의 선관의무를 선량하고 성실한 이사로서 회사업무 수행 시에 최선을 다해 주의를 기울일 의무이며, 직무를 충실히 수행할 의무와 동일한 것이라고 확장해석 하는 것은 회사업무수행을 위한 관리자이자 수임인이라는 이사지위의 특수성에 치중하여 주의의무에 관한 민법의 일반원칙의 기준을 넘어선 해석이라고 보는 견해가 있다: 박기령, "이사의 선관의무와 충실의무의 법사학적 기원에 관한 고찰," 「상사법연구」 제30권 제2호(한국상사법학회, 2011), 486면 참조.

22) 선관의무는 민법상의 무상수취인이 지는 '자기재산과 동일한 주의'와 구별되는데(민 제695조), 이는 주관적·구체적인 주의의무로서, 선관의무보다 훨씬 경감된 것이다: 권기범, 「현대회사법론」 제7판(삼영사, 2017), 819면.

23) 충실의무가 상법에 규정된 초기에는 동질설의 입장이 다수설의 경향이었으나, 상법상 이사의 의무에 관한 규정이 늘어나고 강화됨에 따라 이질설을 취하는 견해도 증가하고 있으며,

가) 이질설

이질설[24]은 이사의 충실의무에 관한 규정이 종래의 선관의무와 다른 영미법 상의 충실의무를 도입한 것이라고 보는 견해이다. 이질설은 무보수를 원칙으로 하는 민법상 수임인(민법 제686조)이 위임과 무관한 개인적인 업무에 관하여 자 신의 이익에 앞서 위임인인 회사의 이익을 우선시킬 의무를 부담한다고 보기는 어렵기 때문에 선관의무만으로는 부족하고, 상법이 영미법상의 이사회제도를 도 입하여 이사회의 권한을 확대하였으므로 그에 상응하는 의무가 요구되기 때문에 충실의무를 인정하여야 한다는 것이며, 이사가 기관의 자격에서 상당한 주의를 기울여야 할 의무는 선관의무이고, 개인의 자격에서 회사의 이익을 우선시켜야 할 의무는 충실의무이기 때문에 충실의무를 선관의무와 동일시하는 데는 무리가 있다고 한다.[25]

또한 충실의무에 따라 이사는 회사와의 이익충돌 시 항상 회사의 이익을 우 선적으로 고려하여야 하고, 선관의무와는 달리 그 위반에 고의·과실이 필요하 지 않고,[26] 위반에 대한 책임범위도 회사에 대한 손해배상에 그치지 않고 이사 가 얻은 이득도 반환하여야 하며,[27] 상법상 이사의 의무에 관한 개별규정, 예컨 대 경업금지의무(제397조), 회사기회유용금지(제397조의2), 자기거래금지(제398조), 이사의 보수(제388조) 등의 규정은 충실의무를 구체화하는 개별적인 규정이므로, 충실의무에 관한 규정을 선관의무의 구체화에 불과한 것으로 해석할 것이 아니 라, 선관의무와는 별개로 이미 개별규정에서 인정하고 있던 충실의무를 일반규 정을 두어 확실하게 인정한 것으로 보아야 한다고 한다.[28]

논의의 실익이 없다는 주장도 증가하고 있다.

24) 정동윤, 전게서, 604면; 맹수석, "주식회사 이사의 일반적 주의의무와 자기거래규제,"「고시 계」제50권 제10호(고시계사, 2005. 10.), 33~34면; 곽민섭, "이사의 의무와 책임 – 선관주 의의무와 충실의무을 중심으로 –,"「재판실무연구 2003」(광주지방법원, 2004), 127면; 강 희철·김화진, "개정 회사법: 개정 상법상의 주식회사 이사의 의무와 책임,"「인권과 정의」 제270호(대한변호사협회, 1999. 2.), 46면.

25) 정동윤, 전게서, 604면.

26) 선관의무위반의 책임에는 원칙적으로 고의·과실을 필요로 하지만 충실의무위반은 결과책 임이므로, 이 요건을 필요로 하지 않는다고 한다.

27) 책임의 범위에 대하여 선관의무위반의 경우에는 회사가 입은 손해만 배상하면 되므로 손해 액이 배상책임범위가 되지만, 충실의무위반의 경우에는 회사가 입은 손해뿐만 아니라 이사 가 취득한 모든 이익까지 회사에 반환하여야 한다고 한다.

28) 또한 선관의무와 충실의무의 차이에 대하여 선관의무를 해석할 때는 경영판단의 원칙(busi- ness judgment rule)을 적용할 수 있으나, 충실의무위반에 관하여는 이를 적용할 수 없다

나) 동질설

동질설[29]은 선관의무와 충실의무가 '충실히 그 직무를 수행할 의무'라는 의미와 '선량한 관리자의 주의의무로써 직무를 수행할 의무'라는 의미가 그 표현만 다를 뿐 내용적으로 특별한 차이가 없고 명확하게 구별되지 않으며, 어느 것이나 이사가 신중하고 성실하게 회사업무를 수행해야 한다는 것이기 때문에 선관의무 이외에 충실의무를 요구하는 것은 불필요하고, 이사의 선관의무도 단순한 주의의무가 아니라 항상 위임자의 이익을 위하여 행동하여야 할 의무라고 해석하는 등 선관의무를 탄력적으로 해석하면 충실의무와 같은 내용이 되므로 충실의무는 선관의무와 동질적인 의미이며, 이질설이 추구하는 바가 회사의 이익에 반하는 이사의 행위를 회사와의 관계에서 금지하는 취지라면 선관의무의 법리로도 동일한 결론에 이를 수 있기 때문에 구별의 실익은 없다고 한다.

또한 선관의무의 내용은 통일적으로 정형화되는 것이 아니라 기업의 종류와 규모, 종업원의 수, 경기상황 등과 각 이사의 특별한 직무에 따라 달라지므로, 이사회의 권한이 확대되면 선관의무의 내용도 그만큼 강화된다고 해석할 수 있는 것이며, 이와 같은 맥락에서 기업의 거대화·국제화에 따라 이사는 그에 상응하는 선관의무를 진다고 볼 수 있기 때문에 동질설이 타당하다는 것이다.

따라서 1998년 개정상법이 이사의 충실의무규정을 특별히 명문화한 것은 급변하는 기업환경에서 이사의 선관의무의 중요성을 다시 한번 강조하고 이사직을 보유하고 있거나 이사에 취임하려는 자에게 주의를 촉구하고자 하는 입법의도에서 나온 것이며, 회사의 경영을 위임받은 이사는 회사의 이익을 위하여 성실히 그 직무를 수행하여야 할 의무가 있음을 명확히 하려는 취지로,[30] 선관의무중 소극적 의무의 가장 대표적인 예라 할 수 있어서,[31] 충실의무는 기존의 선관의무의 정신을 부연한 것에 그치고 이사에게 새로운 의무를 부여한 것은 아니라 이사의 회사에 대한 선관의무를 구체화한 것이거나 또는 이사의 주의의무를 다

는 점을 들기도 한다.

29) 최기원, 전게서, 660~661면; 정찬형, 전게서, 1039면; 최준선, 전게서, 530~531면; 김건식, 전게서, 385면; 장덕조, 전게서, 353면; 송옥렬, 전게서, 1040면; 양동석·박승남, "2011년 개정상법상의 이사의 의무와 손해배상책임-이사의 책임제한을 중심으로-,"「기업법연구」제26권 제1호(한국기업법학회, 2012. 6.), 224면; 김용재, "금융기관 이사의 주의의무,"「금융법연구」제3권 제2호(한국금융법학회, 2006), 79면.
30) 최준선, 전게서, 531면.
31) 김용재, 전게논문, 79면.

시 강조한 선언적인 규정이라고 볼 수 있다는 견해이다.

다) 판   례

대법원은 충실의무가 상법에 규정되기 이전에 "고의 또는 중대한 과실로 인한 임무 해태행위라 함은 이사의 직무상 충실 및 선관의무위반의 행위로서(예를 들면, 회사의 경영상태로 보아 계약상 채무의 이행기에 이행이 불가능하거나 불가능할 것을 예견할 수 있었음에도 이를 감추고 상대방과 계약을 체결하고 일정한 급부를 미리 받았으나 그 이행불능이 된 경우와 같이) 위법한 사정이 있어야 하고"라고 판시하여 선관의무와 충실의무를 동의어로 쓰고 있을 뿐, 충실의무를 선관의무와 구별하여 특별한 의미를 부여하지 않고 있는 것으로 보았다.[32]

이러한 태도는 최근에도 "대표이사가 대표이사로서의 업무 일체를 다른 이사 등에게 위임하고, 대표이사로서의 직무를 전혀 집행하지 않는 것은 그 자체가 이사의 직무상 충실 및 선관의무를 위반하는 행위에 해당한다.",[33] "그 투자의 형식이 주주출자가 아니라는 점을 기화로 이사회의 심의·의결을 거치지 않은 채 독단적으로 위 기본합의를 체결한 것은 위 공사의 이사로서 직무상 충실 및 선관주의의무를 해태한 행위에 해당하므로…",[34] "대출과 관련된 경영판단을 하면서 통상의 합리적인 금융기관 임원으로서 그 상황에서 합당한 정보를 가지고 적합한 절차에 따라 회사의 최대이익을 위하여 신의성실에 따라 대출심사를 한 것이라면 의사결정과정에 현저한 불합리가 없는 한 임원의 경영판단은 허용되는 재량의 범위 내의 것으로서 회사에 대한 선량한 관리자의 주의의무 내지 충실의무를 다한 것으로 볼 수 있고…",[35] "회사의 이사회가 그에 관하여 충분한 정보를 수집·분석하고 정당한 절차를 거쳐 회사의 이익을 위하여 의사를 결정함으로써 그러한 사업기회를 포기하거나 어느 이사가 그것을 이용할 수 있도록 승인하였다면 그 의사결정과정에 현저한 불합리가 없는 한 그와 같이 결의한 이사들의 경영판단은 존중되어야 할 것이므로, 이 경우에는 어느 이사가 그러한 사업기회를 이용하게 되었더라도 그 이사나 이사회의 승인 결의에 참여한 이사들이 이사로서 선량한 관리자의 주의의무 또는 충실의무를 위반하였다고 할 수 없

---

32) 대법원 1985.11.12. 84다카2490.
33) 대법원 2009.5.14. 2008다94097.
34) 대법원 2010.7.29. 2008다7895.
35) 대법원 2011.10.13. 2009다80521.

다."[36) 등에서처럼 선관의무와 충실의부를 구체적으로 구별하고 있지 않은 것처럼 나타나고 있다. 이렇게 보면 이러한 판례들에서의 선관의무와 충실의무는 크게 구별되는 개념이 아니고 회사의 최선의 이익을 추구해야 할 의무라고 할 수 있을 것이다.

그러나 선관의무와 충실의무외의 이사의 구체적 의무에 대해서는 그 내용에 따라 선관의무와 충실의무를 구별하여 사용하고 있다. 특히 이사의 감시의무와 관련하여서는 "이사는 담당업무는 물론 다른 업무담당이사의 업무집행을 전반적으로 감시할 의무가 있으므로, 주식회사의 이사가 다른 업무담당이사의 업무집행이 위법하다고 의심할 만한 사유가 있음에도 불구하고 이를 방치한 때에는 이사에게 요구되는 선관주의의무 내지 감시의무를 해태한 것이므로 이로 말미암아 회사가 입은 손해에 대하여 배상책임을 면할 수 없다"고 하여 감시의무가 선관의무의 구체적 형태임을 나타내고 있다.[37)

3) 선관의무의 주체

모든 이사가 선관의무를 부담한다. 따라서 선관의무는 대표이사[38)이든 상근이사이든 비상근이사이든 사내이사든 사외이사[39)든 계속업무집행이사든 임시이사든 상관없고, 보수의 유무 등에 관계없이 모든 이사에게 인정되는 의무이다. 또한 명목상의 이사에게도 인정되며,[40) 이사직무대행자에 대해서도 인정된다.

4) 선관의무의 대상

이사의 선관의무는 이사가 회사의 경영주체로서 법상의 의무로 규정된 업무수행에만 한정되는 것이 아니라 의결권의 행사, 소의 제기, 상법 기타 관계법령 및 정관에 규정된 권한의 행사에 있어서도 요구되는 것이라고 할 수 있다.[41) 이

---

36) 대법원 2013.9.12. 2011다57869.

37) 대법원 2007.9.21. 2005다34797; 2007.9.20. 2007다25865; 2006.7.6. 2004다8272; 2004.12. 10. 2002다60467, 60474.

38) 대표이사는 선량한 관리자의 주의로써 회사를 위해 충실하게 그 직무를 집행하고 회사업무의 전반에 걸쳐 관심을 기울여야 할 의무가 있다(대법원 2012.7.12. 2009다61490).

39) 대법원 2014.12.24. 2013다76253.

40) 대법원 2014.12.24. 2013다76253; 정동윤, 전게서, 601면.

41) 이사의 선관의무를 적극적인 경영상의 의사결정에서의 업무집행부분(performance)과 소극적인 감시에서의 감독부분(oversight)으로 구분하고, 행위기준상 양 영역에 있어서 공히 선량한 관리자의 주의의무를 다하는 것이지만, 책임기준에 있어서 전자에서는 경영판단의 원칙이 탄생하였고, 후자에서는 위험관리체계의 구축의무가 판례법으로 확립되었다: 김정호,

사의 업무수행에 있어서 선관의무는 원칙적으로 회사로부터 명시적 또는 묵시적으로 처리를 위임받은 업무에 대하여 적용되며, 위임의 근거는 법령이든 정관이든 총회결의든 이사회결의이든 묻지 않는다.42)

선관의무는 업무의 적법성에 그치지 않고 합리성·효율성에 대해서도 미친다. 즉 이사의 직무수행은 적법하고 규범적으로 타당해야 할 뿐만 아니라, 영리 실현을 위해 합목적적이고 효율적이어야 한다.43)

이사는 자신의 직무를 수행함에 있어 법령을 준수해야 하는 의무(소극적 의무)뿐만 아니라 항상 회사에 최선의 이익이 되는 결과를 추구해야 할 의무(적극적 의무)를 부담하며, 회사에 최선의 이익이란 회사는 영리를 목적으로 하는 단체(제169조)이므로 회사의 이윤을 극대화하는 것을 말한다. 또한 선관의무는 작위의 업무집행에 대해서만 요구되는 것이 아니며 회사에 손해를 가하는 행위를 하지 않아야 할 부작위의무 또는 손해를 방지할 의무도 포함한다.44) 따라서 이사회 또는 주주총회의 결의가 있더라도 그 결의내용이 회사의 최선의 이익에 반하는 것이라면 이를 행하지 않는 것도 선관의무라 할 수 있다.45)

이사는 위임받은 업무를 이행함에 있어서 선관의무를 다하면 되고, 반드시 선관의무를 다하여 회사에 이익을 창출하여야 하는 것까지 요구하는 것은 아니다.46) 즉 이사의 주의의무가 회사의 손해를 전혀 발생하지 않도록 해야 하는 "결과채무"가 아니라, 회사의 이익을 위하여 필요하고 적절한 조치를 다해야하는 "수단채무"라는 점이다.47)

전게서, 466면.

42) 위임받지 아니한 업무처리에 대하여는 선관의무를 부담하지 않으며, 경우에 따라 충실의무 위반으로 될 수 있을 뿐이다: 권기범, 전게서, 823면.

43) 이철송, 「회사법강의」 제29판(박영사, 2021), 750면.

44) 민법상의 선관의무와 상법상의 선관의무가 동일한 내용의 의무인가에 대하여, 민법상의 수임인은 개별적이고 구체적으로 위임된 사항에 관하여 사무를 처리하지만, 상법상 상행위의 위임을 받은 자는 위임의 본지에 반하지 아니한 범위 내에서 위임을 받지 아니한 행위에 대해서도 할 수 있다고 규정하고 있다(제49조).

45) 대표이사는 이사회 또는 주주총회의 결의가 있더라도 그 결의내용이 회사 채권자를 해하는 불법한 목적이 있는 경우에는 이에 맹종할 것이 아니라 회사를 위하여 성실한 직무수행을 할 의무가 있으므로 대표이사가 임무에 배임하는 행위를 함으로써 주주 또는 회사채권자에게 손해가 될 행위를 하였다면 그 회사의 이사회 또는 주주총회의 결의가 있었다고 하여 그 배임행위가 정당화 될 수는 없다(대법원 1989.10.13. 89도1012).

46) 권기범, 전게서, 823면.

47) 김건식, "은행이사의 선관주의의무와 경영판단 원칙," 「민사판례연구」 제26권(박영사, 2004. 2.), 414면.

　　대법원도 금융기관의 대출결정시 담당임원의 주의의무에 관하여 "금융기관의 임원은 소속 금융기관에 대하여 선량한 관리자의 주의의무를 지므로 그 의무를 충실히 한 때에야 임원으로서의 임무를 다한 것으로 된다. 금융기관이 임원을 상대로 대출과 관련된 임무를 게을리 하였다고 하여 손해배상책임을 물을 경우 그 대출이 결과적으로 회수곤란 또는 회수불능으로 되었다고 하더라도 그것만으로 바로 대출결정을 내린 임원의 판단이 선량한 관리자로서의 주의의무 내지 충실의무를 위반한 것이라고 단정할 수는 없다. 그러나 대출과 관련된 경영판단을 하면서, 통상의 합리적인 금융기관 임원으로서 그 상황에 합당한 정보를 가지고 적합한 절차에 따라 회사의 최대이익을 위하여 신의성실에 따라 대출심사를 하지 아니하였다거나, 그 의사결정과정 및 내용이 현저하게 불합리한 경우에는, 그 임원의 경영판단은 허용되는 재량범위를 넘는 것으로서 회사에 대한 선량한 관리자의 주의의무 내지 충실의무를 다한 것이라 할 수 없다."고 판시하여[48] 손해가 발생하였더라도 회사의 최대이익을 위하여 필요하고 적절한 조치를 다한 경우에는 선관의무위반이 아니라고 보고 있다.[49] 이사의 행위가 회사의 이익을 위하여 이사가 취해야 할 "필요하고 적절한 조치"에 해당하는지 여부는 회사에 손해가 발생하고 난 후에 사후적으로 판단하는 것이 아니라, 이사가 실제로 조치를 취한 시점을 기준으로 판단한다.[50]

---

48) 대법원 2006.11.9. 2004다41651, 41668.

49) 주식회사가 대표이사를 상대로 주식회사에 대한 임무 해태를 내세워 채무불이행으로 인한 손해배상책임을 물음에 있어서는 대표이사의 직무수행상의 채무는 미회수금 손해 등의 결과가 전혀 발생하지 않도록 하여야 할 결과채무가 아니라, 회사의 이익을 위하여 선량한 관리자로서의 주의의무를 가지고 필요하고 적절한 조치를 다해야 할 채무이므로, 회사에게 대출금 중 미회수금 손해가 발생하였다는 결과만을 가지고 곧바로 채무불이행사실을 추정할 수는 없다(대법원 1996.12.23. 96다30465, 30472).
　　대출이 결과적으로 회수곤란 또는 회수불능으로 되었다고 하더라도 그것만으로 바로 대출결정을 내린 임원에게 그러한 미회수금 손해 등의 결과가 전혀 발생하지 않도록 하여야 할 책임을 물어 그러한 대출결정을 내린 임원의 판단이 선량한 관리자로서의 주의의무 내지 충실의무를 위반한 것이라고 단정할 수 없고, 대출과 관련된 경영판단을 함에 있어서 통상의 합리적인 금융기관 임원으로서 그 상황에서 합당한 정보를 가지고 적합한 절차에 따라 회사의 최대이익을 위하여 신의성실에 따라 대출심사를 한 것이라면 그 의사결정과정에 현저한 불합리가 없는 한 그 임원의 경영판단은 허용되는 재량의 범위 내의 것으로서 회사에 대한 선량한 관리자의 주의의무 내지 충실의무를 다한 것으로 볼 것이다(대법원 2006.7.6. 2004다8272).

50) 김건식, 전게논문, 414면.

5) 선관의무의 정도와 판단기준

가) 선관의무의 정도

상법은 이사의 주의의무에 대해 위임관계에서의 수임자의 주의의무에 관한 민법의 규정을 준용한다고만 규정하고 있어, 이사의 선관의무의 위반여부가 어떻게 심사·판단되는지에 대해서는 명확한 기준을 제시하지 못하고 있다. 선관의무는 객관적 기준에 의하여 같은 지위에 있는 합리적인 사람을 기준으로 판단하므로, 당해 이사 개인의 능력이나 주관적 사정은 참작되지 않는다. 따라서 이사가 다른 사람보다 낮은 지적수준이나 업무능력을 가지는 경우에도 이러한 점은 고려되지 않고 통상의 신중한 자를 기준으로 하는 선관의무가 요구된다.[51]

선관의무의 내용은 통일적으로 정형화될 수 있는 것이 아니고 기업의 종류와 규모, 종업원의 수, 각 이사의 직무에 따라 달라지므로 이사의 권한이 확대되면 선관의무도 그만큼 강화되는 것이다. 따라서 이사에게 그 직무에 따라 요구되는 선관의무의 정도(또는 수준)는 회사의 종류나 규모, 그가 재직하는 업종, 담당하는 구체적인 업무분야, 거래영역, 행위당시의 회사의 상황, 회사의 지배구조 및 내부통제시스템, 재정상태, 법령상 규제의 정도, 개개인의 능력[52]과 경력, 근무여건, 근로자의 수, 기업의 경쟁력 등에 따라 다를 수 있다.[53] 예컨대 동일한 은행의 이사일지라도 사외이사인지 업무담당이사인지, 같은 업무담당이사라도 담당한 업무가 무엇인지, 은행이 정상적인 상태인지 도산상태에 있는지에 따라 선관의무의 정도가 달라질 수 있다.[54] 판례도 선관의무의 내용과 범위는 회사의 종류나 규모, 업종, 지배구조 및 내부통제시스템, 재정상태, 법령상 규제의 정도, 개개인의 능력과 경력, 근무 여건 등에 따라 차이가 날 수 있다고 보고 있다.[55]

---

51) 임재연, 「회사법 II」 개정5판(박영사, 2018), 452면.
52) 이사 개개인의 능력에 대해서 학설은 선관의무의 정도를 파악하는 기준으로 삼고 있지 않지만, 판례는 이것도 선관의무의 정도를 파악하는 기준으로 삼고 있는 점은 유의하여야 한다.
53) 사내이사는 사업의 경영에 보다 깊숙이 관여되고 회사의 정보를 더 잘 알고 있기 때문에 고도의 주의의무를 부담하여야 하고, 사외이사는 사내이사보다 회사의 경영에 대한 자세한 정보를 갖고 있지 않기 때문에 낮은 정도의 주의의무를 부담하는 것으로 본다: 강희주, 전계논문, 396면.
54) 권기범, 전계서, 819~820면.
55) 대법원 2008.9.11. 2006다68636.

나) 금융기관의 경우

금융기관의 대출업무에 있어서 금융기관의 임원이 내린 대출결정이 경영판단의 허용된 재량범위 내에 있는 것인지, 아니면 선량한 관리자의 주의의무에 위반하여 자신의 임무를 게을리 한 것인지는 제반규정의 준수여부, 대출의 조건과 내용, 규모, 변제계획, 담보의 유무와 내용, 채무자의 재산 및 경영상황, 성장가능성 등 여러 가지 사항에 비추어 종합적으로 판정하여 그 대출결정에 통상의 대출담당임원으로서 간과해서는 아니 될 잘못이 있는지 여부를 판단하여야 한다.[56] 판례도 은행 이사에 대하여 은행업무의 공공적·전문적 성격에 걸 맞는 강도 높은 선관의무의 수준을 요구하고 있으며, 감사에 대해서는 이를 더욱 명백히 하고 있다. 결국 동일한 선관의무이더라도 은행 이사나 감사의 통상적·객관적 선관의무 수준이 다른 업종의 이사나 감사에 비해 강화되어있다고 볼 수 있다.

대법원은 제일은행 주주대표소송사건[57]에서 "금융기관인 은행은 주식회사로 운영되기는 하지만, 이윤추구만을 목표로 하는 영리법인인 일반의 주식회사와는 달리 예금자의 재산을 보호하고 신용질서 유지와 자금중개 기능의 효율성 유지를 통하여 금융시장의 안정 및 국민경제의 발전에 이바지해야 하는 공공적 역할

---

56) 대법원 2021.5.7. 2018다275888; 2019.1.17. 2016다236131; 2006.11.9. 2004다41651, 41668; 2006.7.6. 2004다8272; 2006.6.16. 2005다31194; 2005.1.14. 2004다8951; 2004.8.20. 2004다19524; 2004.3.26. 2002다60177; 2003.7.25. 2003다7265; 2002.6.14. 2001다52407; 2002.3.15. 2000다9086.

57) 제일은행은 1993.11.4.부터 1997.1.20.까지 사이에 한보철강에 대하여 총 1조 853억 원을 대출하였으나, 한보철강이 1997.1.23. 부도처리되어 1997.1.28. 회사정리절차가 개시됨으로써 위 대출금을 회수하지 못하였고, 이에 주주들이 제일은행 경영진에 대하여 주주대표소송을 제기한 사건이다.

이 사건에 대한 평석으로는 김용재, "은행이사의 선관주의의무와 경영판단의 법칙," 「상사판례연구」 제Ⅵ권(박영사, 2006. 3.), 63~82면; 이태종, "주주대표소송과 회사의 참가에 관한 법률적 문제," 「재판실무연구」 제3권(수원지방법원, 2006. 1.), 189~226면; 성승제, "이사의 주의의무와 대법원 2002.3.15. 선고 2000다9086 판결," 「상사판례연구」 제17집(한국상사판례학회, 2004. 12.), 125~148면; 김건식, 전게논문, 404~431면; 최건호, "주주대표소송과 회사의 참가," 「민사판례연구」 제26권(박영사, 2004. 2.), 471~486면; 오세빈, "주주의 대표소송에 관한 몇 가지 문제," 「민사재판의 제문제」 제12권(한국사법행정학회, 2003. 12.), 173~190면; 이태종, "제일은행 경영진에 대한 주주대표소송," 「BFL」 제2호(서울대학교 금융법센터, 2003. 11.), 85~118면; 김대연, "은행 이사의 주의의무와 손해배상책임," 「상사판례연구」 제13집(한국상사판례학회, 2002. 12.), 219~262면; 최성호, "회사의 주주대표소송 참가에 있어서 대표자와 법적 성격," 「Jurist」 제383호(청림인터렉티브, 2002. 8.), 65~68면 등이 있다.

을 담당하는 위치에 있는 것이기에, 은행의 그러한 업무의 집행에 임하는 이사
는 일반의 주식회사 이사의 선관의무에서 더 나아가 은행의 그 공공적 성격에
걸 맞는 내용의 선관의무까지 다할 것이 요구된다 할 것이고, 따라서 금융기관
의 이사가 위와 같은 선량한 관리자의 주의의무에 위반하여 자신의 임무를 해태
하였는지의 여부는 그 대출결정에 통상의 대출담당임원으로서 간과해서는 안 될
잘못이 있는지의 여부를 금융기관으로서의 공공적 역할의 관점에서 대출의 조건
과 내용, 규모, 변제계획, 담보의 유무와 내용, 채무자의 재산 및 경영상황, 성장
가능성 등 여러 가지 사항에 비추어 종합적으로 판정해야 한다."고 판시하여 이
사는 어느 분야이든지 당해 직무를 수행함에 있어서 각각의 직무에 대하여 일반
적으로 요구되는 선관의무를 다할 것을 요구하고, 금융기관의 이사에게는 일반
주식회사의 이사보다 공공적·전문적 성격에 걸 맞는 높은 수준의 선관의무를
요구하고 있다.[58]

다) 합병의 경우

흡수합병에 있어 소멸회사의 주주인 회사의 이사의 합병동의에 대해 대법원
은 "흡수합병 시 존속회사가 발행하는 합병신주를 소멸회사의 주주에게 배정·
교부함에 있어서 적용할 합병비율을 정하는 것은 합병계약의 가장 중요한 내용
이고, 만일 합병비율이 합병할 각 회사의 일방에게 불리하게 정해진 경우에는
그 회사의 주주가 합병 전 회사의 재산에 대하여 가지고 있던 지분비율을 합병
후에 유지할 수 없게 됨으로써 실질적으로 주식의 일부를 상실하게 되는 결과를
초래하므로, 비상장법인 간 흡수합병의 경우 소멸회사의 주주인 회사의 이사로
서는 합병비율이 합병할 각 회사의 재산 상태와 그에 따른 주식의 실제적 가치
에 비추어 공정하게 정하여졌는지를 판단하여 회사가 합병에 동의할 것인지를
결정하여야 한다. 다만 비상장법인 간 합병의 경우 합병비율의 산정방법에 관하
여는 법령에 아무런 규정이 없을 뿐만 아니라 합병비율은 자산가치 이외에 시장
가치, 수익가치, 상대가치 등의 다양한 요소를 고려하여 결정되어야 하는 만큼
엄밀한 객관적 정확성에 기하여 유일한 수치로 확정할 수 없는 것이므로, 소멸
회사의 주주인 회사의 이사가 합병의 목적과 필요성, 합병 당사자인 비상장법인
간의 관계, 합병 당시 각 비상장법인의 상황, 업종의 특성 및 보편적으로 인정

---

58) 대법원 2002.3.15. 2000다9086; 2006.11.9. 2004다41651, 41668.

되는 평가방법에 의하여 주가를 평가한 결과 등 합병에 있어서 적정한 합병비율을 도출하기 위한 합당한 정보를 가지고 합병비율의 적정성을 판단하여 합병에 동의할 것인지를 결정하였고, 합병비율이 객관적으로 현저히 불합리하지 아니할 정도로 상당성이 있다면, 이사는 선량한 관리자의 주의의무를 다한 것이다"라고 판시하였다.59)

라) 회사의 기부행위의 경우

회사의 기부행위에 대한 경우 대법원은 "카지노사업자인 갑 주식회사의 이사회에서 주주 중 1인인 을 지방자치단체에 대한 기부행위를 결의하였는데, 갑 회사가 이사회 결의에 찬성한 이사인 병 등을 상대로 상법 제399조에 따른 손해배상을 구한 사안에서, 위 이사회 결의는 폐광지역의 경제 진흥을 통한 지역 간 균형발전 및 주민의 생활향상이라는 공익에 기여하기 위한 목적으로 이루어졌고, 기부액이 갑 회사 재무상태에 비추어 과다하다고 보기 어렵다고 하더라도, 기부행위가 폐광지역 전체의 공익 증진에 기여하는 정도와 갑 회사에 주는 이익이 그다지 크지 않고, 기부의 대상 및 사용처에 비추어 공익 달성에 상당한 방법으로 이루어졌다고 보기 어려울 뿐만 아니라 병 등이 이사회에서 결의를 할 당시 위와 같은 점들에 대해 충분히 검토하였다고 보기도 어려우므로, 병 등이 위 결의에 찬성한 것은 이사의 선량한 관리자로서의 주의의무에 위배되는 행위에 해당한다."고 판시하였다.60)

마) 감사의 경우

감사의 선관의무에 관하여 대법원은 "감사는 상법 기타 법령이나 정관에서 정한 권한과 의무를 선량한 관리자의 주의의무를 다하여 이행하여야 하고, 악의 또는 중과실로 선량한 관리자의 주의의무에 위반하여 그 임무를 해태한 때에는 그로 인하여 제3자가 입은 손해를 배상할 책임이 있는 바, 이러한 감사의 구체적인 주의의무의 내용과 범위는 회사의 종류나 규모, 업종, 지배구조 및 내부통제시스템, 재정상태, 법령상 규제의 정도, 감사 개개인의 능력과 경력, 근무 여건 등에 따라 다를 수 있다 하더라도, 감사가 주식회사의 필요적 상설기관으로서 회계감사를 비롯하여 이사의 업무집행 전반을 감사할 권한을 갖는 등 상법

---

59) 대법원 2015.7.23. 2013다62278.
60) 대법원 2019.5.16. 2016다260455.

기타 법령이나 정관에서 정한 권한과 의무를 가지고 있는 점에 비추어 볼 때, 대규모 상장기업에서 일부 임직원의 전횡이 방치되고 있거나 중요한 재무정보에 대한 감사의 접근이 조직적·지속적으로 차단되고 있는 상황이라면, 감사의 주의의무는 경감되는 것이 아니라 오히려 현격히 가중된다."고 판시하였다.[61]

6) 선관의무의 내용

선관의무의 구체적 내용으로서 이사는 이사회에 출석하고, 이사회와 감사 또는 감사위원회에게 중요한 사실을 보고하고, 비밀을 유지하며, 다른 이사의 업무집행을 감시할 의무를 부담한다. 또한 "이사는 법령과 정관의 규정에 따라 회사를 위하여 그 직무를 충실하게 수행하여야 한다."(제382조의3)는 규정을 근거로 법령준수의무를 포함시키기도 하며, 이는 소극적 의무라 할 수 있다.

가) 이사회출석의무

이사는 이사회에 출석해야 할 의무가 있다. 이사가 이사회에 출석하여 의결권을 행사하여 업무집행의 결정에 참여하는 것은 이사의 가장 중요한 직무의 하나이며, 나아가 이사회에서 감독을 위한 집단적 의사결정에 참여함으로써 회사의 정상적인 업무집행을 할 수 있으므로 이사들 상호 간의 감시와 견제도 가능해지게 되는 것이다.[62] 그러나 이사가 단순히 불출석했다하여 임무를 게을리하였다고 볼 수는 없고,[63] 정당한 사유 없이 출석하지 아니한 경우에만 임무를 게을리 한 것이 된다.[64]

나) 보고의무

(1) 이사회에 대한 보고의무

이사는 3월에 1회 이상 업무집행상황을 이사회에 보고할 의무를 부담한다(제393조 제4항). 이사회에 대한 보고의무는 대표이사에 한하지 않고 업무를 집행하

---

61) 대법원 2008.9.11. 2006다68636.
62) 김성문, "미국법상 은행이사의 주의의무," (경북대학교 대학원, 2005), 185면.
63) 서울고등법원 2003.11.20. 2002나6595.
64) 주식회사의 이사는 이사회의 일원으로서 이사회에 상정된 의안에 대하여 찬부의 의사표시를 하는데 그치지 않고, 담당업무는 물론 다른 업무담당 이사의 업무집행을 전반적으로 감시할 의무가 있고 이러한 의무는 비상근 이사라고 하여 면할 수 있는 것은 아니므로 주식회사의 이사가 이사회에 참석하지도 않고 사후적으로 이사회의 결의를 추인하는 등으로 실질적으로 이사의 임무를 전혀 수행하지 않은 이상 그 자체로서 임무해태가 된다고 할 것이다(대법원 2008.12.11. 2005다51471).

는 이사는 모두 부담한다. 3월에 1회 이상 보고하여야 하므로 이사회는 적어도 3월에 1회 이상 열려야 한다.[65]

(2) 감사·감사위원회에 대한 보고의무

감사의 실효성을 확보하고 회사의 손해를 사전에 방지하기 위하여 이사는 회사에 현저하게 손해를 미칠 염려가 있는 사실을 발견하는 경우 감사 또는 감사위원회에 보고할 의무를 부담한다(제412조의2, 제415조의2 제7항). 이는 특별한 요구가 없더라도 부담하는 적극적 보고의무이다. 보고의무자는 대표이사뿐만 아니라 손해발생의 사실과 무관하더라도 그러한 사실을 발견한 이사도 포함되며, 그 사실을 알고 있는 이사가 감사 또는 감사위원회에 보고하지 않았다는 것을 알고 있는 이사도 포함된다. 보고할 사항이 반드시 위법할 것을 요하지는 않는다.

다) 비밀유지의무

이사는 재임 중뿐만 아니라 퇴임 후에도 직무상 지득한 회사의 영업상 비밀을 누설하여서는 안되는 영업비밀 내지 기업비밀유지의무를 부담한다(제382조의4).[66] 이사는 회사의 업무와 관련하여 회사에 속하는 많은 영업비밀에 접근할 기회가 많은데, 이러한 영업비밀은 회사, 주주 및 일반투자자에게 매우 중요한 정보가 되며, 이를 이용하여 자기 또는 제3자가 이익을 취해서는 안된다. 자본시장법에서는 내부자거래를 제한하여 이사가 공개되지 아니한 기업정보를 이용하여 증권을 매매하거나 타인으로 하여금 증권의 매매에 이용하게 한 때에는 벌칙이 적용되며, 6월내의 단기매매로 차익을 얻은 때에는 회사에 반환하여야 한다.(자본시장법 제443조 제1항 제1호, 제172조) 이러한 내부자거래는 상법상 비밀유지의무 및 선관의무위반이 된다(제399조 제1항).

비밀유지의무는 적법한 권리관계와 사실관계를 그 대상으로 하며, 범죄행위나 위법행위는 비밀유지의무의 대상이 아니다. 이사 및 감사 간에는 비밀유지의무가 없다.[67]

주주총회에서 주주가 이사에 대하여 질문권을 행사할 수 있으므로 회사의 업무와 재산 상태에 대하여 질문할 수 있고 이사는 이를 설명할 의무가 있지만,

---

65) 장덕조, 전게서, 358면; 송옥렬, 전게서, 1049면.
66) 이는 사외이사제도를 도입함으로써 회사의 영업상의 기밀이 누설되는 것을 방지하기 위해 2001년 개정시에 도입되었다.
67) 이철송, 전게서, 758면; 임재연, 전게서, 457면.

이 경우에도 공개하면 회사의 이익이나 공익을 해하는 사항에 대해서는 이사가
비밀유지의무를 부담하므로 이에 관한 설명을 거부하여야 한다.[68]

라) 법령준수의무

이사는 법령과 정관의 규정에 따라 회사를 위하여 그 직무를 충실하게 수행
하여야 하며(제382조의3), 법령에 위반한 행위를 한 때에는 손해를 배상할 책임
이 있으므로(제399조) 이사의 소극적 의무로서 법령준수의무를 부담한다. 이사는
자신이 법령을 준수하는 것은 물론이고 다른 임직원의 법령준수도 확보할 의무
가 있다.[69] 이사가 법령에 위반한 행위는 이사로서 임무를 수행함에 있어서 준
수하여야 할 의무를 개별적으로 규정하고 있는 상법 등의 제 규정과 회사가 기
업활동을 함에 있어서 준수하여야 할 제 규정을 위반한 경우가 이에 해당된다고
할 것이고, 이사가 임무를 수행함에 있어서 위와 같은 법령에 위반한 행위를 한
때에는 그 행위 자체가 회사에 대하여 채무불이행에 해당되므로 이로 인하여 회
사에 손해가 발생한 이상, 특별한 사정이 없는 한 손해배상책임을 면할 수는 없
다.[70]

7) 경영판단의 원칙

선관의무는 추상적인 내용으로 되어있기 때문에 실제로 이사가 직무를 수행
함에 있어서 무엇을 어떻게 해야 의무를 이행한 것이 되는지 지침이나 기준을
제공하기 어렵다. 따라서 선관의무의 추상적인 내용과 선관의무 위반여부의 심
사에 필요한 더 명백한 기준을 보다 구체화할 필요가 있으며, 이를 위하여 마련
된 것이 경영판단의 원칙이다. 경영판단의 원칙(business judgment rule)이란 회
사의 이사나 임원이 경영적인 판단에 따라 임무를 수행한 경우 비록 그 판단이
후일 잘못된 것으로 밝혀지고 결과적으로 회사에 손해를 가져오게 되었다고 하
더라도, 그 판단이 어느 정도 성실하고 합리적으로 또 그 권한 내에서 이루어졌
다고 할 만한 일정한 조건이 충족된 때에는, 법원은 그 경영적인 판단의 당부에
대하여 사후적으로 개입하여 이사의 성실의무위반에 대한 책임을 따지지 않는다
는 법리이다. 경영판단의 원칙은 추상적인 선관의무를 구체화 한 것으로,[71] 경

---

68) 이철송, 전게서, 758면.
69) 김건식·노혁준·천경훈, 전게서, 427~428면.
70) 대법원 2005.10.28. 2003다69638; 2006.7.6. 2004다8272.

영판단의 원칙의 요건을 충족하면 선관주의의무를 다한 것으로 본다.[72) 따라서 이사의 회사에 대한 손해배상책임은 경영판단의 원칙에 의하여 제한될 수 있다.

우리 법원의 태도는 경영판단의 원칙을 전면적으로 도입하였다기보다는 이사의 선관의무 이행여부를 판단함에 있어 영미법상의 경영판단의 원칙의 법리를 일부 원용하여 언급하고 있다고 할 수 있다.[73) 대법원은 "금융기관의 이사가 대출 관련 임무를 수행함에 있어 필요한 정보를 충분히 수집·조사하고 검토하는 절차를 거친 다음 이를 근거로 금융기관의 최대이익에 부합한다고 합리적으로 신뢰하고 신의성실에 따라 경영상의 판단을 내렸고, 그 내용이 현저히 불합리하지 아니하여 이사로서 통상 선택할 수 있는 범위 안에 있는 것이라면, 비록 사후에 회사가 손해를 입게 되는 결과가 발생하였다고 하더라도 그로 인하여 이사가 회사에 대하여 손해배상책임을 부담한다고 할 수 없지만, 금융기관의 이사가 이러한 과정을 거쳐 임무를 수행한 것이 아니라 단순히 회사의 영업에 이익이 될 것이라는 일반적·추상적인 기대하에 일방적으로 임무를 수행하여 회사에 손해를 입게 한 경우에는 필요한 정보를 충분히 수집·조사하고 검토하는 절차를 거친 다음 이를 근거로 회사의 최대이익에 부합한다고 합리적으로 신뢰하고 신의성실에 따라 경영상의 판단을 내린 것이라고 볼 수 없으므로, 그와 같은 이사의 행위는 허용되는 경영판단의 재량범위 내에 있는 것이라고 할 수 없다."고 판시하여 회사에 손해가 있더라도 선관의무를 다하여 경영판단을 한 경우에는 손해배상책임을 부담하지 않는다고 하였고,[74) "금융기관이 그 임원을 상대로 대출과 관련된 임무 해태를 내세워 채무불이행으로 인한 손해배상책임을 물음에 있어서는 임원이 한 대출이 결과적으로 회수곤란 또는 회수불능으로 되었다고 하더라도 그것만으로 바로 대출결정을 내린 임원에게 그러한 미회수금 손해 등의 결과가 전혀 발생하지 않도록 하여야 할 책임을 물어 그러한 대출결정을 내린 임원의 판단이 선량한 관리자로서의 주의의무 내지 충실의무를 위반한 것이라고 단정할 수 없고, 대출과 관련된 경영판단을 함에 있어서 통상의 합리적인 금융기관 임원으로서 그 상황에서 합당한 정보를 가지고 적합한 절차에 따라 회

---

71) 장덕조, 전게서, 356면.
72) 장덕조, 전게서, 357면; 송옥렬, 전게서, 1044면.
73) 최준선, 전게서, 594면; 강희주, 전게논문, 399~400면.
74) 대법원 2008.7.10. 2006다39935. 동지: 대법원 2007.10.11. 2006다33333; 2007.7.26. 2006다33609.

사의 최대이익을 위하여 신의성실에 따라 대출심사를 한 것이라면 그 의사결정
과정에 현저한 불합리가 없는 한 그 임원의 경영판단은 허용되는 재량의 범위
내의 것으로서 회사에 대한 선량한 관리자의 주의의무 내지 충실의무를 다한 것
으로 볼 것이며, …"라 판시하여 경영판단의 원칙의 요건을 충족하면 선관의무
를 다한 것으로 보았다.[75]

최근의 신세계 주주대표소송사건에서는 회사의 사업기회와 관련하여 "이사회
가 그에 관하여 충분한 정보를 수집·분석하고 정당한 절차를 거쳐 회사의 이
익을 위하여 의사를 결정함으로써 그러한 사업기회를 포기하거나 어느 이사가
그것을 이용할 수 있도록 승인하였다면 그 의사결정과정에 현저한 불합리가 없
는 한 그와 같이 결의한 이사들의 경영판단은 존중되어야 할 것이므로, 이 경우
에는 어느 이사가 그러한 사업기회를 이용하게 되었더라도 그 이사나 이사회의
승인 결의에 참여한 이사들이 이사로서 선량한 관리자의 주의의무 또는 충실의
무를 위반하였다고 할 수 없다."고 판시하여 의사결정과정에서 불합리가 없는
한은 경영판단을 존중하여 선관의무를 다한 것으로 보았다.[76]

8) 선관의무위반의 효과

이사 등이 그 직무를 수행함에 있어서 선관의무를 위반한 경우, 즉 이사 등
이 고의 또는 과실로 법령 또는 정관에 위반한 행위를 하거나 그 임무를 게을
리 한 경우에는 그 이사 등은 회사에 대하여 손해배상책임을 지며(제399조), 고
의 또는 중과실로 그 임무를 게을리 한 때에는 제3자에 대하여도 손해배상책임
을 진다(제401조).

이사의 선관의무 위반행위가 이사회 또는 주주총회의 결의에 따른 행위라 하
더라도 손해배상책임이 당연히 면제되는 것은 아니다. 대법원도 "대표이사는 이
사회 또는 주주총회의 결의가 있더라도 그 결의내용이 회사 채권자를 해하는 불
법한 목적이 있는 경우에는 이에 맹종할 것이 아니라 회사를 위하여 성실한 직
무수행을 할 의무가 있으므로 대표이사가 임무에 배임하는 행위를 함으로써 주
주 또는 회사채권자에게 손해가 될 행위를 하였다면 그 회사의 이사회 또는 주
주총회의 결의가 있었다고 하여 그 배임행위가 정당화 될 수는 없다."라고 판시

---

75) 대법원 2002.6.14. 2001다52407.
76) 대법원 2013.9.12. 2011다57869.

하였다.[77)]

9) 의무위반에 따른 손해배상의 범위

회사에 대한 손해배상의 범위에 관하여 대법원은 "금융기관의 임직원이 채무자에 대한 신용조사, 담보물에 대한 외부감정의 절차를 거치지 않는 등 여신업무에 관한 규정을 위반하여 자금을 대출하면서 충분한 담보를 확보하지 아니함으로써 그 임무를 게을리 하여 금융기관이 대출금을 회수하지 못하는 손해를 입은 경우에, 그 임직원은 그 대출로 인하여 금융기관이 입은 손해를 배상할 책임이 있다. 이때 금융기관이 입은 통상의 손해는 위 임직원이 규정을 준수하여 적정한 담보를 취득하였더라면 회수할 수 있었을 미회수 대출원리금이다. 한편, 이러한 경우 대출로 인해 임직원이 금융기관에 부담하는 손해배상채무와 대출금채무자가 금융기관에 부담하는 대출금채무는 서로 동일한 내용의 급부에 대하여 각자 독립하여 전부를 급부할 의무를 부담하는 부진정연대의 관계에 있다"고 판시하였다.[78)]

뇌물공여 등으로 법령위반의 경우에 대해서는 "회사가 기업활동을 함에 있어서 형법상의 범죄를 수단으로 하여서는 안 되므로 뇌물 공여를 금지하는 형법규정은 회사가 기업활동을 함에 있어서 준수하여야 할 것으로서 이사가 회사의 업무를 집행하면서 회사의 자금으로서 뇌물을 공여하였다면 이는 상법 제399조에서 규정하고 있는 법령에 위반된 행위에 해당된다고 할 것이고 이로 인하여 회사가 입은 뇌물액 상당의 손해를 배상할 책임이 있다."고 판시하였다.[79)]

채무불이행으로 인한 손해배상채무는 특별한 사정이 없는 한 이행기한의 정함이 없는 채무이므로 채무자는 채권자로부터 이행청구를 받은 때부터 지체책임을 진다. 상법 제399조 제1항에 따라 주식회사의 이사가 회사에 대한 임무를 게을리 하여 발생한 손해배상책임은 위임관계로 인한 채무불이행책임이다. 따라서 주식회사의 이사가 회사에 대하여 위 조항에 따라 손해배상채무를 부담하는 경우 특별한 사정이 없는 한 이행청구를 받은 때부터 지체책임을 진다.[80)]

---

77) 대법원 1989.10.13. 89도1012. 동지: 대법원 2005.10.28. 2005도4915; 2000.5.26. 99도2781.
78) 대법원 2019.1.17. 2016다236131.
79) 대법원 2005.10.28. 2003다69638.
80) 대법원 2021.5.7. 2018다275888.

다. 이사의 감시의무

1) 감시의무의 의의

이사는 업무집행에 있어서 선관의무를 다하여야 할 뿐만 아니라 이사회의 구성원으로서 대표이사나 다른 이사의 직무위반행위를 방지하기 위하여 그들의 업무집행을 전반적으로 감시해야 할 의무를 부담한다. 이러한 이사의 감시의무 (duty to monitor; duty of oversight)에 관하여는 상법상 적극적인 명문규정은 없으나, 통설과 판례[81]는 일반적으로 이사가 감시의무를 부담한다는 점에 대하여는 일치하여 인정하고 있으며,[82] 점차 강화되어 가고 있는 추세이다.[83]

이사는 담당업무는 물론이고 다른 업무담당이사의 업무집행을 전반적으로 감시할 의무가 있으므로, 이사가 다른 업무담당이사의 업무집행이 위법하다고 의심할만한 사유가 있음에도 불구하고 이를 방치하여 그로 인하여 회사에 손해가 발생하였을 때에는 이사는 회사에 대하여 손해배상책임을 부담한다.[84]

이사의 감시의무는 대등한 이사들 상호 간에 있어서 서로의 위법·부당함을 발견하여 감독·감사기관에 그 시정을 호소하는 수단이다. 예컨대 그 문제를 다루기 위해 이사회를 소집(또는 소집요구)하여 감독권을 발휘하게 하거나, 감사에게 제보하여 감사권을 발동하게 하거나, 주주총회에 보고하는 것과 같다.[85] 이같이 이사의 감시의무의 행사는 그 대상이 되는 다른 이사에 대해 어떤 작위 혹은 부작위를 명하거나 제재를 가하는 것이 아니므로, 그들 상호 간에 어떤 직접적인 권한·의무의 관계가 발생하는 것은 아니다.

이사의 감시의무는 이사가 이사회의 구성원으로서 이사의 직무위반행위를 방지하기 위하여 개별 이사에게 인정되는 다른 이사의 업무집행에 대한 감독의무를 말하므로 이사회의 이사직무집행에 대한 감독권과는 구별하여야 한다. 이사

---

81) 대법원 2011.4.14. 2008다14633; 2008.12.11. 2005다51471; 2007.12.13. 2007다60080; 2007. 9.20. 2007다25865; 2004.12.10. 2002다60467, 60474; 2002.5.24. 2002다8131; 1985.6.25. 84다카1954.

82) 감시의무에 관한 국내판례 전체를 개괄한 문헌으로는 김태진, "이사의 감시의무에 대한 판례의 고찰,"「상사법연구」제29권 제1호(한국상사법학회, 2010), 111면 이하 참조.

83) 감시의무의 강화경향에 대해서는 성승제, 전게논문, 139면 이하 참조.

84) 대법원 2007.12.13. 2007다60080; 2007.9.20. 2007다25865; 2004.12.10. 2002다60467, 60474.

85) 이철송, 전게서, 751면; 임재연, 전게서, 454면.

회의 이사직무집행에 대한 감독권(제393조 제2항)은 이사가 이사회의 구성원으로서 이사회의 결의로써 하는 것으로 궁극적인 업무집행기관인 이사회의 자기시정의 방법으로써 각 이사의 업무집행에 대한 지휘까지 포함하는 권한이고, 감사의 감사권은 이사·이사회를 포함한 집행기구 전체에 대해 제3자적 지위에서 업무를 조사하는 권한이다. 따라서 이사회의 감독권과 감사의 감사권은 그 대상이 되는 이사 또는 이사회에 대해 직접 행사하는 것이며, 이들은 감독권과 감사권의 행사에 수인·승복할 법적 의무를 부담한다.[86]

2) 감시의무의 근거

이사의 감시의무의 근거에 대하여는 이사의 선관의무에 따른 구체적인 의무의 하나로 보는 견해,[87] 이사회는 업무집행의 감독기관이므로 그 구성원인 이사는 (대표)이사의 업무집행을 감독할 감시의무가 있으며 이러한 감시의무의 수행을 위하여 선관의무를 부담한다고 보는 견해,[88] 대표이사의 직무행위를 감독할 권한이 있는(제393조 제2항) 이사회의 구성원으로서 선관의무를 가지므로 당연히 인정되는 의무라는 견해,[89] 회사의 수임인이자 업무집행의 감독기관인 이사회의 구성원으로서의 이사가 그 직무를 적정하게 수행함에 있어서 요구되는 선관의무를 다하기 위하여 필요한 것으로서 선관의무를 구성하는 일부분이라는 견해, 이사회의 업무감독기능을 확보하기 위하여 다른 이사를 선량한 관리자의 주의로써 감시할 의무로 보는 견해[90] 등이 있으며, 일반적으로 이사회의 구성원으로서 그리고 선관의무의 하나로서 이사의 감시의무를 인정하고 있다. 이에 대해 이사회가 대표이사 또는 집행임원을 비롯한 집행조직에 결의사항의 집행을 위임하므로, 이사회의 감독 및 개별이사의 감시의무가 중요하다하여 회사내 업무집행에 관한 분업관계에서 실질적인 근거는 찾는 견해도 있다.[91]

또한 이사의 감시의무의 실정법상 근거를 이사회의 이사에 대한 직무집행감독권(제393조 제2항)[92]과 이사의 대표이사에 대한 이사·피용자의 업무에 관한

---

86) 이철송, 전게서, 751면.
87) 정동윤, 전게서, 602~603면; 이철송, 전게서, 751면.
88) 최기원, 전게서, 656면; 장덕조, 전게서, 358면.
89) 최준선, 전게서, 553면.
90) 이기수·최병규·조지현, 「회사법」 제8판(박영사, 2009), 370면.
91) 김건식, "이사의 감시의무와 내부통제," 「상사판례연구」 제Ⅶ권(박영사, 2007. 5.), 82~83면.
92) 특히 이사의 대표이사에 대한 이사·피용자의 업무에 관한 이사회 보고요구권(제393조 제3

이사회 보고요구권(제393조 제3항)에서 찾고 있다.[93] 이사회는 업무집행의 감독
기관으로서 이사 또는 집행임원의 직무집행을 감독하므로(제393조 제2항, 제408
조의2 제3항 제2호), 이사회의 구성원인 이사는 감독권한자인 이사회가 그 감독
권을 적정하게 행사할 수 있도록 다른 이사 또는 집행임원의 직무집행을 감시할
의무가 있다. 또한 이사는 대표이사 또는 대표집행임원으로 하여금 다른 이사·
집행임원 또는 피용자의 업무에 관하여 이사회에 보고할 것을 요구할 수 있으므
로(제393조 제3항, 제408조의6 제3항) 그 보고사항에 대한 적정한 판단을 위해서
도 다른 이사 또는 집행임원의 직무집행을 감시할 의무가 있다. 따라서 대표이
사, 공동대표이사, 업무담당이사는 서로 감시할 의무를 부담한다.

3) 감시의무의 성격

이사의 감시의무가 선관의무에 해당하는지 충실의무에 해당하는지에 대하여
대법원은 "이사는 담당업무는 물론 다른 업무담당이사의 업무집행을 전반적으로
감시할 의무가 있으므로, 주식회사의 이사가 다른 업무담당이사의 업무집행이
위법하다고 의심할 만한 사유가 있음에도 불구하고 이를 방치한 때에는 이사에
게 요구되는 선관주의의무 내지 감시의무를 해태한 것이므로 이로 말미암아 회
사가 입은 손해에 대하여 배상책임을 면할 수 없다"고 판시하여 감시의무가 선
관의무의 구체적 형태임을 나타내고 있다.[94]

4) 감시의무의 주체

감시의무는 대표이사[95]와 직접 회사의 업무집행을 담당하는 업무담당이사
뿐만 아니라 업무집행을 담당하지 않고 이사회의 구성원으로서만 활동하는 평이

항)이 신설되기 이전에는 이사회의 이사에 대한 직무집행감독권(제393조 제2항)이 이사의
감시의무를 포함하는 개념으로 이해되어 왔다.
93) 이철송, 전게서, 751면; 송옥렬, 전게서, 1051면.
94) 대법원 2007.9.21. 2005다34797; 2007.9.20. 2007다25865; 2006.7.6. 2004다8272; 2004.
12.10. 2002다60467, 60474.
95) 대표이사는 회사의 영역에 관하여 재판상·재판 외의 모든 행위를 할 권한이 있으므로(상법
제389조 제3항, 제209조 제1항 참조) 모든 직원의 직무집행을 감시할 의무를 부담하는 한
편, 이사회의 구성원으로서 다른 대표이사를 비롯한 업무담당이사의 전반적인 업무집행을
감시할 권한과 책임도 있어, 다른 대표이사나 업무담당이사의 업무집행이 위법하다고 의심
할 만한 사유가 있음에도 불구하고 감시의무를 위반하여 이를 방치한 때에는 이로 말미암아
회사가 입은 손해에 대하여 배상책임을 면할 수 없다(대법원 2009.12.10. 2007다58285. 동
지: 대법원 2008.9.11. 2006다68834; 2008.9.11. 2006다68636; 2004.12.10. 2002다60467,
60474).

사(사외이사 또는 비상근이사)도 부담한다는 것이 판례의 태도이다.[96][97][98] 명목상의 이사에게도 감시의무가 인정되며,[99][100] 이사직무대행자에 대해서도 인정된다.

대법원은 대명모방 사건[101]에서 "주식회사의 업무집행을 담당하지 아니한 평

---

96) 주식회사의 이사는 선량한 관리자의 주의로써 대표이사 및 다른 이사들의 업무집행을 전반적으로 감시할 권한과 책임이 있고, 주식회사의 이사회는 중요한 자산의 처분 및 양도, 대규모 재산의 차입 등 회사의 업무집행사항에 관한 일체의 결정권을 갖는 한편, 이사의 직무집행을 감독할 권한이 있다. 따라서 이사는 이사회의 일원으로서 이사회에 상정된 안건에 관해 찬부의 의사표시를 하는 데 그치지 않고, 이사회 참석 및 이사회에서의 의결권 행사를 통해 대표이사 및 다른 이사들의 업무집행을 감시·감독할 의무가 있다. 이러한 의무는 사외이사라거나 비상근이사라고 하여 달리 볼 것이 아니다(대법원 2019.11.28. 2017다244115).

97) 주식회사의 업무집행을 담당하지 아니한 평이사는 이사회의 일원으로서 이사회를 통하여 대표이사를 비롯한 업무담당이사의 업무집행을 감시하는 것이 통상적이긴 하나 평이사의 임무는 단지 이사회에 상정된 의안에 대하여 찬부의 의사표시를 하는데에 그치지 않으며 대표이사를 비롯한 업무담당이사의 전반적인 업무집행을 감시할 수 있는 것이므로, 업무담당 이사의 업무집행이 위법하다고 의심할만한 사유가 있음에도 불구하고 평이사가 감시의무를 위반하여 이를 방치한 때에는 이로 말미암아 회사가 입은 손해에 대하여 배상책임을 면할 수 없다(대법원 1985.6.25. 84다카1954).

98) 자본금 총액이 10억원 미만으로서 이사가 1명인 경우에는 문제가 되지 않고, 2명인 소규모 주식회사의 경우에는 각 이사(정관에 따라 대표이사를 정한 경우에는 그 대표이사)는 다른 이사의 업무집행에 대한 감시의무가 있다. 즉, 이사가 2명이면서 각 이사가 회사의 업무를 집행하고 회사를 대표하는 경우에는 각 이사가 다른 이사의 업무집행에 대한 감시의무를 부담하고, 정관에 따라 대표이사를 정하고 그 대표이사만이 회사의 업무를 집행하고 회사를 대표하는 경우에는 다른 이사가 대표이사에 대한 감시의무를 부담한다고 본다: 정찬형, 전게서, 1069면.

99) 대법원 2019.11.28. 2017다244115.

100) 평이사의 감시의무는 … 회사의 내부적 사정 내지 경위에 의해 소위 사외중역으로서 명목적으로 취임한 이사에 대하여도 마찬가지라고 해석하는 것이 상당하다(日最判 1980.3.18. 判時 第971号 101面).

101) 소외 대명모방㈜은 毛 또는 半製毛의 혼방사의 가공위탁을 받아 가공하여 위탁자에게 반출하는 회사로서, 이사들 중 일부가 경영하는 회사 및 일부 이사들 개인으로부터 혼방비율 50% 이하의 混紡系의 가공위탁을 받아 가공하여 납품하였는데 구물품세법과 구직물류세법의 소정절차에 따라 신고해야 함에도 그 중 일부만 스스로 제조한 것으로 신고하고 그 잔여분은 신고하지 아니하여 회사가 탈세혐의로 조사를 받고 물품세 및 직물류세가 추징 과세되었다. 그런데 이 세금은 대명모방㈜이 타인의 위탁을 받아 제조하였으므로 과세되지 아니할 것이나 위탁 제조한 사실을 신고하지 아니하였으므로 자가제조로 간주되어 과세된 것이다. 그래서 대명모방㈜의 채권자인 은행이 대명모방㈜를 대위하여 대명모방㈜의 이사·감사 전원에 대하여 손해배상을 청구하였다.
　이 사건에 대한 평석으로는 강위두, "감사의 회사에 대한 손해배상책임의 법적 성질과 그 면제,"「법률신문」제2599호(법률신문사, 1997. 5.), 14~15면; 강희갑, "평이사의 감시의무,"「판례월보」제216호(판례월보사, 1988. 9.), 58~68면; 강위두, "평이사·감사의 회사에 대한 책임의 범위,"「상사판례연구」제2집(한국상사판례학회, 1988. 6.), 134~136면; 양승규, "이사의 감독의무위반과 회사에 대한 책임,"「서울대 법학」제26권 제4호(서울대학교 법학연구소, 1985. 12.), 187~196면; 이철송, "평이사의 감시의무와 손해배상책임,"「법

이사는 이사회의 일원으로서 이사회를 통하여 대표이사를 비롯한 업무담당이사의 업무집행을 감시하는 것이 통상적이긴 하나 평이사의 임무는 단지 이사회에 상정된 의안에 대하여 찬부의 의사표시를 하는 데에 그치지 않으며 대표이사를 비롯한 업무담당이사의 전반적인 업무집행을 감시할 수 있는 것이므로, 업무담당이사의 업무집행이 위법하다고 의심할 만한 사유가 있었음에도 불구하고 평이사가 감시의무를 위반하여 방치할 때에는 회사에 대하여 손해배상 책임이 있다"고 판시하여 평이사의 감시의무를 인정하였다.[102] 이 판결은 이사의 감시의무를 인정한 최초의 판례로, 평이사의 감시의무위반의 책임을 물을 수 있는 요건으로 평이사가 대표이사나 업무담당이사가 행한 위법행위를 의심할 만한 사유가 있고, 이를 잘 알 수 있었음에도 불구하고 해태한 경우 등을 제시하였고, 직접 업무를 담당하지 않는 평이사라 할지라도 간접적으로 그 업무에 관여되어 있었던 점을 들어 "다른 업무담당이사의 업무집행이 위법하다고 의심할만한 사유"가 있다고 보았다.[103]

감시의무도 선관의무의 한 형태이므로 선관의무와 마찬가지로 기업의 종류와 규모, 종업원의 수, 각 이사의 직무에 따라 그 내용이 달라지므로 이사의 권한이 확대되면 감시의무도 그만큼 강화된다. 따라서 이사에게 그 직무에 따라 요구되는 감시의무는 회사의 종류나 규모, 그가 재직하는 업종, 담당하는 구체적인 업무분야, 거래영역, 행위당시의 회사의 상황, 회사의 지배구조 및 내부통제시스템, 재정상태, 법령상 규제의 정도, 개개인의 능력과 경력, 근무 여건 등에 따라 다를 수 있다.

가) 대표이사의 감시의무

대표이사(집행임원설치회사의 경우는 '대표집행임원')는 회사의 영업에 관하여 재판상 또는 재판 외의 모든 행위를 할 권한이 있으므로(제389조 제3항, 제209조 제1항) 대내적으로 업무집행권을 가지며, 업무집행권의 성질상 이사회에 상정된 사항뿐만 아니라 이사회에 상정되지 아니한 사항에 관해서도 이사(집행임원설치회사의 경우는 '집행임원')를 포함한 모든 직원의 업무집행을 감시·감독할 의무를

조」 제34권 제11호(법조협회, 1985. 11.) 등이 있다.
102) 대법원 1985.6.25. 84다카1954.
103) 김태선, "이사의 감시의무,"「기업지배구조연구」제31호 여름(좋은기업지배구조연구소, 2009), 110면.

부담한다.104) 명목상의 대표이사의 경우라도 감시의무를 면할 수는 없다.105) 감시의무의 범위에 특별한 제한은 없으며, 일본의 판례는 후쿠오카어시장(福岡魚市場) 주주대표소송사건에서 모회사의 이사에게 자회사에 대한 감시의무(관리책임)가 있다고 하였다.106)

또한 이사회의 구성원으로서 다른 대표이사107)를 비롯한 업무담당이사의 전반적인 업무집행을 감시할 권한과 책임이 인정된다.108) 공동대표이사(집행임원설치회사의 경우는 '공동대표집행임원')의 경우에도 다른 공동대표이사(집행임원설치회사의 경우는 '대표집행임원')의 업무집행에 대한 감시의무(각 대표이사간의 상호감시의무)가 있다.109)110)

수인의 대표이사와 이사들 간에 업무를 분장하더라도 다른 이사에 대한 감시의무가 감소되는 것은 아니다. 오히려 업무를 분장하면 상호 효율적인 감시체계를 구축하여 상시 작동하여야 하고, 이를 게을리하여 다른 이사의 위법한 업무집행을 알지 못한 경우에는 감시의무를 소홀히 하였다는 비난을 면할 수 없다.111)

대법원도 ㈜대우 분식회계사건112)에서 "대표이사는 이사회의 구성원으로서

---

104) 대법원 2009.12.10. 2007다58285; 2008.9.11. 2006다68834; 2008.9.11. 2006다68636; 2004.12.10. 2002다60467, 60474.
105) 대법원 2008.9.11. 2006다68636.
106) 日最判 2014.1.30. 金判 第1435号, 10面.
107) 주식회사의 대표이사는 대외적으로 회사를 대표하고 대내적으로 업무집행을 총괄하여 지휘하는 직무와 권한을 갖는 기관으로서 선량한 관리자의 주의로써 회사를 위해 충실하게 그 직무를 집행하고 회사업무의 전반에 걸쳐 관심을 기울여야 할 의무가 있으므로 다른 대표이사와 내부적인 사무분장에 따라 각자의 분야를 전담하여 처리하는 경우 다른 대표이사가 담당하는 업무집행에 대해서도 전반적으로 감시할 의무가 있는바, 다른 대표이사의 업무집행이 위법하다고 의심할만한 사유가 있음에도 불구하고 이를 방치한 때에는 이로 말미암아 손해를 입은 제3자에 대하여 손해배상책임을 부담한다(대법원 2012.7.12. 2009다61490).
108) 대법원 2008.9.11. 2006다68636.
109) 대법원 2008.9.11. 2006다68636.
110) 日最判 1969.11.26. 民集 第23巻 第11号, 2150面.
111) 이철송, 전게서, 752면.
112) ㈜대우는 재무구조 및 경영성과가 부실하여 대외신인도 추락, 자금차입의 조건 악화 또는 자금차입의 중단 위험에 직면하자 1997회계연도 재무제표를 작성함에 있어 자산과 부채를 허위로 감소시키고 자본 및 당기순이익을 허위로 증가시키는 분식결산을 통해 부채비율을 낮추는 등으로 재무제표를 허위로 작성하였다. 원고가 ㈜대우가 발행하는 회사채를 매입할 무렵, 신용평가기관들은 분식결산된 재무제표와 외부감사인의 감사보고서를 기초로 회사채의 신용등급을 높게 평가하고 있었으며, 원고(회사채를 매입하였다가 이를 변제받지 못한 금융기관)도 재무제표를 기초로 ㈜대우에 대한 신용평가를 하였다. 결국 외환위기 이후 자금조달에 어려움을 겪던 ㈜대우의 유동성 부족이 심각해지자 ㈜대우에 대한 기업개선작업이 실시되었고 이를 위해 자산실사가 이루어지면서 자산부족과 분식회계사실이 밝혀지게

다른 대표이사를 비롯한 업무담당이사의 전반적인 업무집행을 감시할 권한과 책임이 있으므로, 다른 대표이사나 업무담당이사의 업무집행이 위법하다고 의심할 만한 사유가 있음에도 악의 또는 중대한 과실로 인하여 감시의무를 위반하여 이를 방치한 때에는 그로 말미암아 제3자가 입은 손해에 대하여 배상책임을 면할 수 없다. 이러한 감시의무의 구체적인 내용은 회사의 규모나 조직, 업종, 법령의 규제, 영업상황 및 재무상태에 따라 크게 다를 수 있는바, 고도로 분업화되고 전문화된 대규모의 회사에서 공동대표이사와 업무담당이사들이 내부적인 사무분장에 따라 각자의 전문 분야를 전담하여 처리하는 것이 불가피한 경우라 할지라도 그러한 사정만으로 다른 이사들의 업무집행에 관한 감시의무를 면할 수는 없고, 그러한 경우 무엇보다 합리적인 정보 및 보고시스템과 내부통제시스템을 구축하고 그것이 제대로 작동하도록 배려할 의무가 이사회를 구성하는 개개의 이사들에게 주어진다는 점에 비추어 볼 때, 그러한 노력을 전혀 하지 아니하거나, 위와 같은 시스템이 구축되었다 하더라도 이를 이용한 회사 운영의 감시·감독을 의도적으로 외면한 결과 다른 이사의 위법하거나 부적절한 업무집행 등 이사들의 주의를 요하는 위험이나 문제점을 알지 못한 경우라면, 다른 이사의 위법하거나 부적절한 업무집행을 구체적으로 알지 못하였다는 이유만으로 책임을 면할 수는 없고, 위와 같은 지속적이거나 조직적인 감시 소홀의 결과로 발생한 다른 이사나 직원의 위법한 업무집행으로 인한 손해를 배상할 책임이 있다."라 판시하여 공동대표이사의 다른 대표이사에 대한 감시의무를 인정하였고 내부통제시스템이 구축되었다 하더라도 감시의무를 면할 수 없다고 하였다.[113]

또한 동방페레그린증권사건[114]에서 대법원은 "대표이사로서 대외적으로는 회

되었다. 원고는 ㈜대우의 대표이사, 이사, 감사 등이 허위로 작성한 재무제표에 영향을 받은 신용등급을 기초로 위 회사채를 매입하였다가 손해를 입게 되었다며 손해배상을 구하는 소를 제기하였다.

이 사건에 대한 평석으로는 최동렬, "이사의 감시의무위반으로 인한 상법 제401조에 의한 책임 및 감사의 상법 제414조에 의한 책임의 인정기준," 「대법원판례해설」 제77호(법원도서관, 2009. 7.), 99~144면; 김태선, 전게논문, 107~112면; 김정호, "미국 회사법상 이사의 감시의무," 「경영법률」 제20집 제1호(한국경영법률학회, 2009), 273~310면; 도두형, "주식회사 감사의 주의의무의 정도," 「판례연구」 제23집(1)(서울지방변호사회, 2009. 9.), 91~104면; 채동헌, "다른 이사의 업무집행으로 인한 대표이사의 제3자에 대한 손해배상책임 여부," 「상장」 2008년 12월호(한국상장회사협의회, 2008), 166~180면; 정대, "주식회사 이사의 내부통제의무에 관한 연구," 「상사판례연구」 제21집 제4권(한국상사판례학회, 2008. 12.), 169~202면 등이 있다.

113) 대법원 2008.9.11. 2006다68636.

사를 대표하고 대내적으로는 업무 전반의 집행을 담당하는 직무권한을 가지고 있는 만큼, 회사업무의 전반을 총괄하여 다른 이사의 직무집행을 감시·감독하여야 할 지위에 있고, 더욱이 부사장은 … 정식이사로 선임되기 이전부터 사실상 부사장으로서의 직무를 수행하면서 영업과 관련된 업무 전반을 독자적으로 처리하여 왔으므로 그의 직무집행과 관련하여서는 보다 면밀한 감시·감독이 요구되는 상황이었다고 할 것임에도 불구하고, 부사장이 무려 180억 원에 이르는 CP를 매입함에 이르렀음에도 이를 제대로 감시·감독하지 못한 채 방치한 것은 대표이사에게 요구되는 선관주의의무 내지 감시의무 등을 해태한 것으로 봄이 상당하다."고 판시하여 대표이사의 감시의무위반에 따른 손해배상책임을 인정하였다.[115] 그러나 이 판례에 대하여는 '의심할 만한 사유'기준의 한계를 보여주는 사례이고,[116] 소극적 부작위가 문제가 된 사안이 아니므로 "선관주의의무 내지 감시의무"라고 병렬적으로 표현한 것은 문제가 있다는 비판[117]이 있다.

나) 업무담당이사의 감시의무

업무담당이사의 경우에는 대표권이 없다고 하더라도 그 직무의 성격상 회사의 업무집행을 전혀 담당하지 아니하는 평이사·사외이사 등에 비하여 보다 높은 주의의무를 부담하여야 하므로 대표이사의 감시의무와 마찬가지로 다른 이사(대표이사를 포함) 전체에 대한 감시의무를 부담한다.[118] 결국 대표이사의 감시의무와 업무담당이사의 감시의무는 차이가 없다.

업무담당이사의 감시의무는 이사회의 구성원의 지위에서 유래하는 의무이므로 평이사의 감시의무와 동일하며 업무담당이사 간에는 회사의 내부직제 상 지휘명령관계에 있는 경우에는 상위의 지위에 있는 업무담당이사는 평이사에 비하여 책임이 가중될 것이라는 견해도 있으나,[119] 회사의 직제에 의해 업무를 담당

---

114) 동방페레그린증권은 대표이사가 B건설사 발행의 무보증 CP를 단독으로 결정하여 매입하였다가 B건설사의 부도로 120억원의 손해를 입었고, 지배주주의 지시로 C사의 주식을 파이낸스에 매도하였다가 재매입하는 과정에서 153억여원의 손해를 입었으며, 코스닥 미등록 주식을 매입하여 82억여원의 손해를 입었다. 이에 동방페레그린증권의 파산관재인인 예금보험공사는 이에 대한 책임을 물어 당시 대표이사와 자금담당 상무이사를 상대로 손해배상을 청구하였다.
115) 대법원 2004.12.10. 2002다60467, 60474.
116) 김건식, 전게 "이사의 감시의무와 내부통제," 87면.
117) 김태진, 전게논문, 117면.
118) 정찬형, 전게서, 1067면; 이철송, 전게서, 752면.
119) 우홍구, "이사의 감시의무,"「일감법학」제4권(건국대학교 법학연구소, 1999), 35면.

하는 이사들은 다른 이사를 감시할 기회가 보다 많이 주어지기 때문에[120] 일정한 업무분장 하에 회사의 일상적인 업무를 집행하는 업무담당이사는 평이사에 비하여 높은 정도의 감시의무를 부담한다.

대법원도 "이사의 임무는 단지 이사회에 상정된 의안에 대하여 찬부의 의사표시를 하는 데에 그치지 않으며 대표이사를 비롯한 업무담당이사의 전반적인 업무집행을 감시할 수 있는 것이므로, 대표이사나 다른 업무담당이사의 업무집행이 위법하다고 의심할 만한 사유가 있음에도 악의 또는 중대한 과실로 인하여 감시의무를 위반하여 이를 방치한 때에는 이로 말미암아 제3자가 입은 손해에 대하여 배상책임을 면할 수 없으며, 일정한 업무분장 하에 회사의 일상적인 업무를 집행하는 업무집행이사는 회사의 업무집행을 전혀 담당하지 아니하는 평이사에 비하여 보다 높은 주의의무를 부담한다고 보아야 한다."라 판시하여 업무담당이사의 경우 평이사 등에 비하여 보다 높은 주의의무를 부담한다고 하였다.[121][122]

다) 평이사(사외이사)의 감시의무

(1) 평이사(사외이사)의 능동적·적극적 감시의무의 인정여부

이사의 감시의무에 있어 특히 문제가 되는 것은 대표권도 없고 업무도 담당하지 않는 평이사(사외이사 또는 비상근이사)에게 이사회에서 상정되지 아니한 회사의 업무에 대하여도 감시할 의무, 즉 능동적·적극적 감시의무를 인정할 수 있는지의 여부이다.

회사의 상무에 종사하지 않는 평이사는 이사회에 참석하여 법정결의사항에 관하여 의결권을 행사할 뿐 일상적인 업무집행에 관여하지는 않는다. 이사회에 상정된 안건에 대하여 평이사는 감시할 의무(수동적·소극적 감시의무)가 있다는 점은 당연히 인정된다(제393조 제2항). 그러나 이사회를 통하지 않은 개별적인 사항, 즉 회사의 업무전반에 관하여 다른 이사에 대하여 감시할 의무(능동적·적극적 감시의무)가 있는가에 대하여는 견해가 나뉜다.

(가) 부정설

부정설은 이사의 직무집행에 대한 감독(제393조 제2항) 및 이사의 의무위반에

---

120) 이철송, 전게서, 752면.
121) 대법원 2008.9.11. 2007다31518.
122) 이에 대하여 결론에 영향이 없는 방론으로 설시한 것이어서 판례의 입장으로 볼 수 없다는 견해가 있다: 송옥렬, 전게서, 1051면.

대한 책임(제399조 제2항)에 관한 상법의 규정을 엄격하게 해석하여, 이사의 임무해태가 이사회의 결의에 의한 경우에 그 결의에 찬성한 이사도 책임을 지는 것을 반대해석하면 이사회의 결의에 부의되지 않은 대표이사나 다른 이사들의 직무위반행위에 대해서까지 이사가 감시의무를 부담한다는 것은 무리라고 보는 견해이다. 따라서 평이사나 사외이사는 이사회를 통해서만 회사의 업무집행에 관여할 뿐이므로, 이사회에 상정된 사항 이외의 업무집행일반에 관해 감시의무를 부과할 수 없다는 것이다.

(나) 긍정설

긍정설(현재의 통설)[123]은 업무집행기관에 대한 궁극적인 감독기관이라 할 주주총회가 형식화되어 있고, 감사 역시 완벽한 감사를 하기 어려운 현실에서, 전문적이고 효율적인 감사기능은 역시 이사회의 감독에 의존할 수밖에 없으므로, 그 실효성을 담보하기 위해서는 평이사에게 일반적·능동적인 감시의무를 부여하여야 하며, 이사는 회사에 대하여 개인적으로 선관의무 및 충실의무를 부담하고 이사의 직무집행에 대한 이사회의 감독기능의 효율성을 높인다는 점 등에서 볼 때 감시의무를 인정하는 견해이다. 또한 부정설과 같이 평이사의 감시의무를 이사회에 상정된 사항에 국한시킨다면 이사회에 아무것도 상정되지 않는 한 평이사의 감시의무는 발생하지 않는다는 모순이 생길 것이며, 이사회는 회사의 모든 업무집행에 대하여 감독하는 기관이기 때문에 평이사의 감시의무를 부정하게 되면 이사회의 감독권이 형해화 되어 회사법이 회사의 업무에 관해 의사결정기관과 집행기관을 구분하여 결정기관이 집행기관을 감독하게 하는 입법취지가 몰각하게 되므로 이사회에 상정되지 않은 사항에 대하여도 감시의무를 지도록 하여 이사의 업무집행에 대한 이사회의 감독기능의 효율성을 높일 수 있을 것이라 한다. 따라서 평이사도 이사회의 구성원이라는 점, 각 이사도 이사회소집권(제390조 제1항 본문), 각종 소권(제328조, 제376조, 제429조, 제445조, 제595조) 등을 가지는 점, 이사의 감사에 대한 보고의무(제412조의2)가 있다는 점 또는 이사의 일반적인 선관의무 등을 근거로 평이사의 일반적·능동적 감시의무를 인정하고

---

123) 정찬형, 전게서, 1067~1068면; 최기원, 전게서, 656면; 정동윤, 전게서, 603면; 오성근, "비상근이사의 감시의무,"「기업법연구」제31권 제2호(한국기업법학회, 2017. 6.), 129면; 김재범, "평이사의 감시의무 위반과 주주총회의 동의,"「안암법학」제13호(안암법학회, 2001), 351~352면; 황영목, "이사의 감시의무," 회사법상의 제문제(상),「재판자료」제37집(1987. 12.), 644면; 이철송, 전게논문, 111면.

있다.

(다) 판 례

대법원은 "주식회사의 이사는 이사회의 일원으로서 이사회에 상정된 의안에 대하여 찬부의 의사표시를 하는 데에 그치지 않고, 담당업무는 물론 다른 업무 담당이사의 업무집행을 전반적으로 감시할 의무가 있으므로, 주식회사의 이사가 다른 업무담당이사의 업무집행이 위법하다고 의심할 만한 사유가 있음에도 불구하고 이를 방치한 때에는 이사에게 요구되는 선관주의의무 내지 감시의무를 해태한 것이므로 이로 말미암아 회사가 입은 손해에 대하여 배상책임을 면할 수 없다"고 판시하여 평이사의 능동적·적극적 감시의무를 인정하고 있다.[124]

나아가 조선생명사건에서는 이사회에 참석하지 않고 서면결의한 이사의 감시의무위반여부에 대하여 "주식회사의 이사는 이사회의 일원으로서 이사회에 상정된 의안에 대하여 찬부의 의사표시를 하는데 그치지 않고, 담당업무는 물론 다른 업무담당 이사의 업무집행을 전반적으로 감시할 의무가 있고 이러한 의무는 비상근 이사라고 하여 면할 수 있는 것은 아니므로 주식회사의 이사가 이사회에 참석하지도 않고 사후적으로 이사회의 결의를 추인하는 등으로 실질적으로 이사의 임무를 전혀 수행하지 않은 이상 그 자체로서 임무해태가 된다고 할 것이며, 임무해태에 따른 손해배상책임을 면할 수 없다."라고 판시하여 감시의무위반을 인정하였다.[125]

(2) 평이사(사외이사)의 능동적·적극적 감시의무의 범위

평이사에게 이사회에 상정되지 않은 사항에 관하여 감시의무(능동적·적극적 감시의무)가 있다 하더라도 구체적으로 어느 범위까지 인정할 것인가, 즉 평이사가 대표이사나 업무담당이사의 직무위반행위를 알게 된 경우에 한하여 감시의무를 부담하는지, 이에 그치지 않고 나아가 적극적으로 회사의 업무집행의 상황을 정확히 파악하여야 할 의무까지 부담하는지에 대하여 다시 견해가 나뉜다.

(가) 소극설

소극설은 평이사는 대표이사·대표집행임원이나 업무담당이사·집행임원과는

---

124) 대법원 2006.7.6. 2004다8272. 동지: 대법원 2016.8.18. 2016다200088; 2007.12.13. 2007
    다60080; 2007.9.20. 2007다25865; 2004.12.10. 2002다60467, 60474; 2002.5.24. 2002다
    8131; 1985.6.25. 84다카1954.
125) 대법원 2008.12.11. 2005다51471.

달리 회사의 경영 전반에 관하여 적극적으로 계속적인 주의를 기울여야 할 정도의 임무까지 부담할 필요가 없으므로, 평이사가 대표이사·대표집행임원, 업무담당이사나 집행임원의 직무위반행위를 명백하게 알게 된 경우에 한하여 회사의 손해방지를 위해 이사회의 상정여부에 관계없이 감시의무를 부담한다는 견해이다. 소극설에 의하면 평이사는 대표이사나 업무담당이사와 달리 회사업무전반에 관한 상시적인 감시의무가 없으므로, 평이사가 알지 못한 대표이사나 업무담당이사의 직무위반행위에 대해서는 책임이 발생하시 아니하며, '왜 알지 못했는가'에 대한 추궁은 따르지 않는다.

(나) 적극설

적극설은 이사가 대표이사·대표집행임원의 직무집행행위를 알았거나 알 수 있었음에도 불구하고 이사회에 상정되지 않았다는 이유만으로 회사의 손해방지에 아무런 조치를 취하지 않은 것은 부당하므로, 평이사가 다른 이사의 직무위반을 알게 된 경우는 물론이고, 나아가 회사의 업무집행의 상황을 파악하고 회사의 업무집행이 위법 또는 부당하게 이루어질 위험이 있는 경우에는 이를 시정할 조치를 할 의무를 부담한다고 보는 견해이다. 적극설에 의하면 평이사도 적극적으로 업무집행상황을 파악하여야 하므로 평이사가 알지 못했던 직무위반행위(위법·부당한 업무집행행위)에 대하여 '왜 알지 못했는가'라는 사실 자체가 과실로서 평이사가 손해배상책임을 지게 되므로, 평이사가 부담하여야 할 감시의무는 대표이사나 업무담당이사의 감시의무와 거의 차이가 없게 된다.[126]

(다) 절충설

절충설(현재의 통설)은 이사가 대표이사·대표집행임원이나 업무담당이사·집행임원의 위법·불법행위를 의심할 만한 사유가 있고, 이를 알 수 있었음에도 불구하고 방치한 때에는 감시의무를 위반한 경우로 보아 이로 말미암아 회사가 입은 손해에 대하여 배상책임을 면할 수 없다는 입장이다. 이사회에 상정되지 않았고 또한 자기담당업무가 아닌 사항에 대하여는 그 집행이 위법함을 알았거나 과실로 인하여 알지 못하여 필요한 조치를 취하지 않은 경우에 감시의무위반이 되므로,[127] 원칙적으로 이사회에 상정되지 않은 사항이라 할지라도 이사에게

---

126) 이철송, 전게서, 754면.
127) 최기원, 전게서, 656면.

감시의무가 있다고 할 수 있고, 알면서 감시의무를 소홀히 한다는 것은 위임관계의 본질상 주어진 의무를 다하였다고 볼 수 없다고 한다.[128] 소극설처럼 명백히 알게 된 사항에 한하여 감시의무가 미친다고 하여서는 감시기능의 실효성을 기대하기 어렵고, 평이사에게 업무담당이사의 관장하에 진행되는 모든 업무의 미세한 점까지 파악하도록 요구할 수는 없으므로, 평이사는 경영 전반의 상황을 파악하는 정도면 족하며, 경영 전반의 상황을 벗어나는 사항은 평이사가 '알았거나 알 수 있었을 경우에 한하여 감시의무가 미친다고 본다.[129]

(라) 판 례

대법원은 "주식회사의 업무집행을 담당하지 아니한 평이사는 이사회의 일원으로서 이사회를 통하여 대표이사를 비롯한 업무담당이사의 업무집행을 감시하는 것이 통상적이긴 하나 평이사의 임무는 단지 이사회에 상정된 의안에 대하여 찬부의 의사표시를 하는 데에 그치지 않으며 대표이사를 비롯한 업무담당이사의 전반적인 업무집행을 감시할 수 있는 것이므로, 업무담당 이사의 업무집행이 위법하다고 의심할만한 사유가 있음에도 불구하고 평이사가 감시의무를 위반하여 이를 방치한 때에는 이로 말미암아 회사가 입은 손해에 대하여 배상책임을 면할 수 없다."고 판시[130]한 이후 현재까지 절충설의 입장을 취하고 있다.

대법원은 동아건설 분식회계사건[131]에서 "이사로서 1996 회계연도 재무제표에 대한 결재를 하는 과정에서 재무담당자 소외 1로부터 '적자가 발생하였으나 김포매립지에 대한 장부가액과 기준시가의 차이를 감안하여 다른 계정에서 자산 등을 계상하여 이익이 난 것으로 결산하였다'는 취지의 보고를 듣고도 위 재무제표를 그대로 결재하고 이것이 주주총회의 승인을 거쳐 공시되도록 방치한 것은, 분식결산이라는 위법행위를 알고도 방치하였거나 또는 적어도 분식결산을 의심할 만한 사유를 발견하고도 이에 대한 아무런 조사나 조치를 취하지 아니한 임무해태행위라 할 것이고, 이로 인하여 동아건설은 부당하게 납부한 법인세 상당액과 부당하게 배당한 이익 상당액의 손해를 입었으므로, 위 피고는 상법 제399조에 따라 1996 회계연도 분식결산으로 말미암아 동아건설이 입은 위 손해

---

128) 이범찬·임충희·이영종·김지환, 「회사법」 제2판(삼영사, 2018), 318면.
129) 이철송, 전게서, 754면; 최준선, 전게서, 554면; 정동윤, 전게서, 603면.
130) 대법원 1985.6.25. 84다카1954.
131) 동아건설이 전사적인 분식회계를 함으로써 위법한 이익배당과 법인세를 납부한 것에 대하여 이사의 손해배상책임을 청구한 사안이다.

를 배상할 책임이 있다"고 판시하여 업무집행이 위법하다고 의심할 만한 사유를 강조하였다.[132] 이처럼 평이사의 감시의무위반의 판단기준을 "다른 이사의 업무집행이 위법함을 알았거나 또는 위법하다고 의심할 만한 사유가 있었음에도 불구하고 그 시정을 위한 조치를 취하지 아니하고 이를 방치한 때"로 한정하고 있다.[133] 일본의 판례도 절충설을 취하고 있다.[134]

평이사나 사외이사의 감시의무를 폭넓게 인정할 경우 상정된 안건 이외에도 회사의 업무집행을 항상 주의 깊게 살피고 대표이사 등의 위법·부당한 행위의 의심이 있는 경우에는 관련 자료와 대표이사의 설명을 요구하여 내용을 확인하여야 하며 시정의 필요가 있으면 이사회를 소집하여 개선을 요구하는 등의 업무를 수행하여야 한다고 보나, 이를 철저히 할 경우 현실적으로 이사회의 참석 이외에 업무에의 접근이나 자료수집 등에 한계가 있는 사외이사에게 과도한 책임을 부여하는 것이 될 수 있다. 따라서 현실적으로 이사의 정보접근권을 구체화할 수 있는 입법적 보완이 전제가 되어야 하며, 정보접근권한에 관한 규정을 보완하여 사외이사에게 회사의 사업계획과 경영 전반에 관한 충분한 정보를 제공할 필요가 있다.[135]

5) 집행임원의 감시의무

집행임원 설치회사의 경우 집행임원은 업무집행권 및 정관이나 이사회의 결의에 의하여 위임받은 업무집행에 관한 의사결정권만을 가질 뿐이므로, 집행임원의 다른 집행임원(대표집행임원을 포함)의 직무집행에 대한 감시권은 원칙적으로 없다고 본다.[136] 그러나 집행임원 설치회사의 경우 사외이사는 이사회를 통하여 집행임원에 대한 감독권을 행사하는 것(제408조의2 제3항 제2호)뿐만 아니라, 이사회를 통하지 않고 개별적으로 집행임원에 대하여 적극적 감시의무를 부담한다고 본다.[137]

---

132) 대법원 2007.12.13. 2007다60080.
133) 대법원 2007.9.20. 2007다25865; 2006.7.6. 2004다8272; 2004.12.10. 2002다60467, 60474; 2004.3.26. 2002다29138; 2002.5.24. 2002다8131; 1985.6.25. 84다카1954.
134) 日最判 1973.5.22. 民集 第27卷 第5号, 655面.
135) 표성수, "사외이사의 의무와 책임,"「인권과 정의」제394호(대한변호사협회, 2009. 6.), 100면.
136) 정찬형, 전게서, 1067면.
137) 정찬형, 전게서, 1069면.

6) 감시의무의 대상과 내용

감시의무의 대상은 다른 이사들이 회사로부터 위임받은 사무이다. 즉 이사의 감시의무는 자신이 위임받은 업무의 처리에 대해서가 아니라 다른 이사가 그 위임받은 업무의 처리에 대하여 적용된다.

이사의 감시의무는 이사가 회사의 업무집행을 제대로 파악하고 대등한 이사들 상호 간에 업무집행에서의 위법·부당을 발견하거나 위법·부당하게 될 위험성이 있는 때에는 감독·감사기관에 그 시정을 강구하도록 하는 것이다. 따라서 감시의무의 내용은 회사의 업무집행상황을 파악해야 할 조사의무와 위법·부당한 업무집행을 시정조치 할 의무(시정의무)로 나누어진다.138) 조사의무와 시정의무를 어느 정도 이행하여야 하는가는 선관의무와 마찬가지로 회사의 규모, 조직, 업종, 법령의 규제, 이사의 지위, 영업상황 및 재무상황에 따라 달라질 수 있다.139)

감시의무의 구체적 내용에 대하여 정보획득의무, 이사회 및 위원회에의 출석의무, 정보와 자료의 점검의무 등으로 분류하기도 하나,140) 이는 모두 조사의무에 포함된다.

가) 조사의무

이사의 감시의무의 내용으로서 조사의무(duty of inquiry)는 이사가 회사의 업무집행상황에 대하여 정확한 조사를 할 의무이다. 이사는 감시의무를 이행하기 위하여 필요한 경우에는 이사회를 소집하거나 소집요구를 할 수 있고(제390

---

138) 日最判 1973.5.22. 民集 27卷 5号 655面.

139) 미국에서 감시의무에 관한 판례중 감시의무의 범위에 관하여 상이한 차이를 보이는 것을 보면, In re Caremark Int'l, Inc. Derivative Litigation, 698 A.2d 959 (Del. Ch. 1996). 에서는 델라웨어 주 형평법 법원이 감시의무의 범위와 관련하여, 이사는 정보 보고 시스템 구축을 통하여 위법행위로 인한 회사의 손실은 물론 영업상의 위험까지 방지할 것을 포함한다는 해석을 한 반면, In re Citigroup, Inc. Shareholder Derivative Litigation, 964 A.2d 106 (Del. Ch. 2009)에서는 이사가 감시의무 이행을 통해 합리적인 정보 보고 시스템을 마련하는 것은 오직 회사 내부에서 발생하는 피용자의 "부정행위 또는 범죄행위 (fraudulent or criminal conduct)"를 감독하여 이로 인한 회사의 손실을 방지하기 위한 목적인 것이지, 회사의 영업상 위험을 감지하기 위한 것은 아니며, 이러한 영업상 위험까지 감시의무의 범위를 확대하는 것은 회사의 경영판단을 침해하는 것이라 보았다. 이에 대한 설명으로는 문정해, "사외이사의 감시의무에 대한 소고," 「법학연구」 제48집(전북대학교 법학연구소, 2016), 205~209면 참조.

140) 김성호, "미국에서의 이사의 감시의무와 책임의 완화," 「상사법연구」 제19권 제3호(한국상사법학회, 2001. 2.), 193~198면.

조 제1항), 대표이사로 하여금 다른 이사 또는 피용자의 업무에 관하여 이사회에 보고할 것을 요구할 수 있다(제393조 제3항). 대표이사와 업무담당이사로부터 업무집행상황에 관하여 설명을 들음과 동시에 회사의 장부·서류 등을 열람·검토하여 회사의 업무집행상황을 조사할 의무를 부담하며,[141] 감시의무를 이행하는 과정에서 우연히 지득한 정보 중에서 다른 이사의 업무집행이 위법·부당한 행위가 될 우려가 있는 경우에는 시정조치에 앞서 합리적인 조사를 행할 의무도 포함된다.[142][143]

따라서 이사가 업무집행상황에 대한 보고를 받지 않고 또 이를 요구하지 않으면 이에 따라 스스로 회사의 장부·서류를 열람하여 업무집행상황을 정확하게 파악하지 않은 경우 감시의무의 위반이 되는 경우도 있다.[144]

그러나 평이사에게 회사의 업무집행의 미세한 부분까지 파악할 의무를 가하는 것은 사실상 곤란하고 회사업무의 개황 정도로 파악하여야 할 의무가 있다 할 것이다. 따라서 평이사는 이사회에 제공된 정보에 기초하여 이사회에 출석하여 이사회에 제출된 자료나 각종의 보고내용 등을 검토하여 의심스러운 내용에 대해서는 질문 등의 최소한의 의무를 수행하여야 할 것이다.[145]

나) 시정의무

이사의 감시의무의 내용으로서 시정의무는 이사가 회사의 업무집행상황을 정확히 파악하여 위법·부당한 업무집행이 될 위험이 있는 때에는 즉시 시정조치를 강구할 의무이다. 이사가 가지는 감시의무의 일환으로 회사의 업무집행상황을 정확히 파악할 것이 요구되는 것은 회사의 업무집행이 적정히 이루어질 것을

---

141) 회사의 업무집행상황을 정확하게 파악하지 않는다면 이사는 회사의 업무집행이 위법 또는 부당하게 될 위험이 있는 것을 안 경우에도 이를 시정조치를 강구할 수 없고 이사회의 감독기능을 발휘시킬 수 없기 때문이다: 황영목, 전게논문, 653면.

142) 우홍구, 전게논문, 27면.

143) 이사가 업무를 집행함에 있어서 어느 정도의 정보수집 및 조사를 해야 하는지에 관해서 일본의 학계에서는, 변호사, 기사 그 밖의 전문가의 식견을 신뢰한 경우는 당해전문가의 능력을 초월하는 것으로 판단함에 의심할 수 없는 사정이 있는 경우를 제외하고 선관주의 의무위반에 해당되지 않으며, 또한 다른 이사, 사용인으로부터 제공된 정보 등에 관해서는 특히 의구심을 가져야 할 사정이 없는 한 그것을 신뢰하였다면 원칙적으로 선관주의의무위반에 해당되지 않는 것으로 이해되고 있다고 한다: 서성호, "이사의 선관주의의무위반·충실의무위반에 대한 판단기준," 「법학논총」 제17권 제3호(조선대학교 법학연구원, 2010), 412면.

144) 황영목, 전게논문, 654면.

145) 우홍구, 전게논문, 34면.

확보하기 위한 것이다. 따라서 위법·부당한 업무집행을 조사하고 그 위험성을 발견한 때에는 직접 그 시정을 요구하거나 이를 다루기 위한 이사회의 소집을 요구하는 등 적절한 시정조치를 강구하는 것146)이 감시의무의 중심이며,147) 이를 방치하거나 게을리 하는 경우에는 감시의무위반이 된다.

이사의 위법·부당한 업무집행에 대한 시정조치는 구체적으로 적법·타당하게 이루어지도록 지시하고 그 이행을 감독하여야 한다. 예컨대 위법·부당한 업무집행을 다루기 위해 이사회를 소집(또는 소집요구)하여 감독권을 발휘하게 하거나, 감사에게 제보하여 감사권을 발동하게 하거나, 주주총회에 보고하는 것이다.148) 따라서 '틀림이 없도록 잘 하라는 일반적인 주의'를 촉구하는 것만으로는 감시의무를 다하였다고 볼 수 없다.149)

평이사의 경우에는 대표이사나 업무담당이사에게 요구되는 감시의무를 부담할 수 없으므로, 절충설과 판례에서처럼 다른 이사의 업무집행이 위법함을 알았거나 또는 위법하다고 의심할 만한 사유가 있었을 사항에 대해 그 시정을 위한 조치를 취하여야 한다.150)

7) 내부통제시스템 구축의무

대규모의 회사에서는 대표이사와 업무담당이사들이 내부적인 사무분장에 따라 각자의 전문분야를 전담하여 처리할 수밖에 없다. 이에 전세계적으로 내부통제(internal control)가 활성화되고 있다.151) 특히 사외이사의 경우 대표이사를 비

---

146) 주식회사의 이사회를 구성하는 이사는 회사에 대하여 이사회에 상정된 사안에 대해서만 감시하는 것에 그치지 않고, 대표이사의 업무집행 일반에 대하여 감시하고, 필요하면 이사회를 스스로 소집하거나 소집할 것을 요구하여, 이사회를 통하여 업무집행이 적정하게 행해지도록 할 직무를 갖는다고 해석하여야 한다(日最判 1974.5.22. 金判 第374号 2面).

147) In re Caremark Int'l, Inc. Derivative Litigation, 698 A.2d 959 (Del. Ch. 1996).

148) 이철송, 전게서, 751면; 임재연, 전게서, 454면.

149) 황영목, 전게논문, 655면.

150) 구체적으로 어느 정도의 주의를 기울여야 하느냐의 문제는 이사의 주의력도 고려하여 업무집행행위에 존재하는 위법성의 정도, 평이사가 이를 인식하였는지, 인식할 수 있었는지 또는 인식이 요구되는지의 여부와 인식하지 못한 경우에 정당한 사유가 있었는지 등 여러 가지 상황이 종합적으로 판단되어야 한다: 김재범, 전게논문, 355면.

151) 내부통제시스템 구축에 관하여는 박세화, "이사의 선관의무와 내부통제에 관한 회사법적 고찰,"「법학연구」제28권 제1호(연세대학교 법학연구원, 2018. 3.), 45~75면; 김영주, "내부통제제도 구축에 대한 감사의 권고의무와 법적 책임,"「상사판례연구」제30집 제2권(한국상사판례학회, 2017. 6.), 71~117면; 김병연, "금융회사지배구조법상 내부통제에 관한 검토,"「금융법연구」제13권 제3호(한국금융법학회, 2016. 12.), 3~35면; 고인배, "금융지주회사, 은행 사외이사의 감시의무,"「동아법학」제54호(동아대학교 법학연구소, 2012. 2.),

롯한 임직원의 업무집행을 직접 감시하는 것은 불가능하므로, 실제로 업무집행의 개별 사항을 감시하기보다는 내부통제시스템의 구축여부에 중점을 둘 수밖에 없다.[152]

　2011년 개정상법은 상장회사 특례규정 신설로 준법통제기준[153]과 준법지원인제도를 도입하여 준법통제기준 설정의무와 준법통제기준의 준수를 위한 준법지원인 선임의무를 규정하였고(제541조의13), 자본시장법은 내부통제기준 설정의무와 내부통제기준의 준수를 위한 준법감시인 선임의무를 규정하고 있다(자본시장법 제28조).[154] 판례는 상법에 도입되기 이전부터 내부통제시스템 구축의무를 인정하였다.[155] 미국에서는 Sarbanes-Oxley Act of 2002 (Public Company Accounting Reform and Investor Protection Act, SOX) 이후 내부통제구축이 상장기업에 과도한 부담이 되고 있을 정도로 관심을 끌고 있으며, 일본에서도 2000년 大和銀行 주주대표소송사건[156]에서 처음 내부통제시스템의 구축이 인정된 이래[157] 2002년 상법특례법에서 위원회등설치회사에 한하여 규정하였고, 신회사법에서는 대회사 및 위원회설치회사에 대하여 이사회에 내부통제시스템의 결정의무[158]를 부과하고 있다.[159] 이사가 내부통제시스템을 충분히 구축하고 실

737～744면; 염미경, "이사의 감시의무와 내부통제시스템 구축의무," 「강원법학」 제35권(강원대학교 비교법학연구소, 2012. 2.), 447～473면; 최민용, "리스크 관리와 이사의 감시의무," 「상사법연구」 제30권 제2호(한국상사법학회, 2011), 447～472면; 김대연, "회사의 내부통제시스템과 이사의 감시의무(대화은행주주대표소송사건)," 「상사판례연구」 제12집(한국상사판례학회, 2001. 12.), 119～168면 등 참조.

152) 대규모 회사에서는 사외이사나 평이사가 업무담당이사의 위법행위를 사전에 알았거나 알 수 있었을 가능성은 크지 않을 것이다. 따라서 이 경우에는 내부통제시스템의 구축 및 운용에 대한 감시의무를 부담한다고 보는 것이 합리적일 것이다: 고인배, 상게논문, 737면.

153) 상법은 '내부통제기준'이라는 표현을 사용하지 않고 '준법통제기준'이라는 표현을 사용하고 있어 위험관리에 관한 포괄적인 내부통제기준이 아니고 법률위험만을 담은 준법통제기준의 설정이라는 점을 분명히 하고 있다: 문성, "내부통제제도와 상법상 준법지원인 관련 쟁점 고찰," 「YGBL」 제8권 제2호(연세대학교 법학연구원, 2016. 12.), 68면.

154) 우리나라에서 내부통제제도가 도입된 것은 2000년대 초반으로, 2000년 은행법 등 금융관계법에서 내부통제기준 및 준법감시인에 관한 사항이 입법되면서 금융기관에만 적용되다가, 2011년 상법에 상장회사 특례규정 신설로 준법통제기준과 준법지원인제도가 도입되어 비금융기관으로까지 확대되었다.

155) 대법원 2008.9.11. 2007다31518; 2008.9.11. 2006다68636.

156) 日大阪地判 2000.9.20. 判時 第1721号 3面.

157) 일본의 最高裁에서 내부통제시스템구축의무를 처음으로 다룬 것은 일본시스템기술사건판결(日最判 2009.7.9. 金判 第1321号 36面)이다. 이 판결은 이사의 내부통제시스템구축의무에 대하여 통상 예상되는 부정행위를 방지할 수 있는 체제를 구축할 의무지만, 당해 부정행위를 예견할 특별한 사정이 존재하지 않는 한 통상 예상할 수 없는 부정행위까지 방지할 체제를 구축할 의무까지는 아니라고 판시하였다.

제로 유효하게 기능하고 있었음에도 불구하고 회사에 손해가 발생한 경우에는 이사의 임무태만에 의한 책임을 면할 수 있지만,[160] 이사가 내부통제시스템의 구축을 태만히 한 경우에는 주의의무를 게을리한 것으로 선관의무위반의 책임을 부담하여야 한다.[161]

내부통제시스템을 구축한 경우 다른 이사들(특히 비상근이사나 사외이사의 경우)의 업무집행에 관한 감시의무를 면할 수 있는지에 관하여 평이사의 경우 시스템구축을 촉구할 의무가 그 지위로부터 성립하지만, 비상근이사 또는 비업무담당이사가 통상적으로 내부통제시스템이 제대로 작동하고 있는지를 인지할 수 있는 것은 그에 관한 정보가 이사회에 보고되거나 제출된 때이므로 내부통제시스템이 적절하게 기능하지 않는다고 볼 수 있는 사정이 없는 한은 시스템이 적절히 작동되는지 확인할 의무는 부담하지 않는다고 보는 긍정적인 견해,[162] 내부통제시스템이 마련되어 있지 않은 경우 이를 회사에 건의하거나 또는 발견 가능한 시스템 상의 오류를 보고하거나 기타 시스템 운영에 자신의 의견을 피력하는 선에서 사외이사의 감시의무를 축소 해석할 수 있다는 제한적인 견해,[163] 평이사(및 사외이사)의 내부통제의무는 주의의무의 정도의 차이는 있을 수 있어도 업무담당이사와 동일하다고 보아야 한다는 부정적인 견해[164] 등이 있다.

---

158) 일본 회사법상 내부통제시스템의 구축의무가 아니라 내부통제시스템의 결정(결의)의무를 부과하고 있으며, 그 결의가 부적합하게 되면 결의를 변경하여야 할 의무를 지는 계속적 의무이다.: 中村直人・山田和彦・後藤晃輔,「内部統制システム構築の実務」(商事法務, 2015), 3~6面.

159) 일본회사법은 이사회설치회사에서는 이사회의 결의에 의해(일본회사법 제362조 제4항 제6호), 이사회비설치회사에 있어서는 이사의 과반수로서(일본회사법 제348조 제2항, 제3항 제4호), 내부통제시스템에 관한 결정을 할 수 있어 대회사에 있어서는 그 결정을 의무화하고 있다(일본회사법 제348조 제4항, 제362조 제5항). 대회사에 있어서 의무화한 것은 내부통제시스템에 관하여 결정하는 것이고, 내부통제시스템을 구축하는 것 그 자체를 의무화한 것은 아니다. 법이 요구하고 있는 것은 업무의 적정을 확보하기 위한 '체제 그 것'이 아니라 그 '체제의 정비'에 대해서 이다.: 박수영, "日本法上 理事의 監視義務 −法改正과 判例의 推移를 中心으로−,"「법학연구」제37집(전북대학교 법학연구소, 2012), 403면.

160) In Re Abbott Laboratories Derivative Shareholders Litigation, 325 F.3d 795(7th Cir. March 28, 2003).

161) 동지: 양만식, "기업의 내부통제시스템의 구축과 사내변호사의 역할,"「법학논총」제41집 제3호(단국대학교 법학연구소, 2017), 272면.

162) 오성근, 전게논문, 135면; 김재범, "이사 감시의무・감독의무의 범위와 이행,"「상사판례연구」제24집 제3권(상사판례학회, 2011), 301면.

163) 문정해, 전게논문, 212면.

164) 정대, "株式會社 理事의 內部統制義務에 관한 研究 − 대법원 2008.9.11. 선고 2006다68636 판결 −,"「상사판례연구」제21집 제4권(상사판례학회, 2008), 196면.

이에 대하여 대법원은 ㈜대우 분식회계사건에서 "대표이사는 이사회의 구성원으로서 다른 대표이사를 비롯한 업무담당이사의 전반적인 업무집행을 감시할 권한과 책임이 있으므로, 다른 대표이사나 업무담당이사의 업무집행이 위법하다고 의심할 만한 사유가 있음에도 악의 또는 중대한 과실로 인하여 감시의무를 위반하여 이를 방치한 때에는 그로 말미암아 제3자가 입은 손해에 대하여 배상책임을 면할 수 없다. 이러한 감시의무의 구체적인 내용은 회사의 규모나 조직, 업종, 법령의 규제, 영업상황 및 재무상태에 따라 크게 다를 수 있는바, 고도로 분업화되고 전문화된 대규모의 회사에서 공동대표이사와 업무담당이사들이 내부적인 사무분장에 따라 각자의 전문분야를 전담하여 처리하는 것이 불가피한 경우라 할지라도 그러한 사정만으로 다른 이사들의 업무집행에 관한 감시의무를 면할 수는 없고, 그러한 경우 무엇보다 합리적인 정보 및 보고시스템과 내부통제시스템을 구축하고 그것이 제대로 작동하도록 배려할 의무가 이사회를 구성하는 개개의 이사들에게 주어진다는 점에 비추어 볼 때, 그러한 노력을 전혀 하지 아니하거나, 위와 같은 시스템이 구축되었다 하더라도 이를 이용한 회사 운영의 감시·감독을 의도적으로 외면한 결과 다른 이사의 위법하거나 부적절한 업무집행 등 이사들의 주의를 요하는 위험이나 문제점을 알지 못한 경우라면, 다른 이사의 위법하거나 부적절한 업무집행을 구체적으로 알지 못하였다는 이유만으로 책임을 면할 수는 없고, 위와 같은 지속적이거나 조직적인 감시 소홀의 결과로 발생한 다른 이사나 직원의 위법한 업무집행으로 인한 손해를 배상할 책임이 있다."고 판시하여 감시의무의 면제가능성을 배제하고 있다.[165] 이 판결은 대규모 회사의 이사의 감시의무를 판단함에 있어서 내부통제시스템이 구축되어있는가, 내부통제시스템이 적절하게 기능하는가를 살펴보아야 한다는 점[166]과 회계보고를 넘어 모든 업무집행의 영역을 포괄하는 적극적·능동적 감시의무가 인정될 수 있다는 점[167] 등을 확인한 것에 그 의의가 있으며, 미국에서 대규모 회사에 있어 최고경영진의 위험관리체계구축의무(소위 Caremark duty)를 인정하면서 이를 해태하였을 때에는 이사의 회사에 대한 손해배상책임이 있다는 Caremark사건[168]의 영향을 받은 것으로 평가되기도 한다.[169]

---

165) 대법원 2008.9.11. 2006다68636.
166) 고인배, 전게논문, 734면.
167) 김태진, 전게논문, 111~112면.
168) In re Caremark International Inc. Derivative Litigation, 698 A.2d 959(Del. Ch. 1996).

8) 이사의 신뢰보호론

이사의 감시의무는 당해 이사의 지위나 이사가 임의로 인수한 직무, 회사의 복잡성 및 규모 등 상황에 따라 그 내용이 달라지는 상대적인 것이며,170) 평이사의 경우에도 업무담당이사와 동일하게 감시의무를 부담한다고 하면 너무 가혹하다. 따라서 평이사의 경우에는 다른 이사 등에 대한 신뢰 및 전문가의 조언에 대한 신뢰를 인정하여야 한다는 주장이 제기되고 있다. 이사가 대표이사 및 업무담당이사의 업무집행과 관련하여 그 다른 이사의 판단이나 자신에게 보고된 내용을 신뢰하였다면 이사로서의 의무를 다하였다는 신뢰보호론171)이 그것이다.172)

9) 감시의무위반의 효과

이사가 감시의무를 위반하면 선관의무에 위반하여 임무를 게을리한 경우에 해당하여 회사에 대하여 손해배상책임을 지며(제399조),173) 고의 또는 중과실로 그 임무를 게을리한 때에는 제3자에 대하여도 손해배상책임을 진다(제401조).174) 그리고 이사의 감시의무위반 등 임무해태로 인한 회사에 대한 손해배상책임은 이사와 회사 사이의 위임계약에 따른 선관의무를 다하지 아니하여 생긴 것이므로 불법행위책임이 아니라 채무불이행으로 인한 손해배상책임이다.

상법 제399조 제2항과 제3항은 이사가 회사에 대하여 손해배상책임을 지는 행위가 이사회결의에 의한 것일 경우 결의에 찬성하거나 의사록에 이의의 기재가 없는 이사도 책임을 지도록 하고 있다. 이에 그 상황을 예상하고 의도적으로

---

169) 김정호, 전게논문, 302면.
170) 김이수, "미국법상 이사의 감시의무와 위반책임,"「상사법연구」제20권 제1호(한국상사법학회, 2001), 317면.
171) 일본에서는 '신뢰의 권리'라 표현하고 있다. 일본은 大和銀行 주주대표소송사건에서 '신뢰의 권리'의 주장을 인정한 바 있다.
172) 신뢰보호에 대해서는 성승제, "이사의 신뢰보호의 원칙,"「비교사법」제11권 제4호(비교사법학회, 2004. 12.), 233~262면 참조.
173) 대법원 1985.6.25. 84다카1954.
174) 대표이사는 회사의 영역에 관하여 재판상 또는 재판 외의 모든 행위를 할 권한이 있으므로(제389조 제3항, 제209조 제1항) 모든 직원의 직무집행을 감시할 의무를 부담함은 물론, 이사회의 구성원으로서 다른 대표이사를 비롯한 업무담당이사의 전반적인 업무집행을 감시할 권한과 책임이 있으므로, 다른 대표이사나 업무담당이사의 업무집행이 위법하다고 의심할 만한 사유가 있음에도 악의 또는 중대한 과실로 인하여 감시의무를 위반하여 이를 방치한 때에는 이로 말미암아 제3자가 입은 손해에 대하여 배상책임을 면할 수 없다(대법원 2008.9.11. 2006다68636).

이사회에 불참하는 경우가 생길 수 있다. 문언대로 해석하면 위 조항은 이사회의 참석을 전제로 하므로 이사회에 불참한 이사에게 적용이 없다고 보아야 하지만, 그렇다고 불참한 이사가 아무런 책임도 부담하지 않는다고 볼 수 없다. 이사는 감시의무를 다하기 위하여 경우에 따라서는 이사회의 소집을 요구하는 등의 조치를 취하여야 하는데, 회사의 손해로 귀결될 업무집행을 논의하는 이사회에 불참하는 것은 가장 쉽게 감시의무를 이행할 수 있는 수단을 회피하는 것이므로 이 경우 감시의무위반이 성립한다고 봄이 타당하다.[175]

이사가 다른 이사의 임무해태를 발견하지 못한 것에 대하여 책임을 지지 않는 경우는 다른 이사가 행한 업무에 대해서 의심할 만한 상황이 결여된 경우로 한정된다.[176]

이사의 감시의무위반으로 회사에 대하여 손해배상책임을 지는 경우는 회사에 대한 임무해태로 인한 손해배상책임으로, 감시의무위반책임은 일반 불법행위책임이 아니라 위임관계로 인한 채무불이행책임이므로 그 소멸시효기간은 일반채무의 경우와 같이 10년이라고 보아야 할 것이다.[177]

2. 이사의 충실의무* 　　　　　　　　　　　　　　　　　고 창 현**

가. 서　설

1) 의　의

현대 주식회사법은 원칙적으로 소유와 경영의 분리를 전제로 한다. 이사는 회사와의 이사선임계약에 따라 회사를 경영할 포괄적 권한을 부여받고, 주주는

---

175) 김재범, 전계논문, 356면.
176) 손영화, "분식결산과 이사의 손해배상 책임 - 대법원 2007.9.20. 선고 2007다25865 판결을 중심으로-,"「상사판례연구」제21집 제2권(한국상사판례학회, 2008. 6.), 64면.
177) 대법원 1985.6.25. 84다카1954.

 * 이 글을 작성하면서 많은 분들께 도움을 받았다. 초고를 검토하고 미처 생각하지 못한 점을 깨우쳐 주신 박준 교수님, 이상훈 변호사님, 독일 입법례를 검토·정리해 주신 박정준 독일 변호사님, 프랑스 입법례를 검토·정리해 주신 박민규 미국 변호사님, 김현용 미국 변호사님, 자료수집 및 정리를 도와주신 박마리 변호사님, 공유식 변호사님께 다시 한 번 감사드린다. 이 글은 필자의 사견으로 필자가 소속된 김·장 법률사무소의 입장과 무관함을 밝혀 둔다.
** 김·장 법률사무소 변호사

회사의 경영에서 소외된다.[1] 이사가 회사를 경영함에 있어서 경영을 소홀히 하거나 자신의 이익을 위하여 회사의 이익을 희생시키는 경우에는, 회사는 손해를 입게 되고 결과적으로는 주주도 손해를 입게 된다. 특히 자신의 이익을 위하여 회사의 이익을 희생시키는 후자의 경우에는 이사가 회사 내지 주주의 이익에 반하여 행동할 인센티브가 더 크기 때문에, 전자의 경우보다 강도 높은 법적 규제가 요청된다.[2] 이사의 충실의무는 이에 관한 법적 규율로서, 이사가 자신의 이익과 회사 이익의 충돌 상황을 회피하고 이해관계가 충돌하는 경우에는 회사의 이익을 우선시해야 한다는 내용을 핵심으로 한다. 제382조의3은 "이사는 법령과 정관의 규정에 따라 회사를 위하여 그 직무를 충실하게 수행하여야 한다."라고 규정하고 있고, 위 조항은 제408조의9에 의하여 집행임원에 대하여도 준용되고 있다.[3]

이사와 회사 사이에 이해관계가 충돌될 수 있는 경우는 매우 다양하다. 그러한 경우로 상법이 특히 예정하고 있는 것으로는 이사의 경업·겸직(제397조), 회사기회이용(제397조의2), 회사와의 거래(제398조, 제542조의9), 보수결정(제388조) 등이 있다. 제382조의3은 이사의 충실의무에 관한 일반조항으로서,[4] 위 조항들에 대한 해석의 지도원리로 작동하고, 위 조항들로 규율되지 않는 이사와 회사의 이익충돌상황에 보충적으로 개입하여 이사의 행위를 규제한다.

2) 연   혁

가) 1962년 제정상법 및 1998년 개정상법

제정상법(1962. 1. 20. 제정, 1963. 1. 1. 시행)은 이사의 충실의무에 관한 규정은 따로 두지 않은 채 제397조에서 이사의 경업·겸직, 제398조에서 이사와 회사 간의 거래에 관하여 규정하고 있었다.

---

1) 이철송, 「회사법강의」 제29판(박영사, 2021, 이하 "이철송"), 497면. 물론, 주주는 주주총회를 통하여 회사의 기관구성, 정관변경, 합병 등 중요한 경영사항에 개입한다는 점에서 소유와 경영의 분리가 절대적인 것은 아니다. 또한 우리나라 기업지배구조는 기업결합으로 인한 법인간의 주식소유가 많고, 그룹 회장 등이 계열회사관계를 이용하여 회사를 지배하는 경우가 많다는 점에서도 소유와 경영의 분리는 상대화되고 있다. 우리나라 회사의 지배구조의 일반적 경향에 관하여는 이철송, 전게서, 501~503면 참조.

2) 송옥렬, 「상법강의」 제11판(홍문사, 2021, 이하 "송옥렬"), 1038~1039면; 권재열, "상법 제382조의3(이사의 충실의무)의 존재의의 – 대법원 판례의 동향에 대한 검토를 중심으로 –," 「상사판례연구」 제22집 제1권(한국상사판례학회, 2009), 29면.

3) 이하 특별한 사정이 없는 한 '이사'는 이사와 집행임원을 통칭한다.

4) 송옥렬, 전게서, 1040면; 권재열, 전게논문, 7~8면.

우리나라는 1997년 이른바 IMF 사태라는 심각한 경제위기를 겪게 된다. 이를 극복하기 위해서는 기업투명성 제고 및 기업지배구조의 선진화가 필요하다는 사회적 합의가 형성되었는데, 그 과정에서 1998년 개정상법(1998. 12. 28. 개정 및 시행) 제382조의3에 이사의 충실의무를 규정하게 되었다.[5] 당시 국회 법제사법위원회의 심사보고서[6]는 입법례로 '영미의 fiduciary duty', '구 일본 상법 제254조의3'을 들고 있어, 위 조항이 영미의 신인의무(fiduciary duty) 내지 충실의무(duty of loyalty)의 영향을 받은 것은 분명해 보인다.[7] 다만 위 보고서는 "선량한 관리자의 주의의무에는 충실의무도 포함된다는 학설도 있으나 이를 명확하게 하여 이사는 경영을 위임받은 자로서 회사의 이익을 위하여 성실히 그 직무를 수행하여야 한다는 이른바 충실의무를 명백히 규정하려는데 그 취지가 있다고 하겠다. 이에 대하여는 이사의 충실의무가 매우 추상적이어서 단순한 선언적 규정으로 해석될 우려가 있으므로 그 입법취지를 분명히 하기 위하여 이사의 충실의무 위반에 따른 책임문제도 고려하여야 한다는 견해도 있음을 말씀드림."이라 하고 있을 뿐이어서, 이하에서 설명할 동질설 및 이질설 중 무엇에 기초하여 위 조항을 입법하였는지는 명확하지 않다.

나) 2011년 개정상법

2011년 개정상법(2011. 4. 14. 개정, 2012. 4. 15. 시행)은 미국법상 충실의무(duty of loyalty)의 관념을 크게 강화하였다. 제397조의2에 회사기회유용금지 규정을 신설하였으며, 제398조에는 자기거래의 적용범위를 확장하고, 이사회에의 중요정보 개시의무를 명시하였으며, 이사회 결의요건을 강화함과 아울러 거래의 내용과 절차는 공정하여야 함을 규정하였다. 또한, 제400조 제2항에 정관에 의한 이사의 회사에 대한 책임제한 규정을 신설하면서, 단서에 그 예외로서 제397조(경업금지), 제397조의2(회사의 기회 및 자산의 유용 금지), 제398조(이사 등과 회사 간의 거래)를 규정하여, 충실의무위반의 경우는 이사의 책임에 있어 기타 이

---

5) 상법 제382조의3의 도입배경 및 입법과정에 관하여는, 박기령, 「이사의 충실의무에 관한 법적 연구」(이화여자대학교 대학원 법학과 박사학위논문, 2010), 132~136면을 참조.
6) 법제사법위원회, "상법중개정법률안 심사보고서"(1998. 12.), 13~14면.
7) 당시 상법개정과정에 참여한 김건식 교수는 "필자의 기억에 의하면 개정위원들도 일반적으로 미국법상의 fiduciary duty를 도입하는 것으로 인식하고 있었다."라고 한다. 김건식, "회사법상 충실의무법리의 재검토," 심당송상현선생화갑기념논문집 「21세기 한국상사법학의 과제와 전망」(박영사, 2002), 145면.

사의 의무위반의 경우와 다르게 취급할 필요가 있다는 관념을 표출하였다.

나. 외국의 입법례

1) 미 국[8]

가) 신인의무 개관: 주의의무와 충실의무

미국 회사법상 이사의 신인의무(fiduciary duty)[9]는 주의의무(duty of care)와 충실의무(duty of loyalty)로 구분된다. '주의의무'는 이사가 회사의 업무를 처리함에 있어서 합리적인 주의를 기울여야 할 의무이다. '충실의무'는 회사의 이해와 이사 개인의 이해가 상충되는 경우 회사의 이익을 우선하여야 할 의무로서, 구체적으로는, ① 수인자(受認者, fiduciary)인 이사가 자신의 이익과 본인인 회사

---

8) 미국의 경우 회사법은 주법으로서 각 주마다 그 내용을 달리하므로 일률적으로 논할 수는 없다. 이하에서는 미국의 가장 대표적인 주법인 델라웨어주 회사법과 미국법률협회 (American Law Institute, 이하 "ALI")가 1994년 발표한 기업지배구조원칙(Principles of Corporate Governance: Analysis and Recommendation, 이하 "ALI 원칙")을 중심으로 하여 미국법의 태도를 살펴본다. 영미법상 충실의무에 관한 소개로는, 송상현, "주식회사 이사의 충실의무론 - 영미법을 중심으로 -," 「서울대학교 법학」 제14권 제2호(통권 제30호) (서울대학교 법과대학·법학연구소, 1973), 119면 이하; 손진화, "이사의 충실의무," 「경영법률연구」 제1집(한국경영법률학회, 1986), 189면 이하; 강희갑, "미국법상 이사의 충실의무와 이사의 자기거래," 「기업법연구」 제5집(한국기업법학회, 2000), 333면 이하; 김성배, "미국법상 이사의 이익충돌거래와 충실의무 - 겸임이사를 둔 회사간의 거래를 중심으로 -," 「비교사법」 제9권 제2호 통권 제17호(한국비교사법학회, 2002), 285면 이하; 정봉진, "미국 회사법상의 이사의 충실의무," 「영산논총」 제9집(영산대학교, 2002), 75면 이하; 김병연, "이사의 충실의무와 영미법상 신인의무(Fiduciary duty)," 「상사법연구」 제24권 제3호(통권 제48호)(한국상사법학회, 2005), 61면 이하; 이홍욱, "판례를 통해 본 이사의 충실의무," 「비교사법」 제12권 제4호(통권 제31호)(한국비교사법학회, 2005), 423면 이하; 가정준, "미국법상 이사의 책임과 의무," 「비교사법」 제14권 제1호(통권 제36호)(한국비교사법학회, 2007), 1면 이하; 장근영, "영미법상 신인의무 법리와 이사의 지위," 「비교사법」 제15권 제1호(통권 제40호)(한국비교사법학회, 2008), 287면 이하; 허덕희, "미국에서 이사의 충실의무에 관한 판례의 동향과 상법상 과제," 「기업법연구」 제28권 제3호(통권 제58호)(한국기업법학회, 2014), 141면 이하 등 참조. 그 외에 Edward P. Welch/Andrew J. Turezyn/ Robert S. Saunders, Folk on Delaware General Corporation Law, 2012; The American Law Institute, Principles of Corporate Governance: Analysis and Recommendation, vol. 1 (American Law Institute Publishers, 1994; American Bar Association, Model Business Corporation Act: Official Text with Official Comment and Statutory Cross-References Revised through June 2005 등도 참조.

9) 종래 'fiduciary duty'는 '수임인의 의무', '신인의무', '신임의무', '수임자의무' 등의 용어로, 'fiduciary'는 '수탁자', '수임인', '수임자', '수인자' 등의 용어로 번역되어 왔다. 관련 용어의 사용례에 관하여는 박기령, 전게논문, 13~17면 참조. 이 글에서는 김건식, 전게논문, 147면의 용례에 따라 'fiduciary duty'는 '신인의무(信認義務)'로, 신인의무를 부담하는 주체인 'fiduciary'는 '수인자(受認者)'라고 하기로 한다.

의 이익이 충돌하는 상황에 들어가서는 아니 된다는 이익충돌금지원칙(no conflict rule)과, ② 수인자가 신인관계상의 지위를 이용하여 이익을 얻는 것을 금지하는 이익획득금지원칙(no profit rule)을 핵심 요소로 한다.[10] 충실의무와 주의의무는 주로 다음과 같은 점에서 차이가 있다.

구분	주의의무	충실의무
주안점	업무수행절차	이익충돌상황
사법심사기준	경영판단의 원칙 (Business Judgment Rule)	공정성의 원칙 (Entire Fairness Rule)
입증책임	이사의 임무수행은 적법하다는 추정을 받게 되어 이사의 의무위반을 주장하는 자가 그 추정을 번복할 책임을 부담함	이사가 절차의 공정성 및 내용의 공정성을 입증할 책임을 부담함
주관적 요건	이사에게 책임을 묻기 위해서는 미필적 고의 내지 중과실이 인정되어야 함	이사에게 경과실만 인정되어도 책임을 부담함
구제수단	손해배상책임	손해배상책임뿐만 아니라 다양한 원상회복적 구제수단이 인정됨

'주의의무'의 위반이 문제되는 경우에는 원칙적으로 경영판단의 원칙(Business Judgment Rule)이 적용된다. 경영판단의 원칙은 이사 내지 이사회의 사업적 판단을 최대한 존중하고 사후적인 사법심사를 최소화하고자 하는 사법심사기준인데, 이에 의하면 이사가 경영판단을 함에 있어서는 충분한 정보에 기하여 선의로 회사의 최선의 이익을 위한 행위라고 믿고 행위하는 것으로 추정되고, 따라서 이사의 의무위반을 주장하는 자가 그 추정을 번복할 입증책임을 진다.[11] 또한, 이사에게 주의의무 위반을 이유로 책임을 묻기 위해서는 미필적 고의(recklessness) 내지는 중과실(gross negligence)[12]을 입증하여야 하며, 주의의무

---

10) 김건식, 전게논문, 155~156면.

11) Smith v. Van Gorkom 488 A.2d 858 (Del. 1985) 판결은 "The rule itself "is a presumption that in making a business decision, the directors of a corporation acted on an informed basis, in good faith and in the honest belief that the action taken was in the best interests of the company." Thus, the party attacking a board decision must rebut the presumption."이라고 하고 있다.

12) 미국 법원(특히, 미국 회사법과 관련하여 가장 중요한 위치를 차지하고 있는 델라웨어주 법원)은 전통적으로 최소한 'recklessness'가 필요하다는 입장을 견지하였는데, 델라웨어주

위반이 인정되는 경우의 주된 구제수단은 금전적 손해배상책임이다.

한편, '충실의무' 위반 여부 심사시에는 원칙적으로 '공정성의 원칙(Entire Fairness Rule/Doctrine)'이 적용된다. 이는 회사의 이해와 이사의 개인적인 이해가 충돌하는 상황에서는 회사 이익의 희생 하에 이사 개인의 이익을 추구할 유인이 높다는 점을 고려한 엄격한 사법심사기준인데, 이 기준이 적용되는 경우에는 ① 절차의 공정성(fair dealing 또는 procedural fairness) 및 내용의 공정성(fair price 또는 substantive fairness)을 당해 이사가 입증할 책임을 부담하고, ② 경과실(simple negligence)만 있어도 책임 추궁이 가능하며, 충실의무 위반이 인정되는 경우에는 손해배상책임뿐만 아니라 다양한 원상회복적 구제수단이 인정된다.[13]

나) 충실의무위반사안

미국에서는 이사, 임원뿐만 아니라 일정한 경우에는 지배주주도, 회사, 일정한 경우에는 다른 주주에 대한 관계에서 충실의무를 부담한다.[14] 전통적으로 충실의무위반으로 논의되어 온 사안으로는 회사와의 경쟁금지, 회사기회유용의 금지, 임원의 보수, 내부자거래의 제한, 소수주주에 대한 공정의무, 지배주식의 매각 등이 있다.[15] 주요한 것을 살펴보면 다음과 같다.

(1) 자기거래[16]

현재 미국의 일반적인 판례에 의하면, 자기거래가 관련 정보의 완전공개(full

대법원은 1985년 Smith v. Van Gorkom 488 A.2d 858 (Del. 1985) 판결에서 이사에게 'gross negligence'가 있는 경우에도 책임추궁이 가능하다는 판결을 하였다. Black's Law Dictionary, 9th ed.에 의하면 'recklessness'는 '행위자가 해로운 결과를 바라지는 않지만 그 가능성을 예견하면서 의식적으로 그 위험을 감수하고 행한 행위(Conduct whereby the actor does not desire harmful consequence but nonetheless foresees the possibility and consciously takes the risk)'를 의미하여 우리법상의 '미필적 고의'와 유사한 개념이라고 할 수 있다.

13) 고창현, "2011 개정상법상 이사의 이해상충거래규제 해설"(한국상장회사협의회, 2012), 3~4면. 한편, 이사 내지 이사회의 행위에 대한 사법심사기준으로는 '경영판단의 원칙'보다는 엄격하지만 '공정성의 원칙'보다는 완화된 소위 Unocal/Revlon Test도 있다. 이는 적대적 기업인수 시도에 대한 방어결의 등 지배권 변동거래(ownership transaction)에 대한 이사 내지 이사회 행위의 심사에 주로 적용되는 기준으로 델라웨어주 대법원의 Unocal v. Mesa Petroleum Co., 493 A.2d 946 (Del. 1985) 판결 및 Revlon, Inc. v. MacAndrews & Forbes Holdings, Inc., 506 A.2d 173 (Del. 1986) 판결에서 제시된 기준이다.

14) Robert Charles Clark, Corporate Law, Little, Brown and Company, 1986, p. 141.

15) 이철송, 전게서, 760~762면.

16) 정봉진, 전게논문, 77~83면; 임재연, 「미국회사법」 수정2판(박영사, 2007, 이하 "임재연(2007)"), 330~367면 참조.

disclosure) 후에 이해관계 없는 이사 또는 주주 과반수에 의하여 승인되거나, 승인이 없어도 그 내용과 절차가 공정(fair)한 경우에는, 그 거래가 자기거래라는 이유만으로 무효로 되거나 취소할 수 있는 것으로 되지 않는다.[17] 당해 거래의 내용과 절차가 공정하다는 사실에 관한 입증책임은 이사에게 있다.[18] 이해관계 없는 주주의 승인이 있었음이 인정된 경우에는 자기거래를 공격하는 당사자가 그 불공정성이 심하여 사기(fraud)나 회사 자산의 훼손(waste)에 이를 정도라는 점을 입증하여야만 자기거래가 무효가 되고,[19] 이해관계 없는 이사의 승인이 있었음이 인정된 경우에는 경영판단의 원칙이 적용되는 경우가 많다.[20] 자기거래 제한 위반에 대한 구제수단은 취소 및 원상회복(rescission and restitution)과 원상회복에 갈음하는 손해배상(restitutionary damages)이다.[21]

(2) 이사의 보수결정[22]

이사의 보수결정은 자기거래에 포함되므로 이사의 보수 역시 완전공개 후에 이해관계 없는 이사 또는 주주의 과반수에 의한 승인이 있으면 유효한 것이 원칙일 것이다. 그러나 주주의 승인이 있다고 하더라도 이사가 제공한 서비스와 비교하여 보수액이 지나치게 과다하여 회사 자산의 훼손(waste)에 해당하는 경우에는[23] 무효이다. 그러나 실제로 이사의 보수가 과다하다고 인정한 판결례는 많지 않다고 한다.

---

17) Marciano v. Nakash, 535 A.2d 400 (Del. 1987).

18) Sinclair Oil Corp. v. Levien, 280 A.2d 717 (Del. 1971). 이 경우 적용되는 사법심사기준이 '공정성의 원칙(Entire Fairness Rule/Doctrine)'이라고 함은 앞서 본 바와 같다.

19) Marciano v. Nakash, 535 A.2d 400 (Del. 1987). 주주의 결의는 기본적으로 회사의 주인(owner)이 내린 사업적 결정이라는 점에서 미국 법원은 사후적 사법개입을 최대한 자제하고 있다. 이에 통상 이사회 결의에 대한 사법심사 시 적용되는 기준인 '경영판단의 원칙'보다도 더 완화된 기준을 적용하여 그 결의가 아무런 정당한 이유 없이 회사 자산을 유용 내지 훼손(waste of corporate assets)하는 것으로 인정되지 않는 한 개입하지 않고 있다.

20) Puma v. Marriott, 283 A.2d 693 (Del. Ch. 1971). 다만, ALI 원칙 §5.02는 이 경우에 '공정성의 원칙'만큼은 아니지만 '경영판단의 원칙'보다는 다소 강화된 기준을 적용하는 것이 타당하다는 입장을 밝혔다. The American Law Institute, op. cit., pp. 212f.; 고창현, 전게논문, 6면.

21) 임재연(2007), 전게서, 365~367면.

22) 정봉진, 전게논문, 83~85면; 임재연(2007), 전게서, 367~379면; 임재연, "임원의 보수에 관한 연구,"「인권과 정의」제385권(대한변호사협회, 2008. 9.), 33면 이하 참조.

23) Kerbs v. California Eastern Airways, 33 Del.Ch. 69, 90 A.2d 652 (Del. 1952); Lewis v. Vogelstein, 699 A.2d 327 (Del.Ch. 1997).

(3) 회사기회의 이용[24]

미국의 판례에 의하여 발전된 회사기회유용(usurpation of corporate oppor-
tunity) 금지 법리는 '회사의 이사가 알게 된 특정한 사업기회에 관하여, 회사는
그 이사에 우선하여 행동을 취할 수 있는 권리를 가진다' 또는 '새로운 프로젝트
가 회사기회라고 여겨지면, 수인자(fiduciary)는 이를 먼저 회사에 제공하고 자신
의 이해관계를 공개하지 않고서는 이를 이용할 수 없다'는 법리로 볼 수 있다.
미국의 법원(주로 각 주법원)은 100여 년에 걸쳐 수많은 판결을 통해 무엇이 '회
사기회(corporate opportunity)' 혹은 '사업기회(business opportunity)'에 해당하는
지에 대하여 다양한 판단기준을 제시하여 왔다. 그 기준으로는 ① 회사가 어떤
특정한 기회에 대하여 법으로 보호할만한 이익 내지 기대를 가지고 있는 경우에
는 그 기회는 회사에 귀속된다는 '이익ㆍ기대 기준(Interest or Expectancy Tes
t)',[25] ② 어떤 특정한 기회가 회사의 사업범위에 속하면 그 기회는 회사에 귀
속된다는 '사업범위 기준(Line of Business Test)',[26] ③ 전체적으로 보아 불공정
하거나 이익이 충돌되는 거래인 경우 규제대상이 된다는 '공정성 기준(Fairness
Test)',[27] ④ 회사의 사업기회인가를 판단함에 있어 1단계로 사업범위 기준에 따
라 검토하고, 2단계로 공정성 기준에 따라 수탁자가 그의 성실의무, 충실의무,
공정거래의무를 준수하였는가를 판단하는 '2단계 기준(Two-Step Approach)'[28]
등이 있다. 그러나 실제 사례에서는 어느 한 기준만을 적용하여 '회사기회' 해당
여부를 판단한다기보다는 여러 기준을 상호 보완적으로 적용하는 경우도 많다.
그리고 미국법률협회가 제반 법원 판결들을 검토, 분석한 뒤 1994년 ALI 원칙
§5.05에서 '회사기회'[29]의 판단기준을 제시한 뒤로는 이에 근거한 판결도 나오

---

24) 정봉진, 전게논문, 90~95면; 임재연(2007), 전게서, 383~397면; 고창현, 전게논문, 14~18
면 참조.

25) Lagarde v. Anniston Lime & Stone Co., 28 So. 199 (Ala. 1900). 우리나라의 한 상장회
사와 관련한 주주대표소송에서 서울중앙지방법원이 "회사에 현존하는 현실적이고 구체적인
사업기회"라고 한 것은 위 입장과 유사한 것이다(서울중앙지방법원 2011.2.25. 2008가합
47881). 위 판결은 2011년 상법 개정 이전에 이사의 일반적인 선관주의의무 및 충실의무
로부터 회사기회유용금지의 법리를 이끌어내고 그 규제의 범위를 정하였어야 하는 관계로
엄격한 기준을 택할 수밖에 없었을 것으로 생각된다. 그러나 "회사기회"에 대한 명문의 규
정을 둔 2011년 개정상법 시행 이후에도 위 판례와 동일한 입장이 유지되기는 어려운 것
으로 본다.

26) Guth v. Loft, Inc., 23 Del.Ch. 255, 5 A.2d 503 (1939).

27) Durfee v. Durfee & Canning, 323 Mass. 187, 80 N.E.2d 522 (1948).

28) Miller v. Miller, 301 Minn. 207, 222 N.W.2d 71 (1974).

고 있다.

　일단 어떠한 기회가 회사기회에 해당한다면, 이사는 회사에 기회를 개시·제공하여, 이해관계 없는 이사나 이해관계 없는 주주의 결의에 의하여 회사가 당해 기회를 받아들이기를 거절한 후에 당해 기회를 이용할 수 있는 것이 원칙이다. 다만, 이사가 그와 같은 승인을 받지 않고 회사기회를 이용한 경우에도 회사의 미이용(이용거절) 행위가 공정(fair)한 경우에는 면책된다. 이 경우 사법심사 기준으로 '공정성의 원칙'이 적용된다. 따라서 회사의 미이용(이용거절) 행위의 공정성에 대하여는 회사기회를 이용한 당해 이사가 이를 입증할 책임이 있으며, 경과실만 있어도 책임을 부담하게 된다. 이사의 회사기회 이용행위를 승인한 다른 이사들에 대한 책임 추궁과 관련하여서는 '경영판단의 원칙'이 적용된다.[30) 따라서 관련 정보의 완전공개 후에 이사회에서 회사가 당해 기회를 이용하지 않기로 하고 이사의 이용행위를 승인한 것은 충분한 정보에 기하여 선의로 회사의 최선의 이익을 위한 행위라고 추정되고, 이사의 의무위반을 주장하는 자가 그 추정을 번복할 입증책임을 지며, 이 경우 승인한 이사의 미필적 고의 내지는 중과실을 입증하여야 책임을 물을 수 있다.[31)

　만약 이사가 회사기회를 유용하였다는 것이 인정되면, 회사는 이사를 상대로 의제신탁(constructive trust)을 주장하여 이사가 회사기회를 유용하여 얻은 이익

---

29) ALI 원칙 §5.05(b)은 '회사기회(corporate opportunity)'에 대하여 다음과 같이 정의하고 있다.
　§5.05 (b) 회사기회의 정의. 본 장의 목적상 회사기회는 다음을 의미한다.
　(1) 이사 또는 상급집행임원이 알게 된 사업기회로서
　　(A) 이사 또는 상급집행임원이 자신의 직무수행과 관련하여 알게 된 것이거나 그 기회를 제공한 자가 그 기회가 회사에 제공될 것으로 기대했다고 이사 또는 상급집행임원이 합리적으로 믿을만한 정황 하에서 알게 된 것; 또는
　　(B) 이사 또는 상급집행임원이 회사의 정보나 재산을 사용하여 알게 된 사업기회로서, 이들이 그 기회가 회사에 이해관계가 있을 것이라고 믿을 만한 합리적인 이유가 있는 경우; 또는
　(2) 상급집행임원이 알게 된 사업기회로서 회사의 현재 또는 장래의 사업활동과 밀접하게 연관된 것임을 인지하고 있는 사업기회
　위에서 알 수 있는 바와 같이 2011년 개정상법상 '회사기회'의 정의는 ALI 원칙상 '회사기회'의 정의와 거의 동일하다. 따라서 아직 우리법상 '회사기회'의 해석 내지 범위와 관련한 검토와 자료가 부족한 상황하에서는 미국 ALI 원칙에 대한 해설서 및 이에 기초한 미국 판례의 검토, 분석이 상당한 의미를 가질 것으로 생각된다. 고창현, 전게논문, 18면.
30) 이해관계 없는 주주의 승인이 있었던 경우에는 회사 자산의 유용 내지 훼손(waste of corporate assets)에 해당하는 경우에 한하여 사법개입을 한다는 점은 자기거래의 경우와 동일하다. 위 각주 19 참조.
31) The American Law Institute, *op. cit.*, pp. 275f.; 고창현, 전게논문, 24면.

을 회사에 넘길 것을 청구할 수 있다.

(4) 회사와의 경쟁금지

이사가 회사와의 경쟁행위(competition with the corporation)를 하고자 할 경우 이사는 회사에 이를 개시하고 이해관계 없는 이사나 이해관계 없는 주주의 결의에 의하여 승인을 받고 동 행위를 하여야 하는 것이 원칙이라는 점과, 이해관계 없는 이사들의 승인이 있었던 경우에는 사법심사기준으로 '경영판단의 원칙(Business Judgment Rule)'이 통상 적용되고, 이해관계 없는 주주들의 승인이 있었던 경우에는 사법심사기준으로 '회사자산의 훼손(waste of corporate assets)' 해당 여부가 적용된다는 점은 앞서 본 자기거래나 회사기회의 이용에서와 동일하다.32) 나아가 ALI 원칙 §5.06(a)(1)은 이해관계 없는 이사나 주주의 승인이 없었던 경우에도 이사의 경쟁행위로 인하여 회사에게 '합리적으로 예상되는 손해(reasonably foreseeable harm)'가 없거나 또는 합리적으로 예상되는 손해보다 경쟁을 허용함으로써 회사가 얻을 수 있는 합리적으로 예상되는 이익이 큰 경우에 경쟁을 허용하고 있다.33) 그런데, 이사의 회사와의 경쟁을 금지하는 많은 미국의 판결례들은 경쟁 그 자체뿐만 아니라 회사 시설의 이용, 회사의 피용자나 고객의 유인, 비밀 정보의 사용 또는 회사기회의 유용 등이 함께 쟁점이 되었던 사안들이 많다.34)

다) 성실의무와 충실의무35)

충실의무위반 사안은 이익상충의 경우에만 한정되는 것이 아니고 성실의무(duty to act in good faith) 위반 사안도 포함할 수 있다.

델라웨어주 대법원은 In re Walt Disney Co. Deriv. Litig., 906 A.2d 27 (Del. 2006) 판결에서 성실의무위반은 주의의무위반을 발생시킬 수 있는 행위와 질적으로 다른, 그보다 비난가능성이 강한 행위를 요구한다고 하면서, 성실의무

---

32) Ibid., pp. 289~290.
33) Ibid., pp. 289~292.
34) Ibid., pp. 295~296.
35) 손성, "미국 Disney 판결에 관한 분석과 시사점 – 이사의 성실의무를 중심으로 –,"「상사판례연구」제21집 제1권(한국상사판례학회, 2008), 143면 이하; 이윤석, "미국회사법상 이사의 감시의무위반과 성실의무,"「상사법연구」제29권 제3호(한국상사법학회, 2010), 225면 이하; 최수정, "이사의 충실의무에 관한 고찰 – 미국 판례법을 중심으로 –,"「경영법률」제21집 제4호(한국경영법률학회, 2011), 1면 이하 참조.

위반을 구성할 수 있는 행위의 예로서 ① 수인자가 회사의 최선의 이익을 우선
시하는 것 외의 목적을 가지고 고의적으로 행동하는 경우, ② 수인자가 실정법
을 위반할 의도를 가지고 행동하는 경우, ③ 수인자가 의무를 알고 있으면서도
고의적으로 이를 위반함으로써 의무들에 대한 의식적인 방기를 드러내는 경우
등을 들었다. 델라웨어주 대법원은 Stone v. Ritter, 911 A.2d 362 (Del. 2006)
판결에서는, ① 성실의무는 충실의무의 하위 요소(subsidiary element)로서, 성실
의무위반은 충실의무위반의 구성이라는 간접적 경로를 통하여만 책임을 발생시
킬 뿐이며, ② 따라서 충실의무위반 사안은 금전적인 이해관계의 충돌을 수반하
는 사례에 한정되는 것이 아니라, 수인자가 성실의무를 위반한 경우들도 포함한
다고 판시하였다.

2) 영 국[36]

영미의 신인의무는 영국 형평법원의 판결례에서 비롯된 것이다. 미국이 영국
으로부터 독립하면서, 미국의 신인의무와 영국의 신인의무는 그 내용이 조금씩
달라지기 시작했다. 미국에서의 신인의무에는 충실의무뿐만 아니라 주의의무 등
도 포함되지만 전통적으로 영국에서 '신인의무(fiduciary duty)'라고 할 때에는 충
실의무와 같은 의미로 사용한 경우가 많았다.[37]

2006년 개정된 영국 회사법(Companies Act 2006)[38]은 제10부 회사의 이사(A
Company's Directors), 제2장 이사의 일반적 의무(General Duties of Directors)에
서 이사의 일반적 의무로 ① 권한 범위 내에서 행위할 의무(duty to act within
powers)(제171조), ② 회사의 성공을 촉진하여야 할 의무(duty to promote the

---

36) 김건식, 전게논문, 147면 이하; 박기령, 전게논문, 68~125면; 이중기, "신탁법에 기초한 영
   미 충실의무법리의 계수와 발전: 회사법, 금융법의 충실의무를 중심으로," 「홍익법학」 제12
   권 제1호(홍익대학교 법학연구소, 2011), 5면 이하; L.C.B. Gower, Gower's principles of
   modern company law, Sweet & Maxwell, 1992, p. 550f.
37) 예컨대, Bristol and West Building Society v. Mothew (1998) Ch. 1, 18 판결은 영국법
   상 신인의무의 본질과 관련하여, "수인자의 구분되는 의무는 충실의무이다. 본인은 수인자
   에게 일편단심의 충실(single-minded loyalty)을 요구할 수 있다. 이러한 핵심적 의무는
   여러 측면을 가진다. 수인자는 성실하게(in good faith) 행동하여야 하고, 신탁(trust)으로
   부터 이익을 취하여서는 안 되며, 본인이 관련 사항을 충분히 알고서 동의하지(informed
   consent) 않은 이상 자신이나 제3자의 이익을 위하여 행동하여서는 안 된다. 이것은 빠짐
   없이 목록을 작성하려고 한 것은 아니나, 신인의무의 본질을 적시하기에는 충분하다."라고
   판시한 바 있다. 박기령, 전게논문, 111면 참조.
38) 2006년 영국 회사법에 대하여는 심영, "영국 회사법 개정의 주요 내용과 그 시사점," 「중
   앙법학」 제9집 제2호(하)(중앙법학회, 2007), 637면 이하 참조.

success of the company)(제172조), ③ 독립적 판단을 하여야 할 의무(duty to exercise independent judgment)(제173조), ④ 합리적 주의, 기술 및 근면을 행하여야 할 의무(duty to exercise reasonable care, skill and diligence)(제174조), ⑤ 이익충돌을 회피하여야 할 의무(duty to avoid conflicts of interest)(제175조), ⑥ 제3자로부터 이익을 취하지 아니할 의무(duty not to accept benefits from third parties)(제176조), ⑦ 제안된 회사와의 거래 또는 계약에 관한 이해관계를 알려야 할 의무(duty to declare interest in proposed transaction or arrangement)(제177조)를 나열하고 있는데, 이 중 '합리적 주의, 기술 및 근면을 행하여야 할 의무'는 '주의의무'를, 나머지 조항들은 과거 전통적 의미에서의 '신인의무', 즉 '충실의무'를 규정한 것이라고 할 수 있다.

'합리적 주의, 기술 및 근면(reasonable care, skill and diligence)'이라 함은, '회사에 대한 관계에서 당해 이사에 의하여 수행되는 기능을 수행하는 사람에게 합리적으로 기대되는 일반적 지식, 기술, 경험과 당해 이사가 가지는 일반적 지식, 기술 및 경험을 갖춘 통상의 근면한 사람(reasonably diligent person)에 의하여 행사될 수 있는 주의, 기술, 근면'을 의미한다(제174조 제2항).

회사의 재산, 정보 또는 기회의 이용은 제175조에 의하여 규제된다(제175조 제2항). 이익충돌이 발생할 가능성이 없는 경우나 이사회의 승인이 있는 경우에는 이익충돌을 회피할 의무 위반이 아니다(제175조 제4항). 이사회의 승인은 폐쇄회사(private company)의 경우에는 정관상 승인을 금지하는 규정이 없는 경우에, 공개회사(public company)의 경우에는 정관에 승인할 수 있음을 규정한 경우에 가능하다(제175조 제5항).

자기거래는 제177조에 의하여 규율된다. 회사와의 거래 또는 계약이 제안되어 이사가 직접적 또는 간접적으로 이해관계를 가지는 경우, 이사는 다른 이사에게 이해관계의 성질 및 범위를 사전에 보고하여야 한다(제177조 제1항, 제4항). 이익충돌이 발생할 가능성이 없는 경우나 다른 이사가 이해관계를 이미 알았거나 합리적으로 보아 알았어야 했던 때에는 개시의무가 없다(제177조 제6항). 이사는 자신이 알지 못하는 이익을 알릴 의무는 없으나, 합리적으로 알 수 있었을 이익을 알리지 않은 경우에는 의무위반이 된다(제177조 제5항).

위 제171조 내지 제177조의 이사의 일반적 의무 위반으로 인한 효과는 종래의 보통법 원칙(common law rule) 또는 형평법 원칙(equitable principle)에 따른다(제178조 제1항). 동법은 위 각 의무 중 제174조의 '합리적 주의, 기술 및 근면을 행하여야 할 의무'를 제외한 다른 의무의 경우에는 이사들이 회사에 대하여 부담하는 다른 신인의무(fiduciary duty)와 동일한 방법으로 강제할 수 있다고 규정하여 '충실의무'와 '주의의무'는 그 취급을 달리함을 명시하고 있다(제178조 제2항).[39]

한편, 동법은 이사와 회사 사이의 거래 중에서 ① 일정 범위의 직무계약(service contracts, 제188조, 제189조), ② 주요재산거래(substantial property transactions, 제190조 내지 제196조), ③ 대출, 준대출과 신용거래(loans, quasi-loans and credit transactions, 제197조 내지 제214조), ④ 종임에 대한 보상(payments for loss of office, 제215조 내지 제222조) 등에 관하여는 원칙적으로 주주총회의 승인을 받아야 한다고 규정하면서, 각 경우에 대한 예외 및 위반시 거래의 효과 등에 관하여 자세히 정하고 있다.

3) 독 일[40]

가) 충실의무 일반

독일 주식법(Aktiengesetz)은 이사의 충실의무에 관한 명시적인 규정은 두고 있지 않으나 오늘날 학설, 판례는 이사의 충실의무를 원칙적으로 인정하고 있다.[41]

---

39) 제178조 제2항은 "The duties in those sections (with the exception of section 174 (duty to exercise reasonable care, skill and diligence)) are, accordingly, enforceable in the same way as any other fiduciary duty owed to a company by its directors." 라고 규정하고 있다.

40) K. Schmidt/Lutter, Aktiengesetz, 2. Aufl. 2010 (이하 "K. Schmidt/Lutter, AktG"); Hölters, Aktiengesetz Kommentar, 2011 (이하 "Hölters, AktG"); Hüffer, Aktiengesetz, 9. Aufl. 2010 (이하 "Hüffer, AktG"); Goette/Habersack/Kalss, Münchener Kommentar zum Aktiengesetz, 3. Aufl. 2008 (이하 "Münchener Kommentar zum AktG"); Hopt/Wiedemann, Großkommentar zum Aktiengesetz, 4. Aufl. 2006 (이하 "Großkommentar zum AktG") 등을 참조. 독일 회사법상의 충실의무에 대한 국내 논문으로는 김건식, "소수주주의 보호와 지배주주의 성실의무 – 독일법을 중심으로 –,"「서울대학교 법학」제32권 제3·4호(서울대학교 법학연구소, 1991), 98면 이하; 김재범, "회사의 해산결의와 대주주의 충실의무 – 독일의 Linotype 판례를 중심으로 –,"「사법행정」제396호(한국사법행정학회, 1993), 50면 이하; 정성숙, "독일회사법상 사원의 신인의무(충실의무)의 내용과 수용가능성에 관한 검토,"「기업법연구」제22권 제3호(통권 제34호)(한국기업법학회, 2008), 159면 이하; 조지현, "독일 주식법상 이사의 의무와 책임추궁,"「상사법연구」제28권 제1호(한국상사법학회, 2009), 9면 이하; 송호신, "지배주주의 충실의무에 대한 비교연혁법적 고찰,"「법학연구」제18권 제1호(경상대학교 법학연구소, 2010), 343면 이하; 김정호, "주주의 충실의무,"「경영법률」제24집 제4호(한국경영법률학회, 2014), 317면 이하 등을 참조.

이사는 회사의 기관으로서 신탁과 유사하게 회사의 재산을 회사의 이익을 위하여 관리한다. 이러한 이사와 회사 사이의 기관관계(Organverhältnis)로부터 이사의 충실의무가 도출된다. 즉, 이사의 충실의무는 이사의 포괄적인 지휘권한에 대응하는 개념으로서, 이사가 회사의 업무를 집행함에 있어서 회사의 발전을 위해 최선을 다하고 자신의 이익을 위해 회사에 부담이 되게 기관으로서의 지위를 이용하여서는 아니 된다는 의무이다.[42] 이사는 항상 회사의 이익을 위해 행동해야 하며, 회사를 손해로부터 보호해야 하고,[43] 자기 스스로의 이익 또는 제3자의 이익을 회사의 이익보다 우선시하거나[44] 개인적인 이익을 추구하기 위해 업무상 지위를 남용해서는 아니 되며,[45] 회사의 사업기회(Geschäfts-chance)를 자기 또는 제3자를 위해서 유용할 수 없다.[46]

위와 같은 이사의 기관적 충실의무(organschaftliche Treupflicht)는 법상 의무이므로, 고용계약과 같은 채권계약에 의하여 제한될 수 없다.[47] 이사의 충실의무에 관하여는 경영적인 재량(unternehmerischer Ermessensspielraum)이 인정되지 않는다.[48]

나) 독일 주식법상 이사와 회사의 이익상충을 규율하는 조항

이사의 경업·겸직은 독일 주식법 제88조에 의하여 규율되며, 승인의 주체가 감사회라는 점에서 차이가 있을 뿐 그 내용은 우리 상법 제397조와 매우 유사하다.[49] 독일 주식법 제88조는 이사의 충실의무가 구체화된 대표적인 조항으로

---

41) BGHZ 13, 188(192); BGHZ 20, 239(246); Hüffer, AktG, §84 Rn. 9; Hefermehl/Spindler in Münchener Kommentar zum AktG, §93 Rn. 18.
42) Hefermehl/Spindler in Münchener Kommentar zum AktG, §76 Rn. 14.
43) Spindler in Münchener Kommentar zum AktG, §76 Rn. 14.
44) BGH WM 1983, 498.
45) Hopt in Großkommentar zum AktG, §93 Rn. 176 ff.
46) BGH WM 1985, 1443; Hopt in Großkommentar zum AktG, §93 Rn. 166.
47) Hölters, AktG, §93 Rn. 114.
48) UMAG법의 정부 입법초안서 BT-Drucks 15/5092, S. 11; 한편, 감사도 이사와 마찬가지로 감사 직위(Amtsstellung)에서 비롯되는 충실의무가 존재하나, 감사의 권한범위 등을 고려하여 그 내용은 이사보다 완화된다. Drygala in K. Schmidt/Lutter, AktG, §116 Rn. 20.
49) 제88조 [경쟁금지]
　　(1) 이사는 감사회의 동의 없이 상업을 하거나 회사의 사업분야에서 자기 또는 제3자의 계산으로 거래를 할 수 없다. 이사는 위 동의 없이는 다른 상사회사의 이사나 업무집행자 또는 인적 책임을 지는 사원이 될 수 없다. 감사회의 동의는 오직 특정한 상업이나 상사회사, 또는 특정 거래 분야에 대해서만 행해질 수 있다.
　　(2) 이사가 이 금지를 위반하는 경우, 회사는 손해배상을 청구할 수 있다. 회사는 손해배상

보는 것이 일반이다.[50]

이사의 자기거래는 독일 주식법 제112조, 제89조 등에 의하여 규율된다. 제112조 전문은 "감사회는 이사에 대하여 재판상 및 재판 외에서 회사를 대리한다."라고 하여, 이사의 자기거래에 있어서는 감사에게 회사의 대리권한을 부여하는 방법으로 이사와 회사의 이익충돌 상황을 해결하고 있다. 위 조항에 위반하여 감사회가 회사를 대리하지 않고 행해진 이사와 회사 사이의 법률행위는 원칙적으로 무효라는 견해[51]와 독일 민법 제177조 이하에 의거한 유동적 무효이며 추인으로 유효로 될 수 있다는 견해[52]가 공존한다. 독일 법원은 제112조를 현직 이사에 대한 회사의 행위뿐만 아니라 전직 이사[53]나 이사의 친족[54]에 대한 행위에도 적용하고 있다.

제89조는 회사의 이사 및 그 배우자, 미성년의 자 등의 특수관계인에 대한 대출[55]에 대하여는 거래전 3개월 이내에 행해지는 감사회의 사전 결의를 요함으로써 제112조의 규율을 한층 강화하고 있다. 한편 제87조는 '이사의 보수에 관한 원칙'이라는 표제 하에 "감사회는 개별 이사의 총보수(급료, 이익분배, 비용상환, 보험료, 수수료, 예를 들어 신주인수권과 같은 인센티브에 기반한 보수 및 각 종류에서의 부가적 급부)를 결정함에 있어서, 총보수가 당해 이사의 임무 및 급부와 회사의 상황에 대하여 적절한 관계가 있고 특별한 이유 없이 통상의 보수를 넘지 않도록 주의를 기울여야 한다."라고 규정하고 있다(제1항 제1문).[56]

을 청구하는 대신, 거래가 이사 자기의 계산으로 한 것인 때에는 이를 회사의 계산으로 한 것으로 볼 수 있고, 제3자의 계산으로 한 것인 때에는 이사에게 수령한 관련 보수를 반환하거나 보수청구권을 양도할 것을 요구할 수 있다.

50) Krieger/Sailer-Coceani in K. Schmidt/Lutter, AktG, §93 Rn. 16.

51) 과거 다수설: OLG Hamburg AG 1986, 259; OLG Stuttgart AG 1993, 85; Stein, AG 1999, 28; Semler in Münchener Kommentar zum AktG, §112 Rn. 70ff.

52) 최근의 다수설: OLG Celle AG 2003, 433; OLG München AG 2008, 423; Habersack in Münchener Kommentar zum AktG, §112 Rn. 70 ff.

53) BGH NJW-RR 2009, 690; BGH NJW-RR 1991, 926; OLG Celle AG 2012, 41.

54) BGH NJW-RR 2007, 98.

55) 이 때 '대출(Kredit)'은 담보 제공, 지불기한유예, 보수의 선불 등 기간적으로 제공되는 모든 재산상의 가치의 공여를 의미하는 광의의 것이다. Hölters, AktG, §115 Rn. 4; Hopt/Roth in Münchener Kommentar zum AktG, §115 Rn. 18.

56) 그 외에, 감사에 대한 대출행위는 제115조로, 회사와 감사와의 계약은 제114조로, 회사의 지배인이나 전체적인 영업을 위임받은 업무대리인 및 그 특수관계인, 지배회사 및 종속회사의 지배인 등, 이사 등이 감사 등을 겸임하고 있는 다른 회사 등에 대한 대출행위는 제89조로 규율되고 있다.

다) 주주의 충실의무

독일의 통설, 판례에 의하면 주주도 사원관계(Mitgliedschaftsverhältnis)에서 비롯되는 사원적 충실의무(mitgliedschaftliche Treupflicht)를 부담한다.[57] 주주의 충실의무 역시 법에 명시적으로 규정되어 있지 않으나, 독일 민법 제242조의 신의성실(Treu und Glauben) 등을 기초로 인정되고 있다.[58] 주주의 충실의무는 회사의 이익과 다른 주주의 회사 관련 이익을 배려(Rücksicht)해야 한다는 원칙을 내용으로 하며,[59] 주주의 사원권 행사에 대한 제한의 의미를 가진다.[60] 주주의 충실의무의 범위는 주주가 회사에 미치는 영향력의 크기에 비례한다. [61]

4) 프랑스[62]

프랑스 상법(code de commerce)상 이사 등[63]의 신인의무 내지 충실의무를 명시적으로 규정하는 조항은 없다. 프랑스에서 이사 등과 회사의 이익충돌상황은 다음과 같은 개별 조항에 의하여 규율되고 있다.

---

57) 마르쿠스 루터, "독일법에서의 주주의 충실의무," 「서울대학교 법학」 제38권 제1호(서울대학교 법학연구소, 1997), 196~203면.

58) Röhricht in Hommelhoff/Hopt/v. Werder, Handbuch Corporate Governance, 2003, S. 513, 514.

59) BGH Urteil v. 1.2.1988 - II ZR 75/87 ("Linotype"), BGHZ 103, 184; BGH Urteil v. 20.3.1995 - II ZR 205/94 ("Girmes"), BGHZ 129, 136; BGH Urteil v. 5.7.1999 - II ZR 126/98 ("Hilgers"), BGHZ 142, 167.

60) Hölters, AktG, §53a Rn. 17.

61) Hüffer, AktG, §53a Rn. 17.

62) Anne Charvériat/Alain Couret/Bruno Zabala, Sociétés commerciales 2012, Editions Francis Lefebvre, 2011; Dominique Schmidt, Les conflits d'intérêts dans la société anonyme, Joly, 2004 참조.

63) 프랑스 상법상 주식회사는 기업지배구조로서 ① 이사회(conseil d'administration) 중심의 1원적 체제와 ② 집행이사회(directoire) 및 감독이사회(conseil de surveillance)로 구성되는 2원적 체제를 자유롭게 선택할 수 있으나, 2009년을 기준으로 전체 주식회사 중 2원적 체제를 선택한 회사는 약 5%에 불과하다. 1원적 체제에서의 회사경영권한은, ① 경영진의 경영을 통제하고 회사의 전략적 방향을 결정하며 회사의 정상적 운영을 감시하는 이사회(conseil d'administration), ② 회사기관의 정상적 기능을 감시할 임무가 있는 이사회 의장(président du conseil d'administration), ③ 회사의 일상적 경영 및 회사의 제3자에 대한 대표에 관한 권한 일체를 가지는 집행임원(directeur général, 단 반드시 이사일 필요는 없다)의 3개의 기관이 가지고 있다. Anne Charvériat/Alain Couret/Bruno Zabala, op. cit., 506, 580, 623, 624. 이하에서는 주로 1원적 체제의 주식회사 형태에 관하여 서술하기로 한다.

가) 이사 등과 회사의 거래의 제한

프랑스 상법상 자기거래는 ① 금지되는 거래(conventions interdites. 제225조의43), ② 상법상 요건을 따를 경우 금지가 해제되는 거래(conventions réglementées. 제225조의38), ③ 자유롭게 허용되는 거래(conventions libres. 제225조의39)의 3유형으로 나누어진다.[64]

(1) 제225조의43 제1항은 자연인인 이사[65]가, 회사로부터 금전을 차용하거나, 회사로부터 당좌계정 또는 기타로 신용대출을 받거나, 자신의 제3자에 대한 채무를 회사로 하여금 보증하게 하는 행위를 금지한다.[66] 위 금지는 집행임원, 부집행임원, 법인인 이사의 지속적 대표자(représentants permanents), 위 이사 등의 배우자, 직계존비속, 나아가 일체의 중개인에 대하여도 적용된다(제225조의43 제3항). 여기서 '중개'는, 일견 회사가 제3자에 대하여 대여 또는 보증을 제공하였지만 실제 이익이 귀속하는 자가 앞에서 열거한 자인 경우에 존재한다.[67]

제225조의43의 금지를 위반하여 행해진 거래는 무효이다(제225조의43 제1항). 위 무효는 공서(公序, ordre public)의 요청에서 나온 절대적인 것이므로,[68] 추인에 의하여 유효로 될 수 없다.[69] 회사는 선의의 제3자에 대하여는 위 무효를 주장할 수 없다(제235조의12).

(2) 회사와 집행임원, 부집행임원, 이사, 10%를 넘는 의결권을 가지는 주주, 위 주주가 회사인 경우에는 위 회사주주의 지배회사[70] 사이에 직접 또는 중개

---

64) 집행이사회(directoire) 및 감독이사회(conseil de surveillance) 구성원에 대하여도 유사한 규율이 가해진다(제225조의91, 제225조의86, 제225조의87 등).

65) 프랑스 상법상 이사회 의장, 집행임원, 부집행임원(directeur général délégué)는 자연인만 가능하지만 이사는 법인도 될 수 있다. Anne Charvériat/Alain Couret/Bruno Zabala, *op. cit.*, p. 201.

66) 다만 회사가 은행업 또는 금융업을 영위하는 경우에는, 그 영업상 통상의 조건으로 체결되는 일상 거래에 대하여는 위와 같은 금지가 적용되지 않는다(제225조의43 제2항).

67) 회사가 제3자에게 금전을 대여하고 제3자가 그 직후에 동일한 금액을 회사의 집행임원에게 대여하는 경우(TGI Seine 27-11-1962: D. 1974 p. 730 note Dalsace) 등이 그 대표적인 예이다. 다만 회사의 이사 또는 집행임원이 대여를 받은 회사의 상당 지분을 보유하고 있다거나 그 회사의 임원이라는 사실만으로는 위 요건이 증명되었다고 할 수 없으며, 그러한 신용이 당해 이사 또는 집행임원에게 개인적으로 이익이 되었다는 것이 더 입증되어야 한다(Cass. com. 12-4-1983: BRDA 18/83 p. 19). Anne Charvériat/Alain Couret/Bruno Zabala, *op. cit.*, p. 806.

68) Cass. ch. mixte 10-7-1981: D. 1981 p. 637; Cass. com. 25-4-2006 n° 05-12734: RJDA 8-9/07 n° 858.

69) Anne Charvériat/Alain Couret/Bruno Zabala, *op. cit.*, p. 807.

인에 의하여 체결된 거래는, 이사회의 사전 동의가 있어야 한다(제225조의38 제1항). 제1항에서 열거된 자들이 거래 당사자가 아니라도 이들이 간접적으로 이해관계가 있는 거래에 관하여도 마찬가지이며(제225조의38 제2항),[71] 회사의 집행임원, 부집행임원, 이사가 다른 기업의 소유자, 무한책임사원, 업무집행자(gérant), 이사, 감독이사 또는 임원인 경우에는 당해 회사와 그 기업 사이에 체결되는 계약에도 이사회의 사전 동의가 있어야 한다(제225조의38 제3항). 법인인 이사는 지속적 대표자를 선임하여야 하고 선임된 지속적 대표자는 본인이 회사의 이사인 경우와 동일한 민・형사 책임을 지므로(제225조의20), 회사가 법인인 이사의 지속적 대표자와 거래하는 경우에도 동일한 규율을 받게 된다.[72] 다만, 이사, 이사회 의장, 집행임원의 보수의 결정은 제225조의38 이하의 적용을 받지 않는다.[73]

어떠한 거래가 제225조의38의 거래에 해당하는 경우, ① 이해관계인의 이사회에 대한 통지, ② 이사회의 사전 승인, ③ 감사(commissaires aux comptes)의 주주총회에 대한 특별보고서 제출, ④ 주주총회의 승인을 거쳐야 한다(제225조의40). 이해관계인은 이사회 및 주주총회 결의에서 의결에 참가할 수 없다(제225조의40 제1항, 제4항).

이사회의 사전 승인을 받지 못한 거래는, 그것이 회사에게 손해가 될 수 있는 결과를 낳은 경우에는 취소될 수 있고, 이는 이해관계인의 책임에는 아무런

---

70) 지배의 개념은 제233조의3에서 규정된다. 주주총회의 의결권의 과반수를 부여하는 주식을 직접 또는 간접적으로 보유하는 경우, 다른 주주와 사이에 체결된 회사의 이익에 반하지 않는 약정에 의하여 회사의 의결권의 과반수를 단독으로 보유하는 경우, 자신이 보유하는 의결권에 의하여 회사의 주주총회의 결의를 사실상 결정할 수 있는 경우, 이사 등 회사기관 구성원의 과반수를 임명하거나 해임할 수 있는 권한을 가지는 경우에 지배관계가 인정되며(제233조의3 제1항), 40%를 넘는 의결권을 직접 또는 간접적으로 보유하는 최대주주는 지배회사로 추정된다(제233조의3 제2항).

71) 프랑스 법원이 간접적인 이해관계가 있다고 인정한 사안으로는, ① 주식회사의 이사회 의장이자 집행임원인 자가 약혼자에게 회사 소유의 부동산을 매매예약하고, 그 후 부부별산제 하에서 혼인하여 위 매매예약의 목적물이 된 장소에서 같이 거주하고 있는 경우(Cass. com. 23-1-1968: Bull. civ. IV n° 38), ② 주식회사의 이사회 의장이 다른 회사와 사이에 전속공급계약을 체결하였는데, 사실 후자의 회사는 그의 두 어린 자녀에 의하여 구성된 것으로서 사실상 그의 기업이었던 경우(CA Nîmes 15-2-1989, inédit et, sur pourvoi, Cass. com. 23-10-1990: Bull. civ. IV n° 254) 등이 있다. Anne Charvériat/Alain Couret/Bruno Zabala, op. cit., pp. 807~808 참조.

72) Ibid., pp. 807~808.

73) Cass. com. 3-3-1987: Gaz. Pal. 1987 p. 264 note B. Hatoux.

영향을 미치지 않는다(제225조의42 제1항). 제3자가 자신의 선의를 증명한 경우에는 위 무효로써 그에게 대항할 수 없다.[74] 위 무효의 하자는 이사회 승인의 절차가 준수되지 않은 이유가 된 정황을 드러내는 감사의 특별보고서에 기한 주주총회의 결의에 의하여 치유될 수 있다(제225조의42 제3항). 이사회의 사전 승인이 있는 이상, 감사의 특별보고서의 제출이나 주주총회의 승인의 흠결 등은 거래의 유·무효에 영향을 미치지 않는다.[75]

(3) 제225조의38은 통상의 조건으로 체결된 일상 거래에 관한 계약에는 적용되지 않는다(제225조의39).

나) 이사 등의 책임에 의한 규율

이사, 집행임원은 주식회사에 대하여 적용되는 법령 위반, 정관 위반, 경영상 범한 과책(過責, faute)을 이유로 회사 또는 제3자에 대하여 단독으로 또는 연대하여 책임을 질 수 있다(제225조의251 제1항). 위 법령위반에는 회사와 이사 등 사이에 체결된 계약에 적용되는 절차를 준수하지 않은 것도 포함된다.[76]

한편, 이사 등이 회사재산이나 권한, 의결권을 남용하는 경우에 가해질 수 있는 형사처벌에 의하여도 이사 등의 이익상충행위가 규제되고 있다. 즉, 주식회사의 이사회 의장, 이사, 또는 집행임원이 악의로 회사의 이익에 반하여 개인적인 목적이나 그가 직접 혹은 간접적으로 이해관계가 있는 다른 회사나 기업에게 이익을 주기 위하여, 회사의 재산이나 신용을 이용한 경우나 자신이 가지는 권한이나 행사할 수 있는 의결권을 행사한 경우에는 5년의 징역 및 375,000 유로의 벌금이 선고될 수 있다(제242조의6 제3호, 제4호). 예를 들어, 이사가 회사가 재정적으로 어려운 상황에서 자신이 수행한 업무량이 불충분함에도 불구하고 지나치게 과도한 보수를 수령한 경우에는 회사재산남용의 책임이 있고,[77] 회사의 임원이 자신이 이해관계를 가지는 다른 회사에 대하여 후자의 회사가 부담하는 인도의무의 이행을 청구하는 것을 의식적으로 방기한 경우에는 권한남용의 책임이 있다.[78]

---

74) Anne Charvériat/Alain Couret/Bruno Zabala, *op. cit.*, p. 822.
75) Ibid., p. 823.
76) Ibid., p. 570.
77) Cass. crim. 21-10-2009 n° 09-80.393: RJDA 4/10 n° 393.
78) Cass. crim. 15-3-1972: Bull. crim. n° 107.

5) 일 본[79]

가) 충실의무 일반조항

1950년 개정전 일본 상법(商法)은 이사의 충실의무에 관한 규정을 두지 않았다. 일본은 패전 후인 1950년 일본재벌해체와 미국식 기업지배구조의 이식 등을 목적으로 한 미군 사령부의 상법개정지시에 따라 상법개정을 하게 된다. 그 과정에서 이사의 충실의무에 관하여 규정하게 되었는데(제254조의2), 이는 미국법상 이사의 충실의무(duty of loyalty)의 영향을 받은 것이라고 이해되고 있다.[80] 위 조항은 내용에는 변경 없이 1981년 조문번호가 제254조의3으로 변경되었고, 이는 2005년 제정된 일본 회사법 제355조가 되었다.

일본 회사법 제355조는 "이사는 법령 및 정관과 주주총회의 결의를 준수하여 주식회사를 위하여 충실하게 그 직무를 수행하여야 한다."라고 규정하여 이사의 충실의무를 규정하고 있다. 위 조항은 주식회사의 집행임원(제419조 제2항), 청산인(제482조 제4항)에게 준용된다.

일본 회사법 제330조[81], 일본 민법 제644조[82]는 이사의 선관주의의무를 인정하고 있는데, 충실의무와 선관주의의무의 관계에 관하여 후술하는 우리나라에서의 학설대립과 거의 같은 내용으로 동질설[83]과 이질설[84]이 대립하고 있다. 어떤 학설에 의하더라도 이사가 그 지위를 이용하여 회사이익의 희생 하에 자기

---

79) 일본법에 관하여는 落合誠一 編, 「會社法コンメンタール(8)」(商事法務, 2009), 51~60面(近藤光男 집필), 61~90面(北村雅史 집필); 江頭憲治郎, 「株式會社法」(有斐閣, 2021), 448~465面; 神田秀樹, 「會社法」(弘文堂, 2021), 239~254面; 森・濱田松本法律事務所 編, 「新・會社法實務問題 シリーズ・5, 取締役・取締役會・株主代表訴訟」(中央經濟社, 2006), 118~137面; 江頭憲治郎・中村直人 編, 「論點體系 會社法 3 株式會社 III」(第一法規出版, 2021), 152~169面(酒井太郎 집필); 前田庸, 「會社法入門」(有斐閣, 2011), 412~422面; 長島・大野・常松法律事務所 編, 「アドバンス 新會社法」(商事法務, 2010), 386~387, 437~440面 참조.

80) 落合誠一 編, 前揭書, 51面. 1950년 개정 일본 상법 제254조의2의 입법 연혁에 관하여는 박기령, 전게논문, 125~130면을 참조.

81) 일본 회사법 제330조는 "주식회사와 임원 및 회계감사인과의 관계는 위임에 관한 규정에 따른다."고 규정하고 있다.

82) 일본 민법 제644조는 "수임자는 위임의 본지에 따라 선량한 관리자의 주의로써 위임사무를 처리할 의무를 진다."고 규정하고 있다.

83) 森本滋, "取締役の善管注意義務と忠實義務," 「民商法雜誌」 第81卷 第4號(1980), 471面 以下; 江頭憲治郎, 前揭書, 449面; 江頭憲治郎・中村直人 編, 前揭書, 154面.

84) 赤堀光子, "取締役の忠實義務(四・完)," 「法學協會雜誌」 第85卷 第4號(1968), 532面; 北沢正啓, 「會社法」(青林書院, 2001), 412面; 前田庸, 前揭書, 413面.

의 이익을 꾀하여서는 안 되는 의무를 부담하는 것 자체에는 차이가 없고, 다만 이질설에 의하면 ① 선관주의의무에서는 과실의 유무가 문제되지만, 충실의무에서는 과실의 유무는 문제되지 않고 무과실책임이 부과된다는 점, ② 선관주의의무위반에서는 그 책임범위가 회사가 입은 손해로 되지만 충실의무위반에서는 회사의 손해뿐 아니라 이사가 얻은 일체의 이익으로 되는 점, ③ 충실의무위반은 선관주의의무위반에 비하여 법원에 의하여 판정이 용이하다는 점(경영판단의 원칙)에서 차이가 있다고 한다.[85] 일본 최고재판소는 이른바 야와타제철(八幡製鐵) 정치헌금 사건[86]에서 "상법 254조의2[87]의 규정은 254조 3항[88], 민법 644조에서 정하는 선관주의를 부연하고, 또 일층 명백하게 함에 그치는 것으로서 …… 통상의 위임관계에 수반하는 선관주의와는 구별되는 고도의 의무를 규정한 것으로는 해석할 수 없다."라고 판시하여 동질설의 입장이다.

나) 경업거래, 자기거래 제한, 이사의 보수

일본 회사법상 이사가 경업행위[89] 또는 자기거래[90]를 하기 위해서는 주주총회에서 거래에 관하여 중요한 사실을 개시하고 그 승인을 받아야 한다(제356조 제1항). 이사회설치회사에서는 이사회의 승인이 필요하다(제365조 제1항).

2005년 일본 회사법이 제정되면서 경업행위에 대한 회사의 개입권은 삭제되었다. 대신 당해 거래에 의하여 이사 또는 제3자가 얻은 이익액은 회사의 손해액으로 추정된다(제423조 제2항).

자기거래에 의하여 회사에 손해가 발생한 때에는, 해당 거래의 당사자(직접거래) 또는 수익자(간접거래)인 이사, 회사가 당해 거래를 하는 것을 결정한 이사, 당해 거래에 관한 이사회의 승인결의에 찬성한 이사는 그 임무를 해태한 것으로 추정된다(제423조 제3항). 이사가 자기를 위하여 직접거래를 행한 경우에는 임무

---

85) 落合誠一 編, 前揭書, 53面.
86) 日最判 1970.6.24. 民集 第24卷 第6號 625面.
87) 현행 일본 회사법 제355조에 해당한다.
88) 현행 일본 회사법 제330조에 해당한다.
89) 일본 회사법 제356조 제1항 제1호는 "이사가 자기 또는 제3자를 위하여 주식회사의 사업 부류에 속한 거래를 하려고 하는 때"라고 규정하고 있다.
90) 일본 회사법 제356조 제1항 제2호는 "이사가 자기 또는 제3자를 위하여 주식회사와 거래를 하려고 하는 때"라고 규정하여 자기거래 중 직접거래를, 제3호는 "주식회사가 이사의 채무를 보증하거나 기타 이사 이외의 자와의 사이에 주식회사와 당해 이사의 이익이 상반되는 거래를 하려고 하는 때"라고 규정하여 자기거래 중 간접거래를 규정하고 있다.

를 해태한 것이 당해 이사의 책임으로 귀속시킬 수 없는 사유에 의한 것이라는 것을 증명한다고 해도 면책되지 않으며(제428조 제1항), 제425조(책임의 일부 면제), 제426조(이사 등에 의한 면제에 관한 정관의 규정), 제427조(책임한정계약)가 정하는 책임감경의 대상으로 되지 않는다(제428조 제2항).

이사의 보수에 대하여는 정관에 정함이 없으면 주주총회의 결의로 정한다(제361조). 다만, 위원회설치회사의 경우 이사나 집행임원 등의 개인별 보수의 내용은 보수위원회에서 결정한다(제404조 제3항).

다) 기 타

(1) 회사기회유용

일본 회사법상 이사의 회사기회유용을 명시적으로 다루는 규정은 없다. 이사가 자기 또는 제3자를 위하여 회사의 사업 부류에 속하는 거래를 한 경우에는 경업에 관한 일본 회사법 제356조 제1항 제1호에 의하여 규율될 것이므로, 일본에서의 회사기회유용은 위 조항으로 규율되지 않는 경우를 중심으로 논의되고 있다.[91] 北村雅史 교수에 의하면, ① 이사가 그 직무수행에 관련하여 알게 된 거래기회, ② 회사가 그 사업의 유지·편익을 위하여 탐구하고 있는 거래기회, ③ 회사의 정보 또는 인적, 물적 시설을 이용하여 이사가 입수한 거래기회는 회사의 기회로 되며, 이사가 이러한 기회를 회사에 제공하지 않았다거나 제공은 하였으나 회사가 그 기회를 거절하지 않았음에도 불구하고 자기나 제3자를 위하여 그 기회를 이용한 경우에는, 선관주의의무 내지 충실의무위반에 기하여 회사에 대한 손해배상책임(일본 회사법 제423조)을 부담할 것이라고 한다.[92]

(2) 종업원 빼가기[93]

일본의 판례에서 문제가 되는 충실의무위반 사안으로는 이사의 종업원 빼가기가 있다. 이사가 새로운 회사를 설립하고 회사의 종업원을 빼가는 경우 선관주의의무 내지 충실의무 위반 등을 이유로 회사에 대하여 손해배상책임을 지는지가 문제가 된다.

책임의 발생요건에 관하여는 당해 퇴직권유행위가 충실의무위반으로 되는지

---

91) 落合誠一 編, 前揭書, 71面.
92) 落合誠一 編, 前揭書, 71~72面.
93) 落合誠一 編, 前揭書, 57面 以下; 江頭憲治郞·中村直人 編, 前揭書, 156面 以下.

여부는, 이사가 퇴임한 사정, 스스로 교육한 부하인지 여부 등 종업원과 이사의 관계, 퇴직을 권유받은 종업원의 수 등 회사에 미치는 영향의 정도 등을 종합하여, 부당한 태양의 것만이 충실의무위반으로 된다는 견해(부당권유설)94)와, 이질설의 관점에서 이사의 퇴직권유행위는 그 자체로서 이익상반행위의 하나로서 충실의무위반행위에 해당한다 해야 할 것이므로 주변 사정이나 이사의 주관적 태양은 고려할 필요가 없다는 견해(엄격설)95)로 나뉘어 있다. 판결례 중에는 엄격설을 취한 것도 있으나, 비율적으로는 부당권유설을 채택한 것이 많다고 한다.96)

책임의 범위에 관하여는, 이질설의 관점에서 충실의무위반의 경우이므로 회사의 손해뿐 아니라 이사의 이익액도 포함된다고 하는 견해도 있을 수 있으나, 충실의무위반으로 인한 손해배상책임 일반에 대하여 그와 같은 명문규정은 없으므로 위와 같은 해석은 무리라는 견해가 있다.97)

다. 충실의무의 내용과 위반의 효과

1) 선관주의의무와의 관계

가) 문제의 소재

회사와 이사의 관계는 민법의 위임에 관한 규정이 준용되므로(제382조 제2항), 이사는 민법 제681조에 따라 회사에 대하여 이사선임계약의 본지에 따라 선량한 관리자의 주의로써 사무를 처리할 의무를 부담한다. 1998년 개정상법은 제382조의3으로 이사의 충실의무 조항을 규정하였는바, 종래 우리나라에서는 이사의 선관주의의무와 충실의무 사이의 관계를 둘러싸고 견해의 대립이 있어 왔다.

---

94) 江頭憲治郎, 前揭書, 457面.
95) 北村雅史, "從業員の引き拔きと取締役の忠實義務," 「法學論叢」 第164卷 第1＝6號(2009), 293~294面; 江頭憲治郎·中村直人 編, 前揭書, 157面에서 재인용.
96) 예를 들어 日千葉地松戶支決 2008.7.16. 金法 1863號 35面은 "이사의 구체적인 행위가 선관주의의무 및 충실의무에 위반하고 있는지 여부는, 종업원 빼가기나 경업거래에 의한 거래선 탈취 등의 이사의 행위에 이르기까지의 회사 내부의 사정, 당해 이사와 종업원의 인적인 관계, 당해 이사의 행위가 회사의 업무에 미친 영향의 정도 등을 종합하여, 부당한 태양인지 여부에 의하여 판단하는 것이 상당하다."라고 하고 있다. 江頭憲治郎·中村直人 編, 前揭書, 158面에서 재인용.
97) 落合誠一 編, 前揭書, 59面.

나) 학설의 대립

(1) 이질설98)

충실의무는 영미법상의 충실의무를 가리키며 종래의 선관주의의무와는 질적으로 상이한 것이라는 견해이다. 이질설은 주로 ① 이사의 충실의무는 이사가 그 지위를 이용하여 자기 또는 제3자의 이익을 위하여 행동하는 측면(개인관계적 측면)에서 요구되는 의무임에 반하여, 선관주의의무는 이사가 회사를 위하여 직무를 집행하는 측면(기관관계적 측면)에서 요구되는 의무이므로 그 요건과 효과가 전혀 다른 점, ② 제382조의3의 입법 경위 및 상법의 영미법계로의 접근 현상, ③ 제388조(이사의 보수), 제397조(경업금지), 제397조의2(회사의 기회 및 자산의 유용 금지), 제398조(이사 등과 회사 간의 거래), 제400조(회사에 대한 책임의 감면) 제2항, 충실의무를 명시한 신탁법과의 통일적 해석, ④ 민법상 원칙적으로 무보수인 수임인이 위임과 관계없는 개인적 사항에 관하여 위임인의 이익을 우선시키고 자기의 이익을 무시하여야 할 의무(충실의무)를 부담한다고 보기는 어려운 점 등을 근거로 한다.

이질설 중 상당수는 ① 선관주의의무에서는 과실의 유무가 문제로 되지만, 충실의무에서는 무과실책임을 부담하고, ② 선관주의의무위반에서는 그 책임범위는 회사가 입은 손해로 되지만, 충실의무위반에서는 이사가 얻은 모든 이익의 반환에까지 미친다고 한다.99)

(2) 동질설100)

제382조의3은 이사의 선관주의의무를 구체화한 것으로서 이를 다시 강조한

---

98) 정동윤, 「회사법」, 제7판(법문사, 2001, 이하 "정동윤"), 431면 이하; 권기범, 「현대회사법론」, 제8판(삼영사, 2021), 866면; 정동윤 편집대표, 「주석 상법 [회사(III)] §361~§415의2」, 제5판(한국사법행정학회, 2014), 215~216면; 박길준 · 손주찬 · 양승규 · 정동윤, 「개정상법축조해설」(박영사, 1999), 46면; 강희철 · 김화진, "개정 회사법: 개정 상법상의 주식회사 이사의 의무와 책임," 「인권과 정의」 제270호(대한변호사협회, 1999), 46면; 임중호, "이사의 충실의무론," 「비교사법」 제6권 제2호(통권 제11호)(한국비교사법학회, 1999), 589~591면; 강희갑, 전게논문, 361면 이하; 김병연, 전게논문, 65~66면; 이홍욱, 전게논문, 430면 이하; 손성, 전게논문, 193~194면; 장근영, 전게논문, 291~293면; 유영일, "이사의 충실의무(상법 제382조의3)의 재검토 – 2009년 신탁법 개정안과 관련하여 –," 「상사판례연구」 제23집 제1권(한국상사판례학회, 2010), 519~520면; 최수정, 전게논문, 23~24면; 이중기, 전게논문, 18면 이하.

99) 정동윤, 전게서, 432면; 이홍욱, 전게논문, 432면; 유영일, 전게논문, 531~532면.

100) 이철송, 전게서, 760면; 송옥렬, 전게서, 1039면; 정찬형, 「상법강의(상)」 제24판(박영사, 2021, 이하 "정찬형"), 1039~1040면; 최기원, 「신회사법론」 제14대정판(박영사, 2012, 이하 "최기원"), 660~661면; 최준선, 「회사법」 제16판(삼영사, 2021), 529~530면.

것에 불과하다는 견해이다. ① 선관주의의무는 그 내용이 탄력적이므로 회사에 최선의 이익이 되는 결과를 추구해야 할 의무(적극적 의무)까지 포함하는 것으로 볼 수 있는 점, ② 영미법의 신인의무는 상당히 폭넓은 규범으로서 우리 법체계 하에서는 명문의 성문규정이 없이는 인정할 수 없는 것도 있는데, 제382조의3의 규정만으로는 영미법의 신인의무를 수용하였다고 볼 수 없는 점, ③ 일본에서의 통설, 판례도 동질설을 취하고 있는 점 등을 근거로 한다.

　다) 제382조 제2항과 제382조의3과의 관계

　제382조 제2항에 의하여 준용되는 민법 제681조는 "수임인은 위임의 본지에 따라 선량한 관리자의 주의로써 위임사무를 처리하여야 한다."고 규정하고 있는데 여기에서 '주의'라는 용어를 사용하고 있다고 하여 위 조항에 따른 '선량한 관리자로서의 주의의무'가 미국법상의 '주의의무(duty of care)'와 동일한 의미라고 보기는 어렵다. 또한, 제382조의3의 입법 경위 및 제382조의3이 모델로 삼은 일본 회사법 제355조의 입법 경위를 고려하면, 제382조의3이 미국법상 충실의무(duty of loyalty)를 본받은 것임은 부정하기 어렵지만, 제382조의3은 "이사는 법령과 정관의 규정에 따라 회사를 위하여 그 직무를 충실하게 수행하여야 한다."라는 추상적 표현만을 사용할 뿐이어서, 이로써 미국법상 충실의무를 그대로 수용하였다고 보기는 어려울 뿐만 아니라,[101] 그 이전에는 인정되지 않던 이사의 의무를 새롭게 창설하였다고 하기도 어렵다.

　제382조 제2항, 민법 제681조에서 규정하고 있는 선관주의의무에는 위임받은 업무를 처리함에 있어서 합리적인 주의를 기울여야 할 의무뿐만 아니라 위임인(회사)의 이해와 수임인(이사) 개인의 이해가 상충되는 경우 위임인의 이익을 우선시 하여야 할 의무까지도 포함되는 것이며, 제382조의3은 이 같은 선관주의의무를 부연하고 이를 보다 명백히 하기 위한 규정으로 보는 것이 타당하다. 판례가 "임원의 판단이 선량한 관리자로서의 주의의무 내지 충실의무를 위반한 것이라고 단정할 수는 없다."[102]라는 표현을 사용하는 등 선관주의의무와 충실의무를 명확히 구분하고 있지 않는 것도 같은 취지라고 본다.

---

101) 이철송, 전게서, 760면.
102) 대법원 2017.9.12. 2015다70044; 2006.11.9. 2004다41651, 41668 등. 우리법과 유사한 체계를 취하고 있는 일본에서도 "선관주의의무 내지 충실의무 위반이 인정된다"라는 형태로 판시하는 판례가 많다고 한다. 落合誠一 編, 前揭書, 53面.

따라서 제382조의3이 준용되지 않고 제382조 제2항만이 준용되고 있는 감사(제415조)나 청산인(제542조 제2항)의 경우에도 충실의무를 부담한다고 본다.

다만, 제382조 제2항과 제382조의3의 관계에 대한 논의와는 무관하게 '주의의무(duty of care)'와 '충실의무(duty of loyalty)'는 개념상 구분될 뿐만 아니라 주관적 요건 내지 사법심사기준, 구제수단, 회사에 대한 책임의 감면 등에 있어서 달리 취급되므로 이를 구분할 실익도 있다고 본다.

2) 충실의무 위반의 주관적 요건 내지 사법심사기준

미국에서는 '주의의무'에 대한 사법심사기준으로 경영판단의 원칙(Business Judgment Rule)이 적용되어 이사에게 주의의무 위반을 이유로 책임을 묻기 위해서는 미필적 고의(recklessness) 내지는 중과실(gross negligence)이 있어야 하는 반면, '충실의무'에 대한 사법심사기준으로는 훨씬 엄격한 '공정성의 원칙(Entire Fairness Rule/Doctrine)'이 적용된다고 함은 앞서 본 바와 같다.

또는 중대한 과실로 그 임무를 게을리한 때에는 그 이사는 제3자에 대하여 연대하여 손해를 배상할 책임이 있다."라고 규정하고 있으며, 제399조(회사에 대한 책임) 제1항에서 "이사가 고의 또는 과실로 법령 또는 정관에 위반한 행위를 하거나 그 임무를 게을리한 경우에는 그 이사는 회사에 대하여 연대하여 손해를 배상할 책임이 있다."라고 규정하고 있어서, 이사가 책임을 부담하게 되는 대상이 회사인지 제3자인지의 여부에 따라 그 주관적 요건을 달리 정하고 있을 뿐 위반한 의무가 주의의무인지 충실의무인지에 따라 달리 정하고 있지 않다. 제399조의 문언상 주의의무든 충실의무든 이사가 경과실로 이를 위반하여 회사에게 손해를 입힌 경우에 배상책임이 있음은 의문의 여지가 없다.[103]

그런데, 충실의무는 회사와 이사 사이의 이익충돌 상황을 전제로 하는바, 이사가 개인적인 이익을 우선시하고 이로 인하여 회사가 손해를 입을 위험이 크기

---

103) 따라서 우리나라의 판결례에서도 '경영판단의 원칙'이라는 용어는 흔히 사용되고 있지만(예컨대, 대법원 2011.4.14. 2008다14633; 2010.1.14. 2007다35787; 2008.7.10. 2006다39935; 2008.4.10. 2004다68519; 2007.12.13. 2007다60080; 2007.10.11. 2006다33333; 2007.7.26. 2006다33685; 2007.7.26. 2006다33609; 2006.11.9. 2004다41651, 41668; 2006.7.6. 2004다8272; 2005.10.28. 2003다69638), 고의 또는 과실을 명시하고 있는 제399조 제1항의 문언상, 주의의무 위반의 경우 이사에게 중과실이 있다는 것을 상대방이 입증하지 못하는 이상 책임을 묻지 못한다는 형태의 미국법상의 '경영판단의 원칙(Business Judgment Rule)'은 인정될 여지가 없다. 송옥렬, 전게서, 1045면.

때문에 그에 상응하여 이사에게 보다 엄격한 책임을 부담시킴으로써 이사의 의무위반을 예방하는 것이 법정책적으로 타당한 반면, 그러한 개인적인 이해관계가 개입되지 않은 순수한 주의의무와 관련하여서도 동일한 기준을 적용하는 경우에는 사업수행에 따른 위험부담을 전제로 이익을 추구하는 것을 본질로 하는 회사의 이사에게 지나치게 가혹할 뿐만 아니라 기업가 정신을 위축시키는 결과를 초래하게 되어 법정책적으로 타당하지 않다. 이에 제399조에 관한 해석에 있어서도 '충실의무'가 문제되는 사안에 대하여는 엄격한 기준을 적용하되 '주의의무'가 문제되는 사안에 대하여는 보다 중한 정도의 과실(중과실에 가까운 과실)이 있는 경우에 한하여 배상책임을 인정하는 것이 타당하다. 실제 판결례 중에도 이러한 차이를 미묘하게나마 표현하고 있는 것이 있다. 예컨대, 삼성전자 주주대표소송의 항소심 판결[104]은 회사가 영위하지 않던 신규사업에 진출하기 위하여 제3자가 설립, 운영하던 기업을 인수한 건으로서 순수하게 '주의의무'만이 문제되는 사안에 대하여는 이사의 배상책임을 인정한 1심 판결[105]을 파기하면서 "(대상회사 인수 이후에 상황 변화로 동사의 재무구조가 급속히 악화됨으로써 결과적으로 회사에게 손해를 입게 하였다고 하더라도), 당시의 이사들이 위 결정에 관하여 개인적인 이해관계가 있었다거나 그 결정으로 인하여 회사가 손해를 입을 것이라는 점을 알고 있었다는 등의 특별한 사정이 없는 한, 사후에 그러한 사유가 발생하였다는 점만으로 위 이사들에게 그 손해배상책임을 부담하게 할 수는 없다."라고 판시하면서 배상책임을 부인한 반면, 회사가 최대주주로 경영권을 행사하고 있던 기업의 주식을 다른 계열사에 매도한 건으로서 '충실의무'도 관련된 사안에 대하여는 1심 판결과 마찬가지로 이사의 배상책임을 인정하였는바, 사실관계에 대하여 자세한 설시를 하고 있는 1심 판결문상 이사의 행위 내지 과실의 정도면에서 별 차이가 없음에도 불구하고 배상책임 여부에 대하여 결론을 달리한 것은 '주의의무'만이 문제되는 사안에 대하여는 '충실의무'가 문제되는 사안에 비하여 이사에게 보다 중한 과실이 있는 경우에 한하여 배상책임을 인정하려는 취지로 보인다. 또한, 법원은 다수의 판결례에서 "이사가 임무를 수행함에 있어서 선량한 관리자의 주의의무를 위반하여 임무해태로 인한 손해배상책임이

---

104) 서울고등법원 2003.11.20. 2002나6595. 원·피고 모두 상고하였으나 상고기각되어(대법원 2005.10.28. 2003다69638) 확정되었다.
105) 수원지방법원 2001.12.27. 98가합22553.

문제되는 경우에 고려될 수 있는 경영판단의 원칙"이라고 판시106)하고 있는바,
앞서 본 바와 같은 우리법과 미국법의 차이로 인하여 우리나라에서 '경영판단의
원칙'이라는 용어가 사용되는 경우에도 미국법상의 의미와 동일한 의미로 파악
할 수는 없지만, '주의의무' 위반만이 문제되는 경우에는 '충실의무'가 문제되는
경우에 비하여 그 과실이 중한 경우에 한하여 배상책임을 인정하려는 근본 취지
는 미국법상의 '경영판단의 원칙'과 그 맥을 같이 하는 것으로 이해된다.107)

한편, 학설 중에는 '충실의무' 위반에 대하여는 무과실책임을 부담한다는 견
해108)도 있으나 이와 같이 일반화하기는 어렵고 각 구제수단별로 개별적인 검
토를 요한다고 할 것이다. 충실의무를 구체화한 제397조, 제397조의2, 제398조
에 따라 책임을 묻는 경우에는 일종의 법정책임으로서 이사의 과실 여부와 무관
하게 그 책임을 물을 수 있으나, 제399조에 따라 손해배상책임을 묻기 위해서는
이사의 '고의 또는 과실'이 인정되어야 함은 법문상 명백하다. 특히, 2011년 개
정상법은 제399조에 의한 이사의 회사에 대한 손해배상책임은, 임무해태의 경우
뿐만 아니라 법령 또는 정관 위반의 경우에도 과실책임임을 명확히 하였다.109)
다만, 현실적으로는 이사의 이익과 회사의 이익이 충돌하는 상황 하에서는 객관
적인 충실의무 위반행위가 인정되는 이상 이사의 고의 또는 과실이 사실상 추정
되는 경우가 많을 것이다.110)

---

106) 대법원 2011.4.14. 2008다14633; 2007.12.13. 2007다60080; 2006.11.9. 2004다41651, 41668.
107) 또한, 대법원은 보증보험회사의 대표이사인 피고인이 지급보증을 하였다가 보증책임을 이
    행하게 되어 회사에게 손해가 발생한 것이 배임죄에 해당하는지가 문제가 된 사안에서 "기
    업의 경영에는 원천적으로 위험이 내재하여 있어서 경영자가 아무런 개인적인 이익을 취할
    의도 없이 선의에 기하여 가능한 범위 내에서 수집된 정보를 바탕으로 기업의 이익에 합치
    된다는 믿음을 가지고 신중하게 결정을 내렸다 하더라도 그 예측이 빗나가 기업에 손해가
    발생하는 경우가 있을 수 있는바, 이러한 경우에까지 업무상배임죄의 형사책임을 묻고자
    한다면 이는 죄형법정주의의 원칙에 위배되는 것임은 물론이고 정책적인 차원에서 볼 때에
    도 영업이익의 원천인 기업가 정신을 위축시키는 결과를 낳게 되어 당해 기업뿐만 아니라
    사회적으로도 큰 손실이 될 것이다. … 피고인이 금품을 수수하거나 기타 개인적인 이익을
    얻으려 하였다는 점이 인정되지도 않는 사실 등을 보태어 보면 … 지급보증을 한 것이 임
    무위배행위에 해당한다거나 피고인에게 배임의 고의가 있었다고 단정하기 어렵다"고 판시
    한바 있다(대법원 2004.7.22. 2002도4229). 위 판결은 형사판결이기는 하나, 이사가 어떠
    한 거래를 하는 데에 개인적인 이해관계가 없는 경우에는 이사의 의무위반 여부를 심사하
    는 기준이 완화될 수 있음을 시사하고 있다.
108) 정동윤, 전게서, 432면; 이홍욱, 전게논문, 432면; 유영일, 전게논문, 531~532면.
109) 정동영 감수, 「상법 회사편 해설」(법무부, 2012, 이하 "상법 회사편 해설"), 245면.
110) 곽민섭, "이사의 의무와 책임 - 선관주의의무와 충실의무를 중심으로 -," 「재판실무연구」
    (광주지방법원, 2004), 128면은, 이사와 회사의 이익이 충돌하는 행위유형에 있어서는 금
    지위반행위를 한 사실만으로 고의 또는 과실이 사실상 추정된다고 할 수 있다고 한다.

3) 충실의무 위반시 구제수단 및 배상의 범위

이사의 의무위반에 대한 구제수단과 관련하여 학설 중에는 주의의무위반의 경우에는 손해배상청구만 가능한 반면 충실의무위반의 경우에는 명문의 규정 없이도 원상회복적 또는 이익반환적 구제수단이 가능하다는 견해[111]도 있으나 현행 상법의 해석론상 그와 같이 보기는 어렵다.[112]

충실의무의 구체화라고 할 수 있는 제397조, 제397조의2, 제398조가 그 위반시 효과와 관련하여 영미의 원상회복적 또는 이익반환적 구제수단을 반영하고 있는 것은 사실이다. 제397조는 이사의 경업거래에 대한 개입권을 인정하고 있고, 제397조의2 제2항은 이사 등이 얻은 이익액을 회사의 손해액으로 추정하고 있으며,[113] 판례는 제398조에 위반한 자기거래의 효력을 상대적 무효로 보고 있다.[114]

그러나 위 경우 외에, 다른 특별한 규정[115]이 없는 이상 이사의 충실의무위반에 대하여 인정되는 회사의 구제수단은 주의의무 위반의 경우와 마찬가지로 이사에게 회사가 입은 손해의 배상을 청구할 수 있을 뿐이며(제399조), 다른 원상회복적 또는 이익반환적 구제수단은 인정되지 않는다.[116] 손해배상의 범위는 제397조의2와 같은 특별한 규정이 없는 이상 일반원칙에 따라 이사의 충실의무위반과 상당인과관계 있는 회사의 손해로 제한되고, 그 입증책임은 회사 측에 있으며, 손익상계 및 과실상계도 인정된다.

4) 정관 규정에 의한 이사의 배상책임 제한

2011년 개정상법에서 신설된 제400조 제2항은 "회사는 정관으로 정하는 바

---

111) 정동윤, 전게서, 432면; 이홍욱, 전게논문, 432면; 유영일, 전게논문, 531~532면.
112) 곽민섭, 전게논문, 128면.
113) 다만, 법률구성을 손해배상책임으로 하고 있는 이상 과실상계가 인정될 수 있고 이 점에서는 이익반환적 사상이 희석된다.
114) 대법원 2005.5.27. 2005다480; 2004.3.25. 2003다64688; 1984.12.11. 84다카1591; 1973. 10.31. 73다954 등.
115) 예컨대, 자본시장과 금융투자업에 관한 법률 제172조는 이사 등 회사 내부자에 의한 미공개중요정보의 유용을 금지하기 위하여 회사가 발행한 증권을 6개월 이내의 단기에 매매한 경우 그로 인하여 얻은 이익을 당해 회사에게 반환할 의무를 부과하고 있다. 신탁법 제43조 제3항에 관하여는 후술한다.
116) 이중기, 전게논문, 22~23면은 충실의무 위반의 경우 신탁법 제77조, 제43조 제3항과 같이 유지청구권과 이익반환청구권을 구제수단으로 명시할 필요가 있다고 한다.

에 따라 제399조에 따른 이사의 책임을 이사가 그 행위를 한 날 이전 최근 1년 간의 보수액(상여금과 주식매수선택권의 행사로 인한 이익 등을 포함한다)의 6배(사외이사의 경우는 3배)를 초과하는 금액에 대하여 면제할 수 있다. 다만, 이사가 고의 또는 중대한 과실로 손해를 발생시킨 경우와 제397조, 제397조의2 및 제398조에 해당하는 경우에는 그러하지 아니하다."라고 규정하고 있다.

정관 규정으로 이사의 책임을 제한할 수 있도록 한 선도적인 입법례는 미국 델라웨어주 회사법이다. 동법 제102조는 정관에 이사의 회사에 대한 배상책임을 감면하는 규정을 둘 수 있도록 하면서 '충실의무(duty of loyalty)' 위반의 경우와 고의적인 위법행위(intentional misconduct or a knowing violation of law)에 대하여는 감면이 불가능하다고 규정하고 있다.[117] 여기서 '충실의무' 위반이라는 것은 이사가 이해관계 없는 이사 또는 주주의 승인 없이 자기거래, 회사기회이용, 회사와의 경쟁행위 등을 한 경우에 해당하는 것이고, 이사회에 그와 같은 사항의 승인이 안건으로 상정된 경우 그 결의에 참여한 이사들의 경우에는 '충실의무'가 문제되는 것이 아니라 '주의의무' 위반 여부가 문제된다고 본다.[118] 따라서 자기거래 등의 승인 결의에 참여한 이사들에 대한 배상책임은 일반원칙에 따라 고의적인 위법행위가 아닌 한 정관에 의한 면제가 가능하다.

일본 회사법은 이사의 회사에 대한 책임은 당해 이사가 직무를 행함에 있어서 선의이고 중대한 과실이 없는 한 일정액(기본적으로 대표이사 내지 대표집행임원인 경우에는 연봉의 6배, 사내이사 내지 집행임원인 경우에는 연봉의 4배, 사외이사인 경우에는 연봉의 2배)을 초과하는 금액에 대하여 주주총회의 결의 혹은 정관 규정에 따른 이사회 결의로 면제할 수 있다고 규정하고 있다(제425조, 제426조). 그러나 이사가 자기를 위하여 직접거래를 행한 경우에는 위 규정에 따른 면책이

---

117) Delaware General Corporation Law Section 102(b)(7)은 "A provision eliminating or limiting the personal liability of a director to the corporation or its stockholders for monetary damages for breach of fiduciary duty as a director, provided that such provision shall not eliminate or limit the liability of a director: (i) For any breach of the director's duty of loyalty to the corporation or its stockholders; (ii) for acts or omissions not in good faith or which involve intentional misconduct or a knowing violation of law; …."라고 규정하고 있다. 이사의 책임제한에 관한 미국의 입법례와 관련하여서는 최문희, "주식회사 이사의 책임제한에 관한 연구," 서울대학교 대학원 법학과 박사학위논문(2004), 120~143면을 참조.

118) 이에 따라 이 경우의 사법심사기준으로는 '공정성 원칙(Entire Fairness Rule/Doctrine)'이 아니라 '경영판단의 원칙(Business Judgment Rule)'이 통상 적용된다고 함은 앞서 본 바와 같다.

허용되지 않는다(제428조). 따라서 자기거래 등의 승인 결의에 참여한 이사들에 대한 배상책임은 물론 위 규정 이외의 충실의무 위반이 문제되는 경우에도 일반원칙에 따라 이사가 선의이고 중과실이 인정되지 않는 한 책임면제가 가능하다.

이사에게 '고의'가 있는 경우 면책이 불가능하다는 것은 삼국간 공통된 사항이고 별다른 이견이 있을 수 없다. '중과실'을 어떻게 할 것인지와 관련하여서는 델라웨어주 회사법의 경우에는 위 조항을 도입한 계기가 된 Smith v. Van Gorkom 판결[119]에서 델라웨어주 법원이 '경영판단의 원칙(Business Judgment Rule)'이 적용되는 '주의의무'가 문제된 사안에서 '미필적 고의(recklessness)'뿐만 아니라 '중과실(gross negligence)'만 인정되어도 책임을 부담시킬 수 있다고 판시한 것을 뒤엎기 위한 입법이었으므로 '중과실(gross negligence)'이 있는 경우에도 면책이 가능하도록 한 것은 당연한 것이지만, 우리나라 및 일본이 이 경우 면책이 불가능하다고 한 것은 입법정책적인 선택이라고 볼 수 있다.

나아가, 제402조 제2항 단서의 "제397조, 제397조의2 및 제398조에 해당하는 경우"의 문언을 어떻게 해석하여야 할지가 문제된다. 특히, 위 단서에서 인용되는 위 각 조문은 이사회 승인 없이 경업을 하거나, 회사기회를 유용하거나, 회사와 거래를 한 이사에 관하여 규정하고 있을 뿐만 아니라 관련 안건이 이사회에 부의되어 승인된 경우에 관하여도 규정하고 있으므로 면책이 금지되는 것이 전자의 경우에 한정되는 것인지 아니면 후자도 포함하는 것인지가 분명치 않다. 비록 법문상 다소 불분명한 점은 있다고 하더라도, 앞서 본 외국의 입법례나 본 규정의 근본 취지 및 문제되는 이사의 의무의 성격을 감안할 때 위 각 규정에 위반하여 이사회의 승인 없이 경업을 하거나 회사기회를 유용하거나 회사와 거래를 한 이사에 한정하여 그 책임감면이 불가능하다는 취지로 해석하는 것이 타당하다. 즉, 위 단서 규정이 이사회에서 승인 결의에 찬성한 이사의 책임감면을 배제하는 것은 아니며, 이 경우에는 일반원칙에 따라 "이사가 고의 또는 중대한 과실로 손해를 발생시킨 경우"가 아닌 한 책임감면이 가능하다고 해석해야 할 것이다.[120]

---

119) Smith v. Van Gorkom 488 A.2d 858 (Del. 1985).
120) 고창현, 전게논문, 24~26면; 송옥렬, 전게서, 1084면; 이철송, 전게서, 811~812면.

5) 2011년 개정 신탁법상 충실의무의 함의[121]

2011년 개정 신탁법(2011. 7. 25. 개정, 2012. 7. 26. 시행)은 영미의 충실의무 내지 신인의무의 개념을 대폭 수용하면서 수탁자의 충실의무와 선관주의의무를 구제수단과 사법심사기준에 있어 달리 취급하고 있다.

2011년 개정 신탁법은 제33조에서 "수탁자와 수익자의 이익을 위하여 신탁 사무를 처리하여야 한다."라고 하여 수탁자의 충실의무에 관한 일반조항을 신설 하고, 제34조(이익에 반하는 행위의 금지), 제35조(공평의무), 제36조(수탁자의 이익 향수금지) 등으로써 이를 구체화하였다.[122]

수탁자의 의무위반의 경우에 원칙적으로 인정되는 구제수단은 ① 수탁자의 의무위반행위, ② 수탁자의 고의·과실, ③ 신탁재산의 손해 또는 변경의 발생, ④ 의무위반행위와 손해 또는 변경 간의 인과관계를 요건으로 하는 원상회복청 구권이고, 다만 원상회복이 불가능하거나 현저하게 곤란한 경우 등에는 보충적 으로 손해배상청구권이 인정된다(제43조 제1항). 나아가 신탁법 제43조 제3항은 "수탁자가 제33조부터 제37조까지의 규정에서 정한 의무를 위반한 경우에는 신 탁재산에 손해가 생기지 아니하였더라도 수탁자는 그로 인하여 수탁자나 제3자 가 얻은 이득 전부를 신탁재산에 반환하여야 한다."라고 하여 수탁자의 충실의 무 일반에 대한 구제수단으로 수탁자의 이득반환책임을 추가로 인정하고 있다. 이 때 수탁자의 귀책사유나 손해의 유무는 요건으로 되지 않는다.[123]

위와 같이 신탁법이 충실의무 일반의 위반에 대하여 별도의 요건에 따른 별 도의 구제수단을 인정함에 따라, 신탁법에 있어서 충실의무 위반 사안과 일반 선관주의의무 위반 사안은 그 구분이 대단히 중요해졌고, 이에 따라 관련 학설,

---

121) 2011년 개정 신탁법상 충실의무에 관하여는 김상용 감수, 「신탁법 해설」(법무부, 2012), 266~368면; 유영일, 전게논문, 525~527면; 안성포, "신탁법상 수탁자의 충실의무에 관한 고찰 - 2009년 법무부 개정안을 중심으로 -,"「상사판례연구」제22집 제4권(한국상사판례 학회, 2009), 83면 이하; 최나진, "신탁법상 충실의무에 대한 소고,"「법학연구」제16집 제 1호(인하대학교 법학연구소, 2013), 53면 이하 참고.

122) 개정전 신탁법은 신탁자의 충실의무에 관한 일반규정은 두지 않고 다만 신탁재산의 거래금 지(31조), 신탁재산으로부터의 이익향유금지(29조)만을 두고 있었으나, 대법원 2005.12. 22. 2003다55059는 "수탁자의 충실의무는 수탁자가 신탁 목적에 따라 신탁재산을 관리하 여야 하고 신탁재산의 이익을 최대한 도모하여야 할 의무로서, 일반적으로 수탁자의 신탁 재산에 관한 권리취득을 제한하고 있는 신탁법 제31조를 근거로 인정되고 있다."라고 하여 수탁자의 충실의무를 인정하고 있었다. 김상용 감수, 전게서, 266~267면.

123) 김상용 감수, 전게서, 350~368면; 최나진, 전게논문 78~79면.

판례도 빠르게 발전할 것으로 생각된다. 문제는, 이러한 신탁법 개정이 상법상 이사의 충실의무에 어떠한 영향을 미칠 것인가이다.[124]

영미에서 이사의 충실의무 내지 신인의무 법리는 신탁법리에서 출발하였고,[125] 이사는 회사의 신뢰에 기하여 많은 권한을 부여받고 있다는 점에서 신탁법상 수탁자와 유사한 점이 많은 것은 사실이다. 그러나 회사가 이사에게 특정의 재산을 이전하거나 담보권의 설정 또는 그 밖에 처분을 한 것은 아니므로(신탁법 제2조) 이사를 신탁법상 수탁자로 볼 수는 없고, 회사법은 단체관계에 관한 법으로서 개인관계에 관한 법인 신탁법과 달리 거래안전 내지 법률관계의 동적 안전이 특히 중요하므로, 신탁법상 법리를 상법상 이사와 회사 간의 관계에 섣불리 유추적용할 수는 없을 것이다. 실제로 영미, 특히 미국에서의 이사의 충실의무 관련 법리는 회사관계에 존재하는 특수한 이익상황을 고려하여 신탁법리에서 유래하는 엄격성을 완화시키는 방향으로 발전해 왔다. 미국에서 이사와 회사의 자기거래에 관하여 주주의 동의가 없다고 하더라도 거래가 공정한 경우에는 유효로 보고 있는 것이 그 대표적인 예이다. 특히, 신탁법 제43조 제3항과 같이 새로운 구제수단을 창설하는 조항은 그 중요성에 비추어 안이하게 그 적용범위를 확장할 수 없다.

요컨대, 이사의 충실의무에 관한 일반조항인 제382조의3이 지나치게 추상적이어서 다른 구체적 조항 또는 법리로 보충 내지 확장될 필요가 있다 하더라도, 동일한 회사관계에 관한 구체적 조항인 제397조, 제397조의2, 제398조 등이 먼저 고려되고, 신탁법상 충실의무 조항은 그 후에 고려되는 것이 타당하다. 입법론상 논의를 별론으로 하면, 2011년 신탁법 개정이 상법상 이사의 충실의무에 미치는 영향은 제한적일 것으로 생각된다.

라. 충실의무의 주체 및 대상

1) 충실의무의 주체

제382조의3은 충실의무의 부담 주체를 이사로 규정하고 있다. 제382조의3의 '이사'는 퇴임이사(제386조 제1항), 임시이사(제386조 제2항 전단), 이사직무대행자

---

124) 유영일, 전게논문, 532~534면은 이질설에 찬동하는 주요 논거로 2011년 신탁법 개정을 들고 있다.
125) 김건식, 전게논문, 148면; 이중기, 전게논문, 7면; 박기령, 전게논문, 68면 이하.

(제407조)를 포함한다. 집행임원은 이사와 동일하게 취급된다(제408조의9).

법상 명시되지는 않았으나, 주식회사의 청산인,[126] 감사, 비등기이사나 유한회사의 이사 등에 대하여도 충실의무가 인정될 필요가 있을 수 있다.[127] 그 법적 수단은 제382조의3의 유추적용이 될 수도 있고, 동질설의 입장에서 선관주의의무로부터 나온다고 할 수도 있으며, 독일법을 참조하여 기관관계에서 나온다고 할 수도 있을 것이다. 다만 충실의무의 인정 여부 및 그 범위를 결정함에 있어서는, 그러한 사람이 회사로부터 부여받은 권한 및 회사에 대하여 미칠 수 있는 영향력의 정도, 상법이 개별 충실의무 관련 조항을 그러한 사람에게 적용하고 있는지 여부 등을 고려하여 신중하게 판단하여야 할 것이다. 제401조의2 제1항은 회사에 대한 자신의 영향력을 이용하여 이사에게 업무집행을 지시한 자 등을 제399조, 제401조 등의 적용에 있어서 이사로 보고 있는바, 이들에게는 제397조, 제397조의2, 제398조 등의 충실의무 관련 개별 조항이 직접 적용되는 것은 아니라고 하더라도, 이사와 유사한 정도의 충실의무가 부과되고 있다고 보아도 좋을 것이다.

2011년 개정상법 제398조는 자기거래의 적용범위를 크게 확대시켰는바, 이에 의하여 충실의무의 부담 주체가 제398조 각 호의 자들에게 확대된 것이 아닌가 하는 의문이 있을 수 있다. 그러나 제398조 각 호의 자 중 이사 이외의 자는 제398조를 위반하더라도 거래가 무효가 되는 불이익을 입을 뿐 제399조에 기해 회사에 대한 손해배상책임을 지는 것은 아니며, 이는 마치 이사회 결의를 요하는 중요한 거래의 상대방이 처하는 상황과 유사하지만 이사회 승인의 실효성 확보를 위해 그러한 상대방에게도 개시의무를 부과하고 있다는 점에서 차이가 있을 뿐이라고 본다면, 제398조가 주요주주 등의 충실의무를 전제로 하고 있다고 확대 해석할 필요는 없을 것이다.[128]

---

126) 일본 회사법 제482조 제4항은 주식회사의 청산인의 충실의무를 인정하고 있다.
127) 지배주주도 충실의무를 부담하는지에 대하여 영국의 경우에는 일반적으로 인정하지 않고 있는데 반하여, 미국에서는 인정하고 있다. 김건식, 전게논문, 160면. ALI 원칙에 의하면 지배주주도 충실의무를 부담하나, 이사나 상급집행임원보다 그 정도가 완화되어 있다. The American Law Institute, *op. cit.*, §§5.01~5.14. 지배주주가 누리는 프리미엄은 지배권취득 위험에 대한 보상으로서 정당화되지만, 사후적으로 볼 때 과도한 경우가 있고, 이러한 예외적인 경우 발생하는 불공정성을 사후적으로 시정할 법적 장치로서 지배주주의 소수주주에 대한 충실의무를 인정하는 법제도가 필요하다는 입법론이 있다(이중기, "지배권 프리미엄의 표현으로서 다수지배원칙과 통제장치로서의 지배주주의 충실의무,"「상사법연구」제32권 제1호(한국상사법학회, 2013), 283면 이하).

2) 충실의무의 상대방

제382조의3은 '회사를 위하여'라고 하여 이사의 충실의무의 상대방이 회사임을 명시하고 있다.

앞서 본 바와 같이 미국에서는 이사가 회사뿐 아니라 주주에 대하여도 신인의무를 부담한다고 한다.[129] 우리 상법상 이사에게 위임계약에 기하여 포괄적 경영권한을 수여한 자는 회사이기 때문에, 이사는 개별 주주에 대하여는 아무런 의무도 지지 않는다.[130] 이사가 사실상 특정 주주들에 의하여 선임된 것이라 하더라도 이사는 특정 주주들이 아닌 회사에 대하여 충실의무를 부담한다. 예를 들어 A, B가 합작투자계약을 체결하여 합작투자회사(joint venture company)를 설립하면서 A가 a를, B가 b를 각각 이사로 지명하여 주주총회에서 a와 b를 이사로 선임하였다고 하더라도, a가 회사의 이익을 희생하여 A의 이익을 꾀하는 경우에는 충실의무 위반이 된다.[131]

다만, 이사가 '회사'에 대하여 충실의무를 부담한다고 하여도 회사란 법적 편의성을 위해 인격의 주체로 의제된 것에 불과하므로 그 형식적 법인격만으로 궁극적 이해관계자인 주주나 채권자로부터 분리된 독립적인 이익을 가진 주체로 보는 것은 타당하지 않다.[132] 그리고 회사가 도산상태에 있는 예외적인 경우에

---

128) 천경훈, "개정상법상 자기거래 제한 규정의 해석론에 관한 연구," 「저스티스」 통권 제131호(한국법학원, 2012), 69~70면; 권윤구·이우진, "개정상법상 자기거래의 규제," 「BFL」 제51호(서울대학교 금융법센터, 2012), 57면.

129) 김건식, 전게논문, 162~163면; Dodge v. Ford Motor Co. (204 MICH. 459, 170 N.W. 1919) 판결은 "회사는 주주의 이익을 주된 목적으로 하여 조직되어 운영된다. 이사의 권한은 그러한 목적을 위하여 행사되어야 한다(A business corporation is organized and carried on primarily for the profit of stockholders. The powers of the directors are to be employed to that end)."라고 판시한 바 있다; Robert Charles Clark, *op. cit.*, 678면은 "회사의 이사 및 임원은 주주의 부를 극대화하기 위한 신인의무를 부담하며, 회사에 의하여 영향을 받는 그 밖의 집단에 대한 특별한 의무를 충족시키기 위한 많은 의무를 부담한다(a corporation's directors and officers have a fiduciary duty to maximize shareholder wealth, subject to numerous duties to meet specific obligations to other groups affected by the corporation)."라고 한다.

130) 송옥렬, 전게서, 1041면.

131) 江頭憲治郎, 前揭書, 450面은 합작투자계약에서 관련 조항을 두어 이러한 문제에 대비할 수 있을 것이라고 한다.

132) 이철송, "자본거래와 임원의 형사책임," 「인권과 정의」 제359권(대한변호사협회, 2006. 7.), 106면; 윤영신, "전환사채의 저가발행에 대한 이사의 배임죄 성부," 「민사판례연구」 XXIX(박영사, 2007), 340면; 이상훈, "LBO와 배임죄(하)—손익관계와 출자환급적 성격 및 법인이익독립론을 중심으로—," 「법조」 제620호(한국법조협회, 2008. 5.), 203~204면.

는 회사가 채권자의 소유재산이 되지만,[133] 그 이외의 경우에는 회사는 주주의 소유재산으로서 회사의 이해는 곧 '(전체) 주주의 (비례적) 이해'와 동일하다. 따라서 이사가 '회사'에게 충실의무를 부담한다는 말은 궁극적으로는 그 배후에 있는 '전체 주주'에게 그와 같은 의무를 부담한다는 말과 다르지 않다. 만약 회사를 주주들로부터 분리된 독립된 이익을 가진 주체로 파악하고 이사는 회사에 대하여만 충실의무를 부담할 뿐 주주에 대하여는 아무런 의무를 부담하지 않는다고 한다면 ① 배당, 유·무상감자, 유·무상증자, 주식분할, 합병, 회사분할, 청산 등을 회사와 주주의 상호 이해가 상반되는 거래(많은 경우 회사에게 손해를 입히는 거래)로 잘못 파악하게 되는 오류를 범할 수 있고, ② 억압적인 적대적 기업인수, 공개매수 상황 등과 같이 회사의 재무상태나 영업실체에는 아무런 변화 없이 오로지 주주이익만이 문제되는 경우에 이사는 주주들의 권익 보호를 위하여 어떠한 조치(예컨대, 주주들의 합리적 의사결정을 위하여 정보를 제공한다거나, 이사회가 제안된 내용을 분석하여 의견을 밝힌다거나, 또는 모든 주주를 위하여 거래구조나 가격을 협상한다거나 하는 조치)도 취할 의무가 없다는 결론이 도출되어 실질적인 회사의 주인인 주주를 방기하게 되는 부당한 결과가 초래될 수 있다.[134]

마. 충실의무를 구체화하고 있는 조항들에 관한 문제

1) 이사의 보수결정과 자기거래

제388조는 "이사의 보수는 정관에 그 액을 정하지 아니한 때에는 주주총회의 결의로 이를 정한다."라고 하고 있다. 이사의 보수결정 및 지급은 이사와 회사 사이의 거래이므로 성질상 자기거래에 해당한다. 그러나 이사 보수의 결정에 관하여는 제388조가 정관의 정함 또는 주주총회의 결의라는 별도의 요건을 정하고 있으므로, 제398조는 적용되지 않는다. 상법은 그 성질상 보수라고 볼 수

---

133) 이에 따라 미국에서는 회사가 도산상태가 되면 이사가 신인의무(fiduciary duty)를 부담하는 대상이 주주에서 채권자로 바뀐다고 본다. 다만, 이 경우 이사가 곧바로 채권자에게 신인의무를 진다고 보기보다는 회사가 채권자를 위한 일종의 신탁재산(trust fund)이 되고 이사는 이를 통하여 채권자에게 간접적으로 신인의무를 부담한다고 보는 것이 일반적이다. 이에 대한 자세한 논의는 김건식, "도산에 임박한 회사와 이사의 의무,"「상사법연구」제30권 제3호(한국상사법학회, 2011), 287~290면; Andrew D. Shaffer, Corporate fiduciary - insolvent: the fiduciary relationship your corporate law professor (should have) warned you about, 8 Am. Bankr. Inst. L. Rev. 479, 2000, p. 479f. 참조.

134) 회사를 주주로부터 독립된 이익을 가진 주체로 파악할 경우의 문제점에 대한 자세한 논의는 이상훈, 전게논문 참고.

있는 주식매수청구권의 부여와 관련하여서도 제340조의2, 제542조의3에서 자세한 규정을 두어 별도의 요건을 정하고 있으므로 제398조는 적용되지 않는다.

정관이나 주주총회의 결의에서 보수의 총액만을 정하고 개인별 지급 금액은 이사회의 결정에 위임하는 것도 가능하며, 이것이 일반적인 기업실무이다. 이사회의 결정에 의한 개인별 지급 금액 결정은, 총액 내지 한도가 고정되어 있는 이상 회사와의 이익상충문제가 발생할 여지가 없어 제398조는 적용되지 않고[135], 나아가 그 이사회 결의에서도 각 이사는 특별이해관계인이 아니다.[136] 이와 같이 제398조가 적용되지 않아서 이사 3분의 2 이상의 승인을 요하지 않으므로 소수의 이사(주로 사외이사)로 구성된 보상위원회(compensation committee)를 설치하고 동 위원회에 이사의 보수 결정을 위임하는 것도 무방하다.

2) 경업금지규정(제397조)과 기회유용금지규정(제397조의2)의 관계

제397조 제1항은 "이사는 이사회의 승인이 없으면 자기 또는 제삼자의 계산으로 회사의 영업부류에 속한 거래를 하거나 동종영업을 목적으로 하는 다른 회사의 무한 책임사원이나 이사가 되지 못한다."고 규정하고 있다. 여기서 '회사의 영업부류'의 범위에 대하여는 학설이 나뉘어 있기는 하지만, 동종의 영업만이 아

---

135) 미국은 정관에서 달리 정하지 않은 한 이사회가 이사의 보수를 결정하도록 하는 입법례가 많은데{예컨대, 델라웨어주 회사법 제141조(h)는 "회사의 정관 또는 법에 의한 다른 제한이 없는 한, 이사회는 이사의 보수를 결정할 권한을 가진다(Unless otherwise restricted by the certificate of incorporation or bylaws, the board of directors shall have the authority to fix the compensation of directors)."라고 규정하고 있다}, 이에 따라 이사회에서 전권으로 이사 자신들의 보수를 결정한 경우에는 자기거래의 경우와 동일하게 가장 엄격한 사법심사기준인 '공정성의 원칙(Entire Fairness Rule/Doctrine)'이 적용된다{Telxon Corp. v. Meyerson, 802 A.2d 257, 265 (Del. 2002) 등 참조}. 그런데, 이해관계 없는 이사들(주로 사외이사로 구성된 보상위원회)의 승인으로 이사 보수를 정한 경우에는 '경영판단의 원칙(Business Judgment Rule)'이 적용된다(The American Law Institute, *op. cit.*, p. 236). 또한, 주주총회에서 이사 보수 한도를 정한 뒤 그 위임을 받아 이사회가 개인별 지급 금액을 결정한 경우에도 '경영판단의 원칙'이 적용된다고 보는 것이 일반적이다{In re 3COM Corp. Shareholders Litigation, 1999 WL 1009210, at 1 (Del. Ch. 1999) 등 참조}. 다만, 주주총회에서 정한 한도가 너무 포괄적이어서 "의미있는 한도(meaningful limit)"라고 볼 수 없는 경우에는 '공정성 원칙'이 적용된다고 판시한 사례가 있다{Seinfeld v. Slageer, 2012 WL 2501105 (Del. Ch. 2012)}. 한편, 주주총회에서 이사 보수를 정한 경우에는 회사자산의 훼손(waste of corporate assets)에 해당하지 않는 한 사법심사의 대상이 되지 않는다(The American Law Institute, *op. cit.*, p. 237). 이에 따라 주주총회에서 이사의 보수를 구체적으로 결정한 경우에는 그 결의의 당부를 다투는 것은 거의 불가능하여 많은 경우 피고측의 각하신청(motion to dismiss)이 받아들여져서 본안 전에 각하된다.

136) 최기원, 전게서, 614면; 정찬형, 전게서, 984면; 정동윤, 전게서, 407면; 임재연, 「회사법 II」 개정7판(박영사, 2020, 이하 "임재연(2020)"), 375면.

니라 회사의 영업에 대하여 대체재 내지 시장분할의 효과를 가져오는 영업부류
도 포함된다는 넓은 의미로 해석[137]한다고 하여도, 제397조 제1항의 '회사의 영
업부류에 속한 거래'는 제397조의2 제1항에서 규정하는 '회사의 사업기회', 특히
제2호의 '현재 또는 장래에 회사의 이익이 될 수 있는 회사가 수행하고 있거나
수행할 사업과 밀접한 관계가 있는 사업기회'에 포섭되는 경우가 많을 것이다.
즉, 회사의 영업부류에 속한 거래를 하거나 동종영업을 목적으로 하는 다른 회
사의 무한책임사원이나 이사가 되어 업무를 수행하는 것은 동시에 회사의 사업
기회를 이용하는 것에도 해당하는 경우가 많을 것이다.[138]

이와 같이 어떠한 행위가 제397조의 경업행위와 제397조의2의 회사기회이용
행위에 동시에 해당하는 경우, 각 조항에 따른 요건 및 효과는 다음과 같이 차
이가 있다.

		제397조	제397조의2
요건	이사회 승인	보통결의	이사 3분의 2 이상에 의한 결의
위반 효과	개입권	인정	인정되지 않음
	손해배상책임	발생	발생. 이사 등이 얻은 이익을 회사의 손해로 추정(397조의2 2항)

---

137) 이철송, 전게서, 766~767면.
138) 대법원 2013.9.12. 2011다57869는 상법 제397조 제1항의 취지에 대하여 "이사가 그 지위
를 이용하여 자신의 개인적 이익을 추구함으로써 회사의 이익을 침해할 우려가 큰 경업을
금지하여 이사로 하여금 선량한 관리자의 주의로써 회사를 유효적절하게 운영하여 그 직무
를 충실하게 수행하여야 할 의무를 다하도록 하려는 데 있다."고 전제한 뒤, "따라서 이사
는 경업 대상 회사의 이사, 대표이사가 되는 경우뿐만 아니라 그 회사의 지배주주가 되어
그 회사의 의사결정과 업무집행에 관여할 수 있게 되는 경우에도 자신이 속한 회사 이사회
의 승인을 얻어야 하는 것으로 볼 것이다. 한편 어떤 회사가 이사가 속한 회사의 영업부류
에 속한 거래를 하고 있다면 그 당시 서로 영업지역을 달리하고 있다고 하여 그것만으로
두 회사가 경업관계에 있지 아니하다고 볼 것은 아니지만, 두 회사의 지분소유 상황과 지
배구조, 영업형태, 동일하거나 유사한 상호나 상표의 사용 여부, 시장에서 두 회사가 경쟁
자로 인식되는지 여부 등 거래 전반의 사정에 비추어 볼 때 경업대상 여부가 문제되는 회
사가 실질적으로 이사가 속한 회사의 지점 내지 영업부문으로 운영되고 공동의 이익을 추
구하는 관계에 있다면 두 회사 사이에는 서로 이익충돌의 여지가 있다고 볼 수 없고 이사
가 위와 같은 다른 회사의 주식을 인수하여 지배주주가 되려는 경우에는 상법 제397조가
정하는 바와 같은 이사회의 승인을 얻을 필요가 있다고 보기 어렵다." 고 하여 상법 제397
조 제1항이 적용되는 '이사의 경업 형태' 및 '회사의 영업부류에 속한 거래'의 범위에 대하
여 상세한 요건을 설시하고 있다. 이에 대한 자세한 평석은 천경훈, "신세계 대표소송의
몇 가지 쟁점 - 경업, 회사기회유용, 자기거래,"「상사법연구」제33권 제1호(한국상사법학
회, 2014), 135~157면 참조.

제397조와 제397조의2는 그 요건과 효과가 다르므로, 어느 한 조항이 적용된다고 하여 다른 조항의 적용이 배제된다고 보기는 어렵다. 회사 입장에서는 선택적으로 제397조 또는 제397조의2 중 어느 하나의 적용을 주장하거나, 위 각 조문 모두의 적용을 주장할 수 있을 것이다. 그런데, 2011년 개정상법으로 신설된 제397조의2는 제397조보다 그 규제범위가 훨씬 광범위할 뿐만 아니라 제397조의 규제대상을 대부분 포섭하고, 이사회의 승인 요건도 가중되어 있으며, 그 위반의 경우 회사가 입은 손해의 배상에 더하여 이사가 얻은 이익도 박탈하여 회사에 귀속시키도록 되어 있는바,139) 비록 경업행위시 인정되는 회사의 개입권은 인정되지 않지만 개입권을 행사할 수 있는 기간이 1년으로 매우 짧을 뿐만 아니라 위와 같이 이사가 얻은 이익을 회사의 손해로 추정함에 따라 실질적으로 개입권과 유사한 효과가 있는 점140) 등을 감안하면, 제397조의2의 신설에 따라 제397조가 사실상 사문화될 가능성도 상당한 것으로 생각된다.

3) 이사의 개시의무

2011년 상법 개정에 따라 제398조는 '미리 이사회에서 해당 거래에 관한 중요사실을 밝히고'라고 하여 이사의 개시의무를 명시하고 있다. 그러나 대법원은 개정 전 명문의 규정이 없을 때에도 이사는 이사회의 승인을 받기에 앞서 이사회에 그 거래에 관한 자기의 이해관계 및 그 거래에 관한 중요한 사실들을 개시할 의무를 인정하였다.141) 제397조(경업금지), 제397조의2(회사의 기회 및 자산의 유용 금지), 제542조의9(주요 주주 등 이해관계자와의 거래) 제3항에 따른 이사회 승인시에도 명문의 규정은 없지만, 이사회가 적정한 판단을 할 수 있는 전제로서 개시의무가 있고142), 개시가 행해지지 않은 상태에서 이루어진 이사회의

---

139) 제397조의2 제2항은 "이사 또는 제3자가 얻은 이익은 손해로 추정한다."고 규정하고 있는데, 위 추정을 번복하기는 현실적으로 거의 불가능할 것으로 생각된다.

140) 일본에서는 2005년 회사법을 제정하면서 이사의 경업행위에 대한 회사의 개입권을 삭제하는 대신 우리 상법 제397조의2 제2항과 동일하게 당해 거래에 의하여 이사 또는 제3자가 얻은 이익액은 회사의 손해액으로 추정된다고 규정하였다(제423조 제2항).

141) 대법원 2007.5.10. 2005다4284는 "이사와 회사 사이의 이익상반거래가 비밀리에 행해지는 것을 방지하고 그 거래의 공정성을 확보함과 아울러 이사회에 의한 적정한 직무감독권의 행사를 보장하기 위해서는 그 거래와 관련된 이사는 이사회의 승인을 받기에 앞서 이사회에 그 거래에 관한 자기의 이해관계 및 그 거래에 관한 중요한 사실들을 개시하여야 할 의무가 있고"라고 판시하였다.

142) 정동윤, 전게서, 435면(제397조에 관하여); 정찬형, 전게서, 1059면; 임재연(2020), 전게서, 491면(제397조의2에 관하여). 일본 회사법 제356조 제1항은 이사의 경업행위에 대하여도

승인은 금지행위를 해제하는 효력이 없다고 할 것이다.[143]

제397조, 제397조의2에서 개시의무를 부담하는 자는 경업행위를 하려고 하거나 회사기회를 이용하려고 하는 이사임은 명백하다. 제398조는 '다음 각 호의 어느 하나에 해당하는 자가 … 미리 이사회에서 해당 거래에 관한 중요 사실을 밝히고'라고 하여 개시의무의 주체를 동조 각 호에 해당하는 자로 규정하고 있다. 다만, 이사가 어떠한 거래가 제398조가 정하는 거래에 해당하는 것을 알았을 경우, 당해 거래에 관하여 이해관계가 없는 경우에도 일반적인 주의의무 또는 감시의무에 기하여 이를 이사회에 보고할 의무가 있다고 본다.[144]

제398조는 '이사회에서' 해당 거래에 관한 중요 사실을 밝힐 것을 요구하고 있다. 그러나 위 규정이 개시방법을 이사회에 직접 출석하여 고지하는 것으로 한정하는 취지는 아닌 것으로 생각된다. 위와 같은 문언이 없는 제397조, 제397조의2에서는 더욱 그러할 것이다. 개시는 이사회 승인 전에 특별이해관계 없는 이사들이 충분히 검토할 수 있는 시간을 두고, 특별이해관계 없는 이사들이 알 수 있는 방법으로 행해지면 족하다. 이사회에서 직접 고지하는 것 외에, 예를 들어 중요 사실을 알리는 편지를 각 이사들 및 이사회에 송부하면서 이사회의 요청이 있는 경우 이사회에 참석하여 질의응답에 응하는 방법 등도 가능할 것이다.[145] 2006년 영국 회사법 제177조 제2항은 개시의무의 이행방법으로 이사회에서의 고지뿐만 아니라 서면통지(제184조), 일반통지(제185조)도 규정하면서 각 조항에서 그 요건을 자세히 정하고 있는바, 참고가 될 수 있을 것이다.

4) 이사회 결의요건

제397조, 제397조의2, 제398조가 정하는 금지의무가 적법하게 해제되기 위해서는 이사회의 승인이 필요하다. 이사회 승인요건과 관련하여서는, 정관으로 그 결의요건을 가중하지 않는 한 제397조에서는 이사 과반수의 출석과 출석이사 과반수에 의한 결의를(제391조 제1항), 제397조의2, 제398조에서는 이사 3분

개시의무를 명시하고 있다.

143) 대법원 2007.5.10. 2005다4284는 "만일 이러한 사항들이 이사회에 개시되지 아니한 채 그 거래가 이익상반거래로서 공정한 것인지 여부가 심의된 것이 아니라 단순히 통상의 거래로서 이를 허용하는 이사회의 결의가 이루어진 것에 불과한 경우 등에는 이를 가리켜 상법 제398조 전문이 규정하는 이사회의 승인이 있다고 할 수는 없다"라고 판시하였다.

144) 임재연(2020), 전게서, 491면.

145) 권윤구・이우진, 전게논문, 62면.

의 2 이상의 수에 의한 결의를 정하고 있다. 그런데, 경업이든 회사기회유용이든 회사의 영리기회를 탈취한다는 점에서 회사에 주는 손해의 위험성은 동질적이고, 오히려 경업은 회사의 현재의 영업영역을 잠식하므로 기회유용에 비하여 손해가 보다 현실적이므로 납득하기 어려운 차별이다.[146] 또한, 제397조의2, 제398조에서 이사 3분의 2 이상의 수에 의한 결의를 요구함에 따라 예컨대 사외이사만으로 구성된 위원회에의 위임을 곤란하게 한다는 문제가 있는바, 이를 삭제함으로써 기업활동의 신속성 및 효율성을 도모할 필요가 있다.[147]

한편, 제397조에서 경업·겸직의 승인을 구하는 이사,[148] 제397조의2에서 회사기회이용의 승인을 구하는 이사, 제398조에서 거래상대방인 이사[149]와 같이 이사회의 결의에 대하여 특별한 이해관계가 있는 이사는 의결권을 행사할 수 없다(제391조 제3항, 제368조 제3항). 제397조의 경우, 특별이해관계가 있는 이사는 의사정족수 산정의 기초가 되는 이사의 수에는 포함되고, 다만 결의성립에 필요한 출석이사에는 산입되지 않는다.[150] 제397조의2, 제398조의 '이사 3분의 2 이상'은 특별이해관계 있는 이사를 포함하여 재적이사 전원의 3분의 2 이상을 의미한다는 견해도 있으나,[151] 특별이해관계 없는 이사의 3분의 2 이상을 의미한다고 봐야 한다.[152] 전자와 같이 해석한다면, 특별이해관계 없는 이사가 재적이사의 3분의 2에 미달하는 경우에는 이사회 승인이 원천적으로 불가능하기 때문이다.

5) 사후추인 가능 여부

제397조, 제397조의2, 제398조는 모두 경업·겸직, 회사기회이용, 자기거래가 행해지기 이전에 이사회 승인이 있어야 한다는 취지로 규정하고 있다. 제398조의 자기거래와 관련한 종래 판례는 이사회의 사후추인이 가능하다고 보았는데,[153] 2011년 개정상법 제398조가 "'미리' 이사회에서 해당 거래에 관한 중요

---

146) 이철송, 전게서, 772면.
147) 천경훈, 전게논문, 83면; 정찬형, 전게서, 1050면.
148) 이철송, 전게서, 773면; 정찬형, 전게서, 1049면.
149) 대법원 1992.4.14. 90다카22698.
150) 대법원 1992.4.14. 90다카22698; 1991.5.28. 90다20084 등.
151) 정찬형, 전게서, 1049~1050면.
152) 송옥렬, 전게서, 1065면, 1074면.; 천경훈, "개정상법상 회사기회유용 금지규정의 해석론 연구,"「상사법연구」제30권 제2호(한국상사법학회, 2011), 188면; 권윤구·이우진, 전게논문, 62~63면; 고창현, 전게논문, 21면.

사실을 밝히고 이사회의 승인을 얻어야 한다."고 규정하고 있으므로 사후추인이
허용되는지 여부가 문제된다. 이에 대하여는 위 법규정이 판례에 의하여 허용되
던 사후추인을 입법적으로 금지한 것이라는 등의 이유로 사후추인이 허용되지
않는다는 견해도 있으나[154], '미리'라는 문언은 이사의 개시가 이사회 승인이 이
루어지기 전에 행해져야 한다는 것을 강조한 것으로 볼 수도 있을 뿐 만 아니
라 해당 이사 등의 사전개시의무 및 사전승인취득의무 위반은 별론으로 하고,
사후적으로라도 이사회가 정당한 절차를 거쳐 해당 거래를 승인함으로써 법률관
계를 안정화시킬 수 있다는 장점을 고려하면 이사회에 의한 사후추인의 가능성
을 부정할 필요는 없을 것으로 생각된다.[155]

제397조, 제397조의2에 위반하여 경업 · 겸직행위, 회사기회이용행위를 하더
라도 동 행위는 원칙적으로 유효하다.[156] 다만, 거래 상대방이 이사의 행위가
충실의무 위반임을 알면서도 이에 적극 가담한 경우에는 일종의 배임적 행위에
적극 가담한 것이 되어 공서양속에 반하는 행위로 무효가 될 수 있다고 본다.
제398조에서 사후추인이 상대적 무효인 자기거래를 확정적 유효로 만드는 것에
초점이 맞춰져 있다면, 제397조, 제397조의2의 경우 사후추인은 제3자와 이사와
의 관계에서 이사에게 유효하게 이전되었으나 회사와의 관계에서는 위법한 이익
상황을, 회사와 이사와의 관계에서 정당한 것으로 확정할 것인지 아니면 이를
반환시킬 것인지에 관련된다. 제397조의2와 관련하여서는 어떤 사업기회가 회사
의 사업기회인지의 여부에 대해 명확한 기준이 없어 선의의 회사기회 유용자가
생길 수 있다는 점 등을 고려하면 사후추인을 부인할 필요는 없을 것이다.[157]
또한, 제397조의 경업 · 겸직행위에 관하여도 사후추인은 가능하다고 본다. 이
때 사후추인은 장래 발생할 손해배상책임을 감면하거나 개입권을 포기하는 의미
를 갖는다. 사실 제397조가 정하는 경업행위의 경우에는 이사회의 사후추인을

---

153) 대법원 2007.5.10. 2005다4291 등.
154) 상법 회사편 해설, 233면; 이철송, 전게서, 805면; 최기원, 전게서, 678면; 정찬형, 전게서,
    1049면.
155) 송옥렬, 전게서, 1065면; 김정호, 「회사법」 제7판(법문사, 2021), 483면; 천경훈, 전게논문
    (2012), 81~82면; 고창현, 전게논문, 39~40면.
156) 이철송, 전게서, 775면; 최기원, 전게서, 670면; 정찬형, 전게서, 1043, 1051면; 임재연(2020),
    전게서, 478, 498면.
157) 고창현, 전게논문, 21면. ALI 원칙 §5.05(e)는 사후추인을 인정하되 그 사유를 이사회에 승
    인을 요청하지 않은 이유가 그 기회가 회사기회에 해당하지 않는다는 선의의 믿음에서 비
    롯된 경우로 제한하고 있다. The American Law Institute, *op. cit.*, p. 274.

논할 실익이 별로 없다. 회사는 경업거래의 경우 개입권을 행사할 수 있고(제 397조 제2항) 개입권은 거래가 있은 날로부터 1년을 경과하면 소멸하는 바(제397 조 제3항), 개입권의 불행사가 이사회의 사후추인의 실질을 가진다고 볼 수 있으며, 위 1년의 단기 제척기간으로 인하여 회사가 장기간 동안 이사의 경업거래를 관찰하다가 그 사업이 번창하는 경우에 이사를 상대로 개입권을 행사하는 회사의 기회주의적 행태도 방지되고 있고, 제397조 위반으로 인한 손해배상책임에 관하여는 제397조의2 제2항과 같이 이익을 손해로 추정하는 조항도 존재하지 않기 때문이다.

3. 이사의 경업금지   김 병 연*

가. 서   설

상법상 이사는 이사회의 승인이 없으면 자기 또는 제3자의 계산으로 회사의 영업부류에 속한 거래를 하거나 동종영업을 목적으로 하는 다른 회사의 무한책임사원이나 이사가 되지 못한다(제397조 제1항). 이렇게 상법이 정하는 일정한 경업과 겸직을 제한하는 것을 경업금지(Wettbewerbsverbot)라고 하며, 이사의 의무라는 측면에서는 경업피지의무라고 부르기도 한다.[1] 경업금지는 이사가 그 지위를 이용하여 회사의 비용으로 얻어진 영업기회를 유용하는 것을 제한하기 위한 것이고, 겸직금지는 이사로 하여금 그 지위의 특수성상 회사의 업무에 전념하여야 한다는 당위성을 규범화하기 위한 것이라고 보고 있다.[2]

이러한 이사의 경업금지의무는 회사의 이익과 이사의 이익이 충돌하는 경우에 회사에서의 이사라는 지위를 이용하여 회사의 이익을 배제 또는 침해하고 자기 또는 제3자의 이익을 도모하여서는 안된다는 취지로 규정하고 있다고 보는 것이 일반적이다.[3] 또한 이사의 경업금지의무는 이사로 하여금 업무에 전념하여야 한다는 당위성을 규범화하기 위해서 겸직금지라는 특별한 법적 책임을 부과하고 있다고 본다.[4]

---

* 건국대학교 법학전문대학원 교수
1) 이철송, 「회사법 강의」 제29판(박영사, 2021), 765면.
2) 이철송, 상게서, 765면.
3) 법학전문대학원 상법교수 15인, 「상법판례백선」 제6판(법문사, 2018), 573면.
4) 이철송, 전게서, 765면; 법학전문대학원 상법교수 15인, 상게서, 573면.

위와 같은 경업금지의무의 법적 성격에 대하여 이사의 의무를 선관주의의무
와 충실의무로 나누고, 경업금지의무가 후자의 영역에 속하는 것이라고 보기도
하고(異質說),5) 선관주의의무와 충실의무를 특별히 구분하지 않는 견해(同質說)6)
에서는 충실의무를 이사의 선관주의의무를 구체화한 것에 불과하다고 보기 때문
에 경업금지의무를 넓은 의미에서 이사의 선관주의의무의 한 영역으로 이해하기
도 한다. 이하에서는 이사의 경업금지의무의 법적 성격과 지위에 대하여 이사의
의무와 관련하여 자세히 검토해 본 다음, 이사의 경업금지의무의 구체적인 내용
에 대하여 살펴보기로 한다.

나. 이사의 의무와 경업금지의무의 위치

1) 이사와 회사와의 관계와 이사의 의무

상법은 이사와 회사와의 관계를 위임으로 보고 있기 때문에(제382조 제2항,
민법 제681조) 이사는 그 직무를 행사함에 있어서 선량한 관리자의 주의로써 하
여야 한다고 보는 것이 일반적이다. 이에 더하여 1998년 개정상법은 제382조의
3을 신설하여 "이사는 법령과 정관의 규정에 따라 회사를 위하여 그 직무를 충
실하게 수행하여야 한다"고 규정함으로써 소위 '충실의무'를 부과하고 있다.7)

상법이 규정하는 이사와 회사간 위임관계에서 발생하는 수임인의 의무의 범
위를 넓게 보면 이사는 자신의 직무를 수행함에 있어서 법령을 준수함은 물론
회사의 이익을 위하여 자신의 이익을 희생시키며 회사에 이익이 되는 방향으로
직무를 수행하여야 할 의무를 진다. 그런데 개인법적 법률관계를 전제로 하는
민사법상 위임관계를 단체법적 법률관계를 전제로 하는 회사법적 법률관계에 있
어서의 이사와 회사의 관계에 적용시키는 것이 과연 타당한가의 문제가 있다.
즉 대륙법 체계상 위임의 경우에는 수임인에게 부과되는 일반적인 의무는 선관
주의의무뿐이고 위임인의 이익을 위하여 수임인이 자신의 이익을 희생하여야 할

5) 권기범, 「현대회사법론」(삼영사, 2013), 779면; 정동윤, 「회사법」(법문사, 2005), 432면; 김
   병연, "이사의 충실의무와 영미법상 신인의무(Fiduciary duty)," 「상사법연구」 제24권 제3
   호(한국상사법학회, 2005. 11.), 66면; 김영선, "이사의 충실의무," 「인천법학논총」 2(인천
   대학교 법학연구소, 1999), 85면.
6) 손주찬, 「상법(상)」(박영사, 2004), 795면; 최기원, 「상법학법론(상)」(박영사, 2009), 940면;
   최준선, 「회사법」 제16판(삼영사, 2021), 530~531면.
7) 김병연, 전게논문, 61면.

법적 의무는 없는 것이라고 보기도 하지만,[8] 제382조 제2항은 전통적인 민사법상 위임관계에 대한 해석의 의미보다 확대하여 해석하거나,[9] 제382조의3을 전통적인 민사법상 위임관계로 해결할 수 없는 영미법상 충실의무를 반영하는 것으로 해석하여야 한다. 이사는 개인에 대한 위임사무를 처리하는 것이 아니라 주주단체로부터 수임받는 지위에 있기 때문에 일대일의 관계에 있어서보다 더 무거운 의무를 부담하여야 하지 않을까 하는 것이다. 이러한 취지에서 이사와 회사의 관계를 영미법상 신탁의 법률관계로 보아야 할 필요성이 있다고 이해하는 입장도 있다.[10]

2) 상법 제382조의3의 법적 의미와 이사의 의무

가) 이사의 의무와 상법 제382조의3의 입법취지

상법이 1998년 개정시 도입한 이사의 충실의무(제382조의3)에 관한 입법은 영미법상 신인의무(fiduciary duty)[11]의 영향이며, 일본회사법상 충실의무(제355조)도 유사한 취지의 입법이다.[12] 그러나 법령과 정관에 따라 회사를 위하여 그 직무를 수행하여야 한다는 말을 원칙적으로 당연한 것이기 때문에 이러한 추상적인 문구만으로는 그 입법의 취지를 정확히 알기가 어렵다.[13] 즉 기존에 규정된 위임관계에 근거하여 이사의 의무를 모두 포괄할 수 있다면 영미법상 신인의무의 개념을 도입할 필요성이 없지만, 그렇지 않다면 이사의 의무의 범위를 확장하기 위해서는 이사와 회사의 법적 관계에 대한 새로운 접근이 필요하다.

이사의 충실의무가 상법에 명문의 규정으로 도입되기 이전에도 충실의무의 존재와 그 내용에 대한 논의가 있었다. 그러나 명문의 근거가 없기도 하였지만 우리나라의 경우에는 영미법상 신인의무(fiduciary duty)가 신탁의 법률관계[14]에서 발전해 온 것과 같은 연혁적인 발전과 논의가 없었기 때문에 그 개념과 범

---

8) 이병태, 「주식회사의 이사회제도」(법원사, 1986), 102면; 정동윤, 「회사법」(법문사, 1999), 431면 이하.
9) 손주찬, 전게서, 795면과 최준선, 전게서, 530면에서는, 충실의무의 내용이 선량한 관리자의 주의의무에 대한 해석에서도 충분히 도출되는 결과라고 보고 있다.
10) 김병연, 전게논문, 79면.
11) 세부적으로는 이사의 충실의무의 반영이다(MBCA, Section 8-30).
12) 이철송, 전게서, 759면.
13) 김병연, 전게논문, 62면.
14) 신인의무(fiduciary duty)는 영미법상 신탁관계에서 발전하여 온 것으로 보는 것이 일반적이다. 大阪谷公雄, 「信託法の研究(上)」(信山社, 1991), 237面 이하.

위가 불명확하였다.[15) 위임의 법률관계에서 발생하는 선관주의의무와 구별되는
의미의 충실의무가 필요한지 여부와 제382조의3이 충실의무의 근거로 명확한지
여부 및 과연 기존의 선관주의의무와 구별되는 충실의무의 구체적인 영역이 무
엇인지에 관한 많은 논의[16)가 있었다.

나) 선관주의의무와 충실의무의 구분필요성과 경업금지의무의 지위

선관주의의무와 충실의무가 분리되어야 한다는 주장(異質說)은 상법상 이사의
회사법상 지위가 민법상 일반적인 위임의 법률관계에서 인정되던 것과는 다르다
는 것을 밝혀야 한다는 부담을 진다.[17) 즉 충실의무라고 하는 독자적인 영역을
인정하기 위해서는, 비록 상법에서 회사와 이사의 관계는 위임에 관한 규정을
준용한다고 되어 있지만(제382조 제2항), 이사라는 지위가 통상적인 수임인의 지
위와는 다르다고 보고 민법상 위임의 법률관계로서 해결되지 아니하는 영역이 존
재한다는 것을 밝혀야만 한다. 이렇게 독립적인 관계를 설정하게 되면 현행 상법
제382조 제2항에서 명시하는 민법상 위임에 관한 규정의 의미를 어떻게 새겨야
하는지도 문제가 된다. 즉 해석상 독립적인 관계를 인정하는 것이 법이론적으로나
실정법적으로 문제가 없는지, 아니면 동조를 폐지하여 개선하는 입법론의 방향으
로 처리를 하여야 하는 것인지에 대한 판단을 하여야 할 것이다.

선관주의의무는 이사가 그 직무를 수행함에 있어서 준수하여야 할 주의(注意)
의 정도에 관한 규정이고, 충실의무는 이사가 그 지위를 이용하여 회사의 이익
을 고려하지 않고 자기 또는 제3자의 이익을 추구하여서는 안된다고 하는 것을
내용으로 하는 의무이다. 이질설(異質說)의 입장에 따르면 상법상 이사의 특별한
의무를 별도로 규정하고 있는 경업피지의무(제397조), 회사기회의 유용금지(제
397조의2), 이사와 회사간의 거래(제398조), 이사의 보수(제388조) 등은 충실의무

---

15) 미국 판례법상 구체적인 이사의 신인의무(fiduciary duty)의 발전에 관하여는 최준선, 전게
     서, 528~529면 참조.
16) 권재열, "상법 제382조의3의 존재의의," 「상사판례연구」 제22집 제1권(한국상사판례학회,
     2009. 3.); 김교창, "이사의 충실의무와 경업금지," 「회사법의 제문제」(육법사, 1982); 김병
     연, "이사의 충실의무와 영미법상 신인의무(Fiduciary duty)," 「상사법연구」 제24권 제3호
     (한국상사법학회, 2005. 11.); 김영선, "이사의 충실의무," 「인천법학논총」 2(인천대학교 법
     학연구소, 1999); 임중호, "이사의 충실의무론," 「비교사법」 제6권 제2호(한국비교사법학회,
     1999); 최성근, "선관주의의무의 한계와 충실의무법리," 「법제연구」 제9호(한국법제연구원,
     1995).
17) 김병연, 전게논문, 65면.

의 내용이라고 보고 있다.[18] 이질설의 입장에서는 선관의무위반에는 고의 또는 과실이 필요하지만 충실의무위반은 결과책임이므로 이러한 것이 필요없다고 보고 있다. 또한 선량한 관리자의 주의의무 위반의 경우에는 책임의 범위가 회사가 입은 손해액의 범위로 제한되지만, 충실의무위반의 경우에는 회사가 입은 손해액의 배상에 그치지 않고 이사가 얻은 모든 이득을 회사에 반환해야 한다고 주장한다.

영미법상 주의의무와 충실의무가 구분된다고 법규정에서 명시적으로 밝히고 있지는 않지만, 미국판례법은 경영판단의 원칙이 충실의무위반에는 적용되지 않는다고 보고 있는 경향이다. 먼저 개념적으로 살펴보았을 때 주의의무는 회사의 업무결정과 관련되면서도 이사의 개인적인 이해관계와 충돌이 없는 경우에 일어나는 개념이며, 충실의무는 회사의 업무결정과 이사의 개인적인 이해관계의 충돌이 일어나는 경우에 적용되는 개념으로 보는 것이 일반적이다.[19] 즉 주의의무는 합리적인 신중한 사람이 유사한 상황에서 행사할 정도의 주의를 회사의 업무집행과 관련하여 이사에게 요구하는 것이며, 충실의무는 자기거래(self- dealing)를 금지하는 상황에서 일어나는 것이라고 보고 있다.[20]

주의의무와 충실의무의 구분에 대하여 보다 더 실질적인 면에서 접근하여 본다면, 의무위반의 경우에 각각 그 책임을 추궁하는 장치의 면에서 차이가 있다고 본다. 즉 주의의무의 위반이 이사의 건전한 경영판단에서 벗어난 결과로써 야기되었다면 법원이 관여하지 않더라도 여러 가지 방법으로[21] 경영진에게 책임추궁이 가능하지만, 충실의무의 위반에 대하여는 이사의 경영판단과는 직접적으로 관련이 없는 자기거래의 경우에 발생하기 때문에 주의의무위반의 경우와 동일한 책임을 추궁하기가 쉽지 않다는 점에서 차이가 있다.[22] 또한 소송수행의

---

18) 이외에도 영미법상 충실의무의 영역에서 논의되는 것들은 회사와의 경쟁(competing with corporation), 내부자거래(insider trading)의 금지, 소수주주에 대한 억압(oppression of minority shareholders)의 금지, 지배권의 매각(sale of control)과 소수주주의 보호 등이 있다. 자세한 내용은 김병연, 전게논문, 71~73면 참조.

19) Alan R. Palmiter, "Reshaping the Corporate Fiduciary Model: A Director's Duty of Independence," 67 Tex. L. Rev. 1351, 1358-66 (1989).

20) Norlin Corp. v. Rooney, Pace Inc., 744 F.2d 255, 264 (2d Cir. 1984).

21) 예컨대 주주총회에서의 문책과 경질, 경영부실에 대한 주가의 하락으로 인한 책임의 추궁 등이 있다.

22) Charles W. Murdock, "Corporate Governance-The Role of Special Litigation Committee," 68 Wash. L. Rev. 79, 101 (1993).

면에 있어서도, 주의의무 위반의 경우에는 이사가 경영판단의 원칙(The Business Judgement Rule)에 의하여 업무를 수행했다는 추정(presumption)을 받기 때문에[23] 원고가 이사의 의무위반사실을 입증하여야 한다.[24] 이에 반해 주의의무 위반의 경우에는 경영판단의 원칙의 작용으로 말미암아 충실의무 위반의 경우보다 원고인 주주의 부담이 증가된다.[25] 우리나라 법원도 이사의 임무해태에 대한 면책을 허용하는 수단인 경영판단의 원칙에 대하여 '허용된 재량의 범위'라고 표현함으로써 주의의무에 대한 면책이 존재하는 것으로 보고 있다.[26]

　　결국 선관주의의무와 충실의무는 그 성격이 다르고 법률적 고려가 달라지기 때문에 서로 달리 규정하는 것이 적절하고, 충실의무의 영역에 존재하는 여러 가지 특별한 상황에 대한 고려도 추가적으로 법상 근거를 마련하는 것이 필요하다. 이사의 경업금지가 바로 그러한 특별한 상황 중의 하나로 분류하여야 한다. 요컨대 상법이 정하고 있는 이사의 경업금지 및 겸직금지의무는 선관주의의무의 영역이 아니라 충실의무를 구체화한 규정이다.[27]

---

23) Smith v. Van Gorkom, 488 A.2d 858, 872 (Del. 1985); Aronson v. Lewis, 473 A.2d 805, 812 (Del. 1984); Patrick J. Ryan, "Strange Bedfellows: Corporate Fiduciaries and the General Law Compliance Obligation in Section 2.01(A) of the American Law Institute's Principles of Corporate Governance," 66 Wash. L. Rev. 413, 444-45 (1991).

24) Charles W. Murdock, *op. cit.*, p. 85. Aronson v. Lewis, 473 A.2d 805, 812 (Del. 1984).

25) 김병연, 전게논문, 66면.

26) 대법원 2002.6.14. 2001다52407. 대법원은 "금융기관의 임원은 소속 금융기관에 대하여 선량한 관리자의 주의의무를 지므로, 그 의무를 충실히 한 때에야 임원으로서의 임무를 다한 것으로 된다고 할 것이지만, 금융기관이 그 임원을 상대로 대출과 관련된 임무 해태를 내세워 채무불이행으로 인한 손해배상책임을 물음에 있어서는 임원이 한 대출이 결과적으로 회수곤란 또는 회수불능으로 되었다고 하더라도 그것만으로 바로 대출결정을 내린 임원에게 그러한 미회수금 손해 등의 결과가 전혀 발생하지 않도록 하여야 할 책임을 물어 그러한 대출결정을 내린 임원의 판단이 선량한 관리자로서의 주의의무 내지 충실의무를 위반한 것이라고 단정할 수 없고, 대출과 관련된 경영판단을 함에 있어서 통상의 합리적인 금융기관 임원으로서 그 상황에서 합당한 정보를 가지고 적합한 절차에 따라 회사의 최대이익을 위하여 신의성실에 따라 대출심사를 한 것이라면 그 의사결정과정에 현저한 불합리가 없는 한 그 임원의 경영판단은 허용되는 재량의 범위 내의 것으로서 회사에 대한 선량한 관리자의 주의의무 내지 충실의무를 다한 것으로 볼 것이며, 금융기관이 임원이 위와 같은 선량한 관리자의 주의의무에 위반하여 자신의 임무를 해태하였는지의 여부는 그 대출결정에 통상의 대출담당임원으로서 간과해서는 안 될 잘못이 있는지의 여부를 대출의 조건과 내용, 규모, 변제계획, 담보의 유무와 내용, 채무자의 재산 및 경영상황, 성장가능성 등 여러 가지 사항에 비추어 종합적으로 판정해야 한다"고 하여 주의의무에 대한 면책의 가능성을 인정하면서도 주의의무와 충실의무를 명확히 구분하지 않고 있는 듯한 표현을 사용하고 있어 여전히 법원의 견해는 혼란스러운 점이 없지 않다.

3) 충실의무의 영역

가) 충실의무의 영역의 특징

이사의 주의의무는 이사가 회사의 업무수행에 있어서 기울여야 할 기준을 제시하는 것이며, 그 결과 주의의무의 영역에는 적정한 업무수행에 대하여 일정한 요건 하에 면책을 허용받는 면책조항(safe harbor)이 동시에 존재하고 있다. 우리 상법도 이사의 책임에 관한 조항에서 경과실임을 입증하여 책임을 회피하거나 책임의 감면 내지 책임액의 제한을 허용하고 있다. 즉 제399조와 제401조에서는 이사가 회사나 제3자의 손해발생과 관련하여 자신의 고의나 중과실이 없었다거나 혹은 단지 경과실만 존재하였다는 것을 입증하여 손해배상책임을 면할 수 있는 길을 열어두고 있다.

나) 충실의무의 구체적 영역

충실의무의 영역은 주의의무의 영역과는 달리 회사와 이사의 이해관계가 충돌하는 현실적인 다양한 거래관계에서 주로 발생한다는 차이점이 있다.[28] 일반적으로 주로 영미법계와 그 영향을 받은 우리나라의 경우 충실의무가 문제되는 영역으로 인정되는 것으로는 아래와 같은 것들이 예시적으로 제시되고 있으며, 주로 이사가 자신의 지위를 회사나 주주와의 관계에서 불공정하게(unfair) 이용하는 경우가 이에 해당된다.[29]

(1) 회사와의 경쟁(competing with corporation)금지

이사는 자신의 이익을 추구하기 위해서 회사와 부당하게 경쟁하거나 회사의 인력·시설·자금을 자신의 이익을 위해서 유용해서는 안 된다는 것이며,[30] 이사의 직을 겸하는 경우 양회사간의 거래나 이사의 자기거래(self-dealing)도 이에 해당된다.

---

27) 권기범, 전게서, 781면; 김건식 외 7인, 「회사법」(박영사, 2010), 194면; 법학전문대학원 상법교수 15인, 전게서, 573면; 송옥렬, 「상법강의」(홍문사, 2011), 938면; 이기수·최병규, 「회사법(상법강의 II)」(박영사, 2015), 415면; 홍복기 외 8인, 「회사법: 사례와 이론」(박영사, 2015), 406면.

28) Gregory V. Varallo & Daniel A. Dreisbach, Fundamentals of Corporate Governance, 1996, p. 30.

29) 자세한 내용은 Harry G. Henn & John R. Alexander, Laws of Corporation, 1983, p. 625 (1983); 이철송, 전게서, 760~761면.

30) American Law Institute, Principles of Corporate Governance: Analysis and Recommendations, §5.04(a).

(2) 회사기회의 유용(usurpation of corporate opportunity)금지

회사기회의 유용금지는 이사가 회사에게 주어진 영업상 이득획득의 기회를 가로채어 자신의 이익으로 하여서는 안 된다는 것이다.[31] 이 원칙은 회사에 대한 손해를 방지한다는 소극적인 자세가 아니라, 이사가 적극적으로 사익을 도모하고자 하는 가능성의 발생을 방지하기 위한 정책적인 고려를 하기 때문에 이사가 이를 위반하여 얻은 이익을 모두 회사에 귀속시키는 것을 그 내용으로 한다.

(3) 내부자거래(insider trading)의 금지

내부자가 비공개의 내부정보를 이용하여 주식거래를 함으로써 부당한 이득을 취하는 것을 금지하는 것인데, 이는 회사의 정보를 부당하게 이용했다는 점에서 증권관계법에서 폭넓게 규제되고 있다. 즉 비록 회사의 정보에 대한 소유는 회사라고 하는 법인의 것이지 이러한 정보를 다루거나 창출하는 이사회 혹은 이사의 것이 아니라고 보기 때문이다.

(4) 소수주주에 대한 억압(oppression of minority shareholders)의 금지

지배주주와 이사가 그 지배적 지위를 이용하여 소수주주에게 부당한 손실을 가하는 것을 방지하기 위하여 인정되는 것이며, 이사가 지배주주의 영향력을 강화시켜 주기 위해서 신주배정에 있어서 차별적인 처리를 하는 등의 경우가 그 예인데 일반적으로 지배주주의 충실의무와 연계하여 규제된다.

(5) 지배권의 매각(sale of control)과 소수주주의 보호

회사를 지배할 수 있는 수량의 주식이 처분되는 경우에는 일반적으로 control premium이 붙여져서 거래가 되는데, 이사가 이러한 지배권의 매각을 추진하는 경우에 소수주주의 이익을 해하는 것이 금지되며, 이러한 의무에 위반한 때에는 control premium을 회사 혹은 잔여주주에게 반환하여야 한다.

(6) 임원의 보수(executive compensation)

미국에서는 이사 및 임원의 보수가 이사회의 하부위원회(compensation committee)에서 결정되는데, 보수를 책정함에 있어서 과다하게 하거나 불공정하게 하는 경우에는 충실의무의 위반이 된다.

---

31) American Law Institute, Principles of Corporate Governance: Analysis and Recommendations, §5.05(a); Victor Brudney & Robert C. Clark, "A New Look at Corporate Opportunities," 94 Harv. L. Rev. 998, 998 (1981).

다) 충실의무 위반에 대한 면책

영미의 보통법(common law)상 충실의무의 위반이 문제되는 거래, 예컨대 일종의 자기거래가 발생한 경우에는, ① 자기거래가 이사회의 의결을 거치는 경우에 이해관계가 없는 이사(disinterested directors)들에 대하여 충분한 정보가 제공되어지거나 혹은 주주들에 의하여 승인되어졌거나, ② 당해 거래가 회사에 대하여 공정(fair)하였다면 충실의무의 위반으로 책임을 추궁당하지 않는다고 본다.32) 왜냐하면 자기거래라고 하는 이유만으로 이해관계의 갈등가능성이 있는 거래가 자동적으로 무효가 되지는 않기 때문이며, 그리고 공정성 요건을 충족시키기 위해서 많은 미국의 주회사법들은 절차적인 면에서의 면책조항(safe harbor)을 가지고 있다.33)

이해관계가 없는 이사들에 대하여 충분한 정보가 제공되었느냐의 여부는 그러한 부분에 관한 사실판단으로 다소 쉽게 판단이 될 수 있는 문제인데 반하여, 공정성(fairness)이라고 하는 요건은 공정한 거래(fair dealing)였느냐의 여부와 공정한 가격(fair price)이 형성되었느냐 하는 점을 포함하여 전체적으로 공정(entire fairness test)하여야 한다. 공정한 거래라고 함은 당해 거래가 시기적으로 적정하였는지 여부 즉 어떻게 당해 거래가 시작되었으며 어떻게 계약이 진행되었는지 그리고 이사회와 주주들의 승인을 얻는 절차가 적법하게 진행되었느냐 하는 절차적인 면에서의 공정성을 의미하는 것이다.34) 그리고 공정한 가격이 형성되었는지 여부는 단독적으로 판단할 문제는 아니며 공정한 거래의 문제와 더불어 종합적으로 판단되어야 한다.35)

---

32) 8 Del. Code Ann. §144; R Franklin Balotti & Jesse A. Finkelstein, The Delaware Law of Corporations and Business Organizations, §4.8, at 4-196(2d ed. Supp. 1995).
33) Gregory V. Varallo & Daniel A. Dreisbach, *op. cit.*, p. 31.
34) Weinberger v. UOP, Inc., 457 A.2d 701, 711 (Del. 1983); Rabkin v. Phillip A. Hunt Chem. Corp., 498 A.2d 1099, 1105 (Del. 1985).
35) Cinerama, Inc. v. Technicolor, Inc., C.A. No. 8358 (Del. Ch. Oct. 6, 1994), aff'd, 663 A.2d 1156 (Del. 1995).

다. 이사의 경업금지의무

1) 의 의

가) 서 설

이사의 경업금지의무는 회사의 이익과 충돌하는 이사의 경업거래와 겸직을 금지하고 있다. 상법은 이사회의 승인이 없으면[36] 이사는 자기 또는 제3자의 계산으로 회사의 영업부류에 속한 거래를 하거나(경업행위의 금지), 동종영업을 목적으로 하는 다른 회사의 무한책임사원이나 이사가 되지 못한다(겸직금지)(제 397조 제1항). 이러한 규정을 두고 있는 취지는 이사가 회사와의 관계에서 가지는 지위의 특수성 때문에 회사의 이익과 이사의 이익이 충돌하는 경우에 이사가 자신의 이익을 우선시킬 가능성이 높기 때문이다. 판례도 제397조 제1항의 취지에 대하여 "이사가 그 지위를 이용하여 자신의 개인적 이익을 추구함으로써 회사의 이익을 침해할 우려가 큰 경업을 금지하여, 이사로 하여금 선량한 관리자의 주의로써 회사를 유효적절하게 운영하여 그 직무를 충실하게 수행하지 않으면 안 될 의무를 다하도록"[37] 하려는데 있다고 보았다.

나) 상법상 경업금지의무의 유형

경업금지의무는 이사에게만 고유한 의무가 아니라 상법의 여러 곳에서 발견된다. 타인의 업무, 더 정확히 말하면 영업주인 본인을 위해 업무를 수행하는 자들에게 본인의 이익을 보호하기 위해서 부담시키는 것이다. 먼저 상업사용인(제17조), 대리상(제89조), 합명회사와 합자회사의 무한책임사원(제198조, 제269조), 합자조합의 업무집행조합원(제86조의8 제2항), 유한책임회사의 업무집행자(제287조의10 제1항), 주식회사의 이사와 집행임원(제397조, 제408조의9), 유한회사의 이사(제567조)가 경업금지의무를 부담하고 있다.

영업양도인(제41조)도 영업양도의 실효성을 확보하기 위한 차원에서 경업금지의무를 부담하지만, 다른 경업금지의무 부담자들과는 달리 겸직의무의 내용이 없다는 점에서 차이가 있다. 영업양도는 완전히 영업활동의 재산과 조직을 양도한다는 점에서 다른 경우와는 다르기 때문이다. 즉 경업금지의무의 핵심은 복수

---

36) 1995년 상법개정 전에는 주주총회의 승인사항으로 되어 있었다. 현재도 이사가 1인인 경우에는 주주총회의 승인을 얻도록 하고 있다(제383조 제4항).

37) 대법원 1990.11.2. 자 90마745.

의 영업주의 존재를 허용하지 않음으로써 최초의 영업주의 이익을 보호하려는 것인데 반해, 영업양도는 복수의 영업주라는 개념이 존재하지 않고 양수인을 보호함에 그 목적이 있다. 그리고 영업양도의 경우에는 다른 약정이 없으면 동일하거나 인접한 특별시·광역시·시·군에서 경업행위를 10년간 하지 못하도록 (제41조 제1항) 법에서 정하고 있다는 점이 상이하며, 특약으로써 그 기간을 20년을 초과하지 않는 범위로 확대하는 것이 가능하다(제41조 제2항)는 점도 특징이다.

일반적으로 타인의 사무를 처리하는 경우에는 민법상 선량한 관리자의 주의의무(민법 제680조 등)가 인정되지만, 상법에서는 이러한 의무들과 관련된 특별한 규정을 두고 있지 않고 특수한 부작위의무(不作爲義務)를 부과하고 있는데, 이를 일반적으로 경업피지의무라고 한다. 구체적인 내용으로는 경업행위금지와 겸직금지로 구성되어 있다. 이러한 경업금지의무 부담자들의 규정은 거의 동일하지만, 상업사용인의 경우 겸직금지의 내용이 다소 차이가 있다. 즉 다른 경우는 겸직금지의 내용이 '동종영업을 목적으로 하는 회사'의 무한책임사원이나 이사가 되지 못한다고 규정하고 있는데 반해, 상업사용인은 '다른 회사의 무한책임사원이나 이사가 되지 못한다'라고만 규정하여, 다른 경우보다 겸직금지의 대상이 광범위하다는 점에서 차이가 있다.[38]

2) 경업금지

가) 서 설

이사는 회사의 영업에 관한 기밀에 정통하기 때문에 이를 이용하여 회사의 이익을 희생시키고 사적인 이익을 취할 가능성이 높다. 따라서 상법은 이사가 자기 또는 제3자의 계산으로 회사의 영업부류에 속하는 거래를 하지 못하게 하고 있다. 이를 세밀하게 나누어 살펴보면 '자기 또는 제3자의 계산'으로 '회사의 영업부류에 속하는 거래'를 '이사회의 승인' 없이 하는 것이 상법이 금지하는 것이고, 이러한 금지에 위반하게 되면 상법이 규정하는 법적 효과(제397조 제2항)가 발생한다. 이하에서는 경업금지의 대상이 되는 거래에 대하여 구체적으로 살펴보기로 한다.

---

38) 김병연·박세화·권재열, 「상법총칙·상행위: 사례와 이론」(박영사, 2012), 74면.

나) 경업금지의 대상

상법에서 금지하는 경업의 대상은 자기 또는 제3자의 계산으로 하는 회사의 영업부류에 속하는 거래이다. 물론 이사회의 승인이 있으면 위의 거래라고 하더라도 가능하다.

(1) 자기 또는 제3자의 계산

경업금지의 대상은 회사의 영업부류에 속하는 거래를 '자기 또는 제3자의 계산'으로 하는 것이다. 따라서 이사가 누구의 명의(이름)로 거래하는지도 중요하지 않고 거래로 인한 경제적 효과가 자기 또는 제3자에게 귀속되는 경우는 모두 포함한다. 즉 이사가 자기의 명의와 계산으로 하거나, 이사의 명의와 제3자의 계산으로 하거나, 이사가 자기의 계산과 제3자의 명의로 하는 모든 경우가 경업금지의 대상이 되는 것이다.[39] 여기서 말하는 제3자의 계산은 이사가 제3자의 위탁을 받아 거래를 하거나 제3자의 대리인으로 거래하는 경우를 모두 포함하는 것이며,[40] 이사가 별도의 회사를 설립하여 경업거래를 하는 경우에도 제397조의 적용대상이다.[41]

(2) 회사의 영업부류에 속하는 거래

경업금지의 대상이 되는 '영업부류에 속하는 거래'란 정관상의 사업목적에 국한되지 아니하고 사실상 회사의 영리활동의 대상이 되는 것은 모두 포함된다.[42] 즉 정관에 기재되지 아니한 영업이라 하더라도 실제로 회사가 영위하고 있는 것이면 그 대상이 되지만, 정관에 기재된 사업목적이라 하더라도 실제로는 전혀 영위하지 않거나 폐업한 경우에는 이에 해당되지 아니한다.[43]

후술하는 겸직금지의 대상은 동종영업을 목적으로 하는 회사이지만, 경업금지의 경우에는 명문의 규정도 없기 때문에 좁게 해석할 필요가 없다.[44] 그러나 회사의 영업에 대하여 대체재의 성격을 가지거나 경업행위가 사실상 시장분할의

---

39) 권기범, 전게서, 781면; 홍복기 외 8인, 전게서, 405면.
40) 권기범, 전게서, 781면; 이철송, 전게서, 766면.
41) 日本東京地裁 1981.3.26. 判決, 「判例時報」第1015號, 27面; 이철송, 전게서, 749면; 임재연, 「회사법 Ⅱ」(박영사, 2012), 381면.
42) 권기범, 전게서, 781면; 송옥렬, 전게서, 938면; 이철송, 전게서, 766면; 임재연, 전게서, 382면.
43) 권기범, 전게서, 781면; 송옥렬, 전게서, 938면; 홍복기 외 8인, 전게서, 405면.
44) 이철송, 전게서, 767면.

효과를 발생시키는 경우에는 회사의 이익실현을 방해할 가능성이 있으므로 경업금지의 대상이 되는 거래에 포함시키는 것이 타당하다.[45] 또한 회사의 목적사업을 유지하고 편익을 위한 보조적 상행위는 영리행위 자체는 아니므로 경업금지 대상에 포함되지 않는다고 보지만,[46] 이에 대하여 회사의 정관에 기재된 목적사업뿐만 아니라 그에 부속된 거래도 포함된다고 보는 견해[47]도 있다. 한편 동종영업을 하는 회사의 영역에 속한다고 하더라도 영업지역이 서로 다른 등의 사유가 있는 경우에는 동종영업으로 보기 어렵다는 것이 판례의 입장이다. 즉 서로 영업지역을 달리하고 있다고 하여 그것만으로 두 회사가 경업관계에 있지 아니하다고 볼 것은 아니지만, 두 회사의 지분소유 상황과 지배구조, 영업형태, 동일하거나 유사한 상호나 상표의 사용 여부, 시장에서 두 회사가 경쟁자로 인식되는지 여부 등 거래 전반의 사정에 비추어 볼 때 경업대상 여부가 문제되는 회사가 실질적으로 이사가 속한 회사의 지점 내지 영업부문으로 운영되고 공동의 이익을 추구하는 관계에 있다면 두 회사 사이에는 서로 이익충돌의 여지가 있다고 볼 수 없다고 보았다.[48]

경업금지의 대상이 되는 거래행위는 영리목적으로 계속·반복적일 필요는 없고 영리성이 있는 한 1회의 거래라고 하더라도 금지대상에 포함된다.[49] 비영업적인 거래의 경우는 2011년 개정상법에서 신설된 제397조의2에 의한 "회사기회의 유용금지"의 적용대상이 된다.[50]

다) 경업금지 위반시의 효과

(1) 개 요

이사가 경업금지의무에 위반한 거래를 이사 자신의 계산으로 한 것인 때에는 이사회의 결의로써 이를 회사의 계산으로 한 것으로 볼 수 있고, 제3자의 계산으로 한 경우에는 이사에게 이로 인한 이득의 양도를 청구할 수 있다.[51] 전자를

45) 권기범, 전게서, 781면; 이철송, 전게서, 766면.
46) 권기범, 전게서, 781면; 이철송, 전게서, 766면; 임재연, 전게서, 382면; 홍복기 외 8인, 전게서, 405면.
47) 이기수·최병규, 전게서, 415면; 최준선, 전게서, 533면.
48) 대법원 2013.9.12. 2011다57869.
49) 권기범, 전게서, 781면; 임재연, 전게서, 382면; 홍복기 외 8인, 전게서, 405면.
50) 이철송, 전게서, 767면.
51) 독일의 경우에는 회사가 양자 중에서 택하도록 하고 있고(독일주식법 제88조 제2항), 일본의 경우에는 개입권을 폐지하고 경업으로 인한 이익액을 손해액으로 추정하는 방식으로 규

개입권(介入權) 혹은 탈취권(奪取權)이라고 하며, 후자를 이득양도청구권(利得讓渡請求權)이라고 한다. 이러한 권리는 거래가 있은 날로부터 1년을 경과하면 소멸한다(제397조 제3항).

경업금지위반의 경우에 회사의 선택에 따라 회사가 거래당사자의 지위에 서서 그 이익을 가지거나 거래로 인한 이득의 양도를 취할 수 있도록 허용하는 이유는 회사의 입장에서 거래계의 신용유지 등의 이유로 당해 거래를 유지시킬 필요가 있기 때문이다.[52] 거래의 상대방이 위반의 사실을 알고 있었어도 이는 마찬가지로 해석하며,[53] 회사기회유용금지위반의 경우에도 동일하게 본다.[54]

이 밖에도 회사에 손해가 발생하였으면 회사는 이사에 대하여 손해배상책임을 청구할 수 있고(제399조 제1항), 주주총회의 결의에 의한 해임(제385조)도 가능하다. 만일 그 위반거래로 인하여 회사에 회복할 수 없는 손해가 생길 염려가 있으면 이사에 대하여 그 거래의 유지(留止)를 청구할 수 있다(제402조).

(2) 경업행위 자체의 효력

이와 같은 상법의 태도는 결국 경업금지의무에 위반된 거래라고 하더라도 거래 자체는 유효하다고 보는 것이다.[55] 이사회의 승인없이 이루어진 자기거래(제398조)가 무효라고 보는 것(통설)에 반해, 이사회의 승인없이 이루어진 경업행위는 유효하다고 보는 점에 이설(異說)이 없다. 왜냐하면 자기거래의 경우에는 회사가 당사자가 되는데 이사회의 승인없는 자기거래는 회사의 업무집행방법에 하자가 있는 것이기 때문이고, 경업행위의 경우 거래로 인한 이득의 귀속이 불공정할 뿐 거래당사자에게는 거래의 효력을 좌우할 어떤 흠도 없기 때문이다.[56]

(3) 개입권

개입권은 이사가 경업행위를 회사의 계산으로 한 경우에 인정되는 회사의 권리이다. 이사의 계산으로 한 경우 '회사의 계산으로 볼 수 있다'고 함은 이사가 회사에 대해 거래의 경제적 효과를 귀속시켜야 한다는 것을 뜻하고, 회사가 직

율하고 있다(일본회사법 제12조 제2항, 제423조 제2항). 권기범, 전게서, 784면; 이철송, 전게서, 769면; 최준선, 전게서, 535면 참조.
52) 최준선, 「회사법」 제13판(삼영사, 2018), 532면.
53) 권기범, 전게서, 784면; 최준선, 전게서(2021), 535면.
54) 이철송, 전게서, 775면.
55) 권기범, 전게서, 784면; 이철송, 전게서, 769면; 최준선, 전게서(2021), 535면.
56) 이철송, 「회사법 강의」 제26판(박영사, 2018), 751면.

접 그 계산의 주체가 된다는 것을 의미하는 것은 아니다.[57] 즉 거래로 인한 비용을 회사의 부담으로 하고, 얻은 이익을 회사에 귀속시키는 것을 말한다. 따라서 이사의 거래상대방에 대한 주체는 여전히 이사이며, 회사에 의한 개입권행사로 인하여 거래상대방에서 변화가 발생하는 것은 아니다.[58]

개입권의 성질을 형성권이라고 봄에는 이설(異說)이 없고, 따라서 이사에 대한 의사표시만으로 그 효력이 발생한다. 개입권을 행사하기 위해서는 이사회의 결의가 있어야 하며(제397조 제2항) 이사가 1인인 경우에는 주주총회의 결의에 의한다(제383조 제4항). 대표이사가 개입권을 행사하게 될 것이고 대표이사가 이를 게을리하면 주주가 대표소송(제403조)을 제기할 수 있다고 본다.[59]

개입권은 경업거래가 있은 날로부터 1년을 경과하면 소멸한다(제397조 제3항). 이는 제척기간이다. 상업사용인의 경우처럼 '거래가 있음을 안 날'을 기산점으로 하여 2주일 내로 하지 않은 이유는 단체법적 법률관계의 적용이 있는 회사에는 이와 같은 주관적 기준이 적합하지 않고, 또한 개입권의 행사에 이사회의 결의라고 하는 절차적 요건이 있기 때문에 2주라는 단기간을 적용하는 것은 부적절하기 때문이다.[60]

(4) 이득양도청구권

이사가 경업행위를 제3자의 계산으로 한 경우 이사가 회사에 대하여 양도하여야 할 '이득'은 이사가 계산의 주체인 제3자로부터 받은 보수 등을 뜻하고 거래 자체로부터 발생한 이득을 뜻하는 것은 아니라고 보고 있다.[61]

3) 겸직금지
가) 동종영업을 목적으로 하는 다른 회사의 의미

겸직금지의 대상이 되는 '동종영업을 목적으로' 하는 회사의 의미에 대하여는 경업금지에서의 '회사의 영업부류'와 동일한 의미로 새긴다.[62] 동종영업에 한하지 않고 모든 회사에 걸쳐 무한책임사원 또는 이사가 되거나 다른 상인의 상업

---

57) 권기범, 전게서, 784면; 이철송, 전게서(2021), 769면; 최기원, 전게서, 943면; 최준선, 전게서(2021), 535면.
58) 이철송, 전게서(2021), 769면.
59) 이철송, 전게서(2021), 769면; 최준선, 전게서(2021), 535면.
60) 이철송, 전게서(2021), 770면.
61) 이철송, 전게서(2021), 769면.
62) 이철송, 전게서(2021), 767면.

사용인이 되는 것을 금지하는 상업사용인의 겸직금지의무(제17조 제1항)의 범위보다는 좁다고 본다.[63]

미국판례법은 동종영업을 목적으로 하는 회사의 개념에 대하여 동일성이 인정되는 영업영역(in the line of business)으로 이해하고 있다.[64] 현실적으로 회사가 경업이라고 여겨지는 대상인 활동에 대하여 관심을 가질 수 있으며 경쟁적인 혹은 시너지효과를 가져온다고 여겨지는 경우에는 양자 간에 경업이 성립한다고 보고 있다.[65]

여기서의 다른 회사는 실제 거래를 수행하는 회사만을 의미하는 것은 아니다.[66] '동종영업을 목적으로 하는 다른 회사'에 해당되는지의 여부는 정관에 규정한 회사의 목적 전부가 아니라 회사가 실제로 수행하고 있는 사업을 기준으로 판단한다.[67]

무한책임사원은 합명회사와 합자회사의 경우에만 존재하므로 결국 여기에서 말하는 '다른 회사'는 합명회사와 합자회사를 말하며, 이사는 주식회사와 유한회사의 경우를 말한다.[68] 한편 제397조의 규정에서 이사가 다른 회사의 상업사용인이 되는 것을 명문으로 금하고 있지 않다고 해서 이것이 허용되는 것은 아니며, 상업사용인의 겸직금지의무에 관한 상법규정(제17조)의 취지에 비추어 보아 주식회사의 이사는 다른 상인의 상업사용인이 될 수 없고[69] 여기에서의 상인에는 회사상인도 당연히 포함된다고 본다.

나) 겸직금지의 대상이 되는 지위

이사는 이사회의 승인이 없으면 동종영업을 목적으로 하는 다른 회사의 이사나 무한책임사원이 되지 못한다(제397조). 그런데 집행임원의 경우 이사의 경업금지의무를 규정하고 있는 제397조를 준용하고 있으므로(제408조의9) 집행임원은 동종영업을 목적으로 하는 다른 회사의 무한책임사원이나 이사가 되지 못한다. 집행임원은 회사의 선택에 따라 대표이사에 갈음하는 기구로 설치되어 회사

---

63) 이철송, 전게서(2021), 767면.
64) Guth v. Loft Inc., 23 Del. Ch. 255, 279, 5 A.2d 503, 514 (1939).
65) Miller v. Miller, 222 N.W.2d 71, 80 (Minn. 1974); Note, "Corporate Opportunity," 74 Harv. L. Rev. 765, 768-69 (1961).
66) 이철송, 전게서(2021), 767면; 법학전문대학원 상법교수 15인, 전게서, 574면.
67) 법학전문대학원 상법교수 15인, 상게서, 574면.
68) 홍복기 외 8인, 전게서, 406면.
69) 최준선, 전게서(2021), 534면.

의 업무집행과 회사를 대표하는 권한을 행사할 수 있는 지위에 있다(제408조의2 제1항, 제408조의4).[70] 이러한 취지에 비추어 본다면 이사 역시 동종영업을 목적으로 하는 다른 회사의 집행임원의 지위를 겸직하지 못한다고 하여야 하며, 이는 유한책임회사의 업무집행자에 있어서도 마찬가지로 본다(제287조의10).[71]

다) 경업거래를 하는 회사에 대한 겸직금지 인지의 여부

상법이 이사는 '동종영업을 목적으로 하는 다른 회사의 무한책임사원이나 이사가 되지 못한다'라고 규정하고 있는 것으로 보아 실제 경업이 되는 거래를 하여야만 겸직금지의무위반으로 되는 것은 아니라고 보아야 한다.[72] 즉 회사에 대하여 위임관계에 있는 이사의 특수한 지위를 고려한다면[73] 이사는 회사의 업무를 처리하는데 전념하여야 하며, 이에 방해될 수 있는 특정한 지위에 취임하는 것 자체가 자신을 이사에 선임한 회사의 의사나 이해관계에 반할 수 있다고 보는 것이다.

판례의 입장은 더 구체적으로 접근하여, 아직 영업을 개시하지 못한 채 공장부지를 매수하는 등 영업을 위한 준비작업을 추진하고 있는 회사의 이사로 되는 경우도 겸직금지의 대상에 해당된다고 보고 있다.[74] 즉 "이사의 경업금지의무를 규정한 상법 제397조 제1항의 규정취지는 이사가 그 지위를 이용하여 자신의 개인적 이익을 추구함으로써 회사의 이익을 침해할 우려가 큰 경업을 금지하여 이사로 하여금 선량한 관리자의 주의로써 회사를 유효적절하게 운영하여 그 직무를 충실하게 수행하여야 할 의무를 다하도록 하려는 데 있으므로, 경업의 대상이 되는 회사가 영업을 개시하지 못한 채 공장의 부지를 매수하는 등 영업의 준비작업을 추진하고 있는 단계에 있다 하여 위 규정에서 말하는 동종영업을 목적으로 하는 다른 회사가 아니라고 볼 수는 없다"고 하였다.[75]

겸직과 관련하여 구체적으로 살펴본다면, 판례는 "피신청인이 X의 주주총회의 승인이 없이 X와 동종영업을 목적으로 하는 Y를 설립하고 그 회사의 이사

---

70) 이철송, 전게서(2021), 856면.
71) 권기범, 전게서, 781면.
72) 법학전문대학원 상법교수 15인, 전게서, 574면; 임재연, 전게서, 382면.
73) 회사의 독립된 법인격을 강조하면 회사와 이사 간에 위임 내지 신탁관계가 있다고 보게 되고, 출자자인 주주를 중심으로 파악하게 되면 주주 전체와 이사 간에 위임 내지 신탁관계가 있다고 볼 수 있을 것이다.
74) 대법원 1990.11.2. 자 90마745.
75) 대법원 1993.4.9. 92다53583.

겸 대표이사가 되었다면, 설령 Y가 영업활동을 개시하기 전에 피신청인이 Y의 이사 및 대표이사직을 사임하였다고 하더라도, 이는 분명히 상법 제397조 제1항 소정의 경업금지의무를 위반한 행위로서, 특별한 다른 사정이 없는 한 이사의 해임에 관한 상법 제385조 제2항 소정의 "법령에 위반한 중대한 사실"이 있는 경우에 해당한다고 보지 않을 수 없다"[76]고 하였다. 이러한 판례의 태도는 아직 회사에 손해발생이 구체화되지 않은 비교적 이른 시점에서도 이사의 겸직을 금지함으로써 회사의 손실을 최소화하기 위한 것이다.[77] 따라서 실제로 거래를 수행하지 않더라도 겸직금지의무에 위반될 수 있다.[78]

라) 겸직금지 위반 시의 효과

이사가 겸직금지의무를 위반한 경우에는 경업금지위반의 경우와는 달리 그 성질상 개입권을 행사할 수 없고, 단지 당해 이사를 주주총회의 결의에 의하여 해임하거나(제385조 제1항) 회사가 이사에 대하여 손해배상책임(제399조 제1항)을 청구할 수 있을 뿐이다.[79] 즉 이사가 겸직금지의무에 위반하여 다른 회사의 이사로 취임한 경우에도 그 취임 자체는 유효하다. 그리고 이사의 겸직은 '거래'에 해당되지 않으므로 회사의 개입권 행사는 인정되지 아니한다.

이사가 이사회의 승인 없이 겸직을 하는 것만으로 금지위반이 성립하며 반드시 그러한 위반으로 인해 손해가 발생하였음을 요하는 것은 아니다. 왜냐하면 이러한 경업금지제도의 취지가 회사의 손해를 회복시키는데 있는 것이 아니라, 이사로 하여금 경쟁적 이익추구를 단념시킴으로써 회사의 업무에 전념하게 하기 위함이기 때문이다.[80] 따라서 회사에 손해가 발생하지 않더라도 이사에 대한 손해배상청구만 할 수 없을 뿐이고 겸직 위반을 이유로 주주총회의 결의로 해임할 수 있다.

겸직금지는 겸직 자체만으로 상법규정에 위반되는 것이므로 이사가 겸직에 있는 회사의 영업활동이 시작되기 전에 사임하였다고 하더라도 위반사실이 없어지는 것은 아니다.[81] 이러한 의무위반에 대하여 회사는 당연히 책임을 물을 수

---

76) 대법원 1990.11.2. 자 90마745.
77) 법학전문대학원 상법교수 15인, 전게서, 574면.
78) 법학전문대학원 상법교수 15인, 상게서, 574면.
79) 대법원 1990.11.2. 자 90마745.
80) 이철송, 전게서(2021), 768면.
81) 대법원 1993.4.9. 92다53583.

있다.

4) 이사회의 승인

가) 승인요건

이사가 상법이 금지하는 경업행위를 하거나 겸직에 취임하기 위해서는 이사회의 승인이 필요하다. 이사가 1인만 있는 회사의 경우에는 주주총회의 결의로 이사회의 승인을 갈음하게 된다(제383조 제4항). 이사회의 승인이 있으면 겸직이 가능하며, 이사의 경업거래와 겸직이 동시에 문제되는 경우에는 경업거래와 겸직에 대한 이사회의 승인은 각각 따로 하여야 한다.[82]

이사의 경업거래와 겸직에 대한 승인기관은 1995년 개정상법 이전에는 주주총회로 되어 있었으나, 1995년 개정으로 이사회가 승인권을 가지게 되었다. 이는 승인절차를 간소화할 필요도 있었고 이사의 자기거래가 이사회의 승인사항으로 되어 있는 것과 균형을 맞추는 것이 형평에 맞다고 보았기 때문이다.[83] 이러한 개정에 대하여 경업행위와 이사의 자기거래의 본질상 차이를 간과한 입법이라는 지적이 있다. 즉 이사의 자기거래는 현재의 회사재산을 처분하는 행위이고 이로 인해 회사에 적극적인 손해가 생길 우려가 있으므로 제한하는 것이기 때문에 이를 승인할 것인가에 대한 판단은 회사의 재산관리에 관한 문제라고 보아서 당연히 이사회의 권한에 속하는 것이지만, 경업거래는 회사의 영리의 기회에 개입하는 행위로서 이로 인해 회사가 얻을 수 있는 이익을 얻지 못한다는 소극적인 손실이 염려되어 제한하는 것이기 때문에 경업의 승인은 장래의 영업기회의 처분에 속한 문제로서 출자자들이 결정한 사안이라는 차이가 있다는 것이다.[84]

2011년 개정상법 이전에는 경업금지와 자기거래의 경우 이사회 통상의 결의방법(제391조 제1항)에 의하여 이사 과반수의 출석과 출석이사의 과반수로 승인하도록 하였으나, 2011년 개정상법은 자기거래의 경우 이사회 전원의 3분의 2 이상으로써 승인하도록 하였고, 새로 도입한 회사기회유용금지의 경우에도 3분의 2를 요구하였으나, 경업금지의 경우에는 여전히 과거와 같은 요건을 유지하

---

82) 법학전문대학원 상법교수 15인, 전게서, 574면.
83) 이철송, 전게서(2018), 753면; 이기수·최병규, 전게서, 414면.
84) 이철송, 전게서(2018), 756면.

고 있다. 그러나 이러한 차이는 회사에게 손해발생의 가능성이 있다는 점에서는 동일하므로 차별적인 취급은 바람직하지 않다.[85]

나) 특별이해관계인의 배제

경업행위를 하고자 하는 이사는 승인의 내용에 관하여 특별한 이해관계가 있는 자이므로 의결권을 행사할 수 없다(제391조 제3항 및 제368조 제4항). 자기거래의 경우(제398조)와 회사기회 유용의 경우(제397조의2)에도 이해관계당사자인 이사는 특별한 이해관계가 있는 것이므로 마찬가지로 의결권을 행사하지 못한다는 점에서 동일하게 본다.

다) 이사회의 승인시기

(1) 이사회의 사후승인(추인)

이사의 경업행위 또는 겸직에 대한 이사회의 사후승인에 해당될 수 있는 추인을 허용할 것인가에 대하여 견해가 대립된다. 경업 또는 겸직에 대한 추인은 책임의 면제와 동일한 효과를 가져오기 때문에, 이사회의 결의로 이러한 책임을 면제한다는 것은 상법상 이사의 책임면제에 총주주의 동의(제400조)를 요하는 것과 균형이 맞지 않음을 들어 사전승인이 있어야 한다고 보는 견해[86]가 있다.

이에 반해 사후승인 곧 추인이 이사의 손해배상책임까지 면제시키는 것은 아니고 법령위반이라는 하자를 치유하여 경업금지의무만을 해제시킬 뿐이라고 보고 이사회에 의한 사후승인을 유효하게 보는 견해[87]도 있다. 판례가 자기거래의 추인을 허용하고 있으므로[88] 경업금지의무의 경우에도 마찬가지라고 보아야 한다고 주장하는 견해[89]도 있다.

(2) 포괄적 승인

경업거래에 대하여 이사회가 승인을 하는 경우 개별적인 거래마다 승인을 하여야 하는 것이 원칙이겠지만, 계속적인 거래인 경우 포괄적인 승인이 가능하다

---

85) 이철송, 전게서(2018), 755면.
86) 이철송, 전게서(2021), 765면; 임재연, 전게서, 383면; 최준선, 전게서(2021), 534면; 홍복기 외 8인, 전게서, 406면. 임재연 변호사와 최준선 교수는 설령 사후승인을 하였다고 하더라도 이는 경업의 위법성을 조각하는 사유일 뿐이고 손해배상책임까지 면제되는 것은 아니라고 설명하고 있다.
87) 권기범, 전게서, 783면; 송옥렬, 전게서, 939면; 최기원, 전게서, 942면.
88) 대법원 2007.5.10. 2005다4284.
89) 송옥렬, 전게서, 939면.

고 보며 개별적인 거래마다 승인을 받을 필요는 없다.[90] 물론 백지식 승인은 허용될 수 없다.[91]

라) 이사회의 승인과 손해의 발생

이사의 경업행위와 겸직에 대하여 이사회의 승인이 있으면 경업금지의무의 위반이 아니다. 따라서 개입권이나 이득양도청구권을 행사할 수 없고, 주주총회의 결의로 해임할 수도 없다. 그런데 경업행위 또는 겸직으로 인하여 회사에 현실적으로 손해가 발생한 경우에는 어떻게 할 것인지가 문제될 수 있다. 승인이 있다고 해서 손해가 발생하지 않는 것은 아니고,[92] 이사회의 승인은 경업행위나 겸직의 절차적 위법성을 조각하는 효과가 있을 뿐이지 책임을 면제해 주는 것은 아니기 때문이다.[93]

이에 대하여 경업행위나 겸직금지의무는 이사의 충실의무에 속하는 것이기 때문에 경업행위나 겸직의 결과 회사에 손해가 발생하였다면 과실로 경업금지의무를 위반한 것이므로 회사에 발생한 손해를 배상할 책임을 부담하여야 하고(제399조 제1항), 이사회의 승인에 찬성한 이사들도 연대하여 책임을 져야 한다(제399조 제2항). 즉 이사회의 승인만으로 손해배상책임이 소멸하지 않는다고 보아야 한다.[94] 왜냐하면 이사의 회사에 대한 손해배상책임을 면제하기 위해서는 이사회의 승인이 아니라 총주주의 동의가 필요하기 때문이다(제400조).

5) 경업금지의무 위반과 이사의 해임

가) 주주총회의 특별결의에 의한 해임

이사가 경업금지의무에 위반하게 되면 이는 상법 제385조 제1항에서 정하고 있는 '법령에 위반한 중대한 사실'이므로, 이사의 임기만료전 특별한 사유가 없는 경우 해임하는 경우와 달리, 이사에 대한 손해배상을 함이 없이 이사를 해임할 수 있는 사유가 된다.

이와 관련하여 판례는 "회사의 이사가 회사와 동종영업을 목적으로 하는 다른 회사를 설립하고 다른 회사의 이사 겸 대표이사가 되어 영업준비작업을 하여

---

90) 이기수·최병규, 전게서, 416면; 최기원, 전게서, 942면; 최준선, 전게서(2021), 534면.
91) 최준선, 전게서(2021), 534면.
92) 권기범, 전게서, 786면.
93) 이철송, 전게서(2018), 753면.
94) 권기범, 전게서, 786면; 이철송, 전게서(2018), 753면.

오다가 영업활동을 개시하기 전에 다른 회사의 이사 및 대표이사직을 사임하였다고 하더라도 이는 상법 제397조 제1항 소정의 경업금지의무를 위반한 행위로서 특별한 다른 사정이 없는 한 이사의 해임에 관한 상법 제385조 제2항 소정의 '법령에 위반한 중대한 사실'에 해당한다"고 하였다.[95]

나) 소수주주권의 행사

이사가 그 직무에 관하여 부정행위 또는 법령이나 정관에 위반한 중대한 사실이 있음에도 불구하고 주주총회에서 그 해임을 부결한 때에는 발행주식 총수의 100분의 3 이상에 해당하는 주식을 가진 주주는 총회의 결의가 있는 날부터 1월 내에 그 이사의 해임을 법원에 청구할 수 있다(제385조 제2항). 만약 주주 1인으로서 이 요건을 갖추지 못한 때에는 2인 이상의 자가 공동원고가 되어 그 요건을 갖추어 소를 제기할 수 있다.

실제로 경업금지의무 위반을 이유로 이사해임의 건이 주주총회에 상정되었으나 출석주주가 정족수인 과반수에 미달하여 임시주주총회가 유회되어 결과적으로 그 해임이 부결된 사건에서, 법원은 소수주주가 제기한 이사해임의 소를 제기할 수 있다고 판시하였다.[96]

6) 경업금지의무의 위반과 상법상 특별배임죄의 벌칙

이사의 경업금지의무 위반은 경우에 따라 상법상 특별배임죄(제622조 제1항)를 구성할 수 있다.[97] 즉 이사를 포함한 회사의 영업에 관한 일정한 권한을 가진 자가 그 임무에 위배한 행위로써 재산상의 이익을 취하거나 제3자로 하여금 이를 취득하게 하여 회사에 손해를 가한 때에는 10년 이하의 징역 또는 3천만원 이하의 벌금에 처하도록 되어 있는데, 이사의 경업금지의 내용은 이에 해당될 가능성이 매우 높다.

판례는 경업금지의무 위반과 관련하여, "상표는 지정상품의 영업과 같이 하지 아니하면 이를 이전할 수 없는 것이고 주식회사의 이사는 주주총회의 승인이 없으면 자기 또는 제3자의 계산으로 회사의 영업부류에 속하는 거래를 할 수 없는바, 피고인이 가지고 있던 상표권을 회사에 일부 양도하고 그 회사의 이사

---

95) 대법원 1993.4.9. 92다53583.
96) 대법원 1993.4.9. 92다53583.
97) 최준선, 전게서(2021), 536면.

로 취임한 이상 피고인이 공동상표권자라 하더라도 회사의 관계에 있어서 독자적으로 비밀공장을 차려 놓고 회사와 동종 영업부류인 (명칭 생략)표 화투를 생산 판매하여 재산상의 이득을 취하였다면 이는 회사의 손해로 돌아간다 할 것이므로 상법상 특별배임죄를 구성한다"고[98] 하였다.

7) 경업금지약정의 효력

가) 이사의 선임과 경업금지약정의 체결

주주총회에서 이사를 선임한 후 회사와 이사 간에 임용계약을 체결하게 된다. 이와 더불어 이사는 회사 내부에서의 위치상 중요한 영업비밀을 쉽게 알게 될 것이므로 회사는 이사에게 경업금지약정의 체결을 요구하는 경우가 많은데, 이와 같은 약정이 원칙적으로 유효함은 물론이지만 그 내용이 과도할 경우에는 헌법상 보장된 직업선택의 자유를 침해하거나 민법에서 규정하는 사회질서에 반할 수 있는 등의 문제가 발생할 수 있다.

나) 경업금지약정의 효력

판례는 경업금지약정에 대하여 "사용자와 근로자 사이에 경업금지약정이 존재한다고 하더라도, 그와 같은 약정이 헌법상 보장된 근로자의 직업선택의 자유와 근로권 등을 과도하게 제한하거나 자유로운 경쟁을 지나치게 제한하는 경우에는 민법 제103조에 정한 선량한 풍속 기타 사회질서에 반하는 법률행위로서 무효라고 보아야 하며, 이와 같은 경업금지약정의 유효성에 관한 판단은 보호할 가치 있는 사용자의 이익, 근로자의 퇴직 전 지위, 경업 제한의 기간·지역 및 대상 직종, 근로자에 대한 대가의 제공 유무, 근로자의 퇴직 경위, 공공의 이익 및 기타 사정 등을 종합적으로 고려하여야 하고, 여기에서 말하는 '보호할 가치 있는 사용자의 이익'이라 함은 부정경쟁방지 및 영업비밀보호에 관한 법률 제2조 제2호에 정한 '영업비밀'뿐만 아니라 그 정도에 이르지 아니하였더라도 당해 사용자만이 가지고 있는 지식 또는 정보로서 근로자와 이를 제3자에게 누설하지 않기로 약정한 것이거나 고객관계나 영업상의 신용의 유지도 이에 해당한다"[99]고 하였다.

위와 같은 판례의 입장은 다소 추상적인 입장에 기초하고 있기 때문에 특정

---

98) 서울고등법원 1982.1.13. 82노2105.
99) 대법원 2010.3.11. 2009다82244.

한 사안마다 해석을 통하여 당해 경업금지약정의 효력을 판단할 수밖에 없다. 그런데 이사와 회사의 관계는 고용관계가 아니고 위임관계이므로 경업금지약정에 임하는 이사의 입장은 근로자보다 자유롭다고 할 수 있다. 그러나 이사도 사실상 생업의 종사자로서 회사에 비해 열등한 지위에 있는 것이 일반적이라는 사실을 부정할 수 없으므로 위 판례의 추상적 기준은 이사에게도 기본적으로 적용되어야 할 것이다.[100] 다만 이사는 근로자에 비해 회사의 중요한 영업비밀에 접근할 수 있는 지위에 있다는 점에서 이사가 체결한 경업금지약정이 과도한지 여부는 근로자가 체결한 경업금지약정이 과도한지와 동일한 차원에서 판단할 수는 없다.

다) 회사기회유용과 경업금지

2011년 개정상법은 이사의 충실의무의 영역에 속하는 소위 '회사기회의 유용금지'를 입법하였다. 즉 이사는 이사회의 승인 없이는 회사의 이익이 될 수 있는 사업기회를 이용할 수 없다(제397조의2). 이사는 회사의 중요한 결정을 행하는 지위에 있을 뿐만 아니라 항상 이사와 회사의 이익이 충돌할 수 있는 지위에 있기 때문에 충실의무라는 영역에서 규제하고 있음은 전술한 바와 같다. 새로운 경제환경의 조성, 회사의 규모 확대 등으로 인하여 회사는 다양한 사업기회의 환경에 처할 수 있는데, 기존의 경업금지나 자기거래 규제를 회피하여 간접적으로 회사의 사업기회를 가로채고 자신 또는 제3자의 이익을 취할 가능성이 높다. 따라서 2011년 개정상법은 경업금지나 자기거래에 속하기 어려운 제3의 유형의 이익충돌로서 '회사의 사업기회유용'이라는 행위를 규제의 대상에 포함시켰다.[101] 이러한 '회사의 사업기회유용'은 회사와의 이익충돌이라는 점에서 경업금지와 상당히 유사하지만, 전자가 영업적 거래는 물론이고 비영업적 거래에 대하여도 적용되는 것인 반면에, 후자는 영업거래만 포함된다는 점에서 차이가 있다.[102]

한편 '회사의 사업기회유용'은 현재뿐만 아니라 미래의 회사사업기회에 대하여도 적용된다는 점에서 그 의미가 크다.[103] 그리고 '회사의 사업기회유용'은 경

---

100) 이철송, 전게서(2021), 767면.
101) 이철송, 전게서(2018), 754면.
102) 권기범, 전게서, 787면; 이철송, 전게서(2018), 750면.
103) 권기범, 전게서, 787면; 이윤석, "회사기회유용의 적용요건과 입법에 관한 검토," 「비교사법」 제17권 제2호(2010), 109~113면; 최준선, "회사기회유용금지이론에 관한 고찰," 「저스티

업금지의무의 적용대상이 기본적 상행위와 준상행위에만 적용되고 보조적 상행위는 제외된다고 보는 견해의 입장[104]에서는 그러한 한계를 보완해 준다는 점에서 의미가 있다.[105]

4. 이사 등의 자기거래

권 윤 구*

가. 의의 및 취지

제398조[1]는 주식회사의 이사, 주요주주 및 그들과 친족관계 혹은 지분관계에 있는 일정한 개인 혹은 회사 및 단체(이하 편의상 '특수관계자'라고 하며, 이들을 통칭하여 '이사 등' 혹은 '이해관계인'이라고 한다)와 그 회사 간의 거래에 대하여 회사의 이사회의 승인을 받을 것을 요구하고 있다.

2011년 개정 전의 이사의 자기거래[2]에 대한 제398조는, "이사는 이사회의 승인이 있는 때에 한하여 자기 또는 제3자의 계산으로 회사와 거래를 할 수 있다. 이 경우에는 민법 제124조의 규정을 적용하지 아니한다."[3]라고 규정하고 있

스」 제95호(한국법학원, 2006), 125면; 최준선, 전게서(2021), 538면.
104) 권기범, 전게서, 782면; 이철송, 전게서(2018), 749면; 임재연, 전게서, 382면; 홍복기 외 8인, 전게서, 406면.
105) 권기범, 전게서, 787면.

  * 김·장 법률사무소 변호사
  1) 제398조(이사 등과 회사 간의 거래) 다음 각 호의 어느 하나에 해당하는 자가 자기 또는 제3자의 계산으로 회사와 거래를 하기 위하여는 미리 이사회에서 해당 거래에 관한 중요사실을 밝히고 이사회의 승인을 받아야 한다. 이 경우 이사회의 승인은 이사 3분의 2 이상의 수로써 하여야 하고, 그 거래의 내용과 절차는 공정하여야 한다.
    1. 이사 또는 제542조의8 제2항 제6호에 따른 주요주주
    2. 제1호의 자의 배우자 및 직계존비속
    3. 제1호의 자의 배우자의 직계존비속
    4. 제1호부터 제3호까지의 자가 단독 또는 공동으로 의결권 있는 발행주식 총수의 100분의 50 이상을 가진 회사 및 그 자회사
    5. 제1호부터 제3호까지의 자가 제4호의 회사와 합하여 의결권 있는 발행주식총수의 100분의 50 이상을 가진 회사
  2) 종래 이사와 회사 간의 거래는 '이사의 자기거래'라 불렸는데, 제398조의 규율대상 주체에 주요주주 및 특수관계자가 포함된 현재에도 제398조가 정하는 거래를 '자기'거래라 부르는 것은 부적절한 감이 없지 않다. 그러나 편의상 이하에서도 주요주주 및 특수관계자들과 회사 간의 거래 등도 통칭하여 '자기거래'라 하기로 한다.
  3) 정동윤 대표, 「주석 상법(회사 Ⅲ)」(한국사법행정학회, 2014), 353~354면은 2011년 4월 개정 전 상법은 이사회의 승인을 전제로 민법 제124조가 적용되지 않는다는 취지를 규정하고 있었으나(제389조 후문), 자기계약 및 쌍방대리의 경우에도 본인의 허락이 있으면 민법 제

었다. 이는 이사가 회사와 거래를 하는 경우에는, 회사의 이익을 우선시해야 하는 이사로서의 의무와, 거래의 상대방으로서 해당 거래에서 이익을 보고자 하는 이사의 개인적인 이해관계 간에 충돌이 발생할 수 있으므로 해당 거래에 대해 이사회의 승인을 받도록 함으로써 이사가 회사의 이익을 희생하여 자기 또는 제3자의 이익을 도모할 위험을 사전에 방지하기 위한 목적인 것으로 이해되어 왔다.

2011년 상법 개정(2011. 4. 14. 개정, 2012. 4. 15. 시행)시에 동 조항은 이사가 본인의 이익을 위하여 이사의 친인척이나 그들이 설립한 개인 회사 등을 이용하여 회사와 거래하는 경우 회사의 이익을 희생시킬 가능성이 많으므로 적절한 통제가 필요하고[4] 우리 기업 현실상 이사와 지배주주가 회사와의 거래를 통한 '사익추구' 현상이 심각한 수준에 이르렀다는 인식 하에,[5] (i) 수범자의 범위를 이사에서 이사, 주요주주 및 그 특수관계자로 확대하고, (ii) 중요사실에 대한 개시의무를 명시하고 이사회 승인 결의요건을 이사 3분의 2 이상의 수로 강화하였으며, (iii) 거래의 내용과 절차는 공정해야 한다는 요건을 추가하도록 개정되었다.

나. 다른 나라의 입법례

이사와 회사 간의 거래는 그 거래 자체가 가지고 있는 이해상충의 우려로 인하여 우리 상법뿐 아니라 다른 여러 나라의 회사법에서도 일정한 규제를 가하고 있다. 그러나 ① 규율대상인 주체의 범위, ② 규제거래의 객관적 범위, ③ 이해상충상황의 해결 내지 공정성 확보를 위한 통제방식, ④ 승인권한의 귀속, ⑤ 승인의 효과 등에 대한 구체적인 내용은 국가별로 상이하다. 이하에서는 미국, 일본, 프랑스, 독일의 입법례를 검토함으로써 우리 상법을 보다 객관적으로 조감해 볼 수 있는 기초로 삼고자 한다.

124조의 적용이 배제되어 그 거래가 유효하게 되고, 이사회의 승인은 본인인 회사의 허락이 되므로 위의 규정은 이 당연한 것을 주의적으로 규정한 것에 불과하므로 2011년 4월 개정상법은 위 조항을 삭제하였다고 설명한다.

4) 제17487호 관보(2011. 4. 14.), 244면. 위 관보에는 주요주주 관련 내용은 포함되어 있지 않은데, 이는 최초 정부안에서는 이사 및 그 특수관계자와 회사와의 거래만을 규정하였었기 때문인 것으로 보인다. 현행 제398조의 입법과정에 관하여는 정동윤 감수, 「상법 회사편 해설」(법무부, 2012), 228~230면 참조.

5) 정동윤 감수, 상게서, 228면.

1) 미 국

미국의 자기거래의 법리는 영미법상의 신인의무의 한 축인 충실의무(duty of loyalty) 법리와 궤를 같이 하며 판례의 축적을 통해 발전하여 왔다.[6] 현재는 대다수의 주(州)회사법이 판례의 발전을 기초로 이사와 회사 간의 거래에 대해 명문으로 규율하고 있다.[7] 다만, 미국 각 주의 회사법에서 규정하고 있는 명문의 자기거래에 관한 조항들은 자기거래에 대한 이사들의 행위의무를 창설적으로 규정하는 것은 아니다. 이해상충거래에서의 이사 등의 기본적인 행위의무는 이사 등의 충실의무(duty of loyalty 혹은 duty of fair dealing)에서 근거한 것으로 이해되고, 각 주법은 그 법에 규정된 절차와 조건을 충족하는 경우 해당 이해상충거래가 사법심사의 대상에서 배제되거나, 사법심사의 기준, 입증책임이 전환 내지 약화되는 안전항으로서의 의미를 가진다.[8] 각 주법에 더해 미국법률협회와 미국 변호사 협회에서 기존의 판례 등을 연구하여 제정한 회사지배의 원칙(American Law Institute, Principles of Corporate Governance, 이하 'ALI PCG')과 모범회사법(American Bar Association, Model Business Corporation Act, 이하 'MBCA') 역시 자기거래에 관한 일반적인 기준을 제공하고 있다.[9] 미국의 자기거래의 법리는 개별, 구체적 사안에 대한 판례법의 발전을 통해 형성되어 온 법리로서 현재도 형성중인 법원리로 이해되고, 따라서 이를 단일한 틀 안에서 해

---

6) 미국 법원은 시기적으로 자기거래에 대한 규제의 관점이 변경되어 왔다. 대체적으로 1880년대경의 초기에는 영국형평법상의 신탁법리에 기초하여 이사와 회사 간의 거래는 그 자체로서 무효이거나, 회사의 주장에 의해 무효로 될 수 있는 거래로 보아 허용되지 않는 거래로 보았다. 즉, 수탁자에 해당하는 이사가 위탁자 본인에 해당하는 회사와의 거래에서 이익을 보아서는 안 된다는 신탁법리에 기초한 것으로 이해된다. 그러나, 산업의 발전과 함께 이사와의 거래로부터도 회사에게 이익이 될 수 있다는 점을 인정하여 점차 자기거래를 인정하는 방향으로 발전하여 왔다(김정호, "미국회사법상 이사와 회사의 자기거래 금지의 법리 – 대법원 2007.5.10. 선고 2005다4284 판결의 평석을 겸하여 –,"「고려법학」제49권 (고려대학교 법학연구원, 2007), 121면 이하; Robert Chales Clark, Corporate Law, Little, Brown and Company, 1986, pp. 160~161. American Bar Association, Model Business Corporation Act: official text with official comment and statutory cross- references revised through June 2005, ABA Section of Business Law, 2005, pp. 8~134.

7) The American Law Institute(이하 'ALI'), Principles of Corporate Governance: Analysis and Recommendation, vol. 1, American Law Institute Publishers, 1994, p. 226에 따르면, 총 45개주가 자기거래(self-dealing)에 대한 명문의 조항을 규정하고 있다고 한다.

8) Ibid., p. 226f. 법률체계의 차이에서 초래되는 규제방식의 차이는 우리나라와 비교하여 자기거래의 범위와 효과를 확정하는 데에 있어 상당한 차이를 가져올 수 있다.

9) 위 모범회사법은 각 주의 입법과정에 상당한 영향을 미치고 있다고 한다. 모범회사법을 따라 제정된 각주 회사법의 자기거래에 관한 조항에 대한 해설은 Ibid., pp. 226~236 참조.

석하는 것은 가능하지 아니하나, 통상적으로 이해되는 특징은 대략 아래와 같이
요약할 수 있을 것으로 생각된다.

가) 자기거래의 주관적 적용범위

미국의 충실의무는 통상적으로 회사의 내부자, 즉 회사의 이사, 상급임원
(senior executive), 지배주주(controlling shareholder. 단, 규율의 범위나 강도가 반
드시 이사와 동일한 것은 아님)에게 미치는 것으로 이해된다.[10) 한편, 이 범위는
이사 등과의 '관계'에 의해 '제3자'에게까지 확대된다. 판례에서는 배우자에게 이
사와 동일한 기준을 적용한 사례들이 있고, 입법례에서는, 자기거래 규제의 범
위를 이사 등에 한정하지 아니하고, 이사와 친족, 가족관계에 있는 자로 까지
범위를 확대하고, 이런 관계인들이 다시 지배, 고용하는 법인 혹은 단체도 주체
적 범위에 포함되는 것으로 하는 경우가 있다.[11)

나) 자기거래의 객관적 적용범위

판례나 법령상 자기거래의 대상범위인 '거래'의 성질에 대해서는 특별한 제한
이 없고, '잠재적으로 이해상충의 우려를 일으킬 수 있는 경제적 가치가 있는
모든 거래'는 자기거래의 규제대상인 거래이다.[12) 한편, ALI PCG는, 조문 자체
에서는 명시적인 예외를 인정하지 않고 있으나, (1) 소규모 거래(de minimis
transaction),[13) (2) 일상거래,[14) (3) 경쟁입찰거래[15)를 해석에 의해 잠재적 이해

---

10) 다만, 회사의 일반 임원(officer)이나 직원(employee)에게도 대리(agency) 이론 등에 기
    해 유사한 기준이 적용될 수 있다고 한다(Ibid., p. 206).
11) MBCA의 '관계인(related person)'에는 (가) 이사의 배우자, 이사 및 그 배우자의 4촌 이내
    친족, 동거인 및 (나) 이사 또는 위 (가)의 자가 '지배'하는 단체(entity), 그 이사가 이사로
    있는 법인, 그 이사가 업무집행사원이거나 업무집행기관의 구성원으로 있는 단체, 그 이사
    가 수탁자 등으로 있는 신탁, (다) 그 이사의 피후견인, 그 이사의 고용주, 그 이사의 고용
    주가 '지배'하는 단체 등이 포함된다(MBCA §8.60(5)). ALI PCG에서는 이보다 더 넓은 개
    념의 '관계인(associate)'의 정의를 두고 있다(ALI PCG §1.03). 한편, MBCA는 위 '관계인
    (related person)'을 한정, 열거적으로 규정하고 있으나, ALI PCG는 이런 접근법을 명확성
    의 원칙이란 측면에서는 장점이 있을지 모르나, 그보다 더 중요한 회사지배구조의 원칙의
    측면에서는 적절하지 않은 것으로 비판하고 있다. Ibid., p. 235.
12) 다만, MBCA의 경우 이해상충거래의 정의를 두어, '이해비상충거래'의 경우에는 적용대상이
    없는 형식체계를 갖추고 있으나, '이해상충거래'는 (i) 이사가 그 거래의 당사자이거나, (ii)
    이사가 그 거래에 중요한 재무적 이익(material financial interest)을 갖고 있거나, (iii) 이
    사의 관계인이 그 거래의 당사자이거나 중요한 재무적 이익을 가지고 있는 경우로 넓게 정
    의되어 있어 특별한 의미를 가진다고 보기 어려워 보인다(MBCA §8.60(1)).
13) 거래 규모가 소소한 경우를 의미한다("under the de minimis principle, §5.02 shall not
    be applied to transactions that involve relatively trivial amounts").

상충의 우려가 없는 거래로서 자기거래에 대한 규제가 적용되지 않는 것으로 설명하고 있다.[16) 이러한 해석론은 우리법의 해석에 있어서도 참고할 수 있을 것이다.

다) 자기거래의 유효화 요건

성문법으로서의 안전항 규정이나 판례에서 제시하는 자기거래의 유효화 요건은 대체적으로 (1) 절차적으로는, 이사 등의 이해상충의 사실 및 거래의 주요조건을 개시한 후 이에 근거한 (특별이해관계 없는) 이사 혹은 주주의 과반수에 의한 거래의 승인을 득하거나, (2) (이러한 절차를 거치지 아니하더라도) 거래의 조건과 절차가 공정한 경우이다.[17)

위 2가지 요건은 독립적인 요건이기는 하나, 각 요건에 대해 입증책임 및 사법심사의 기준이 상이하여 같은 평면에서 논의되기는 어려운 요건이다. 전자는, 관련 정보가 공개되어(disclosure) 이사 혹은 주주의 승인을 득하는 한 그 (이해관계 없는) 이사 혹은 주주의 승인의 적정성에 대해서는 경영판단의 원칙(business judgment rule)이 적용되어 사실상 충실의무 위반사안이 주의의무 위반사안으로 전환되는 결과를 가져온다. 따라서 자기거래를 승인한 (이해관계 없는) 이사들은 해당 의사결정을 함에 있어 충분한 정보에 기하여 선의로 회사의 최선의 이익을 위해 결정한 것으로 믿고 승인한 것으로 추정되고, 이를 다투는 자에게 이 추정을 번복할 입증책임이 주어진다.[18) 이러한 추정의 번복을 위해서는 해당 이사들의 의사결정에 하자가 있을 뿐 아니라 그 하자가 인식 있는 과

---

14) 일상거래로서 일반 대중에게 제공되는 것과 동일한 거래조건으로 이사 등에게 제공/구매되는 물품 혹은 용역관련 거래를 의미한다("transactions involving goods or services that are purchased by or sold to a director or senior executive in the ordinary course of business on terms that are available on the same basis to members of the public").

15) 경쟁입찰 방식에 의해 거래조건이 결정되는 거래("whose terms are determined by competitive bids submitted to the corporation"). 다만, 경쟁 자체가 입찰대상/조건의 인위적 작성 혹은 기타의 방법으로 인위적으로 제한, 제거되지 않는 경우에만 제외된다("unless competition has been artificially diminished or eliminated through the framing of specifications or other devices").

16) ALI, op. cit., pp. 204~205.

17) 다만, ALI PCG는 (2)의 요건에 대해서도 이사 혹은 관계인이 '이해상충의 사실 및 거래의 주요 사실'을 고지할 것을 요구하고 있다. ALI PCG §5.02(a)(1).

18) ALI, op. cit., p. 213은 승인한 이사에게 책임을 묻기 위해서는 그 효력을 다투는 자가 이사의 승인 시 거래가 회사에게 공정하다고 판단할 수 없을 정도로 명백히 불합리함(so clearly outside the range of reasonableness)을 입증하여야 한다고 한다. 이는 통상적인 경영판단의 법칙의 적용보다는 이사에게 다소 불리한 기준이다.

실 혹은 미필적 고의(recklessness) 정도의 수준에 이르는 경우이어야 하므로[19] 추정의 번복은 매우 어려운 것으로 이해된다. 반면, 후자는 이른바 '공정성의 원칙(Entire Fairness Rule/Doctrine)'이 적용되어, 자기거래의 당사자인 이사 등이 해당 거래가 절차적으로 또 내용적으로 완전히 공정함을 입증하여야 한다. 특정거래가 회사에 대해 완전히 공정함을 입증하는 것은 상당수의 경우 매우 어려운 것으로 이해되고, 그 과정에서 해당 이사의 경과실이라도 있는 경우에는 공정성 요건을 충족하지 못하게 되는 것으로 이해된다. 따라서 실질적인 측면에서는 (2)의 '공정성 요건'에 의존하여 이사의 자기거래를 유효화하는 것은 용이한 일이 아니다.

라) 유효화 조건 미충족의 효과

위의 유효화 조건을 충족하지 못한 경우에는 먼저 이사의 자기거래는 회사에 의해 (혹은 주주대표소송을 통해) 무효화 될 수 있다. 이 외에도 충실의무 위반 시의 일반적 조치로서 회사의 손해보전을 위해 이사에 대한 손해배상책임이나 기타 적절한 조치를 취할 것을 명할 수 있다.

2) 일 본

일본은 개정 전의 제398조와 유사한 입법체계를 가지고 있는데, 일본 회사법 제356조 제1항은 자기거래에 대한 조항으로서, 이사가 자기 또는 제3자를 위하여 주식회사와 거래를 하고자 하는 때(제2호) 및 주식회사가 이사의 채무를 보증하는 것, 그 밖에 이사 이외의 자와의 사이에 있어서 주식회사와 당해 이사와의 이익이 상반하는 거래를 하고자 하는 때(제3호)에는 이사는 주주총회에 당해 거래에 관한 중요한 사실을 개시하고 그 승인을 받을 것을 요구하고 있다. 다만, 이사회설치회사에서는 주주총회가 아닌 이사회의 승인이 필요하다(일본 회사법 제365조 제1항).

한편, 일본 회사법 제356조 제1항 제2호는 법문상으로는 규율대상 주체를 이사로 한정하고 있으나, "자기 또는 제3자를 위하여"의 해석상 이사가 회사와 사이에 자신의 명의로 행하는 거래뿐 아니라 제3자를 대리 또는 대표하여 행하는 거래도 규율대상에 포함되는 것으로 보고 있다.[20] 나아가 일본의 학설은 이

---

19) Smith v. Van Gorkom 488 A.2d 858 (Del. 1985).
20) 江頭憲治郎, 「株式會社法」(有斐閣, 2011), 413面.

사가 사실상 전 주식을 가지는 다른 회사가 당해 회사와 거래하는 경우 이사가 위 다른 회사를 대리 내지 대표하지 않은 경우에도 자기거래의 규율대상이라고 보고 있고,[21] 이사의 배우자나 미성년인 자를 위해 회사가 행하는 보증도 간접거래로 인정하고 있다.[22] 한편, 1인 회사의 100% 주주이자 이사가 그 회사와 행한 거래 또는 완전 모자회사간 거래의 경우에는 이해상충의 우려가 없으므로 자기거래 규제가 적용되지 않는다고 한다.[23]

우리 상법 제398조와 비교하여 보면, 일본 회사법 제356조 제1항의 법문은 자기거래의 규율대상인 주체를 '이사'로 한정하고 있고, 이른바 '직접거래'뿐만 아니라(제2호) 이른바 '간접거래'도 명시적으로 규정하고 있으며(제3호), 이사회설치회사에서 요구되는 이사회의 승인은 일반적인 결의요건[24]으로 충분하다는 점에서 차이가 있다.

3) 프랑스

프랑스 상법(code de commerce)은, 이사 등의 자기거래를 (1) 금지되는 거래(art. L 225-43 et L 225-91), (2) 규제되는 거래(art. L 225-38 et L 225-86), (3) 허용되는 거래(art. L 225-39 et L 225-87)의 세 유형으로 구별하여 다루고 있다.

제1유형의 금지되는 거래에 속하는 것으로, 회사가, 이사, 감독이사, 업무집행임원 등의 회사의 기관인 개인, 그의 배우자, 그들의 직계존비속 또는 중개인(personne interposee)에 대하여 대출, 신용공여를 하거나 그를 위하여 보증을 제공하는 행위는 엄격하게 금지된다(art. L 225-43 et L 225-91). 이에 반하는 거래는 원천적 무효이되, 선의의 제3자에 대하여는 대항할 수 없다.[25]

한편, 제2유형의 규제되는 거래에는, 금지되거나, 허용되는 거래를 제외한 모든 거래가 포함되며, 금지되는 거래에서와 같이 거래의 객관적 유형에 제한을

---

21) 落合誠一 編, 「會社法コンメンタール(8)」(商事法務, 2009), 82面(北村雅史 집필).
22) 落合誠一 編, 前揭書, 83面; 日仙台高決 1997.7.25. 判時 1626號 139面. 다만 이에 대하여는 반대설도 존재한다.
23) 江頭憲治郎, 前揭書, 414~415面; 落合誠一 編, 前揭書, 81~82面.
24) 일본 회사법 제369조 제1항에 의하면 이사회의 결의는 원칙적으로 의결에 참가할 수 있는 이사의 과반수가 출석하여 그 과반수의 결의로써 행해진다.
25) Anne Charveriat/Alain Couret/Bruno Zabala, Societes commerciales 2012, Editions Francis Lefebvre, 2011, p. 807.

두지 아니한다. 제2유형의 거래의 상대방은 제1유형의 금지되는 거래의 경우보다 범위가 넓게 규정되어 제1유형의 규제를 받는 이사, 감독이사, 업무집행임원뿐 아니라 그 회사의 10%를 넘는 의결권을 가지는 주주 및 그 주주가 회사인 경우에는 그 주주를 지배하는 회사로까지 확대되어 있다. 이들이 직접적인 이해관계를 가지는 거래뿐 아니라 간접적인 이해관계를 가지는 거래에 대해서도 같은 규제가 적용된다. 회사의 이사 등이 다른 기업의 소유자, 무한책임사원, 이사 등인 경우에는 당해 회사와 그 기업 사이의 거래에도 적용된다(art. L 225-38 et L 225-86). 제2유형의 거래를 하기 위해서는 (가) 이들 이해관계인은 사전에 거래 내용을 이사회 또는 감독이사회에 보고하여, (나) 이사회 또는 감독이사회의 사전승인을 받아야 한다. 이 경우 해당 거래는 회사에 대하여 유효한 거래가 된다. 더 나아가, 해당 거래와 관계된 이사, 감독이사, 업무집행임원 등이 해당 거래로부터 발생하는 책임을 면제 받기 위해서는 일정한 절차 (감사의 특별보고서의 작성 및 주주총회의 제출)를 거쳐 주주총회의 승인을 받아야 한다.[26) 이사회, 감독이사회 및 주주총회의 결의시 거래에 이해관계를 가지는 위 자들은 의결권이 제한된다(art. L 225-38, L 225-40, L225-86 et L 225-88). 이사회 또는 감사회의 사전승인이 없는 자기거래는 그것이 회사에게 손해를 가져올 수 있는 경우에는 회사나 주주는 법원에 무효의 소(action en nullite)를 제기하여 취소할 수 있다(art. L 225-42 et L 225-90). 다만, 그러한 무효는 선의의 제3자에게는 대항할 수 없다.[27) 이사회의 승인 없이 이루어진 자기거래는 주주총회의 결의로 추인될 수 있으나, 이 때 주주총회승인의 효력은 자기거래를 유효화 시키는 효력만 있을 뿐 해당 이해관계인의 책임을 면책하는 효력은 없다.

제3유형의 허용되는 거래는, 제2유형의 거래에 대한 예외로 규정되어 있는데, 이사 등의 이해관계인을 상대로 하는 거래라고 하더라도 '일반적인 거래조건에 따라 이루어지는 일상 거래'는 제2유형에 대한 규제의 적용을 받지 않는다 (art. L 225-39 et L 225-87).

이처럼 프랑스 상법은 규율대상 주체를 이사, 집행임원 등의 회사의 내부자에 한정하지 않고, 명문으로 그 배우자 및 직계존비속(가족관계), 10% 이상 의결권 소유 주주[28] 및 그 지배회사 등으로까지 범위를 확대하고 있다. 나아가 제3

---

26) Ibid., p. 821.
27) Ibid., p. 822.

자가 중개인으로서 이들을 위하여 회사와 체결하는 거래 역시 명문으로 규제대
상범위로 포섭하고 있으며, 직접적 이해관계 뿐 아니라 간접적 이해관계를 가지
는 계약도 명문으로 규제대상으로 포섭하고 있는 점을 특징으로 한다. 프랑스
상법은 이사 등과 회사 간의 거래를 세 가지 유형별로 금지나 제한 여부, 절차
위반의 효과 등을 달리 접근하고 있는바, 이는 자기거래 규제의 정도를 거래의
객관적 이익상충 위험 정도에 따라 합리적인 수준에서 조정하고자 하는 것으로
생각된다.

4) 독　일

독일 주식법(Aktiengesetz)은, 이사의 자기거래에 대한 일반적인 명문의 절차
규정을 두지 않고, 이사와의 특정 유형의 거래는 직접적으로 규율하고 그 외의
일반거래에 대해서는 이사와 회사 간의 일반적 규정인 §112를 통해 규제하는
태도를 취하고 있다. §112는 '감독이사회(Aufsichtrat)는 이사에 대한 재판상 및
재판 외 행위에 있어 회사를 대리한다'라고 규정하여, 이사와 회사 간의 거래에
대해서는 감독이사회가 회사를 대리하도록 함으로써 이사가 자기와 회사를 동시
에 대리하는 쌍방대리를 절차적으로 제한하고 있다. §112의 적용 여부를 판단함
에 있어서는 개별 사례에서 회사의 이익이 위험에 처하였는지 여부를 고려할 것
이 아니라, 그 거래를 정형적으로 고려하여 추상적인 이익침해 위험이 있는지
여부를 고려하여야 하며, §112에 위반하여 감독이사회의 대리가 흠결된 법률행
위는 무효이나 사후추인이 허용된다고 해석되고 있다.[29] 개별 규정으로, 회사의
이사(혹은 감독이사) 및 그 배우자, 미성년의 자 등 특수관계자에 대한 신용공여
의 경우에는 거래 전 3개월 내에 감독이사회의 사전 결의가 있어야 한다고 규
정하고 있다(§§89, 115). 한편, 독일 정부위원회는 이사와 회사 간 이해상충문제
에 관하여 입법을 통한 규율보다는 행위권고사항을 통한 자발적인 규제 관점으
로 접근하고 있는데, 독일 정부위원회의 기업지배 행위권고규정(Deutscher
Corporate Governance Kodex, DCGK) 4.3.4는 "모든 이사는 이해상충에 대해
감독이사회에 즉시 알려야 하며 다른 이사에게도 이에 대해 통보해야 한다. 회

---

28) 이 점에서는 우리 상법 제398조와 대단히 유사하다.
29) 천경훈, "개정상법상 자기거래 제한 규정의 해석론에 관한 연구,"「저스티스」통권 제131호
(한국법학원, 2012), 57면.

사와 이사 또는 이사와 가까이 있는 자 또는 가까이 있는 회사 간의 모든 거래
는 관련분야에서 통용되는 기준에 상응해야 한다. 본질적인 거래는 감독이사회
의 동의가 필요하다."라고 하고 있다.[30]

5) 다른 나라의 입법례와 비교한 상법 제398조의 특징

위 주요 국가의 자기거래의 규제에 대한 입법례는 대체적으로 ① 이사 뿐
아니라 그와 일정한 관계에 있는 자에게까지 적용범위가 확대된다는 점, ② 이
들의 사전 개시의무를 일반적으로 인정한다는 점, ③ 이에 위반하는 거래는 그
효력이 문제가 된다는 점, ④ 해당 이사 등을 제외한 제3의 기관에 의한 승인을
요한다는 점에서는 대체적으로 공통된 접근 방식으로 취하는 것으로 보이나, 이
해상충거래로 인식되는 주관적, 객관적 범위 기타 구체적 사항은 상이하다는 것
을 알 수 있다. 주요 차이점들을 일반적으로 유형화하여 보자면, (가) 주체적 측
면에서는 이사(감독이사 혹은 집행임원 포함)만을 규제상대방으로 하는 입법례와
일정 지분이상의 주주 및 그 특수관계인까지 포섭하는 입법례로 구별되고, (나)
객관적 거래의 범위에서는 모든 거래를 일률적으로 규제하는 입법례와 이를 금
지, 규제, 면제로 유형화하여 규제하는 경우로 구별되며, (다) 자기거래 유효화
요건으로 이사회(감독이사회 포함)의 승인을 요구하는 경우와 주주총회의 승인을
요구하는 경우로 구별해 볼 수 있을 듯하다. 이런 입법적 형식 및 규제의 다양
성은 이사와 회사 간의 이해상충상황에서의 회사의 이익보호라는 공통적 목적이
존재하는 경우에도, 그 범위의 인식과 해결방안의 모색에 대해서는 선험적으로
정해진 절대선이 존재한다기보다는 각 국의 기업현실에 따라 자기거래 규제가
초래하는 이익(주주 및 회사의 이익 보호)과 비용(자기거래 승인을 위한 절차적 비용
및 이에 관한 분쟁비용)을 고려한 입법정책적 측면이 보다 강하게 작용하는 것으
로 생각된다.

이런 점에서 제398조는 (가) 주관적 범위측면에서는 이사 뿐 아니라 그 주
요주주 및 그들과 친족관계에 있는 자와 그들이 지배하는 회사 및 단체를 포함
하여 미국 혹은 프랑스의 입법례와 유사한 태도를 취하는 것으로 이해되고,
(나) 객관적 범위 측면에서는 자기거래를 유형화하지 않고 단일하게 규제하는
미국 혹은 일본의 입법례와 유사한 것으로 이해되며, (다) 자기거래의 유효화

---

30) http://www.corporate-governance-code.de (2012. 7. 1. 최종방문).

요건에 대해서는 주주총회가 아닌 이사회의 승인을 요건으로 한다는 점에서 미국, 프랑스, 일본과 유사한 입법례로 이해된다. 한편, 이사회의 승인요건으로 재적이사의 3분의 2 이상을 요구한다거나, 승인 요건 외에 공정성 요건을 동시에 별도의 요건으로 규정한 점은 다른 입법례에서는 찾아보기 힘든 것이다.

다. 이사 등의 이해상충거래 규제의 이론적 근거

2011년 개정 전 제398조의 입법취지에 관하여 종래에는 이사의 충실의무를 구체화한 것으로 보아야 한다는 것이 다수설이었다.[31] 이사에게 이사회 승인 없이는 회사와 거래하지 말라는 금지의무가 부과되기 때문이다. 그런데 2011년 개정 후 제398조는 주요주주 및 그 특수관계인들과 회사 사이의 거래까지 규제하고 있어 그 근거가 무엇인지 의문이 제기된다.

이론적으로는 주요주주 및 그 특수관계인에 대해서는 이를 다시 2단계로 나누어 회사에 대한 지배적 영향력을 행사하는 자(이하 '지배주주')와 주요주주의 범위에는 포함되나 이러한 지배주주에는 미치지 못하는 자(이하 '소수주요주주')로 구별할 수 있을 것이다. 지배주주의 경우 입법례에 따라서는 회사 혹은 소수주주에 대해 일정한 의무를 인정하는 경우가 있고,[32] 국내 학자들 사이에서도 일정한 상황에서 지배주주의 충실의무를 인정하고자 하는 견해도 있는 것으로 이해된다.[33] 그러나, 지배주주의 충실의무의 인정여부가 명확하지 않은 상태에서 자기거래에 대한 통제가 주목적인 제398조만을 근거로 지배주주의 충실의무를 인정한 것으로 보기는 어렵다고 생각한다.[34] 소수주요주주의 경우에는 충실의무의 주 근원지인 미국의 입법례 혹은 판결례에 비추어 보더라도 이사에게 부과되는 의무와 유사한 수준의 적극적인 금지의무란 의미에서의 충실의무를 인정하기는 곤란할 것으로 보인다. 그렇다면 제398조에 기재된 자 중 이사의 경우는 충실의무가 그 근거가 되고, 그 외의 자들에 대해서는 상법에 따른 특별한 법적인

---

31) 권기범, 「현대회사법론」, 제3판(삼영사, 2010), 687면.
32) 예를 들어, 위 ALI PCG의 Chapter 3은 지배주주(controlling shareholder)의 자기거래의 규제에 대해 논의하고 있다.
33) 홍복기, "지배주주의 충실의무,"「기업환경의 변화와 상사법 - 춘강손주찬교수 고희기념논문집」(삼성출판사, 1993. 9.), 235면.
34) 이에 대하여, 김재범, "주주 충실의무론의 수용,"「비교사법」제22권 제1호(한국비교사법학회, 2015), 187면 각주 31은 제398조가 주주의 충실의무가 상법전에 성문화된 예로 거론된다고 한다.

의무가 자기거래 규제의 근거가 되는 것으로 보아야 할 것이다.[35]

라. 자기거래의 주관적 범위

1) 거래주체

가) 이 사

(1) 의 의

제398조의 '이사'란 주주총회에서 적법하게 선임된 이사로서 상근/비상근, 사내/사외를 가리지 않고 모든 이사를 말한다.[36] 퇴임하였으나 새로 선임된 이사가 취임할 때까지 권리의무를 가지는 이사(제386조 제1항), 법원에 의하여 선임된 일시이사(제386조 제2항), 이사선임결의 무효나 취소 또는 이사해임의 소가제기된 경우 법원에 의해서 선임된 이사직무대행자(제407조 제1항)도 이에 포함된다.[37] 다만, 주주총회에서 이사로 선임되지 아니한 이른바 비등기이사들은 그 직함에 이사, 상무, 전무, 사장 등의 문구가 있더라도 제398조에서 말하는 이사에 해당되지 아니하며,[38] 거래 당시 이사의 지위에서 물러난 자도 마찬가지이다.[39] 회사의 주요주주의 이사도 제398조의 이사에 포함되지 아니한다.[40] 청산

---

35) 정동윤 대표, 전게서, 330면; 권윤구·이우진, "개정상법상 자기거래의 규제,"「BFL」제51호(서울대학교 금융법센터, 2012. 1.), 56면.

36) 정동윤 대표, 전게서, 331면; 이철송,「회사법강의」제29판(박영사, 2021), 779면; 김건식·노혁준·천경훈,「회사법」(박영사, 2018), 414~415면.

37) 정동윤 대표, 전게서, 331면; 권기범, "이사의 자기거래,"「저스티스」통권 제119호(한국법학원, 2010. 10.), 173면; 이철송, 전게서, 779면; 정찬형,「상법강의(상)」제24판(박영사, 2021), 1053면; 최기원,「신회사법론」제14대정판(박영사, 2012), 676면; 최준선,「회사법」제16판(삼영사, 2021), 543면; 김건식, 전게서, 408면.

38) 대법원 1966.1.18. 65다880("회사의 전무이사라는 명칭으로 사실상 동 회사의 업무에 관여한 사실이 있었다고 하더라도 법률상 동 회사의 이사였다고는 할 수 없다면 사실상 동 회사의 업무에 관여하고 있는 동안에 동 회사와 거래한 사실이 있다 하더라도 구 상법 제265조의 제한을 받지 않는다고 할 것이다").

39) 정동윤 대표, 전게서, 331면; 이철송, 전게서, 779면; 정찬형, 전게서, 1053면; 최기원, 전게서, 676면; 최준선, 전게서, 543면; 김건식·노혁준·천경훈, 전게서, 415면; 대법원 1989.9. 13. 88다카9098("상법 제398조에서 주식회사의 이사는 이사회의 승인이 있는 때에 한하여 회사와 거래를 할 수 있도록 제한한 취지는 이사가 회사의 이익을 희생으로 하여 자기 또는 제3자의 이익을 도모할 염려가 있기 때문에 이것을 방지하여 회사의 이익을 보호하려는 데 목적이 있는 것이므로 여기에서 이사라 함은 거래 당시의 이사와 이에 준하는 자(이사직무대행자, 청산인 등)에 한정할 것이고 거래 당시 이사의 직위를 떠난 사람은 여기에 포함되지 않는다 할 것이며 이사가 회사에 투자를 하였다가 그 투자금을 반환 받는 거래의 경우에도 마찬가지라 할 것이다").

40) 임재연,「회사법 II」개정2판(박영사, 2014), 424면; 김건식·노혁준·천경훈, 전게서, 415

인이 청산인회의 승인 없이 회사와 거래한 경우에는 제398조가 준용되며(542조 2항),[41] 집행임원에도 제398조가 준용된다(제408조의9).

(2) 업무집행지시자 등(제401조의2)이 포함되는지 여부

제398조 제1호의 이사에 업무집행지시자 등이 포함될 것인지 문제된다. 제398조 각호에 열거된 지위를 가지지 아니하나, 자신이 회사와 거래를 하면서 그 거래에 대해 이사에게 업무집행을 지시하거나(제401조의2 제1항 제2호), 이사의 이름으로(동조 제1항 제2호) 혹은 유사한 명칭을 사용하여(동조 제1항 제3호) 회사의 업무를 직접 집행하는 경우 그 거래에 대해 제398조가 적용되어야 하는지의 문제이다.

일견, 해당 거래에 대해 자신이 회사의 상대방이 되면서 동시에 해당 거래에 대해 이사의 이름으로 혹은 그런 명칭을 사용하여 회사를 위해 행위하거나 그렇게 할 것을 이사에게 지시하는 자와의 거래가, 이사가 회사와 거래하는 경우에 비해 회사와의 이해상충의 우려가 적다고는 하기는 어려워 보인다. 이런 경우도 제398조의 적용(혹은 유추적용)을 긍정해야 한다는 견해가 있으나,[42] ① 제401조의2가 제399조, 제401조와 제403조를 명문으로 거론하면서 제398조를 제외하고 있는 점, ② 제401조의2는 행위에 대한 사후적 책임에 관한 규정임에 반하여, 제398조는 이사의 사전적 의무에 관한 규정으로 체계상 맞지 않는 점, ③ 제398조가 사전적 행위의무를 부과한다는 점을 고려할 때 법적 안정성의 측면에서 행위의 주체적 범위를 명확히 할 필요가 있다는 점, ④ 제398조가 각호에서 업무집행지시자가 될 가능성이 높은 주요주주 및 그와 일정한 관계에 특수관계인들을 열거하고 있다는 점을 고려할 때 업무집행지시자 등은 제398조의 목적상 이사에 해당하지 않는다고 보는 것이 타당하다.[43]

면.

41) 대법원 1981.9.8. 80다2511(청산인이 청산인회 승인 없이 회사로부터 토지를 매수하여 전매한 사례).

42) 김선광, "이사 등의 자기거래," 「상법판례백선」 제6판(법문사, 2018), 584면.

43) 동지: 정동윤 대표, 전게서, 332면; 송옥렬, 「상법강의」 제5판(홍문사, 2015), 1021면; 김건식, 전게서, 408면; 이상민·박영선 의원안은 제398조 제1항 제2호로 '제401조의2 제1항 각 호의 자(업무집행지시자)'를 규정하고 있었으나, 국회에서의 논의 결과 받아들여지지 않았다. 정동윤 감수, 전게서, 228~232면.

나) 주요주주(제398조 제1호)

제398조의 주요주주는[44] "누구의 명의로 하든지 자기의 계산으로 의결권 없는 주식을 제외한 발행주식총수의 100분의 10 이상의 주식을 소유하거나 이사집행임원감사의 선임과 해임 등 상장회사의 주요 경영사항에 대하여 사실상의 영향력을 행사하는 주주"를 의미한다(제542조의8 제2항 제6호).

먼저 본 조의 주요주주는 대상회사가 '상장회사'인 경우에만 적용되어야 하는지의 문제가 있다. 제398조는 제542조의8 제2항 제6호를 준용하고 있는데, 해당 조항에서의 주요주주는 '상장회사의 주요 경영사항에 대하여 사실상의 영향력을 행사하는 주주'로 규정되어 있기 때문이다. 적어도 법문상은 '사실상의 영향력을 행사하는 주주'는 상장회사에 대해서만 적용되는 것으로 읽힐 여지가 있다.[45] 통상 주요주주 내지 계열사 관계의 판단을 위한 '영향' 혹은 '통제 (control)' 요건은 정량적인 측면에서의 소유지분요건과 함께 질적 요건으로서의 사실상의 영향력을 같이 판단하도록 하는 것이 보통이다.[46] 이 두 가지 요건을 차별적으로 취급해야 할 합리적인 이유는 없어 보이고, 10% 소유요건은 그 문구나 정책목적상 상장회사에만 적용할 이유는 없어 보인다. 그렇다면, 후자의 '사실상 영향력' 요건에 대해서만 상장회사로 범위를 제한하는 것 역시 합리적인 이유를 찾기 어렵다. 정책목적으로도 자기거래를 제한함에 있어 상장회사와 비상장회사를 구분하여야 할 합리적인 이유는 없어 보인다. 이런 점에서 궁극적으로는 법령의 개정이 필요한 사항으로 생각되나, 그 동안의 해석으로는 비상장회사의 주요주주도 제398조의 주요주주에 포함된다고 봄이 타당하다.[47]

'회사에 대해 사실상의 영향력을 행사하는 자'인데 회사의 주식을 소유하고 있지 않은 경우도 있을 수 있다. 예를 들어, 회사의 최대주주의 지배주주가 회사의 주요 의사결정에 직접 관여하는 경우 등이다.[48] 이 때, 이 주요주주의 지

---

44) 주요주주에는 자연인 주주뿐만 아니라 법인주주가 포함된다(정동윤 감수, 전게서, 232면; 정동윤 대표, 전게서, 332면; 임재연, 전게서, 425면).

45) 이러한 견해로 최준선, 전게서, 543면; 임재연, 전게서, 426면.

46) 예를 들어, 은행법의 '동일인', 독점규제 및 공정거래에 관한 법률(이하 '독점규제법')의 '계열회사', 자본시장과 금융투자업에 관한 법률(이하 '자본시장법')의 '주요주주', 외국인투자촉진법의 '외국인 투자' 등.

47) 정동윤 대표, 전게서, 333면; 이철송, 전게서, 779면; 송옥렬, 전게서, 1021면; 천경훈, 전게논문, 71면.

48) 참고로 프랑스 상법은 10% 주주의 지배주주를 명시적인 규제대상으로 하고 있다(art. L

배주주와 회사와의 거래도 자기거래의 규제를 받아야 할까? 한편으로는, 주요'주주'의 정의상 최소한 회사의 주주일 것이 요구된다는 점에서 법문상 주요주주에 포함된다고 보기는 곤란하다. 그러면, 정책적 목적 기타 사유에 근거하여 이를 확대해석 할 수 있을까? 예를 들어, 주요주주의 완전모회사인 경우가 그렇다. 이론적으로는 이런 거래 역시 회사 및 다른 주주의 희생 하에 그 자의 이익을 도모할 수 있어 이해상충의 우려가 큰 거래에 해당할 수 있을 것이다. 그러나 ① 제398조가 주관적 적용범위를 대폭 확대하면서도 회사의 직접 주주까지로 범위를 한정하고 있는 점과 ② 법문의 안정적 운용이라는 측면을 고려할 때, 주요주주의 지배주주에게까지 제398조가 적용되는 것으로 해석하기는 곤란하다고 생각한다. 다만, 회사의 주요주주의 법인격이 부인되는 경우와 같은 예외적인 경우에는 그 주요주주를 지배하는 자가 제398조 제1호의 주요주주에 해당하게 되는 경우도 있을 수 있을 것이다.

다) 특수관계자

(1) 의 의

제398조는 수범자의 범위를 이사 및 주요주주와 일정한 관계에 있는 자로까지 확대하였다. 그 범위에는 (i) 이사 또는 주요주주의 배우자 및 직계존비속(제398조 제2호), (ii) 이사 또는 주요주주의 배우자의 직계존비속(제398조 제3호), (iii) 제398조 제1호부터 제3호까지의 자가 단독 또는 공동으로 의결권 있는 발행주식총수의 100분의 50 이상을 가진 회사 및 그 자회사[49](제398조 제4호), (iv) 제398조 제1호부터 제3호까지의 자가 동조 제4호의 회사와 합하여 의결권 있는 발행주식총수의 100분의 50 이상을 가진 회사(제398조 제5호)가 포함된다.

(2) 배우자의 범위

제2호 및 제3호에서 말하는 배우자는 법률상의 배우자를 뜻하고, 사실상의 배우자는 포함되지 않는다.[50]

225-38).

49) 회사가 50%를 초과하는 지분을 가진 회사를 의미한다(제342조의2 제1항).

50) 정동윤 대표, 전게서, 333면; 이철송, 전게서, 780면. 정준우 "상법 제398조와 제542조의9의 적용대상에 있어서의 상관관계 검토,"「증권법연구」제14권 제2호(한국증권법학회, 2013), 248~249면은 제398조의 입법취지를 제고하기 위하여 입법론적으로는 사실혼 배우자 및 직계존비속의 배우자도 규제대상에 포함시키는 것이 바람직하다고 한다.

(3) 제398조 제4호의 "공동으로"의 해석 문제

제398조 제4호는, '제1호부터 제3호까지의 자가 공동으로 발행주식 총수의 100분의 50 이상을 가진 회사 및 그 자회사'도 제398조의 적용대상으로 규정하고 있다. 이 때 '공동으로'의 의미와 관련하여, '제1호부터 제3호까지의 자'의 의미를 '어느 특정 이사 혹은 특정 주요주주'만을 기준으로 할 것인지, 아니면 '(제2호 내지 제3호의 관계에 있지 않은) 복수의 이사, 복수의 주요주주 혹은 이사와 주요주주 상호'[51]간의 경우에도 적용되어야 하는지 의문이 있다. 예를 들어, A회사에 甲, 乙, 丙이 지분을 각 40%, 30%, 30%씩 보유하는 주요주주인데, 이들 주요주주가 다시 공동으로 자회사 丁을 가지고 있는 경우 A회사와 丁의 거래가 제398조의 적용범위인지의 문제이다.[52] 만일 甲, 乙, 丙이 단일한 지배주주의 지배를 받는 계열사의 관계에 있다면 보다 더 어려운 문제가 된다. 생각건대, 제2호 내지 제5호는 제1호의 특정한 이사 혹은 주요주주를 기준으로 개별적으로 판단하는 것이 법문의 자연스런 해석으로 보인다는 점에서는 원칙적으로 개별적으로 판단하여야 하고, '공동으로'의 의미는 동일 이사 혹은 주요주주로부터 제2호 내지 제3호의 관계에 있는 자들이 공동으로 소유하는 경우만을 의미한다고 보는 것이 타당해 보인다.[53] 다만, 이를 엄격하게 적용할 경우, 예를 들어 甲, 乙, 丙이 단일한 지배주주 하에 있는 때에는 단일 지배주주가 여러 계열사를 통해 지분을 취득함으로써 제398조의 적용범위에서 벗어날 우려가 있다는 점을 고려하면, 비록 법문에 불구하고 새로운 조건을 창설해야 한다는 부담이 있으나, 예외적으로 주요주주들이 (혹은 특정 이사가 주요주주를 지배하는 경우 그 이사를 포함하여) 계열사관계에 있는 경우에는 제398조가 유추적용된다고 보는 것이 합리적인 해석으로 생각된다.

---

51) 이사들 사이에 제2호 내지 제3호의 관계에 있는 경우는 당연히 합산될 것이므로 이러한 관계가 없는 것을 전제로 한다.

52) A회사에 甲, 乙, 丙의 3인의 이사가 있고, 이들 사이에 제2호 내지 제3호의 관계가 존재하지 않는 경우에 甲, 乙, 丙이 '공동으로' 丁이라는 회사의 지분을 50% 이상 가지고 있는 경우도 같은 문제이다.

53) 반대: 정동윤 대표, 전게서, 334면; 천경훈, 전게논문, 73면; 홍복기, "개정상법상 자기거래 규제의 범위와 이사회결의," 「증권법연구」 제14권 제2호(한국증권법학회, 2013), 216면; 정준우, 전게논문, 250~251면.

(4) 제398조 제4호의 발행주식 총수의 100분의 50 이상을 가진 회사에 당해 회사가 포함되는지 여부

모회사인 A회사가 자회사인 B회사와 거래하는 경우, A회사는 B회사의 주요 주주이므로 B회사의 이사회 승인이 요구됨은 의문이 없다. 이 경우 A회사의 입장에서는 이사회의 승인을 요하지 아니한다. 그런데, 만약 C회사가 모회사인 A회사의 주주로서 A회사의 주식을 다시 50% 이상 소유하고 있다면 이 때, B회사의 모회사인 A회사의 이사회승인이 필요할까?

문언의 해석상 A회사의 입장에서 C회사는 주요주주로서 제1호에 해당하고, 그 C회사가 단독으로 50% 이상을 소유하는 A회사와 그 자회사인 B회사는 제4호에 해당하게 되므로 A회사와 B회사의 거래도 A회사의 승인을 요하는 거래인 것처럼 읽히는 것도 가능해 보인다. 다른 법률에서 당해 회사를 통과하여 지분관계가 인정되는 경우 그 당해 회사도 적용 범위에 포함시켜 해석하여 온 점[54]도 이러한 해석의 근거가 될 수 있을 것이다.[55] 그러나, 제398조 본문은 '다음 각 호의 … 자가 … 회사와 거래를 하기 위하여는'이라고 규정하고 있으므로 회사의 거래상대방이 될 그 각 호의 자(즉, 제4호의 회사 혹은 그 자회사)에는 회사가 포함되지 않는다고 보는 것이 합리적이다. 또, 모자회사 간의 거래에 있어서 모회사의 이사회 승인은 원칙적으로 요구되지 않는다는 점에서도 문리적 해석을 넘어 이를 요구할 논리적 이유도 없어 보인다. 따라서, 제4호의 회사에는 '당해 회사'는 배제된다고 보는 것이 합리적이고,[56] 위 경우 A회사의 이사회 승인은 필요하지 않다고 본다.

(5) 100% 소유관계인 회사 간에도 적용이 되는지 여부

회사의 주요주주가 그 회사의 의결권 있는 지분 100%를 소유하고 있는 완전모회사인 경우, 그 완전모회사인 주요주주와의 거래를 위해 회사의 이사회 승인이 필요한지 문제된다. 유사 사안으로, 회사 A의 완전모회사인 甲회사가, 동시

---

54) 예컨대 자본시장법 제147조에 의한 주식 등의 대량보유신고(이른바 5% 신고)시 자본시장법 시행령 제8조에 따라 특수관계인의 범위를 정함에 있어, 당해 회사의 상단에 있는 자가 당해 회사를 통과하여 지분관계 내지 지배력을 갖는 당해 회사 하단의 회사도 포함시키는 것이 종래 일반적인 실무례인 것으로 보인다.

55) 송옥렬, 전게서, 1022면; 정동윤 대표, 전게서 335면은 A, B회사가 C회사의 자회사인 경우와 균형이 맞지 않고, 계열회사 간의 소위 일감 몰아주기를 규제할 수 없는 문제점이 있다고 하면서 A회사 이사회의 승인이 필요하다고 한다.

56) 천경훈, 전게논문, 74면; 유사한 취지로 권윤구·이우진, 전게논문, 59면.

에 별개의 완전자회사로 乙회사를 소유하는 경우 A회사가 乙회사와 거래하는
경우에도 A회사(및 乙회사)의 이사회의 승인이 필요한지도 문제된다.

이에 대해 제398조는 주주뿐만 아니라 회사채권자 보호에도 그 목적이 있고,
주주와 회사 간의 이해관계가 언제나 일치하는 것은 아니기 때문에 1인 주주와
회사 간의 거래에도 제398조가 적용된다는 견해[57]와 제398조의 목적은 주주의
이익 보호이며, 1인 회사의 경우에는 1인 주주의 이익과 회사의 이익이 언제나
일치하므로 이해충돌이 없어 제398조가 적용되지 아니한다는 견해[58]가 대립한
다. 판례는 총주주의 동의가 있으면 이사회의 승인이 불필요하다[59]고 하고 있는
데, 이는 후자(즉, 적용부정설)의 입장에 좀 더 가까운 것으로 생각된다. ① 경제
적으로 동일체인 100% 소유관계로 연결된 회사간의 거래에서 어느 특정 회사에
대한 이해상충의 우려를 논의할 실익이 없다는 점, ② 제398조의 목적은 원칙적
으로 주주의 보호이며, 회사가 파산의 지경에 이르렀다는 등의 특별한 사정이
없는 한 이사에게 회사 채권자의 이익까지 고려해야 할 의무는 없다는 점, ③
100% 주주의 동의가 있으면 이사회의 승인 자체가 불필요하다는 점(혹은 적어도
이사에 대해서는 책임의 면제가 가능하다는 점)을 고려할 때, 적용부정설이 타당하
다고 생각된다. 이런 완전모회사와 완전자회사간의 거래는 현행 상법의 해석상
은 '그 성질상 이해상충의 우려가 없는 거래'로 보는 것이 타당할 것이다. 일본
의 통설도 100% 친자관계의 경우 모자회사간의 대립이 없으므로 어느 회사에
있어서도 이사회 승인은 필요하지 않다고 보며,[60] ALI PCG도 모회사와 완전
자회사 간의 거래는 규제 대상이 아니라고 한다.[61]

---

57) 정동윤 대표, 전게서, 347면; 김정호, 「회사법」 제4판(법문사, 2015), 489~490면; 이철송,
   전게서, 783면; 정찬형, 전게서, 1058면; 정준우, 전게논문, 253면; 홍복기, 전게논문(2013),
   230면. 임재연, 전게서, 429면은 적용부정설은 1인회사의 경우에도 업무상 횡령배임죄가
   성립하는 것과 논리적으로 상충된다는 문제가 있다고 한다.

58) 최기원, 전게서, 675면; 최준선, 전게서, 549면; 송옥렬, 전게서, 1026면; 김건식·노혁준·
   천경훈, 전게서, 420면.

59) 대법원 2007.5.10. 2005다4284. 대법원 2017.8.18. 2015다5569도 1인 주주이자 대표이사
   가 체결한 공급계약에 대해 구 상법 제398조에 따른 이사회의 승인을 받지 않은 사안에서,
   '위 규정의 취지가 회사와 주주에게 예기치 못한 손해를 끼치는 것을 방지함에 있으므로,
   그 채무부담행위에 대하여 주주 전원이 이미 동의하였다면 회사는 이사회의 승인이 없었음
   을 이유로 그 책임을 회피할 수 없다'고 판시하였으며, 기존 판례와 동지로 이해된다.

60) 다만, 파탄에 처해 있는 자회사에 모회사의 자산을 이전하는 거래를 행하는 경우에는, 모자
   회사 간에 이익상반관계가 없다고 말할 수 없으므로 모회사주주 보호의 관점에서 모회사의
   이사회 승인이 필요한 경우도 있을 수 있다고 한다. 落合誠一 編, 前揭書, 82面.

61) "Section §5.10 does not apply to transactions between a parent corporation and its

(6) 제398조 제4호, 제5호가 지칭하는 회사에 유한회사, 합자회사, 합명회사, 유한책임회사, 합자조합 등 주식회사 이외의 기업형태도 포함되는지 여부

제4호 내지 제5호의 '회사'에 유한회사, 합자회사 등 주식회사 이외의 기업도 포함되는 것인지 문제된다. 제398조 제4호, 제5호는 "발행주식 총수의 100분의 50 이상"을 가진 회사라고 규정하여, 주식회사만을 전제로 한 표현을 사용하고 있다. 법문의 해석상 주식회사만을 지칭하는 것이 명확해 보이고, 상법은 가능한 한 법문에 충실하게 운용하는 것이 법적 안정성 측면에서 바람직하다는 점을 고려할 때 주식회사에 대해서만 적용되어야 한다는 견해가 유력하다.62) 그러나, 주식회사와 그 외의 회사형태를 차별적으로 취급하여야 할 이유를 찾기 어렵고, 이를 이용한 우회적 거래의 가능성을 고려한다면 주식회사가 아닌 기업 혹은 회사라도 지분관계에 의해 기업의 지배가 결정되는 회사인 경우에는 제4호 내지 제5호의 '회사'에 포함된다고 보는 것이 더 타당해 보인다.

(7) 주요주주 혹은 제398조 제4호, 제5호가 지칭하는 회사에 외국회사도 포함되는지 여부

상법에서 '회사'에는 외국회사도 포함하는 예가 적지 않고, 외국회사라고 하여 이를 배제할 합리적인 이유를 찾기 어려우므로 제398조 제4호, 제5호의 회사에는 외국회사도 포함된다고 본다.63)

2) 자기 또는 제3자의 계산의 의미 – 유형적 검토

제398조가 규제하는 거래는 이사 등이 자기 또는 제3자의 '계산'으로 하는 회사와의 거래를 의미한다. 따라서 자기의 계산으로 제3자의 명의로 거래하는 경우(예를 들어, 제3자에게 위탁하는 경우)나, 제3자의 계산이더라도 이사 등의 명의로 거래하는 경우(예를 들어, 제3자의 위탁을 받는 경우) 제398조의 적용을 받는다는 점에는 큰 의문이 없어 보인다. 더 나아가 이사 등이, 회사의 거래의 상대방 명의자나 계산의 주체도 아닌 경우 어떤 조건하에서 제398조가 적용되는지 문제된다.

---

wholly owned subsidiary," ALI, op. cit., p. 315.

62) 천경훈, 전게논문, 75면.

63) 유사한 취지로 상게논문, 76면.

가) 대리, 대표 관계

먼저 이사 등이 회사의 직접적 거래상대방은 아니나, 회사의 거래상대방의 대리인이나 대표기관으로 행위하는 경우가 있다. 이런 경우 자기거래를 쌍방대리의 일유형으로 파악하여 온 점을 고려하면, 거래의 당사자를 대리하거나, 대표하여 행위하는 것은 전형적인 자기거래로서 이해상충의 우려가 크다고 할 것이므로 제398조가 적용된다고 보아야 할 것이다[64]. 따라서 이사 등이 다른 회사 혹은 단체의 대표이사이거나 대표자의 지위에 있는 경우 그 회사 기타 단체와 당해 회사와의 거래는 제398조의 적용대상이 된다.[65] 더 나아가 이사 등이 다른 회사의 대표이사는 아닌 이사라고 하더라도 해당 거래에 대해 그 다른 회사를 대리하는 경우에는 역시 제398조가 적용된다고 보는 것이 타당하다.[66] 이러한 대리 관계는 거래의 상대방이 개인인 경우에도 적용될 수 있다. 따라서 '자기 혹은 제3자의 계산으로'의 행위 태양은, 이사 등이, (1) 자기의 계산으로 행하는 거래, (2) 자기의 명의로 행하는 거래 및 (3) 제3자의 대리인이나 대표기관으로 행위하는 거래를 포함한다고 해석된다.

나) 사실상 동일시 할 수 있는 자

더 나아가 이사 등과 '사실상 동일시 할 수 있는 자'와의 거래에 대해서도 제398조가 적용되어야 하는지, 또 '사실상 동일시 할 수 있는 자'의 범위가 어떻게 되는지 문제될 수 있다. 이사와 '사실상 동일시 할 수 있는 관계'로, (1) 이사와 친족관계에 있는 자와 (2) 이사가 일정한 소유지분을 보유하고 있는 다른 회사가 논의되어 왔다.[67] 예를 들어 일본에서는 이사가 100% 소유하고 있는 회

---

64) 대법원 2017.9.12. 2015다70044. 원심인 서울고등법원 2015.11.6. 선고 2013나72031에서는 거래의 상대방의 특수관계인인 이사가 해당 거래를 통해 실질적으로 이익을 얻는 경우에만 구 상법 제398조가 적용된다는 취지로 설시하였으나 위 판결에서는 '이사가 거래의 상대방이 되는 경우뿐만 아니라 상대방의 대리인이나 대표자로서 회사와 거래를 하는 경우와 같이 특별한 사정이 없는 한 회사와 이사 사이에 이해충돌의 염려 내지 회사에 불이익을 생기게 할 염려가 있는 거래도 해당된다.'고 명시적으로 판결.

65) 회사의 이사가 다른 회사의 대표이사인 경우에 대해 이철송, 전게서, 780~781면; 송옥렬, 전게서, 1021면; 최기원, 전게서, 672면; 김건식·노혁준·천경훈, 전게서, 417면 등. 대법원 1996.5.28. 95다12101, 12118 등도 같은 취지.

66) ALI PCG §5.07은 동일인이 두 회사의 이사나 상급집행임원을 겸임한다는 사정만으로는 두 회사 간의 거래가 이해상충거래라고 볼 수는 없으나, (i) 이사나 상급집행임원이 어느 한 회사에서라도 거래의 협상을 주도하는 경우 또는 (ii) 거래 여부가 이사회에서 결정되는 데 이사나 상급집행임원이 실질적인 결정 투표권을 가지는 경우에는 이해상충거래로서 ALI PCG §5.02의 규정이 적용된다고 규정하고 있다.

사, 이사 및 친족이 100% 소유하고 있는 회사, 회사와 이사의 배우자나 미성년인 자식과의 거래 같은 경우 등이 이사와의 자기거래의 적용 범위 확장의 문제로 논의되고 있고,[68] 미국의 판례 역시 이사의 배우자와 회사의 거래 혹은 이사가 지배주주인 회사의 자회사와의 거래 등에 대해서도 충실의무를 적용하여 온 것으로 이해된다. 이런 논의의 연장선상에서 현행 제398조를 이사 등과 이런 특정한 친족관계와 지분관계가 있는 자에 대해서도 적용되는 것이 타당할까?

이론적으로 본다면 이해상충의 우려는 이런 경우에도 '사실상 동일'하다고 할 수 있을 것이고 회사 및 주주의 이익보호를 위해서는 사실상 동일시할 수 있는 자에 대해서도 여전히 적용되는 것이 타당하다는 견해가 있을 수 있다. 그러나, 현행 제398조는 제2호와 제3호에서 '배우자 및 그들의 직계혈족'을 명문으로 포함하였고, 제4호와 제5호에서는 50%를 기준으로 지분관계에 있는 회사를 포함하고 있다. 그렇다면, 현행 제398조의 각 호는 이사와 사실상 동일시 할 수 있는 자의 범위를 입법적으로 결정한 것으로 볼 수 있고, 그 반대해석으로 여기에 명시되지 않은 자는 입법적 결단에 의해 제398조를 적용하지 않겠다고 판단한 것으로 볼 수 있을 것이다. 그리고, 이렇게 보는 것이 법적 안정성을 제고하고 법률의 운용 혹은 준법비용을 감소시킨다는 점에서 합리적인 것으로 생각된다. 따라서, 예를 들어, 주요주주의 증손회사와 100% 소유관계로 연결되는 회사(즉, 주요주주의 고손회사 혹은 그 이하)라고 하더라도 제398조의 적용범위에는 포함되지 않고, 이사의 직계비속이 그 배우자와 공동으로 50% 이상 소유하는 회사 역시 적용범위가 아니라고 보는 것이 타당하다.

3) 겸임이사 및 간접거래

가) 겸임이사[69]

(1) 甲이 A회사와 B회사의 대표이사를 겸임하는 경우

甲이 A회사와 B회사의 대표이사를 겸임하는 경우, A회사와 B회사 간의 거

---

67) 이사가 대표이사로 재직 중인 다른 회사의 경우를 이런 사실상 동일시 할 수 있는 자의 범주로 이해할 수도 있을 것이나, 위 대리, 대표관계로 이해하더라도 동일한 결론이 되므로 별도로 논의할 실익은 없어 보인다. 따라서 본고에서는 이에 대한 논의는 생략한다.

68) 落合誠一 編, 前揭書, 82~83面.

69) 겸임이사의 문제는 위 2)에서 검토한 '제3자의 계산'의 범위 혹은 '사실상 동일시 할 수 있는 자'의 범위와 같은 맥락이다.

래는 원칙적으로 쌍방에 대해 자기거래에 해당한다는 것이 통설[70]·판례[71]이다. 甲이 A, B회사의 대표이사라는 사실만으로 양 회사 간의 거래는 이해상충의 우려가 있는 것이므로 甲이 직접 A, B회사를 대표하여 거래의 당사자로 나서지 아니하는 경우에도 A, B회사의 이사회의 승인이 요구된다고 본다.[72]

(2) 甲이 A회사의 대표이사이고 B회사의 대표이사 아닌 이사인 경우

甲이 A회사의 대표이사이고 B회사의 대표이사 아닌 이사인 경우에는 B회사에 대해서는 자기거래에 해당하지만 A회사에 대해서는 자기거래에 해당하지 않는다는 견해[73]와 B회사는 물론 A회사에 대해서도 자기거래에 해당한다는 견해[74]가 대립한다.[75] B회사 입장에서 보면 甲이 대표이사로서 A회사를 대표하는 경우이나, A회사 입장에서 보면 甲이 B회사를 대리하여 그 거래에 나서지 않는 한 대리, 대표관계가 성립되지 아니하고, 제398조의 각 호의 범위에도 포함되지 아니한다. 그러므로 B회사에 대해서는 자기거래에 해당하지만, A회사에

---

70) 이철송, 전게서, 780면; 최준선, 전게서, 545~546면; 권기범, 전게논문, 175면; 김건식·노혁준·천경훈, 전게서, 417~418면. 다만, 임재연, 전게서, 431~432면은 이 경우 불리하게 되는 이사회의 승인만 받으면 된다고 본다.

71) 대법원 1996.5.28. 95다12101, 12118(A주식회사와 B주식회사 사이의 매매계약이 당시 양 회사의 대표이사를 겸하고 있던 甲에 의하여 체결된 경우, 위 매매계약은 이른바 '이사의 자기거래'에 해당한다고 한 사안) 등.

72) 여기에 대해, 임재연, 전게서, 432면은 A, B회사 모두 복수의 각자 대표이사를 두고 겸직 대표이사 아닌 다른 대표이사에 의해 거래가 이루어지는 거래는 이익충돌의 염려가 없으므로 자기거래의 규제대상이 아니라고 보며, 일본의 통설은 A회사와 B회사 간의 거래에서 A회사의 이사 甲이 B회사의 이사를 겸임하고 있어도, 해당 거래에서 B회사를 대리·대표하는 자가 甲이 아니라면, A회사의 이사회 승인은 필요하지 않다고 하고, 甲이 B회사의 대표이사인 경우에도 B회사의 다른 대표이사가 B회사를 대표하여 거래를 한다면 A회사의 이사회 승인은 필요하지 않다고 본다(落合誠一 編, 前揭書, 81面). 김건식, 전게서, 411면은 甲이 대표이사를 겸임하고 있는 A, B회사 간의 거래에서 ① 甲이 A회사만을 대표하고 B회사는 다른 대표이사가 대표한 경우에는, 위 경우는 B회사에 대해서 자기거래에 해당할 뿐만 아니라, 甲이 A회사를 대표하는 과정에서 B회사의 이익을 추구할 위험이 있으므로 A회사에 대해서도 자기거래에 해당한다고 하고, ② 甲이 A, B회사 중 어느 쪽에도 관여하지 않은 경우에는 위와 같은 위험이 없다는 이유에서, 甲과 A회사 또는 B회사를 동일시하여 이를 자기거래로 보는 견해에 대하여 의문을 표시하고 있다.

73) 송옥렬, 전게서, 1021면; 권기범, 전게논문, 176면; 최준선, 전게서, 545~546면도 같은 취지로 보인다.

74) 이철송, 전게서, 780면.

75) 하급심 판결(서울지방법원 1996.8.20. 96나2858) 중에는, 보증을 하는 회사(A)의 대표이사가 동시에 피보증회사(B)의 이사로 재임 중인 경우에 제398조에 따라 A회사의 이사회 결의가 필요하다는 취지로 판시한 것이 있는데, 이 사안의 경우 그 겸임이사가 B회사의 주식을 16% 소유하면서 실질적으로 B회사를 운영하고 있었다는 특별한 사정이 있었다는 점을 고려할 때 일반화하여 판단할 사안은 아닌 것으로 생각된다.

대해서는 자기거래에 해당하지 않는다고 보는 견해[76]가 타당하다. 다만, 이 경우에도 甲이 직접 B회사를 대리하여 협상에 임하는 경우에는 A회사의 대표이사인 甲이 제3자인 B회사의 대리인으로 행위하는 경우이므로 A회사에 대해서도 자기거래에 해당할 것이다.

(3) 甲이 A, B회사의 이사인 경우

甲이 A, B회사의 대표이사 아닌 이사인 경우도 거래의 공정을 해할 우려가 있으므로 자기거래로 보는 견해[77]가 있으나, 앞서 본 바와 같이 甲이 A, B회사의 이사라는 이유만으로는 법상의 요건을 충족하였다고 보기 어려우므로 A, B회사의 이사회 승인이 모두 요구되지 않는다고 본다.[78] 다만, 이 경우에도 甲이 직접 A, B회사를 대리하여 협상에 임하는 경우에는 각 회사의 이사인 甲이 직접 A, B회사의 대리인으로 행위하는 경우이므로 A, B회사 모두에 대하여 자기거래에 해당할 것이다.

나) 간접거래

형식적으로 이사가 거래 상대방은 아니더라도 그 실질에 있어 이사와 회사 간에 이해상충의 우려가 있는 이른바 간접거래도 제398조의 자기거래에 포함된다는 것이 통설과 판례이다. 대표적인 예로, 회사가 이사의 채무를 보증하거나, 이사의 채무를 인수하는 경우를 들 수 있다. 판례도 회사가 이사의 채무를 보증한 행위,[79] 회사가 채권자와의 합의로 이사의 채무를 인수하는 행위[80]를 자기거래에 해당한다고 보았으며, 그 밖에 대표이사가 변태지출한 경비를 회사의 차입금으로 처리하는 행위,[81] 동일인이 A, B회사의 대표이사를 겸임하고 있는 경우 한 회사가 다른 회사의 채무를 연대보증하는 행위[82] 등을 간접거래로서 자기거래에 해당한다고 보았다. 판례나 학설이 논의하는 이러한 유형의 간접거래

---

76) 최준선, 전게서, 545~546면; 권기범, 전게논문, 175면; 임재연, 전게서, 432면.
77) 이철송, 전게서, 780면. 다만, 권기범, 전게논문, 176면은 개별 거래별로 구체적, 실질적으로 판단하면 자기거래를 긍정하여야 할 사례가 있을 것이라고 한다.
78) 정동윤 대표, 전게서, 340면; 송옥렬, 전게서, 1021면; 임재연, 전게서, 433면.
79) 대법원 2005.5.27. 2005다480.
80) 대법원 1973.10.31. 73다954.
81) 대법원 1980.7.22. 80다341.
82) 대법원 2014.6.26. 2012다73530(A회사 및 B회사의 대표이사를 겸하고 있던 甲에 의하여 A회사가 X회사에 대하여 부담하는 채무를 B회사가 연대보증하는 내용의 계약이 체결된 경우, 위 연대보증계약은 제398조 소정의 이사의 자기거래행위에 해당한다고 한 사안); 1984. 12.11. 84다카1591(이 사건의 원심은 자기거래가 아니라고 보았다).

는 그 거래의 성질 자체 때문에 이사가 거래의 상대방이 되지 않은 것일 뿐 그 거래로부터 회사의 손해 혹은 위험을 바탕으로 직접적인 이익을 본다는 점에서 이해상충의 우려는 이른바 직접거래보다 오히려 더 명확한 경우였다(예를 들어, 보증이나 채무인수). 따라서 이런 유형의 간접거래가 현행 상법에서도 제398조의 규제를 받는다는 점에는 의문이 없어 보인다.[83]

그러나 이와 다른 형태의 간접거래를 어떻게 볼 것인지는 다른 문제이다. 예를 들어, 甲회사에게 반제품을 공급하는 A회사가 있고, A회사에게 그 주요부품을 주로 공급하는 B회사가 있는데, 甲회사의 대표이사가 동시에 B회사의 대표이사이거나 주요주주이면, 甲회사가 A회사와 해당 반제품의 공급계약을 체결할 때 甲회사와 A회사와의 거래는 제398조의 규제를 받는 간접거래로 보아야 할까? 이런 유형의 거래에서도 甲회사가 A회사로부터 반제품을 매수함으로써 B회사의 A회사로부터의 수주량이 많아질 가능성이 있다는 점에서는 간접거래로 볼 여지가 있을 것이다. 이런 경우에 일본에서는 위험의 정도, 즉 직접거래와 같은 정도의 위험이 있는지 여부를 기준으로 판단하여야 한다고 한다.[84] 원칙적으로는 ① 거래 안정성의 요구, ② 현행 제398조에서 확대된 주관적 범위를 고려할 때, 이런 직접적인 거래관계가 형성되지 않는 상품구매나 일반적 경상거래관계를 간접거래로 포섭하여 규제하는 것은 타당하지 않다고 생각한다.[85]

4) 회사와의 거래

제398조는 이사 등과 회사 간의 거래 시 회사가 손해를 입을 것을 방지하기 위한 규정이므로 이사 등의 거래상대방은 이사 등과 제398조의 관계로 연결되는 회사이어야 한다. 따라서 이사 등이 회사의 모회사나 자회사와 거래하는 것은 자기거래에 속하지 아니한다.[86]

---

83) 천경훈, 전게논문, 71면; 고창현, 「2011 개정상법상 이사의 이해상충거래규제 해설」(한국상장회사협의회, 2012), 32면; 송옥렬, 전게서, 1020면.

84) 落合誠一 編, 前揭書, 82面.

85) 회사가 제3자에게 신주인수권 증권을 발행하고, 그 제3자가 신주인수권 증권의 인수 즉시 회사의 이사에게 신주인수권을 양도한 사안에서 발행행위의 당사자는 피고와 사채의 인수인들이고 피고의 이사는 사채의 인수인이 인수한 사채에서 분리된 신주인수권증권을 그 사채의 인수인으로부터 매수한 자에 불과하므로 피고와 해당 이사 사이에 직접 또는 간접적으로 자기거래가 성립된다고 보기는 어렵다고 판시하여(서울고등법원 2014.12.19. 2014나2013141; 대법원 2015.12.10. 2015다202919로 확정), 비록 자본거래에 대한 것이기는 하나 법원도 이와 같은 입장인 것으로 보인다.

마. 자기거래의 객관적 범위

1) 이해상충의 우려가 있는 거래

가) 의 의

이사 등과 회사 간의 모든 거래가 이사회 승인을 받아야 하는 것은 아니며, 이사회의 승인을 받아야 하는 거래는 성질상 이해상충의 우려가 있는 거래에 한한다는 것이 통설[87] 및 판례[88]이다. 다만, 이해상충우려의 판단 기준에 대해서는 아래와 같은 학설 대립이 있다.

나) 이해상충우려의 판단기준

해당 거래가 형식적·추상적으로 이해상충의 우려가 있으면 그 실질과 무관하게 제398조가 적용된다는 견해(형식적·추상적 판단설, 통설)[89]와 해당 거래를

---

86) 이철송, 전게서, 781면; 천경훈, "신세계 대표소송의 몇 가지 쟁점 - 경업, 회사기회유용, 자기거래," 「상사법연구」 제33권 제1호(한국상사법학회, 2014), 168면; 대법원 2013.9.12. 2011다57869("(구)상법 제398조가 이사와 회사 간의 거래에 대하여 이사회의 승인을 받도록 정한 것은 이사가 그 지위를 이용하여 회사와 직접 거래를 하거나 이사 자신의 이익을 위하여 회사와 제3자 간에 거래를 함으로써 이사 자신의 이익을 도모하고 회사 또는 주주에게 손해를 입히는 것을 방지하고자 하는 것이므로, 위 규정이 적용되기 위하여는 이사 또는 제3자의 거래상대방이 이사가 직무수행에 관하여 선량한 관리자의 주의의무 또는 충실의무를 부담하는 당해 회사이어야 한다. 한편 자회사가 모회사의 이사와 거래를 한 경우에는 설령 모회사가 자회사의 주식 전부를 소유하고 있더라도 모회사와 자회사는 상법상 별개의 법인격을 가진 회사이고, 그 거래로 인한 불이익이 있더라도 그것은 자회사에게 돌아갈 뿐 모회사는 간접적인 영향을 받는데 지나지 아니하므로, 자회사의 거래를 곧바로 모회사의 거래와 동일하게 볼 수는 없다. 따라서 모회사의 이사와 자회사의 거래는 모회사와의 관계에서 (구)상법 제398조가 규율하는 거래에 해당하지 아니하고, 모회사의 이사는 그 거래에 관하여 모회사 이사회의 승인을 받아야 하는 것이 아니다"). 해당 거래는 실질적 이익상충이 존재하였으므로 제398조가 적용되어야 한다는 취지에서 위 대법원 판결을 비판하는 견해로는, 도두형, "자회사 발행 신주의 인수에 있어서의 이사의 자기거래 및 겸직금지," 「변호사」 제47집(서울지방변호사회, 2015), 392면; 이윤석, "이사의 충실의무에 관한 연구," 「안암법학」 제46권(안암법학회, 2015), 218~219면이 있다.
87) 정동윤 대표, 전게서, 335~336면; 권기범, 전게논문, 180면; 송옥렬, 전게서, 1024면; 이기수·최병규, 「회사법」 제9판(박영사, 2011), 398면; 이철송, 전게서, 782면; 정동윤, 「회사법」(법문사, 2005), 439면; 정찬형, 전게서, 1042면; 최기원, 전게서, 674면; 최준선, 전게서, 545면; 김건식·노혁준·천경훈, 전게서, 419면 등.
88) 대법원 2010.1.14. 2009다55808("회사와 이사 사이에 이해가 충돌될 염려가 있는 이사의 회사에 대한 금전대여행위는 상법 제398조 소정의 이사의 자기거래행위에 해당하여 이사회의 승인을 거쳐야 하고, 다만 이사가 회사에 대하여 담보 약정이나 이자 약정 없이 금전을 대여하는 행위와 같이 성질상 회사와 이사 사이의 이해충돌로 인하여 회사에 불이익이 생길 염려가 없는 경우에는 이사회의 승인을 거칠 필요가 없다").
89) 권윤구·이우진, 전게논문, 60면; 이철송, 전게서, 782면; 최준선, 전게서, 545면; 송옥렬,

실질적·구체적으로 판단하여 이해충돌의 우려가 있어야 제398조가 적용된다는 견해(실질적·구체적 판단설)[90]가 대립 하고 있다.

실질적·구체적으로 판단하여 이해상충의 우려가 있는 경우에만 제398조를 적용한다면 이사들이 거래내용이 공정하다는 핑계로 해당 거래를 이사회에 개시하지 않고 자기거래를 남용할 위험이 있으며, 제398조의 입법취지는 회사의 현실적 손해를 방지하려는 것보다 손해의 위험을 사전에 차단하려는 데에 더 중점을 두고 있고, 이해상충 우려가 있는 거래를 일단 이사회에 개시하여 이사회로 하여금 그 공정성 여부를 판단하라고 하는 것이기 때문에 형식적·추상적 판단설이 타당하다고 생각된다. 다만, 형식적·추상적 판단설에 대해서는 자기거래 범위를 사실상 무제한으로 확대하여 대규모 상장회사의 경우 이사회의 기능을 마비시킬 수 있다는 실무계의 우려가 제기되고 있는데 이에 대해서는 이해상충의 우려가 없는 거래를 합리적으로 해석함으로써 어느 정도 완화될 수 있다고 본다. 이하에서 다시 검토한다.

다) 판례 및 통설 상 인정되는 이해상충의 우려가 없는 거래

판례 및 통설은 이사가 회사에 대한 채권을 포기하거나 회사의 채무를 면제하는 행위, 이사의 회사에 대한 채무 이행, 회사의 이사에 대한 채무 이행,[91] 이사의 회사에 대한 부담 없는 증여, 이사의 회사에 대한 채권·채무의 상계, 이사의 회사에 대한 무담보?무이자 대여,[92] 대표이사의 자신을 위한 퇴직보험의

전계서, 1024면; 김건식·노혁준·천경훈, 전계서, 419면.

90) 권기범, 전계논문, 186면; 김정호, 전계서, 491면. 실질적·구체적 판단설은 "형식상 전연 별개회사의 대표이사를 겸하고 있는 자가 그 양 회사를 대표하여 어느 일방회사에 불리한 내용의 협약을 체결하려면 그 불리한 입장에 있는 회사의 이사회의 승인을 받아야만 한다." 는 내용의 대법원 1969.11.11. 69다1374 등을 근거로 판례가 실질적·구체적 판단설을 취하고 있다고 본다. 실질적·구체적 판단을 하지 않으면 일방 회사에게만 불리하고 타방 회사에게는 불리하지 않다는 것을 알 수 없으므로 해당 판례는 이해상충 행위 판단 시 실질적·구체적인 사정을 고려해야 한다는 취지라는 것이다.

91) 대법원 1999.2.23. 98도2296("회사에 대하여 개인적인 채권을 가지고 있는 대표이사가 회사를 위하여 보관하고 있는 회사 소유의 금전으로 자신의 채권의 변제에 충당하는 행위는 회사와 이사의 이해가 충돌하는 자기거래행위에 해당하지 않는다"). 그러나 이철송, 전게서, 782면은 회사의 항변권이 있을 수도 있고 채무의 존부에 다툼이 있을 수도 있으므로 일률적으로 승인을 요하지 않는다고는 할 수 없다고 한다.

92) 대법원 2010.1.14. 2009다55808{"이사가 회사에 대하여 담보 약정이나 이자 약정 없이 금전을 대여하는 행위와 같이 성질상 회사와 이사 사이의 이해충돌로 인하여 회사에 불이익이 생길 염려가 없는 경우에는 이사회의 승인을 거칠 필요가 없다"(이사가 원고회사에 3,500만원을 월 이율 1.5%로 대여한 이자부 소비대차 거래를 하였는데, 원고가 이사회 승

가입93) 등을 이해상충의 우려가 없는 거래로 본다.

라) 약관에 의한 거래와 일상거래

개별적 협상 내지 특약이 전혀 없는 약관에 의한 거래의 경우에는 그 계약조건이 다수의 거래상대방에게 일률적으로 적용되는 정형적인 것이기 때문에 원칙적으로 이해충돌의 우려가 없는 거래라고 볼 수 있다. 다만, 금융기관으로부터의 거액 대출과 같이 계약 자체가 특혜라고 볼 수 있는 경우나94) 약관이 사용되더라도 개별적 협상 내지 특약이 부가되는 경우(예를 들어, 계약서 자체는 서식으로 마련된 약관에 따르더라도 매매대금, 이자율 등 핵심적인 계약조건을 일반적으로 적용되는 거래조건과 달리 정하는 경우)에는 이해충돌의 우려가 없다고 단정할 수 없으므로 이사회의 승인을 받아야 한다.

이와 유사한 거래의 형태로서, 기업이 일상적으로 행하는 반복적인 거래로서 거래조건이 일반 고객에 대한 거래와 동일한 경우가 있다.95) 일상거래의 개념을 어떻게 정의할 것인지의 문제는 있을 수 있을 것이나, 해당 회사가 일상, 반복적으로 행하는 정형적 거래로서 거래의 상대방이 누구라 하여도 동일한 조건으로 행해지는 거래, 예를 들어 자동차 회사의 대주주가 자동차를 사는 경우 또는 호텔운영 회사의 대주주가 호텔에 투숙하는 경우 등에는 이해상충의 우려가 있다고 보기 어렵다.96)

마) 소규모 거래

제398조 각호에 규정된 자와 소규모 거래를 하는 경우에도 이사회 승인이

인이 없었다는 이유로 이 소비대차가 무효라고 주장하자 원심이 이를 받아들인 데 대해, 대법원은 이 거래 중 이자 약정 부분만이 무효이므로 무이자부 금전소비대차로서는 유효할 수 있다고 판시한 사례)}.

93) 대법원 2010.3.11. 2007다71271("회사의 이사인 피고가 자신을 피보험자 및 수익자로 하여 회사의 명의로 퇴직보험에 가입하였다고 하더라도, 이로 인하여 회사에게 퇴직금을 조성하기 위한 일반적인 자금 운영의 범위를 넘는 실질적인 불이익을 초래할 우려가 없다고 할 것이므로, 이에 관하여 이사회의 승인을 얻을 필요가 없다고 봄이 상당하다"). 위 판결에 대하여 김선광, 전게논문, 519면은, 위 사안에서 퇴직보험금 중간정산에 관한 이사회 승인은 거래에 관한 중요 정보가 개시되지 않은 상태에서 행해졌으므로 상법 개정 취지에 따라 무효라고 판단되어야 했다고 한다.

94) 이철송, 전게서, 783면.

95) 이런 종류의 일상거래는 약관에 의해 이루어지는 거래가 많을 것이고 따라서 약관에 의한 거래로서 이해충돌의 우려가 없는 거래로 판단될 가능성이 높을 것이다.

96) 실제로는 약관에 의한 거래와 대부분 중복될 것으로 생각되나, 약관에 의하지 않는 일상거래도 상정할 수 있으므로 별도로 논의할 실익이 있을 것이다.

필요한지 문제된다. 제398조는 자기거래에 해당하기 위한 금액의 기준을 규정하고 있지 아니하다. 따라서 일응 자기거래의 적용을 받는다고 볼 수 있을 것이다. 그러나, 소규모 거래에 대해 이사회의 승인이 필요하다고 볼 현실적 필요는 매우 적다고 생각된다. 따라서 회사의 규모에 비추어 회사의 손해의 우려를 걱정할 필요가 없는 규모의 거래에 대해서는 이사회에서 일정한 기준을 정하여 포괄적으로 승인하거나, 권한을 위임하는 것이 현실적인 방법이 될 수 있을 것으로 본다.[97] 다만, 이런 소규모 거래는 대부분 약관에 의한 거래이거나, 정형적, 일상적 거래로서 이사회의 승인을 요하지 않는 경우가 대부분일 것이다.

2) 어음수표 행위

어음거래의 경우 어음행위의 무인성 및 독립성 나아가 어음수수의 채무이행적 성질을 들어 제398조의 적용을 부정하고 단지 원인관계상 이사회의 승인이 없었던 경우 이를 인적 항변사유로 다루자는 견해가 있었으나, 현재 통설?판례[98]는 어음행위는 원인관계와는 다른 새로운 채무를 발생시키고, 항변의 절단, 채무의 독립성 등으로 어음행위자에게 더욱 엄격한 책임이 따르는 거래이므로 이사회의 승인을 요한다고 본다.

3) 자본거래

가) 의 의

제398조의 '거래'에 자본거래도 포함되는지 문제된다. 자본거래에 대해서는 상법 내에 이를 규율하는 별도의 규정이 있음에도 제398조가 중첩하여 적용될 것인지의 문제인데, 문구상 자본거래도 포함되는 것으로 보는 것이 타당하고, 자본거래는 주주(특히 소수주주)의 이익을 침해할 우려가 더 크다고 생각되므로 원칙적으로는 중첩하여 적용되어야 할 것이다.[99]

---

97) ALI, op. cit., p. 204는 ALI PCG 5.02는 'de minimis 원칙'에 의해, 상대적으로 사소한 규모의 거래에는 적용되지 않는다고 한다("Under the de minimis principle 5.02 should not be applied to transactions that involve relatively trivial amounts").

98) 대법원 2004.3.25. 2003다64688(어음행위에도 이사회의 승인이 요구됨을 전제로 어음 할인 등 여신을 전문적으로 취급하는 은행이 대표이사의 개인적인 연대보증채무를 담보하기 위하여 대표이사 본인 앞으로 발행된 회사 명의의 약속어음을 취득함에 있어서 당시 위 어음의 발행에 관하여 이사회의 승인이 없음을 알았거나 이를 알지 못한 데 대하여 중대한 과실이 있다고 한 사례).

99) 동지: 천경훈, 전게논문(2014), 167면. 이에 대하여 정동윤 대표, 전게서, 338~339면; 이윤

나) 유상증자의 경우

주주배정방식의 유상증자(전환사채, 신주인수권부사채 등의 발행 포함)를 통하여 이사 등이 지분비율에 따라 해당 증권을 인수하는 경우는 그 성질 자체에 의해 소주주주의 경제적, 법률적 희석화가 문제되지 않고, 주주배정방식의 증자거래에 대해 회사의 유·불리 등을 따지는 실익이 없으므로 이런 경우에는 형식적·추상적으로 이해상충의 우려가 없는 거래로 이사회의 승인이 요구되지 않는다고 본다.[100]

반면, 제3자배정방식 유상증자의 경우에는 회사(및 간접적으로 일반주주)와 주식배정을 받는 이사 등과의 사이에 이해상충의 우려가 있으므로 제3자배정방식 유상증자에 적용되는 상법상의 통제절차에 추가하여 제398조가 중첩적으로 적용된다고 본다.[101] 실권주 재배정의 경우에도 그 실권주를 재배정받는 자가 이사 등이라면 역시 제398조가 적용된다고 보아야 한다.[102] 다만, 이러한 제398조 소정의 요건을 위배한 신주발행이라도 그 효력을 부인하기 위해서는 원칙적으로 신주발행무효에 대한 법리가 우선하여 적용되고, 그러한 한도 내에서 제398조의 법리가 적용된다고 보는 것이 거래 안전에 부합하는 해석이라고 생각된다.

다) 합병의 경우

회사가 제398조 각호(제1호 중 주요주주, 제4호, 제5호의 경우에만 적용이 있을 것이다)의 자와 합병하는 경우에도 제398조가 적용될 것인지 문제된다. 합병은 원칙적으로 양 회사의 주주에 의한 회사의 존립 및 구조 자체에 대한 근본적 의사결정을 필요로 한다는 점, 합병거래의 공정성에 대한 별도의 법적인 절차가 준비되어 있다는 점 등을 고려할 때 제398조가 적용되지 않는다고 보는 견해도 있을 수 있다. 그러나, 회사인 제398조 각호의 자와 회사 간의 합병 시에는 합

석, 전게논문, 220면; 홍복기, 전게논문(2013), 220면은 법률관계의 안정과 획일적 확정을 위하여 단체성이 강조되는 자본거래와 일반거래는 그 성질이 구별되고, 상법은 신주발행과 합병 등을 위한 절차 및 이를 다투는 방법에 관하여 별도의 규정을 두고 있으므로, 자본거래에 대해서는 제398조가 적용되지 않는다고 해석한다.

100) 송옥렬, 전게서, 1025면; 권윤구·이우진, 전게논문, 60면; 천경훈, 전게논문, 80면.

101) 이철송, 전게서, 782면; 송옥렬, 전게서, 1025면; 김건식·노혁준·천경훈, 전게서, 419면; 권윤구·이우진, 전게논문, 60면.

102) 이철송, 전게서, 782면; 송옥렬, 전게서, 1023면.

병비율의 결정 등에 있어 공정한 협상을 기대하기 어렵고 소수주주에 대한 압박 및 축출의 우려가 높다는 점을 고려하면, 이 경우에도 합병 일반에 관한 절차규 정에 더하여 제398조가 중첩적으로 적용되어야 한다고 본다.[103] 다만, 그 효과 에 대해서는 신주발행의 경우와 마찬가지로 합병에 대한 상법상 규제 범위 내에 서 제398조가 적용된다고 보는 것이 거래안전에 부합하는 해석이라 할 것이다.

라) 자본감소의 경우

자본감소의 경우에는 원칙적으로 주주평등의 원칙에 따른 균등감자만 가능하 고, 불균등감자의 경우에는 그로 인해 불리하게 취급되는 자의 동의가 있어야만 가능하다고 보므로, 형식적·추상적으로 이해상충의 우려가 없는 거래에 해당하 여 제398조가 적용되지 않는다. 감자의 조건상 형식적·추상적으로도 이해상충 의 우려가 있다면 굳이 제398조를 적용하지 않아도 감자무효의 소를 통해 감자 의 효력을 다툴 수 있을 것이다.[104]

바. 이사회의 승인

1) 승인기관

가) 의 의

이사 등의 자기거래는 원칙적으로 이사회의 승인을 요한다. 다만 소규모회사 (자본금의 총액이 10억 원 미만의 회사로서, 이사가 1명 또는 2명인 회사)의 경우는 이사회가 없으므로 자기거래의 승인은 주주총회의 권한에 속한다(제383조 제4 항). 자기거래에 관한 승인은 성질상 대표이사에게 위임할 수 없다. 위원회에의 위임은 가능하나, 제398조가 재적이사 3분의 2 이상의 승인을 요건으로 하고 있으므로 위원회 총수는 재적이사 3분의 2 이상으로 구성되어야 할 것이고, 따 라서 이를 위임할 실익은 거의 없을 것이다.

나) 이사회의 승인을 주주 전원의 동의 또는 정관에 의한 주주총회의 결의로 갈음할 수 있는지 여부

제398조는 회사채권자를 보호하는 데에도 그 목적이 있으며, 주주 전원의 동

---

103) 송옥렬, 전게서, 1025면; 김건식·노혁준·천경훈, 전게서, 419면; 권윤구·이우진, 전게논 문, 61면; 천경훈, 전게논문, 80면.
104) 천경훈, 전게논문, 80면.

의나 주주총회의 승인에 대해서는 책임추궁이 불가능하기 때문에 허용되지 않는 다는 견해(부정설)[105]와 주주총회의 최고기관성 및 제398조의 근본취지는 주주의 이익을 보호하기 위한 것이므로 주주 전원의 동의 또는 정관의 규정에 의한 주주총회의 결의로써 이사회의 승인을 갈음할 수 있다고 보는 견해(긍정설)가 대립한다.[106] 판례[107]는 후설의 입장이다.

생각건대, ① 제398조는 주주의 이익을 보호하기 위한 규정으로 보는 것이 타당하고, ② 이사에게 회사의 채권자의 이익까지 고려하여야 할 의무는 없으며, ③ 회사 채권자는 채권자취소권(민법 제406조)이나 이사의 제3자에 대한 손해배상책임(제401조), 채권발생의 권원이 된 계약관계 등을 통해 보호할 수 있으므로, 긍정설이 타당하다고 본다.

이 때, 정관의 규정에 의해 주주총회의 결의사항을 정하는 경우 어떤 결의요건을 요구할 것인지가 문제되나, 일응 정관에서 발행주식총수의 3분의 2 이상으로 정하는 한 제398조의 취지에도 부합하는 것으로 볼 수 있을 것이다.[108]

2) 승인시기

구법 하에서 대법원 판례[109]는 사후 추인도 가능하다고 보았으나, 현행 상법

---

105) 이철송, 전게서, 784면; 정찬형, 전게서, 1058면. 다만, 권기범, 전게논문, 188면은 정관에 별도의 정함이 있거나 1인 회사의 경우를 제외하고는 총주주의 동의로 이사회의 결의를 대체할 수 없다고 한다.
106) 정동윤 대표, 전게서, 345~346면; 김정호, 전게서, 497면; 최기원, 전게서, 675면; 최준선, 전게서, 548면; 송옥렬, 전게서, 1026면; 김건식·노혁준·천경훈, 전게서, 421면; 홍복기, 전게논문(2013), 346면.
107) 대법원 2007.5.10. 2005다4284; 2002.7.12. 2002다20544; 1992.3.31. 91다16310("이사와 회사 사이의 이익상반거래에 대한 승인은 주주 전원의 동의가 있다거나 그 승인이 정관에 주주총회의 권한사항으로 정해져 있다는 등의 특별한 사정이 없는 한 이사회의 전결사항이라 할 것이므로, 이사회의 승인을 받지 못한 이익상반거래에 대하여 아무런 승인 권한이 없는 주주총회에서 사후적으로 추인 결의를 하였다 하여 그 거래가 유효하게 될 수는 없다").
108) 송옥렬, 전게서, 1026면도 주주총회를 자기거래의 승인기관으로 하더라도 승인요건은 발행주식총수의 3분의 2 이상이 되어야 할 것이라고 한다. 이에 대하여 정동윤 대표, 전게서, 346면; 홍복기, 전게논문(2013), 229면은 특별결의로 인정되기 위하여는 명문의 근거규정이 있어야 할 것이므로, 보통결의로 가능하다고 보아야 할 것이라고 한다.
109) 대법원 2007.5.10. 2005다4284("이사회의 승인을 얻은 경우 민법 제124조의 적용을 배제하도록 규정한 상법 제398조 후문의 반대해석상 이사회의 승인을 얻지 아니하고 회사와 거래를 한 이사의 행위는 일종의 무권대리인의 행위로 볼 수 있고 무권대리인의 행위에 대하여 추인이 가능한 점에 비추어 보면, 상법 제398조 전문이 이사와 회사 사이의 이익상반거래에 대하여 이사회의 사전승인만을 규정하고 사후 승인을 배제하고 있다고 볼 수는 없다").

법은 미리 이사회에서 해당 거래에 관한 중요 사실을 밝히고 이사회의 승인을 받아야 한다고 규정하여 사전승인을 명문화하였다. 현행 상법은 미리 이사회의 승인을 받아야 한다고 규정하고 있으므로 현행상법 하에서는 사후추인이 더 이상 불가능하다는 견해(부정설)110)와 사후적으로라도 이사회가 정당한 절차를 거쳐 해당 거래를 승인함으로써 법률관계를 안정화시킬 수 있다는 점을 고려하면 개정상법 하에서도 사후추인이 가능한 것으로 보아야 한다는 견해(긍정설)111)가 대립한다.

생각건대, ① 사전승인을 받을 의무를 이사 등에게 행위규범으로서 부과하는 것과 그 의무 위반에도 불구하고 사후에 회사가 스스로 거래를 유효한 것으로 할 수 있는지는 별개의 문제이고, ② 사후추인을 인정하더라도 사전승인을 얻지 않은 데 대한 손해배상청구, 해임, 징계 등 제재수단은 여전히 가능하다고 할 것이므로, 사후추인을 허용한다고 하더라도 현행상법의 취지가 몰각되는 것은 아니라고 생각된다. 구법상 판례는 이사의 자기거래를 일종의 무권대리행위로 보아 이에 대한 추인행위 역시 가능하다고 보았는데 현행상법에서도 이사의 자기거래는 동일한 논리로 설명할 수 있다고 할 것이므로 긍정설이 타당하다. 일본 회사법 제356조도 이사의 자기거래에 대하여 사전승인을 요구하는 것으로 규정하고 있지만, 일본의 통설·판례는 사후추인은 마치 무권대리의 추인과 같으므로 무효의 거래를 소급하여 유효로 하는 효과를 가진다고 보아 사후추인을 인정하고 있으며,112) ALI PCG §5.02는 명시적으로 사후추인을 규정하고 있고, MBCA도 승인 시점에 대한 제한을 두고 있지 아니하여 사후추인을 인정하고 있다.

구법 하에서 판례는 사후추인을 인정함과 아울러 묵시적 추인 가능성 또한 인정하였다. 현행상법 하에서도 이러한 묵시적 추인이 가능할 것인지 문제가 되나, 그 거래에 대하여 승인 권한을 갖고 있는 이사회가 그 거래와 관련된 이사의 이해관계 및 그와 관련된 중요한 사실들을 지득한 상태에서 그 거래를 추인

---

110) 정동윤 대표, 전게서, 344면; 이철송, 전게서, 784면; 정찬형, 전게서, 1058면; 최준선, 전게서, 548면; 임재연, 전게서, 437면. 송옥렬, 전게서, 1027면은 현행상법이 명시적으로 사전승인을 규정하여 사후추인 가능여부에 대한 논란을 입법적으로 해결하였다고 하면서도 사후추인이 금지되는 것으로 해석해야 하는 것인지는 의문이 있다고 한다.

111) 김정호, 전게서, 495면; 김건식·노혁준·천경훈, 전게서, 422면; 천경훈, 전게논문, 82면; 권윤구·이우진, 전게논문, 63면.

112) 日東京高判 1959.3.30. 東高民時報 10卷 3號 68面.

할 경우 원래 무효인 거래가 유효로 전환됨으로써 회사에 손해가 발생할 수 있고 그에 대하여 이사들이 연대책임을 부담할 수 있다는 점을 용인하면서 묵시적 추인을 행한 경우에는 가능하다고 볼 것이다.[113]

3) 결의요건

가) 의 의

제398조는 자기거래에 대한 이사회의 승인은 이사 3분의 2 이상의 수로써 하여야 한다고 규정하고 있다. 이 때 이사의 3분의 2 이상의 수의 해석에 대하여 이해관계 있는 이사를 포함한 재적이사의 3분의 2라는 견해[114]와 이해관계 있는 이사를 제외한 나머지 재적이사의 3분의 2라는 견해[115]가 대립한다. 이해관계 있는 이사는 이사회에서 의결권을 행사하지 못하므로(제391조 제3항, 제368조 제3항) 이해관계 있는 이사를 재적이사에서 제외하는 것으로 해석하지 아니하면 이해관계 없는 이사가 재적이사의 3분의 2에 미달하는 경우에는 승인을 할 수 없는 문제가 발생하므로 후설이 타당하다.

승인방법은 이사회의 회의의 방법에 의하여야 함이 원칙이나, 대법원은 이사회의 회의 방법에 의하지 않더라도 이사 이외의 나머지 이사들의 합의가 있으면 무방하다고 판시한 바 있다.[116]

나) 특별이해관계 있는 이사의 의결권 행사 제한

(1) 특별이해관계의 의미

특별이해관계 있는 이사의 의미에 관하여 직접적으로 논하고 있는 학설은 그다지 많지 않다. 다만, 제391조 제3항이 준용하는 제368조 제3항에서의 '특별한 이해관계 있는 주주'의 의미에 관하여는 (i) 그 결의에 의하여 권리의무가 발생하거나 상실되는 등 법률상 특별한 이해관계를 가지는 경우를 의미한다는 견해(법률상 이해관계설), (ii) 모든 주주의 이해에 관련되지 않고 특정주주의 이해에

---

113) 김정호, 전게서, 496면; 임재연, 전게서, 439면; 대법원 2007.5.10. 2005다4284.
114) 정찬형, 전게서, 1060면.
115) 송옥렬, 전게서, 1026면; 천경훈, 전게논문, 83면; 권윤구·이우진, 전게논문, 60면; 김건식·노혁준·천경훈, 전게서, 420면.
116) 대법원 1967.3.21. 66다2436("대표이사가 개인명의로 차용한 금원을 일부는 회사가 인수하고 일부는 회사가 상환하기로 나머지 이사가 합의한 경우, 회사는 채무를 이행할 책임이 있다").

만 관련되는 경우를 의미한다는 견해(특별이해관계설), (iii) 특정한 주주가 주주의 입장을 떠나서 개인적으로 이해관계를 가지는 경우를 의미한다는 견해(개인법설)가 대립하며, 개인법설이 통설[117]이다. 이에 대해, 원칙적으로 자기 자신의 이익을 위하여 의결권을 행사하는 주주와 오로지 회사의 이익을 위하여 의결권을 행사하여야 하는 이사의 지위가 상이하여 의결권 제한의 강도가 전자보다 후자에서 훨씬 더 높기 때문에 특별이해관계 있는 주주 여부에 관한 위 판단 기준을 특별이해관계 있는 이사의 해석에도 그대로 적용하기는 곤란하며, 따라서 특별이해관계 있는 이사란 당해 결의에 관하여 이사로서의 임무를 수행하는 것이 곤란하다고 인정될 정도의 개인적 이해관계를 가지는 경우를 의미하고, 이는 개별 사안마다 구체적 객관적으로 판단하여야 한다는 견해가 있다.[118] 동 견해 역시 개인법설과 본질적인 의미에서는 차이가 있다고 생각되지 아니하고, 결국 특별이해관계를 가지는 이사라 함은 그 결의에 관하여 개인적 이해관계를 가지는 이사를 뜻하며, 이른바 개인적 이해관계란 회사의 지배와 상관 없는 그 임무와 모순되는 이해관계를 의미하는 것으로 본다. 일본의 학설 역시 특별한 이해관계를 가지는 이사란 특정 이사가 해당 결의에 대하여 회사에 대한 충실의무를 성실하게 이행하는 것이 정형적으로 곤란하다고 인정되는 개인적 이해관계 내지 회사 외의 이해관계를 의미하는 것[119]이라 하여 개인법설과 동일한 입장을 취하고 있다.

(2) 특별이해관계 있는 이사의 구체적인 범위

해당 이사회 결의에서 어떤 이사가 특별이해관계를 가지는지 여부는 구체적인 사안에 따라서 판단하여야 한다. 우선, 거래 상대방인 이사는 해당 거래에 대한 개인적 이해관계를 가지는 자이므로 특별이해관계인으로서 의결권이 제한된다. 특수관계자와 회사 간의 거래에 있어서도 특수관계의 원인이 되는 이사는, 해당 거래에 대한 이사회 결의시 특별이해관계인으로서 의결권이 제한된다고 본다. 판례는, 회사 소유의 부동산 양도에 관한 이사회 결의시 거래상대방인 이사,[120] 회사 소유의 부동산의 매도대금 중 공장이전에 소요되는 예정비용을 초

---

117) 이철송, 전게서, 538면; 정찬형, 전게서, 899면; 최준선, 전게서, 387~388면; 김건식・노혁준・천경훈, 전게서, 420면.
118) 권기범, 「현대회사법론」 제5판(삼영사, 2014), 881면.
119) 落合誠一 編, 前揭書, 293面.
120) 대법원 1992.4.14. 90다카22698.

과하는 금액을 회사의 이사에게 지급하기로 하는 약정에 대한 이사회 결의 시 해당 이사,[121] 재산 양도에 관한 아파트형 공장 신축사업과 관련한 자금확보 및 투자분배 안건에 관한 이사회 결의 시 수분양자인 이사들을 특별이해관계 있는 이사로 보았다.[122]

겸임이사의 경우, 거래상대방 회사의 대표이사를 겸임하고 있는 이사는 해당 거래의 실질적인 거래상대방으로 보아야 하므로 특별이해관계인으로서 의결권이 제한된다고 할 것이다.[123] 겸임이사가 거래상대방 회사의 대표이사가 아닌 이사에 불과한 경우에는 협상 담당임원이거나 하는 등의 특별한 사정이 없는 한 그 자체만으로 특별이해관계 있는 이사로서 의결권이 제한되지 않는다고 본다. 회사와 주요주주 간의 거래 시 주요주주가 선임한 이사도 해당 거래에 대한 특별이해관계인에 포함되는지 문제되나, 위와 같은 사정만으로 그 이사가 해당 거래에 대해 직접적으로 어떠한 개인적인 이해관계를 가진다고 보기는 힘들다고 할 것이므로 특별이해관계 있는 이사로 볼 수 없다.

(3) 특별이해관계 있는 이사의 이사회 심의 참가 가능 여부

의결권은 배제된다고 하더라도 특별이해관계 있는 이사가 이사회의 심의에는 참여할 수 있을까? (i) 거래 절차의 공정성 확보를 위해 특별이해관계 있는 이사들의 참여가 배제된 가운데 하자 없이 의사가 진행되어야 한다는 견해(심의참가부정설)[124]와 (ii) 자기거래의 당사자인 이사는 특별이해관계인으로서 의결권을 행사하지는 못하지만, 이사회 결의에 출석하여 의견은 진술할 수는 있다는 견해(심의참가긍정설)[125]가 대립한다.

구법상 판례는 특별이해관계가 있는 이사는 이사회에서 의결권을 행사할 수

---

121) 대법원 1991.5.28. 90다20084(회사의 이사인 원고가 자신 소유인 부동산을 대금 125,000,000원에 피고 회사에 양도하고 난 이후, 위 부동산의 실제가액이 그 양도가액을 훨씬 초과한다고 주장하며 차액의 추가지급을 요구하자, 회사와 원고 간에 위 부동산을 제3자에게 매도하여 그 대금이 금140,000,000원을 초과하는 경우 회사가 그 초과액을 원고에게 지급하기로 약정한 사례).

122) 대법원 2009.4.9. 2008다1521(자기거래 자체에 관한 이사회 결의뿐만 아니라 그와 관련된 이사회 결의에서도 거래상대방인 이사는 특별이해관계 있는 이사에 해당한다고 본 사례).

123) 다만, 이와 관련하여 일본의 학설은 이사를 겸임하는 회사와의 합병에 관한 주주총회 의안의 확정을 위한 이사회 결의에서는 주주총회가 최종적으로 합병에 대해 결정할 것이기 때문에 해당 이사가 상대방 회사의 대표이사인 경우에도 특별이해관계 있는 이사에 해당하지 않는다고 보고 있다. 落合誠一 編, 前揭書, 295面.

124) 김정호, 전게서, 498면.

125) 정동윤 대표, 전게서, 343면; 최기원, 전게서, 675면; 송옥렬, 전게서, 1027면.

는 없으나 의사정족수 산정의 기초가 되는 이사의 수에는 포함되고 다만 결의성
립에 필요한 출석이사에는 산입되지 아니하는 것이므로 회사의 3명의 이사 중
대표이사와 특별이해관계 있는 이사 등 2명이 출석하여 의결을 하였다면 이사 3
명 중 2명이 출석하여 과반수 출석의 요건을 구비하였고, 특별이해관계 있는 이
사가 행사한 의결권을 제외하더라도 결의에 참여할 수 있는 유일한 출석이사인
대표이사의 찬성으로 과반수의 찬성이 있는 것으로 되어 그 결의는 적법하다고
판시[126]하여, 특별이해관계 있는 이사도 이사회 심의에 참석할 수 있음을 전제
로 하였다.

거래절차의 공정성 확보를 위해서는 원칙적으로 특별이해관계 있는 이사는
이사회 심의에 참석할 수 없다고 보아야 할 것이나, 개시의무의 이행을 위해 이
사회에서 진술할 기회를 보장해주어야 하므로 그 한도 내에서는 이사회 심의에
참석하여 의견 등을 진술할 수 있다고 본다. 다만, 그 한도를 넘어서 다른 이사
들에게 압박을 가하는 등 이사회 결의에 실질적인 영향력을 행사하는 경우에는
그 이사회 결의에 절차상 중대한 하자가 있다고 보아 해당 이사회 결의는 무효
가 될 수도 있을 것이다. 특별이해관계 있는 이사가 심의에 참석하여 단순히 의
결권을 행사한 경우라면 그 자체만으로 이사회 결의에 하자가 있다고 볼 수는
없고, 그 이사가 행사한 의결권을 제외하더라도 제398조의 결의 요건이 여전히
충족된다면 그 결의는 적법한 것으로 보아야 할 것이다.

다) 이사 전원이 이해관계인인 경우와 소규모회사의 경우

이사 전원이 이해관계인으로서 의결권이 제한되는 경우 특정 거래의 승인을
위해 새로운 이사를 선임하는 것은 지나친 것으로 생각되므로 주주총회의 결의
에 의하여야 할 것이고,[127] 소규모 회사의 경우에도 자기거래에 대한 승인은 주
주총회의 결의로 하도록 되어 있는바, 이 때 주주총회의 결의방법을 무엇으로
할 것인지가 문제된다. 제398조가 이사 3분의 2 이상의 승인을 요구하고 있으
므로 발행주식총수의 3분의 2 이상의 수의 결의가 필요하다는 견해[128]와 현행
상법이 이사회 승인요건을 강화한 입법취지를 고려하여 특별결의가 필요하다는
견해,[129] 명문의 규정이 없는 이상 보통결의로 족하다고 보는 견해[130]가 대립한

---

126) 대법원 1992.4.14. 90다카22698.
127) 권윤구·이우진, 전게논문, 63면.
128) 권윤구·이우진, 전게논문, 63면.

다. 자기거래를 엄격히 규제하기 위해 제398조가 이사 3분의 2 이상의 수의 승인을 요구하는 것과의 균형상 발행주식총수의 3분의 2 이상의 수의 결의가 필요하다고 봄이 타당하다. 이 때 거래상대방인 주요주주는 특별이해관계인으로서 해당 거래에 대한 주주총회 결의시 의결권이 제한될 것이고(제368조 제4항), 특별이해관계 있는 이사에 관한 논의에서와 동일한 이유에서 분모가 되는 위 발행주식총수에는 특별이해관계인의 주식수가 산입되지 않는다고 본다. 회사가 주요주주와 제398조 제2호 내지 제5호의 관계에 있는 자와 거래하는 경우에도 실질적인 거래상대방은 그 주요주주로 보아야 하므로 그 주요주주의 의결권은 제한된다고 할 것이다.

4) 개시의무

상법 제398조는 "이사회에서 거래에 관한 중요사실을 밝힐" 것을 요구하고 있다.

이사회에 개시하여야 할 사항은 "그 거래에 관한 자기의 이해관계 및 그 거래에 관한 중요한 사실들"이며, 여기서 '중요사실'이란 이해관계 없는 합리적인 이사가 알았다면 그 거래를 승인하지 않았거나 적어도 동일한 조건으로 거래를 승인하지 않았을 중요한 거래조건을 의미하는 것으로 해석된다.[131]

구체적으로 어떠한 사실이 중요사실에 해당하는지 여부에 대한 판단은 각 회사별로 개별적인 사실관계에 따라 달라질 것이지만, 상장회사의 대규모 내부거래에 있어 주주총회에 보고할 사항인 (i) 해당 거래의 목적, (ii) 상대방, (iii) 거래의 내용, (iv) 일자, (v) 기간 및 조건, (vi) 해당 사업연도 중 거래상대방과의 거래유형별 총 거래금액 및 거래잔액(제542조의9 제4항, 시행령 제35조 제8항)은

---

129) 정동윤 감수, 전게서, 244면.

130) 정동윤 대표, 전게서, 346면; 이철송, 전게서, 773면; 최준선, 전게서, 552면; 권재열, "1인의 이사를 둔 소규모 주식회사에 관련된 몇 가지 법적 쟁점의 검토," 「기업법연구」 제29권 제1호(한국기업법학회, 2015), 32~33면.

131) MBCA §8.60(7)은 개시되어야 할 사항으로 (i) 이사가 관련 거래에 대해 이해관계를 가지고 있다는 사실 및 그 이해관계의 내용, (ii) 해당 이사에게 알려진 관련 거래에 대한 모든 중요사실로서, 이해관계가 없는 이사가 관련 거래를 진행할지를 결정할 때 중요한 요소라고 판단할 만한 사항이라고 규정하고 있다("Required disclosure" means disclosure of (i) the existence and nature of the director's conflicting interest, and (ii) all facts known to the director respecting the subject matter of the transaction that a director free of such conflicting interest would reasonably believe to be material in deciding whether to proceed with the transaction).

유력한 지침이 될 것이다.[132) 여기서 '상대방'을 개시함에 있어서는 그가 회사와 갖는 경제적, 혈연적 관계를 개시해야 함은 물론이다.

제398조의 해석상 이사 이외의 주요주주 등의 경우에도 고지의무가 있다고 보아야 한다.[133) 이사회에 참석권한이 없는 이해관계자들에게 이사회에서 고지하는 것만을 적법한 고지로 보는 것은 지나친 것으로 생각되며, 고지방법은 합리적으로 각 이사들에게 이해관계가 있다는 사실 및 거래의 주요 조건을 알릴 수 있는 방법인 한 폭넓게 인정하는 것이 타당하다.[134) 실무상으로는 해당 거래를 진행하는 이사 또는 임원이 해당 거래의 중요사항을 이사회 의안 설명자료에 포함시켜 각 이사에게 사전에 송부하는 방법으로 개시하는 것이 통상적일 것으로 예상된다. 그 외에 주요주주 등이 이사들에게 서신, 공문을 발송하는 방법으로 이해관계가 있다는 사실 및 거래의 주요 조건을 알리고, 이사회의 요청이 있는 경우 이사회에 참석하여 질의응답에 응하는 방법 등도 가능할 것이다. 그러나 중요사실이 개시되고 그에 기초하여 승인이 이루어진 이상, 누구에 의하여 중요사실이 개시되었는지 여부는 해당 거래의 효력에 영향을 미치지 아니한다.[135)

5) 승인방법

이사회의 승인은 개별 거래에 대하여 이루어지는 것이 원칙이고, 포괄승인이 가능한지 여부에 대하여는 명문의 규정은 없으나, "실질적 이해충돌의 여부" 및 "절차 및 내용의 공정성"을 이사들이 알고 결의할 수 있는 한도 내에서, 즉 포괄승인이 사실상 이사회의 승인요건의 취지를 형해화시키지 아니하는 한 포괄적인 사전승인이 가능하다고 볼 것이다.[136) 특히 계열사간의 거래가 많은 국내 대기업집단 소속 회사의 경우 개별 거래에 대해 모두 이사회의 승인을 요구하는 것은 현실적이지 않을 것으로 생각된다.

---

132) 落合誠一 編, 前揭書, 84面은 거래의 중요사실로서 거래의 종류, 목적물, 수량, 가격, 이행기, 거래의 기간 등이 개시되어야 하며, 간접거래의 경우는 상대방, 주채무자의 변제능력 (보증계약의 경우) 등도 개시되어야 한다고 한다.
133) 임재연, 전게서, 439면; 권윤구·이우진, 전게논문, 64면.
134) 만약 자기거래의 승인이 주주총회에서 이루어진다면, 그 주주총회에서 주요주주는 직접 혹은 회사를 통해 해당 거래에 대한 중요사실을 개시하면 될 것이다.
135) 대법원 2017.9.12. 2015다70044도 개시를 행한 주체가 누구인지에 따라 자기거래 승인의 효력이 달라지는 것은 아니라는 취지인 것으로 보인다.
136) 정동윤 감수, 전게서, 240면.

포괄승인의 대상이 되는 거래 및 승인의 기준은 일률적으로 정할 수 있는 성질의 것은 아니므로, 회사가 종사하는 사업의 성질, 회사의 규모, 과거 거래 상대방과의 거래의 성질, 빈도, 규모 및 거래 상대방과의 관계 등의 구체적 사정을 기초로, 이사회에서 선관주의 의무에 기하여 성실히 판단하여 결정하여야 할 것이다. 구체적으로는 성질상 이해상충의 우려가 적은 거래에 대하여 그 거래의 형태별로 구별하여 총액 및 그 기간에 제한을 두어 포괄적으로 승인하는 방법을 고려할 수 있을 것으로 생각된다. 다만 이 경우에도 계약의 주된 내용 및 조건이 변경될 경우에는 별도의 승인을 받아야 한다. 앞서 본 일상거래의 경우 성질상 이해충돌의 우려가 없는 거래로 보는 것이 합리적인 것으로 생각되나, 일상거래의 유형을 검토하여 일상거래의 기간 및 금액을 정하여 포괄적으로 승인하는 방법도 있을 것이다. 소규모거래에 대한 상한을 정하여 일괄적으로 승인하는 방법 역시 포괄승인의 경우와 유사할 것이다.

한편, 기본계약(Master Agreement)에 대한 승인이 있는 경우, 그 기본계약 하의 모든 구매주문(Purchase Orders)에 대하여도 별도의 이사회 승인을 받아야 하는지가 문제된다. 구매주문이 기본계약의 조건 및 내용에 따라 개별거래를 주문 및 집행, 결제하는 내용 정도라면, 기본계약의 승인이면 족하고 개별 구매주문에 대한 승인까지는 요구되지 않는다고 본다. 그러나 해당 구매주문이 기본계약의 조건이나 내용을 변경하는 수준이라면 별도의 승인이 요구된다고 본다.

사. 거래의 공정성

1) 의 의

제398조는 사전고지와 재적이사 3분의 2 이상의 수의 이사회 승인이라는 2가지 요건에 더하여 이해상충거래의 절차 및 내용이 공정할 것을 요구하고 있다. 앞서 본 입법례에서 자기거래에 대한 조항에서 '공정성' 요건을 명시하고 있는 입법례는 미국이 유일한데, 미국회사법은 자기거래를 충실의무에서 도출되는 직접적 의무로 이해하고, 성문법상의 자기거래규정은 안전항에 관한 것으로서 공정성 요건은 오히려 적절한 승인절차를 거치지 아니한 경우 이사의 항변사유로 기능한다. 따라서 이런 점에서 현행 상법의 공정성 요건과는 그 의미를 달리한다. 비교법적으로나 법논리적으로, 이해상충거래에서 회사의 이익을 보호하기

위한 절차로서 이사회 혹은 주주총회의 사전승인을 요구하는 것은, 이해상충관계에 있지 아니한 회사의 기관으로 하여금 해당 거래의 심의 및 승인을 할 것을 요구함으로써 절차적으로 공정성을 확보하고자 하는 취지로 이해된다. 그런데, 이런 절차적 통제를 원칙으로 하는 자기거래의 규제에 대해 다시 명시적으로 내용에 대한 '공정성'을 요구하는 것은 자기거래의 규제 구조와 충돌되는 부분이 있어 보인다. 불확정 개념인 공정성을 사전적 승인의 요건으로 삼는 것도 이론적으로 타당하지 않아 보인다. 따라서 공정성 요건은 이 자체로서 특별한 의미를 가진 요건이라기보다는, 심사 및 승인 이사들의 이른바 성실심의의무를 주의적으로 재확인하는 정도의 의미로 해석함이 타당하다.[137]

2) 거래 절차 및 내용의 공정성

거래 절차의 공정성이란 거래 체결 과정의 공정성과 거래 승인 과정의 공정성을 모두 포함하는 것으로 해석된다.[138] 전자와 관련하여서는, 해당 거래가 누구의 주도로 시작되었는지, 거래상대방 선정절차가 합리적이었는지, 거래 협상 과정이 이해관계 없는 이사들에 의해 독립적으로 이루어졌는지 등을 고려하여야 한다.[139] 후자와 관련해서는 거래의 상대방인 이사 등이 개시의무를 완전히 이행하였는지, 자기거래 승인을 위한 이사회가 적법하게 소집되었는지, 대상 거래에 대하여 충분한 검토와 토의를 거쳤는지 등이 고려되어야 할 것이다.

거래 내용의 공정성은 객관적으로 보아 회사가 이해충돌이 없는 제3자와 동일한 내용의 거래를 하였을 것인지, 즉 해당 거래가 이른바 정상거래(arm's length transaction)라고 볼 수 있는지에 따라 결정된다. 정상거래인지 판단은 회

---

137) 유사한 취지로, 천경훈, 전게논문, 84면; 송옥렬, 전게서, 1029면.

138) Weinberger v. UOP, Inc. 457 A.2d 701 (Del.Supr. 1983) 판결도, 공정한 거래절차를 "거래시점의 결정, 거래의 시작, 구조결정, 협상 및 공개절차, 그리고 이사와 주주의 승인 절차에 관한 문제" 등 거래의 전반적 절차에 대한 검토를 필요로 하는 것이라고 한 바 있다.

139) Ryan v. Tad's Enterprise, Inc. 709 A.2d 82(Del. Ch. 1996) 판결에서 "이사회 승인의 절차적 공정성(fairness of process)을 판단하기 위하여 법원은 (i) 이사회의 구성 및 독립성(board of director's composition and independence), (ii) 이사회 승인 및 주주총회의 승인이 이루어진 경위(how board and shareholder approval were obtained), (iii) 이사회와 주주들에게 거래에 관한 정확한 정보가 제공된 정도(extent to which board and shareholders were accurately informed about transaction) 등을 고려하여야 한다"고 판시한 바 있다. 임재연, "이사의 자기거래와 공정성 요건," 「성균관법학」 제21권 제2호 (한국법학교수회, 2009. 8.), 477면, 각주 37에서 재인용.

사가 수령하는 용역 또는 서비스에 대한 반대급부의 적정성(fair price)이 가장 중요하고 기본적인 판단대상이 될 것이나 가격의 적정성만을 독립적으로 판단하기보다는 해당 거래의 모든 조건을 종합적으로 고려하여 그 대가가 상당성이 있는 것인지를 판단하여야 할 것이다.

　참고로, 미국에서는 Shlensky v. South Parkway Building Corp., 19 Ill.2d 268, 166 N.E.2d 793, 801-802(Ill. 1960) 판결에서 (i) 회사가 그 거래를 통하여 충분한 보상을 받았는지, (ii) 회사가 당해 거래의 목적인 재산을 어느 정도로 필요로 하는지, (iii) 회사가 독립적인 판단에 기초하여 그러한 제안에 응하였는지, (iv) 회사가 그 거래를 이행할 수 있는 경제적 능력을 보유하고 있는지, (v) 거래 목적물의 가격 및 거래 조건이 시장가격을 반영하고 있는지, (vi) 다른 당사자와 거래를 하였다면 더 좋은 조건의 거래를 달성할 수 있었는지, (vii) 그 거래로 인하여 회사에 손해가 있었는지, (viii) 이사들이 회사의 이익을 가로챘는지, (ix) 거래 조건에 대하여 충분한 공개가 이루어졌는지 등의 요소들이 공정성을 판단하는데 있어서 중요한 판단기준이라고 한 바 있다.[140]

　한편, 해당 거래가 절차적, 내용적으로 공정하다고 하더라도, 그 거래가 회사에게 전혀 필요 없는 거래인 경우를 생각할 수 있다. ALI PCG나 MBCA는 공정성의 의미가 해당 거래의 체결 자체가 회사에게 도움이 되는, 필요한 거래일 것을 전제로 하고 있다고 한다.[141] 이러한 해석론은 제398조의 해석에서도 참고할 수 있을 것이다. 따라서 단순히 거래가격이 적정하다고 하더라도, 이사 등과의 관계가 아니라면 회사가 해당 거래를 전혀 할 필요가 없었던 경우에는 그 거래를 공정하다고 판단하기 힘들 것이다. 즉, 해당 거래의 목적 역시 정당하다고 판단되어야 한다. 이와 같은 거래 내용의 공정성은 사후적으로 판단할 것이 아니라, 이사회 승인시를 기준으로 판단하여야 한다.

---

140) 문화경, "2011년 개정상법상 주식회사 이사의 자기거래에 있어서의 공정성 요건," 「법조」 제60권 제9호(법조협회, 2011. 9.), 167면에서 재인용.

141) American Bar Association, op. cit., pp. 8~149, 150은 예를 들어, 운영자금이 부족한 제조업체가 어느 이사의 요트를 구입하기 위해 자금을 지출한다면, 비록 그 가격이 적정하고 해당 이사가 거래 사실 및 자신의 이해관계를 적절하게 공개하였다고 하더라도 이는 합리적으로 회사의 상업적 이익을 증대시켰다고 보기 어려우므로 공정하지 않은 거래일 가능성이 높다고 한다. ALI, op. cit., p. 211은 회사의 의사결정권자는 이사로부터 구매한 재산이 공정한 가격인지 뿐만 아니라 사업 목적상 그 재산을 취득하는 것이 회사에 이익인지를 고려해야 한다고 한다.

3) 공정성 추구의무의 수범자

제398조 각호에 열거된 거래상대방 중 이사는 회사와 공정한 거래를 추구할 의무가 있다. 이들은 이사회 승인 없이 회사와 거래를 하여서는 안 됨은 물론, 이사회 승인을 얻어 회사와 거래를 하더라도 자기만의 이익을 추구해서는 안 되고 절차와 내용의 공정성을 추구해야 한다. 따라서 공정성 요건은 이해관계 있는 이사에게는 공정한 거래를 행할 의무로, 거래의 승인 여부를 판단하는 이사들에 대해서는 공정하게 거래를 심의하여 승인할 의무로 이해할 수 있을 것이며, 이러한 한도에서는 이들에 대해 공정성 요건은 구체적인 의무의 내용이 될 수 있다.

반면 제398조 각호에 열거된 자 중 이사가 아닌 자들에 대한 공정성 요건은 어떻게 해석해야 할지가 문제된다. 이들은 충실의무의 규제를 받는 회사의 내부자들이 아니고 시장경제하에서 자신들의 이익을 가장 우선하여 추구할 것이 허용되는 자들이므로 제398조의 규정문구만으로 이들에게 회사와 공정한 조건으로 거래할 일반적인 의무를 부과하기는 어렵다. 회사가 거래 과정에서 스스로의 이익을 보호할 수 있도록 이들은 제398조에 따라 그 거래에 관한 주요사실을 이사회에 개시할 의무를 부담하는 것으로 족하며, 일단 주요사실을 개시한 후로는 승인 여부를 결정하는 이사들이 회사의 이익을 보호하기 위해 선관주의의무와 충실의무를 다하면 될 것이다. 따라서 공정성을 추구할 의무는 거래 상대방 중 이사인 자에게는 부여되지만 이사 이외의 특수관계자에게는 부과되지 않으며, 다만 어느 경우이든 이사회는 승인 여부를 결정함에 있어 선관주의의무에 따라 그 거래의 공정성을 심사해야 한다고 해석함이 합리적이다.[142]

아. 거래의 효력

1) 미승인 거래의 효력

이사회의 승인 없이 이루어진 자기거래의 효력에 대하여 (i) 거래의 안전에 중점을 두어 제398조는 명령규정에 불과하므로 이에 위반한 자기거래도 유효하며, 회사의 이익은 이사의 손해배상책임과 권리남용금지의 원칙 또는 악의의 항

---

142) 천경훈, 전게논문, 88면; 권윤구·이우진, 전게논문, 66면.

변의 원용에 의하여 보호된다고 하는 유효설, (ii) 회사의 이익보호에 중점을 두어 제398조는 강행규정이므로 이에 위반한 자기거래는 무효이며 선의의 제3자는 일반 민법상의 선의취득에 관한 규정으로 보호된다는 무효설,[143] (iii) 이사회의 승인 없이 이루어진 자기거래는 거래당사자인 이사와 회사 간에는 당연 무효이지만, 회사는 이러한 무효로 선의의 제3자에게 대항할 수 없다고 하는 상대적 무효설[144]이 대립한다. 판례는 상대적 무효설을 취하고 있다.[145] 거래의 안전과 회사의 이익을 모두 고려하는 상대적 무효설이 타당하다고 보며, 현재 통설이다.

제3자의 중과실은 악의와 동일시되며,[146] 거래의 무효는 회사만이 주장할 수 있고 이사, 거래상대방, 회사의 주주 또는 제3자는 이를 주장하지 못한다.[147] 그렇지 않으면 거래상대방 등에게 그 거래의 유?무효를 선택할 수 있는 의외의 선택권을 주는 것이기 때문이다.

회사가 이사회 승인의 부존재를 이유로 제3자에 대하여 자기거래의 무효를 주장하는 경우, 이사회 승인의 부존재 및 제3자의 악의 또는 중과실에 대한 입증책임은 회사에게 있다.[148] 한편, 회사가 이사회 승인의 부존재를 이유로 이사에 대하여 자기거래의 무효를 주장하는 경우에는, 이사는 이사회의 구성원이므

---

143) 최기원, 전게서, 681면.
144) 정동윤 대표, 전게서, 348면; 권기범, 전게논문, 192~193면; 이기수·최병규, 전게서, 400면; 이철송, 전게서, 786면; 정동윤, 전게서, 444면; 정찬형, 전게서, 1061면; 최준선, 전게서, 550면; 송옥렬, 전게서, 1029면; 김건식·노혁준·천경훈, 전게서, 424면.
145) 대법원 2014.6.26. 2012다73530(A회사와 B회사의 대표이사가 B회사를 대표하여 B회사 이사회의 승인 없이 A회사를 위한 연대보증계약을 체결한 사안에서 채권자의 악의 입증 없음을 이유로 무효 주장 배척); 2005.5.27. 2005다480(회사가 이사의 채무 연대보증한 건에서 채권자의 악의 입증 없음을 이유로 무효 주장 배척); 2004.3.25. 2003다64688(회사가 대표이사에게 발행한 어음을 취득한 자의 중과실 인정하여 어음발행 무효 주장 인정); 1984.12.11. 84다카1591(동일인이 대표이사 겸직하면서 일방 회사가 타방 회사의 채무를 연대보증한 건에서 채권자의 악의에 대한 심리 없음을 이유로 원심 파기); 1981.9.8. 80다2511(대표청산인이 회사재산을 매수하여 제3자에게 매도한 건에서 그 제3자의 악의 입증 없음을 이유로 무효 주장 배척); 1973.10.31. 73다954(회사가 이사의 채무를 인수한 건에서 채권자의 악의 입증 없음을 이유로 무효 주장 배척) 등.
146) 대법원 2014.6.26. 2012다73530; 2005.5.27. 2005다480; 2004.3.25. 2003다64688 등 다수; 김건식·노혁준·천경훈, 전게서, 424면; 권기범, 전게논문, 193면.
147) 대법원 2012.12.27. 2011다67651; 정동윤 대표, 전게서, 348면; 권기범, 전게논문, 193면; 이기수·최병규, 전게서, 400면; 이철송, 전게서, 786면; 정동윤, 전게서, 444면; 정찬형, 전게서, 1062면; 최기원, 전게서, 682면; 김건식·노혁준·천경훈, 전게서, 424면.
148) 대법원 2009.3.26. 2006다47677; 1990.12.11. 90다카25253; 1984.12.11. 84다카1591; 정동윤 대표, 전게서, 349면.

로 제3자의 경우와 같은 신뢰보호의 필요성이 없으므로 이사가 이사회 승인의 존재에 대한 입증책임이 있다.149)

제398조 각호에 열거된 자 중 이사 이외의 자와 회사 간의 거래가 이사회의 승인을 받지 아니한 경우에도 마찬가지로 상대적 무효라고 본다. 오히려 이들에게는 회사에 대한 손해배상책임을 물을 근거는 없으므로, 회사가 거래의 효력을 부인할 수 있어야 할 필요성은 거래상대방이 이사인 경우보다 더 크다고 할 것이다.150)

이사회 승인을 받지 않았지만 거래가 공정한 경우, 해당 거래의 효력이 문제된다. 과연 회사에게 공정한 거래를 회사가 무효로 할 현실적 필요성이 있는지는 의문이 있을 수 있으나, 현행법 해석상으로는 이사회의 승인이 없는 이상 상대적 무효라고 보는 것이 논리적으로 일관된 해석이고, 이사회 승인이라는 절차적 통제기제를 효율적으로 이행토록 하기 위해서도 상대적 무효설을 일관할 필요가 있을 것으로 생각된다.151)

2) 미개시 거래의 효력

개시의무를 위반한 경우(즉, 개시의 주체를 불문하고, 이사회에서 그 거래에 관한 이사 등의 이해관계 및 그 거래에 관한 중요한 사실들이 개시되지 아니한 경우)에는 이사회의 승인이 없었던 것으로 보아야 하므로 그 거래의 효력은 미승인 거래의 효력과 동일하게 상대적 무효라 할 것이며, 구법 상 판례152)도 동일한 입장이다.

이사 등이 개시의무를 불이행하였지만 거래의 내용이 공정한 경우에도 마찬가지로 이를 무효화할 현실적 필요성이 얼마나 큰 지는 의문이 있을 수 있으나, 상대적 무효설을 취하는 한, 예외적인 경우(즉, 이사 등의 개시의무의 이행이 없이도 이사들이 이해상충의 사실 및 거래의 주요조건을 모두 이해하여 승인한 경우)를 제외하고는, 해당 거래에 대한 이사회 승인은 유효하지 않다고 보는 것이 논리적

---

149) 대법원 2006.3.9. 2005다65180; 정동윤 대표, 전게서, 350면; 임재연, 전게서, 441면.
150) 이철송, 「2011 개정상법 축조해설」(박영사, 2011), 157면.
151) 김정호, 전게서, 498면; 임재연, 전게서, 446면.
152) 대법원 2007.5.10. 2005다4284("그 거래와 관련된 이사는 이사회의 승인을 받기에 앞서 이사회에 그 거래에 관한 자기의 이해관계 및 그 거래에 관한 중요한 사실들을 개시하여야 할 의무가 있고, 만일 이러한 사항들이 이사회에 개시되지 아니한 채 그 거래가 이익상반거래로서 공정한 것인지 여부가 심의된 것이 아니라 단순히 통상의 거래로서 이를 허용하는 이사회의 결의가 이루어진 것에 불과한 경우 등에는 이를 가리켜 상법 제398조 전문이 규정하는 이사회의 승인이 있다고 할 수는 없다").

으로 일관된 해석일 것으로 생각된다. 또, 이사회의 승인의 전제가 되는 사전 개시의무를 효과적으로 강제하기 위해서도 필요한 방안으로 생각된다. 참고로, 개시의무의 이행을 자기거래의 독립적인 유효요건으로 규정하고 있는 ALI PCG §5.02에 의하면 거래의 내용이 공정하다고 하더라도 이사나 상급집행임원이 거래를 완전히 개시하지 아니한 경우에는 요건을 충족하지 못한 것으로 되어 해당 거래는 무효가 될 수 있다. 계약 가격이 시장 가격 범위 내여서 공정하다고 하더라도 회사는 만약 중요사실이 개시되었다면 그 거래를 체결하지 아니할 수도 있었을 것이고, 공정성은 범위로 인정되는 것이 통상이기 때문에 중요사실을 공개했다면 회사는 공정한 범위 내에서 더 낮은 가격으로 거래 했을 수도 있었을 것이기 때문이라고 한다.[153]

3) 불공정한 거래의 효력

이사회의 승인은 있었으나 그 거래의 절차나 내용이 공정하지 못한 경우, (i) 승인이 없었던 것과 동일시하여 거래의 효력을 부인하는 견해[154]와 (ii) 공정성을 확보하지 못한 데 따른 이사의 책임 문제만이 발생한다는 견해[155]가 대립한다.

거래의 공정성은 개별 사안에 따라 달라질 수밖에 없는 불확정 개념이며, 이를 사전적인 요건으로 취급하는 것은 절차적 통제를 본질로 하는 자기거래 규제와는 체계상 잘 부합하지 않는다. 더 나아가, 이사회 승인을 거쳐 거래가 이루어진 후에 그 거래 내용이 불공정하다는 이유로 거래를 무효화한다면 거래의 안전을 심하게 저해할 수 있다. 이사회 승인을 받았는데도 '공정성'이란 불확정 개

---

153) ALI, op. cit., p. 207(Under 5.02, a director or senior executive who fails to make required disclosure has failed to fulfill the duty of fail dealing, even if the terms of the transaction are fair. A contract price might be fair in the sense that it corresponds to market price, and yet the corporation might have refused to make the contract if a given material fact had been disclosed. Furthermore, fairness is often a range, rather than a point, and disclosure of a material fact might have induced the corporation to bargain the price down lower in the range).

154) 이철송, 전게서, 786면은 거래가 불공정하다면 승인은 무의미하므로 승인결의가 무효이고, 승인 없는 거래와 같이 다루어야 한다고 한다.

155) 송옥렬, 전게서, 1030면은 무효설에 따르면 거래의 불확실성이 너무 높아진다는 점을 지적하고 있다. 김정호, 전게서, 499면은 동일한 이유에서 절차적 공정성이 준수된 경우라면 실질적 공정성은 추정되는 것으로 봐야 한다고 하고, 김건식·노혁준·천경훈, 전게서, 426면은 원론적으로는 불공정한 거래는 무효로 보는 것이 타당하다고 하면서도, 무효의 범위가 불필요하게 넓어지는 것을 막기 위하여 불공정성이 현저한 경우에 한하여 무효를 인정해야 할 것이라고 한다.

념에 따라 거래의 효력을 오랜 기간 유동적인 상태에 처하게 하는 것은 일단 자기거래를 이사회에 공개하고 승인을 받도록 함으로써 사익추구를 억제하자는 제398조의 입법 취지에도 부합하지 않는다. 따라서 (i) 이사회 결의에 심대한 절차적 하자가 있는 경우에는 "이해관계인은 언제든지 어떤 방법에 의하든지 그 무효를 주장할 수 있다"는 확립된 판례156)와 통설에 따라 이사회 승인을 무효로 볼 것이고, (ii) 그 거래의 불공정성이 지나쳐서 공서양속 위반(민법 제103조), 불공정 법률행위(민법 제104조) 등의 무효사유가 있다면 그 거래는 무효가 될 것이나, (iii) 이에 해당하지 않는다면 거래의 효력에는 영향이 없고 이사들의 책임 문제만이 발생한다고 보는 것이 합리적이라고 본다.157)

자. 이사 등의 책임

1) 손해배상책임

가) 이사의 경우158)

(1) 거래상대방인 이사

개시의무, 이사회 사전승인을 득할 의무나 거래의 공정성을 확보할 의무를 위반한 거래상대방인 이사는 회사에 대하여 손해배상책임을 진다(제399조). 이 경우 거래상대방인 이사는 자신의 이익과 회사의 이익이 충돌하는 상황에서 불공정한 거래를 통해 회사에 손해를 야기한 것이므로 경영판단의 원칙이 적용되지 아니하고,159) 제398조 위반이므로 정관으로 정하는 바에 따라 손해배상책임을 감경할 수 없다(제400조 제2항 단서). 이사회의 승인이 있었다고 하더라도 거래가 불공정하거나, 개시의무를 위반한 경우에는 해당 거래에 대해 이사의 책임이 면제되는 것은 아니고, 총주주의 동의에 의해서만 면제될 수 있다(제400조 제1항).

(2) 해당 거래를 승인한 이사 및 회사를 대표하여 거래한 이사

자기거래를 승인한 이사는 그 승인에 대해 선관주의의무 위반이 인정되는 경우에 한해 회사에 대하여 손해배상책임을 진다(제399조). 미국법에서의 의미와

---

156) 대법원 2000.2.11. 99다30039; 1988.4.25. 87누399 등.
157) 임재연, 전게서, 447면; 천경훈, 전게논문, 85면.
158) 천경훈, 전게논문, 86면.
159) 송옥렬, 전게서, 1030면.

동일하지는 않지만 우리 법의 해석에서도 경영판단의 원칙이 적용된다고 보이므로, 그 상황에서 합당한 정보를 가지고 적합한 절차에 따라 회사의 이익을 위하여 신의성실에 따라 승인 심사를 하였다면 선관주의의무의 위반을 인정할 수는 없을 것이다. 승인한 이사에게 선관주의의무 위반이 인정된다면 제400조 제2항 본문에 따라 손해배상책임을 감경할 수 있을까? 법문상 다소 불명확한 점은 있으나, 이사회의 승인에 참여한 이사는 이른바 충실의무(duty of loyalty)의 주체가 아니라는 점 및 법문구의 규정 내용에 비추어 제400조 제2항 본문은 계속하여 적용된다고 보는 것이 합리적이라고 생각된다.160) 따라서 그 승인에 해당 이사의 고의·중과실이 없는 한 손해배상책임의 범위가 제한된다고 보는 것이 타당하다(제400조 제2항 본문), 책임은 총주주의 동의로 면제될 수 있음은 물론이다(제400조 제1항).

자기거래에 대해 이사회의 승인 혹은 결의에 따라 회사를 대표하여 거래한 이사 역시 위와 같은 해석론이 적용될 수 있을 것이다. 다만, 자기거래에 해당함을 알고서도 이사회의 승인이 없는 상태에서 이사 등과 자기거래를 행한 이사는 이사회의 승인을 받지 않고 자기거래를 행한 경우에 해당하여 손해배상책임을 감경할 수 없다고 해석하는 것이 타당하다(제400조 제2항 단서).

나) 이사 이외의 자의 경우

이사 이외의 자들에게 회사와 공정한 조건으로 거래할 일반적인 의무를 부과하기는 어려우므로 그 거래가 불공정하여 회사에 손해가 발생했다고 하더라도 이들에게 원칙적으로 손해배상책임(제399조)을 추궁할 수는 없다고 본다. 그 외의 개시의무의 위반이나, 이사회의 승인을 득하기 전에는 회사와 거래를 행하지 아니할 의무의 위반에 대해서는 법정 의무 위반으로서 민법상의 불법행위 책임을 부담하는 경우가 있을 수 있을 것이다.

2) 기타 책임

회사는 자기거래를 위반한 이사를 해임할 수 있고, 해당 이사는 배임으로 처벌될 수 있다(제622조 제1항, 형법 제356조, 제355조 제2항 등). 이 때 이사회의 승인이 있었다고 하더라도 배임죄의 성립에 어떠한 영향이 있는 것은 아니다.161)

---

160) 정동윤 대표, 전게서, 350면.
161) 대법원 2000.11.24. 99도822.

이사회 결의에 찬성한 이사의 경우, 결의에 찬성하고 그 결의내용을 적은 이사회 회의록에 날인한 것만으로는 배임죄의 공범이 되지 아니하나,[162] 업무상 배임죄의 실행으로 인하여 이익을 얻은 수익자 및 그와 밀접한 관련이 있는 제3자로서 실행행위자의 배임행위를 교사하거나 배임행위의 전(全) 과정에 관여하여 적극 가담한 경우라면 배임죄의 공범이 될 수 있다.[163]

차. 기타 관련 규정

1) 상장회사에 관한 상법 규정[164]

가) 신용공여의 원칙적 금지 및 예외

상장회사는 (i) 주요주주[165] 및 그의 특수관계인,[166] (ii) 이사(제401조의2 제1항 각호에서 정한 업무집행지시자 등 포함), (iii) 감사를 상대방으로 하거나 이들을 위하여 신용공여[167]를 하여서는 안 된다(제542조의9 제1항). 이 금지규정에 위반한 약정의 효력과 관련하여, 이 조문의 전신에 해당하는 구 증권거래법 제191조의19 제1항에 위반한 거래의 효력에 대해 동 규정을 단속규정으로 파악하여 사법적 효력에는 영향이 없다고 본 하급심판례가 있으나,[168] 상법에 편입된 이후로도 같은 결론을 유지할 수 있을지는 불분명하다.[169]

다만 (i) 학자금, 주택자금 또는 의료비 등 복리후생을 위하여 회사가 정하는

---

162) 대법원 1985.7.23. 85도480.

163) 대법원 1999.7.23. 99도1911.

164) 정준우, 전게논문, 259~269면은 제398조와 제542조의9의 입법취지의 유사성, 규정내용의 유사성 등을 근거로 양 규정의 합리적인 재조정이 필요하다고 한다.

165) '주요주주'란 "누구의 명의로 하든지 자기의 계산으로 의결권 없는 주식을 제외한 발행주식 총수의 100분의 10 이상의 주식을 소유하거나 이사·집행임원·감사의 선임과 해임 등 상장회사의 주요 경영사항에 대하여 사실상의 영향력을 행사하는 주주"를 의미한다(제542조의8 제2항 제6호).

166) 시행령 제34조 제4항 참조.

167) '신용공여'란 금전 등 경제적 가치가 있는 재산의 대여, 채무이행의 보증, 자금 지원적 성격의 증권 매입, 그 밖에 거래상의 신용위험이 따르는 직접적·간접적 거래로서 대통령령이 정하는 거래를 말하며(제542조의9 제1항), 시행령 제35조 제1항에서 다시 이를 매우 폭넓게 규정하고 있어 사실상 신용공여의 실질을 가진 대부분의 거래를 포괄한다.

168) 서울중앙지방법원 2009.6.2. 2009가합414.

169) 김건식·노혁준·천경훈, 전게서, 428면; 정동윤 대표, 전게서, 355면은 규정의 형식과 내용상 강행규정으로 볼 수 있으므로 이에 위반한 행위의 사법상 효력은 무효라고 하며, 이철송, 전게서, 789면은 이 규정이 증권거래법에 있을 때에는 단속규정으로 보는 것이 타당하나, 상법으로 옮겨온 이상 상법에서 행위를 제한하는 여타 규정과 마찬가지로 효력규정으로 보되 자기거래와의 균형상 상대적 무효로 보는 것이 타당하다고 한다.

바에 따라 3억 원의 범위 안에서 금전을 대여하는 행위(제542조의9 제2항 제1호, 시행령 제35조 제2항), (ii) 다른 법령에서 허용하는 신용공여(제542조의9 제2항 제2호), (iii) 회사의 경영건전성을 해칠 우려가 없고 회사의 경영상 목적을 달성하기 위하여 필요한 경우로서 법인인 주요주주 또는 그 특수관계인을 상대로 하거나 그를 위하여 적법한 절차에 따라 행하는 신용공여(제542조의9 제2항 제3호, 시행령 제35조 제3항)는 예외적으로 허용된다.

나) 대규모 거래의 규제

최근 사업연도 말 현재의 자산총액이 2조원 이상인 상장회사(시행령 제35조 제4항)는 최대주주, 그의 특수관계인 및 그 상장회사의 특수관계인을 상대방으로 하거나 그를 위하여 (i) 단일 거래규모가 대통령령으로 정하는 규모[170] 이상인 거래 또는 (ii) 해당 사업연도 중에 특정인과의 해당 거래를 포함한 거래총액이 대통령령으로 정하는 규모[171] 이상이 되는 경우의 해당 거래를 하려는 경우에는 이사회의 승인을 받아야 한다(제542조의9 제3항).

"거래를 하려는 경우"라고 하고 있으므로 이사회의 '사전' 승인을 요구하고 있다. 또한 이러한 대규모 거래에 관하여는 이사회의 승인 결의 후 처음으로 소집되는 정기주주총회에 (i) 해당 거래의 목적, (ii) 상대방, (iii) 거래의 내용, 날짜, 기간 및 조건, (iv) 해당 사업연도 중 거래상대방과의 거래유형별 총 거래금액 및 거래잔액을 보고하여야 한다(제542조의9 제4항, 시행령 제35조 제8항).

이러한 승인이 없을 경우의 거래의 효력에 관해서는 이사회결의 없는 자기거래의 효력, 즉 제398조 위반의 효력과 같다고 보는 견해[172]가 있으나, 법령상 이사회 결의가 필요한 업무집행을 대표이사가 이사회 결의 없이 수행한 이른바 전단적 대표행위에 관한 판례 및 학설상의 논의[173]가 적용될 것이다.

---

170) 금융위원회 검사대상기관인 경우에는 해당회사의 최근 사업연도말 현재의 자산총액의 100분의 1, 그 외의 경우에는 해당 회사의 최근 사업연도말 현재의 자산총액 또는 매출총액의 100분의 1(시행령 제35조 제6항). 즉 금융기관은 자산, 비금융기관은 자산 또는 매출을 기준으로 1% 이상인 거래를 말한다.

171) 금융위원회 검사대상기관인 경우에는 해당회사의 최근 사업연도말 현재의 자산총액의 100분의 5, 그 외의 경우에는 해당 회사의 최근 사업연도말 현재의 자산총액 또는 매출총액의 100분의 5(시행령 제35조 제7항). 즉 금융기관은 자산, 비금융기관은 자산 또는 매출을 기준으로 5% 이상인 거래를 말한다.

172) 정동윤 대표, 전게서, 356면; 이철송, 전게서, 788면.

173) 중요한 자산의 처분 등에 있어 이사회의 결의를 요하는데도 이사회의 결의 없이 거래가 이루어진 경우 그 거래상대방이 이사회결의가 없었음을 알았거나 알 수 있었을 경우가 아니

다만 상장회사가 경영하는 업종에 따른 일상적인 거래로서 (i) '약관의 규제에 관한 법률'에서 정한 약관에 따라 정형화된 거래는 이사회의 승인을 받지 않고 할 수 있고(제542조의9 제5항 제1호, 시행령 제35조 제9항), (ii) 이사회에서 승인한 거래총액의 범위 안에서 이행하는 거래는 건별로 이사회의 승인을 추가로 받지 않아도 된다(제542조의9 제5항 제2호). (ii)에 해당하는 거래에 관하여는 주주총회에 보고하지 아니할 수 있다.

다) 제398조와의 관계

제542조의9를 제398조와의 관계에서 배타적으로 적용된다고 본다면 비상장회사보다 상장회사의 자기거래에 대해 규제를 대폭 완화하는 결과를 초래할 수 있으므로 중첩적으로 적용된다고 할 것이다.[174] 따라서 신용공여가 예외적으로 허용되는 경우나 대규모 거래의 경우에도 제398조에 의한 이사회 승인을 받을 것이 요구된다. 다만, 제542조의9 제1항은 제398조와 달리 신용공여를 아예 금지하고 있으므로 동조가 배타적으로 적용된다.[175]

2) 독점규제법 관련 규정

가) 대규모 내부거래 이사회 의결 및 공시

독점규제법 제11조의2 제1항에서는 제14조 제1항 전단에 따라 자산총액 등이 일정규모 이상인 기업집단으로서 공시대상기업집단으로 지정된 회사 ("공시대상기업집단")[176]에 속하는 회사가 특수관계인을 상대방으로 하거나 특수관계인을 위하여 대통령령이 정하는 규모[177] 이상의 다음 각 호의 거래행위를 하고자 하

라면 거래는 유효하다는 것이 일관된 판례의 태도이다(대법원 2009.3.26. 2006다47677; 1995.4.11. 94다33903 등 다수). 다만 신주발행의 경우에는 이사회 결의가 없었더라도 상대방의 선의 여부와 관계없이 언제나 유효로 본다(대법원 2007.2.22. 2005다77060, 77077).

174) 김건식·노혁준·천경훈, 전게서, 430면. 이에 대하여 정동윤 대표, 전게서, 354면은 제542조의9는 주요주주 등 이해관계자와 회사와의 이익충돌을 방지하기 위하여 제398조에서 정한 이사와 회사 간의 자기거래 제한을 확대·강화한 것으로, 상장회사에 있어서는 제542조의9가 우선적으로 적용된다고 한다.

175) 이철송, 전게서(2011), 157면; 안수현, "상장회사특례규정상의 주요주주 등 이해관계자와의 거래에 관한 규제 재검토,"「선진상사법률연구」통권 제58호(법무부 상사법무과, 2012. 4.), 12면.

176) 직전 사업연도 자산총액 합계액이 5조원 이상인 기업집단을 의미한다(독점규제법 시행령 제17조의8 제1항, 제17조 제1항, 제21조 제1항).

177) 거래금액(4호의 경우에는 분기에 이루어질 거래금액 합계액)이 그 회사 자본총계 또는 자본금 중 큰 금액의 100분의 5 이상이거나 50억 원 이상인 거래행위를 의미한다(독점규제

는 때에는 '미리' 이사회의 의결을 거친 후 이를 공시하도록 하고 있다. (i) 가지급금 또는 대여금 등의 자금을 제공 또는 거래하는 행위(제1호), (ii) 주식 또는 회사채 등의 유가증권을 제공 또는 거래하는 행위(제2호), (iii) 부동산 또는 무체재산권 등의 자산을 제공 또는 거래하는 행위(제3호) 및 (iv) 대통령령으로 정하는 계열회사[178]를 상대방으로 하거나 동 계열회사를 위하여 상품 또는 용역을 제공 또는 거래하는 행위(제4호).

즉, 자산총액 5조 원 이상인 대규모 공시대상기업집단 소속회사에 대해서는 2011년 상법 개정 이전에 이미 상당히 넓은 범위의 거래에 관하여 이사회 사전승인이 법률로 요구되고 있는 것이다. 이러한 이사회 결의가 없이 이루어진 행위의 효력에 관하여는 별다른 판례와 학설이 없으나, 역시 전단적 대표행위에 관한 학설 및 판례가 참고가 될 수 있을 것이다.

나) 부당내부거래 규제

독점규제법 제23조 제1항 제7호에서는 부당하게 특수관계인 또는 다른 회사에 대하여 가지급금, 대여금, 인력, 부동산, 유가증권, 상품, 용역, 무체재산권 등을 제공하거나 상당히 유리한 조건으로 거래하거나 다른 사업자와 직접 상품·용역을 거래하면 상당히 유리함에도 불구하고 거래상 실질적인 역할이 없는 특수관계인이나 다른 회사를 매개로 거래하여 특수관계인 또는 다른 회사를 지원하는 행위를 금지하고 있다. 대규모공시대상기업집단 소속 여부를 불문하고 모든 사업체에 적용되며, 비계열회사와의 거래에도 적용된다.

독점규제법 제23조의2는 동일인이 자연인인 상호출자제한공시대상기업집단에 속하는 회사는, 특수관계인(동일인 및 친족)이나 특수관계인이 발행주식총수의 100분의 30(주권상장법인이 아닌 회사의 경우에는 100분의 20) 이상을 소유하고 있는 계열회사와, 정상적인 거래에서 적용되거나 적용될 것으로 판단되는 조건보다 상당히 유리한 조건으로 거래하는 행위 등 동조 제1항 각호의 행위를 통하여 특수관계인에게 부당한 이익을 귀속시키는 것을 원칙적으로 금지하고 있다.

법 시행령 제17조의8 제2항).
[178] 독점규제법 시행령 제17조의8 제3항 참조. 기본적으로 일정한 절차에 따라 '계열분리'를 하지 않는 한 동일인과 특수관계에 있거나 동일인의 지배하에 있는 모든 회사를 포괄하는 매우 넓은 개념이다.

5. 회사기회의 유용 금지 맹 수 석*

가. 서 설

1) 입법 배경

이사는 회사에 대하여 충실의무를 부담한다(제382조의3). 따라서 회사와 이사 간에 이해가 대립할 경우, 이사는 자신의 이익을 위해서가 아니라 회사의 이익을 위해 직무를 충실하게 수행하여야 한다. 이러한 원칙에서 상법은 경업금지 규정(제397조)과 자기거래금지 규정(제398조) 등을 두고 있다. 그런데 이사가 그 지위에 있음으로 인하여 알게 된 정보 등을 이용해서 회사에게 제의된 사업기회를 개인적으로 유용하는 경우, 충실의무 규정의 하위 규정인 이들 조항에 의해 해결하는 데에는 한계가 있었다. 이에 개정상법은 이사가 회사기회를 유용하는 행위를 하는 것을 반규범적 행위로 규정하여 금지하기에 이르렀는데, 이를 '회사 기회의 유용금지'라 한다.

회사기회의 유용금지 법리는 2006년 상법(회사법) 개정시안[1]에 포함되면서 활발하게 논의되기 시작하였는데,[2] 2011년 개정상법은 제397조의2(회사의 기회

---

* 충남대학교 법학전문대학원 교수

1) 당시 개정시안 제382조의5(회사기회의 유용금지)에서는 "이사는 장래 또는 현재에 회사의 이익이 될 수 있는 회사의 사업기회를 이용하여 자기의 이익을 취득하거나 제3자로 하여금 이익을 취득하도록 하여서는 아니 된다."고 규정하고 있었다.

2) 회사기회의 유용금지에 관한 국내 논문으로는, 강태훈, "미국판례를 중심으로 한 '회사의 재정적 무능력' 주장의 검토," 「법조」 제671권(법조협회, 2012), 29면 이하; 고재종, "회사기회의 법리와 이사의 경업행위 – 미국법을 중심으로," 「외법논집」 제16집(한국외국어대학교 법학연구소, 2004), 263면 이하; 권상로, "현행 상법상 회사기회유용금지 규정에 관한 문제점과 개선방안에 관한 연구," 「기업법연구」 제30권 제3호(한국기업법학회, 2016), 127면 이하; 권순희, "상법 개정안 제398조 제3항(회사기회의 유용금지)에 관한 이론적 검토," 「상사법연구」 제26권 제3호(한국상사법학회, 2007), 27면 이하; 권재열, "회사기회의 법리 – 2007년 2월 조정된 상법개정안의 비교법적 검토 –," 「상사법연구」 제25권 제4호(한국상사법학회, 2007), 71면 이하; 김두진, "상법상 회사기회유용금지법리," 「인문사회과학연구」 제18권 제4호(부경대학교 인문사회과학연구소, 2017), 373면 이하; 김원기·박선종, "회사기회유용금지의 법리," 「기업법연구」 제21권 제3호(한국기업법학회, 2007), 83면 이하; 김재범, "이사 자기거래와 회사기회유용의 제한," 「법학논고」 제29집(경북대학교 법학연구소, 2007), 107면 이하; 김정연, "영국의 회사기회유용 법리," 「상사법연구」 제38권 제4호(한국상사법학회, 2020), 33면 이하; 김정호, "경업거래, 기회유용 및 손해배상 – 대법원 2018. 10.25. 선고 2016다16191 판결의 평석을 겸하여 –," 「경영법률」 제29집 제4호(한국경영법률학회, 2019), 69면 이하; 김정호, "회사기회유용금지의 법리," 「경영법률」 제17집 제2호(한국경영법률학회, 2007), 147면 이하; 김홍기, "회사기회의 법리와 우리나라의 해석론, 입

및 자산의 유용금지)를 신설하여 명문으로 이를 입법화하였다.[3) 회사기회의 유용

법방안에 대한 제안," 「상사판례연구」 제21권 제2호(한국상사판례학회, 2008), 99면 이하; 김홍식, "회사기회유용금지규정의 해석에 관한 연구 – 도식화에 의한 단계별 고찰을 중심으로 –," 「금융법연구」 제10권 제1호(한국금융법학회, 2013), 517면 이하; 김희준, "일감몰아주기 관행에 대한 회사기회유용금지법리의 적용여부 검토," 「법과정책」 제20집 제1호(청주대학교 법과정책연구소, 2014), 235면 이하; 김희철, "개정상법의 회사기회 및 자산유용금지규정에 관한 소고," 「법조」 제660권(법조협회, 2011), 208면 이하; 맹수석·이형욱, "이사의 회사 사업기회유용과 판례 법리의 검토," 「법과 기업 연구」 제11권 제2호(서강대학교 법학연구소, 2021), 37면 이하; 백정웅, "회사기회유용이론의 적용기준과 항변사유," 「비교사법」 제16권 제2호(한국비교사법학회, 2009), 419면 이하; 서완석, "회사기회유용 금지이론," 「법학논총」 제27집 제1호(전남대학교 법학연구소, 2007), 235면 이하; 손창일, "미국법상의 회사기회이론," 「경영법률」 제27집 제1호(한국경영법률학회, 2016), 167면 이하; 송옥열, "기업집단에서 회사기회유용의 판단기준," 「상사판례연구」 제34권 제2호(한국상사판례학회, 2021), 115면 이하; 신병동, "기업집단의 지배구조와 회사기회 유용금지에 관한 소고," 「법학논총」 제21집 제3호(조선대학교 법학연구원, 2014), 61면 이하; 송일두, "회사기회유용의 이사회 승인시 고려요소에 관한 연구–신규사업기회를 중심으로–," 「법학연구」 제22권 제2호(인하대학교 법학연구소, 2019), 103면 이하; 신현탁, "사업기회유용금지의무 위반의 효과," 「기업법연구」 제28권 제3호(한국기업법학회, 2014), 171면 이하; 유주선, "주식회사에서 회사기회유용에 관한 문제–법학방법론적 관점에서–," 「경영법률」 제23집 제1호(한국경영법률학회, 2012), 265면 이하; 육태우, "회사기회유용금지이론에 관한 소고," 「성균관법학」 제19권 제3호(성균관대학교 법학연구소, 2007), 295면 이하; 이영철, "회사기회 유용금지 규정의 해석상 과제," 「기업법연구」 제28권 제1호(한국기업법학회, 2014), 151면 이하; 이중기, "이익충돌의 판정기준과 '법인격'의 고려여부, 회사기회 유용법리와 회사법상 충실의무법리의 전개," 「민사판례연구」 제37권(민사판례연구회, 2015), 595면 이하; 임재연, "회사기회의 유용," 「인권과 정의」 제363호(대한변호사협회, 2006), 176면 이하; 임재호, "모회사 이사의 자회사 지배주식 인수에 따른 법률관계 – 대법원 2014.9.12. 선고 2011다57869 판결 –," 「법학논총」 제21집 제3호(조선대학교 법학연구원, 2014), 27면 이하; 전삼현, "회사기회의 유용 및 자기거래 규제에 따른 실무적 현안과 법적 과제," 「기업법연구」 제25권 제4호(한국기업법학회, 2011), 43면 이하; 장재영·정준혁, "개정상법상 회사기회유용의 금지," 「BFL」 제51호(서울대학교 금융법센터, 2012), 32면 이하; 천경훈, "회사기회유용에 관한 영국과 독일의 법리 연구," 「상사법연구」 제34권 제4호(한국상사법학회, 2016), 45면 이하; 천경훈, "개정상법상 회사기회유용 금지규정의 해석론 연구," 「상사법연구」 제30권 제2호(한국상사법학회, 2011), 143면 이하; 최문희, "기업집단에서의 회사기회유용," 「BFL」 제19호(서울대학교 금융법센터, 2006), 22면 이하; 최수정, "개정상법상 회사기회 유용금지 조항에 관한 소고–경제민주화 논의와 관련하여–," 「경영법률」 제23집 제2호(한국경영법률학회, 2013), 103면 이하; 최완진, "상법 개정의 방향에 관한 고찰," 「외법논집」 제25집(한국외국어대학교 법학연구소, 2007), 193면 이하; 최준선, "회사기회유용금지이론에 관한 고찰," 「저스티스」 통권 제95호(한국법학원, 2006), 123면 이하; 하삼주, "메인 주 대법원판결을 통해 본 회사기회이론의 적용범위 – Northeast Harbor Golf Club 사건에 관하여 –," 「상사판례연구」 제21집 제4권(한국상사판례학회, 2008), 403면 이하 등이 있다.

3) 입법 과정에 대해서는, 구승모, "상법 회사편 입법과정과 향후 과제," 「선진상사법률연구」 제55호(법무부, 2011), 115면 이하; 이윤석, "회사기회유용의 적용요건과 입법에 관한 검토," 「비교사법」 제17권 제2호(한국비교사법학회, 2010), 109면 이하; 천경훈, "개정상법상 회사기회유용 금지규정의 해석론 연구," 「상사법연구」 제30권 제2호(한국상사법학회, 2011), 143면 이하 참조.

금지 조항은 회사법 개정 과정에서 사회적·정치적으로 가장 민감한 쟁점 조항 가운데 하나였는데,[4] 이사가 직무상 알게 된 회사의 정보를 이용하여 회사가 취해야 할 사업기회를 개인적으로 가로채 재산을 증식하는 등의 사례를 방지하기 위해 개정상법에 명문화한 것이다.[5] 회사기회의 유용 금지를 상법상 이사의 충실의무와 같은 일반규정으로 규율할 수 있지만,[6] 이를 보다 명확하게 하기 위하여 특수한 상황에서의 이사의 의무를 규정하는 경업금지(제397조)나 자기거래금지(제398조)와 같이 별도의 규정으로 신설한 것으로 볼 수 있다.[7]

제397조의2(회사의 기회 및 자산의 유용 금지) ① 이사는 이사회의 승인 없이 현재 또는 장래에 회사의 이익이 될 수 있는 다음 각호의 어느 하나에 해당하는 회사의 사업기회를 자기 또는 제3자의 이익을 위하여 이용하여서는 아니 된다. 이 경우 이사회의 승인은 이사 3분의 2 이상의 수로써 하여야 한다.

---

4) 2006년 개정시안 가운데 이중대표소송제도, 집행임원제도, 회사기회유용금지의 법리 등 3개 쟁점에 대하여 재계가 반대하자 법무부는 「상법쟁점사항조정위원회」를 구성하여 3회의 공개토론을 거친 후, 이중대표소송제도는 배제하는 대신 집행임원제도는 도입하며, 회사기회유용금지는 그 적용범위를 대폭 축소하여 이사의 자기거래 규정(제398조 제3항)에 포함시키기로 하였다. 그런데 국회의 입법과정에서 회사기회의 유용이 회사의 사업에 대한 침해라는 측면에서 경업과 유사하다는 점을 고려하여 경업금지 규정(제397조)에 이어서 규정하게 된 것이다(임재연, 「회사법 II」 개정3판(박영사, 2016), 419면).

5) 구승모, 전게논문, 123~124면. 그리고 이 제도는 대기업이 대주주의 지배하에 있는 신생기업에게 '일감 몰아주기'를 함으로써 단기에 신생기업을 급성장시키고, 이를 통해 대주주가 용이하게 경영권승계를 하거나 회사의 부를 유출하는 등 비상장회사를 활용하여 위법 또는 비윤리적인 거래나 구조조정을 하는 것을 방지하기 위한 목적으로 도입된 것이기도 하다(김건식, 「회사법」(박영사, 2018), 437면; 김건식·노혁준·박준·송옥렬·안수현·윤영신·최문희(이하 "김건식 외"라 함), 「신체계 회사법」 제6판(박영사, 2016), 229면; 김화진, 「기업지배구조와 기업금융」 제2판(박영사, 2012), 323면). 특히 법무부는 입법 배경과 관련하여 '현대글로비스'와 'SK C&C'라는 회사의 경우를 예로 들어 설명하고 있다. 전자의 경우는 현대자동차그룹이 지배주주로 되어 설립된 글로비스라는 물류회사에 현대자동차 등 현대그룹 회사들이 상품운송을 대량으로 몰아주어 큰 이익을 부여한 예이고, 후자는 SK그룹이 지배주주로 되어 설립한 SK C&C라는 정보통신서비스 회사에 대해 SK텔레콤 등이 일감을 몰아주어 회사의 이익을 키운 사례이다(국회 법제사법위원회, 「상법 일부개정법률안(정부제출) 검토보고(회사편)」(2008. 11.), 150면 이하; 이철송, 「2011 개정상법 축조해설」(이하 "축조해설"이라 함)(박영사, 2011), 149면 참조).

6) 회사기회유용과 관련하여 우리나라에서 논란이 되었던 글로비스 사건에서 법원은 "회사기회유용의 법리는 우리 법제하에서 이사의 선관주의의무 내지 충실의무에 포섭할 수 있는 범위 내에서 인정할 수 있다."고 판시한 바 있다(서울중앙지방법원 2011.2.25. 2008가합47881).

7) 이번 개정상법에서 주식회사 이사에게 부과되는 의무는 포괄적인 충실의무(제382조의3) 규정과 함께, 구체적으로는 비밀유지의무(제382조의4), 경업금지 및 겸직금지의무(제397조 제1항), 자기거래금지의무(제398조), 회사의 기회 및 자산의 유용금지의무(제397조의2)로 세분화되었다.

1. 직무를 수행하는 과정에서 알게 되거나 회사의 정보를 이용한 사업기회
2. 회사가 수행하고 있거나 수행할 사업과 밀접한 관계가 있는 사업기회
② 제1항을 위반하여 회사에 손해를 발생시킨 이사 및 승인한 이사는 연대하여 손해를 배상할 책임이 있으며 이로 인하여 이사 또는 제3자가 얻은 이익은 손해로 추정한다.

2) 의의와 법적 성질

가) 의　의

회사기회의 유용금지란 이사가 이사회의 승인 없이 현재 또는 장래에 회사의 이익이 될 수 있는 일정한 사업기회 및 자산을 유용하지 아니할 의무를 말한다(제397조의2). 국내에서는 그동안 "회사기회의 법리," "회사기회이론," "회사기회의 유용금지," "사업기회 유용금지," "회사기회의 유용이론," "회사기회유용금지이론," "회사기회 탈취이론" 등으로 표현해 왔으나,[8] 이러한 용어는 동일한 의미라 할 것이다.[9] 이는 미국에서 발전된 회사기회 유용금지의 원칙(usurpation of corporate opportunity doctrine)을 입법화한 것으로 볼 수 있는데,[10] 여전히 회사기회가 무엇인가에 대한 모호성이 남아있음에도 불구하고[11] 일정한 범위에서 그 기준을 제시함으로써 법적 명확성과 예측가능성을 높일 수 있다는 긍정적 측면이 있다고 본다.[12]

이사는 회사의 영업과 재산을 관리하는 지위에 있으므로 상시 회사의 이익을 가로챌 수 있는 지위에 있으므로 상법은 이사에 대해 경업의 금지(제397조)와

---

8) 우리나라 하급심 판례는 미국 판례법상 발전된 이론인 '회사기회 유용의 법리'에 대해, 회사의 이사 또는 임원 등 회사에 대하여 충실의무를 지는 자가 사적인 이익을 위하여 자신들의 수탁자로서의 지위 및 신뢰관계를 이용하여 회사의 기회를 부당하게 탈취하여서는 안된다는 법리로 이해하고 있다(서울중앙지방법원 2011.2.25. 2008가합47881).
9) 이하에서는 "회사기회"와 "사업기회"를 혼용하여 쓰기로 한다.
10) 권기범, 「현대회사법론」, 제5판(삼영사, 2014), 786면; 김건식, 전게서, 437면; 김건식 외, 전게서, 230면; 김정호, 「회사법」 제4판(법문사, 2015), 502면; 송옥렬, 「상법강의」 제10판(홍문사, 2020), 1067면; 이철송, 「회사법강의」 제28판(이하 "회사법강의"라 함)(박영사, 2020), 771면; 장덕조, 「회사법」 제3판(법문사, 2017), 351면; 정동윤, 「상법(상)」 제6판(법문사, 2012), 636면; 정찬형, 「상법강의(상)」 제23판(박영사, 2020), 1041면; 최준선, 「회사법」 제13판(이하 "회사법"이라 함)(삼영사, 2018), 533면; 홍복기, 「회사법강의」 제7판(법문사, 2019), 495면; 홍복기·김성탁·김병연·박세화·심영·권재열·이윤석·장근영(이하 "홍복기 외"라 함), 「회사법」 제5판(박영사, 2017), 440면 외.
11) 김화진, 전게서, 327면.
12) 김건식 외, 전게서, 230면; 홍복기, 전게서, 495면; 홍복기 외, 전게서, 440면.

자기거래의 제한(제398조)을 하고 있다. 그런데 경제의 발전 등에 따라 이사가 이사의 지위에서 얻은 정보 등에 기해 영리를 취할 기회가 늘어나고 있고, 종래의 경업금지와 자기거래 제한 규정을 위배하지 않고도 회사의 사업기회를 유용할 수 있는 기회도 늘어나고 있다. 이에 2011년 개정상법은 경업금지 및 자기거래에 해당하지 않는 제3유형의 이익충돌을 규율하기 위해 회사기회의 유용금지 규정을 둔 것이다.[13]

나) 다른 개념과의 구별

이사 등이 회사와 거래하는 경우 이사 등은 자기 또는 제3자의 이익을 위하여 회사의 이익을 희생하기 쉽기 때문에, 상법은 이사의 자기거래를 원칙적으로 금지하고 있다(제398조).[14] 이와 같이 이사 등의 자기거래는 직접 회사를 상대로 하는 반면, 회사기회의 유용은 이사와 회사 간 거래가 이루어지기보다는 대부분 회사 아닌 자와 거래가 이루어지기 때문에 회사가 알기 어렵다는 점에서 양자는 차이가 있다.[15]

또한 이사는 이사회를 통하여 또는 대표이사의 지위에서 회사의 업무를 집행하므로 회사의 비밀을 잘 알게 되는데, 이사 등이 업무수행상 알게 된 이러한 비밀을 이용하여 자기 또는 제3자의 이익을 도모해서는 아니 된다. 이에 상법은 회사의 이익을 보호하기 위해 이사의 충실의무를 포함한 선관의무를 구체화한 경업금지의무(doctrine of corporate competition; competition with the corporation)[16]를 규정하고 있다(제397조).[17] 이와 같은 측면에서 회사기회의 유용금지의무는 이사의 경업금지의무와 유사하다. 그러나 경업금지의무는 이사가 직접 회사가 행하는 영업과 동종의 영업을 금지하는 것임에 비하여, 회사기회의 유용금지의무는

---

13) 이철송, 전게서(회사법강의), 771면.

14) 이사의 자기거래를 원칙적으로 금지하는 상법 제398조의 법적 성질은 이사에게 요구되는 충실의무를 포함한 선관의무를 구체화한 것이라 할 것이다. 2011년 개정상법은 이사 이외에 주요주주 등에 대해서도 자기거래금지의무를 부과하고 있는데, 이는 이사에 대한 것과는 달리 법정의무로 이해된다(정찬형, 전게서, 1041~1042면).

15) 김건식, 전게서, 437면; 김건식 외, 전게서, 229면; 송옥렬, 전게서, 1068면; 이기수·최병규, 「회사법」 제9판(박영사, 2012), 402면; 임재연, 전게서, 420면; 최준선, 전게논문, 125면.

16) 미국법상 이사 등의 경업금지의무는 ALI원칙 §5.06에 규정되어 있다(허덕회, "이사의 회사기회유용에 관한 규제(ALI의 기업지배구조원칙(Principles of Corporate Governance를 중심으로)," 「상사법연구」 제20권 제2호(한국상사법학회, 2001), 473~503면 참조).

17) 정찬형, 전게서, 1041~1042면.

반드시 동종영업을 하는 것만을 제한하는 것이 아니라는 점에서 차이가 있다.[18) 또한 이사 등의 경업금지의무는 '현재'의 회사의 이익을 보호하기 위한 것이지만, 회사기회의 유용금지의무는 원칙적으로 '장래'의 회사의 이익을 보호하기 위한 것이라는 점에서 양자는 구별된다.

다) 법적 성질

회사기회의 유용금지는 우리 상법에서 인정하고 있는 이사의 선관의무, 특히 충실의무(duty of loyalty)를 구체화한 것이다(제382조의3).[19) 따라서 회사기회유 용금지는 경업금지의무, 자기거래금지의무, 비밀유지의무 등과 함께 이사의 회사 에 대한 충실의무의 구체적인 내용을 이루는 것이며, 별도로 이사에게 특별히 새로운 의무가 부과되는 것은 아니다.[20)

나. 각국의 입법례

1) 미 국

가) 회사기회의 법리 전개

미국의 경우에는 경업거래규제와 회사의 기회유용이론이 병존하고 있다.[21) 이사 등의 경영자 또는 지배주주와 회사 사이에는 신임관계가 존재한다고 여겨 져, 이사나 지배주주는 회사에 대해서 신인의무를 지게 되는데, 그 일환으로서 이사나 지배주주는 회사의 이익을 희생하여 스스로의 이득을 얻어서는 안 된다 고 하는 이른바 충실의무를 진다. 이로부터 이사나 지배주주는 정당하게 회사에 속해야 할 사업상의 기회를 자기의 이익을 위해 취득하는 것이 금지되는데, 이 이론을 회사기회의 법리(corporate opportunity doctrine)라 한다.[22)

이 이론은 회사는 스스로의 업무에 부수하는 것으로 보이는 사업상의 기회 및 이익에 대해 우선적인 권리(prior claim)를 가진다는 전제로부터, 회사와 위임

---

18) 회사기회의 유용금지는 이사 등의 경업금지의무의 범위를 조금 더 확대한 것이라는 견해도 있다(권재열, 전게논문, 104면; 최준선, 전게논문, 125면).
19) 정찬형, 전게서, 1041~1042면.
20) 최준선, 전게논문, 126~127면.
21) 권기범, 전게서, 788면; 임재연, 전게서, 425~426면.
22) H. Henn & J. Alexander, Laws of Corporations, 3rd ed., 1983, pp. 632~633; Carrington, P. & D. McElroy, "The Doctrine of Corporate Opportunity as Applied to Officers, Directors and Stockholders of Corporations," 14 The Bus. Law 957(1959).

관계에 있는 이사 등은 내부자로서의 유리한 지위를 이용해 회사의 이익을 배제하거나 훼손하고, 스스로의 이익을 위해 그 권한 및 기회를 이용할 수 없다는 것으로, 이사 등의 경업을 포괄적으로 제한할 의무가 존재하지 않는 미국법에 있어서 경업금지의무에 갈음하여 발달한 것이라고 설명된다.23) 한편, 미국에서는 이익상반거래와 회사기회의 유용은 별개의 개념으로 파악되고 있다.24)

나) 회사기회의 판단기준

회사기회의 유용금지 법리와 관련하여 '회사기회'의 의미와 이사 등의 책임유무의 판단에 있어서 적용되어야 하는 기준에 대해 다양한 견해와 판례25)가 주장되고 있다. 판례상 이사 등의 신인의무와의 관계에서 무엇이 회사기회에 해당하는지를 판단하는 기준으로는 일반적으로 이익 또는 기대 기준, 사업범위 기준, 공정성 기준, 2단계 기준 등이 있다.26)

(1) 이익 또는 기대 기준

이익 또는 기대(interest or expectancy)의 기준은 회사가 문제가 된 특정 기회에 대해 이익 또는 기대를 가지고 있는지의 여부에 의하여 판단해야 한다는 것이다.27) 이 견해를 취한 Lagarde v. Anniston Lime & Stone Co. 판결28)에서는 이사의 재산 취득에 대한 제한은 회사가 해당 재산에 이미 이익을 가지고 있거나 기존의 권리로부터 생기는 기대를 가지고 있는 경우 또는 이사의 개입이 회사의 사업목적의 성취를 방해하는 것인 경우로 한한다고 판시하고 있다. 즉 이 판결에 의하면 회사기회는 현재 가지고 있는 기회로 한정되기 때문에, 회사기회가 성립할 범위가 가장 협소한 반면 이사 등에게는 가장 관대한 법리라는

---

23) Henry W. Ballantine, On Corporations, Rev. ed., 1946, p. 203; Edward Brodsky & M. Patricia Adamski, Law of Corporate Officers and Directors, 1984, §4:01; Note, "When Opportunity Knocks: An Analysis of the Brundney & Clark and ALI Principles of Corporate Proposals for Deciding Corporate Opportunity Claims," 12 Del. J. Corp. L. 225(1987).

24) Barclift, Z. Jill, "Codes of Ethics and State Fiduciary Duties: Where is the Line?" 1 J. Bus. entrepreneurship & L. 237, 256(2008).

25) 최근의 판례로는, Mcgowan v. Ferro, 859 A.2d 1012 (Del. 2004); Miller v. U.S. Foodservice, Inc. 361 F.Supp.2d 470 (Maryland 2005) 등이 있다.

26) Henn & Alexander, op. cit., p. 633.

27) Charles Hansen, A Guide to the American Law Institute Corporate Governance Project(National Legal Center for the Public Interest, 1995), p. 63.

28) 28 So. 199 (Ala. 1900).

비판도 있다.[29)]

  (2) 사업범위 기준

  사업범위(line of business) 기준은 어떤 특정한 기회가 회사의 현재 또는 미래에 확장될 수 있는 사업범위와 밀접하게 관련되어 있는가의 여부에 의해 판단하는 것으로, Guth v. Loft 판결[30)] 이래 주류적인 기준으로 인식되고 있다.[31)] Guth 판결에서는 ① 회사가 재정적으로 인수할 수 있는 사업상의 기회이고, ② 그 기회가 성질상 회사의 사업범위[32)] 내의 것이어야 하며, ③ 회사가 그 기회에 대하여 실질적인 이익 또는 합리적인 기대를 가지고 있는 경우 그 기회는 회사의 사업범위에 있다고 할 수 있고, 그러한 기회를 이용한 회사의 이사 등이 회사의 이익에 반해 스스로의 이익을 추구하는 것은 허용되지 않는다고 하였다.[33)]

---

29) 권재열, 전게논문, 81면; 천경훈, 전게논문, 163면. 그러나 판례 가운데 회사가 해당 기회에 대해 현재 계약상 또는 재산상의 이익을 가지고 있지 않은 경우라 하더라도 회사가 이를 희망하거나 거래의 교섭을 하고 있는 경우에도 그 기회를 회사기회로 인정하는 경우도 있다(Southeast Consultants, Inc. v. McCrary Eng'g.Corp., 246 Ga. 503, 273 S.E.2d 112(1980)). 그리고 특정 제품의 제조에 필요한 특허권 등 회사의 사업활동에 불가결한 것을 필수적인(essential) 기회로 보기도 한다(Rapistan Corp. v. Michaels, 203 Mich.App. 301, 511 N.W.2d 918(1994)).

30) 5 A.2d 503 (Del. 1939).

31) Guth(피고)는 소다음료 등을 제조·판매하는 Loft사(원고)의 사장겸 이사로, 코카콜라회사와의 제품공급계약에 대하여 불만을 품고 새로운 거래처를 물색하던 중 펩시콜라가 곧 파산하게 되리라는 사실을 인지하고 Loft사의 자금과 인력을 광범위하게 이용하여 펩시콜라사의 주식 91%를 인수하였다. 그 후 펩시콜라로부터 제조기법과 상표를 인수한 Guth는 펩시콜라를 정상화시키기에 이르렀고, 이후 펩시콜라는 제조원가에 10%의 이윤을 더하여 Loft사에 콜라를 납품하게 됨으로써, Guth는 거래 당사자 양쪽 모두의 지위에 서게 되었다. 이에 Loft사는 자사에 귀속된 회사기회를 Guth가 불법적으로 유용하였다고 주장하면서 Guth를 상대로 소를 제기한 것이다. 이에 대해 Guth는 Loft사의 자금과 인력을 이용하여 펩시콜라를 지원, 정상화시킨 것은 펩시콜라의 제품공급공급능력에 대한 판단하에 Loft사의 이익을 위한 경영상의 판단(business judgement)일 뿐만 아니라, Loft사는 펩시콜라에 대한 구체적인 이익 또는 기대도 없었다고 항변하였다. Delaware주 대법원은 펩시콜라에 의하여 Guth가 취득한 상표와 제조기법 등은 Loft사의 사업에 필수적이라는 점, Guth가 취득한 상표와 제조기법은 Loft사의 확장된 사업범위 내에 해당하는 점, 당시 Loft사는 Guth가 취득한 상표와 제조기법을 매입할 재정적 능력도 있었다는 점 등에 기해 Guth가 불법적으로 Loft사의 기회를 유용하였다고 판시하였다(이에 대하여는, 백정웅, 전게논문, 430면 이하; 천경훈, 전게논문, 163면; 최준선, 전게논문, 124면 등 참조).

32) 이 판결에서 '사업범위'에 대해 회사가 그 사업활동에 대해 기본적인 지식, 실무경험 및 수행능력을 가지고 있고, 회사의 재정적 지위를 중시하여 사업에 적응하는 것으로, 합리적인 수요 및 미래의 사업 확장이라는 요구와 조화를 이루는 것으로 정의하고 있다.

33) 동일한 사업범위의 기준에 근거한 판결로, Chemical Dynamics Inc. v. Newfeld, 728 S.W.2d 590 (Mo. Ct. App. 1987) 등이 있다.

이 밖에도 사업범위 기준과 관련한 대표적인 판례로 Rosenblum v. Judson Engineering 판결[34]과 Broz v. Cellular Information Systems, Inc. 판결[35] 등을 들 수 있다. 그리고 이사나 임원만이 아니라, 지배주주에 대해서도 사업범위 기준을 적용한 판례[36]도 있다. 그런데 사업범위 기준은 이익 또는 기대 기준보다 회사기회로 여겨지는 범위가 확장되지만, 어떠한 기회가 회사의 사업범위 내에 있다고 판단되는가는 개개의 사례마다 달라질 수 있을 뿐만 아니라,[37] 사업의 범위가 불명확하다는 비판도 있다.[38] 이 기준은 ALI 원칙[39]에 직접적인 영향을 준 것으로 평가되기도 한다.[40]

---

34) 109 A.2d 558 (N.H. 1954). 이 판결에서는 자동차 부품 및 공구 제조·판매회사의 이사 등이 별도의 조합을 설립하여 문제가 된 자동차 휠밸런싱 장치를 제조·판매한 것이 피고 이사 등이 회사에 제공해야 할 기회에 해당하는지를 판단함에 있어 회사의 기존 사업범위 뿐만 아니라, 장래 영위할 가능성이 있는 사업과 밀접한 관련이 있는 사업에 대한 기회까지 포함된다고 보아, Guth 판결에서 나타난 회사기회의 범위를 더 확대하고 있다.

35) 673 A.2d 148 (Del. 1996). 사실 개요를 보면 피고는 휴대전화 사업을 영위하는 대상 회사의 사외이사이면서 동종의 사업을 영위하는 A사의 사장 겸 단독주주이다. 대상 회사의 경영실적이 악화되자 B사가 대상 회사의 매수를 계획했지만, 자금부족으로 이를 보류하기에 이르렀고, 그 사이에 소외 C가 보유하는 영업특허권의 매각 의사를 전해들은 피고는 A사를 위해 C로부터 영업특허권을 매입했다. 그 후 대상 회사의 지배권을 얻은 B사는 피고가 대상 회사의 기회를 탈취하였다고 주장하였다. 원심은 피고의 충실의무 위반을 인정했지만, Delaware주 대법원은 ① 피고가 영업특허권을 취득한 시점에 대상 회사는 회사갱생 절차를 종료한 직후이기 때문에 새롭게 재산을 취득할 자력이 없었고, B사도 자금여력이 없어 아직 대상 회사의 지배권을 취득하지 않았을 뿐만 아니라, 대상 회사의 매수 계획의 존재도 추측에 지나지 않는 상황이기 때문에 피고는 B사의 매수 계획에 대해서 고려할 필요가 없었던 점, ② 영업특허권은 그 성질상 대상 회사의 사업범위에 속하기는 하지만 영업특허권 취득 시점에 대상 회사는 적극적으로 자사 소유의 특허권을 매각하고 있었기 때문에 당시의 사업범위에는 어떠한 재산의 취득도 포함되지 않았을 것이라는 점, ③ 대상 회사는 피고가 경쟁사업자인 A사의 사장이면서 단독주주라는 것을 인식하고 있었기 때문에 피고에 의한 잠재적인 이익충돌 행위를 알고 있었다고 볼 수 있었던 점, ④ 이사회에 대한 기회의 통지는 필수적인 요건이 아니라는 점 등을 이유로 회사기회의 탈취를 인정하지 않았다. 이러한 점에 비추어 볼 때 Broz 판결은 Guth 판결의 입장을 보다 명확히 했다고 볼 수 있다.

36) David J.Green & Co. v. Dunhill International, Inc., 249 A.2d 427(Del.Ch. 1968).

37) 확정된 회사의 제작과 방침에 적합한가도 판단 기준에 포함된다(Equity Corp. v. Milton, 43 Del.Ch. 160, 221 A.2d 494(1966)). 또한 해당 기회가 현재 또는 미래의 회사 활동에 밀접하게 관련하는가를 기준으로 하여 회사기회를 매우 넓게 해석하기도 한다(Goodman v. Perpetual Bldg. Ass'n, 320F.Supp. 20(1970)).

38) 권재열, 전게논문, 87~88면; Pat K. Chew, "Competing Interests in the Corporate Opportunity Doctrine," 67 N.C.L. Rev. 435, 458, 466(Jan. 1989).

39) 이는 1994년 미국법률협회((American Law Institute)가 공표한 회사지배구조의 원칙(이하 "ALI 원칙"이라 함)으로, 명칭은 「Principles of Corporate Governance: Analysis and Recommendations」이다.

40) 천경훈, 전게논문, 164면.

(3) 공정성 기준

공정성(fairness) 기준은 어떤 기회가 회사에 귀속되어야 하는가, 즉 회사에 대한 충실의무를 부담하고 있는 이사 또는 지배주주에 의한 회사기회의 취득이 공정한가라는 윤리적 기준(ethical standards)에 의해 판단하는 것으로, 학설로 제창된 기준을 판례가 채용한 것으로 보인다.[41] 이 기준을 채택한 리딩 케이스인 Durfee v. Durfee & Canning Inc. 판결[42]은 회사와 신임관계에 있는 이사가 스스로의 이익을 위해 기회를 유용할 수 있는가 여부는 회사가 현재 해당 기회에 대해 이익 또는 기대를 가지고 있는가가 아니라, 이사가 기회를 유용할 당시의 상황에 있어서 제반 사정이 공정하다고 말할 수 있는가에 의해 판단된다고 하고 있다. 그리고 지배주주에 대해서도 내재적 공정성(intrinsic fairness) 기준 또는 명백한 기대의 기준을 적용한 판례[43]도 있다. 이에 대해 공정의 개념이 모호할 뿐만 아니라, 예측가능성이 결여된다는 비판도 있다.[44]

(4) 2단계 기준

2단계 기준은 회사의 사업기회인가를 판단함에 있어 사업범위 기준과 공정성 기준을 동시에 적용하는 것을 말한다. 즉 1단계로서 사업범위의 기준을 적용하여 해당 기회가 정당하게 회사에 속해야 할 기회인지 여부를 판단하여 해당 기회가 회사기회로 인정되면, 2단계로 공정성 기준을 적용하여 이사 등에 의한 해당 기회의 취득이 회사에 대한 충실의무에 위반하는지를 판단하는 것이다.

Miller v. Miller 판결[45]은 이사에 의한 기회유용의 공정성을 판단하는 요소로 ① 회사의 경영에 대해 해당 이사는 어떠한 관련이 있는가, ② 해당 기회가 이사에게 그 이사로서의 자격에서 주어졌는가 개인적 자격에서 주어졌는가, ③ 해당 기회가 회사에 보고되었는가, ④ 이사가 회사의 시설, 자산, 직원을 이용했는가, ⑤ 이사에 의한 회사기회의 이용으로 회사가 손해를 입었는가, ⑥ 해당 이사의 성실성(good faith)에 영향을 주는 제반 사정과 통상적인 신중인이 유사

---

41) Henry W. Ballantine, *op. cit.*, p. 204.
42) 80 So.2d 522(1948).
43) Maxwell v. Northwest Industries, Inc., 339 N.Y.S.2d 347(1972); Schreiber v. Byran, 396 A.2d 512 (Del.Ch. 1978).
44) 최준선, 전게논문, 128면; Matthew R. Salzwedel, "A Contractual Theory of Corporate Opportunity and a Proposed Statute," 23 Pace L. Rev. 83, 85(2002).
45) 222 N.W. 2d 71(1974).

한 지위와 상황에서 취해야 할 근면성(diligence), 전념성(devotion), 공정성
(fairness) 등을 이사가 회사에 대해 기울였는가 등을 들고 있다. 이 2단계 기준
은 2단계에서 고려되는 요소가 1단계에서도 심사되기 때문에 2단계로 나누는
실익이 없을 뿐만 아니라, 혼란만 초래한다는 비판도 있다.[46)

(5) ALI 원칙상의 기준

1994년 미국법률협회(ALI)가 공표한 회사지배구조의 원칙(ALI 원칙)[47)]은 회
사기회의 유용에 대해 이사 또는 상급임원과 지배주주를 나누어 규정하고 있다.
ALI 원칙은 명확한 기준을 제시하고 있기 때문에 현재 많은 법원에 의해 채택
되고 있다.[48)] ALI 원칙은 §5.05(a)에서 이사 또는 상급집행임원의 회사기회 취
득에 관한 규정을 두고 있다.

ALI 원칙에 의하면 이사 또는 상급집행임원은 원칙적으로 회사기회를 유용
할 수 없다. 다만 (1) 이사 또는 상급집행임원이 최초로 회사기회를 회사에 제
공하고 이익상반 및 회사기회에 관한 보고를 하고, (2) 회사기회가 해당 회사에
의해 포기되어야 한다. 여기에서 기회의 포기는 ① 회사에 있어서 공정하고, ②
그 보고에 이어 경영판단원칙의 기준을 충족하면서 이해관계가 없는 이사에 의
해 사전에 포기가 승인되거나 혹은 이사가 아닌 상급집행임원의 경우에는 이해
관계 없는 상급자에 의해 사전에 포기가 승인되어야 하며, ③ 그 보고에 이어
이해관계 없는 주주에 의해 사전에 포기가 승인되거나 추인되는 한편 포기가 회
사 재산의 낭비가 되지 않는 경우에는 회사기회의 유용이 허용된다.[49)] 결국 이
사 또는 상급집행임원은 회사기회와 자신의 상충되는 이해관계를 회사에 알리
고, 회사가 그 기회를 공정한 절차에 의해 포기하면 그 기회를 이용할 수 있다
는 것이다.[50)

ALI 원칙은 §5.05(b)에서 회사기회에 대해 정의하고 있다. 이사 또는 상급집

---

46) 최준선, 전게논문, 129면; Victor Brudney & Robert Charles Clark, "A New Look at
   Corporate Opportunities," 94 Harv. L. Rev. 998(1981).

47) ALI, Principles of Corporate Governance: Analysis and Recommendations(1994).

48) Klinicki v. Lundgren, 695 P.2d 906 (Or. 1985); Derouen v. Murray, 604 So.2d 1086
   (Miss. 1992).

49) ALI 원칙 §5.05(a)(1)(2)(3).

50) 그러나 이사 또는 상급집행임원이 자신의 이익과 회사의 이익이 충돌됨에도 불구하고 이를
   알리지 아니하였다 하더라도, 그 기회가 회사기회에 해당하지 아니한다고 선의로 믿었고,
   그에 관해 소송이 제기된 후 합리적 기간 내에 그 기회를 회사에 보고했는데 회사가 공정
   한 절차에 따라 이를 거절한 경우에도 면책된다(ALI 원칙 §5.05(e)).

행임원이 자신의 직무수행과 관련하여 알게 된 사업기회,[51] 즉 회사기회란 (1) 이사 혹은 상급집행임원이 직무수행과 관련하여 또는 그들에게 기회를 제공한 자가 회사에 그것을 제공했다고 이사 또는 상급집행임원이 믿는 것이 합리적인 경우,[52] (2) 회사의 정보나 재산을 사용하여 기회의 결과가 회사의 이익이 된다고 이사 또는 상급집행임원이 합리적으로 예상할 수 있는 경우,[53] (3) 상급집행임원이 알게 된 사업기회로서 회사가 실제로 수행하고 있거나 장차 수행할 것으로 기대되는 사업과 밀접하게 관련된 것임을 알고 있는 경우[54]를 말한다. 이에 대한 입증책임은 기회의 취득을 주장하는 자에게 있다. 다만, 그 자가 이해관계 없는 이사 등에 의해 사전에 포기가 승인되지 않았거나,[55] 기회의 포기가 있다 하더라도 회사재산의 낭비를 초래한 것[56]임을 입증한 경우에는 이사 또는 상급집행임원이 기회의 포기 및 탈취가 회사에 있어 공정함 것임을 입증해야 한다.[57]

(6) 모범사업회사법상의 기준

2003년 개정된 모범사업회사법(Revised Model Business Corporation Act)(이하 "RMBCA"라 함)은 이사의 사업기회(business opportunity)에 관해 §8.70을 새로이 추가하였다. 즉 ① 이사가 특정 사업기회를 회사에 알렸고, ② 그 사업기회에 관한 모든 중요 정보를 회사의 대표자에게 제공하였으며, ③ 주주 또는 이해관계 없는 이사들이 이사의 이익상반거래에서와 같은 절차[58]를 준수하여 회사가 그 기회에 대하여 가지는 이익을 포기하는 조치를 취하면, 그 이사는 사업기회를 유용하더라도 면책된다.[59] 이와 같이 RMBCA는 일정한 요건을 갖춘 경우 해당 이사들에게 사업기회 유용을 이유로 책임을 추궁당하지 않도록 하는 면책사유를 부여하고 있다. 그리고 이사의 사업기회 유용을 이유로 제기된 소송에서 이사가 사업기회 취득에 소정의 승인 절차를 거치지 않았더라도 그로 인해

---

51) ALI 원칙 §5.05(b)(1).
52) ALI 원칙 §5.05(b)(1)(A).
53) ALI 원칙 §5.05(b)(1)(B).
54) ALI 원칙 §5.05(b)(2).
55) ALI 원칙 §5.05(a)(3)(B).
56) ALI 원칙 §5.05(a)(3)(C).
57) ALI 원칙 §5.05(c).
58) 즉 이사들이 승인하는 경우에는 RMBCA §8.62와 주주들이 승인하는 경우에는 RMBCA §8.63에 따른 이해관계의 공시 및 이해 관계자 배제 등의 절차를 말한다.
59) RMBCA §8.70(a).

그 기회가 회사에 우선적으로 제공되었어야 한다고 추정되거나, 이사의 의무위반에 대한 입증책임이 전환되는 것도 아니다.[60] RMBCA는 이사가 회사의 사업기회를 유용한 경우 그 자체로 자동적으로 이사의 의무위반이 인정되는 것은 아닌 것으로 보고 있다.

2) 영 국

영국법상 이사는 회사의 신임자(fiduciary)로서, 회사의 이익을 희생하여 자기의 이익을 도모하지 않을 의무를 부담하는데, 이는 제정법이 아니라 판례법에 의해 인정되는 의무이다. 이 책임은 의무위반 시에 있어서 이사의 선의 여부, 회사의 손해 발생 여부를 묻지 않고 발생한다.[61] 이에 의해 이사는 회사에 대한 의무와 자기의 이익이 충돌할 수 있는 지위에 서는 것이 제한된다.[62] 이와 같이 영국의 학설·판례도 원칙적으로 이사의 경업금지의무를 인정하고 있다.[63]

그리고 이사는 회사에 귀속될 거래기회를 유용해서도 아니된다. 회사의 기회는 회사재산, 정보 기타 이에 준하는 것으로 인식되어 왔고, 이것을 이사가 유용하는 것은 충실의무위반의 전형적인 예에 해당하게 된다.[64] 판례는 이사가 이사로서의 지위에서 입수한 거래기회를 자기 또는 다른 회사를 위해 이용한 경우 회사기회의 유용으로 보고 있다.[65] 그러나 어떤 거래의 기회가 회사의 기회로 된다하더라도 이사가 그 기회를 자기 또는 제3자를 위해 취득하는 것에 대해 회사가 승인한 경우에는 그 기회를 유용하더라도 해당 이사는 책임을 면한다.[66]

3) 독 일

독일 주식법은 이사의 주의의무와 책임에 관하여 규정하고 있다. 즉 이사

---

60) RMBCA §8.70(b).
61) Regal (Hastings) Ltd. v. Gulliver [1942] 1 All ER 378.
62) Paul L. Davies & L.C.B. Gower, Gower's Principles of Modern Company Law, 6th ed., 1997, p. 610.
63) Hogg v. Cramphorn Ltd. [1967] Ch 254.
64) John H. Farrar, Farrar's Company Law, 4th ed., 1998, p. 416; In Plus Group Ltd v. Pyke [2002] EWCA Civ 370; O'Donnell v. Shanahan [2009] EWCA Civ 751.
65) Cook v. Deeks [1916] 1 AC 554; Industrial Development Consultants v. Cooley [1972] 1 WLR 443.
66) 승인 요건과 관련한 판례로, 주주 전원의 동의를 요하는 것으로 보는 경우(Cook v. Deeks [1916] 1 AC 554), 주주총회의 승인을 요하는 것으로 보는 경우(Regal (Hastings) Ltd. v. Gulliver [1942] 1 All ER 378), 이사회의 승인을 요하는 것으로 보는 경우(Queensland Mines Ltd v Hudson (1978) 52 ALJR 379) 등이 있다.

(Vorstandsmitglieder)는 업무를 집행함에 있어 법령에 따른 성실한 경영관리자로서의 주의를 다하여야 하고, 이사회에서의 활동을 통하여 지득한 회사의 영업상 또는 업무상 비밀을 묵비할 의무가 있다(주식법 제93조 제1항).[67] 또한 이사는 회사에 대하여 충실의무(Treuepflicht)를 부담한다.[68] 즉 이사는 수탁자로서의 지위(Treuhanderische Stellung)에 있으며, 신의칙상 요구되는 일반적인 의무 이상의 특별한 고도의 충실의무를 회사에 대하여 부담하고, 회사이익우선의 원칙을 준수해야 한다. 이러한 이사의 충실의무는 회사와 이사의 이해가 충돌하는 거래영역에서 인정되는데, 이를 구체화한 것이 경업금지의무 등이다.[69] 즉 이사는 (1) 상업(Handelsgewerbe)을 영위할 수 없고, (2) 자기 또는 제3자의 계산으로 회사의 영업부류에 속하는 거래를 할 수 없으며, (3) 다른 회사의 이사 또는 업무집행자나 무한책임사원이 될 수 없다(주식법 제88조).

　독일 주식법상 회사기회 유용에 대한 규정은 존재하지 않는다. 그러나 이사는 회사의 이익을 지키고, 회사를 해하는 행위를 하여서는 아니되는 일반적인 성실의무(Treupflicht)를 부담하는데, 회사기회의 유용금지를 그 의무의 일환으로 이해하는 것이 일반적이다.[70] 판례도 회사기회이론을 채택하고 있는데, 예컨대 음료수를 제조·판매하는 유한회사의 업무집행자가 회사를 위해 공장용지를 취득하기 위한 교섭 과정에서 토지 매수 기회를 인지하고 그 토지를 자기의 계산으로 취득하여 다른 회사에 전매하자 회사가 그 업무집행자를 해임한 사건에서 해임의 당부가 다투어졌는데, 이에 대해 법원은 업무집행자의 기회유용행위는 의무 위반이기 때문에 그 해임은 정당하다고 판시하였다.[71] 그리고 실린더를 제조·판매하는 유한회사의 업무집행자가 낮은 비용으로 실린더를 제조할 수 있는 설계도를 사용할 기회를 자기를 위해 취득한 후, 업무집행자를 사임하고 독립하

---

67) 종전의 독일 상법(HGB) 제241조 제1항의 규정에 따른 영업자의 주의(Sorgfalt eines ordentlichen Geschäftsmannes)를 개정한 것으로, 경영관리자는 자기 재산을 관리하는 것 이상으로 주주와 채권자, 종업원 및 공중의 이익을 보호할 의무가 있다고 하여 그 주의의 무를 강화한 것이다.

68) Götz Hueck, Gesellschaftsrecht, 19. Aufl, 1991, S. 209; F. Kübler, Gesellschaftsrecht, 1981, S. 187.

69) Emst Geßler/Wolfgang Hefermehl, Kommentar zum Aktiengesetz, Band Ⅱ, 1974, S. 18.

70) Klaus J. Hopt, "Self-Dealing and Use of Corporate Opportunity and Information: Regulating Directors' Conflicts of Interest," in Corporate Governance and Directors' Liabilities, 285, 301(1985).

71) BGH, Urteil v. 8. 5. 1967(WM 1967, 679).

여 실린더를 제조·판매하자 회사가 그 업무집행자에게 손해배상을 청구한 사건에서, 업무집행자는 설계도를 회사에 취득시켜야 할 의무가 있음에도 그를 위반하였기 때문에 회사에 대해 손해배상책임이 있다고 판시하였다.[72]

4) 일 본

주식회사와 이사는 위임관계에 있기 때문에 이사는 선관주의의무(회사법 제330조) 및 충실의무(회사법 제355조)를 지게 된다. 즉 이사는 그 직무를 수행함에 있어서 선량한 관리자로서의 주의의무(민법 제644조)를 부담할 뿐만 아니라, 법령·정관 및 주주총회의 결의를 준수하고 회사를 위해 충실하게 직무를 수행하여야 한다. 그리고 이사는 원칙적으로 회사의 사업부류에 속한 거래를 할 수 없다(회사법 제356조). 회사의 사업부류에 속한 거래란 회사가 실제로 행하고 있는 거래와 목적물(상품, 역무의 종류) 및 시장(지역, 유통단계 등)이 경합하는 거래를 말한다.[73]

그런데 일본도 독일과 마찬가지로 회사기회의 유용을 금지하는 규정을 두고 있지는 않다. 그러나 이 법리는 해석론으로서 이사의 충실의무의 문제로 될 수 있다는 것이 일반적으로 인정되고 있고,[74] 아울러 이 제도의 도입을 주장하는 견해도 있다.[75] 이사가 회사의 영업부류에 속한 거래를 하면 원칙적으로 회사법 제356조(경업 및 이익상반거래 제한)의 위반이 되기 때문에, 회사기회가 회사의 영업부류에 속하는 거래상의 기회인 때에는 이에 의해 해결된다. 따라서 이사가 영업부류에 속하는 거래를 하는 과정에서 회사기회를 이용하게 되면 기본적으로 충실의무 및 경업금지의무 위반에 해당되어 손해배상책임을 지는 것으로 본다.[76] 다만 이사가 사업기회를 회사에 제공하지 않거나, 이사회가 그것을 포기

---

72) BGH, Urteil v. 23. 9. 1985(NJW 1985, 585).

73) 江頭憲治郎,「株式會社法」第2版(有斐閣, 2008), 399面.

74) 江頭憲治郎, 前揭書, 402面 脚註 (6).

75) 北村雅史,「取締役の競業避止義務」(有斐閣, 2000), 119面 참조. 그리고 회사가 관심을 가지는 신규사업기회 등을 이사가 자기의 사업으로 하는 것은 그 자의 회사에 대한 충실의무 위반이 되지만, 이사가 개인 자격에서 알게 된 정보 등을 어디까지 회사에 제공하여야 하는가에 있어서 이는 충실의무 보다는 선관주의의무의 일환으로 보아 회사의 신규사업개발 등에 노력할 의무가 어디까지 있는가의 문제라고 할 수 있지만, 회사의 공개여부 및 해당 이사의 사내적 지위 등에 의해 그 의무의 정도에 차이가 있는 것으로 보아야 한다는 견해도 있다(江頭憲治郎, 前揭書, 401~402面).

76) 北村雅史, 前揭書, 129面.

하지 않았더라도 자기 또는 제3자를 위해 기회를 취득하는 것이 당연히 충실의 무 위반으로 되는 것은 아니다. 왜냐하면 이사가 이사회의 승인 없이 회사의 영업부류에 속한 거래를 하게 되면 이사에게 법령위반의 책임이 발생하지만, 회사 기회의 유용에 대해서는 그것을 금지하는 명문규정이 없기 때문에 개별적이고 구체적으로 충실의무위반 유무를 판단하여야 하기 때문이다.

다. 회사기회의 유용금지 요건

1) 사업기회

가) 사업기회의 의미

(1) 직무수행 관련성

사업기회는 직무를 수행하는 과정에서 알게 되거나 회사의 정보를 이용한 것이어야 한다(제397조의2 제1항 제1호).[77] 이는 사업기회에 관한 정보의 취득경위를 기준으로 정의한 것으로, 이사가 회사의 업무와 관련하여 획득한 사업기회의 유용을 방지하려는 것이다. 회사의 직무를 수행하는 과정에서 얻게 되거나 회사의 정보를 이용하여 얻게 된 사업기회란 회사의 비용(at the expense of corporation)으로 취득한 것이므로, 기회유용의 뚜렷한 징표가 될 것이다.[78] 이러한 상법의 입장에 의해 회사를 위하여 획득할 임무를 부여한 사업기회, 이사의 직무수행과정에서 발견하거나 정보를 얻은 사업기회, 회사의 사업 및 그 확장을 위하여 유일하고 특별한 가치가 있거나 필요한 사업기회 등은 회사의 사업기회가 된다.[79]

(2) 회사사업 관련성

사업기회는 회사가 수행하고 있거나 수행할 사업과 밀접한 관계가 있는 것이

---

77) 이는 미국의 ALI 원칙 §5.05(b)(1)(A)(B)와 유사하다.

78) 이철송, 전게서(축조해설), 151면.

79) 직무수행 관련성에 있어서 이사의 지위에 따라 차이가 있을 수 있다. 즉 상근 사내이사의 경우 자신이 담당하는 부서의 업무는 물론, 담당하지 않는 부서의 업무라 하더라도 이를 아는 경우에는 다른 임직원으로부터 전해 들어 알았을 가능성이 높기 때문에 그것이 회사가 수행하는 업무에 관한 것이라면 일단 직무수행 관련성을 추정할 수밖에 없을 것이다. 그러나 사외이사의 경우 직접 회사의 특정 업무를 담당하는 것은 아니고 임직원으로부터 회사의 업무에 대해 보고를 받고 이사회에 참석하여 의사결정하는 정도의 직무만을 수행하는 것이 일반적이므로 이러한 범위 내에서만 직무수행 관련성을 인정하는 것이 합리적일 것이다(김화진, 전게서, 327면; 장재영·정준혁, 전게논문, 42면).

어야 한다(제397조의2 제1항 제2호).[80] 회사의 자금이 투입된 사업기회, 회사의
설비·직원이 개발을 위하여 투입된 사업기회, 지금까지 회사에 제공되어 온 사
업기회, 회사가 구하고 있었던 사업기회 등은 회사의 사업기회에 속한다.[81] 회
사가 현재 수행하고 있는 사업에는 정관에는 규정되어 있지 않지만 실제 수행하
는 사업, 개업준비 중인 사업, 일시 정지 중인 사업 등도 포함된다.[82] 그러나
우연하게 이사 등에게 개인적으로 제공되고 회사의 자금이 관련되어 있지 않은
사업기회 또는 이사회에서 공개되어 이사회의 공정한 결의에 의하여 회사가 그
기회를 거절한 경우 등은 회사의 사업기회라 할 수 없을 것이다.

(3) 사업기회의 이익성

유용이 금지되는 사업기회는 현재 또는 장래에 회사의 이익이 될 수 있는 것
이어야 한다(제397조의2 제1항 제1문). 회사의 이익이 된다는 것은 회계적으로 회
사에 수익을 가져올 수 있다거나 사업성이 있다는 의미로 볼 것이 아니라, 회사
의 영리추구의 대상으로 삼을 수 있다는 의미로 보아야 할 것이다.[83] 따라서
사업기회가 직무수행 관련성 및 회사사업 관련성을 가지고 있다 하더라도 회사
의 이익이 될 수 없는 것은 이에 해당되지 않기 때문에, 이사의 이용이 금지되
지 않는다.[84] 어떤 기회가 회사에 이익이 될 수 있는 사업기회인가, 아니면 정

---

80) 이는 ALI 원칙 §5.05(b)(2)와 유사하다.

81) 입법 예고 당시 '현재의 사업기회'나 어느 시점인지도 모를 '장래의 사업기회'라는 개념은
어디까지 규제의 대상인지에 대한 예측이 어려운 포괄적이고 추상적인 내용이라는 의견이
경제계를 중심으로 제기되었지만, 제2호는 객관적 사유에 따른 사업기회로서 현재성 및 장
래성의 개념을 규정하게 된 것이다(구승모, 전게논문, 125면).

82) 최준선, 「2011년 개정상법 회사편 해설」(이하 "개정상법해설"이라 함)(상장회사협의회, 2012),
125면.

83) 예컨대 문제된 사업기회가 회사에게는 진출이 금지된 업종인 경우나 누구든 영리추구가 금
지된 행위인 경우 등은 회사에 이익이 되지 않는 예가 될 것이다(이철송, 전게서(축조해
설), 152면).

84) 甲백화점 이사회가 甲백화점이 100% 지분을 출자하여 설립한 乙백화점의 유상증자에 대하
여 신주인수권을 전부 포기하기로 의결함에 따라, 乙백화점 이사회가 신주를 실권 처리하
여 甲백화점 이사인 丙에게 제3자 배정함으로써 丙이 이를 인수하여 乙백화점 지배주주가
되자, 甲백화점 소수주주들이 丙은 이사로서의 충실의무를 위반하여 甲백화점의 사업기회
를 유용하고 나머지 이사들은 그러한 유용을 가능하게 하여 甲백화점에 손해를 입혔음을
이유로 손해배상을 구한 사안에서, "사업기회 유용금지의 원칙이 이사의 선관주의 또는 충
실의무의 한 내포로서 인정된다 하더라도 이사가 사업기회를 유용한 것으로 인정되려면
'유망한 사업기회'가 존재하고 사업기회가 이사에 의하여 '유용'된 것이 인정되어야 하는데,
위 유상증자 당시 IMF 외환위기 사태로 경제여건이 크게 악화되어 甲백화점과 乙백화점을
비롯한 대부분의 유통업체가 경영상 어려움을 겪고 있었던 점, 乙백화점의 자본금이 5억
원에 불과하였고 이미 자본잠식 상태에 있었으며 이자비용이 당기순이익에 근접하는 상황

당한 개인적 이해관계의 범위 내의 것인가는 특정한 사실관계에 의하여 개별적으로 판단되어야 할 것이다. 다만 특정 시점에 회사의 재정상 불가능한 경우에 있어서의 사업기회라 하더라도 그것이 회사에 유용한 기회라면 금융기관으로부터의 대출이나 신주발행에 의한 자금조달 등에 의하여 재정 문제를 극복할 수도 있으므로, 회사의 재정사정은 회사기회의 판단 여부에 절대적인 요소는 아니라고 본다.[85]

그리고 이사는 사업기회를 자기 또는 제3자의 이익을 위하여 이용하여야 한다. 이는 회사기회의 이용에 의하여 그 행위의 경제적 이익이 자기 또는 제3자에게 귀속하는 것을 말한다. 따라서 이사가 이사회의 승인 없이 제3자의 회사기회 유용을 기획하거나 그 유용에 적극적으로 가담한 경우에는, 이사가 제3자의 이익을 위하여 회사의 사업기회를 유용한 것으로 볼 수 있다.[86] 회사기회를 자기 또는 제3자의 이익을 위하여 이용하는 것이 금지되지만, 누구의 이름으로 이용하는가는 묻지 않으므로 제3자의 이름으로 하더라도 자기의 이익을 위하여 이용하는 경우에는 금지된다. 여기서 이용행위는 계속적일 필요는 없고 1회성 사업기회의 이용도 금지된다.

(4) 소　결

회사의 사업기회를 어떻게 판단할 것인가 하는 문제는 제397조의2에서 가장 중요한 문제이다. 이사의 유용이 금지되는 회사의 사업기회로 인정되기 위해서는 위에서 살핀 직무수행 관련성 및 회사사업 관련성과 사업기회의 이익성 기준

이었던 점, 유상증자 대금 대부분이 기존 채무변제에 사용된 점, 甲백화점도 정부와 금융당국의 부채비율 축소 요구에 따라 우량자산을 매각하는 등 유동성 확보와 재무구조 개선을 위한 강도 높은 구조조정을 진행하고 있었던 점, 乙백화점이 甲백화점에게서 실권 통보를 받은 후 신주 인수자를 물색하였으나 IMF 외환위기 사태로 인한 국내경제 침체 등의 영향으로 인수자를 찾지 못한 끝에 신주를 丙에게 전액 배정하기로 결정한 점 등을 종합하면, 신주 인수 당시 乙백화점이 '유망한 사업기회'였다고 보기 어렵고, 甲백화점이 IMF 외환위기 상황하에서 긴축경영의 취지에 부합하게 신주 인수를 포기하고 乙백화점도 위와 같은 상황하에서 인수자를 찾지 못하여 丙에게 신주를 인수하게 한 것이어서 丙이 甲백화점의 사업기회를 '유용'한 것으로도 보기 어렵다."고 판시하였다(서울고등법원 2011.6.16. 2010나 70751). 이는 개정상법 이전의 판례로, 사업기회 유용금지의 원칙이 이사의 선관주의 또는 충실의무의 한 내포로서 인정될 수 있음을 밝히면서, 다만 이사가 사업기회를 유용한 것으로 인정되기 위해서는 '유망한 사업기회'가 존재하여야 하고, 그 사업기회를 이사가 '유용' 할 것을 요한다고 하고 있다.

85) 임재연, 전게서, 427~428면.
86) 임재연, 상게서, 428면.

등을 충족하여야 할 것이다.[87] 그런데 사업기회는 상당히 포괄적이고 추상적인
표현이기 때문에,[88] 사업기회의 성립 여부에 대해서는 구체적인 사실관계를 바
탕으로 법원이 판단할 수밖에 없을 것이다.[89] 미국의 경우 사업기회의 기준에
대해 다수의 판례에 다양하게 제시되고 있는데, 우리의 경우에 있어서 사업기회
의 개념이 정립될 때까지는 사업기회의 기준에 대한 미국의 판례 기준을 어느
정도 참고할 필요가 있다고 본다.[90]

나) 사업기회의 유형

이사 등이 사업기회를 이용하는 유형으로 자기거래형, 경업형, 기타 유형을
들 수 있는데, 이 가운데 자기거래형이나 경업형이 대부분이다.[91] 자기거래형은
이사 등이 회사의 비용으로 얻은 사업기회를 이용하여 회사와 거래하는 형태를
말하는데, 예컨대 자동차 생산회사의 이사가 자신이 설립한 운송회사로 하여금
생산된 자동차를 운반하게 하는 경우이다.[92] 경업형은 회사의 사업과 경쟁관계
에 있게 되는 형태로, 예컨대 반도체 생산회사의 이사가 향후 반도체에 대한 수
요가 폭증할 것을 예상하고 다른 지역에 반도체 생산회사를 설립하여 운영하는

---

87) 개정상법은 미국의 이해관계 기준설(제1호)과 사업부문 기준설(제2호)을 모두 받아들인 것
이라는 견해도 있다(정동윤, 전게서, 637면).

88) 사업기회의 의미 등과 관련하여 우리나라 하급심 판례는, "'사업의 기회'는 포괄적이고 불
명확한 표현이고, 이사의 선관주의 의무 내지 충실의무는 직무를 수행하는 과정에서 부담
하는 의무이지 회사의 이익이 되는 모든 행위를 하여야 하는 일반적인 의무가 아니므로,
이사가 자신이 알게 된 모든 사업의 기회를 회사에게 적극적으로 이전해야 하는 의무까지
부담한다고 할 수는 없고, 이사에게 그 사업의 기회를 회사로 하여금 추진하게 해야 할 충
실의무를 지우고, 이사가 그 충실의무를 위반함으로써 회사에게 기대이익을 얻지 못하게
하는 손해가 발생하였다고 볼 수 있기 위해서는 그 사업의 기회가 "회사에 현존하는 현실
적이고 구체적인 사업기회"로서 인정되는 경우여야 할 것이다. 따라서 회사 내에서 사업의
추진에 대한 구체적인 논의가 있었거나 회사가 유리한 조건으로 사업기회를 제안받는 경우
와 같이 그 사업의 기회가 회사에 현존한 현실적이고 구체적인 사업기회였고, 당시 회사의
사업전략, 영업형태 및 재무상황, 그 사업의 특성, 투자 규모, 위험부담의 정도, 기대 수익
등을 종합적으로 고려한 합리적인 경영판단에 따르면 회사가 그 사업의 기회를 이용하여
사업을 추진할 만한 상당한 개연성이 인정되는 경우, 이사는 회사가 그 사업을 추진하도록
해야 할 선관주의의무 내지 충실의무를 부담한다고 할 것인데, 이사가 이러한 의무를 위반
하여 그 지위를 이용하여 회사의 기회를 부당하게 탈취 또는 유용한다면 회사에 대한 선관
주의의무 내지 충실의무를 위반한 것으로 인정될 수 있을 것이다."라고 판시하고 있다(서울
중앙지방법원 2011.2.25. 2008가합47881).

89) 이기수·최병규, 전게서, 402면; 최준선, 전게서(회사법), 534~535면.

90) 장재영·정준혁, 전게논문, 41면.

91) 정찬형, 전게서, 1043면; 천경훈, 전게논문, 168면 이하 참조.

92) 예컨대 앞에서 살핀 Guth v. Loft 판결 등과 같은 경우를 들 수 있다.

경우이다.[93] 기타 유형은 이 두 가지에 해당되지 않는 것으로, 이사가 회사의 사업기회를 이용하는 경우이다.

2) 적용 대상자

가) 이 사

이사는 회사의 사업기회 유용금지의 대상이 된다(제397조의2). 자기거래가 금지되는 대상에 대하여는 이사뿐만 아니라 주요주주 등을 포함하고 있으나(제398조), 이사의 사업기회 유용금지 대상에 대하여는 이사의 경업금지의무(제397조)와 같이 이사에 대하여만 규정하고 있다.[94]

그런데 업무집행지시자의 경우 금지 대상에 포함되는가 하는 문제가 있다. 상법은 업무집행지시자 등에 대하여 제399조(회사에 대한 책임), 제401조(제3자에 대한 책임), 제403조(주주의 대표소송), 제406조의2(다중대표소송)의 적용에 있어서 이를 이사로 본다고 규정하고 있다(제401조의2). 생각건대 업무집행지시자 등은 상법상 이사와 동일한 책임을 지므로, 업무집행지시자도 회사의 사업기회 유용금지의무를 부담한다고 하여야 할 것이다.[95] 따라서 입법론적 측면에서는 상법 제401조의2(업무집행지시자 등의 책임) 제1항 본문에 "제397조의2"를 추가할 필요가 있다.[96]

사임 또는 임기만료로 퇴임한 이사는 상법 제386조 제1항에 의하여 새로 선임된 이사가 취임할 때까지 이사의 권한을 갖기 때문에, 사임 또는 임기만료로

---

93) 예컨대 앞에서 살핀 Broz v. Cellular Information Systems, Inc. 판결 등과 같은 경우를 들 수 있다.

94) 개정상법에서 자기거래의 대상자를 확대한 것과 같이 회사기회 유용금지 대상도 이사 주변 인물까지도 확대할 것인지 여부에 대한 논의가 이루어졌음에도 불구하고, 이사로 한정한 이유는 자기거래는 이사 주변 인물이 회사와 직접적인 거래를 맺어 회사와 실질적 연관성을 가지나, 경업금지와 기회유용은 이사 주변 인물이 회사와 직접적인 연관을 갖는 것이 아니라는 점에서 차이가 있고, 이사 주변 인물까지 확대하는 경우 영업의 자유를 침해할 우려가 있기 때문이다. 그리고 기회유용은 이사가 '제3자의 이익을 위하여' 이용하는 경우를 포함하므로 결과적으로 이사의 주변인물이 회사기회를 유용하는 경우도 포함할 수 있어 사실상 큰 차이가 없다는 점 등도 고려되었기 때문이다(구승모, 전게논문, 125~126면).

95) 동지: 천경훈, 전게논문, 182~183면. 그러나 제401조의2 제1항에는 제397조의2가 포함되어 있지 않으므로, 입법론으로는 몰라도 현행 규정의 해석론으로는 받아들이기 어렵다는 견해도 있다(임재연, 전게서, 421면). 또한 상법 제401조의2 제1항에서는 이사의 책임과 관련한 제399조·제401조 및 제403조만 적용하고 있는데, 이사의 의무에 관한 제397조의2만을 적용하는 것은 적절치 않으므로 타당하지 않다는 견해도 있다(정찬형, 전게서, 1043~1044면).

96) 동지: 천경훈, 전게논문, 182~183면.

퇴임한 이사도 이사에 해당한다. 또한 동조 제2항의 임시이사, 법원에 의해 선임된 직무대행자도 제398조의 이사에 해당하고, 청산인도 이에 포함된다(제542조 제2항). 다만, 거래 당시에 이사의 직을 떠난 사람은 이에 해당하지 않는다. 회사와 거래에 관하여 이사회의 승인을 요하는 이사는 주주총회에서 적법하게 이사로 선임된 자이어야 한다.[97]

나) 집행임원

개정상법은 집행임원제도를 도입하면서(제408조의2) 집행임원에 대하여는 회사기회의 유용금지 규정(제397조의2)을 준용하고 있기 때문에, 이사와 동일하게 사업기회의 유용금지의무를 부담한다(제408조의9). 따라서 집행임원이 이사회의 승인 없이 자기 또는 제3자의 계산으로 회사의 사업기회를 유용한 경우에는 이사와 동일한 책임을 지게 된다.

다) 지배주주

지배주주도 회사의 사업기회의 유용금지의무를 부담하는가 하는 문제가 있다. 상법상 대표권의 유무에 관계없이 이사나 주요주주 등은 원칙적으로 자기 또는 제3자의 계산으로 회사를 상대방으로 하여 행하는 재산상의 법률행위를 할 수 없다(제398조).[98] 이와 같이 이른바 자기거래금지의무의 대상에는 지배주주도 포함되지만, 사업기회 유용의 금지대상으로는 이사만을 규정하고 있기 때문에 현행법의 해석론상 지배주주가 이사 등의 지위에 있지 않는 한 이에 포함되지는 않는다.

그러나 현실적으로 이사만이 아니라 지배주주(그 가족 및 지배회사 포함)의 사

---

97) 대법원 2003.9.26. 2002다64681.

98) 2011년 개정상법은 이사뿐만 아니라 주요주주 등에 대해서도 자기거래 금지의무를 지우고 있다. 즉 ① 이사 또는 주요주주, ② ①의 배우자 및 직계존비속, ③ ①의 배우자의 직계존비속, ④ ①~③까지의 자가 단독 또는 공동으로 의결권 있는 발행주식 총수의 100분의 50 이상을 가진 회사 및 그 자회사, ⑤ ①~③까지의 자가 ④의 회사와 합하여 의결권 있는 발행주식총수의 100분의 50 이상을 가진 회사는 자기거래를 하여서는 아니된다(제398조 제1호~제5호). 여기에서 주요주주란 누구의 명의로 하든지 자기의 계산으로 의결권 없는 주식을 제외한 발행주식총수의 100분의 10 이상의 주식을 소유하거나 이사·감사의 선임과 해임 등 회사의 주요 경영사항에 대하여 사실상의 영향력을 행사하는 주주를 말한다(제542조의8 제2항 제6호). 이와 같이 개정상법이 자기거래금지의무를 주요주주 등의 주변 인물까지로 확대하여 상법 제398조에 구체적으로 예시한 것은 회사의 재산을 빼돌려 사익을 추구하는 것을 방지함으로써 회사경영의 투명성을 강화하기 위한 것이다(정찬형, 상게서, 1043~1044면).

업기회의 유용이 문제되기 때문에, 자칫 사업기회 유용금지 규정의 도입 취지가 퇴색될 수 있다. 물론 지배주주가 이사 또는 집행임원 등의 지위를 겸하고 있다면 당연히 이사 등과 같은 의무와 책임을 지지만, 그러한 지배주주가 이사 등을 겸하고 있지 아니한 경우에는 지배주주 자체에 대해 이사에 준하는 의무와 책임을 물을 수 없게 된다.[99] 생각건대 해석론으로 지배주주가 회사의 사업기회를 이용하는 것에 적극적으로 관여하는 등의 경우에는 제397조의2의 규정이 적용되는 것으로 보아야 할 것이고,[100] 입법론으로는 미국의 경우와 같이 지배주주를 포함시키는 것을 검토할 필요가 있다고 본다.

라. 회사기회의 유용금지의 예외

1) 회사기회의 유용에 대한 승인

가) 승인기관

사업기회에 대한 승인기관은 이사회 또는 주주총회이다. 이사 등이 사업기회에 대하여 이사회의 승인을 얻으면 회사의 사업기회를 자기 또는 제3자의 이익을 위하여 이용할 수 있다(제397조의 제1항 1문 반대해석). 이와 같이 사업기회의 이용에 대한 승인기관은 원칙적으로 이사회이다. 그러나 소규모 회사의 경우에는 이사회가 존재하지 않기 때문에 주주총회의 승인을 얻어야 한다. 즉 자본금 총액이 10억원 미만인 소규모 회사로, 1인 또는 2인의 이사만 둔 경우에는 사업기회에 대한 승인은 주주총회의 결의로 승인한다(제383조 제4항). 이때 결의는 통상의 주주총회의 결의와 같이 보통결의로 하면 충분하다고 본다.[101]

이때 정관으로 사업기회의 승인기관을 이사회가 아닌 주주총회로 규정할 수 있는지의 문제가 있는데, 이에 대하여는 긍정설[102]과 부정설[103]이 있다. 판례는

---

99) 송옥렬, 전게서, 1072면; 임재연, 전게서, 421면; 정찬형, 상게서, 1044면; 천경훈, 전게논문, 183~184면.
100) 물론 지배주주가 회사의 사업기회를 이용하는 것을 이사 등이 방치 내지는 묵인하는 경우에는 해당 이사 등에 대하여 임무해태로 인한 손해배상책임을 추궁할 수 있을 것이다(임재연, 상게서, 421면; 정찬형, 상게서, 1044면; 천경훈, 상게논문, 184~185면).
101) 권기범, 전게서, 792면; 송옥렬, 전게서, 1071면; 이철송, 전게서(회사법강의), 773면; 최준선, 전게서(회사법), 537면.
102) 자기거래에 관한 사건에서 주주 전원의 동의로 승인하거나 그 승인을 정관에서 주주총회의 권한사항으로 정할 수 있다는 판례의 취지를 사업기회이용에도 적용할 수 있다고 한다(김건식, 전게서, 443면; 임재연, 전게서, 429면).
103) 이는 주주만의 이익을 위한 것이 아니고 회사의 이익을 위한 것이므로 총주주의 동의에 의

이사의 자기거래에 있어서 이사회의 승인을 얻도록 규정하고 있는 취지는, 이사
가 그 지위를 이용하여 회사와 거래를 함으로써 자기 또는 제3자의 이익을 도
모하고 회사 나아가 주주에게 불측의 손해를 입히는 것을 방지하고자 함에 있기
때문에 주주 전원의 동의가 있다거나 그 승인이 정관에 주주총회의 권한사항으
로 정해져 있다는 등의 특별한 사정이 있다면 이사회의 승인을 갈음할 수 있다
고 한다.104) 생각건대 주주총회는 여전히 최고기관성을 가지고 있고, 이사의 자
기거래에 관한 판례의 입장과 같이 주주 전원의 동의가 있다거나 정관에 주주총
회의 권한 사항으로 되어 있다면 이에 기해 이사회의 승인을 주주총회의 결의로
갈음할 수 있다고 본다.

나) 승인시기

이사회가 사업기회의 승인을 함에 있어, 그 승인은 사전 승인만을 의미하는
지 아니면 사후 추인도 가능한지 여부가 문제된다. 개정상법은 이사의 자기거래
에 대하여 미리 해당 거래에 관한 중요사항을 밝히고 이사회의 승인을 얻어야
한다고 명시적으로 규정함으로써, 종래의 판례105) 등과 다르게 사전 승인만을
요하는 것으로 하고 있다. 물론 제397조의2는 "이사는 이사회의 승인 없이 …
이용하여서는 아니 된다."고 규정하고 있어 법문상의 의미가 사전 승인을 의미
한다고 볼 수 있지만,106) 입법론적으로는 자기거래와 같이 명시적으로 사전적
승인만을 의미한다는 문구를 추가하는 것이 바람직하다고 본다.107)

해서도 이사회 승인을 갈음할 수 없다는 견해이다(정찬형, 전게서, 1045면).

104) 대법원 2007.5.10. 2005다4291(이사와 회사 사이의 이익상반거래에 대한 승인은 주주 전원
의 동의가 있다거나 그 승인이 정관에 주주총회의 권한사항으로 정해져 있다는 등의 특별
한 사정이 없는 한 이사회의 전결사항이라 할 것이므로, 이사회의 승인을 받지 못한 이익
상반거래에 대하여 아무런 승인 권한이 없는 주주총회에서 사후적으로 추인 결의를 하였다
하여 그 거래가 유효하게 될 수는 없다).

105) 대법원 2007.5.10. 2005다4284(상법 제398조 전문이 이사와 회사 사이의 거래에 관하여
이사회의 승인을 얻도록 규정하고 있는 취지는, 이사가 그 지위를 이용하여 회사와 거래를
함으로써 자기 또는 제3자의 이익을 도모하고 회사 나아가 주주에게 불측의 손해를 입히는
것을 방지하고자 함에 있는바, 이사회의 승인을 얻은 경우 민법 제124조의 적용을 배제하
도록 규정한 상법 제398조 후문의 반대해석상 이사회의 승인을 얻지 아니하고 회사와 거
래를 한 이사의 행위는 일종의 무권대리인의 행위로 볼 수 있고 무권대리인의 행위에 대하
여 추인이 가능한 점에 비추어 보면, 상법 제398조 전문이 이사와 회사 사이의 이익상반거
래에 대하여 이사회의 사전 승인만을 규정하고 사후 승인을 배제하고 있다고 볼 수는 없
다).

106) 이기수·최병규, 전게서, 402면; 이철송, 전게서(회사법강의), 773면; 장덕조, 전게서, 351
면; 정동윤, 전게서, 637면.

다) 보고의무의 문제

회사기회를 이용하고자 하는 경우 해당 이사 등은 이사회의 승인을 얻어야 하는데, 이때 사전에 그 기회에 관한 중요사실을 보고하여야 하는지 여부에 관한 문제가 있다. 개정상법은 자기거래에 관하여 해당 거래에 관한 중요사실을 밝혀야 한다고 함으로써, 이러한 보고의무를 명시적으로 규정하고 있다(제398조 본문). 이와 같이 이사회의 승인을 얻도록 하고 있는 것은 회사 및 주주에게 불측의 손해를 입히는 것을 방지하기 위한 것이다.

회사기회의 이용에 대하여도 이사회가 승인을 하기에 앞서 그 기회의 내용을 충분히 이해하고 평가하지 않으면 공정성을 확보하기가 곤란하고, 보고가 이루어지지 않으면 이사회에 의한 적정한 직무감독권의 행사가 보장될 수 없다. 따라서 그 사업기회를 이용하고자 하는 이사는 이사회의 승인을 받기에 앞서 이사회에 그 거래에 관한 자기의 이해관계 및 그 거래에 관한 중요사실[108] 등을 보고하여야 할 의무가 있다고 하여야 할 것이다.[109] 생각건대 이사의 자기거래의 경우와 같이, 회사기회의 이용의 경우에도 사전정보개시의무를 명시적으로 규정하여야 할 것이다.[110]

그런데 보고의무와 관련하여 이사 등의 사업기회 유용 사실을 인지하고 있는 감시의무자에게도 보고의무가 있는지 여부가 문제된다. 이사 또는 집행임원은 업무집행상황을 이사회에 정기적으로 보고하여야 하고(제393조 제4항, 제408조의6 제1항),[111] 이사는 회사에 현저하게 손해를 가할 염려가 있는 경우 감사 또는 감

---

107) 동지: 김홍기, 「상법강의」 제3판(박영사, 2018), 600, 604면; 임재연, 전게서, 429면; 정찬형, 전게서, 1045면.

108) 중요사실의 보고에 있어서 사업기회에 관한 정보 및 관련자들의 이해관계, 즉 회사의 사업 기회이용시 예상 손익, 이사의 이해관계, 사업기회이용에 따른 회사에 대한 파급효과 등에 대해 추상적 내용이 아닌 수치화된 내용을 보고하여야 할 것이다(임재연, 상게서, 430면).

109) 이사의 자기거래에 대한 보고(개시)의무와 관련하여 판례는, "이사와 회사 사이의 이익상반 거래가 비밀리에 행해지는 것을 방지하고 그 거래의 공정성을 확보함과 아울러 이사회에 의한 적정한 직무감독권의 행사를 보장하기 위해서는 그 거래와 관련된 이사는 이사회의 승인을 받기에 앞서 이사회에 그 거래에 관한 자기의 이해관계 및 그 거래에 관한 중요한 사실들을 개시하여야 할 의무가 있고, 만일 이러한 사항들이 이사회에 개시되지 아니한 채 그 거래가 이익상반거래로서 공정한 것인지 여부가 심의된 것이 아니라 단순히 통상의 거래로서 이를 허용하는 이사회의 결의가 이루어진 것에 불과한 경우 등에는 이를 가리켜 상법 제398조 전문이 규정하는 이사회의 승인이 있다고 할 수는 없다."고 하고 있는데(대법원 2007.5.10. 2005다4284), 이러한 취지는 사업기회의 승인과 관련하여서도 그대로 적용될 수 있다고 본다.

110) 동지: 정찬형, 전게서, 1045면.

사위원회에 이를 보고하여야 한다(제412조의2, 제415조의2 제7항). 따라서 이사 또는 집행임원 등이 어떤 이사 등의 사업기회의 유용 사실을 알고 있는 경우에는 선관의무에 포함되는 감시의무의 법리에 따라 이사회 등에 보고하여야 할 것이다. 만일 다른 이사 등의 사업기회의 유용 사실을 알고도 이를 보고하지 아니한 때에는, 감시의무 위반으로 인하여 회사가 입은 손해를 배상할 책임이 있다고 본다.[112]

라) 승인결의의 요건

해당 사업기회의 이용을 허용할 것인지 여부에 관한 이사회의 승인은 이사 3분의 2 이상의 수로써 하여야 한다(제397조의2 제1항).[113] 이때 이사란 사업기회를 이용하고자 하는 이사를 포함한 재적 이사를 의미한다.[114] 다만 사업기회를 이용하고자 하는 해당 이사는 의결권을 행사할 수 없다고 본다(제371조 제2항 참조).[115]

그런데 사업기회의 엄격한 승인결의 요건에 관하여는 논란이 있다. 즉 이사 '3분의 2 이상의 수'라는 이사회의 특별결의 요건은 상법에 별도로 규정되어 있지 않고, 이사회의 요건을 강화하면 이사회의 신속한 결의를 저해하게 되며, 이를 사실상 이사회 내 위원회에게도 위임할 수 없게 되어 이사회의 기동성을 매우 떨어뜨리게 된다는 이유로 이러한 특별결의요건이 삭제되어야 한다는 견해가 있다.[116] 생각건대 이사회의 보통결의 요건도 정관으로 그 비율을 높게 정할 수 있고(제391조 제1항 단서), 개정상법이 사업기회의 이용에 관해 이사회의 승인결의 요건을 보통결의 요건에 비해 엄격히 한 이유는 기업경영의 투명성 강화를 기하기 위한 것이므로, 이러한 입법목적도 감안되어야 할 것이다.

---

111) 이는 이사회의 활성화를 위해 2001년 상법 개정시 신설된 의무로, 2011년 개정상법은 집행임원에 대하여도 보고의무를 인정하고 있다.
112) 동지: 임재연, 전게서, 430면.
113) 소규모회사의 경우에는 이사회 결의에 갈음하여 주주총회의 결의로 하는데(제383조 제4항), 그 결의요건은 이사회 결의요건인 특별결의 요건이 아니라 보통결의 요건으로 충분하다고 본다(이철송, 전게서(회사법강의), 773면; 임재연, 상게서, 432면).
114) 이에 대해, 이사란 이사회 결의에 관하여 특별한 이해관계가 있어 의결권을 행사하지 못하는 이사를 제외한 나머지 재적이사를 의미한다는 견해도 있다(천경훈, 전게논문, 188면).
115) 임재연, 전게서, 431면; 정찬형, 전게서, 1045~1046면.
116) 정찬형, 상게서, 1046면; 천경훈, 전게논문, 188~189면.

마) 승인방법

이사회는 개별 사업기회를 검토하여 승인여부를 결정하여야 할 것이므로, 포괄승인은 원칙적으로 인정되지 않는다.[117] 그러나 예측가능하고 정형화된 거래 등의 경우에는 일정한 기간별로 포괄승인을 할 수 있다고 본다.[118] 그리고 이사회의 승인은 적극적인 승인은 물론, 소극적인 승인(예컨대, 회사는 해당 이사의 사업기회를 이용하지 않는다고 결의한 경우)도 포함한다고 본다.[119] 다만 소극적 승인이라고 하기 위해서는 그 사업기회의 이용에 대하여 승인 권한을 갖고 있는 이사회가 그 사업기회 이용과 관련된 이사의 이해관계 및 그와 관련된 중요한 사실들을 지득한 상태에서 하여야 할 뿐만 아니라, 그 기회 이용을 승인할 경우 회사에 손해가 발생할 수 있고 그에 대하여 이사들이 연대책임을 부담할 수 있다는 점을 용인하면서까지 승인하였다고 볼 만한 사유가 인정되어야 할 것이다.[120] 따라서 사업기회의 이용에 대해 회사가 적극적으로 이의를 제기하지 아

---

117) 송옥렬, 전게서, 1071면; 정동윤, 전게서, 637면.

118) 정찬형, 전게서, 1045면; 천경훈, 전게논문, 193면. 이와 관련하여 자기거래의 경우에는 동종 유형이나 동일 유형의 거래에서는 기간과 한도를 정하여 포괄적으로 승인하는 것이 가능하지만, 사업기회이용의 경우에는 그 개념상 동종 유형이나 동일 유형의 사업기회는 생각하기 어렵다는 견해도 있다(임재연, 전게서, 432면).

119) 정찬형, 상게서, 1046면; 천경훈, 상게논문, 187~188면.

120) 법원은 이사와 회사 간의 이익상반거래에 대하여 회사의 묵시적 추인이 인정되기 위한 요건으로, "상법 제398조 전문이 이사와 회사 사이의 이익상반거래를 이사회의 승인사항으로 규정하고 있는 취지에는 그 거래로 말미암아 회사 나아가 주주가 손해를 입은 경우 그 거래와 관련된 이사뿐만 아니라 그 거래를 승인한 다른 이사들도 연대하여 손해배상책임을 질 수 있으므로, 이사회에서 회사 등의 이익을 위하여 그 승인 여부를 보다 신중하고 공정하게 심의·의결할 것이라는 고려도 포함되어 있는 것인바, 만일 단순히 특정 이사와 회사 사이의 거래가 있은 후 회사가 이에 대하여 적극적으로 이의를 제기하지 아니하였다는 사정 등만으로 묵시적 추인을 쉽게 인정하게 되면, 원래 무효인 거래행위가 유효로 전환됨으로써 회사 등은 불측의 손해를 입게 되고 그 거래와 관련된 이사나 악의·중과실 있는 제3자 등은 이익을 얻게 되는 반면, 묵시적 추인의 주체나 책임소재가 불분명하여 그 책임 추궁이 어렵게 되는 불합리한 사태가 발생할 수 있으므로, 회사가 이익상반거래를 묵시적으로 추인하였다고 보기 위해서는 그 거래에 대하여 승인 권한을 갖고 있는 이사회가 그 거래와 관련된 이사의 이해관계 및 그와 관련된 중요한 사실들을 지득한 상태에서 그 거래를 추인할 경우 원래 무효인 거래가 유효로 전환됨으로써 회사에 손해가 발생할 수 있고 그에 대하여 이사들이 연대책임을 부담할 수 있다는 점을 용인하면서까지 추인에 나아갔다고 볼 만한 사유가 인정되어야 한다."고 하면서, 채권자 회사의 이사회가 기부행위와 관련된 소외인의 이해관계 및 그와 관련된 중요한 사실들을 지득한 상태에서 기부행위의 추인시 원래 무효인 해당 기부행위가 유효로 전환됨으로써 채권자 회사에 손해가 발생할 수 있고 그에 대하여 채권자 회사의 이사들이 연대책임을 부담할 수 있다는 점을 용인하면서까지 추인에 나아갔다고 볼 만한 사유가 있어야 하기 때문에, 단지 채권자 회사의 이사회나 주주총회에서 재무제표 및 영업보고서에 대한 승인 결의를 한 후 채권자 회사가 그 영업보고서 등을

니하였다는 사정 등만으로는 승인이라 할 수 없을 것이다.

바) 승인효과

사업기회에 대해 해당 이사가 개시의무를 이행하여 승인을 청구한 것에 대해 이사들이 선관주의의무 및 충실의무를 충실히 이행하여 이를 승인한 경우에는 해당 이사는 적법하게 회사의 사업기회를 자기 또는 제3자의 이익을 위하여 이용할 수 있고(제397조의2 제1항 반대해석), 이에 대하여 승인한 이사는 그러한 승인으로 인하여 회사에 손해가 발생하였다고 하더라도 경영판단의 원칙에 따라 면책된다고 본다.[121]

그러나 사업기회의 이용에 대한 이사회의 승인은 해당 이사가 회사의 사업기회를 이용할 수 있는 유효요건에 불과하다(제397조의2 제1항 제1문 반대해석). 따라서 이사회의 승인에서 이사가 선관주의의무와 충실의무에 위반하여 승인하였다면 해당 이사는 물론, 승인결의에 찬성한 이사는 연대하여 회사에 대해 손해를 배상하여야 한다(제397조의2 제2항).

2) 회사의 승인지연과 포기

사업기회를 이용하고자 하는 이사가 회사에 대하여 개시의무를 이행하면서 승인을 청구한 것에 대해 이사회가 이를 판단하지 않고 지연하는 경우 해당 이사는 사업기회를 이용할 수 있는가? 이에 대해서는 긍정적 견해[122]와 부정적 견해[123]가 있다. 생각건대 합리적인 시간이 경과하면 회사의 사업기회이용의 거절이 있는 것으로 보아 이사가 그 기회를 이용할 수 있다고 보아야 할 것이다.[124] 그리고 사업기회를 이용하고자 하는 이사가 회사에 대하여 개시의무를 이행하면서 승인을 청구한 것에 대해 회사가 이를 승인한 경우는 회사 스스로 사업기회에 대한 이익을 포기·거부한 것으로 볼 수 있기 때문에,[125] 해당 이사는 사업

근거로 세무신고를 하여 법인세 산정시 손금산입 처리를 받았다거나 채권자 회사의 이사, 주주 혹은 감사 등이 기부행위에 대하여 장기간 이의를 제기하지 아니하였다는 사정 등만으로는 채권자 회사가 기부행위를 묵시적으로 추인하였다고 보기 어렵다고 하고 있다(대법원 2007.5.10. 2005다4291).

121) 구승모, 전게논문, 126～127면; 정찬형, 전게서, 1046면; 천경훈, 전게논문, 198～201면.
122) 김홍기, 전게논문, 116～117면; 김정호, 전게논문, 167면.
123) 천경훈, 전게논문, 193면(본조 문언 및 취지상 침묵을 의사표시로 간주할 근거가 없고, 회사가 결정을 하고 있지 못하다는 것은 그 기회를 깨끗이 포기하고 타인에게 넘겨주기를 주저하고 있다는 의미이므로 이사가 이를 이용할 수 없다고 보는 것이 타당하다고 한다).
124) 미국 ALI 원칙 §5.05(a)도 같은 입장이다.

기회를 이용할 수 있다. 물론 회사는 이사의 승인 청구에 대해 기간이나 조건 등을 붙여 승인할 수도 있을 것이다.

3) 회사의 무능력

회사가 해당 사업기회를 이용할 수 없는 경우에 있어서, 이사회의 승인도 없을 때 이사가 그 사업기회를 이용할 수 있는가? 회사가 사업기회를 이용할 수 없는 경우로 (1) 법률적 규제에 의한 경우, (2) 재정적 사정에 의한 경우, (3) 제3자(거래상대방)의 거절에 의한 경우 등을 들 수 있다.[126] (1)의 경우에는 원칙적으로 회사의 사업기회라고 볼 수 없으므로, 이사의 사업기회의 이용이 허용된다. 그런데 (2)의 경우에 있어서 회사가 그 사업기회를 취득할 재정능력이 있는지의 여부는 매우 신중하게 판단할 문제라고 본다.[127] 상법 제397조의2는 "현재 또는 장래"에 회사의 이익이 될 수 있는 사업기회의 이용을 규제하고 있는데, 사업기회를 이용하는 시점에서는 회사의 재정능력에 대한 판단이 용이할 수 있겠지만, 장래에 있어서의 판단 문제는 사업기회의 유용성 등에 따라 신주나 사채발행 등 자금조달 의지도 달라질 수 있다. 따라서 이러한 판단은 사업기회를 이용하고자 하는 해당 이사가 내릴 것이 아니라, 중요사실에 대해 보고한 후 이사회에서 판단하게 하는 것이 바람직할 것이다.[128] (3)의 경우도 예컨대 사업기회가 회사에 큰 영향을 줄 수 있거나 큰 가치를 가지고 있는 것이라면 회사는 거절한 제3자에게 더 유리한 조건을 제시하는 등의 행위를 할 수 있을 것이다. 따라서 (2)의 경우와 같이 해당 이사는 우선 이사회의 판단에 맡겨야 할 것이다.[129]

---

125) 임재연, 전게서, 432면.
126) 이하 이 세 가지 유형에 관하여는, 임재연, 상게서, 427면; 천경훈, 전게논문, 202면 참조.
127) 회사의 무능력과 관련하여, 미국에서는 회사의 재정적 어려움이 있거나 기타 회사의 능력 부족 등의 문제로 회사기회를 회사가 이용할 수 없을 때에는 경영자가 회사에 보고할 필요도 없이 사업기회를 이용할 수 있는데, 개정상법에는 이러한 규정이 없어 회사의 무능력에 대한 항변을 채택하지 않을 경우 기업의 불필요한 공시 및 이사회 개최에 따른 낭비는 물론, 경영자에게도 과도한 부담을 지우게 됨으로써 경영자가 될 유인을 감소시킨다는 견해도 있다(김화진, 전게서, 328면).
128) 임재연, 전게서, 427면.
129) 임재연, 상게서, 427~428면.

마. 회사기회의 유용금지의무 위반의 효과

1) 손해배상책임

가) 손해배상의 주체

이사가 이사회의 승인 없이 회사의 사업기회를 유용하여 회사에 손해를 가한 경우, 이사 및 이를 승인한 이사는 연대하여 손해를 배상할 책임이 있다(제397조의2 제2항 전단). 따라서 사업기회를 이용하고자 하는 이사가 이사회의 승인 없이 이를 이용한 경우는 당연히 손해배상책임을 진다. 그리고 이사회에 승인 청구를 하면서 중요사실에 대한 보고의무를 충실히 이행하지 않은 경우에도 해당 이사는 손해배상책임을 부담한다고 본다.[130] 사업기회를 이용하고자 하는 이사의 승인청구에 대하여 이사회에서 승인하지 아니한 경우 그 승인 여부는 이사회의 권한(재량)사항이므로 이사들이 이에 대해 책임을 지게 되는 문제는 발생하지 않는다.[131] 그리고 승인 청구에 있어서 이사회가 위법하게 승인하여 회사에 손해를 입힌 경우에는 관련 이사는 연대하여 회사에 대해 손해배상책임을 진다.

그런데 회사기회를 이용하고자 하는 이사가 중요사실 등에 대해 제대로 보고하였음에도 불구하고 이사회의 만연한 판단에 의해 승인이 이루어짐으로써 회사에 손해를 가져온 경우 승인 청구를 한 해당 이사의 책임은 어떻게 되는가? 생각건대 사업기회를 이용하고자 하는 해당 이사의 승인 요청에 대해 성실하게 심의하여야 할 의무를 위반한 이사들도 연대하여 손해배상책임을 짐에도 불구하고, 정작 자기 또는 제3자의 이익을 위하여 회사의 사업기회를 이용한 이사가 면책된다면 형평의 법리에 맞지 아니하므로, 승인이 적법한 경우와는 달리 해당 이사도 연대하여 손해배상책임이 있다고 하여야 할 것이다.[132]

나) 손해액의 추정

개정상법은 이사회의 승인 없이 행한 회사기회의 유용행위로 인하여 이사 또는 제3자가 얻은 이익을 회사의 손해로 추정하고 있다(제397조의2 제2항 후단). 이사는 회사에 대하여 충실의무를 부담하므로 회사의 희생으로 자기의 이익을 도모

---

130) 임재연, 상게서, 434면.
131) 임재연, 상게서, 434면.
132) 동지: 권기범, 전게서, 794면; 이철송, 전게서(회사법강의), 777면; 임재연, 상게서, 435면; 천경훈, 전게논문, 204면.

해서는 안 되며, 그 이익은 회사의 이익으로 하는 수탁자의 지위에 있는 것이라고 할 수 있다.[133] 여기서 회사의 손해란 사업기회를 이용하였으면 회사가 얻을 수 있는 일실(逸失)이익을 말하는데, 이에 대한 증명이 매우 곤란하기 때문에 이사 또는 제3자가 얻은 이익을 회사의 손해로 추정한다고 규정한 것이다.[134] 그러므로 회사는 이사 또는 제3자가 얻은 이익만 입증하면 되지만, 사업기회를 유용한 이사는 회사의 손해가 존재하지 않음을 증명하여 책임을 면할 수 있다.[135]

　그런데 회사의 사업기회를 유용한 이사의 손해배상책임을 일정한 범위로 제한할 수 있는가? 회사는 정관에 정하는 바에 따라 이사의 회사에 대한 손해배상책임을 이사가 법령·정관에 위반한 행위를 하거나 그 임무를 게을리한 날 이전 최근 1년간의 보수액의 6배(사외이사의 경우 3배)를 초과하는 금액에 대하여 면제할 수 있다(제400조 제2항). 그러나 개정상법은 이사가 고의 또는 중과실로 손해를 발생시킨 경우, 경업금지의무 위반 및 자기거래금지의무 위반의 경우, 회사기회를 유용한 경우에는 책임을 감면할 수 없도록 규정하고 있기 때문에(제400조 제2항 단서), 사업기회를 유용한 이사의 손해배상책임을 제한할 수는 없다.[136]

2) 사법상의 효력

　이사가 이사회의 승인 없이 회사기회를 유용한 경우 문제된 행위의 사법상의

---

133) 최기원, 「신회사법론」 제14대정판(박영사, 2012), 673면.

134) 구승모, 전게논문, 127면; 정찬형, 전게서, 1047면. 그런데 개정상법의 이러한 추정 규정에도 불구하고 회사기회의 유용금지의무를 위반하여 회사에 손해를 가한 이사 등에게 회사의 개입권이나 이익을 반환받을 수단을 인정하고 있지 않아 손해배상청구권의 실질이 충분히 확보되기 어렵다는 문제가 있다. 따라서 회사기회의 유용금지의무를 위반한 경우 해당 이사 등으로부터 그로 인하여 얻은 이익을 회사가 모두 반환받을 수 있도록 개입권 및 제척기간을 인정할 필요가 있다고 본다(동지: 최준선, 전게서(회사법), 537~538면; 홍복기, 전게서, 498면; 홍복기 외, 전게서, 444면).

135) 임재연, 전게서, 436면; 정동윤, 전게서, 637면.

136) 이때 책임이 감면되지 않는 자의 범위에 회사의 사업기회를 이용함으로써 회사에 손해를 가한 해당 이사 이외에도, 이사회에서 사업기회의 이용을 승인한 이사도 포함되는지 여부가 문제된다. 자기거래규제에 관한 제398조와 달리 제397조의2는 이사회에서 승인한 이사도 제397조의2 제2항에서 직접 책임주체로 규정하고 있는 점에 비추어 볼 때 책임이 감면되지 않는다 할 것이다. 그런데 책임감면에 있어서 제398조와 다르게 취급할 이유가 없고, 이사회에서 이사가 성실하게 심사할 의무 등을 이행하고 그것이 고의 또는 중대한 과실에 의한 것이 아닌 한 책임을 감면할 수 있다고 본다(동지: 정찬형, 전게서, 1048면; 천경훈, 전게논문, 205면). 따라서 입법론으로는 제400조 제2항에 "제397조의2 제1항"이라고 규정하는 것이 타당하다고 본다(동지: 임재연, 상게서, 435면).

효력은 어떻게 되는가? 이에 대해 자기거래금지의무를 위반한 경우와 동일하게
보자는 견해137)와, 이사회의 승인 없이 이루어진 경업과 동일하게 보자는 견
해138)가 있다. 생각건대 경업의 경우에는 거래로 인한 이득의 귀속이 불공정할
뿐 제3자에게는 그 거래의 효력을 좌우할 어떤 흠도 없기 때문에 유효로 보는
바, 이사가 이사회의 승인 없이 회사기회를 유용한 경우도 경업과 동일하게 보
아야 한다고 본다(제397조 참조).139) 즉 이사가 회사의 사업기회를 이용하여 한
해당 사업에 대해 이사회의 승인이 없다 하더라도 제3자(거래상대방)에 대한 관
계에서는 유효하다.140) 따라서 회사가 입은 손해는 해당 이사 등에 대한 손해배
상책임의 추궁에 의해 해결할 수밖에 없을 것이다(제399조, 제403조).

---

137) 장덕조, 전게서, 354면; 정동윤, 전게서, 637면; 최준선, 전게서(개정상법해설), 128면.
138) 권기범, 전게서, 794면; 김건식, 전게서, 444~445면; 송옥렬, 전게서, 1071~1072면; 이철
    송, 전게서(축조해설), 153면; 최준선, 전게서(회사법), 537면; 홍복기, 전게서, 501면; 홍복
    기 외, 전게서, 445면.
139) 이사회의 승인 없이 행한 자기거래(제398조)는 대내적으로는 무효이고 대외적으로는 원칙
    적으로 유효라는 상대적 무효설이 통설이다. 판례는 이사의 자기거래행위에 대해 "회사의
    대표이사가 이사회의 승인 없이 한 이른바 자기거래행위는 회사와 이사 간에서는 무효이지
    만, 회사가 위 거래가 이사회의 승인을 얻지 못하여 무효라는 것을 제3자에 대하여 주장하
    기 위해서는 거래의 안전과 선의의 제3자를 보호할 필요상 이사회의 승인을 얻지 못하였다
    는 것 외에 제3자가 이사회의 승인 없음을 알았다는 사실을 입증하여야 할 것이고, 비록
    제3자가 선의였다 하더라도 이를 알지 못한 데 중대한 과실이 있음을 입증한 경우에는 악
    의인 경우와 마찬가지라고 할 것이며, 이 경우 중대한 과실이라 함은 제3자가 조금만 주의
    를 기울였더라면 그 거래가 이사와 회사간의 거래로서 이사회의 승인이 필요하다는 점과
    이사회의 승인을 얻지 못하였다는 사정을 알 수 있었음에도 불구하고, 만연히 이사회의 승
    인을 얻은 것으로 믿는 등 거래통념상 요구되는 주의의무에 현저히 위반하는 것으로서 공
    평의 관점에서 제3자를 구태여 보호할 필요가 없다고 봄이 상당하다고 인정되는 상태를 말
    한다."고 하여, 제3자에 대한 관계에서는 원칙적으로 유효로 보고 있다(대법원 2004.3.25.
    2003다64688; 1994.10.11. 94다24626). 그런데 이사회의 승인 없이 행한 경업행위(제397
    조 제1항 전단)는 유효하나, 회사는 그 이사를 해임할 수 있다는 것이 통설이다. 판례도
    "이사의 경업금지의무를 규정한 상법 제397조 제1항의 규정취지는 이사가 그 지위를 이용
    하여 자신의 개인적 이익을 추구함으로써 회사의 이익을 침해할 우려가 큰 경업을 금지하
    여 이사로 하여금 선량한 관리자의 주의로써 회사를 유효적절하게 운영하여 그 직무를 충
    실하게 수행하여야 할 의무를 다하도록 하려는 데 있으므로, 경업의 대상이 되는 회사가
    영업을 개시하지 못한 채 공장의 부지를 매수하는 등 영업의 준비작업을 추진하고 있는 단
    계에 있다하여 위 규정에서 말하는 '동종영업을 목적으로 하는 다른 회사'가 아니라고 볼
    수는 없다."라고 하면서, 회사의 이사가 회사와 동종영업을 목적으로 하는 다른 회사를 설
    립하고 다른 회사의 이사 겸 대표이사가 되어 영업준비작업을 하여 오다가 영업활동을 개
    시하기 전에 다른 회사의 이사 및 대표이사직을 사임하였다고 하더라도 이는 상법 제397
    조 제1항 소정의 경업금지의무를 위반한 행위로서 특별한 다른 사정이 없는 한 이사의 해
    임에 관한 상법 제385조 제2항 소정의 '법령에 위반한 중대한 사실'이 있는 경우에 해당한
    다고 판시하고 있다(대법원 1993.4.9. 92다53583).
140) 이때 경업금지의무를 위반한 경우에 인정되는 회사의 개입권(제397조 제2항)은 인정되지
    않는다.

바. 관련 판례의 검토

1) 대법원 2013.9.12. 2011다57869

가) 사실관계

광주신세계는 신세계가 광주광역시에서 백화점 등을 운영하기 위하여 설립한 자회사로서 신세계가 그 주식 전부를 보유하고 있었다. 신세계는 광주신세계를 사실상 신세계의 지점처럼 운영하였다. 광주신세계는 1997년 말에 발생한 외환위기 이후 금융비용 증가로 자금조달 및 회사 운영에 어려움을 겪게 되자 이를 해결하기 위하여 신세계와 협의하여 이 사건 유상증자를 하였다. 그러나 신세계도 구조조정 등의 필요로 유상증자에 참여할 형편이 되지 아니하여 이사회에서 신주인수권을 전부 포기하기로 의결하였고, 그에 따라 광주신세계가 신주를 실권처리하여 신세계의 이사인 피고 1에게 제3자 배정함으로써 피고 1이 1998. 4. 23. 광주신세계의 주식 83.3%를 취득하게 되었다. 피고 1은 신세계의 지배주주인 소외인의 아들로서 신세계의 특수관계인이어서 구태여 광주신세계를 신세계로부터 분리하여 경영하거나 신세계와 경쟁할 이유가 없었고, 실제로 신세계는 피고 1의 이 사건 신주인수로 인하여 지배주주의 지위를 잃고 2대 주주가 되었음에도 광주신세계는 여전히 신세계와 동일한 기업집단에 소속되어 있었다. 광주신세계는 피고 1의 이 사건 신주인수 후에도 신세계와 동일한 상표를 사용하고 신세계에 판매물품의 구매대행을 위탁하였으며, 전과 동일하게 신세계의 경영지도를 받으면서 신세계와 협력하였고, 신세계도 이 사건 신주인수 전과 마찬가지로 상표 사용 및 경영지도에 대한 대가로 광주신세계로부터 매년 일정액의 경영수수료를 받았다.

이에 대해 원고는, 피고 1은 이사로서의 충실의무를 위반하여 신세계의 사업기회를 유용하고 나머지 이사들은 그러한 유용을 가능하게 하여 신세계에게 손해를 입혔음을 이유로 손해배상을 청구하였다.[141]

---

141) 이 밖에도 원고는 (1) 피고 1에게 경업금지의무 위반을 이유로 신세계가 입은 손해의 배상 이외에, (2) 피고 1은 이사의 자기거래에 해당하는 신주 인수를 이사회 승인없이 하고 나머지 이사들은 그러한 신주 인수를 가능하게 하여 신세계에 손해를 입혔음을 이유로 손해배상을, (3) 신세계 이사들은 광주신세계의 신주가 지배권의 이전을 수반하는 대규모의 물량임에도 이를 고려하지 아니한 채 현저히 저가로 발행된다는 사정을 잘 알고 있었기 때문에 신세계의 이익을 위하여 이를 인수하였어야 함에도 신세계 지배주주 일가의 후손인 피

나) 판시사항

이에 대해 원심은 제반 사정을 고려할 때 신주 인수 당시 광주신세계가 '유망한 사업기회'였다고 보기 어렵고 IMF 외환위기 상황 하에서 긴축경영의 취지에 부합하게 신주 인수를 포기한 것이어서 사업기회를 '유용'한 것으로도 보기 어렵다고 판단하여, 원고의 청구를 기각하였다.[142]

대법원은 "이사는 회사에 대하여 선량한 관리자의 주의의무를 지므로, 법령과 정관에 따라 회사를 위하여 그 의무를 충실히 수행한 때에야 이사로서의 임무를 다한 것이 된다. 이사는 이익이 될 여지가 있는 사업기회가 있으면 이를 회사에 제공하여 회사로 하여금 이를 이용할 수 있도록 하여야 하고, 회사의 승인 없이 이를 자기 또는 제3자의 이익을 위하여 이용하여서는 아니 된다. 그러나 회사의 이사회가 그에 관하여 충분한 정보를 수집·분석하고 정당한 절차를 거쳐 회사의 이익을 위하여 의사를 결정함으로써 그러한 사업기회를 포기하거나 어느 이사가 그것을 이용할 수 있도록 승인하였다면 그 의사결정과정에 현저한 불합리가 없는 한 그와 같이 결의한 이사들의 경영판단은 존중되어야 할 것이므로, 이 경우에는 어느 이사가 그러한 사업기회를 이용하게 되었더라도 그 이사나 이사회의 승인 결의에 참여한 이사들이 이사로서 선량한 관리자의 주의의무 또는 충실의무를 위반하였다고 할 수 없다."고 하여, 원심을 유지하였다.[143]

고 1에게 재산을 증식시켜 줄 목적으로 신주인수권 포기를 의결하여 신세계에 손해를 입혔음을 이유로 이사로서의 임무 해태에 따른 손해배상을 구하였다.

142) 서울고등법원 2011.6.16. 2010나70751.

143) 대법원 2013.9.12. 2011다57869(즉, 신세계 이사회가 신세계가 100% 지분을 출자하여 설립한 광주신세계의 유상증자에 대하여 신주인수권을 전부 포기하기로 의결함에 따라, 광주신세계 이사회가 신주를 실권 처리하여 신세계 이사인 丙에게 제3자 배정함으로써 丙이 이를 인수하여 광주신세계 지배주주가 되자, 신세계 소수주주들이 丙은 이사로서의 충실의무를 위반하여 신세계의 사업기회를 유용하고 나머지 이사들은 그러한 유용을 가능하게 하여 신세계에 손해를 입혔음을 이유로 손해배상을 구한 사안에서, 사업기회 유용 금지의 원칙이 이사의 선관주의 또는 충실의무의 한 내포로서 인정된다 하더라도 이사가 사업기회를 유용한 것으로 인정되려면 '유망한 사업기회'가 존재하고 사업기회가 이사에 의하여 '유용'된 것이 인정되어야 하는데, 위 유상증자 당시 IMF 외환위기 사태로 경제여건이 크게 악화되어 신세계와 광주신세계를 비롯한 대부분의 유통업체가 경영상 어려움을 겪고 있었던 점, 광주신세계의 자본금이 5억 원에 불과하였고 이미 자본잠식 상태에 있었으며 이자비용이 당기순이익에 근접하는 상황이었던 점, 유상증자 대금 대부분이 기존 채무변제에 사용된 점, 신세계도 정부와 금융당국의 부채비율 축소 요구에 따라 우량자산을 매각하는 등 유동성 확보와 재무구조 개선을 위한 강도 높은 구조조정을 진행하고 있었던 점, 광주신세계가 신세계에게서 실권 통보를 받은 후 신주 인수자를 물색하였으나 IMF 외환위기 사태로 인한 국내경제 침체 등의 영향으로 인수자를 찾지 못한 끝에 신주를 丙에게 전액 배정

다) 판례의 검토

위 판례는 광주신세계백화점의 이사들이 신주인수권을 포기한 결의가 자기거래, 경업금지, 회사기회유용에 각각 해당하는지 여부가 쟁점이 되었다. 이는 충실의무와 회사기회유용에 관한 조항이 상법에 도입되기 이전에 발생한 것인데, 명문의 규정이 없는 경우에도 특히 회사기회유용금지의무를 인정할 수 있을 것인지에 대하여 판단한 것이다. 그런데 회사기회유용금지의무는 이사에게 부여되는 당연한 의무로, 상법상 명문의 규정이 있어야만 인정되는 의무는 아니다. 따라서 이 사건이 회사기회유용금지에 관한 상법 제397조의2가 신설되기 이전에 발생한 것이라 하더라도 이사에게는 당연히 회사의 사업기회를 유용해서는 아니될 의무가 존재하기 때문에, 법원이 대상판결에서 이사의 회사기회유용 여부를 판단한 것은 타당하다고 본다.[144]

그렇다면 광주신세계의 '신주를 인수할 기회'가 신세계의 '유망한 사업기회'에 해당하는지가 문제이다. 원심은 이 사건 유상증자 당시는 외환위기 사태로 경제여건이 크게 악화되어 광주신세계 등과 같은 유통업체도 예외가 아니어서 경영상의 어려움을 겪고 있었으며, 광주신세계는 1995년 이후 자본잠식, 단기차입금 및 이자비용 증가 등의 상황에 있었고, 이 사건 유상증자 대금 대부분도 기존 채무 변제에 사용되었으며, 신세계도 유동성 확보 및 재무구조 개선을 위한 강도 높은 구조조정을 진행하고 있었으며, 광주신세계도 신세계로부터 실권 통보를 받은 후 이 사건 신주 인수자를 물색하였으나 인수자를 찾지 못한 끝에 피고 1에게 전액 배정하기로 결정하였기 때문에, 신주 인수 당시 광주신세계가 '유망한 사업기회'이었다고 보기 어렵다고 판시[145]하였다. 이에 대해 광주신세계

하기로 결정한 점 등을 종합하면, 신주 인수 당시 광주신세계가 '유망한 사업기회'였다고 보기 어렵고, 신세계가 IMF 외환위기 상황하에서 긴축경영의 취지에 부합하게 신주 인수를 포기하고 광주신세계도 위와 같은 상황하에서 인수자를 찾지 못하여 丙에게 신주를 인수하게 한 것이어서 丙이 신세계의 사업기회를 '유용'한 것으로도 보기 어렵다고 보았다).

144) 임재호, "모회사 이사의 자회사 지배주식 인수에 따른 법률관계: 대법원 2013.9.12. 2011다57869,"「법학논총」제21집 제3호(조선대학교 법학연구소, 2014), 45면.

145) 즉, ① 이 사건 유상증자 당시는 IMF 외환위기 사태로 금리가 급등하고 소비심리가 크게 위축되는 등 경제여건이 크게 악화되어 있었고, 광주신세계나 신세계와 같은 유통업체도 예외가 아니어서 경영상의 어려움을 겪고 있었으며, 실제로 광주 지역뿐만 아니라 전국 각지에서 다수의 유명 백화점들이 도산하였던 점, ② 광주신세계는 자본금이 5억 원에 불과하였고, 1995년부터 1997년까지 자본잠식 상태였으며, 1997년의 단기차입금이 296억 원, 이자비용이 26억 원에 이르고 있는 반면, 당기순이익은 33억 원 정도이어서 이자비용이 당

의 신주를 인수할 기회가 신세계의 유망한 사업기회에 해당할 수 있다는 견해[146]와 해당하지 않는다는 견해[147)가 있다.

생각건대 광주신세계가 당시 5억원의 자본이 잠식 상태에 있었다 하더라도 광주신세계가 자본금을 30억원으로 증가시키는 유상증자에서 신세계가 신주인수권을 포기하는 경우 제3자가 신주를 인수받게 되어 결과적으로 신세계는 광주신세계에 대한 지배권을 잃게 된다. 이는 향후 광주신세계의 경영정상화가 이루어지게 될 경우 그 이익은 신세계가 아니라 신세계가 신주인수를 포기함으로써 광주신세계의 신주를 인수한 제3자가 향유할 수 있게 된다는 점에서 신중한 판단을 요하는 문제라고 본다.

2) 대법원 2017.9.12. 2015다70044

가) 사실관계

한화그룹은 6개 상장회사를 포함한 총 48개 계열사로 구성된 기업집단인데, 경영기획실을 설치하여 그룹의 인사, 재무, 전략기획 등의 업무를 관리하는 동시에 동 기구에 대하여 한화그룹 회장(이하 "甲"이라 한다)으로서 계열사 전체를 실질적 또는 간접적으로 지배하고 있는 甲에 대한 보좌와 계열사 간의 관리·

기순이익에 근접하는 상황에 있었던 점, ③ 이 사건 유상증자 대금 대부분이 고정자산의 구입이나 영업망 확충에 사용된 것이 아니라 기존 채무 변제에 사용된 점, ④ 신세계도 정부와 금융당국의 부채비율 축소 요구에 따라 257%에 이르던 부채비율을 줄이기 위해 우량자산을 매각하는 등 유동성 확보 및 재무구조 개선을 위한 강도 높은 구조조정을 진행하고 있었던 점, ⑤ 신세계는 이 사건 유상증자 이외에도 주식회사 제일기획, 신세계인터내셔날, 삼성카드 주식회사의 유상증자시 실권하였고, 신세계인터내셔날의 경우 신세계의 영업과 밀접한 관련이 있었기 때문에 지배주주 소외인이 170억 원으로 그 신주를 인수하였던 점, ⑥ 광주신세계도 신세계로부터 실권 통보를 받은 후 이 사건 신주 인수자를 물색하였으나 광주신세계의 자본잠식, IMF로 인한 국내경제의 침체 영향으로 인수자를 찾지 못한 끝에 피고 1에게 전액 배정하기로 결정한 점 등을 종합하면, 이 사건 신주 인수 당시 광주신세계가 '유망한 사업기회'이었다고 보기 어렵고(이와 같은 판단은 이 사건 신주 인수 당시를 기준으로 판단하여야 하고, 사후적으로 보아 광주신세계의 주가가 크게 상승하고 광주신세계가 많은 영업이익을 내고 있다고 하여 달리 볼 것은 아니다), 신세계가 IMF외환위기 상황하에서 긴축경영의 취지에 부합하게 이 사건 신주 인수를 포기하고, 광주신세계도 위와 같은 상황에서 인수자를 찾지 못하여 피고 1로 하여금 이 사건 신주를 인수하게 한 것이라면 이를 들어 피고 1이 신세계의 사업기회를 '유용'한 것으로 보기도 어렵다고 하고 있다.

146) 임재호, 전게논문, 47면; 천경훈, "신세계 대표소송의 몇 가지 쟁점: 경업, 회사기회유용, 자기거래," 「상사법연구」 제33권 제1호(한국상사법학회, 2014), 159면.
147) 권재열, "모회사의 이사에 대한 자회사의 실권주 배정에 관련된 몇 가지 쟁점의 검토: 대법원 2013.9.12. 선고 2011다57869 판결을 대상으로 하여," 「선진상사법률연구」 통권 제65호(법무부, 2014), 43면.

조정 역할까지 부여하였고, 甲의 의사결정이나 지시사항을 각 계열사에 전달하는 기능을 수행하도록 하였다. 한화S&C는 2001. 3. 29. 한화그룹 내 네트워크 구축 등을 목적으로 甲이 전액 출자하여 설립되었다. 한화S&C의 지분은 2001년 4월 기준 甲이 전체 주식 중 약 33%를 보유하고, 그 나머지인 약 67%는 ㈜한화가 보유하고 있었다. ㈜한화의 회사 지분 중 약 22%는 최대 주주이자 이사인 甲이 가지고 있고, 그의 장남인 Z는 ㈜한화의 지분 중 약 4%를 가진 2대 주주이다. ㈜한화의 대표이사는 E와 F이고, G는 사내이사로, H, I, J, K는 각각 일정기간 동안 사외이사로 재직하였다.

한화S&C는 2004년경 경영실적이 악화되자 ㈜한화에게 2005년 5월경 유상증자를 요청하였으나, ㈜한화는 유상증자 요청을 거절하였다. 한편, 甲은 2005년 4월경 자신이 가진 한화S&C 주식 중 절반씩을 차남 Z와 삼남 Z에게 각각 1주당 5,100원으로 산정하여 증여하였다. 이후 ㈜한화는 2005년 6월경 甲과 사외이사 V를 제외하고 E, F, G, H, I, J, K가 출석한 이사회를 개최하여 자신이 보유한 한화S&C의 주식 전부를 Z에게 매각할 것을 만장일치로 결의하였다. 이 주식매매는 한화그룹의 경영기획실이 주도하였는데, 동 기구의 의뢰에 따라 W회계법인이 한화S&C의 1주당 가치를 평가하고 그에 따라 ㈜한화의 위 이사회에서 한화S&C의 주식 매매가액은 1주당 5,100원으로 결정되었다. ㈜한화의 한화 S&C 주식매매 직후 한화S&C는 60만주를 유상증자하여 발행주식총수를 120만주로 증가시켰는데, 결과적으로 한화S&C의 지분은 Z가 80만 주, Z와 Z가 각각 20만 주씩을 보유하는 구조가 되었다.

이에 대하여 2010년 4월경 ㈜한화의 소수주주들은 한화S&C는 한화그룹 내 네트워크 구축 및 정보통신서비스 등을 제공할 목적으로 설립된 회사로서 장래 큰 수익이 예상되고 있었음에도 이를 매각할 필요가 없는 시점에 甲의 장남 Z에게 이 사건 주식을 매각한 것은 甲이 ㈜한화의 사업기회를 유용한 행위에 해당하고, 나머지 피고들은 ㈜한화의 이사로서 이 사건 주식 매각에 관한 이사회 결의에 찬성하였으므로, 피고들은 연대하여 이 사건 주식 매각으로 인하여 ㈜한화가 입은 손해를 배상할 책임이 있다고 주주대표소송을 제기하였다.[148]

---

[148] 주주들은 甲의 책임과 관련하여, ㈜한화의 한화S&C 주식매매 당시 한화S&C의 1주당 적정 가격은 약 160,000원이었으며, ㈜한화가 한화S&C 주식을 처분할 필요성이 없음에도 甲이 오직 Z에게 이득을 주기 위하여 저가로 Z에게 한화S&C 주식을 매각한 것은 상법상 경업 금지, 회사 사업기회의 유용금지, 자기거래금지 등의 법령 위반에 해당한다고 주장하였으

나) 판시사항

제1심 판결은 "자회사의 주식과 같은 자산의 처분도 그것을 보유하는 것이 회사의 이익이 될 수 있는 한, 사업기회의 유용에 해당할 수 있다. 그러나 장차 커다란 수익이 예상된다는 사정만으로 자산을 처분하는 것이 사업기회의 유용에 해당한다고 하여 그 때마다 이사회 재적이사 2/3 이상의 수에 의한 결의를 충족할 것을 요구하는 것은 그 근거가 부족하다. 그에 따른 기회비용의 존재, 다른 수익 창출의 가능성을 고려하여 이를 처분할 것인지 여부를 판단하는 것은 여전히 회사 목적의 범위 내에 있다. 그렇다면 회사가 보유하고 있는 자회사 주식을 처분하는 행위가 사업기회의 유용에 해당되는지 여부를 판단함에 있어서는 상법 제397조의2 제1항 각호의 사유를 엄격하게 해석할 필요가 있다."고 하면서, 이 사건 주식 매각행위가 ㈜한화의 사업기회를 유용하였음을 원인으로 한 손해배상책임이 성립되지 않는다고 판시하였고,[149] 원심[150]도 이를 유지하자 이에 불복한 ㈜한화 소수주주들이 상고하였다.

대법원은 "이사는 회사에 대하여 선량한 관리자의 주의의무를 지므로, 법령과 정관에 따라 회사를 위하여 그 의무를 충실히 수행한 때에야 이사로서의 임무를 다한 것이 된다. 이사는 이익이 될 여지가 있는 사업기회가 있으면 이를 회사에 제공하여 회사로 하여금 이를 이용할 수 있도록 하여야 하고, 회사의 승인 없이 이를 자기 또는 제3자의 이익을 위하여 이용하여서는 아니 된다. 그러나 회사의 이사회가 그에 관하여 충분한 정보를 수집·분석하고 정당한 절차를 거쳐 의사를 결정함으로써 그러한 사업기회를 포기하거나 어느 이사가 그것을 이용할 수 있도록 승인하였다면 의사결정과정에 현저한 불합리가 없는 한 그와 같이 결의한 이사들의 경영판단은 존중되어야 할 것이므로, 이 경우에는 어느 이사가 그러한 사업기회를 이용하게 되었더라도 그 이사나 이사회의 승인 결의에 참여한 이사들이 이사로서 선량한 관리자의 주의의무 또는 충실의무를 위반하였다고 할 수 없다."고 판시하였다.[151]

며, 그 외 ㈜한화 이사들에 대하여서는 적절한 검토 없이 매각 필요성이 없는 회사 자산을 현저하게 저가로 매각한 것으로 고의 또는 과실로 인한 임무해태에 해당한다고 주장하였다.

149) 서울중앙지방법원 2013.10.31. 2010가합50873.

150) 서울고등법원 2015.11.6. 2013나72031.

151) 대법원은 판지에 더해 구체적으로, 원심법원이 한화S&C의 경영상 유상증자를 조속히 해야

다) 판례의 검토

대상판결은 한화그룹 회장 甲이 자녀인 Z에게 경영권을 승계하는 과정에서 ㈜한화가 보유하고 있던 한화S&C 주식을 매각하게 한 것을 이유로 소수주주가 甲과 ㈜한화 이사들의 상법상 책임을 추궁한 사례이다.[152] 즉, 한화그룹의 회장이 자신이 전액 출자하여 설립·영위해 온 한화S&C의 지분이 甲의 자녀들에게 이전되는 과정에서 특히 甲의 자기거래금지와 회사의 사업기회 유용금지가 문제된 사례이다.[153] 한화S&C의 지분 구조는 甲이 전체 주식 중 약 33%를, 나머지 약 67%를 ㈜한화가 보유하고 있었는데, ㈜한화의 최대주주이자 이사인 甲이 먼저 자신의 한화S&C 지분을 자녀인 X와 Y에게 증여한 후, ㈜한화 이사들은 ㈜한화 보유의 한화S&C의 67% 지분을 이사회 결의를 통해 자녀 Z에게 매각하였다. 이후 한화S&C는 국내 IT 서비스기업으로서 급성장하였는데, 이와 관련하여 ㈜한화의 소수주주들은 이러한 일련의 과정이 甲이 Z에게 경영권을 승계하는 과정에서 일어났기 때문에 甲의 자기거래금지의무 및 회사사업기회유용금지의무 위반을 주장한 것이다.

이에 대해 대법원은 ㈜한화의 한화S&C 지분을 전부 Z에게 매각한 것이 자기거래에 해당된다 하더라도 ㈜한화의 이사회가 이를 승인하였고, Z에 대한 지분 매각이 ㈜한화의 사업기회에 해당하고 이를 포기한 것이라 할지라도 이사회가 위 주식매매에 대한 충분한 정보를 수집한 후 정당한 절차에 따라 승인을 하였고, 이사회 의사결정과정에서 현저한 불합리가 있다고 볼 수 없어 선관주의의무 또는 충실의무 위반을 인정할 수 없다고 하여 손해배상책임을 부정하였다. 특히 대법원은 자기거래금지와 회사의 사업기회 유용금지의 위반 여부를 검토하

할 필요성이 있으나 ㈜한화는 한화S&C의 유상증자에 출자총액제한으로 응할 수 없었고, 한화S&C 주식의 가치에 대하여 W회계법인의 보고를 받았다는 설명을 듣고 ㈜한화의 이사회가 주식매매를 승인한 것은 ㈜한화에 대한 사업기회 유용이 아니며 따라서 甲을 비롯한 ㈜한화 이사들의 선관주의의무 내지 충실의무 위반이 아니라고 판단한 것은 정당하다고 보았다. 즉, 위 주식매매로 인하여 ㈜한화가 사업기회를 포기한 것이라 하더라도 이는 ㈜한화의 이사회가 주식매매에 대한 충분한 정보를 수집하고 이를 분석하여 정당한 절차에 따라 승인 결의를 한 것이므로 이사회 결정과정에서 현저한 불합리가 있다고 볼 만한 사정이 없는 한 甲을 비롯한 ㈜한화 이사들의 선관주의의무 또는 충실의무 위반을 인정할 수 없다고 판단하였다.

152) 이하 평석 등은 맹수석·이형욱, 전게논문, 37면 이하를 참조하였다.
153) 문정혜, "경영권 승계와 이사의 의무 위반에 대한 소고,"『원광법학』제34권 제4호(원광대학교 법학연구소, 2018), 117면 이하 참조.

는 데 있어서 중요한 판단기준을 이사회의 승인 결의 유무로 보면서, 앞의 '신세계백화점' 판결의 판시사항을 인용하였다.

이와 같이 경영권 승계와 관련한 이사의 경업금지의무, 자기거래금지의무, 회사의 사업기회 유용금지의무에 대한 위반 여부가 문제된 사건에서 우리 법원은 일관되게 이사회의 결정에 절차적 하자가 없다면 의무위반에 해당하지 않는다는 입장을 취하고 있다. 즉, 앞의 신세계 사건에서와 같이 이사회가 충분한 정보를 수집·분석하고 정당한 절차를 거쳐 회사의 이익을 위하여 의사를 결정함으로써 그러한 사업기회를 포기하거나 어느 이사가 그것을 이용할 수 있도록 승인하였다면 그 의사결정과정에 현저한 불합리가 없는 한 그와 같이 결의한 이사들의 경영판단은 존중되어야 한다는 것이다.[154] 이러한 견해에 따른다면 이사회의 승인결의가 있고 그 과정에 현저한 불합리가 없다면 해당 결의를 한 이사들은 면책되게 되는데, 과연 '현저한 불합리'를 어떤 기준에 의해 판단할 것인지도 애매할 뿐만 아니라, 영미법상 인정되는 충실의무의 연장 선상에서 어렵게 도입된 회사의 사업기회유용금지의무가 자칫 형해화될 수 있는 것은 아닌지 하는 의문이 든다. 아울러 이러한 법원의 판결이 우리나라 대기업들의 경영권 승계에 있어 논란이 되고 있는 도덕적·법적 해이의 지속적인 단초를 제공하는 결과로 이어질 수 있음을 유의할 필요가 있고, 안정적인 기업 운영과 경영권 확보에 있어 적법절차의 준수를 유도하기 위하여 상법상 충실의무의 구체적 표현이라 할 수 있는 회사의 사업기회 유용금지의무 등에 대한 규정상의 불명확성을 제거하기 위한 노력이 필요하다고 본다.[155]

3) 대법원 2018.10.25. 2016다16191

가) 사실관계

주식회사 삼협교역(이하 "삼협교역"이라 한다)은 일본 던롭사와 1996. 1. 1.부터 10년간 한국 내 골프용품 등의 독점판매권을 행사하기로 계약하였다. 삼협교역의 이사였던 甲[156]은 별도로 주식회사 삼화기연(이하 "삼화기연"이라 한다)을 설립하여 동일한 일본 던롭 골프용품을 수입·판매하였다. 삼화기연은 1987. 2.

---

154) 앞의 대법원 2013.9.12. 2011다57869 참조.
155) 동지: 문정혜, 전게논문, 142면.
156) 甲은 삼협교역회사 설립시인 1981. 8. 7.부터 이사로, 1985. 12. 19.부터 회사 해산시까지는 대표이사로 재직하였다.

23. 甲의 주도[157]로 설립된 회사인데, 甲은 대표이사 또는 이사로 재직하였다.[158] 삼화기연은 1999년경부터 2011년경까지 일본 던롭골프용품을 수입·판매하면서, 특히 삼협교역과 일본 던롭사의 계약기간이 종료된 2006년부터는 일본 던롭의 한국 공식총판이 되었다. 삼화기연은 2011. 2. 스릭슨스포츠코리아에 골프용품 사업부문을 214억 여원에 양도하였다. 한편 삼협교역은 2006년부터는 일본 던롭 제품의 수입·판매업을 폐지하였고, 2011. 8. 4. 법원의 해산명령으로 해산되었다.

원고 乙은 주식회사 삼협교역의 주식 26%를 보유하던 주주로, 삼협교역의 이사였던 甲의 경업금지의무 위반 및 회사의 사업기회유용에 대한 책임을 주장하였다. 다만 소송 계속 중이던 2015. 5. 25. 甲이 사망하였으므로 甲의 처와 자녀들인 피고들이 甲의 상속재산을 공동상속한 다음 이 사건 소송절차를 수계하였다. 그리고 본건 소는 원고 주주가 이사의 책임을 묻는 대표소송 형태로 제기되었다.

나) 판시사항

원심은 사업기회의 유용 등과 관련하여 소외 1(이하 "甲"이라 한다)은 1999년경부터 2005년 말경까지 상법 제397조 제1항이 규정한 경업금지의무를 위반하고, 2006년경부터 2011년경까지 일본 던롭 제품의 독점수입·판매업이라는 삼협교역의 사업기회를 유용함으로써 삼협교역 이사로서 부담하는 선량한 관리자의 주의의무 및 충실의무를 위반하였으므로, 甲은 이러한 의무위반행위로 인해 삼협교역이 입은 손해를 배상할 책임이 있다고 판시하였다. 그리고 일실손해산정에 관하여는 "삼협교역이 甲의 경업행위와 사업기회 유용행위로 인해 입은 손해는 이로 인해 발생한 삼협교역의 매출액 감소에 따른 영업수익 상실액 상당이다. 이 사건의 경우 구체적 손해의 액수를 입증하는 것이 사안의 성질상 곤란한 경우이나, 삼협교역과 삼화기연의 판매물품이 일본 던롭 제품으로 동일하고, 판매시장도 국내시장으로 동일하며, 매출액에 영향을 줄 수 있는 다른 요인들, 제품에 대한 수요나 브랜드 선호도, 경기변동 등 시장상황, 대체재 존부 등도 동일하였다고 보이므로, 삼협교역의 매출액 감소분은 삼화기연이 판매한 일본 던

---

157) 甲이 29%를, 甲의 세 자녀들이 각기 50%, 13%, 8%를 보유하고 있었다.
158) 甲은 설립후 1990. 2. 23.까지 대표이사로, 1991. 4. 11.부터 2003. 4. 11.까지 이사로 각기 재직하였다.

롭 제품 매출액 상당이라고 봄이 타당하다. 다만 삼협교역의 일실이익을 산정할 때에는 삼협교역 고유의 매출액 대비 순이익율을 산출하여 이를 매출액 감소분에 곱하는 방식으로 하고, 삼협교역 고유의 매출액 대비 순이익율은, 甲의 임무위배 행위가 본격화되지 아니한 1999년부터 2001년까지의 삼협교역 재무제표를 근거로 산출함이 상당하다."고 판시하였다. 또한 원심은 "甲은 2005. 12. 31. 삼협교역의 독점판매계약 기간이 만료되자 자신의 이익을 위해 삼협교역으로 하여금 일본 던롭 제품을 독점적으로 수입·판매할 수 있는 사업기회를 포기하도록 하는 대신 삼화기연으로 하여금 위 사업기회를 이용하도록 하였다. 이로 인해 삼협교역은 2006년부터 2010년까지 일본 던롭 제품 수입·판매업을 하지 못함으로써 일실이익 상당의 손해를 입었다. 그러나 삼협교역이 2011. 8. 4. 해산함으로써 그 이후에는 영업을 통해 이익을 얻을 가능성이 없는 점, 삼화기연이 2011. 2. 스릭슨스포츠코리아에 양도한 골프용품 사업부문 영업권은 삼화기연이 그동안 형성한 자본을 재투자하고 고유의 노력을 기울여 형성한 것으로 보이는 점 등의 사정에 비추어 보면, 삼화기연이 스릭슨스포츠코리아에 골프용품 사업부문을 양도한 대가 중 영업권가치 상당액은 위와 같은 甲의 임무위배행위로 인해 삼협교역이 입은 손해라고 할 수 없다."고 판시하였다.[159]

이에 대해 대법원은 "甲은 삼협교역의 이사로서 삼협교역에 대하여 선량한 관리자의 주의의무를 부담함에도 불구하고, 삼협교역으로 하여금 그 주된 사업이었던 일본 던롭과의 독점판매계약을 갱신하여 체결할 기회를 포기하게 하고, 삼화기연으로 하여금 2006년경 동일한 내용의 독점판매계약을 체결하게 함으로써 삼협교역의 사업기회를 유용하였다. 甲은 삼화기연으로 하여금 위와 같이 유용한 삼협교역의 사업기회를 이용하여 그 사업을 영위하도록 하다가 2011. 2.경에는 제3자인 스릭슨스포츠코리아에 이를 양도하도록 하였다. 반면 삼협교역은 위와 같이 사업기회를 상실한 이후 그 사업을 전혀 영위하지 못하였다. 甲이 삼협교역의 사업기회를 유용하여 삼화기연으로 하여금 그 사업을 영위하게 한 것은 선량한 관리자의 주의의무 내지 충실의무를 부담하는 회사 이사로서 하여서는 아니 되는 회사의 사업기회 유용행위에 해당한다. 삼화기연은 甲이 유용한 삼협교역의 사업기회를 이용하여 직접 사업을 영위하면서 이익을 얻고 있다가

---

159) 서울고등법원 2016.2.5. 2013나50901.

ㅗ 사업을 제3자에게 양도하면서 영업권 상당의 이익을 얻었다. 이러한 삼화기연의 영업권 속에는 삼화기연이 직접 사업을 영위하여 형성한 가치 외에 甲의 사업기회 유용행위로 삼협교역이 상실한 일본 던롭과의 독점판매계약권의 가치도 포함되어 있다고 보아야 한다. 삼화기연이 골프용품 사업부문을 양도한 이후 수개월이 지나고 나서 삼협교역이 해산하였다고 하여, 해산 이전에 삼협교역이 입은 손해 사이의 상당인과관계가 단절되지도 않는다. 다만, 이 사건과 같이 삼화기연이 삼협교역의 사업기회를 이용하여 상당기간 직접 사업을 영위하다가 사업을 양도한 경우 그 양도대금에는 애초 삼협교역이 빼앗긴 사업기회 자체의 가치 외에도 그 동안 삼화기연 고유의 노력을 통해 스스로 창출한 유형, 무형의 가치가 포함되어 있을 것이므로, 삼협교역의 손해를 산정함에 있어서는 이러한 사정 및 삼화기연이 골프용품 사업부문을 양도할 당시 그 중 일본 던롭제품이 차지하였던 비중, 일본 던롭과의 독점판매권 잔존기한 등 모든 사정을 고려해야 할 것이다. 그렇다면, 원심으로서는 삼화기연이 골프용품 사업부문을 제3자에게 양도하고 받은 양도대금 중 삼화기연이 삼협교역의 사업기회를 이용하여 수년간 직접 사업을 영위하면서 스스로 창출한 가치에 해당하는 부분을 제외하고 삼협교역이 빼앗긴 사업기회의 가치 상당액을 산정하는 등의 방법을 통해 이를 삼협교역의 손해로 인정하였어야 한다. 그럼에도 원심은 그 판시와 같은 이유로 원고의 이 부분 손해배상청구를 배척하였다. 이러한 원심판단에는 상법 제399조의 이사의 법령위반행위와 손해 사이의 상당인과관계 판단에 관한 법리를 오해하여 판결에 영향을 미친 잘못이 있다."고 판시[160]하여, 원고의 상고이유 주장을 받아들이고 원심을 파기환송하였다.

다) 판례의 검토

주식회사 삼협교역의 주주였던 원고는 삼협교역의 이사였던 甲의 경업금지의무 위반 및 회사의 사업기회유용에 대한 책임을 주장하였다. 다만 소송 계속 중이던 2015. 5. 25. 甲이 사망하였기 때문에, 甲의 처와 자녀들인 피고들이 甲의 상속재산을 공동상속한 다음 이 사건 소송절차를 수계하였다. 그리고 이 사건 소는 원고 주주가 이사의 책임을 묻는 대표소송 형태로 제기되었는데, 1심은 甲의 이사로서의 임무위배를 이유로,[161] 2심은 경업금지위반 및 사업기회유용 금

---

160) 대법원 2018.10.25. 2016다16191.

지의무 위반으로 손해배상책임을 인정하였다.[162]

그런데 대법원은 甲의 사업기회의 유용 등을 인정한 원심 판단을 유지하면서, 원심의 영업권 가치 상당의 손해배상액 인정에 대하여는 원고의 패소부분을 파기하였다. 즉, 대법원은 甲이 삼협교역의 사업기회를 유용하여 삼화기연으로 하여금 그 사업을 영위하게 한 것은 선량한 관리자의 주의의무 내지 충실의무를 부담하는 회사 이사로서 금지되는 회사의 사업기회 유용행위에 해당한다고 보았지만, 삼화기연이 받은 사업양도대금 중 삼화기연이 삼협교역의 사업기회를 이용하여 수년간 직접 사업을 영위하면서 스스로 창출한 가치에 해당하는 부분을 제외하고 삼협교역이 빼앗긴 사업기회의 가치 상당액을 산정하는 등의 방법을 통해 이를 삼협교역의 손해로 인정하였어야 함에도 원고의 이 부분 손해배상청구를 배척한 것은 부당하다고 판단한 것이다.[163]

이와 같이 대상판결은 甲이 삼협교역의 사업기회를 유용한 행위가 이사의 선량한 관리자의 주의의무 내지 충실의무를 위반한 것으로 보아 甲에 대해 손해배상책임을 인정하면서, 손해배상액 산정에 있어서 일실 영업수익의 범위 및 양도된 영업권의 가치에 대해 상법 제397조의2 제2항을 적용하여 판시한 것이다. 원심은 삼협교역의 독점판매권 중단 시점을 기준으로 경업거래금지의무 위반과 회사기회유용 금지의무 위반으로 구분하여 보았으면서도, 손해배상액의 산정에 있어서는 이를 나누지 않고 삼협교역의 일실손해액을 "삼협교역의 매출액 감소분×삼협교역 매출액 대비 순이익률"이라는 방식으로 산정하면서, 실제로는 손해분담의 공평을 고려하여 손해배상책임을 60%로 제한하였고, 대법원도 이를 인정하였다.[164]

그런데 영업권 상당 손해액과 관련하여 원심은 삼협교역이 2011. 8. 4. 해산함으로써 그 이후 영업을 통해 이익을 얻을 가능성이 없다는 점, 삼화기연이 2011. 2. 제3자에 골프용품사업부분을 매각하고 수령한 대금 중 영업권 상당액은 실제 삼화기연의 고유 노력에 의해 형성된 것으로 보인다는 점을 들어 별도

---

161) 서울중앙지방법원 2013.6.27. 2011가합12748.
162) 서울고등법원 2016.2.5. 2013나50901.
163) 김정호, "경업거래, 기회유용 및 손해배상 – 대법원 2018.10.25. 선고 2016다16191 판결의 평석을 겸하여–," 「경영법률」 제29권 제4호(한국경영법률학회, 2019), 102면.
164) 손해액의 추정과 관련하여 원심 법원은 이 사건이 상법 제397조의2 신설 전에 발생한 것이라는 점에 기해 추정조항을 적용하지 않았는데, 대법원도 이에 대해서는 별도의 지적을 하지 않았다.

로 인정하지 않았고, 대법원은 이러한 원심의 판단을 파기하였다. 즉, 대법원은 삼화기연의 영업권 속에는 삼화기연이 직접 사업을 영위하면서 형성한 가치 외에 甲의 사업기회 유용행위로 삼협교역이 상실한 일본 던롭과의 독점판매계약권의 가치로 포함되어 있다고 보면서 삼화기연이 골프용품 사업부문을 양도한 이후 수개월이 지나고 나서 삼협교역이 해산하였다고 하여, 해산 이전에 삼협교역이 입은 손해 사이의 상당인과관계가 단절되지도 않는다고 판시했다. 이와 같이 대법원은 영업권 중 삼화기연이 스스로 창출한 가치에 해당하는 부분을 제외하고 삼협교역이 빼앗긴 사업기회의 가치 상당액을 산정하는 방법으로 삼협교역의 손해를 인정했어야 한다고 본 것이다.[165] 결국 삼협교역이 골프용품 사업부문에서 쌓아 올렸던 영업권의 일부는 甲의 기회유용의 결과 삼화기연에 이전된 것으로 보아야 한다고 본 것으로, 이러한 대법원의 판단은 타당하다고 본다.[166]

상법은 회사기회 유용이 발생한 경우 '이사 또는 제3자가 얻은 이익'을 손해로 추정한다고 규정하고 있는데(제397조의2 제2항), 이에 비추어 판단할 때 사업기회유용에 따른 손해를 일실영업수익과 영업권 상당액으로 나누어 판단해볼 수 있다. 먼저 일실영업수익의 경우 상법 제397조의2 제2항의 추정 규정에 의해 삼화기연에서 발생한 순이익 자체가 삼협교역의 손해로 추정될 것이다. 따라서 대상 판결이 산정한 일실영업수익이 더 크다면 삼협교역은 그 부분을 입증하여 손해배상을 청구할 수 있었을 것이다. 또한 영업권의 경우에도 상법 제397조의2 제2항에 따르면 영업양수인으로부터 수령한 영업권 평가액이 손해액으로 추정될 수도 있을 것이다. 따라서 삼협교역의 사업기회를 이용한 甲이 이를 반증한 경우에만 그에 대한 손해배상책임을 면하게 될 것이다.[167]

---

165) 노혁준, "2018년 회사법 중요판례평석,"「인권과 정의」제480호(대한변호사협회, 2019), 164면.
166) 동지: 김정호, 전게논문, 103면; 노혁준, 전게논문, 165면.
167) 맹수석·이형욱, 전게논문, 37면 이하.

Ⅶ. 이사의 책임

1. 이사의 회사에 대한 책임

가. 서   설   구 회 근*

1) 문제제기

1997년 IMF 구제금융 사태나 2008년 금융위기에서 보았듯이 현대사회에서 회사가 우리 사회나 국가경제에 미치는 영향은 참으로 막강하다. 현대사회를 '기업자본주의' 또는 '대기업관리사회'라고 부르는 것이 전혀 낯설지 않게 느껴질 정도다. 회사의 영향력이 크다는 것은 그만큼 회사의 정책을 결정하고 업무를 집행하는 대표이사나 업무담당이사 등을 비롯한 이사들의 역할이 중요하다는 의미도 된다.

우리나라 상법은 1962년 제정 당시부터 이사의 회사에 대한 손해배상책임 규정을 두고 있었으나, 1997년의 IMF 구제금융 사태 이전에는 위 규정에 근거하여 이사에 대하여 책임을 추궁한 사례가 거의 없었다. 그러나 IMF 사태 이후 금융기관을 위주로 하여 새로운 경영진이 구 경영진을 상대로 하거나 예금보험공사 등 파산관재인이 구 경영진을 상대로 부실대출 등으로 인한 손해배상책임을 추궁하는 사례가 늘어나고 있다. 게다가 최근에는 주주들이 회사를 위하여 직접 구 경영진 등을 상대로 소송을 제기하는 주주대표소송도 꾸준히 늘어나고 있다.

이사의 회사에 대한 손해배상책임과 관련해서는, 손해배상책임을 부담하는 이사의 종류 또는 범위, 이사의 의무, 법령이나 정관 위반 또는 임무를 게을리 한 행위의 의미, 경영판단원칙, 소멸시효 등 여러 가지 법률적 쟁점이 제기될 수 있다.

---

* 서울고등법원 부장판사

2) 이사의 회사에 대한 손해배상책임 관련 규정

가) 제399조(회사에 대한 책임)[1]

제399조는 주식회사의 경우 이사의 회사에 대한 손해배상책임과 관련하여, "① 이사가 고의 또는 과실로 법령 또는 정관에 위반한 행위를 하거나 그 임무를 게을리한 경우에는 그 이사는 회사에 대하여 연대하여 손해를 배상할 책임이 있다. ② 전항의 행위가 이사회의 결의에 의한 것인 때에는 그 결의에 찬성한 이사도 전항의 책임이 있다. ③ 전항의 결의에 참가한 이사로서 이의를 한 기재가 의사록에 없는 자는 그 결의에 찬성한 것으로 추정한다."고 규정하고 있다.

주식회사의 이사에 관한 위와 같은 손해배상책임 규정은 합명회사의 청산인(제265조), 유한회사의 이사(제567조)의 경우에도 준용된다.

나) 제408조의8(집행임원의 책임)

2011. 4. 14. 개정된 상법은 제408조의2 이하에서 대표이사에 갈음하여 '집행임원'을 둘 수 있는 규정들을 신설하였다. 그리하여 제408조의8은 집행임원에 대해 제399조에 대응하여 "① 집행임원이 고의 또는 과실로 법령이나 정관을 위반한 행위를 하거나 그 임무를 게을리한 경우에는 그 집행임원은 집행임원 설치회사에 손해를 배상할 책임이 있다. … ③ 집행임원이 집행임원 설치회사 또는 제3자에게 손해를 배상할 책임이 있는 경우에 다른 집행임원·이사 또는 감사도 그 책임이 있으면 다른 집행임원·이사 또는 감사와 연대하여 배상할 책임이 있다."고 규정하고 있다. 집행임원은 대표이사에 상응하는 지위를 가지므로, 대표이사나 이사에 관한 규정인 제382조의3(이사의 충실의무), 제382조의4(이사의 비밀유지의무), 제397조(경업금지의무), 제397조의2(회사의 기회 및 자산의 유용 금지), 제398조(이사 등과 회사 간의 거래), 제400조(회사에 대한 책임의 감면), 제401조의2(업무집행지시자 등의 책임) 등이 준용된다(제408조의9).

---

[1] 2011. 4. 14. 상법이 개정되면서 위 제399조도 일부 개정되었는데, 개정 전에는 "제399조(주식회사 이사의 회사에 대한 손해배상책임) ① 이사가 법령 또는 정관에 위반된 행위를 하거나 그 임무를 해태한 때에는 그 이사는 회사에 대하여 연대하여 손해를 배상할 책임이 있다. ② 제1항의 행위가 이사회의 결의에 의한 것인 때에는 그 결의에 찬성한 이사도 동일한 책임이 있다. ③ 전항의 결의에 참가한 이사로서 이의를 한 기재가 의사록에 없는 자는 그 결의에 찬성한 것으로 추정한다."라고 규정되어 있었다.

다) 제462조의3(중간배당)

주식회사의 경우, 연 1회의 결산기를 정한 회사는 영업년도 중 1회에 한하여 이사회의 결의로 일정한 날을 정하여 그날의 주주에 대하여 이익을 배당('중간배당')할 수 있음을 정관으로 정할 수 있는데(제462조의3 제1항), 이와 관련하여 제462조의3 제3, 4항은 "③ 회사는 당해 결산기의 대차대조표상의 순자산액이 제462조 제1항 각호2)의 금액의 합계액에 미치지 못할 우려가 있는 때에는 중간배당을 하여서는 아니 된다. ④ 당해 결산기 대차대조표상의 순자산액이 제462조 제1항 각호의 금액의 합계액에 미치지 못함에도 불구하고 중간배당을 한 경우 이사는 회사에 대하여 연대하여 그 차액(배당액이 그 차액보다 적을 경우에는 배당액)을 배상할 책임이 있다. 다만 이사가 제3항의 우려가 없다고 판단함에 있어 주의를 게을리하지 아니하였음을 증명한 때에는 그러하지 아니하다."고 규정하고 있다. 이사가 위 규정에 따라 회사에 대해 배상책임을 부담할 경우에는 제399조 제2항·제3항의 규정이 준용된다.

라) 금융기관의 경우

(1) '주식회사'인 금융기관(상호저축은행, 금융투자업, 집합투자기구, 투자목적회사, 증권금융회사, 자금중개회사, 은행)

상호저축은행법 제3조는 "상호저축은행은 주식회사로 한다."고 규정하고 있다. 또한 자본시장과 금융투자업에 관한 법률 제12조 제2항, 제254조 제2항, 제271조 제1항, 제324조 제2항, 제355조 제2항 등은 금융투자업이나 집합투자기구, 투자목적회사, 증권금융회사, 자금중개회사 등의 경우 '상법에 따른 주식회사' 등의 요건을 갖출 것을 요구하고 있고, 같은 법 제374조는 "거래소에 대하여는 이 법에서 특별히 정한 경우를 제외하고는 상법 중 주식회사에 관한 규정을 적용한다."고 규정하고 있다. 나아가 은행법 제4조는 "법인이 아니면 은행업을 영위할 수 없다."고 규정하고 있다. 결국 우리나라의 일반 은행이나 저축은행, 금융기관 등은 대부분 '주식회사'의 형태를 띠고 있다고 보아도 무방하다. 따라서 각종 시중은행이나 금융기관 등은 상법상 주식회사에 해당할 가능성이

---

2) 제462조(이익의 배당) ① 회사는 대차대조표의 순자산액으로부터 다음의 금액을 공제한 액을 한도로 하여 이익배당을 할 수 있다. 1. 자본금의 액, 2. 그 결산기까지 적립된 자본준비금과 이익준비금의 합계액, 3. 그 결산기에 적립하여야 할 이익준비금의 액, 4. 대통령령으로 정하는 미실현이익.

많으므로, 앞서 본 제399조에 따라 이사는 은행 등에 대하여 손해배상책임을 부담하게 된다.

(2) 기타 금융기관에 관한 특별 규정

(가) 농업협동조합

농업협동조합법 제53조(임원의 의무와 책임)는 "① 지역농협의 임원3)은 이 법과 이 법에 따른 명령 및 정관의 규정을 지켜 충실히 그 직무를 수행하여야 한다. ② 임원이 그 직무를 수행할 때 법령이나 정관을 위반한 행위를 하거나 그 임무를 게을리하여 지역농협에 끼친 손해에 대하여는 연대하여 손해배상의 책임을 진다. ③ 임원이 그 직무를 수행할 때 고의나 중대한 과실로 제3자에게 끼친 손해에 대하여는 연대하여 손해배상의 책임을 진다. ④ 제2항과 제3항의 행위가 이사회의 의결에 따른 것이면 그 의결에 찬성한 이사도 연대하여 손해배상의 책임을 진다. 이 경우 의결에 참가한 이사 중 이의를 제기한 사실이 의사록에 적혀 있지 아니한 이사는 그 의결에 찬성한 것으로 추정한다. ⑤ 임원이 거짓으로 결산보고·등기 또는 공고를 하여 지역농협이나 제3자에게 끼친 손해에 대하여도 제2항 및 제3항과 같다."고 규정하고 있다.

(나) 신용협동조합

신용협동조합법 제33조(임원의 책임 등)는 "① 임원4)은 이 법, 이법에 따른 명령, 정관·규정 및 총회와 이사회의 결의를 준수하고 조합을 위하여 성실히 그 직무를 수행하여야 한다. ② 임원이 그 직무를 수행함에 있어서 고의 또는 중대한 과실(상임인 임원의 경우에는 고의 또는 과실)로 조합 또는 타인에게 끼친 손해에 대하여는 연대하여 손해배상의 책임을 진다. ③ 임원이 거짓으로 결산보고·등기 또는 공고를 하여 조합 또는 타인에게 손해를 끼쳤을 때에도 제2항과 같다. ④ 이사회가 고의 또는 중대한 과실로 조합 또는 타인에게 손해를 끼쳤을 때에는 그 고의 또는 중대한 과실에 관련된 이사회에 출석한 임원은 그 손해에 대하여 연대하여 손해배상의 책임을 진다. 다만 그 회의에서 반대의사를 표시한 임원은 그러하지 아니한다. ⑤ 조합의 임원에 대해서는 민법 제35조, 상법 제382조 제2항·제386조 제1항·제399조 및 제414조를 준용한다."고 규정하고

---

3) '임원'이라 함은 조합장, 이사, 감사를 말한다(농업협동조합법 제45조 제1항 참조).

4) '임원'이라 함은 이사장, 부이사장, 이사, 감사를 말한다(신용협동조합법 제27조 제1항 참조).

있다.

(다) 새마을금고법

새마을금고법 제25조(임원의 성실의무와 책임)는 "① 금고의 임원[5]은 이 법과
이 법에 따라 하는 명령과 정관·규정 및 총회와 이사회의 의결 사항을 지키고
금고를 위하여 성실히 그 직무를 수행하여야 한다. ② 임원이 그 직무를 수행할
때 고의나 과실(비상근임원의 경우에는 고의나 중대한 과실)로 금고에 끼친 손해에
대하여는 연대하여 손해배상의 책임을 진다. ③ 임원이 그 직무를 수행할 때 고
의나 중대한 과실로 타인에게 끼친 손해에 대하여는 연대하여 손해배상의 책임
을 진다. ④ 임원이 결산보고서에 거짓으로 기록, 등기 또는 공고를 하여 금고
나 타인에게 손해를 끼친 경우에도 제2항 및 제3항과 같다. ⑤ 이사회가 고의나
중대한 과실로 금고에 손해를 끼친 경우에는 그 고의나 중대한 과실에 관련된
이사회에 출석한 임원은 그 손해에 대하여 연대하여 손해배상의 책임을 진다.
다만 그 회의에서 반대 의사를 표시한 임원은 그러하지 아니하다."고 규정하고
있다.

(라) 수산업협동조합법

수산업협동조합법 제56조(임원의 의무와 책임)는 "① 지구별수협의 임원[6]은
이 법과 이 법에 따른 명령·처분·정관 및 총회 또는 이사회의 의결을 준수하
고 그 직무를 성실히 수행하여야 한다. ② 임원이 그 직무를 수행하면서 고의
또는 과실(비상임인 임원의 경우에는 중대한 과실)로 지구별수협에 끼친 손해에 내
하여는 연대하여 손해배상의 책임을 진다. ③ 임원이 그 직무를 수행하면서 고
의 또는 중대한 과실로 제3자에게 끼친 손해에 대하여는 연대하여 손해배상의
책임을 진다. ④ 제2항과 제3항의 행위가 이사회의 의결에 따른 것이면 그 의결
에 찬성한 이사도 연대하여 손해배상의 책임을 진다. 이 경우 의결에 참가한 이
사 중 이의를 제기한 사실이 의사록에 기록되어 있지 아니한 사람은 그 의결에
찬성한 것으로 추정한다."고 규정하고 있다.

(마) 평 가

위와 같이 그 요건 등에 다소 차이는 있으나, 농업협동조합법, 신용협동조합

---

5) '임원'이라 함은 이사장, 부이사장, 이사, 감사를 말한다(새마을금고법 제18조 제1항 참조).
6) '임원'이라 함은 조합장, 이사, 감사를 말한다(수산업협동조합법 제50조 제1항 참조).

법, 새마을금고법, 수산업협동조합법도 그 임원이 해당 법인에 대하여 손해배상 책임을 져야 하는 경우에 대하여 규정하고 있다. 여기서 '임원'으로서의 지위와 관련하여, 그 지위가 비상근, 무보수, 명예직으로 전문가가 아니고, 그 사무처리 방식이 형식적이었다고 하더라도 그러한 사유만으로는 법령이나 정관에서 정하고 있는 임원으로서의 주의의무를 면할 수는 없다.[7]

한편 신용협동조합법과 새마을금고법 등이 손해배상책임의 성립 요건으로 규정하고 있는 '고의 또는 중대한 과실'과 관련하여, 판례는 "금융기관의 임원이 대출을 결정함에 있어서 임원이 법령이나 정관에 위반한 대출이었음을 알았거나 또는 어떤 부정한 청탁을 받거나 당해 대출에 관한 어떤 이해관계가 있어 자기 또는 제3자의 부정한 이익을 취득할 목적으로 대출을 감행한 경우 또는 조금만 주의를 기울였으면 임원으로서의 주의의무를 다 할 수 있었을 것임에도 그러한 주의를 현저히 게을리하여 쉽게 알 수 있었던 사실을 알지 못하고 대출을 실행한 경우에는 고의 또는 중과실로 인한 책임을 진다."고 판시하고 있다.[8]

마) '주식회사' 이사의 회사에 대한 손해배상책임

아래에서는 제399조에 따른 '주식회사' 이사의 회사에 대한 손해배상책임을 위주로 살펴본다(다만 관련 판례가 있을 경우, 주식회사가 아닌 다른 금융기관 등에 대하여도 언급하기로 한다).

나. 이사의 회사에 대한 손해배상책임(제399조)

1) 성 질

이사는 회사에 대한 관계에서 수임자의 지위에 있으면서 선관주의의무를 부담하고 있으므로, 위 의무에 위반한 때에는 민법상 채무불이행으로 인한 손해배상책임을 부담하게 된다(민법 제390조). 그리고 그것이 일반 불법행위의 요건을 충족할 때에는 불법행위로 인한 손해배상책임도 부담하게 된다(민법 제750조). 그러나 상법상 이사, 특히 대표이사에게는 광범위한 권한이 부여되어 있고, 이

---

7) 대법원 2011.9.29. 2010다80428; 2007.5.31. 2007다248.
8) 대법원 2002.6.14. 2001다52407. 그 외에 고의 또는 중과실을 인정한 판결로는, 대법원 2016. 5.24. 2014다202837; 2011.9.29. 2010다80428; 2008.9.11. 2006다57926; 2008.2.28. 2005 다77091; 2005.6.24. 2005다13547; 2005.3.25. 2003다40293; 2004.4.9. 2003다5252; 2004. 3.25. 2003다18838 등이 있고, 이를 부정한 판례로는, 대법원 2004.11.11. 2003다2789; 2004. 4.28. 2003다21650 등이 있다.

는 우리나라의 특수한 기업환경과 맞물려 막강한 위력을 발휘하고 있는데, 위와
같은 민법상의 일반원칙에 따른 책임 추궁만으로는 이사의 적법하고 적절한 업
무수행을 보장할 수 없고, 나아가 회사가 입은 손해를 보전하기 곤란한 경우가
있을 수 있다.

　이에 상법은 위와 같은 채무불이행책임에 대한 특별규정으로 제399조에서
이사의 회사에 대한 특별한 책임을 규정하고 있다. 이사의 제399조에 기한 손해
배상책임은 일반 불법행위 책임이 아니라 위임관계로 인한 채무불이행책임으로
서9) 상법이 인정한 일종의 특수한 계약책임이다.10) 제399조에 기한 손해배상책
임과 일반 불법행위로 인한 손해배상책임이 동시에 성립되어 경합될 수 있음은
물론이다.11)

　제399조에 따른 이사의 회사에 대한 손해배상책임이 과실책임인가 또는 무
과실책임인가와 관련하여, 법령 또는 정관 위반의 경우에는 무과실책임이고 임
무 해태의 경우에는 과실책임이라고 하는 견해,12) 전체적으로 과실책임이라고
하는 견해13) 등이 있었고(임무 해태로 인한 손해배상책임이 과실책임이라는 데에는
이론이 없었다), 판례는, 이사가 임무를 수행함에 있어서 법령에 위반한 행위를
한 때에는 그 행위 자체가 회사에 대하여 채무불이행에 해당하므로 손해배상책
임을 면할 수 없다고 하여,14) 법령위반의 경우 무과실책임인 것처럼 판시하였
다.15) 그러나 2011. 4. 14. 제399조가 개정되면서 '고의 또는 과실'이라는 요건
이 추가되어, 위와 같은 논란은 마무리되었다. 즉 어떠한 경우에도 '고의 또는
과실'이라는 요건이 필요하게 된 것이다. 이사가 법령 또는 정관에 위반되는 행
위를 하였다면 일단 고의 또는 과실이 있는 것으로 볼 수 있고, 다만 이사는 자
신의 무과실을 입증하여 손해배상책임을 면할 수 있을 것이다.16) '과실'에는 경

---

9) 대법원 2021.5.7. 2018다275888; 1985.6.25. 84다카1954.
10) 대법원 1969.1.28. 68다305. 이 점에 관하여는 학설상으로도 이견이 없다.
11) 대법원 2002.6.14. 2002다11441.
12) 양승규, "이사의 감독의무위반과 회사에 대한 책임,"「법학」제26권 제4호(서울대학교 법학
　　연구소, 1985. 12.), 192면.
13) 김교창, "사외이사의 역할, 책임 및 행동기준,"「인권과 정의」제263호(대한변호사협회, 1998.
　　7.), 22면; 안성포, "이사의 면책에 관한 입법론적 고찰 – 책임면제와 화해를 중심으로 –,"
　　「상사법연구」제22권 제2호(한국상사법학회, 2003. 8.), 88~89면.
14) 대법원 2007.9.20. 2007다25865; 2005.10.28. 2003다69638.
15) 손영화, "분식결산과 상법 제399조의 손해배상책임,"「상사판례연구」제21집 제2권(한국상
　　사판례학회, 2008. 6.), 64면.
16) 김홍기,「상법강의」제6판(박영사, 2021), 631면.

과실, 중과실이 모두 포함된다.

2) 이사의 종류 및 이사의 의무

가) 이사의 종류

(1) 업무담당이사 및 평이사

이사는 모두 주주총회에서 선임된다(제382조). 이사의 회사에 대한 손해배상 책임을 논함에 있어서는 일반적으로 회사의 업무를 직접 담당하는 이사를 전제로 한다. 대표이사, 업무담당이사(상근이사)가 가장 대표적인 경우이다. 그러나 아래에서 보는 바와 같이 업무집행을 담당하지 않는 평이사(비상근이사)도 대표이사를 비롯한 다른 업무담당이사의 업무집행을 전반적으로 감시할 의무가 있으므로, 이를 소홀히 하여 회사에 손해가 발생한 때에는 손해배상책임을 지게된다.[17]

(2) 사외이사[18]

우리나라의 많은 기업은 창업주나 그 후손, 대주주, 대표이사 등의 지배 아래 놓여 있다고 해도 과언이 아니고, 이는 이사회 또한 마찬가지인데, 이사회가 기업경영에 관한 최종적인 의결기관으로서 그 권한을 완전하게 수행하기 위해서는 이사회의 구성원인 이사의 선임이 중요할 수밖에 없다. 이에 따라 대주주나 대표이사 등으로부터 독립적인 위치에 있으면서 그들을 견제할 수 있는 사외이사(outside director) 제도의 도입이 논의되게 되었다. 우리나라의 경우 상법에 규정된 것은 아니었지만, 1998. 2. 증권거래소의 유가증권상장규정이 개정되면서 사기업체에서 처음으로 사외이사 제도가 도입되었고,[19] 이어 증권거래법에도 독립적인 사외이사 제도가 본격적으로 규정되기에 이르렀다. 구 증권거래법(2007. 8. 3. 법률 제8635호로 제정된 자본시장과 금융투자업에 관한 법률 부칙 제2조에 의하여 폐지되었다) 제191조의16(사외이사의 선임)은 "주권상장법인 또는 대통

---

17) 대법원 2004.12.10. 2002다60467, 60474; 2002.5.24. 2002다8131; 1985.6.25. 84다카1954.

18) 상법 제382조 제3항은 "사외이사는 해당 회사의 상무에 종사하지 아니하는 이사로서 다음 각 호의 어느 하나에 해당하지 아니하는 자를 말한다."고 규정하고 있고, 자본시장과 금융투자업에 관한 법률 제9조 제3항은 "이 법에서 '사외이사'란 회사의 상시적인 업무에 종사하지 아니하는 자로서 제25조에 따라 선임되는 자를 말한다."라고 규정하고 있다.

19) 공기업체에는, 1984년 정부투자기업에 사외이사가 임명된 적이 있고, 1997년 공기업경영구조개선 및 민영화에 관한 법률의 제정으로 한국담배인삼공사, 한국가스공사, 한국전기통신공사, 한국중공업 주식회사 등 4개 공기업의 민영화를 추진하면서 사외이사 제도가 도입된 적이 있다. 김교창, 전게논문, 9면.

령령이 정하는 코스닥 상장법인은 사외이사를 이사 총수의 4분의 1 이상이 되도록 하여야 한다. 다만 대통령령이 정하는 주권상장법인 또는 코스닥 상장법인의 사외이사는 3인 이상으로 하되, 이사 총수의 과반수가 되도록 하여야 한다."고 규정하고 있었다. 현행 상법은 상장회사에 관하여 제542조의8(사외이사의 선임) 제1항에서 "상장회사는 자산 규모 등을 고려하여 대통령령으로 정하는 경우를 제외하고는 이사 총수의 4분의 1 이상을 사외이사로 하여야 한다. 다만 자산 규모 등을 고려하여 대통령령으로 정하는 상장회사의 사외이사는 3명 이상으로 하되, 이사 총수의 과반수가 되도록 하여야 한다."고 규정하고 있다. 한편 제382조(이사의 선임 등) 제3항 및 제542조의8(사외이사의 선임) 제2항은 사외이사의 위와 같은 역할에 장애가 될 만한 사유에 해당되는 자는 사외이사가 될 수 없도록 하여, 사외이사의 자격에 일정한 제한을 가하고 있다.[20)]

2009. 3. 31. 기준으로 1,578개의 상장회사에서 총 3,125명의 사외이사가 활동하고 있다.[21)] 사외이사는 회사의 업무집행을 담당하지 않고, 위와 같이 그 자격에 일정한 제한이 있으며, 그에 따라 창업주, 대주주, 회사 임·직원 등으로부터 독립된 지위에 있다는 특징이 있긴 하지만, 기본적으로 사내이사와 동일한 권리를 가지고 동일한 의무를 부담한다. 따라서 사외이사도 고의 또는 과실로 법령 또는 정관에 위반하거나 그 임무를 게을리하여 회사에 손해를 입힌 때에는 회사에 대하여 손해배상책임을 부담한다.

(3) 퇴임이사 및 이사직무대행자

법률 또는 정관에 정한 이사의 원수(員數)에 결원이 생긴 때에는 임기의 만료 또는 사임으로 인하여 퇴임한 이사는 새로 선임된 이사가 취임할 때까지 이사로서의 권리와 의무를 있다(제386조 제1항). 또한 위와 같은 사정이 있는 경우, 법원은 이사, 감사 기타 이해관계인의 청구에 의하여 일시적으로 이사의 직무를 행할 자를 선임할 수 있다(같은 조 제2항). 이는 대표이사가 임기만료 또는 사임으로 인하여 이사의 원수에 결원이 생긴 때에도 마찬가지이다(제389조 제3항).

위와 같은 퇴임이사나 이사직무대행자는 비록 일시적이긴 하지만 이사로서의 권리와 의무를 가지고 있으므로, 고의 또는 과실로 법령 또는 정관에 위반한 행

---

20) 그 외에 사외이사의 선임 및 자격 제한 등에 관해서는 상호저축은행법 제10조의3, 자본시장과 금융투자업에 관한 법률 제25조 등에서 개별적으로 규정하고 있다.
21) 이기수·최병규, 「회사법」 제11판(박영사, 2019), 400면.

위를 하거나 그 임무를 게을리하여 회사에 손해를 입힌 때에는 회사에 대하여 손해배상책임을 부담한다.

(4) 업무집행지시자, 표현이사 등

1998. 12. 28. 상법이 개정되면서 '업무집행지시자 등'에 대하여도 이사와 동일한 책임을 인정하는 조문이 신설되었다. 즉 제401조의2(업무집행지시자 등의 책임)는 "① 다음 각 호의 어느 하나에 해당하는 자가 그 지시하거나 집행한 업무에 관하여 제399조, 제401조, 제403조 및 제406조의2를 적용하는 경우에는 그 자를 '이사'로 본다. 1. 회사에 대한 자신의 영향력을 이용하여 이사에게 업무집행을 지시한 자, 2. 이사의 이름으로 직접 업무를 집행한 자, 3. 이사가 아니면서 명예회장·회장·사장·부사장·전무·상무·이사 기타 업무를 집행할 권한이 있는 것으로 인정될 만한 명칭을 사용하여 회사의 업무를 집행한 자, ② 제1항의 경우에 회사 또는 제3자에 대하여 손해를 배상할 책임이 있는 이사는 제1항에 규정된 자와 연대하여 그 책임을 진다."고 규정하고 있다.

상법상 주식회사의 업무집행기관은 이사회와 대표이사이지만, 대기업 특히 재벌기업의 경우 아무런 법적 근거도 없이 그룹의 회장단이라는 이름으로 지배주주 일가가 회장을 필두로 그룹 전반의 경영방침을 정하고, 그룹 산하의 각 개별 기업들은 이사회에서 당해 회사에 최선의 이익이 되는 방향으로 회사의 경영에 관한 결정을 하는 것이 아니라 그룹 회장단이 결정하고 회장단 산하의 비서실이나 기획조정실 등이 구체적으로 확정한 경영방침을 실행에 옮기는 실무작업을 하는 정도에 그치는 경우가 적지 않았다. 그러나 나중에 그로 인하여 문제가 발생한 경우에는 실질적으로 경영방침을 결정한 자들(즉 '업무집행지시자')은 당해 회사의 이사가 아니라는 이유로 뒤로 빠지고, 그러한 업무를 직접 실행에 옮긴 이사들만 책임을 지는 경우가 많았다. 이러한 불합리한 문제를 시정하기 위하여, 위와 같이 제401조의2 제1항 제1호에서 업무집행지시자도 이사와 동일하게 책임을 부담하도록 개정한 것이다. 독일이나 미국, 영국도 업무집행지시자 또는 사실상의 이사에 대해, 일정한 경우 회사에 대한 손해배상책임을 인정하고 있는데, 상법이 이를 도입한 것이다.[22] '회사에 대한 자신의 영향력을 이용하여 이사에게 업무집행을 지시한 자'에는 자연인뿐만 아니라 법인인 지배회사도 포함

---

22) 송옥렬, 「상법강의」 제11판(홍문사, 2021), 1096면; 정찬형, 「상법강의(상)」 제24판(박영사, 2021), 1079면; 최기원, 「신회사법론」(박영사, 2012), 712~713면.

된다.23) 실제로는 주로 지배주주가 대상이 될 것으로 보인다. 회사의 유력한 채권자나 금융기관, 지속적인 거래에서 우월적인 지위를 갖는 자(예를 들면, 하청업체에 대한 관계에서 도급기업), 노동조합 등과 같이 경제상 또는 거래상 우월적 지위에서 영향력을 행사하는 자도 여기에 포함될 수 있다는 견해24)와 1회 지시하는 것만으로는 부족하고 통상적·관행적인 것으로서 경영권의 행사와 관련하여 구속력을 가져야 하므로 주주에 한정하여 좁게 해석하여야 한다는 견해25)가 대립되어 있다.

제401조의2 제1항 제2호 '이사의 이름으로 직접 업무를 집행한 자'는 중소규모의 회사에서 나타날 수 있는데, 회사에 대해 영향력을 가진 자가 직접 이사의 이름으로 업무를 집행하는 경우를 말한다.26) 사실상 '무권대행자'인 셈이다.

제401조의2 제1항 제3호 '이사가 아니면서 명예회장·회장·사장·부사장·전무·상무·이사 기타 업무를 집행할 권한이 있는 것으로 인정될 만한 명칭을 사용하여 회사의 업무를 집행한 자'는 표현이사나 표현집행임원 등의 책임을 명문화한 것이다. 대규모 공개회사의 경우 사장, 부사장, 전무 등 비등기이사에 의해 업무집행이 이루어지는 경우가 많은데, 위 제3호는 이러한 비등기이사에게 직접 책임을 추궁할 수 있는 근거가 된다는 점에서 의의가 있다.27) 제401조의2 제1항 제1, 2호는 회사에 대해 영향력을 가진 자를 전제로 하고 있으나, 제3호는 직명 자체에 업무집행권이 표상되어 있기 때문에 그에 더하여 회사에 대해 영향력을 가진 자일 필요는 없다.28) 상무나 전무 등의 명칭을 사용하여 회사의 업무를 집행한 이상, 실제로 이사와 동등한 정도의 의사결정권한이 있었는지 여부는 아무런 문제가 되지 않는다.29)

---

23) 대법원 2006.8.25. 2004다26119.

24) 이철송, 「상법강의」 제13판(박영사, 2012), 692면.

25) 이기수·최병규, 전게서, 469면; 정찬형, 전게서, 1080면.

26) 정찬형, 전게서, 1080면.

27) 송옥렬, 전게서, 1099면. 대법원 2011.6.10. 2011다6120도 이사로 등기되지 않았으나 상무로서 회사의 서울사무소의 재정업무를 담당하면서 비자금 조성에 관여한 자에 대해 제401조의2 제1항 제3호 소정의 표현이사에 해당한다고 판시하고 있다.

28) 대법원 2011.6.10. 2011다6120; 2009.11.26. 2009다39240[1999. 1. 1.부터 주식회사의 임원인 이사(비등기)로 승진하여 2000. 12. 27.까지 근무하였고, 그룹 회장 등과 순차 공모하여 1999. 1.경부터 1999. 2.경까지 사이에 회사의 제35기(1998 회계연도) 재무제표를 분식결산에 의해 허위로 작성한 자에 대하여, 제401조의2 제1항 제3호 소정의 표현이사에 해당한다고 판시한 사례이다].

29) 서울중앙지방법원 2009.1.9. 2006가합78171.

상법은 업무집행지시자 등의 책임과 관련하여, "제399조, 제401조, 제403조 및 제406조의2를 적용하는 경우에는 그 자를 이사로 본다."고 규정할 뿐 '제400조(회사에 대한 책임의 감면)'에 대해서는 아무런 언급이 없다. 이와 관련하여 업무집행지시자 등에 대해서는 제400조가 적용되지 않는다는 견해와 이를 긍정하는 견해가 있을 수 있는데, 제400조의 적용을 배제할 합리적인 이유가 없으므로, 긍정하는 것이 타당해 보인다.[30]

(5) 명목상 이사

주주총회에서 선임된 이사가 회사와의 명시적 또는 묵시적 약정에 따라 그 업무를 다른 이사 등에게 포괄적으로 위임하고 이사로서의 실질적인 업무를 수행하지 않는 경우라 하더라도(소위 '명목상 이사'), 그 임무를 게을리하여 회사에 손해를 입힌 때에는 손해배상책임을 부담한다.[31]

한편 대표이사나 이사가 대표이사 또는 이사로서의 업무 일체를 다른 이사 등에게 위임하고, 대표이사나 이사로서의 직무를 전혀 집행하지 않는 것은 그 자체가 이사의 직무상 충실의무 및 선관의무를 위반하는 행위에 해당한다고 볼 수 있다.[32]

나) 이사의 의무

(1) 선량한 관리자로서의 주의의무(duty of care)

이사는 회사의 실질적인 의사결정기구인 이사회의 구성원으로서 선량한 관리자로서의 주의의무를 부담한다(제382조 제2항, 민법 제681조). '선량한 관리자로서의 주의의무'란 자신의 직업, 자신이 속한 사회적·경제적 지위에서 일반적으로 요구되는 정도의 주의를 말한다. 미국법률가협회(American Law Institute; ALI)가 마련한 '회사지배원칙: 분석과 권고(Principles of Corporate Governance: Analysis and Recommendations)'는 이사의 주의의무와 관련하여, "이사는 회사에 대하여 성실하게 회사에게 최선의 이익과 합치된다고 합리적으로 믿는 방법으로 그 직무를 수행하여야 하고, 통상의 신중한 사람이 비슷한 지위와 유사한 상황에서

---

30) 최문희, "이사의 회사에 대한 손해배상책임 면제 규정의 재해석,"「상사법연구」제27권 제4호(한국상사법학회, 2009), 30~32면.

31) 대법원 2015.9.10. 2015다213308; 2015.9.10. 2014다222596.

32) 대법원 2009.5.14. 2008다94097; 2007.12.13. 2007다60080; 2006.9.8. 2006다21880; 2003. 4.11. 2002다70044.

갖는 주의로써 그의 직무를 수행하여야 한다. 위 의무는, 이사가 모든 상황으로
부터 합리적이고 필요하다고 인정하는 경우에는 조사를 하거나 조사를 하게 할
의무까지 포함한다. 조사의 범위는 이사가 합리적으로 판단해서 필요하다고 믿
는 정도까지이다."라고 규정하고 있다.[33)]

한편 판례는 금융기관의 이사가 부담하는 선관주의의무와 관련하여, "금융기
관이 주식회사로 운영되기는 하지만, 이윤추구만을 목표로 하는 영리법인인 일
반의 주식회사와는 달리 예금자의 재산을 보호하고 신용질서 유지와 자금중개
기능의 효율성 유지를 통하여 금융시장의 안정 및 국민경제의 발전에 이바지해
야 하는 공공적 역할을 담당하는 위치에 있으므로, 은행의 그러한 업무의 집행
에 임하는 이사는 일반의 주식회사 이사의 선관의무에서 더 나아가 은행 등의
그 공공적 성격에 걸맞은 내용의 선관의무까지 다할 것이 요구된다."고 판시하
여, 일반 회사의 이사보다도 더 강화된 선관주의의무를 요구하고 있다.[34)] 그러
나 금융기관이 그 임원을 상대로 대출과 관련된 임무를 게을리하였음을 이유로
채무불이행으로 인한 손해배상책임을 물을 경우, 임원이 한 대출이 결과적으로
회수곤란 또는 회수불능으로 되었다고 하더라도 그것만으로 바로 대출결정을 내
린 임원에게 그러한 미회수금 손해 등의 결과가 전혀 발생하지 않도록 하여야

---

33) 곽민섭, "이사의 의무와 책임 – 선관주의의무와 충실의무를 중심으로 –,"「재판실무연구 2003」
(광주지방법원, 2004. 1.), 121면.

34) 대법원 2003.10.10. 2003도3516; 2002.3.15. 2000다9086. 이에 대한 비판적인 견해로서,
송옥렬, 전게서, 1047면은 "금융기관 이사의 선관주의의무를 다르다고 볼 이유가 없다. …
금융기관의 이사에게 일반적인 경우보다 더 엄격한 선관주의의무를 묻는 것은 미국과 일본
의 판례를 통하여 발전된 법리이기는 하지만 … 구체적으로 더 높은 수준의 선관주의의무
가 무엇인지 파악하는 것은 사실상 거의 불가능하다."라고 주장하고 있고, 권영준, "프로젝
트 파이낸스 대출에 관한 저축은행 이사의 손해배상책임,"「비교사법」제19권 제1호(한국
비교사법학회, 2012. 2.), 229~230면은 "금융기관은 은행법 제1조가 표방하듯이 공적 기능
을 수행한다. 특히 금융기관의 재무구조에서 타인 자본이 차지하는 비율이 압도적으로 높
다는 점, 주주 이외에도 예금자를 보호할 필요성이 있다는 점, 은행 파산은 공적자금의 투
입으로 이어지기 쉽다는 점 등을 고려하면, 금융기관의 이사는 좀 더 보수적이고 신중한
경영판단을 하여야 한다. 이러한 특성이 금융기관 이사의 주의의무 내용에 반영되어야 함
은 물론이다. 그러나 금융기관의 공공성으로 말미암아 금융기관 이사의 주의의무 정도가
그 외 이사의 주의의무 정도보다 높다고 획일적으로 말하는 것은 도식적인 접근이다. 공공
성의 정도는 회사의 성격에 따라 다양하게 나타나므로, 금융기관과 그 이외의 회사로만 이
분하여 정할 수 없을 뿐만 아니라, 금융기관의 공공성 때문에 강력한 규제가 가해지는 이
상 이러한 규제가 적용되지 않는 재량영역에 있어서까지 또다시 공공성을 이유로 높은 주
의의무를 이중으로 부과하는 것은 타당하지 않기 때문이다. 결국 금융기관 이사의 주의의
무에 대한 판례의 태도는 그 주의의무의 내용을 정함에 있어서 금융기관의 특성을 충분히
반영하여야 한다는 정도로 이해하는 것이 더욱 타당하다."고 주장하고 있다.

할 책임을 물어 대출결정을 내린 임원의 판단이 선량한 관리자로서의 주의의무 내지 충실의무를 위반한 것이라고 할 수는 없다.[35]

(2) 충실의무(duty of loyalty)

이사는 법령과 정관의 규정에 따라 회사를 위하여 그 직무를 충실하게 수행하여야 할 충실의무를 부담한다(제382조의3). 위 조항은 1998. 12. 28. 상법이 개정되면서 신설된 조항이다. '충실의무'란, 이사가 회사의 업무를 처리하는 데 있어 전력을 다하고, 특히 회사와 이사의 이해관계가 충돌하는 경우에는 회사의 이익을 우선시킬 의무를 말한다.[36] 상법상의 충실의무 규정은 영미계의 보통법에서 인정하고 있는 이사의 신인의무(信忍義務, fiduciary duties) 정신을 명문화한 것이라는 평가를 받고 있다.[37]

앞서 본 선관주의의무와 충실의무의 관계에 대하여는, 서로 동질적인 것으로서 상법상의 경업금지의무나 이사의 자기거래 제한의무 등은 모두 선관주의의무를 구체화한 것에 불과하다는 견해,[38] 위 두 의무는 서로 다른 것으로서 충실의무는 회사와 이사간의 신임관계에서 비롯되는 고도의 의무이고, 이 점에서 회사와 이사간의 위임관계에서 발생하는 선관주의의무와 그 성질을 달리 한다는 견해[39] 등이 있다. 그러나 위와 같은 논의는 그 실익이 없어 보인다.[40] 판례도 선관주의의무와 충실의무를 특별히 구별하여 논하고 있지 않다.[41]

(3) 경업(競業) 금지의무

이사는 이사회의 승인이 없으면 자기 또는 제3자의 계산으로 회사의 영업부류에 속한 거래를 하거나 동종영업을 목적으로 하는 다른 회사의 무한책임사원이나 이사가 되지 못한다(제397조 제1항). 이러한 경업금지의무는 충실의무의 전

---

35) 대법원 2011.10.13. 2009다80521.
36) 이기수·최병규, 전게서, 444면.
37) 이철송, 전게서, 665면.
38) 안성포, 전게논문, 89면; 정찬형, 전게서, 1039면
39) 정동윤 편집대표, 「주석 상법(Ⅲ)」 제5판(한국사법행정학회, 2014), 215면; 손진화, 「상법강의」 제7판(신조사, 2016), 582면; 이기수·최병규, 전게서, 444면; 정동윤, 「상법(상)」 제6판(법문사, 2012), 628면.
40) 김건식, "은행이사의 선관주의의무와 경영판단원칙," 「민사판례연구」 제26권(박영사, 2004), 413면; 양동석·박승남, "2011년 개정 상법상의 이사의 의무와 손해배상책임 – 이사의 책임제한을 중심으로," 「기업법연구」 제26권 제1호(한국기업법학회, 2012), 225면.
41) 대법원 2014.5.16. 2011다104048; 2013.12.26. 2012다65607; 2006.6.16. 2005다31194; 2005.4.29. 2005도856; 2005.1.14. 2004다8951 등.

형적인 유형 중의 하나로 이해되고 있다. 이사는 경업 대상 회사의 이사, 대표이사가 되는 경우뿐만 아니라 그 회사의 지배주주가 되어 그 회사의 의사결정과 업무집행에 관여할 수 있게 되는 경우에도 자신이 속한 회사 이사회의 승인을 얻어야 한다.[42]

이사회의 승인은 사전에 행해지는 것이 일반적일 것으로 보이는데, '사후 승인(추인)'도 가능한지 여부에 대해서는, 사후 승인을 허용한다고 하더라도 이는 법령위반이라는 하자를 치유하는 것에 그칠 뿐 그로 인하여 회사가 입은 손해에 대한 배상책임까지 면제하는 것이 아니므로 사후 승인도 가능하다는 견해,[43] 사후 승인은 일종의 책임면제와 같은 효과가 있으므로 제400조에서 이사의 책임면제에 총주주의 동의를 요하는 것과 대비해 균형이 맞지 않으므로, 이사회의 승인은 '사전 승인'을 의미하는 것으로 보아야 한다는 견해[44] 등이 있다. 자본금 총액이 10억 원 미만인 회사로서 이사가 1명 또는 2명인 경우에는 '이사회'가 아닌 '주주총회'가 이사회의 권한을 행사한다(제383조 제4항). 이사회의 승인이 없더라도 상대방에 대한 관계에서는 그 선의, 악의를 불문하고 거래 자체는 유효하고,[45] 다만 이사의 회사에 대한 손해배상책임만이 문제된다.

이사가 위와 같은 금지규정에 위반하여 거래를 한 경우, 회사는 이사회의 결의로 그 이사의 거래가 자기의 계산으로 한 것인 때에는 이를 회사의 계산으로 한 것으로 볼 수 있고, 제3자의 계산으로 한 것인 때에는 그 이사에 대하여 이로 인한 이득의 양도를 청구할 수 있다(제397조 제2항). 위와 같은 권리를 '개입권'이라고 부르기도 하는데, 개입권은 거래가 있은 날로부터 1년이 경과하면 소멸한다(제397조 제3항).

---

42) 대법원 2018.10.25. 2016다16191; 2013.9.12. 2011다57869.

43) 최기원, 전게서, 669면. 위 견해는, 판례가 "회사가 이익상반거래를 묵시적으로 추인하였다고 보기 위해서는 그 거래에 대하여 승인 권한을 갖고 있는 이사회가 그 거래와 관련된 이사의 이해관계 및 그와 관련된 중요한 사실들을 지득한 상태에서 그 거래를 추인할 경우 원래 무효인 거래가 유효로 전환됨으로써 회사에 손해가 발생할 수 있고, 그에 대하여 이사들이 연대책임을 부담할 수 있다는 점을 용인하면서까지 추인에 나아갔다고 볼 만한 사유가 인정되어야 한다."고 판시한 것을 근거로 하여(대법원 2007.5.10. 2005다4284), 경업금지의무의 경우에도 마찬가지로 해석하여야 한다고 주장한다.

44) 전게 「주석 상법(Ⅲ)」, 274면; 손진화, 전게서, 584면; 송옥렬, 전게서, 1056면; 이철송, 전게서, 666면; 정동윤, 전게서, 630면.

45) 전게 「주석 상법(Ⅲ)」, 274면; 송옥렬, 전게서, 1056면; 이기수·최병규, 전게서, 447면; 이철송, 전게서, 667면; 정찬형, 전게서, 1043면; 최기원, 전게서, 670면.

(4) 회사의 기회 및 자산의 유용금지

이사는 이사회의 승인 없이 현재 또는 장래에 회사의 이익이 될 수 있는 회사의 사업기회(직무를 수행하는 과정에서 알게 되거나 회사의 정보를 이용한 사업기회, 회사가 수행하고 있거나 수행할 사업과 밀접한 관계가 있는 사업기회)를 자기 또는 제3자의 이익을 위하여 이용하여서는 아니 된다(제397조의2 제1항). 위와 같은 의무에 위반하여 회사에 손해를 발생시킨 이사 및 승인한 이사는 연대하여 손해를 배상할 책임이 있고, 이로 인하여 이사 또는 제3자가 얻은 이익은 회사의 손해로 추정된다(같은 조 제2항).

위 조항은 2011. 4. 14. 상법이 개정되면서 신설된 조항이다.[46] 미국 판례가 이사의 충실의무(duty of loyalty)의 일부로서 요구하는 '회사기회 유용금지(usurpation of corporate opportunity doctrine)'의 원칙을 본받아 만든 조항이고,[47] 특히 대기업의 일감 몰아주기 등을 방지하기 위하여 도입된 것이다.[48]

'이사회의 승인'은 통상 사전에 행해질 것으로 보이는데, '사후 승인(추인)'도 가능한지 여부에 대해서는 앞서 본 '경업금지의무'에서와 같이 견해 대립이 있다. 이사회 승인의 결의요건은 '이사의 과반수 출석에 과반수의 찬성'이 아니라

---

46) 위 조항이 신설되기 전에도, 서울중앙지방법원 2011.2.25. 2008가합47881은, "회사기회 유용의 법리는 이사의 선관주의의무 내지 충실의무에 포섭될 수 있는 범위 내에서 인정할 수 있다. 이사가 그 충실의무를 위반함으로써 회사에게 기대이익을 얻지 못하게 하는 손해가 발생하였다고 볼 수 있기 위해서는 그 사업의 기회가 '회사에 현존하는 현실적이고 구체적인 사업기회'로서 인정되는 경우여야 한다. 따라서 회사 내에서 사업의 추진에 대한 구체적인 논의가 있었거나 회사가 유리한 조건으로 사업기회를 제안받은 경우와 같이 그 사업의 기회가 회사에 현존한 현실적이고 구체적인 사업기회였고, 당시 회사의 사업전략, 영업형태 및 재무상황, 그 사업의 특성, 투자 규모, 위험부담의 정도, 기대 수익 등을 종합적으로 고려한 합리적인 경영판단에 따르면 회사가 그 사업의 기회를 이용하여 사업을 추진할 만한 상당한 개연성이 인정되는 경우, 이사는 회사가 그 사업을 추진하도록 해야 할 선관주의의무 내지 충실의무를 부담한다고 할 것인데, 이사가 이러한 의무를 위반하여 그 지위를 이용하여 회사의 기회를 부당하게 탈취 또는 유용한다면 회사에 대한 선관주의의무 내지 충실의무를 위반한 것으로 인정될 수 있다."고 판시한 바 있다.

47) 송옥렬, 전게서, 1071면; 신흥철, "2011년 개정 상법 해설(Ⅰ)," 「조세」 제279호(조세통람사, 2011. 8.), 157면 이하; 이철송, 전게서, 668면. 이와 관련하여, 미국법률협회(ALI)의 '회사지배원칙: 분석과 권고(Principles of Corporate Governance: Analysis and Recommendations)'는 "§5.05(a) 이사 또는 상급집행임원은 회사기회를 회사에 먼저 제공하고 자신의 상충되는 이해관계 및 그 회사기회에 관하여 회사에 제시하였음에도 회사가 거절한 경우가 아니면 이 기회를 개인적으로 이용할 수 없다."고 규정하고 있다. 천경훈, "개정상법상 회사기회유용 금지규정의 해석론 연구,"「상사법연구」 제30권 제2호(한국상사법학회, 2011), 153~154면.

48) 신흥철, 전게논문, 259면; 양동석·박승남, 전게논문, 225면; 천경훈, 전게논문, 144면.

'이사 3분의 2 이상의 찬성'이 요구된다(제397조의2 제1항). 이해관계를 가지는 당해 이사는 이사회에 참석하여 의결권을 행사할 수 없다.[49] 이사회 승인의 대상이 되는 '사업기회'의 범위와 관련하여, 미국에서는 '영업영역(line of business test)' 이론이 널리 채택되고 있다고 한다. 즉 회사의 영업영역 내에 있으면 이사의 기회유용이 금지되는데, 영업영역 내에 있다고 보기 위해서는, i) 회사가 그 기회를 이용할 능력과 경험이 있고, ii) 기회의 이용이 회사에 이익이 되며, iii) 그 기회를 이용한 영업확장에 회사가 합리적인 이해와 기대를 가질 수 있어야 한다.[50]

이사회의 승인 없이 회사기회를 유용하더라도, 그 거래의 사법적 효력은 상대방의 선의, 악의를 불문하고 유효하고,[51] 다만 이사의 회사에 대한 손해배상책임만이 문제된다. 이사가 이사회의 승인을 얻어 회사기회를 이용하였지만 결과적으로 회사에 손해가 발생한 경우, 이사회의 승인은 기회이용의 절차적 제한을 해제하는 효과가 있을 뿐 그로 인한 손해배상책임까지 면제해주는 효과는 없으므로, 이사는 회사에 대해 손해배상책임을 부담한다.[52]

(5) 자기거래 제한

이사는 사전에 이사회의 승인이 있는 때에 한하여 자기 또는 제3자의 계산으로 회사와 거래를 할 수 있다(제398조). 2011. 4. 14. 상법 개정 때 자기거래 제한의무를 부담하는 자의 범위가 대폭 확대되어, 주요주주 및 그 배우자와 직계존비속 등도 포함되었다. 이사 등이 다른 사람 또는 다른 회사를 이용하여 거래하는 것을 방지하기 위한 것이다. 이사가 회사와 거래를 하는 경우, 회사의 이익을 희생시키고 자기 또는 제3자의 이익을 도모할 위험성을 방지하기 위한 것인데, 이는 충실의무 또는 선관주의의무로부터 파생되는 일종의 부작위의무이다.[53] 자본금 총액이 10억 원 미만인 회사로서 이사가 1명 또는 2명인 경우에

---

49) 양동석·박승남, 전게논문, 226면.
50) 신흥철, 전게논문, 159면; 이철송, 전게서, 670면. 이에 반하여, 회사가 그 사업기회에 대하여 이미 권리 또는 이해관계를 가지고 있지 않는 한 이사는 그 사업기회를 이용할 수 있다고 하여 사업기회를 좁게 해석하는 이해관계 기준설(interest or expectancy test)을 주장하는 견해도 있다고 한다. 그러나 미국 법원은 어느 하나에 전적으로 의존하기보다는 여러 기준을 종합적으로 적용하여 타당한 해결을 꾀하고 있다고 한다. 정동윤, 전게서, 637면.
51) 송옥렬, 전게서, 1075면; 이철송, 전게서, 671면; 정찬형, 전게서, 1051면.
52) 이철송, 전게서, 671면.
53) 전게 「주석 상법(III)」, 330면; 정찬형, 전게서 1054면.

는 '이사회'가 아닌 '주주총회'로부터 승인을 받아야 한다(제383조 제4항). 이사의 자기거래에 관하여 사전에 주주 전원의 동의가 있었다면, 회사는 이사회 또는 주주총회의 승인이 없었다고 하더라도 그 책임을 회피할 수 없다.[54]

2011. 4. 14. 개정 전에는 '사후 승인(추인)'도 가능하다는 견해가 있었고, 판례도 사후 승인이 가능한 것처럼 판시한 경우도 있었으나,[55] 개정된 상법은 "미리 이사회에서 해당 거래에 관한 중요사실을 밝히고 이사회의 승인을 받아야 한다."라고 규정하여, 이를 입법적으로 해결하였다.[56] 이사회 승인의 결의요건과 관련하여, 2011. 4. 14. 개정 전에는 '이사의 과반수 출석에 과반수의 찬성'을 요구하였으나, 개정법은 '이사 3분의 2 이상의 찬성'을 요구하여 결의요건을 강화하였다. 나아가 개정법은 "거래의 내용과 절차는 공정하여야 한다."는 문구를 추가하여, 거래의 공정성을 요구하고 있다. 이사회의 승인은 개개의 거래에 대하여 이루어져야 하고, 포괄적인 승인은 허용되지 않지만, 반복하여 이루어지는 동종의 거래에 관해서는 기간이나 한도 등을 정하여 포괄적으로 승인하는 것도 무방하다(통설).[57]

제398조 전문이 이사와 회사 사이의 거래에 관하여 이사회의 승인을 얻도록 규정하고 있는 취지는, 이사가 그 지위를 이용하여 회사와 직접 거래를 하거나 이사 자신의 이익을 위하여 회사와 제3자 간에 거래를 함으로써 이사 자신의 이익을 도모하고 회사 및 주주에게 손해를 입히는 것을 방지하고자 하는 것이므로, 이사와 회사 사이의 거래라고 하더라도 양자 사이의 이해가 상반되지 않고 회사에 불이익을 초래할 우려가 없는 때에는 이사회의 승인을 얻을 필요가 없다.[58] 그리고 위 규정이 적용되기 위해서는 이사 또는 제3자의 거래상대방이 이사가 직무수행에 관하여 선량한 관리자의 주의의무 또는 충실의무를 부담하는 당해 회사이어야 하므로, 자회사가 모회사의 이사와 거래를 한 경우에는 설령 모회사가 자회사의 주식 전부를 소유하고 있더라도 모회사와 자회사는 상법상 별개의 법인격을 가진 회사이고, 그 거래로 인한 불이익이 있더라도 그것은 자

---

54) 대법원 2002.7.12. 2002다20544; 서울고등법원 2021.7.8. 2021나2002002.
55) 대법원 2007.5.10. 2005다4284.
56) 이철송, 전게서, 676면; 정찬형, 전게서 1059면.
57) 전게 「주석 상법(Ⅲ)」, 343면; 손진화, 전게서, 592면; 이기수·최병규, 전게서, 451면; 이철송, 전게서, 676면; 정동윤, 전게서, 635면; 정찬형, 전게서, 1059면; 최기원, 전게서, 677면.
58) 대법원 2010.3.11. 2007다71271; 2000.9.26. 99다54905.

회사에게 돌아갈 뿐 모회사는 간접적인 영향을 받는 데 지나지 아니하므로, 자회사의 거래를 곧바로 모회사의 거래와 동일하게 볼 수는 없다. 따라서 모회사의 이사와 자회사의 거래는 모회사와의 관계에서 제398조가 규율하는 거래에 해당하지 아니하고, 모회사의 이사는 그 거래에 관하여 모회사 이사회의 승인을 받아야 하는 것이 아니다.[59]

이사가 이사회의 승인 없이 한 자기거래행위는 회사와 이사 간에서는 무효이지만, 회사가 위 거래가 이사회의 승인을 얻지 못하여 무효라는 것을 제3자에 대하여 주장하기 위해서는 거래의 안전과 선의의 제3자를 보호할 필요상 이사회의 승인을 얻지 못하였다는 것 외에 제3자가 이사회의 승인 없음을 알았다는 사실을 입증하여야 하고, 비록 제3자가 선의였다 하더라도 이를 알지 못한 데 중대한 과실이 있는 때에는 악의인 경우와 마찬가지이다.[60] 무효의 주장은 회사만 할 수 있고, 거래상대방이나 제3자는 무효를 주장할 수 없다(통설).[61] 이사회의 승인을 얻어 자기거래를 하였다고 하더라도 그 결과 회사에 손해가 발생한 경우에는 회사에 대해 손해배상책임을 부담한다.[62]

(6) 감시의무

상법은 이사회로 하여금 이사의 직무집행을 감독하도록 하고 있고(제393조 제2항), 이사는 대표이사로 하여금 다른 이사 또는 피용자의 업무에 관하여 이사회에 보고할 것을 요구할 수 있도록 규정하고 있다(같은 조 제3항). 그런데 이사회는 개개의 이사를 구성원으로 하는 회의체 기관이기 때문에 그 자체로서 활동할 수 있는 능력이 없고, 결국 개별 이사들의 감시·감독 활동을 통하여 위와 같은 감독권을 행사할 수밖에 없다. 여기서 개개의 이사로 하여금 다른 이사의 직무집행을 감시·감독하도록 할 필요성이 생긴다.

이사는 크게 대표이사, 대표권 없는 업무담당이사, 평이사 등으로 구분할 수 있는데, 판례는, 대표이사를 비롯하여 회사의 업무집행을 담당하는 업무담당이사는 물론이고 회사의 업무집행에 전혀 관여하지 않는 비상근의 평이사도 다른 이사의 직무집행을 전반적으로 감시할 의무가 있음을 인정하고 있다. 즉 주식회사

---

59) 대법원 2013.9.12. 2011다57869.
60) 대법원 2004.3.25. 2003다64688.
61) 대법원 2000.9.26. 99다54905; 1980.1.29. 78다1237.
62) 이기수·최병규, 전게서, 454면; 정동윤, 전게서, 635면.

의 이사는 이사회의 일원으로서 이사회에 상정된 의안에 대하여 찬부의 의사표
시를 하는 데에 그치지 않고, 담당업무는 물론 (비록 담당업무가 없더라도) 다른
업무담당이사의 업무집행을 전반적으로 감시할 의무가 있다.[63] 따라서 주식회사
의 이사가 다른 업무담당이사의 업무집행이 위법하다고 의심할 만한 사유가 있
음에도 불구하고 이를 방치한 때에는 이로 말미암아 회사가 입은 손해에 대하여
배상책임을 부담한다.[64]

　　회사의 업무집행을 담당하지 않고 단지 이사회에 출석하여 의결권을 행사하
는 방법으로만 업무에 관여하는 '평이사'에 대하여 이사회에 상정되지 아니한 사
항, 즉 회사의 업무 전반에 대하여 일반적인 감시의무를 인정할 것인지 여부에
관하여는, 이를 부정하는 견해[65]도 있으나, 현재는 찬성하는 견해가 대세를 이
루고 있다.[66] 판례도 기본적으로 이를 긍정하면서, 다만 그 감시범위와 관련하
여 당해 평이사가 다른 업무담당이사의 위법한 업무집행을 알았거나 알 수 있었
던 경우에 한하여 감시의무가 있다고 판시하고 있다(감시의무의 범위와 관련한 절
충적인 입장이라고 할 수 있다).[67]

　　대표이사를 비롯한 업무담당이사는 회사의 업무에 깊숙이 관여하고 있고, 따
라서 이사회에 상정되지 아니한 사항에 대하여도 그 위법 여부 및 적절한 업무
집행인지 여부에 관하여 쉽게 파악할 수 있는 지위에 있으므로, 이들의 감시의
무의 범위는 평이사보다 더 넓다고 보아야 한다.[68] 따라서 업무담당이사는 다
른 이사의 위법한 업무집행을 알게 된 경우는 물론이고, 회사의 업무집행 상황

---

63) 대법원 2019.11.28. 2017다244115; 2011.4.14. 2008다14633; 2008.12.11. 2005다51471;
　　2008.9.11. 2007다31518; 2004. 12.10. 2002다60467, 60474.
64) 대법원 2019.1.17. 2016다236131; 2007.12.13. 2007다60080; 2007.9.21. 2005다34797; 2004.
　　12.10. 2002다60467, 60474.
65) 김기섭, "평이사(대표권 없는 업무담당이사)의 회사에 대한 책임,"「Jurist」제388호(청림인
　　터렉티브, 2003. 1.), 61면.
66) 강희갑, "평이사의 감시의무,"「판례월보」제216호(판례월보사, 1988. 9.), 61~62면; 곽민
　　섭, 전게논문, 124면; 김기섭, 전게논문, 61면; 손영화, 전게논문, 65면; 송옥렬, 전게서,
　　1051면; 이철송, 전게서, 663면; 정동윤, 전게서, 626면; 정찬형, 전게서, 1068면; 황영목,
　　"이사의 감시의무,"「재판자료」제37집(법원도서관, 1987. 12.), 638~644면.
67) 대법원 2011.4.14. 2008다14633; 2009.12.10. 2007다58285; 2008.9.11. 2006다68636; 2002.
　　5.24. 2002다8131; 1985.6.25. 84다카1954; 최기원, 전게서, 656면.
68) 강희갑, 전게논문, 66면; 김기섭, 전게논문, 59~60면; 손영화, 전게논문, 66면. 판례도 "일
　　정한 업무분장에 따라 회사의 일상적인 업무를 집행하는 업무집행이사는 회사의 업무집행
　　을 전혀 담당하지 아니하는 평이사에 비하여 보다 높은 주의의무를 부담한다."고 판시하고
　　있다(대법원 2008.9.11. 2007다31518).

을 전반적으로 파악한 다음 회사의 업무집행이 위법 또는 부당하게 이루어질 위험이 있을 경우에는 적절한 조치를 취해야 할 의무를 부담한다.

감시의무의 구체적인 내용과 관련하여, 판례는 "감시의무의 구체적인 내용은, 회사의 규모나 조직, 업종, 법령의 규제, 영업상황 및 재무상태에 따라 크게 다를 수 있다. 대기업과 같이 고도로 분업화되고 전문화된 대규모의 회사에서 공동대표이사 및 업무담당이사들이 내부적인 사무분장에 따라 각자의 전문 분야를 전담하여 처리하는 것이 불가피한 경우라 할지라도 그러한 사정만으로 다른 이사들의 업무집행에 관한 감시의무를 면할 수는 없고, 그러한 경우 무엇보다 합리적인 정보 및 보고시스템과 내부통제시스템을 구축하고 그것이 제대로 작동하도록 배려할 의무가 이사회를 구성하는 개개의 이사들에게 주어진다는 점에 비추어 볼 때, 그러한 노력을 전혀 하지 아니하거나 위와 같은 시스템이 구축되었다 하더라도 이를 이용한 회사 운영의 감시·감독을 의도적으로 외면한 결과 다른 이사의 위법하거나 부적절한 업무집행 등 이사들의 주의를 요하는 위험이나 문제점을 알지 못한 경우라면, 다른 이사의 위법하거나 부적절한 업무집행을 구체적으로 알지 못하였다는 이유만으로 책임을 면할 수는 없고, 위와 같은 지속적이거나 조직적인 감시 소홀의 결과로 발생한 다른 이사나 직원의 위법한 업무집행으로 인한 손해를 배상할 책임이 있다."고 판시하고 있다.[69]

요컨대, 업무집행을 담당하지 않는 평이사도 대표이사나 다른 업무담당이사의 업무집행이 위법하다는 사실을 알았거나, 충분히 의심할 만한 사유가 있었음에도 불구하고 이를 방치한 때에는 감시의무 위반으로 인하여 회사가 입은 손해를 배상할 책임이 있다.

(7) 기타 의무

이사는, 재임 중에는 물론이고 퇴직 후에도 직무상 알게 된 회사의 영업상 비밀을 유지하여야 할 의무(제382조의4), 정기적으로 회사의 업무집행 상황을 이사회에 보고할 의무(제393조 제4항), 회사에 현저하게 손해를 미칠 사유를 발견한 때에는 감사에게 이를 보고할 의무(제412조의2), 상장회사의 경우 신용공여를 받아서는 안 될 의무(제542조의9), 상장회사의 경우 미공개중요정보 이용행위 금지의무(자본시장과 금융투자업에 관한 법률 제174조 제1항) 등을 부담한다.

---

69) 대법원 2008.9.11. 2007다31518; 2008.9.11. 2006다68834; 2008.9.11. 2006다68636.

그 외에 이사회에서의 의결권 행사는 이사의 가장 중요한 직무이므로, 이사
는 이사회에 출석하여 의결권을 행사할 의무가 있다는 견해도 있다.[70] 이와 관
련하여, 판례는 "주식회사의 이사는 이사회의 일원으로서 이사회에 상정된 의안
에 대하여 찬부의 의사표시를 하는데 그치지 않고, 담당업무는 물론 다른 업무
담당 이사의 업무집행을 전반적으로 감시할 의무가 있고 이러한 의무는 비상근
이사라고 하여 면할 수 있는 것은 아니므로, 주식회사의 이사가 이사회에 참석
하지도 않고 사후적으로 이사회의 결의를 추인하는 등으로 실질적으로 이사의
임무를 전혀 수행하지 않은 이상 그 자체로서 임무해태가 된다."고 판시하고 있
다.[71]

3) 요 건

가) '고의 또는 과실'로 인한 '법령 또는 정관에 위반'한 행위

'고의 또는 과실'이라는 요건은 2011. 4. 14. 상법이 개정되면서 추가된 요건
이다. '법령 또는 정관에 위반'하였는지 여부는, 상법상의 제한 또는 금지 규정,
형법 등 일반 법률, 업무취급과 관련한 법령, 명문의 정관 등이 있으므로, 비교
적 손쉽게 판단할 수 있다. '법령에 위반한 행위'라 함은, 이사로서 임무를 수행
함에 있어 준수하여야 할 의무를 개별적으로 규정하고 있는 상법 등의 규정과
회사가 영업활동을 함에 있어서 준수하여야 할 규정을 위반한 경우를 말한다.[72]
'법령'은 일반적인 의미에서의 법령, 즉 법률과 그 밖의 법규명령으로서의 대통
령령, 총리령, 부령 등을 의미하는 것이고, 금융기관의 업무운용지침, 외화자금
거래취급요령, 외국환업무·외국환은행신설 및 대외환거래계약체결 인가공문, 외
국환관리규정, 금융기관 내부의 심사관리규정(대출규정) 등은 이에 해당하지 않

---

70) 이철송, 전게서, 661면. 그러면서 이사가 위와 같은 출석 및 의결권 행사의무에 위반하여
 단순히 이사회에 불출석하였다고 하여 임무 해태가 있다고 볼 수는 없고, 정당한 사유 없
 이 불출석한 경우에만 임무 해태가 있다고 보아야 한다는 취지로 설명하고 있다. 정동윤,
 전게서, 625면.

71) 대법원 2008.12.11. 2005다51471.

72) 대법원 2005.10.28. 2003다69638. 이와 관련하여, 일본의 경우, '법령'이란 회사법상의 자기
 주식취득금지나 경업금지규정 등과 같은 구체적인 규정뿐 아니라 이사의 일반적인 주의의
 무와 충실의무 규정도 포함한다는 견해, '법령'에는 회사·주주의 이익보호규정 및 공서규
 정만 포함된다는 견해, 회사재산의 건전성확보를 목적으로 하는 규정만을 의미한다는 견해
 등이 있다고 한다. 윤영신, "법령위반행위에 대한 이사의 손해배상책임,"「민사판례연구」
 제33-1권(박영사, 2011. 2.), 764면; 정진세, "이사의 법령 위반으로 인한 회사에 대한 책
 임,"「상장협」제59호(한국상장회사협의회, 2009), 134면.

는다.73) 형식적 의미의 법률과 그 밖의 법규명령에 해당하지 않더라도, 단지 법령을 구체화하거나 달리 표현한 것에 불과한 규범은 법령과 일체를 이룬다고 보아야 한다.74) 그리고 어떤 법령이 특정 행정기관에게 그 법령내용의 구체적 사항을 정할 수 있는 권한을 부여하면서 그 권한행사의 구체적인 절차나 방법을 특정하고 있지 않은 관계로 수임 행정기관이 그 법령의 내용이 될 사항을 구체적으로 규정한 고시는, 당해 법률 및 그 시행령의 위임한계를 벗어나지 아니하는 한 그와 결합하여 대외적으로 구속력이 있는 법규명령으로서 효력을 가지는 것이며, 그와 같은 고시의 내용이 관계 법령의 목적이나 근본 취지에 명백히 배치되거나 서로 모순되는 등의 특별한 사정이 없는 한 효력이 있다고 보아야 한다.75)

이사가 경업금지의무에 위반한 경우(제397조), 이사회의 승인 없이 자기거래를 한 경우(제398조), 비밀유지의무를 위반한 경우(제382조의2), 이익배당의 요건에 관한 규정(제462조)에 위반하여 이익배당안을 주주총회에 제출하여 승인을 받아 이익배당을 한 경우, 자기주식취득의 금지 규정에 위반한 경우(제341조), 주주의 권리행사와 관련하여 재산상의 이익을 공여한 경우(제467조의2) 등이 여기에 해당한다. 또한 회사의 이익이나 주주이익의 확보와 직접적으로 관련이 없는 법령, 즉 형법상의 뇌물수수죄 등도 포함됨은 물론이다. 그러나 재정경제부장관이 제정한 업무운용지침 등을 위반한 경우는 법령위반에 해당한다고 볼 수 없다.76)

나) 고의 또는 과실로 인하여 '임무를 게을리한' 경우

당초에는 단순히 '임무를 해태한 경우'라고 되어 있었으나, 2011. 4. 14. 상

---

73) 대법원 2006.11.9. 2004다41651, 41668.

74) 권영준, 전게논문, 224면. 대법원 2007.7.26. 2006다33685은 "구 종합금융회사에 관한 법률('구 종금사법') 제21조는 '금융감독위원회는 종합금융회사의 업무를 감독하고, 이에 필요한 명령을 할 수 있다.'고 규정하고 있고, 이에 따라 종합금융회사 감독규정('종금사감독규정') 제23조 제1항은 '종금사는 직접, 간접을 불문하고 당해 종금사의 주식을 매입시키기 위한 대출을 하여서는 아니 된다.'고 규정하고 있는바, 이는 상법 제341조, 제625조 제2호, 제622조의 취지를 잠탈하는 것을 막기 위한 것으로 볼 수 있다. 따라서 종금사의 이사가 상법 제341조, 제625조 제2호, 제622조의 규정을 위반하였을 뿐만 아니라, 그와 같은 취지를 규정한 종금사감독규정 제23조 제1항을 위반한 경우에는 경영판단의 원칙이 적용된다고 볼 수 없다."고 판시하고 있다.

75) 대법원 2004.4.9. 2003두1592.

76) 대법원 2005.1.14. 2004다8951; 2005.1.14. 2004다34349; 2005.1.14. 2003다51835; 2004.9.24. 2004다3796.

법이 개정되면서 위와 같이 변경되었다. '고의 또는 과실'이라는 문구가 추가되었지만, 특별히 책임 요건을 강화하거나 완화하였다고 보기는 힘들다.

'임무를 게을리한 경우'라 함은 선량한 관리자로서의 주의의무를 소홀히 하여 회사에 손해를 입히거나 회사의 손해를 방지하지 못한 경우를 말한다. 그러나 구체적인 사안에서 이에 대한 판단은 법령 또는 정관에 위반한 경우와 비교하여 쉽지 않을 것으로 보이는데, 결국은 당해 이사의 지위 및 권한, 회사의 규모나 회사가 처한 상황, 내부적인 업무처리절차를 거쳤는지 여부, 일반적인 사회·경제적 상황, 업무처리 결과 등을 종합하여 개별적으로 판단할 수밖에 없다.

대표이사나 업무담당이사가 '주주총회 또는 이사회의 결의'에 따라 업무를 집행하였으나 그 결의가 위법 또는 부당한 내용의 것이었을 경우에도 임무를 게을리 한 것으로 보아야 하는지가 문제될 수 있다. 주식회사의 이사는 각자가 회사와 위임관계를 가지고 독자적인 권한과 의무를 부여받고 있으므로, 비록 주주총회나 이사회의 결의가 있다고 하더라도 그 결의내용이 객관적으로 위법·불공정할 때에는 그와 같은 주주총회 또는 이사회의 결의에 따랐다는 사실만으로 회사에 대한 책임을 면하지 못한다.[77] 마찬가지로 회사와 대주주는 서로 별개일 뿐만 아니라, 회사의 임직원이 회사와의 위임관계에 따른 임무에 위배하여 대주주의 지시를 따라야 할 법률상 의무도 없으므로, 대주주의 지시가 있었다고 하더라도 임무를 게을리함에 따른 책임을 면할 수 없다.[78] 반면 독일 주식법(Aktiengesetz) 제93조 제2항,[79] 제3항[80]은 이사의 손해배상책임에 대해 규정하면서,

---

77) 이철송, 전게서, 664면; 서울지방법원 2000.11.21. 2000가합57165. 서울고등법원(2000나63464)에서 강제조정으로 종결되었다.

78) 대법원 2008.12.11. 2005다51471.

79) 독일 주식법(Aktiengesetz; AktG) 제93조(이사의 주의의무와 책임) 제2항은 "선량한 관리자로서의 주의의무를 위반한 이사는 그로 인하여 회사가 입은 손해를 연대채무자로서 배상할 의무가 있다. 이사가 선량한 관리자로서의 주의의무를 기울였는지 여부에 관하여 다툼이 있는 경우에는 이사가 그 입증책임을 부담한다."라고 규정하고 있다. 위 제2항은, 이사의 회사에 대한 손해배상책임에 관한 일반 조항이라고 할 수 있다.

80) 독일 주식법(AktG) 제93조(이사의 주의의무와 책임) 제3항은 "이사가 특히 이 법률에 반하여 다음의 행위를 한 때에는 손해배상책임을 부담한다. 1. 주주에게 출자금을 반환한 경우, 2. 주주에게 이자 또는 이익배당금을 지불한 경우, 3. 그 회사 또는 다른 회사의 자기주식을 인수, 취득, 질권 취득한 경우, 4. 주식을 그 액면금액의 전액 납부 전에 발행한 경우, 5. 회사재산을 분배한 경우, 6. 회사가 지급불능에 빠지거나 채무 초과가 발생한 후 지급을 한 경우, 7. 감사회의 구성원에게 보수를 지급한 경우, 8. 신용을 부여한 경우, 9. 조건부 증자에 있어 정하여진 목적 이외에 또는 대가의 전액 이행 전에 신주를 발행한 경우"라고 규정하고 있다. 위 제3항은, 회사의 자본을 보호하기 위한 의무를 현저히 위반하는 것

제4항[81])에서 이사가 '주주총회의 결의'에 따라 업무를 처리한 경우에는 회사에
대하여 손해배상책임을 부담하지 않는다고 규정하고 있다.

'금융기관'의 이사가 임무를 게을리하였는지 여부와 관련하여, 판례는, "금융
기관의 임원은 소속 금융기관에 대하여 선량한 관리자의 주의의무를 지므로, 그
의무를 충실히 한 때에야 임원으로서의 임무를 다한 것으로 된다고 할 것이지
만, 금융기관이 그 임원을 상대로 대출과 관련된 임무 해태를 내세워 채무불이
행으로 인한 손해배상책임을 물음에 있어서는 임원이 한 대출이 결과적으로 회
수곤란 또는 회수불능으로 되었다고 하더라도 그것만으로 바로 대출결정을 내린
임원에게 그러한 미회수금 손해 등의 결과가 전혀 발생하지 않도록 하여야 할
책임을 물어 그러한 대출결정을 내린 임원의 판단이 선량한 관리자로서의 주의
의무 내지 충실의무를 위반한 것이라고 단정할 수 없고, 대출과 관련된 경영판
단을 함에 있어서 통상의 합리적인 금융기관 임원으로서 그 상황에서 합당한 정
보를 가지고 적합한 절차에 따라 회사의 최대이익을 위하여 신의성실에 따라 대
출심사를 한 것이라면 그 의사결정과정에 현저한 불합리가 없는 한 그 임원의
경영판단은 허용되는 재량의 범위 내의 것으로서 회사에 대한 선량한 관리자의
주의의무 내지 충실의무를 다한 것으로 볼 것이며, 금융기관의 임원이 위와 같
은 선량한 관리자의 주의의무에 위반하여 자신의 임무를 해태하였는지의 여부는
그 대출결정에 통상의 대출담당임원으로서 간과해서는 안 될 잘못이 있는지의
여부를 대출의 조건과 내용, 규모, 변제계획, 담보의 유무와 내용, 채무자의 재
산 및 경영상황, 성장가능성 등 여러 가지 사항에 비추어 종합적으로 판정해야
한다."고 판시하고 있다.[82])

임무를 게을리한 경우와 관련하여 가장 문제가 되는 것은 '경영판단원칙'과의
관계이다.

으로 평가되는 행위유형(자본유출행위)을 한정적으로 열거하고 있다. 이러한 행위는 경영상
의 결정으로 볼 수 없기 때문에 경영판단의 원칙이 처음부터 적용되지 않는다. 정대익, "이
사의 회사에 대한 책임에 관한 독일의 최근 현황과 개정 논의," 「상사법연구」 제36권 제2
호(한국상사법학회, 2017), 122면.

81) 독일 주식법(AktG) 제93조(이사의 주의의무와 책임) 제4항은 "이사의 행위가 주주총회
(Hauptversammlung)의 결정에 따른 것일 때에는 회사에 대하여 손해배상책임을 부담하지
않는다. 감사회가 이사의 행위를 인정하였다고 하더라도 그것만으로는 손해배상책임이 배
제되지 않는다."고 규정하고 있다.

82) 대법원 2011.10.13. 2009다80521; 2006.11.9. 2004다41651, 41668; 2005.1.14. 2004다8951;
2005.1.14. 2004다34349; 2004.8.20. 2004다19524; 2002.6.14. 2001다52407.

4) 경영판단원칙

가) 경영판단원칙의 의의

(1) 의의 및 인정 근거

'경영판단원칙'(business judgement rule)이란, 19세기 미국의 루이지애나, 로드아일랜드, 펜실베니아 주(州) 등을 중심으로 하여 판례에 의하여 확립된 것으로서, 이사가 자신의 권한 내의 경영사항에 관하여 합리적인 근거에 의하여 성실하게 회사에 최상의 이익이 되는 것으로 신뢰하는 바에 따라서 독자적인 결단을 하였다면, 비록 결과적으로 회사에 손해가 발생하였다고 하더라도 그 이사에게 책임을 물어서는 안 된다는 원칙을 말한다.[83]

미국 판례상 경영판단원칙이 인정되는 구체적 근거로는 다음과 같은 사유가 거론된다.[84]

첫째, 이사들이 어떤 정책적 결정을 필요로 하는 사항에 관하여 개인적인 이해관계 없이, 선의에 따라, 합리적인 정보를 바탕으로 결정을 내렸다고 하더라도, 사후적으로 평가하여 볼 때는 이사들의 결정이 경솔한(improvident) 것이거나 회사에 손해를 끼칠 수밖에 없는 것으로 판명될 수 있다. 이러한 오류 가능성을 인정하여 해당 결정을 내린 이사들이 손해배상책임에 노출되는 것을 보호함으로써, 능력 있는 개인들로 하여금 손해배상책임을 두려워하지 않고 이사직에 취임할 수 있도록 한다.

둘째, 경영판단원칙은 향후 사업전망을 기초로 하는 경영판단이 종종 위험과 불확실성을 수반하는 것을 인정함으로써, 이사들로 하여금 상당한 위험을 수반하지만 큰 이익을 창출해 낼 수 있는 모험적인 사업(venture)에 뛰어들도록 독려한다. 주주들은 이사들이 위험 회피적으로 업무를 처리하기를 원하지 않는다. 주주들의 투자이익은, 회사 이사들이 선의로 위험과 이익을 측정하여, 회사의

---

83) 권재열, "경영판단의 원칙 - 도입여부에 관한 비판적 검토 -,"「비교사법」제6권 제1호(한국비교사법학회, 1999. 6.), 19면 이하; 원혜욱, "기업대표이사(CEO) 형사책임에 관한 판례분석,"「기업소송연구」2004(기업소송연구회, 2005. 3.), 453면; 이헌재, "주식회사 이사의 책임과 경영판단의 법칙에 관한 연구," (국민대학교 대학원 석사학위 논문, 2003), 55면 이하; 천재정, "이사의 주의의무와 경영판단의 원칙에 관한 연구," 부산대학교 대학원(석사학위 논문, 2003), 56면 이하; 최병규, "분식회계와 이사의 책임,"「기업소송연구」2003(기업소송연구회, 2004. 3.), 300면.
84) 곽병훈, "미국 회사법의 경영판단원칙,"「재판자료」제98집-외국사법연수논집(22)(법원도서관, 2002. 12.), 124~125면.

예상비용보다 높다고 평가되는 예상이익을 위하여 투자할 때 극대화된다. 정책적인 측면에서 볼 때, 이사들의 경영판단에 대한 사후 심사를 최소화함으로써 주주들 스스로의 이익을 극대화할 수 있는 것이다.

셋째, 경영판단원칙은 복잡한 회사의 경영결정에 관하여 전문가가 아닌 법원으로 하여금 관여하지 않도록 해 준다. 이사들은 대부분의 경우, 판사들보다 경영판단을 내리기에 유능한(more qualified) 사람들이다. 법원이 이사의 경영판단에 대하여 사후적으로 일일이 평가하는 것보다는 경영전문가들에 의하여 내려진 결정을 존중하는 것이 결국에는 회사의 이익 극대화에 부합한다.

넷째, 경영판단원칙은 주주들이 아닌 이사들로 하여금 회사를 경영하도록 보장해 준다. 주주들에게 이사회 결정에 대하여 사법적 심사를 요구할 수 있는 권리가 쉽게 주어진다면, 궁극적인 의사결정 권한이 이사들로부터 이의제기를 자주 하는 주주들에게 옮겨지는 결과에 이르게 된다. 즉 경영판단원칙은 회사와 대다수의 주주들을 이의제기를 일삼는 일부 주주들로부터 보호해주는 장치인 것이다.

(2) 요 건

이 원칙이 적용되기 위해서는 일반적으로, 첫째 이사회의 적법한 결의가 있을 것, 둘째 이사가 주어진 상황에서 기대되는 합리적인 의사결정절차를 거쳤을 것(reasonable decision making process), 셋째 선의(good faith)로 결의하고 위법하지 않을 것, 넷째 이해충돌(conflict of interest)이 없을 것 등의 요선이 요구된다고 설명되고 있다.[85]

그러나 미국 내에서도 경영판단원칙의 요건이 통일되어 있는 것은 아니다. 미국법률협회(ALI)의 '회사지배원칙: 분석과 권고(Principles of Corporate Governance: Analysis and Recommendations)'는 경영판단원칙과 관련해서 "§4.01(c) 성실하게 경영판단을 한 이사나 임원은 다음의 요건을 충족하는 경우, 의무를 이행한 것으

---

85) 서석호, "주주대표소송과 이사의 책임에 관한 경영판단원칙," 「기업소송연구」 2003(기업소송연구회, 2003. 4.), 63면; 경영판단의 원칙이 적용되기 위한 요건으로, 적극적 요건과 소극적 요건이 있고, i) 적극적 요건으로 경영상의 결정이 존재할 것, 이해관계가 없고(disinterestedness) 독립적일 것(independence), 적정한 주의(due care), 선의(good faith), ii) 소극적 요건으로 재량권의 남용이 없을 것, 사기(fraud)·불법행위(illegality)·권한유월행위(ultra vires conduct) 또는 회사자산의 낭비에 해당하지 않을 것 드는 견해도 있다. 이영봉, "경영판단의 법칙의 수용에 관한 검토," 「상사법연구」 제19권 제1호 통권 제26호 (한국상사법학회, 2000. 6.), 47~52면.

로 된다. i) 경영판단의 대상에 대하여 이해관계가 없고, ii) 경영판단의 대상과 관련하여 그 상황에서 적절하다고 합리적으로(reasonable) 믿을 정도로 충분한 정보를 가지고 있어야 하며, iii) 그 경영판단이 회사의 최선 이익과 합치된다고 상당하게(rationally) 믿어야 한다."고 규정하고 있다.[86]

(3) 추정적 효과

일반적으로 경영판단원칙에서는, 이사가 경영상의 결정을 하는 과정에서 충분한 정보에 기하여, 선의로, 그리고 그것이 회사의 최상 이익에 부합하는 것이라는 정직한 신뢰 위에서 행한 것이라고 추정(presumption)된다고 설명되고 있다.[87] 따라서 이사의 경영판단이 위와 같이 적정한 절차에 의하여 이루어졌다는 추정이 이사의 책임을 주장하는 측에 의해 번복되지 않는 한 그 경영판단의 실질적 내용에 대하여는 사법적 심사가 이루어지지 않게 된다. 실제로 소송과정에서 위와 같은 추정을 번복시키는 것이 쉽지 않기 때문에, 이러한 측면에서는 경영판단원칙이 이사를 보호해주는 역할을 하게 되는 셈이다.

나) 경영판단원칙의 우리나라에의 도입 여부[88]

최근 경영판단원칙의 도입 여부를 둘러싸고 보기 드물게 활발하게 논의가 이루어지고 있고, 상법과 형법을 개정하여 이를 명문화하려는 움직임도 있다. 특히 한화그룹이나 CJ그룹 등 대기업 회장이 업무상 배임죄로 기소되어 처벌받는

---

86) 권재열, 전게논문, 16, 24면; 오성근, "경영판단원칙의 적용기준의 법리에 관한 검토,"「기업법연구」 제20권 제1호 통권 제26호(한국기업법학회, 2006), 24면; 장홍선, "상법 제399조에 기한 이사의 회사에 대한 손해배상책임과 경영판단원칙,"「판례연구」 제21집(부산판례연구회, 2010. 2.), 173면.
87) 곽병훈, 전게논문, 129면; 권재열, 전게논문, 19면; 이영봉, 전게논문, 53면; 이철송, 전게서, 683면.
88) 독일 주식법(AktG) 제93조 제1항은 "이사는 업무를 수행함에 있어 선량한 관리자로서의 주의의무를 기울여야 한다. 이사가 업무적인 결정을 함에 있어 적절한 정보에 근거하여 회사의 이익을 위하여 합리적으로 판단한 경우에는 의무위반이 존재하지 않는다."고 규정하여, 2005년부터 경영판단원칙을 도입하고 있다.
　　한편 일본의 경우, i) 경영판단원칙이 이사의 주의의무를 경감시켜 준다는 견해, ii) 경영판단의 과정과 내용을 구별하여 판단기준을 달리하는 견해, 즉 경영판단의 준비 과정면에서는 주의의무를 적용하고, 내용 판단면에서는 회사에게 최선의 선택이라는 합리적 확신을 얻도록 의무화하여야 한다거나, 경영판단의 과정에 있어서는 주의의무를 그대로 적용하고, 내용에 있어서는 당해 판단이 당시의 상황에 비추어 통상의 기업인의 입장에서 보았을 때 불합리하지 않다면 이사의 책임을 물을 수 없다는 견해, iii) 경영판단의 과정과 내용을 구별하지 않고 경영판단을 긍정하면서 위 원칙을 적용하여 이사의 주의의무위반 책임을 부정하기 위해서는 경영판단 당시의 상황을 중시하여야 한다는 견해, iv) 법원이 이사의 경영상의

사례가 속출하면서 경영판단원칙을 도입하여 배임죄의 처벌 범위를 줄일 필요가 있다는 주장이 설득력을 얻어 가고 있다.[89]

경영판단원칙의 도입에 적극적인 의견으로는, 경영판단원칙을 도입할 경우 위 원칙이 내세우고 있는 요건의 사전적 효과로서 '이사의 행위규범'으로서 기능할 수 있으므로 이사의 행동을 규제하게 될 것이고, 그 결과 이사에게 그 판단의 적법성을 전제로 광범위한 재량권을 부여하게 되며, 사후적 효과로서 '법원의 재판규범'을 제시하는 기능을 기대해 볼 수 있으므로, 경영판단원칙을 상법에 제한적으로 도입하는 것은 회사를 둘러싼 다양한 이해관계자의 이익을 도모할 수 있음은 물론 이사에게도 적법한 재량권의 범위에 대한 기준을 제시하여 책임경영을 촉구하는 기능을 하게 된다는 견해,[90] 경영판단원칙은 우리나라 상법상의 임무 해태를 해석함에 있어 동일하게 적용되어야 한다는 견해[91] 등이 있다.

반면 이에 반대하는 의견으로는, 미국에서 경영판단원칙은 소유와 경영의 분리를 전제로 한 공개기업에 적용되는 법리인데, 우리나라 기업은 폐쇄적인 특성이 있는 점, 시장기능이 잘 작동한다면 법원이 개입하지 않아도 좋겠지만 우리나라의 경우 시장이 제대로 발달되지 않아 완전한 기능을 발휘하지 못하고 있는 점, 이사의 선관주의의무의 기준이 제대로 확립되어 있지 않은 점, 경영판단원칙은 판례에 의하여 발전되어 온 것이기 때문에 아직도 그 이론이 완전한 형태로 정립되었다고 볼 수 없는 점, 이를 도입할 경우 사법부의 소극성이 심화되고 주주대표소송에서 소수주주의 부담이 증가될 수 있는 점, 경영판단원칙은 미국의 역사와 문화로 된 실로 짠 주단과 같아서 역사와 문화가 다른 우리나라에 도입하는 것은 바람직하지 않은 점 등을 이유로 그 도입이 시기상조이거나 부적절하다는 견해,[92] 경영판단원칙은 기업의 소유와 경영이 분리되어 전문경영인체

과실에 기한 책임의 인정에 신중해야 한다고 해석하면 충분하다는 견해 등이 제시되고 있는데, 두 번째 견해가 다수라고 한다. 오영준, 전게논문, 498면; 장철익, "이사의 주의의무와 경영판단 원칙,"「민사판례연구」제33-1권(박영사, 2011. 2.), 802~803면. 즉 일본에서도 이사의 합리적인 경영판단에 대해서는 결과책임을 물어서는 안되고 존중하여야 한다는 주장이 다수이고, 일본 법원도 기본적으로 이러한 입장을 취하고 있다고 한다. 권종호, "이사책임 법리에 관한 일본의 최근 논의 동향(이사의 회사에 대한 책임을 중심으로),"「상사법연구」제36권 제2호(한국상사법학회, 2017), 187면.

89) 2015. 9. 14.자 파이낸셜뉴스 인터넷 기사 등 참조.
90) 송인방, "경영판단원칙의 상법에의 도입가부에 관한 검토,"「법학연구」제14권 제1호(충남대학교 법학연구소, 2003. 12.), 393~394면.
91) 이철송, 전게서, 600면; 정동윤, 전게서, 640면; 최기원, 전게서, 663면.
92) 권재열, 전게논문, 30면 이하.

제가 확립되어 있는 미국에서 발전한 법리인데, 기업경영의 형태와 소유 구조가 판이한 우리나라에 이 원칙을 도입하는 것은 문제가 있고, 특히 우리나라의 경우 중소기업은 물론 대기업도 대부분 지배주주 중심의 가족경영형태로 운영되고 있어 경영판단원칙을 도입하여 이들에게 경영실패의 책임을 면하게 할 경우 경영에서 소외된 소수주주와 채권자들의 이익을 침해할 위험이 크다는 견해,[93] 주주대표소송 활성화를 위한 제도개선 방안이 이루어지지 않는 한 현재와 같이 주주대표소송제도가 사실상 사문화되어 있고, 지배주주에 의한 선단식 기업경영이 일반화된 우리나라 기업경영현실을 무시한 채 등기이사의 형식적 판단을 보호하기 위하여 경영판단원칙을 도입하는 것은 시기상조이고, 오히려 현재와 같은 상황이라면 소수주주의 보호를 위해 법원이 사법심사를 자제할 것이 아니라 오히려 적극적으로 관여할 필요가 있다는 견해[94] 등이 있다.

대법원은, 금융기관 임원의 경영판단에 따른 대출과 관련한 사건에서 수차에 걸쳐, "대출과 관련된 경영판단을 하면서 통상의 합리적인 금융기관 임원으로서 그 상황에서 합당한 정보를 가지고 적합한 절차에 따라 회사의 최대이익을 위하여 신의성실에 따라 대출심사를 한 것이라면 의사결정과정에 현저한 불합리가 없는 한 임원의 경영판단은 허용되는 재량의 범위 내의 것으로서 회사에 대한 선량한 관리자의 주의의무 내지 충실의무를 다한 것으로 볼 수 있다. 금융기관의 임원이 위와 같은 선량한 관리자의 주의의무에 위반하여 자신의 임무를 해태하였는지는 대출결정에 통상의 대출담당임원으로서 간과해서는 안 될 잘못이 있는지를 대출의 조건과 내용, 규모, 변제계획, 담보의 유무와 내용, 채무자의 재산 및 경영상황, 성장가능성 등 여러 가지 사항에 비추어 종합적으로 판정해야 한다."고 판시하고 있다.[95]

우리나라 판례가 미국 판례상의 경영판단원칙을 그대로 수용하고 있다고 보기는 힘들겠지만, 적어도 미국 판례의 경영판단원칙이 내포하고 있는 기본 취지는 위와 같은 판시내용에 충분히 반영되어 있음을 알 수 있다.[96] 다만 미국 판

---

93) 김기섭, "법인대표의 경영상의 판단과 업무상 배임죄," 「판례연구」 제18집(서울지방변호사회, 2005. 1.), 206면.

94) 김석연, "경영판단의 원칙, 입법화의 전제조건과 입법의 방향," 「기업지배구조연구」 제23호 여름(좋은기업지배구조연구소, 2007), 10∼11면.

95) 대법원 2011.10.13. 2009다80521; 2005.1.14. 2004다8951; 2005.1.14. 2004다34349; 2004. 8.20. 2004다19524; 2003.4.11. 2002다61378.

96) 김건식, 전게논문, 424면; 김기섭, 전게논문, 200면; 서석호, 전게논문, 76면; 이철송, 「회사

례법에서 사용하고 있는 '추정(presumption)'이라는 표현은 쓰지 않고 있고, 나아가 이사가 임무를 게을리하였는지 여부를 판단하기 위해서는 경영판단에 이르게 된 과정이나 실질적인 판단내용에 대해서까지 구체적으로 심사하여야 한다는 취지로 보인다.[97] 일본 판례도, 경영판단원칙에 따라 이사의 재량이 인정되기 위해서는 경영판단의 과정뿐만 아니라 그 내용에 있어서도 일정한 요건을 충족하여야 하는 것으로 보고 있다.[98]

다) 임무를 게을리한 경우 또는 법령 위반의 경우와 경영판단원칙

앞서 본 바와 같이 임무를 게을리한 경우는 이사로서 선량한 관리자의 주의의무를 다하지 못한 경우라 할 것인데, 이를 판단함에 있어서는 대법원이 판시하고 있는 바와 같이 경영판단원칙에 관한 법리를 충분히 감안하여야 한다. 따라서 이사의 경우에는 통상의 합리적인 회사의 임원으로서 당해 상황에서 합당한 정보를 가지고 적합한 절차에 따라 회사의 최대이익을 위하여 신의성실에 따라 업무를 수행한 것이라면, 그 의사결정과정에 현저한 불합리가 없는 한 그 이사의 경영판단은 허용되는 재량의 범위 내의 것으로서 회사에 대한 선량한 관리자의 주의의무를 다한 것으로 된다.

그러나 이사가 법령에 위반하여 업무집행을 한 경우에는 경영판단원칙이 적용될 여지가 없다. 판례도 "이사가 임무를 수행함에 있어서 법령에 위반한 행위를 한 때에는 그 행위 자체가 회사에 대하여 채무불이행에 해당되므로, 이로 인하여 회사에 손해가 발생한 이상, 특별한 사정이 없는 한 손해배상책임을 면할

법강의」 제29판(박영사, 2021), 779면. 한편 위와 같은 판례를 근거로, 대법원이 이사에 대한 손해배상책임을 물음에 있어 경영판단원칙이 적용되어야 함을 명확히 하였다고 해석하는 견해도 있다. 고경우, "금융기관의 대표자 또는 임원의 대출업무에 관한 선관주의의무와 그 임무 해태 여부의 판단기준," 「판례연구」 제15집(부산판례연구회, 2004. 2.), 641면.

97) 현재 대법원의 경영판단에 대한 심사기준은, '경영판단 과정'에 관하여는 '합리적인지 여부 (standard of reasonability)'를 기준으로 하고, 그 '내용'에 관하여는 '현저한 불합리가 없는지(standard of rationality)'를 기준으로 하는 것으로 정착되었다고 보아도 좋다는 견해도 있다. 장철익, 전게논문, 810면. 이와 관련하여, "판례가 경영판단의 '내용상 합리성'까지 심사한다는 것은 비록 그 내용이 '현저히 불합리한' 경우에만 주의의무 위반으로 평가하겠다는 뜻이라고는 하나, 경우에 따라서는 경영에 전문지식이 없는 법관이 사법적 기준으로 경영판단의 당부를 가리는 지나친 판결을 할 우려도 있으므로 부당하다."고 비판하는 견해도 있다. 한석훈, "경영진의 손해배상책임과 경영판단 원칙," 「상사법연구」 제27권 제4호 통권 제61호(한국상사법학회, 2009), 151면.

98) 강동욱, "경영판단원칙과 배임죄," 「선진상사법률연구」 제62호(법무부, 2013), 60면; 권종호, 전게논문, 189면.

수는 없고, 법령에 위반한 행위에 대하여는 이사가 임무를 수행함에 있어서 선관주의의무를 위반하여 임무 해태로 인한 손해배상책임이 문제되는 경우에 고려될 수 있는 경영판단의 원칙은 적용될 여지가 없다.”고 판시하고 있다.[99]

5) 판례에 나타난 구체적인 사례

가) 법령 또는 정관 위반으로 인한 손해배상책임을 인정한 사례

(1) 부외자금을 조성하여 정치자금, 현장독려비 등으로 임의 사용하여 횡령한 경우[100]

피고들은 동아건설의 대표이사 또는 이사인데, 직원들에게 매월 급여 및 상여금을 지급함에 있어 임금금액을 과다 계상하여 그 과다 계상된 부분을 별도로 인출하여 보관하거나, 공사현장에서 실제 지급되어야 할 자재비 등을 과다 계상하는 방법으로 이른바 ‘부외자금’을 조성한 후 이사회 결의 등 법인의 자금집행을 위한 적법한 절차를 거치지 아니하고 정치자금, 현장독려비, 임원활동비, 발주처 관계자들에 대한 교부금 등으로 임의 사용하여 이를 횡령한 사안에서,

회사의 대표이사가 보관 중인 회사 재산을 처분하여 그 대금을 정치자금으로 기부한 경우 그것이 회사의 이익을 도모할 목적으로 합리적인 범위 내에서 이루어졌다면 그 이사에게 횡령죄에 있어서 요구되는 불법영득의 의사가 있다고 할 수 없을 것이나, 그것이 회사의 이익을 도모할 목적 보다는 정치후보자 개인의 이익을 도모할 목적이나 다른 목적으로 행하여졌다면 그 이사는 회사에 대하여 횡령죄의 죄책을 면하지 못한다고 할 것인데, 피고들이 부외자금 6억 9,900만 원을 정치자금 명목으로 교부하여 사용한 행위가 회사의 목적을 위한 것이라고 보기 어렵고, 합리적인 경영판단의 적용범위를 넘어서는 행위일 뿐 아니라, 법령을 위반한 행위에 해당한다고 판시하였다.

(2) 자기주식 취득 규정 및 구 종합금융회사에 관한 법률(‘종금사법’)을 위반한 경우[101]

대한종합금융의 대표이사이던 피고 5는 동남산업, 해표푸드서비스와 사이에, 대한종합금융이 해표푸드서비스에게 금원을 대출하여 주면, 동남산업은 그 대출

---

 99) 대법원 2019.11.14. 2018다282756; 2011.4.14. 2008다14633; 2006.11.9. 2004다41651, 41668; 2005.10.28. 2003다69638; 2005.7.15. 2004다34929.
100) 대법원 2009.12.10. 2007다58285; 서울고등법원 2007.7.19. 2006나20216.
101) 대법원 2007.7.26. 2006다33609; 2007.7.26. 2006다33685.

금을 건네받아 그 돈으로 대한종합금융이 유상증자를 위하여 발행할 신주를 인수하기로 하되, 해표푸드서비스의 대출금 상환을 위한 담보로 위 주식을 대한종합금융에게 제공하고, 대한종합금융이 관할 당국으로부터 영업정지처분결정을 받는 경우에 동남산업은 위 인수한 주식의 소유권을 대한종합금융에게 귀속시키고, 해표푸드서비스의 대출금 상환의무를 소멸시키는 통지를 할 수 있으며 이로써 대출금의 상환이 완료된 것으로 한다는 내용의 약정을 한 사실, 대한종합금융의 이사회 의장인 피고 1, 대표이사인 피고 5는 그 다음날 이사회를 열어 해표푸드서비스를 신규 여신대상적격업체로 선정하고, 거래한도액을 300억 원으로 하는 내용의 이사회 결의를 하였고, 당시 감사이던 피고 4는 위 이사회 결의에 참석하여 의사록에 서명한 사실, 이에 따라 대한종합금융은 해표푸드서비스 앞으로 253억 원을 대출한 사실, 동남산업은 1999. 3. 26. 위 대출금을 해표푸드서비스로부터 건네받아 250억 원은 주식인수에 따른 주금납입대금으로, 나머지 3억 원은 기타 부대비용으로 각 사용하고, 대한종합금융에게 자신이 취득한 대한종합금융 보통주 500만 주를 담보로 제공한 사실, 대한종합금융이 1999. 4. 9. 금융감독위원회로부터 제2차 영업정지명령을 받게 되자, 동남산업은 1999. 5. 29. 위 약정에 기하여 동남산업이 인수한 주식의 소유권을 대한종합금융에 귀속시키고, 해표푸드서비스 명의의 대출금의 상환의무를 소멸시키는 통지를 한 사실 등이 인정되는 사안에서,

대한종합금융과 해표푸드서비스 사이의 위 약정은 결국 동남산업이 청약하는 신주인수대금을 대한종합금융이 대출의 형식으로 제공하여 납입하게 하지만 해표푸드서비스에게는 그 대여금 상환의 책임을 지우지 아니하고 그 주식인수에 따른 손익을 대한종합금융에 귀속시키기로 하는 내용이라고 할 것이고, 위 약정의 실질은 대한종합금융의 계산 아래 대한종합금융이 동남산업 명의로 대한종합금융 스스로 발행하는 신주를 인수하여 취득하는 것을 목적으로 하는 것으로서, 대한종합금융의 대표이사 및 이사인 피고 5, 1의 위와 같은 행위는 자기주식취득을 금지한 상법 제341조, 제625조 제2호, 제622조에 위반될 뿐만 아니라, 그와 같은 취지를 규정한 종금사감독규정 제23조 제1항을 위반한 행위이므로, 이러한 경우에는 원칙적으로 경영판단의 원칙이 적용되지 않는다고 보아야 할 것이고, 나아가 대한종합금융과 해표푸드서비스 사이에 체결된 위 약정은 대출약정을 포함한 그 전부가 무효이고, 그 계약에 따라 원고들이 대한종합금융의 대

여금으로 신주대금을 납입한 것 역시 무효라고 할 것이므로, 해표푸드서비스에 대한 위 대출금 중 대한종합금융의 주금으로 납입된 250억 원 부분에 대하여는 특별한 사정이 없는 한 대한종합금융에 실제 손해가 발생하였다고 보기 어렵다고 할지라도, 위와 같이 자기주식취득금지 규정에 위반하여 무효인 자기주식취득을 위하여 지출하는 데 들인 비용 3억 원은 위 임무위반으로 인하여 대한종합금융에 발생한 손해라고 볼 수 있다고 판시하였다.

(3) 부정한 회계처리로 부외자금 등을 조성하여 뇌물을 공여한 경우[102]

삼성전자의 대표이사인 피고가 삼성전자에서 업무일시가불금 등의 명목으로 인출하였다가 그 후 교제비 등 경비에 사용한 것처럼 회계처리를 하는 방법 등으로 75억 원을 조성하였고, 삼성그룹 계열사 사장을 통하여 당시 대통령에게 기업경영과 관련된 경제정책 등을 결정하고, 금융·세제 등을 운용함에 있어 삼성그룹이 다른 경쟁기업보다 우대를 받거나 또는 최소한 불이익이 없도록 선처하여 달라는 취지로 위와 같이 삼성전자에서 조성된 금원을 포함하여 삼성그룹 계열사에서 조성된 250억 원을 뇌물로 공여한 사안에서,

피고가 뇌물로 공여할 자금을 삼성전자 등으로부터 갹출한 후 대통령에게 뇌물로 공여한 행위는 형법상 범죄행위에 해당하는 것으로서 제399조의 법령에 위반된 행위에 해당한다고 판시하였다.

(4) 구 증권거래법상 미등록 주식 취득규정 등 위반[103]

대표이사인 피고가 코스닥 미등록 주식인 엔바이엔 주식, 휴맥스 주식, 레인보우비젼 주식을 매수하였다가 위 회사들 중 엔바이엔, 휴맥스의 각 주식은 코스닥 시장에 등록되었으나 주가가 하락함으로써 이를 처분한 결과, 엔바이엔 주식에 관하여 37억 원, 휴맥스 주식에 관하여 21억 원의 손해를 입었고, 레인보우비젼 주식의 경우 위 회사의 부도로 투자한 원금회수가 불가능하게 됨으로써 23억 원의 손해를 입게 된 사안에서,

피고는 미등록 주식을 매입할 당시 시행되던 구 증권거래법 제54조, 같은 법 시행령 제37조 제1호, 증권회사의 자산운용준칙 제4조 제1항에 의하여 증권회사가 상품유가증권으로 소유할 수 있는 것은 주권의 경우 상장 또는 장외시장에

---

102) 대법원 2005.10.28. 2003다69638 및 그 원심인 서울고등법원 2003.11.20. 2002나6595.
103) 대법원 2004.12.10. 2002다60467, 60474.

등록된 것으로 제한되고 있으므로, 피고가 위와 같이 코스닥 미등록 주식을 매입한 것은 법령위반 행위이고, 이로 인하여 회사가 입은 손해를 배상할 책임이 있다고 판시하였다.

(5) 제398조 소정의 이사와 회사간의 이해 상반하는 거래행위[104]

대표이사인 피고가 개인적인 용도에 사용할 목적으로 회사 명의의 수표를 발행하거나 타인이 발행한 약속어음에 회사 명의로 배서를 해주고, 회사는 위 수표나 약속어음에 대하여 지급책임을 부담함으로써 회사에 손해를 입힌 사안에서,

대표이사의 위와 같은 행위는 제398조의 이사와 회사간의 이해 상반하는 거래행위에 해당한다고 판시하였다.

(6) 전환사채의 인수를 포기하여 배임행위를 한 경우[105]

삼성에버랜드의 주식 14.4%를 보유하고 있는 제일모직의 대표이사 또는 이사인 피고들이 삼성에버랜드가 발행한 전환사채의 인수와 관련하여, 전환사채의 발행은 에버랜드의 자금조달 또는 자본금 확충이라는 목적을 위하여 에버랜드가 독자적으로 계획을 수립하여 실행된 것이 아니라 당초부터 전환사채의 저가발행을 통하여 증여세 등 조세를 회피하면서 에버랜드에 대한 지배권을 아들 등에게 이전하기 위한 목적으로 제일모직의 이사이자 그룹회장인 피고와 그 지시를 받은 비서실의 주도로 이루어졌고, 나머지 대표이사 또는 이사인 피고들이 제일모직에 배정된 전환사채의 인수를 포기한 것 역시 위 그룹회장 및 비서실의 명시적 또는 암묵적 지시나 요청에 호응하여 이루어진 것으로 판단되는 사안에서,

전환사채 발행 당시 에버랜드 주식의 1주당 가치는 223,659원이고, 전환사채의 전환가격인 7,700원은 전환사채의 실질가치 중 4%에도 미치지 못하는 것으로서 현저히 저가로 발행된 것인데도 그 인수를 포기한 행위는 제일모직에 대한 업무상 배임행위로서 제일모직의 이사로서의 임무를 위배한 행위에 해당한다고 판시하였다.

(7) 경업금지의무를 위반하고 사업기회를 유용하여 회사에 손해를 입힌 경우[106]

피고는 주식회사 삼협교역의 이사로 재직하던 중 주식회사 삼화기연을 설립

---

104) 대법원 1989.1.31. 87누760.
105) 대구고등법원 2012.8.22. 2011나2372.
106) 대법원 2018.10.25. 2016다16191.

하여 이사 또는 실질주주로서 삼화기연의 의사결정과 업무집행에 관여할 수 있는 지위에 있었는데, 삼화기연이 삼협교역과 일본 던롭이 체결한 던롭 제품에 관한 독점판매계약의 기간이 종료하기 전부터 일본 던롭 제품을 수입·판매하는 사업을 하다가 위 계약기간 종료 후 삼협교역을 배제하고 일본 던롭과 독점판매계약을 체결하여 일본 던롭의 한국 공식총판으로서 위 제품의 수입·판매업을 영위하고 그 후 이를 제3자에게 양도하여 영업권 상당의 이득을 얻자, 위 사업기회를 상실한 후 운영에 어려움을 겪다가 해산한 삼협교역의 주주가 피고를 상대로 경업금지의무 및 기회유용금지의무 위반에 따른 손해배상을 구한 사안에서,

피고는 경업금지의무를 위반하고 사업기회를 유용하여 삼협교역의 이사로서 부담하는 선량한 관리자의 주의의무 및 충실의무를 위반하였으므로, 삼협교역이 입은 손해를 배상할 책임이 있다(한편 삼협교역이 피고의 경업행위와 사업기회 유용행위로 입은 손해는 삼협교역의 매출액 감소에 따른 영업수익 상실액 상당이고, 삼협교역의 매출액 감소분은 삼화기연이 판매한 일본 던롭 제품의 매출액 상당이라고 봄이 타당하며, 삼화기연은 피고가 유용한 삼협교역의 사업기회를 이용하여 직접 사업을 영위하면서 이익을 얻고 있다가 이를 제3자에게 양도하면서 영업권 상당의 이익을 얻었는데, 그 영업권 속에는 삼화기연이 직접 사업을 영위하여 형성한 가치 외에 피고의 사업기회 유용행위로 삼협교역이 상실한 일본 던롭과의 독점판매계약권의 가치도 포함되어 있고, 위 사업 양도 후 수개월이 지나 삼협교역이 해산하였다고 하여 해산 전에 삼협교역이 입은 손해와 상당인과관계가 단절되지도 않으므로, 삼화기연이 받은 양도대금 중 삼화기연이 삼협교역의 사업기회를 이용하여 수년간 직접 사업을 영위하면서 스스로 창출한 가치에 해당하는 부분을 제외하고 삼협교역이 빼앗긴 사업기회의 가치 상당액을 산정하는 등의 방법을 통해 이를 삼협교역의 손해로 인정하여야 한다)고 판시하였다.

나) 임무를 게을리한 경우에 해당하여 손해배상책임을 인정한 사례

(1) 대출이나 지급보증 등 관련

(가) 금융기관의 이사가 충분한 검토 없이 프로젝트 파이낸스(Project Finance) 대출을 한 경우[107]

이른바 프로젝트 파이낸스 대출은 부동산 개발 관련 특정 프로젝트의 사업성을 평가하여 그 사업에서 발생할 미래의 현금흐름을 대출원리금의 주된 변제재

---

107) 대법원 2011.10.13. 2009다80521.

원으로 하는 금융거래이므로, 대출을 할 때 이루어지는 대출상환능력에 대한 판단은 프로젝트의 사업성에 대한 평가에 주로 의존하게 되고, 이러한 경우 금융기관의 이사가 대출요건으로서 프로젝트의 사업성에 관하여 심사하면서 필요한 정보를 충분히 수집·조사하고 검토하는 절차를 거친 다음 이를 근거로 금융기관의 최대 이익에 부합한다고 합리적으로 신뢰하고 신의성실에 따라 경영상의 판단을 내렸고, 그 내용이 현저히 불합리하지 아니하여 이사로서 통상 선택할 수 있는 범위 안에 있는 것이라면, 비록 사후에 회사가 손해를 입게 되는 결과가 발생하였다고 하더라도 그로 인하여 이사가 회사에 대하여 손해배상책임을 부담한다고 할 수 없지만, 금융기관의 이사가 이러한 과정을 거쳐 임무를 수행한 것이 아니라 단순히 회사의 영업에 이익이 될 것이라는 일반적·추상적인 기대 하에 일방적으로 임무를 수행하여 회사에 손해를 입게 한 경우에는 필요한 정보를 충분히 수집·조사하고 검토하는 절차를 거친 다음 이를 근거로 회사의 최대 이익에 부합한다고 합리적으로 신뢰하고 신의성실의 원칙에 따라 경영상의 판단을 내린 것이라고 볼 수 없으므로, 그와 같은 이사의 행위는 허용되는 경영판단의 재량 범위 내에 있는 것이라고 할 수 없는데, 대운상호저축은행의 여신업무 담당 총괄이사가 아파트 건축 사업을 시행하는 아람종합건설, 경산시 소재 5개 아파트 업체, 홈앤디앤씨, 웰보건설에게 각각 프로젝트 파이낸스 대출(정확히는 다른 금융기관의 PF 대출을 통하여 상환되는 브리지론 대출) 등을 하였다가 대출금을 회수하지 못하여 손해를 입힌 사안에서,

위 대출들 중 아람종합건설, 홈앤디앤씨, 웰보건설에 대한 각 대출에 관하여는 그 각 대출에 대한 의사결정 과정 및 내용이 현저히 불합리하다고 보이지 않으므로 결과적으로 대출금을 회수하지 못하게 되었다 하더라도, 대출업무를 담당한 금융기관 임원에게 주의의무 위반이 없지만, 경산시 소재 5개 아파트 업체에 대한 대출에 관하여는 사업 부지에 관한 법적 분쟁으로 부지 매입이 장기간 지연되어 사업의 수익성이 악화될 수 있었음에도 그 가능성 유무에 관하여 충분한 자료를 제출받아 이를 면밀히 검토하는 등의 절차를 거치지 않고 거액의 대출을 실행하였으므로, 대출담당 임원에게 주의의무 위반이 있다고 판시하였다.

또한 상호저축은행의 대표이사가 주상복합아파트 신축사업을 위한 부지매입 등을 위한 프로젝트 파이낸스 대출을 함에 있어 그 대출이 사업의 초기 자금을 대출해주는 이른바 '브릿지 론'(Bridge Loan)에 해당한다고 하더라도 사업의 타

당성이나 수익성, 분양가의 적정성, 분양 완료 가능성과 예상 분양수입금 규모 등은 대출 여부를 결정하는 중요한 심사요소인데, 채무상환능력이 불확실한 대출자의 유동성 위험에 대해 구체적인 대책을 세우지 않고 사업타당성 등을 제대로 검토하지 않은 채 단지 수익성이 높은 대출로서 회사의 영업에 이익이 될 것이라는 기대만으로 대출을 한 것으로 판단된 사안에서, 상호저축은행 대표이사의 선관주의의무 위반을 인정한 사례도 있다.108)

(나) 증권회사의 이사가 보증규정에 위반하여 지급보증을 한 경우109)110)

피고들은 한국산업증권의 대표이사, 부사장, 전무이사, 상무이사이고, 이들은 회사채 지급보증을 심사하는 운영위원회 구성원들인데, '사채보증규정'이나 '사채보증업무취급요강' 등에 위반(지급보증 승인을 위한 기준점수인 60점 미달 또는 회사채 발행회사의 영업·재무·자산상태 및 신용도 등에 관한 기업분석 오류, 담보 미

---

108) 대법원 2021.5.7. 2018다275888.
109) 대법원 2005.6.23. 2003다18999 및 그 원심인 서울고등법원 2003.1.21. 2001나72854.
110) 그러나 이 사건의 대표이사에 대한 업무상 배임죄의 공소사실에 대하여는 무죄가 선고되었다. 대법원 2004.10.28. 2002도3131 및 서울고등법원 2002.5.23. 2000노1542 참조.
　　위 대법원 판결은, "피고인이 한국산업증권의 사장으로서 한주 등의 회사채에 대한 지급보증을 해줄 당시 부정한 사례금의 수수는 전혀 없었고, 회사채 발행회사들이 자금난을 겪고 있었으나 위 회사들은 모두 한국산업은행으로부터 막대한 시설자금을 융자받은 기업체였으며, 과다한 시설자금의 투입과 경기의 불황으로 일시 자금난을 겪기는 하였지만 한주의 경우 국내 유일의 공업염 제조회사이고, 삼미특수강공업, 한보철강공업, 홍성산업, 환영철강공업 등은 모두 그 제품이 철강 등 국가기간산업체이며, 한국산업은행을 비롯하여 제일은행 등 시중은행에서도 계속적으로 자금을 융자해 주고 있었고, 한국산업증권의 경우도 위 각 지급보증 외에 피고인이 사장으로 취임하기 이전에 이미 위 사채발행 회사들에 대하여 기왕에 지급보증을 한 것들이 있어 만일 피고인이 위 각 지급보증을 하지 않을 경우에는 위 각 회사의 도산으로 인하여 기왕에 지급보증한 위 각 회사채의 원리금을 즉시 상환하여야 할 사정이 있었으며, 무엇보다도 사장, 부사장, 전무, 상무, 감사 등 전체 임원으로 구성된 운영위원회에서 위 각 지급보증의 타당성 여부에 대하여 충분한 토의를 한 다음 지급보증을 하는 것으로 결의하였다. 부정한 사례금의 수수나 정실관계 등이 개입되지 않았고 또 기업의 도산을 막고 정상적인 영업활동을 지원해 주려는 것 외에 별다른 범죄의 동기가 없었다면, 자본구조가 취약하고 상환자원이 부족하며 기업경영이 위기에 처해 있었던 기업에 대하여 신규여신을 하였다는 점만으로는 은행장에게 업무상 배임죄의 범의가 있었다고 단정할 수 없다. 더욱이 위 각 사채발행회사들의 차환사채발행에 대한 피고인의 지급보증은, 위 각 사채발행회사들이 자체 자금으로 기왕에 발행한 사채를 상환할 능력이 없어 그 보증인인 한국산업증권이 그 채무를 상환하여 줄 수밖에 없는 상황에서 위 사채의 발행회사들로 하여금 이를 자체 상환할 수 있도록 상환자금을 마련하기 위하여 위 사채발행회사들이 다시 발행한 회사채의 원리금 지급을 다시 보증한 것이라면, 이것이 업무상 배임죄를 구성한다고 볼 수 없다."고 판시하고 있다.

확보 등)하여 한주, 삼미종합특수강, 한보철강공업 등이 발행하는 회사채에 대하여 운영위원회에서 지급보증의 승인을 의결하여, 회사에 손해를 입힌 사안에서,

한국산업증권의 사채보증규정 등이 규정하고 있는 지급보증요건인 기업체 평점인 60점에 미달하였거나, 60점 이상인 경우에도 물적 담보와 연대보증인이 확보되지 아니하는 등 위 규정들이 요구하는 원칙적 요건이 구비되어 있지 아니하였음을 잘 알면서도 위 각 지급보증에 찬성하였고, 한편 한국산업증권으로부터 지급보증을 받아 발행한 회사채의 원리금 상환이 어려워 다시 그에 상당하는 회사채를 발행하여 그 자금으로 이를 상환하는 소위 차환발행의 경우에도 한국산업증권은 추가로 담보를 취득하여 채권보전 조치를 취하여야 할 임무가 있음에도 그렇게 하지 아니하고 별다른 대책없이 차환발행하는 회사채의 지급보증에 찬성하여, 한국산업증권이 지급보증을 하도록 함으로써, 결국 위 회사들이 회사채 원리금을 상환하지 못하고 한국산업증권으로 하여금 지급보증액 중 상당 금액을 대지급하거나 이에 대한 대지급의무를 부담하게 하였으므로, 피고들은 이사로서의 임무를 해태하여 한국산업증권에 손해를 입혔다 할 것이고, 나아가 기업체 평점이 60점 이상인 경우라도 사채보증규정은 회사채발행회사의 원리금 상환능력이 충분하고 신용이 확실하여 채권보전에 지장이 없다고 판단되는 경우가 아니라면 담보없이 지급보증을 하여서는 아니된다고 규정하고 있는데, 회사채발행회사가 원리금 상환의 능력이 충분한지를 판단하기 위해서는 회사의 영업·재무·자산상태 및 신용도를 종합적으로 고려하여 판단하여야 할 것이므로, 피고들로서는 매출액이 증가하더라도 재무구조 등이 건전하지 못한 경우 매출액 증가 등의 효과가 다른 위험요소의 효과를 상쇄할 수 있는지에 대하여 충분한 심사를 하였어야 할 것인데, 당시 한주의 매출증가율이 저조하며, 매출증가에 비해 지급이자 등의 부담이 더욱 가중되어 부채가 증가하는 등의 사정을 충분히 고려하지 않고 위와 같은 사유만을 들어 아무런 물적 담보를 확보하지도 않은 채 회사채 지급보증을 승인하였으므로, 위 보증규정을 위반한 것이고, 결국 회사채발행회사의 원리금 상환능력이 충분하거나 신용이 확실하여 채권보전에 지장이 없는지 충분히 심사하여 볼 임무를 위배하였다고 판시하였다.

(다) 상호신용금고의 이사가 동일인 대출한도를 초과한 경우[111]

상호신용금고의 설립 때부터 실질적인 1인 주주로서 대표이사인 피고가 여러 회사들에게 각 동일인에 대한 대출 한도를 초과하여 돈을 대출하면서 충분한 담보를 확보하지 아니하였고, 위 각 대출 직후 부도 등의 사유로 대출금을 회수하지 못하여 위 신용금고에 손해를 입힌 사안에서,

피고는 대출자들로부터 회수하지 못한 대출금 중 동일인 대출 한도를 초과한 금액에 해당하는 손해를 배상할 책임이 있다고 판시하였다.

(라) 은행의 이사가 신규대출을 함에 있어 주의의무를 위반한 경우[112]

제일은행의 종전 대표이사 또는 이사들인 피고들이 한보철강공업에 대하여 신규여신을 제공할 1993. 10.경, 한보철강은 당진제철소 건설을 위하여 외부에서 거액의 자금을 빌려 투자하고 있었는데 그 자금이 단기차입금 위주로 구성되어 있어 재무구조가 열악하였고, 피고들 역시 1993. 8.경 한보철강에 대하여 실시한 자체 신용조사로 한보철강이 위와 같은 사정으로 인하여 상환능력이 미흡하다는 사정을 충분히 알았거나 알 수 있었으며, 신규대출 당시의 여신심사의견서에도 한보철강의 재무구조가 동업계 대비 열악한 상태이고, 기여도, 장단기 상환능력, 담보력이 미흡하여 여신심사기준 평가결과 평점 36점으로 여신제공이 원칙적으로 금지되는 E급 대상업체라고 기재되어 있던 사안에서,

피고들로서는 한보철강에 대한 신규대출을 중지했어야 했고, 대출을 하더라도 만약의 사태에 대비하여 확실한 담보를 취득하는 등 채권보전조치에 만전을 다했어야만 함에도 불구하고, 피고들은 한보철강 회장 등의 매립공사완공 후의 담보제공 약속만을 믿고 아무런 담보를 제공받음이 없이 위의 신규대출을 감행함으로써 은행의 경영자로서 여신운용원칙에 위반하여 위 은행에 대한 선관주의의무 내지 충실의무를 위반하였다고 판시하였다.

---

111) 대법원 2002.6.14. 2002다11441; 2002.2.26. 2001다76854. 새마을금고의 이사가 동일인 한도를 초과하여 대출한 사례에 관한 대법원 2002.6.14. 2001다52407(새마을금고의 이사인 피고는 일정한 친분관계가 있는 갑에 대하여 개인적인 채권을 가지고 있었고, 그 채권의 환수가 채무자인 갑의 당시 자력에 비추어 어렵게 되자, 퇴임 직전 자신의 직권을 남용하여 원고 금고로부터 동일인 한도를 초과하여 집중적으로 대출을 일으켜 그 대출금의 일부로 자신의 채권변제에 충당하게 함으로써 채권회수불능의 위험성을 원고 금고에게 전가시켜 결과적으로 원고 금고의 부실을 초래하게 하였으므로, 손해를 배상할 책임이 있다), 대법원 2013.11.14. 2013다57498도 동일한 취지이다.

112) 대법원 2002.3.15. 2000다9086.

(마) 은행의 이사가 추가대출 등을 함에 있어 주의의무를 위반한 경우[113]

한보철강의 주거래은행인 제일은행의 대표이사 내지 이사인 피고들은 한보철강에 대한 제1차 부실대출 이후 추가 대출을 할 때 공사 중이던 당진제철소 외에는 담보를 제공할 자산이 없었고, 제철소건설사업의 성공 여부도 불투명하였으며, 한보철강의 재무구조가 계속 악화되던 상황이었음에도 은행장이었던 일부 피고들은 미리 여신제공방침을 결정하고 담당실무자에게 여신적격 의견으로 심사의견서를 작성하라고 지시하고, 나머지 피고들은 심사의견서가 위와 같이 작성되었음을 알고 있었거나 적어도 충분히 판단할 수 있었음에도 이사회의 결의 시 아무런 이의제기 없이 승인 결의하였으며, 은행법 제35조에서 규정한 동일인에 대한 여신한도를 위반하여 그 제약을 받지 않는 다른 신탁계정을 통하여 여신을 계속 제공하였고, 피고 3, 4는 한보철강에게 위와 같이 대출을 해주면서 그 사례로 회장 등으로부터 거액의 뇌물을 받았던 사안에서,

은행의 경영자는 그 대출 여부를 결정함에 있어 회수불능의 위험이 있는지를 객관적인 자료를 통하여 신중하게 판단해야 하고, 만약 회수불능의 위험이 우려되면 이를 피하지 않으면 안 되고, 대출을 하더라도 확실한 담보를 취득하여 은행에 손해가 발생하는 일이 없도록 할 의무가 있는데, 피고 3, 4는 한보철강에 대한 대출금의 회수불능 위험을 충분히 예측할 수 있었음에도 이를 무시하고 회장 등과의 유착관계에 기인하여 한보철강에게 담보제공 없이 거액의 여신을 지속적으로 제공하도록 그 부하 직원에게 지시한 행위는 은행 최고경영자로서의 임무를 해태한 것이고, 또한 피고 2는 제일은행의 이사로서 재직하는 동안 한보철강에 대한 그 여신의 위험성에 대하여 잘 알고 있으면서도 피고 3, 4의 이러한 무모하고 독단적인 여신제공결정을 저지하지 못하고 이사회결의로 이를 승인함에 있어 찬성한 것은 은행 이사로서의 임무를 해태한 것이 분명하며, 피고들은 제일은행에 대한 선관주의의무 내지 충실의무를 위반하였으므로, 각자 위와 같은 행위로 인하여 제일은행이 입은 손해를 배상할 책임이 있다고 판시하였다.

(바) 상호신용금고의 이사가 신용보증서 등을 징수하지 않은 경우[114]

상호신용금고의 대표이사인 피고는 의류도소매업을 하는 갑에게 담보토지를

---

113) 대법원 2002.3.15. 2000다9086.
114) 대법원 2003.4.11. 2002다61378.

제공받고 소액신용대출로 1,120,000,000원을 대출하였고, 위 대출과 관련하여
담보물 평가를 한 조사담당자는 위 담보토지의 가격을 801,000,000원, 평가가격
을 560,700,000원으로 각 평가하고, 갑이 운영하는 일성산업의 연 매출액이 30
억 원, 연 수입이 3억 원에 이르러 대출금 회수가 무난할 것이라는 의견을 제시
하였으며, 이에 피고는 그 담보부족 부분에 대한 연대보증인을 세우지 아니하고
위 대출을 승인하였는데, 갑이 대출금을 반환하지 아니하여, 담보토지에 대한
임의경매를 통하여 대출원리금 14억 원 중 6억 원을 배당받고 갑으로부터 일부
를 회수하여 결국 5억 원을 회수하지 못한 사안에서,

　원고의 대출 및 어음할인규정('대출규정')에 의하면, 대출에 있어서는 연대보증
인을 세우게 하여야 하고, 다만 부금 담보대출과 부동산 담보대출에 있어서 담보
제공자와 채무자가 동일하고 정규담보비율 내 대출인 경우에는 이를 생략할 수
있으며, 대출을 취급할 경우에는 소정의 담보 또는 신용보증기금의 신용보증서를
취득함을 원칙으로 하되, 다만 자산 신용이 확실한 자에 대하여는 신용취급할 수
있고, 신용대출을 취급하고자 하는 경우에는 연대보증인을 세워야 하는데, 연대
보증인은 신용상태가 양호하다고 인정되는 자이어야 한다고 되어 있는바, 원고의
자체 평가에 의하더라도 갑이 제공한 담보물의 평가가액이 560,700,000원 정도
에 불과하였으므로 대출승인을 하는 피고로써는 나머지 5억 원 상당의 대출금에
관하여는 다른 담보물 또는 신용보증기금의 신용보증서를 취득하거나 최소한 연
대보증인을 세우도록 하여야 함에도 불구하고 아무런 조치없이 대출하였고, 위와
같이 대출금규정을 명백하게 위반한 부당대출로 인하여 원고에게 5억 원의 회수
불가능한 대출금이 발생한 사실을 인정할 수 있으므로, 피고는 자신의 임무 해태
로 인하여 원고가 입은 손해를 배상할 책임이 있다고 판시하였다.

　(사) 상호신용금고의 이사가 충분한 인적, 물적 담보를 확보하지 않은
　　　경우[115][116]

　피고들은 상호신용금고의 대표이사 또는 이사인데, 1996. 7. 4. 갑에게 7억

---

115) 대법원 2004.8.20. 2004다19524. 위 사안에 있어서 갑에 대한 2억 원의 추가대출은 이사
　　회 결의에 의해 이루어진 것이므로, 피고들은 제399조 제2항에 의하더라도 손해배상책임을
　　면할 수 없었던 사례이다.
116) 대법원 2017.5.17. 2014다226031(원심: 서울고등법원 2014.9.4. 2014나2001001)도, 채권회
　　수 가능성에 대한 충분한 조사 및 대출채권 회수를 위한 합리적인 조치를 취하지 않은 채
　　자금을 대출하게 함으로써 그 업무상의 임무를 위반했다고 본 사례이다.

원을 대출하면서 그 담보로 을, 병 소유의 토지와 건물 등에 관하여 채권최고액을 9억 1,000만 원으로 하여 제1순위 근저당권을 설정받았고, 그 후 1997. 6. 30. 피고들이 참석한 이사회의 결의에 따라 대출업무를 담당하던 직원이 갑에게 2억 원을 추가로 대출하면서, 위 담보물에 관하여 채권최고액을 2억 8,000만 원으로 하여 제3순위 근저당권을 취득하고, 을, 병으로부터 연대보증을 받았으나, 채무자인 갑은 1996. 11. 30.부터 상호신용금고에 대한 당초의 대출금채무를 연체하고 있었고, 위 담보물에 설정된 선순위 근저당권의 피담보채무가 합계 9억 8,000만 원에 이르러 담보물의 감정가액 10억 원의 약 94%에 달하고 있었으며, 대출 당시에 연대보증인 을, 병에 대한 신용상태도 조사하지 아니하였고, 상호신용금고의 대출규정에 따르면, 연체대출금이나 미수부금이 있는 사람에 대한 대출을 원칙적으로 금지하고 있고, 자산·신용이 확실한 2명 이상의 연대보증인을 세워야 하며, 담보대출은 대지·건물의 경우에 담보가액의 80% 이하, 기계 기구의 경우에 담보가액의 50% 이하의 담보비율에 의한 대출금으로, 신용대출은 담보물건의 취득이 없는 대출금으로 정하고 있으며, 채무자와 보증인·담보 제공자 등 채무관계자에 대하여는 자산·신용·사업실태 및 기타 필요한 사항을 조사하도록 규정되어 있고, 상호신용금고가 위 대출금의 회수를 위하여 위 담보물에 대하여 담보권실행을 위한 경매를 신청하였다가 최저매각가격이 당초의 감정가격인 9억 6,000만 원에서 2억 3,000만 원으로 순차 저감되면서 채권 회수가 어렵게 되자 경매신청을 취하한 사안에서,

피고들은 대출업무를 취급함에 있어 선량한 관리자로서의 주의의무를 다하지 아니하여 채권회수에 필요한 충분한 물적·인적 담보를 확보하지 아니하고 갑에게 추가로 2억 원을 부당하게 대출하여 줌으로써 상호신용금고에게 2억 원 상당의 손해를 입게 하였다고 판시하였다.

(아) 그 외에,

금융기관이 보험감독원으로부터 계열사에 대한 담보대출에 관하여 추가 담보가 필요하다는 감사지적을 받았는데, 오히려 그 담보대출을 신용대출로 전환하면서 계열사의 담보제공능력 및 대출금상환능력의 유무, 신용대출전환이 보험감독원의 감사지적사항을 시정하는 통상의 합리적인 방법인지 여부, 신용대출규정 및 기업체종합평가표 작성기준 등에 비추어 계열사에 대한 기업평가가 적정한지

여부 등을 객관적인 자료 등을 통해 실질적으로 확인하지 않은 경우, 위 신용대출전환에 관여한 금융기간의 임원들이 선관의무 또는 충실의무를 해태하였다고 판시한 사례,[117] 갑 회사가 거액의 채무로 인하여 자력으로는 부채를 변제할 수 없는 상황에 처하고도 원고공동소송참가인('참가인')의 담보제공에 따라 대출받은 대출금을 기존채무 변제 등 재무구조 개선을 위하여 사용하지 않고 이익 실현 여부가 불확실할 뿐만 아니라 원금 손실의 우려까지 있는 주식투자 등에 사용하였는데, 참가인의 대표이사였던 피고들은 이를 알면서도 참가인의 예금을 담보로 제공하였고, 실제로 주식의 시가가 하락하여 헐값에 처분되는 과정에서 아무런 관리 감독을 하지 아니한 채 전액 손실을 보도록 방치한 경우, 이사로서의 선관주의의무 또는 충실의무에 위반하였다고 판시한 사례[118] 등이 있다.

(2) 경영판단원칙 관련

(가) 경영판단원칙과 이사의 주의의무 위반

주식회사의 이사는 회사를 둘러싼 복잡하고 유동적인 여러 상황 아래에서 그 임무를 수행하기 위하여 전문적인 지식과 경험에 기초하여 여러 가지 사정들을 고려하여 경영상의 판단을 하여야 하고, 이와 같은 이사의 경영상 판단에는 그 성질상 폭넓은 재량이 인정되어야 하는 것이므로, 이사의 어떠한 판단이 결과적으로 회사에 대하여 손해를 초래하였다고 하더라도 그것만으로 곧바로 이사에게 선관주의의무 위반이 있었다고 할 수 없고, 이사에 의한 직무수행이나 경영판단의 특수성을 충분히 배려하고 가혹한 책임의 위협에 의하여 회사경영을 부당하게 위축시키지 않도록 하는 한편 이사가 적당한 견제를 받도록 하여 이사에게 경영자로서의 합리적인 재량을 확보할 수 있도록 구체적인 사안에서 회사의 규모, 사업내용, 문제가 된 거래나 사업계획의 내용과 필요성, 당해 이사의 지식경험과 담당업무, 당해 사업계획 등에 관여한 정도 그 밖에 여러 가지 사정을 종합적으로 고려하여 이사에게 선관주의의무 위반이 있는지 여부를 개별적·구체적으로 판단하여야 한다.[119]

또한 회사의 이사는 임무를 수행함에 있어 필요한 정보를 충분히 수집·조사하고 검토하는 절차를 거친 다음 이를 근거로 회사의 최대 이익에 부합한다고

---

117) 대법원 2006.7.6. 2004다8272.
118) 대법원 2014.5.16. 2011다104048.
119) 대법원 2005.5.27. 2004다8128.

합리적으로 신뢰하고 신의성실에 따라 경영상의 판단을 내렸고, 그 내용이 현저히 불합리하지 아니하여 이사로서 통상 선택할 수 있는 범위 안에 있는 것이라면, 비록 사후에 회사가 손해를 입게 되는 결과가 발생하였다고 하더라도 그로 인하여 이사가 회사에 대하여 손해배상책임을 부담한다고 할 수 없지만, 이사가 이러한 과정을 거쳐 임무를 수행한 것이 아니라 단순히 회사의 영업에 이익이 될 것이라는 일반적·추상적인 기대 하에 일방적으로 임무를 수행하여 회사에 손해를 입게 한 경우에는 필요한 정보를 충분히 수집·조사하고 검토하는 절차를 거친 다음 이를 근거로 회사의 최대 이익에 부합한다고 합리적으로 신뢰하고 신의성실에 따라 경영상의 판단을 내린 것이라고 볼 수 없으므로, 그와 같은 이사의 행위는 허용되는 경영판단의 재량범위 내에 있는 것이라고 할 수 없다.[120]

(나) 구체적인 사례

① 대표이사 또는 이사 등이 재무상태가 부실한 계열사에 충분한 담보도 없이 자금을 지원한 경우[121]

피고들은 하이닉스반도체의 대표이사 또는 이사로서, 계열회사인 코리아음악

---

120) 대법원 2011.6.10. 2011다6120; 2008.7.10. 2006다39935; 2007.7.26. 2006다33609; 2007. 10.11. 2006다33333.

121) 대법원 2011.6.10. 2011다6120. 서울중앙지방법원 2011.2.25. 2008가합47881(확정)도 계열사 지원 및 경영판단원칙과 관련하여, i) 현대자동차의 대표이사이자 회장 또는 대표이사가 계열회사인 현대모비스 주식회사에게 재료비 인상요인이 없음에도 부당하게 자동차 새시모듈 부품의 단가를 인상해 준 행위에 대해, "피고들은 현대모비스의 기능통합형 모듈화 생산방식을 위한 투자비용의 보전을 위해서 새시모듈 부품에 대한 단가인상의 방법으로 무상으로 자금을 지원해 준 것과 같다고 할 것인데, 현대모비스의 기능통합형 모듈화를 위한 투자가 장래 현대자동차에게도 큰 이익이 된다고 하더라도 투자금 또는 대여금 형태로 계열회사에 자금을 지원해 주는 것이 아니라 위와 같이 무상으로 자금을 지원해 주는 것은 현대자동차가 현대모비스에 지원한 자금을 정당히 회수할 수 있는 방법이 없고, 피고들이 계열회사의 지원의도로 이러한 결정을 한 것이지 그 과정에서 현대자동차의 이익을 합리적으로 고려한 바가 없다고 보이므로, 그 결정이 경영판단의 재량범위 내에 있다고 할 수 없다."고 판시하였고, ii) 대표이사이자 회장(40%) 및 그 장남(60%)의 사실상 개인회사와 다름없는 글로비스에 대하여 운송거래 물량을 몰아주는 행위 및 부당하게 운송단가를 인상해 준 행위에 대해, "① 글로비스는 사업능력이 검증되지 않은 신생회사였음에도 현대자동차 등은 물류업무의 물량을 몰아주었고, 이처럼 물량이 집적되는 경우 고정비 감소 등의 효과가 있어 단가 할인요소가 있음에도 오히려 단가를 시장인상률에 비해 높게 인상한 점, ② 글로비스가 현대자동차 계열사를 위한 물류통합시스템을 구축하면 현대자동차의 물류업무의 효율성을 증대시킬 수 있을 것이나, 당시에는 물류통합시스템이 완성되지 아니하였음에도 현대자동차는 같은 계열사라는 이유로 다른 기업과의 합리적인 대비 없이 글로비스에게 모든 물량을 몰아주었고, 계약을 체결한 후 이루어진 운송단가 인상도 시장인상률보다 높아서 그 인상 여부 및 인상률이 합당하다고 볼 수 없는 점, ③ 이로 인하여 글로비스는 다른 기업에 비해 매출총이익률 등이 상당히 높아진 점, ④ 글로비스가 수행하는 용역은 대

방송의 사업전망이 불투명하고 재무상태가 극도로 부실하므로 그에 대한 자금지원을 즉시 중단하고 기존의 지원금을 회수하는 등 자구노력을 기울이도록 조치하거나, 설령 추가로 자금을 지원하는 경우에 있어서도 채권을 보전하기에 충분한 담보를 제공받아 회사의 재산에 손해가 발생되지 않도록 적절한 조치를 취하여야 하는데, 코리아음악방송에 대한 지원자금이 상환될 가능성이 거의 없다는 것을 잘 알면서도 재산보전방안을 전혀 고려하지 아니한 채 자금지원을 한 사안에서,

계열사 지원이 최고의 경영성과 달성을 위한 일관된 계획 아래 진행되었다거나, 계열사 지원 이전에 당시 회사 및 코리아음악방송의 재정상황 등을 고려하여 계열사 지원을 하지 않는 것과 계열사 지원을 하는 것 중 어느 쪽이 회사에게 유리한 지 등 계열사 지원의 효과에 대해 신중하고 면밀한 검토를 수행했다고 볼 수 없으므로, 자금지원이 이사의 경영판단의 재량범위 내에서 이루어진 것이라고 볼 수 없다고 판시하였다.

② 대표이사 또는 상무가 채권확보조치 없이 관계회사에게 자금지원을 한 경우[122]

피고들은 고합과 고려석유화학의 대표이사 또는 이사인데, 관계회사인 서울염직이 자본의 완전 잠식과 계속적인 적자로 기존 금융기관에 대한 대출금조차 변제하지 못하는 상황에 있다는 점을 알면서도 관계회사라는 이유로 아무런 채권확보조치를 취하지 아니한 채 서울염직에게 고합이 합계 105억 원, 고려석유화학이 125억 원을 각 지원하였고, 위와 같은 자금지원은 고합과 고려석유화학이 각 회사의 입장에서 그 자금지원과 관련한 제반 정보를 수집하여 검토한 후 각 이사회에서 지원 여부를 의결하는 절차를 거쳐 이루어진 것이 아니라 고합그룹 차원의 재무관련 임원회의에서 피고 1(대표이사)이 결정하여 지시함에 따라

부분 노동집약적인 것으로 실행사가 변경되거나 그들에게 지급하는 용역비가 인상되지 않는 이상 실질적으로 용역수준이 크게 달라질 수 없는 특성이 있는데 글로비스는 동서다이너스티로부터 사업을 양수하면서 그 시스템과 종업원을 그대로 승계하여 동일한 방식으로 업무를 수행하였지 종전 업체들보다 인적·물적 자산을 더 투자한 사정이 없는 점, ⑤ 특히 T/P(transporter, 생산된 완성차를 생산공장에서 수출항이나 국내출고센터까지 수송하는 업무) 운송부문 단가인상과 관련하여, 현대자동차는 내수용 T/P 운송의 경우 자동차 판매에 민감한 영향을 미치고 노사위원회와 협의를 해야 하는 한계가 있어 내수용 T/P 운송보다 수출용 T/P 운송의 단가를 더 크게 인상하였는데, 이로 인하여 글로비스가 T/P 운송에서 수행하는 역할에는 내수용과 수출용 간에 아무런 차이가 없음에도 수출용 T/P의 매출총이익률이 내수용 T/P 매출총이익률보다 높아지게 된 점 등을 인정할 수 있어, 현대자동차가 글로비스와 거래를 하고 단가를 인상해 준 것을 합리적인 경영상 판단으로 정당화할 수는 없다."고 판시하였다.

122) 대법원 2011.4.14. 2008다14633; 2007.9.21. 2005다34797도 같은 취지이다.

이루어진 사안에서,

피고들이 고합과 고려석유화학의 이사로서 관계회사인 서울염직에 대하여 자금을 지원한 행위가 허용되는 경영판단의 재량범위 내에 있기 위하여 필요한 절차적 요건을 갖추었다고 볼 수 없고, 나아가 위와 같이 아무런 채권확보조치 없이 자금을 지원하였다면 그 행위는 고합과 고려석유화학에 대하여 배임행위가 된다는 점까지 고려하면, 피고들의 위 자금지원 행위에는 경영판단의 원칙이 적용되지 않는다고 판시하였다.

③ 신용협동조합 조합장, 이사의 대출 관련 규정 위반[123]

피고들은 신용협동조합의 이사장, 이사이고, 신용협동조합중앙회('신협중앙회')가 신용협동조합법 제75조 제1항에 따라 제정하여 각 단위조합에 하달한 여신업무방법서에는 주점업 종사자들에 대하여는 대출을 취급할 수 없도록 규정하고 있는데, 조합은 연 이율 24~36%의 고금리 상업대출을 통해 고수익을 올리기 위하여 위 규정을 위반하여, 피고들의 결재 하에, 주점업 종사자들에게 대출하거나, 이사회 결의로 주점업 종사자에 대한 상업대출시행을 허용하는 상업대출시행세칙을 제정하여 상업대출을 시행한 사안에서,

상업대출시행세칙은 당시 시행되던 여신업무방법서와 여신규정과 달리, 금지되어 있던 주점업 종사자에 대한 대출을 허용하면서 신용대출 한도액을 파격적으로 상향 조정하여 종래 담보대출로 하여야 할 대출을 무담보 대출로 처리할 수 있도록 하고, 담보가치 평가와 사후 환가가 곤란한 영업허가권까지 담보로 하여 담보대출을 할 수 있도록 한 점, 또한 연대보증인의 자격요건을 완화하고 보증횟수 제한을 폐지하여 종업원의 상호연대보증과 영업허가자의 연대보증만으로 대출이 가능하게 하고, 종래 거쳐야 했던 여신심사위원회의 여신심사절차를 생략한 채 대출이 이루어질 수 있도록 한 점, 그 결과 부실채권의 발생 위험을 현저히 증가시킴으로써 2005. 9. 30. 현재 총 124억 원이 넘는 회수불능의 미상환 채권을 발생시킨 점, 상업대출시행세칙의 규정 내용 및 실제의 대출상황에 비추어 보면, 여신 관련 규정상 주점업 종사자에 대한 상업대출이 제한되어 있던 점, 상업대출시행세칙의 제정 과정에서의 이사장 또는 전무, 이사였던 피고들의 관여 정도와 역할 및 위법성의 인식 가능성 등을 종합하면, 피고들의 과실

---

123) 대법원 2008.7.10. 2006다39935.

및 망인의 중대한 과실에 기인하여 상업대출을 추인·결의·시행함으로 말미암아 신용협동조합이 손해를 입게 되었으므로, 그 손해에 대해서 배상책임이 있고, 나아가 피고들이 대출과 관련된 경영판단을 함에 있어서 통상의 합리적인 신협의 임직원으로서 그 상황에서 합당한 정보를 가지고 가장 적합한 절차에 따라 신용협동조합의 최대 이익을 위하여 신의성실에 따라 상업대출을 한 것이라고 보기 어렵다고 판시하였다.

④ 건설회사 이사가 분식회계를 묵인한 경우[124]

피고들은 동아건설산업의 이사인데, 1996년 회계연도 재무제표에 대한 결재를 하는 과정에서 재무담당자로부터 "적자가 발생하였으나 김포매립지에 대한 장부가액과 기준시가의 차이를 감안하여 다른 계정에서 자산 등을 계상하여 이익이 난 것으로 결산하였다."는 취지의 보고를 듣고도 위 재무제표를 그대로 결재하고, 이것이 주주총회의 승인을 거쳐 공시되도록 방치한 사안에서,

분식결산이라는 위법행위를 알고도 방치하였거나 또는 적어도 분식결산을 의심할 만한 사유를 발견하고도 이에 대한 아무런 조사나 조치를 취하지 아니하였으므로, 임무 해태행위라 할 것이고, 이로 인하여 동아건설은 부당하게 납부한 법인세 상당액과 부당하게 배당한 이익 상당액의 손해를 입었으므로, 피고들은 상법 제399조에 따라 1996 회계연도 분식결산으로 말미암아 동아건설이 입은 위 손해를 배상할 책임이 있다고 판시하였다(나아가 "동아건설이 1996, 1997년 회계연도 결산 결과를 사실대로 공시하지 못하고 분식결산을 한 것은 리비아 대수로 3차 공사의 수주를 앞두고 있는 상황에서 위 공사 수주가 무산되는 것을 방지하기 위한 경영적 판단 때문이었는데, 당시 동아건설이 재무제표를 적자로 공시하여 리비아 대수로 3차 공사의 수주를 무산시키고 주주 이익배당금 및 법인세를 지급하지 아니하여 얻는 이익보다 흑자 공시로 리비아 대수로 3차 공사를 순조롭게 수주하는 것이 동아건설에 더 큰 이익을 준다고 판단하여 위와 같이 회계조정을 하였던 것이므로, 피고들이 이사 또는 감사로서 임무를 해태하였다고 볼 수 없다"는 주장에 대하여, 구 주식회사의 외부감사에 관한 법률 제20조 제2항은 주식회사의 이사, 감사가 증권관리위원회가 재무부장관의 승인을 얻어 제정한 기업회계기준에 위반하여 허위의 재무제표를 작성·공시한 때에는 1년 이하의 징역 또는 500만 원 이하의 벌금을 부과하도록 규정하고 있는바, 동아건설의 이사 또는 감사이던 피고들이 기업회계기준에 위반하여 허위의 재무제

---

124) 대법원 2007.12.13. 2007다60080.

표를 작성·공시하거나 또는 허위작성된 재무제표가 작성·공시되도록 방치한 행위는 위 구 주식회사의 외부감사에 관한 법률에서 금지하고 있는 행위에 해당된다고 할 것이므로, 피고들로서는 위 법규정 위반으로 인하여 동아건설이 입은 손해를 배상할 책임이 있고, 여기에 경영판단의 원칙이 적용될 여지가 없다고 판시하였다).

⑤ 수출회사가 대미 수출을 담당하는 별개의 회사에게 채권보전조치 없이
   자금지원을 한 경우[125]

피고들은 대우의 대표이사 또는 이사인데, 1994년 대우의 해외 금융부서인 BFC를 통하여 대우의 대미 수출을 담당하는 역할을 수행하는 DWA에게 미화 합계 1억 9,200만 달러를 지원하였고, DWA는 대우와 별개 법인으로서 채무상환능력이 불확실함에도 불구하고 대우로 하여금 아무런 채권회수조치 없이 DWA에게 자금을 지원하게 하여 대우에게 위 지원금을 회수하지 못하는 손해를 입게 한 사안에서,

대우는 1982년경부터 영국 런던에 BFC를 설치하여 해외 금융기관으로부터 과다한 자금을 차입하거나 국내의 회사자금을 BFC로 유출하여 비자금을 조성하는 등 회사자금을 비정상적으로 관리하여 왔던 점, 특히 대우는 1993년경부터는 자체 자금능력을 고려하지 아니한 채 세계경영을 표방하면서 해외 법인을 다수 설립하거나 기업인수합병을 통하여 국내 사업을 확장하면서 부실 계열사에 대한 과도하고 일방적인 자금지원 등을 하여 왔던 점, 이러한 투자확대에 소요되는 자금은 대우 자체의 유상증자나 잉여자금의 활용에 의하기보다는 대부분 금융차입에 의존하여 조달됨으로써 금융비용 부담은 더욱 심화된 반면 매출실적은 상대적으로 저조하여 막대한 액수의 재정적자가 누적되기에 이르렀고, 1996년경부터는 대우는 물론 대우그룹 계열사 모두가 자기자본이 완전히 잠식되었던 점, 그 후 대우는 물론 대우그룹 계열사들은 대부분 회사가 도산되는 상황을 맞이하였는데, DWA 역시 2000. 3.경 미국에서 도산처리절차를 밟아야 하였던 점 등을 알 수 있고, 반면 피고들은 위와 같은 대우의 경영상태와 재무구조하에서 단순히 DWA가 도산할 경우 대우의 핵심적인 해외영업망이 상실되는 동시에 해외 현지법인에 대한 투자금을 회수할 수 없게 될 우려가 있어 이를 방지하기 위하여 미화 합계 1억 9,200만 달러의 지원을 결정하기에 이르렀다고 주장하고 있을 뿐, 기록상 DWA의 대우 영업에 대한 기여도, DWA의 회생에 필요한 적정

---

125) 대법원 2007.10.11. 2006다33333.

지원자금의 액수 및 그 지원이 대우에 미치는 재정적 부담의 정도, DWA를 지원하였을 경우와 지원하지 아니하였을 경우 DWA의 회생가능성 내지 도산가능성과 그로 인하여 회사에 미치는 이익 및 불이익의 정도 등에 관하여 필요한 정보를 충분히 수집·조사하고 검토하는 절차를 거친 다음 이를 근거로 회사의 최대 이익에 부합한다고 합리적으로 신뢰하고 신의성실에 따라 이사회 결의를 통하여 자금지원을 의결하였다는 자료를 찾아볼 수 없고, 또 위와 같은 자금지원이 실제 DWA의 경영활동에 어느 정도의 도움을 주고 그로 인하여 대우가 어느 정도의 경영상의 이익을 얻거나 불이익을 회피할 수 있게 되었는지에 관하여도 이를 알 수 있는 자료를 찾아볼 수 없으므로, 피고들이 아무런 채권확보나 채권회수조치 없이 이미 채무상환능력이 결여되어 있고 결국은 도산에 이르게 될 DWA에게 거액의 자금을 일방적으로 지원하게 하여 대우로 하여금 그 지원금을 회수하지 못하는 손해를 입게 한 행위는 허용되는 경영판단의 재량범위 내에 있는 것이라고 할 수 없고, 피고들은 이사의 임무를 해태한 것으로서 그에 대한 손해배상책임을 져야 한다고 판시하였다.

⑥ 주주총회 승인이 필요한 자기거래행위에 대하여 주주총회의 승인 없이
　　자금을 대여하고 주식을 취득한 경우[126]

　원고는 출판업을 하는 회사(자본금 3억 원)이고, 피고는 원고의 대표이사이자 주식회사 나는북(피고와 그 배우자가 60%의 주식 보유)의 대표이사인데, 원고가 나는북에게 1억 원을 대여하고, 나는북의 주식 10,000주를 양수 또는 신주인수하면서 대여금 중 5,000만 원을 변제받은 것으로 그 대금지급에 갈음하고, 나머지 대여금 5,000만 원을 현금으로 변제받은 사안에서,

　상법 제398조, 상법 제383조 제4항, 제1항 단서는 자본금 총액이 10억 원미만인 회사의 이사가 1명 또는 2명인 경우 이사가 자기 또는 제3자의 계산으로 회사와 거래를 하기 위하여는 미리 주주총회에서 해당 거래에 관한 중요사실을 밝히고 주주 2/3 이상의 수로 주주총회의 승인을 받아야 한다고 규정하고 있고, 원고의 이사인 피고가 자신이 대표이사로 있는 나는북에 금전을 대여하고 그 일부 변제에 갈음하여 이 사건 주식을 취득한 행위는 그 법률행위의 성질상 당사자 사이에 이해충돌을 가져와 원고에게 불이익을 초래할 우려가 있는 명백

---

126) 대법원 2019.11.14. 2018다282756.

한 이해상반행위에 해당하여 위 규정에 따라 주주총회 승인이 필요한 자기거래
행위에 해당하는데, 피고는 주주총회를 개최하여 승인을 받는 절차를 거친 바
없으므로, 이는 제399조에 따라 이사의 손해배상책임을 발생케 하는 법령위반행
위에 해당하는바, 위 주식의 취득 당시 및 변론종결 시점에 주식가치가 0원으로
서 회사에 손해가 발생한 이상 피고는 그 행위가 경영판단이 허용되는 재량의
범위 내에 있는 행위임을 이유로 제399조에 따른 이사의 손해배상책임을 면할
수 없다고 판시하였다.

　⑦ 그 외에 종합금융회사 상무이사가 부실회사에 대한 신용공여 한도를 5배
나 증액하고 담보예금에 대한 담보권을 해지한 것은 합리적인 경영판단이라고
보기 어렵다고 판시한 사례127) 등이 있다.

　(3) 이사의 감시의무 위반 관련

　(가) 업무담당이사의 감시의무 위반

　① 원고는 1996. 12. 27.경 분당 블루빌 오피스텔 신축공사를 갑 회사에게
하도급하였다가 계약을 변경하여 1997. 8. 14. 공사대금 35억 1,230만 원으로
최종 계약을 체결하고, 약속어음과 당좌예금 인출의 방법으로 위 금액을 갑 회
사에 지급하였고, 원고는 1997. 8. 25.경 오디세이 오피스텔 신축공사를 갑 회
사에게 계약금액 112억 8,600만 원으로 하도급하고, 위와 같은 방법으로 대금을
지급하였는데, 피고, 을 등은 비자금을 조성할 목적으로 실제 공사비보다 과다
계상하여 위 하도급 계약들을 체결한 것으로서, 갑 회사에게 지급한 약속어음
중 10억 원이 1997. 10. 31. 국민은행을 통하여 추심 결제되자 같은 해 11. 10.
경 갑 회사 직원으로부터 현금으로 받아 원고 비서실 상무를 통하여 을에게 전
달되게 하고, 1997. 11. 25. 위 국민은행 지점을 통하여 추심 결제된 어음금 중
10억 원 상당을 을에게 전달되도록 하여 원고에게 20억 원 상당의 손해를 입힌
사안에서,

　1997. 3. 14.부터 1998. 6. 17.까지 원고의 대표이사 및 그룹 부회장으로서
원고의 경영을 총괄하여 담당하였던 피고는 원고 회사 자금의 횡령과 비자금 조
성에 직접적으로 관여하였거나, 그렇지 않다 하더라도 이를 방임 내지 방관하여
감시의무를 위반하였으므로, 상법 제399조 제1항, 제401조의2 제1항, 제2항에

---

127) 대법원 2005.1.14. 2004다8951.

따라 원고에게 이로 인한 손해를 배상할 책임이 있다고 판시하였다.[128]

②　또한 코스닥 시장 상장회사였던 갑 주식회사가 추진한 유상증자 이후, 차명 지분 등을 통해 갑 회사를 포함한 그룹을 지배하며 실질적으로 운영하던 을 및 그의 지휘 아래 그룹 업무를 총괄하던 병 등이 유상증자대금의 일부를 횡령하자, 갑 회사가 횡령행위 기간 중 갑 회사의 이사 또는 대표이사 및 감사로 재직하였던 정 등을 상대로 상법 제399조, 제414조 등에 따른 손해배상을 구한 사안에서,

정 등이 재직하는 기간 동안 한 번도 이사회 소집통지가 이루어지지 않았고 실제로도 이사회가 개최된 적이 없는데도, 갑 회사는 이사회를 통해 주주총회 소집, 재무제표 승인을 비롯하여 위 유상증자 안건까지 결의한 것으로 이사회 회의록을 작성하고, 그 내용을 계속하여 공시하였는데, 이사회에 참석한 바 없어 그 내용이 허위임을 알았거나 알 수 있었던 정 등이 한 번도 그 점에 대해 의문을 제기하지 않은 점, 유상증자대금이 갑 회사의 자산과 매출액 등에 비추어 볼 때 규모가 매우 큰데도 정 등이 위와 같은 대규모 유상증자가 어떻게 결의되었는지, 결의 이후 대금이 어떻게 사용되었는지 등에 관하여 전혀 관심을 기울이지 않았고, 유상증자대금 중 상당액이 애초 신고된 사용 목적과 달리 사용되었다는 공시가 이루어졌는데도 아무런 의문을 제기하지 않은 점, 회계감사에 관한 상법상의 감사와 '주식회사의 외부감사에 관한 법률'상의 감사인에 의한 감사는 상호 독립적인 것이므로 외부감사인에 의한 감사가 있다고 해서 상법상 감사의 감사의무가 면제되거나 경감되지 않는 점 등에 비추어 보면, 정 등은 갑 회사의 이사 및 감사로서 이사회에 출석하고 상법의 규정에 따른 감사활동을 하는 등 기본적인 직무조차 이행하지 않았고, 을 등의 전횡과 위법한 직무수행에 관한 감시·감독의무를 지속적으로 소홀히 하였으며, 이러한 정 등의 임무 해태와 을 등이 유상증자대금을 횡령함으로써 갑 회사가 입은 손해 사이에 상당인과

---

128) 대법원 2007.9.20. 2007다25865. 금융기관의 대표이사 등이 보험감독원의 감사지적에 따라 계열사에 대한 담보대출에 대해 추가 담보를 제공받아야 함에도 불구하고, 오히려 이를 신용대출로 전환해 주는 과정에서 회사에 손해를 입힌 사안에서, "피고도 영업담당이사로서, 비록 신용대출전환업무가 자신의 담당업무가 아니라고 하더라도 신용대출전환이 보험감독원의 감사지적에 따른 통상의 합리적인 조치가 아니고 그 절차상 위법하다고 의심할 만한 사유가 있음에도 불구하고 실행집행위원회 결의서에 서명한 이상, 이사에게 요구되는 선관주의의무 내지 감시의무를 해태하지 않았다고 단정할 수 없다."고 판시한 사례도 있다(대법원 2006.7.6. 2004다8272).

관계가 충분히 인정된다고 판시하였다.[129]

(나) 신용금고 이사의 감시의무 위반[130]

피고는 상호신용금고의 예금담당이사인데, 대표이사 등이 상아제약 발행의 약속어음을 담보로 제공받는 외에는 별다른 담보를 받지 아니하고, 당시 피고도 참석한 이사회 결의를 거쳐서 의류소매업을 하던 갑 명의로 어음할인대출금 10억 원, 식품이나 잡화 등 소매업을 하던 을 명의로 소액신용대출금 9억 원, 전기자재 도매업을 하던 병 명의로 소액신용대출금 9억 원 등 합계 28억 원을 대출하였다가 한국은행 은행감독원에서 상호신용금고에 대하여 실시한 정기검사 결과, 위 대출금의 실제 차용인은 한보철강공업으로서 상호신용금고법상 동일인 여신한도인 5억 원에서 23억 원을 초과하여 대출된 것으로 밝혀졌고, 한보철강은 이미 1997. 1.경 부도가 나서 재산보전처분 결정을 받은 상태여서 위 대출금에 관하여는 사실상 회수불가능하게 되었으며, 위 대출시 담보로 제공된 위 약속어음도 지급기일에 모두 무거래로 부도처리된 사안에서,

피고는 상호신용금고의 이사로서 업무전반을 총괄·집행하는 지위에 있으면서 대표이사 등이 동일인 여신한도 초과대출의 제한을 규정한 상호신용금고법 제12조 등을 위반하여 한보철강에 합계 28억 원(한도초과분 23억 원)의 대출을 허용하는 것을 추종(감시의무 위반)함으로써 상호신용금고로 하여금 그 한도초과분 23억 원 상당의 불법대출금이 상환되지 아니하는 손해를 입게 하였으므로, 제399조 제1항에 의하여 손해를 배상할 책임이 있다고 판시하였다.

(다) 증권회사 이사의 기업어음('CP') 매입 관련 감시의무 위반[131]

피고는 동방페레그린증권의 대표이사인데, 위 회사의 부사장인 워렌이 나산그룹에 단기자금을 제공하여 줄 목적으로 1997. 5. 나산종합건설('나산종건')가 발행한 무보증 기업어음('CP') 100억 원 상당을, 같은 해 6. 20. 추가로 같은 CP 80억 원 상당을 각 매입하였다가 그 후 위 CP의 만기를 5회에 걸쳐 연장해 주었고, 나산종건이 1998. 1. 13. 부도를 냄으로써 위 회사는 위 CP 대금 180억 원 중

---

129) 대법원 2019.11.28. 2017다244115.
130) 대법원 2002.5.24. 2002다8131. 대표권이 없는 예금담당이사인 피고에 대하여, 대표이사나 대출담당이사 등의 업무집행에 대한 감시의무를 소홀하였음을 이유로 그 손해배상책임을 인정한 사례이다. 위 사례에서 피고는, 이사회 회의록에 대출을 찬성한 것으로 되어 있어, 제399조 제2항에 의해서도 손해배상책임이 인정되었다.
131) 대법원 2004.12.10. 2002다60467, 60474.

60억 원만을 회수하고 나머지 120억 원 상당을 회수하지 못하였으며, 워렌은 원래 페레그린 채권 유한공사에서 최고위급 간부인 매니징 디렉터(Managing Director)로 근무하다가 1997. 3. 3.부터 위 회사의 사실상 부사장으로서 채권관련 업무를 전담하여 오면서, 위 CP의 매입 당시 이사회에 이를 안건으로 회부하거나 다른 임원들에게 알리지 아니한 채 단독으로 위 CP의 매입을 결정하고 채권팀장에게 실무적인 업무를 처리하도록 지시하였으며, 1997. 7.경에 이르러서야 위험관리위원회 및 임원회의에서 처음으로 이를 보고한 사안에서,

　워렌이 나산종건 CP를 매입할 당시에는 아직 CP가 증권거래법상 유가증권에 해당하지 아니하였고, 또한 회사 내규인 상품채권운용지침상으로 무보증 CP가 관리대상 유가증권에 명시적으로 포함되지 않았으며, 나아가 이를 예외적으로 보유할 만한 불가피한 사정이 있었다거나 그 보유에 대한 요건이나 절차를 갖추었다고 볼 수 없고, 나산종건은 당시 신용평가등급이 비(B) 등급에 불과하고 재무구조 조정작업을 서둘러 진행해야 할 정도로 재무구조가 상당히 취약한 상태에 있었으므로, 만약 나산종건의 재무구조나 신용도 등에 대하여 조금만 주의를 기울여 조사하였던들 향후 위 CP 매입대금의 회수가 어려워질 가능성이 있음을 어렵지 않게 알 수 있었으므로, 워렌의 주도로 이루어진 위 CP의 매입은 임원으로서의 선관주의의무 내지 충실임무를 해태한 행위이고, 피고 1이 비록 워렌에 의한 위 CP의 매입과정에 직접 관여하였다거나 그 매입사실을 알고 있었다고 볼 증거는 없지만, 대표이사로서 대외적으로는 회사를 대표하고 대내적으로는 업무 전반의 집행을 담당하는 직무권한을 가지고 있는 만큼, 회사업무의 전반을 총괄하여 다른 이사의 직무집행을 감시·감독하여야 할 지위에 있고, 더욱이 워렌은 회사의 외국측 주주인 홍콩 페레그린의 자회사인 페레그린 채권 유한공사에서 근무한 배경을 가진 자로서 정식이사로 선임되기 이전부터 사실상 부사장으로서의 직무를 수행하면서 영업과 관련된 업무 전반을 독자적으로 처리하여 왔으므로 그의 직무집행과 관련하여서는 보다 면밀한 감시·감독이 요구되는 상황이었다고 할 것임에도 불구하고, 워렌이 무려 180억 원에 이르는 CP를 매입함에 이르렀음에도 이를 제대로 감시·감독하지 못한 채 방치한 것은 대표이사에게 요구되는 선관주의의무 내지 감시의무 등을 해태한 것으로 봄이 상당하므로, 피고 1은 회사가 입은 손해를 배상할 책임이 있다고 판시하였다.

(라) 증권회사 이사의 주식 매입과 관련한 증권거래법위반에 대한 감시의무
위반[132]

피고 1, 2는 동방페레그린증권의 대표이사 및 이사이고, 위 회사가 1997. 2. 25. 및 2. 26. 미도파에 대한 적대적 기업인수합병(M&A)을 위해 홍승파이낸스('홍승') 및 일진파이낸스('일진')와 사이에 "미도파 주식을 총 100억 원의 범위 내에서 장내를 통해 회사가 지정한 가격으로 매수하면, 회사는 매매일로부터 30일 이내에 제반 비용을 가산하여 재매입하겠다."는 내용의 주식매매계약을 각 체결한 후, 1997. 4. 30. 홍승 및 일진이 매입한 미도파 주식 536,960주를 206억 원에 장외 매수하였고, 회사는 1997. 5. 13.부터 1997. 6. 5.까지 사이에 위 미도파 주식 중 534,960주를 장내에서 43억 원에 다시 매도하였고, 2,000주는 그대로 보유하여 미도파 주식의 매매거래로 인하여 약 153억 8,400만 원 상당의 손해를 입었으며, 위 미도파 주식의 매매거래는 회사의 회장이던 갑의 지시에 따라 미도파에 대하여 적대적 기업인수합병을 실행하는 과정에서 회사의 임원이던 폴(Paul), 을, 병, 정 등에 의하여 주도된 것인데, 피고 2는 병이 위 각 계약서를 제시하고 대표이사 직인의 날인을 요청하자 대표이사인 피고 1에게 전화를 걸어 내용을 설명하고 그로부터 직인 날인에 관하여 승낙을 받아 위 각 계약서에 그 직인을 날인하여 준 사안에서,

회사는 홍승 및 일진이 매입한 미도파 주식을 일정기간 이후에 제반 비용을 가산하여 재매입하겠다는 약정을 하고 이를 이행함으로써 실질적으로는 홍승 및 일진에 대하여 사전에 주식거래에 따른 손실을 부담할 것을 약정하였거나 사후에 재산상 이익의 제공행위 내지 거래손실의 보전행위를 한 것에 해당되므로, 이는 증권거래법 제52조 제1호, 제3호 및 같은 법 시행규칙 제13조의3 제2호에 위반된 행위이고, 위 미도파 주식의 매입이 비록 갑의 지시를 받은 다른 임원들에 의하여 주도된 것이라고 하더라도, 대표이사로서 회사의 업무 전반을 총괄하여야 할 지위에 있는 피고 1로서는 거래규모가 무려 200억 원 대에 이르는 계약을 체결함에 있어 직접 계약서 내용을 살피거나 직인 날인의 가부를 묻는 피고 2로 하여금 이를 확인하도록 하는 등 조금만 주의를 기울이는 등 다른 이사들의 업무집행에 대한 감시·감독을 제대로 행하였더라면 위와 같은 법령위반행

---

132) 대법원 2004.12.10. 2002다60467, 60474.

위를 어렵지 않게 방지할 수 있었을 것임에도, 대표이사로서의 선관주의의무 내지 감시의무를 게을리한 잘못이 있고, 총무팀 업무를 관장하면서 대표이사 직인을 관리하는 책임을 지고 있는 피고 2로서도 약간의 주의를 기울여 병이 직인 날인을 요구하면서 제시한 계약서의 내용을 살펴보기만 하였다면 그것이 법령에 위반되는 행위임을 어렵지 않게 알 수 있었음에도 피고 1의 승낙을 받았다는 사유만으로 그 계약서에 그대로 직인을 날인하여 줌으로써 이사로서의 선관주의의무 내지 감시의무를 게을리한 잘못이 있으므로, 피고들은 회사가 입은 손해를 배상할 책임이 있다고 판시하였다.

(마) 주식회사 평이사의 감시의무 위반[133]

피고는 프라임상호저축은행의 이사이고, 저축은행은 관련 법령에 따라 대출채권에 대한 자산건전성을 제대로 분류하고 이에 따른 적정 수준의 대손충당금을 적립·유지해야 하는데, 프라임상호저축은행 대표이사이던 제1심 공동피고 등은 이자 지급을 연체하고 있는 차주에게 신규 대출을 실행하고 이를 기존 대출금의 이자 명목으로 되돌려 받는 방법으로 이자수익을 과다계상하는 한편, 채권의 자산건전성 분류를 왜곡하는 방법으로 대손충당금을 과소계상하였고, 이러한 분식회계는 2006년 하반기 무렵부터 행해져 왔고, 프라임상호저축은행에서는 정기적으로 임원 등이 모여 미팅을 하거나 회의를 하여 왔는데 그러한 자리에서 기존 대출금의 이자 납입을 위한 추가 대출 실행에 관해 논의가 이루어졌던 사안에서,

피고는 프라임상호저축은행 이사로서 위와 같은 사실을 잘 알고 있었을 것으로 보이고, 또한 이사회에 참석하여 이러한 허위의 재무제표를 검토하고 이를 승인하였으므로, 피고는 분식회계가 이루어지고 있음을 알았거나 알 수 있었음에도 이사의 감시의무를 위반한 잘못이 있고, 따라서 제399조 제1항에 따라 분식회계로 인해 프라임상호저축은행이 입은 손해를 배상할 책임이 있다고 판시하였다.

(4) 명목상 이사에 대하여 손해배상책임을 인정한 사례[129]

슈마일렉트론을 실질적으로 운영하던 갑이 회사 자금을 횡령하여 손해를 입혔는데, 피고는 갑의 형수로서 법인등기부상 대표이사로 등재되어 있고, 피고

---

133) 대법원 2019.1.17. 2016다236131.

스스로 "본인은 회사에 등기상 대표이사로 2004. 10. 25.부터 2004. 12. 6.까지 등재되어 있으나, 이는 갑에게 본인 인감증명서와 인감도장을 빌려주어 등재되었다. 본인은 가정주부로서 회사를 소유하거나 경영한 적도 없고, 시동생인 갑의 부탁을 받고 사업실패에서 성공해보겠다는 간절한 청을 거절할 수 없어 인감증명서와 인감도장을 제공하였는데, 갑이 본인의 인감증명서와 인감도장으로 슈마일렉트론에 이사로 등재하고 본인 통장에 급여 명목으로 돈을 송금해 왔다." 고 인정하고 있으며, 국세통합전산망에 의하면 슈마일렉트론은 2004년도에 합계 12,620,000원을 피고에게 급여 명목으로 지급하였고, 나아가 슈마일렉트론과 제3자가 체결한 여신거래약정서에 피고가 대표이사로 기재되어 있으며, 슈마일렉트론과 기술신용보증기금이 체결한 신용보증약정에 따른 채무를 피고가 연대보증한 사안에서,

피고가 슈마일렉트론의 경영에 직접 참여하였는지 여부는 별론으로 하더라도, 피고는 적어도 갑(실질적 운영자)에게 자신을 슈마일렉트론의 대표이사 내지 이사로 선임하여 법인등기부에 등기하는 것에 대해서 승낙하여 주어 슈마일렉트론의 대표이사 내지 이사로 적법하게 선임되었으므로, 피고 스스로 주장하는 바와 같이 모든 업무를 갑에게 위임하고 대표이사로서의 직무를 전혀 집행하지 않은 것은 그 자체가 대표이사의 직무상 충실 및 선관의무를 위반하는 행위이고, 따라서 갑이 회사자금을 횡령한 행위에 대하여 선관주의의무 위반으로 인한 손해배상책임을 부담한다고 판시하였다.[134]

(5) 기타 유형

(가) 부외자금을 조성하여 사용한 경우[135]

피고들은 하이닉스반도체의 대표이사 또는 이사 등인데, 공동으로 외화매입을 가장하여 그 매입자금을 당좌수표로 인출한 뒤 외화환산손실로 처리하고 당좌수표는 현금 세탁하는 방법으로 또는 원·부자재 수입을 가장하여 그에 필요한 신용장개설과 선하증권 결제에 비용을 지출하는 것처럼 허위 전표에 의한 비용을 결제하는 방법으로 당좌수표를 인출하여 현금으로 세탁하는 방법으로 합계 29억 원을 회사의 회계와는 별도의 '부외자금'으로 조성·관리하면서 그 무렵 대표이

---

134) 대법원 2009.5.14. 2008다94097.
135) 대법원 2011.6.10. 2011다6120.

사(회장)나 그의 승인을 받은 사람 등에게 지급하여 회사의 공적인 경비 이외의 용도에 임의 소비하게 하고도 이를 외환환산손실, 신용장개설 및 선하증권 결제 비용에 지출된 것처럼 허위로 회계처리하여 회수되지 못하게 한 사안에서,

피고들은 제399조에 따라 회사에게 그 손해를 배상할 책임이 있다고 판시하였다.

(나) 사적 고용인에 대한 급여 지급[136]

피고 1은 동아건설산업('동아건설')의 대표이사로 근무하면서 동시에 동아건설 및 대한통운, 동아생명 등이 속해 있는 동아그룹의 회장이고, 피고 2는 동아건설의 이사인데, 피고1(회장)은 피고 2에게 자신의 사저에 근무하는 경호원, 설비 담당자 등에 대한 급여를 동아건설의 자금으로 지급할 것을 지시하여, 동아건설이 합계 813,000,000원을 지급한 사안에서,

동아건설의 이사 내지 대표이사이자 동아건설 등이 속한 동아그룹의 회장 등으로 재직하던 피고 1의 사저에서 근무한 근무자들의 업무 내용은 사저의 수리·보수, 경비, 위 피고의 가족들을 위한 운전 등 주로 위 피고와 그의 가족들을 위한 노무의 제공을 목적으로 한 것이고, 위 사저에서 종종 동아건설의 발주처 경영진이나 해외 귀빈들을 위한 접대가 이루어지는 등 사저 근무자들이 위 피고의 대외 수주활동 등에 대한 보조 역할을 하였다고 하더라도 이는 부수적인 결과에 불과하다고 보이므로, 위 사저 근무자들이 동아건설의 업무를 수행하였다고 볼 수 없고, 따라서 위 피고가 개인적으로 지급의무를 부담하여야 할 사저 근무자들에 대한 급여를 동아건설의 자금으로 지급하도록 한 피고들의 행위는 이사로서 선관주의의무에 위반하여 동아건설로 하여금 피고 1의 사적 피고용인에 불과하다고 할 사저 근무자들에게 급여를 지급하여 동액 상당의 손해를 입게 한 것이므로, 피고들은 상법 제399조 제1항에 따라 연대하여 원고에게 자신들의 임무 해태로 인하여 동아건설이 입은 위 손해를 배상할 책임이 있고, 나아가 위 피고의 사적 피고용인들에 대한 동아건설의 급여 지급이 동아그룹의 총수인 위 피고에 대한 예우 내지 의전의 차원에서 행해진 측면이 있다고 하더라도, 그러한 급여 지급의무를 동아건설이 부담하도록 동아건설의 정관에 규정하거나 주주총회의 결의로 정한 바 없는 이상, 이를 이사로서의 임무 해태에 해당하지 않는

---

136) 대법원 2007.10.11. 2007다34746.

다고 할 수 없다고 판시하였다.

(다) 종합금융회사의 이사가 선급금을 초과 지급한 경우[137]

새한종합금융의 대표이사인 피고 등은 1997. 1. 23. 이사회의 승인에 따라 계열회사인 대한중석이 신축하고 있던 건물을 인수하면서 기성부분을 94억 6,000만 원으로 평가하여 대한중석에게 지급하고, 위 공사를 도급받은 대한중석 건설과 사이에 위 건물의 나머지 건축공사 부분을 공사대금 241억 6,260만 원에 건축하기로 하는 건설공사도급계약을 체결하면서 공사대금의 지급에 관하여 선급금은 공사대금의 30% 상당인 72억 5,000만 원을 지급하되, 공사의 기성 정도에 따라 공사대금을 지급할 때마다 선급금 비율인 30% 부분은 선급금에서 충당하고, 나머지 70%에 해당하는 공사대금만 지급하기로 약정하였는데, 피고 등은 1997. 4. 26. 공사대금의 20% 상당을 선급금으로 추가로 지급하여 달라는 대한중석건설의 요청에 따라 우량자재의 확보 등을 이유로 대한중석건설에 대하여 공사대금의 50% 상당으로 선급금을 증액하여 추가선급금 48억 3,130만 원을 지급하였고, 피고는 대한중석건설에 대하여 새한종합금융이 위 건물을 인수한 후에 시공한 부분에 대한 공사대금 100억 3,610만 원 중 이미 지급한 선급금에서 50%를 충당하고, 1997. 7. 10.부터 1998. 4. 24.까지 3회에 걸쳐 나머지 공사대금으로 50억 1,805만 원을 지급하였으며, 대한중석건설은 1998. 5. 부도가 발생하여 건물의 신축공사를 중단하게 된 사안에서,

새한종합금융의 대표이사인 피고가 이사회에서 승인하였던 공사대금의 30% 상당의 선급금의 범위를 넘어 채권확보조치를 강구하지 아니하고 합리적인 이유도 없이 대한중석건설의 요구에 따라 선급금 48억 3,130만 원을 추가로 지급한 것은 선급금을 부당하게 과다 지급한 것으로서 이사의 선관주의의무를 위배하였다고 판시하였다.

(라) 회사의 이사가 설계계약을 체결함에 있어 재량권을 일탈한 경우[138]

원고는 대구종합무역센터를 설립한 대주주이고, 피고는 위 회사의 설립에 주도적으로 참여하고 설립 후 대표이사로 재임하다가 퇴임하였는데, 대구무역센터는 대구무역회관과 종합전시장을 건축하기 위한 설계를 우수현상광고 방식으로

---

137) 대법원 2005.5.27. 2004다8128.
138) 대법원 2002.11.22. 2001다16265.

공모한 후 심사위원회를 구성하여 갑의 작품을 최우수작으로, 을의 작품을 우수작으로 결정하였고, 피고는 갑의 작품을 당선작으로 선정한다고 발표하고 갑에게 이를 통지하였으며, 그 사실이 신문에도 보도되었으나, 피고는 심사결과를 발표한 날 오후 당선작 심사과정에 부정이 있었다고 주장하면서 당선작 재심의를 위한 건축소위원회를 구성하고, 위 위원회의 결의를 거쳐 을의 작품을 당선작으로 결정한 다음, 병과 사이에 기본설계계약 및 실시계약을 체결하고 선급금을 지급하였고, 이에 갑은 법원에 설계금지가처분을 신청하였고, 법원은 이를 인용하였으며, 대구무역센터측은 다시 당선작 선정을 번복하여 갑의 작품을 당선작으로 선정하여 갑에게 설계권을 부여하기로 결정하였고, 을로부터 선급금 중 일부를 반환받았으며, 반환받지 못한 나머지는 회사의 손실금으로 처리한 사안에서,

피고는 대구무역센터의 대표이사로서 설계를 우수현상광고 방식으로 공모하고, 이에 따른 설계계약을 체결하는 업무를 집행함에 있어 허용되는 재량권의 범위를 현저히 일탈하는 행위를 함으로써 선량한 관리자로서의 주의의무를 위반하는 임무 해태를 하였으므로, 그로 인하여 대구무역센터가 입은 손해를 배상할 책임이 있다고 판시하였다.

(마) 그 외에 이사가 주식을 매도함에 있어 주식 가치 산정을 잘못하여 회사에 손해를 끼쳤다고 판시한 사례,[139] 회사의 정관 제30조에는 '이사회 결의'로 고문을 추대할 수 있도록 되어 있는데, 회사의 대표이사가 이사회의 결의 없이 고문위촉계약을 체결하였고, 해당 고문은 고문위촉계약을 체결한 뒤 회사에 출근하거나 별다른 영업자문을 하여 준 적이 없음에도 고문료를 수령해 감으로써 정관에 위반된 업무집행으로 고문료 상당의 손해를 끼쳤다고 판시한 사례[140]

---

139) 대법원 2005.10.28. 2003다69638(원심은 서울고등법원 2003.11.20. 2002나6595). 위 판결은, "회사의 이사는 회사에 대한 관계에서 선량한 관리자의 주의로서 사무를 처리할 의무를 지므로 회사의 중요한 재산을 매도함에 있어서는 회사의 이익을 위하여 시가에 따라 매도하여야 할 책임이 있다 할 것인바, 이 사건의 경우와 같이 비상장기업인 삼성종합화학의 주식을 매도함에 있어서도 객관적 교환가치를 적정하게 반영하였다고 인정되는 실거래 사례가 있다면 그 가격대로, 만일 그러한 사례가 존재하지 않는 경우에는 비상장주식의 취득 경위, 취득 당시의 가액, 매도 당시의 당해 비상장기업의 기업가치를 고려하여 객관적 교환가치를 적정하게 반영한 가액으로 매도하여야 할 것이고, 이에 반하여 시가 또는 적정가액보다 훨씬 낮게 양도함으로써 회사에게 손해를 끼쳤다면 이사로서의 임무를 해태하였다."고 판시하고 있다.

140) 대법원 2013.12.26. 2012다65607.

등이 있다.

다) 임무를 게을리한 것으로 볼 수 없어 손해배상책임을 부인한 사례

(1) 경영판단원칙 관련

(가) 삼성전자 이사가 사업구조 변화를 위하여 관련 전기업체를 인수한 행위는 합리적인 경영상의 판단[141]

삼성전자의 이사회가 1997. 3. 14. 이천전기를 인수하기로 결의하여 갑의 주식을 90억 원에 매입하고, 같은 해 4. 2.과 같은 해 4. 3.의 이사회 결의에 의하여 이천전기의 신주를 200억 원에 추가 인수하였던 사안에서,

삼성전자가 이천전기를 인수하기 직전 연도인 1996년 말경 이천전기의 자본이 -433억 원에 이르러 인수 당시 자본이 전액 잠식되어 있는 상황이었고, 당기 순이익도 1996년에 -197억 원에 이르렀으며, 인수결의 직전인 1997. 2. 28. 당시 이천전기의 차입금이 1,394억 3,500만 원에 이르는 등 이천전기의 재무구조가 취약하였던 점, 삼성전자가 이천전기를 인수함으로써 이천전기의 지배주주가 됨과 동시에 이천전기의 차입채무에 관하여 지급보증을 할 가능성이 있었던 사정이 있으나, 삼성전자의 경영진이 이천전기를 인수하기 1년 전부터 미리 실무자로 하여금 중전사업에의 참여 필요성, 사업성에 관하여 검토하게 하고 이천전기의 재무구조 개선안, 향후 손익전망, 경영방침 등에 관하여 구체적으로 보고를 하게 한 점, 인수가격결정을 위하여 수차례 협상과정을 거쳤던 점, 이사회 결의에 참석한 이사들은 실무자들이 작성한 '삼성전자의 중전사업 참여방안', '이천전기 재무구조 개선안' 등의 자료를 검토하는 한편, 담당 이사로부터 삼성전자가 중전사업에 참여할 필요성이 있고, 신규법인의 설립보다는 기존업체인 이천전기의 인수가 유리하며, 유상증자 및 단기차입금의 장기저리자금으로의 전환 등을 통하여 재무구조를 개선하고, 삼성전자의 경영인력을 투입하여 사업구조를 재편하는 등의 조치를 취한다면 조만간 흑자 전환이 가능할 것으로 판단된다는 설명을 들은 다음 이천전기의 인수가 삼성전자의 이익에 합치된다고 신뢰하여 인수결의를 하였던 사정 등에 비추어 보면, 당시의 이사들이 이천전기의 인수결정을 함에 있어서 통상의 기업인으로서 간과할 수 없는 과오를 저질렀다거나 그 인수결정이 그 당시의 상황에서 경영판단의 재량권 범위를 넘는 것으로서 현저

---

141) 대법원 2005.10.28. 2003다69638 및 그 원심인 서울고등법원 2003.11.20. 2002나6595.

히 잘못된 것이라고 보기는 어렵고, 더욱이 이천전기 인수 이후에 발생한 IMF 관리체제라는 예상하기 어려웠던 상황 변화로 이천전기의 재무구조가 급속히 악화됨으로써 결과적으로 삼성전자에게 손해를 입게 하였다고 하더라도, 당시의 이사들이 위 결정에 관하여 개인적인 이해관계가 있었다거나 그 결정으로 인하여 회사가 손해를 입을 것이라는 점을 알고 있었다는 등의 특별한 사정이 없는 한, 사후에 그러한 사유가 발생하였다는 점만으로 위 이사들에게 그 손해배상책임을 부담하게 할 수는 없다고 판시하였다.

　(나) 삼성전자 인수한 업체의 부도에 따른 동반 적색거래처 분류를 피하기
　　위한 지급보증결의 및 출자결의는 불가피한 경영상의 조치[142]

　삼성전자의 이사회가 1998. 3. 26. 이천전기의 금융기관에 대한 300억 원의 채무를 보증하기로 결의한 것을 비롯하여 같은 해 3. 30.까지 세 차례에 걸쳐 합계 1,570억 원의 채무를 보증하기로 결의하였고, 그 보증채무를 변제하기 위한 방편으로 1998. 7. 28.부터 같은 해 9. 5.까지 사이에 합계 1,709억 원의 신주를 인수하기로 결의한 사안에서(구체적으로, 삼성전자가 이천전기를 인수한 이후 1997년 말 국내에 외환위기가 도래하여 전반적인 경기침체로 IMF 관리체제 하에 들어가게 됨을 계기로 부실기업에 대한 구조조정 작업이 시행되었고, 그로 인하여 삼성전자가 1998. 2. 28. 주거래은행인 한빛은행과 '재무구조개선을 위한 약정 계열구조 조정계획'을 체결하면서 모회사인 삼성전자의 지급보증 등이 없이는 신규차입이 불가능한 상황에 있던 이천전기를 계열구조조정 업체로 지정하여 계열기업에서 분리하기로 하였으며, 그와 아울러 개정된 독점규제 및 공정거래에 관한 법률에 의하여 1998. 4. 1.부터 지주회사와 자회사간의 채무보증이 금지됨에 따라 이천전기에 대하여 신용으로 대출을 한 금융기관들은 위 법률이 시행되기 전 채권확보를 위하여 지주회사인 삼성전자에게 위 신용대출금에 대한 채무보증을 요구하자, 삼성전자 이사회는 1998. 3. 26. 300억 원, 1998. 3. 27. 1,170억 원, 1998. 3. 30. 100억 원 등 이천전기의 금융기관에 대한 합계 1,570억 원의 채무에 대하여 지급보증하기로 하는 각 결의를 하였으나, 한빛은행이 1998. 6. 12. 이천전기를 회생불가기업으로 판정하고 퇴출대상기업으로 선정하여 그 동안 투입하였던 자금 등을 모두 회수하는 조치를 취하기로 하여 이천전기가 사실상 부도상태에 처하게 되고, 따라서 삼성전자가 지급보증인으로서 이천전기의 채무를 변제하지 않으면 안 될 사정에 이르자, 삼성전자 이사회는 이천전기에 대한 지

---

142) 대법원 2005.10.28. 2003다69638 및 그 원심인 서울고등법원 2003.11.20. 2002나6595.

급보증채무를 변제하기 위한 방편으로 1998. 7. 28. 197억 원, 1998. 8. 11. 641억 원, 1998. 8. 25. 400억 원, 1998. 9. 5. 471억 원 등 합계 1,709억 원에 이르는 이천전기의 신주를 인수하기로 하는 각 결의를 한 후 인수함으로써 출자를 하였던 사안),

당시의 '금융기관의신용정보교환및관리규약'에 의하여 비상장법인의 과점주주 중 부도처리된 회사에 대하여 주식을 가장 많이 소유하거나 출자를 가장 많이 한 자는 그 부도처리된 회사와 함께 관련인으로서 적색거래처로 분류되어 신규 여신 취급중단, 당좌예금 개설금지 및 당좌예금 거래의 해지, 기존 여신에 대한 채권보전조치 및 채권회수조치 강구 등과 같은 금융제재를 받게 되어 있었으므로, 삼성전자 이사회의 위와 같은 각 지급보증결의와 그에 따른 각 출자결의는 이천전기의 부도로 인하여 삼성전자까지 거래은행으로부터 적색거래처로 분류되는 것을 피하기 위한 불가피한 조치였다고 할 것이고, 삼성전자의 실무자들로 하여금 이천전기의 경영정상화를 위한 계획을 수립하게 하고, 재무구조 개선을 위한 자본충실화에도 불구하고 예상치 못하였던 소위 IMF 사태로 인하여 부득이 이천전기가 퇴출기업으로 지정된 사정을 추가하여 보면, 위 지급보증결의와 추가 출자결의는 삼성전자의 이사들이 당시의 상황에서 경영상의 판단에 관한 재량의 범위 내에서 이루어진 합리적인 결정이라고 보아야 한다고 판시하였다.

(다) 종합금융회사 이사가 신용상태가 다소 불안정한 회사에 대해 합리적인
  채권보전조치를 취하고 대출한 경우[143]

피고들은 고려종합금융의 대표이사, 이사들이고, 구 종합금융회사에 관한 법률 제16조 및 고려종합금융의 적격업체 심사규정 제4조, 제23조의 각 규정에 의하면, 종합금융회사가 여신업무를 취급할 때에는 거래 상대방의 신용상태 및 자산의 건전성 등을 확인하여야 하고, 기업체로부터 징구하는 정기 및 수시 보고자료와 모든 정보에 의거하여 고려종합금융의 채권보전상 한도감액 또는 채권보전조건을 강화할 필요가 있는 경우에는 사장의 승인을 얻어 지체 없이 거래조건을 변경하도록 규정되어 있는데, 고려종합금융은 피고들이 참여한 이사회의 결의를 거친 후 1995. 10. 4. 코리아팩에게 30억 원, 1996. 5. 21. 서륭에게 50억 원, 부라운제화에게 30억 원을 각 한도로 신용을 공여하였고, 1994. 6. 14. 가원에게는 15억 원을 한도로 신용을 공여하였다가 1996. 4. 23. 그 한도를 35

---

143) 대법원 2005.1.14. 2004다34349.

억 원으로 20억 원 증액하였고, 같은 해 5. 14. 다시 한도를 40억 원으로 5억
원 증액하였으며, 1997. 1. 14. 한도를 50억 원으로 10억 원 증액하였는데, 서
륭은 1998. 2. 3., 부라운제화는 같은 달 10., 코리아팩은 같은 해 10. 13., 가원
은 같은 해 6. 24. 각 부도가 발생하였고, 이에 고려종합금융은 35억 원을 회수
하지 못하는 손해를 입었던 사안에서,

종합금융회사가 대출적격업체를 선정하고 대출한도를 정하여 여신을 공여하
는 금융거래 형태는 기업체의 신속한 단기 자금 조달을 위하여 대출 만기일 또
는 할인금액 등에 대한 의사결정이 수시로 빈번하게 이루어져야 하는 필요에 따
라 그 운용기관인 종합금융회사의 특성을 감안하여 도입된 것으로서, 당해 기업
체에 대한 신용공여 한도를 정하여 그 범위 내에서 그때그때의 사정에 따라 할
인 취급을 시행하게 되는 것이라고 할 것이므로, 설사 대출을 받는 회사의 신용
상태가 불량하다고 하더라도 대출을 실시함에 있어 자력 있는 연대보증인의 입
보, 가치 있는 담보물의 설정 등 합리적인 범위에서 채권보전의 조치를 취하였
다면, 대출로 인하여 손해가 발생한 경우라도 단순히 경영상 판단을 잘못한 경
우로 볼 것이지 임무를 해태한 것으로 보기 어렵다고 판시하였다.

(라) 생명보험회사 이사가 단체보험을 유치하는 과정에서 수익증권을 매입·
    매각한 행위는 경영자로서의 합리적 선택[144]

피고들은 국제생명보험('국제생명')의 회장 겸 대표이사, 자산운용 상무이사,

---

144) 대법원 2004.9.13. 2003다67762. 그러나 이와 사실관계가 유사한 사건에서 대법원 2005.
    7.15. 2004다34929은 법령에 위반한 행위에 대해서는 이사가 임무를 수행함에 있어서 선
    관주의의무를 위반하여 임무 해태로 인한 손해배상책임이 문제되는 경우에 고려될 수 있는
    경영판단의 원칙은 적용될 여지가 없다는 전제 하에, "구 보험업법 제156조 제1항 제4호는
    보험계약의 체결 또는 모집에 종사하는 자는 그 체결 또는 모집에 관하여 보험계약자 또는
    피보험업자에 대하여 특별한 이익의 제공을 약속하거나 보험료의 할인 기타 특별한 이익을
    제공하는 행위를 금지하고, 제218조 제5호는 위 규정에 위반한 자에 대하여 형벌을 부과하
    고 있는데, 피고가 조선생명보험의 임원으로서 보험계약의 유치를 위하여 보험계약자가 발
    행한 회사채를 유통금리보다 싼 표면금리에 의하여 매입하였다면, 이는 실질적으로 보험계
    약자에게 보험료를 할인하여 주는 것과 동일하여 위 보험업법에서 금지하고 있는 특별한
    이익을 제공하는 행위에 해당된다고 할 것이므로, 피고로서는 위 법규정 위반으로 인하여
    회사가 입은 손해를 배상할 책임이 있다. 따라서 피고가 위와 같은 법규정 위반행위에 대
    해서까지 경영판단의 원칙을 적용하여 선관주의의무를 해태하지 않았음을 사유로 원고의
    청구를 배척한 원심의 판단에는 상법 제399조의 이사의 손해배상책임에 관한 법리를 오해
    한 잘못이 있다. 그러나 기록에 의하면, 피고가 회사의 누적된 적자와 IMF 금융위기 이후
    의 급증한 보험계약의 해지 등으로 인해 유동성 부족 상태가 매우 심각한 상태에서 회사의
    유동성 부족을 해소하기 위하여 위와 같은 방법으로 단체보험계약을 유치하지 않을 수 없
    었고, 이러한 방법으로라도 회사의 유동성 부족을 해소하지 아니하였다면 IMF 금융위기

기업영업담당 상무이사, 영업기획·영업관리담당 상무이사로 재직하다가 퇴직하
였는데, 1988년 이후 세계무역기구 등의 국내 금융시장 개방압력과 자본 자유화
의 진전에 따라 6개에 불과하던 생명보험회사가 33개 이상으로 증가되었고, 기
존 금융기관에서도 생명보험상품을 판매할 수 있게 되자, 생명보험회사들의 시
장점유율을 높이기 위한 출혈경쟁이 심화되어 1995년경부터 국제생명의 수지상
황이 악화되어 유동성 부족의 위기가 계속되었고, 1997년 하반기부터는 경기가
급속히 악화되면서 외환위기로 인한 IMF 관리체제 이후 보험계약의 대량 해약
사태로 인한 지급보험금의 급증 등으로 인하여 국제생명의 유동성 부족상황은
줄곧 악화되어 왔으며(보험감독원장은 1997. 12. 29. 위와 같은 경제환경의 악화와
금융시장의 불안으로 시중금리가 상승함에 따라 보험계약자의 보험계약 해약 요구가
증가할 우려가 있자, 각 생명보험회사에 대하여 보험계약자에 대한 보험금 및 환급금
지급에 차질이 없도록 현금화가 용이한 자산의 보유규모를 확대하는 등 유동성 확보에
만전을 기하여 달라는 내용의 공문을 보냈다), 국제생명의 만성적인 유동성 부족
현상에 대하여, 증자를 통한 자금조달이나 신규 보험유치에 의한 자금조달이 대
주주들의 거부 또는 경기불황으로 인하여 불가능해지거나 곤란해지자, 당시 피
고들은 유동성 확보를 위하여, ① 국제생명이 금융기관으로부터 개발신탁 및
CD(양도성 정기예금)를 매입한 후 이 매입 유가증권을 같은 날 증권회사에 할인
매각하고, 금융기관은 보험계약자의 신용을 평가하여 융자를 해주며, 보험계약자
는 국제생명과 보험계약을 체결하는 과정을 거치거나, ② 국제생명이 사모사채
및 CP(무담보 기업어음)의 발행사로부터 이를 인수한 후 같은 날 인수한 위 유가
증권을 증권회사에 할인매각을 하며, 위 유가증권 발행사는 보험계약자가 되어
국제생명과 보험계약을 체결하는 과정을 거치는 방법으로 자금을 조달하기로 하

이후 급증한 보험계약의 해지에 따른 보험료환급요청에 대처할 수 없어 곧바로 파산되는
등의 위기에 직면하였을 터인데 피고의 위와 같은 행위로 말미암아 이를 면할 수 있었다는
사정을 알 수 있는데, 이러한 사정을 감안하면 피고의 위와 같은 채무불이행에도 불구하고
회사에 단체보험계약자들이 발행한 회사채의 매각손실 이상의 무형의 이익을 가져왔다고
볼 여지가 충분하고, 따라서 피고의 행위로 회사에 어떠한 손해도 입힌 것이 아니어서 결
국 피고의 손해배상책임을 배척한 원심판단은 정당하다."고 판시하여, 결론에 있어서는 동
일하지만 그 이유를 약간 다르게 설시하고 있다. 대법원 2006.7.6. 2004다8272도 같은 취
지로 판시하고 있다. 그러나 손익상계의 대상이 되는 이익과 관련하여 엄격한 태도를 취하
는 기존 판례의 태도에 비추어 볼 때, 위와 같은 '무형의 이익'을 법령위반행위와 법률상
상당인과관계가 있는 이익으로 볼 수 있을지에 대해 약간 의문을 표시하는 견해도 있다.
윤영신, 전게논문, 782면.

여, 국제생명은 1996. 4. 1.부터 1998. 8. 10.까지 대우전자 등 27개 업체('단체보험 계약자들')로부터 종업원 퇴직보험 등 단체보험을 유치하면서, 단체보험 계약자들과 협의된 은행 등 금융기관으로부터 개발신탁수익증권 등 유가증권 110건 합계 8,997억 원 상당을 시장금리보다 낮은 표준금리로 매입한 후 이를 당일 시장금리로 다시 매각처분하였는데, 이로 인해 국제생명이 입은 매각손실액은 170억 원이었으나, 반면에 이와 같은 방법으로 단체보험 계약자들과 단체보험계약을 체결하여 국제생명이 지급 받은 보험료는 2,416억 원에 이르렀고, 그럼에도 국제생명은 계속된 적자와 유동성 부족의 심화로 인하여 결국 재정적 파탄상태에 이르게 된 사안에서,

　피고들이 임원으로 재직하면서 대우전자 등 27개 업체로부터 종업원 퇴직적립보험 등 단체보험을 유치하면서 단체보험 계약자들과 협의된 은행 등 금융기관으로부터 개발신탁수익증권 등 유가증권 8,997억 원 상당을 시장금리보다 낮은 표준금리로 매입한 후 이를 당일 매입금리보다 높은 시장금리로 다시 매각·처분함으로써 국제생명에 170억 원 상당의 매각손실을 발생시킨 것은 사실이나, 당시 국제생명은 누적된 적자와 유동성 부족으로 곤경을 겪고 있었고, 금융기관으로부터의 대출 등을 통한 자금조달이나 신규 보험유치에 의한 자금조달 역시 곤란하였으며, 증자를 통한 자금조달 역시 대주주의 거부로 불가능하였던 점, 피고들로서는 국제생명의 유동성 부족 현상을 해소하기 위하여, 국제생명이 매입금리보다 높은 시장금리로 유가증권 등을 금융기관에게 매도하여 금융기관이 자금을 조달할 수 있도록 하고 금융기관은 단체보험 계약자들에게 금융대출을 하여 단체보험 계약자들 역시 자금을 조달할 수 있도록 하며 국제생명은 다시 단체보험 계약자들과 단체보험계약을 체결하여 보험금을 지급받음으로써 자금을 조달하는 방법을 취할 수밖에 없었고, 이로 인하여 국제생명에 발생하게 된 매각손실은 유동성 부족 상태를 해소하기 위한 불가피한 조치였다고 보이는 점, 위와 같은 유가증권 거래로 인한 매각손실의 실질은 위와 같은 방법으로 유치한 단체보험계약의 보험료를 통해 국제생명이 조달한 자금에 대한 이자나 비용으로 볼 수 있는 점, 위와 같은 유가증권 거래로 인한 매각손실은 170억 원임에 반하여 이로 인한 단체보험 유치를 통해 국제생명이 조달한 자금은 2,416억 원에 이른 점, 종업원 퇴직적립보험의 경우 종업원들의 입사일부터 계약시점까지 근무한 기간에 대한 보험료는 조정보험료로서 일시납을 원칙으로 하므로 보험금

액수에 비하여 큰 규모의 금액이 일시에 유입되는 효과가 있고, 개인보험을 위와 같은 규모로 유치할 경우에 예상되는 보험모집인의 수, 그들에게 지급하여야할 급여 및 수당 등에 비추어 단체보험을 유치함으로써 얻을 수 있는 수익성이나 유동성 개선 효과가 현저한 점, 이와 같이 조달한 2,416억 원은 1996. 4. 1.부터 1998. 3. 31.까지 2년간 국제생명이 취득한 보험료 액수의 28%에 이르는점, 국제생명이 거래한 유가증권들은 증권거래법상의 유가증권이거나 양도성예금증서 등으로서 안정성이 높아 매수 당일 매각하는 경우 손실이나 운용 위험의예측이 용이한 점 등에 비추어, 위와 같은 유가증권 거래 행위로 인해 매각손실이 발생하였다는 사실만으로 당시 국제생명에 실질적인 손해가 발생하였다고 보기 어렵고, 피고들이 선량한 관리자로서의 주의의무를 다하지 못하고 국제생명의 경영자로서 요구되는 합리적 선택의 범위를 벗어나 업무를 집행함으로써 국제생명에 실질적인 손해를 발생시켰다고 볼 수도 없다고 판시하였다.

(마) 전기통신공사 이사가 주식매각대금을 정보통신진흥기금에 증여한 것은 정당한 경영권 행사[145]

피고들은 한국전기통신공사의 이사들인데, 한국전기통신공사는 구 전기통신사업법 부칙 제6조 제3항에 따라 1993. 12. 9.까지 한국이동통신 주식 중 3분의 1을 초과하는 170만주를 매각할 계획이었고, 체신부가 1993. 12. 30. 정부의 공기업민영화정책에 따라 한국전기통신공사에게 그 전체 보유 주식 중 20%를 초과하는 주식 전량을 매각하도록 지시하였으며, 한국전기통신공사는 초과 매도되는 주식의 매각대금을 예산에 반영하지 못하였고, 당초 예상했던 주가보다 1주당 213,929원 비싸게 매각됨으로써 당초 예산에서 예상한 2,309억 원보다 4,989억 원이 초과된 7,298억 원의 특별이익이 발생하였으며, 이에 한국전기통신공사는 1994. 6. 24. 이사회를 개최하여 초과한 이익을 포함시켜 예비비를 당초의 1,160억 원에서 5,111억 원으로 증액하는 예산변경(안)을 의결하였고, 1994. 12. 19. 이사회를 개최하여 위와 같이 예비비에 편성된 예산을 정관 제36조 제1항에 따라 정보통신진흥기금('기금')에 출연하도록 의결하였고, 한편 대한민국 정부는 정보통신산업이 향후 국가기반산업으로서 국가발전의 핵심적 역할을 할 것으로 예상하여 1993. 5.경 기금의 지원규모를 대폭 확대하는 내용의 중

---

145) 대법원 2002.8.23. 2002다2195.

장기발전계획을 수립한 다음, 같은 해 9. 23.자 국무회의에서 한국전기통신공사
가 보유 중인 한국이동통신 주식 170만주의 매각대금 중 850억 원을 1994년도
기금의 재원으로, 1994. 9. 26.자 국무회의에서 주식 매각대금 초과수입 1,037
억 원을 1995년도 기금의 재원으로 각 출연하도록 의결하였는데, 체신부장관은
1996년도 1,675억 원, 1997년도 1,247억 원 등 2개 년간 총 2,922억 원 상당의
기금 재원을 조달하기가 어려울 것으로 예상하여 1994. 12. 6. 추가 소요재원의
안정적인 확보를 위하여 이미 확정된 1,887억 원 외에 위 주식매각대금 초과분
중에서 기금으로 추가 전입가능한 2,409억 원을 합한 총 4,296억 원을 기금으
로 일괄 출연하여 줄 것을 한국전기통신공사에 요청하였고, 이에 한국전기통신
공사는 이사회를 개최하여 출연요청액 중 4,096억 원을 출연하기로 의결하여 집
행하였으며, 기금은 한국전기통신공사의 출연금을 주요 재원으로 하여 정보통신
분야 연구개발에 집중 투자되었고, 그 결과 전전자교환기(TDX), 메모리반도체,
광전송장치, CDMA 이동통신 등의 분야에서 세계적인 수준의 기술을 확보하여
정보통신산업의 수출산업화를 실현하였고, 정보통신 인력양성지원과 표준화사업
지원을 통해 정보통신 서비스 산업의 발전은 물론 국가사회 정보화촉진 등에 크
게 기여한 사안에서,

　위 출연행위는 대한민국만의 이익을 위한 일방적인 증여 내지 배당이라기보
다는 정보통신기술 및 인프라의 보급·발전을 통하여 한국전기통신공사의 사업
기반구축과 경쟁력 확보를 도모하고, 나아가 한국전기통신공사의 설립목적 중
하나인 정보통신기술의 진흥에 이바지하기 위한 것으로 봄이 상당하므로, 한국
전기통신공사의 이사이었던 피고들이 법령과 정관에 따라 이사로서의 재량권 행
사의 범위를 일탈함이 없이 정당하게 경영권을 행사한 것으로 봄이 타당하다고
판시하였다.

　(바) 이사가 중소기업체에게 신용조사 없이 대출하였지만 대출규정에 따른
　　　경우146)

　피고는 동부증권의 대표이사로서 신용대출업무를 총괄하였고, 동부증권은 단
기금융업법에서 정한 단기금융업자로서 채권보존방법에 관하여 어음거래에 의한
무담보거래가 원칙이고, 부득이한 경우 부동산담보 외에 다른 적절한 조치를 강

---

146) 대법원 1996.12.23. 96다30465, 30472.

구하도록 되어 있는데, 동부증권의 대출규정에 의하면, 계속적인 대출거래업체에 대하여는 사전에 신용조사를 거쳐야 하도록 되어 있으나 1회적인 대출의 경우에는 동부증권 자체의 신용조사를 거치지 아니하고 다른 신용할 수 있는 은행 기타 금융기관의 평점을 원용하여 취급할 수 있도록 되어 있고, 상업어음할인 및 재할인취급세칙에 의하면, 기업체 종합평가표의 종합평점이 45점 이상의 중소기업은 거래적격업체로 될 수 있는데, 서울신탁은행에서의 버거잭코리아에 대한 1988. 7. 13.경 기업체 종합평가표상의 종합평점은 68점이었고, 1988. 5. 2. 위 서울신탁은행에서 조사한 신용조사결과에 따르면, 위 버거잭코리아는 1985. 3. 경 식료품제조판매를 목적으로 설립된 회사로 1987년 말경 종업원 112명, 납입자본금 10억 원으로 총 매출액 73억 원의 실적을 올렸고, 직영매장 22개, 가맹점 42개의 판매망을 확보하여, 미8군, 공군기술교육단, 경인지역공단, 서울 및 경기 예비군훈련장 등에 납품을 하고 서울올림픽 양식, 스낵매점 운영업체로 선정되어 향후 신장세가 두드러질 것으로 예상되나, 금융비용의 증가로 경상부분 수익의 저하가 초래되었고 총자본 증가가 외형 신장에 미치지 못하였으며, 단기 차입금의 일부가 고정자산에 투자되어 운영자금의 압박이 다소 있었으나, 동부증권의 대표이사였던 원고는 당시 위 버거잭코리아가 사업전망이 있고 대출금에 대하여 변제능력이 있어 은행으로부터도 신용을 인정받는 중소기업으로 판정하고, 물적 담보 없이 갑만을 연대보증인으로 하여 신용보증으로 1억 원을 대출한 사안에서,

대표이사를 상대로 주식회사에 대한 임무 해태를 내세워 채무불이행으로 인한 손해배상책임을 물음에 있어서는 대표이사의 직무수행상의 채무는 미회수금 손해 등의 결과가 전혀 발생하지 않도록 하여야 할 결과채무가 아니라, 회사의 이익을 위하여 선량한 관리자로서의 주의의무를 가지고 필요하고 적절한 조치를 다해야 할 채무이므로, 회사에게 대출금 중 미회수금 손해가 발생하였다는 결과만을 가지고 곧바로 채무불이행사실을 추정할 수는 없고, 오히려 피고는 회사경영방침이나 경영전략에 따라 자신에게 부여된 포괄적인 위임사무의 권한을 적법하게 행사한 것으로 볼 수 있다고 판시하였다.

⑵ 금융기관의 대출 등 관련

㈎ 상호저축은행의 여신업무 총괄이사가 아파트 건축 사업을 시행하는 아

람종합건설, 홈앤디앤씨, 웰보건설에게 각각 프로젝트 파이낸스 대출(정확히는 다른 금융기관의 PF 대출을 통하여 상환되는 브리지 론 대출) 등을 하였다가 대출금을 회수하지 못하는 손해를 입혔지만, 대출받는 회사의 성장성 및 활동성의 지표인 매출 증가율이 40%에 이르렀고, 적절한 담보권을 설정받거나 대출받는 회사의 대표이사 등의 연대보증을 받았으며, 내부적인 대출심사절차를 거치는 등 그 대출에 대한 의사결정 과정 및 내용이 현저히 불합리하다고 보이지 않은 사안에서,

결과적으로 대출금을 회수하지 못하게 되었다 하더라도, 대출업무를 담당한 금융기관 임원에게 주의의무 위반이 없다고 판시하였다.[147]

(나) 고려종합금융의 이사가 종합금융회사의 업무를 감독하는 지위에 있는 재정경제원장관이 제정한 종합금융회사 업무운용지침을 위반하여 11개 금융기관에 무담보기업어음 합계 805억 7,200만 원을 매출하면서 어음보관통장 속표지에 '어음의 지급을 당사자 보증한다.'는 취지로 보증의 의사표시를 부기하여 매출하였는데, 그 후 위 각 어음의 발행인들이 모두 도산하여 그 어음금을 회수할 수 없게 되는 손해를 입은 사안에서,

당시 종합금융회사들의 수신고 중 약 80%가 무담보어음매출을 통하여 이루어질 정도로 무담보매출어음이 대표적인 금융상품이었고, 1997. 2.경 한보그룹 계열사의 연속적인 부도가 나기 시작하자 대규모 무담보어음 매입처인 은행 신탁부나 투신사에서는 어음발행 회사에 대한 불신으로 종합금융회사에 대하여 보증행위를 본격적으로 강요하였으며, 금융감독원은 매년 종합금융회사에 대한 감사를 실시하면서도 무담보어음의 지급보증에 대한 지적이 없었던 점, 정부는 1997. 11.경 외환위기 및 금융위기로 인한 예금인출 사태를 방지하기 위하여 예금보장방안을 마련하였다가, 종합금융회사 주요 수신상품인 무담보매출어음이 예금보험대상에 포함되지 않는다는 방침이 알려지면서 고객들의 종합금융회사들에 대한 무담보어음 환매요구가 쇄도하는 상황이 발생하자, 1997. 11. 27. 무담보매출어음 환매사태 관련 대책을 수립한 후 각 종합금융회사에 전언통신으로 '무담보매출어음에 대하여 어음보관통장상에 지급보증 문구와 도장을 찍어 주거나 종합금융회사 자체 발행어음 또는 CMA예탁금으로 교체'하도록 지시하기까지

---

[147] 대법원 2011.10.13. 2009다80521. 종합금융회사의 대표이사에게, 기업체에 대한 어음할인 대출을 함에 있어 선량한 관리자로서의 주의의무 내지 충실의무 위반이 없다고 한 사례로는, 대법원 2006.11.9. 2004다41651, 41668 및 그 1심인 대구지방법원 2003.12.9. 2000가합22908, 2002가합3789(병합) 등이 있다.

한 점, 14개 종합금융회사가 영업정지된 이후 그 잔여업무를 처리하기 위하여 정부가 설립한 한아름종합금융 도 위와 같은 현실을 감안하여 1998. 1. 5.부터 예금주가 개인인 경우 무담보매출어음을 일반 예탁금으로 전액 전환한 후 지급한 점, 고려종합금융의 직무전결규정에 의하면 어음의 발행·매출 및 보관어음 관리업무가 부서장인 영업부장의 전결사항으로 되어 있는 점 등에 비추어, 고려종합금융이 무담보어음매출을 하면서 업무운용지침을 위반하여 지급보증을 한 사실만으로 고려종합금융의 대표이사인 피고가 선량한 관리자의 주의의무를 위배하여 임무를 해태하였다고 인정할 수 없다고 판시하였다.[148]

(다) 구 종금사법 제15조 제1항 및 업무운용지침 제23조 제1항은 종합금융회사는 재정경제원장관의 승인을 얻은 경우를 제외하고는 동일인에 대하여 자기자본의 100분의 25를 초과하는 어음의 할인·대출을 할 수 없도록 규정하고 있으나, 업무운용지침 제11조 제3항은 동일인에 대한 여신한도를 규정한 제23조 제1항과는 별도로 무담보어음매출 한도는 적격업체별로 제23조 제1항에서 규정한 한도의 2배를 초과할 수 없다고 규정하고 있는 사실, 1997. 3. 31. 기준 고려종합금융의 동일인에 대한 어음의 할인·대출 한도는 162억 1,700만 원이었는데, 고려종합금융으로부터 어음할인 등으로 여신을 제공받은 회사들의 여신잔액은 기산이 300억 원, 기아자동차가 200억 원, 미도파가 192억 6,200만 원, 해태전자가 230억 원인 사실, 고려종합금융은 기산 등 위 4개 회사에 대한 여신 중 268억 9,400만 원을 회수하지 못하였고, 피고가 고려종합금융의 대표이사로서 위와 같은 어음할인 등에 관여한 사실이 인정되는 사안에서,

우선 종합금융회사가 기업으로부터 어음을 할인·매입하여 무담보로 매출한 무담보매출어음금액은 이를 환매하지 않는 한 업무운용지침 제23조 제1항에서 규정한 동일인에 대한 여신한도에 포함되지 아니하고, 나아가 고려종합금융이 무담보매출어음의 환매를 하는 과정에서 동일인에 대한 여신한도 규정을 위배하게 되었다 하더라도, 이는 유동성 위기가 도래한 1997. 2.경 이후부터 정부의 적극적인 환매유도시책에 따른 것으로서, 금융기관으로서의 공공적 성격에 비추어 피고에게 선량한 관리자로서의 주의의무 위반에 따른 책임을 물을 수 없다고 보아야 한다고 판시하였다.[149]

---

148) 대법원 2005.1.14. 2004다34349.
149) 대법원 2005.1.14. 2004다34349.

(라) 한솔종합금융의 대표이사가 재정경제부장관이 제정한 종합금융회사 업무운용지침("종금사가 무담보어음을 매출하는 때에는 자기 또는 타인이 직접 또는 간접으로 그 지급을 보증하는 내용의 각서 또는 보증서의 교부, 기타 보증을 위한 일체의 행위를 할 수 없다.")에 위반하여 농업협동조합중앙회 등 23개 회사가 발행한 무담보어음 39장 액면 합계 1,261억 원을 매출하면서 위 각 어음의 지급을 보증하는 확약서를 발급하거나 또는 위 어음들의 보관통장 속표지에 '본 통장의 보관어음은 타 금융기관 및 당사가 지급을 보증한 것으로서 당사가 지급책임을 짐'이라는 문언을 기재하여 위 은행들에게 각 교부하였다가 위 각 어음이 발행회사의 부도로 지급거절되어 위 각 은행들에 대하여 위 지급보증확약서 또는 지급보증문언에 따른 보증책임을 지게 될 가능성이 큰 사안에서, 종합금융회사의 주요 거래상대는 위 각 은행들과 같은 금융기관으로 그들에 대한 무담보어음의 매출을 통한 수신액이 총수신액의 70% 내지 80%에 달하며 또한 종합금융회사의 주요 수입원은 무담보어음의 매입·매출로 얻는 수수료인 사실, 그런데 종합금융회사들로부터 무담보어음을 매입하는 금융기관들은 위 업무운용지침상 무담보어음에 대한 지급보증이 금지되어 있음을 알면서도 자신의 편익(종합금융회사의 지급보증을 받아두면 매입어음이 부도나더라도 어음금 상당액을 회수할 수 있다)을 위해 상대적으로 우월한 지위를 이용하여 종합금융회사에 지급보증을 요구해왔던 사실, 종합금융회사들로서는 금융기관이 요구하는 무담보어음에 대한 지급보증을 거부할 경우 금융기관과의 거래가 불가능하게 되어 그 영업기반이 근본적으로 흔들릴 수밖에 없었던 사실, 그리하여 종합금융회사들은 업무운용지침상의 지급보증금지규정에도 불구하고 지급보증확약서를 별도로 발행하거나 또는 어음 보관통장에 지급보증문언을 기재하는 방법 등으로 지급보증을 해왔고, 그와 같은 사정은 피고가 한솔종합금융의 대표이사로 취임하기 전부터 일반적이고도 관행화된 것이었던 사실(그런 사정으로 인해 무담보어음매출 및 그 지급보증은 영업담당임원 내지 영업담당부서장이 전결형태로 처리하였다), 그리고 한보그룹, 삼미그룹의 각 부도와 진로그룹, 대농그룹의 각 부도유예 등 일련의 부도사태로 우리나라의 경제상황이 악화되기 시작한 1997년 이후에는 지급보증 없이는 무담보어음을 매출할 수 없는 지경에까지 이르게 된 사실, 그 때문에 종합금융회사의 업무감독기관인 한국은행 산하 은행감독원은 종합금융회사에 대한 업무감독 등을 통해 종합금융회사들의 무담보어음에 대한 지급보증사실을 적발하고서도 별다른

제재를 가하지 않았을 뿐만 아니라 1997년에 들어서는 신세계종합금융(101억 원 상당의 무담보매출어음 지급보증), 대한종합금융(5,229억 원 상당의 무담보매출어음 지급보증), 엘지종합금융(390억 원 상당의 무담보매출어음 지급보증)의 위반사실을 적발하고서도 위와 같은 거래관행 및 당시의 경제사정을 고려하여 그 거래액수 등에 비하여 상당히 경미한 '주의'조치만을 내렸을 뿐인 사실, 한솔종합금융을 포함하여 업무정지명령을 받은 종합금융회사들의 업무 및 재산관리인으로 선임된 신용관리기금은 1997. 12. 2.경 종합금융회사들에게 보낸 주요조치사항에서 기존에 지급보증을 한 어음의 만기가 도래하여 그 만기를 연장할 경우에는 종전과 동일하게 보증사항을 표시해 줄 수 있다는 방침을 통지하는 등 사실상 무담보어음의 지급보증을 용인한 사실, 피고를 포함한 한솔종합금융 임원들의 직무집행이 정지된 1997. 12. 2. 이후에도 일부 어음에 대하여 한솔종합금융의 지급보증이 이루어진 사실 등이 인정되는 사안에서,

무담보어음의 거래에서 매수인이 될 은행 등 금융기관이 항상 매도인의 지급보증을 요구하고 있어 이러한 요청을 거부할 경우 한솔종합금융의 영업에서 상당한 비중을 차지하는 무담보어음의 매출이 사실상 불가능하게 됨으로써 결국 영업기반이 근본적으로 흔들릴 수밖에 없는 상황이었으므로 한솔종합금융이 위와 같은 지급보증을 하지 않을 것을 기대하기 어려운 측면이 있는 점, 종합금융회사에 대한 감독 업무를 수행하던 은행감독원 등도 이러한 거래관행을 고려하여 위와 같은 지급보증행위를 적발하고서도 크게 문제삼지 않고 사실상 용인하여 왔던 점, 피고 역시 당시의 거래관행에 따라 위 각 어음에 대한 지급보증을 묵인한 것으로 보이는 점 등 제반 사정에 비추어 보면, 업무운용지침 제11조 제1항을 위반하였다는 점만을 들어 피고에게 제399조 제1항 소정의 법령위반 내지 임무 해태의 행위가 있었다고 볼 수 없다고 판시하였다.[150]

(마) 한솔종합금융의 서울본부 영업이사로서 위 회사의 무담보어음의 매입·매출 등 단기금융업무를 전담하던 피고가 재정경제부장관이 제정한 종합금융회사 업무운용지침, 즉 종합금융회사는 재정경제원장관의 승인을 얻은 경우를 제외하고는 동일인에 대하여 자기자본의 100분의 25를 초과하는 어음의 할인·대출을 할 수 없다는 규정에 위반하여 기산에 대한 할인어음 보유잔액과 무담보어

---

150) 대법원 2005.1.14. 2004다8951. 대법원 2005.1.14. 2004다34349; 2005.1.14. 2003다51835; 2004.9.24. 2004다3796도 같은 취지이다.

이사의 회사에 대한 손해배상책임(구회근) 989

음 매출잔액이 동일인에 대한 여신한도를 초과하게 된 사안에서,

한솔종합금융은 기아그룹 계열사들이 부도유예협약 대상기업으로 선정된 1997. 7. 15.경까지 기산에 대하여 동일인에 대한 여신한도 내에서 어음할인·대출거래를 하고 있었고, 기아그룹의 부도위험에 따라 기산에 대한 여신을 회수하려고 하였으나, 정부의 적극적인 개입에 따라 기산이 부도유예협약 대상기업으로 선정되면서 그 여신회수가 불가능하게 되었으며, 그 후 정부가 기아그룹 및 한라그룹 등의 회생을 위해 종합금융회사 업무운용지침 등을 개정하면서 한솔종합금융 등 종합금융회사로 하여금 기아그룹 및 한라그룹 계열사에 대한 추가적인 여신제공을 독촉하였고, 한솔종합금융으로서도 이미 기산 등에 대하여 막대한 여신을 보유하고 있는 상태에서 더 이상의 자금지원을 중단하여 기존의 여신을 포기하기보다는 정부의 정책을 믿고 추가적으로 자금지원을 계속하여 기산 등의 부도를 막고 경영상태가 좋아지기를 기대하는 것이 낫다고 판단하여 추가로 여신제공을 하게 된 것으로 보이며, 한솔종합금융이 무담보매출어음에 대해 환매를 하게 된 것도 정부가 당시 기산 등 발행의 어음을 소지하고 있던 중소기업 등의 연쇄부도를 우려하여 적극적으로 업무운용지침을 개정하면서 한솔종합금융 등 종합금융회사로 하여금 적극적으로 환매를 하도록 유도함에 따른 것이고, 한솔종합금융은 환매로 인하여 보유하게 된 어음 등을 어음관리계좌로 편입하여 운영함으로써 개정된 업무운용지침 제23조 제6항에 의하여 동일인에 대한 여신한도 초과상태를 해소하였으므로, 이와 같은 한솔종합금융의 기산에 대한 여신규모 확대 원인, 무담보매출어음의 환매 경위, 당시 IMF 체제라는 경제위기 상황에서 정부를 믿고 그 정책에 따를 수밖에 없었던 점 등 당시의 구체적인 사정에 비추어 볼 때, 한솔종합금융이 동일인에 대한 여신한도를 초과하여 이 사건 어음들을 환매하였다거나 신용미달등급 어음들을 할인해 주었다는 이유만으로 피고가 법령 또는 선량한 관리자의 주의의무에 위반하여 자신의 임무를 해태한 것으로는 볼 수 없다고 판시하였다.[151]

(바) 신한상호신용금고의 대표이사가 유성건설에게 토지와 대지를 담보로 제공받고, 유성건설의 대표이사인 갑, 을의 연대보증 하에 7억 원의 대출하였고, 위 회사의 조사자는 토지의 담보가치를 373,750,000원으로, 대지의 담보가치를

---

151) 대법원 2005.1.14. 2004다8951. 대법원 2005.1.14. 2004다34349도 유사한 사례에 대하여 같은 취지로 판시하고 있다.

113,299,000원으로 각 평가하고, 유성건설의 공사수주현황, 매출액 등을 감안할 때 대출 후 불입이 무난할 것이며, 보증인 을도 신한건기 이사로 재직하고 있는 자로서 재력이 충분하다는 의견을 제시하였으며, 추가로 유성건설에게 담보로 제공받고, 남경건설 , 갑, 병, 정의 연대보증 하에 260,000,000원을 대출하였는데, 토지에 대한 경매절차에서 아무런 배당을 받지 못하였고, 대지에 관한 근저당권설정계약 해지를 조건으로 유성건설로부터 153,500,000원을 회수하는 등 일부 대출금만을 변제받은 사안에서,

유성건설이 1994년부터 1996년까지 연속 3년간 당기순손실을 기록하여 1996년 말 현재 4억 7,000만 원의 자기자본 잠식 상태에 있는 재무구조가 불량한 업체로써 대출규정에서 말하는 '자산, 신용이 확실한 자'에 해당한다고 볼 수 없으므로 대출금에 비하여 담보가치가 낮은 부동산을 담보로 하여 유성건설에게 신용대출을 해주기 위해서는 신용보증기금의 신용보증서를 제출받았어야 하는지 여부와 관련하여, 비록 유성건설에게 대출할 당시 유성건설이 1994년부터 1996년까지 3년 연속 당기순이익에 있어서 적자를 기록하고 있었던 것은 사실이나, 유성건설의 총 매출액이 1996년도에 77억 원에 이르는 등 꾸준한 성장세에 있었던 점, 유성건설에 대한 대출과 관련하여 제1토지, 제2대지 및 건물 등을 담보로 취득하였고, 유성건설의 대표이사인 갑을 비롯하여 재력이 충분하다고 평가된 을, 병, 정, 남경건설 을 연대보증인으로 세운 점 등에 비추어 보면, 위와 같은 사실만으로는 유성건설이 신용대출의 대상인 '자산, 신용이 확실한 자'에 해당하지 않는다고 볼 수 없다고 판시하였다.[152)]

(3) 명목상 이사에 대하여 임무를 게을리한 책임이 없다고 한 사례

(가) 상호신용금고의 명목상 이사(대출 관련)[153)]

갑은 원주상호신용금고의 대표이사이고, 을은 갑의 동생으로서 위 금고의 전무이며, 위 금고의 지분은 갑이 80.5%, 을이 19.5%를 소유하고 있는데, 피고는 갑의 사위로서 1998. 2. 9. 창립총회에서 이사로 선임되고 1998. 2. 27. 위 금고(주식회사) 설립등기 시 이사로 등기되었고, 상호신용금고법에 따르면, 상호신용금고의 출자자 및 임·직원은 상호신용금고로부터 대출을 받을 수 없는데도

---

152) 대법원 2003.4.11. 2002다61378.
153) 서울고등법원 2002.4.18. 2001나12777(확정).

불구하고, 갑은 타인의 대출신청서를 위조하는 등의 방법으로 59회에 걸쳐 총 101억 2,280만 원을 대출받아 임의로 사용하였고, 을도 같은 방법으로 25회에 걸쳐 총 40억 3,300만 원, 병과 함께 같은 방법으로 141회에 총 70억 7,500만 원을 대출받아 임의로 사용하였고, 한편 피고는 직업이 의사로서 서울에 거주하면서 서울에 있는 병원에 근무하였고, 1998. 2.경 위 금고의 설립 당시 주식회사를 설립함에 있어 법률상 요구되는 이사 정원은 3인 이상이어서 갑, 을은 자신들 외에 이사가 될 사람이 더 필요하게 되자, 피고에게 단지 명목상으로 이사가 되어줄 것을 부탁하였고, 피고는 그 부탁을 받아들여 이사로 취임하였으며, 피고는 위 금고의 이사가 되긴 하였지만, 실제로 이사회에 참석하거나 기타 일체의 경영에 관여하지 않는 등 이사로서의 활동을 전혀 하지 않았고, 위 금고 역시 피고에게 이사회에의 참석통지를 하거나 보수나 수당 등 일체의 재산적 급부를 지급한 바가 없으며, 이사회 회의록 등 피고의 인장 날인이 필요한 문서를 작성함에 있어서는 갑이 피고의 인장을 임의로 사용하여 이를 작성하였고, 갑은 평일에는 위 금고가 위치한 원주에서 지내다가 주말에는 피고와 같은 빌라의 위층에서 지내곤 하였던 사안에서,

피고는 이사회에 한 번도 출석하지 않았으나, 갑, 을이 그 업무를 집행한 각종 (불법)대출에 관한 사항이 이사회의 결의에 따른 것이라는 아무런 증거가 없는 이상 이사회에의 불출석 그 자체만을 이유로 위 불법대출과 관련하여 이사로서의 감시의무를 위반하였다고 볼 수는 없고, 또한 불법대출 당사자인 갑과 피고가 장인과 사위의 관계이고, 주말에는 쉽게 만날 수 있을 정도로 가까이 지내고 있으며, 또한 불법대출이 상당히 오랜 동안 지속적으로 반복되었던 사정이 인정되기는 하나, 반면 피고는 전업의사로서 단지 형식적으로만 위 금고의 이사로 등기부에 등재되어 있을 뿐이고 처음부터 위 금고의 경영과정에서 일체 배제되어 왔던 점 등에 비추어 보면, 위와 같은 사정만으로는 피고에게 있어서 업무집행담당이사인 갑, 을의 업무집행이 위법하다고 의심할 만한 사유가 있었다고 보기도 어렵다고 판시하였다.[154]

---

[154] 그러나 위 판결과 같은 사안에서 명목상 이사인 피고에게 임무를 게을리한 부분이 없는지는 한 번 검토해 볼 필요가 있다. 주식회사의 이사는 이사회의 구성원으로서 회사 내에서 중요한 위치를 차지하고 있고 그에 따라 선관주의의무, 충실의무, 감시의무 등 여러 가지 의무를 부담하고 있다. 그리고 1998. 12. 28. 개정되기 전의 제383조 제1항은 "주식회사의 이사는 3명 이상이어야 한다."고 규정하여, 대표이사가 독단적으로 회사를 운영하지 못하도

(나) 신용협동조합의 명목상 이사(대출 관련)[155]

피고들은 모두 1996. 4. 1. 신용협동조합의 이사로 취임하여 비상임 이사로 근무하였고, 1998. 6. 9. 개최된 신용협동조합의 긴급이사회에 모두 참석하여, 의안으로 상정된 '갑으로부터 13억 원의 예금을 유치하는 조건으로 제3자에게 5억 원을 일반 대출하도록 하는 안건'이 승인 가결되었으며, 이에 따라 신용협동조합이 1998. 6.17. 을 명의로 2억 5,000만 원, 1998. 6. 30. 병 명의로 2억 5,000만 원을 각각 대출하여 주었는데, 그 후 위 대출금을 모두 회수하지 못하는 손해를 입었고, 한편 신용협동조합의 여신세칙에는 조합원 1인에 대한 대출한도는 1억 5,000만 원을 초과할 수 없고, 신용대출의 경우 그 한도액이 5,000만 원을 초과할 수 없는데 이를 초과하는 경우 부동산 담보를 제공받은 후 실행하여야 하고 부동산 담보대출의 경우에도 담보로 제공된 부동산 감정평가액의 70% 이내에서만 대출을 실행하도록 규정되어 있는 사안에서,

피고들이 긴급이사회에서 동일인 대출 한도액을 초과하는 의안에 대해 찬성

록 나머지 이사들로 하여금 감시의무 등을 제대로 이행할 것을 예정하고 있었다. 또한 명목상의 대표이사의 임무 해태와 관련하여, 판례는, "무릇 대표이사란 대외적으로 회사를 대표하고 대내적으로 업무집행을 총괄하여 지휘하는 직무와 권한을 갖는 기관으로서, 선량한 관리자의 주의로써 회사를 위해 충실하게 그 직무를 집행하고, 회사업무의 전반에 걸쳐 관심을 기울여야 할 의무를 지는 자라 할 것이므로, 대표이사가 타인에게 회사업무 일체를 맡긴 채 자신의 업무집행에 아무런 관심도 두지 아니하여 급기야 부정행위 내지 임무 해태를 간과함에 이른 경우에는 악의 또는 중대한 과실에 의하여 그 임무를 소홀히 한 것이라고 봄이 상당하다."고 판시하고 있다(대법원 2003.4.11. 2002다70044). 더욱이 우리나라는 1997년 외환위기 직후 지배주주의 전횡을 막고 기업 경영의 투명성을 높이자는 뜻에서 상장회사의 사외이사 제도를 도입하였는데, 만약 그 사외이사가 명목상의 사외이사에 불과하여 도장을 회사에 맡겨 놓은 채 이사회에 전혀 출석하지 않고 회사의 위법한 업무집행을 방임하여 그 결과 회사에 손해가 발생한 경우에도 그 사외이사에게 아무런 임무 해태가 없다고 보아야 할 것인지는 의문이다. 이사 스스로 '이사'라는 직위에 취임하는 것을 승낙한 이상 그 임무 해태로 인한 손해배상책임을 논함에 있어 이사가 회사로부터 보수를 받았는지, 얼마를 받았는지 여부는 중요하지 않다고 본다.

이에 따라 대법원은, 앞서 본 바와 같이 "대표이사나 이사가 대표이사 또는 이사로서의 업무 일체를 다른 이사 등에게 위임하고, 대표이사나 이사로서의 직무를 전혀 집행하지 않는 것은 그 자체가 이사의 직무상 충실 및 선관의무를 위반하는 행위에 해당한다."고 판시하고 있다(대법원 2009.5.14. 2008다94097; 2007.12.13. 2007다60080; 2006.9.8. 2006다21880; 2003.4.11. 2002다70044).

다만 이사가 명목상 이사가 아니고 평소에는 제대로 이사회에 출석하여 의결권을 행사하는 등 이사로서의 임무를 수행하다가 특별한 사정으로 특정 이사회 결의에만 참석하지 못하였는데, 결과적으로 위와 같이 결의에 참여하지 못한 이사회 결의로 인하여 회사에 손해가 발생한 경우에는 이와 달리 볼 여지가 있다.

155) 서울고등법원 2002.10.10. 2002나2135(확정).

하는 의사표시를 한 사실은 인정되나, 피고들은 각자 농업, 상업 등의 생업에 종사하는 사람들로서 금융기관의 업무에 대해 경험이나 지식이 전혀 없었고, 평소 알고 지내던 신용협동조합의 상무 정의 권유에 따라 비상임 이사로 취임하게 된 점, 피고들은 비상임 이사로서 실제로 출근하거나 사무실 등을 제공받지 않은 것은 물론 어떠한 보수나 수당 등의 금품을 받은 적은 없었고, 단지 상무로 근무하던 정으로부터 가끔씩 여건이 허락되면 이사회에 참석해 달라는 통보를 받고 이사회에 출석하여 정으로부터 안건을 설명들은 후 이를 가결시키는데 의례적·소극적으로 동의하여 왔던 점, 신용협동조합의 상무인 정은 자신이 알고 있던 지인들인 피고들을 이사로 영입한 후 실제로는 독자적으로 신용협동조합의 업무를 전부 관장하면서 사실상 자신의 의도대로 이사회를 이끌어 왔고, 위 의안이 상정된 긴급이사회 역시 이러한 분위기 속에서 진행된 점, 위 의안에 대한 찬성 여부를 토의할 때 피고들은 신용협동조합이 5억 원의 대출을 실행하기 전에 13억 원 가량의 정기예금을 먼저 유치하여야 하고 부동산 담보도 제공받아야 한다는 내용으로 위 안건을 승인하였는데, 그 후 실제로 상당한 금액의 정기예금이 유치되었고, 비록 담보가치가 충분하지는 아니하였으나 대출 명의자 소유의 부동산도 담보로 제공된 점 등을 종합하여 보면, 피고들이 이사로서 그 임무를 수행함에 있어 '중대한 과실'을 범하였다고 보기 어렵다고 판시하였다.

(4) 기타 유형으로는,

(가) 자동차검사대행업체의 이사가 법률해석을 잘못하여 검사원을 해임하였지만, 감독관청의 법률해석을 믿고서 그와 같이 해임한 경우에는 주의의무 위반이 있다고 볼 수 없다고 판시한 사례,[156]

(나) 피고는 한국전력공사의 사장으로서 전기요금을 적정하게 인상하여 손해를 보지 않도록 하여야 하는데, 지식경제부장관이 산정하여 한국전력공사에게 통보한 전기요금 인상률은 한국전력공사가 그 회계자료 등을 통해 직접 산출한 총괄원가에 미치지 못하는 수준이었음에도 한국전력공사는 이를 그대로 심의·의결하여 지식경제부장관에게 인가 신청을 하였지만, 전기사업법 등 관련 법령에 따라 지식경제부장관은 인가기준이 되는 전기요금의 적정원가와 적정이윤 산정에 있어 재량권이 있는 점, 행정기관은 그 소관사무의 범위 안에서 일정한 행

---

156) 대법원 1985.3.26. 84다카1923.

정목적을 실현하기 위하여 특정인에게 일정한 행위를 하거나 하지 아니하도록 지도·권고·조언 등 행정지도를 할 수 있는바(행정절차법 제2조 제3호), 지식경제부장관이 사전에 전기요금 인상률을 산정하여 이를 한국전력공사에 통보한 행위는 전기요금에 대한 인가권을 가지는 지식경제부장관이 그 인가권을 행사하기에 앞서 그 소관사무의 범위 안에서 전기요금에 관하여 행한 행정지도에 해당하는 것으로 보이는 점, 전기요금 결정 과정에 비추어 볼 때, 한국전력공사가 지식경제부장관이 통보한 전기요금 인상률을 반영하지 않고 총괄원가를 산정하여 이를 기준으로 인가 신청을 할 경우 그 인가 신청이 반려될 것으로 예상되는 점, 주주들은 설령 반려될 것이 예상되더라도 한국전력공사가 산정한 총괄원가를 기준으로 인가 신청조차 하지 않은 것은 선관주의의무를 위반한 것이라고 주장하나, 지식경제부장관은 전기요금에 대한 인가권뿐만 아니라 한국전력공사의 업무에 대한 지도·감독권까지 가지고 있어 한국전력공사가 위와 같은 행정지도와 다르게 전기요금을 산정하여 인가신청하는 것은 현실적으로 기대하기 어려웠을 것으로 보이고, 피고가 독자적으로 산정한 전기요금에 대한 인가신청을 고집할 경우 한국전력공사의 인가 신청과 지식경제부장관의 거부처분이 반복될 것으로 예상되는 점, 한국전력공사는 독자적으로 산정한 전기요금으로 인가 신청을 하였던 것은 아니지만, 지식경제부장관으로부터 행정지도를 받기 전 먼저 그 회계자료 등을 바탕으로 총괄원가와 필요인상률을 산정하여 지식경제부장관에게 보고하면서, 이를 반영하여줄 것을 요구하였던 것으로 보이는 점, 전기사업법과 한국전력공사법의 규정 내용, 전기사업자의 사회적 책임, 전기사업의 공공성과 공익성, 공공기관으로서 한국전력공사의 지위, 전기판매업에 관한 한국전력공사의 독점적 지위 등 앞서 살핀 사정 등에 비추어 볼 때, 피고는 한국전력공사의 대표자로서 한국전력공사의 이익뿐만 아니라 전기요금이 국가의 경제와 국민의 생활에 미치는 영향까지도 고려할 임무를 부담하고 있는 것으로 볼 수 있는 점 등을 종합하여 보면, 피고가 지식경제부장관이 통보한 전기요금 인상률을 그대로 반영하여 한국전력공사의 이사회에서 전기요금에 대해 심의·의결하도록 하고, 이를 다시 그대로 지식경제부장관에게 인가 신청하도록 하였다 하더라도, 이러한 점만으로는 피고가 선관주의의무 내지 충실의무를 위반하여 그 임무를 해태한 것으로 볼 수 없다고 한 사례[157] 등이 있다.

6) 인과관계 및 손해배상책임의 범위

이사의 법령·정관 위반행위 또는 임무를 게을리한 행위로 인한 제399조 소정의 손해배상책임은 그 위반행위와 상당 인과관계가 있는 손해에 한하여 인정되고, 비록 이사가 그 직무수행과정에서 법령·정관 위반행위 또는 임무를 게을리 한 행위를 하였다고 하더라도, 그 결과로서 발생한 손해와의 사이에 상당 인과관계가 인정되지 아니하는 경우에는 이사의 손해배상책임이 성립하지 아니한다.[158]

이사의 행위와 상당한 인과관계가 있는 회사의 손해는 모두 손해배상의 대상이 된다. 계열회사의 영업이익률을 제고하기 위해 부품의 단가를 인상하여 무상으로 자금을 지원한 행위에 대해 공정거래법을 위반하였다는 이유로 공정거래위원회로부터 과징금을 부과받은 경우 그 과징금도 상당 인과관계가 있는 손해이다.[159] 위법행위로 인해 회사가 행정청으로부터 불이익한 행정처분을 받음으로써 입은 손해는 위법행위로 인해 발생한 통상손해이고, 회사가 행정처분에 대해 법률이 정한 불복절차를 취하지 않았다는 사정만으로 위법행위와 회사의 손해 사이에 상당인과관계가 단절된다고 할 수 없다.[160]

대표이사에 의해 대출이 이미 실행되었다고 하더라도 이에 대한 추인 행위는 대표이사의 하자 있는 거래행위의 효력을 확정적으로 유효로 만들어 주는 것으로서, 이사가 선관의무를 다하지 아니하여 추인 결의에 찬성하였다면 손해 발생과 인과관계가 인정된다. 이사회의 추인 결의에 찬성한 이사들의 행위와 대출금의 회수 곤란으로 인한 손해 사이의 인과관계는 이사 개개인이 선관의무를 다하였는지 여부에 의해 판단되어야 하고, 다른 이사들이 선관의무에 위반하여 이사

---

157) 서울중앙지방법원 2012.10.12. 2011가합80239(항소 및 상고 기각, 확정).

158) 대법원 2007.9.20. 2007다25865; 2007.7.26. 2006다33609; 2006.6.16. 2005다71048(피고들은 보험회사인 원고 회사의 대표이사 등 임원들인데, 제3의 회사를 통하여 개인이 보유하던 비상장 주식을 매입하도록 한 행위는 일응 보험업법 시행령 제14조 제2항, 보험회사의 재산운용에 관한 준칙 제9조에 위반된 행위이기는 하지만, 거래의 동기나 그 매입 당시 적정한 가격으로 거래가 이루어진 점, 피고들 등이 원고 회사가 위 주식을 매입한 이후 위 주식의 가격이 계속 하락할 것을 알고 있었거나 알 수 있었다고 보기 어려운 점 등을 참작하여 볼 때, 피고들 등의 위 주식 매입행위와 위 주식의 가격하락으로 인한 원고 회사의 손해 사이에는 상당인과관계가 있다고 볼 수 없다고 한 사례); 2005.4.29. 2005다2820.

159) 서울중앙지방법원 2011.2.25. 2008가합47881.

160) 대법원 2019.1.17. 2016다236131.

회의 추인 결의에 찬성하는 등 행위를 전제로 판단할 것은 아니다. 이사회의 결의는 법률이나 정관 등에서 다른 규정을 두고 있지 않는 한 출석한 이사들의 과반수 찬성에 의해 이루어지는데, 이사회의 결의를 얻은 사항에 관하여 이사 개개인에게 손해배상책임을 묻는 경우, 당해 이사 개개인은 누구나 자신이 반대하였다고 해도 어차피 이사회 결의를 통과하였을 것이라는 주장을 내세워 손해배상책임을 면할 수 없다.[161]

금융기관의 대표이사가 재직 당시 동일인에 대한 대출 한도를 초과하여 돈을 대출하면서 충분한 담보를 확보하지 아니하는 등 그 임무를 게을리하여 금융기관으로 하여금 대출금을 회수하지 못하게 하는 손해를 입게 한 경우, 금융기관에게 회수하지 못한 대출금 중 동일인 대출 한도를 초과한 금액에 해당하는 손해에 대하여만 배상할 책임이 있다.[162] 부실대출의 경우, 금융기관이 입은 통상손해는 임직원이 규정을 준수하여 적정한 담보를 취득하고 대출하였더라면 회수할 수 있었을 미회수 대출원리금이고,[163] 특별한 사정이 없는 한 이러한 통상손해의 범위에는 약정이율에 의한 대출금 이자와 약정연체이율에 의한 지연이자가 포함된다.[164] 부실대출이 실행된 후 여러 차례 변제기한이 연장된 끝에 최종적으로 당해 대출금을 회수하지 못하는 손해가 발생한 경우, 그에 대한 손해배상책임은 원칙적으로 최초에 부실대출 실행을 결의하거나 이를 추인한 이사들만이 부담하고, 단순히 변제기한의 연장에만 찬성한 이사들은, 그 기한 연장 당시에는 채무자로부터 대출금을 모두 회수할 수 있었으나 기한을 연장함으로써 채무자의 자금사정이 악화되어 대출금을 회수할 수 없게 된 경우가 아닌 한 손해배상책임을 부담하지 않는다고 보아야 한다. 따라서 당해 이사가 퇴임한 이후에 대출금의 변제기한을 연장하는 결의가 여러 차례 이루어졌다고 해서 인과관계가 단절된다고 할 수 없다.[165]

기업회계기준에 의할 경우 회사의 당해 사업연도에 당기순손실이 발생하고 배당가능한 이익이 없는데도, 당기순이익이 발생하고 배당가능한 이익이 있는

---

161) 대법원 2007.5.31. 2005다56995.
162) 대법원 2013.11.14. 2013다57498; 2007.7.26. 2006다33609; 2005.10.28. 2003다69638; 2002.2.26. 2001다76854.
163) 대법원 2019.1.17. 2016다236131.
164) 대법원 2012.4.12. 2010다75945.
165) 대법원 2007.5.31. 2005다56995.

것처럼 재무제표가 분식되어 이를 기초로 주주에 대한 이익배당금의 지급과 법인세의 납부가 이루어진 경우에는, 특별한 사정이 없는 한 회사는 그 분식회계로 말미암아 지출하지 않아도 될 주주에 대한 이익배당금과 법인세 납부액 상당을 지출하게 되는 손해를 입게 되었다고 봄이 상당하고, 상법상 재무제표를 승인받기 위해서 이사회결의 및 주주총회결의 등의 절차를 거쳐야 한다는 사정만으로는 재무제표의 분식회계 행위와 회사가 입은 위와 같은 손해 사이에 인과관계가 단절된다고 할 수 없다.166) 그러나 다른 이사에 의해 회사 자금의 횡령행위가 이루어진 이후에 그로 인한 회사 자금의 부족을 은폐하기 위하여 허위로 회계처리하도록 업무를 집행한 이사는 그 회계처리 당시에는 횡령행위에 관여한 자들로부터 횡령금액 또는 횡령으로 인한 손해배상채권을 회수할 수 있었으나 허위로 회계처리함으로써 횡령행위를 적발하고 회수할 수 있는 기회를 놓쳤고 그 사이 그들의 자금사정이 악화되어 이를 회수할 수 없게 되었다는 등의 사정이 없는 한, 손해배상책임을 부담하지 않는다.167)

한편 불법행위에 기한 손해배상채무와 제399조에 기한 손해배상채무가 서로 부진정연대의 관계에 있으나 피해자에 대한 책임비율 등이 달라 배상할 손해액의 범위가 달라질 때, 적은 손해액을 배상할 의무가 있는 자가 손해액의 일부를 변제한 경우에는 많은 손해액을 배상할 의무 있는 자의 채무가 그 변제금 전액에 해당하는 부분이 소멸하는 것으로 보아야 한다.168) 그러나 다액채무자가 일부 변제를 하는 경우 변제로 인하여 먼저 소멸하는 부분은 당사자의 의사와 채무 전액의 지급을 확실히 확보하려는 부진정연대채무 제도의 취지에 비추어 볼 때 다액채무자가 단독으로 채무를 부담하는 부분으로 보아야 한다(즉 다액채무자가 손해액의 일부를 변제하였더라도 그중 소액채무자의 채무가 그의 과실비율에 상응하는 부분만큼 소멸하는 것으로 볼 수 없다).169)

주식회사의 이사가 회사에 대한 임무를 게을리하여 발생한 손해배상책임은 위임관계로 인한 채무불이행책임이고, 기한의 정함이 없는 채무이므로, 주식회사의 이사가 회사에 대하여 제399조에 따라 손해배상채무를 부담하는 경우 특별한 사정이 없는 한 이사가 이행청구를 받은 때부터 지체책임을 진다.170)

---

166) 대법원 2019.1.17. 2016다236131; 2007.11.30. 2006다19603.
167) 대법원 2007.9.20. 2007다25865.
168) 대법원 1999.2.12. 98다55154; 1995.7.14. 94다19600.
169) 대법원 2018.3.22. 2012다74236 전원합의체.

7) 입증책임

입증책임과 관련하여, 명문의 규정이 없더라도 이사가 자신의 무과실을 입증하여야 한다는 견해,[171] 법령 또는 정관 위반의 경우에는 이사의 고의 또는 과실이 추정된다는 견해[172]도 있으나, 원칙적으로 이사의 손해배상책임을 주장하는 회사측에서 이사가 고의 또는 과실로 법령 또는 정관을 위반하거나, 선량한 관리자로서의 주의의무에 위반하여 그 임무를 게을리한 사실 및 손해의 발생사실 등을 주장·입증하여야 한다.[173] 다만 법령 또는 정관 위반의 경우에는 이사의 고의 또는 과실을 추정하여도 무방할 것으로 보인다. 한편 이사는 적극적으로 자신에게 귀책사유, 즉 고의나 과실이 없음을 주장·입증하여 손해배상책임을 면할 수 있다.

금융기관의 임원은 금융기관과 위임관계에 있고, 임원이 직무를 행함에 있어 선관주의의무를 부담하고 있는 것이지만, 금융기관이 그 임원을 상대로 대출과 관련된 임무 해태를 내세워 채무불이행으로 인한 손해배상책임을 묻는 경우에 임원이 한 대출이 결과적으로 회수곤란 또는 회수불능으로 되었다고 하더라도 그것만으로 바로 그러한 대출결정을 내린 임원의 판단이 선량한 관리자로서의 주의의무 내지 충실의무를 위반한 것이라고 할 수 없다.[174]

---

170) 대법원 2021.7.15. 2018다298744; 2021.5.7. 2018다275888.

171) 최기원, 전게서, 691면.

172) 김홍기, 전게서, 631면; 이기수·최병규, 전게서, 458면; 정동윤, 전게서, 639면. 실제로 이사가 법령 또는 정관을 위반하여 회사에 손해를 입힌 경우에는, 고의 또는 과실이 부정되는 경우가 거의 없을 것으로 보인다.

173) 이철송, 전게 「상법강의」, 682면. 대법원 1996.12.23. 96다30465, 30472도 "채무불이행사실이 인정되는 경우라면 채무자가 자신에게 귀책사유가 없다는 점을 적극적으로 입증하여야 할 것이지만, 대표이사를 상대로 주식회사에 대한 임무 해태를 내세워 채무불이행으로 인한 손해배상책임을 물음에 있어서는 대표이사의 직무수행상의 채무는 미회수금 손해 등의 결과가 전혀 발생하지 않도록 하여야 할 결과채무가 아니라, 회사의 이익을 위하여 선량한 관리자로서의 주의의무를 가지고 필요하고 적절한 조치를 다해야 할 채무이므로, 회사에게 대출금 중 미회수금 손해가 발생하였다는 결과만을 가지고 곧바로 채무불이행사실을 추정할 수는 없다."라고 판시하여, 회사가 이사의 임무 해태를 구체적으로 입증하여야 한다고 하고 있다.

반면 독일의 경우, 주식법(AktG) 제93조 제2항은 "선량한 관리자로서의 주의의무를 위반한 이사는 그로 인하여 회사가 입은 손해를 연대채무자로서 배상할 의무가 있다. 이사가 선량한 관리자로서의 주의의무를 기울였는지 여부에 관하여 다툼이 있는 경우에는 이사가 그 입증책임을 부담한다."고 규정하여, 이사에게 입증책임을 부담시키고 있다.

174) 대법원 2004.8.20. 2004다19524.

8) 손해배상책임의 형태(연대책임)

법령 또는 정관에 위반하거나 임무를 게을리 한 행위로 인하여 회사에게 손해를 입힌 행위가 여러 명의 이사에 의해 행해진 때에는 그 이사들은 연대하여 손해를 배상할 책임이 있다(부진정연대책임). 그와 같은 행위가 이사회의 결의에 의한 것인 때에는 그 결의에 찬성한 이사들도 연대하여 손해배상책임이 있다(제399조 제2항). 이사의 자기거래, 신주발행, 사채발행 등 법률상 이사회의 결의를 요하는 사항은 물론 대표이사의 일상적인 업무집행에 속하여 이사회 결의가 필요없는 사항에 대하여 이사회 결의를 거친 후 집행한 경우에도 위 조항이 적용된다. 아울러 이사의 위법한 행위 등이 이미 행해진 후 이를 추인하기 위한 이사회 결의에 찬성한 이사도 마찬가지이다.[175] 결의에 찬성한 이사가 책임을 지는 것은 그 결의내용 자체가 법령 또는 정관에 위반되거나 임무를 게을리 한 경우로 볼 수 있는 경우에 한한다. 따라서 결의내용 자체에는 아무런 문제가 없으나, 이사가 그 결의내용을 집행하는 과정에 법령 또는 정관에 위반하거나 임무를 게을리 한 경우에는 결의에 찬성한 이사에게 책임을 물을 수 없다.[176]

이사회 결의는 통상 이사들이 직접 회의에 참석하여 결의하는 것이 통상적인 모습이겠으나, 정관에서 특별히 규정하고 있지 않는 한 이사의 전부 또는 일부가 직접 회의에 출석하지 아니하고 모든 이사가 음성을 동시에 송·수신하는 원격통신수단에 의하여 결의에 참가하는 것도 허용되므로(제391조 제2항), 위와 같은 방법으로 이사회 결의에 찬성한 때에도 동일하다고 할 것이다.

이사회의 결의에 찬성하였는지 여부는 사실인정의 문제로서 논란의 대상이 될 수 있는데, 상법은 결의에 참가한 이사로서 이의를 한 기재가 의사록에 없는 자는 그 결의에 찬성한 것으로 추정하도록 규정하고 있다(제399조 제3항). 이사가 이사회에 출석하여 결의에 기권하였다고 의사록에 기재된 경우에는 '이의를 한 기재가 의사록에 없는 자'라고 볼 수 없다.[177] 회사에 대한 손해발생에 있어 감사의 임무 해태가 경합한 경우에는 감사도 연대하여 손해를 배상할 책임이 있다(제414조 제1항).

---

175) 이철송, 전게 「상법강의」, 685면.
176) 이철송, 전게 「상법강의」, 685면.
177) 대법원 2019.5.16. 2016다260455.

한편 금융기관의 부실 대출로 인해 임직원이 금융기관에 부담하는 손해배상
채무와 대출금 채무자가 금융기관에 부담하는 대출금 채무는 서로 동일한 내용
의 급부에 대하여 각자 독립하여 전부를 급부할 의무를 부담하는 부진정연대의
관계에 있고,[178] 금액이 다른 채무가 서로 부진정연대 관계에 있을 때 다액채무
자가 일부 변제를 하는 경우 그 변제로 인하여 먼저 소멸하는 부분은 당사자의
의사와 채무 전액의 지급을 확실히 확보하려는 부진정연대채무 제도의 취지에
비추어 볼 때 다액채무자가 단독으로 채무를 부담하는 부분으로 보아야 한다.[179]

9) 손해배상책임의 제한

대규모 회사의 경우에는 이사가 그 임무를 게을리 하여 발생한 손해가 다액
일 수 있는데, 이러한 경우에도 개인인 이사에게 회사가 입은 손해를 모두 배상
하도록 하는 것은 경우에 따라 가혹할 수 있다(특히 회사에서 평소 특정 업무를
담당하지 않는 평이사의 경우). 이러한 경우 손해분담의 공평이라는 손해배상제도
의 이념에 비추어 손해배상액을 제한할 수 있는가가 문제된다.

판례는, "이사가 법령 또는 정관에 위반한 행위를 하거나 그 임무를 해태함
으로써 회사에 대하여 손해를 배상할 책임이 있는 경우에 그 손해배상의 범위를
정함에 있어서는, 당해 사업의 내용과 성격, 당해 이사의 임무위반의 경위 및
임무위반행위의 태양, 회사의 손해 발생 및 확대에 관여된 객관적인 사정이나
그 정도, 평소 이사의 회사에 대한 공헌도, 임무위반행위로 인한 당해 이사의
이득 유무, 회사의 조직체계의 흠결 유무나 위험관리체제의 구축 여부 등 제반
사정을 참작하여 손해분담의 공평이라는 손해배상제도의 이념에 비추어 그 손해
배상액을 제한할 수 있다."고 판시하면서 "책임감경사유에 관한 사실인정이나
그 비율을 정하는 것은 그것이 형평의 원칙에 비추어 현저히 불합리하다고 인정
되지 않는 한 사실심의 전권사항에 속한다."고 판시하고 있다.[180] 나아가 손해

---

178) 대법원 2019.1.17. 2016다236131; 2008.1.18. 2005다65579.
179) 대법원 2019.1.17. 2016다236131; 2018.3.22. 2012다74236 전원합의체.
180) 대법원 2018.10.25. 2016다16191; 2015.9.15. 2015다28951; 2014.5.16. 2011다104048,
　　　104055; 2013.12.26. 2012다65607; 2008.12.11. 2005다51471; 2008.12.11. 2006다5550;
　　　2007.11.30. 2006다19603; 2007.10.11. 2007다34746; 2006.12.7. 2005다34766, 34773;
　　　2004.12.10. 2002다60467, 60474. 이와 관련하여, 권영준, 전게논문, 244~247면은 "이러
　　　한 책임제한 법리는 이를 직접적으로 뒷받침할 명문의 규정이 없고, 법원의 자의적 판단이
　　　개입될 여지가 커서 논란의 대상이 되고 있다. 우선 손해의 공평한 분담이라는 손해배상제
　　　도의 이념 자체가 개별 사건에 있어서 책임제한의 근거라 될 수 있는지는 의문이다. 성문

배상액을 제한할 사유가 있는지 여부는 법원이 이를 직권으로 심리·판단하여야 한다고 판시하고 있다.[181]

　구체적인 사례로는 다음과 같은 예가 있다.

　ⅰ) 정상적인 기업회계기준에 따를 경우 회사가 자본잠식상태이고 당기순손실이 발생하였기 때문에 당해 사업연도에 법인세 등을 전혀 납부하지 않아도 되는데도 당기순이익이 발생한 것처럼 분식결산을 하여 법인세 등으로 70억 9,100만 원을 납부하는 손해를 입게 한 사안에서, 대표이사 겸 대주주의 책임을 60%, 이사의 책임을 20%로 제한한 사례[182]

　ⅱ) 대기업 회장의 사저 관리 업무에 종사하는 자들에게 회사에서 급여를 지급한 사안에서, 회장 겸 대표이사의 책임을 전체 손해액(1,285,000,000원)의 50%, 부사장의 책임을 전체 손해액(813,000,000원)의 10%로 각 제한한 사례[183]

법 국가의 법원은 성문법 조항을 적용 또는 유추적용함으로써 사안을 해결하려는 '근거지움'의 노력을 게을리 해서는 안 되고, 이처럼 성문법을 뛰어넘는 지극히 일반적이고 추상적인 이념을 내세워서 권리의무관계를 획정하는 것은 지양하여야 한다 … 2012. 4. 15.부터 시행되는 상법 제400조 제2항에서 회사가 정관에 따라 이사의 책임 일부를 면제할 수 있도록 허용함으로써 입법적으로 수용되었다 … 법원에 의한 일반적인 손해배상책임 제한의 문제는 여전히 입법적으로 규율되지 않고 있다. 궁극적으로 이 문제는 입법의 차원에서 논의하고 해결하는 것이 바람직하다 … 법원으로서는 적어도 민법 제2조의 신의칙을 적용하거나 민법 제763조에 의해 준용되는 제396조의 과실상계 규정을 유추적용하는(일본의 하급심 판결들은 이러한 태도를 취한다) 등 그 법리를 정당화하는 원리를 명시적으로 제시하고, 책임제한 요건을 가능한 범위 내에서 엄격하게 설정함으로써 자의적으로 손해배상책임을 제한하는 부작용이 발생하지 않도록 하여야 할 것이다."고 주장하고 있는데, 경청할 만한 의견이다.

181) 대법원 2014.5.16. 2011다104048.

182) 대법원 2007.11.30. 2006다19603 및 그 원심인 서울고등법원 2006.2.17. 2004나90679. 그러나 이와 같이 그룹별로 구분하여 책임범위를 정하는 방식이 연대채무(부진정연대채무)의 속성에 비추어 허용되는지에 관해서 비판하는 견해도 있다. 즉 위 판례에 의하면, 대표이사 겸 대주주는 60%, 이사는 20%의 범위 내에서만 연대책임을 부담하게 되는데, 이는 책임비율이 1%에 지나지 않을 때에도 책임 전체에 관하여 연대책임을 부담하되, 자신의 부담부분을 초과하는 부분은 공동 면책한 다음 구상권 행사로 조정하는 연대채무 또는 부진정연대채무의 법리와 합치되지 않는 책임인정 구조라는 것이다. 김차동, "이사의 책임제한의 근거 및 이론구조,"「법학논총」 제24집 제2호(한양대학교, 2007. 7.), 355면. 한편 공동불법행위자의 손해배상과 관련하여, 판례는 "공동불법행위로 인한 손해배상책임의 범위는 피해자에 대한 관계에서 가해자들 전원의 행위를 전체적으로 함께 평가하여 정하여야 하고, 그 손해배상액에 대하여는 가해자 각자가 그 금액의 전부에 대한 책임을 부담하는 것이며, 가해자의 1인이 다른 가해자에 비하여 불법행위에 가공한 정도가 경미하다고 하더라도 피해자에 대한 관계에서 그 가해자의 책임 범위를 위와 같이 정하여진 손해배상액의 일부로 제한하여 인정할 수는 없다."고 판시하고 있다(대법원 2007.6.14. 2005다32999).

183) 대법원 2007.10.11. 2007다34746 및 그 원심인 서울고등법원 2007.4.19. 2005나84817. 위 판례는 "동아그룹에 동아건설 또는 다른 계열사의 명의로 보유하는 공식적인 영빈관 건물

iii) 확실한 채권확보대책을 강구하지 않은 채 45억 원 상당의 사모사채를 인수하기로 하는 이사회 결의를 함으로써 회사에게 28억 9,900만 원의 손해를 입힌 사안에서, 대표이사의 책임을 손해액의 50%, 상무이사들의 책임을 30%, 이사들의 책임을 20%로 각 제한한 사례[184]

iv) 신용협동조합의 이사가 대출한도를 초과하여 대출하고, 공인감정평가업자의 감정평가를 거치지 않고 임의로 담보물의 가액을 평가하는 등 충분한 담보가 확보되지 아니한 상태에서 대출을 실행하여 회사에게 18억 원 상당의 손해를 입힌 사안에서, 그 책임을 손해액의 20%로 제한한 사례[185]

v) 전자회사의 대표이사 또는 이사들이 계열회사의 주식을 주당 10,000원에 취득하였다가 8개월 후 주당 2,600원에 처분하여 회사에게 626억 원 상당의 손해를 입힌 사안에서, 대표이사 또는 이사들의 책임을 120억 원으로 각 제한한 사례[186]

vi) 은행의 대표이사 또는 이사가 철강회사에게 1조 853억 원을 대출하였다가 그 중 원금 약 1조 853억 원, 이자 약 6,423억 원을 회수하지 못하였는데, 철강회사가 법정관리 중에 있어 담보권을 실행하는 등 채권회수절차를 밟지 못하고 있다가 손해를 최소화하기 위하여 성업공사에게 철강회사에 대한 여신에 관련된 채권을 담보가 있는 여신의 경우 액면가의 75%, 무담보여신의 경우 액면가의 30%의 가격으로 매각하였고, 결국 은행이 위 총여신의 미수이자를 제외하더라도 최소한 원금에서만 그 25%인 약 2,713억 원을 상실하는 손해를 입은 사안에서, 원고들이 구하는 바에 따라 400억 원의 손해를 인정한 사례[187](그런데 위 사건의 항소심[188])에서는 대표이사 및 이사의 책임을 10억 원으로 제한하였음)

이 없었던 관계로 피고 1의 사저가 동아건설의 외부 손님을 접대하는 장소로 이용된 경우가 있었던 점, 위와 같은 접대를 통하여 동아건설이 간접적으로 이익을 얻을 수 있었을 것이며, 피고 1의 사저근무자들이 위 접대 업무에 부수, 간접적으로나마 도움을 주었을 것이라는 점 및 피고들의 동아건설에 대한 공헌도, 임원으로서의 재직기간, 직위, 당시 동아건설의 경영체제 등 이 사건 변론에 나타난 제반 사정을 참작하면, 피고 1의 책임은 전체 손해액의 50%로, 피고 2의 책임은 앞서 본 손해액의 10%로 각 제한함이 손해분담의 공평이라는 손해배상제도의 이념에 비추어 상당하다."고 판시하고 있다.

184) 대법원 2008.12.11. 2005다51471 및 그 원심인 서울고등법원 2005.7.15. 2004나17087.
185) 대법원 2006.12.7. 2005다34766, 34773(병합) 및 그 원심인 대전고등법원 2005.5.26. 2003나7768, 7775(병합).
186) 대법원 2005.10.28. 2003다69638 및 그 원심인 서울고등법원 2003.11.20. 2002나6595.
187) 서울지방법원 1998.7.24. 97가합39907. 사실상 대표이사의 회사(제일은행)에 대한 손해배상책임을 처음으로 인정한 사례이다.

vii) 허위 전표를 작성하는 등의 방법으로 비자금 290억 원을 조성하여 공적인 경비 이외의 용도에 사용하여 회사에 손해를 입인 사안에서, 대표이사 및 회장의 책임을 70%, 대표이사 사장의 책임을 40%, 이사들의 책임을 20% 또는 10%로 각 제한한 사례[189]

viii) 계열사에 대한 자금지원이 상환될 가능성이 거의 없다는 것을 잘 알면서도 재산보전방안을 전혀 고려하지 아니한 채 부당하게 자금지원을 함으로써 회사에게 417억 원의 손해를 입힌 사안에서, 대표이사이자 회장의 책임을 40%, 대표이사 사장의 책임을 20%, 이사들의 책임을 10% 또는 5%로 제한한 사례[190]

ix) 수출회사가 대미 수출을 담당하는 별개의 회사에게 채권보전조치 없이 자금지원을 하거나 페이퍼컴퍼니를 이용하여 계열사를 부당하게 지원하는 등의 방법으로 회사에 합계 1,735억 원 상당의 손해를 입힌 사안에서, 대표이사이자 회장의 책임을 500억 원, 이사들의 책임을 10억 원 또는 4억 원, 5억 원으로 제한한 사례(이사들이 회사에 입힌 손해액은 각각 214억 원 또는 30억 원, 76억 원이었음)[191]

x) 계열회사 갑에 대한 부품단가 인상 등 부당지원행위로 인한 손해액이 1,409억 원, 계열회사 을에 대한 부품비 대신 지급 등 부당지원행위로 인한 손해액이 258억 원, 계열회사 병에 대한 운송단가 인상 등 부당지원행위로 인한 손해액이 189억 원으로서 총 손해액이 합계 1,856억 원에 이른 사안에서, 대표이사이자 그룹 회장(대주주)의 책임을 각각 40%(갑), 60%(을), 90%(병)로 제한하고, 전문경영인인 대표이사의 책임을 80억 원으로 제한한 사례[192]

xi) 화학회사의 대표이사 또는 이사들이 회사가 보유한 계열회사에 대한 주식을 지배주주에게 싼 가격에 매도하여 회사에 633억 원 상당의 손해를 입힌 사안에서, 주도적인 역할을 한 그룹 지배주주인 대표이사 또는 이사의 책임을 총 손해액의 약 70%인 400억 원, 그 외 이사의 책임을 약 10%인 60억 원 또는 약 5%인 30억 원으로 각 제한한 사례[193]

---

188) 서울고등법원 2000.1.4. 98나45982. 회사(제일은행)가 공동소송인으로 참여하였는데, 청구취지 금액이 10억 원이었고, 그리하여 전체적인 손해배상책임액이 10억 원으로 감액되었다.
189) 서울고등법원 2010.12.15. 2009나22114.
190) 서울고등법원 2010.12.15. 2009나22114.
191) 서울고등법원 2006.5.11. 2005나49425.
192) 서울중앙지방법원 2011.2.25. 2008가합47881.
193) 서울남부지방법원 2006.8.17. 2003가합1176.

xii) 저축은행의 여신업무 담당 총괄이사가 대출규정 등을 위반하여 PF 사업장에 부지매입비 등의 용도로 대출을 해줌으로써 회사에 합계 93억 9,100만 원 상당의 손해를 입힌 사안에서, 이사의 책임을 전체 손해의 5%인 4억 2,400만 원 상당으로 제한한 사례[194]

xiii) 상대회사의 주식 14.4%를 보유하고 있고, 그 상대회사가 현저히 낮은 가격으로 전환사채를 발행하였음에도 불구하고 조세회피 방법을 통한 회사 지배권 이전 등의 목적 하에 그룹 회장의 지시를 받고 그 인수를 포기하여 회사에 139억 5,900만 원 상당의 손해를 입힌 사안에서, 그룹 회장이자 이사인 피고의 책임을 위 손해액의 100%로 인정하면서도(자녀들에게 증여세 등 조세를 회피하면서 그룹의 경영권을 이전하려는 목적으로 전환사채의 발행을 주도한 점 고려), 그룹 회장 등의 지시를 이행한 대표이사 또는 이사의 책임을 각 10%로 제한한 사례[195]

xiv) 저축은행의 대표이사, 이사가 거액의 당기순손실이 발생하였는데도 이러한 실상을 은폐하기 위하여 당기순이익이 발생한 것으로 분식회계처리된 재무제표를 승인하였고, 이로 인하여 저축은행은 납부할 필요가 없는 법인세 및 주민세를 납부하는 손해를 입은 사안에서, 대표이사 등이 개인적인 이득을 얻은 것이 없고, 저축은행 자체의 시스템도 이사 자신이 직접 담당하지 않는 업무에 관하여는 이를 적극 제지하거나 견제하는 등의 조치를 취할 수 있는 조직체계가 갖춰져 있지 않았던 사정 등을 고려하여, 대표이사, 이사의 각 40%로 제한한 사례[196]

xv) 저축은행의 대표이사가 상호저축은행법령 및 관계 규정에서 정하고 있는 개별차주 신용공여 한도를 위반하고, 차주에 대한 신용조사를 소홀히 하였으며, 담보를 취득하지 아니하고 형식적으로 채무상환능력이 없는 연대보증인들만 입보시켜 채권보전조치를 소홀히 한 위법·부당한 대출을 실행한 사안에서, 대표이사로 취임할 당시 이미 저축은행은 부실한 상태에 있었는데, 피고는 부실화

---

194) 대법원 2005.10.28. 2003다69638.
195) 대구고등법원 2012.8.22. 2011나2372.
196) 서울중앙지방법원 2015.9.3. 2013가합511447. 화재보험회사의 대표이사, 이사, 사외이사 등이 그룹 회장의 지시에 따라 골프장을 개발하는 관계회사를 지원하기 위하여 골프장 회원권을 통상의 거래조건 보다 현저하게 불리한 조건으로 매수하기로 한 경우에도 손해배상의 범위를 40% 이내로 제한하였다. 서울중앙지방법원 2015.8.27. 2013가합519533.

된 저축은행의 재무상태 및 경영을 정상화하기 위하여 상당한 노력을 하다가 약 1년 만에 사임한 점, 피고가 이 사건 대출을 하게 된 것은 실질적인 차주인 ○○ 주식회사가 추진하던 부동산시행사업을 성사시키기 위한 측면도 있었던 점, 피고가 이 사건 대출 당시 비록 충분하지는 않았지만 ○○ 주식회사에 대한 기존의 총 대출금에 관한 담보를 추가로 확보한 사정이 있는 점, 피고가 이 사건 대출로 인하여 얻은 개인적인 이익은 없는 점, 이 사건 대출에 관한 저축은행 내부의 의사결정 과정, 여신심사위원회의 역할 및 피고의 관여 정도, 저축은행 내부의 형식적인 대출심사절차 내지 감사절차 등 업무집행상의 구조적인 문제점도 있었던 점 등을 고려하여, 대표이사의 책임을 30%로 제한한 사례[197]

한편 전자회사의 대표이사가 회사로부터 자금을 갹출하여 대통령에게 뇌물로 제공함으로써 회사에 손해를 입힌 사안에서, 피고는 자신의 행위로 인하여 전자회사를 포함한 그룹 전체가 당시 대통령이 기업경영과 관련된 경제정책 등을 결정하고, 금융, 세제 등을 운용함에 있어 우대를 받거나 최소한 불이익을 입지 않는 등 반사적 이익을 누렸다는 점을 고려하면 피고의 책임을 제한하여야 한다는 취지로 주장한데 대하여, 판례는 "기업경영은 법질서의 범위 내에서 행하여져야만 하고, 이사는 회사경영의 주체로서 법령 또는 정관에 정하는 바에 따라 회사에 대하여 선량한 관리자의 주의의무로써 사무를 처리하여야 하며, 피고가 대통령을 상대로 형법상의 범죄행위인 뇌물을 공여한 행위는 기업경영의 수단으로서 허용되어야 할 대상이 되지 않는다 할 것이어서 피고의 책임을 제한할 사유에 해당하지 않는다."는 취지로 판시하였다.[198]

10) 과실상계

이사가 제399조에 따라 회사에 대하여 손해배상책임을 부담하더라도 손해배상의 일반원칙으로 돌아가 회사에게도 그러한 손해의 발생 및 손해액의 확대에 기여한 과실이 있다면 마땅히 참작하여 손해배상액을 감액해야 할 것이다. 일본 판례 중에는 다른 이사나 종업원의 과실을 회사의 과실로 보고 과실상계를 적용한 예가 있다.[199]

---

197) 서울고등법원 2015.5.28. 2014나2023216.
198) 서울고등법원 2003.11.20. 2002나6595.
199) 日本 東京地裁判所 1990.9.28. 判決,「判例時報」第1386號, 141面.

11) 손익상계

손익상계도 손해배상의 일반원칙에 따라 인정된다.[200] 그러나 손해배상액의 산정에 있어 손익상계가 허용되기 위해서는 손해배상책임의 원인이 되는 행위로 인하여 피해자가 새로운 이득을 얻었고, 그 이득과 손해배상책임의 원인인 행위 사이에 상당인과관계가 있어야 하며,[201] 그 이득은 배상의무자가 배상하여야 할 손해의 범위에 대응하는 것이어야 한다.[202]

전자회사의 이사가 계열회사의 주식을 비싼 가격에 샀다가 싼 가격에 매도하여 회사에 손해를 입혔는데, 역으로 회사가 납부하여야 할 법인세 등이 절감된 사정이 있다고 하더라도, 이는 과세관청이 법인세를 부과하지 않음에 따른 것이고, 이로써 주식 거래로 인한 회사의 손해가 직접 전보된다고 할 수는 없는 것이어서 피고의 임무해태행위와 사이에 법률상 상당인과관계가 있다고 할 수 없다.[203] 부실대출을 하여 회사에 손해를 입혔지만, 그 대출을 받은 자가 그 대출금 중 일부로 회사에 대한 기존 대출금을 상환하였다고 하더라도, 위와 같이 회수된 기존 대출금은 부실대출행위 자체로 인하여 얻거나 발생한 이익이 아니고, 그 불법행위로 인하여 생긴 손해를 전보할 수 있는 성질의 것도 아니므로, 손익상계나 공제의 대상이 아니다.[204] '손해배상책임이 있는 이사의 평소 회사에 대한 지대한 공헌도'도 손익상계의 법리에서 고려될 수 있는 요소가 될 수 없다.[205]

---

200) 최문희, 전게논문, 43~44면.
201) 대법원 2005.10.28. 2003다69638; 1989.12.26. 88다카16867. 또한 분식회계와 법인세 절감과 관련하여, 판례는, "해태제과의 제35기와 제36기 사업연도에 분식회계가 이루어져 발생한 가공이익이 그 후 제39기와 제40기 사업연도에 이르러 특별손실로 계상되고, 해태제과의 제42기 사업연도에 발생한 채무면제익이 위 특별손실 계상에 따른 이월결손금의 보전에 충당됨으로써 해태제과가 그에 상당하는 법인세를 절감한 사정을 알 수 있다. 그러나 분식회계가 이루어진 후 이를 보정하기 위하여 특별손실을 계상함으로써 이월결손금이 발생하였다 하더라도, 해태제과가 계속 적자경영을 하여 온 상태에서는 법인세 절감의 효과가 발생할 수 없을 것인데, 해태제과의 제42기 사업연도에 우연히 대규모의 채무면제가 이루어져 채무면제익이 대량 발생함에 따라 그 이월결손금을 활용할 수 있게 되어 법인세를 절감하는 이득을 얻었다 하더라도, 이를 가리켜 이 사건 분식회계로 인하여 해태제과가 상당인과관계가 있는 새로운 이득을 얻었다고 할 수는 없다."고 판시하고 있다(대법원 2007. 11.30. 2006다19603).
202) 대법원 2008.7.10. 2006다39935; 2007.11.16. 2005다3229.
203) 대법원 2005.10.28. 2003다69638.
204) 대법원 2007.9.21. 2005다34797.
205) 최문희, 전게논문, 44면.

한편 생명보험회사의 이사(피고)가 IMF 외환위기로 인하여 급증한 보험계약의 해지 등으로 인해 회사의 유동성 부족상태가 매우 심각한 상태에서, 거래처인 건설회사가 회사에게 종업원퇴직적립보험(준비금 110억 7천만 원)에 대한 해지 또는 준비금의 2배에 해당하는 대출을 요구하자, 이러한 상황을 타개하기 위하여 다른 금융기관 발생의 수익증권을 매입하고 그 금융기관으로 하여금 그 자금으로 보험계약자인 건설회사에게 대출하게 하는 방법으로 금융상의 편의를 제공할 목적으로, 다른 금융기관 발행의 수익증권을 매입한 후 만기이자 상당의 손실을 보면서 즉시 매도하거나 매입 후 단기간 내에 저가에 매도하는 방법으로 건설회사에 대한 종업원퇴직적립보험계약을 유지하지 않을 수 없었고(이는 실질적으로 보험계약자에게 보험료를 할인하여 주는 것과 동일하여 보험업법에서 금지하고 있는 특별한 이익을 제공하는 행위에 해당된다), 이러한 방법으로라도 회사의 유동성 부족을 해소하지 아니하였다면 IMF 외화위기 이후 급증한 보험계약의 해지에 따른 보험료환급요청에 대처할 수 없어 곧바로 파산되는 등의 위기에 직면하였을 터인데, 이사(피고)의 위와 같은 행위로 말미암아 이를 면할 수 있었던 상황에서, 이사의 위와 같은 법령위반으로 인한 채무불이행에도 불구하고 회사에게 위와 같은 수익증권 매각손실 이상의 무형의 이익을 가져왔다고 볼 여지가 충분하고, 따라서 피고의 행위로 회사에게 실질적인 손해를 입혔다고 할 수 없다고 판시한 사례[206]가 있는데, 이는 사실상 손익상계를 인정한 사례로 평가될 수 있다.[207]

12) 손해배상책임의 감면(제400조)

가) 총주주 동의 면제

이사의 회사에 대한 손해배상책임은 총주주의 동의로 면제할 수 있다(제400조 제1항). 총주주에는 의결권 없는 주주도 포함된다(통설).[208] 총주주의 동의가 반드시 주주총회의 결의라는 형식으로 나타날 필요도 없다.[209] 총주주의 동의는 반드시 명시적·적극적으로 이루어질 필요는 없고, 묵시적 의사표시의 방법으로

---

206) 대법원 2006.7.6. 2004다8272; 2005.7.15. 2004다34929.
207) 윤영신, 전게논문, 782면.
208) 전게 「주석 상법(Ⅲ)」, 369면; 김홍수·한철·김원규, 「상법강의」 제4판(세창출판사, 2016), 398편; 송옥렬, 전게서, 1085면; 정찬형, 전게서, 1083면.
209) 김홍수·한철·김원규, 전게서, 398편; 송옥렬, 전게서, 1086면.

할 수 있다.[210] 실질적으로는 1인에게 주식 전부가 귀속되어 있지만 주주명부상 일부 주식이 타인 명의로 신탁되어 있는 경우, 사실상의 1인 주주가 한 동의는 총주주의 동의로 볼 수 있다.[211] 총주주의 동의는 회사의 주식 전부를 양·수도 하는 과정에서 묵시적인 의사표시의 방법으로 이루어질 수도 있는데, 다만 이 경우에는 주식 전부의 양수인이 이사 등의 책임으로 발생한 부실채권에 대하여 그 발생과 회수불능에 대한 책임을 이사 등에게 더 이상 묻지 않기로 하는 의 사표시를 하였다고 볼 만한 사정이 있어야 한다.[212] 저축은행 발행주식 총수와 경영권을 모두 양도하는 내용의 주식양도양수계약을 체결하면서 "양수인은 이 계약 체결일 이전 저축은행의 대출과 관련하여 주주 및 임원에 대하여 불법이 아닌 한 책임을 지우지 아니한다."라고 약정한 경우에는 총주주의 동의에 따른 면제 의사표시가 있다고 보아야 한다.[213] 총주주의 동의가 아닌 대주주 또는 대 표이사의 면제 의사표시만으로는 면제가 되지 않는다.[214] 총주주의 동의에 의한 면제는 재판상 화해의 경우에도 적용되고, 따라서 총주주의 동의 없이 화해를 할 수 있는 것은 주주가 대표소송을 제기한 다음 제403조 제6항에 따른 법원의

---

210) 대법원 2017.3.9. 2016다259073.
211) 대법원 2002.6.14. 2002다11441. 금고의 대표자인 피고가 동일인 한도 대출 규정을 위반하 여 대출하고 그로 인하여 금고에 손해를 입힌 사안에서, 해당 금고의 총 주식을 양수한 사 실상의 1인 주주인 갑이 주식양도시점까지의 피고가 위 동일인 한도를 초과한 대출 등으로 인하여 금고에 대하여 입힌 손해를 재산실사를 통하여 확정한 다음 주식양도대금을 정함에 있어서 당초 약정된 주식양도가액에서 부실채권가액만큼을 다시 차감하는 방법으로 피고에 게 그 책임에 관한 경제적 부담을 귀속시키는 것으로 피고와 합의한 것은 그 이외에는 더 이상 피고에 대하여 책임을 묻지 아니하기로 하는 묵시적 의사가 있었다고 본 사례이다.
212) 대법원 2008.12.11. 2005다51471. 현대생명보험이 조선생명보험의 주식을 100% 인수하여 조선생명보험를 흡수합병할 때 부실채권을 할인된 비율로 평가하여 인수금액을 정했다는 사정만으로는 총주주의 묵시적인 의사표시에 의하여 이사 등의 책임이 면제되었다고 볼 수 없다고 한 사례이다. 이 판결이 위 대법원 2002.6.14. 2002다11441과 배치된다는 취지의 의견도 있을 수 있으나, 후자는 회사가 입은 손해액을 구체적으로 산정하여 그 금액을 모 두 주식양도가액에서 공제한 것이고, 전자는 부실대출로 인하여 회사가 입은 손해액을 산 정하지 않고 다만 일정 비율로 할인한 후 인수금액을 정한 것이므로, 사실관계에 있어서 차이가 있는 것으로 보인다(위 대법원 2008.12.11. 2005다51471의 원심인 서울고등법원 2005.7.15. 2004나17087도 "이 사건 흡수합병시 현대생명이 비록 조선생명의 주식 100% 를 인수하긴 하였으나 부실채권가액만큼을 인수가액에서 차감한 것이 아니라 단지 부실채 권을 할인된 비율로 인수한 데 지나지 아니하므로, 위와 같이 현대생명이 부실채권으로 회 수하지 못할 금액을 반영하여 할인된 비율로 인수금액을 정했다는 사실만으로는 총주주 동 의에 의한 이사 및 감사의 책임을 면제하기로 한 묵시적 의사표시가 있었다고 보기 어렵 다."고 판시하고 있다).
213) 대법원 2017.3.9. 2016다259073.
214) 대법원 2004.12.10. 2002다60467, 60474.

허가를 얻는 경우가 유일하다는 견해도 있지만,[215] 회사가 이사를 상대로 제기한 손해배상소송에서 책임의 일부 또는 전부를 면제하는 내용으로 재판상 화해를 하는 경우에도 반드시 총주주의 동의가 있어야만 유효하다고 보아야 할지는 의문이다.

결국 어느 한 주주라도 면제에 동의하지 않는 경우에는 책임이 면제되지 않으므로, 주주의 수가 많은 공개회사에서는 사실상 면제가 인정되지 않는다고 볼 수 있고, 실제로는 1인 회사나 소규모의 폐쇄회사에서만 인정될 가능성이 많을 것이다.[216]

총주주의 동의를 얻어 이사의 행위로 손해를 입게 된 금액을 특별손실로 처리하기로 결의하였다면, 그것은 바로 제400조 소정의 이사의 책임소멸의 원인이 되는 면제에 해당되는 것이나, 이로써 법적으로 소멸되는 손해배상청구권은 제399조 소정의 권리에 국한되는 것이지 불법행위로 인한 손해배상청구권까지 소멸되는 것으로는 볼 수 없다.[217] 다시 말해 민법상의 일반 불법행위로 인한 손해배상책임은 제399조 소정의 총주주 동의에 의한 면제의 대상이 되지 않는다.[218] 그 이유는 제399조 소정의 손해배상청구권과 불법행위로 인한 손해배상청구권은 그 각 권리의 발생요건과 근거가 다를 뿐만 아니라 그 소멸원인의 하나인 채권자의 포기, 따라서 채무의 면제에 있어서도 전자는 제400조의 방법과 효력에 의하는 반면에 후자는 민법 제506조(면제의 요건, 효과)의 방법과 효력에 의하도록 되어 있기 때문이다. 불법행위로 인한 손해배상책임도 민법 제506조에

---

215) 송옥렬, 전게서, 1086면.

216) 이와 같이 주주 1명이라도 반대하면 그 책임을 면제할 수 없었으므로, 실질적으로 면제를 인정하지 않는 것과 다름이 없었고, 이러한 과도한 책임부담은 전문경영인의 적극적인 기업경영을 어렵게 하는 요인으로 작용하므로 이를 보완할 실질적인 책임감면제도의 필요성이 있다는 지적이 있었다. 그 결과 2011. 4. 14. 상법 개정시에 제400조 제2항(정관에 따른 면제)이 추가되었다. 최기원, 전게서, 694면.

217) 대법원 2017.3.9. 2016다259073; 1996.4.9. 95다56316; 1989.1.31. 87누760.

218) 전게 「주석 상법(Ⅲ)」, 370면; 이철송, 전게 「회사법강의」, 810면; 정찬형, 전게서, 1083면. 이와 관련하여 불법행위로 인한 손해배상책임을 일반적인 채무면제절차로 면제해야 한다면, 결국 이사회의 결의로 할 것이므로, 총주주 동의보다 더 쉽게 면제할 수 있다는 문제가 있다는 견해가 있다. 송옥렬, 전게서, 1086면. 나아가 제400조에 의해 총주주의 동의가 있었음에도 별도로 불법행위로 인한 손해배상책임의 면제절차를 밟아야 한다면 다양한 해석상의 문제(면제권자가 이사회인지, 대표이사 개인인지, 주주총회인지의 문제 및 주주총회로 볼 경우 보통결의로 충분한지 총주주의 동의가 필요한지 등등)가 발생하므로, 불법행위로 인한 손해배상책임도 면제된다고 보아야 한다는 견해도 있다. 최문희, 전게논문, 22~23면.

따라 면제할 수 있음은 물론이고, 오히려 총주주의 동의를 얻어 이사의 손해배상책임을 면제시킨 당해 주식회사의 의사는 불법행위로 인한 청구권까지 포함시켰을 것으로 보는 것이 자연스럽다고 할 것이다. 그러나 불법행위로 인한 손해배상청구권의 포기는 그 의사표시가 채무자에게 도달되거나 채무자가 알 수 있는 상태에 있었어야만 그 효력이 발생하고, 그 이전에는 면제의 의사표시를 자유로 철회할 수 있는 것이며, 이와 같이 청구권의 포기, 따라서 채무의 면제 의사표시가 적법하게 철회된 경우에는 청구권의 법적소멸 상태는 없는 것이 된다.[219]

나) 정관에 따른 면제(일부 면제)

회사는 정관으로 정하는 바에 따라 제399조에 따른 이사의 책임을 이사가 그 행위를 한 날 이전 최근 1년간의 보수액(상여금과 주식매수선택권의 행사로 인한 이익 등을 포함한다)의 6배(사외이사의 경우는 3배)를 초과하는 금액에 대하여 면제할 수 있다. 다만 이사가 고의 또는 중대한 과실로 손해를 발생시킨 경우와 제397조(경업금지), 제397조의2(회사의 기회 및 자산의 유용 금지) 및 제398조(이사 등과 회사 간의 거래)에 해당하는 경우에는 그러하지 아니하다(제400조 제2항).

위 제400조 제2항(정관에 따른 면제)은 2011. 4. 14. 상법 개정 때 신설되었다.[220] 최근 이사의 책임을 추궁하는 주주대표소송이 늘어나면서 이사들이 책임

---

219) 대법원 1989.1.31. 87누760. 회사의 전 대표이사이던 피고가 대표이사로 재직하던 1979. 1. 10.경부터 같은 해 4월 중순까지 회사의 업무와는 무관하게 그의 개인적인 용도에 사용할 목적으로 합계 액면금 192,502,950원 상당의 회사 명의의 수표를 발행하거나 타인이 발행한 약속어음에 회사 명의의 배서를 해 주게 되어 회사가 그 지급채무를 부담하게 되자 회사는 위 수표 또는 약속어음의 각 소지인들과 합의하여 1981년 말경까지 합계 80,564,850원을 그들에게 지급하고, 위 어음 및 수표를 모두 회수하였는데, 회사는 피고가 사실상 재산이 없어 위 불법행위로 인한 채권의 회수가 사실상 어려울 것으로 생각하고 또한 세무지식의 부족으로 말미암아 1981. 10. 회사의 임시주주총회에서 피고에 대한 채권을 부도채권으로 특별손실 처리하는 결의를 하고, 1981년도의 회사의 장부상 위 금액을 특별손실비용으로 처리한 일이 있었으나, 그 후 바로 회사의 세무관계 업무를 처리하던 세무사의 조언에 따라 위 채권을 특별손실비용으로 처리한 것을 철회하고, 회사의 자산계정에 유보시켜 두게 된 경우, 회사는 피고에 대한 채권에 관하여 회사의 임시주주총회에서 일시 특별손실 처리하는 결의를 하고, 이에 따라 장부상에도 일시 특별손실비용으로 처리한 일이 있었으나 이는 단지 회사의 내부적인 의사결정과정에 지나지 아니한 것으로서 회사가 위와 같은 채권포기의 의사를 확정적으로 외부에 표시하기 이전에 그 잘못을 발견하고 이를 바로 시정하였던 것이므로, 피고에 대한 손해배상채권을 포기하였다고는 볼 수 없다고 본 사례이다. 이에 대한 비판적인 견해로는, 최동식, "이사의 회사에 대한 손해배상책임의 면제," 「상사판례연구Ⅰ」(박영사, 1996), 624면.
220) 이사의 회사에 대한 책임을 일정 부분 감경할 수 있도록 함으로써 기업인의 적극적인 의사

추궁을 두려워하여 공격적, 모험적인 경영을 회피하는 현상을 보일 수 있어, 미국과 일본의 입법례를 본받아 신설한 것이다.[221]

제388조에 따라 정해지는 보수 외에 상여금과 주식매수선택권의 행사로 받은 이익도 포함되는데, 이사가 주식매수선택권을 보유하고 있는 것만으로는 부족하고 실제로 최근 1년간 행사하여 이익을 실현한 것이 있어야만 보수액에 포함된다.[222]

책임을 면제하는 절차와 관련하여, 제400조 제2항에서 특별히 절차를 규정하고 있지 않으므로 이사회 결의로 할 수 있다는 견해,[223] 이사의 책임을 면제하는 것이므로 이사회의 결의로는 할 수 없고, 주주총회의 결의에 의하여야만 한다는 견해[224] 등이 있을 수 있으나, 정관에서 이사회 결의로 면제할 수 있다고 규정하고 있는 경우, 그 효력을 부인할 이유는 없다고 본다.[225]

13) 손해배상책임의 해제(제450조)

이사의 손해배상책임이 재무제표(대차대조표, 손익계산서, 이익잉여금처분계산서 또는 결손금처분계산서)와 관련된 것일 때에는 정기총회에서 재무제표의 승인을 한 후 2년 내에 다른 결의가 없으면 회사는 이사의 책임을 해제한 것으로 보게 된다(제450조). 위와 같은 방법에 의한 이사의 책임해제는 당해 이사가 이사의 자격을 유지하고 있는 경우에 한한다. 즉 소송의 목적이 되는 권리관계가 비록 이사의 재직 중에 일어난 사유로 인한 것이라 하더라도 회사가 그 사람을 이사의 자격으로 제소하는 것이 아니라 당해 이사가 이미 이사의 자리를 떠난 상태여서 이사 아닌 자를 상대로 제소하는 경우에는 제450조에 의한 책임해제가 적용될 수 없다.[226] 위 규정에 따른 이사의 책임해제는 재무제표를 통하여 알 수

결정이 가능하도록 하고, 특히 회사 내부의 정보에 대한 접근성이 적은 사외이사의 손해배상책임에 대해서는 일반 이사보다 더 감경할 수 있도록 함으로써 사외이사제도의 활성화를 도모하기 위한 것이다. 최기원, 전게서, 694면.

221) 이철송, 전게 「회사법강의」, 810면. 일본의 경우, 대표이사는 연봉의 6배, 일반 이사는 연봉의 4배, 사외이사는 연봉의 2배로 제한할 수 있도록 규정하고 있다. 이기수·최병규, 전게서, 468면; 양동석·박승남, 전게논문, 233면.

222) 송옥렬, 전게서, 1083면; 이철송, 전게 「회사법강의」, 811면.

223) 최준선, 「회사법」 제16판(삼영사, 2021), 560면.

224) 양동석·박승남, 전게논문, 232면; 이철송, 전게 「회사법강의」, 813면.

225) 송옥렬, 전게서, 1083면.

226) 대법원 2002.3.15. 2000다9086; 1977.6.28. 77다295.

있는 사항에 대하여만 미친다.[227] 이사가 부당하게 저가로 주식을 처분하였을 경우, 당해 주식의 처분사실, 처분가액, 처분으로 인한 손실 등만 기재되어 있으면 족하고, 구체적으로 손해배상책임의 발생사실에 대한 내용까지 기재되어 있을 필요는 없다.[228] 책임해제를 주장하는 이사는 회사의 정기총회에 제출·승인된 서류에 그 책임사유가 기재되어 있는 사실을 입증하여야 할 책임을 부담한다.[229]

'다른 결의'는 책임을 해제하지 않는다는 결의, 재무제표의 승인을 철회하는 결의, 이사의 책임추궁에 관한 소제기 결의 등을 말하고, 주주총회 결의뿐만 아니라 이사회의 결의도 포함된다.[230] 회사가 특별한 결의 없이 당해 이사를 상대로 책임을 추궁하기 위한 소를 제기하는 경우에도 '다른 결의'가 있었던 것으로 보아야 하고,[231] 나아가 소수주주가 대표소송을 제기하는 경우에도 '다른 결의'가 있었던 것으로 보아야 한다는 하급심판결[232]이 있다.

이사의 행위가 '부정행위'에 해당하는 경우에는 재무제표에 대한 총회의 승인이 있더라도 책임이 면제되지 않는다(제450조 단서).[233] 여기서 어떠한 행위가 부정행위에 해당한다고 보아야 할지 법문상으로는 명확하지 않다. 뇌물공여행위, 배임행위 등 범죄행위가 부정행위에 해당한다고 보아야 함은 명백하다. 임무를 게을리한 행위에 이르는 과정에서 회사에 대한 신뢰를 깨는 고의 또는 중대한 과실이 있는 경우,[234] 이해관계인들의 신뢰를 깨는 고도의 비윤리적 행위,[235]

---

227) 대법원 2002.2.26. 2001다76854. 위 판례는, "상법 제450조에 따른 이사의 책임해제는 재무제표 등에 기재되어 정기총회에서 승인을 얻은 사항에 한정되는데, 상호신용금고의 대표이사가 충분한 담보를 확보하지 아니하고 동일인 대출 한도를 초과하여 대출한 것은 재무제표 등을 통하여 알 수 있는 사항이 아니므로, 상호신용금고의 정기총회에서 재무제표 등을 승인한 후 2년 내에 다른 결의가 없었다고 하여 대표이사의 손해배상책임이 해제되었다고 볼 수 없다."고 판시하고 있다.

228) 대법원 2005.10.28. 2003다69638 및 그 원심인 서울고등법원 2003.11.20. 2002나6595. 다만 제1심인 수원지방법원 2001.12.6. 98가합22553은 이와 다른 취지로 판시하고 있다.

229) 대법원 1969.1.28. 68다305.

230) 서울고등법원 1977.1.28. 75나2885. 이와 관련하여 이사의 책임면제와 관련된 문제를 주주총회에서 승인·결정하도록 하고 있는 점에 비추어, 이사회 결의로 대체될 수 없다고 주장하는 견해도 있다. 황근수, "상법상 이사의 손해배상책임제한의 가능성에 관한 고찰," 「상사판례연구」 제21집 제4권(한국상사판례학회, 2008. 12.), 222~223면.

231) 서울고등법원 1977.1.28. 75나2885; 안성포, 전게논문, 92면.

232) 대구지방법원 2000.5.30. 99가합13533; 안성포, 전게논문, 92면.

233) 대법원 2005.10.28. 2003다69638 및 그 원심인 서울고등법원 2003.11.20. 2002나6595.

234) 대법원 2005.10.28. 2003다69638 및 그 원심인 서울고등법원 2003.11.20. 2002나6595. 전자회사의 대표이사 또는 이사들이 계열회사의 주식을 주당 10,000원에 취득하였다가 8개월

재무제표의 승인을 얻는 과정에서 외부감사인을 매수하여 적정의견을 받아내는 것과 같이 절차상 부정행위가 있었던 경우236) 등도 부정행위에 해당된다. 판례상으로는, 이사가 회사 소유의 타 회사(계열회사) 주식을 매도함에 있어 회사의 손익을 제대로 따져보지 않은 채 당시 시행되던 상속세법시행령만에 근거하여 주식의 가치를 현저하게 낮게 평가한 후 이를 처분한 행위,237) 이사의 권한 내의 행위라고 할지라도 당해 사정 하에서 이를 행함이 정당시 될 수 없는 경우238)가 부정행위에 해당한다고 판시한 예가 있다. 부정행위에 대한 입증책임은 회사가 부담한다.

14) 손해배상책임의 추궁

이사에 대한 손해배상책임의 추궁은 통상 회사에 의해 행해지는 경우가 많을 것이다(회사가 이사를 상대로 손해배상책임을 추궁하는 소송을 제기할 경우 그 소에 관하여 회사를 대표하는 자는 감사239)이다. 제394조 제1항). 그러나 책임을 추궁하는 소송을 제기하게 될 감사와 그 상대방이 되는 이사 사이에 특수한 인간관계가 형성되어 있을 경우에는 회사가 이사에 대한 책임 추궁에 소극적일 수도 있다(특히 대주주가 대표이사이거나 대주주의 지시를 받는 자가 대표이사직을 맡고 있고, 감사도 사실상 그 대주주에 의해 선임되며, 업무집행을 담당하는 이사는 대주주 등의 지시를 받고 업무집행을 하는 경우가 많은 우리나라와 같은 특수한 기업환경의 경우에는 더욱 그러하다).

상법은 이러한 경우를 예상하여 '주주 대표소송' 및 '다중 대표소송'에 대해

후 주당 2,600원에 처분하여 회사에 626억 원 상당의 손해를 입힌 사안이다.

235) 안성포, 전게논문, 93면.

236) 안성포, 전게논문, 93면.

237) 대법원 2005.10.28. 2003다69638.

238) 서울고등법원 1977.1.28. 75나2885. 부동산 매매계약 당시 원고 회사의 대표이사직을 맡고 있던 피고가 자기 소유의 토지를 원고 회사에 매도함에 있어, 스스로 적정한 매매가격을 사정하여 원고 회사가 이를 매수하도록 하여야 할 선량한 관리자로서의 주의의무가 있음에도 불구하고, 자신의 이익만을 도모하기 위하여 그 임무를 해태하여 위 토지의 적정한 시가조차 확인함이 없이 매수인인 원고 회사의 대표자 및 매도인의 지위에서 일방적으로 그 시가의 무려 2배가 넘는 가격으로 매매대금을 결정하고, 원고 회사로부터 그 매매대금 전액을 지급받음으로서 원고 회사에게 손해를 입힌 사례이다.

239) 자본금의 총액이 10억 원 미만인 회사의 경우에는 감사를 선임하지 아니할 수 있는데, 이에 따라 감사를 선임하지 아니한 회사가 이사에 대하여 소를 제기하는 경우에 회사, 이사 또는 이해관계인은 법원에 회사를 대표할 자를 선임하여 줄 것을 신청하여야 한다(제409조 제4, 5항).

규정하고 있다. 즉 제403조(주주의 대표소송)는 "① 발행주식의 총수의 100분의 1 이상에 해당하는 주식을 가진 주주는 회사에 대하여 이사의 책임을 추궁할 소의 제기를 청구할 수 있다. ② 제1항의 청구는 그 이유를 기재한 서면으로 하여야 한다. ③ 회사가 전항의 청구를 받은 날로부터 30일내에 소를 제기하지 아니한 때에는 제1항의 주주는 즉시 회사를 위하여 소를 제기할 수 있다. ④ 제3항의 기간의 경과로 인하여 회사에 회복할 수 없는 손해가 생길 염려가 있는 경우에는 전항의 규정에 불구하고 제1항의 주주는 즉시 소를 제기할 수 있다"고 규정하고 있다. 그리고 2020. 12. 29. 신설된 조항인 제406조의2(다중대표소송)는 "① 모회사 발행주식총수의 100분의 1 이상에 해당하는 주식을 가진 주주는 자회사에 대하여 자회사 이사의 책임을 추궁할 소의 제기를 청구할 수 있다. ② 제1항의 주주는 자회사가 제1항의 청구를 받은 날부터 30일 내에 소를 제기하지 아니한 때에는 즉시 자회사를 위하여 소를 제기할 수 있다."고 규정하고 있다.

상장회사인 경우에는, 6개월 전부터 계속하여 상장회사 발행주식 총수의 1만분의 1 이상에 해당하는 주식을 보유한 자는 위 제403조(주주의 대표소송)에 따른 주주의 권리를 행사할 수 있고(제542조의6 제6항), 6개월 전부터 계속하여 상장회사 발행주식 총수의 1만분의 50 이상에 해당하는 주식을 보유한 자는 위 제406조의2(다중대표소송)에 따른 주주의 권리를 행사할 수 있다(제542조의6 제7항).

그러나 회사가 파산한 경우에는 위와 같은 주주 대표소송에 관한 규정이 적용되지 않고, 파산관재인만이 소송을 제기할 수 있다.[240]

---

240) 대법원 2002.7.12. 2001다2617. 위 판결은 "상법 제399조, 제414조에 따라 회사가 이사 또는 감사에 대하여 그들이 선량한 관리자의 주의의무를 다하지 못하였음을 이유로 손해배상책임을 구하는 소는 회사의 재산관계에 관한 소로서 회사에 대한 파산선고가 있으면 파산관재인이 당사자 적격을 가진다고 할 것이고(파산법 제152조), 파산절차에 있어서 회사의 재산을 관리·처분하는 권리는 파산관재인에게 속하며(파산법 제7조), 파산관재인은 법원의 감독 하에 선량한 관리자의 주의로써 그 직무를 수행할 책무를 부담하고 그러한 주의를 해태한 경우에는 이해관계인에 대하여 책임을 부담하게 되기 때문에(파산법 제154조) 이사 또는 감사에 대한 책임을 추궁하는 소에 있어서도 이를 제기할 것인지의 여부는 파산관재인의 판단에 위임되어 있다고 해석하여야 할 것이고, 따라서 회사가 이사 또는 감사에 대한 책임추궁을 게을리할 것을 예상하여 마련된 주주의 대표소송의 제도는 파산절차가 진행 중인 경우에는 그 적용이 없고, 주주가 파산관재인에 대하여 이사 또는 감사에 대한 책임을 추궁할 것을 청구하였는데 파산관재인이 이를 거부하였다고 하더라도 주주가 상법 제403조, 제415조에 근거하여 대표소송으로서 이사 또는 감사의 책임을 추궁하는 소를 제기할 수 없다고 보아야 할 것이며, 이러한 이치는 주주가 회사에 대하여 책임추궁의 소의 제기를 청구하였지만 회사가 소를 제기하지 않고 있는 사이에 회사에 대하여 파산선고가 있

주주 대표소송을 제기한 주주는 소를 제기한 후 지체없이 회사에 대하여 그 소송의 고지를 하여야 하고, 회사는 그 주주 대표소송에 참가할 수 있다(제404조 제1, 2항). 위와 같은 주주 대표소송에서 소를 제기한 주주가 승소한 때에는 그 주주는 회사에 대하여 소송비용 및 그 밖에 소송으로 인하여 지출한 비용 중 상당한 금액의 지급을 청구할 수 있다. 이 경우 소송비용을 지급한 회사는 소송상대방인 이사에 대하여 구상권을 행사할 수 있다(제405조 제1항). 역으로 주주 대표소송을 제기한 주주가 패소한 때에는 악의인 경우를 제외하고는 회사에 대하여 손해를 배상할 책임이 없다(제405조 제2항).

주주 대표소송에 의해 이사의 손해배상책임이 인정된 사례로는, 제일은행 주주 대표소송,[241] 삼성전자 주주 대표소송,[242] LG 주주 대표소송[243] 등이 있고, 기각된 사례로는 대우 주주 대표소송[244] 등이 있다.

한편 채권자가 동일한 채무자에 대하여 수 개의 손해배상채권을 가지고 있다고 하더라도 그 손해배상채권들이 발생시기와 발생원인 등을 달리하는 별개의 채권인 이상 이는 별개의 소송물에 해당하고, 그 손해배상채권들은 각각 소멸시효의 기산일이나 채무자가 주장할 수 있는 항변들이 다를 수도 있으므로, 이를 소로써 구하는 채권자로서는 손해배상채권별로 청구금액을 특정하여야 하고, 법원도 이에 따라 손해배상채권별로 인용금액을 특정하여야 하며, 이러한 법리는 채권자가 수개의 손해배상채권들 중 일부만을 청구하고 있는 경우에도 마찬가지이다.[245] 따라서 예를 들면 이사가 수개의 부실대출을 하였을 경우, 각 대출별로 손해배상책임이 인정되는지 여부 및 손해배상액의 제한, 최종적인 손해금액 등을 개별적으로 따져보아야 한다.

은 경우에도 마찬가지라고 할 것이다."라고 판시하고 있다.

[241] 1심 서울지방법원 1998.7.24. 97가합39907(원고 일부 승소), 2심 서울고등법원 2000.1.4. 98나45982(원고 패소, 공동소송참가 승소), 3심 대법원 2002.3.15. 2000다9086(상고기각)

[242] 1심 수원지방법원 2001.12.27. 98가합22553(원고 일부 승소), 2심 서울고등법원 2003.11. 20. 2002나6595(원고 일부 승소), 3심 대법원 2005.10.28. 2003다69638(상고기각).

[243] 서울남부지방법원 2006.8.17. 2003가합1176.

[244] 서울중앙지방법원 2004.11.18. 99가합47193. 청구기각으로 확정되었다.

[245] 대법원 2017.5.17. 2014다226031; 2009.11.12. 2007다53785; 2007.9.20. 2007다25865.

15) 소멸시효

가) 제399조에 따른 손해배상책임에 대한 소멸시효

제399조에 따른 이사의 주식회사에 대한 손해배상책임은 일반 불법행위 책임이 아니라 위임관계로 인한 채무불이행 책임 또는 상법이 인정한 특수한 계약책임이므로, 그 소멸시효기간은 일반채무의 경우와 같이 10년이다.246)

나) 민법 제750조에 따른 손해배상책임에 대한 소멸시효

이사의 임무위반행위가 동시에 일반 불법행위의 요건을 충족할 경우에는 불법행위로 인한 손해배상책임도 부담하게 됨은 앞서 본 바와 같은데, 이 경우 소멸시효는 민법의 일반원칙으로 돌아가 피해자나 그 법정대리인이 그 손해 및 가해자를 안 날로부터 3년, 불법행위가 있은 날로부터 10년이다.

그런데 법인의 경우 불법행위로 인한 손해배상청구권의 단기소멸시효의 기산점인 '손해 및 가해자를 안 날'과 관련하여, 법인의 대표자가 법인에 대하여 불법행위를 한 경우에는 법인과 그 대표자는 이익이 상반하게 되므로 대표자가 현실로 그로 인한 손해배상청구권을 행사하리라고 기대하기 어려울 뿐만 아니라 일반적으로 그 대표권도 부인된다고 할 것이므로, 단지 그 대표자가 그 손해 및 가해자를 아는 것만으로는 부족하고, 적어도 법인의 이익을 정당하게 보전할 권한을 가진 다른 임원 또는 사원이나 직원 등이 손해배상청구권을 행사할 수 있을 정도로 이를 안 때에 비로소 위 단기소멸시효가 진행한다고 할 것이다.247)

여기서 어떠한 지위에 있는 자가 '법인의 이익을 정당하게 보전할 권한을 가진 다른 임원 또는 사원이나 직원 등'에 해당하는지 여부가 문제될 수 있다. 판례상으로는, 상호신용금고의 1인 주주로부터 100% 주식과 경영권을 양수한 자는 위 금고의 이익을 정당하게 보전할 권한을 가진 자로서 손해배상청구권을 행사할 수 있는 자의 범위에 포함되고, 그가 금고의 기존의 부실채권액을 실사를 통하여 확인한 시점에서 위 금고도 손해 및 가해자를 안 것으로 볼 것이라고 한 사례,248) 농업협동조합의 경우, 농업협동조합법 제47조, 제48조, 제57조 및

---

246) 대법원 2008.12.11. 2005다51471; 1985.6.25. 84다카1954; 1969.1.28. 68다305.
247) 대법원 2017.3.9. 2016다259073; 2012.7.12. 2012다20475; 2002.6.14. 2002다11441; 1998. 11.10. 98다34126.
248) 대법원 2002.6.14. 2002다11441.

제57조의2 등에 따라, 대표자인 조합장이 그 업무집행에 관하여 부정한 사실이 있는 경우에는 감사가 감사권을 행사하거나 그 부정사실을 총회에 보고하고 나아가 조합을 대표하여 조합장을 상대로 소송을 제기하는 등의 조치를 취할 수 있으므로 조합의 이익을 정당하게 보전할 권한을 가지는 임원에 해당하고, 또한 그와 같은 불법행위에 가담하지 아니한 직원의 경우도 직무상 조합의 이익을 보전할 권한 및 책임이 있다고 볼 수 있으며, 그 밖에 조합원의 10분의 1 이상의 동의를 얻은 조합원도 조합장을 상대로 대표소송을 제기함으로써 그 이익을 보전할 수 있는 지위에 있는 것으로 볼 수 있다고 본 사례[249] 등이 있다.

저축은행 발행주식 총수와 경영권을 모두 양도하는 내용의 주식양도양수계약이 체결된 후 양수인이 양수 당시 미회수 대출금을 모두 대손상각 처리한 경우에는 그 무렵 손해 및 가해자를 모두 알았다고 할 것이다.[250]

다) 소멸시효의 중단

소멸시효 중단의 일반원칙에 따른다(민법 제168조). 다만 앞서 본 바와 같이 이사가 법률 또는 정관에 위반하거나 임무를 게을리하여 회사에 대하여 제399조에 따른 손해배상책임을 부담함과 동시에 일반 불법행위의 요건을 충족하여 민법 제750조에 따른 손해배상책임도 부담하게 될 수 있는데, 이 경우 소멸시효의 중단이 문제될 수 있다. 채권자가 동일한 목적을 달성하기 위하여 복수의 채권을 갖고 있는 경우, 채권자로서는 그 선택에 따라 권리를 행사할 수 있고, 그중 어느 하나의 청구를 한 것만으로는 다른 채권 그 자체를 행사한 것으로는 볼 수 없으므로, 특별한 사정이 없는 한 다른 채권에 대한 소멸시효 중단의 효력은 없다. 회사가 이사를 상대로 제399조에 기한 손해배상청구의 소를 제기하였다고 하여 이로써 일반 불법행위로 인한 손해배상청구권의 소멸시효가 중단될 수는 없다.[251]

16) 이사의 손해배상책임과 임원배상책임보험

앞서 본 바와 같이 이사가 회사에 대하여 손해배상책임을 부담할지 여부에 관한 분쟁이 IMF 구제금융 사태 이후 적지 않게 발생하였고, 앞으로도 관련 소

---

249) 대법원 1998.11.10. 98다34126.
250) 대법원 2017.3.9. 2016다259073.
251) 대법원 2002.6.14. 2002다11441; 2001.3.23. 2001다6145.

송이 많이 제기될 것으로 보인다. 그런데 회사의 경제규모가 커지면서 위와 같은 손해배상책임에 따라 이사가 개인적으로 배상하여야 할 손해액이 적지 않다는 데에 문제가 있다. 이사가 회사의 업무집행과정에서의 과실로 인하여 막대한 액수의 손해배상책임을 부담하게 될 수 있음을 두려워하게 되면 회사로서는 유능한 이사를 영입하는 것이 곤란해지게 되고, 회사에 영입되어 업무집행을 담당하는 이사도 주의의무 위반으로 인한 손해배상책임을 회피할 목적으로 다소 소극적으로 회사 업무에 임할 수 있다. 업무집행을 담당하지 않는 평이사의 역할도 회사경영의 투명성을 확보하기 위하여 중요한데, 평이사도 이러한 손해배상책임을 우려하여 위축된 상태에서 감시의무를 소홀히 할 우려가 없지 않다. 결국 위와 같은 문제로 인한 손해는 그대로 회사 및 주주에게 돌아가게 된다.

　제400조 제1항 소정의 총주주의 동의에 의한 책임면제, 제400조 제2항 소정의 정관에 의한 일부 면제, 제450조 소정의 정기총회에서의 재무제표 결의에 의한 책임해제 등이 모두 이사의 손해배상책임을 소멸시켜 실질적으로 이사를 보호하는 기능을 가지고 있음은 부정할 수 없다. 그리고 손해분담의 공평이라는 손해배상제도의 이념에 따라 이사나 회사에 관한 여러 가지 사정을 고려하여 손해배상액을 제한하는 것도 일정 부분 그러한 역할을 수행한다고 볼 수 있다. 그러나 이것만으로는 위와 같은 문제를 해결하기에 충분하지 않다. 더구나 2011. 4. 14. 상법을 개정하면서 제400조 제2항을 신설하여 '정관에 의한 일부(최근 1년간 보수액의 6배 초과 금액, 사외이사는 3배) 면제' 규정을 마련하였지만, 아직은 상장회사의 1/2 정도만 이를 이용하고 있다.[252]

　미국의 경우, 델라웨어 주(州) 회사법이나 미국법률협회(ALI)의 '회사지배원칙'은, 주의의무에 위반한 이사에 대하여 정관에서 정하는 요건에 해당하는 경우에는 이사가 회사에 대하여 부담하여야 손해배상책임의 액수를 '연간보수액'으로 제한할 수 있다는 책임제한제도에 대하여 규정하고 있고, 나아가 위 회사지배원칙은 이사의 책임추궁에 대한 방어비용(경우에 따라서는 배상이 명하여진 금액)을 회사가 지급할 수 있는 제도, 즉 회사보상제도에 대하여도 규정하고 있다고 한

---

252) 언론기사에 의하면, 코스피 상장사의 1/2 정도가 개정 상법에서 도입된 경영진에 대한 책임감경 규정을 정관에 반영한 것으로 나타났다. 2013. 8. 1. 한국상장사협의회가 코스피 상장사 723개사의 정관변경 현황을 조사한 결과, 이사·감사에 대한 책임감경 규정을 정관에 반영한 회사가 375개사(51.9%)로 가장 많았다. 2013. 8. 1.자 아시아경제신문 인터넷 기사 참조.

다.253) 그리고 미국의 많은 회사들은 정관 등에 위와 같은 책임제한제도, 회사보상제도에 대하여 규정하고 있고, 대부분의 주(州)들은 회사보상제도를 입법화하고 있다고 한다.254) 그러나 위와 같은 제도만으로도 유능한 자질이 있는 사람들의 이사직 기피현상이 해소되지 않았는데, 그에 대한 보완책으로 각광받고 있는 것이 임원배상책임보험(directors and officers liability insurance; D&O Insurance)이다.

'임원배상책임보험'이란, 회사의 이사나 임원이 회사를 위하여 업무를 수행하던 중 위법행위(wrongful act)로 인하여 부담하게 되는 손해배상책임과 소송비용을 전보해 주는 것을 목적으로 하는 보험을 말한다. 여기서 '위법행위(wrongful act)'란 의무위반, 임무 해태(과실), 과오, 허위진술, 판단을 그르치게 하는 진술, 회사 임원의 지위에서 업무수행상 행한 작위 또는 부작위 등으로서 사실상 임원의 지위에서 손해배상책임이 발생할 수 있는 모든 행위를 지칭한다고 볼 수 있다.255) 미국의 경우, 1996년도 조사에 따르면, 대기업의 95% 이상이 임원배상책임보험에 가입하고 있고, 일본의 경우에도 1997년 말 현재 동경 증시 상장기업의 80% 이상이 위 보험에 가입하고 있다고 한다.256) 게다가 미국에서는 대부분의 이사나 임원이 취임조건으로 회사보상과 임원배상책임보험에의 가입을 요구하고 있어, 이제 위와 같은 제도는 이사나 임원의 경영활동에 필수적인 도구로 인정받고 있다고 한다.257)

우리나라의 경우 미국의 책임제한제도를 본받아 제400조 제2항을 신설하였으나 책임제한 금액이 미국에 비해 과다하고(최근 1년간 보수액의 6배 초과 금액, 사외이사는 3배 초과 금액), 미국에서 논의되고 있는 '회사보상제도'에 대하여는 아직 별다른 논의가 없는 상황이다. 그러나 임원배상책임보험의 경우, 1991. 10. 처음 도입된 이래 IMF 사태 이후 이사 등 임원의 손해배상의무를 전보하는 방

---

253) 허덕회, "이사의 법령위반행위에 대한 책임,"「상사법연구」제22권 제1호(한국상사법학회, 2003. 5.), 373~374면.

254) 경익수, "회사임원배상책임보험,"「보험조사월보」제17권 제4호(보험감독원, 1994. 4.), 23면; 김원기, "임원배상책임보험에서 보험자면책의 행위기준,"「보험학회지」제54집(한국보험학회, 1999. 12.), 157면.

255) 경익수, 전게논문, 23면; 김영선, "회사임원배상책임보험에 관한 문제 고찰,"「보험법률」제26호(보험신보사, 1999. 4.), 19면.

256) 김원기, 전게논문, 156면.

257) 김원기, 전게논문, 159면.

안으로 각광받고 있다. 2004년 기준 상장법인 655개사 중 225개사(34.4%)가 임원배상책임보험에 가입하고 있고, 자산 2조 원 이상 상장법인의 경우 77개사 중 70개사(90.9%)가 가입하였다.[258] 일반적으로 임원배상책임보험은 피보험자별로 체결되는 것이 아니라 회사의 전체 임원을 피보험자로 하여 일괄적으로 체결되고, 보험계약자인 회사가 보험자와 협상하여 단일한 보험료를 정하고 하나의 보험증권이 발행되는 형태로 체결되고 있다.[259] 삼성화재해상보험, 현대해상화재보험을 비롯한 대부분의 국내 보험회사들도 임원배상책임보험을 취급하고 있다.[260][261] 그에 따라 최근 들어서는 임원배상책임보험과 관련된 판결들도 많이

---

258) 서정, "임원배상책임보험,"「민사판례연구」제29권(박영사, 2007. 3.), 1083면; 이경태·최종원, "임원배상책임보험 가입 기업의 특성,"「보험학회지」제74집(한국보험학회, 2006. 8.), 6~7면. 많은 회사들이 임원배상책임보험에 가입하는 이유로는, 기업환경의 변화(주주대표소송 요건의 완화, 외국투자자의 증가, 소액주주들의 권리의식 확대), 증권관련집단소송법의 제정, 금융감독원의 가입 독려, 국제회계기준의 채택 등이 언급되고 있다. 육태우, "미국 회사 임원배상책임보험의 새로운 유형 및 주요 계약조건,"「손해보험」제514호(대한손해보험협회, 2011. 9.), 224~225면. 가입건수는, 2000년 101건을 시작으로 하여 점차 늘어나 2005년에는 384건, 2008년에는 496건에 이르렀고, 2011년에는 464건이 되었다. 김홍식, "회사법적 관점에서 본 임원배상책임보험,"「상사판례연구」제26집 제2권(한국상사판례학회, 2013. 6.), 232면.

259) 홍진희, "임원배상책임보험의 법적 성격,"「민사법연구」제15집 제2호(한국민사법학회, 2007. 12.), 150면.

260) 김건식, "이사의 배상책임보험 - 임원배상책임보험 약관의 면책사유를 중심으로 -,"「상장협」제45호(한국상장회사협의회, 2002. 3.), 125면; 김영선, 전게논문, 17면; 김원기, 전게논문, 156면; 정동욱, "사외이사가 뜬다,"「경영법무 Business and Law」제54권(한국경영법무연구소, 1998. 9.), 27면; 황운경, "임원배상책임보험에 관한 연구," 연세대학교 대학원 석사학위 논문(2003. 12.), 66면.

   한편 임원배상책임보험의 경우 '국문약관'과 담보금액이 커서 해외재보험이 불가피한 경우에 사용되는 '영문약관'이 있는데, 국문약관에 따르면, 임원배상책임보험은 피보험자가 임원으로서의 업무와 관련하여 행한 행위에 기인하여 담보지역 내에서 피보험자에 대하여 손해배상청구가 제기되어 법률상 배상책임을 부담함으로써 입은 손해를 보상하는 것이고(국문약관 제2조 제1항), 보험자가 보험금으로 지급하는 손해는 통상 법률상 손해배상금과 소송비용을 의미한다(국문약관 제5조). 법률상 손해배상금은 법률상 손해배상책임에 따른 배상금을 말하고, 세금이나 벌금, 과태료, 과징금 등은 포함되지 않는다. 반면, 미국의 경우에는 일반적으로 벌금, 징벌적 손해 등에 대해서도 배상이 이루어진다고 한다. 서정, 전게논문, 1084~1085면.

261) 다만 언론기사에 의하면, 최근 들어 손해보험사 빅5인 삼성화재, 현대해상, 동부화재, LIG손해보험, 메리츠화재의 임원배상책임보험 실적이 정체 상태이다. 이들 5개 회사의 최근 3년간 계약건수를 보면, 2012년 665건, 2013년 731건, 2014. 1.~ 9.까지 576건으로 별다른 변화가 없는 것으로 나타났다. 원수보험료의 경우 소폭 감소하고 있다. 2012년 515억 원이었던 빅5의 원수보험료는 지난해 497억 5,000만 원으로 줄었고, 2014. 1.~ 9.까지는 368억 8,000만 원이다. 과거 외환위기 시절인 1997년부터 2000년대 초반까지 폭발적인 관심으로 5년간 계약건수만 30배가 증가했던 시절에 비하면 주춤한 모습이다. 2015. 9. 14.자 대한금융신문 인터넷 기사 참조.

나오고 있다.[262] 다만 현행 임원배상책임보험의 약관상 보상하지 아니하는 손해로서 면책사유(회사의 직접 청구, 주주 대표소송, 불법적인 사적 이익의 취득행위, 위법한 보수 또는 상여, 범죄행위, 법령에 위반된다는 사실을 피보험자가 인식하면서 행한 행위 등)가 다소 폭넓게 규정되어 있어, 이사의 손해배상책임에 대한 두려움 및 그로 인한 현실적인 문제점 등이 완전히 불식된 것은 아니다.[263] 다행스럽게도 최근 대법원[264]은 임원배상책임보험 약관상의 '클레임(claim)'의 의미를 유연하게 해석하였고,[265] 폭넓은 면책사유에 대해 설명의무불이행을 이유로 그 효력

---

262) 대법원 2019.1.17. 2016다277200; 2016.7.29. 2013다91474; 2004.7.22. 2003다19053; 2004.7.9. 2003다15297; 2004. 7.8. 2002다69259; 서울고등법원 2014.12.18. 2013나74013; 2013.10.16. 2013나27840; 서울중앙지방법원 2007.10.4. 2007가합9301; 2005.7.7. 2004가합52953 등등.

263) 한편 독일 주식법(AktG) 제93조 제2항 제2문은 "회사가 이사의 업무수행상의 활동으로부터 발생하는 위험에 대한 안전장치로서 회사를 피보험자로 하여 보험계약을 체결한 경우, 최소한 손해의 10% 내지 당해 이사 연봉의 150%를 이사가 부담하도록 하여야 한다."고 규정하여, 임원배상책임보험이 체결된 경우에도 당해 이사에게 일정 부분 손해배상책임을 부담시키고 있다.

264) 대법원 2019.1.17. 2016다277200; 그 원심은 서울고등법원 2016.11.18. 2015나2052297.

265) 즉 임원배상책임보험계약을 체결하면서 영문과 번역문으로 "피보험회사의 임원이 그 자격 내에서 수행한 업무에 따른 부당행위로 인하여 보험기간 중 그들을 상대로 최초 제기된 청구(claim, 이하 '클레임'이라 한다)에 대하여 회사가 해당 임원에게 보상함으로써 발생한 손해를 보상한다."는 내용의 약관 조항을 두었는데, 위 조항에서 말하는 클레임에 민사상 손해배상청구를 당한 경우뿐만 아니라 형사상 기소를 당한 경우도 포함되는지 문제 된 사안에서, 클레임이라는 영문 용어가 미국의 임원배상책임보험 관련업계에서 사용된 용례나 분쟁사례에서 결정된 의미를 보면 반드시 손해배상청구만을 의미한다고 보기 어려운 점, 임원의 업무 추진과 경영상 판단을 존중하기 위하여 회사의 비용으로 임원의 법적 책임에 대한 부담을 완화하고자 하는 임원배상책임보험의 취지에 따르면 임원이 업무상 행위로 민사상 손해배상청구를 당한 경우와 형사상 기소를 당한 경우를 달리 평가할 수 없는 점, 국내에 출시된 임원배상책임보험 상품 중 클레임의 범위에 형사 기소가 포함된 예가 있는 등의 사정에 비추어 우리나라 보험업계에서도 손해배상책임을 민사상 손해배상청구에 따른 책임만을 의미하는 것으로 이해하고 있다고 단정하기 어려운 점 등을 들어 위 '클레임'에는 임원이 직무상 수행한 업무에 따른 부당행위로 형사상 기소를 당한 경우도 포함된다고 본 원심판단을 유지하였다. 또한 "피보험회사의 임원이 그 자격 내에서 수행한 업무에 따른 부당행위로 인하여 보험기간 중 그들을 상대로 최초 제기된 청구(claim)에 대하여 회사가 해당 임원에게 보상함으로써 발생한 손해를 보상한다. 단, 회사가 법률, 강제규정, 계약 또는 회사 임원의 손해보상 권리를 규정한 근거에 의거 보상한 경우에 한한다."는 약관 조항 중 위 조항 단서에서 말하는 근거규정에 법률규정이나 판례가 포함되는지 문제 된 사안에서, 위 조항에서 회사가 근거규정에 의거하여 임원에게 보상한 경우에만 담보하도록 정한 취지는 회사가 정당한 이유 없이 또는 합리적 통제 없이 임원의 이익과 편의만을 도모하고 손해를 떠맡는 것을 방지하기 위한 것이므로, 이러한 취지에 부합하는 근거규정은 회사와 임원 간의 계약이나 회사의 정관 등에 명문을 둔 규정만을 의미하는 것이 아니고 법률상 규정뿐만 아니라 법이론 또는 판례에 근거한 경우도 포함한다고 본 원심판단을 유지하였다.

을 제한하였다.[266]

다. 경영판단의 원칙   권 재 열*

1) 서 론

주식회사의 이사는 이사회의 구성원으로서 회사의 업무집행에 관해 다종다양한 결정에 참여한다(제393조 제1항). 이사는 그 결정을 함에 있어서 선량한 관리자의 주의를 다해야 한다(제382조 제2항, 민법 제681조). 그러나 기업에서의 경영판단 자체에는 모험과 위험이 수반되는 경우가 허다하다. 그러므로 이사가 회사를 둘러싼 사회·경제환경 상 장래의 변화를 완전하거나 정확하게 예측하는 것을 기대할 수 없다. 만약 이사의 결정 내지 판단이 결과적으로는 성공하지 못하여 회사가 손해를 입었다고 해서 당초 결정을 한 이사가 선관주의의무를 위반한 것으로 보아 그에게 회사 손해에 대한 배상책임을 부담시킨다면 이는 기본적으로 책임주의(責任主義)에 반하여[1] 이사로 하여금 능동적이고 진취적인 의사결정을 기피하게 할 우려가 있고 그 결과 회사 발전에 걸림돌로 작용할 수 있다. 때문에 그러한 경우에도 이사의 업무집행에 관계된 경영판단이 회사의 업무집행 본연의 취지에 맞게 신중하게 이루어졌고 그 판단의 내용이 부적절하지 않다면 이사에게 선관주의의무위반의 책임을 묻지 않는 것이 바람직하다. 이에 대법원은 이미 판례상 다른 직업군에서의 주의의무부담자에 대하여 인정되는 사후책임

---

266) 즉 약관으로 "회사 또는 피보험자는 피보험자에게 제기된 손해배상청구에 대하여 부당행위 내용, 주장된 내용 등에 관한 정보를 지체 없이 을 회사(보험자)에 서면 통지하여야 한다." 는 내용 등의 통지의무 조항과 "보험약관에서 정한 모든 조건을 이행하지 않는 한 을 회사에 대한 어떠한 청구도 제기할 수 없다."는 내용의 청구 조항 및 "피보험자는 을 회사의 사전 서면동의 없이 방어비용을 지불하여서는 안 되고, 을 회사가 동의한 방어비용만 손해로 보상한다."는 내용의 사전동의 조항을 둔 사안에서, 통지의무 조항은 상법상 통지의무를 구체화하여 기재한 것으로 보험계약의 내용에 편입되었으나, 청구 조항과 사전동의 조항은 상법 제652조, 제657조, 제720조 제1항과 다르게 보험금 청구요건을 피보험자에게 불리하게 강화한 내용이어서 보험자가 구체적이고 상세한 명시·설명의무를 부담하는 보험계약의 중요한 내용인데, 갑 회사(보험계약자)가 을 회사의 설명 없이도 이를 충분히 예상하거나 잘 알고 있었다고 보기 어렵고 을 회사가 갑 회사에 이를 구체적으로 설명하였다고 인정할 수도 없으므로, 보험계약에 유효하게 편입되지 못하였다고 본 원심판단을 그대로 유지하였다.

* 경희대학교 법학전문대학원 교수

1) 책임주의란 "당사자에게 기대하기 어려운 사정이 있거나 법령상 의무 위반을 비난할 수 없는 정당한 사유가 있는 경우"에는 그 당사자에게 책임을 부과할 수 없다는 것을 의미한다 (대법원 2017.4.26. 2016두46175 참조).

(ex post facto liability) 내지 결과책임(Erfolgshaftung)의 배세원칙을 이사에게 까지 확장하여 적용하고 있다.[2] 대법원은 이러한 결과책임배제의 원칙을 '경영판단의 원칙'으로 명명하면서 일정한 요건 하에 주식회사의 이사에게 그의 행위에 대한 사후적 관점에서의 책임부과를 사법적(司法的)으로 부정하고 있는 것이다.[3]

1990년대 후반기에 한국에서 처음으로 경영판단의 원칙에 관련된 하급심 판례가 나온 이래 지금까지 대법원이 여러 판결을 통해 경영판단 원칙의 적용기준과 관련하여 일관된 판시를 하고 있다는 점에 비추어 보면 동 원칙이 상당한 수준으로 정립된 상황이라 할 것이다.[4] 2000년대에 들어와서는 비록 상법에 규정되지 않았지만 경영판단의 원칙을 이사의 행위준칙으로 명정하려는 움직임도 있었다.[5] 최근에는 경영판단의 원칙과 관련한 형법학자들의 관심도 고조되고 있다.[6]

이사의 경영판단에 대한 결과책임의 배제는 비단 한국만의 현상은 아니다. 이사의 경영판단에 대한 주의와 내용상 정도의 차이는 있을지언정 거의 세계적으로 공통된 사항이다.[7] 이사의 경영판단에 대하여 결과책임을 부인하는 외국의 대표적인 제도로는 미국의 business judgment rule[8]이 있으며, 한국에서는 '경

---

2) 예컨대, 의사의 진료행위에 대한 결과책임의 배제는 판례법상 확립된 기준이다. 대법원 1984.6.12. 82도3199; 1987.1.20. 86다카1469; 1992.5.12. 91다23707; 1996.6.25. 94다13046; 2008.3.27. 2007다16519; 2011.7.14. 2009다101916; 2018.5.11. 2018도2844 참조.

3) 예컨대, 대법원 2017.9.12. 2015다70044 참조.

4) 한석훈, "경영판단행위의 형사규제 – 경영판단원칙의 입법화 방안을 중심으로 –,"「상사법연구」 제35권 제1호(한국상사법학회, 2016), 29~31면.

5) 한국증권거래소(한국거래소의 진신)와 한국상장회사협의회가 주축이 되어 구성한 사외이사제도개선 및 사외이사직무수행기준제정위원회는 2000년 11월 사외이사직무수행규준을 제정하여 공포하였는데, 동 규준의 6.6.에서 경영판단의 원칙을 명문으로 규정한 바 있다. 그 후 유관기관, 상장회사, 학계, 연구소 연구원 등으로 구성된 사외이사직무수행규준 개정위원회가 2007년 12월 공포한 개정 사외이사직무수행규준 5.6에는 경영판단의 원칙이라는 표제하에 "이사가 회사의 이익을 위해 합리적으로 업무를 결정 또는 집행한 때에는 그로 인해 생긴 회사의 손해에 관해 책임을 지지 아니한다"라고 규정하고 있다.

6) 예컨대, 강동범, "이사의 경영판단과 업무상 배임,"「법학논집」 제14권 제3호(이화여자대학교, 2010); 강동욱, "이사의 경영상 임무위배행위에 대한 형사처벌 규정의 통합방안 –「상법」상 특별배임죄(제622조)의 개정방안을 중심으로 –,"「법과 정책연구」 제17집 제3호(한국법정책학회, 2017); 김기섭, "법인대표의 경영상의 판단과 업무상 배임죄,"「판례연구」 제18집(서울지방변호사회, 2005); 박수희, "경영판단행위와 형법상 배임죄,"「한양법학」 제26권 제1집(한양법학회, 2015); 이규훈, "업무상 배임죄와 경영판단,"「형사판례연구」 13 (박영사, 2005); 조기영, "배임죄의 제한해석과 경영판단의 원칙,"「형사법연구」 제19권 제1호(한국형사법학회, 2007); 최성진, "경영판단원칙과 경영책임자에 대한 업무상 배임죄의 성부,"「동아법학」 제60호(동아대학교, 2013) 등이 있다.

7) 김건식·노혁준·천경훈, 「회사법」 제5판(박영사, 2021), 422면.

영판단의 원칙'으로 번역되고 있다. 미국의 경영판단의 원칙은 본래 판례에 의하여 형성·발전되어 오다가[9] 최근에는 이를 성문법으로 수용한 주(州)도 생겨나고 있다.[10]

그러나 어느 복수의 국가에서 동일한 용어가 사용된다고 해서 그 제도의 내용마저 동일하다고 단언하기는 어렵다.[11] 법체계가 매우 유사한 국가의 법제를 연구할 때에도 이 점을 매우 유의하여야 한다.[12] 한국은 법체계와 그 하부적인 법제도가 미국의 그것과 많이 다르기 때문에 사용되는 법률용어가 동일하다고 해서 그 내용과 기능이 전적으로 동일할 것이라고 예단(豫斷)하여서는 안된다. 오히려 그러한 예단이 위험하다는 것을 증명하기 위해서는 미국과 한국의 경영판단의 원칙을 분석하여 그 세부적인 차이를 분명히 밝히는 것이 필요하다. 이에 이하에서는 한국 대법원 판례상 경영판단 원칙의 취지와 내용 등을 살펴 본후 비교법적 측면에서 그 특징을 미국법상의 그것과 비교하여 검토하고자 한다. 이러한 검토를 바탕으로 미국의 경영판단의 원칙을 도입하자는 기존의 주장이 과연 설득력이 있는지에 관하여 살펴보고자 한다. 다만, 미국법상 경영판단의 원칙에 관해서는 이미 상당한 양의 연구가 축적되어 있으므로[13] 이에 대한 자

---

8) 미국법률협회(American Law Institute: ALI)의 "회사지배구조의 원칙 – 분석과 권고 –" (Principles of Corporate Governance: Analysis and Recommendations)는 "경영판단원칙의 기본적인 정책기반은 회사법이 위험부담, 기술혁신 및 그 외의 창조적인 기업가 활동을 고무시키기 위하여 충분한 정보를 바탕으로 한 경영판단(사후의 결과가 판단의 옳고 그름의 증명여하와는 상관없이)을 장려하고 동시에 광범위한 보호를 부여하여야 한다는 점에 있다"고 서술하고 있다. 1 American Law Institute, Principles of Corporate Governance: Restatement and Recommendations, Introductory Note to Part IV at 135(1994)[이하 저자를 "ALI"로 인용함].

9) 미국법상 경영판단의 원칙은 1829년의 Percy v. Millaudon 사건에서 처음 등장한 이래 지금까지 계속하여 수정과 발전을 거듭하고 있다. 8 Mart.(n.s.) 68(La.1829). 이 사건에서 루이지애나 주대법원은 이사는 선의의 실수(honest mistake)에 대해서는 책임을 부담하지 않는다고 설시한 바 있다. Id, at 77~78; D. Gordon Smith, The Shareholder Primacy Norm, 23 Journal of Corporation Law 277, 309(1998).

10) 캘리포니아 주(州)는 미국에서 경영판단의 원칙을 성문법으로 규정한 대표적인 주이다 (California Corporations Code §7231(c)). 반대로 알래스카 주처럼 동 원칙의 성문법화에 동조하지 않는 주도 역시 존재한다. Fred W. Triem, Judicial Schizophrenia in Corporate Law: Confusing the Standard of Care with the Business Judgment Rule, 24 Alaska Law Review 23, 26(2007).

11) 일본에서도 이러한 현상을 비판하는 문헌이 있다. 杉本泰治, 「法律의 飜譯 – アメリカ法と日本語の危険な關係 –」(勁草書房, 1997), 2~3, 140面 참조.

12) Caroline Bradley, Transatlantic Misunderstandings: Corporate Law and Societies, 53 University of Miami Law Review 269, 270(1999).

13) 미국법상의 경영판단의 원칙에 관한 대표적인 논의로서는 김광록, "미국의 최근 판례를 통

세한 논의는 가급적 피하기로 한다.

2) 대법원 판례상 경영판단의 원칙의 취지와 내용

가) 개 관

이사는 통상적 능력과 식견을 가진 전문직에 종사하는 기업인이며 회사경영의 주체로서 회사의 규모 및 종류, 담당업무의 내용 등에 따라 객관적·합리적으로 인정되는 고도의 신중한 주의를 기울여서 의사를 결정하고 업무를 집행하여야 하는 의무를 부담한다.[14] 이를 위해서는 경영판단에 관련된 적절하고도 충분한 의견, 보고, 설명 등을 듣거나 받고, 자료를 수집하여야 하며, 그 수집된 정보에 입각하여 사실조사와 검토를 행하여 사실관계를 인식하고, 그 인식을 바탕으로 하여 경영판단의 내용을 결정하여야 한다. 만약에 이와 같은 의무를 위반한 경우에는 임무해태로 인한 손해배상책임(제399조)을 부담한다.

상법상 경영판단 원칙의 적용여부는 이사의 책임을 추궁하기 위해 회사가 이사를 상대로 직접 소송을 제기하거나 혹은 주주가 이사를 상대로 회사를 위하여 대표소송을 제기한 경우에 문제된다.[15] 대법원 판례의 법리에 따르면 어느 이사의 행위가 경영판단 원칙의 기준을 충족한다면 그는 선관주의의무를 이행한 것으로 되어 회사에 대하여 아무런 책임을 부담하지 않는다. 말하자면, 대법원 판례상 경영판단의 원칙은 이사의 경영판단에 대한 폭넓은 재량권을 인정하고, 이사의 과실에 의한 선관주의의무위반여부를 결정함에 있어서 경영판단의 특수성을 고려하여야 한다는 뜻을 내포하고 있다. 이 때문에 경영판단의 원칙이 실정법의 체계에서 규정되고 있는 과실책임의 원칙을 수정하는 것으로 보기는 어렵다.

해 본 경영판단의 원칙," 「법학연구」 제32집(한국법학회, 2008); 정봉진, "이사의 주의의무와 경영판단의 법칙간의 관계에 관한 미국법 고찰," 「상사법연구」 제21권 제2호(한국상사법학회, 2002)가 있다.

14) 이철송, 「회사법강의」 제29판(박영사, 2021), 793면.

15) 홍석범, "경영판단의 원칙의 수용과 그 한계," 「인권과 정의」 제364호(대한변호사협회, 2006), 33~34면. 대법원 판결 중에는 제3자에 대한 이사의 손해배상책임과 관련하여 경영판단의 원칙을 적용한 것으로 읽히는 것도 있으나(대법원 2002.10.2. 2001다78942), 이를 일반화하기 곤란하다는 점에서 논의에서 제외한다. 정호열·이영철·박임출, 「이사의 손해배상책임과 제한에 관한 연구」 상장협 연구보고서 2003-1(한국상장회사협의회, 2003), 78면 참조.

나) 경영판단의 원칙의 인정취지

대법원 판례는 이사의 경영판단은 회사경영에 있어서 위험이 따르는 일종의 모험거래(Riskogeschäft)적인 성격을 지니므로 단순히 처음에 의도한 것과 다른 결과가 나왔다는 사실만으로 이사의 주의의무 해태를 인정할 수 없다는 입장을 취하고 있다.[16] 이처럼 대법원이 선관주의의무를 준수한 이사의 행위에 대해 결과책임을 부정하는 등의 방법으로 경영판단의 원칙을 인정하는 주된 이유는, "기업의 경영에는 원천적으로 위험이 내재"[17]함에도 불구하고 이사에게 회사의 업무집행과 관련하여 광범위한 재량권을 부여하여 이사로 하여금 혁신적인 행동을 할 것을 고무시키자는 데 있다.[18] 요컨대, 이사가 경영상의 판단을 잘못하였

---

16) 대법원은 이사의 경영판단이 문제된 초기의 사건에서 "대표이사를 상대로 주식회사에 대한 임무 해태를 내세워 채무불이행으로 인한 손해배상책임을 물음에 있어서는 대표이사의 직무수행상의 채무는 미회수금 손해 등의 결과가 전혀 발생하지 않도록 하여야 할 결과채무가 아니라(밑줄-필자), 회사의 이익을 위하여 선량한 관리자로서의 주의의무를 가지고 필요하고 적절한 조치를 다해야 할 채무이므로 회사에게 대출금 중 미회수금 손해가 발생하였다는 결과만을 가지고 곧바로 채무불이행사실을 추정할 수는 없는 것"으로 판시하고 있다(대법원 1996.12.23. 96다30465, 30472). 이와 같은 취지의 판결은 상당한 정도로 축적되어 있다. 예컨대, 대법원 2002.3.15. 2000다9086에서 "금융기관인 주식회사의 이사가 한 대출이 결과적으로 회수곤란 또는 회수불능으로 되었다고 할지라도 그것만으로 바로 대출결정을 내린 대표이사 또는 이사의 판단이 선관주의의무 내지 충실의무를 위반한 것이라고 단정할 수 없음"을 밝히고 있다. 이 밖에도 대법원 2002.6.14. 2001다52407; 2002.11.22. 2001다16265; 2003.4.11. 2002다61378; 2004.7.22. 2002도4229; 2004.8.20. 2004다19524; 2005.1.14. 2004다8951; 2005.1.14. 2004다34349; 2005.5.27. 2004다8128; 2007.10.11. 2006다33333; 2011.10.13. 2009다80521; 2013.9.12. 2011다57869; 2017.9.12. 2015다70044 등이 있다.

17) 기업의 경영자에게 배임의 고의가 있었는지에 관련된 형사판결에서 대법원은 "기업의 경영에는 원천적으로 위험이 내재"한다고 판시(대법원 2014.11.27. 2013도2858)하고 있는데, 이는 '경영판단의 특수성'을 감안한 표현이다.

18) 대법원은 "주식회사의 이사는 회사를 둘러싼 복잡하고 유동적인 여러 상황 아래에서 그 임무를 수행하기 위하여 전문적인 지식과 경험에 기초하여 여러 가지 사정들을 고려하여 경영상의 판단을 하여야 하고, 이와 같은 이사의 경영상 판단에는 그 성질상 폭넓은 재량이 인정되어야 하는 것이므로, 이사의 어떠한 판단이 결과적으로 회사에 대하여 손해를 초래하였다고 하더라도 그것만으로 곧바로 이사에게 선관주의의무 위반이 있었다고 단정할 수는 없는 것이고, 이사에 의한 직무수행이나 경영판단의 특수성을 충분히 배려하고 가혹한 책임의 위험에 의하여 회사경영을 부당하게 위축시키지 않도록 하는 한편 이사가 적당한 견제를 받도록 하여 이사에게 경영자로서의 합리적인 재량을 확보할 수 있도록 구체적인 사안에서 회사의 규모, 사업내용, 문제가 된 거래나 사업계획의 내용과 필요성, 당해 이사의 지식경험과 담당업무, 당해 사업계획 등에 관여한 정도 그 밖에 여러 가지 사정을 종합적으로 고려하여 이사에게 선관주의의무 위반이 있는지 여부를 개별적·구체적으로 판단하여야 한다"고 설시하고 있다(대법원 2005.5.27. 2004다8128). 이와 동일한 취지는 이사의 배임죄와 관련한 판례에서도 판시된 바 있다. 예컨대, 대법원 2004.7.22. 2002도4229; 2015.3.12. 2012도9148; 2017.5.30. 2016도9027 참조. 하급심 판례 중에는 오래전부터 이

다고 해서 무조건적으로 그 임무를 해태한 것으로 되지는 않는다. 이에는 종국적으로 이사의 경영판단의 실패로 인한 위험은 이사를 선임하여 회사경영을 위임한 주주가 인수하여야 한다는 의미가 반영되어 있다.

다) 경영판단 원칙의 주요체계 및 내용

(1) 선관주의의무의 요소로서의 지위

(가) 선관주의의무와의 관계

상법상 이사가 선관주의의무를 이행하였는지 여부를 판단함에 있어서 어떤 유형의 이사를 그 의무의 주체로 하는지, 그리고 선관주의를 기울여야 하는 대상과 그 방법 등이 적법 내지 적절한지를 가늠하여야 한다. 이와 관련하여 대법원은 일관되게 통상의 이사 내지 통상의 기업인을 기준으로 삼아 이사가 선관주의의무를 다하였는지 여부를 판단하고 있다.[19]

이사의 업무집행에 관련한 의사결정을 다룬 여러 대법원 판례는 이사의 경영판단의 과정을 중심으로 검토한 것과 이사의 경영판단의 과정과 내용을 모두 검토하여 이사의 직무집행에 관한 선관주의의무 위반의 유무를 판단한 것으로 나누어진다. 이를 상세히 살펴보기로 한다. 먼저 대법원은 "이사는 회사에 대하여 선량한 관리자의 주의의무를 지므로, 법령과 정관에 따라 회사를 위하여 그 의무를 충실히 수행한 때에야 이사로서의 임무를 다한 것이 된다. 회사의 이사회가 어떤 안건에 관하여 충분한 정보를 수집·분석하고 정당한 절차를 거쳐 의사를 결정함으로써 그 안건을 승인하거나 또는 승인하지 않았다면, 그 의사결정 과정(밑줄-필자)에 현저한 불합리가 없는 한 그와 같이 결의한 이사들의 경영판

같은 취지로 판시한 것이 상당수 존재하고 있다. 예컨대, "회사의 이사가 정관 소정의 목적 범위 내에서 회사의 경영에 관한 판단할 재량권을 가지고 있고, 또한 기업의 경영은 다소의 모험과 이에 수반되는 위험성이 필수적으로 수반되는 것이므로, 이사가 업무를 집행함에 있어 기업인으로서 요구되는 합리적인 선택 범위 내에서 판단하고 성실히 업무를 집행하면, 그의 행동이 결과적으로 회사에 손해를 입게 하였다고 할지라도 이사에게 주의의무를 위반하였다고 해서 책임을 물을 수는 없는 것이다"(서울지방법원 1998.7.24. 97가합 39907). 이 밖에도 제주지방법원 2003.2.27. 2002가합225; 서울고등법원 2002.11.14. 2001 나59417; 대구지방법원 2000.5.30. 99가합13533 등도 이와 같은 취지의 판결이다.

19) 예컨대, 대법원 2021.5.7. 2018다275888. 이 같은 기준은 의료과오사건에서 의사의 과실을 인정하기 위한 요건 관련 판례에서도 찾을 수 있다. 대법원은 "의사의 과실이 있는지 여부는 같은 업무 또는 분야에 종사하는 평균적인 의사가 보통 갖추어야 할 통상의 주의의무를 기준으로 판단하여야 하고, 사고 당시의 일반적인 의학 수준, 의료환경과 조건, 의료행위의 특수성 등을 고려하여야 한다"고 판시하고 있다(대법원 2018.5.11. 2018도2844).

단은 존중되어야 할 것이므로, 이 경우에는 이사회의 결의에 참여한 이사들이 이사로서 선량한 관리자의 주의의무 또는 충실의무를 위반하였다고 할 수 없다"[20]고 판시하고 있다. 결국 경영판단의 원칙은 의사결정을 함에 있어 이사의 준비성에 초점을 맞추고 있다. 이사의 의사결정에서 요구되는 정보는 그 상황에서 적절하다고 합리적으로 믿을 정도로 충분하여야 한다.

대법원은 금융기관에 속한 이사의 선관주의의무를 그렇지 않는 이사의 그것을 차별적으로 취급하고 있다. "금융기관인 은행은 주식회사로 운영되기는 하지만, 이윤추구만을 목표로 하는 영리법인인 일반의 주식회사와는 달리 예금자의 재산을 보호하고 신용질서 유지와 자금중개 기능의 효율성 유지를 통하여 금융시장의 안정 및 국민경제의 발전에 이바지해야 하는 공공적 역할을 담당하는 위치에 있는 것이기에, 은행의 그러한 업무의 집행에 임하는 이사는 일반의 주식회사 이사의 선관의무에서 더 나아가 은행의 그 공공적 성격에 걸맞는 내용의 선관의무까지 다할 것이 요구된다."[21] 말하자면, 금융기관에 속한 이사는 그렇지 않는 회사에 속한 이사에 비하여 더 높은 수준의 주의의무를 부담한다. 이에 대법원은 "통상의 합리적인 금융기관의 임원이 그 당시의 상황에서 적합한 절차에 따라 금융기관의 최대이익을 위하여 신의성실에 따라 직무를 수행하였고 <u>그 의사결정과정 및 내용</u>(밑줄-필자)이 현저하게 불합리하지 않다면 그 임원의 행위는 허용되는 경영판단의 재량범위 내에 있다고 할 것"[22]이어서 경영판단의 원칙에 의하여 회사에 대한 선량한 관리자의 주의의무 내지 충실의무를 다한 것으로 본다는 입장이다.

이상과 같은 이사의 경영판단에 대한 사법심사의 기준은 행정법상 재량행위의 사법심사에 관한 대법원 판례의 태도와 일맥상통하는 부분이 있다.[23] 즉, 대법원은 이사의 경영판단을 그 요건 중심으로 심사한 결과 재량권이 일탈 또는 남용되지 않았으면 주의의무위반이 없다는 입장이다. 어쨌든 대법원은 이사의

---

20) 대법원 2019.10.31. 2017다293582.
21) 대법원 2002.3.15. 2000다9086.
22) 대법원 2015.10.29. 2011다81213.
23) 재량행위 내지 자유재량행위에 대한 사법심사는 "행정청의 재량에 기한 공익판단의 여지를 감안하여 법원은 독자의 결론을 도출함이 없이 당해 행위에 재량권의 일탈·남용이 있는지 여부만을 심사하게 되고, 이러한 재량권의 일탈·남용 여부에 대한 심사는 사실오인, 비례·평등의 원칙 위배, 당해 행위의 목적 위반이나 동기의 부정 유무 등을 그 판단 대상으로 한다"(대법원 2001.2.9. 98두17593).

선관주의의무위반 여부를 판단함에 있어서 경영판단 원칙의 요건을 충분히 감안해야 한다는 것을 제시하고 있는데, 이는 결국 경영판단의 원칙이 이사의 선관주의의무의 하나의 요소이자 그 의무를 구체화한 것으로 풀이하여야 함을 뜻한다.[24] 따라서 경영판단의 원칙을 이사의 선관주의의무위반으로 인한 책임을 감면하기 위한 제도로 이해하는 것은 곤란하다.[25]

(나) 경영판단의 원칙의 적용요건

대법원은 경영판단을 심사함에 있어서 경영판단에 대한 준비의 영역과 판단의 영역을 구별하고 있다. 먼저 준비(preparedness)의 영역에서는 일반적인 주의의무의 요건과 큰 차이가 없다. 대법원 판례상 경영판단의 원칙에서 '그 상황에서' 내지 '그 당시의 상황에서'라는 요건에는 이사의 경영판단을 사후의 안목(hindsight)에서 비난할 수 없다는 취지[26]와 이사의 선관주의의무위반을 판단함에 있어서 대상 회사의 경영판단 환경의 개별성을 고려한 상황적합성을 인정해야 한다는 뜻이 포함되어 있다. 또한 합당한 정보와 적합한 절차의 요건도 충족하여야 한다. 이러한 융통성 보장 요건들은 선관주의의무의 내용을 일률적으로 단정하기 어렵다는 것을 전제로 하고 있다. 그리하여 개별적인 사안이 처한 구

---

24) 홍석범, 전게논문, 40면.

25) 대법원은 경영판단의 원칙과 관련된 몇몇 사건에서 "이사가 임무를 수행함에 있어서 <u>선량한 관리자의 주의의무를 위반하여 임무위반으로 인한 손해배상책임이 문제되는 경우에도</u>(밑줄-필자), 통상의 합리적인 금융기관의 임원이 그 당시의 상황에서 적합한 절차에 따라 회사의 최대이익을 위하여 신의성실에 따라 직무를 수행하였고 그 의사결정과정 및 내용이 현저하게 불합리하지 않다면, 그 임원의 행위는 경영판단의 허용되는 재량범위 내에 있다고 할 것이나, …… 이사가 법령에 위반한 행위에 대하여는 원칙적으로 경영판단의 원칙이 적용되지 않는다고 할 것이다"라고 판시하고 있다(대법원 2007.7.26. 2006다33685). 이와 유사하게 판시한 판례로는 예컨대, 대법원 2005.7.15. 2004다34929; 2005.10.28. 2003다69638 등이 있다. 이 때문에 경영판단의 원칙은 이사가 선관주의의무위반을 한 경우에 적용될 수 있다는 것을 전제로 한다고 풀이하거나 "경영판단에 본질적이지 아니하는 주의의무나 충실의무의 위반이 있더라도 그러한 의무위반은 손해배상책임의 근거가 될 수 없음을 시사한 것"이라는 견해가 있다. 강희주, "주식회사의 이사의 책임에 관한 판례의 법리," 「증권법연구」 제8권 제2호(한국증권법학회, 2007), 400면; 박찬주, "경영판단과 위험선호적 의사결정," 「인권과 정의」 2006년 5월호(대한변호사협회, 2006), 130, 153면. 대법원은 어느 하나의 판결문에서 위의 같은 내용을 설시를 하면서도 동시에 경영판단의 원칙을 선관주의의무의 요소로 서술한 경우(예컨대, 대법원 2005.10.28. 2003다69638)도 있는데, 이러한 일관성의 결여는 대법원이 경영판단의 원칙을 제대로 파악하지 못한 탓에 기인한다. 하여간 이미 사법심사를 통해 선관주의의무위반을 확인한 이후에 다시 경영판단의 원칙으로 심사하여 손해배상책임의 면제여부를 결정하는 것은 적어도 사법경제(judicial economy)의 측면에서 비효율적 것은 분명하므로 위의 대법원 판례들을 수긍하기 어렵다.

26) 오성근, "경영판단원칙의 적용기준의 법리에 관한 검토," 「기업법연구」 제20권 제1호(한국기업법학회, 2006), 31면.

체적인 상황에서 합리적으로 요구되는 정보와 이사회의 결의 등 적절한 절차를 감안하여야만 당해 거래의 통념에 상응하게 기울여야 할 주의의 정도(degree)를 가늠할 수 있다.[27] 따라서 "관계회사에게 자금을 대여하거나 관계회사의 유상증자에 참여하여 그 발행 신주를 인수함에 있어서 … 단순히 회사의 경영상의 부담에도 불구하고 관계회사의 부도 등을 방지하는 것이 회사의 신인도를 유지하고 회사의 영업에 이익이 될 것이라는 일반적·추상적인 기대하에 일방적으로 (밑줄-필자) 관계회사에 자금을 지원하게 하여 회사에 손해를 입게 한 경우 등에는, 그와 같은 이사의 행위는 허용되는 경영판단의 재량범위 내에 있는 것이라고 할 수 없다"는 대법원 판례[28]는 지극히 타당하다.

그 다음으로, 판단의 영역에서는 그러한 경영판단이 회사를 위한 최선의 선택이라는 것을 확신할 수 있어야 한다는 기준과 금융기관의 경우 의사결정과정 및 내용이 현저하게 불합리하지 않아야 한다는 기준이 제시되어 있다. 이를 나누어 살펴보면 첫째, '회사의 최대이익을 위하여 신의성실에 따라'의 요건은 회사와 이사간의 이해충돌이 있어서는 안된다는 취지를 바탕으로 그러한 이해충돌의 회피는 선관주의의무의 준수에 직접적으로 연관되어 있다는 의미가 반영되어 있다.[29] 회사의 최대이익을 추구하지 않는다는 것은 그만큼 회사의 이익과 관련하여 합리성이 떨어질 것이어서 경영판단의 원칙이 적용되어서는 안되며, 그 결과 이사의 책임이 보다 쉽게 인정되어야 한다는 것이다. 그러므로 이해관계 있는 이사의 의사결정에는 경영판단의 원칙이 적용되지 않아야 한다. 그럼에도 불구하고 아래에서 보는 것처럼 이사의 충실의무위반이 있는 경우에도 대법원 판례[30]가 경영판단의 원칙을 적용할 수 있는 것으로 풀이하는 모순을 범하고 있다.[31]

둘째, 의사결정과정 및 내용이 현저하게 불합리하지 않아야 한다는 기준은 이사가 경영판단을 함에 있어서 광범위한 재량권을 가진다는 것을 의미한다. 대법원은 "금융기관의 임원이 위와 같은 선량한 관리자의 주의의무를 위반하여 자

---

27) 이태종, "제일은행 경영진에 대한 주주대표소송," 「BFL」 제2호(서울대학교 금융법센터, 2003), 108면.
28) 대법원 2007.10.11. 2006다33333.
29) 김건식·노혁준·천경훈, 전게서, 425~426면.
30) 대법원 2013.9.12. 2011다57869.
31) 김건식·노혁준·천경훈, 전게서, 425면.

신의 임무를 게을리하였는지는 대출결정에 통상의 대출 담당 임원으로서 간과해서는 안 될 잘못이 있는지 여부를 관련 규정의 준수 여부, 대출의 조건, 내용과 규모, 변제계획, 담보 유무와 내용, 채무자의 재산과 경영상황, 성장가능성 등 여러 가지 사항에 비추어 종합적으로 판정해야 한다"고 판시[32]하고 있다. 이는 경영판단의 성공여부가 불투명하더라도 그러한 경영판단을 하는 구체적인 상황에서 이사가 합리적인 수준에서 매우 다종다양한 사항들을 종합적으로 고려하여 판단하여야만 주의의무를 성실히 이행한 것으로 된다는 것을 뜻한다.[33]

(2) 법령위반시 적용배제

(가) 적용배제의 의의

이사가 법령위반을 위반하는 경우는 그가 회사의 최대이익을 위하여 신의성실에 따라 경영판단을 한 것으로 취급되지 않는다. 왜냐하면 법령위반으로 인하여 회사가 얻는 이익은 정당화될 수 없어 사후적 비난도 가능하므로 이를 규범의 체계상 그 승인이 불가능하기 때문이다.[34] 즉, 상법 제399조 제1항의 법령위반은 임무해태를 추정가능하게 하는 전형적인 경우에 해당한다.[35] 이사의 행위가 법령에 위반한 경우에는 그 행위 자체가 회사에 대한 채무불이행으로 되며 특별한 사정이 없는 한 손해배상책임을 부담한다.[36] 더 나아가 대표이사의 지시가 있다고 하더라도 그 지시가 관련법령을 현저하게 위반한 경우라면 그 위법한 지시에 따른 이사도 경영판단의 원칙에 의한 보호를 받지 못한다.[37] 또한 "주식회사의 이사가 다른 업무담당이사의 업무집행이 위법하다고 의심할 만한 사유가 있음에도 불구하고 이를 방치한 때에는 그로 말미암아 회사가 입은 손해에 대하여" 경영판단 원칙의 적용이 배제되므로 손해배상책임을 면할 수 없다.[38] 말하자면, 대법원은 법령위반은 임무해태, 즉 선관주의의무의 위반과는 근원적으로

---

32) 대법원 2021.5.7. 2018다275888.

33) 김건식·노혁준·천경훈, 전게서, 424면; 박찬주, 전게논문, 153면 참조.

34) 송옥렬, 「상법강의」 제11판(홍문사, 2021), 1048면.

35) "경영판단의 원칙,"「인권과 정의」2006년 12월호(대한변호사협회, 2006), 45면(장상균 발언부분).

36) 대법원 2006.11.9. 2004다41651, 41668. 이와 같은 취지의 판례로는 대법원 2007.9.20. 2007다25865; 2005.10.28. 2003다69638 등이 있다.

37) 대법원 2008.12.11. 2005다51471.

38) "주식회사의 이사는 이사회의 일원으로서 이사회에 상정된 의안에 대하여 찬부의 의사표시를 하는 데 그치지 않고, 담당업무는 물론 다른 업무담당이사의 업무집행을 전반적으로 감시할 의무"를 부담하기 때문이다(대법원 2007.12.13. 2007다60080).

차별화하여 법령위반과 이에 관련된 행위에 대해서는 당초부터 경영판단의 원칙의 적용을 배제하는 입장을 취하고 있다. 이처럼 판례법상 법령위반을 둘러싼 이사의 책임체계는 나름대로의 독자적인 성격을 가지는 것으로 보아 경영판단의 원칙과 원천적으로 거리를 두고 있는 것이다.39) 여기서 '특별한 사정이 없는 한'이라는 조건을 달고 있는 것은 경영판단의 원칙을 적용받을 수 있는 경우는 아닐지라도 기타의 책임감경사유에 의한 책임감경이 가능하다는 것을 염두에 둔 것으로 보인다.40)

(나) '법령'의 의미

이사의 임무해태가 추정될 법령위반행위에서의 법령의 범위를 제한하지 않는다면 이사의 책임이 부당하게 넓게 인정될 위험이 있다. 이에 대법원은 상법 제399조 제1항에서의 '법령'이라 함은 '일반적인 의미에서의 법령, 즉 법률과 그 밖의 법규명령으로서의 대통령령, 총리령, 부령 등'을 의미하고,41) 구체적으로는 "이사로서 임무를 수행함에 있어서 준수하여야 할 의무를 개별적으로 규정하고 있는 상법 등의 제 규정과 회사가 기업활동을 함에 있어서 준수하여야 할 제 규정"을 뜻하는 것으로 설시하고 있다.42) 그리하여 예컨대, 상법상 자기주식의 취득금지규정(제341조, 제622조, 제625조 제2호)을 비롯하여43) 뇌물공여를 금지하는 형법규정,44) 상호저축은행법상 출자자 등에 대한 대출 등을 금지하는 규정(제37조),45) 구 보험업법상 보험계약자 또는 피보험업자에 대한 특별이익의 제공금지규정은 경영판단의 원칙의 적용이 배제되는 법령에 해당한다.46)

이와는 달리 종합금융회사 업무운용지침,47) 외화자금거래취급요령, 외국환업

---

39) "경영판단의 원칙," 「인권과 정의」 2006년 12월호(대한변호사협회, 2006), 45면(장상균 발언부분).

40) 이철송, 전게서, 798면 주 2).

41) 대법원 2006.11.9. 2004다41651, 41668.

42) 대법원 2007.9.20. 2007다25865; 2005.10.28. 2003다69638. 대법원이 구체적으로 경영판단의 원칙을 제시하기 이전의 시점에서부터 상법 제399조 제1항에서의 '법령'의 범위와 관련하여 다양한 견해가 제시되었다. 예컨대, '법령을 회사나 주주의 이익을 보호하거나 공공질서에 관계된 법령으로 한정하자는 견해가 제시된 바 있다. 송인방, 전게논문, 388면. 이에 관한 자세한 사항은 허덕회, "이사의 법령위반행위에 대한 책임," 「상사법연구」 제22권 제1호(한국상사법학회, 2003), 378면 참조.

43) 대법원 2007.7.26. 2006다33685; 2007.7.26. 2006다33609.

44) 대법원 2005.10.28. 2003다69638.

45) 대법원 2008.4.10. 2004다68519.

46) 대법원 2006.7.6. 2004다8272.

무·외국환은행신설 및 대외환거래계약체결 인가공문, 외국환관리규칙, 종합금융회사 내부의 심사관리규정 등은 상법 제399조 제1항의 법령에 포함되지 않는다. 그러므로 설령 이사가 이들 규정을 위반하더라도 경영판단의 원칙에 의한 보호를 받을 여지가 있어 그 결과 선량한 관리자의 주의의무위반의 문제가 발생하지 않을 수도 있다.[48]

(3) 사법심사[49]의 존재

대법원은 문제가 된 이사의 행위에 대하여 결과책임을 물리자는 입장을 취하지는 않지만 그래도 경영판단에 이르게 된 과정이나 판단내용까지 심사한 후에서야 경영판단의 원칙의 적용여부를 판단한다.[50] 말하자면, 사법부는 이사의 문제된 행위가 일단 법령에 위반된다고 판단한 경우에는 경영판단의 원칙의 적용을 배제하지만, 그 나머지 경우에는 이사의 경영판단의 절차, 의사결정과정 및 내용을 따져서 그 행위가 경영판단의 재량범위 내에 속하는지의 여부를 심사한다. 물론 이와 같은 심사를 함에 있어서 법원은 경영판단의 내용보다는 절차적인 측면에 좀 더 비중을 두고 있는 것으로 보인다.

이상과 같이 이사의 경영판단도 사법심사의 대상으로 하고 있는 것은 의사와 같은 다른 전문적 직업인의 행위에 대해서도 사법심사를 하고 있는 현실이 반영된 것이라고 미루어 짐작한다. 만약에 의사의 의료행위에 대하여는 사법심사를 하면서도 이사의 경영판단에 대해 사법심사를 배제한다면, 이는 마치 이사에게 일종의 특권을 부여하는 것과 차이가 없다는 점이 고려되었을 것으로 생각한다.

(4) 관련 문제

(가) 충실의무 위반의 경우에 적용되는지의 여부

이상에서 살펴본 바와 같이 '회사의 최대이익을 위하여 신의성실에 따라'의

---

47) 대법원 2005.1.14. 2004다34349; 2004.9.24. 2004다3796.

48) 대법원 2006.11.9. 2004다41651, 41668.

49) 여기서 굳이 '사법심사'라고 표현한 것은 미국에서 이사의 경영판단에 대한 법원의 사후판단의 배제는 마치 통치행위(political question)가 사법심사(judicial review)의 대상으로 부터 배제된다는 사실에 비견할 수 있다는 점에 근거한다. Kevin D. Hughes, *Hostages' Rights: The Unhappy Legal Predicament of an American Held in Foreign Captivity*, 26 Columbia Journal of Law and Social Problems 555, 568 n.75(1993). 참고로 국내에서 경영판단에 대한 법원의 사후판단을 사법심사라는 용어로 표현한 문헌으로 석종현, "경영판단에 대한 사법적 심사의 한계,"「토지공법연구」제15집(한국토지공법학회, 2002) 등이 있다.

50) 김건식·노혁준·천경훈, 전게서, 424면.

요건으로 인하여 회사의 이익과 이사의 이익이 충돌하는 경우에는 경영판단의 원칙이 적용되지 않아야 하는 것으로 이해된다. 그러나 사실상 대법원 판례에서는 '선관주의의무 내지 충실의무'라는 표현을 쓰고 있는 것[51]으로 보아 이사의 이익충돌회피 의무, 즉 충실의무와 선관주의의무 사이의 구분기준이 명확하게 정립되어 있지 않기 때문에 경영판단의 원칙이 적용범위와 관련하여 혼선을 야기하고 있다. 예컨대, 대법원은 새마을금고의 이사장이 자신의 채무자가 채무이행을 용이하게 하기 위해 자신이 이사장으로 있는 새마을 금고의 자금을 그 채무자에게 대출하게 함으로써 그 대출금의 일부로 자신의 채권변제에 충당하게 한 사건에서 이사의 선관주의의무규정(제382조 제2항)과 이사의 회사에 대한 책임규정(제399조)만을 참조하고 있을 뿐이다.[52] 말하자면, 위 사건의 사실관계를 보면 이사의 자기거래금지의 대상이 되는 간접거래의 전형적인 유형에 해당함에도 불구하고 대법원 판례는 이사의 자기거래금지를 규정한 상법 제398조를 살펴보지 않는다.

또한 대법원은 甲 회사의 대표이사가 자신의 사저(私邸)에서 근무한 근무자들의 업무 내용이 사저의 수리·보수, 경비, 대표이사의 가족들을 위한 운전 등 주로 위 대표이사와 그의 가족들을 위한 노무의 제공을 목적으로 하고 있음에도 불구하고 동 사저 근무자들에 대한 급여를 甲 회사의 자금으로 지급하도록 함으로써 甲 회사에게 상당한 손해를 입게 한 사건에서 급여지급의무를 甲 회사가 부담하도록 정관에 규정하거나 주주총회의 결의로 정하고 있지 아니한 이상(제388조 참조), 사저근무자에 대한 급여지급은 이사로서 선관주의의무에 위반한 것으로 판시[53]한 바 있다. 이상과 같이 대법원은 대체적으로 이사의 선관의무가 충실의무를 포섭하는 광의의 개념으로 인식하고 있다.[54]

따라서 이사와 회사간에 이익충돌이 있는 거래를 충실의무를 위반한 거래라고 개념정의 하더라도 현재로서는 그러한 거래가 이사의 법령위반을 구성하지

---

51) 예컨대, 대법원 2013.7.11. 2011도5337.

52) 대법원 2002.6.14. 2001다52407.

53) 대법원 2007.10.11. 2007다34746.

54) 대법원 판례의 큰 흐름을 살펴보면 이사의 선관주의의무는 상법상 이사의 의무(director's duties)와 동의어로 사용하고 있다고 생각될 정도로 광범위한 의무로 인정되는 듯 보인다. 예외적으로 대법원이 '선관주의의무 내지 충실의무'라는 표현을 사용하지 않은 채 '이사의 충실의무'만을 언급한 판례도 소수이지만 존재한다. 이 같은 판례의 예로서는 대법원 2016. 8.24. 2016다222453; 2016.1.28. 2014다11888이 있다.

않는다면 한국에서는 경영판단의 원칙에 의하여 보호를 받을 수 있는 것으로 보인다. 조금 달리 표현하자면, 법령위반을 제외한 다른 유형의 임무해태는 경영판단 원칙의 적용대상이 되므로 대법원은 굳이 애써서 선관주의의무위반인지 충실의무위반인지를 구분하지 않는 것으로도 이해될 수 있다. 예컨대, 대법원은 관계회사에 대한 자금지원행위와 관련하여 지원을 하는 회사의 이사의 경우에는 경제적으로 이해충돌이 발생할 여지가 있음에도 불구하고[55] 이에 관하여 검토를 하지 않는 채 경영판단의 원칙이 적용가능한 것으로 판시[56]하고 있다.

(나) 감사의 감사행위에 대하여 적용되는지의 여부

회사와 감사와의 관계는 민법상 위임에 관한 규정을 준용한다(제382조 제2항, 제415조). 감사는 선관주의의무를 다하여 이행하여야 하고, 고의·과실로 선관주의의무에 위반하여 그 임무를 해태한 때에는 그로 인하여 회사가 입은 손해를 배상할 책임이 있다(제414조 제1항). 이에 감사는 이사의 직무집행을 감사하고, 이사가 법령 또는 정관에 위반한 행위를 하거나 그 행위를 할 염려가 있다고 인정한 때에는 이사회에 이를 보고하여야 하며, 이사가 법령 또는 정관에 위반한 행위를 하여 이로 인하여 회사에 회복할 수 없는 손해가 생길 염려가 있는 경우에는 그 행위에 대한 유지청구를 하는 등의 의무를 부담한다(제391조의2, 제402조, 제412조 제1항). 이와 같이 감사는 이사와는 달리 회사의 경영상의 의사결정에 참여하지 않으므로 원칙적으로 경영판단을 할 수 없다.[57] 법논리적인 측면에서는 경영판단이 없으면 경영판단의 원칙이 적용되지 않아야 할 것이므로 감사의 감사행위는 경영판단 원칙의 적용대상에 편입될 수 없어야 한다. 미국의 경우 경영판단의 원칙은 이사의 경영판단을 요하는 경우에 한하여 인정되고 그렇지 않은 경우, 예컨대, 회사의 경영을 감시·감독할 의무에는 적용하지 않는다.[58]

위에서 살펴본 바와 같이 대법원은 '이사에 의한 직무수행이나 경영판단의

---

55) 송옥렬, 전게서, 1046면.

56) 대법원 2011.4.14. 2008다14633. 송옥렬 교수는 이 밖에 대법원 2005.10.28. 2003다69638과 대법원 2007.10.11. 2006다33333은 이사에게 이해상충이 있음에도 불구하고 경영판단의 원칙을 적용여부를 다룬 것으로 보고 있다. 송옥렬, 전게서, 1046면.

57) 주주가 법원에 대표소송을 제기하기 전에 회사에 제소청구를 하는 경우 감사가 그 청구의 상대방이 된다(제394조 제1항 제2문). 감사가 제소청구여부를 결정하는 것은 경영판단에 해당한다. 이처럼 감사는 예외적인 경우에 한하여 경영판단의 주체가 된다.

58) Joy v. North, 692 F.2d 880, 886(2d Cir. 1982).

특수성을 충분히 배려'한다는 입장에서 경영판단의 원칙을 인정하고 있으며,[59] 이는 하급심 판례에서 언급한 기업가적 행위의 고취에 그 취지가 있다.[60] 그러므로 감사의 감사행위는 기업가 정신을 발휘한 것이 아니므로 위에서 밝힌 바대로 법원이 경영판단의 원칙에 의한 보호가 인정되지 않아야 한다. 그러나 대법원 판례는 이사가 임무를 수행하는 과정에서 법령에 위반한 행위를 하는 것에 대해 감사가 경영판단의 재량권을 들어 감사의무를 면할 수 없는 것으로 판시[61]하고 있는데, 이는 결과적으로 감사의 감사행위라 하더라도 그 행위가 법령위반을 구성하지 않는다면 경영판단의 원칙이 적용될 수 있음을 의미하는 것이다.[62] 요약하자면, 한국 법원은 경영판단 원칙의 인정취지를 기업가적 정신의 고취에 두고 있기는 하지만 그 보다도 선관주의의무의 이행여부를 판단하는 기준으로서의 기능에 더 큰 중점을 두다 보니 선관주의의무를 부담하는 감사에 대해서도 당연히 적용하는 것으로 풀이된다.[63]

(다) 이사의 배임에 대한 고의 유무의 판단에 경영상 판단의 특성이 고려되는지의 여부

형법상 업무상 배임죄란 타인의 사무를 처리하는 자가 업무상의 임무에 위배하여 재산상의 이익을 취득하거나 제3자로 하여금 이를 취득하게 하여 본인에게 손해를 가한 때 성립하는 범죄이다(형법 제356조, 제355조 제2항). 업무상배임죄가 성립하려면 주관적 요건으로서 임무위배의 인식과 그로 인해 본인 또는 제3자가 이익을 취득하고 본인에게 손해를 가한다는 인식, 즉 배임의 고의가 있어야 한다. 이러한 인식은 미필적 인식으로도 충분하다.[64]

이사의 의사결정과 관련하여 그에게 배임의 고의가 있었는지 여부를 판단함에 있어서도 판례상 인정되고 있는 경영판단 원칙의 취지를 고려하여야 하는지가 문제된다. 말하자면, 경영판단의 원칙을 배임죄의 면책사유로 인정할 수 있

---

59) 대법원 2005.5.27. 2004다8128.

60) 서울지방법원 1998.7.24. 97가합39907; 대구지방법원 2000.5.30. 99가합13533.

61) 대법원 2007.11.16. 2005다58830.

62) 강희철, "상법상 감사 책임 관련 주요 판례 해설," 「상장회사감사회 회보」 제111호(한국상장회사협의회, 2009), 13~14면.

63) 한국과 마찬가지로 회사와 감사사이의 관계에 대하여 위임의 법리가 적용되는 독일의 경우에도 감사에 대해서도 경영판단의 원칙이 적용된다고 한다. 권상로, "미국·독일법상의 경영판단의 원칙 도입여부에 관한 연구," 「법학연구」 제33집(한국법학회, 2009), 261면.

64) 대법원 2004.6.24. 2004도520.

는지가 논란의 대상이 되고 있는 것이다. 이와 관련하여 형법학계에서는 고의의 부인으로 보는 견해, 양해 내지 추정적 승낙의 주장으로 보는 견해, 정당행위 혹은 허용된 위험 등 위법성 조각사유의 주장으로 보는 견해 등이 제시되어 있다.[65]

한편, 대법원은 경영상 판단과 관련하여 경영자에게 배임의 고의와 불법이득의 의사가 있었는지를 판단하는 방법과 관련하여 "문제된 경영상의 판단에 이르게 된 경위와 동기, 판단 대상인 사업의 내용, 기업이 처한 경제적 상황, 손실 발생과 이익획득의 개연성 등의 여러 사정을 고려할 때 자기 또는 제3자가 재산상 이익을 취득한다는 인식과 본인에게 손해를 가한다는 인식 하의 의도적 행위임이 인정되는 경우에 한하여 배임죄의 고의를 인정하여야 하고, 그러한 인식이 없는데도 본인에게 손해가 발생하였다는 결과만으로 책임을 묻거나 단순히 주의의무를 소홀히 한 과실이 있다는 이유로 책임을 물어서는 안 된다"고 판시하면서 더 나아가 "경영자의 경영상 판단에 관한 위와 같은 사정을 모두 고려하더라도 법령의 규정, 계약 내용 또는 신의성실의 원칙상 구체적 상황과 자신의 역할·지위에서 당연히 하여야 할 것으로 기대되는 행위를 하지 않거나 하지 않아야 할 것으로 기대되는 행위를 함으로써 재산상 이익을 취득하거나 제3자로 하여금 이를 취득하게 하고 본인에게 손해를 가하였다면 그에 관한 고의 내지 불법이득의 의사"가 인정되는 것으로 판시[66]하고 있다.

요컨대, 대법원 판례는 경영자의 행위가 업무상 배임죄를 구성하는지의 여부는 경영자가 문제된 행위에 이르게 된 동기, 손실발생과 이익획득의 개연성, 경영자의 역할·지위에 따른 기대가능성 등을 기준으로 판단해야 한다고 설시하고 있는 것이다. 이처럼 대법원은 엄격한 해석기준 아래 업무상 배임죄의 고의를 인정하자는 것에 비추어 보면 이사의 행위가 그의 경영판단의 재량 범위 내에 있다고 판단된다면 배임죄의 고의 내지 불법이득의 의사를 인정하지 않는다는 입장을 취하는 것으로 풀이된다.[67] 더 나아가 "계열회사 사이의 지원행위가 합리적인 경영판단의 재량 범위 내에서 행하여진 것이라고 인정된다면 이러한 행

---

65) 이에 관하여 자세한 것은 강동욱, "이사의 경영판단행위와 배임죄의 성부,"「한양법학」제32집(한양법학회, 2010), 110면 이하; 이규훈, "업무상 배임죄와 경영판단," 304면 이하 참조.

66) 대법원 2011.10.27. 2009도14464.

67) 대법원 2011.7.28. 2010도7546.

위는 본인에게 손해를 가한다는 인식하의 의도적 행위라고 인정하기 어렵다"68)
는 취지로 판결한 것도 있다.

(5) 증명책임

이사의 손해배상책임을 주장하는 자는 이사가 법령이나 정관에 위반한 사실
또는 선량한 관리자로서의 주의의무에 위반하는 등 그 임무해태의 사실 및 손해
의 발생사실, 임무해태와 손해의 인과관계 등을 구체적으로 주장·증명하여야
한다.69) 이사가 손해배상책임을 면하기 위해서는 자신에게 귀책사유가 없음을
주장·증명하여야 한다.70)

(6) 손해배상액의 제한기능

대법원 판례는 "이사가 법령 또는 정관에 위반한 행위를 하거나 그 임무를
해태함으로써 회사에 대하여 손해를 배상할 책임이 있는 경우에 그 손해배상의
범위를 정함에 있어서는, 당해 사업의 내용과 성격, 당해 이사의 임무위반의 경
위 및 임무위반행위의 태양, 회사의 손해 발생 및 확대에 관여된 객관적인 사정
이나 그 정도, 평소 이사의 회사에 대한 공헌도, 임무위반행위로 인한 당해 이
사의 이득 유무, 회사의 조직체계의 흠결 유무나 위험관리체제의 구축 여부 등
제반 사정을 참작하여 손해분담의 공평이라는 손해배상제도의 이념에 비추어 그
손해배상액을 제한할 수 있다"고 판시71)하고 있다.

원칙적으로 이사는 주의의무위반과 상당한 인과관계가 있는 모든 손해에 대
하여 손해배상책임을 부담하여야 한다(민법 제393조 제1항). 그럼에도 불구하고
이사의 임무위반이 오로지 그 이사의 탓으로만 돌릴 수 없는 경우 이사의 손해
배상액을 사후적으로 제한하는 것이 오히려 공평의 관념에 반하지 않는다는 사
고가 일부 반영되어 있는 것으로 보인다.72) 이 경우 책임감경사유에 관한 사실
인정이나 그 비율의 결정은 사실심의 전권사항이다.73)

이 밖에 설령 이사가 회사에 대한 책임을 부담하는 경우라 하더라도 주주전

---

68) 대법원 2017.11.9. 2015도12633.

69) 대법원 2005.1.14. 2004다34349 참조.

70) 대법원 2004.8.20. 2004다19524; 1996.12.23. 96다30465, 30472.

71) 대법원 2007.10.11. 2007다34746; 2005.10.28. 2003다69638; 2004.12.10. 2002다60467, 60474.

72) 박찬주, 전게논문, 135면; 이철송, "이사의 책임에 관한 몇 가지 이론," 「BFL」 제4호(서울대학교 금융법센터, 2004), 92면.

73) 대법원 2007.11.30. 2006다19603.

원의 동의로 면제가 가능하며(제400조 제1항), 만약 그러한 손해가 이사의 고의 또는 중대한 과실로 인하여 발생한 경우가 아니라면 회사는 정관으로 정하는 바에 따라 이사가 그 행위를 한 날 이전 최근 1년간의 보수액(상여금과 주식매수선택권의 행사로 인한 이익 등을 포함)의 6배(사외이사의 경우는 3배)를 초과하는 금액에 대하여 면제할 수도 있다(제400조 제2항).

(7) 요약 및 정리

상법은 이사의 주의의무에 대해 위임관계에서의 수임자의 주의의무에 관한 민법의 규정을 준용한다고만 규정하고 있어 이사의 주의의무위반 여부가 어떻게 심사·판단되는지에 대해서는 명확하지 않다. 말하자면, 단순히 이사가 선량한 관리자의 주의로 회사의 업무를 집행하여야 한다는 규범은 너무 막연한 감이 있었다. 대법원 판례에서 제시되는 경영판단의 원칙은 주의의무의 내용이나 주의의무위반여부의 심사에 필요한 좀 더 명백한 기준을 제공하고 있다.

위에서 소개한 대법원의 경영판단 원칙의 기능을 간단히 요약하면 첫째, 결과책임을 배제함으로써 의사결정 상의 위험에 대한 이사의 태도를 변화시킨다. 즉, 경영판단의 원칙은 이사로 하여금 결과적으로 성공과 실패의 가능성이 공존하는 의사결정과 업무집행을 행하도록 하는 유인을 부여한다. 둘째, 이사가 충분한 정보를 취득하고 합리적인 근거에 기인하여 법령위반이 없는 의사결정을 하였다면 경영판단의 원칙에 의한 보호를 받는다.

3) 대법원 판례상 경영판단 원칙의 특징: 미국법과의 비교를 통해

가) 미국법상 경영판단 원칙과의 동일 또는 유사한 점

한국 대법원 판례상 경영판단의 원칙에 의하면 이사는 고도의 신중한 주의로서 신뢰할 수 있는 충분한 정보에 입각하여 조사와 검토를 수행하여 합리적으로 사실인식을 하고, 의사결정절차를 밟으며, 또한 그 절차를 통해 도출한 합리적인 내용으로 경영판단을 하여야 한다. 이사의 경영판단으로 인해 그의 주의의무위반 여부가 문제되는 경우 법원은 이사의 경영판단에 대한 재량권을 존중하면서도 의사결정의 과정과 내용에 대해서는 실질적인 심사를 한다. 이러한 대법원 판례상의 경영판단의 원칙을 미국의 경영판단의 원칙과 비교할 때 동일하거나 상당히 유사한 점들이 존재한다.[74) 그 예를 들어 보면 첫째, 한국과 미국이 경영판단의 원칙을 인정하는 기본적인 배경에는 회사경영에는 항상 모험과 그것에 수반되는 일정한 위험이 존재하기 때문에 이사의 위험회피(risk-adverse)적 유인을 방지하고 위험의 인수(risk-taking)를 고무시키는 것이 오히려 주주에게 이익이 된다는 공통된 인식이 있다.75)

둘째, 한국 대법원 판례는 이사의 경영판단에서 허용되는 재량권의 일탈 또는 남용의 여부를 통상의 이사를 기준으로 하는데, 이는 미국에서 불법행위법의 영향으로 전통적으로 적용되고 있는 이사의 주의의무위반의 기준인과 동일하다.76)

셋째, 한국 대법원은 이사의 법령위반 행위에 대해서는 경영판단 원칙의 적용이 배제되고, 재량권의 일탈이 있다면 경영판단 원칙의 요건을 갖추지 못하여 주의의무위반으로 된다. 미국의 경우에도 이사가 직접 법령을 위반한 경우77)와 회사가 법령을 위반한 경우78)에 이사의 고의 또는 중과실이 있다면 경영판단의 원칙이 적용되지 않아 이사의 의무위반이 성립한다. 미국법에서는 이사의 재량권남용행위가 문제되는 경우가 희소하긴 하지만79) 어쨌든 그러한 행위에 대해

---

74) 참고로 ALI의 "회사지배구조의 원칙-분석과 권고" §4.01의 이사와 임원의 주의의무와 경영판단의 원칙을 살펴보면 다음과 같다. §4.01(a)는 "이사나 임원은 회사에 대하여 성실하게, 회사의 최선의 이익에 합치하는 것으로 합리적으로 믿는 방법으로, 또한 통상의 신중한 자가 동일한 지위나 유사한 상황에서 합리적으로 기대되는 주의를 취하여 이사 또는 임원의 직무를 수행하는 의무를 부담한다"라고 규정하고 있다. 한편 §4.01(c)에 따르면 성실하게 경영판단을 한 이사나 임원은 경영판단의 대상에 대하여 이해관계가 없고, 경영판단의 대상과 관련하여 그 상황에서 적절하다고 합리적으로(reasonably) 믿을 정도로 충분한 정보를 가지고 있어야 하며, 그 경영판단이 회사의 최선의 이익과 합치된다고 상당하게(rationally) 믿을 수 있는 경우 경영판단의 원칙이 적용되어 이사의 주의의무를 이행한 것으로 된다. 이처럼 미국에서 이사의 행위가 동 원칙에 의하여 보호를 받기 위해서는 경영상의 결정(business decision)이 있어야 하며; 이해관계가 없고(disinterestedness) 독립적이어야 하며(independence); 상당한 주의(due care)로서; 선의(good faith)이되; 재량권 남용이 없어야 한다(no abuse of discretion). 1 Dennis J. Block, Nancy E. Barton & Stephen A. Radin, *The Business Judgment Rule, Fiduciary Duties of Corporate Directors*, 39(5th ed. 1998).

75) Air Line Pilots Association v. UAL Corp., 717 F.Supp. 575, 582(N.D. Ill. 1989).

76) 미국의 경우 일찍이 뉴욕 주법원은 Hun v. Cary 사건에서 이사는 통상의 신중한 자(ordinarily prudent person)가 자기의 개인적 업무를 수행함에 있어서 투입하는 정도의 주의를 가지고 의무를 이행하여야 한다고 판시하였다(82 N.Y. 65(1880)). 통상의 이사(ordinary director)를 주의의무의 부담주체의 기준으로 언급한 판결로는 Speer v. Dighton Grain, Inc., 229 Kan. 272, 624 P.2d 952(1981) 등이 있다.

77) Abrams v. Allen, 297 N.Y. 52, 74 N.E.2d 305(1947),

78) Miller v. American Telephone & Telegraph Co., 507 F.2d 759(3d Cir. 1974).

79) 1 Block, Barton & Radin, supra note 70, at 84. 이러한 경우가 희소한 것은 실제로는 매우 심각한 정도의 재량권남용행위에 대해서만 경영판단의 원칙이 적용되지 않기 때문이다. Warsaw v. Calhoun, 221 A.2d 487, 492~493(Del. 1966); David Rosenberg,

서는 경영판단의 원칙이 적용되지는 않는 것은 분명하다.[80] 또한 한국과 미국에서 이사가 충분한 정보에 기하여 회사의 최선의 이익을 위해 내린 의사결정인 경우에 경영판단의 원칙이 적용된다는 점도 매우 유사하다.[81]

넷째, 한국 대법원 판례상 경영판단의 원칙을 이사의 선관주의의무의 하나의 요소로 파악할 수 있다는 점도 미국과 동일하다.[82] 미국의 경우에는 이사가 자신의 경영판단을 위한 절차적인 요건을 충족한 후 그것이 회사의 최선의 이익과 합치된다고 상당하게(rationally) 믿은 경우에는 경영판단의 원칙에 의해 보호받는데, 미국법상의 '상당하게'는 한국 대법원 판례상의 '신의성실에 따라' 내지 '현저하게 불합리하지 않다면'에 상응한다.[83]

끝으로 한국 대법원이 판례에 의해 이사의 손해배상액을 제한할 수 있다는 입장을 취하는 것 이외에도 상법 제400조에서 감면이 가능한데, 미국의 경우에도 입법적으로 손해배상책임의 제한을 명문화하는 경향도 있다.[84] 그러나 이상과 같은 동일 내지 유사한 점이 있음에도 불구하고 여전히 한국 대법원 판례상의 경영판단의 원칙은 중요한 부분에 있어서 미국법상의 경영판단 원칙과는 구별되고 있다. 이하에서 이를 간단히 살펴보기로 한다.

나) 미국법상 경영판단의 원칙과 구별되는 점

(1) 이사의 경과실이 있는 법령위반의 경우 적용배제

미국법의 경우 고의(knowing and culpable)나 그에 가까운 정도의 중과실에 의한 위법행위는 경영판단의 원칙에 의한 보호를 받을 수 없다.[85] 이는 미국에

Galactic Stupidity and the Business Judgment Rule, 32 Journal of Corporation Law 301, 304(2007).

80) Cramer v. General Tel. & Elecs. Corp., 582 F.2d 259, 275(3d Cir. 1978).

81) 김택주, 전게논문, 62면.

82) Moran v. Household International, 490 A.2d 1059, 1074(Del. Ch.), aff'd 500 A.2d 1346(Del. 1983); Stuart R. Cohn, Demise of the Director's Duty of Care: Judicial Avoidance of Standards and Sanctions Through the Business Judgment Rule, 62 Texas Law Review 591, 603(1983). 더 나아가 경영판단의 원칙을 미국법상 이사의 주의의무의 일부로 보는 견해도 있다. 이에 관하여 David S. Ruder, Duty of Loyalty − A Law Professor's Status Report, 40 Business Lawyer 1383, 1385(1985) 참조 바람.

83) 이와 같은 미국법상 상당성의 요건을 충족시키지 못하는 경영판단의 예로서는 확실한 설명이 불가능한 결정이나 무모한(reckless) 행동 등을 들 수 있다. 1 ALI, supra note 8, at 179~181.

84) 최문희, 「이사의 손해배상책임의 제한」(경인문화사, 2007), 165~196면.

85) Di Tomasso v. Loverro, 250 App.Div. 206, 209, 293 N.Y.S. 912, 916~917(1937); Harry G. Hutchison, Presumptive Business Judgment, Substantive Good Faith,

서 이사의 주의의무 이행 여부를 판단함에 있어서 중과실(gross negligence)기준
을 채택하고 있는 것에 기인한다.[86] 더 나아가 미국에서도 이사가 형사상 수사
와 합의로 인하여 그 명예에 흠이 가거나 경제적 피해를 입은 경우에는 경영판
단의 원칙에 의한 보호를 받지 못한다.[87]

한국의 경우 상법 제399조의 이사의 회사에 대한 책임은 제401조의 이사의
제3자에 대한 책임과는 달리 이사의 '고의 또는 과실'이라는 귀책사유를 명시하
고 있으므로(제399조 제1항) 손해배상의 일반기준인 과실책임의 원칙이 적용된
다. 법령을 위반한 행위는 대개 고의·과실이 있을 것이므로 실제로는 이사가
법령을 위반하면 과실이 추정된다.[88] 따라서 만약 이사가 경과실에 의하여 법
령을 위반하였다면 경영판단 원칙의 적용이 원천적으로 배제될 수밖에 없다. 물
론 이사의 임무해태에 따른 손해배상액의 산정에 있어서 그러한 경과실이 고려
될 여지는 있지만, 여하간 한국의 경우는 미국의 경우보다 경영판단의 원칙이
적용될 수 있는 대상범위가 협소하다.

(2) 이사 및 감사의 임무수행 전반에 적용

미국에서 이사는 회사법상 강제가 가능한 특정한 의무[89]를 부담하는데, 그러
한 의무 중에서 대표적인 것이 신탁법을 근거로 발전한 이사의 신인의무이다.[90]
신인의무의 개념을 정의하는 일이 용이하지 않지만 일반적으로 다시 주의의무
(duty of care)와 충실의무로 나누어지고 있다.[91] 여기서 이사의 주의의무와 충

Litigation Control: Vindicating the Socioeconomic Meaning of Harben v. Brown, 26
   Journal of Corporation Law 285, 337(2001).

86) 신현탁, "이사의 의무위반과 경영판단원칙에 관한 미국의 판례법리 연구,"「경영법률」제31
   집 제2호(한국경영법률학회, 2021), 123~124면.

87) Asaf Eckstein & Gideon Parchomovsky, The Agent's Problem, 70 Duke Law Journal
   1509, 1556(2021).

88) 이철송, 앞의 책, 792면.

89) Kenneth E. Scott, Corporation Law and the American Law Institute Corporate
   Governance Project, 35 Stanford Law Review 927, 927(1983).

90) Edward Rock & Michael Wachter, Dangerous Liaisons: Corporate Law, Trust Law,
   and Inerdoctrinal Legal Transplants, 96 Northwestern University Law Review 651,
   655~657(2002).

91) Robert A. G. Monks & Nell Minow, Power and Accountability 87(1991). 1998년부터
   무려 8년이나 걸린 일련의 Walt Disney사 대표소송사건(In re The Walt Disney
   Company Derivative Litigation)에서 주의의무와 충실의무 이외에 성실의무(Duty of
   Good Faith)를 본격적으로 인정하였다는 다수의 연구도 있다. 예컨대, Andrew S. Gold,
   A Decision Theory Approach to the Business Judgment Rule: Reflections on Disney,
   Good Faith, and Judicial Uncertainty, 66 Maryland Law Review 398, 402, 406(2007).

실의무를 개념적으로 분리하여 정의하면 대략 다음과 같다. 즉, 이사의 주의의
무는 이사가 의사결정을 할 때 충분한 정보를 바탕으로 할 것을 요구하고 있어,
다분히 절차적인 측면이 중시되는 경향이 있다.[92] 이사의 충실의무는 주주가 회
사에 대하여 청구할 수 있는 잔여재산을 감소시키는 행위를 통제하기 위한 것으
로서[93] 회사와의 거래에 대하여 이사가 취하여야 하는 자세를 의미한다.[94]

　이상과 같이 미국 회사법상의 주의의무 개념은 한국 법상의 선관주의의무와
별 차이가 없다.[95] 미국에서도 이사의 주의의무와 충실의무를 구분하는 경계선
이 분명하지 않다.[96] 더욱이 양자를 각각 위반하는 경우 손실은 회사에게 귀속
되므로 이들을 구별하는 것은 실제에 있어서 쉽지 않다. 게다가 동일한 행위가
이사의 충실의무와 주의의무를 동시에 위반하는 경우도 있다.[97] 그럼에도 불구
하고 이를 개념적으로 구분하는 것은 경영판단 원칙의 적용 가부를 정하는 기준
이 된다는 점 등에서 현실적인 의미가 있다는 견해[98]가 제시되어 있다. 예컨대,
미국의 델라웨어 주에서는 전통적으로 주의의무위반 사건에 한하여 동 원칙이
적용되어 이사에 대한 일종의 보호막을 제공하고 있다.[99] 따라서 미국식 경영판

　　Walt Disney사 대표소송사건을 체계적으로 분석한 대표적인 국내문헌으로는 손성, "미국
　　Disney 판결에 관한 분석과 시사점 – 이사의 성실의무를 중심으로 –,"「상사판례연구」제
　　21집 제1권(한국상사판례학회, 2008)이 있다.

92) E. Norman Veasey, *The Defining Tension in Corporate Governance in America*, 52
　　Business Lawyer 393, 397~398(1997).

93) Michael P. Dooley, *Two Models of Corporate Governance*, 47 Business Lawyer 461,
　　486(1992).

94) William F. Johnson, *Mills Acquisition Co. v. Macmillan, Inc.: Corporate Auctions
　　Now Require Sharper Supervision by Directors*, 39 American University Law Review
　　721, 729(1990).

95) 이홍욱, "판례를 통해 본 이사의 충실의무,"「비교사법」제12권 제4호(한국비교사법학회,
　　2005), 427면.

96) 예컨대, 이사가 받는 보수에 걸맞지 않을 정도로 게으르게 회사경영을 하는 경우 – 이는
　　주의의무위반이다 – 와 이사가 수행하여야 하는 업무에 상당하는 보수보다 더 많은 보수를
　　받는 경우 – 이는 충실의무위반이다 – 를 분명하게 구분하기는 쉽지 않다. Daniel R.
　　Fischel & Michael Bradley, *The Role of Liability Rules and the Derivative Suit in
　　Corporate Law: A Theoretical and Empirical Analysis*, 71 Cornell Law Review 261,
　　291(1986).

97) Mills Acquisition Co. v. McMillan, Inc., 559 A.2d 1261, 1285~1286(Del. 1989).

98) Charles J. Goetz, *A Verdict on Corporate Liability Rules and the Derivative Suit: Not
　　Proven*, 71 Cornell Law Review 344, 350~351(1986).

99) William T. Allen & Jack B. Jacobs & Leo E. Strine, Jr., *Function over Form: A
　　Reassessment of Standards of Review in Delaware Corporation Law*, 56 Business
　　Lawyer 1287, 1299(2001).

단의 원칙은 이사의 의사결정이 자기거래로 대표되는 이익충돌거래를 포함하지 않는 한 법원은 그러한 의사결정을 대체로 존중하는 원칙으로 요약할 수 있다. 이사가 충실의무를 위반한 경우에는 그 폐해가 크기 때문에 법원이 특별히 간섭하여 이사의 의사결정상의 공정성(fairness)에 관련하여 법원 스스로의 판단으로 이사의 판단을 대체할 수 있지만 주의의무위반의 경우에는 그러하지 않겠다는 취지가 반영되어 있다.100)

위에서 설명한 바와 같이 경영판단의 원칙은 이사의 경영상 과실이 문제될 경우 적용된다. 동 원칙은 이사의 판단 오류에 대해서 적용되므로 이사가 어떤 판단 없이 이루어지는 부작위에 의한 회사 손해가 발생할 경우에는 적용되지 않는다. 이사가 어떠한 판단을 전혀 하지 않은 경우에는 법원이 그러한 부작위에 대해 간섭을 하더라도 부당하지 않다는 것이다.

이상과 같은 미국의 경영판단의 원칙과는 달리 한국 대법원 판례에 나타난 경영판단의 원칙은 회사의 수임인인 이사 혹은 감사가 임무를 수행하는 과정에서 자신에게 허용된 재량의 범위를 일탈한 것인지의 여부를 판단하는 기준으로서 의의가 있다. 이 때문에 어느 행위가 이사 혹은 감사의 직무영역 속에 포함되는 경우라면 그 행위가 작위 혹은 부작위를 불문하고 경영판단의 원칙의 적용대상으로 편입될 수 있다.

(3) 증명책임 재분배의 부존재

미국의 경영판단의 원칙은 대개 "경영판단을 함에 있어서, 충분한 정보를 바탕으로 선의로 그리고 회사의 최선의 이익으로 된다는 진실한 믿음 속에서 경영상의 판단을 하였을 것이라는 추정(presumption)"으로 정의된다.101) 재량권 남용이 없는 경우 법원은 그 경영판단을 존중한다. 그러한 추정을 번복시키는 데 필요한 사실을 증명할 책임은 원고가 부담한다.102)

미국법상 민사소송에서 추정의 번복을 위해서는 일반적으로 '증거의 우월'(preponderance of the evidence)이라는 기준이 적용된다.103) 경영판단의 원칙을 번복하는 데 요구되는 기준을 충족하려면 여타의 민사소송에서 요구하는

---

100) James D. Cox, *Compensation, Deterrence, and the Market as Boundaries for Derivative Suit Procedures,* 52 George Washington Law Review 745, 761(1984).
101) Aronson v. Lewis, 473 A.2d 805, 812(Del.1984).
102) *Id.*
103) 영미법상 민사소송과 형사소송에서의 증명의 정도를 도표로 나타내면 다음과 같다.

증거우월의 기준보다 더 높은 강도의 증거를 제출하여야 하므로[104] 그 증명책임은 원고측에게는 심각한 부담(heavy burden)으로 작용한다.[105] 비유적으로 표현하자면, 경영판단의 원칙에 따른 추정을 깨트리는 것은 그리스 신화의 주인공이자 가장 힘이 센 헤라클레스 정도는 되어야 가능한 일(near-Herculean task)이다.[106] 요컨대, 경영판단 원칙의 본질은 이와 같은 '추정'에 있기 때문에 만약 주주가 이러한 추정을 번복시킬 만한 증명을 하지 못한 경우에는 법원은 소송을 종결시키게 되는데, 이는 결과적으로 이사의 책임을 면제하는 효과가 있다.[107] 이처럼 미국의 경영판단의 원칙은 상당한 정도로 절차법적인 기능이 강하다는 특징이 있다.

한국의 경우 이사의 책임을 추궁하기 위한 주주대표소송에서 원고인 주주가 피고 이사를 상대로 그가 합리적인 의사결정을 하지 않았으므로 주의의무를 위반하였다는 것을 증명해야 한다.[108] 이 과정에서 미국법상 경영판단의 원칙에서 인정되는 추정력은 존재하지 않는다. 이에 원고는 통상적인 손해배상소송에서 요구되는 정도의 증명을 할 책임만을 부담하는 것이다. 이사의 주의의무위반은

증명의 정도	확실성의 정도
절대적 확실성(absolute certainty)	100%
합리적으로 의심할 수 없을 정도(beyond reasonable doubt)	95%
상당한 이유(probable cause)	50% 초과
증거의 우월(preponderance of the evidence))	50% 초과
합리적 의심(reasonable doubt)	5%
합리적 용의(reasonable suspicion)	20%

출처: 민영성, "거증책임과 법률상의 추정," 「고시연구」 통권 제366호(고시연구사, 2004), 175면.

104) R. Franklin Balotti & James J. Hanks, Jr., *Rejudging the Business Judgment Rule*, 48 Business Lawyer 1337, 1348(1993); Johneth Chongseo Park & Doo-Ah Lee, *The Business Judgment Rule: A Missing Piece in the Developing Puzzle of Korean Corporate Governance Reform*, Journal of Korean Law, Vol. 3, No. 2, at 15, 31 (2003).

105) Lewis v. S.L. & E., Inc., 629 F.2d 764, 768(2d Cir. 1980).

106) In re Tower Air, Inc., 416 F.3d 229, 238(3d Cir. 2005). 이 판결은 미국법에서 경영판단의 원칙에 의한 추정을 원고 주주가 번복시키는 방법에 관하여 자세히 설시하고 있다.

107) 박태현, "차입매수(Leveraged Buyout)에 있어서의 이사의 신인의무," 「인권과 정의」 제369호(대한변호사협회, 2007), 221면.

108) 김건식, "은행이사의 선관주의의무와 경영판단원칙," 「민사판례연구」 XXVI(박영사, 2004), 395~396면.

이사의 과실이 증명된 것을 전제로 하므로 이사가 다른 이유를 들어서 그 책임을 면하기란 용이하지 않다. 이상과 같이 한국 대법원의 판례는 미국법상 경영판단의 원칙의 본질적인 요소인 추정력의 인정에 관해 입장을 달리하고 있으므로 양자는 그 성격이 판이하게 다를 수밖에 없다.[109]

(4) 사법부의 사후심사

미국법상 경영판단의 원칙의 근거로서 법원이 경영상의 판단에 관한 전문적인 경험이나 지식이 부족하여 이사의 경영판단을 사후적인 심사로 대체할 수 없다는 점을 들기도 한다.[110] 즉, 심사능력도 없는 판사에 의하여 경영판단을 사후판단하는 것은 종국에는 투자자의 이익에 반하게 된다는 것이다.[111] 이에 Minstar Acquiring Corp. v. AMF Inc. 사건[112]에서 법원은 노골적으로 경영판단의 원칙을 사법자제의 원칙(rule of judicial restraint)이라고 성격규정하기도 한다.[113]

이에 반하여 한국 대법원 판례상 경영판단의 원칙에 따르면 법원은 이사의 경영판단상 재량권을 존중하면서도 이사의 주의의무위반 여부를 판단하기 위하여 그러한 의사결정까지에 이르는 과정과 실질적인 판단의 내용까지 심사한다.[114] 물

---

109) 이철송, 전게서, 796면; 장덕조, 「상법강의」 제4판(법문사, 2021), 551면; 최준선, 「회사법」 제16판(삼영사, 2021), 594면. 한편, "경영판단의 법칙과 관련하여 "추정"을 논의하는 것은 배심제도가 존재하지 아니하는 우리나라에서는 의미가 없다"는 견해가 있다. 박찬주, 전게논문, 146면. 그러나 이 견해는 수용하기 곤란하다. 왜냐하면 미국 회사법의 어머니같은 법원(the Mother Court of corporate law)으로 인정되고 있는 델라웨어 주법원은 보통법(common law)과 대비되는 형평법(equity)사건을 다루는 형평법법원(Court of Chancery)을 설치·운영하고 있으며, 동 법원에서는 배심제 없이 회사관련 사건을 처리하고 있기 때문이다. 이처럼 배심제는 보통법상의 제도에 지나지 않는다. Kamen v. Kemper Fin. Servs., Inc., 908 F.2d 1338, 1343(7th Cir. 1990); Geoffrey C. Hazard, Jr. & Michele Taruffo, American Civil Procedure 128(1993).

110) Mills v. Esmark, 544 F.Supp. 1275, 1282 n.3(N.D. Ill. 1982): Robert N. Leavall, *Corporate Social-Reform, the Business Judgment Rule and Other Considerations*, 20 Georgia Law Review 565, 603(1986); Henry G. Manne, *Our Two Corporation System: Law and Economics*, 53 Virginia Law Review 259, 270(1967).

111) In re Caremark International Inc. Derivative Litigation, 698 A.2d 959, 967(Del.Ch. 1996).

112) 621 F.Supp. 1252(S.D.N.Y. 1985).

113) *Id.* at 1259. 미국에서는 경영판단의 원칙이 자제의 법리(abstention doctrine)으로 불리고 있다. Stephen M. Bainbridge, *The Business Judgment Rule as Abstention Doctrine*, 57 Vanderbilt Law Review 83, 128(2004).

114) 대법원 2002.3.15. 2000다9086("구 금융기관의 이사가 위와 같은 선량한 관리자의 주의의무에 위반하여 자신의 임무를 해태하였는지의 여부는 그 대출결정에 통상의 대출담당임원으로서 간과해서는 안될 잘못이 있는지의 여부를 금융기관으로서의 공공적 역할의 관점에

론 대법원의 경영판단의 원칙도 경영판단의 내용 보다는 그 절차적인 과정에 대한 심사에 좀 더 많은 비중을 두고 있는 것으로 보이기는 한다. 그러나 어쨌든 간에 대법원 판례상 경영판단의 원칙은 경영판단의 내용까지도 심사의 대상으로 삼고 있다는 점에서 미국의 그것과는 근본적인 시각을 달리하고 있다.

다) 관련문제: 경영판단 원칙의 도입론 검토

(1) 쟁 점

한국에서 1990년대 이래로 경영판단의 원칙을 인정하는 취지의 다수의 판례가 나오고 있음에도 불구하고 미국의 경영판단의 원칙을 도입하자는 주장이 계속적으로 제기되고 있다. 이러한 주장은 결과적으로 한국 대법원 판례상 인정되고 있는 경영판단의 원칙의 논리를 폐기하자는 것과 다름이 없다. 이에 관하여 간단히 검토하고자 한다.

(2) 도입론의 주요 논거

미국의 경영판단의 원칙을 적극적으로 도입하자는 주장의 배경에는 다음과 같은 논거를 제시하고 있다. 첫째, 미국식 경영판단의 원칙은 일종의 글로벌 스탠다드(global standard)이므로 글로벌기업에 대한 규범으로서 도입되어야 한다. 둘째, 상법상 기업지배구조가 미국의 것을 모델로 하여 발전하고 있는 만큼 이 사회의 기업경영의 자율성을 보장하기 위해서는 미국식의 경영판단의 원칙을 도입해야 한다는 것이다.[115] 셋째, 1990년대 후반의 이른바 IMF 사태 이후 이사의 책임을 추궁하는 경우가 빈번하게 발생함에 따라 이사를 보호하기 위한 차원에서 미국식 경영판단의 원칙을 도입해야 한다는 견해도 있다.[116] 더 나아가 이사의 행위에 대한 규제규범임과 동시에 법원의 평가규범으로서 경영판단의 원칙을 도입 혹은 이에 관한 미국법의 정신을 수용하여 이사의 그릇된 경영판단을 사전에 차단하는 한편 올바른 경영판단은 법원의 사법심사로부터 배제하자는 주장도 있다.[117]

서 대출의 조건과 내용, 규모, 변제계획, 담보의 유무와 내용, 채무자의 재산 및 경영상황, 성장가능성 등 여러 가지 사항에 비추어 종합적으로 판정해야 한다.").

115) 원동욱, "경영판단 원칙의 최근 동향과 향후 전망 － 미국의 사례를 중심으로 －," 「상사법연구」 제29권 제3호(한국상사법학회, 2010), 18~20면.

116) 임석재, "경영판단의 원칙에 관한 연구," (고려대학교 법학박사학위논문, 2010), 169~174면.

117) 문정해, "미국의 최근 판결동향에 따른 경영판단원칙의 수용가능성 검토: 경영판단원칙의

(3) 도입론의 검토

미국법상 경영판단의 원칙은 소유와 경영의 분리가 된 공개기업에 적용되는 법리로서 이사를 보호하는 것을 그 이념적 기초로 하고 있다. 그러나 한국 회사의 경우 지배주주 중심으로 직접적으로 경영권을 행사하는 폐쇄회사적인 성격이 강하여 회사법이 예정한 여러 견제기능이 형해화되어 있는 형편이다.[118] 이에 대법원 판례가 미국의 경영판단의 원칙과는 구별되는 한국적인 경영판단의 원칙을 체계화하여 적용하고 있는 마당에 이제 와서 이를 폐기하고 미국식의 경영판단의 원칙으로 대체하자는 논리를 쉽게 받아들이기란 용이하지 않다.[119]

도입론을 수용하기가 곤란한 이유 몇 가지를 자세히 살펴보면 다음과 같다. 첫째, 미국식 경영판단의 원칙을 도입할 경우에는 현행 상법상 이사의 책임을 둘러싼 제반 법제도를 모두 손질하여야 하는 큰 작업이 수반되어야 한다. 즉, 이사에 대한 과도한 보호 등의 정당성을 확보하는 문제가 제기될 것이다. 그러나 현재 소유경영자(owner-manager)를 중심으로 하는 회사지배구조에서 이사에 대한 적극적인 보호를 회사의 다른 이해관계자의 보호보다 우선 과제로 상정할 수는 없다. 이러한 점에서 미국법상 경영판단의 원칙의 취지와 이념에 기반하여 이를 도입한다는 것은 지난한 과제이다. 만약 도입을 상정하는 경우에는 상법 및 기타 관련법상의 여러 규정도 삭제 혹은 개정하여야 한다. 예컨대, 미국의 경우 실제 이사가 주의의무를 위반하여 책임을 부담하는 경우가 거의 없다는 점을 고려할 때 미국법상의 경영판단의 원칙이 그대로 도입된다면 상법이 이사의 회사에 대한 책임을 총주주의 동의로서 면제가능하고 정관으로 축소도 가능하도록 한 규정(제400조)은 사실상 의미가 없어지게 된다. 게다가 미국식 경영판단의 원칙을 완전히 도입하기 위해서는 원고와 피고 사이의 증명책임의 재분배도 입법적으로 수용되어야 하는 등 기타 소송법상의 변경작업도 병행되어야 하는데,

---

개념에 관한 사법심사의 접근방식을 중심으로," 「상사법연구」 제27권 제4호(한국상사법학회, 2009), 192~193면; 조지현, "경영판단원칙 – 독일 주식법 내용을 중심으로 –," 「경영법률」 제21집 제1호(한국경영법률학회, 2010), 179~181면; 최완진/최현주, "경영판단의 원칙의 새로운 동향과 한국상법수용론," 「안암법학」 제26권(안암법학회, 2008), 276면; 최현주, "이사의 책임제한에 관한 법리와 경영판단의 원칙," 「경영법률」 제17집 제2호(한국경영법률학회, 2007), 57~58면.

118) 김교창, "98·99 개정회사법에 새로 설치된 제도들," 「인권과 정의」 제281호(대한변호사협회, 2000), 14면.

119) 송옥렬, 전게서, 1045면.

과연 이 같은 입법적 수용이 국민적 공감대를 형성할 수 있을시 의문이다.

둘째, 주주와 이사[120] 사이에 발생하는 대리인비용(agency cost)을 줄일 수 있는 방법으로서는 회사내부지배구조(internal governance), 시장(market), 이사의 의무규정(fiduciary regulation) 등이 지목되고 있다.[121] 이사의 의무는 회사지배구조나 시장에 의하여 대리인비용을 줄일 수 없는 경우에 유용하다. 다시 말하자면, 대부분의 이사의 의무는 종국적으로 상당한 비용을 유발시키는 대표소송을 통하여 강제될 수밖에 없기 때문에 회사내부적 지배구조나 시장에 의해 대리인문제(agency problem)가 잘 해결되어 그 비용을 줄일 수 있다면 굳이 이사의 의무규정을 들먹일 필요가 없다는 것이다. 따라서 회사내부지배구조와 시장이 효율적으로 작동하여 대리인비용을 절감시킬 수 있다면 이사의 주의의무에 관하여 사법부의 자제(judicial abstention) 내지 억제(judicial restraint)는 정당화될 수 있다. 하지만 현재 한국에서는 지배주주나 경영진에 대한 시장을 통한 통제나 감시메커니즘이 제대로 발달되어 있지 못하다.[122] 더군다나 한국 사법부는 능동적이지도 않고 적극적이지도 않다.[123] 만약 한국이 미국식의 경영판단의 원칙을 명문으로 인정하는 규정을 두거나 판례상 도입할 경우에 한국 법원은 경영판단 원칙의 적용이라는 명분 아래 이사의 경영판단을 적극적으로 검토(second-guess)하는 것을 기피할 것이다. 때문에 미국식 경영판단의 원칙이 도입될 경우 주주가 이사의 의무위반을 증명하여 책임을 물리기 위해서는 현재보다 더 많은 시간과 노력을 투입하여야 하며, 이는 결국 소송비용을 증가시키고 종국적으로 이사의 책임을 추궁하고자 하는 유인을 저하시킨다. 따라서 미국식 경영판단 원칙의 도입은 한국 법원의 소극성을 심화시키는 결과를 낳을 것이며, 이는 결국 소제기를 하고자 하는 주주의 의욕을 약화시켜 이사의 주의의무위반에 대한 적절한 조치를 취할 수 없게 만들 우려가 있다. 요컨대, 이사의 책임을 증가시키고 주주의 이익을 보호하기 위해서는 주주의 소송에 대한 사법부의 철저한 심사

---

120) 한국 상법에서는 이사는 회사에 대한 수임자이므로(제382조 제1항), 엄밀하게 말하자면 이사와 회사사이에 대리인비용은 회사와 이사 사이에 발생한다. 권재열, 「한국 회사법의 경제학」 제2판(정독, 2019), 38면.

121) Alan R. Palmiter, *Reshaping the Corporate Fiduciary Model: A Director's Duty of Independence*, 67 Texas Law Review 1351, 1368~1375(1989).

122) 이한근, "기업지배구조의 실태와 개선방향," 「주식」 제352호(한국증권거래소, 1997), 30면.

123) Chang Soo Yang, *The Judiciary in Contemporary Society: Korea*, 25 Case Western Reserve Journal of International Law 303, 313(1993).

가 필요하므로 사법적 자제를 내용으로 하는 미국식 경영판단의 원칙의 도입은 유보되어야 한다.[124] 오히려 현재 대법원이 제시하고 있는 경영판단의 원칙을 제대로 활용하고 발전시키는 것이 보다 더 바람직하다.[125]

라. 이사의 책임감면   최 문 희*

1) 서 설

가) 개 관

상법 제400조의 표제는 '회사에 대한 책임의 감면'이고, 제1항과 제2항으로 구분되어 있다.[1] 이사의 회사에 대한 손해배상책임(제399조)은 제1항에 의하면 주주 전원의 동의로써만 면제할 수 있지만, 주주 전원의 동의 없이도 제2항에 따라 완화된 요건으로 책임의 일부 면제가 허용된다.[2] 즉 회사는 정관으로 정하는 바에 따라 이사가 회사에 부담하는 손해배상책임(제399조)을 이사가 그 행위를 한 날 이전 최근 1년간의 보수액(상여금과 주식매수선택권의 행사로 인한 이익 등을 포함)의 6배(사외이사는 3배)를 초과하는 금액에 대하여 면제할 수 있다(제400조 제2항 본문). 다만 고의 또는 중대한 과실행위, 경업(제397조), 회사의 기회 및 자산의 유용(제397조의2) 및 자기거래(제398조)의 경우에는 제400조 제2항 본문의 책임면제는 허용되지 않는다(제400조 제2항 단서).[3] 제1항과 대비하여

---

124) 미국의 경우에는 경영판단의 원칙이 광범위하게 적용되다보니 "이사의 과실을 이유로 제기된 주주대표소송중에서 자기거래가 얽혀 있지 않는 경우에도 이사의 책임을 인정한 사건을 찾는 것은 매우 큰 건초더미에서 아주 작은 수(數)의 바늘을 찾는 것(search for a very small number of needles in a very larger haystack)과 마찬가지"라는 평가가 있다. Joseph W. Bishop, *Sitting Ducks and Decoy Ducks: New Trends in the Indemnifications of Corporate Directors and Officers*, 77 Yale Law Journal 1078, 1099 (1968).

125) 김효신, "경영판단원칙과 선관주의의무의 재정립,"「중앙법학」제13집 제4호(중앙법학회, 2011), 473면.

 * 강원대학교 법학전문대학원 교수

1) 제2항은 법률 제10600호, 2011. 4. 14. 일부 개정에 의해 도입되었고 2012. 4. 15.부터 시행되었다.

2) 후술하는 것처럼 이사가 회사로부터 보수를 받지 않는 경우에는 책임제한의 한도가 적용되지 않는다고 보는 입장에 의하면 결과적으로는 제400조 제2항에 의해서도 주주 전원의 동의 없이도 전액면제가 허용된다.

3) 이 조항은 주식회사의 발기인(제324조), 집행임원(제408조의9), 감사(제415조), 감사위원회(제415조의2 제7항), 유한회사의 이사(제567조)와 감사(제570조)가 회사에 대해 부담하는 손해배상책임과 중간배당시 이사의 배상책임(제462조의3 제6항)에도 준용된다.

제2항의 책임면제는 책임의 일부면제, 책임경감, 책임감경 또는 책임제한이라고 일컬어진다. 이 절에서는 '책임제한'이라는 용어를 쓰기로 한다.[4]

나) 주주전원의 동의에 의한 책임면제의 문제점과 책임제한 제도의 도입 배경[5]

제400조 제1항에 대해서는 종래 다음과 같이 세 가지 측면에서 의문이 제기되어 왔다.

(1) 연혁적 측면

이사의 손해배상책임의 면제에 주주 전원의 동의를 요구하는 입법례는 우리나라와 일본에서 찾아볼 수 있다. 상법 제400조 제1항은 상법 제정 당시부터[6] 존재하였는데, 우리나라에서 이 조항의 연혁을 되짚어 보면 의문이 생긴다. 상법 제정 이전에 우리나라에 적용되던 의용상법에서는 이사의 회사에 대한 손해배상책임(의용상법 제266조 제1항)은 주주총회 특별결의로써 면제할 수 있었다(제245조 제1항 제4호).[7][8] 의용상법상 특별결의는 총주주의 반수 이상으로 자본의 반액 이상에 해당하는 주주가 출석하고, 그 의결권의 과반수 동의가 요구되었다(의용상법 제343조 제1항).[9] 이 요건은 상법 제정 시 총주주 동의요건으로 변경되었다. 총주주 동의요건은 상법 제정 당시의 일본 상법 규정[10]을 모델로 한 것이었다.[11]

그런데 우리 상법의 모델인 일본 상법이 종전의 특별결의 요건을 총주주 동의요건으로 변경한 연원을 살펴보면 우리 상법에서 총주주 동의요건을 규정한

---

4) 한편 경영판단의 법칙이 책임의 면제나 감경제도와 어떤 관계에 있는지 의문이 제기될 수 있다. 전자는 손해배상책임의 성립 단계에서 경영판단의 법칙의 요건이 갖추어지면 책임의 성립을 부정하는 것이다. 이에 반해 후자는 일단 성립한 손해배상책임을 제400조 제1항 또는 제2항의 요건에 따라 면제하는 것이다. 이러한 점에서 양자는 차이가 있다.

5) 이하의 설명은 최문희, 「이사의 손해배상책임의 제한」(서울대학교 법학연구소 법학연구총서 10)(경인문화사, 2007), 232면 이하의 설명을 기초로 수정·보완한 것이다.

6) 1962.1.20. 법 제1000호(1963.1.1.시행).

7) 近藤光男(執筆), 「新版 注釋會社法(6)」, (編集代表) 上柳克郎·鴻 常夫·竹內昭夫(有斐閣, 1997), 291面(이하 [近藤光男, 新版 注釋會社法(6) 해당 면]으로 약칭); 서돈각·손주찬, 「축조 신상법해설」(법문사, 1962), 264면.

8) 이 규정은 1938년 일본 상법 개정 시 도입된 규정이다. 이전에는 책임해제 제도 이외에는 손해배상책임의 면제에 관해 특별한 규정이 존재하지 않았다. 河村賢治, "取締役の對會社責任免除規定の意義," 「早稻田法學」 제76권 제1호(2000. 9.), 121面 각주 1).

9) 서돈각, 「상법 상권」(위성문화사, 1957), 341면.

10) 당시 일본 상법의 동 규정은 1950년 일본 상법 개정 시에 바뀌게 된 규정이다.

11) 우리 상법 제정 전에 사용되던 의용상법(일본 상법)은, 일본에서는 몇 차례 개정을 거쳐서 우리나라에 적용되던 의용상법과 개정 후의 일본 상법은 많이 달라졌다.

것에 의문이 없지 않다. 일본의 1950년 개정 전 상법은 회사가 이사를 부당하게 비호하는 것에 대응하기 위한 조치로서 주주총회 결의 또는 자본금의 10%를 가진 주주의 제소 청구를 인정하였다(동 개정 전 상법 제267조, 제268조).[12] 그런데 1950년 상법 개정에 의해서 주주의 지위 강화 목적으로 단독주주의 대표소송 제도를 도입하였다. 일본에서는 대표소송이 도입되던 당시부터 우리나라처럼 소수주주권이 아닌 단독주주권으로 구성하여 1주를 소유한 단독주주에게도 소제기권을 인정하였다(일본 구상법 제267조 제1항; 현행 회사법 제847조 제1항). 대표소송 제기권이 단독주주권(일본 회사법 제847조 제1항, 제847조의2 제1항)이라는 점과 균형을 맞추어 각 주주에게 대표소송 제기권을 현실적으로 보장하려는 필요성에서 책임면제를 위해서는 총주주 동의요건을 규정하게 된 것이다.[13] 총주주 동의 없이도 다수결에 의한 책임면제가 허용된다면 대표소송 제기권을 단독주주권으로 인정한 취지가 무의미해 진다는 점을 고려한 것이다.[14]

우리나라의 대표소송 제기권은 소수주주권이기 때문에, 반드시 총주주의 동의를 요건으로 하지 않더라도 일본에서처럼 제소주주의 소제기가 무의미해질 우려는 없다. 예를 들어 책임면제를 위해서 특별결의를 요건으로 하는 경우 찬성주주가 적어도 발행주식총수의 3분의 1에는 달하여야 하는데, 이것은 단순대표소송 제기의 지분요건 1%(상장회사에서는 0.01%)를 상회하기 때문이다.[15] 이처럼 일본법과 우리 상법 양자의 규정의 역사를 보면 일본법을 답습한 현재 규정은 의문이다.[16] 상법 제정 당시 입법자의 의사에는, 단지 일본 상법을 그대로 수용하려는 것이 아니라 다른 취지도 있었을 수 있지만, 이러한 입법이유를 설명한 입법자료는 발견할 수 없다. 물론 대표소송 제기권을 소수주주권으로 하느냐 단독주주권으로 하느냐의 문제와, 이사의 면책요건을 총주주의 동의로 하느냐 이보다 완화된 주주총회결의 요건으로 하느냐의 문제를 반드시 결부시킬 필

---

12) 江頭憲治郎, 「株式會社法」(有斐閣, 2011), 457面[이하 '江頭憲治郎(2011)'로 인용함].
13) 江頭憲治郎, 「株式會社法」 제8판(有斐閣, 2021), 503面[이하 '江頭憲治郎(2021)'로 인용함]; 河村賢治, 전게논문, 122面.
14) 近藤光男, 新版 注釋會社法(6), 292面; 龍田 節, 「會社法」(有斐閣, 1989), 90面.
15) 책임면제를 위한 총주주 동의에는 의결권 없는 주식도 포함되며, 대표소송의 제소요건도 의결권 없는 주식을 포함해서 계산한다.
16) 총주주 동의요건으로 변경한 이유에 대해 대표소송 제기권을 소수주주권으로 하여 소수주주가 이사의 책임을 추궁할 수 있는 것과 맞추기 위함이라는 설명이 있다. 서돈각·손주찬, 전게서, 264면. 그러나 본문의 서술에 비추어 보면 이러한 설명은 설득력이 떨어진다.

요는 없다.[17) 대표소송의 제기요건과 면책요건의 조합이 반드시 '소수주주권＋특별결의', 또는 '단독주주권 ＋ 총주주 동의'로만 구성되어야 하는 것은 아니고, 입법정책에 의해 결정될 수 있을 것이다. 여기서는 연혁적 측면에서 의문이 있다는 점을 지적해 둔다.[18)

(2) 실효성에 대한 의문

총주주 동의요건이 현실적으로 기능을 발휘하지 못한다는 점에 대해 우리나라와 일본의 다수의 견해가 지지하고 있다.[19) 무수히 많은 주주가 있는 상장회사에서는 총주주 동의요건에 의하면 1주를 가진 주주만 반대해도 면책할 수 없으므로 실제 면책을 허용하지 않는 것과 마찬가지의 결과가 되기 때문이다.

(3) 주식회사의 본질과 주주보호 측면

주식회사의 본질과 주주보호 측면에서도 총주주 동의요건의 타당성을 숙고할 필요가 있다. 총주주 동의요건은 주주의 이익보호 측면을 중시한 것이다. 주주보호 측면을 고려해서 총주주 동의를 요구하는 견해는 이사에 대한 손해배상청구권은 이미 발생한 재산권으로서 모든 주주가 지분적 이익을 갖는 회사의 재산권이므로 성질상 다수결로 포기할 수 없는 이익이라는 논거를 바탕으로 한다.[20) 그러나 후술하는 바와 같이 주주이익 보호를 위해 반드시 총주주 동의요건이 필요한지 여부, 그리고 이미 발생한 회사의 재산권은 다수결로써도 포기할 수 없는지는 의문이다.[21) 제400조 제2항에서 책임제한 제도를 도입한 것은 회사의 재산권을 총주주 동의 없이 다수결로 포기할 수 있음을 인정한 것이다.

---

17) 株主代表訴訟制度硏究會, "株主代表訴訟に關する自民黨の商法等改正試案骨子に對する意見," 「商事法務」 제1471호(1997. 10. 25.), 14面.

18) 총주주 동의요건의 현실성에 문제를 제기하면서, 우리나라에서는 대표소송제기권이 소수주주권이므로 총주주 동의요건이 합리적 근거가 없다는 견해가 있다. 김대연, "이사의 책임제한 및 면제,"「비교사법」 제10권 제2호 통권 제21호(한국비교사법학회, 2003. 6.), 342면. 그러나 본문에서 서술한 것처럼 대표소송 제기권이 소수주주권이라는 이유만으로 총주주 동의요건이 합리적이지 않다는 점에는 의문이 있다. 대표소송 제기권과 이사의 책임면제요건을 어떻게 구성할 것인가는 별개로 판단할 수 있는 문제이기 때문이다.

19) 김건식·최문희, "이사의 배상책임보험,"「상장협」 제45호(한국상장사협의회, 2002. 3.), 124면; 김대연, 전게논문, 342면; 近藤光男, 「新版 注釋會社法(6)」, 292面; 小町谷操三, "改正株式會社法管見,"「法學」 제15권 제4호(1951), 23面; 畠田公明, 「コーポレートガバナンスにおける取締役の責任制度」(法律文化社, 2002), 266面; 일반적으로 상장회사에서 총주주 동의요건이 현실성이 없다는 견해로는 이철송, 「회사법강의」 제29판(박영사, 2021), 809면.

20) 이철송, 전게서, 790면.

21) 보다 자세한 것은 책임제한 제도의 필요성에 관한 아래의 서술 참조.

총주주 동의요건은 주식회사의 본질과 부합하지 않는 면이 있다. 이 요건에 대해서는 일본에서도 미국의 조합계약적 주식회사관이 강하게 반영된 것이라는 비판도 제기된 바 있다.[22] 조합원의 전원일치가 중요한 조합관계가 아닌, 자본단체적 성질의 주식회사에서 이러한 요건은 이례적이다.

주주 이익보호를 위해서 총주주 동의를 요구하는 것도 의문이다. 이 요건 하에서는 1주만 소유한 주주가 반대하면 면책은 불가능하기 때문에 극소수 주주에게 거부권을 주는 것과 같다. 회사의 입장에서 이사의 책임을 면제하는 것이 궁극적으로 회사에 이익이 된다고 합리적으로 판단되는 경우도 있다.[23] 책임면제를 인정함으로써 현재 회사가 상실할 이익과 장래에 회사가 얻을 이익의 현재가치를 형량할 때 전자가 우월한지는 단언할 수 없다. 따라서 이사의 책임면제에 일부 주주에게 거부권을 주는 제400조 제1항의 요건은 의문이 있다.

다) 책임제한 제도에 대한 찬반론과 제도의 필요성

현행 상법은 총주주 동의에 의한 책임면제 이외에 책임제한 제도를 도입하였다. 책임제한 제도의 입법취지는 유능한 경영인을 쉽게 영입하여 적극적인 경영을 유도하기 위하여 이사의 손해배상책임을 완화할 필요성 때문이라고 설명된다.[24]

책임제한 제도에 관한 시각은 각양각색이다. 제도 도입 이전에는 물론이고,[25] 도입 이후에도 여전히 비판의 목소리가 있고, 심지어 폐지를 주장하는 견해도 없지 않다. 책임제한 제도의 반대론은 책임제한 제도가 배상권자에 불이익을 초래한다는 점, 이사에 대해 위법행위 억지효과를 손상시킨다는 점을 논거로 내세운다. 그러나 후술하는 것처럼 현재의 제400조 제2항의 규정 형태는 의문이 없지 않지만, 책임제한 제도의 존재 자체에 관해서 부정하는 견해는 바람직하지 않다. 이들 반대 논거와 책임제한 제도의 회사법적 의미를 고찰해 본다.

(1) 회사나 주주의 불이익

반대론의 중요한 논거는 손해를 배상받을 자인 회사나 주주의 이익에 반한다

---

22) 石井照久,「會社法 上卷(商法 II)」, 1967, 349面.
23) 株主代表訴訟制度研究會, "企業統治に關する商法等の改正案要綱に對する意見," 「商事法務」 제1526호(1999. 5. 25.), 11면.
24) 법무부,「상법 회사편 해설, 상법 해설서 시리즈 II-2011년 개정내용」(2012. 5.), 246면.
25) 법무부,「상법개정 특별분과위원회 회의록[회사편]」(2006. 12.), 526면 이하.

고 보기 때문일 것이다. 이미 발생한 손해액의 일부만 배상하게 한다면 실제 배상권자가 입은 손해가 전액 전보되지 않기 때문이다. 배상받을 자의 입장에서는 책임이 제한되지 않았을 경우의 손해배상액 중에서 책임제한을 통해서 감경된 금액만큼 배상액이 줄어들기 때문에 그 금액만큼 손해를 입은 것이라고 볼 수 있기는 하다.

이 주장에 대해 다음 세 가지 측면에서 의문을 제기할 수 있다. 우선 이 주장은 판결로 선고된 손해배상책임액은 언제나 전액을 배상의무자로부터 이행 받을 수 있다는 전제에 서 있다. 그러나 거액의 손해배상책임을 인정하는 판결이 선고되어도 그것을 모두 이행 받는 것이 불가능한 경우가 있다. 거액의 책임을 인정한 판결에 불복하고 항소하여 배상이 지연되는 것은 배상받을 자를 위해서도 바람직하지 않다. 적절한 수준의 배상액을 부담시켜서 현실적으로 신속하게 이행 받는 편이 배상받을 자에게 더 유리할 수 있다.[26]

둘째, 이사의 행위로 인해 회사에 손해가 발생한 경우 이사가 손해 전액을 배상해야 한다는 주장은, 회사를 위하여 직무를 수행한 이사의 행위로 발생할 수 있는 위험을 모두 이사가 부담해야 한다는 사고에 입각한 것이다. 그러나 이사가 성실히 경영했고 사익을 취하지도 않았지만 과실로 회사에 손해가 발생한 경우, 이사의 행위로 초래되는 손실 위험을 이사가 모두 부담하도록 하는 것이 옳은가? 주주는 이러한 손실위험을 인식하고서 투자로서 주식을 매입한다.[27] 회사의 사업실패로 인한 손실위험을 주주로부터 이사에게로 완전히 이전시키는 것은 비현실적이라고 할 수 있다.[28] 이사의 행위로 야기된 손해가 주주의 투자상 손실의 일부로 볼 수 있다면 이사의 행위가 개재되어 발생한 손해 전액을 이사가 배상해야 하는 것은 아니다.

셋째, 책임제한에 의해 배상받을 금액이 줄어들기 때문에 배상받을 자에게 불이익이라는 주장은 장기적 관점에서 책임제한 제도의 긍정적 효과를 간과한 것이다. 책임제한으로 인해 단기적으로 배상받을 금액이 줄어드는 것은 사실이

---

26) 제일은행 주주대표소송사건의 제2심 단계에서 공동소송참가인인 제일은행이 피고들의 배상자력을 이유로 청구취지를 400억원에서 10억원으로 감축한 것은 이러한 점을 고려한 것으로서, 일면 합리적 결정이었다고 볼 수 있다. 서울고등법원 2000.1.4. 98나45982.

27) Kenneth E. Scott, Corporation Law and the American Law Institute Corporate Governance Project, 35 Stan. L. Rev. 927, 941 (May, 1983).

28) William F. Kennedy, The Standard of Responsibility for Directors, 52 Geo. Wash. L. Rev. 624, 643~44 (1984).

지만, 책임제한 제도는 이사의 행동에 긍정적인 영향을 미쳐서 장기적으로는 회사나 주주의 이익을 증대시킬 수도 있다.

(2) 위법행위 억지효과의 훼손

책임제한이 인정되면 이사에 대해 위법행위 억지효과가 손상될 것이라는 주장도 있을 수 있다. 이사들이 책임제한을 예상하면, 주의를 덜 기울일 가능성도 있고 주주들은 이러한 이사의 행동을 감시할 부담이 더 늘어날 수도 있다.

책임제한이 인정된다고 해서 바로 이사가 위법행위를 감행하거나 주의의 수준을 줄일 것이라는 주장은 옳지 않다.[29] 손해배상책임 외에도 이사의 해임, 회사지배권시장의 역할, 이사회나 감사위원회를 통한 통제 등이 이사의 위법행위를 억지할 수 있다.[30] 매우 극단적인 예를 제외하면 회사의 이사직을 맡을 사람이라면 자신의 명성(reputation)을 중시하므로, 경영의 실책이나 소송에 연루되는 등으로 매스컴에 노출되는 것을 기피한다. 따라서 책임제한 제도의 존재 때문에 이사가 위법행위를 저지르거나 주의를 덜 기울일 것이라는 주장은 옳지 않다.

더구나 이사가 손해배상책임을 부담하는 모든 행위에 대해 책임제한을 적용하는 것이 아니라, 일정한 행위에 대해서는 여전히 전액 책임을 부담시키면 위법행위 억지효과를 발휘할 수 있다. 사익추구행위, 고의행위 같은 경우에는 책임제한을 허용하지 않으면 책임제한에 의한 위법행위 억지효과의 손상 정도는 미미하다고 할 수 있다.

2) 총주주 동의에 의한 책임면제

가) 총주주 동의의 의미

(1) 주주전원의 동의

총주주의 동의는 주주 전원의 동의를 의미한다. 총주주는 의결권 없는 주주도 포함하므로, 의결권 배제를 내용으로 하는 종류주식도 포함하여 계산한다.[31]

---

29) Roberta Romano, Corporate Governance in the Aftermath of the Insurance Crisis, 39 Emory L.J. 1155, 1183 (Fall, 1990). 미국에서는 이사의 책임제한 규정이 존재하더라도, 이사에 대한 위법행위 억지력이 손상되지 않는다는 실증연구가 있다.

30) 近藤光男, 「取締役の損害賠償責任」(中央經濟社, 1996), 194面; American Law Institute (ALI), Principles of Corporate Governance-Analysis and Recommendations, Vol. 2 Part VII, American Law Institute Publishers, 1994, §7.19[이하 "ALI, Principles, §7.19" 로 인용함] Comment c, p. 243; Romano, 전게논문, 1183면.

제400조 제1항에 의한 책임 면제는 총주주의 동의를 요하므로, 총주주에 미달하는 96% 주주 또는 면제할 권한 없는 대표이사에 의해서는 책임면제를 할 수 없다.[32]

손해배상책임의 면제는 회사에 의한 채권의 포기 또는 처분이라고 볼 수 있기 때문에, 제400조 제1항과 같은 조항이 없다면 이사에 대한 책임면제는 일반 채권의 포기로서 주주총회 결의 또는 이사회 결의로 가능하다는 입론이 가능하다. 따라서 제400조 제1항은 이사에 대한 책임면제를 엄격한 요건 하에 허용하기 위한 규정이라고 할 수 있다.

판례는 주주명부상 주주가 1인인 경우뿐만 아니라 실질적으로 1인에게 총 주식이 귀속되어 있지만 주주명부상으로는 일부 주식이 타인 명의로 신탁되어 있는 경우 그 실질적 1인주주가 한 동의도 총주주의 동의로서 유효하다고 판시한 바 있다.[33] 이 판결이 2017년 대법원 전원합의체 판결[34]에 의해 여전히 유효한지 의문이 있을 수 있다. 주주명부상 주주와 실질상 주주가 분리되어 있는 경우 주주권을 행사할 수 있는 자에 관하여 종래 판례는 실질주주가 주주권을 행사할 수 있다고 한 예도 있었으나, 2017년 대법원 전원합의체 판결에 의해 회사에 대한 관계에서 주주권의 행사는 주주명부를 기준으로 획일적으로 정해진다. 2002다11441 판결[35]은 주주명부상으로는 A 95%, A가 B의 명의를 차용하여 B 5%로 등재된 경우에도 A가 100% 실질주주라면 A가 동의한 것은 주주전원의 동의로 유효하다는 것이므로 주주명부를 기준으로 주주를 확정하는 것이 아니다. 2015다248342 전원합의체 판결은 2002다11441 판결을 폐기 대상 판결로 명시하지 않았다. 이사의 면책에 주주전원의 동의를 요구하는 취지는 이사의 면책이 주주와 회사에 불이익이 될 수 있어 주주전원의 동의를 얻어야 면책을 허용하려는 데 있다는 점을 감안하면 주주전원의 동의는 주주명부상 주주가 아니라 실질상 주주를 기준으로 하는 것이 타당하다. 요컨대 2002다11441 판결의 법리는 2015다248342 전원합의체 판결에 의해 영향을 받지 않는다고 보아야

---

31) 통설: 권기범, 「현대회사법론」(삼영사, 2012), 775면; 송옥렬, 「상법강의」 제8판(홍문사, 2018), 1078면.
32) 대법원 2004.12.10. 2002다60467, 60474.
33) 대법원 2002.6.14. 2002다11441.
34) 대법원 2017.3.23. 2015다248342 전원합의체.
35) 대법원 2002.6.14. 2002다11441.

한다.

(2) 개별적·묵시적 동의

총주주의 동의를 얻기 위해서 반드시 주주총회의 결의가 있어야 하는 것은 아니다. 총주주가 개별적으로 동의를 하더라도 무방하다. 판례는 이 때의 동의는 반드시 명시적·적극적인 것뿐만 아니라 묵시적 동의도 인정한다.[36] 대법원은 "총주주의 동의를 얻어 대표이사의 행위로 손해를 입게 된 금액을 특별손실로 처리하기로 결의하였다면 그것은 바로 상법 제400조 소정의 이사의 책임소멸의 원인이 되는 면제에 해당"한다고 판시하였다.[37]

판례에 의할 때 묵시적 동의의 존재를 인정하는 판단기준에 관해서는 의문이 있다. 예를 들어 2002다11441 판결은 "갑이 A금고의 사실상의 1인 주주인 피고가 주식양도시점까지 동일인 한도를 초과한 대출 등으로 인하여 A금고에게 입힌 손해를 재산실사를 통하여 확정한 다음, 주식양도대금을 정함에 있어서 당초 약정된 주식양도가액에서 부실채권 가액만큼을 다시 차감하는 방법으로 피고에게 그 책임에 관한 경제적 부담을 귀속시키는 것으로 피고와 합의한 것은 그 이외에는 더 이상 피고에 대하여 책임을 묻지 아니하기로 하는 묵시적 의사가 있은 것이고 갑의 이러한 묵시적 동의에 의하여 피고의 책임은 적법하게 면제되었다"라고 판시하였다. 사실상 1인주주로부터 100% 주식을 인수하면서 이사의 임무해태로 발생한 손해만큼을 차감하여 주식양도 가액을 정한 사안에서 묵시적 동의에 의한 책임면제가 인정된다고 본 것이다.[38] 그러나 2005다51471 판결은 "총주주의 동의는 회사의 주식 전부를 양수도하는 과정에서 묵시적 의사표시의 방법으로 할 수 있으나, 이는 주식 전부의 양수인이 이사 등의 책임으로 발생한 부실채권에 대하여 그 발생과 회수불능에 대한 책임을 이사 등에게 더 이상 묻지 않기로 하는 의사표시를 하였다고 볼 만한 사정이 있어야 할 것이다"라고 한 후 "현대생명보험 주식회사가 조선생명의 주식을 100% 인수하여 조선생명을 흡수합병할 때 부실채권을 할인된 비율로 평가하여 인수금액을 정했다는 사정만으로는 총주주의 묵시적인 의사표시에 의하여 이사 등의 책임이 면제되었다고 볼 수 없다"라고 판시하였다.[39]

---

36) 대법원 2008.12.11. 2005다51471.
37) 대법원 1989.1.31. 87누760.
38) 대법원 2002.6.14. 2002다11441.

69다688 판결[40]은 총주주의 묵시적 동의가 있다고 볼 수 없는 경우에노 묵시적 동의를 인정한 예이다. 사안의 개요는 다음과 같다. 원고 회사의 주주는 회사 창립 시부터 아래 이 사건 화해 시까지 A(대표이사), B(A의 처), C(A의 동생), D(전무이사), E(D의 처), F(D의 동생)이었다. 피고 이사Y는 이사로 재직하던 1965. 5.경 당시 대표이사 A와 전무이사 D가 원고 회사의 돈 578만여 원을 횡령한 사실을 발견하고 횡령죄로 고소하였다. Y는 원고 회사로부터 130만원을 받기로 하고 A와 D에 대한 고소를 취하하기로 하는 화해 약정(이하 '이 사건 화해'라고 한다)을 하였는데, 회사 창립 시부터 화해 약정 시까지 A가 B와 C의, D가 E와 F의 주주로서의 권리를 각각 대리행사해 왔으며, 이 사건 화해도 A와 D가 각 본인과 대리인의 자격으로서 체결하였다. 이 사건 화해에 기하여 A가 원고 회사의 대표이사 자격으로 130만원의 약속어음을 발행하여 Y에게 교부하였다. 위 약속어음을 Y로부터 배서양도받은 소외 P는 원고 회사를 상대로 어음금 청구소송을 제기하여 승소하였다. 원고 회사는 Y가 이 사건 화해를 하여 회사명의의 어음을 자신에게 발행·교부하도록 하여 원고 회사에 130만원의 손해를 끼쳤고, Y도 이에 공모가담하였다고 하여 원고 회사에 대해 위 손해를 배상할 의무가 있다고 주장하였다. Y는 이를 부인하고, 가사 책임이 있다 하더라도 면제되었다고 다투었다.

이 사건의 원심[41]은 A와 Y가 이 사건 화해를 함에 있어 총주주와 이사 전원이 모여 승인했으니 이에 기하여 A가 어음을 발행하여 원고 회사가 손해를 입었다 하더라도 피고를 포함한 이사들의 회사에 대한 손해배상책임은 총주주의 동의로 면제되었다고 판시하였다. 대법원은 "A와 Y의 화해 약정은 총주주와 이사 전원이 모여 이를 승인한 것이고, 이러한 승인 하에 본건 어음이 발행된 이상 어음 발행으로 인하여 원고 회사에 손해가 발생하였다고 하더라도 어음 발행에 관련한 이사들의 회사에 대한 손해배상책임은 총주주의 동의로써 면제되었다고 보는 것이 상당하고, 피고 Y도 원고 회사의 이사로서 다 같이 그 책임이 면제된 것이다"라고 판시하여 원심을 유지하였다. 사안에서 Y의 손해배상책임 발생의 원인행위는 이 사건 화해와 그에 기인한 약속어음 발행이다. 판례는 이처

---

39) 대법원 2008.12.11. 2005다51471.
40) 대법원 1969.7.8. 69다688.
41) 서울고등법원 1969.4.3. 67나2070.

럼 손해배상책임 발생의 원인행위(＝이 사건 화해에서 회사의 약속어음금 채무를 부담시키는 행위)를 하는 데 총주주가 승인했으므로 이사의 손해배상책임은 총주주의 동의로 면제되었다는 것인데, 논리구성과 결론은 많은 의문이 남는다. 이 판례에 의하면 손해배상책임의 원인행위에 총주주가 관여하기만 하면 원인행위와 관련해 발생한 손해배상책임도 면제된다는 것이다. 이러한 논리에 의하면 1인주주 또는 총주주가 회사에 손해를 발생시키는 행위를 하더라도 사후적으로 책임면제도 함께 이루어졌다고 보는 것이다. 제400조 제1항의 대상이 되는 제399조의 손해배상책임은 이미 발생한 손해배상책임을 의미하고, 장래의 책임을 사전 동의로 면제하는 것을 의미하는 것은 아니다. 위 판결은 손해배상채권의 원인행위에 주주가 관여하면 언제나 책임면제도 전제하는 것이므로 타당하지 않을 뿐만 아니라 제400조 제1항의 취지에도 부합하지 않는다.

나) 적용범위[42]

(1) 불법행위책임

이사의 의무위반이 상법 제399조와 민법 제750조의 요건을 충족하면 양자의 손해배상청구권은 경합하여 모두 행사될 수 있다.[43] 양 책임은 성질을 달리하므로 어느 하나의 책임을 묻는 소의 제기는 다른 책임의 시효중단 효력이 없다.[44] 양자의 청구권이 모두 행사된 경우에 제400조 제1항에 의해 면제가 가능한 손해배상책임은 상법 제399조의 손해배상책임만을 의미하는지, 아니면 민법 제750조의 불법행위책임도 포함되는지에 관해 견해가 대립된다. 판례는 이사의 임무해태가 회사에 대한 불법행위 요건을 충족한 경우에 전자와 같이 해석하면서 불법행위책임을 면제하려면 일반 채무면제(민법 제506조)의 절차를 밟아야 한다고 한다.[45] 학설 중에는 별다른 설명 없이 이 판례를 인용하여 판례와 같은 입장으로 보이는 견해가 있다.[46] 또한 상법의 책임면제 규정은 채권자의 자유의사에 따라 결정할 수 있는 일반 민법상 채무면제(제506조)를 제한하기 위한 규정

---

42) 이 부분은 최문희, "이사의 손해배상책임 면제 규정의 해석론 재고," 「상사법연구」 제27권 제4호(한국상사법학회, 2009. 2.)를 토대로 수정·보완한 것이다.

43) 김건식·노혁준·천경훈, 「회사법」 제5판(박영사, 2021), 486면; 송옥렬, 전게서, 1079면; 이철송, 전게서, 810면; 대법원 1989.1.31. 87누760; 1996.4.9. 95다56316; 2002.6.14. 2002다11441.

44) 대법원 2002.6.14. 2002다11441.

45) 대법원 1989.1.31. 87누760.

46) 이철송, 전게서, 810면; 정동윤, 전게서, 449면.

이라고 하면서, 불법행위책임에 대해서는 이사회 승인을 받아 면제할 수 있다는 견해도 있다.[47] 이에 대해서 사실상의 1인 주주라 하더라도 이사의 회사에 대한 불법행위책임은 면제할 수 없다는 판례가 있고,[48] 이 판례에 터잡아 사실상의 1인 주주라도 이사의 회사에 대한 불법행위책임은 면제할 수 없다는 견해도 있다.[49]

판례나 학설에 의할 때, 불법행위책임의 면제는 어떠한 방법에 의하여야 하는가의 문제가 있고, 어느 한 행위에 기인한 두 개의 손해배상책임에 대해서 그 면제의 의사도 일괄적으로 해결하는 것이 바람직하다는 측면에서 의문이다.[50] 판례와 학설의 입장과 그 당부를 검토한다.

(가) 판 례

이 문제를 최초로 다룬 87누760 판결[51]의 사안은 회사(원고)의 대표이사(갑)에 대한 손해배상청구권 포기를 피고(종로세무서장)가 법인세법상 인정상여로 보아 법인세를 부과하자, 원고가 법인세부과처분취소를 구한 것이다. 총주주의 동의와 관련된 쟁점에 국한하여 사실관계와 판시사항을 간추리면 다음과 같다.

원고 회사의 대표이사 갑은 그의 개인적인 용도에 사용할 목적으로 회사 명의의 수표를 발행하였고, 타인이 발행한 약속어음에 회사명의의 배서를 해주었는데, 원고 회사는 그 지급책임을 부담·이행함으로써 손해를 입었다. 원고 회사는 임시주주총회에서 일시적으로 갑에 대한 구상금채권을 부도채권으로 특별손실처리하기로 결의하고(총주주의 동의가 있었음) 이를 장부상 특별손실비용으로 처리한 뒤, 같은 내용의 결산을 확정하고 같은 해 대차대조표를 일간신문에 공고하였다.

대법원은 "총주주의 동의를 얻어 대표이사의 행위로 손해를 입게 된 금액을 특별손실로 처리하기로 결의하였다면 그것은 바로 상법 제400조 소정의 이사의

---

47) 김건식·노혁준·천경훈, 전게서, 492면.
48) 감사의 손해배상책임의 면제와 관련하여 상법 제400조를 준용하는 상법 제415조의 적용범위에 관하여 대법원 1996.4.9. 95다56316 참조.
49) 권기범, 전게서, 775면; 최기원, 「신회사법론」(박영사, 2012), 694면.
50) 최동식, "이사의 회사에 대한 손해배상책임의 면제,"「상사판례연구(1)」(박영사, 1996), 629면 이하.
51) 이 판례에 대한 평석으로 최동식, 전게논문, 624면 이하; 간단한 코멘트로는 강위두, "회사의 이사에 대한 손해배상청구권의 포기,"「상사판례연구」제3집(한국상사판례학회, 1989. 11.), 171면 이하.

책임소멸의 원인이 되는 면제에 해당되는 것이나 이로써 법적으로 소멸되는 손해배상청구권은 상법 제399조 소정의 권리에 국한되는 것이지 불법행위로 인한 손해배상청구권까지 소멸되는 것으로는 볼 수 없다"라고 판시하였다. 그 근거로는 상법 제399조 소정의 손해배상청구권과 불법행위로 인한 손해배상청구권은 권리의 발생요건 및 근거가 다르고, 권리의 소멸원인의 하나인 채권자의 포기(채무의 면제)에 있어서도 전자는 상법 제400조의 방법과 효력에 의하는 반면에 후자는 민법 제506조(일반 채무면제 규정)의 방법과 효력에 의하도록 되어 있다는 점을 들었다.

(나) 학 설

이 문제에 대해서 본격적인 논의는 없지만, 총주주의 동의로 면제되는 책임은 상법 제399조의 책임에 한한다는 것이 다수의 견해이다.[52] 불법행위책임의 면제는 민법 제506조의 규정에 의해야 한다는 견해가 있다.[53]

이에 대해 다음과 같은 유력설이 있다. 즉 이사의 하나의 위법한 임무수행으로 인해 발생한 회사에 대한 손해배상책임을 면제하는 총주주의 동의는, 상법 제399조에 기한 것이든 불법행위에 기한 것이든 묻지 않고, 그 행위로 인한 이사의 모든 책임을 면제한다는 회사의 의사표시로 보는 것이 당연하다는 것이다.[54]

(다) 검 토

① 제400조 제1항의 면제규정의 성질

제400조 제1항의 해석과 관련해 이 규정에 의해 비로소 이사의 회사에 대한 손해배상책임의 면제가 허용되는 것으로 보면서, 제400조 제1항은 이사의 손해배상책임의 면제 '허용'규정으로 파악하는 견해가 있을 수 있다. 그러나 이사의 손해배상책임을 면제하는 것은 회사 입장에서 채권을 처분하는 것이므로, 제400조 제1항이 없다면 일단 이사회 또는 주주총회의 결의로 책임면제가 허용된다고 볼 수 있다.[55] 즉 제400조 제1항이 있음으로써 비로소 면제가 허용된다는 견해

---

52) 권기범, 전게서, 727면; 강위두, 전게논문, 174면; 이철송, 전게서, 791면; 정찬형, 「상법강의(상)」 제24판(박영사, 2021), 1083면; 최기원, 전게서, 694면; 최준선, 「회사법」 제16판(삼영사, 2021), 559면[이하 '최준선(1)'로 인용].
53) 이철송, 민법서, 010면. 이보의 같은 규정을 두고 있는 일반에서는 이 문제를 번거적으로 논급하는 견해는 보이지 않는다.
54) 최동식, 전게논문, 629면.
55) 같은 견해: 송옥렬, 전게서, 1079면.

는 타당하지 않고, 제400조 제1항이 없다면－그리고 제400조 제2항도 적용되지 않는 한－이사의 손해배상책임은 일반 채무면제 규정(민법 제506조)에 의해 면제할 수 있는 것으로 새기는 것이 바람직하다.[56] 제400조 제1항은 동 조항에 의해 비로소 책임면제를 허용하기 위한 규정이 아니라, 민법상 채무면제 규정보다 제399조의 책임의 면제를 어렵게 하기 위한 규정으로 이해하는 것이 바람직하다.[57]

② 불법행위책임의 면제 가부와 면제 권한자

제400조 제1항은 "제399조의 규정에 의한 이사의 책임은 주주 전원의 동의로 면제할 수 있다"라고 하여 '제399조의 규정'을 대상으로 한다. 이 문언을 엄격히 해석하면 제400조 제1항에 의한 면제는 제399조의 책임의 면제만을 의미하는 것으로 읽힌다. 이같이 해석한다면 불법행위책임은 판례의 태도처럼 일반 채무면제규정(민법 제506조)에 의해 면제하여야 할 것이다. 그러나 판례에 의하면 다음과 같은 의문이 제기된다.

우선 불법행위책임을 민법 제506조의 채무면제 절차에 의해 면제하는 경우, 회사에서 면제의 의사결정을 하는 권한은 누구에게 귀속하는가? 이 문제에 대한 대답 여하에 따라서 주식회사의 이사는 채무불이행으로 인한 손해배상책임을 부담하는 경우보다 불법행위책임을 부담하는 경우에 더 수월하게 책임 면제를 받게 될 수 있는데, 이러한 결과는 불합리하다. 설령 이러한 문제는 차치하더라도 동일한 기관에 의한 면제절차를 이중적으로 밟아야 하는 번거로움이 있을 수 있다. 주식회사 이사의 불법행위책임에 대한 면제권한자에 관한 논의는 별로 이루어진 바가 없는데,[58] 상정 가능한 입론을 제시하고 그 당부를 검토하기로 한다.

먼저 일반적 업무집행에 관한 제393조 제1항을 적용하여 이사회의 결의에 의해 면제할 수 있다는 해석이 있을 수 있다.[59] 제400조 제1항이 적용되지 않

---

56) Hopt, in: Großkommentar zum AktG, 4. neubearbeitete Aufl., 1999, §93 Rn.336(이하 'Großkommentar/Hopt, §93, Rn.'로 인용).

57) 같은 견해: 김건식·노혁준·천경훈, 전게서, 465면; 송옥렬, 전게서, 1079면.

58) 독일 주식법 제93조 제4항 제3문. 우리 상법 제400조 제1항은 이사가 회사에 대해 부담하는 손해배상책임 면제는 주주총회의 권한사항이라고 명시하고 있지만, 대법원 판례처럼 상법 제400조 제1항의 손해배상책임 면제에 불법행위로 인한 손해배상책임의 면제는 포함되지 않는 것으로 보면, 책임면제 권한의 보유자에 대한 의문은 여전히 남는다. 독일에서는 주식법 제93조 제4항의 적용 범위에 관해 회사의 이사에 대한 모든 청구권이라고 하는 견해가 있지만(Großkommentar/Hopt, §93 Rn. 369), 여기에 불법행위로 인한 손해배상청구권도 포함되는지는 분명하지 않다.

는 불법행위책임에 대해서는 이사회 승인을 받아 면제할 수 있고, 주주전원의
동의가 있는 경우에는 이사회 승인 없이 면제가 가능하다는 견해도 원칙적으로
이사회의 권한에 속한다고 보는 것이다.[60] 그러나 과연 이사회에 이러한 권한
이 있는가는 의문이 있을 수 있다. 이사의 책임면제는 이사와 회사의 이익상충
이 발생하는 사항이므로 이사의 이익상반행위에 관한 제398조[61]를 적용하여,
이사회의 승인으로 책임면제가 가능하다고 보는 견해도 있을 수 있다.[62] 그러나
자기거래 등 이익상반행위에서 이사회의 승인은 절차적 요건에 지나지 않고, 자
기거래의 실체적 공정성 요건도 갖추어야 하므로(제398조), 책임면제가 실질적으
로 공정하지 않은 때에는 승인 결의 자체의 효력이 다시 다투어질 수 있고, 이
사회의 책임면제 승인결의 자체가 무효가 될 수 있다. 이 경우 승인 결의에 찬
성한 이사들이 회사에 대해 손해배상책임(제399조)을 부담하게 될 수도 있다.

다음으로 불법행위로 인한 손해배상책임의 면제는 주주총회의 결의나 주주들
의 개별적인 동의로 허용할 수 있다는 견해가 있을 수 있다. 이러한 해석을 뒷
받침하는 것으로는 대법원 2002다11441 판결[63]을 들 수 있다. 이 판례는 법인
에 있어서 '인식의 귀속(Wissenszurechnung)' 문제[64]를 다루고 있다. 우리 민법
과 상법에는 권리주체의 주관적인 인식여부에 따라 법률효과가 영향을 받는 규
정이 다수 있는데, 대표적으로 불법행위로 인한 손해배상청구권의 소멸시효의
기산점에 관한 "손해 및 가해자를 안 날로부터 3년간 행사하지 않으면 시효로
소멸한다"라는 규정을 들 수 있다(민법 제766조 제1항). 위 판례는 민법 제766조
제1항에 있어서 인식의 주체('인식한 자')에 관해서 "법인의 경우 불법행위로 인

59) 이 외에 상법 제389조 제3항에 의해 대표이사가 면제할 수 있다는 견해도 있을 수 있다.
    그러나 후술하는 대법원 2002.6.14. 2002다11441은 법인의 대표자가 법인에 대해 불법행
    위를 한 경우에 법인의 대표자가 그 법인의 손해배상청구권을 행사함에 있어서는 대표권이
    부인된다고 보았다. 더욱이 주식회사에서 이사에 대한 손해배상을 구하는 소에서는 대표이
    사가 회사를 대표하지 못하므로(제394조), 대표이사는 손해배상청구권을 행사할 수 없다.
    이 규정의 취지를 고려하면, 손해배상청구권의 행사뿐만 아니라 손해배상책임의 면제도 대
    표이사의 권한에는 속하지 않는 것으로 보아야 한다.
60) 김건식·노혁준·천경훈, 전게서, 492면.
61) 이사는 이사회의 승인이 있는 때에 한하여 자기 또는 제3자의 계산으로 회사와 거래할 수
    있다(제398조).
62) 상법 제398조의 '거래'는 모든 재산상 행위를 뜻하며, 회사가 이사를 상대로 하는 '채무면
    제'도 포함된다고 할 수 있다.
63) 대법원 2002.6.14. 2002다11441; 1998.11.10. 98다34126.
64) 법인에 있어서 인식의 귀속 문제에 관해서 상세한 논의는 송호영, "법인의 활동과 귀속의
    문제,"「민사법학」제31호(한국민사법학회, 2006. 3.), 3면 이하.

한 손해배상청구권의 단기소멸시효의 기산점인 '손해 및 가해자를 인 날'을 정함에 있어서 법인의 대표자가 법인에 대하여 불법행위를 한 경우에는, 법인과 그 대표자는 이익이 상반하게 되므로 현실적으로 그로 인한 손해배상청구권을 행사하리라고 기대하기 어려울 뿐만 아니라 일반적으로 그 대표권도 부인된다고 할 것이므로 단지 그 대표자가 손해 및 가해자를 아는 것만으로는 부족하고, 적어도 법인의 이익을 정당하게 보전할 권한을 가진 다른 임원 또는 사원이나 직원 등이 손해배상청구권을 행사할 수 있을 정도로 이를 안 때에 비로소 위 단기소멸시효가 진행한다"(강조는 필자가 추가함)라고 하였다. 여기서 "법인의 이익을 정당하게 보전할 권한을 가진 다른 임원 또는 사원"이 인식의 주체가 되고 손해배상청구권을 행사할 수 있다고 보았다.[65]

위 판례의 논지에 충실하면 이사의 회사에 대한 불법행위책임에 있어서는 주주총회가 "회사의 이익을 정당하게 보전할 권한을 가진 다른 임원 또는 사원"에 해당한다고 해석된다. 따라서 불법행위로 인한 손해배상책임의 면제도 주주총회의 권한에 속한다고 본다.

③ 불법행위책임의 면제 요건 및 방법

불법행위책임의 면제가 주주총회 또는 전체 주주의 권한 사항이라고 보는 경우에, 구체적인 면제요건은 어떠한가? 법률에 특별히 규정이 없는 사항이므로 주주총회의 보통결의로 족하다고 볼 수도 있고, 제400조 제1항처럼 총주주 동의가 필요하다고 볼 수도 있다. 주주총회의 보통결의로 족하다고 볼 경우에는 다음 두 가지 문제가 있다. 우선 보통결의로 충분하다고 할 경우에는, 상법상 손해배상책임(제399조)의 면제요건이 불법행위책임의 면제요건보다 엄격하게 된다는 점이다. 둘째, 면제를 위해서 주주총회의 결의의 형식이 아니더라도 주주 각자로부터 개별적으로 동의를 얻는 방식도 가능하다고 해석되는데,[66] 주주 각자로부터 면제에 동의하는 의사표시를 받는 경우에 어느 정도의 주주가 찬성하면 보통결의의 요건을 갖추었다고 볼 수 있는지 의문이 있다. 보통결의의 요건 중 출석주주의 과반수 찬성에서 출석주주의 수를 계산하기 어렵기 때문이다.[67]

---

65) 판례에서 명시적인 언급은 하지 않았지만, 이 경우 손해배상청구권의 행사를 위해서는 민법상 특별대리인(민법 제64조 단서)을 선임하여야 할 것이다.

66) 통설이다. 불법행위책임의 면제에 있어서도 다르게 해석할 필요는 없다고 본다.

67) 개별적으로 찬반 의사를 표시한 자를 출석주주로 보는 방법이 있을 수 있기는 하다.

총주주의 동의에 의해서만 불법행위책임의 면제가 가능하다고 보는 경우에는 굳이 제399조의 손해배상책임의 면제와 별도로 불법행위책임의 면제 절차를 거치도록 할 필요는 없을 것이다.

④ 제399조의 책임과 불법행위책임의 면제 방식의 차이

대법원 2002다11441 판결은 제400조 제1항의 면제와 불법행위책임의 면제의 방식에 차이가 있음을 전제한다. 먼저 상법 제400조 제1항의 면제에서는, 총주주의 동의를 개별적인 방법으로 얻을 때에는 최종적인 주주의 동의를 얻은 때부터, 주주총회의 결의와 같은 일괄적인 방법으로 얻을 때에는 당해 총회의 종료 시부터 대표이사 갑에게 손해배상청구를 할 수 없다고 하여 "총주주의 동의를 얻은 총회의 종료나 최종적인 주주의 동의"로써 면제된다고 한다. 이에 비해 불법행위로 인한 손해배상청구권의 포기는 "그 의사표시가 채무자에게 도달되거나 채무자가 알 수 있는 상태에 있었어야만 그 효력이 발생"하고 그 이전에는 면제의 의사표시를 자유로이 철회할 수 있다고 한다. 전자에 있어서는 총회의 성립이나 최종 주주의 동의를 얻는 시점에 면제가 있게 되어 회사의 손해배상청구권이 소멸되는 반면, 후자에 있어서는 (총주주의 동의로 표시된) 손해배상청구권의 포기(즉 '면제')의 의사가 채무자에게 도달되어야만 손해배상청구권이 소멸되는 것으로 본다.

우리 민법학의 일반적 견해에 의하면 채무의 면제는 권리의 포기에 해당하고, 면제는 상대방 있는 단독행위로서 면제를 위해서는 채권자가 채무자에 대해 면제의 의사를 표시해야 한다.[68] 그렇다면 제400조 제1항의 면제와 불법행위책임의 면제 모두 채무자에 대한 채권자의 면제의 의사표시가 필요하므로, 판례의 판시와는 달리 제400조 제1항의 면제도 총주주의 찬성에 의한 주주총회 결의에 의해 바로 그 효력을 발생하는 것이 아니라, 효력발생을 위해서는 주주총회 결의(면제의 의사표시)가 채무자인 이사에게 도달해야 하는 것으로 해석할 수도 있다.[69] 그러나 책임면제를 위해서 주주총회의 결의 성립 이외에도 면제의 의사표시의 채무자에 대한 도달까지 요구하는 것은 불합리하다. 판례가 제400조 제1항의 면제와 불법행위책임의 면제의 방식을 각기 다르게 파악하는 근거도 설득력이 없다.

---

68) 곽윤직, 「채권총론」(박영사, 2003), 288면; 이은영, 「채권총론」(박영사, 2002), 779~780면.
69) 최동식, 전게논문, 630면.

⑤ 소 결

제400조 제1항은 제399조의 손해배상책임만 면제하는 것이고 불법행위책임은 별도로 채무면제 절차를 밟아야 한다는 주장은, 양자의 손해배상책임을 구분하는 논리를 지나치게 강조한 것이 아닌가 한다. 제399조의 손해배상책임과 민법상 불법행위책임은 그 발생요건과 시효기간이 상이하므로, 양자의 배상청구권을 각기 행사할 수 있어야 하는 것은 당연하다. 이 때문에 그 면제도 각기 행하게 하는 것이 회사나 주주의 이익에 부합한다는 주장도 있을 수 있다.

그러나 제400조 제1항에 의해 총주주의 동의가 있었음에도 불구하고, 별도로 불법행위책임의 면제절차를 별도로 밟아야 하는 것으로 해석한다면 다양한 해석상의 문제가 생긴다. 또한 총주주의 동의로써 제399조의 손해배상책임의 면제가 있었음에도 불구하고, 불법행위책임의 면제 결의가 없다고 보아서 손해배상책임이 소멸되지 않는다고 한다면 채무자는 너무나 불안정한 지위에 놓이게 된다.

책임면제의 대상이 되는 책임은 개별적이고 구체적인 손해배상책임에 한하며, 미확정된 책임은 면제의 대상이 되지 않는다.[70] 주주들이 책임면제의 의사표시를 할 때에는 이미 불법행위책임도 확정되어 책임면제의 대상이 된다는 사실을 알고 있을 것이다. 판례도 긍정하고 있는 것처럼,[71] 총주주가 상법 제399조의 손해배상책임의 면제에 찬성하였다면, 불법행위로 인한 손해배상책임도 면제하려는 의사도 있는 것으로 보는 것이 상식적이며,[72] 양 책임을 일괄적으로 면제할 수 있다고 보는 것이 합리적이다.

(2) 업무집행지시자 등의 책임

업무집행지시자 등도 이사처럼 회사에 대한 손해배상책임(제399조)을 부담하지만, 상법은 책임면제 규정(제400조)의 준용에 관해서는 침묵하고 있다(제401조의2). 따라서 업무집행지시자 등이 회사에 대해 부담하는 손해배상책임에 제400조가 적용되는지 여부, 면제의 가부, 그리고 면제가 가능한 경우 그 면제의 요건에 관해서 의문이 있다. 이에 관해서는 본격적 논의는 없지만, 제400조의 적

---

70) 최기원, 전게서, 694면.
71) 대법원 1989.1.31. 87누760: "… 총주주의 동의를 얻어 대표이사의 손해배상책임을 면제시킨 당해 주식회사의 의사는 불법행위로 인한 청구권까지 포함시켰을 것으로 보는 것이 당연하다. …"라고 설시하였다.
72) 최동식, 전게논문, 630~632면.

용을 부정하는 견해와 긍정하는 견해가 있다. 부정설은 면제 자체가 허용되지 않는다는 설과73) 제401조의2의 각호에 따라 구분하는 설,74) 법문상 제401조의2 에는 제400조가 적용되지 아니하므로 회사가 책임을 면제할 때 주주 전원의 동의 없이도 이사회 결의만으로 충분하다는 입장도 있다.75) 긍정설76)의 입장 내에서도 면제의 방법과 요건에 관해서는 이견이 있을 수 있다.

(가) 학 설

업무집행지시자 등의 책임의 면제에 대한 상법 제400조의 적용 여부 및 범위에 관해 다음과 같이 다양한 입장이 존재하고 있고 상정가능한 입론도 생각해 볼 수 있다.

첫째, 제400조 제1항의 성질을 이사의 책임 면제 허용 규정이 아니라 이사의 책임 면제를 어렵게 하기 위한 규정이라고 전제하면서 제401조의2에는 제400조 제1항이 준용되지 않으므로 업무집행지시자 등의 책임 면제도 허용된다는 견해 이다. 그리고 이 때 책임 면제의 요건은 일반 채무면제 절차(민법 506조)에 의해 면제할 수 있다고 보는 것이다(제1설).77)

둘째, 제401조의2가 제400조 제1항을 준용하지 않기 때문에 업무집행지시자 등의 책임은 제400조 제1항에 의해서 면제할 수 없다는 견해이다.78) 이 견해는 제400조 제1항이 준용되지 않으므로 민법상 채무면제 방법에 따라 면제하는 것도 부정한다. 대표이사가 채무면제의 의사표시를 함으로써 면제할 수 있다는 입론이 있을 수 있지만, 업무집행지시자 등에 대한 책임면제는 이사회의 결정만으

---

73) 권기범, 전게서, 791면; 이철송, 전게서, 827면.
74) 제401조의2 제1항 제1호 및 제2호에 대해서는 부정하는 반면 제3호에 대해서는 긍정하는 견해로는 박길준·손주찬·양승규·정동윤, 「개정상법축조해설」(1999), 63면.
75) 김건식·노혁준·천경훈, 전게서, 479면.
76) 긍정설로는 송옥렬, 전게서, 1057면; 임재연, 「회사법 Ⅱ」(박영사, 2016), 463면; 장덕조, 「회사법」(법문사, 2015), 381면; 정경영, 「상법학강의」(박영사, 2007), 529면; 정승욱, "업무집행관여자의 책임," 「상사법연구」 제17권 제2호(1998), 284면. 업무집행지시자 등의 회사에 대한 손해배상책임의 면제가 이사의 회사에 대한 손해배상책임의 면제와 동일하다는 견해 (최준선(1), 전게서, 560면)도 긍정설의 입장으로 보인다.
77) 김건식·노혁준·천경훈, 전게서, 506면.
78) 이철송, 전게서, 826면. 업무집행지시자의 책임에 관한 서술에서는 면제하지 못함을 분명히 밝히고 있는 반면, 무권대행자와 표현이사 부분에서는 관련서술을 하지 않는다. 그러나 이 철송, 전게서, 826~827면에서 상법 제401조의2 전체에 관해 서술하므로 무권대행자와 표현이사도 업무집행지시자와 마찬가지로 책임면제가 허용되지 않는 것으로 파악하는 것으로 보인다.

로 쉽게 이사의 책임이 면제되는 것을 방지하기 위해 둔 조직법적 통제 상치이
므로 명문 규정이 없다면 책임면제가 불가능하다는 것이다[79](제2설).

셋째, 제401조의2에서 제400조 제1항을 준용하는 명문규정이 없더라도 제
400조 제1항에 의해 책임면제가 허용된다는 견해이다. 제400조 제1항과의 균형
상 제401조의2의 업무집행지시자 등에도 책임면제가 허용되어야 한다거나,[80]
이사가 다수결에 따라 채무면제를 할 위험을 방지하기 위해 총주주의 책임면제
에 관한 규정을 두고 있는데, 이러한 위험은 업무집행지시자 등에게도 동일하게
나타나므로 제400조 제1항은 업무집행지시자 등에도 유추적용하여야 한다는 주
장이다[81](제3설).

넷째, 업무집행지시자 등 중에서 업무집행지시자(제401조의2 제1항 제1호)와
무권대행자(동조 동항 2호)에 대해서는 총주주의 동의로도 책임면제를 할 수 없
지만, 표현이사의 경우(동조 동항 3호)에는 회사의 내부에서 업무를 맡고 있는
자이므로 이사에 준하여 총주주의 동의로 책임면제를 할 수 있다는 견해이다[82]
(제4설).

(나) 검 토

제1설과 제2설은 제401조의2에 제400조 제1항의 준용을 명시하고 있지 않다
는 점을 중요시한다. 그러나 제401조의2는 업무집행지시자 등에 관하여 제399
조의 적용에 있어서 이를 이사로 본다고 하고, 제400조 제1항은 제399조의 이
사의 책임의 면제에 관한 규정이므로, 이들 규정을 유기적으로 해석하면 제401
조의2에 명시된 자에게 제399조, 제400조가 함께 적용되므로 책임면제가 적용
되는 것으로 해석할 수 있다.

제1설에 따르면 업무집행지시자 등의 책임면제는 총주주의 동의 없이도 허용
된다고 보므로, 이사보다 책임면제가 용이하게 되는데 이러한 해석은 제401조의
2의 입법취지를 반감시킨다.

제2설과 제3설 또는 제4설의 당부는 업무집행지시자 등의 책임의 성질에 비
추어 검토해 보자. 제2설은 책임의 성질에 관해서, 업무집행지시자에 관해서는

---

79) 이철송, 전게서, 827면.
80) 정승욱, 전게논문, 284면.
81) 정경영, 전게서, 529면.
82) 서태경, "상법상 업무집행관여자의 민・형사책임에 관한 연구"(한양대학교 박사학위논문,
    2007), 119면.

상법이 특별히 인정한 책임으로 보며 무권대행자와 표현이사에 대해서는 불법행위책임으로 보는 견해이다. 전자와 같이 상법이 특별히 인정한 책임이라고 하는 경우에 왜 책임면제의 대상이 될 수 없는지는 분명하지 않다. 후자와 같이 불법행위책임이라고 본다면 불법행위책임 자체도 면제될 수 있으므로,83) 책임면제가 허용되지 않는다는 주장은 타당하지 않다.

제4설은 표현이사는 회사의 내부에서 업무를 맡고 있는 자이므로 제400조 제1항의 책임면제가 허용되는 반면, 업무집행지시자나 무권대행자에 대해서는 책임면제를 부정한다. 그러나 업무집행지시자 등의 유형별로 구분하여 면제 가부를 달리 보는 것은 설득력이 부족하다.

결론적으로 다음과 같은 이유로 업무집행지시자 등에 대해서도 제400조 제1항을 준용하여 책임 면제가 허용된다고 본다. 첫째, 우리 상법은 업무집행지시자 등에 관하여 행위자의 특정 행위를 근거로 이사의 책임을 부과하는 방식을 택하여 특정인이 직접 또는 간접으로 업무집행에 관여한 경우에 이사로서의 책임을 부과하고 있다. 따라서 업무집행지시자 등이 업무집행에 관여한 것이 임무해태에 해당하여 회사에 대해 손해배상책임을 부담하게 되었다면(제399조), 정식의 이사가 임무해태를 한 경우와 마찬가지의 요건으로 손해배상책임의 면제가 허용되어야 한다고 본다. 이사의 책임은 면제할 수 있음에도 불구하고, 이사로 의제되는 자의 책임은 면제할 수 없다는 것은 타당하지 못한 차별이다. 2011년 개정 상법에서 집행임원의 경우에는 명시적으로 제400조 제1항을 준용하고 있다는 점도 이러한 주장을 뒷받침한다.84)

둘째, 비교법적으로 보더라도 업무집행지시자 등의 책임을 면제할 수 있다. 업무집행지시자 등에 관한 독일 주식법(Aktiengesetz)의 입법방식이 우리의 그것과 차이가 있고,85) 독일 주식법에는 제400조 제1항과 같은 규정이 없지만, 회

---

83) 주식회사의 이사의 불법행위책임은 면제될 수 있다. 다만 면제권한자, 요건 및 방법에 대해서는 이론이 있을 수 있다. 이에 관해서는 위 2)나)(1)(다)검토 부분 참조.

84) 송옥렬, 전게서, 1057면.

85) 독일 주식법 제117조 제1항 제1문 및 제2문: "고의로 회사에 대한 영향력을 이용하여 이사회, 감사회, 지배인 기타 상사대리인으로 하여금 회사나 주주에 대해 손해를 가하는 행위를 하게 한 자는 회사에 대해 그로 인해 발생한 손해를 배상할 의무를 부담한다(제1문). 주주에 대해서도 주주가 입은 손해가 회사가 입은 손해의 결과가 아닌 한 손해를 배상하여야 한다(제2문)." 이 규정은 이사의 의무위반으로 인한 손해배상의무 규정(독일 주식법 제93조)을 준용하는 방식이 아니라는 점, 행위자의 '고의(Vorsatz)'를 요구한다는 점에서 우리 상법 제401조의2와 다르다. 독일의 학자들은 이 책임을 불법행위책임이라고 해석한다. 이

사에 대한 영향력을 행사하여 이사 등에게 회사에 손해를 발생시키는 행위를 한 자(이하 '영향력 행사자')(독일 주식법 제117조)의 책임 면제는 허용된다고 본다. 주지하듯이 독일 주식법은 이사의 의무위반으로 인한 손해배상책임[86])은 손해배상청구권의 성립 후 3년 경과 후 기본자본의 10% 이상의 주주의 이의 제기가 없는 한 주주총회의 결의에 의하여 포기[87])할 수 있다(독일 주식법 제93조 제4항 제3문). 그런데 독일 주식법 제117조 제4항은 명문으로 영향력 행사자의 손해배상 의무에 대해서 제93조 제4항 제3문을 준용한다고 규정하므로, 영향력 행사자에 대한 책임 면제가 허용된다는 점에 이견이 없다.

셋째, 입법자의 의사를 고려하는 경우에도 제401조의2에 제400조 제1항이 준용된다고 본다. 1998년 업무집행지시자 등의 책임 규정에 관한 입법이유, 입법안 검토보고서 및 심사보고서에서 업무집행지시자 등에 대해 책임면제를 허용하지 않는다는 설명은 찾아볼 수 없다. 상법 제401조의2에서 제400조 제1항을 준용하지 않은 것은, 입법 당시에 이사와 같은 법정기구가 아닌 지배주주가 업무집행에 관여하여 회사에 손해를 가하는 행위에 대해 규제하려는 목적에 치중하다 보니, 책임부담과 관련한 규정(제399조, 제401조, 제403조)의 준용에 대해서만 규정하고 제400조 제1항의 준용은 간과한 것이 아닌가 한다.

넷째, 셋째 논거와는 달리 입법자가 제400조 제1항의 존재를 의식하지 못하여 제400조 제1항의 준용을 간과한 것이 아니라, 제401조의2에서 제399조를 준용하면 제399조의 손해배상책임의 면제에 관한 규정인 제400조 제1항도 당연히 준용되는 것으로 보아서 제401조의2에서 제400조 제1항을 명시할 필요가 없었다고 해석할 여지도 없지 않다. 제401조의2 제1항은 업무집행지시자 등에 대하여 제399조의 적용에 있어서 이사로 본다고 규정하고, 제400조 제1항은 "제399

책임이 위법성(Rechtswidrigkeit)을 요하며 불법행위적 성격(Deliktsrecht)을 지닌다는 점에 대해서는 학설과 판례상 이견이 없다. BGH NJW 1992, 3167, 3172; Hüffer/ Koch, Beck'sche Kurz Kommentar Aktiengesetz, C. H. Beck, 11. Aufl., 2014, §117 Rns. 2 und 6.

86) 법문에서는 Verzicht(청구권의 포기)라고 하고 있는데, 이것은 독일 민법상의 면제계약(독일 민법 제397조)(우리 민법에서는 면제가 상대방 있는 단독행위로 이해되지만, 독일 민법에서는 면제를 계약으로 규정하고 있다는 점을 주의)을 뜻한다는 것이 일반적인 견해이다. Großkommentar/Hopt, §93, Rn. 374.

87) 독일 주식법상 주주총회의 결의 요건은 법률이나 정관에 다른 규정이 없는 한 행사된 의결권의 단순다수결에 의하고(제133조 제1항), 독일 주식법 제93조 제4항에서는 달리 규정이 없으므로 책임면제 결의도 행사된 의결권의 단순다수결에 의한다.

조의 … 이사의 책임은 주주 전원의 동의로 면제할 수 있다"라고 하므로, 이들 규정을 유기적으로 연결하여 해석하면 업무집행지시자 등의 책임에 관해서도 제 400조 제1항이 준용된다고 볼 수 있는 것이다.

(3) 제3자에 대한 손해배상책임

제400조 제1항은 제399조의 손해배상책임을 적용대상으로 하므로, 이사가 제3자에 대해서 부담하는 손해배상책임(제401조)는 제400조 제1항에 의해 면제 될 수 없다. 제401조의 손해배상책임은 일반 민법상 채무면제의 규정에 따라서 면제될 수 있을 것이다.

제400조 제1항에 의한 책임면제는 허용되지 않지만, 우리 판례는 과실상계 법리나 손해공평분담원칙에 의해서 제3자에 대한 손해배상액의 제한을 인정한 다. 예를 들어 2005나68396 판결에서는 "은행에게는 … 신용공여 대상자의 신 용상태 및 제공한 신용의 회수 가능성에 관하여 보다 고도의 심사 능력과 주의 의무를 가질 것이 요구되는 점을 고려하면, 피고 이사 또는 감사들의 원고 은행 에 대한 손해배상금액을 정함에 있어서는 원고의 과실을 참작하는 것이 상당하 다"라고 한 후 "… 피고들의 손해배상액을 제한하는 것이 손해분담의 공평이라 는 손해배상제도의 이념에 비추어 상당하다"라고 판시하였다.[88]

3) 책임제한

가) 쟁 점

제400조 제2항에 관해서 논란이 있는 쟁점이 다수 있다. 가장 격론의 대상이 되는 사항은 책임제한의 결정권한의 소재 및 결정절차에 관한 것이다. 제400조 제2항은 "정관으로 정하는 바에 따라" 제399조의 책임을 면제할 수 있다고 규 정하는데, '정관'에 책임제한의 근거규정만 두면 구체적인 책임제한 사안이 발생 한 경우에 정관규정에 의거해서 자동적으로 책임제한을 할 수 있는지, 아니면 정관의 근거규정에 따라 이사회 또는 주주총회가 책임제한에 관한 결정을 거쳐 야 하는지 문제된다.[89] '정관'에 책임제한에 관한 근거규정을 두는 경우 어느 정도로 세부 사항을 규정해야 하는지도 분명하지 않다.

---

88) 서울고등법원 2006.10.25. 2005나68396.
89) 개정논의시에 이러한 문제제기는 법무부, 「상법개정특별분과위원회 회의록(회사편)」 제8차 전체회의(2006. 4. 7.), 2006. 12, 527면(김건식 위원 발언).

둘째, 제400조 제2항의 책임제한의 대상인 손해배상책임의 의의와 적용범위가 분명하지 않다. 제400조 제2항이 구체적인 손해배상책임이 발생하기 이전에 사전적으로 책임제한을 인정하는 조항인가 아니면 책임발생 후 사후적으로 면제하는 조항인지 문제된다. 이 조항의 성격 여하에 따라서 책임제한의 방법 및 의사결정 주체의 결정이 달라질 수 있고, 실제로 책임제한을 결정하는 단계가 정해진다. 책임제한 결정과 소송, 재판상 화해의 관계도 문제된다. 셋째, 법문에서는 책임제한 조항의 적용제외 사유로서 고의 또는 중대한 과실행위, 제397조·제397조의2·제398조의 행위를 규정하고 있는데, 적용제외 사유의 인적 적용범위가 문제된다. 넷째, 책임제한의 한도가 문제된다. 법문에서는 책임제한의 한도를 설정하면서 그 기준으로 보수를 규정하고 있지만, 기준이 되는 보수의 범위와 산정기준도 문제된다. 다섯째, 책임제한 제도의 신설이 판례에 미치는 영향에 관한 것이다. 책임제한 조항이 도입되기 전 상법 하에서 법원이 재량으로 손해배상액을 제한한 판례가 적지 않았는데,[90] 책임제한 조항과 법원의 재량에 의한 판결과의 관계가 문제된다. 특히 법원이 판결을 함에 있어서 제400조 제2항의 책임제한의 한도와 책임제한의 적용 예외사유에 구애될 것인가의 문제이다.

나) 책임제한 조항의 성격[91]

(1) 문제의 소재

제400조 제1항의 면제는 주주전원의 동의로 면제할 수 있고, 책임면제에 관하여 사전적인 포괄수권이 가능하지 않으므로 사후면제를 의미한다. 이에 반하여 제400조 제2항은 "… 제399조에 따른 책임을 면제할 수 있다"고 규정하는데, 면제의 의미에 관해서는 의문이 있다. 손해배상책임의 발생 후 사후적 면제를 상정한 조항인가, 아니면 책임의 발생 이전에 사전적 책임제한을 상정한 조항인가, 아니면 양자 모두 허용됨을 상정한 조항인가가 문제된다. 이 조항의 성격을 어떻게 파악하는가에 따라서 책임제한 제도의 운영은 달라질 수 있다.

---

90) 대법원 2011.6.10. 2011다6120; 2008.2.14. 2006다82601; 2005.10.28. 2003다69638; 2004. 12.10. 2002다60467, 60474; 서울남부지방법원 2006.8.17. 2003가합1176(확정); 서울중앙지방법원 2010.2.8. 2008가합47867(확정) 외.
91) 이 부분은 최문희, "개정 상법상 책임제한 조항의 해석론 및 실무운용 방안,"「상사법연구」제31권 제2호(한국상사법학회, 2012. 8.)의 논문 중 Ⅱ. 3.을 요약 및 수정한 것이다.

(2) 상정 가능한 입론

(가) 사전적 책임제한 조항설

제400조 제2항은 "정관으로 정하는 바에 따라" 면제할 수 있다고 규정하므로 정관에 규정을 두면 사후적으로 이사회 또는 주주총회 결의 절차 없이 그 규정에 따라 자동적·기계적으로 책임이 제한됨을 상정한 것[92]이라는 입론이 있을 수 있다. 아래 다) (2) (가)제1설의 입장과 일맥상통한다. 이 입장에서는 구체적 사안에서 정관규정을 적용하여 이사가 실제로 부담하는 손해배상액이 객관적으로 산정된다고 보게 된다. 따라서 구체적인 사안에서 책임제한의 결정이란 이사회 또는 대표이사가 정관규정을 적용해서 책임제한에 해당함을 확인하는 의미를 지닐 뿐이다. 정관규정을 적용하여 금액을 산출하는 것은 행정적인 업무처리에 지나지 않게 된다.

코스닥협회 표준정관 제41조의2는 "… 이사의 책임을 이사가 그 행위를 한 날 이전 최근 1년간의 보수액(상여금과 주식매수선택권의 행사로 인한 이익 등을 포함한다)의 6배(사외이사는 3배)를 초과하는 금액에 대하여 면제한다"라고 규정하는데, 이것은 정관규정에 따라 책임제한액이 정해짐을 상정한 것으로 보인다.

(나) 사후적 책임면제 조항설

제400조 제1항처럼 제2항에서도 '면제'라는 용어를 사용하므로, 사후적 책임면제를 상정한 것이라는 입론도 가능하다. 이 입론에 따르면 구체적 책임이 발생한 후에 사후적으로 책임을 제한하는 절차—이사회 결의 또는 주주총회 결의—를 밟아야 한다. 아래 다) (2)의 제2설 내지 제4설은 이러한 입장에 서 있다. 특히 제3설은 회사가 정관에 책임제한의 근거규정을 둔다고 하여 자동적으로 책임이 그 수준으로 제한된다고 하기는 어렵다고 하여 사후적 책임면제 조항임을 밝히고 있다.[93]

상장회사협의회 표준정관 제35조는 "… 주주총회 결의로 이사 또는 감사의 … 책임을 그 행위를 한 날 이전 최근 1년간의 보수액(상여금과 주식매수선택권의

---

92) 김건식·노혁준·천경훈, 전게서, 494면은 정관에서 책임제한의 결정을 주주총회나 이사회 결의에 맡길 수 있다고 하면서도, 정관에서 구체적 결정의 필요 없이 항상 책임이 제한되도록 규정하는 것도 가능하다고 본다. 사후적 책임제한 조항이든 사전적 책임제한 조항이든 모두 가능하다는 견해(권기범, 전게서, 776면)도 같은 입장이다.

93) 송옥렬, 전게서, 1076면.

행사로 인한 이익 등을 포함)의 ○배(사외이사는 ○배)를 초과하는 금액에 대하여 면제할 수 있다"라고 한다. "주주총회의 결의로 … 면제할 수 있다"라고 하므로 사후적 면제를 상정한 것으로 보인다.

다) 검 토

제400조 제2항이 사전적 책임제한 조항으로 운용될 것만을 상정한 조항으로 보는 것은 의문이다. 첫째, 제400조 제2항에서도 '면제'라는 용어를 사용하므로 사전적 책임제한을 상정한 것으로 보기는 어렵다. 둘째, 사전적 책임제한이 가능하려면 법률에서 책임제한을 위한 최소한의 구체적 요건과 절차를 정관에 규정하도록 하고, 정관에 이들 사항이 정해져서 책임제한이 기계적으로 적용될 수 있어야 할 것이다. 제400조 제2항에서 "정관으로 정하는 바에 따라서"라는 의미는 책임제한의 요건 및 절차를 구체적으로 정하라는 것으로 읽힌다. 이러한 요건 및 절차가 구체적으로 정해진 상태에서만 사전적 책임제한이 유의미하다. 셋째, 정관에서 아무리 책임제한의 요건과 절차를 구체적으로 정하였다 하더라도, 구체적으로 발생한 사안의 유형에 따라서 책임제한 여부의 판단이 필요하므로, 그 경우는 사후적 책임면제를 의미한다. 제400조 제2항은 책임제한의 예외사유를 정하고 있는데, 이들 예외사유에 해당하는지의 판단이 필요하다. 예외사유 중 제397조, 제397조의2, 제398조의 유형은 거래 또는 기회이용 이전에 거래 및 기회이용에 해당함을 전제로 이사회 승인 절차를 거쳤을 것이므로 예외사유 여부의 판단이 필요하지 않다고 할 수 있다. 그러나 이 경우도 이사회 승인 절차 없이 거래 또는 기회이용을 했다면 해당 거래가 이들 유형에 속하는지 판단이 필요하게 된다. 귀책사유를 기준으로 하는 고의·중과실의 경우는 보다 어려운 문제가 발생한다. 구체적인 사안의 발생 이후에 귀책사유 여하에 대한 판단은 항상 필요하기 때문이다.

요컨대 제400조 제2항이 사전적 책임제한을 명시적으로 금지하지는 않지만, 사전적 책임제한이 가능하도록 운영되기 위해서는 정관에서 구체적 요건과 절차를 정할 필요가 있고, 그 경우에도 사전적 책임제한으로만 운영되는 것은 현실적으로 어렵다. 따라서 제400조 제2항은 사후적 책임제한의 절차를 요하는 조항으로 이해하고 그렇게 운영되는 것이 바람직하다.

라) 책임제한의 결정 주체[94]

(1) 쟁 점

제400조 제2항은 "정관으로 정하는 바에 따라" 제399조의 책임을 면제할 수 있다고만 규정하므로, 책임제한의 결정 주체와 결정 방법에 관해서 각양각색의 주장이 있을 수 있다.[95] 실제로 유가증권시장 상장회사와 코스닥 상장회사의 도입 현황을 보면 주주총회 특별결의, 주주총회 보통결의, 이사회 결의, 결정기관에 관해서 언급이 없는 회사로 나뉘고 있다.[96] 제400조 제2항의 상황 하에서 회사는 사전적으로 '정관'에 책임제한의 규정만 두면 구체적인 책임제한 사안이 발생한 경우에 그 규정에 의거해서 자동적으로 책임제한을 할 수 있는지, 아니면 정관의 근거규정과는 별도로 이사회 또는 주주총회 등 회사 기관이 의사결정 과정을 거쳐야 하는지 문제된다. 나아가 후자의 입장은 다시 구체적인 결정기관 여하에 관해서 견해가 나누어진다.

(2) 학설 및 상정 가능한 입론

이 논점을 다루는 문헌은 많지 않은데, 학설 및 상정 가능한 견해를 기초로 검토한다.

(가) 제1설

정관에 근거규정을 두면 따로 책임제한의 결정절차는 필요하지 않다는 견해이다(제1설). 제400조 제2항의 내용을 그대로 규정한 코스닥협회 표준정관 제41조의2는 이러한 입장에 입각한 것으로 보인다. 주주총회의 결의나 이사회 결의

---

94) 이 부분은 최문희, 전게 논문(주91) 중 II. 4.를 요약한 것임을 밝혀둔다.

95) 상장회사 협의회 표준정관은 주주총회의 결의(보통결의를 의미)로 결정하도록 하고(표준정관 제35조), 코스닥협회 표준정관은 책임의 결정 주체에 관한 언급이 없으며(표준정관 제41조의2), 국민연금은 원칙적으로 주주총회의 특별결의를 요건으로 하여야 한다는 견해를 표명한 바 있다. 자세한 것은 최문희, 전게논문(주91), II. 1. 책임제한에 관한 정관규정의 도입 현황 부분, 특히 주16 참조.

96) 2012년 7월 말까지 정기주주총회를 개최한 유가증권 상장사 734개사 중에서 331개사 (46.23%)가 책임제한을 정관에 규정하였다. 이 중 책임제한의 결정방법은 각각 주주총회 특별결의 2개사, 보통결의 295개사, 이사회 결의 1개사이었고, 나머지 회사는 결정기관에 관해서 아무런 규정을 두지 않았다. 코스닥 상장사 952개사 중 441개사(46%)가 이사의 책임제한을 정관에 반영하였고, 감사의 책임제한을 도입한 회사도 255개사(26.8%)이었다. 유가증권 상장사는 상장회사협의회의 표준정관을, 코스닥 상장회사는 코스닥협회의 표준정관을 충실하게 따른 것이라고 할 수 있다. 이들 통계는 금융감독원 전자공시시스템 dart.fss.or.kr에서 수집한 자료에 기초한 것이다.

에 맡길 수 있지만, 정관에서 항상 책임이 제한되도록 하는 것도 가능하다는 견
해도 이러한 입장에 서 있다.[97] 이 견해는 어차피 비난 가능성이 큰 행위에 대
해서는 책임제한의 대상에서 제외되기 때문에 이렇게 파악하더라도 남용의 우려
가 크지 않다고 본다.[98]

　제1설은 제400조 제2항이 정관의 근거규정을 요구하지만 책임제한의 의사결
정의 권한소재에 관해 특별히 규정하고 있지 않다는 점에 착안하고 있다. 그리
하여 이 견해는 일반적으로 법문상 권한소재에 관해서 명시규정이 없는 사항은
주주총회의 권한사항이 아니므로 주주총회의 결의가 요구되지 않고, 따라서 정
관에 책임제한의 근거규정을 둔 회사는 그 정관규정에 따라 이사회 결의 또는
대표이사가 결정하면 된다는 점을 논거로 한다. 제1설은 제400조 제2항을 사전
적 책임제한 조항으로 이해하는 견해와 일맥상통한다.

　(나) 제2설

　제2설 내지 제4설은 정관에 책임제한 조항이 있다고 해서 그 근거 규정에
의해 자동적으로 책임제한이 이루어지는 것은 아니라고 본다.[99]

　정관에 주주총회의 결의로 한다는 규정이 없고, 주주총회의 결의를 요구할
근거가 없다는 이유로 이사회 결의로 결정할 수 있다는 견해가 있다(제2설).[100]
법문상 주주총회 결의가 요구되지 않는다는 점, 책임면제의 자기거래적 성격을
감안한 것이라고 할 수 있다.

　(다) 제3설

　정관에 근거 규정을 두고 주주총회의 보통결의로 결정할 수 있다는 견해이다

---

97) 김건식·노혁준·천경훈, 전게서, 494면. 입법과정에서 법무부, 전게 회의록, 527면(정찬형
　　위원 발언)은 이러한 입장으로 보인다.
98) 김건식·노혁준·천경훈, 전게서, 494면 주 1).
99) 법무부, 전게 회의록, 538면(박준 위원 발언)은 입법 과정에서 정관규정에 따라서만 결정하
　　는 방법에 의문을 표시하면서 책임제한 시점에서 의사결정 절차가 필요하다는 견해이다.
　　현행법에 대해서 제2설을 취한 문헌으로 최준선(1), 전게서, 559~560면; 최준선, 「2011 개
　　정상법 회사편 해설(상장협 실무전집43)」(한국상장회사협의회, 2011. 12.), 137면[이하 '최
　　준선(2)'로 인용]
100) 권기범, 전게서, 776면; 김건식·노혁준·천경훈, 전게서, 494면; 송옥렬, 전게서, 1076면;
　　최준선(1), 전게서, 560면; 최준선(2), 전게서, 137~138면은 이사의 자기거래나 기회유용
　　의 승인을 이사의 3분의2 이상으로 한 것을 감안하면 책임제한은 이보다는 상위규범의 결
　　정이 있어야 하고, 적어도 주주총회 보통결의로 하여야 하지만 상법에 명문규정이 없으므
　　로 정관에 정하는 것이 좋다고 한다. 정관에 주주총회 결의로 결정하도록 하는 명문규정이
　　없는 한 이사회의 결의로 허용된다는 입장이다.

(제3설).101) 이 견해는 이사의 책임을 면제하는 것이므로 이사회 결의로는 할 수 없고 주주전원의 동의가 있으면 책임의 전부를 면제할 수 있다는 점과 이미 정관에 근거규정을 두었다는 점을 두루 고려하여 보통결의로 충분하다고 본다.

(라) 제4설

주주총회의 특별결의에 의해 책임제한을 하는 것이 합리적이라는 견해이다 (제4설).102) 이 견해는 법에서 책임제한의 결정기관에 관해 규정하지 않은 것은 입법의 불비라고 하면서, 상법 제400조 제2항의 입법취지를 살려 '정관에 의해' 책임을 면제할 수 있는 근거가 마련되므로, 이와 동급의 의사결정인 주주총회 특별결의에 의해 책임제한을 할 수 있다고 한다.

(3) 책임제한 제도의 바람직한 운용방안

제400조 제2항은 정관에 정하는 바에 따라서 책임제한을 결정할 수 있다고 하므로, 제400조 제2항을 정관규정에 따라서 사전적 책임제한제도로 운용하는 것이 불가능한 것은 아니다. 또한 책임제한의 결정기관에 대해서 명시하지 않으므로 이사회 결의로 결정하는 것이 명문의 해석상 허용되지 않는 것은 아니다. 제400조 제2항에서 세부사항을 규정하지는 않고, 상장회사들의 정관규정도 법문보다 구체적인 사항을 규정하고 있지 않다.

그러나 정관에 구체적으로 책임제한의 절차·요건·한도에 관한 규정을 두고 이들 규정을 적용해서 구체적으로 개별 이사가 실제로 부담할 책임액이 산정될 수 있도록 규정하지 않는 한 책임제한의 결정은 주주총회의 결의에 의하는 것이 바람직하다.

이사회 결의방법은 책임제한 사안이 제기되었을 때 기동성 있게 의사결정을 할 수 있고, 주주총회 개최에 소요되는 시간과 비용을 절약할 수 있다는 장점이 있다. 그러나 다음과 같은 이유에서 이사회 결의에 의하는 것은 바람직하지 않을 뿐만 아니라, 현실적으로도 많은 후속문제를 야기한다.

첫째, 이사의 책임제한 사안이 기동성 있게 처리를 요하게 되는 상황을 상정하기 어려울 뿐만 아니라,103) 이사회 결의로 결정해야 할 만큼 빈번하게 책임제한 사안이 발생할 것인지도 의문이다. 일본 회사법(제426조 제1항)에서 이사회

---

101) 임재연, 전게서, 446면.
102) 이철송, 전게서, 813면; 장덕조, 전게서, 370면.
103) 近藤光男·志谷匡史, 「改正株式會社法 II」(弘文堂, 2002), 203面.

결의로 책임제한을 허용하기 위한 요건은 "책임원인 사실, 해당 이사의 직무집행 상황 기타 사정을 참작하여 특히 필요하다고 인정하는 때"로서 우리 상법과는 달리 법문상으로 이사회 결의로 결정하기 위해서 특별한 필요성이 인정되어야 한다. 이러한 입법에 대해서는 이사책임원인 사실, 손해액 등이 분명하지 않은 시점에서 주주가 이사회에 포괄적 수권을 부여하는 것이라는 이유로 입법론적 비판이 있다.[104]

둘째, 이사회 결의로 결정하는 경우에 책임제한의 대상이 되는 이사는 특별이해관계인으로서 의결권을 행사할 수 없지만(제391조 제3항, 제368조 제3항), 해당 이사가 의결권을 행사하지 못하더라도 다른 이사들이 동료 이사의 책임제한 안건에 반대하기란 쉽지 않을 것이다. 제400조 제2항의 책임제한 조항의 적용예외사유에 해당하지 않는 주의의무 위반사항에 관해서 동료 이사들이 책임제한 안건에 찬성하는 경우를 생각해보자. 책임제한에 대한 찬성이 바로 법령위반에는 해당하지 않을지라도 책임제한 결정이 이사로서의 의무위반에 해당할 수도 있다.[105] 그 경우 책임제한에 찬성한 이사들의 의무위반을 이유로 하여 손해배상청구소송(대표소송)이 제기될 수 있으며 연속적인 소제기를 초래한다.

셋째, 다수의 이사들이 동일한 사안으로 손해배상책임을 부담하는 경우에 책임제한의 의사결정이 어려울 수 있다. 예를 들어 대표이사 갑, 이사 을과 병이 있는 회사에서 이사 전원의 의무위반과 손해배상책임이 인정되었고, 이 회사의 정관에는 이사회 결의로 책임제한을 결정하도록 규정하고 있다고 하자. 책임제한은 개별 이사별로 이루어져야 할 터인데, 갑에 대한 책임제한은 을과 병이, 을에 대해서는 갑과 병이, 병에 대해서는 갑과 을이 결정한다면 책임제한 안건이 부결될 가능성은 없다. 만일 이들 책임제한 사안을 동일한 것으로 취급하여 하나의 안건으로 처리해야 한다면, 모든 이사가 특별이해관계인으로서 책임제한 결정에 참가할 수 없게 되고 책임제한은 가능하지 않게 된다. 이러한 경우에는 주주총회에 안건을 상정해서 주주총회 결의로 결정하는 것은 가능한가? 판례에 의하면 정관에 이사회 결의사항으로 규정된 것은 주주 전원의 동의에 따라 결정할 수는 있을 것이다.[106] 그러나 이사회와 주주총회의 권한배분에 관한 다수설

---

104) 岩原紳作, "株主代表訴訟,"「ジュリスト」제1206호(2001. 8.), 130面.
105) 江頭憲治郎(2021), 前揭書, 510面 주25.
106) 대법원 1992.3.31. 91다16310; 2007.5.10. 2005다4284.

및 판례에 따르면 정관에 이사회 결의사항으로 규정된 것은 주주총회의 권한사항이 아니므로 주주총회 결의로 결정할 수 없게 된다.107)

넷째, 사후적인 책임제한은 성질상 채무의 면제에 해당하므로, 이사의 자기거래 승인의 대상이 된다. 따라서 재적 이사 3분의 2 이상의 찬성을 얻어야 한다. 책임제한의 대상이 되는 이사가 다수인 경우 이들은 모두 특별이해관계인으로서 결의에 참여할 수 없고 재적 이사 3분의 2 이상이라는 요건의 분모에서 제외하게 될 것이다.108) 이 경우 다수의 이사가 책임제한 결의에서 제외되면 소수의 이사(심지어 1인의 이사)에 의해 책임제한 결정이 이루어질 수 있다는 문제가 있다.

이상을 종합적으로 고려하면 법문상으로는 책임제한은 이사회 결의나 주주총회 결의로 결정할 수 있는 것처럼 보이지만, 주주총회 결의로 결정하는 것이 바람직하다. 결의요건은 보통결의로 충분하다고 본다. 정관에 책임제한의 근거규정을 설치하기 위한 특별결의를 거쳤다는 점에서 다수 주주들의 의사가 반영되었다고 보면 구체적인 책임제한 사안에서 다시 특별결의를 요구할 필요는 없다는 점, 만일 정관에 근거규정이 없더라도 주주총회가 책임제한 사안에 관하여 결의할 수 있다는 전제 하에서 구체적인 책임제한 사안마다 특별결의가 필요하다면 정관에 책임제한의 근거규정을 두도록 한 취지가 무색해진다는 점, 재정적으로 곤경에 처한 회사에서 손해액이 대규모에 달하는 경우와 같은 특별한 사정이 없는 한 책임제한 사안은 특별결의를 요하는 합병 등 조직재편에 버금갈 정도로 회사에 중대한 영향을 미치는 사항으로 볼 수 없다는 점을 두루 고려하면 보통결의로 충분하다.

마) 책임제한의 한도

(1) 책임제한의 범위

책임제한의 범위는 이사가 손해배상책임의 원인이 된 행위를 한 날 이전 최근 1년간의 보수액을 기준으로 대표이사와 사내이사는 6배, 사외이사는 3배를

---

107) 이러한 경우에 주주가 주주제안권 행사나 임시주주총회 소집을 통해서 주주총회에 안건으로 상정하는 것을 고려할 수 있지만, 다수설에 따르면 후자의 방법을 통해서 주주총회 결의로 결정할 수 있는가는 여전히 문제가 있다.

108) 자기거래에서 이사회 승인요건인 재적이사 3분의 2 이상은 특별이해관계 있는 이사를 제외하고 판단한다.

초과하는 금액에 대하여 면제할 수 있다(제400조 제2항 본문). 즉 제400조 제2항에 따라서는 책임 전액의 제한은 허용되지 않고, 각 이사의 연간 보수액의 6배 또는 3배를 하한으로 하여 경감할 수 있다.

(2) 한도 설정의 기초로서의 보수

(가) 보수에 의한 한도설정의 입법례

제400조 제2항은 이사가 부담할 책임액의 최소치를 정함으로써 책임제한에 한계를 설정하고 있다. 책임제한의 한도 설정의 기초는 이사가 받는 보수와 연계한 것이다. ALI의 Principles과 일본 회사법이 취하고 있는 입장이다. ALI의 Principles는 주의의무 위반으로 인한 손해배상책임을 주의의무 위반자의 연간 보수액 이상의 금액으로 제한할 수 있다고 한다.[109] 일본 회사법은 이사의 지위별로 구분하여 책임제한의 한도를 정하고 있다. 대표이사는 6년간의 보수, 업무집행이사는 4년간의 보수, 업무집행이사 이외의 이사는 2년간의 보수이다.[110] 주주총회 특별결의에 의해 책임제한을 하는 경우 결의일이 포함된 사업연도 이전의 각 사업연도별 그 이사가 회사로부터 직무집행의 대가로 받았거나 받을 재산상 이익의 합계액이 가장 높은 연도의 금액을 해당 이사의 보수로 하여 이에 각 6배, 4배, 2배를 한 금액이 책임제한의 한도이다.

(나) 고정액에 의한 한도설정의 문제점

미국에서 보수에 기초한 한도설정 방법은 책임제한 제도 도입 논의 시에 이사가 실제 배상할 금액을 고정액으로 정하는 방법[111]에 대한 비판으로부터 고안되었다. 고정액으로 한도를 정하는 방법에 대해서는 고정액의 다소를 불문하고 비판이 있었다.[112] 우선 고정액이 손해나 배상의무자의 귀책정도와 연관성에 터

---

109) ALI, Principles §7.19.

110) 일본 회사법 제425조 제1항.

111) 미국의 버지니아주 회사법이 그러하다. Va. Code Ann. §13.1-692.1. 동법은 이사가 부담할 최대 책임액을 정하고 있다. 다음 ①과 ②에 해당하는 금액, ① 정관에서 정한 금액과 ② (i) $10만 또는 (ii) 책임원인행위 직전 12개월간 이사의 현금보수액 중 큰 금액 중 적은 금액(②의 (i)과 (ii) 중 많은 금액과 ①의 금액 중 적은 금액)이 이사가 부담할 책임액이다. ①의 정관에서 ②보다 큰 금액을 정해도 ②의 금액이 책임액이 된다. ②에서 이사의 보수액이 $10만보다 많으면 보수액이 책임액이 되고, 이사의 보수액이 이보다 적으면 $10만이 책임액이 된다.

112) Robert R. Titus, Limiting Director's Liability: The Case for More Balanced Approach, 11 W. New Eng. L. Rev. 1, 20 (1989); Ruder, Wheat and Loss, Standards of Conduct Under the Federal Securities Acts, 27 Bus. Law. 75, 89 (Feb. 1972).

잡아 정해진 것이 아니고, 고정액 설정에 개념적 기초가 결여되어 있고 자의적이기 때문이다.[113] 법문에 설정된 고정액이 손해액, 손해를 입은 회사의 재정 상태, 배상의무자의 재정 상태에 따라 의미하는 바가 다르다는 문제도 있다.[114] 고정금액이 인플레이션의 영향 등으로 지나치게 미미한 금액에 지나지 않을 수도 있다.[115]

고정액으로 책임제한의 한도를 정하는 방법의 문제점을 피하면서도, 이사의 위법행위는 억지하고 책임부담액이 과도하지 않도록 하기 위해서 보수에 기초한 한도설정 방법이 고안되었다.

(다) 보수에 기초한 한도설정 방법의 논거

제400조 제2항은 한도를 설정하는 데 이사의 '보수'를 기준으로 한다.[116] 입법 논의 과정에서는 이 방법에 대해서는 이사의 책임감면과 이사의 보수 사이에 특별한 논리적인 인과관계가 없다는 점에서 비판하는 견해도 없지 않았다.[117] 이사의 책임은 주의의무의 위반 정도 및 내용, 그리고 그로 인하여 회사가 입은 손해에 의해 결정되어야 한다는 것이다. 이에 반해 보수액 기준은 계산상 편의성이 있고, 이사가 받은 이득에 연계한다는 점에서 직무와의 연계성도 있기 때문에 적절한 방법이라는 견해도 있었다.[118]

보수를 기준으로 하는 방법에 따르면 이사가 배상할 책임액의 규모는 이사가 그 지위에 있음으로써 얻은 이익과 적절히 상관관계가 있어야 한다[119]는 사고에 따른 것이다. 이는 이사의 실제 배상책임액을 정하는 데 계약법에서 개념적 기초를 찾는 것이다.[120] 불법행위를 한 자의 배상책임액은 불법행위로 발생한 전체 손해액이지만, 이사와 회사는 계약관계에 서 있기 때문에 불법행위에서와 같

---

113) John. C. Coffee, Jr., Litigation and Corporate Governance: An Essay on Steering Between Scylla and Charybdis, 52 Geo. Wash. L. Rev. 789, 822 (1984).
114) James J. Hanks, Jr., Evaluating Recent State Legislation on Director and Officer Liability Limitation and Indemnification, 43 Bus. Law. 1207, 1236 (Aug. 1988); Titus, *op. cit.*, p. 447.
115) Coffee, *op. cit.*, pp. 822~823.
116) 입법 전에 제400조 제2항과 같이 보수에 기초하여 한도설정을 제안한 예로는 최문희, 전게서, 304~305면 참조.
117) 법무부, 전게 회의록, 535~536면(권순일 위원, 권종호 위원 발언).
118) 법무부, 전게 회의록, 538면(박준 위원 발언).
119) Alfred F. Conard, A Behavioral Analysis of Directors' Liability for Negligence, 1972 Duke L. J. 895, 914 (1972).
120) Coffee, *op. cit.*, pp. 823~824.

이 엄격한 책임을 강제할 필요는 없고 계약이론에 따라 책임액을 성할 수 있다는 것이다. 이사가 회사와 계약관계에 서 있으면서 자신의 의무위반으로 회사에 손해를 발생시켰다면, 이사는 자신에게 기대되는 직무를 충분히 이행하지 않은 셈이므로 이사가 받은 보수의 일부(또는 전부)를 (부당)이득한 것이라고 생각할 수 있다는 것이다. 따라서 이사는 부당이득에 따라 이 이익(보수의 일부 또는 전부)을 반환할 필요가 있다고 한다. 이처럼 보수에 해당하는 만큼은 반환하도록 하는 것이 계약법에 기초한 책임한도 결정의 기본 사고이다.[121]

한도설정을 함에 있어 보수를 기준으로 하는 것은 이사의 보수, 직무수행, 그리고 책임액을 두루 고려한 것이다. 각 이사의 보수와 연계시켜 이사가 부담할 책임액을 정하기 때문에 이사의 사정에 맞추어 책임액을 정할 수도 있다. 고정액으로 책임한도를 정하는 방법과는 달리 이사의 손해배상액의 최고액이 고정되지 않기 때문에 손해액 규모에 따라 실제 책임 제한 금액(이사가 실제 부담할 책임액)을 유연하게 결정할 수도 있다.

제400조 제2항의 책임제한의 한도는 연간 보수의 6배 또는 3배의 금액이다. 연간 보수가 아니라 연간 보수의 일정배액을 기준으로 한 것은, 연간보수액이 지나치게 소액이라는 비판을 감안한 것으로 보인다. 책임제한의 규모에 대해서 정책적 판단으로 정한 것이라고 할 수 있다. 법문의 해석상 정관 규정으로 이보다 높은 수준으로 한도를 설정하는 것은 무방하다.[122]

(3) 보수의 의미와 범위

(가) 본조에 포괄되는 보수의 의미와 종류

제400조 제2항에 따라 책임제한 한도액의 기준이 되는 보수는 "최근 1년간의 보수액(상여금과 주식매수선택권의 행사로 인한 이익 등을 포함)"이다. 보수의 의미와 범위에 상여금과 주식매수선택권 행사 이익이 포함됨을 분명히 하고 있지만, 이 외에 어떠한 보수가 제400조 제2항에 포함되는지는 의문이 있다. 상법은 보수에 관하여 "이사의 보수는 정관에서 정하지 않은 때에는 주주총회가 정한다"라는 규정만 두고 있다(제388조). 제400조 제2항의 보수와 제388조의 보수가 동일한 의미인지에 관해 의론이 있을 수 있다. 제400조 제2항의 법문상 제388

121) Coffee, *op. cit.*, p. 823.
122) 권기범, 전게서, 776면; 김건식·노혁준·천경훈, 전게서, 494면.

조의 보수와 완전히 동일하게 파악되지는 아니한다. "이사가 그 행위를 한 날 이전 최근 1년간의 보수액"이라고 하므로, 퇴직금이나 퇴직위로금은 보수에 포함될 여지가 없는 것으로 보인다. 그러나 이를 제외하고는 제400조 제2항의 보수의 의미는 제388조의 보수와 같은 의미로 파악해야 할 것이다. 따라서 제400조 제2항의 보수의 의미는 일단 제388조의 보수의 범위에 관한 해석론에 의해 파악할 수 있다.

회사가 납부하는 임원배상책임보험(D&O Liability Insurance)의 보험료가 이사의 보수에 해당하는지 문제된다. 이사에 대해서 직무집행과 관련하여 제3자로부터 불법행위책임추궁 소송이 제기된 경우에 회사가 방어비용 및 패소시의 배상액을 부담할 수 있는지, 만일 일정한 범위에서 회사의 비용부담이 인정된다면 이것은 보수의 범위에 속하는지가 문제된다. 또한 이사에 대한 책임추궁 소송에 대비해서 이사를 피보험자로 해서 회사가 임원배상책임보험(D&O Liability Insurance)에 가입하고, 그 보험료를 회사가 부담하는 경우가 있는데 회사의 보험료 부담이 회사법상 허용되는지 여부와[123] 만약 허용이 되는 경우 회사가 부담하는 보험료가 이사의 보수에 해당하는지 문제될 수 있다. 세법상으로는 회사가 부담하는 보험료를 이사의 근로소득으로 보아 과세할지에 관해 여러 차례의 입법상 변화를 거쳐 현재는 근로소득에서 제외하고 있다.[124] 세법상으로는 소득으로 파악하지 않지만, 회사법적으로 보수규제의 범위에 포함시킬 것인지 분명하지 않다.

보수의 의미가 구체적 특수성을 지니기 때문에 법문에서 보수의 의미와 범위를 명확하게 규정하는 것은 어렵지만, 입법론적으로는 책임제한의 기준이 되는 보수를 보다 구체화할 필요가 있다. 상법 제388조의 보수규제의 대상인 보수의 의미와 범위에 관해서는 명확하게 정리되어 있지 않다. 책임제한의 기준인 보수의 범위가 명확하지 않다면 보수의 범위를 줄임으로써 이사가 회사로부터 받는 금전적 이득이 많음에도 불구하고 최저책임부담액을 우회적으로 감소시키는 것을 방지하기는 어렵게 된다.

---

123) 자세한 것은 최문희, 전게서, 95면 이하.
124) 소득세법 시행령 제38조 제1항 제12호 단서 마목. 자세한 것은 최문희, 전게서, 97~99면. 처음에는 회사가 부담하는 모든 보험료를 근로소득으로 파악하였고, 그 다음에는 대표소송 이외의 소송에 의해 부담하는 손해배상책임을 담보하는 보험료는 근로소득에서 제외하였으며, 마지막으로 대표소송으로 인한 손해배상책임을 담보하는 보험료도 근로소득에서 제외하였다.

(나) 사용인으로서의 보수의 포함 여부

사외이사와 기타 회사의 상무에 종사하지 않는 이사를 예외로 하면 이사가 회사로부터 받는 보수는 크게 두 가지로 구분해 볼 수 있다. 이사는 이사회 구성원으로서 이사회 결의에 참여할 뿐만 아니라 업무집행조직의 구성원의 일원인 임원으로서 일정한 업무를 담당한다. 이사와 회사 간에는 위임관계가 성립하지만(제382조 제2항), 이사가 임원으로서 일정한 업무를 수행하는 경우 이사는 회사와 고용관계에 서는 것이라고 할 수 있다. 후자의 관계에서 이사가 회사로부터 받는 보수는 이사회 구성원으로서의 보수가 아니라 사용인의 지위에서 수행하는 직무에 대한 보수인 업무집행임원의 임금에 해당한다.[125]

제388조의 보수규제의 대상이 되는 보수에 업무집행이사의 임원으로서의 급여와 사용인으로서의 보수를 포함하여 정관에 정하거나 주주총회의 결의를 얻은 경우에만 유효하게 지급할 수 있는가? 이에 관해서는 학설이 갈린다. 사용인으로서의 보수를 제388조에 포함하지 않는다면 이사로서의 보수는 줄이고 사용인으로서의 보수는 과다하게 정함으로써 제388조의 탈법을 초래할 수 있다는 이유로 포함해야 한다는 설(포함설)(제1설)이 있다.[126] 이에 대하여 근로 제공에 대한 대가인 임금은 상법상 이사의 보수와 법적 성질이 다르기 때문에 제388조의 보수에는 포함되지 않는다는 설(불포함설)(제2설),[127] 원칙적으로 보수에는 포함되지 아니하나 상법 제388조의 입법취지를 살리기 위해서 사용인분 보수도 주주총회에서 명백히 밝혀야 한다는 설(제3설),[128] 사용인 지위에 대한 급여는 회사의 사용인에 대한 급여체계가 확립된 경우에는 보수에 포함되지 않지만, 그렇지 않은 경우에는 보수에 포함시켜 주주총회의 결의가 필요하다는 설(제4설)[129]이 있다.

일본 회사법에서 이사의 보수 등의 액은 정관이나 주주총회 결의에 의해 결정된다(일본 회사법 제361조 제1항). 사용인을 겸한 이사가 사용인으로서 받는 급여 체계가 명확하게 확립되어 있는 경우에는, 이사가 특별히 사용인으로서의 직무집행의 대가를 받는 것을 예정한 것이고, 이사로서 받을 보수에 관한 사항만

---

125) 대법원 2003.9.26. 2002다64681.
126) 김건식・노혁준・천경훈, 전게서, 473면; 정경영, 전게서, 486면.
127) 정찬형, 전게서, 980면; 최준선(1), 전게서, 474면.
128) 권기범, 전게서, 749면; 정동윤, 전게서, 392면.
129) 최기원, 전게서, 603면.

을 주주총회에서 결의하더라도 보수 규제를 회피하기 위한 탈법행위에는 해당하지 않는다는 것이 최고재판소의 판례이다.[130] 이와 관련하여 일본의 학설은 주주총회 결의로 정하는 이사의 보수액은 사용인 겸임 이사의 사용인으로서의 직무집행의 대가를 포함하지 않은 금액임을 분명히 해야 한다는 견해가 있다.[131] 책임제한의 한도인 보수에 관해서는 사용인 겸무이사의 사용인으로서 받는 보수도 포함된다는 점을 명시하고 있다(회사법 시행규칙 제113조 제1호).

우리나라에서는 이 문제는 심도 있게 논의된 바가 없는데, 책임제한의 한도가 개별 이사의 보수를 기준으로 하기 때문에, 개별 업무집행이사의 보수에 임금성 보수가 포함되는지는 실제로 중요한 의미를 갖는다. 어떤 입장을 취하느냐에 따라 책임제한의 한도도 달라진다. 제400조 제2항에서 이러한 점을 고려하지 않고 이사의 보수의 의미나 범위에 관해서 명시하지 않은 것은 의문이다. 현재 주주총회에서 이사 총원의 보수총액만을 승인하는 방식으로 보수통제는 형식적으로 이루어지고 있고 현재의 규정 하에서 사용인으로서의 급여와 이사로서의 보수가 명백히 구분되지 않는다는 점을 고려하면, 개별 이사가 받는 보수는 전액 책임제한의 한도의 기준인 보수에 포함시키는 것이 옳다. 만일 책임제한의 기준이 되는 보수에 사용인으로서의 보수가 포함되지 않는다면 이사회 구성원으로서의 보수는 줄이고 사용인으로서의 보수를 많게 함으로써 이사의 최저책임한도액을 부당히 줄일 수 있기 때문이다.

이 문제와 관련하여 일본의 입법은 참조할 만하다. 일본에서는 책임제한의 기준인 보수로서 "직무집행의 대가인 재산상 이익의 사업연도별 합계액"은 보수, 상여금, 직무집행의 대가로서 부여되는 신주예약권, 이와 유사한 스톡옵션 등의 금액의 사업연도별 합계액을 말한다고 한다. 사용인을 겸한 이사의 경우에는 사용인으로서 받는 보수가 책임제한의 기준액에 포함됨을 명시하고 있다(회사법 제425조 제1항 제1호, 회사법 시행규칙 제113조 제1호).

(다) 스톡옵션 평가액, 행사이익

법문에서는 주식매수선택권의 행사로 인한 이익이라고 규정하므로, 손해의 원인된 행위 이전 최근 1년간 실제 행사하여 얻은 이익을 가리키고, 미행사된 평가이익은 포함되지 않는다고 본다.[132] 일본 회사법상 이사의 직무집행 대가로

---

130) 日最高裁 1985.3.26. 判例時報 第1159號, 150面.
131) 江頭憲治郎(2021), 前揭書, 470面 주 5.

서 신주예약권이 부여된 경우에는 신주예약권 부여일 시점의 공정한 가액으로 산정하여 포함한다.[133)

　만일 스톡옵션을 행사한 경우에는 행사시 주가와 스톡옵션 발행가액 및 행사가액의 차액을 행사이익으로 볼 수 있을 것이다. 스톡옵션이 미행사된 경우에는 스톡옵션의 평가이익은 법문상 포함되지 않는다고 본다. 입법론으로는 미행사 스톡옵션의 평가이익을 보수에 포함할지에 관해 검토가 필요하다.

　(4) 보수의 산정기간, 보수액의 배수의 결정

　보수는 손해의 원인이 된 행위 이전의 최근 1년간의 보수이다. 여기서 손해의 원인행위 이전 최근 1년간의 보수의 기준은 명확하지 않다. 만일 손해의 원인행위가 여러 해에 걸쳐 이루어졌고, 매년 해당 이사의 보수액이 다르다고 하자. 이 경우에 최근 1년간의 보수를 어떻게 파악할 것인가? 손해의 원인행위가 3년에 걸쳐서 이루어졌고, 원인행위가 있은 날이 속한 해의 1년간의 보수가 각각 4억원, 5억원, 6억원이라고 하면, 이들 3년간의 보수를 산술평균하여 최근 1년간의 보수를 산정하는 것을 고려해 볼 수 있다.

　손해의 원인이 된 행위의 기준 시점도 문제된다. 일정한 행위가 회사의 행위로서 효력을 발생하기 위해서 여러 단계의 절차와 요건을 거쳐야 하는 경우가 그러하다. 그러한 절차와 요건을 갖추기 위한 세부행위가 같은 해에 이루어졌다면 특별한 의문이 없지만 만약 두 해에 걸쳐서 이루어졌다면 어느 단계를 기준으로 할 것인가가 문제된다. 예를 들어 중요자산의 처분행위에 해당하여 이사회의 결의를 얻어야 하는 사항인 경우에는 이사회 결의시점을 기준으로 할 것인지 아니면 대표이사 등의 집행행위가 있은 시점을 기준으로 할 것인지 문제된다.

　(5) 이사가 무보수인 경우

　책임제한의 한도는 이사의 보수를 기준으로 하는데, 이사가 회사로부터 보수를 받지 않는 경우에 책임제한은 어떻게 결정해야 하는지 문제된다. 이사가 회사로부터 아무런 보수를 받지 않는 경우는 상정하기 어려우나, 실제로 무보수인 경우나, A회사와 B회사의 겸임이사 갑이 어느 한 쪽의 회사로부터만 보수를 받는 경우를 생각해 볼 수 있다.

---

132) 송옥렬, 전게서, 1076면; 이철송, 전게서, 811면.
133) 江頭憲治郎(2021), 前揭書, 507面 주 19.

이사가 무보수인 경우에 책임제한의 한도결정에 관해서는 다음 두 가지 입론을 생각해 볼 수 있다. 제1설은 제400조 제2항에 따르면 "1년간의 보수의 6배 또는 3배"를 초과하는 금액에 관해서만 면제할 수 있는데, 책임제한의 한도의 기준으로서 보수를 규정하고, 또한 보수의 지급을 전제하므로, 이사가 무보수인 경우에는 기준이 되는 보수가 없기 때문에 책임제한이 가능하지 않다는 견해이다. 이에 대해 제2설은 정반대로 책임제한의 기준이 되는 보수가 없기 때문에 전액 면제도 가능하다고 보는 것이다. 책임제한을 허용하되, 그 면제에 제한을 둘 필요성 때문에 한도를 정한 것이고, 그 기준으로서 보수를 정한 이유는 이사가 손해배상책임을 발생시키는 원인행위를 하였다면 이사가 자신의 직무수행을 제대로 한 것이 아니므로 받은 보수만큼 공제해야 한다는 것이다. 따라서 보수를 받지 않았다면 한도인 보수는 "영(0)"이 되고 "0원"을 초과하는 금액은 손해배상액 전액이므로 전부 면제가 가능하다는 것이다.

제1설은 책임제한의 취지에 어긋날 뿐만 아니라 무보수의 이사가 유보수의 이사보다 불리하게 취급되어야 한다는 점에서 납득하기 힘들다. 따라서 제2설이 타당하다. 다만 제2설에 대해서는 제400조 제1항에서 책임의 전부면제의 경우에 주주 전원의 동의를 얻어야 한다는 규정의 취지가 몰각된다는 비판이 있을 수 있다. 주주 전원의 동의를 얻지 않아도 제400조 제2항에 따라 책임제한이 가능하고 무보수의 이사는 보수가 없기 때문에 책임한도 요건이 적용되지 않으므로 전액 면제도 가능하기 때문이다. 그러나 전술한 것처럼 제400조 제1항의 문제점, 책임제한의 취지, 책임제한의 한도를 보수와 연계시킨 취지에 비추어 보면, 무보수의 이사에게는 제400조 제2항에 따라 전액 면제가 허용되어야 한다. 다만 이러한 점을 악용하여 이사로서의 보수는 무보수로 하고 사용인으로서의 보수만 지급하여 책임제한 한도의 규제를 피하는 것은 방지해야 한다. 이러한 경우는 사용인 보수가 책임제한의 기준인 보수에 포함되는가에 관한 앞의 논의[134]에 따라 해결하는 것이 바람직하다.

이와 유사한 문제는 동일인 이사 갑이 A회사와 B회사의 겸임이사인데, 보수는 한쪽 회사로부터만 받는 경우에도 제기된다. 갑이 A회사로부터만 보수를 받는데, B회사에 대해 손해배상책임을 지는 경우이다. 갑은 B회사에서는 보수를

---

134) (3)(나).

받지 않는 이사이므로 위 제2설에 의하면 B회사에 대한 손해배상책임은 전액 면제가 가능한 것으로 해석할 수밖에 없다.

(6) 책임제한의 한도의 적용범위

(가) 책임제한의 한도와 법원의 판결

제400조 제2항의 신설 이전에도 법원은 손해공평부담이나 신의칙 같은 일반 법리를 논거로 하여 실제로 이사가 부담하는 손해배상액을 상당한 정도로 제한 하여 왔다.[135] 원칙적으로 손해액 제한은 손익상계나 과실상계 등 구체적 법리 를 통해서 가능한데, 법원이 손해공평부담 원칙에 의해 작량감경과 같이 손해액 을 제한하는 것이 가능한가는 의문이 있다. 그러나 총주주 동의를 요하는 제400 조의 제약 하에서 정책적으로 이사의 책임을 적절한 수준으로 제한하는 것은 불 가피한 면도 있었다.

제400조 제2항을 신설함에 따라 총주주 동의가 없더라도 책임제한이 가능해 졌으므로, 법원이 손해배상액 제한의 법리로 손해액을 제한할 필요성은 줄어들 었다. 그러나 제400조 제2항의 존재에도 불구하고 법원에서 여전히 손해배상액 제한의 법리로 손해배상액을 정할 수 있는가? 그리고 그 경우에 제400조 제2항 의 책임제한의 한도(보수의 6년분, 3년분)의 적용을 받는가? 현실적으로 제400조 제2항의 신설에 따라 법원이 제400조 제2항과 무관하게 손해배상액을 제한하는 판결을 내릴 필요성은 줄어들었음을 이유로 법원도 동 규정의 책임제한 한도와 사유에 구속되어야 한다는 주장도 있을 것이다.

제400조 제2항의 신설로 법원이 종전처럼 손해배상액을 제한하는 것이 금지 된다고 볼 수는 없다. 당부는 별론으로 하더라도, 총주주 동의로써만 책임면제 가 허용되었던 입법 하에서도 법원은 이에 구애됨이 없이 손해배상액을 제한하 였다. 법원의 손해배상액 제한의 법리는 공평의 관념과 비례책임원칙에 터 잡고 있는 것으로 보이는데, 이러한 법리는 책임제한 제도의 도입과 무관하게 적용될 수 있다. 따라서 법원이 스스로 책임제한의 한도를 적용해서 손해배상액을 제한 하지 않는 이상 법문상 제400조 제2항의 책임제한의 한도가 적용되어야 한다고 보기는 어렵다.

---

135) 대법원 2011.6.10. 2011다6120; 2005.10.28. 2003다69638; 2004.12.10. 2002다60467, 60474; 서울남부지방법원 2006.8.17. 2003가합1176(확정); 서울중앙지방법원 2010.2.8. 2008가합47867(확정) 외.

(나) 재판상 화해와 책임제한의 한도

재판상 화해에도 책임제한의 한도가 적용되는지 문제된다. 화해는 당사자들이 서로 양보하여 그들 사이의 다툼을 끝낼 것을 약정하는 것이고, 당사자가 서로 양보하므로,[136] 결과적으로는 이사의 책임이 일부 감축된다는 점에서 책임제한과 공통된다. 대표소송이 제기된 경우나 주주의 제소청구를 받고 회사가 소송을 제기한 경우에는 제403조 제6항의 법문상 법원의 허가가 없이는 화해할 수 없으므로, 법원의 허가가 과다한 책임경감을 통제하는 역할을 한다. 제400조 제2항과 제403조 제6항은 책임면제를 위해서 서로 다른 요건과 절차를 규정한 것이므로 재판상 화해에 제400조 제2항의 책임제한의 한도가 적용되지 않는다고 본다.

현행법상 주주의 제소청구 없이 회사가 제기한 손해배상청구 소송에서 재판상 화해를 위해서는 법원의 허가가 필요하지 않지만(제403조 제6항 참조), 그 경우에 화해는 책임제한의 한도의 적용을 받는 것이 타당할 것이다.

바) 책임제한의 적용 제외

(1) 적용 제외의 취지와 설정 기준

이사가 제399조의 손해배상책임을 부담하는 모든 경우에 책임제한을 인정한다면 책임제한제도의 취지, 공서, 법정책적 목적에 비추어 불합리한 경우가 있다.[137] 어떠한 유형의 행위는 책임제한을 인정하는 것이 회사나 전체 주주에게 아무런 이익을 가져오지 않을 수 있다.[138] 이사의 손해배상책임을 발생시키는 모든 경우에 책임제한을 인정하거나 책임제한을 허용하는 행위 유형을 지나치게 넓힌다면 이사에 대한 위법행위 억지력이 훼손된다. 반대로 책임제한의 적용사유를 지나치게 좁게 인정하면 책임제한 제도가 존재하지 않을 경우와 유사한 상황이 생길 수가 있다. 따라서 예외규정을 어떻게 설정할 것인가는 책임제한 제도의 도입여부에 비견될 만큼 중요한 문제이다.

---

136) 지원림, 「민법강의」(홍문사, 2009), 1582면.
137) ALI, Principles §7.19, Comment f, p. 246.
138) Committee on Corporate Laws, Changes in the Revised Model Business Corporation Act-Amendment Pertaining to the Liability of Directors, 45 Bus. Law. 695, 701 (1990).

(2) 적용 제외의 유형

미국과 일본의 회사법제는 책임제한이 허용되지 않는 일정한 예외사유를 정하고 있다. 일본 회사법에서는 책임제한의 대상이 되는 책임은 이사가 회사에 대해 임무해태에 기해 부담하는 책임(일본 회사법 제423조 제1항)뿐이고, 선의·무중과실행위에 대해서만 인정한다(일본 회사법 제425조 제1항). 자기거래, 경업거래와 같은 이사와 회사 간의 이익상반행위(일본 회사법 제356조)를 이사가 자기계산으로 한 경우에는 책임제한을 인정하지 않는다(일본 회사법 제428조).

델라웨어 주법에서는 충실의무 위반행위(breach of duty of loyalty to the corporation or its stockholders), 불성실행위(not in good faith), 고의행위(intentional misconduct), 고의의 법위반행위, 자기주식 취득·주식상환·배당에 관한 규정 위반행위,[139] 부당한 사적 이익취득행위를 규정하고 있다. 일본과 델라웨어주법에 공통되는 예외사항은 고의행위, 고의의 법위반행위, 사적 이익 취득행위이다. 귀책사유에 고의가 있는 경우나 회사와의 이익상충행위가 공통적으로 규정되어 있다.

우리 상법은 고의 또는 중대한 과실행위, 경업(제397조), 회사의 기회 및 자산의 유용(제397조의2) 및 자기거래(제398조)를 규정하고 있다. 책임제한의 취지가 이사가 성실히 임무를 수행하려고 했지만, 결과적으로 회사에 손해를 발생한 경우에 이사의 책임부담을 덜어주려는 것이라는 점을 고려하면 귀책사유에 따라 책임제한의 적용여부를 결정하는 것은 바람직하다. 고의에 대해서 책임제한을 인정하는 것은 정의나 법감정에 어긋나며, 이사의 주의의무 이행의 인센티브와 손해배상책임제도의 위법행위 억지효과가 상당히 손상될 수 있다는 점을 고려하면 바람직하지 않다. 중과실에 대해서 책임제한을 인정하지 않는 것은 고의에서와 마찬가지로 위법행위 억지력의 손상을 감안한 것이라고 할 수 있다.[140]

제397조, 제397조의2, 제398조와 같은 이익상충행위에 책임제한을 인정하는 것은 책임제한의 취지에 부합하지 않을 것이고, 사익추구행위에 대해서 책임제한을 적용하면 오히려 사익추구를 부추길 수 있다는 점을 고려한 것이다.

---

139) Del. Code. Ann. tit. 8 §174.
140) 岩原紳作, "大和銀行代表訴訟事件─審判決と代表訴訟制度改正問題(下)," 「商事法務」 제1577호(2000. 11.), 4面.

(3) 적용 제외의 해당 여부

법문상 이사가 제3자의 계산으로 하였는지 여부나[141] 이사회 승인 여부는 책임제한의 적용 여부에 아무런 차이를 가져오지 않는 것처럼 보인다. 고의행위와 중과실 행위는 개별 이사를 기준으로 판단하는데 의문이 없다. 그런데 제397조, 제397조의2, 제398조의 행위는 이사별로 책임제한의 적용 여부에 의문이 있다. 예를 들어 X회사(이사는 A, B, C, D, E가 있다고 하자)의 A이사가 X회사와 거래하는 경우를 보자. 자기거래를 위해서는 이사회의 승인을 얻어야 하고, 거래행위가 실질적 공정성 요건을 갖추어야 한다. 자기거래로 인해 회사에 손해가 발생한 경우를 상정한다. 만일 A이사가 이사회의 승인 없이 거래를 한 경우에는 A에 대해서는 제400조 제2항 단서에 의해 책임제한이 적용되지 않는다. 나머지 이사들 B, C, D, E(이하 'B 등')의 경우는 어떠한가? 법문상으로는 자기거래와 관련한 손해배상책임에 대해서는 모든 이사가 책임제한의 예외에 해당하는 것처럼 보인다. 그러나 책임제한의 취지에 비추어보면 이러한 결론은 타당하지 않다. B 등에 바로 책임제한이 적용되지 않는다고 할 수는 없다. A가 이사회 승인 없이 자기거래를 하는 것을 감시하지 못한 데 고의 또는 중대한 과실이 있는지 여부에 따라 판단해야 할 것이다. B가 대표이사라면 회사를 대표하여 A와 자기거래를 하였을 것이므로 이사회 승인 없이 한다는 것을 알았을 것이고, 책임제한의 대상이 되지 않는다.[142] 나머지 이사들 C, D, E는 이사회승인 없이 거래한다는 것을 알면서도 저지하지 않았거나 중대한 과실로 감시의무를 이행하지 못한 경우에만 책임제한이 적용되지 않는다. 한편 A가 자기거래를 위해 이사회 승인을 얻었지만 동 거래로 인해 회사가 손해를 입었다면 이 경우 제400조 제2항 단서가 적용되어 책임제한이 적용되지 않는다. 자기거래의 당사자인 이사를 제외하고, 대표이사 B를 포함하여 나머지 이사들은 동 거래에 대하여 승인을 하는 데 고의 또는 중과실이 있었는지 여부에 따라 판단하면 된다.[143]

---

141) 일본 회사법에서는 이사가 자기 계산으로 한 이익상반거래에 관해서는 책임제한 규정(일본 회사법 제425조 내지 제427조)의 적용을 배제한다(일본 회사법 제428조 제2항).
142) 같은 견해: 천경훈, "개정상법상 자기거래 제한 규정의 해석론에 관한 연구," 「저스티스」 제131호(한국법학원, 2012. 8.), 89면[이하 '천경훈(1)'로 인용].
143) 같은 견해: 고창현, 「2011 개정상법상 이사의 이해상충거래규제 해설」(상장협 실무전집 46) (한국상장회사협의회, 2012. 3.), 26면; 송옥렬, 전게서, 1077면; 천경훈, 「회사기회의 법리에 관한 연구」(서울대학교 법학박사학위논문, 2012. 8.), 273면; 천경훈(1), 전게논문, 89면.

사) 책임제한과 소송의 제문제

(1) 책임제한에 관한 정관규정을 둔 회사에서의 소송 유형

정관에 책임제한의 근거규정을 둔 회사에서, 이사가 제399조 책임의 원인행위를 한 경우에 어떠한 유형의 소송이 제기될 수 있을까? 손해배상청구가 있는 경우 코스닥협회 표준정관 제41조의2처럼 "… 면제한다"라는 규정을 두고 있다면[144] 피청구자인 이사는 책임제한에 관한 정관규정의 적용 이후 산정된 금액만 배상하면 손해배상책임을 이행한 것으로 볼 수 있을 것이다. 따라서 만일 책임제한 규정의 적용 없이 손해배상청구 소송이 제기되면 당해 이사는 소송을 통하여 책임제한 조항을 적용한 손해배상액의 확인을 구할 수 있을 것이다.[145] 만일 정관에 책임제한의 요건 및 절차에 관해서 세부사항이 규정되지 않았다면, 이사에 대한 손해배상청구소송을 제기하면서 원고 주주는 정관규정의 효력을 다투게 될 수도 있다.

한편 제400조 제2항이 사후적 책임면제 방식으로 운영되는 회사에서는 주주총회 결의로 책임제한이 결정되고 그 결정에 따라 이사의 구체적 배상액이 결정된다. 이 경우에 주주는 주주총회 소집절차 등의 하자를 이유로 결의취소소송이나, 책임제한의 요건충족 여부, 금액산정 방식을 다투는 주주총회 결의하자 소송의 제기를 생각할 수 있다. 책임제한을 인정하는 주주총회 결의에도 불구하고 주주가 대표소송을 통해 손해배상을 청구하는 것은 가능한가? 주주는 이사의 행위가 책임제한의 예외사유에 해당한다고 보아 해당 이사에 대해 책임제한의 적용 없이 전손해를 배상할 것을 청구하거나, 제400조 제2항은 최저책임부담액을 규정하므로 책임제한 안건이 가결된 이후에도 이사가 부담할 최저책임부담액에 해당하는 금액의 배상을 청구할 수 있다. 주주총회에서 책임제한 결의를 하기 이전에 손해배상청구 소송이 제기될 수도 있다.

---

144) 델라웨어주 회사법은 주의의무 위반에 관해서 책임전액의 면제를 허용한다. 그리하여 델라웨어주 대법원은 Malpiede v. Townson 사건에서, 델라웨어주 회사법 §102(b)(7)에 따라 정관에 책임전부면제 규정을 두고 있는 회사에서는, 원고가 피고 이사의 주의의무 위반을 이유로 소송을 제기한 때에는 그 소송은 기각되어야 한다고 판시한 바 있다. Malpiede v. Townson, 780 A.2d 1071 (Del. 2001).

145) 이에 반해 이사에 대한 손해배상청구가 없는 데도 이사가 나서서 정관규정을 적용하여 자신의 손해배상책임을 확인해 달라는 소송을 제기하는 것은 현실적으로 생각하기 어렵다. 한편 정관에 "…면제할 수 있다"라는 규정을 둔 회사에서는 정관규정에 의해 책임제한이 적용되는 것은 아니고 책임제한 규정의 적용여부를 판단하는 절차를 거쳐야 한다.

책임제한의 결의와 손해배상청구 소송은 이사의 책임액을 결정하는 것인데, 책임제한 결의가 있는 경우 그 사실이 소송에서 절차법적으로 어떻게 다투어지는지, 그리고 소송으로 확정된 손해액이 책임제한 결의에서 어떻게 반영될 것인지 문제된다. 그런데 책임제한에서 말하는 '책임'이 판결로 확정된 금액을 의미하는지 의문이 있을 수 있으므로 선행문제로서 이를 검토할 필요가 있다.

(2) 책임제한의 결정시기

손해배상책임이 인정되는 과정은, 이사의 의무위반 행위가 있고 그 행위가 손해배상의 청구원인이 될 수 있다는 사실을 회사 또는 주주가 알게 되고, 회사나 주주가 손해배상청구소송을 제기하고 판결로 확정되는 단계를 거친다. 이 중 어느 단계에서나 제400조 제2항에 의해 책임제한 결정을 할 수 있는지, 손해배상청구 소송이 제기되지 않은 단계에서도 제400조 제2항에 의거해서 손해배상액을 제한할 수 있는지, 책임제한은 판결로 확정된 금액에 관해서만 이루어질 수 있는지 문제된다.

(가) 판 례

판례 중에 이 점을 명시적으로 판단한 것은 없지만, 실제로 손해배상청구소송이 제기되기 전에 총주주의 동의로써 이사의 손해배상책임이 면제된 사례에서 (다만 나중에 면제결의를 번복함), 손해배상청구소송 전에도 면제가 허용됨을 전제한 것들이 있다.

① 대법원 87누760 판결

대법원 87누760 판결[146]에서 대법원은 "총주주의 동의를 얻어 갑의 행위로 손해를 입게 된 금액을 특별손실로 처리하기로 결의했다면 그것은 바로 상법 제400조 소정의 이사의 책임소멸의 원인이 되는 면제에 해당되는 것이라 할 것이므로 총주주의 동의를 개별적인 방법으로 얻을 때에는 최종적인 주주의 동의를 얻은 때부터, 주주총회의 결의와 같은 일괄적인 방법으로 얻을 때에는 당해 총회의 종료시부터 대표이사에게 손해배상청구를 할 수 없게 되는 것이고 이렇게 해서 법적으로 손해배상청구권 자체가 소멸된다"라고 판시하였다.

---

146) 대법원 1989.1.31. 87누760.

② 대법원 2002다60467, 60474 판결

대법원 2002다60467, 60474 판결에서도[147]도 판결에 의한 책임 확정 전에 손해배상책임의 면제가 허용됨을 전제하였다. 이 사건에서 피고이사들은 발행주식 96.25%를 소유한 주주들이 피고들에 대하여 손해배상책임을 면제하였고, 또 대표이사가 피고에 대하여 민·형사상 소추를 제기하지 않는다는 취지의 확인서를 교부하여 채무면제를 하였으므로, 피고들의 손해배상책임은 이로써 소멸하였거나 상당 부분 감면되어야 한다고 주장하였다. 대법원은 "이사의 회사에 대한 손해배상책임은 상법 제400조에 따라 총주주의 동의로만 면제할 수 있을 뿐인데, 피고들의 주장 자체에 의하더라도 총주주에 미달하는 주주 또는 면제할 권한이 없는 파산자의 대표이사에 의하여 이루어졌을 뿐임이 명백하다"고 하여 피고들의 주장을 배척한 원심을 인용하였다. 손해배상책임 추궁 소송이 제기되기 전에도 주주 전원에 의한 책임면제가 허용됨을 전제한 것이다.

③ 대법원 2002다11441 판결

대법원 2002다11441 판결[148]은 "A금고의 사실상의 1인 주주로서 주식양도 시점까지 피고가 동일인 한도 초과 대출 등으로 인하여 A금고에게 입힌 손해를 양수인 갑이 재산실사를 통하여 확정한 다음, 주식양도대금을 정함에 있어서 당초 약정된 주식양도가액에서 부실채권가액만큼 다시 차감하는 방법으로 피고에게 그 책임에 관한 경제적 부담을 귀속시키는 것으로 피고와 합의한 것은 그 이외에는 더 이상 피고에 대하여 책임을 묻지 아니하기로 하는 묵시적 의사가 있은 것이고 갑의 이러한 묵시적 동의에 의하여 피고의 책임은 적법하게 면제되었다"고 판시하였다. 이처럼 묵시적 동의에 의한 면제가 가능하다는 판시는 소송의 제기 없이도 면제가 허용됨을 전제한 것이다.

(나) 검 토

소송제기가 없는 상태에서 이사 스스로가 책임을 인정하여 배상액을 지급하는 것을 생각하기 어렵기 때문에 소송의 제기 없이 손해배상책임을 묻는 경우는 상정하기 어렵다는 주장이 있을 수 있다. 이러한 입장에서는 이사의 의무위반 여부가 다투어지고, 의무위반과 인과관계 있는 손해배상액이 정해진 이후에만

---

147) 대법원 2004.12.10. 2002다60467, 60474.
148) 대법원 2002.6.14. 2002다11441.

책임제한이 가능하다고 보게 될 것이다. 책임확정 전에 책임제한을 인정한다면, 배상책임액 및 면제가능한 금액의 한도가 불확정적인데도 대상 이사가 책임이 있다는 점을 인정해야 한다는 문제가 있다.[149]

그러나 책임제한을 위해서 반드시 손해배상액이 판결로 확정되기를 기다려야 한다면 경영의 위축을 초래할 수 있다. 판결확정 전에 책임제한 결정을 불허하면, 책임제한을 위해서는 반드시 소송제기를 강제하는 결과가 된다. 소송제기 이전에도 책임제한이나 화해에 의한 분쟁의 종결을 막을 이유는 없다. 따라서 제399조의 손해배상책임은 반드시 판결로 확정된 것만 의미하는 것은 아니라고 볼 것이다.[150] 전술한 대법원 판례들도 소제기 이전에 제400조 제1항의 책임면제가 허용됨을 전제하고 있음에 비추어, 제400조 제2항의 책임제한의 결정도 이사에 대한 책임추궁소송의 제기가 없더라도 허용된다고 본다.

(3) 책임제한 결의 이후 소송이 제기된 경우

(가) 책임제한 결의가 책임액과 책임추궁소송에 미치는 영향

소제기나 확정판결 이전에 책임제한 결정을 한 때에는 책임제한의 예외사유 해당 여부, 책임제한의 한도 및 그 산정 근거에 오류가 있다는 이유로 분쟁이 생길 가능성이 있다. 주주총회의 책임제한 결의가 있었는데, 이후 손해배상을 구하는 소송이 제기된 경우에, 책임제한 결의가 소송에 어떠한 영향을 미치는지 보자.[151] 제400조 제2항의 신설 이전에 총주주 동의로만 책임면제가 가능하였던 구법 하에서는 현실적으로 이러한 문제를 고려할 필요가 없었을 것이다. 대표소송을 제기한 주주가 이후에 책임면제에 동의하거나,[152] 책임면제 이후에 대표소송을 제기하는 것은 ― 불가능하지는 않더라도 ― 현실적으로 상정하기는 어려웠을 것이기 때문이다. 대법원 87누760 판결은[153] 제400조 제1항의 면제를 위하여 "총주주의 동의를 위해 주주총회의 결의를 얻은 때에는 당해 총회의 종료 시부터 이사에게 손해배상청구를 할 수 없게 되는 것이고 이렇게 해서 법적으로

---

149) 江頭憲治郞(2017), 前揭書, 507面 주 21.
150) 新谷 勝, 「會社訴訟·假處分の理論と實務」(民事法硏究會, 2007), 329~330面은 이 점을 전제한다.
151) 만일 책임제한을 가결한 주주총회 결의의 효력을 다투는 취소소송, 무효확인소송, 또는 부존재확인소송이 제기된 경우에는 이들 소송의 결과를 기다려야 할 것이다.
152) 물론 대표소송을 제기 주주가 책임면제를 하기 위해서는 제403조 제6항에 따라 법원의 허가를 얻어야 한다.
153) 대법원 1989.1.31. 87누760.

손해배상청구권 자체가 소멸된다"라고 판시한 바 있다.

제400조 제2항의 책임제한 결의도 마찬가지이다. 회사의 손해배상채권은 정관상 책임제한 조항을 적용하여 책임제한을 결의한 이후에는, 그 결의 이후 확정된 손해액에 대해서만 존재하고, 면제금액에 대해서는 손해배상청구권 자체가 소멸된다. 따라서 소송상 청구금액도 면제금액을 제외한 금액이 될 것이다. 그럼에도 불구하고 책임제한 조항의 적용 없이 산정된 전 손해에 대해 배상을 구하는 소송의 구두변론의 종결 전에 책임감경 결의가 있는 경우에는 해당 이사는 책임제한 결의사실을 항변으로 주장할 필요가 있다.[154] 피고 이사는 책임제한 결의 사실 및 책임제한의 적용범위에 속한다는 사실을 증명해야 할 것이다.[155] 피고 이사가 이러한 증명에 성공한 경우에는 법원은 면제된 금액은 제외하고 배상액을 정하게 된다.

물론 제400조 제2항의 책임제한의 한도나 책임제한의 예외사유 규정을 위반하여 이루어진 주주총회 결의에 대해서는 주주총회 결의하자소송을 제기할 수 있고, 원고가 승소한 경우 이사에 대한 배상청구소송에도 영향을 미친다.

(나) 일부 이사에 대한 책임제한 결의와 나머지 이사의 책임범위

갑·을·병이 손해배상책임을 부담하는 경우에, 갑에 대해서만 책임제한을 인정하는 결의가 이루어졌다면, 이 결의가 나머지 이사의 손해배상액, 손해배상책임 추궁 소송에 어떠한 영향을 미치는가? 이사 전원이 책임제한 조항의 적용대상인 때에는 — 책임제한의 예외사유에 해당하지 않는 한 — 이사 전원에 대해 책임제한이 인정되기 쉽고 이사를 차별하여 책임제한 인정 여부를 달리하는 것은 특이한 경우이므로 실제로 문제될 사례는 많지 않을 것이다. 이에 반해 일부 이사에게 제400조 제2항 단서의 예외사유가 있는 경우에는 실제로 제기될 수 있을 것이다.

이사 갑, 을은 제397조의2 또는 제398조의 이사회 승인 없이 기회유용 또는 자기거래를 하였거나, 이사회의 승인을 얻기는 했지만 거래내용이 불공정하여 회사에 손해를 입혔고, 병은 갑과 을에 대한 감시의무를 해태하여 제399조의 손

---

154) 江頭憲治郎(2021), 전게서, 508面 주21; 江頭憲治郎·門口正人(編集代表), 「會社法大系 3 [機關·計算等]」(靑林書院, 2009), 244面(松山昇平·門口正人 집필).

155) 江頭憲治郎·神作裕之·藤田友敬·武井一浩 編著, 「改正會社法セミナー企業統治編」(有斐閣, 2006. 11.), 137面(藤田友敬 발언).

해배상책임을 부담한다고 하자. 이 경우 갑, 을, 병 모두에 대해 제400조 제2항 단서의 적용제외 규정이 적용된다는 견해가 있지만,[156] 병에 대해서는 고의나 중과실이 없는 한 제400조 제2항 본문이 적용되어야 한다.[157] 책임제한 제도의 취지상 스스로 충실의무위반 행위를 한 이사나 고의 또는 중과실의 귀책사유가 있는 이사에게만 예외사유가 적용되어야 할 것이기 때문이다. 이 때 병에 대해 책임제한 결의가 있은 후에, 갑과 을에 대해 책임추궁소송이 제기되었다면 병이 면제받은 금액을 갑, 을의 손해배상액을 정하는 데 고려하여야 하는가?

다수의 이사들이 제399조의 손해배상책임을 부담하는 경우에 이들의 책임은 연대책임이며, 이사 각자는 별개의 의무위반 원인에 의해 책임을 부담하므로 그 책임의 성질은 부진정연대책임이다.[158] 부진정연대채무에서는 변제 및 이에 준하는 것을 제외하고는 모두 상대적 효력을 가지고,[159] 1인의 부진정연대채무자에 대한 채무면제는 상대적 효력이 있을 뿐이다.[160] 이러한 논지에 따라서 이사 병이 책임제한을 인정받더라도 병 부담부분만큼[161] 이사 갑과 을의 책임액이 감소되는 것은 아니라고 보아야 하는가? 이에 대해서는 두 가지 입론이 있다.

① 상대적 효력설

부진정연대채무에서 채무면제는 상대적 효력이 있다는 이유로 나머지 이사들 갑, 을의 책임은 감소되지 않는다는 견해이다.[162] 소송당사자가 아닌 책임제한을 받은 이사의 부담부분 결정이 쉽지 않고, 설령 결정할 수 있는 경우에도 기판력이 미치지 않기 때문에 책임제한의 절대적 효력은 인정되지 않는다는 견해도 있다.[163]

---

156) 임재연, 「회사법 II」(박영사, 2012), 399면.
157) 같은 견해: 고창현, 전게서, 26면; 송옥렬, 전게서, 1077면; 천경훈(1), 전게논문, 89면.
158) 김건식·노혁준·천경훈, 전게서, 491면; 이철송, 전게서, 803면.
159) 지원림, 전게서, 1191면.
160) 대법원 2006.1.27. 2005다19378.
161) 부진정연대채무관계에서 다수의 채무자의 부담부분이 있는가가 의문이 있을 수 있지만, 대법원 판례에 따르면 "복수의 책임주체 내부관계에 있어서는 형평의 원칙상 일정한 부담 부분이 있을 수 있고, 그 부담 부분은 각자의 고의 및 과실의 정도에 따라 정하여지며, 부진정연대채무자 중 1인이 자기의 부담 부분 이상을 변제하여 공동 면책을 얻게 하였을 때에는 다른 부진정연대채무자에게 그 부담 부분의 비율에 따라 구상권을 행사할 수 있다." 대법원 2006.1.27. 2005다19378.
162) 이철송, 전게서, 810면.
163) 江頭憲治郎 外, "特別企劃 取締役制度の理論と現實(98·完) 監査役制度の檢討(18)," 「取締役の法務」 제113호(2003), 65面(稻葉威雄 발언). 江頭憲治郎·門口正人(編集代表), 前揭書,

② 절대적 효력설

책임제한을 받은 이사에 대한 채무면제는 그 이사의 부담부분만큼 나머지 이사들도 책임을 면한다는 입장을 상정할 수 있다.[164] 이사의 회사에 대한 책임제도는 손해전보(compensation)를 주목적으로 하는 것이 아니므로 부진정연대채무이더라도 면제에 절대적 효력을 부정할 필요는 없다는 것이다.[165] 만일 책임발생에 주도적 역할을 한 자에게만 책임제한이 인정되었다면 오히려 책임제한을 인정받지 못한 이사가 전액 책임을 부담하게 되므로 불공평하다는 이유도 제시된다.[166]

③ 검 토

손해배상책임의 기능은 위법행위 억지기능(deterrence)뿐만 아니라 손해전보기능도 있다. 위에서 언급한 것처럼 손해전보기능이 책임제한 제도의 주목적이 아니기 때문에 책임제한에 절대적 효력을 인정해야 한다는 논거는 설득력이 없다. 법리적으로는 부진정연대채무에서 변제 이외의 사유는 상대적 효력이 있다고 볼 것이나, 책임제한을 받은 이사의 부담부분만큼은 나머지 이사들의 책임도 감축되는 것으로 보는 것이 옳을 것이다. 만일 이를 부정한다면 나머지 이사들은 책임제한을 받은 이사들을 상대로 해서 구상권을 행사할 것인데,[167] 책임제한을 받은 이사가 회사로부터 책임제한을 받았다고 해서 나머지 이사들에 대한 구상권 행사에 응하지 않을 수는 없다.[168] 이처럼 구상권 행사를 허용한다면 책임제한을 인정받은 이사의 기대에 어긋나고[169] 책임제한 인정의 실효성과 의미

244面에서 재인용.

164) 2017년 개정 전 일본 민법하에서 연대책임에 절대적 효력이 인정되던 시기에 이러한 입장을 취한 견해로는 江頭憲治郎(2011), 前揭書, 445面. 2017년 개정 일본 민법하에서는 연대채무자 1인에 대한 채무면제는 상대적 효력밖에 없기 때문에(일본 민법 제441조) 입법의 변화에 따라 복수의 이사들 중 1인에 대한 채무면제에 절대적 효력이 인정된다는 서술도 삭제되었다. 따라서 책임제한이 인정된 이사에 대해서 다른 이사들이 구상권을 행사할 수 있게 되므로(일본 민법 제445조), 책임제한 제도의 취지가 반감될 수 있다.

165) 江頭憲治郎(2011), 前揭書, 446面 주13.

166) 江頭憲治郎·門口正人(編集代表), 전게서, 244面에서 재인용.

167) 이철송, 전게서, 791면은 다른 이사들이 전액배상을 한 후 자신의 부담부분을 넘어 변제한 부분에 관하여 면제받은 이사를 상대로 구상할 수 있다고 한다.

168) 면제받은 이사(병)에 대한 나머지 이사들의 구상권의 범위가 병의 실제 책임부담액(즉 책임제한 조항을 적용한 이후의 책임액)으로 제한된다는 것도 생각해 볼 수 있으나, 법리상 이렇게 볼 수 있을지는 의문이다.

169) 江頭憲治郎(2011), 前揭書, 446面 주13.

가 반감되기 때문이다. 회사로서도 일부의 이사에 대해 책임제한을 인정하면서도 나머지 이사들에 대해서 그 이사의 부담부분만큼을 포함해서 전액 배상을 요구하는 것은 합리성이 없다. 논란을 피하기 위해서는 현실적으로 책임제한을 받은 이사의 부담부분은 나머지 이사들의 배상액에서 제외된다는 점을 감안하여 책임제한 결의를 하는 것이 좋을 것이다.

(4) 책임추궁 소송이 제기된 이후의 책임제한 결의의 가부 및 효과

(가) 책임제한 결의의 가부

이사에 대한 책임추궁 소송이 제기된 이후에 소송계속 중에 책임제한 결의를 할 수 있는가? 대표소송이 제기된 경우 혹은 주주의 제소청구를 받고 회사가 소송을 제기한 경우 화해를 위해서는 법원의 허가를 얻어야 한다는 제한이 있다(제403조 제6항).

책임제한이 손해배상책임 중 일정액을 면제한다는 측면에 주목하여 그 경제적 실질이 화해와 같기 때문에 책임제한 결의를 하는 경우에도 이 규정의 적용을 받는다는 주장이 있을 수 있다. 그러나 다음 이유에서 이러한 주장은 옳지 않다. 우선 화해는 손해배상책임의 사유가 있는데 책임제한에 관한 근거 없이 사후적으로 책임을 면제하는 것인데 반하여, 책임제한은 회사의 정관규정에 미리 책임제한의 요건과 절차를 정하고 그 요건과 절차에 따라서 책임의 일부면제를 하는 것이므로 양자를 동일하게 평가할 수 없다. 주주총회 결의로 책임제한을 결정하는 경우 그 결의에 대한 근거가 이미 정관에 정해져 있다는 점에서 아무런 근거 없이 사후적으로 책임을 면제하는 화해와는 성질상 차이가 있다.

제400조 제2항이 신설되기 이전에는 총주주 동의에 의한 면제규정과 법원의 허가에 의한 화해 규정이 병존하였는데, 총주주 동의에 의한 면제는 책임의 면제라는 점에서 화해와 공통되지만 제403조 제6항의 규제를 받지 않았다. 이미 법률상 '총주주 동의'가 면제 요건으로 구성되어서 이 요건에 의해 면제를 하는 것이기 때문이다. 연혁적으로는 총주주 동의에 의한 면제 규정이 대표소송에서 화해를 막는 걸림돌이 되었던 부작용에 대처하기 위해서,[170] 대표소송에서 화해를 허용하는 제403조 제6항이 도입되었다.[171] 화해에 관한 규정 때문에 오히려

---

170) 대표소송에서 화해를 허용하는 제403조 제6항의 신설 이전에 우리 통설은 주주는 회사의 권리를 대위하여 행사하는 것이므로 대표소송에서 화해를 할 수 없다고 보았다. 이에 관한 설명은 김건식, 「회사법연구 I」(소화출판사, 2010), 163면.

총주주 동의에 의한 책임면제를 허용하지 않는다는 것은 타당하지 않다.

책임제한과 대표소송에서의 화해는 책임의 일부가 면제된다는 점에서 공통되지만, 전자는 정관상 근거를 갖는 것인 반면 후자는 그렇지 않다는 점, 각각 면제의 남용에 대한 통제 및 요건으로서 법원의 허가와 주주총회 결의를 별개로 인정한 것으로 이해하는 것이 바람직하다. 요컨대 소송계속 중에도 법원의 허가 없이도 책임제한 결의는 가능하다.172)

(나) 계속 중 소송 및 집행에 대한 책임제한 결의의 영향

소송계속 중 책임제한 결의가 허용되는 경우 책임제한 결의가 이루어져서 구체적인 책임액이 결정된 경우에 절차적으로 소송에는 어떠한 영향을 미치는가? 소송의 구두변론 종결 전에는 해당 이사는 재판상 이를 주장할 필요가 있다. 해당 이사는 책임제한 사실을 항변사유로 주장할 터이고 이를 증명한 경우에는 원고는 청구취지를 감축할 필요가 있다. 원고가 청구취지를 감축하지 않으면 일부 패소하게 된다.173) 법원은 책임이 면제된 금액은 제외하고 배상액을 정하게 된다.

한편 손해배상청구 인용판결이 확정된 이후에 확정된 손해액에 관해서 책임제한 결의가 이루어진 경우에는 집행에 대한 청구이의를 해야 할 것이다.174)

(다) 소송계속 중 책임제한 결의의 효력이 다투어질 경우

손해배상청구소송의 계속 중에 책임제한 결의가 이루어진 경우, 그 결의자체의 효력이 다투어질 수 있다. 주주총회결의의 절차적 하자때문에 취소소송이나 부존재확인소송이 제기되거나, 제400조 제2항의 책임제한 예외사유 해당 여부, 책임제한의 한도에 다툼이 있어서 무효확인소송이 제기되는 경우이다.175) 이 경우 계속 중인 책임추궁소송과의 관계가 문제될 수 있다. 현실적으로는 주주총회 결의하자 소송의 결과에 따라 손해배상청구의 소도 영향을 받는 것이 바람직하

---

171) 대표소송에서 화해와 총주주 동의에 의한 면제규정의 관계가 문제될 수 있는데, 일본 회사법은 회사가 화해를 하는 경우에는 총주주 동의에 의한 책임면제규정(제424조)은 적용하지 않는다는 규정을 두고 있다(제850조 제4항). 명문규정이 없더라도 우리 상법에서도 마찬가지로 볼 수 있다.

172) 대표소송 계속 중 책임의 일부면제가 허용된다는 견해로는 新谷 勝, 前揭書, 330面.

173) 같은 견해: 新谷 勝, 前揭書, 330面.

174) 山田泰弘, "取締役等の責任の一部免除と和解," 浜田道代・岩原紳作(編), Jurist 增刊「會社法の爭點」新・法律學の爭點シリーズ 5(有斐閣, 2009. 11.), 165面.

175) 이사회 결의로 책임제한을 결정하는 정관규정을 둔 회사에서는 문제가 더욱 복잡해질 수 있다. 회사가 제기한 소송이나 대표소송의 계속 중에 이사회 결의로 책임제한을 결정하는 것이 가능한지도 문제될 수 있다.

나 양자의 소가 별개로 진행되는 한 해법이 이루어지기란 어려울 것이다.

2. 이사의 제3자에 대한 책임　　　　　　　　정 진 세*

가. 서 설

상법 제401조 제1항은 "이사가 고의 또는 중대한 과실로 그 임무를 게을리한 때에는 그 이사는 제3자에 대하여 연대하여 손해를 배상할 책임이 있다"고 규정한다.[1] 이 규정이 없더라도, 민법 제750조는 "고의 또는 과실로 인한 위법행위로 타인에게 손해를 가한 자는 그 손해를 배상할 책임이 있다"라고 불법행위 원칙을 규정하고 있으므로, 이사가 과실로 제3자에게 손해를 입힌 때에는 이를 배상할 책임이 있다. 그런데도 제401조를 규정한 것은 소규모의 자력이 부족한 회사들 때문에 회사채권자가 변제를 받지 못한다든지 일본민법 제709조처럼 권리침해를 요건으로 규정하여 피해자가 손해배상을 받기 어려웠기 때문에 원칙규정을 수정하기 위해서 이다.[2] 제401조는 지배주주인 이사에 대한 책임추궁을 통하여 실질적으로 주주유한책임제도를 완화한다.

1) 이사의 제3자에 대한 책임에 관한 규정들

가) 우리법제는 이사의 제3자에 대한 책임에 관하여 여러 겹으로 규정하였다

a. 위의 민법 제750조가 불법행위 일반원칙을 선언하는 이외에, "법인은 이사 기타 대표자가 그 직무에 관하여 타인에게 가한 손해를 배상할 책임이" 있는데 이사 기타 대표자는 이로 인하여 자기의 손해배상책임을 면하지 못한다(민법 제35조 제1항). 회사법에서도 합명회사에 관하여 "회사를 대표하는 사원이 그 업무집행으로 인하여 타인에게 손해를 가한 때에는 회사는 그 사원과 연대하여 배상할 책임이 있다"고 규정하고(제210조), 이 규정은 주식회사 대표이사에 준용한

---

* 전 홍익대학교 법학과 교수
1) 2011.4.14. 개정 전까지는 "이사가 <u>악의</u> 또는 중대한 과실로 <u>인하여</u> 그 임무를 <u>해태</u>한 때에는 그 이사는 제3자에 대하여 연대하여 손해를 배상할 책임이 있다"라고 규정되어 있었는데 밑줄 친 부분의 표현을 조금 고쳤다.
2) 뒤의 나. 법적성질 3) 특수불법행위책임설(불법행위특칙설의 수정설) 참조. 황남석, "상법상 이사의 제3자에 대한 책임 규정의 법제사적·비교법적 고찰," 「상사법연구」 제39권 제2호 (2020), 222~223면.

다(제389조 제3항).

 b. 그런데 이와 유사한 규정이 주식회사의 감사(제414조 제2항),[3] 발기인(제322조 제2항), 검사인(제325조)의 경우에 마련되어 있고, 제401조는 주식회사의 청산인(제542조 제2항)과 유한회사의 이사(제567조) 및 청산인(제613조 제2항)에게 준용된다.

 나) 연   혁

 일본상법 제266조의3 제1항은 昭和25年[1950] 商法改正 전에는 "이사가 법령 또는 정관에 위반하는 행위를 한 때에는 주주총회 결의에 의한 경우라고 하더라도 그 이사는 제3자에 대하여 연대하여 손해배상의 책임을 진다"라고 규정하였었다.[4] 법령 또는 정관의 위반이 선관주의의무 또는 충실의무에 대한 위반(임무해태)보다 위법성이 더 무겁다고 여겼던 듯하다. 그래서 昭和25年 개정에서 법령 또는 정관 위반을 임무해태로 바꾸면서 이사의 책임을 고의 또는 중대한 과실의 경우에 한정한 듯하다.

 일본의 2005년에 제정된 회사법 제429조 제1항은 그 적용대상을 이사에서 役員 등(제423조 제1항 참조)에 확대한 점 이외에는 개정 전 상법 제266조의3 제1항을 그대로 이어받았는데, 우리나라 2011. 4. 14. 개정상법도 제408조의8 제2항에서 이사의 제3자에 대한 책임에 관한 제401조 제1항과 같은 집행임원의 제3자에 대한 책임을 규정하였다. 일본에서 회사법 제429조 제1항의 전신인 개정 전 상법 제266조의3 제1항은 재산적 기반이 약한 소규모회사가 도산한 경우에 회사의 무자력으로 인하여 변제를 받지 못한 회사채권자 등이 도산회사의 이사에게 손해배상책임을 추급하기 위하여 사용되는 경우가 많았고, 그래서 법인격부인의 법리를 대신하는 역할을 담당하였다고 하는데,[5] 개정 전 상법 조문

---

 3) 제415조는 이 제401조를 감사에게 준용한다. 중복된 입법이다.

 4) 이 규정에 관하여 大審院 昭和15[1940].12.18. 판결(「評論」 30卷 商法 116面)은 "이사가 회사의 기관으로서 직무를 집행함에 있어서 법령 또는 정관에 반하는 행위가 있었기 때문에 회사에 손해를 미치고 간접으로 제3자를 해한 경우… 제3자의 권리보호에 유감없게 하려는 취지하에 설정된 규정이다"라고 해석하여 간접손해한정설의 입장이었다(또한 大判 昭和8[1933].1.14. 民集 12卷, 423面; 大判 大正15[1926].1.20. 民集 5卷1, 15面 참조).

 5) 喜多了祐, 「判例教室 商法」, 217面; 久保欣哉, "76. 取締役の第三者に對する責任の性質と範圍," 「商法の爭點 I」 北澤正啓·浜田道代 編(有斐閣 1993), 154面 1段; 北澤正啓, 「會社法」 4版, 432面; 加藤良三·吉田 直·田中裕明, 「株式會社法の理論 2」(中央經濟社 1995), 307面. 이 법인격부인법리의 대체적 기능에 대하여 "소유와 경영의 분리라고 하는 현대회사법의 근본이념과 상충하고 특히 주주 아닌 이사의 책임을 과중하게 할 우려가 있다는 점에서 적절

중에서 판례가 가장 많은 규정의 하나였다. 그래서 이에 관한 연구도 풍부하고 다채로운 견해를 제시하고 있다. 이 판례와 학설은 新회사법 제429조 제1항에 관해서도 그대로 타당하다.[6] 그래서 우리나라 상법 제401조 제1항에 관한 판례·학설상의 쟁점을 검토하는 데에는 일본에서의 논의에 대한 이해가 도움이 될 것이다.

그런데 우리나라에서는 대법원 2002.3.29. 2000다47316까지 상법시행 40년 가까이 제401조 제1항에 관련한 대법원 판결은 1985.11.12.의 84다카2490 및 84다카2491의 두 판결과 위의 판결을 포함하여 셋에 불과하며 "그나마도 앞서의 두 판결은 원고인 제3자의 피고인 이사에 대한 청구를 이러저러한 이유로 기각한 것이어서, 대상 판결(대법원 2002.3.29. 2000다47316을 지칭함)은 우리 대법원이 본 조항에 근거하여 이사의 제3자에 대한 손해배상책임을 긍정한 첫 판결로서 실로 중대한 의미를 지닌다"고 한다.[7] 이와 같이 우리나라에서 제401조의 판례가 드물었던 이유로 "첫째는 회사가 금융기관으로부터 대출을 받을 때에는 금융기관은 대표이사나 이사에게 연대보증을 요구하는 것이 거의 관행으로 굳어져 있었기 때문에 회사가 도산하면 회사의 임원도 역시 같이 도산하는 결과가 되어 설사 승소한다고 하더라도 실제로는 아무런 변제도 못 받는 결과가 되어버리는 경우가 많고, 둘째로는 상법 제401조의 규정에 의하여 제3자가 보호받을 수 있는 한계가 어디까지인지가 불분명하여 선뜻 소송으로 나가지 않는 면이 있는 것 같다"고 한다.[8] 그러나 우리나라에서도 뒤에 소개하는 바와 같이 그 후 특히 외환위기의 여파로 제401조에 관한 대법원 판결이 상당수 축적되어[9]

치 않다"는 반대의견도 있다(황남석, 전게 논문, 229면).

6) 洲崎博史, "77 取締役の第三者に對する責任の法意 - 最高裁 昭和44年11月26日 大法廷判決," 「會社法判例百選」(有斐閣, 2006), 158面 右段.

7) 심준보, "회사 채무의 불이행과 이사의 제3자에 대한 책임" 본문의 대법원 2002.3.29. 2000 다47316에 대한 평석, 「민사판례연구」 제25권(민사판례연구회, 2002. 3.), 393~394면. 이 판결은 "이사의 직무상 충실 및 선관의무 위반의 행위로서 위법성이 있는 경우에는 악의 또는 중대한 과실로 그 임무를 해태한 경우에 해당한다."고 하였는데, 피고인 대표이사는 원고인 상대방 회사에 대해서는 손해를 끼쳤지만 스스로의 회사에 손해를 끼친 것은 아니다. 뒤에 소개하는 대법원 1993.1.26. 91다36093도 제401조에 언급하고 있는데 이 규정의 책임을 부인하였다.

8) 나세근, "이사의 제3자에 대한 손해배상책임에 관한 연구"(성균관대학교 법학박사학위논문, 1999. 10.), 3~4면.

9) 특히 오인거래유발 유형, 명목상 이사의 책임, 이 책임의 소멸시효에 관한 판결의 비중이 크다.

이 규정의 의미를 더 신중히 생각해볼 시기가 도래하였다고 생각된다.

2) 문제점

이 제401조는 이해하기 쉽지 않다. 첫째로 "위임의 당사자가 아닌 제3자에 대한 관계에 있어서 위임에 기한 임무의 해태를 문제 삼는 것은 일반적으로는 이해하기 어려운 일이기 때문이다."[10] 그리고 둘째로 일반원칙처럼 경과실의 경우에도 책임이 인정되는 것이 아니라 "고의 또는 중대한 과실"이 요건으로 규정된 이유는 무엇일까.

이사의 책임은 이사와 위임관계에 있는 회사에 대한 책임과 회사 이외의 제3자에 대한 책임으로 구분된다. 회사에 대한 책임이 계약관계상 채무의 불이행으로 인한 책임인데 대하여, 제3자에 대한 책임은 회사의 손해로 인하여 영향(간접손해)을 받는 제3자가 이 회사의 이사에 대한 책임추궁을 대위행사하는 관계이거나 불법행위책임이다. 주주나 회사채권자가 이러한 제3자이다. 이 제3자에 대한 책임을 규정한 상법 제401조 제1항은 "이사가 고의 또는 중대한 과실로 그 임무를 게을리 한 때에는 그 이사는 제3자에 대하여 연대하여 손해를 배상할 책임이 있다"고 하여 이사의 "임무를 게을리 한 때"에 지는 책임으로 규정한다. 이 "임무"는 회사에 대한 임무일 것이므로 이 조항이 규정하는 이사의 제3자에 대한 책임은 회사에 대한 임무위반으로 인한 책임이다. 이사는 회사에 대한 임무에 위반하지 않았더라도 제3자에 대하여 불법행위 요건이 구비되면(민법 제750조; 상법 제210조·제389조 제3항) 책임을 부담할 것이므로 이 조항이 규정하는 책임은 이사의 제3자에 대한 책임의 일부일 것이다. 이 조항이 규정하는 제3자에 대한 책임은 민법의 불법행위나 채권자대위의 일반원칙과 다른 점이 있기 때문에 특별히 규정되었을 것인데, 그 뜻을 파악하기 위해서는 이 일반원칙과 어떻게 다르고 왜 다르게 규정하였는지를 이해해야 할 것이다. 이 이해는 대단히 다양하고, 같은 이해를 바탕으로 하면서도 이 조항의 적용결과에 대한 주장이 서로 다른 경우도 있다. 이 조항에 관한 쟁점으로는

① 책임의 성질이 불법행위책임인가 특별한 법정책임인가로부터 출발하여,

---

10) 佐藤 庸, "取締役の第三者に對する責任の加重輕減—最高裁大法廷判決の少數意見を中心として—,"「現代商法學の課題(鈴木竹雄先生古稀記念)(上)」(有斐閣 1975), 323面.

② 민법 제750조의 불법행위책임과 경합을 인정할 것인가,

③ 책임의 범위를 직접손해에 한정하는가 간접손해에 한정하는가, 아니면 양
   자를 포함하는가,

④ 본 조항에서 말하는 고의·중과실은 회사에 대한 이사의 임무해태에 필
   요한가 제3자에 대한 가해에 필요한가,

⑤ 본 조항의 책임을 부담하는 이사는 어떤 이사인가,

⑥ 제3자에는 주주를 포함하는가,

⑦ 이 책임의 소멸시효기간은 어떤가 등을 생각할 수 있다.[11]

이 조항의 입법취지와 이로 인한 책임의 법적 성질에 대한 이해를 바탕으로
이 조항의 쟁점들에 대한 적용결과가 결정되는 것이 순리이다.[12] "그러나 어느
설에 의하더라도 그 결과에 있어서 실질적인 차이가 있는 것은 아니고, 다만 책
임의 본질에 관한 설명이 다를 뿐"이라는 주장도 있다.[13] 나아가 이 조항이 규
정하는 책임은 법정책임이라고 하면서 이 규정의 해석에 있어서 불법행위원칙의
제약(민법 제750조; 상법 제210조·제389조 제3항)도 배제하는 견해도 있다. 이 견
해가 통설[14]·판례[15]이다.

---

11) 洲崎博史, 前揭解說, 158面 右段.

12) 久保欣哉, "60. 取締役の第三者に對する責任の性質と範圍,"「商法の爭點(第二版)」北澤正啓
    編(有斐閣, 1983), 139面, "二 爭點のひととおりの整理"에 의하면, 본문에 열거한 쟁점과
    같은 해석의 대립이 있는데(138面 3段), 본조(일본상법 제266조의3) 제1항의 책임의 법적
    성질론을 기점으로 쟁점의 일응의 정리가 되어 있다(田村諄之輔, "取締役の第三者に對する責
    任,"「商法の判例」第三版, 22面; 同, "取締役の第三者に對する責任,"「判例と學說 商法Ⅰ」,
    326面)고 한다.

13) 정찬형,「회사법강의」제3판(박영사, 2003), 645면; 이철송,「회사법」제8판(박영사, 2000),
    612면도 "앞서 열거한 문제점(609~610면 - 본문에 열거한 쟁점들과 유사하다)의 풀이가
    달라질 것"이라고 하면서도, "다만 어느 설에 따라 설명하는 것이 보다 책임의 본질에 접
    근하는 것이고, 기타 관련문제의 설명에 있어 논리적이냐는 평가가 있을 뿐이다"라고 한다.
    이해하기 어렵다; 김순석, "이사의 제3자에 대한 손해배상책임과 주주의 간접손해 - 대법원
    2012.12.13. 선고 2010다77743 판결 -,"「상사법연구」제33권 제1호(한국상사법학회,
    2014), 191면도 "다만 책임의 본질에 관한 설명이 다를 뿐이다"라고 한다. 佐藤 庸,「取締
    役責任論」, 165面은 법적 성질론이 개념의 유희라고 했다고 한다(久保欣哉, 전게논문, 138
    面 4段). 심준보, 전게논문, 395면도 이와 유사하다.

14) 강위두,「전정 회사법」(형설출판사, 2000), 567면; 권기범,「현대회사법논」(삼지원, 2001),
    688면; 김정호,「상법강의(상)」제3판(법문사, 2000), 678면; 박영길, "이사의 제3자에 대한
    책임: 법적 성질론을 중심으로,"「상사법연구」제4집(1986년), 한국상사법학회, 302면; 박원
    선·이정한,「전정 회사법」(수학사, 1979), 424면; 서헌제,「회사법」(법문사, 2000), 424면;
    손주찬,「상법(상)」제15보정판(박영사, 2004), 809면; 양승규·박길준,「상법요론」제4판
    (1997), 379면; 이기수,「상법학(상)」제3판(1999), 544면; 이철송,「회사법강의」제13판(박

우선 이 법정책임설에 관하여 상세히 살펴보고, 이를 비판하여 이 조항을 불법행위법원칙이나 채권자대위권과 연계하여 이해하는 여러 견해를 중심으로 반대의견들을 검토한다. 이에 관하여는 다양한 견해가 제시되었는데 이 견해들 중 어느 것이 옳은지 평가하기 위해서는 이 책임의 본질(법적성질)을 어떻게 파악할 것인지에 입장을 정립해야 한다. 그래서 이 견해들의 기초를 이루는 이 책임의 법적성질에 대한 각각의 입장을 우선 이해하고 이로부터 도출된 책임의 내용을 비교하여 우열을 가려야 한다.

아래에 위의 쟁점들에 관한 중요 문제에 대하여 차례로 검토한다. 끝으로 상호저축은행 다수주주와 이사의 책임에 관하여 일별하기로 한다.

나. 법적 성질(쟁점 ① ②)

1) 법정책임설

주식회사의 운영과 관련하여 발생한 손해를 누구의 부담으로 할 것인지 회사법은 역사적으로 외국 법제와 영향을 주고받으면서 경제상황에 따라 다양한 해결을 시도해왔다. 상법 제401조는 오늘날 그 해결을 이룬 결과물이다. 이와 같이 누구의 부담인가를 정한 법이 규정한 책임을 법정책임이라고 부를 수 있는데, 특히 제3자를 보호하기 위하여 상법이 특별히 인정한 책임을 지칭하고,16) 이사를 보호하기 위하여 경과실에 의한 책임을 면제하였다는 불법행위특칙설과

영사, 2006), 612면; 이범찬·최준선, 「회사법학」 제4판(삼영사, 2001), 694면; 임재연, 「회사법 Ⅱ」(박영사, 2012), 451면; 임홍근, 「회사법」(법문사, 2000), 520면; 정동윤, 「회사법」 제7판(법문사, 2001), 452면; 정찬형, 「회사법강의」 제2판(홍문사, 2002), 630면; 정희철, 「상법학(상)」(박영사, 1989), 494면; 채이식, 「상법강의(상)」 개정판(박영사, 1996), 567면; 최기원, 「상법학신론(상)」 제18판(박영사, 2009), 967면; 大阪谷公雄, "取締役の責任," 「株式會社法講座 第三卷」, 田中耕太郎 編(有斐閣, 1956), 1134面 이하; 石井照久, 「會社法 上」, 350面; 鈴木竹雄, 「新版會社法」 全訂四版, 198面; 河本一郎, 「現代會社法」 新訂6版, 396面; 神崎克郎, 「商法 Ⅱ(會社法)」 306面; 鈴木竹雄·竹內昭夫, 「會社法」 第3版, 306面; 北澤正啓, 「會社法」 第4版, 427面; 篠田四郎, 「現代企業法(會社法) 上」, 328面.

15) 뒤에 소개하는 대법원 판결들이 모두 법정책임설의 입장이다. 판례는 문언이 불분명한 제401조를 법정책임설에 의하여 적용범위를 지나치게 넓게 법문을 해석하여 법원이 의도하는 바에 따라 활용하는 경향이 있는 듯하다.

16) 제401조에 관한 우리나라 최초의 대법원 판결인 대법원 1985.11.12. 선고 84다카2490 판결(후술하는 라. 1), (2)의 판결)도 이 규정이 제3자의 보호를 위한 것이라고 명시하였다. 대법원 2006.12.22. 선고 2004다63354 판결에 의하면, "상법 제401조에 기한 이사의 제3자에 대한 손해배상책임이 제3자를 보호하기 위하여 상법이 인정하는 특수한 책임이라는 점을 감안할 때, 일반 불법행위책임의 단기소멸시효를 규정한 민법 제766조 제1항은 적용될 여지가 없고, 일반 채권으로서 민법 제162조 제1항에 따라 그 소멸시효기간은 10년이다."

대립한다. 이 견해 중에도 여러 차이가 있으나, 일본 最高裁 昭和44年[1969]11月26日 大法廷判決은 이 조항의 해석에 관하여 특히 위의 ①~④의 쟁점에 관한 판시에서 일본과 우리나라의 판례와 학설에 중대한 영향을 미쳤다.

最高裁 昭和44年[1969]11月26日 大法廷判決, 民集 23권11호 2150면

이 大法廷 判決 전에도 3개의 최고재판소 판결이 있었으나[17] 이론이 명확하지 않았는데, 대법정 판결은 하급심판결이나 학설에서 논의되어온 여러 문제점에 관하여 최고재판소의 입장 특히 양손해포함설을 명백히 한 것으로 주목을 받는다. 그러나 이에는 3개의 상세한 반대의견이 붙어 있고 일본상법 구 제266조의3 제1항과 新 회사법 제429조 제1항의 해석을 에워싸고 아직도 논의가 활발하게 이어지고 있다.

[사실개요] A회사는 영업이 부진하여 Y의 지위와 신용을 이용하려는 의도로 Y를 대표이사 사장으로 위촉하였는데, Y는 다망하여 A회사 사장인과 자기 성명의 고무인을 A회사의 다른 대표이사 B에게 맡기고 'A회사 사장 Y'의 명의로 어음·수표를 발행할 권한을 B에게 수여하고 업무일체를 B에게 내맡기고 있었다. B는 A회사를 대표하여 X로부터 강재(鋼材)를 매입하고 그 대금지불을 위하여 'A회사 대표이사 사장 Y' 명의로 약속어음을 X에게 발행하였다. 이 어음은 부도가 되고 X는 강재대금을 회수할 수 없게 되어, Y에게 주위적 청구원인으로 B와 공동불법행위, 예비적으로 민법 제715조 제2항(우리나라 민법 제756조 제2항)의 대리감독자의 책임과 상법 제266조의3(우리나라 상법 제401조) 제1항의 책임에 기하여 손해배상 청구의 소를 제기하였다. 제1심(大阪地判 昭和38[1963].1.25. 下民集 14권1호 93면)과 제2심(大阪高判 昭和39[1964].7.16. 判例時報 385호 64면)은 상법 제266조의3에 기한 Y의 책임을 인정하고 과실상계를 하여 X의 청구를 일부 인용하였다.

[판지] 상고기각

"법은 주식회사가 경제사회에 있어서 중요한 지위를 점하고 있는데 주식회사의 활동은 그 기관인 이사의 직무집행에 의존하고 있는 것을 고려하여 제3자보

---

17) 最判 昭和34[1959].7.24.(民集13卷8号 1156面－거의 같은 문언의 중소기업협동조합법 제38조의2 제2항에 관한 것); 最判 昭和38[1963].10.4.(民集17卷9号 1170面); 最判 昭和41[1966].4.15.(民集20卷4号 660面).

호의 입장에서 이사가 악의 또는 중대한 과실에 의하여 이 의무(선관주의의무 및 충실의무)에 위반하여 이에 의하여 제3자에게 손해를 입힌 때에는, 이사의 임무해태 행위와 제3자의 손해 사이에 상당의 인과관계가 있는 한, 회사가 이에 의하여 손해를 입은 결과 나아가 제3자에게 손해를 발생한 경우이거나(간접손해) 직접 제3자가 손해를 입은 경우이거나(직접손해)를 불문하고, 당해 이사가 직접 제3자에 대하여 손해배상 책임을 부담할 것을 규정한 것이다.”

“상술한 바는 이사가 그 직무를 행함에 있어서 고의 또는 과실에 의하여 직접 제3자에게 손해를 가한 경우에 일반불법행위 규정에 의하여 그 손해를 배상할 의무를 부담하는 것을 방해하지 아니하지만, 이사의 임무해태에 의하여 손해를 입은 제3자로서는 그의 임무해태에 이사의 악의 또는 중대한 과실을 주장·입증하기만 하면 자기에 대한 가해에 관하여 고의 또는 과실이 있었음을 주장하고 입증할 것도 없이 상법 제266조의3의 규정에 의하여 이사에 대하여 손해의 배상을 청구할 수 있다”.

“대표이사가 다른 대표이사 기타의 자에게 회사업무 일체를 내맡기고 그 업무집행에 아무런 뜻(意欲)이 없어서 결국 그 자들의 부정행위 내지 임무해태를 간과하기에 이른 경우에는 스스로 악의 또는 중대한 과실에 의하여 임무를 해태하였다고 풀이하는 것이 상당하다.”[18]

[검토] 이 판결의 다수의견은 상술한 쟁점에 관하여 ① 이사는 회사에 대하여 위임관계에 있는데 제3자에 대해서는 직접 아무 법률관계도 없기 때문에 이사가 회사에 대한 직무를 해태하여 그 결과 제3자에게 손해를 입혔더라도 일반불법행위 요건을 갖추지 않은 한 당연히는 그 손해를 배상할 책임이 없으므로, 이 책임은 회사설립에 있어서 발기인의 책임(제322조 제2항)과 같이 본 조항이 제3자 보호를 위하여 특별한 법정책임을 규정한 것이라 하고,[19] ② 이 책임은 불법행위책임과의 경합을 인정하고, ③ 양손해포함설을 명백히 하였다. ④ 악의·중과실은 회사에 대한 임무해태에 관해서 필요하다는 입장에서, 본건에서와

---

18) 이 다수의견에 대하여 3개의 반대의견이 있는데, 그 중 松田二郎 재판관의 반대의견은 불법행위책임설의 입장에서 상세하고 장문에 이르러 연구논문을 방불케 하는데, 뒤에 그 개요를 소개한다.

19) 박영길, 전게논문, 302면에 의하면 제401조는 “제3자보호를 위한 규정으로서, 예외적이고 정책적 규정이기 때문에 그 법적 성질은 법정의 특별책임이라고 해석하여야 할 것이다”라고 한다. 김순석, 전게논문, 191면도 같은 취지이다.

같이 대표이사가 다른 대표이사 기타의 자에게 회사임무 일체를 내맡기고 이들의 부정행위나 임무해태를 간과한 경우에는 스스로도 악의·중과실로 임무를 해태한 것으로 책임을 진다고 하였다.[20]

2) 불법행위특칙설

[반대의견] 위의 最高裁 昭和44年[1969] 大法廷判決에서 松田二郎 재판관은 반대의견 첫머리에서, "(상법 제266조의3) 제1항(우리나라 상법 제401조 제1항)은 이사가 대외적 업무집행에 있어서 제3자에 대해서 불법행위로 인하여 손해를 준 경우의 규정으로서 다음과 같은 성질을 가진 것이다. 첫째로 여기서 말하는 '악의 또는 중대한 과실'은 이사의 대외관계에 관하여 존재하는 것이 필요하다. 즉, 이사의 대 회사관계의 임무해태에 있어서 존재하는 것이 아니다. 둘째로 불법행위에 관한 이 규정은 민법 제709조(우리나라 민법 제750조)에 대하여 특별규정의 관계에 있고 동조의 적용을 배제하는 것이다. 즉 이 경우에 이사는 대외적 업무집행상의 불법행위에 있어서 악의 또는 중대한 과실이 있는 경우에 한하여 제3자에 대하여 그 책임을 지는 것으로, 경과실에 대하여는 책임을 지지 않는다. 셋째로 이 규정은 소위 '직접손해'에 대한 이사의 책임에 관한 것으로, 소위 '간접손해'에 관한 것이 아니다. 넷째로 상법 제266조의3 제1항(우리나라 상법 제401조 제1항)은 이와 같이 제3자에 대하여 직접, 불법행위에 의하여 손해를 야기한 이사의 책임에 관한 것이다"라고 하였다.

[검토] 소수의견은 ① 본 조항이 일본 민법 제709조(우리나라 민법 제750조)의 책임을 회사의 이사에 대하여 경감하기 위한 특칙으로 풀이하는데, 내용이 번잡한 직무를 신속 그리고 집단적으로 집행하지 않으면 안 되기 때문에 누구도 피하기 어려운 경과실에 대해서까지 그 책임을 부담한다면 도저히 감당할 수 없다는 이유이다. 소규모 1인주주 회사들의 부실로 인하여 회사채권자들의 피해가 빈번했던 상황으로부터 변천한 상태를 배경으로 이해할 수 있는 주장이다. ② 본 조항 책임의 성질도 불법행위책임으로서 일본 민법 제709조(우리나라 민법 제750조)와의 경합은 인정되지 않는다(일반법과 특별법의 관계). ③ 본 조항이 적용되는 책임은 직접손해에 한정되고, 간접손해에 대하여는 주주의 대표소송이나

---

20) 이 점이 후술하는 바와 같이 가장 논란이 많다. 본 판결과 같이 해석하지 않으면 회사운영에 실제로 참여하지 않은 명목상 이사에게 본 조항의 책임을 인정하기 어려울 것이다.

회사채권자의 채권자대위권에 관한 규정이 적용된다. ④ 악의·중과실은 제3자에 대한 가해행위에 관하여 필요하고,[21] 본 조항의 책임은 제3자에 대하여 직접 가해행위를 한 이사에 관한 것이다.[22] 洲崎博史 교수는 이 소수의견은 논리일관하고 명쾌하지만 본 조항이 제3자에 대한 이사의 책임을 일반 불법행위책임보다도 감경하기 위한 규정이라는 입법취지의 이해가 정당하지 못하다고 평가되어 본 대법정 판결에서뿐 아니라 학설 일반에서도 소수설에 머무는듯하다고 평한다.[23] 이 평가는 사회경제적 상황에 따라 변할 수 있지 않을까 생각한다.

3) 특수불법행위책임설(불법행위특칙설의 수정설)

본 조항이 규정하는 책임의 성질을 불법행위책임이라고 이해하지만, 불법행위특칙설을 비판하여 이사책임을 강화할 목적으로 일반불법행위책임의 성립요건과 다른 요건을 규정한 것이라고 한다.[24]

가) 제1설

그 제1설은 이 책임을 특별한 법정책임이라고 하면 그 법적 성질이 애매하게 되고, 예를 들면 '공법상의 손실보상'처럼 위법행위 없이 발생하는 배상책임을 특별한 법정책임이라고 하는 것과의 구별을 무시하게 될 뿐 아니라, 과실상계, 소멸시효, 교사자·방조자의 책임 등 불법행위에 관한 제 규정의 적용을 설명하기 어렵게 된다고 한다.[25] 책임의 성질은 법정책임설과 달리 이해하지만, 규정의 취지, 주관적 요건, 일반불법행위책임과의 경합,[26] 적용범위 등 내용에 있어서는 법정책임설과 실질적으로 다르지 않다.[27] 주관적 요건을 임무해태에

---

21) 이런 해석은 제401조 제1항의 "악의 또는 중대한 과실로 인하여 그 임무를 해태한 때"라고 규정한 문언에 맞지 않는다.

22) 洲崎博史, 前揭解說, 159면 左段.

23) 洲崎博史, 前揭解說, 159面 左段. 불법행위특칙설을 지지하는 문헌으로는 서정갑, 「증정 신회사법」(일신사, 1968), 242면; 이원석, 「신상법(상)」(법지사, 1985), 469면; 松田二郎, 「會社法槪說」, 227面; 小町谷·管原, 「商法講義 會社(2)」, 264面; 服部榮三, "法人の不法行爲能力," 「損害賠償責任の硏究－我妻先生還曆記念 中卷」, 545面.

24) 서돈각, 「상법강의(상)」 제3전정(법문사, 1985), 378면, 396면; 이병태, 「전정 상법(상)」, 1987, 692면. 최근에는 박재윤, "이사의 제삼자에 대한 책임" 「회사법상의 제문제[하]」(법원행정처 재판자료 제38집, 1987), 146면; 나세근, 전게 학위논문, 55~57면.

25) 田中誠二, 「會社法詳論(上)」 三全訂(勁草書房, 1993), 693~694面.

26) 박원선·이정한, 「會社法」 전정판(수학사, 1979), 310면.

27) 田中誠二, "取締役の對第三者責任の性質とその實益," 「商事法務」 722호 46面 이하; 同, 「再全訂 會社法詳論(上)」, 642面 이하.

관하여 존재하면 족하다고 하면서 이 조항의 책임을 불법행위책임이라고 풀이하는 이유를 다음과 같이 해명한다. 즉, 일본민법 제709조[28]상의 타인의 권리의 침해는 위법성으로 대치할 수 있음은 현재 일반적으로 인정되는 바인데, 권리침해에 갈음하여 위법성이라고 하는 때에는 이 위법성은 행위의 객관적 성격에서 인정되고 누구에 대하여 위법한가는 결정적 요소가 되지 않게 되기 때문에,[29] 본 조항의 행위에도 위법성을 인정하여 이를 불법행위라고 할 수 있다고 주장한다. 직접손해·간접손해를 불문하고 손해배상채무의 성질상 손해발생 및 책임원인과 상당인과관계에 있는 모든 손해를 배상해야 한다고 한다.

나) 제2설

제2설은 주관적 요건을 제1설처럼 이해하는데, 이 조항의 책임을 불법행위책임이라고 풀이하는 이유를 다음과 같이 해명한다. 즉, 주식회사의 사회경제적 지위로 보아 이사가 악의 또는 중과실에 의하여 그 임무를 해태하여 제3자에게 손해를 미친 경우에는 제3자에 대해서도 불법행위의 성립에 필요한 위법성이 인정되기 때문[30]이라고 한다.[31] 다만, 제1설과 달리, 적용범위를 양손해라고 풀이하면서도 주주에 대해서는 직접손해에 한정하고 주주의 간접손해는 대표소송에 의한다. 일반불법행위책임과의 경합은 부정하지만, 제401조의 입법취지에 반하지 않는 한 민법 불법행위 규정의 적용을 인정한다. 그래서 과실상계의 적용은 긍정하는데, 소멸시효에 관한 민법 불법행위 규정을 적용할 것인지는 제1설과 달리 주저한다.[32]

다) 제3설

제3설은 불법행위의 특징을 계약외 당사자간의 위법행위에 의한 손해배상관

---

28) 우리나라 민법 제750조에 해당하는 일본민법 제709조는 다음과 같이 규정한다: "고의 또는 과실로 인하여 타인의 권리를 침해한 자는 이로 인하여 발생한 손해를 배상할 책임이 있다."
29) 田中誠二, 前揭書, 693~694面; 박재윤, 전게논문, 146~147면; 박효관, "이사의 제3자에 대한 책임 - 위법성 요건을 중심으로 - 대법원 2002.3.29. 선고 2000다47316 판결 -,"「판례연구」 제14집(부산판례연구회, 2003. 2.), 547~548면. 그러나 이 점은 수긍하기 어렵다. 이사가 회사의 이익(난국의 타개)을 위하여 거래상대방에게 해로운 행위를 할 때도 있다. 이 경우에 이사의 제3자에 대한 불법행위책임은 성립할 수 있어도 회사에 대한 위법성은 인정되지 아니한다.
30) 제1설에서처럼 수긍하기 어려운 점이다.
31) 大隅健一郎,「全訂 會社法論 中卷」, 147面.
32) 大隅健一郎·今井 宏,「會社法論 中卷」第三版(有斐閣, 1992), 262面.

계로 파악하고 본 조항의 책임은 이런 관계에 관련된 것이므로 불법행위책임의 성질이 있다고 하고, 그 특수한 이유를 다음과 같이 설명한다. 즉, 주관적 요건은 임무해태에 관하여 존재하면 충분하고 이는 이사의 책임을 강화하는 것이고, 민법 자체에서도 직접의 가해행위를 귀책원인으로 하지 아니하는 손해배상제도[33]를 불법행위로 인정하고 있으므로 민법에서와 같은 의미로 본 조항의 책임은 특수불법행위책임이라고 한다.[34] 일반불법행위책임과의 경합을 인정하고, 민법의 불법행위에 관한 과실상계, 소멸시효, 상계금지, 이행기간 등의 적용을 긍정한다. 본 조항은 제3자의 청구권경합이라는 2중의 무기를 부여하는 것으로, 비경합설처럼 경과실에 대해서까지 책임을 면제할 근거는 없다고 한다.[35] 그리고 개인기업적 주식회사에 있어서 청구의 상대방을 회사에 한정하는 것 자체가 제3자에게 불이익하다고 한다.[36] 적용되는 손해는 간접손해를 원칙으로 하지만, 이사의 임무해태에 의하여 회사에 손해가 발생함과 동시에 제3자에 대하여도 직접손해가 발생하는 경우도 포함한다고 한다.[37]

本間輝雄 교수는 불법행위특칙설[38]을 취하면서 제401조 제1항(일본 상법 제266조의3 제1항)을 제3자의 직접손해뿐 아니라 회사채권자의 간접손해에도 적용해야 하는 이유를 다음과 같이 설명한다. 즉, 본조의 책임을 법정특별책임이라는 견해가 아니고 불법행위책임의 일종으로 보는 한, 채권자대위권 제도가 판례법상 채권자의 특정채권 보전을 위한 기능을 가진다고 널리 이해되고 있지만 본래 공동채권자의 채권보전을 위하여 인정되었고 실효성이 엷은 이 제도보다는 본조를 민법의 원칙에 우선하여 간접피해자에 대해서도 직접으로 가해자에게 청구권을 인정하는 것이 본조의 입법취지에 합치된다고 한다. 대위제도는 현실의 법적효과에서도 특정 채권자가 자기의 손해에 대한 만족을 받으려면 대위행사와

---

33) 사용자책임(민법 제756조), 공작물 등의 점유자, 소유자의 책임(민법 제758조) 등을 가리키는 듯하다.

34) 서돈각·정완용, 「상법강의(상)」 제4전정(법문사, 1999), 456면; 나세근, 전게 학위논문, 55~56면; 塩田親文·吉川義春, "取締役の第三者に對する責任,"「總合判例研究叢書·商法(11)」(有斐閣, 312面), 317면.

35) 민법 제35조 제1항 제2문은 "이사 기타 대표자는 이로 인하여 자기의 손해배상책임을 면하지 못한다"고 규정한다.

36) 塩田親文·吉川義春, 前揭書, 305面.

37) 이상의 법적 성질에 관하여, 久保欣哉, "76. 取締役の第三者に對する責任の性質と範圍,"「商法の爭點 I」 北澤正啓·浜田道代 編, 有斐閣 1993, 154~155面; 加藤良三·吉田 直·田中裕明, 「株式會社法の理論 2」(中央經濟社 1995), 308~316面 참조.

38) 本間輝雄 교수는 '특수불법행위설'이라 부른다.

동시에 전부명령을 받을 필요가 있고 그 절차가 복잡할 뿐 아니라 이사가 채권
자인 회사에 대하여 제3자로서 가지는 개인적인 각종 항변권의 행사를 채권자가
받게 될 것이라고 한다.39)

그러나 채권자대위권을 불법행위법에 속한다고 할 수 있을까. 채권자의 회사
에 대한 채권이 계약에 의하여 발생한 채권인 경우에는 이사의 임무해태로 인한
회사에 대한 책임은 채무불이행으로 인한 계약책임이지 불법행위책임이 아니기
때문에 회사채권자의 간접손해에 대한 배상청구에는 불법행위법이 개입할 여지
가 없다. 이사와 회사채권자간에는 회사에 대해서와 같은 계약관계가 없으므로
불법행위법이 적용된다는 뜻이라면 2중의 계약관계에 적용되는 채권자대위권도
불법행위법에 속한다고 할 수 있다. 그러나 대위권 행사에 2중의 계약관계에서
오는 계약법적 영향도 고려해야 하므로 순수한 불법행위법의 영역은 아닐 것이
다. 그리고 불법행위특칙설이 이사의 경과실로 인한 책임을 면제하면서 회사채
권자의 권리행사 편의를 이유로 본조를 적용해야 한다는 주장도 일관성에 의문
이 있다.

4) 법정책임설의 수정설

가) 제1설

그 제1설은 본 조항의 책임을 채권자대위권적 특별법정책임이라고 풀이하여
본 조항의 적용을 회사채권자의 간접손해에 한정하고 임무해태를 요건으로 하지
만, 직접손해에 대하여는 일반불법행위원칙에 따라야 한다고 한다.40) 제401조가
규정하는 책임은 "고의 또는 중대한 과실로 그 임무를 게을리 한 때"에 부담하
는 책임이므로, 그리고 여기서 '임무'는 이사의 회사에 대한 임무일 수밖에 없으
므로, 이를 게을리 한 경우에는 제1차적으로 회사가 손해를 입게 되고 회사와
특별한 관계에 있는 제3자(회사채권자 등)는 간접적으로 손해를 입게 된다. 그러
므로 이사의 제3자에 대한 책임은 문언상 간접손해에 대한 책임이다. 이 견해는

---

39) 本間輝雄, "取締役の第三者に對する責任－その法的性格をめぐつで,"「商法學論集(小町谷先生
古稀記念)」(有斐閣, 1993), 129~130面.

40) 佐藤 庸,「取締役責任論」, 109面 이하; 上柳克郎,「民商法雜誌」제42권, 101面; 北澤正啓,「ジュ
リスト」364호, 114面. － 加藤良三·吉田 直·田中裕明,「株式會社法の理論 2」, 中央經濟社
1995, 309面에서 재인용. 우리나라 민법 제35조 제1항과 상법 제210조·제389조 제3항도
이사의 '타인'에 대한 책임을 규정하는데, 일반불법행위원칙보다 주관적 요건('고의 또는 중
대한 과실')이 가중된 본 조항을 적용할 이유가 없다.

이사의 임무해태에 의하여 회사가 손해를 입고 그 결과로 제3자가 입은 손해(간접손해)에 대하여 제3자는 본래 채권자대위(민법 제404조)에 의하여 구제를 받을 수 있는데, 상법 제401조 제1항은 회사가 도산한 경우 등 이 구제를 받을 수 없게 되는 불편을 해소하고 또 이 방법의 번잡한 절차로부터 제3자를 해방하게 된다.[41]

　제401조의 이러한 해석은 이 규정이 모방한 독일 주식법 제93조 제5항과 이 규정의 내용과 유사한 프랑스 판례를 살펴보면 이해에 도움이 된다.

　ⓐ 우리나라의 상법 제401조 제1항이나 일본 상법 구(舊) 제266조의3 제1항이 모방했다고 생각되는 독일 주식법 제93조 제5항도 (그 제2항에서 이사의 회사에 대한 책임을 규정한 후) "회사의 배상청구권은 회사의 채권자가 회사로부터 만족을 얻을 수 없는 경우에 한하여 회사의 채권자에 의해서 '도' 행사될 수 있다. 단, 이것은 제3항 이외의 경우에는 이사가 통상 그리고 양심적인 영업지휘자의 주의를 심히 위반한 때에 한하여 적용된다…"[42]고 하여 채권자대위권에 가까운 성질을 보이고 있다. 그리고 일본상법 구 제266조의3 제1항은 "이사가 그 직무를 행함에 있어서 악의 또는 중대한 과실이 있는 때에는 그 이사는 제3자에 대하여도 또한 연대하여 손해배상책임을 진다"[43]고 규정하였었다.[44] 일본의 2005년에 제정된 회사법 제429조 제1항과 우리나라 상법 제401조에는 이런 표현이 없다.

　이와 같은 연혁적 바탕에서 제401조를 이해하면 제3자의 이사에 대한 청구권은 회사의 제399조에 기한 위임계약상 채무불이행으로 인한 손해배상청구권을 대위행사하는 것이고, 이 제3자의 회사에 대한 채권 또는 회사의 이사에 대한 손해배상청구권이 소멸하면 행사할 수 없게 될 것이다.

---

41) 佐藤 庸, 「政經論叢」 제10권 제1호, 103면 ― 加藤良三·吉田 直·田中裕明, 전게서, 310면에서 재인용.

42) Der Ersatzanspruch der Gesellschaft kann auch von den Gläubigern der Gesellschaft geltend gemacht werden kann, soweit sie von dieser keine Befriedigung erlangen können. Dies gilt jedoch in anderen Fällen als denen des Absatzes 3 nur dann, wenn die Vorstandsmitglieder die Sorgfalt eines ordentlichen und gewissenhaften Geschäftsleiters gröblich verletzt haben; …

43) "取締役カ其ノ職務ヲ行フニ付惡意又ハ重大ナル過失アリタルトキハ其ノ取締役ハ第三者ニ對シテモ亦連帶シテ損害賠償ノ責ニ任ス"; 이와 달리, 황남석, 전게논문, 217면은 1938년(昭和13년) 개정 일본상법 제266조는 "① 이사가 그 임무를 게을리 한 경우에는 그 이사는 회사에 대하여 연대하여 손해배상의 책임이 있다"라고 규정되었었다고 한다.

44) 정진세, 전게서, 479면 참조.

이 입장에서는 제401조 제1항을 규정한 실익은 크지 않으며 입법론상 이 규정의 필요성은 의심스럽게 된다.[45] 佐藤 교수에 의하면, "입법의 방향으로는 제266조의3을 삭제하고 채권자대위권 및 불법행위의 일반원칙에 맡기고, 구법당시 논쟁의 실마리였던 제193조 제2항을 고쳐 이와 제266조의3 제1항 후단 및 증권거래법 제21조 제22조의 규정을 종합한 투자자보호의 규정을 설정하는 것이 가장 발본적인 방법일 것이다. 그것이 무리하다면, 스위스 법처럼 제193조 제2항과 함께 중과실의 한정을 배제해야 한다. 스위스법의 개정의 경과가 나타내는 바와 같이 이에 의하여 이론상의 문제는 남겠지만 실제상의 문제는 대체 해결될 것이다"[46]라고 한다.

ⓑ 프랑스 판례에서는 이사가 회사업무집행에서 제3자에게 손해를 입힌 데 대해서 회사가 책임을 지며 이사는 회사의 구상에 대해서만 책임을 지고 제3자에게 직접 책임을 지지는 않는 것이 원칙이지만,[47] 예외적으로 이사에게 고의나 중과실이 있는 때에는 그 이사도 제3자에게 직접 책임을 진다.[48] 우리나라 상

---

45) 上柳克郎,「民商法雜誌」42卷 1号, 101面 - 加藤良三・吉田 直・田中裕明, 前揭書, 310면에서 재인용.

46) 佐藤 庸, 前揭書, 327面.

47) 파기원 상사부 1982.3.8. 판결, Yves Chartier et J.Mestre, Les grandes decisions de la jurisprudence - les sociétés, PUF 1988, n°11, p. 49; 파기원 상사부 1988.10.4. 판결〈르 뿌아브르(Le Poivre) 판결〉, Maurice Cozian et Alain Viandier, Droit des sociétés, 11°éd., Ed.Litec 1998, n°373, p. 146.

48) 파리 항소법원 1990.4.3. 판결, JCP 1991, éd. E, II. 22, n°5, obs A.Viandier et J.-J. Caussain; 파리 항소법원 1998.4.3. 판결, JCP 1998, éd. E, Panorama Rapide, p. 875; 파리 항소법원 1996.11.13. 판결, Dr. Sociétés 1997, n°39, obs. Th.Bonneau; 파기원 상사부 2014.5.27. 판결에서는, 종래의 판례에 대한 하급심의 저항을 받아들여, 두 회사 (유한회사) 모두 파산선고를 받은 모회사인 소시에떼 빰 엥베스띠스망(Société PAAM investissements)과 그 자회사인 소시에떼 빰 로지스띡(Société PAAM logistique)의 이사인 피고에 대하여 자회사의 모회사에 대한 채권을 모회사 파산절차(회생절차)에 신고하지 않았다는 이유로 자회사의 파산관재인(원고)이 손해배상을 청구한 사건에서, 상고심은 "상법전 제L.223-22조에 의하면 유한회사 이사는 그의 경영상과실에 대하여 이 과실이 그의 임무와 분리될 수 있는 것이면(lorsqu'elles[fautes] sont séparables de ses fonctions) 제3자에게 개인적으로 책임을 진다; 그래서(à ce titre) 이사는 그의 임무의 정상적 수행과 양립될 수 없는 특별한 중과실(une faute d'une particulière gravité incompatible avec l'exercice normal de ses fonctions)을 의도적으로 범한 데 대하여 책임을 진다"고 판시하고 이사의 개인적 책임을 인정하였다. 우리나라 국가배상법[시행 2017.10.31.] [법률 제14964호, 2017.10.31., 일부개정] 제2조(배상책임)는 제1항에서 "국가나 지방자치단체는 공무원 또는 공무를 위탁받은 사인(이하 "공무원"이라 한다)이 직무를 집행하면서 고의 또는 과실로 법령을 위반하여 타인에게 손해를 입히거나, 「자동차손해배상 보장법」에 따라 손해배상의 책임이 있을 때에는 이 법에 따라 그 손해를 배상하여야 한다. 다만, 군인·군무원·경찰공무원 또는 예비군대원이 전투·훈련 등 직무 집행과 관련하여 전사(戰死)·순직

법 제401조는 이 예외적인 경우를 규정한 것이 아닌가 생각한다. 우리나라 판례
는 일본 최고재판소 판례처럼 법정책임설에 따라서 상법 제401조를 이사의 제3
자에 대한 책임의 원칙적 규정인 것처럼 적용하는 듯하다. 그래서 대법원은 이
사는 제3자에 대해서는 경과실만 있는 경우에는 책임이 없다든지, 회사에 대한
임무해태에 고의 또는 중과실이 있으면 제3자에 대하여는 과실 유무를 불문하고
책임을 진다든지[49] 하여 법의 기본원칙에 비추어 이해하기 어려운 판시를 한다.
독일 주식법 제93조 제5항을 모방한 일본 구 상법 제266조의3을 거쳐 도입한
우리나라 상법 제401조가 프랑스 판례를 참조하여 일본판례의 영향에서 벗어나
고의 또는 중과실이 있는 이사의 제3자에 대한 책임의 예외적 경우에 적용되는
규정이라는 본래의 위치를 다시 찾게 되기 기대한다.[50]

  (1) 제1설의 법정책임설에 대한 비판

  법정책임설 수정설의 제1설[51]은 법정책임설에 대하여 이사의 제3자에 대한
책임은 이사의 계약체결상의 과실, 주주의 간접손해, 채권자의 직접·간접손해
등 성질이 다른 경우를 포함하고 있는데, 제3자의 직접손해·간접손해를 구별하

  (殉職)하거나 공상(公傷)을 입은 경우에 본인이나 그 유족이 다른 법령에 따라 재해보상
  금·유족연금·상이연금 등의 보상을 지급받을 수 있을 때에는 이 법 및 「민법」에 따른 손
  해배상을 청구할 수 없다"고 규정하고, 〈개정 2009.10.21., 2016.5.29.〉 제2하에서 "제1항
  본문의 경우에 공무원에게 고의 또는 중대한 과실이 있으면 국가나 지방자치단체는 그 공
  무원에게 구상(求償)할 수 있다."[전문개정 2008.3.14.]고 규정한다.

 49) 예를 들면, 대법원 2002.3.29. 2000다47316은 "상법 제401조 제1항에 규정된 주식회사의
  이사의 제3자에 대한 손해배상책임은 이사가 악의 또는 중대한 과실로 인하여 그 임무를
  해태한 것을 요건으로 하는 것이어서 단순히 통상의 거래행위로 인하여 부담하는 회사의
  채무를 이행하지 않는 것만으로는 악의 또는 중대한 과실로 그 임무를 해태한 것이라고 할
  수 없지만, 이사의 직무상 충실 및 선관의무 위반의 행위로서 위법성이 있는 경우에는 악
  의 또는 중대한 과실로 그 임무를 해태한 경우에 해당한다고 보아야 할 것이다(대법원
  1985.11.12. 선고 84다카2490 판결 참조)"라고 판시한다. "이사의 직무상 충실 및 선관의
  무 위반의 행위로서 위법성이 있는 경우"에는 "악의 또는 중대한 과실로 그 임무를 해태한
  경우에 해당"하여(단, 경과실인 경우도 있을 것이다) 회사에 대한 책임이 성립할 수는 있겠
  지만 제3자에 대한 책임원인이라는 단정은 이해할 수 없다(정진세, "프랑스법상 이사의 제3
  자에 대한 책임 – 파기원 상사부의 1982.3.8. 판결 및 1982.5.4. 판결에 대한 평석 –,"「선
  진상사법률연구」, 통권 제71호 (법무부, 2015. 7.), 126면. 프랑스의 파기원 상사부 1982.5.
  4. 판결은 이사의 제3자에 대한 책임에는 회사에 대한 임무해태가 요건이 아니라고 판시하
  였다(Revue des sociétés 1983, p. 573, note Y. Guyon; Yves Chartier et J.Mestre, ibid.
  n°11, p. 50).

 50) 위의 프랑스 판례에 대한 검토에 관하여, 정진세, "프랑스법상 이사의 제3자에 대한 책임–
  파기원 상사부의 1982.3.8. 판결 및 1982.5.4. 판결에 대한 평석,"「선진상사법률연구」, 통
  권 제71호(법무부, 2015.7.), 113면~130면 참조.

 51) 本間輝雄 교수는 '특수법정책임설'이라 부른다.

지 않고 임무해태라는 요건과 제3자라는 표현 하에 통일적으로 파악하려는 점에 이론적 결함이 있다고 비판한다. 즉, 임무해태를 요건으로 하는 것은 간접손해에 관하여 회사에 대한 관계에서는 합리적이지만 제3자의 직접손해에 관하여 같은 뜻으로 풀이할 수는 없고, 주관적 요건인 고의·과실도 직접손해에 있어서는 제3자에 대한 관계에서 검토해야 할 것이다. 그래서 본조 책임의 객관적 성립요건을 '임무해태'라는 하나의 개념으로, 그리고 주관적 성립요건인 고의 과실이 '임무해태'에 관하여만 존재하면 충분하다는 법정책임설은 '상당인과관계'의 개념을 통상의 경우와 다른 獨自의 의미로 이해한다고 비판한다.[52]

佐藤 庸 교수는 "상법 제266조의3(우리나라 상법 제401조)에 대하여 채권자의 간접손해의 경우에만 적용되고 직접손해의 경우는 불법행위법의 적용의 문제라고 생각한다. 따라서 다수의견의 법정책임설에는 찬성하지 않지만 이 입장에서 대법정판결을 보면 그것은 실질적으로는 특수한 경우의 불법행위책임의 확장을 나타내는 것으로서 그런대로 평가되어야 하는 것으로 생각한다"고 한다.[53]

(2) 제1설의 불법행위특칙설에 대한 비판

법정책임설 수정설의 제1설(本間輝雄 교수의 특수법정책임설)은 불법행위특칙설 (本間輝雄 교수의 특수불법행위설)에 대하여 비교법제상 이사의 제3자에 대한 책임논의 중심은 불법행위책임으로 해결할 수 없는 간접손해에 대하여 주주·채권자를 어떻게 보호하느냐에 있는데 이를 제쳐두고 직접손해의 경우만을 취급하는 것은 책임의 본체를 놓치는 것이라고 비판한다.[54]

나) 제2설

제2설은 악의·중과실에 관하여 간접손해의 경우에는 임무해태에 관하여 필요하고 직접손해의 경우에는 제3자에 대한 가해에 관하여 필요하다는 입장으로서, 채권자대위권적인 것과 불법행위적인 것의 2원적 구성을 하는 견해이다.[55] 직접손해의 경우에 제1설에서는 일반불법행위원칙이 적용되므로 경과실에 대하

52) 佐藤 庸, "取締役の第三者に對する責任," 「政經論叢(成蹊大)」 第10卷 1号, 13面 - 本間輝雄, "取締役の第三者に對する責任 - その法的性格をめぐつて," 「商法學論集(小町谷先生古稀記念)」 (有斐閣, 1964), 112面에서 재인용함.
53) 佐藤 庸, 前揭書, 327面.
54) 本間輝雄, 前揭論文, 113面.
55) 菱田政宏, 「會社法」 改訂版, 253面; 上田, 「商事法務」, 210호, 264面 - 加藤良三·吉田 直·田中裕明, 前揭書, 310面에서 재인용.

여도 책임이 성립하는데 대하여, 제2설에서는 제3자에 대한 가해에 악의 또는 중과실이 있어야 한다는 점에서 차이가 있지만 이 제2설의 이사 책임을 감경하려는 의도는 전술한 바와 같이 지지를 받기 어렵다는 비판(나, 2))이 있다.

다. 책임의 범위(쟁점③)[56]

이사의 제3자에 대한 책임의 핵심문제는 제401조 제1항이 어느 범위의 손해에 적용되느냐 라는 견해가 유력하다.[57] 직접손해에 한정할 것인지, 간접손해에 한정할 것인지, 아니면 이 양 손해를 포함할 것인지의 논의가 그것이다. 우선, 이 직접손해와 간접손해의 개념에 관해서도 의문이 제기되었다.

[직접손해와 간접손해의 개념에 관한 문제] 제401조 제1항이 적용되는 손해의 범위에 관하여 견해가 분분한 것은 주로 이 규정의 입법취지에 대한 이해의 차이나 책임강화론과 책임경감론의 대립에 원인이 있지만, 직접손해한정설·간접손해한정설·양손해포함설에서 말하는 직접손해와 간접손해의 개념이 정의(定義) 자체에 의하여 정해지는 것이 아니라 적용되는 규범이 무엇인지와 무관계하게 결정되지 않는 데에 진정한 원인이 있는 듯하다. 직접손해라 함은 회사가 손해를 받았는지 불문하고 이사의 행위에 의하여 제3자가 직접 개인적으로 입은 손해를 말하고 간접손해는 제1차적으로 회사에 손해가 발생하고 그 결과 제2차적으로 제3자가 입는 손해인데, 그렇다면 이사의 행위에 의하여 제3자뿐 아니라 회사도 손해를 입은 경우는 어떤가(사견에 의하면, 회사의 손해로 '인하여' 제3자가 손해를 입었는지에 의하여 결정된다). 회사가 손해를 입었는지 여부와 관계없이 제3자가 직접 개인적으로 입은 손해라고 하여 직접손해라고 할 수도 있고, 이 경우에도 회사에 대한 임무해태로 인한 손해이므로 회사에게 제1차적으로 손해가 발생하고 그 결과 제2차적으로 제3자에게 손해가 발생했으므로 간접손해라고 구성할 수도 있다고 한다.

Ⓐ 먼저, 직접손해한정설의 입장에서 ⓐ 무엇이 간접손해인가는 채권자대위권에 관한 민법 규정과 대표소송에 관한 상법 규정과의 관련에서가 아니면 정해지지 않는다. 이 규정들이 적용되는 경우가 간접손해가 된다. ⓑ 직접손해는 불

---

56) 후술하는 "마. 제3자의 범위(쟁점 ⑥)" 참조.
57) 久保欣哉, "60. 取締役の第三者に對する責任の性質と範圍,"「商法の爭點」第二版, 北澤正啓 編(有斐閣, 1983), 138面 1段.

법행위법의 특칙으로서의 본 규정이 적용되는 경우의 제3자의 손해이다. 이러한 직접손해의 사안에서도 채권자대위권이나 대표소송에 의한 제3자 구제의 요건도 구비된 경우에는 그 구제가 인정되는 관점에서는 간접손해의 경우라고 하지 않을 수 없다.

ⓑ 다음으로 간접손해한정설의 입장에서는 ⓐ 간접손해라 함은 채권자대위권의 변형된 제도로서 본 규정이 적용되는 경우의 제3자의 손해이고, ⓑ 직접손해는 민법 불법행위법이 적용되는 경우의 손해이다. 그리고 본 규정이 적용되는 간접손해의 사안에서도 동시에 이사의 제3자에 대한 민법 불법행위책임의 요건도 구비된 경우에는 민법에 의한 불법행위책임이 인정된다는 관점에서는 직접손해라고 하지 않을 수 없다.

ⓒ 양손해포함설의 입장에서 직접손해, 간접손해의 개념을 사용한다면, ⓐ 직접손해는 동 규정이 실질상 채권자대위권의 변형제도로서가 아니라 민법 불법행위법의 특칙으로 기능하는 경우의 제3자의 손해이고, ⓑ 간접손해는 동 규정이 실질상 채권자대위권의 변형제도로서 기능하는 경우의 제3자의 손해이고, ⓒ 동 규정을 민법 불법행위법의 특칙으로 기능하는 것으로 적용하는 것도, 채권자대위권의 변형제도로서 기능하는 것으로 적용하는 것도, 어느 것이나 가능한 사안의 제3자의 손해는 직접손해이기도 하고 간접손해이기도 하다고 할 수밖에 없다고 한다.58)

---

58) 上柳克郎, "直接損害・間接損害,"「法學論叢」102号 3卷・4卷, 1面 이하 - 久保欣哉, 前揭論文, 140面 2段~4段에서 재인용함. 황남석 교수에 의하면, 간접손해는 두 가지 뜻으로 사용되고 있다.
　ⓐ 첫 번째는 침해의 대상을 기준으로 하여 법익 자체에 발생하는 불이익을 직접손해, 그 직접손해의 결과 동일한 피해자의 다른 법익에 발생한 결과적 손해를 간접손해라고 하는 것이다. 이 경우 대법원은 민법상 불법행위책임에 따른 손해배상의 범위와 관련하여 간접손해를 특별손해에 연결지어서 가해자에게 예견가능성이 있으면 간접손해를 특별손해로서 배상하도록 하는 입장을 취하고 있다(대법원 2006.3.10. 2005다31361; 1996.1. 26. 94다5472).
　ⓑ 두 번째는 피해자를 기준으로 가해행위의 직접 상대방에게 생긴 손해를 직접손해, 제3자에게 생긴 손해를 간접손해로 파악하는 것이다. 상법 제401조 제1항이 문제되는 것은 두 번째 뜻에 관한 것이다. 민법에서는 이를 제3자에 의한 채권침해로 설명한다. 학설상으로는 가해행위의 직접 상대방이 손해배상청구권을 취득하기 때문에 일반재산의 총액에는 변화가 없어 제3자에 대한 채권침해로서의 불법행위는 성립하지 않는다는 설명이 있다(대법원 판결 중에서도 같은 취지로 판시한 것이 있다. 대법원 1975.5.13. 선고 73다1244 판결은 가해자들이 채무자의 돈을 가로챈 사실관계만으로는 채권자의 채무자에 대한 채권이 소멸된 것은 아니고 채무자의 책임재산이 감소되었을 뿐으로서 채권자는 간접적 손해를 본 데 불과하므로 불법행위가 성립하지 않는다고 판단하였다.). 전게

그러나 채권자대위 또는 대표소송이 가능하기 때문에 간접손해라기 보다는 간접손해이기 때문에 채권자대위나 대표소송이 적용될 수 있으며, 불법행위의 적용대상이기 때문에 직접손해가 아니라 직접손해이기 때문에 불법행위법이 적용된다고 이해하여야 한다.

주주 이외 제3자의 간접손해는 불량대출 등 방만경영에 의하여 회사의 자산상태가 악화하여 회사채권자가 변제를 받지 못하게 되는 경우가 전형적인 예이고, 직접손해는 사기 등 위법행위를 이용하여 회사가 제3자로부터 급여를 받고 대금을 결제하지 못하는 경우가 대표적이다.[59]

1) 직접손해한정설

본 조항이 규정하는 책임의 법적성질에 관한 불법행위특칙설이 주장하는 견해로서, 본 조항은 제3자의 직접손해에만 적용되고, 간접손해에 대해서는 주주에게는 대표소송이 있고 제3자(대부분은 회사채권자)에게는 채권자대위권이 있으므로 이에 의하여 회사재산이 회복되면 이들의 손해도 해소된다고 한다.[60] 그리고 본 조항을 간접손해에도 적용하면 회사와 채권자가 이사에게 손해배상청구권을 가지게 되는데 이 제3자가 직접 스스로의 손해배상을 받으면 회사의 자본충실을 해하게 된다고 한다. 즉, 제3자가 직접 이사로부터 손해배상을 받으면 회사는 그만큼 이사에게 손해배상청구(제399조)를 하지 못하게 되어 제3자는 회사재산을 일부 취득하는 셈이 되고, 특히 주주는 투자를 환급받는 결과가 되어 부당하다고 한다.[61] 채권자가 간접손해의 배상을 이사로부터 직접 받으면 그 이사의 자력이 감소하여 회사가 이 이사에게 손해배상을 청구하더라도 실효성을 기대하기 어렵게 되기 때문이라고 하기도 하고,[62] 채권자가 채권자대위권을 행사하더라도 그 취득한 권리는 채권자평등의 원칙상 공동담보의 일부가 될 뿐인

서 224면~225면.

59) 龍田 節, 「新版注釋會社法(6)」, 303面, 305面 참조. 加藤良三·吉田 直·田中裕明, 前揭書, 320~321面은 통설·판례의 입장에서 이사의 제3자 오인거래 유발에 관한 판례를 임무해태로 인한 책임의 구체적 예로 제시하고 있으나, 회사의 난국을 탈출하기 위한 시도일 수 있으므로 회사에 대한 임무를 해태했다고 단정하기 어렵다.

60) 김건식 교수의 "자동회복논거"("주주의 직접손해와 간접손해," 「민사판례연구」 제16집(민사판례연구회, 1994), 317면).

61) 김건식 교수의 "채권자침해논거"(앞의 논문).

62) 田村諄之輔, "取締役の第三者に對する責任," 「商法の判例」 第三版, 105面－加藤良三·吉田 直·田中裕明, 前揭書, 317面에서 재인용.

데 이를 회사에 반환하도록 강제할 근거를 찾기 어렵다는 견해도 있다.[63] 그러나 채권자평등의 원칙 자체가 그 근거가 될 수 있을 것이고, 채무를 변제하지 못한 채무자(이사)의 파산선고에 의하여 채권자평등을 강화할 수도 있을 것이다.

가) 대법원 1993.1.26. 91다36093

이에 관해서는 뒤에 마. 1) 가)에서 검토한다.

나) 대법원 2003.10.24. 2003다29661

이에 의하면, "가사 부산건설회관의 이사인 피고가 대출금을 횡령하여 부산건설회관의 재산을 감소시킴으로써 주주임을 전제로 하는 원고의 경제적 이익이 결과적으로 침해되는 손해를 입었다 하더라도," "주식회사의 주주가 이사의 악의 또는 중대한 과실로 인한 임무해태행위로 직접 손해를 입은 경우에는 이사에 대하여 상법 제401조에 의하여 손해배상을 청구할 수 있으나, 이사가 회사재산을 횡령하여 회사재산이 감소함으로써 회사가 손해를 입고 결과적으로 주주의 경제적 이익이 침해되는 손해와 같은 간접적인 손해는 상법 제401조 제1항에서 말하는 손해의 개념에 포함되지 아니하므로 이에 대하여는 위의 법조항에 의한 손해배상을 청구할 수 없다[64](대법원 1993.1. 26. 91다36093 참조)."

주주의 간접손해는 제401조의 적용범위에서 제외되는 것으로 대법원 판례는 굳어진 듯하다. 위에서 검토한 "가. 법적성질"에서 "3) 특수불법행위책임설(불법행위특칙설의 수정설)"의 "제2설"과 같은 입장이다.

다) 대법원 2012.12.13. 2010다77743 【손해배상(기)】

이에 관해서는 라. 2) 다)에서 이 판결을 검토한다.

2) 간접손해한정설

상술한 법정책임설 수정설의 제1설이 주장하는 견해이다. 즉, 직접손해는 일반불법행위원칙에 의하여 구제되어야 하고, 이사의 임무해태에 의하여 회사가

---

63) 황남석, 전게서 225면~226면. 그래서 황 교수는 전게서 227면 "2.4 정리"에서 "결국 기능적 관점에서 법정책임과 일반불법행위책임의 차이는 제3자에 대한 간접손해의 배상여부인데 상법 제401조를 적용하여 제3자가 입은 간접손해의 배상을 인정하는 것은 타당하지 않다"고 하는 입장에서 불법행위특칙설이 주장하는 직접손해한정설을 지지하는 듯하다.

64) 위 라, 2) 다)에 소개한 대법원 2012.12.23. 2010다77743의 이유에서도 전혀 동일한 문언을 볼 수 있다.

손해를 입은 결과 회사채권자가 간접으로 받은 손해에 대해서만 본 조항이 직용된다고 한다. 이사가 임무를 해태하여 제3자에게 발생한 손해에 대하여 책임을 부담하는 것은 이사는 회사에 대하여 임무를 부담하므로 임무를 해태하는 것은 회사에 대하여 임무를 해태하는 것이고, 결국 그로 인하여 회사에 손해가 발생하고 다시 회사의 손해로 인하여 제3자에게 발생한 간접손해를 배상할 책임을 진다는 뜻이라고 생각할 수 있다.

가) 오인거래유발유형[65]의 간접손해한정설에 의한 해결[66]

간접손해한정설[67]에서는 지불가능성이 없는 어음의 발행 등 오인거래유발유형은 일반적으로 직접손해의 사례에 속하므로 제401조의 문제가 아니라 불법행위책임의 문제이다. 간접손해한정설을 취하더라도 지불가능성 없는 어음의 발행 사안에서 제401조 제1항의 책임이 전혀 문제되지 않는 것은 아니지만, 간접손해한정설이 제401조 제1항의 입법취지를 회사채권자 보호라고 하므로 양손해포함설과는 문제의 어프로치가 다르게 되고 지불가능성 없는 어음의 발행의 유형에 있어서도 방만경영과 이에 대한 감시의무위반의 관점에서 이사책임의 유무를 판단하게 된다. 우선 간접손해한정설에서는 이사가 회사에 대하여 임무를 해태한데 대하여 고의·중과실이 있고 이에 의하여 회사에 손해가 발생한 것이 필요하다.[68] 이 경우에 어음을 발행한 이사도 그리고 감시를 해태한 이사도 모두 임무를 해태하였다는 점에서 귀책사유의 면에서는 동질의 것으로 취급된다. 간접손해한정설에서는 다만 지불가능성 없는 어음을 발행한 것은 당해 어음발행이 원인이 되어 도산한 예외적인 경우 외에는 독립하여 문제가 되지 않고 어음발행 전후의 일련의 이사의 행동이 문제될 것이다.[69]

山下友信 교수는 이 점에 있어서 이사의 임무해태와 어음발행의 전후관계를

---

65) 뒤에 라. 1)에서 이에 관한 판례를 검토한다.

66) 오인거래유발유형의 양손해포함설에 의한 해결에 관하여는 후술하는 다. 3) 참조.

67) 佐藤 庸,「取締役責任論」, 특히 188면 이하를 간접손해한정설을 대표하는 것으로 한다.

68) 간접손해에 관해서는 제3자의 손해는 회사의 이사에 대한 손해배상청구권의 액에 한정된다는 것이 다수설이 인정하는 바이다(山下友信, "支拂い見込みのない手形振出と取締役の對第三者責任"「商事法の解釋と展望(上柳克郎先生還曆記念)」(有斐閣, 1984), 298面. 龍田 節, 判批,「法學論叢」66卷 3号, 100면은 제3자의 회사에 대한 채권액이 크더라도 간접손해로서는 회사가 받은 손해의 액만이 제3가가 입은 손해액이라고 해야 한다고 하고, 上柳克郎, "兩損害包含說"「會社法·手形法論集」, 121面 이하에서는 채권자대위권과의 균형이 근거라고 한다.

69) 山下友信, 前揭論文, 295~296面.

문제 삼는다.[70] 경영이 순조로운 회사가 어음을 발행한 후에 이사의 임무해태의
결과 도산한 경우는 바로 회사에 손해가 발생한 결과 제2차적으로 어음소지인에
게 손해가 발생한 것으로 간접손해이고 간접손해한정설에 따른 제401조 제1항
의 적용대상에 해당한다. 그러나 이미 임무해태 때문에 회사가 언제 도산할지
모르는 상황에서 이사가 어음을 발행했다면 이 어음발행은 임무해태의 일환이
될 수도 있지만 회사 경영을 개선하기 위한 것으로 임무해태가 아닐 수도 있
다.[71] 이 후자의 어음소지인은 채권취득 이전의 단계에서 채권을 취득함에 있어
서 상대방의 상황을 조사하여 담보를 요구하거나 거래를 거절하는 등 대처할 수
있었는데도 제401조 제1항으로 구제한다면 불법행위책임의 일반원칙을 대폭 완
화하게 되는데 이를 정당화하기 위하여 막연히 회사채권자 보호를 내세우는 것
만으로는 부족하다. 이에 반하여 회사경영이 건전했던 단계에서 어음을 취득한
소지인은 회사재산은 전적으로 이사의 관리에 맡겨지고 회사재산 유지는 이사가
적정하게 임무를 수행하는지 여부에 달려있고 채권자는 원칙으로 어떤 대처도
할 수 없으므로 회사재산 감소에 대하여 특별한 보호를 부여해야 한다고 할 수
있다. 그래서 유한책임제도 위에 성립하는 회사에서만 이사에게 일반원칙에서는
인정되지 않는 특별한 책임이 발생한다고 생각된다.[72] 이 관점에서는 간접손해
한정설에서도 간접손해의 정의 이외에 이사책임의 발생을 제한하는 어떤 판단기
준이 필요한데, 단적으로 보호할 가치가 있는 회사채권자라는 요건을 설정하고,
보호할 가치가 있는지 여부는 회사채권자가 채권취득 후에는 그 만족이 이사가
적정하게 임무를 수행하는 여부에 달렸기 때문에 제401조 제1항의 책임이 법정
되었다는 인식에 합치하는 판단을 할 것인데, 이 관점에서는 경영이 악화하여
재건의 전망이 없는 단계에서 어음을 취득한 자는 원칙으로 보호할 가치가 없다
고 할 것이다(불법행위책임의 성립여부는 별문제이다). 어음을 발행한 이사 이외의
이사가 명목적 이사로서 임무를 수행하지 않음을 어음취득 시에 알았던 소지인
은 명목적 이사에 의하여 회사재산 유지를 기대하였다고 할 수 없으므로 그는

---

70) 菱田政宏, 前揭論文, 323面은 직접손해로서 배상책임이 발생하는지 여부는 별문제로 하고
   간접손해로서는 거래전의 이사의 회사에 대한 가해행위에 관해서는 이사의 행위와 제3자의
   손해와의 사이에 상당인과관계가 없다고 한다.
71) 佐藤 庸, 「取締役責任論」, 197面은 채권의 취득은 임무해태 후라도 무방하다고 한다.
72) 佐藤 庸 교수의 간접손해한정설에서는 회사채권자보호는 이보다 널리 인정하는 듯하다(佐
   藤 庸, 「取締役責任論」, 129면 참조).

보호의 가치가 없고 명목적 이사의 일본상법 제266조의3 제1항(우리나라 상법 제
401조 제1항)에 의한 책임은 발생하지 않을 것이다.[73]

그런데 이런 제한을 두더라도 제401조 제1항에 따른 책임은 발생하지 않지
만 회사의 이사에 대한 손해배상청구권에 대하여 어음소지인이 채권자대위권을
행사하면 같은 결과를 얻는 것을 부정할 수 없다. 그래서 제401조 제1항의 책
임을 이와 같이 제한하는 실익이 별로 없다고 하겠지만 동 조항이 회사채권자
보호의 관점에서 규정된 것이라는 이해를 하는 한 실익 여하에 불구하고 제한을
두어야 할 것이다.[74] 그러면 간접손해한정설에 대하여 존재의의가 별로 없게 된
다는 비판이 있는 것도 그 때문이다.[75] 그러나 제401조 제1항에 의하는 경우에
는 손해배상책임의 면제, 포기, 화해에 대하여는 이사는 채권자대위권에 의하는
경우와 달리 회사채권자에게 대항할 수 없는 한도에서 실익이 있고, 적용범위가
좁다는 이유만으로는 적극적인 비판이 되지 아니한다고 한다.[76] 그런데 제401
조 제1항에 의하는 경우와 채권자대위권에 의하는 경우 사이에 이사의 손해배상
책임을 회사가 면제, 포기, 화해한 것을 이사가 회사채권자에게 대항할 수 있는
지 여부에 차이가 있다면 이 차이를 합리적으로 설명할 수 있을까. 우리나라 민
법 제506조 단서는 "그러나 면제로써 정당한 이익을 가진 제3자에게 대항하지
못한다"고 규정하고, 일본에서도 면제되는 채권이 질입(質入)된 경우와 같이 제3
자의 권리의 목적이 되어 있는 때뿐만 아니라 제3자가 그 채권에 대하여 정당
한 이익을 가진 때에도 적용되어야 하고, 권리의 포기도 공서양속에 반할 수 없
다고 한다.[77]

나) 간접손해한정설의 장점

이러한 간접손해한정설의 장점은 불법행위책임이 발생하지 않는 경우에도 그
럴듯한 근거도 없이 제401조 제1항에 기한 책임을 인정하는 양손해포함설의 결
점을 면함과 동시에 제401조 제1항의 존재의의를 실질적으로 무리 없이 설명할
수 있다는 데 있다. 그리고 회사에 대한 임무해태에 고의 또는 중과실이 존재하

---

73) 菱田政宏, 前揭論文, 325面.

74) 山下友信, 前揭論文, 296~298面.

75) 龍田 節, 判批, 「法學論叢」 66卷 3号, 99面.

76) 山下友信, 前揭論文, 299面 注 7.

77) 我妻・有泉・水本, 前揭書, 408面; 我妻, 前揭書, 368面 - 石田喜久夫, §515, 「注釋民法(12)」,
    債權(3) 債權の消滅(有斐閣, 1970), 504面에서 재인용함.

는 것이 책임발생의 요건으로 명료하게 위치를 가지며 이에 있어서 경영판단의 원칙을 적정하게 고려하여 이사의 책임 유무를 판단할 수 있으므로 양손해포함설이 빠지기 쉬운 결과책임적 이사책임을 긍정하는 경향의 진전을 방지할 수 있다. 이 설과 불법행위책임에 관한 법이론의 결합에 의하여 지불가능성 없는 어음발행 사안에 관하여 가장 균형잡힌 결론을 도출할 수 있다.[78)]

그러나 제401조를 간접손해한정설에 의하여 해석하면, 채권자대위권 이외에 이 규정이 필요한 이유는 무엇일까. 이 두 제도 사이에 차이가 있다면 이 차이를 어떻게 정당화할 수 있을까. 제401조 제1항이 채권자대위와는 달리 이사의 임무해태에 '고의 또는 중대한 과실'을 요건으로 하는 이유는 무엇일까. 佐藤 庸 교수는 제401조 제1항의 해석에 있어서 간접손해한정설을 취하면서도 입법논으로는 이 규정을 삭제하고 채권자대위권과 불법행의의 일반원칙에 맡길 것을 제안한다.[79)]

山下友信 교수는 위의 고찰을 '총괄'하면서 "주식회사, 유한회사가 채무를 부담하는 경우에는 자연인이나 무한책임제도 위에 성립하는 회사와 달리 회사채권자가 보호되어야 할 특수사정이 있다." 그래서 "이사에게, 특히 임무해태에 관하여 고의·중과실이 있었다는 귀책사유가 큰 경우에 회사채권자에게도 직접 [회사(필자보충)] 손해의 회복을 꾀할 수 있도록 했다는 설명이 제401조 제1항의 취지의 설명으로서는 가장설득력이 있다고 생각된다. 그 의미에서는 같은 설명을 하는 간접손해한정설이 이 종류의 사안에 관해서는 기본적으로 지지될 수 있고 가장 타당한 해결을 가져오는 것으로 생각한다"고 하였다. 위의 고찰에 비추어 "간접손해한정설이 이 종류의 사안에 관해서는 기본적으로 지지될 수 있고 가장 타당한 해결을 가져오는 것으로 생각한다"고 한 것은 기본적으로 수긍이 간다. 그러나 "이사에게, 특히 임무해태에 관하여 악의·중과실이 있었다는 귀책사유가 큰 경우에 회사채권자에게도 직접, 손해의 회복을 꾀할 수 있도록 했다는 설명이 제401조 제1항의 취지에 대한 설명으로서는 가장설득력이 있다"고 한 것도 찬성하나(위의 주 4 참조), 제401조 제1항의 입법취지에 관한 설명 중 昭和44年[1969] 大法廷判決의 판례인 법정책임설에 대한 다음과 같은 비판[3)]

---

78) 山下友信, 前揭論文, 298面.
79) 佐藤 庸, "取締役の第三者に對する責任の加重輕減－最高裁大法廷判決の少數意見を中心として－,"「現代商法學の課題(鈴木竹雄先生古稀記念)(上)」(有斐閣, 1975), 327面.

에 유념해야 한다.

3) 양손해포함설

직접손해인지 간접손해인지를 불문하고 이사의 임무해태와 제3자의 손해의 사이에 상당인과관계가 존재하는 한, 본 조항에 의하여 구제된다는 주장으로서, 전술한 법정책임설(판례·통설)과 특수불법행위책임설(불법행위특칙설의 수정설) 중 제1설과 제2설의 견해이다. 이 견해들은 어느 것이나 본 조항의 책임원인(고의 또는 중대한 과실)이 이사의 회사에 대한 임무해태에 인정되면 충분하고 제3자를 해하는 데에는 주관적 요건은 필요하지 않다는 것이 공통된 특징이다.[80) 일본 最高裁判所 昭和44년 大法廷 판결이 이 입장을 명백히 한 이래 판례로서 확립되었다고 할 수 있는데,[81) 본 조항의 적용을 정책적·탄력적으로 고려하고 있는 현명한 조치라고 지지하는 견해도 있다.[82) 양손해포함설의 문제점을 살펴보면 아래와 같다.

가) 우선 오인거래유발유형[83)의 대표적 예라고 할 수 있는 어음을 발행한 이사의 책임에 관해서도,[84) 이 양손해포함설에 의하면 직접손해·간접손해의 어느 것이든 간에 제401조 제1항의 책임이 발생한다.[85) 그러나 지불가능성 없는 어음의 발행은 직접손해라고 하는 것이 보통인데, 왜 이사의 행위가 임무해태인지 납득할만한 설명은 개개의 판례에서 명백히 나타나 있지 않다고 직접손해 사안 일반에 대하여 지적된다.[86) 판례는 다만 어음을 발행한 이사에게 직무

---

80) 고의·중과실이 이사의 임무해태에 인정되면 충분하다는 것이 왜 양손해포함설의 특징인가. 법정책임설이 법실증주의의 입장에서 문리해석을 중시하여, 고의·중과실을 회사의 임무해태에 인정되어야 하며, 법문언상 직접손해나 간접손해에 한정하지 않았으므로 양손해포함설을 지지하는 것이 아닌가 짐작된다.

81) 最判 昭和45(1970).12.26. 判例時報 590号 79面; 同 昭和45.7.16. 判例時報 602号 86面; 하급심 판례로서 東京地判 昭和45(1970).2.25. 判例時報 606号 90面 - 加藤良三/吉田 直/田中裕明, 前揭書 318面에서 재인용. 그러나 最判 昭和47년(1972)9.21.(判例時報 684号 88面)은 "원심은 Y(A회사 대표이사)가 A로서는 대금을 지불할 자력이 없다는 사정을 알면서 B로 하여금 X로부터 본건 패널을 매수하게 하여 X에게 그 대금상당액의 손해를 주었다고 인정하고 있다… Y가 X에 대하여 불법행위(민법의 규정에 기한)에 의한 손해배상책임을 부담한다는 원심의 판단은 정당"하다고 판시하였다. 最高裁判所는 이 판결에서 양손해포함설에 동요를 보이는 듯하다.

82) 酒卷俊夫, 「民商法雜誌」 63卷 4号 578面 - 加藤良三·吉田 直·田中裕明, 前揭書, 319面에서 재인용.

83) 뒤에 라. 1)에서 이에 관한 판례를 검토한다.

84) 명목상 이사의 감시의무 위반에 관해서는 후술한다.

85) 오인거래유발유형의 간접손해한정설에 의한 해결에 관하여는 상술한다. 2) 가) 참조.

를 행함에 있어서 고의·중과실이 있다고만 하는 것도 있는데, 오히려 제3자에 대한 가해에 필요한 주관적 요건이라고 해야 할 것이다.

이러한 어음발행이 곧 임무해태가 되는 일은 예외적일 것이다. 어음발행으로 오히려 이사는 회사에 대한 임무를 이행한 것이 보통이다. 이사가 임무를 해태 하여 회사를 도산시킨 경우는 있을 것이다. 그러나 실제의 판례에서는 방만경영 이 있었다고 단정할 수 없는 사안에서도 어음을 발행한 이사의 책임을 인정한 경우도 있다.[87] 결국 판례는 임무해태가 인정되지 않는 사안에서도 어음을 발행 한 이사의 책임을 인정하는 셈이다. 회사에 대한 임무해태는 부도를 낸 것이 회 사의 신용을 손상하게 된다는 점에 구하는 심히 망막한 견해[88]조차 주장되고 있다. 그러나 부도의 위험은 크든 작든 모든 회사(특히 중소규모 회사)에 따라다 니는 것으로서 이런 견해에서는 이사의 책임이 현저히 넓어질 것이다.[89]

나) 일반논의 차원에서도 양손해포함설은 이사의 고의·중과실에 의한 임무 해태가 있으면 직접손해에 관하여 왜 제3자가 일반원칙 이상의 보호를 받는지 설명할 수 없다는 이론적 문제가 있다.[90] 제3자를 보호하기 위한 것이라고 하

---

86) 예를 들면 菱田政宏, "株式會社の取締役の第三者に對する責任," 「民商法雜誌」 78卷 臨時增 刊号(2), 312면 이하.

87) 그런 색채가 강한 예로서, 東京高判 昭和47(1972).9.18.(高裁民集 25卷4号 360面; 東京高判 昭和52(1977).10.27.(判例時報 874号 85面 - 平理事의 책임에 관한 사례).

88) 塩田親文/吉川義春, "取締役の第三者に對する責任," 「總合判例研究叢書·商法(11)」, 66面 이 하; 横山匡輝, "手形の不渡と平取締役の責任," 「判例タイムス」 409号 34面 이하 등.
    회사의 이익과 제3자의 이익이 일치하는 경우에는 별로 문제가 없다고 하더라도, 제3자 의 이익과 회사의 이익이 대립하는 경우에는 이사에 의한 제3자의 법익침범이 항상 임무위 반이라고 할 수 없다. 이 경우에 제3자 측에서 보면 침해행위가 이사의 직무집행에 부수하 여 행해진 행위인 점에 틀림이 없음에도 불구하고 그 행위가 회사에 대한 관계에서 임무해 태이면 본조의 적용을 긍정하고 그렇지 않으면 부정되어 일반불법행위의 원칙에 맡기게 되 어 그 취급에 균형을 잃게 될 것이다(本間輝雄, 前揭論文, 125面). 그래서 이사가 주주나 기타 일반 제3자의 이익을 고려하면서 그 직무를 회사를 위하여 수행해야 하는 것이 충실 의무의 내용을 이룬다고 할 수 있다. 그래서 이사가 이들 제3자의 이익을 해하면서 그 회 사에 대한 직무를 수행한다면 이에 의하여 회사에게 비록 일시적으로 이익을 주게 되더라 도 그리고 이사의 주관에 있어서 회사의 이익을 위하여 한 것이더라도 회사에 대한 충실의 무에 위반하는 것으로 상법 제254조의2(우리나라 상법 제382조의3)의 취지에 반하고 임무 해태가 된다고 하지 않으면 안 된다고 하는 것이다(山村, "取締役の對第三者責任," 「企業法 研究」 84輯 8面~9面 - 本間輝雄, 前揭論文, 128面 注40). 이 설명은 '임무해태'의 개념을 부당하게 확대하게 된다. 그래서 '임무해태'라는 요건만으로 제3자의 직접손해, 간접손해 모 두에게 통일적으로 본조를 적용해야한다는 법정책임설에 찬성할 수 없는 이유를 이해할 수 있다(本間輝雄, 前揭論文, 126面).

89) 山下友信, 前揭論文, 291~292面.

90) 上柳克郎, "兩損害包含說," 「會社法·手形法論集」, 126面은 最大判 昭和44[1969].11.26.에

는 것만으로는 아무런 설득력 있는 설명이 되지 아니한다. 그런네도 불구하고 양손해포함설에 의하여 어음을 발행한 이사에게 제3자에 대한 책임을 인정하는 것은 결국 불법행위책임의 발생에 관한 일반원칙을 그럴만한 근거 없이 완화하는 것이 된다. 전술한 바와 같은 불법행위책임 발생요건이 구비되지 않았더라도 회사에 대한 임무해태에 관하여 악의·중과실이 있으면 충분한 것이 되기 때문이다. 그런데도 전술한 바와 같이 임무해태가 있는지 여부는 별로 묻지 아니하고 제401조 제1항의 책임을 인정하는 것에 비추어보면 양손해포함설이 이사에게 결과책임을 부담시킨다는 비판도 잘못된 것은 아니다. 판례의 결론이 실질적으로 지지받을 수 있다면 지불가능성 없는 어음발행은 그것만으로 책임을 발생시키는데 충분하다는 가치판단에 불과하다고 할 것이다.[91]

양손해포함설 중에는 고의·중과실이 회사에 대한 임무해태에 관하여 요구되는 것이 아니라 제3자에 대한 가해에 관하여 요구된다는 견해도 있다.[92] 불법행위책임은 고의 또는 과실이 있으면 발생하므로 주관적 요건에 관해서는 제401조 제1항을 거론할 실익은 없으나, 이 견해가 불법행위책임에서 요건인 위법성이 구비되지 않았더라도 제401조 제1항의 책임이 발생한다는 것이면 실익이 있다.[93] 즉, 어음발행 사안에서 불법행위책임의 발생에는 기망 또는 이에 준하는 행위가 필요하다면서 제401조 제1항의 책임이 발생한다고 생각한다면 실익이 있을 것이다. 그러나 왜 실질적 위법성 요건이 구비되지 않았는데도 제401조 제1항의 책임이 발생하는지 설명이 불충분하다. 혹은 회사가 유한책임제도를 바탕으로 하므로 제3자보호의 필요가 크다는 이유를 제시한다.[94] 그러나 자력이 없는데도 채무를 부담하는 위험성은 자연인이나 모든 법인에게 공통하며, 채무부담에 의한 손해가 직접손해라고 인정되면 특히 주식회사, 유한회사의 채권자만

관련하여 일본상법 제266조의3 제1항(우리나라 상법 제401조 제1항)을 민법 불법행위 규정보다 불법행위의 성립요건을 완화하는 규정이라고 풀이하는 것에도 상당히 신중하지 않으면 안 된다고 한다(山下友信, 前揭論文, 295面, 注 5에서 재인용).

91) 山下友信, 前揭論文, 292~293面.

92) 菱田政宏, 前揭論文, 312面.

93) 菱田, 前揭論文, 300面이 허위사실을 개진하는 것은 사기이고 민법상 불법행위를 구성하지만, 특히 묻지 않았는데 회사의 재정상태를 개진하지 않았더라도 민법상의 불법행위를 구성한다고 할 수 없다고 하면서, 민법상의 불법행위가 성립하기 어려운 경우에도 이사의 악의·중과실에 의한 가해행위에 대하여 제3자의 손해회복을 이사에게 인정하는 것이 유익할 것이라는 견해는 이와 같은 의미가 있을 듯하다.

94) 菱田, 前揭論文, 300面, 312面.

이 두터운 보호를 받을 이유는 없다.[95]

라. 주관적 요건(쟁점 ④)과 책임의 주체(쟁점 ⑤)

가장 중대한 견해 대립은 주관적 요건인 고의·중과실이 임무해태에 있어야 하느냐 제3자에 대한 가해에 있어야 하느냐 이다.

황남석 교수는 "판례가 이사의 임무해태를 제3자에 대한 관계에서가 아니라 회사에 대한 관계에서 요구한다는 점에서(대법원 1985.11.12. 선고 84다카2490 판결) 일반불법행위책임이 보호할 수 없는 영역을 보호한다는 주장도 있을 수 있다. 이사가 회사에 관한 임무를 해태하는 것을 요건으로 한다는 것은 결국 그로 인하여 회사에 손해가 발생하고 다시 회사의 손해로 인하여 제3자에게 손해가 발생하는, 간접손해를 배상의 대상으로 포섭시킬 수 있다는 점에서 특히 의미를 갖는 것이라고 생각된다. 그렇다면 이 문제는 제3자의 간접손해를 배상의 대상으로 삼는 것이 옳은지 여부의 문제와 따로 떼어 생각할 수 없다"고 한다.[96] 위 대법원 판결은 "채무의 이행지체가 피고의 위 회사에 대한 악의 또는 중대한 과실로 인한 임무해태라고 인정될 사정이 엿보이지 아니하는 이 사건에서 피고가 위 회사의 대표이사로서의 원고의 위 손해를 배상할 책임이 있다고 할 수 없다"고 판시하였다. 피고는 그가 대표이사인 회사의 광해 발생에 대한 책임을 회피하기 위하여 광업권매도인인 원고로부터 광업권 등기명의를 이 회사명의로 이전하지 않았던 것이다. 이 판결이 피고의 임무해태를 부인한 이유는 간명하다. 황 교수가 간접손해가 직접손해의 복제물이라거나 채권자 평등을 거론할 필요가 있었을까.

ⓐ 임무해태설

제401조가 적용되기 위해서는 제3자의 간접손해에 있어서 뿐 아니라 직접손해의 경우에도 고의·중과실은 회사에 대한 임무해태에 관하여 인정되면 충분하다는 견해로서, 판례를 위시한 법정책임설의 기본적 입장이다.

ⓑ 가해행위설

이 견해는 본 조항이 제3자의 간접손해에 적용되며(간접손해한정설), 이사가

---

95) 山下友信, 前揭論文, 294面.
96) 황남석, 전게논문, 223~224면.

제3자의 직접손해에 대하여 책임지기 위해서는 제3자를 해하는 데 고의(악의) 또는 과실이 있어야 한다는 입장인데, 여기서 '고의'는 제3자에 대한 가해를 예견한 것이고, '중대한 과실'은 제3자를 해한다는 것을 알았어야 하는데 현저한 부주의로 알지 못한 것을 의미한다. 그러므로 이러한 경우는 회사에 대한 임무해태를 요건으로 하는 본 조항의 적용대상이 아니고 일반불법행위원칙이 적용될 수 있을 것이다.

1) 오인거래유발유형(誤認去來誘發類型)

이사가 회사의 거래 상대방에게 오인거래를 유발하여 손해를 입히더라도, 반드시 회사에 대하여 "고의 또는 중대한 과실로 그 임무를 게을리 한" 것은 아니므로, 불법행위책임을 지는 경우가 있다 하더라도 제401조의 적용대상은 아니다. 그런데 일본과 우리나라의 판례는 오인거래유발 유형의 사안에서 이사에게 제401조의 책임을 인정하는 경우가 많다.

가) 일본의 오인거래유발로 인한 이사책임에 관한 판례

일본에서 상법 구 제266조의3 제1항(우리나라 상법 제401조 제1항)에 기하여 주식회사 이사의 제3자에 대한 책임이 긍정된 판례 중에서 대단히 높은 비율을 점하는 것이 지불 가능성이 없는 어음을 발행한 유형의 사안에 대한 것이다. 어음채무 이외에도 이행가능성 없는 채무부담인 '오인거래유발유형'으로 정리되어 있다.[97]

이런 어음을 발행한 이사의 불법행위책임이 추급된 예는 많지 않다. 예를 들면, 東京地判 昭和38年(1963).9.13.[98] 및 東京高判 昭和46年(1971).8.9.[99]에서는 이사의 책임이 긍정되었으나 大阪高判 昭和39年(1964).7.16.[100]에서는 자산상태가 상당히 악화되었는데 강재(鋼材)를 매입하고 대금지불을 위하여 어음을 발행한 대표이사(본건에서는 피고로 되지 않았다)가 사기행위를 했다는 원고의 주장에 대하여 거래에 있어서 그에게 사기의 의사가 있었다고까지는 인정되지 않고 불법행위는 성립되지 않는다고 하였다. 그리고 最判 昭和47(1972).9.21.[101]

---

97) 龍田 節, 「注釋會社法(4)」 有斐閣, 476面 이하; 同, 「新版 注釋會社法(6)」(有斐閣, 1987), 305面 이하.
98) 「下級民集」 14卷 9号 1770面.
99) 「判例タイムス」 270号 319面.
100) 「判例時報」 385号 64面 - 最大判 昭和44(1969).11.26.의 원심)

은 회사에 자력이 없음을 알면서 사용인에게 자재(資財)를 매입하게 한 대표이
사의 불법행위책임을 인정한 원심판결을 정당하다고 했다.[102]

어음소지인이 이사 개인의 책임을 추구함에 있어서 불법행위를 근거로 하는
사건은 드물고 제401조 제1항을 근거로 하는 경향이 있는 것은 일반적으로 채
무가 이행되지 않을 가능성이 큰데도 불구하고 채무불이행을 방지하기 위하여
적절한 조치를 취하지 않고 채무를 부담하는 것만으로는 불법행위가 되기 어렵
다는 생각 때문일 것이다. 즉, 채권자가 채무불이행으로 입는 손해라는 피침해
이익과의 상관관계에서는 채무를 부담하는 것이 불법행위를 형성함에는 채무부
담자 측에 상당히 강한 위법성이 존재해야 할 것이다. 이 위법성의 요건은 단순
히 이사가 회사 자산상태를 묵비했다는 것만으로는 충족되지 않고 거래사회의
통념에 비추어 심히 부당한 행위를 한 경우, 즉 허용된 흥정의 범위를 일탈한
기망행위가 있어야 비로소 충족된다고 할 것이다.[103] 위의 東京地判과 東京高
判은 이사의 불법행위책임을 너무 안이하게 인정한 감이 있다. 다른 한편 어음
발행에 직접 관여하지 않은 이사에 대해서는 불법행위책임이 발생하는 일은 극
히 곤란하고 실제로 그런 책임이 추궁된 예도 극히 드물다. 아마도 불법행위책
임은 전술한 의미에서 위법한 행위를 다른 이사나 사용인이 하고 있는 것을 상
당히 구체적으로 알고 이를 중지시킬 수 있는 지위에 있으면서 방치한 경우에
예외적으로 인정될 뿐이다. 이사가 대리감독자로서 민법 제715조 제2항(우리나라
민법 제756조 제2항)에 의한 책임을 지는 것도 판례의 일반적 경향에 비추어 가
능성이 적다.[104]

---

101) 「判例時報」 684号 88面.
102) 주 75) 참조.
103) 大塚市助, 「ジュリスト」 346号 98面(앞의 東京地判 昭和38(1963).9.13.의 비판)에서는 위
법성의 요건과 관련하여 채무초과 사실을 적극적으로 개개의 거래 상대방에게 고지하는 의
무는 대표이사에게 없다고 풀이하는 것이 타당하다고 한다. 다만 상식적으로 보아 부도가
될 것이 명명백백한 경우에는 적극적인 기망행위가 없더라도 부작위에 의한 기망이 있다고
하여 위법성 요건은 충족되는 일이 있을 것이다. 그러나 상대방이 충분히 확인도 하지 않
고 어음을 취득한 경우에까지 책임을 인정하는 것이 타당한지는 의문이며 부작위에 의한
기망을 너무 넓게 인정할 것은 아니다. 이에 대하여 塩田親文·吉川義春, "取締役の第三者
に對する責任," 「總合判例研究叢書·商法(11)」, 341面 이하는 위의 東京地判을 타당하다고
한다.
104) 山下友信, "支拂い見込みのない手形振出と取締役の對第三者責任," 「商事法の解釋と展望(上
柳克郎先生還曆記念)」(有斐閣, 1984), 287~290面.

　나) 우리나라 대법원의 오인거래유발로 인한 이사책임에 관한 판례

　우리나라 대법원 판례에서도 오인거래유발에 대한 이사책임을 제401조에 기하여 긍정한 것이 상당한 비중을 차지한다.

　(1) 대법원 2002.3.29. 2000다47316[105])을 살펴보면 다음과 같다.

　[사실관계] "원고들이 그 소유의 부동산 및 집기 등을 제1심 공동피고 주식회사 1에게 대금 4,850,000,000원에 매도한 후 그 중 잔금 2,910,000,000원을 지급받지 못하여 그 지급을 독촉하자, 위 주식회사 1의 대표이사인 피고가 원고들에게 위 부동산을 담보로 제공하여 역시 피고가 대표이사로 있는 제1심 공동피고 주식회사 2 명의로 대출을 받게 해주면 그 대출금으로 위 매매잔금을 지급하겠다고 제의하였고, 원고들이 이를 받아들여 위 부동산에 관하여 소외 중소기업은행을 채권자, 위 주식회사 2를 채무자로 하여 채권최고액 금 32억 원의 근저당권을 설정해 준 사실, 그에 따라 위 주식회사 2의 대표이사인 피고가 … 3회에 걸쳐 합계 금 2,892,750,000원을 대출받았으나, 피고는 그 중 금 17억 원만을 원고들에게 지급하였을 뿐 나머지 잔대금을 지급하지 아니한 사실, 그 후 위 대출원리금이 상환되지 아니하여 위 근저당권이 실행됨에 따라 위 부동산은 1999. 4. 19. 소외 최재락에게 낙찰되었고, 그 낙찰대금은 전액 위 은행에 배당"되었다.

　[원고의 주장] "피고가 위 대출금으로 매매잔금을 지급하겠다는 약정을 위반하여 그 대출금을 다른 용도에 사용하여 착복하고 위 대출금을 제때에 상환하지도 아니하여 위 근저당권이 실행되게 함으로써 원고들로 하여금 위 부동산의 소유권을 상실하게 하는 손해를 입게 하였으므로 그 손해의 배상을 구한다는 원고들의 주장에 대하여,"

　[원심] 원심은 "피고가 위 각 회사의 대표이사의 지위가 아닌 개인의 지위에서 위 부동산을 매수하거나 담보제공 및 대출에 관한 약정을 하거나 대출금 중의 일부를 개인적으로 착복하였다고 볼 아무런 증거가 없다는 이유로 이를 배척하고 있다."

　[상고심] "원고들의 이 사건 주장 속에는 피고에 대하여 위 주식회사 1 등의

---

105) 평석: 심준보, 전게논문, 388~422면; 정진세, "이사의 제3자에 대한 책임 – 상법 제401조의 적용범위,"「Jurist」2002년 8월호(Vol.383)(청림인터렉티브, 2002), 69~75면.

대표이사의 지위에 있었다는 것을 근거로 상법 제401조 제1항에 규정된 이사로서의 책임을 묻는 것이 포함되어 있다 할 것이고, 상법 제401조 제1항에 규정된 주식회사의 이사의 제3자에 대한 손해배상책임은 이사가 악의 또는 중대한 과실로 인하여 그 임무를 해태한 것을 요건으로 하는 것이어서 단순히 통상의 거래행위로 인하여 부담하는 회사의 채무를 이행하지 않는 것만으로는 악의 또는 중대한 과실로 그 임무를 해태한 것이라고 할 수 없지만, 이사의 직무상 충실 및 선관의무 위반의 행위로서 위법성이 있는 경우에는 악의 또는 중대한 과실로 그 임무를 해태한 경우에 해당한다고 보아야 할 것이다(대법원 1985.11.12. 84다카2490 참조).

그런데 원심이 인정한 것처럼 위 주식회사 1 및 주식회사 2의 대표이사를 겸하고 있는 피고가 위 주식회사 1이 매수하기로 한 원고들 소유의 부동산을 대출의 담보로 제공하여 주면 그 대출금으로 위 주식회사 1의 매매잔금을 지급하여 주겠다고 제의하고 그에 따라 중소기업은행으로부터 위 주식회사 2의 명의로 3회에 걸쳐 합계 금 2,892,750,000원을 대출받고서도 그 중 금 17억 원만을 원고들에게 매매잔금의 일부로 지급하였을 뿐 나머지는 다른 용도에 사용하였고 위 대출금을 상환하지도 않았다면, 적어도 위 대출금 중 원고들에게 지급되지 아니한 차액인 금 1,192,750,000원에 대하여는 위 주식회사 1 및 주식회사 2의 대표이사를 겸하고 있는 피고가 그 대출금을 매매잔금으로 원고들에게 지급할 의사가 없었으면서도 그 의사가 있는 것처럼 원고들을 속이고 원고들 소유의 부동산을 담보로 제공받아 대출을 받고서도 이를 변제하지 아니한 것이 되어 위 각 회사의 대표이사인 피고가 위에서 말한 악의 또는 중대한 과실로 인하여 그 임무를 해태한 경우에 해당한다고 볼 여지가 충분히 있다고 할 것이다"라고 설시하면서 심리부진을 이유로 원심을 파기환송하였다.

[검토] "이사의 직무상 충실 및 선관의무 위반의 행위로서 위법성이 있는 경우에는 악의 또는 중대한 과실로 그 임무를 해태한 경우에 해당한다"고 한 것은 제401조의 요건인 '악의(고의) 또는 중대한 과실'을 인정하기 위한 논리의 비약이다. 이사의 회사에 대한 의무위반의 경우에는 당연히 위법성을 가지게 될 터인데, 이 경우에는 자동적으로 악의 또는 중대한 과실이 추가적으로 인정된다는 뜻이기 때문이다.

그리고 피고의 원고에 대한 배임행위는 회사의 절박한 자금 필요 때문일 수도 있으므로 반드시 회사에 대한 '임무를 해태'했다고 단정할 수도 없다. 이에 대하여 심준보 판사에 의하면, 주식회사 1과 주식회사 2의 대표이사를 겸한 피고가 이 자금을 주식회사 1을 위하여 사용했더라도 주식회사 2가 손해를 입게 되고 이 자금을 주식회사 2를 위하여 사용했다면 주식회사 1이 손해를 입게 되므로, "결국 당초의 약속과는 달리 매매목적물을 담보로 대출받은 돈을 원고들에 대한 매매 잔대금 지급에 사용하지 아니하고 다른 용도에 소비한 피고의 행위는, 그 용도가 어떠한 것이었든 간에, 위 두 회사(주식회사 1과 주식회사 2) 모두, 또는 그 중 하나에 대한 이사로서의 임무를 해태한 것이므로, 이러한 논리를 택하였다면 대상 판결의 사안에 상법 제401조 제1항을 적용하는 데 별다른 문제가 없었을 것이다"라고 하면서, 나아가 "이러한 논리는 얼핏 지나치게 기교적으로 보이기도 하나, 이사의 충실의무가 구체화한 좋은 일례로서, 실질적 사주를 중심으로 일체화된 움직임을 보이는 소규모의 폐쇄회사들과 그 겸임 이사들의 행태에 상법 제401조 제1항이라는 재갈을 물릴 수 있는, 예상외로 강력한 효과를 발휘할 수 있으므로, 결코 본건만을 위한 일회용의 해결책으로 볼 수는 없다"고 주장한다.[106) 그러나 피고가 이 자금을 예를 들면 주식회사 1의 절박한 필요에 사용한 것이 주식회사 2에게 고의 또는 중대한 과실로 임무를 해태했다고 할 수 있는지, 그리고 이를 이유로 회사채권자인 원고에게 대한 책임사유가 되는지 의문이다. 이 견해는 본 사안이 회사에 대한 임무해태에 해당한다는 설명은 될 수 있다고 하더라도, 이사가 이러한 회사에 대한 임무해태를 이유로 왜 회사채권자인 원고에게 책임을 져야 하는지 법리적 설명은 될 수 없다.

위에 인용한 판결문에는 "피고가 그 대출금을 매매잔금으로 원고들에게 지급할 의사가 없었으면서도 그 의사가 있는 것처럼 원고들을 속이고 원고들 소유의 부동산을 담보로 제공받아 대출을 받고서도 이를 변제하지 아니한 것"으로 볼 여지가 충분히 있다고 하였다. 그리고 원고는 "오로지 피고의 행위가 원고들에 대한 불법행위 또는 신의칙에 기한 채무불이행을 구성한다는 주장만이 되풀이되어 왔"고, "실제로 환송 후 항소심에서 증인으로 출석한 A, B회사(주식회사 1과 주식회사 2)의 직원은, 위 각 대출이 이루어지기 이전에 이미 다른 채권자에게 그 쪽 채무를 먼저 변제하기로 약속이 되어 있던 상황이었다는 취지로 증언한

---

106) 심준보, 전게논문, 420면의 본문과 주 76.

바 있다"고 한다.[107] 피고의 행위가 회사를 위한 것이더라도 원고에게 손해를 주는 불법행위 요건을 갖추었으면 제389조에 의하여 준용되는 제210조의 책임을 인정하는 것이 순리가 아닐까. 심준보 판사도 본 판결에 대한 해설의 결론에서 "일반 불법행위의 성립가능성을 젖혀두고 소송법상 무리를 감수하면서까지 상법 제401조 제1항의 활용을 '조장'하려 한 듯한 대상 판결의 태도도 수긍하기 어렵다"고 하였다.[108] 제401조가 내용이 불분명하다고 법정책임이라고 하면서 법을 해석하는 사법부가 임의로 잡다한 문제에 이 규정을 적용하는 감이 있다. 대법원은 이사에게 불법행위가 성립되지 않는 사안에서(원심의 견해)에서 제401조의 책임을 거론한다.

(2) 대법원 1985.11.12. 84다카2490을 살펴보면 다음과 같다.

[사실관계] "원고는 당시 폐광상태에 있던 판시 광구의 임야 등 부동산과 이 사건 광업권을 소유하면서 그로부터 광해가 발생할 것을 우려하여 염가로라도 이를 처분하기로 하고 1982.1.19 위 임야를 쓰레기종말처리장으로 사용하려는 소외 경남태화주식회사에게 위 임야등 부동산과 광업권일체를 대금 20,000,000 원에 매도하기로 하되 위 매매가격이 저렴한 대신 계약체결시부터 광물의 폐석 폐기물로 인하여 발생하는 일체의 사고, 광구와 이와 관련되어 발생하는 일체의 사고, 건물과 부속물로 인하여 발생하는 일체의 사고등과 위 매매물건에 관한 천재 기타 불가항력에 의한 멸실, 훼손, 유실 등의 손해부담을 포함하는 모든 위험부담은 소외 회사에게 귀속되고 소외 회사가 위 매매물건에 발생하는 민사 및 재산상 사고에 대하여 민·형사상 모든 책임을 지기로 하는 내용의 특약을 하고 원고는 같은 해 1.30 소외 회사로부터 위 매매잔대금을 수령함과 동시에 소외 회사에게 위 임야 등 부동산에 관한 소유권이전등기와 위 광업권에 관한 이전등록에 필요한 일체의 서류를 교부하고 매매목적물을 인도하여준 사실, 한편 피고는 위 매매계약 체결후인 같은 해 5.22 위 회사의 대표이사로 취임하였는데 취임직후 위 계약내용을 잘 알게 되었고 원고로부터 교부받아 둔 서류로 같은 해 6.2 위 임야 등 부동산에 관하여서만 위 회사명의로 소유권이전등기를 경료하고 위 광업권에 대하여는 원고로부터 여러차례 그 이전등록절차의 이행을 촉구받고도 그 의무를 이행하지 아니하여 원고가 광업권자로 공부상 남아 있었

---

107) 심준보, 전계논문, 421면의 본문과 주 77.
108) 심준보, 전계논문, 422면.

는데 위 회사는 위 임야가 개발제한구역 내에 위치하여 쓰레기종말처리장 시설 허가를 받지 못하고 있던 중 같은 해 8.13경 태풍으로 인한 폭우로 위 광구에서 광해가 발생하자 피해주민들로부터 진정을 받은 관할 행정청은 공부상 광업권자로 있던 원고에게 피해보상과 광해복구 및 방지시설 등을 촉구하여 원고는 같은 해 10.26 소외 회사에 대하여 같은해 11.27 및 같은 해 12.2 그 대표이사인 피고에게 위 매매계약에서 특약한 바에 따라 위 회사가 위 피해보상과 광해복구 및 방지시설을 이행할 것을 각 통고하였으나 위 회사 및 피고는 이에 아무런 조치도 취하지 아니하였고, 다시 1983.6.8 및 같은 해 7.2 원고에게 광산보안법의 관계규정에 의거하여 광미장뚝의 구축과 배수로 개설 등 광해방지 시설을 같은 해 8.10까지 시행할 것을 명령하면서 이에 응하지 아니하면 위 법에 따라 형사처벌할 것을 통고함에 따라 원고는 같은 해 8.10 소외 회사와 피고에게 같은 해 8.15까지 광해복구 및 방지시설공사 대책에 관한 조치가 없는 경우에는 원고가 그 공사를 시행한 다음 그 대금을 위 회사 및 피고에게 구상하겠다는 뜻을 통고하였으나 이에 대한 아무런 대책이 강구되지 아니하므로 같은 해 9.7 공사비 금 68,200,000원 상당의 광해복구 및 방지시설공사를 시행하여 동액상당의 손해를 입은 사실"

[원심] 원심이 "피고는 악의 또는 중대한 과실로 인하여 소외 회사의 대표이사로서의 임무를 해태한 것이므로 이로 인하여 원고가 입은 위 공사대금 상당의 손해를 배상할 책임이 있다고 판단"한 데 대하여,

[상고심] 대법원은 "상법 제401조는 이사가 악의 또는 중대한 과실로 인하여 그 임무를 해태한 때에는 그 이사는 제3자에 대하여 연대하여 손해를 배상할 책임이 있다고 규정하고 있는 바, 원래 이사는 회사의 위임에 따라 회사에 대하여 수임자로서 선량한 관리자의 주의의무를 질뿐 제3자와의 관계에 있어서 위 의무에 위반하여 손해를 가하였다 하더라도 당연히 손해배상의무가 생기는 것은 아니로되 경제사회에 있어서의 중요한 지위에 있는 주식회사의 활동이 그 기관인 이사의 직무집행에 의존하는 것을 고려하여 제3자를 보호하고자 이사의 악의 또는 중대한 과실로 인하여 위 의무에 위반하여 제3자에게 손해를 입힌 때에는 위 이사의 악의 또는 중과실로 인한 임무 해태행위와 상당인과관계가 있는 제3자의 손해에 대하여 그 이사가 손해배상의 책임을 진다는 것이 위 법조의 취지라 할 것이고 따라서 고의 또는 중대한 과실로 인한 임무 해태행위라 함은 이

사의 직무상 충실 및 선관의무위반의 행위로서(예를 들면, 회사의 경영상태로 보아 계약상 채무의 이행기에 이행이 불가능하거나 불가능할 것을 예견할 수 있었음에도 이를 감추고 상대방과 계약을 체결하고 일정한 급부를 미리 받았으나 그 이행불능이 된 경우와 같이) 위법한 사정이 있어야 하고 통상의 거래행위로 인하여 부담하는 회사의 채무를 이행할 능력이 있었음에도 단순히 그 이행을 지체하고 있는 사실로 인하여 상대방에게 손해를 끼치는 사실만으로는 이를 임무를 해태한 위법한 경우라고 할 수는 없다"고 원칙을 선언하고, "이는(위의 [사실관계]) 원고와 위 회사사이의 이 사건 목적물의 매매계약에 따른 위 회사의 채권의 수령지체나 특약상의 채무의 이행지체에 지나지 아니한다 할 것이고(원고가 광해복구 및 방지시설을 대신하므로서 입은 공사비 상당의 손해는 위 회사의 원고에 대한 계약상의 채무의 이행지체에 인한 것이라 할 것이고) 달리 위 채무의 이행지체가 피고의 위 회사에 대한 악의 또는 중대한 과실로 인한 임무해태라고 인정될 사정이 엿보이지 아니하는 이 사건에서 피고가 위 회사의 대표이사로서의 원고의 위 손해를 배상할 책임이 있다고 할 수 없다"고 판시하고 파기환송하였다.

[검토] 주식회사의 대표이사는 회사의 채무와 그 이행지체에 대하여 원칙으로 책임을 부담하지 않는다는 점에서 대법원 판결의 결론은 옳다.[109] 그러나 제401조의 취지에 관한 설명에는 의문이 있다.

첫째로 "원래 이사는 회사의 위임에 따라 회사에 대하여 수임자로서 선량한 관리자의 주의의무를 질뿐 제3자와의 관계에 있어서 위 의무에 위반하여 손해를 가하였다 하더라도 당연히 손해배상의무가 생기는 것은 아니로되 경제사회에 있어서의 중요한 지위에 있는 주식회사의 활동이 그 기관인 이사의 직무집행에 의존하는 것을 고려하여 제3자를 보호하고자" 책임을 진다고 설시하였다. 그러나 "지위"나 "활동"의 중요성을 이유로 제재를 가중하는 것은 이해되지만, 성질상 원래 없는 책임을 있다고 인정할 수는 없을 것이다.

둘째로 "고의 또는 중대한 과실로 인한 임무해태행위"의 의미를 설명함에 있어서, "이사의 직무상 충실 및 선관의무위반의 행위"의 예로서 괄호 내에 "회사의 경영상태로 보아 계약상 채무의 이행기에 이행이 불가능하거나 불가능할 것

---

109) 대표이사의 제3자에 대한 불법행위에 있어서는 회사와 대표이사의 불법행위책임을 인정하면서(제389조 제3항에 의한 제210조의 준용), 회사채무불이행에 있어서는 대표이사의 책임을 부인하는 것이 균형에 맞는지는 더 생각할 문제이다.

을 예견할 수 있었음에도 이를 감추고 상대방과 계약을 체결하고 일정한 급부를 미리 받았으나 그 이행불능이 된 경우"를 들고 있다. 그러나 상대방에 대한 오인거래유발행위는 상대방에 대하여는 불법행위가 성립될 수 있으나 회사를 위하여 불가피한 선택인 경우에 제401조의 책임요건인 회사에 대한 관계에서 "직무상 충실 및 선관의무위반의 행위"라고 할 수 있을지 의문이다.

심준보 판사는 이 판결이 일본 最高裁判所 大法廷 昭和44년[1969] 판결의 '번안'이라며 "종래 일본 판례의 경향을 그대로 추수한다면 이 판결에서 문제된 사안 정도로도 당연히 임무해태가 인정되었을 것"이라고 하고, "비록 일반론에서 결론으로 이행하는 논리적 경로가 불분명하고, 임무해태의 식별 가능한 표식를 제시하는 데도 대단히 미흡하기는 하나 이 판결이 상법 제401조 제1항의 '임무를 해태한 때'의 제한적 해석을 통하여 위 조항의 적용을 억제하려는 입장에서 있다는 점은 분명하며, 대체로 이러한 입장에 대하여는 종래 긍정적 평가가 주류를 이루어 왔다(김건식, 박재윤, 정진세 등을 인용한다. 이철송은 반대의견으로 인용함). 아마도 대상 판결(대법원 2002.3.29. 2000다47316을 지칭함)이 있기 전까지 상법 제401조 제1항이 거의 쓰이지 않게 된 데는 이 판결의 존재가 한 원인이 되었으리라고 추측된다"고 한다.[110] 그러나 심준보 판사는 이어서 괄호 내의 예 다음의 "'위법한 사정'이란 임무해태의 성립을 제약하기 위하여 부가된 요소임에는 틀림없으나, 그것이 구체적으로 어떠한 사정을 말하는지, 거기서 말하는 위법성이란 누구에 대한 것이며 그 기준은 무엇인지 현재로서는 전혀 알 수 없어, 그 실천적 의의는 극히 미미하다"고 비판한다.[111] 이에 반하여 구회근 사법연수원 교수는 "대법원이 일본의 최고재판소와 달리 이사의 제3자에 대한 손해배상책임을 인정함에 있어 위법성을 요구하고 있는 것은 의미 있는 일이라 할 것"이라고 한다.[112] 앞에 소개한 대법원 2002.3.29. 2000다47316도 "이사의 직무상 충실 및 선관의무 위반의 행위로서 위법성이 있는 경우에는 악의 또는 중대한 과실로 그 임무를 해태한 경우에 해당한다고 보아야 할 것이다"라고 판시하여 '위법성'에 언급하고 있다. 김용덕 판사(현재 대법관)는 이 위법성에 관한 논의에 대하여 다음과 같이 비판한다. 즉, "이 사건 판결(대법원 1985.11.12. 84다

---

110) 심준보, 전게논문, 398~399면.
111) 심준보, 전게논문, 416면.
112) 구회근, "이사의 제3자에 대한 손해배상책임에 관한 판례 분석 – 대법원판례를 중심으로 –,"「저스티스」통권 제90호(한국법학원, 2006. 4.), 157면.

카2490을 지칭함)에 있어서 문제가 된 행위는 채무불이행인데, 채무불이행의 경우에 제3자는 회사에 대하여 손해배상을 청구할 수 있으며 손해배상의 요건에 위법성이 포함되어 있다는 점을 고려하여 보면, 대표이사의 채무불이행은 제3자에 대하여도 특별한 사정이 없는 한 위법한 요소를 가지고 있다고 보아야 할 것이며, 따라서 대법원판결이 제3자에 대한 관계에서 위법성을 요구하여 책임을 부정한 것이라고 보는 것은 의문이다.[113] 오히려 이 사건에 있어서 문제가 된 행위는 채무불이행으로서 통상의 경우에 있어서 채무불이행은 회사의 입장에서 보면 회사에게 불이익한 것이 아니므로 특별한 사정이 없는 한 이를 회사에 대한 관계에 있어서 위법하다고 볼 수 없을 것이다. 따라서 판결에서 말하는 위법성은 그 평가기준인 상대방이 회사에 대한 관계인가 제3자에 대한 관계인가에 의하여 결정되는 것이 아니라 그 이사의 행위가 회사 또는 제3자에 대하여 독립한 불법행위를 구성할 정도와 거의 대등한 수준의 위법한 행위로 평가될 수 있는가를 의미하는 것이 아닌가 생각된다."[114] 이 견해는 판례·통설의 법정책임설을 떠나, 제401조의 책임을 불법행위법을 바탕으로 이해하거나, 이 판결의 사안이 제401조의 적용대상이 아니라 불법행위법이 적용되어야 한다는 입장인 듯하다. 구회근 판사는 "상법 제401조 제1항을 문언 그대로 해석·적용할 경우, 즉 이사가 업무를 집행하는 과정에서 악의 또는 중대한 과실로 임무를 해태하고 그로 인하여 이사가 의도했건 의도하지 않았건 또는 예상했건 예상하지 못했건 간에 제3자가 입은 손해를 모두 배상하도록 할 경우, 특별히 상법에 위와 같은 조항을 둔 취지에 부합한다고 할 수 없을 뿐만 아니라 위 조항의 적용범위가 너무 확대되어 법인과 기관에 관한 법리에 혼란이 생기는 등 현실적으로 불합리한 경우가 발생할 수 있다. 아래에서 보는 바와 같이 판례가 주주의 간접손해는 상법 제401조 제1항에서 말하는 손해의 개념에 포함되지 않는다고 판시한 것도 위 조항의 적용범위가 너무 확대되는 것을 경계한 것이 아닌가 하는 생각이 든다. 그렇다면, 판례가 이사의 행위가 제3자에 대한 관계에서 위법하게 평가될 것을 요구하고 있는 것도 주주의 간접손해를 상법 제401조 제1항 소정의 손해

---

113) 그러나 회사의 채무를 불이행한 것이지 이사의 채무를 불이행한 것은 아니므로 이사의 책임을 인정하기 위한 위법성을 인정할 수 있을지 의문이다.

114) 김용덕, "개인기업적인 회사와 이해관계인들 상호간의 이해조정에 관련된 제문제에 관한 판례의 동향," 「민사판례연구」 제10권(박영사, 1998. 5.), 589~590면. 구회근, 전게논문, 127면, 주38도 이 글을 인용함.

로 볼 수 없다고 판시한 것과 같은 차원에서 이해할 수 있을 것"이라면서,[115) 판례가 말하는 "위법한 사정," "위법성"의 의미에 관하여 "이사가 제3자와 거래함에 있어 적극적 또는 소극적으로 기망행위를 사용하거나 그와 동일하게 평가할 수 있을 경우에는 그 위법성을 인정하여야 할 것"이라고 한다.[116) 법원이 어떤 실정법적 또는 이론적 근거로 이러한 '위법한 사정,' '위법성'을 요건으로 이사의 책임을 제한하려 하는지는 명백하지 않다. 이 제한은 불법행위법 원칙을 근거로 했을 듯한데, 그렇다면 판례의 법정책임설에 농요를 보인 것이다.

(3) 대법원 1983.7.12. 82누537를 살펴보면 다음과 같다.

피고(서울특별시 강남구청장)도 이 건 일시 급수신청인은 소외 일도개발주식회사인 사실을 잘 알고 있으면서 위 회사가 그 급수사용료를 체납하자 위 일시급수는 법규상 업무집행의 공동책임이 있는 위 회사 임원들의 급수신청에 의하여 계속되고 있다는 이유로 위 회사의 주주 겸 이사인 원고에게 이 건 부과처분을 한 사실에 대하여, "이건 처분은 일시 급수신청인이 아닌 자에 대하여 법령의 근거 없이 그 일시 급수사용료 추정액의 선납을 명한 것으로써 그 하자가 중대하고 명백하여 당연무효의 처분이라고 판단"한 원심을 지지하고, "상법 제401조는 주식회사의 이사가 악의 또는 중대한 과실로 인하여 그 임무를 해태한 때

---

115) 구회근, 전게논문, 128면.
116) 구회근, 전게논문, 129면. 이 결론은 위의 김용덕 판사와 유사한 견해이다. "위법한 사정," "위법성"의 의미에 관한 다른 해석으로는, "채무불이행의 원인이 되는 계약이 체결된 경위, 계약 후 회사운영의 실태 등에 비추어 회사가 채무불이행이라는 상태에 처하게 된 경위가 해당 이사의 현저하게 불합리한 행동이나 비상식적인 업무집행으로 인한 것이었다고 인정되면 위법성이 있다고 보아야 한다는 취지의 견해(채동헌, "상법 제401조 제1항 소정 주식회사 이사의 제3자에 대한 손해배상책임의 인정 여부," 「대법원판례해설」 제40호(2002. 12.), 법원도서관, 678면), 이사의 회사 채무불이행으로 인하여 침해되는 제3자의 이익이 채권적인 기대적 이익에 불과한 경우에는 위법하지 않고 그 침해되는 이익이 소유권 등 물권이거나 임차권 등 물권적(물권화 되어 가는) 이익인 경우에는 위법성이 인정된다고 보아야 한다는 견해(김건식, "이사의 제3자에 대한 책임," 「민사판례연구」 제10집(민사판례연구회, 1988. 3.), 254~255면), 제3자의 권리가 침해된 경우 및 이사의 제3자에 대한 보호의무나 보호법규 위반의 경우에 위법성이 인정되는데, 전자와 관련하여, 이사가 침해한 제3자의 권리가 물권이거나 비록 채권이더라도 채권의 귀속 자체를 침해하거나 채권의 급부인 목적물을 침해한 경우에는 위법성이 인정되지만 단순한 기대권으로서의 채권의 침해는 위법성이 없다고 보아야 하고, 후자와 관련하여, 이사가 회사로부터 위임받은 업무를 처리함에 있어서는 제3자의 이익을 보호하여야 할 사회적 의무가 발생하는데 객관적으로 제3자에게 손해를 입힐지도 모르는 상황에서 회사의 상황 및 업무집행의 귀결을 파악해야 할 의무를 위반하여 그 임무를 해태한 경우에는 위법성이 인정된다는 견해(안택식, "이사의 제3자에 대한 책임," 「저스티스」 제33권 제3호(한국법학원, 2000. 9.), 239~240면)" 등이 있다 (구회근, 전게논문, 129면).

등에 그 이사의 제3자에 대한 손해배상책임을 규정한 것으로써 서울특별시 급수
조례 제27조의 규정에 의한 급수사용료의 부과처분에 대한 근거규정은 될 수
없다"고 판시하였다. 행정법관계에서 "일시 급수신청인이 아닌 자에 대하여 법
령의 근거 없이 그 일시 급수사용료 추정액의 선납을 명"할 수 없음을 명백히
하였다.

2) '거짓의 기재 등으로 인한 배상책임'에 관한 「자본시장과 금융투자업에 관한 법률」 제125조~제127조

가) 대법원이 2008.9.11.에 선고한 2007다31518, 2006다68636 및 2006다
68834 등 세 판결은 주식회사 대우의 도산을 계기로 제기된 소송들에 대한 판
결인데, 분식회계에 대하여 여러 이사와 감사가 '감시의무'[117]를 위반했다는 이
유로 제401조 제1항의 손해배상책임을 인정함에 있어서 세 판결 모두 법정책임
설을 취하였다.[118]

[판지] 세 판결은 모두 "감시의무의 구체적인 내용은 회사의 규모나 조직, 업
종, 법령의 규제, 영업상황 및 재무상태에 따라 크게 다를 수 있는바, 대우와 같
이 고도로 분업화되고 전문화된 대규모의 회사에서 공동대표이사 및 업무담당이
사들이 내부적인 사무분장에 따라 각자의 전문 분야를 전담하여 처리하는 것이
불가피한 경우라 할지라도 그러한 사정만으로 다른 이사들의 업무집행에 관한
감시의무를 면할 수는 없고, 그러한 경우 무엇보다 합리적인 정보 및 보고시스
템과 내부통제시스템을 구축하고 그것이 제대로 작동하도록 배려할 의무가 이사
회를 구성하는 개개의 이사들에게 주어진다는 점에 비추어 볼 때, 그러한 노력

---

117) 이사의 '감시의무'에 관하여는 본 「주식회사법대계」, 제2권, 제4장 기관, 제2절 이사·이사
회·대표이사·집행위원, V. 이사의 의무, 1. 이사의 선관의무 및 감시의무(박수영 교수 집
필)에 상세히 설명되어 있음.

118) 2007다31518 판결과 2006다68636 판결은 동일한 문언으로 "상법 제401조는 이사가 악의
또는 중대한 과실로 인하여 그 임무를 해태한 때에는 그 이사는 제3자에 대하여 연대하여
손해를 배상할 책임이 있다고 규정하고 있는바, 원래 이사는 회사의 위임에 따라 회사에
대하여 수임자로서 선량한 관리자의 주의의무를 질뿐 제3자와의 관계에 있어서 위 의무에
위반하여 손해를 가하였다 하더라도 당연히 손해배상의무가 생기는 것은 아니지만, 경제사
회에 있어서의 중요한 지위에 있는 주식회사의 활동이 그 기관인 이사의 직무집행에 의존
하는 것을 고려하여 제3자를 보호하고자 이사의 악의 또는 중대한 과실로 인하여 위 의무
에 위반하여 제3자에게 손해를 입힌 때에는 위 이사의 악의 또는 중과실로 인한 임무해태
행위와 상당인과관계에 있는 제3자의 손해에 대하여 그 이사가 손해배상의 책임을 진다는
것이 위 법조의 취지이고(대법원 1985.11.12. 84다카2490 등 참조)"라고 한다. 이 세 판결
들의 손해배상청구권 소멸시효에 대한 판시에 관해서는 뒤의 바. (1) 참조.

을 전혀 하지 아니하거나 위와 같은 시스템이 구축되었다 하더라도 이를 이용한 회사 운영의 감시·감독을 의도적으로 외면한 결과 다른 이사의 위법하거나 부적절한 업무집행 등 이사들의 주의를 요하는 위험이나 문제점을 알지 못한 경우라면, 다른 이사의 위법하거나 부적절한 업무집행을 구체적으로 알지 못하였다는 이유만으로 책임을 면할 수는 없고, 위와 같은 지속적이거나 조직적인 감시 소홀의 결과로 발생한 다른 이사나 직원의 위법한 업무집행으로 인한 손해를 배상할 책임이 있다."고 하였다.[119]

[검토] 대법원이 제시한 이런 조건이라면 분식회계를 담당한 임원은 물론이지만 다른 모든 이사와 감사도 책임을 면하기 어려울 것이다. 그런데 이 판결들의 사안에서 이사와 감사에게 과실은 인정한다고 하더라도 주식회사 대우처럼 "이사들이 내부적인 사무분장에 따라 각자의 전문분야를 전담하여 처리하는 것이 불가피한 경우"에 제401조 제1항이 규정하는 "고의 또는 중대한 과실로 인하여 임무를 해태"했다고 할 수 있을까.[120]

미국판례에서 전통적 입장인 1963년의 Graham v. Allis-Chalmers Manufacturing은 합리적인 이사가 조사의 필요성을 인정할 수 있는 계기가 되는 상황(triggering circumstance)이 전재하는 범위 내에서만 적극적으로 조사의무를 부담한다는 것으로서 평이사의 감시의무에 관한 우리나라 및 일본의 소극설 및 절충설과 맥락을 같이 하는 것이었는데(triggering event approach), 그 후 30년이 지나, 정부의 규제강화, 범세계적인 치열한 경쟁, 그리고 특히 정보산업의 발달로 기업구조가 수직적 계층적 구조에서 이사회를 정점으로 하는 수평적 분산적으로 바뀌어 이사회 특히 사외이사들의 권한이 강화되고 감시의무는 기업이 제대로 작동하기 위한 필수적 요소가 되었다. 이러한 기업환경의 변화는 판례와

---

119) 2006다68636 판결과 2007다31518 판결의 인용한 문언은 완전히 일치하고, 2006다68834 판결은 거의 일치한다.

120) 최동렬, "이사의 감시의무위반으로 인한 상법 제401조에 의한 책임 및 감사의 상법 제414 조에 의한 책임의 인정기준". 「대법원판례해설」 제77호(2008 하반기) (2009. 7.) 법원도서 관, 106면도 본 판결에 대한 해설에서, 평이사의 감시의무에 관하여, "오늘날 정면으로 소 극설을 주장하는 견해나 극단적인 적극설은 소수설로 보인다. 적극설과 절충설은 표현의 차이 혹은 정도의 차이에 불과한 것으로 볼 여지도 있지만, 양자의 결정적인 차이점은, 평 이사에게 업무집행 상황을 파악할 의무를 어느 정도까지 인정할 것인가에 있고, 실제 적용 결과면에서 그 차이는 적지 아니하다. 사외 이사의 경우도 평이사에 준하여 취급할 수 있 을 것인바, 전면적인 적극설은 그리 바람직하지 못할 것이다. 그런 점에서 절충설의 지지 기반이 가장 넓은 것으로 보인다. 우리 판례의 입장도 기본적으로는 절충설에 해당한다고 보아야 할 것이다."라고 한다.

학설에 영향을 주었다. In re Caremark International Inc; Derivative Litiga-tion은 위의 Graham판례의 일부를 수정하여 "이사가 주의의무위반으로 책임질 가능성이 있는 경우는 이사의 결정이 무분별하거나 과실이 있는 경우(potential liability for directoral decisions)와 이사가 회사의 활동을 감시하지 못한 경우(liability for failure to monitor)가 있다"고 전제하고 후자에 관하여 "회사가 상황에 맞는 적절한 정보 및 보고시스템(a reasonable information and reporting system)을 갖추도록 할 의무가 이사에게 있으며 이사가 그와 같은 의무를 게을리 한 경우에는 회사의 위법행위로 말미암아 발생한 손해에 대하여 이사가 책임을 질 수도 있다"고 하였다. Sarbanes-Oxley Act는 이러한 변화에 대응하는 입법조치이다.[121]

(1) 일 본

이사의 부실표시에 의한 책임에 관하여 일본에서는 이사가 회사의 중요서류에 허위의 기재·기록을 하거나 허위의 등기·공고를 한 경우에는 제3자에 대하여 연대 배상책임을 지는데(회사법 제429조 제2항 제1호, 제430조), 직접손해에 대한 책임으로서 과실책임인데 입증책임은 전환된다.[122] 이 규정은 처음 昭和25년[1950] 상법개정에서 제266조의3 제1항 후단에 이사가 주식청약증, 신주인수권증서, 사채청약증, 사업계획서, 제281조 제1항에 게재한 서류(대차대조표, 손익계산서, 영업보고서, 이익처분안, 부속명세서)의 중요한 사항에 허위의 기재를 한 때에는 이사는 제3자에 대하여 연대하여 손해배상책임을 부담하는 취지를 규정했었는데, 이 책임성립의 주관적요건에 관하여 학설상 다툼이 있고 무과실책임이라는 견해도 유력하였다. 그래서 昭和56년[1981] 개정법은 동 조항 제1항의 전단과 후단을 분리하여 제1항과 제2항으로 하고 제2항에 단서를 부가하여 "단 이사가 그 기재, 등기 또는 공고를 하는 데 있어서 주의를 해태하지 않았음을 증명한 때에는 그러하지 아니하다"고 규정하여,[123] 과실책임과 입증책임전환을 명백히 하였다.

(2) 우리나라

「자본시장과 금융투자업에 관한 법률」 제125조(거짓의 기재 등으로 인한 배상

---

121) 최동렬, 전게논문, 119~123면 참조.
122) 江頭憲治郎, 「株式會社法」 第二版(有斐閣, 2007), 464面.
123) 加藤良三·吉田 直·田中裕明, 前揭書, 330~331面 참조.

책임) 제1항도 "증권신고서(정정신고서 및 첨부서류를 포함한다. 이하 이 조에서 같다)와 투자설명서(예비투자설명서 및 간이투자설명서를 포함한다. 이하 이 조에서 같다) 중 중요사항에 관하여 거짓의 기재 또는 표시가 있거나 중요사항이 기재 또는 표시되지 아니함으로써 증권의 취득자가 손해를 입은 경우에는 다음 각 호의 자(이사 등)는 그 손해에 관하여 배상의 책임을 진다. 다만, 배상의 책임을 질 자가 상당한 주의를 하였음에도 불구하고 이를 알 수 없었음을 증명하거나 그 증권의 취득자가 취득의 청약을 할 때에 그 사실을 안 경우에는 배상의 책임을 지지 아니한다."고 규정한다.[124)

나) 대법원 2008.2.14. 2006다82601은 분식결산된 주식회사 고합의 재무제표를 믿고 고합발행의 회사채에 대한 지급보증을 한 원고(주식회사 우리은행)가 고합의 이사와 감사에게 손해배상을 청구한 소송에서, 원심이 제401조의 적용요건인 '중대한 과실'의 인정을 잘못했다는 이유로 파기한 판결이다.

대법원의 대우사태를 계기로 한 위의 세 판결과 위의 고합의 분식회계사건 판결도 직접손해에 관한 사안에 무리하게 제401조 제1항을 적용하기보다는 불법행위법원칙을 바탕으로 하는 자본시장에 관한 특별법규정을 적용하였다면 어떠하였을까.

다) 대법원 2012.12.13. 2010다77743[125)

본 판결은 종래의 판례에 따라 주주의 간접손해에 대하여 상법 제401조의 적용을 부인하는 한편[126) 주주의 직접손해에 대하여는 필자의 견해와 반대로

---

124) 「자본시장과 금융투자업에 관한 법률」이 제정되기 전에는 「증권거래법」 제14조(허위기재 등으로 인한 배상책임)에도 유사한 규정이 있었다.

125) 최문희, "이사의 횡령행위, 부실공시로 인한 손해에 대한 주주의 배상청구의 가부 — 상법 제401조의 손해의 개념을 중심으로 —," 「증권법연구」 제14권 제2호 통권 제30호(한국증권법학회, 2013), 119면 주6에 의하면, "2010다77743 판결과 유사한 사안에서 이 사건 원고들 이외에도 소회 회사의 주주들이 피고 K 및 소회 회사를 상대로 손해배상을 구하는 관련사건1, 관련사건2가 소송계속중이다. 관련사건의 하급심들은 모두 원고 주주들의 손해를 간접손해라고 인정하였다. ① 관련사건1: 2013. 8. 20. 현재 대법원 2013다50442호. 제1심은 서울중앙지방법원 2012.1.10. 선고 2011가단138100 판결; 제2심은 서울중앙지방법원 2013.4.19. 선고 2012나4670 판결 ② 관련사건2: 2013.8.20. 현재 서울고등법원 2012나39266호로 소송계속 중. 서울중앙지방법원 2012.4.6. 선고 2011가합59082 판결"이라고 한다.

126) 최문희, 전게논문, 115~164면은 본 판결을 이 점을 중심으로 검토하였다. 오영준(대법원 재판연구관), "이사의 횡령 등으로 인한 주가하락 및 상장폐지와 주주의 이사에 대한 손해배상청구 — 대상판결: 대법원 2012.12.13. 선고 2010다77743 판결 —,"「BLF」 제60호(서

이 규정의 적용을 인정하면서 그 적용조건을 명시한 데 의의가 있다.

[사실] "코스닥등록법인인 주식회사 옵셔널캐피탈(이하 '소외 회사'라 한다)을 실질적으로 경영하던 피고가 2001. 7. 30.경부터 2001. 10. 26.경까지 약 21회에 걸쳐 소외 회사 자본금 규모의 약 160%에 달하는 31,910,638,421원을 횡령하고, 그 과정에서 취할 수 있는 이익을 극대화하기 위하여 각종 주가조작, 허위공시를 행하였으며, 그로 인한 자본잠식 등이 결정적인 원인이 되어 2002. 7. 말경 소외 회사의 코스닥등록이 취소되기에 이르렀"다. "원고 1이 2001. 2. 28.부터 2002. 2. 27.까지, 원고 2가 2001. 11. 7.부터 2002. 2. 26.까지 각기 소외 회사 주식을 취득하고, 2002. 3.경 현재 원고 1이 70,000주, 원고 2가 141,500주를 각 보유하고 있"었다.

[원심] (서울고법 2010.8.20. 선고 2009나27973 판결) "원심은 ... 피고의 위와 같은 위법한 임무해태행위와 그로 말미암은 코스닥등록 취소로 인하여 소외 회사 주식의 가치가 하락하여 그 당시 소외 회사 주식을 보유하고 있던 원고들이 입은 손해 사이에는 상당인과관계가 있다고 보아야 하고, 위와 같은 손해는 피고가 정당한 사유 없이 코스닥등록을 취소시켜 생긴 손해와 동일시할 수 있어 직접 손해를 입은 것으로 볼 수 있으므로 상법 제401조 제1항에서 규정하는 손해에 해당하며, 그 손해액은 매매거래정지 직전 시점의 주가 중 가장 낮은 종가인 990원에서 코스닥등록 취소를 전제로 정리매매기간에 형성된 가장 높은 종가인 340원을 공제한 금액에 원고들의 각 보유주식 수를 곱한 금액으로 보아야 한다는 취지로 판단하였다."

[상고심]

(원칙): 대법원은 우선 판결이유 모두에 주주의 직접손해와 간접손해에 대한 상법 제401조의 적용에 관하여 종래의 판례에 충실하게 원칙을 선언하였다. 즉, "주식회사의 주주가 이사의 악의 또는 중대한 과실로 인한 임무해태행위로 직접손해를 입은 경우에는 이사에 대하여 구 상법(2011. 4. 14. 법률 제10600호로 개

울대학교 금융법센터, 2013. 7.), 112~113면은 판례의 주주간접손해불포함설에 찬성한다. 김태선, "이사의 불법행위로 인한 상장폐지와 주주의 손해, 대상판결: 대법원 2012.12.13. 선고 2010다77743 판결,"「민사판례연구」제36권(민사판례연구회, 2014. 2.), 811면은 우리나라 "판례가 일관되게 상법 제401조 제1항의 손해에 주주의 간접손해를 포함시키지 않는" 것은 미국법에서처럼 회사제도의 합리적인 운용을 위한 법정책적인 이유에서 상대권에 불과한 채권의 제3자에 의한 침해로 인한 불법행위를 인정하듯 요건을 엄격히 하여 성립을 제한하려는 의도라고 설명한다.

정되기 전의 것, 이하 '상법'이라 한다) 제401조에 의하여 손해배상을 청구할 수 있으나, 이사가 회사의 재산을 횡령하여 회사의 재산이 감소함으로써 회사가 손해를 입고 결과적으로 주주의 경제적 이익이 침해되는 손해와 같은 간접적인 손해는 상법 제401조 제1항에서 말하는 손해의 개념에 포함되지 아니하므로 이에 대하여는 위 법조항에 의한 손해배상을 청구할 수 없다(대법원 2003.10.24. 선고 2003다29661 판결 등 참조)."

(부실공시에 대한 상법 제401조의 적용가능성): 본 사안의 부실공시에 대해 상법 제401조의 적용가능성을 인정하였다. 즉, "회사의 재산을 횡령한 이사가 악의 또는 중대한 과실로 부실공시를 하여 재무구조의 악화 사실이 증권시장에 알려지지 아니함으로써 회사 발행주식의 주가가 정상주가보다 높게 형성되고, 주식매수인이 그러한 사실을 알지 못한 채 그 주식을 취득하였다가 그 후 그 사실이 증권시장에 공표되어 주가가 하락한 경우에는, 그 주주는 이사의 부실공시로 인하여 정상주가보다 높은 가격에 주식을 매수하였다가 그 주가가 하락함으로써 직접 손해를 입은 것이므로, 그 이사에 대하여 상법 제401조 제1항에 의하여 손해배상을 청구할 수 있다고 할 것이다."

(이견): 본 판결의 부실공시에 대한 상법 제401조의 적용은 오인거래유발에 관한 판례의 당연한 귀결이라고 할 수 있으며,[127] 이에 대하여는 첫째로 불법행위 일반원칙(민법 제750조; 상법 제210조·제389조 제3항; 자본시장과 금융투자업에 관한 법률 제125조)을 적용하지 않고[128] 상법 제401조를 적용하여 고의나 중과

---

[127] 오영준, "이사의 횡령 등으로 인한 주가하락 및 상장폐지와 주주의 이사에 대한 손해배상 청구, 대상판결: 대법원 2012.12.13. 선고 2010다77743 판결," 이상훈 대법관 재임기념 문집(사법발전재단, 2017), 397면(전게논문, 116면 右段)은 "대상판결은 상법 제401조의 손해에는 주주의 간접손해가 포함되지 않는다는 대법원 2003.10.24. 선고 2003다29661 판결의 판시 법리를 재확인하면서, 이러한 간접손해의 범위에는 이사의 회사재산 횡령 등으로 인하여 회사가 상장폐지되고 그 과정에서 주가가 하락하게 됨으로써 입은 손해도 포함된다는 취지를 분명히 하고 있다. 한편, 대상판결은 회사의 재산을 횡령한 이사가 악의 또는 중대한 과실로 부실공시를 하여 그로 인하여 정상주가보다 높은 가격에 주식을 매수한 주주가 있는 경우 이는 직접 손해를 입은 것이므로, 그 이사에 대하여 상법 제401조 제1항에 의하여 손해배상을 청구할 수 있다는 새로운 법리를 판시하고 있다. 대상판결은 종래 상법 제401조에서 규정하는 손해와 관련하여 간접손해와 직접손해에 관한 구별이 여전히 유효함을 밝히고, 어떠한 손해가 간접손해이고 직접손해인지에 해당하는지와 관련하여 새로운 유형을 제시한 점에서 의의가 있다"고 한다. 오 부장판사의 인정처럼 대상판결의 의의가 전혀 '새로운 법리'인지는 그리고 '새로운 유형'인지는 의문이지만, 본 판결은 제401조의 내용을 보다 명확히 하는데 기여했다고 생각한다.

[128] 최문희, 전게논문, 117면은 "이 사건 소 제기일은 2007년 12월 13일인데 소 제기시에는 이미 구 증권거래법(제14조 제1항)에 기한 손해배상청구의 제척기간이 도과되어(부실공시

실에 대해서만 이사의 책임을 인정하는 이유가 석연치 않고 둘째로 오인거래유
발에 의한 제3자에 대한 불법행위는 반드시 상법 제401조가 규정하는 회사에
대한 임무해태가 아닐 수 있다는 이유로 필자는 의문을 제기하였다.

(본 판결의 의의): 그런데 판례에서 본 판결이 차지하는 의의는 부실공시로
인한 주주의 손해에 대한 상법 제401조 적용의 요건을 명시한 데 있다. 즉, 원
심이 확정한 사실로는 "피고가 소외 회사 주식의 주가 형성에 영향을 미칠 수
있는 사정들에 대하여 언제 어떠한 내용의 부실공시나 주가조작을 하였는지, 원
고들이 어느 부실공시 또는 주가조작으로 인하여 진상(眞相)을 알지 못한 채 주
식 평가를 그르쳐 몇 주의 주식을 정상주가보다 얼마나 높은 가격에 취득하였는
지 등은 알 수 없다.

만일 피고가 거액의 소외 회사 재산을 횡령하고 악의 또는 중대한 과실로 부
실공시를 함으로써 원고들이 그로 인한 재무구조의 악화 사실을 알지 못한 채
정상주가보다 높은 가격에 주식을 취득하였다가 그 후 그 진상이 공표되면서 자
본잠식 등이 결정적인 원인이 되어 소외 회사의 코스닥등록이 취소되고 그 과정
에서 주가가 하락하게 되었다면, 원고들은 피고의 부실공시로 인하여 직접 손해
를 입었다고 볼 수 있으므로, [위 (원칙)에서 지적한 대법원 판례에 의하면] 피고를
상대로 상법 제401조 제1항에 의하여 손해배상을 청구할 수 있을 것이다.[129]

그러나 원고들이 주식을 취득한 후 피고의 횡령과 그에 관한 부실공시가 이
루어지고 그로 인한 소외 회사의 재무구조의 악화 사실이 나중에 공표되면서 자
본잠식 등이 결정적인 원인이 되어 소외 회사의 코스닥등록이 취소되고 그 과정

사실을 안 날로부터 1년/있은 날로부터 3년) 구 증권거래법에 기한 청구를 하지 않은 것으
로 짐작된다"(오영준, 전게논문, 108~109면도 같은 의견이다)고 하고, "불법행위에 기한
청구도 제척기간(3년/10년)이 경과하였다"고 한다.

129) 김태선, "이사의 불법행위로 인한 상장폐지와 주주의 손해, 대상판결: 대법원 2012.12.13.
선고 2010다77743 판결,"「민사판례연구」제36권(민사판례연구회, 2014. 2.), 798~799면
은 "다만 <u>주식인수</u>의 경우는 주식의 보유에 따른 손해라고 볼 수 없으므로 주주가 아닌 제
3자의 손해라고 보아야 할 것이다"라고 설명한다. 김순석, 전게논문 211면은 "주주가 회사
의 주식을 매도하지 않고 있는 것도 부실공시로 인하여 형성된 주가를 신뢰한 결과라고 본
다면, 주가하락으로 인한 손실은 횡령으로 인한 간접손해와는 구분되는 직접손해라고 볼
여지도 있다(송옥렬,「상법강의」, 제4판(홍문사, 2014), 1051면)."고 의문을 제기한다. 옳은
견해들이라고 생각한다. 다만, 주주는 부실공시로 인하여 형성된 주가를 신뢰했기 때문에
회사의 주식을 매도하지 않았다는 입증을 해야 부실공시와 손해 사이의 상당인과관계가 인
정되고 이사에게 손해배상을 청구할 수 있을 터인데, 이 입증은 쉽지 않을 것이다. 그런데
자본시장과 금융투자업에 관한 법률 제162조 제4항은 이 인과관계의 인정에 관하여 추정
규정을 두고 있다.

에서 주가가 하락하게 되었다면, 그 주가하락분 상당의 손해는 결국 피고의 횡령으로 소외 회사의 재무구조가 악화되어 생긴 간접적인 손해에 불과하고, 그 횡령이 계획적이고 그 규모가 소외 회사의 자본금에 비추어 거액이며 횡령 과정에 주가조작이나 부실공시 등의 행위가 수반되었다는 사정만으로 달리 볼 것은 아니므로, 이러한 경우라면 원고들은 피고를 상대로 상법 제401조 제1항에 의하여 손해배상을 청구할 수 없을 것이다.

또한 피고의 주가조작으로 소외 회사 주식의 주가가 정상주가보다 높게 형성되고, 원고들이 그러한 사실을 알지 못한 채 주식을 취득함으로써 손해를 입었다면, 원고들은 피고를 상대로 상법 제401조 제1항에 의하여 손해배상을 청구할 수 있을 것이지만, 원고들이 피고의 주가조작 이전에 주식을 취득하거나 주가조작으로 인한 주가 부양의 효과가 사라진 후 주식을 취득하였다면, 피고의 주가조작과 원고들의 주식취득 후 생긴 주가하락으로 인한 손해 사이에 상당인과관계가 있다고 볼 수 없으므로, 그와 같은 경우에는 [위의 대법원 판례에 의하면 – 필자] 원고들은 피고를 상대로 상법 제401조 제1항에 의하여 손해배상을 청구할 수 있다고 보기 어려울 것이다.

그렇다면 원심으로서는 피고가 거액의 횡령 등 주가 형성에 영향을 미칠 수 있는 사정들에 관하여 언제 어떠한 내용의 부실공시를 하거나 주가조작을 하였는지, 원고들이 어느 부실공시 또는 주가조작으로 인하여 진상을 알지 못한 채 주식 평가를 그르쳐 몇 주의 주식을 정상주가보다 얼마나 높은 가격에 취득하였는지 등에 관하여 심리하여, 원고들이 주장하는 소외 회사 주식의 주가하락으로 인한 손해가 상법 제401조 제1항에서 규정하는 손해에 해당하는지 및 그 손해와 피고의 횡령, 주가조작, 부실공시 등의 행위 사이에 상당인과관계를 인정할 수 있는지 여부를 가려본 후, 그것이 인정된 연후에 그 손해액 산정에 나아가야 할 것이다." 그래서 원심을 심리부진을 이유로 파기환송하였다.

환송을 받은 서울고등법원 제12민사부는 2013.10.30. 선고 2013나1022 판결에서 "이 사건 부실공시가 이루어진 시점인 2002.2.14. 이후에는 원고 1(김범준)이 위 70,000주와 관련하여 소외 회사 주식을 취득한 바 없으므로 위 부실공시로 인한 손해가 문제될 여지가 없으며", "원고 2(이미라)는 이 사건 허위공시 및 이 사건 부실공시 등을 신뢰하여 소외 회사의 주식을 정상가격 보다 높게 형성된 가격에 매수하였다가 그 후 진상이 공표되면서 주가가 하락하여 손해를 입게 되었으므로, 원고 이미라는 피고의 위와 같은 임무해태행위로 인하여 손해를 입었다"고 인정하였으나 "원고 이미라가 피고의 위와 같은 허위공시, 부실공시 등으로 인하여 입은 손해를 특정할 수 없으므로 원고 이미라의 위 주장은 이유 없다"면서 원고들의 청구를 모두 기각하였다. 그리고 "원고 [김범준과 이미라]는 상법 제401조에 의한 손해배상 책임 이외에 민법상 불법행위에 기한 손해배상 책임을 선택적으로 주장하나, 앞서 상법 제401조에 기한 이사의 손해배상책임과 관련하여 인정한 사실 이외에 피고가 고의 또는 과실로 원고 [김범준과 이미라]에게 손해를 입혔음을 인정할 증거가 없으므로 위 주장도 이유 없다"고 하였다. 피고의 허위공시, 부실공시가 원고 1(김범준)의 손해와 상당인과관계가 인정되지 않고 원고 2(이미라)가 이로 인하여 입은 손해를 특정할 수 없다면, 판례의 입장에서 상법 제401조의 책임을 인정할 수 없을 뿐 아니라 필자의 입장에서 민법상 불법행위에 기한 책임도 성립할 수 없다.

3) 명목상 이사

일본 最高裁判所의 昭和44년[1969] 대법정 판결은 그 사안에서 명목상의 대표이사 Y의 X에 대한 손해배상책임을 일본상법 제266조의3 제1항(우리나라 상법 제401조 제1항)에 근거를 두었다. Y의 책임은 동 규정에 의하지 않으면 긍정할 수 없는데, A회사의 실제 경영자인 대표이사 B의 X에 대한 책임에 관하여 민법의 규정에서는 불법행위가 성립하지 않는 경우(원심의 판단)에 명목상 대표이사 Y에게는 상법 제266조의3 제1항에 의한 책임이 성립할 여지가 있는지 단정하기 어렵다.[130]

가) 最高裁 昭和45[1970].7.16.(民集 24권 7호 1061면)은 회사의 업무를 현실로 담당하는 이사가 상법 제266조의3 제1항의 책임을 부담하지 않는 경우에 그가 담당한 거래로부터 발생한 손해를 업무에 아무런 관여를 하지 않은 명목상의 이사에게 부담시키는 것은 조리상 도저히 시인할 수 없기 때문에 그 손해와 이 명목상 이사의 임무해태와의 사이에는 사실상의 인과관계는 긍정할 수 있다고 하더라도 그 책임을 귀속시키기 위한 상당성을 결한다는 이유로 일본 유한회사법 제30조의3 제1항(우리나라 상법 제567조에 의한 제401조의 준용 - 일본상법 舊

---

130) 上柳克郎, "60. 商法226條ノ3第1項の法意 – 最高裁 昭和44年11月26日 大法廷判決,"「會社判例百選」第5版(有斐閣, 1992), 125面 1段~2段.

제266조의3 제1항과 同文)에 의한 손해배상의무를 부정하였다.

이 昭和45년 판결은 대법정판결의 "이사의 임무해태 행위와 제3자의 손해와의 사이에 상당의 인관관계가 있는 한… 당해 이사가 직접으로 제3자에 대하여 손해배상 책임을 져야한다"는 이론을 적용한 것인데, 통상 발생하는 손해인지 여부, 특별한 사정에 의한 손해로서 예견했거나 예견할 수 있었던 손해인지 여부라고 하는 민법 제416조(우리나라 민법 제393조)의 해석논에서 손해배상의 범위에 관하여(상당인과관계) 논해지는 문제에 전혀 언급히지 않았는데, 대법정판결에서 말하는 상당인과관계는 민법 제416조의 해석논에서와 같은 것인지, 그리고 대법정판결은 행위의 위법성 유무의 문제와 상당인과관계 유무의 문제를 혼동하고 있는 것은 아닌지 검토의 여지가 남아있다.[131] 上柳 교수는 昭和45년 판결의 논지는 대법정판결의 무리를 일응 처리하기 위한 일종의 편법이라고 인정하고, 이 사안에서도 상당인과관계의 유무를 논하기 전에 명목대표이사의 회사에 대한 임무해태가 제3자에 대한 관계에서도 위법하다고 평가되는지 검토해야 하는데, 직접의 행위자에게는 제3자와의 관계에서 위법하다고 평가되는 행위가 없었고 따라서 명목대표이사에게도 직접 행위자의 위법행위를 저지하는 노력을 하지 않았다는 이유로 제3자와의 관계에서 위법하다고 평가되는 행위가 없는데도 명목대표이사에게 제3자에 대한 손해배상의무를 부담시킬 수는 없다고 하는 점에 이 판결 사안의 문제의 핵심이 있다고 한다.[132]

경제사회에 있어서 중요한 지위에 있는 주식회사의 활동이 그 기관인 이사의 직무집행에 의존함으로 이사는 회사에 대한 임무의 해태에만 악의 또는 중과실이 있으면 제3자의 손해에 아무런 고의나 과실이 없어도 이 손해에 대하여 책임을 부담해야 하는가. 우리나라 통설은 이런 경우에 이사의 책임을 인정한다.[133] 그러나 上記한 日本의 大法廷 1969년 判決이 "이사의 임무해태의 행위

---

131) 上柳, "兩損害包含說" 참조 － 上柳克郎, 앞의 대법정판결 해설, 125面 3段에서 재인용.

132) 上柳克郎, "兩損害包含說" 「法學論叢」, 102号 5卷·6卷, 3面 이하 － 上柳, 「會社判例百選」 第五版(有斐閣, 1992), 125面 3段 및 久保欣哉, "60. 取締役の第三者に對する責任の性質と範圍," 「商法の爭點」 第二版, 北澤正啓 編(有斐閣, 1983, 141面 2段~3段에서 재인용함.

133) 최기원, 「상법학신론(상)」 제18판(박영사, 2009), 967면; 정동윤, 「회사법」 제7판(법문사, 2001), 452면; 이철송, 전게서, 817면. 특수불법행위책임설을 취하는 학자들 중에도 법정책임설과 같이 회사의 임무에 관해 악의·중과실을 요한다는 견해가 있다(서돈각·정완용, 「상법강의(상)」 제4전정(법문사, 1999), 456면; 이병태, 「전정 상법(상)」(법원사, 1988), 692면. 이철송, 전게서, 817면은 "회사에 대한 악의·중과실이 어떻게 제3자에 대한 불법행위가 될 수 있는가라는 의문이 생기며, 이점이 불법행위책임설의 최대의 약점이다"라고 비판한다.

와 제3자의 손해와의 사이에 상당한 인과관계가 있는 한" 이사의 책임을 인정한 데 따라, 대법원도 "이사의 악의 또는 중대한 과실로 인한 임무해태 행위와 상당인과관계가 있는 제3자의 손해에 대하여 그 이사가 손해배상의 책임을 진다는 것이 위 법조의 취지라 할 것"이라고 하였다.134) 상당인과관계가 있는 경우란 일반적으로 그러한 임무해태가 있으면 제3자에게 그러한 손해가 발생하는 것으로 사회통념상 인정되는 경우이다. 그렇다면 이를 인식하지 못한 이사에게는 과실이 있다고 인정되는 경우일 것이다. 인과관계를 인정함에 있어서 '조건설'은 사실인정의 기준에 관한 것이지만 '상당인과관계설'은 이미 책임의 영역이다. 그러므로 상당인과관계를 필요로 한다면 이 결과에 대한 이사의 고의나 과실을 인정할 수 있는 경우라야 한다는 뜻이다. 그러므로 일본 大法廷 판결이 "자기에 대한 가해에 고의 또는 과실이 있음을 주장하고 입증할 것 없이"라고 한 것은 상당인과관계를 필요로 하는 이 판결의 입장에서는 이 상당인과관계를 주장·입증한 이상 과실을 따로 주장·입증할 필요가 없다는 뜻으로 해석하면 모순 없이 이해할 수 있지 않을까.135)

나) 대법원 2010.2.11. 2009다95981의 사안에서는 회사를 실제로 경영하는 상무이사가 "거짓말하여 이에 속은 원고와 큰원(회사명)의 대표이사 피고 및 상무이사 제1심 공동피고 2(위의 상무이사)의 연명으로 된 협약서를 작성하고, 원고로부터 합계 2억 5,000만원을 지급받아 이를 편취하였다. 이로 인하여 제1심 공동피고 2는 사기죄로 징역 8월의 유죄판결을 선고받아 확정"된 사안이므로, "큰원의 대표이사인 피고는 제1심 공동피고 2에게 큰원의 모든 경영을 맡겨 놓은 채 대표이사로서의 직무를 전혀 수행하지 아니하여 제1심 공동피고 2의 위와 같은 불법행위가 이루어지도록 방임한 결과 원고로 하여금 위 금원을 편취당하는 손해를 입게 하였다고 봄이 상당"하다는 인정을 수긍하는 데에는 위에 지적한 바와 같은 회사를 실제로 경영하는 이사의 행위가 불법행위 성립요건을 충족하지 아니하는 경우에 제기되는 앞의 最判 昭和45년[1970] 판결 사안에서와

이 비판은 위의 법적성질[나]에서 설명한 불법행위특칙설에는 해당되지 않고, 특수불법행위책임설(불법행위특칙설의 수정설)에 대한 것이다.
134) 예를 들면, 대법원 1985.11.12. 84다카2490.
135) 정진세, 판례평석 "이사의 제3자에 대한 책임 – 상법 제401조의 적용범위" 대상판결: 대법원 2002.3.29. 선고 2000다47316 판결(매매대금), 「Jurist」 2002년 8월호(Vol. 383)(청림인터렉티브, 2002), 69~75면; 정진세, 전게서, 492면.

같은 문제가 없다.

그러나 대법원은 곧이어 "따라서 피고의 위와 같은 방임행위는 악의 또는 중대한 과실로 그 임무를 해태한 경우에 해당하는 것으로서 위법성이 있고 또한 피고의 그러한 임무해태와 원고의 손해 사이에는 상당인과관계도 있다고 할 것이므로, 피고는 원고에게 그 손해를 배상할 책임이 있다고 할 것이다"라고 판시하여 제401조 제1항을 적용한 것은 법정책임설의 입장이며, 원고에 대하여 사기죄를 범한 상무이사나 이를 방임한 피고가 회사에 대하여도 임무를 해태하였는지는 의문이다. 민법상 일반 불법행위법을 적용할 사안이 아니었나 생각한다.

결제가능성이 없어서 상대방에게 손해를 입힌 거래(어음발행)에 관여하지 않은 이사에게도 양손해포함설은 소위 감시의무 위반을 이유로 널리 책임을 인정한다. 전술한 바와 같이 불법행위책임을 이러한 이사에게 추급하는 것은 용이하지 않기 때문에 제401조 제1항이 사실상 유일한 책임추급수단이 된다. 이 경우에 어음소지인의 손해는 간접손해로 구성할 수 있지만 직접손해로 구성되기도 한다. 양손해포함설에서는 직접손해·간접손해를 구별하는 실익은 거의 없고 회사에 대한 임무해태를 문제 삼는다면 항상 간접손해적 구성이 필요한데, 반면 간접손해한정설에서처럼 엄밀한 의미에서 간접손해적 구성이 이루어지는 것은 아닌 듯하다.

이런 어음소지인의 손해에 관하여 어음발행에 관여하지 않은 이사의 책임은 제401조 제1항에 의하면 용이하게 인정된다. 왜냐하면 이런 이사는 대개 명목적 이사에 불과하고 감시의무 같은 것을 수행할 의사도 없는데 회사법상 이사에 취임한 이상 명목적이라고 하여 의무를 다하지 않아도 괜찮다는 주장은 용납되지 않고 감시를 전혀 하지 않는 것은 가장 큰 임무해태이기 때문이다. 그리고 직접 어음을 발행한 이사에게는 임무해태를 인정함에 있어서 난점이 있는 데 대하여 감시의무를 해태한 이사는 확실히 임무해태가 인정된다. 그러나 이 논법을 밀고 나아가면 스스로 어음을 발행한 이사보다 감시의무를 해태한 이사의 책임이 인정되기 쉽게 되어 전도된 논의라는 비판을 피할 수 없고, 또 어음을 발행한 이사 이상으로 불법행위책임의 일반원칙을 완화하는 데 대한 설명이 불충분하다고 비판된다.[136)]

---

136) 山下友信, 前揭論文, 293～294面.

다) 대법원 2006.9.8. 2006다21880을 살펴보기로 한다.

[사실관계] "피고 회사(수산물검품대행회사)의 검품업무 담당자인 피고 3이 이 사건 차주들의 담보물을 검품하면서 수산물에 대한 기초자료인 구입가격을 전혀 조사하지 않고 객관적인 시장가격도 제대로 파악하지 않은 채 차주들이 주장하는 금액 및 자신의 주관적인 경험과 판단만을 근거로 하여 임의로 구입가격과 시장가격을 검품확인서에 기재하고 이에 터 잡아 대출가능금액을 산정함으로써, 위와 같이 원고(수산물을 담보로 한 대출업무를 취급하는 금융기관)를 위하여 객관적이고 공정하게 검품업무를 수행하여야 할 의무를 위반하였고, 그로 말미암아 원고는 이 사건 차주들에 대하여 대출하지 않았을 돈을 대출하거나 그 대출금 채권에 상당한 담보를 확보하지 못하는 손해를 입게" 된 사안에서,

[판지] "주식회사의 대표이사가 대표이사로서의 업무 일체를 다른 이사 등에게 위임하고 대표이사로서의 직무를 전혀 집행하지 않는 것은 그 자체가 이사의 직무상 충실 및 선관의무를 위반하는 행위에 해당하는 것이므로(대법원 2003.4. 11. 2002다70044 참조), 이 사건에서 피고 회사의 명의상 대표이사에 불과하다고 주장하는 피고 2에게도 상법 제401조 제1항에 의한 손해배상책임이 있다"고 판단한 원심을 지지하였다.

[검토] 본 사안에서 법원은 불법행위로 인한 손해배상책임을 논하고 있으나 수산물 검품대행계약 위반으로 인한 채무불이행책임인 듯하다. 그리고 대표이사의 원고에 대한 책임은 제401조 제1항의 책임이 아니라 제389조 제3항에 의하여 준용되는 제210조의 책임이라고 해야 할 듯하다. 그렇다면 회사의 채무불이행에 대하여 대표이사가 개인적으로 책임을 부담하는 것은 자명한 법리가 아니며, 진정한 대표이사는 책임을 지지 않는 사안에서 명목상 대표이사가 책임을 지는 것도 명목상 이사의 취임을 방지하려는 정책적 이유는 이해할 수 있지만 법이론상 균형을 잃지 않는지 의문이다.

라) 대법원 2003.4.11. 2002다70044을 살펴보기로 한다.

[사실관계] 원심이 인정한 사실관계에 의하면, "원상교역의 감사 장기완은 원상교역의 수출업무를 처리하면서 원상교역이 이미 할인받은 수출환어음이 부도처리될 상황임을 숨기고 원고(한국수출보험공사)로부터 수출신용보증서를 발급받았으며, 또한 실제 수입자가 따로 있음을 알면서도 화륜총공사에 수출하는 형식

을 취하여 면책약정까지 해주었으므로, 원상교역이 다시 수출환어음을 발행하여 할인하는 경우 또 다시 실제 수입자가 수입대금을 입금하지 아니하여 그 환어음이 결제되지 않을 가능성이 있음을 쉽게 예견할 수 있었음에도 불구하고 수출환어음부도로 인한 손해를 만회할 욕심에서 무리한 업무처리를 한 것이고, 한편 원상교역의 대표이사인 피고는 남편인 장기완에게 원상교역의 모든 경영을 맡겨 놓은 채 대표이사로서의 직무를 전혀 수행하지 아니하여 판시와 같은 업무처리가 이루어지도록 방임한 결과 원상교역이 발행한 수출환어음이 결제되지 아니함으로써 원고로 하여금 손해를 입게 하였다 할 것인바,"

[판지] 원심이 "대표이사가 타인에게 회사업무 일체를 맡긴 채 자신의 업무집행에 아무런 관심도 두지 아니하여 급기야 부정행위 내지 임무해태를 간과함에 이른 경우에는 악의 또는 중대한 과실에 의하여 그 임무를 소홀히 한 것이라고 봄이 상당하다 할 것이어서, 피고의 위와 같은 방임행위는 위법성이 있고, 또한 피고의 임무해태와 원고의 손해와의 사이에 상당인과관계도 있다고 할 것이라고 판단하여, 피고에 대하여 손해배상을 구하는 원고의 청구를 인용"한 판결을 수긍하였다.

[검토] "원고로부터 수출신용보증서를 발급받아 수출환어음이 결제되지 아니함으로써 원고로 하여금 손해를 입게" 한 원상교역의 감사 장기완의 행위가 회사(원상교역)에 대한 임무해태인가. 감사 장기완은 전번에 발행한 "수출환어음부도로 인한 손해를 만회할 욕심에서 무리한 업무처리를 한 것"이 제401조의 요건인 회사에 대한 악의 또는 중대한 과실에 의한 임무해태라고 단정할 것인지는 확실치 않다. 그런데 감사 장기완의 행위는 제401조의 적용대상은 아니더라도, 불법행위의 요건을 갖추었다면 제389조 제3항에 의하여 준용되는 제210조의 책임은 인정할 수 있을 것이다.[137] 그러면 감사 장기완을 감독하지 아니한 피고의 책임은 제401조의 적용대상이 될까. 피고의 회사에 대한 감독임무 위반이 원고에게 대해서도 위법한지 문제는 남는다.

그러나 마) 대법원 2012.7.12. 2009다61490은 피고가 "대표이사의 직무상 충실 및 선관의무를 위반하였거나 다른 대표이사의 업무집행이 위법하다고 의심할만한 사유가 있음에도 이를 방치하였다고 볼 수 없으므로, 정이 악의 또는 중

---

137) 장기완은 감사이지만 본 사안에서 원상교역을 대표하여 활동하였다.

대한 과실로 임무를 해태한 경우에 해당하지 않는다"고 판시하였다.

[사실관계] "① 원고의 급유대리점이던 동양급유 주식회사(이하, '동양급유'라고 한다)와 영남해급 주식회사(이하, '영남해급'이라고 한다)는 2001. 6. 29. 공동으로 동남해상급유 주식회사(이하, '동남해상급유'라고 한다)를 설립하여 동양급유의 대표이사인 피고와 영남해급의 대표이사인 소외인이 동남해상급유의 대표이사가 된 사실(동남해상급유가 설립된 이후에도 동양급유와 영남해급은 각자 독자적으로 급유대리점 영업을 수행해 왔다), ② 동남해상급유는 2001. 7. 1. 원고와 사이에 체결한 선박용 연료유 급유용역계약(이하, '이 사건 급유용역계약'이라고 한다)에 따라 원고가 지정하는 외국항행선박에 선박용 연료유를 급유하게 되었는데, 주식회사 씨마린(이하, '씨마린'이라고 한다)으로 하여금 위 급유용역 업무를 수행하도록 한 사실, ③ 씨마린은 위 급유용역 업무를 수행하게 된 것을 기화로 2003. 4. 15.부터 2004. 5. 31.까지 사이에 외국항행선박으로부터의 발주요청서를 허위로 작성한 후 이를 원고에게 제시하여 선박용 연료유를 면세된 가격으로 구입한 뒤 이를 외국항행선박에 공급하지 않고 중간 도매업자 등에게 부정반출하였으며, 외국항행선박에 위 유류를 정상적으로 공급한 것으로 유류공급확인서 등을 위조하며 환급대상 수출물품 반입적재확인신청서를 허위로 기재하여 관할세관장의 확인을 받아 원고에게 제출하였고(이를 통틀어 '이 사건 범죄행위'라고 한다), 이에 대하여 씨마린 관계자들은 특정경제범죄 가중처벌 등에 관한 법률 위반(사기) 등의 죄로 유죄를 선고받아 그 판결이 확정된 사실, ④ 원고는 위 유류에 관하여 외국항행선박에 이를 반출하였다는 이유로 교통세 등을 환급받았다가 2005. 12. 21. 위 유류가 실제 외국항행선박에 사용되지 않았음을 이유로 합계 4,907,131,300원의 세금을 부과하는 처분을 받은 사실, ⑤ 한편 동양급유와 영남해급은 2001. 8. 22. 동남해상급유를 공동운영함에 있어 상호 준수할 사항을 약정하였는데, 위 약정에서 동남해상급유에서 발생하는 용역비 수익은 일정 비율로 배분하고, 각 배당된 작업 중에 일어나는 모든 사고에 대하여 민·형사상 책임은 용역을 담당한 회사에서 책임을 지는 것으로 정하였고, 또한 2003. 12. 22. '동남해상급유에서 발생하는 영남해급의 MGO(Marine Gas Oil)와 MDO(Marine Diezel Oil) 유종 작업 중에 관련된 사고에 대해 민·형사상 모든 책임을 영남해급에서 진다'는 취지의 약정을 체결하였는데, 이 사건 세금 추징의 문제가 된 것은 영남해급이 취급하는 MGO 급유 부분인 사실 등을 알 수 있다."

[원칙] "주식회사의 대표이사는 대외적으로 회사를 대표하고 대내적으로 업무집행을 총괄하여 지휘하는 직무와 권한을 갖는 기관으로서 선량한 관리자의 주의로써 회사를 위해 충실하게 그 직무를 집행하고 회사업무의 전반에 걸쳐 관심을 기울여야 할 의무가 있으므로 다른 대표이사와 내부적인 사무분장에 따라 각자의 분야를 전담하여 처리하는 경우 다른 대표이사가 담당하는 업무집행에 대해서도 전반적으로 감시할 의무가 있는바, 다른 대표이사의 업무집행이 위법하다고 의심할만한 사유가 있음에도 불구하고 이를 방치한 때에는 이로 말미암아 손해를 입은 제3자에 대하여 손해배상책임을 부담한다(대법원 2002.5.24. 선고 2002다8131 판결 참조)"고 하면서도,

[법원의 판단] "피고가 씨마린 관계자들의 이 사건 범죄행위에 공모하였거나 이들의 범죄를 알면서도 이를 방임하였다는 아무런 증거가 없는 이 사건에서, 피고가 씨마린 관계자들이 1년여에 걸쳐 이 사건 범죄행위를 행한 사실을 알지 못했다고 하여 이를 두고 다른 대표이사 소외인의 업무집행이 위법하다고 의심할만한 사유가 있음에도 방치하였다고 볼 수 없으므로, 피고가 그 임무를 해태한 것으로 보기 어렵다. 그리고 피고가 소외인과 사이에 위 약정을 체결한 사정만으로 피고가 동남해상급유의 업무를 다른 대표이사인 소외인에게 위임하고 대표이사로서의 직무를 전혀 집행하지 않은 것이 되어 그 자체가 대표이사의 직무상 충실 및 선관의무를 위반하는 행위에 해당한다고 할 수 없다.

한편 동남해상급유가 원고로부터 의뢰받은 급유용역 업무를 씨마린으로 하여금 수행하게 한 것을 두고, 원심이 씨마린이 무등록 선박급유업을 영위한 것으로 보기 어렵다는 등의 이유를 들어 계약 위반 또는 법령 위반으로 볼 수 없다고 판시한 것은 다소 적절하지 않은 면이 있으나, 동남해상급유가 씨마린에게 위 급유용역을 위탁한 행위 자체와 이 사건 범죄행위로 인한 손해 사이에 상당인과관계가 있다고 보기 어려우므로, 결국 이는 판결 결과에 영향을 미친 위법이 있다고 할 수 없다. 따라서 피고가 악의 또는 중대한 과실로 임무를 해태한 경우에 해당하지 아니하거나 이를 인정할 증거가 없다고 본 원심판결은 정당한 것으로 수긍이 가고, 거기에 선박급유용역의 위탁 금지 및 상법 제401조에 규정된 이사의 제3자에 대한 책임에 관한 법리를 오해하였거나 심리를 다하지 못하여 판결에 영향을 미친 위법이 없다."

바) **最高裁 昭和47[1972].6.15.판결(民集 26卷 5号 984面)**

[판지] "Y의 이사 취임은 이 회사의 창립총회 또는 주주총회 결의에 기하는 것이 아니라 전혀 명목상의 것에 불과하다는 것이다. 이 경우에는 Y가 이 회사 이사로서 등기되어 있어도 본래는 상법 제266조의3 제1항(우리나라 상법 제401조 제1항)에서 말하는 이사에는 해당되지 않는다고 해야 한다. 왜냐하면 동 조항에서 말하는 이사라 함은 창립총회 또는 주주총회에서 선임된 이사를 말하는 것으로서 이러한 이사가 아니면 이사로서의 권리를 가지고 의무를 부담하는 일이 없기 때문이다.

상법 제14조(우리나라 상법 제39조)는 '고의 또는 과실로 인하여 불실의 사항을 등기한 자는 그 사항의 부실함으로써 선의의 제3자에게 대항할 수 없다'고 규정하는 바, 동조에서 말하는 '부실의 사항을 등기한 자'라 함은 당해 등기를 신청한 상인(등기신청권자)을 지칭하는 것으로 풀이할 것은 논지와 같으나 그 불실의 등기사항이 주식회사의 이사에의 취임이고 그 취임의 등기에서 이사인 본인이 승낙을 한 것이면 그도 또 부실등기의 출현에 가공한 것이라고 할 것이고 따라서 그에 대한 관계에 있어서도 당해 사항의 등기를 신청한 상인에 대한 관계에 있어서와 같이 선의의 제3자를 보호할 필요가 있으므로 동조 규정을 유추적용하여 이사로 취임 등기된 당해 본인도 그의 고의 또는 과실이 있는 한 당해 등기사항의 부실함을 선의의 제3자에게 대항할 수 없다고 풀이하는 것이 상당하다. … Y는 X(회사채권자)에 대하여 동법 제266조의3에서 말하는 이사로서의 책임을 면할 수 없다고 할 것이다."

[검토] "본건의 이사에게 제14조(우리나라 상법 제39조)의 유추적용을 인정하더라도 이사로서의 직무권한이 없는 자에게 제266조의3 제1항(우리나라 상법 제401조 제1항)의 책임을 과하는 것에는 의문이 남는다. 상법은 유사발기인에 관하여 명문규정(198조 [우리나라 상법 제327조])으로 '발기인과 동일한 책임'을 과하고 있지만 통설은 유사발기인이 발기인으로서의 직무권한을 가지지 않은 것으로부터 임무해태에 의한 책임은 부담하지 않는다고 풀이하고 있다. 한편으로 이와 같이 해석하면서 다른 한편 제14조의 유추적용을 면할 수 없다는 것만으로 직무권한이 없는 등기부상 만의 이사에게 임무해태 책임을 과하는 것은 상법의 해석상 통일을 결하는 것이 된다."[138] 鈴木竹雄・竹内昭夫 교수는 법정책임설의

입장에서 판결의 결론에는 찬성하면서 "본조의 책임은 선의자 보호에 입각하는 것이 아니라 이사의 지위에 기하는 것이므로 그 자가 이사에의 취임을 승낙한 점에 책임부담의 근거를 구해야 할 것으로 생각한다"고 한다.[139] 最高裁昭和 64[1989].4.16.(判例時報 1248호 127면)도 이사의 퇴임등기를 마치지 않은 자는 이 등기가 남아있는 데 대하여 '명시의 승낙'을 한 경우에 한하여 감시의무를 부담한다고 판시하였다. 神田秀樹 교수는 퇴임이사에게 신속한 퇴임등기를 회사에세 요구하도록 인센티브를 주어 등기를 진실에 합치시켜야 하므로 '명시의 승낙'이 있어야 상법 구 제266조의3에서 규정한 이사에 포함된다고 요구하는 것은 지나치다고 비판한다.[140]

등기를 되도록 진실에 합치시킬 필요가 있더라도, 명목상의 이사도 회사운영에 아무런 권한이 없다면 "이사의 지위"에 기한 책임을 져야 하는지, 특히 그가 감독해야 한다는 실권을 가진 대표이사의 행위가 임무해태에 해당하지 아니하여 본조의 책임이 없는 경우에, 의문이다.

마. 제3자의 범위(쟁점 ⑥)

1) 주주의 간접손해에 대한 책임

제401조의 "제3자"에 주주도 포함되는지에 관하여 견해가 대립되어 있다. 통설은 포함설이지만,[141] 대법원 판례는 제외설이라고 할 수 있다.

대법원 1993.1.26. 91다36093[142]을 살펴보기로 한다.

---

138) 加藤 徹, "62. 選任決議を缺く登記簿上の取締役と商法226條ノ3 - 最高裁昭和47.6.15.第一小法廷判決,"「會社判例百選」第5版(有斐閣, 1992), 129面 3段.

139)「會社法 第3版」法律學全集 28(有斐閣, 1994), 309面 注(五).

140) 神田秀樹, "取締役の第三者に對する責任 - 最大判 昭和44.11.26(民集23卷11號2150頁),"「商法の判例と論理 - 昭和40年代の最高裁判例をめぐつて(倉澤康一郎敎授還歷記念論文集)」(日本評論社, 1994), 257~258面.

141)「주석 상법(Ⅲ)(제3판)」, 편집대표 정동윤·손주찬(한국사법행정학회, 1999), 458면(박길준·권재열 집필); 김동석, "이사 및 업무집행지시자 등의 제3자에 대한 책임,"「경영법률」제10집(한국경영법률학회, 1999. 12.), 235면. 다만, 주주는 당해 이사에 대하여 자신에게 직접 손해를 배상할 것을 청구할 수는 없고, 당해 이사로 하여금 회사에 손해를 배상할 것을 청구할 수 있을 뿐이며, 이렇게 해석하더라도 주주 대표소송의 경우와 비교하여 담보제공 등의 조건이 없으므로 실익이 있는 것이라고 주장한다.; 이정윤,「이사의 제3자에 대한 책임」, 한국외국어대학교 대학원 법학과 석사학위 논문(한국외국어대학교, 1998), 56면; 이철송, 전게서, 819면; 정동윤,「회사법」제7판(법문사, 2003), 453면.

142) 해설은 김건식, "주주의 직접손해와 간접손해 - 이사의 제3자에 대한 책임을 중심으로 -," 대법원 1993.1.26. 선고 91다36093 판결,「민사판례연구」제16집(민사판례연구회, 1994);

[사실] 원고 X(한라창업투자 주식회사)는 1989.4.20. 피고A(주식회사 대일정공)의 신주 1만5천주(액면총액 1억5천만원 – 발행주식총수의 30%)와 아울러 1억5천만원 상당의 전환사채를 인수하였다. A회사의 41.2% 주주이자 대표이사인 피고Y(사공국)와 19.2%의 주주인 B는 A회사의 사채관련채무를 연대보증하였다. X회사는 이러한 투자를 행함에 있어서 A회사와 Y 등을 당사자로 하는 합작투자계약을 체결하였다. 합작투자계약에 의하면 A회사와 Y 등은 X회사가 출자한 자금의 목적 외 사용을 위해서는 사전승인을 받아야 하는 등 각종의 의무를 부담하고, 그러한 의무를 이행하지 않는 경우에는 손해배상의무를 부담하도록 되어 있었다.

피고Y는 피고회사A의 업무를 수행함에 있어서 1989년 6월까지 가지급금 형식으로 피고회사A의 공금 8억6천3백만원을 인출하여 횡령하는 불법행위를 하여 이로 인하여 결국 피고회사A는 당좌수표를 부도나게 함으로써 마침내 A회사는 도산하기에 이르렀다.

X회사는 A회사와 Y, B를 상대로 전환사채금의 지급을 청구하여 제1심 승소판결이 확정되었는데, 다시 X회사의 주식인수액 1억5천만원 상당의 손해에 대하여 상법 제389조 제3항과 제210조를 근거로 A회사에 대해서 뿐 아니라, 상법 제401조, 민법 제750조, 합작투자계약서를 근거로 Y에 대하여 연대하여 배상할 것을 청구하였다.

[판지] 대법원은 Y에 대한 청구에 관하여 1·2심을 지지하여 다음과 같이 판시하였다. 즉 "주식회사의 주주가 그 회사의 대표이사의 악의 또는 중대한 과실로 인한 임무해태행위로 직접 손해를 입은 경우에는 이사와 회사에 대하여 상법 제401조, 제389조 제3항, 제210조에 의하여 손해배상을 청구할 수 있다 하겠으나, 대표이사가 회사재산을 횡령하여 회사재산이 감소함으로써 회사가 손해를 입고 결과적으로 주주의 경제적 이익이 침해되는 손해와 같은 간접적인 손해는 같은 법 제401조 제1항에서 말하는 손해의 개념에 포함되지 아니하므로 이에 대하여는 위 법조항에 의한 손해배상을 청구할 수 없는 것으로 봄이 상당하다"143)면서, "A회사의 대표이사였던 Y가 A회사의 금원을 횡령하여 회사재산을

정진세, "주주의 간접손해와 이사의 제3자에 대한 책임," 「법률신문」 제2525호(법률신문사, 1996. 8. 12.), (판례평석), 14면; 「상사법연구: 정진세교수정년기념」(정진세교수 정년기념 논문간행위원회, 2001. 9.), 356~360면 및 정진세, 전게서, "연습 51. 주주의 간접손해와 이사의 제3자에 대한 책임," 492~499면.

감소시켰다면 회사에 대하여 손해배상책임을 부담할 것이고, 따라서 A회사가 Y에 대하여 손해배상을 구할 수 있을 것이나 위 손해는 어디까지나 법률상 A회사가 입은 손해이므로 주주인 X가 그 손해가 경제적으로 자기에게 귀속된다는 사유만으로 직접 A회사와 Y에 대하여 자기 주식인수액 상당액을 손해라고 하여 배상을 구할 수 없다"는 원심을 승인하였다. 본건 제1심도 위 손해는 어디까지나 법률상 피고 회사가 입은 손해임을 이유로 청구를 기각하면서도 "그렇게 해석하여야만 상법이 그 제402조, 제403조에서 소수 주주에게 소정의 유지청구권과 대표소송권 등을 인정하고 있는 규정취지와 합치된다"고 부언하였다. 그리고 대법원은 "Y의 위 금원횡령이 바로 A회사의 주주인 X에 대하여 일반불법행위로 된다거나 A회사의 불법행위로 되는 것은 아니라 할 것"이라고 판시하였다. 그리고 "X와 A회사 및 Y등 개인주주 사이에 체결된 합작투자계약의 내용 중에서 이 사건과 같은 사태가 발생할 경우에 A들이 X에게 손해를 배상하기로 특약하였다는 근거도 찾아보기 어렵다"고 하였다.

[검토]

(1) 이리하여 회사의 손실이 보상되면 주주로서도 불만을 호소할 근거가 해소될 것이다(주주간접손해제외설의 자동회복논거(自動回復論據)). 그리고 이사가 제3자에게 회사의 손해를 배상하면 목적재산인 회사의 손해배상청구권이 소멸하므로 회사채권자의 이익이 침해될 염려가 있다(채권자침해논거(債權者侵害論據)).[144] 이에 반하여 우리나라의 통설은 본건과 같은 주주의 간접손해에 대하여 제401조에는 "제3자"의 범위에 특별한 제한을 두지 않으며,[145] "대표소송은 소수주주만이 제기할 수 있고 담보제공의 제약 등이 있으므로" 주주의 보호에 미흡하다고하여, 상법 제401조의 적용을 주장한다.[146]

---

143) 위 가)에서 소개한 대법원 2003.10.24. 2003다29661의 이유에서도 거의 똑같은 문언을 발견할 수 있다.

144) 서돈각 교수는 주주가 입은 손해 중 간접손해를 포함시킨다면 주주가 회사채권자에 우선하여 변제를 받는 결과가 되므로 제외시켜야 한다고 주장한다.「상법강의(상)」제4전정(법문사, 1985), 397면. 같은 취지: 이범찬,「개정상법강의」(1985), 169면. 그 외에, 배상을 받은 주주와 그렇지 않은 주주 사이의 불균형도 거론되지만, "자신의 권리구제에 적극적인 자와 그렇지 못한 자 사이에 불가피하게 존재하는 일반적인 문제로서 반드시 (주주 간접손해)포함설의 고유한 단점으로 볼 것은 아니다"(김건식, 전게논문, 318면, 주33).

145) 예를 들면, 구회근, 전게논문, 130면. 법정책임설의 바탕에 있는 법실증주의는 법 문언에 집착하게 되며, 법 문언 이외에 의지할 데가 마땅치 않다. 오히려 법정책임설의 입장인 대법원이 제401조의 '제3자'에서 주주를 제외하는 것이 특이하다.

146) 정동윤,「회사법」제7판(법문사, 2001), 453면; 이철송, 전게서, 819면. 김건식 교수도 "대

그러나 단체관계에서 발생한 문제의 해결에 있어서 그 구성원들이 단체적 제약을 받는 것은 불가피하다. 주주들이 회사운영에 지나치게 간섭하는 것은 이사의 원활한 경영을 저해할 수 있다. 특히 부당한 소송제기는 더욱 그러하다. 법이 대표소송에 제약을 둔 것은 그 제기를 신중하게 할 필요가 있다고 인정했기 때문인데 이 제약을 회피하기 위하여 제401조를 적용하는 것은 법의 취지에 맞지 않는다. 다만. 직접손해에 대하여는 불법행위일반원칙을 적용하여 이사는 단순과실로 인한 손해에도 책임을 부담하지만, 간접손해에 대해서도 이사의 고의 또는 중과실로 인한 경우에는 대표소송에 규정된 제약 없이 책임을 물을 수 있다는 것이 제401조의 취지일 수 있다. 주주가 승소한 경우에 대표소송에 있어서처럼 회사에게 손해배상을 지급하게 한다면[147] 회사채권자의 이익이 침해될 염려도 없을 것이다.[148] 다만 이와 같이 '제3자'에 주주를 포함시키는 해석은 채권자를 청구권자로 규정한 상술한 독일 주식법 제93조 제5항의 문언[149]과 일치하지 않게 되지만 프랑스 판례[150]와는 더 가까워지고 미국 판례와도 통하게 된

표소송제도의 실효성에 대한 주주간접손해포함설의 이 같은 우려는 정당한 것이다"라고 한다(김건식, 전게논문, 317면).

147) 김태선, 전게논문, 810~811면은 그 이유를 "회사제도의 합리적인 운용을 위한 법정책적인 측면에서 찾아야 할 것"이라고 한다. 미국에서는 회사에 대한 가해행위에 대하여 주주가 직접 자신에게 그로 인한 손해의 배상을 청구할 수 없고, 회사의 청구권을 대신하여 행사하는 주주대표소송(derivative suit)만이 가능하다는 것이 확립된 법리인데, 미국법의 입장이 그러한데, "미국 법원은 이러한 법리를 뒷받침하는 논거를 다음과 같은 정책적인 이유에서 찾는다. 첫째, 이와 같은 사안에서 주주의 직접 청구를 허용할 경우 무수히 많은 소송이 제기될 수 있고 회사의 실체를 부인하는 결과를 가져온다. 둘째, 회사에 배상을 귀속시킴으로써 회사채권자를 보호할 수 있다. 셋째, 모든 주주의 이익을 보호할 수 있다. 주주의 직접 청구를 허용할 경우 다른 주주의 이익을 침해할 수 있다. 넷째, 회사가 손해를 전보받을 경우 지분가치의 증가로 주주의 손해가 적절하게 보상받게 된다. 미국에서는 폐쇄회사(Closely Held Corporation)의 경우 회사의 손해에 대해서도 주주가 직접 청구를 할 수 있도록 하는 법리를 발전시켰는데, 폐쇄회사에서는 많은 경우 주주대표소송을 강제하는 위와 같은 정책들이 문제되지 않기 때문이라고 한다."

148) 김태선, 전게논문, 810면은 그 이유는 미국법에서처럼 "회사제도의 합리적인 운용을 위한 법정책적인 측면에서 찾아야 할 것"인(810면)데, "미국 법원은 이러한 법리를 뒷받침하는 논거를 다음과 같은 정책적인 이유에서 찾는다. 첫째, 이와 같은 사안에서 주주의 직접 청구를 허용할 경우 무수히 많은 소송이 제기될 수 있고 회사의 실체를 부인하는 결과를 가져온다. 둘째, 회사에 배상을 귀속시킴으로써 회사채권자를 보호할 수 있다. 셋째, 모든 주주의 이익을 보호할 수 있다. 주주의 직접 청구를 허용할 경우 다른 주주의 이익을 침해할 수 있다. 넷째, 회사가 손해를 전보받을 경우 지분가치의 증가로 주주의 손해가 적절하게 보상받게 된다(10 A.L.R. 6th 293. §7)"고 한다.

149) "auch von den Gläubigern der Gesellschaft"(앞의 각주 41).

150) 프랑스 판례에서는 회사의 이사에 대하여 제3자가 손해배상을 청구하기 위해서는 이사의 직무와 분리된 과실(faute séparable des fonctions d'administrateur)을 입증해야 하고 이

다.[151] 김건식 교수도 대표소송제도의 문제점을 해결함에 있어서 주주가 간접손해에 대해서 이사의 책임을 직접 추궁할 수 있는 길을 전면적으로 열어줌으로써 손해배상청구권이라는 회사재산이 주주에게 유출되어 회사채권자를 해하는 방법은 바람직하지 않고, "대표소송제도의 결점을 해결하는 정도(正道)는 주주가 자

___

사에게 고의 또는 중과실이 있는 경우에는 이러한 과실이 있다고 인정되는데, 주주도 제3자에 속하는지에 대해서는 다투어져오다가 파기원 상사부 2010.3.9. 판결은 주주(Pierre X 회사)가 이사(Albert와 Yve)에 대하여 회사(MMS International 회사)의 대차대조표에 이 회사가 부담하는 채무액의 변제자금을 계상하지 않았다는 이유로 제소한 데 대하여 원심법원은 당해 년도에는 특별한 기금을 적립하지 않기로 이사회가 결의하고 회사 총회가 승인하였다고 인정하고, 이 결정이 이사들의 과실이 된다고 하더라도 이 결정은 이사들의 전적인 권한에 속하므로 그들의 권한으로부터 분리될 수 없다고 판단하였는데, 당해 결정이 이사들의 권한범위 내에서 내렸더라도 당해 결정이 그들의 회사에서의 권한행사와 양립할 수 없는 특별히 중대한 고의를 구성하는지 심사하지 않고 이렇게 판단함으로써 법적인 근거를 제시하지 않았다고 파기하였다. 그러므로 이사는 그의 직무수행 중에도 "직무로부터 분리된 과실(faute séparable des fonctions)"을 범할 수 있다(Martin et Tieu, Responsabilité civile des administrateurs de société; Evolution jurisprudentielle, La Semaine Juridique (JCP) – Edition générale, 2010. ETUDE; Sociétés N°26-740. Page 2, 1. L'actionnaire n'a pas à démontrer une faute 《séparable des fonctions》 de l'administrateur). 위의 파기원 판결은 주주가 제3자인지에 대한 의문에 종지부를 찍은 셈이지만 그렇다고 법인격의 장막(écran de la personnalité morale)은 채권자들 같은 회사 외부인에게만 적용되고 특히 주주들 같은 내부관계에는 적용되지 않는다고 주장하는 '대표이론(théorie de la représentation)의 적용에 적대적인 학설'을 결정적으로 지지한 것은 아니고, 주주들이 제3자에 속한다면 특별한 범주의 제3자라고 할 것이라고 한다(Martin et Tieu, ibid. Page 3).

151) 서울지방법원 2002.11.12. 2000가합6051은 대법원판례와 반대로 주주들의 이사에 대한 간접손해 배상을 인정한 흥미 있는 판례이다. 자본금 407억 원인 회사의 대표이사인 피고는 407억 원을 회생불능의 부실계열회사에게 이사회나 주주총회의 결의도 거치지 않고 단기간에 지원하여 회사가 부도에 이르게 되고 사실상 소멸하여, 주주였던 원고들은 영업양도에 반대하여 상법상의 주식매수청구권을 행사한 사안에서, i) 회사 경영진이 기업 경영자에게 일반적으로 기대되는 "충실·선관의무를 위배하여 비합리적인 방법으로" 기업을 운영하고 이로 인해 회사의 채권자나 주주 등 회사의 이해관계인조차도 도저히 "예상할 수 없는" 통상적인 기업경영상 손실을 넘어서는 "특별한 손실"이 회사에 발생하고, ii) 이러한 손실의 원인이 회사 경영진의 위와 같은 "명백히 위법한 임무해태행위"에 있으며, iii) 그 손실의 규모가 막대하여 이를 직접적인 원인으로 회사가 도산하는 등 소멸하여 "회사 경영진에 대한 회사의 책임 추궁이 실질적으로 불가능"하고, iv) 따라서 회사 경영진에 대한 주주의 직접적인 손해배상청구를 인정하지 않는다면 "주주에게 발생한 손해의 회복은 사실상 불가능한 경우와 같이 특별한 사정"이 인정되는 경우에는 주주의 간접손해에 대해서도 상법 제401조의 적용을 인정함이 타당하다고 하면서, 위와 같은 사안에서 그와 같은 특별한 사정이 인정된다고 하여 피고는 X회사의 주주인 원고들에게 원고들 소유의 주식가치 하락에 따른 손해를 배상하라고 하였다. 뒤에 소개하는 ALI의 Principles of Corporate Governance를 연상시킨다. 김태선, "이사의 불법행위로 인한 상장폐지와 주주의 손해, 대상판결: 대법원 2012.12.13. 선고 2010다77743 판결,"「민사판례연구」제36권(민사판례연구회, 2014. 2.), 804면~805면은 위의 서울지법판결에 주목할 것을 권하면서, 대법원 1975. 5.13. 73다1244; 대구고등법원 2003.12.3. 2003나3998; 대법원 2007.9.6. 2005다25021를 인용하고, 이 판례를 "민법상의 제3자에 의한 채권침해 법리"에 의한 이해를 시도한다.

신의 손해를 이사로부터 직접 배상받음으로써 대표소송제도를 피해갈 수 있도록 해 주는 것이 아니라 그 제도 자체를 주주들이 현실적으로 이용할 수 있도록 개선하는 것"이라고 한다.[152]

(2) 상술한 '자동회복논거'는 회사의 손해와 주주 전원의 손해가 완전히 일치한다는 것을 전제로 한다.

㉮ 시장가격이 존재하는 상장주식의 경우에는 주주의 손해는 결국 주식의 시장가격이 감소하는 것이라고 할 수 있다. 그런데 상장회사에서는 회사의 재산상태는 주가에 영향을 주는 하나의 요인에 불과하다. 주가에 영향을 미치는 요인은 무수하며 그 요인들이 반드시 합리적인 것만도 아니다. 이사가 회사재산을 횡령하여 주주에게 미친 손해 중에서 회사가 이사로부터 손해배상을 받으면 주주의 간접손해도 회복되는 부분(重複損害) 이외에 이에 의하여 보상되지 않는 주주의 손해(超過損害)도 있는 것이다. 그리고 이 대법원 판결에서와 같이 이사의 횡령행위로 인하여 회사가 도산에 이른 경우에는 횡령한 재산 자체나 그 가액을 회사에 반환하는 것만으로는 이미 도산한 회사를 회생시킬 수 없고 계속기업(going concern)에 대해서 가지는 주주의 이익을 완전히 회복시킬 수 없는 경우가 많다. 다만 이사의 횡령으로 인하여 회사가 도산한 경우의 회사의 손해도 횡령한 재산의 가액에 그치지 않고 주주들의 손해와 같이 도산으로 인한 추가적 손해를 생각할 수 있다. 이 경우에는 주주의 손해와 회사의 손해에 차이가 없고 회사의 도산으로 인한 주주의 손해를 초과손해라고 할 수 없다. 그래도 상장회사의 재산이 감소하는 경우나 회사가 이사의 행위로 인하여 도산한 경우에는 회사에 대한 배상만으로는 배상이 불가능한 주주의 초과손해를 인정하는 것이 일반적이다.[153] 이러한 초과손해를 직접손해로 파악하는 견해도 있다.[154] 그런데

---

152) 김건식, 전게논문, 318면.

153) 김순석, 전게논문, 197면.

154) 大隅健一郎・今井宏, 「會社法論 上卷」 第三版(有斐閣, 1991), 279面. 발기인의 제3자에 대한 책임(일본상법 구 제193조 제2항 - 우리나라 상법 제322조 제2항)에 관한 설명이다: "납입 또는 현물출자의 불이행을 원인으로 설립무효 판결이 있는 경우에는 자본충실을 결하게 되는 회사채권자의 간접손해는 발기인의 제192조(우리나라 상법 제321조[발기인의 인수, 납입담보책임]) 제2항, 제193조 제1항의 책임의 이행에 의하여 전보될 수 있지만, 납입 또는 현물출자의 이행의 흠결에 의하여 회사설립이 무효로 된 것 자체에 의한 주주의 손해는 회사에 대한 발기인의 이 책임의 이행 만에 의하여 반드시 완전한 보상을 얻을 수 없다. 그래서 이 경우에는 주주는 일면 대위소송에 의하여 제192조 제2항, 제193조 제1항의 책임을 추급할 수 있음과 동시에 이에 의하여 회복되지 않는 손해(일종의 직접손해)에 대해서는 제193조 제2항에 의한 책임을 추급할 수 있는 것으로 풀이하는 것이 적당할 것이다

"회사재산의 감소에 의한 주주의 손해를 일단 간접손해로 파악하고 회사에 대한 배상으로 회복될 수 있는 손해는 중복손해, 그렇지 않은 손해를 초과손해라고 파악하는 견해가 보다 적절"하다고 한다.[155] 그러나 횡령한 이사는 회사에 대하여도 횡령한 재산의 가액뿐 아니라 횡령으로 인하여 도산한 회사의 추가적 손해도 배상해야 한다면 주주의 초과손해가 무엇인가? 이사의 행위에 의하여 주주에게 회사보다 더 큰 손해가 발생하였다면 이 초과부분에 대하여 회사에 대한 임무해태를 논하여 제401조를 적용할 수는 없을 것이다. 이 초과부분은 주주만의 손해이고 불법행위 일반원칙의 적용을 받을 것이다.

 ㉯ 대표소송제도가 개선되는 것을 전제하는 경우에도 폐쇄회사에 있어서는 간접손해의 배상을 대표소송에 맡기는 것이 명백히 불합리한 결과를 낳는 경우가 있다. 폐쇄회사에서는 회사에 손해를 발생시킨 가해자가 지배주주인 경우에 지배주주의 행위로 손해를 입은 주체를 소수주주가 아닌 회사라고 보아 여러 제약이 있는 대표소송의 방법을 이용하도록 강제하고 손해배상도 소수주주가 아니라 회사에 대해서 지급하게 함으로써 다시 지배주주가 처분할 수 있도록 하는 것은 불합리하다. 1992년에 발표된 American Law Institute의 Principles of Corporate Governance의 최종안은 폐쇄회사에 있어서는 대표소송이 일정한 요건을 갖춘 때에는 법원이 재량에 따라 직접소송으로 보아 대표소송의 경우에 부과되는 여러 요건을 면제하고 직접 주주에 대한 배상도 명할 수 있도록 규정하고 있다고 한다(7. 01(d)). 본 대법원 판결에서와 같이 지배주주가 회사재산을 횡령하는 경우는 바로 주주의 직접소송이 인정되는 대표적인 예라고 할 수 있다. 또한 주주가 2인(또는 2개의 집단)밖에 없고 그 중 한쪽이 지배주주인 경우에는 대표소송과 직접소송의 구별이 의미가 없다는 이유로 주주의 직접소송을 인정하는 판례도 늘어가고 있다. 결국 문제는 소수주주의 이익을 회사채권자의

(佐藤 庸,「注釋會社法(2)」, 305面; 同,「取締役責任論」, 206面 참조)". 발기인의 인수, 납입담보책임은 발기인의 과실을 불문하지만, 발기인 또는 이사의 고의·과실에 의하여 회사가 설립무효로 된 또는 도산한 경우에 이들이 배상해야 할 주주의 손해뿐 아니라 회사의 손해도 흠결된 납입 또는 현물출자의 가액에 한정된다고 할 수는 없다. 여기서도 주주의 초과손해는 인정할 수 없다. 김태선, 전게논문 812면은 회사의 손해와 구별되는 주주의 손해라고 하더라도 특정한 주주에게 발생한 손해가 아니라 총주주에게 균등하게 발생한 손해라면, 이에 대해 미국과 같이 법정책적 이유에서 원칙적으로 주주의 직접 청구를 허용하지 않는 것이 타당하다고 한다.

155) 김건식, 전게논문, 324면.

이익과 어떻게 조화시킬 수 있는가 하는 것이 될 것이다.[156]

김건식 교수는 "대법원은 한라창업의 손해는 간접손해이고 간접손해는 제401조상의 손해에 포함하지 않는다는 단순한 논리에 의해서 한라창업의 청구를 기각하였"는데, "대상판결의 사안에서 한라창업은 대일정공의 도산으로 인해서 초과손해를 입었을 가능성이 있었으며 대일정공은 폐쇄회사로서 피고인 사공국이 대표이사이자 다수주주(…)였으므로 한라창업의 직접청구의 허용 여부에 대해서는 보다 신중한 검토가 있었어야 했다"고 아쉬움을 나타냈다.[157] 상장기업의 경우에는 회사의 손해와 주가의 연결이 불확실하고[158] 회사도산의 경우에는 회사 손해의 산정방법에 따라 주주의 초과손해 유무가 결정되므로 중복손해·초과손해의 논의는 손해의 범위가 중심인 듯한데, 김건식 교수 스스로 인정하듯이[159] 초과손해의 존재나 범위를 파악하는 것은 현실적으로 극히 어렵다. 앞으로 입법논적으로 보완하면서 생각해볼 문제인 듯하다.

2) 회사채권자의 간접손해에 대한 책임

회사채권자의 간접손해를 다룬 판례는 아직 없다. 구회근 판사는 "제3자의 입장에서 회사에 투자하는 방법으로는, 자금을 대출하여 그 이자 상당의 이익을 얻는 방법과 그 회사의 주식을 취득하여 주가 상승의 이익을 취하거나 이익배당을 받는 방법이 있을 수 있을 것인데, 이 두 가지를 달리 취급하여야 할 이유는 없다"면서, "간접손해에 관한 위 판례를 '주주'의 경우에만 해당되는 것으로 한정하여 해석할 필요는 없다"고 한다.[160] 그러나 회사채권자는 법이론상 주주처럼 회사의 구성원은 아니다.

바. 소멸시효(쟁점 ⑦)

(1) 대법원 2008.9.11. 2006다68636은 법정책임설의 입장에서 "상법 제401

---

156) 이상 김건식, 전게논문, 318~326면에서 인용하였음.
157) 김건식, 전게논문, 327면; 김형배, "이사의 제3자에 대한 책임,"「재판실무연구 2000」(광주지방법원, 2001. 1.), 327면도 상장회사와 폐쇄회사에 있어서 "회사의 손해와 주주의 손해가 일치함에도 불구하고" 본문 ㉮와 ㉯에서 설명한 이유로 주주의 간접손해에도 제401조가 적용된다고 한다.
158) 단, 주가하락으로 인한 주주의 손해 중 이사의 횡령으로 인한 회사재산의 감소 때문에 발생한 부분은 회사재산의 복원으로 회복될 것이다.
159) 김건식, 전게논문, 321면.
160) 구회근, 전게논문, 131면.

조 및 제414조에 따른 제3자의 손해배상청구권은 제3자를 보호하기 위하여 상법이 인정하는 특수한 책임이므로, 일반 불법행위책임의 단기소멸시효를 규정한 민법 제766조 제1항은 적용될 여지가 없고, 달리 별도로 시효를 정한 규정이 없는 이상 일반 채권으로서 민법 제162조 제1항에 따라 그 소멸시효기간은 10년이라고 봄이 상당하므로[161]”라고 하면서도,[162] “불법행위로 인한 손해배상청구권의 단기소멸시효의 기산점이 되는 민법 제766조 제1항 소정의 ‘손해 및 가해자를 안 날’이라 함은 손해의 발생, 위법한 가해행위의 존재, 가해행위와 손해의 발생과의 사이에 상당인과관계가 있다는 사실 등 불법행위의 요건사실에 대하여 현실적이고도 구체적으로 인식하였을 때를 의미하고, 피해자 등이 언제 불법행위의 요건사실을 현실적이고도 구체적으로 인식한 것으로 볼 것인지는 개별적 사건에 있어서의 여러 객관적 사정을 참작하고 손해배상청구가 사실상 가능하게 된 상황을 고려하여 합리적으로 인정하여야 한다”[163]라고 한다.

소멸시효기간에 관하여 불법행위책임의 단기소멸시효를 배척하면서, 시효의 기산점에서는 ‘불법행위의 요건사실’을 거론하는 난조를 보이는 것은 법정책임설의 한계를 드러내는 예라고 생각된다.

대법원 2008.1.18. 2005다65579도 대우자동차 주식회사의 제26기 재무제표에 대한 분식회계로 인하여 원고(주식회사 우리은행)가 대출금을 회수하지 못한 손해에 대하여 대우자동차 임원들에게 법정책임설의 입장에서 제401조의 배상책임을 인정하면서, 소멸시효기간과 그 기산점에 관하여 같은 판시를 하였다.

(2) 대법원 2008.2.28. 2005다60369은 “기업체의 임직원 등(주식회사 고합과

---

161) 대법원 2006.12.22. 2004다63354; 2008.1.18. 2005다65579 등 참조.
162) 대법원 2008.9.11. 2007다31518과 대법원 2008.9.11. 2006다68834도 본문에 소개한 같은 날의 2006다68636 판결처럼 주식회사 대우의 도산을 계기로 제기된 소송에서 이사와 감사의 분식회계 감시의무 위반을 이유로 제401조 제1항의 손해배상책임을 인정한 판결인데 [이 세 판결은 이미 위 라. 2) 가) 및 주114에서 소개하였다.], 소멸시효기간에 관해서도 같은 판단을 하였다. 2006다68834 판결은 소멸시효 기산점에 관해서도 동일한 판단을 하였다. 대법원 2006.12.22. 2004다63354도 대우전자 주식회사의 제27기(1997년) 사업년도 분식회계 사건에서 임원들의 원고(주식회사 우리은행)에 대한 제401조 책임을 인정하고, 이 책임의 소멸시효기간에 관하여 “상법 제401조에 기한 이사의 제3자에 대한 손해배상책임이 제3자를 보호하기 위하여 상법이 인정하는 특수한 책임이라는 점을 감안할 때, 일반 불법행위책임의 단기소멸시효를 규정한 민법 제766조 제1항은 적용될 여지가 없고, 달리 별도로 시효를 정한 규정이 없는 이상 일반 채권으로서 민법 제162조 제1항에 따라 그 소멸시효기간은 10년이라고 봄이 상당하다”고 하였다.
163) 대법원 1999.9.3. 98다30735 참조.

고합물산 주식회사의 이사들)이 대규모의 분식회계에 가담하거나 기업체의 감사가 대규모로 분식된 재무제표의 감사와 관련하여 중요한 감사절차를 수행하지 아니하거나 소홀히 한 잘못이 있는 경우에는, 그로 말미암아 기업체가 발행하는 회사채 등이 신용평가기관으로부터 적정한 신용등급을 얻었고 그에 따라 금융기관(수산업협동조합중앙회)이 그 회사채 등을 지급보증하거나 매입하는 방식으로 여신을 제공하기에 이르렀다고 봄이 상당하다"164)고 인정하고, "제3자가 상법 제401조에 기한 이사의 제3자에 대한 손해배상책임만을 묻는 손해배상청구 소송에 있어서 주식회사의 외부감사에 관한 법률 제17조 제7항이 정하는 단기 소멸시효165)는 적용될 여지가 없다"면서 일반채권으로서 민법 제162조 제1항의 10년의 소멸시효기간을 적용하였다.

대법원 2008.2.14. 2006다82601166)도 분식결산된 주식회사 고합의 재무제표를 믿고 고합발행의 회사채에 대한 지급보증을 한 원고(주식회사 우리은행)가 고합의 이사와 감사에게 손해배상을 청구한 소송에서 소멸시효에 관하여 같은 판단을 하였다.

회사의 재무제표 작성에 책임이 있는 임원과 그 적정성을 보장하는 외부감사인의 책임에 대한 소멸시효기간이 균형을 잃은 듯하다.

(3) 最三小判 昭和49[1974].12.17.(民集 28卷 10号 2059面)에 의하면, 일본 상법 구 제266조의3 제1항의 책임은 불법행위책임이 아니며 그 소멸시효기간은 민법 제167조 제1항(우리나라 민법 제162조 제1항)이 적용된다.

이 판결은 일본 민법 제724조가 단기 소멸시효를 규정한 근거는 "불법행위에 기한 법률관계가 통상 미지의 당사자간에 예기하지 않은 우연의 사고에 기하여 발생하는 것이기 때문에 가해자는 손해배상 청구를 받을지 어느 범위까지 손해배상의무를 부담하는지 등이 불명하기 때문에 극히 불안정한 입장에 놓인다"는 것이다. 학설상 이 단기소멸시효의 근거에 관해서는 ⓐ 증명의 곤란, ⓑ 권리 위에 잠자는 자를 보호하지 않는 것, ⓒ 시간 경과와 더불어 피해감정의 침정화(沈靜化), ⓓ 가해자의 기대와 신뢰 등을 든다. 위의 판결은 ⓓ의 근거를 채

---

164) 대법원 2007.1.11. 2005다28082 참조.
165) "청구권자가 당해 사실을 안 날로부터 1년 이내 또는 감사보고서를 제출한 날로부터 3년 이내"라고 한다(제17조 제7항).
166) 위 라. 2) 나)에서 이미 소개하였다.

택한 셈인데, 피해자의 인식과 같은 배상의무자가 규지(窺知)할 수 없는 주관적인 내심의 상태에 배상의무자의 신뢰를 연관시키는 것은 논의의 출발점에 있어서 문제가 있고, 과연 배상의무자의 신뢰는 법적인 보호를 받을 가치가 있는지 비판이 있다.[167]

간접손해에 관해서는 회사에 대한 제3자의 청구권이 시효에 걸린 경우에는 제401조에 의한 이사의 책임 자체의 효력을 생각할 필요는 없고 이미 제401조의 책임은 인정되지 않는다.[168]

이사가 제3자에 대한 손해배상책임을 부담하는데 회사도 제3자에 대하여 불법행위책임을 부담하는 경우에는, 회사의 책임은 3년간으로 소멸하는데 이사의 책임이 그보다 긴 10년간으로 소멸하는 것은 균형을 잃는다.[169]

이 책임의 법적성질에 관한 법정책임설·불법행위특칙설·특수불법행위설은 민법불법행위규정의 경합적용을 인정할 것인지, 과실상계를 인정할 것인지, 소멸시효기간 등 개개의 구체적 문제의 처리와 관련하여 고찰되어야 하고, 이 판결은 간접손해의 사안에 관한 것인데 양손해포함설을 취하여 일본상법 구 제266조의3 제1항의 적용범위를 현저히 확대한 대법정 판결의 입장에서 동 조항이 적용되는 모든 사례에서 시효기간을 일률적으로 풀이해도 괜찮은지 더 검토해야한다고 한다.[170]

사. 상호저축은행 임원 등의 연대책임

상호저축은행법 제37조의3(임원 등의 연대책임)은 "① 상호저축은행의 임원은 그 직무를 수행하면서 고의나 과실로 상호저축은행 또는 타인에게 손해를 입힌 경우에는 상호저축은행의 예금등과 관련된 채무에 대하여 상호저축은행과 연대하여 변제할 책임을 진다. ② 상호저축은행의 과점주주(국세기본법 제39조 제2항

---

167) 森島昭夫, 「不法行爲法講義」(有斐閣, 1987), 427面 - 並木和夫, "取締役の第三者に對する責任の消滅時效 - 最三小判 昭和49·12·17(民集28卷10號2059頁)," 「商法の判例と論理 - 昭和40年代の最高裁判例をめぐつて(倉澤康一郞敎授還曆記念論文集)」(日本評論社, 1994), 270面에서 재인용.

168) 菱田政宏, "株式會社の取締役の第三者に對する責任 - 商法266ノ3の適用の範圍と要件," 「民商法雜誌」 78·臨增(2) 297面, 326~327面[1978] - 並木和夫, 前揭論文, 265面에서 재인용.

169) 龍田 節, 本件判批 「民商法雜誌」 73卷 3号 388面 - 並木和夫, 前揭論文, 271面에서 재인용.

170) 上柳克郞, 앞의 대법정판결 해설, 125面 3段~4段.

에 규정된 과점주주에 해당하는 자를 말한다)는 상호저축은행의 경영에 영향력을 행사하여 부실을 초래한 경우에는 상호저축은행의 예금등과 관련된 채무에 대하여 상호저축은행과 연대하여 변제할 책임을 진다.”[전문개정 2010.3. 22.]라고 규정하는데, 구 상호신용금고법(2001. 3. 28. 법률 제6429호 상호저축은행법으로 개정되기 전의 것) 제37조의3 제1항이 “상호신용금고의 임원(감사를 제외한다)과 과점주주(국세기본법 제39조 제2항에 규정된 과점주주에 해당하는 자를 말한다)는 상호신용금고의 예금 등과 관련된 채무에 대하여 상호신용금고와 연대하여 변제할 책임을 진다”고 규정하였던 내용을, 감사를 제외한다는 문구를 삭제하고, 제1항과 제2항으로 나눈 것이다.

상호저축은행 임원이 고의 또는 과실로 임무를 해태한 경우에 상호저축은행의 예금등과 관련된 채무에 대하여 책임을 지도록 규정한 점에서 이사의 회사에 대한 책임을 규정한 제399조 및 제3자에 대한 책임을 규정한 제401조와 유사하다. 대법원 2008.5.29. 2006다8368과 대법원 2008.4.10. 2004다68519에서는 구 상호신용금고법(현 상호저축은행법) 제37조의3이 규정하는 예금채무변제책임의 요건 및 이 책임과 상법 제399조에 규정된 이사의 회사에 대한 책임과의 관계가 쟁점이 되었다.

회사의 사원과 임원이 어떤 책임을 지는지는 입법정책의 문제이다. 그런데 상호저축은행 임원의 책임과 관련해서는 연혁상의 특별한 상황이 고려된다. 상호신용금고는 사실상 서민들과 소규모기업을 대상으로 한 지역 금융기관으로의 역할을 담당하게 되었는데, 대부분 비상장법인이고, 소규모의 폐쇄회사들로서 소유와 경영이 분리되어 있지 않으며, 대주주는 경영에 관여하고 다른 사업을 병행하고 있는 경우가 많아서 사금고화할 수 있는 구조적인 문제점이 있다. 상호신용금고의 이러한 실제 상황에 대처하기 위하여, 제37조의3은 연혁적으로 상호신용금고의 주 업무인 계(契)나 상호부금이 계주 등 운영자의 개인적 신용을 배경으로 형성되었었으며, 일본의 무진업법도 참고하여, 과점주주와 임원의 회사채무 특히 “계금 및 부금과 관련된 채무”에 대한 무한연대변제책임을 규정하였다.

위의 두 대법원 판결은 “구 상호신용금고법 제37조의3 제1항에 의한 임원의 예금변제책임은, 상호신용금고의 이사가 임무를 해태하여 상호신용금고에 재산상 손해를 입힌 경우에 상호신용금고에 대하여 부담하는 상법 제399조 제1항의 손해배상책임이나 제3자에 대하여 부담하는 상법 제401조 제1항에 의한 손해배상책임만으로는 예금주의 이익을 충분히 보호할 수 없기 때문에 법률의 규정에 의하여 특별히 인정된 것으로서, 구 상호신용금고법 제37조의3 제1항에 의한 권리는 상법 제399조에 따라 상호신용금고가 임원에 대하여 갖는 손해배상청구권과는 별도로 예금주 등에게 인정된 고유의 권리이다. 따라서 임원이 상호신용금고에 발생한 손해에 대하여 상법 제399조 제1항에 따른 책임을 먼저 이행하였다고 하더라도, 임원이 동일한 임무해태행위를 원인으로 예금채권자에 대하여 부담하는 예금변제책임은 그로부디 예금주가 실제로 변제받은 금액의 한도에서만 소멸할 뿐이며, 이사가 상호신용금고에 이행한 손해배상액의 범위에서 모두 소멸하지는 않는다"고 선언하고, "상호신용금고의 부실경영에 책임이 있는 임원은 구 상호신용금고법 제37조의3 제1항에 따라 자신의 행위로 말미암아 상호신용금고가 입은 손해의 범위 내에서 상호신용금고의 예금 등과 관련된 채무에 대하여 상호신용금고와 연대하여 변제할 책임이 있다고 봄이 상당하다"고 하면서도, "피고(상호신용금고의 임원)가 (상호신용)금고에 대하여 손해배상으로 이행한 금액 등에 비추어 볼 때 원심이 이러한 사정을 피고의 예금변제책임의 범위를 정함에 있어서 고려하지 않은 것이 형평의 원칙에 비추어 현저히 불합리하다고 인정되지도 않는다"고 판시하였다.

헌법재판소는 이 규정에 대하여 일부위헌결정을 내렸으며,[171] 본 대법원 판결도 금고 예금채무 변제책임을 부담하는 임원의 범위를 "상호신용금고의 부실경영에 책임이 있는 임원"으로 제한적으로 해석하였다. 명칭도 상호저축은행으로 바꾸고 임원과 과점주주의 연대변제책임을 규정한 제37조의3 신설 당시까지도 유지되었던 상호신용금고의 특성도 엷어지고 기본구조가 일반 금융기관에 접근하면서 그 임원과 과점주주의 책임도 주식회사에 있어서와 본질적인 차이를 인정할 이유가 약해졌다는 전제하에 위의 헌재와 대법원 판례가 제시한 '임원'과 '과점주주'의 제한적 해석을 이해할 수 있다.[172]

---

171) 헌법재판소 2002.8.29. 2000헌가5 · 6, 2001헌가26, 2000헌바34, 2002헌가3 · 7 · 9 · 12(병합) 전원재판부(상호신용금고법제37조의3제1항등 위헌제청, 상호신용금고법제37조의3제1항 중 "과점주주" 부분위헌제청, 상호신용금고법제37조의3제1항 위헌제청, 상호신용금고법제37조의3 위헌소원)[헌공제72호]

172) 대법원 2008.4.10. 2004다68519에 대한 평석은 정진세, "구 상호신용금고(현 상호저축은행) 임원 및 과점주주의 예금채무 연대변제책임," 「인권과 정의」 통권 제390호(대한변호사협회, 2009. 2.), 202~233면 참조.

아. 정 리

호황기에는 주식회사 이사는 경제발전의 견인차로서 칭찬과 선망의 대상이지만 불황이 다가오거나 기타 기업이 어려워지면 비난의 표적이 되는 경향이 있다. 이사 책임의 과중한 추궁을 경계하는 최근의 경향을 고려하더라도 주식회사 이사의 경과실에 대하여 면책을 주장하는 것은 지지를 받기 어렵다. 그렇다고 이사에 대하여 '법의 근본원칙'에 어긋나는 마녀사냥은 경계해야 한다.

우선 불법행위특칙설이 이사에게 일반적으로 경과실 면책을 주장하는 것은 적절치 않으며, 회사에 대한 '그 임무를 게을리 한' 것을 요건으로 하는 제401조의 해석이 될 수 없다. 법정책임설은 회사에 대한 임무해태가 왜 제3자에 대한 책임의 원인이 되는지 불법행위법원칙이나 채권자대위제도 기타의 '법의 근본원칙'을 바탕으로 설명하지 아니한다. 그러면서도 책임의 소멸시효 기산점에 관하여 불법행위법을 원용하는 것은 모순이다.

'법의 근본원칙'에 벗어나지 않으면서 '회사에 대한 임무해태로 인한 제3자의 손해에 대한 배상책임'을 규정한 제401조의 문언에 맞는 해석으로는, 회사채권자의 간접손해에 대한 책임으로 풀이하는 법정책임설 수정설의 제1설이 가장 적절하다고 생각된다. 그러나 이 견해에 따르면 채권자대위제도 외에 제401조를 규정할 필요가 있었을까 하는 입법론상 의문이 제기된다. 제401조는 채권자대위권보다 회사채권자를 특히 회사도산의 경우에 더 보호한다든지 절차적으로 번잡을 덜어준다는 주장은 왜 제401조의 경우에만 회사채권자에게 이런 혜택이 부여되는지 수긍하기 어렵다. 우선, 독일 주식법 제93조 제5항을 모방한 일본 구 상법 제266조의3을 거쳐 도입한 우리나라 상법 제401조가 프랑스 판례를 참조하여 일본판례의 영향에서 벗어나 이사의 제3자에 책임의 예외적 경우에 적용되는 규정이라는 본래의 위치를 다시 찾게 되기 기대한다.

3. 유지청구와 대표소송

최 승 재*

가. 위법행위유지청구권

1) 의 의

이사의 위법행위유지청구권이란 이사가 법령 또는 정관에 위반한 행위를 하려고 할 때 감사, 감사위원회 또는 소수주주가 회사를 위해서 이사에 대하여 그 행위의 유지를 청구할 수 있는 권리를 말한다. 상법 제402조[1]는 "유지청구권"이라는 표제 하에 "이사가 법령 또는 정관에 위반한 행위를 하여 이로 인하여 회사에 회복할 수 없는 손해가 생길 염려가 있는 경우에는 감사 또는 발행주식의 총수의 100분의 1 이상에 해당하는 주식을 가진 주주는 회사를 위하여 이사에 대하여 그 행위를 유지할 것을 청구할 수 있다"라고 규정하고 있다.

이 제도는 이사가 위법행위를 하면 사후적으로 대표소송을 통하여 그 책임을 물을 수 있으나, 사후적 수단만으로는 충분한 구제가 이루어지지 못할 경우에 이를 사전에 예방할 수 있도록 하기 위해서 인정된 일종의 보전행위를 법제화한 제도이다.

2) 구별개념

가) 유지청구제도와 직무집행정지제도

유지청구제도는 일종의 보전행위로서 영미법상의 유지명령(injunction)제도[2]를 본 받은 것으로 영미법상 유지명령은 법원에 대해서 소로만 청구할 수 있으나 상법상 유지청구권은 소에 의하지 않고도 할 수 있다는 점에서 구별된다.[3] 유지청구제도는 제407조의 직무집행정지제도와 목적을 같이 하나 전자는 소에 의하지 아니하고도 행사할 수 있으며, 또 후자처럼 이사의 권한을 일반적으로 정지시키는 것이 아니라 개별적 행위를 저지한다는 점에서 차이가 있다. 그리고 유지청구는 감사나 소수주주가 회사를 위해서, 즉 회사의 대표기관적 지위에서 이사를 상대한다는 점에서 대표소송과 비슷하나 대표소송은 이미 발생한 손해의

---

* 세종대학교 법학부 교수, 변호사
1) 이하 아무런 법명을 표시하지 않으면 「상법」을 의미함.
2) 이철송, 「회사법강의」(2021), 829면.
3) 김건식・노혁준・천경훈, 「회사법」(2021), 520면.

회복을 위한 사후적 구제수단인 데 반해, 유지청구는 손해의 사전적 예방수단이
란 점에서 차이가 있다.[4)]

나) 신주발행유지청구권과의 차이

주주의 유지청구권에는 위법행위유지청구권과 신주발행유지청구권이 있는
바, 양자는 모두 행위 완료 전에 이를 행사하여야 한다는 점에서는 공통되나,
①전자는 회사에 회복할 수 없는 손해가 생길 염려가 있는 경우에 '회사의 손해
방지'를 직접적인 목적으로 하나, 후자는 주주 자신이 불이익을 받을 염려가 있
는 경우에 '주주의 개인적인 손해방지'를 목적으로 한다는 점, ② 전자는 소수주
주가 이를 행사할 수 있으나 후자는 주주개인이 행사할 수 있는 한편, 전자는
감사가 이를 행사할 수 있으나 후자는 행사할 수 없다는 점, ③ 전자는 상대방
은 이사 개인이지만, 후자는 회사를 상대로 한다는 점 등에서 차이가 있다.[5)]

3) 개별적인 요건의 검토

가) 유지청구권자 및 그 상대방

(1) 유지청구권자

유지청구를 할 수 있는 자는 ① 감사 또는 감사위원회(제402조, 제415조의2
제7항), ② 발행주식총수의 1% 이상의 소수주주(제402조)이다. 유지청구권을 단
독주주권으로 규정하지 않은 것은 제도남용의 폐단을 방지하기 위한 것이다.[6)]
다만 상장회사의 경우에는 6개월 전부터 계속하여 0.5%(자본금 1천억 원 이상인
회사는 0.25%) 이상을 보유한 소수주주가 유지청구권자가 된다(제542조의6 제5
항). 소수주주의 지주수의 계산에서는 의결권이 없는 종류주식이나 의결권이 제
한되는 종류주식이 포함된다.[7)] 또한 소수주주요건은 유지청구를 할 당시에만 충
족시키면 족하며, 소송계속 중에 계속 이 요건이 충족되지 않아도 무방하다.

이와 관련하여 상장회사의 경우 발행주식의 100분의 1 이상의 가진 주주이
지만 상장회사 특례규정상의 보유요건을 구비하지 못한 경우에도 대표소송이나
유지청구권을 행사할 수 있는지 여부가 2015년 삼성물산과 제일모직 간의 합병

---

4) 이철송, 전게서, 830면

5) 정찬형, 「상법강의(상)」 제24판(박영사, 2021), 1095면; 추가적인 차이는 최준선, 「회사법」
   제16판(삼영사, 2021), 578면; 장덕조, 「상법강의」(법문사, 2021), 587면.

6) 정찬형, 상게서, 1096면.

7) 이철송, 「회사법강의」(박영사, 2018), 812~813면; 정찬형, 상게서, 1096면.

에 대하여 엘리엇이 제기한 자신이 주주로 있는 회사의 등기이사 7인에 대하여 상법상 유지청구권을 피보전권리로 하는 가처분 신청의 경우, 엘리엇은 1% 이상의 지분을 가지고 있지만 6개월 보유요건을 구비하지 못하였다. 따라서 이 사건에서 엘리엇의 가처분신청이 상법 제542조의6 제5항에서 정한 보유기간의 요건을 갖추지 못한 자에 의하여 제기된 것이어서 부적법 각하되어야 하는 것인지 아니면 일반조항인 상법 제402조의 요건을 구비하였으므로 유지청구권을 행사할 수 있는 것인지 여부가 쟁점이 되었다(이하 '엘리엇 결정').

이 문제는 상법 제402조와 제542조의6(상장회사 특례규정)의 관계를 어떻게 볼 것인가의 문제와 연결된다. 상장회사 특례규정은 2009년 상장회사 특례규정이 상법으로 편입되기 전에는 구 증권거래법의 일부로 규정되어 있었다. 구 증권거래법의 해석상 구 증권거래법이 상법에 우선하는 특별적인 지위를 가지고 있고 소수주주의 지위남용을 막을 필요성이 있다는 점에서 구 증권거래법만 배타적으로 적용된다는 견해(배타적 적용설)[8]와 구 증권거래법이 상법상의 지주요건을 완화함으로써 소수주주권의 행사에 필요한 지주요건을 완화한 법이라는 점에서 소수주주가 선택적으로 구 증권거래법과 상법의 대표소송 요건을 선택하여 대표소송을 제기할 수 있도록 하여야 한다는 견해(선택적 적용설)가 있었다.[9] 2009년 상장회사 특례규정이 상법의 일부가 되면서 제54조의2 제2항이 신설되었다. 종래의 논의는 그대로 상장회사 특례규정과 상법의 일반조항과의 관계의 문제로 그대로 이어졌다.

이 쟁점에 대한 2009년 이전 판결로, 대법원은 소수주주의 주주총회소집청구 요건을 완화한 입법취지는 상장기업의 경우 상법상 주식보유요건을 갖추지 못한 주주에게도 구 증권거래법에서 정한 주식보유요건을 갖추면 주주총회소집청구를 할 수 있도록 함으로써 기업경영의 투명성을 제고하고 소수주주의 권익을 보호하려는 데 있다는 점 및 구 증권거래법의 조항에 보유기간요건을 둔 것은 소수주주권 행사의 요건을 완화함으로 인하여 소수주주권의 행사를 목적으로 주식을

---

8) 인천지방법원 2010.3.4. 자 2010카합159. 이 결정에서 인천지방법원은 주주제안권에 관한 상장회사 특례규정인 상법 제542조의6 제2항이 그 일반규정인 상법 제363조의2에 우선하여 적용되므로 보유기간요건을 갖추지 못한 주주는 상법 제542조의6 제2항 소정의 신청인 적격이 없다고 보았다.
9) 권오성, "소수주주권에 관한 상장회사 특례규정의 문제점 − 보유기간을 중심으로," 「성신법학」 제10호(성신여자대학교 법학연구소, 2011), 45면.

취득한 자가 그 권리를 남용하는 것을 방지하기 위한 부수적인 목적에서 비롯한 것으로 볼 수 있다는 점 등에 비추어 상장법인 특례상의 보유기간요건을 갖추지 못한 경우라 할지라도 상법 제366조의 요건을 갖추고 있으면 그에 기하여 주주총회소집청구권을 행사할 수 있다는 판단을 함으로써 주주총회소집청구권과 관련해서 선택적 적용설을 취한 바 있었다.[10]

2009년 이후 판결로는 서울고등법원이 상법 제542조의2 제2항에서 상장회사에 대한 특례규정의 적용범위에 관하여 일괄하여 상법의 다른 규정에 '우선하여 적용한다'는 규정이 있다고 하더라도, 이는 특례규정과 관련된 모든 경우에 상법 일반규정의 적용을 배제한다는 의미라기보다는 1차적으로 적용한다는 원론적 의미의 규정으로 보아, 상장회사에서의 소수주주의 주주총회소집청구권을 규정한 상법 제542조의6 제1항은 상법 제366조의 적용을 배제하는 특별규정에 해당한다고 볼 수 없고, 상장회사의 주주는 상법 제542조의6 제1항이 정하는 6개월의 보유기간 요건을 갖추지 못한 경우라 할지라도 상법 제366조의 요건을 갖추고 있으면 그에 기하여 주주총회소집청구권을 행할 수 있다고 판단하였다.[11]

2015년 서울중앙지방법원은 엘리엇 결정에서 법원은 2009년 1월 30일 상법 개정으로 상장회사에 대한 특례조항이 상법에 편입되면서 신설된 상법 제542조의2 제2항은 "이 절은 이 장 다른 절에 우선하여 적용한다."는 규정을 굳이 신설한 것은 원칙적으로 선택적 적용을 부정하면서 특례조항이 일반조항에 우선하여 적용된다고 취지의 조항이 봄이 상당하다는 점, 소수주주권이 악용될 우려가 있어 비상장회사와 달리 소수주주권 행사 요건에 보유기간 요건을 추가할 필요가 있다는 점 등을 종하여 보면 개정상법이 시행된 2009년 2월 4일부터는 상장회사에 대한 소수주주권 행사 요건으로 위 특례조항만 적용된다고 해석함이 상당하다고 보아 이 사건 가처분신청은 상법 제542조의6 제5항에서 정한 유지청구권의 행사요건을 갖추지 못한 자에 의하여 제기된 것으로 모두 부적법 각하되어야 한다고 결정하여 상법 제402조와 상법 제542조의6의 관계에 대해서 상장회사의 경우 후자의 요건을 구비하지 못하면 부적법 각하된다는 배타적 적용설을 취하였다.[12]

---

10) 대법원 2004.12.10. 2003다41715.

11) 서울고등법원 2011.4.1. 자 2011라123.

12) 서울중앙지방법원 2015.7.1. 자 2015카합80582. 이 결정에 대해서 서울고등법원 2015.7.16. 자 2015라20485는 항고를 기각하였고, 2015년 11월 현재 대법원 2015마4216호 사건으로

2020년 12월 상법개정에서 상법 제542조의6 제10항[13])이 신설되어 상법 제542조의6 제6항[14])에도 불구하고 이 장의 다른 절에 따른 소수주주권의 행사에 영향을 미치지 않는다고 명시함으로써 이 쟁점에 대해서 선택적 적용설이 명문화되었다. 따라서 상법 제542조의6 제6항에 규정한 주식보유기간 요건을 충족하지 못하더라도 상법 제403조의 요건을 충족하는 주주는 대표소송 제기에 필요한 원고적격을 가지는 것이 되었다.[15])

주주가 유지청구를 한 것인지 여부가 주주의 임의적 판단사항이지만, 감사는 직무상 요건이 충족되면 반드시 유지청구를 해야 하며, 이를 게을리하면 임무해태가 된다.[16])

(2) 유지청구권의 상대방(피청구자)

유지청구권의 상대방은 법령위반 행위 등을 하는 이사 등이 될 것이다. 문제가 되는 것은 이사와 같은 지위에 있는 자로 정리회사의 관리인도 주주의 위법행위 유지청구의 대상이 되는지 여부가 문제된다. 구 회사정리법에 의하면 회사정리절차가 개시되면 당해회사의 사업경영과 재산의 관리처분권은 모두 관리인에게 전속되고 관리인은 법원의 감독 하에 선량한 관리자의 주의의무를 다하여 직무를 수행할 책임을 부담하고 이를 게을리한 경우에는 이해관계인에 대하여 손해배상책임을 지기 때문에 그 지위는 평시회사의 이사와 같이 볼 여지가 있기 때문이다. 하급심 판결이기는 하지만 법원은 "정리회사의 관리인은 정리회사와 그 채권자 및 주주로 구성되는 소위 이해관계인 단체의 관리자로서 일종의 공적수탁자라 할 것인데, 관리인은 정리회사의 기관이거나 그 대표자는 아니고, 관리인의 권한은 정리회사의 사업경영과 재산의 관리 및 처분에 한정되며 그 외의 사항에는 미치지 않는다.[17]) 이러한 정리회사의 관리인의 지위 및 담당업무의 범위, 정리법원

계속 중이다.

13) ⑩ 제1항부터 제7항까지는 제542조의2제2항에도 불구하고 이 장의 다른 절에 따른 소수주주권의 행사에 영향을 미치지 아니한다. 〈신설 2020. 12. 29.〉

14) ⑥ 6개월 전부터 계속하여 상장회사 발행주식총수의 1만분의 1 이상에 해당하는 주식을 보유한 자는 제403조(제324조, 제408조의9, 제415조, 제424조의2, 제467조의2 및 제542조에서 준용하는 경우를 포함한다)에 따른 주주의 권리를 행사할 수 있다. 〈개정 2011. 4. 14.〉

15) 이에 대한 비판적 견해로, 권재열, 「주주대표소송론」, 정독(2021), 96~97면.

16) 이철송, 전게서(2018), 813면; 정찬형, 전게서, 1096면; 최준선, 전게서, 579면; 장덕조, 전게서, 587~588면.

17) 이 부분 법리에 대한 기존의 대법원 판례로 대법원 1974.6.25. 73다692; 1988.8.9. 86다카1858; 1992.7.14. 92누3120; 1994.10.28. 94모25.

의 감독을 받는 점 등에 비추어 볼 때, 정리회사의 관리인을 주식회사의 이사나 청산인과 동일하다거나 유사한 지위에 있다고 할 수 없다"[18]고 보아서 정리회사의 관리인이 주주의 위법행위 유지청구의 대상이 된다거나 그에 대하여 위법행위 유지청구에 관한 제402조가 유추적용이 되는 것은 아니라고 보았다.

나) 유지청구권의 대상행위

(1) 이사의 법령 또는 정관에 위반한 행위

유지청구의 대상이 되는 행위는 회사의 목적범위를 벗어나는 행위,[19] 이사회결의 없이 신주 또는 사채를 발행하는 경우(제416조, 제469조),[20] 주주의 신주인수권을 무시한 신주의 발행(제418조) 등과 같이 구체적인 법령 또는 정관의 규정에 위반한 행위뿐만 아니라 이사의 선관주의의무(제382조 제2항, 민법 제681조) 위반행위도 포함한다.[21]

이사가 법령 또는 정관의 규정에 위반한 행위를 하면 이사의 고의, 과실이나 권한범위 내인지 여부는 묻지 않고 유지청구의 대상이 된다. 문제가 될 수 있는 이사의 행위는 법률행위에 한하지 않고 사실행위나 불법행위, 준법률행위도 포함된다.[22]

원인행위와 그 이행행위가 분리되어 있을 경우에는 원인행위의 유지를 청구할 수 있음은 물론, 회사재산의 매매계약을 하고 이후에 인도 또는 등기이전을 하는 경우와 같이 원인행위가 이루어진 후 이루어지는 이행행위의 유지도 청구할 수 있다.[23] 나아가 이사가 이미 법령 또는 정관에 위반하여 체결한 계약이 유효한 경우 그 채무의 이행도 유지청구의 대상이 된다. 왜냐하면 유지청구가 긴급한 상황에서 회복할 수 없는 손해를 방지하려는 비상의 수단인 만큼 제3자와의 관계에서는 채무불이행으로 인한 손해배상을 감수하고라도 이행행위를 유지해야 할 경우가 있을 수 있기 때문이다.[24] 한편 일단 이행되면 회복이 어려

---

18) 대전지방법원 2007.4.13. 2007카합327.

19) 회사의 목적범위 내외일 것도 불문한다는 견해로 정찬형, 전게서, 1096면; 이철송, 전게서 (2018), 811면.

20) 상법 제341조를 위반하여 이사가 회사의 자기주식을 취득하거나 상법 제416조 및 제469조를 위반하여 신주나 사채의 모집행위를 하거나 정관상의 신주인수권규정을 위반하여 신주발행을 하는 경우 등을 포함한다.

21) 임재연, 「회사법 II」 개정4판(박영사, 2017), 526면.

22) 이철송, 전게서(2018), 811면.

23) 이철송, 상게서(2018), 812면.

운 손해가 있기 때문에 대상이 된 행위가 거래법상 무효이거나 무효가 될 가능성이 있는 경우에도 유지청구를 할 필요가 있을 수 있다.[25]

(2) 회사에 회복할 수 없는 손해가 생길 염려

법령 또는 정관에 위반하는 행위라도 회사에 회복할 수 없는 손해가 생길 염려가 없는 때에는 유지청구를 하지 못한다.[26] 이 때 회복할 수 없는지 여부는 사회통념에 따라 판단할 것이다.

사회통념상 회사에 회복할 수 없는 손해가 생실 엄려가 있나고 할 수 있는 경우는 법적으로 불가능한 경우뿐만 아니라 비용이나 절차 등에 비추어 회복이 곤란하거나 상당한 시일이 요구되는 경우도 포함한다.[27] 또 대표이사가 정관상 요구되는 이사회의 승인 없이 회사재산을 처분하려고 할 때, 일단 처분하면 제3자에 대한 대항력 제한 때문에 회수할 수 없고 대표이사도 손해배상의 자력이 없다면 회복할 수 없는 손해에 해당할 것이다.[28]

다) 유지청구권의 행사방법

반드시 소에 의할 필요는 없고, 위법행위를 하려고 하는 이사에 대해서 그 행위를 하지 말 것을 재판 외에서 청구할 수도 있다.[29] 소를 제기한다면 이행의 소 또는 장래이행의 소(민소법 제251조)에 의할 것이다.[30] 유지청구의 소는 회사를 위하여 제기하는 것이므로 대표소송에 관한 규정을 유추적용 해야 한다는 것이 통설이다.[31] 소에 의하여 하는 경우에는 소제기와 더불어 유지청구의

---

24) 송옥렬, 「상법강의」(홍문사, 2016), 1059면; 이철송, 상게서(2018), 812면. 이에 반대하여 유효한 행위인 경우에는 제3자와의 사이에 이미 적법하게 발생한 법률관계를 해할 수 없으므로 원인행위가 일단 행해진 후에는 이행행위의 유지를 청구할 수 없다는 견해가 있음(안택식, 「회사법강의」(형설출판사, 2012), 446면 등).

25) 회사가 매우 저렴한 가격으로 부동산을 매도하여 신의칙에 반하는 계약으로 판단되어 무효로 해석될 가능성이 있으므로 그 이행행위도 유지청구권 행사의 대상이 된다는 하급심 판결례로 서울지방법원 2003.7.4. 2003카합980.

26) 최기원, 「신회사법론」(박영사, 2012), 715면.

27) 송옥렬, 전게서, 1059면; 장덕조, 전게서, 687면.

28) 이철송, 전게서(2018), 812면.

29) 임재연, 전게서, 527면; 송옥렬, 전게서, 1059면. 송옥렬 교수는 단순한 의사표시로 유지청구를 하는 것은 이사에게 다시 생각할 것을 사실상 요구하는 정도의 의미밖에는 없다고 본다.

30) 이철송, 전게서(2018), 813면.

31) 임재연, 전게서, 527면. 이 견해와 같은 취지에서 성질이 대표소송의 일종이므로, 절차도 대표소송에 관한 제403조 내지 제406조를 유추적용 한다는 견해로 송옥렬, 전게서, 1059면; 이철송, 상게서(2018), 813면; 정찬형, 전게서, 1097면; 최준선, 전게서, 579면; 장덕조, 상게서, 588면.

소를 본안으로 하는 가처분으로 이사의 행위를 중지시킬 수 있다(민사집행법 제
300조 제2항).

유지청구의 소는 회사를 위해서 제기하는 것이므로 판결의 효과는 당연히 회
사에 미친다. 대표소송에 있어서는 제소주주에게 담보제공을 명하는 제도가 있
는데(제403조 제7항에서 제176조 제3항을 준용), 하급심 법원에서 이 조항의 유추
적용을 부정한 바 있다.[32]

라) 유지청구의 효과

(1) 유지청구 불응의 효과

소로써 유지청구를 하는 경우에는 판결에 따른 효과가 발생한다. 단순한 의사
표시로 이사에게 청구한 경우의 효과가 문제되는바, 유지청구만으로 이사에게 이
에 응할 의무가 발생하는 것은 아니다. 이사가 유지청구에도 불구하고 행위를 한
경우, 그 행위의 사법상 효력에는 영향이 없고, 사후적으로 그것이 법령 또는 정
관에 위반된 것으로 확정되면 이사는 임무해태로 인한 손해배상책임을 진다.[33]

유지청구의 효과에 대해서는 유지청구의 효과는 가처분을 수반하지 않는 한
전무하다는 견해가 주류적인 견해이다.[34] 그러나 제399조 제1항에 의한 이사의
책임을 물음에 있어 고의, 과실에 관한 이사의 반증을 허용하지 않는 중대한 실
익이 있으며,[35] 제3자에 대한 책임에 있어서도 유지청구를 무시한 이사의 중과
실이 인정될 가능성이 클 것이므로 유지청구가 전혀 무의미한 것만은 아니라고
본다.[36]

---

32) 서울고등법원 1997.11.4. 97라174(담보제공에 관한 상법 제176조 제3항, 제4항을 준용하는
상법 제403조에서 규정하는 주주의 대표소송은 발행주식 총수의 100분의 5 이상에 해당하
는 주식을 가진 주주가 회사를 위하여 이사의 회사에 대한 책임을 추궁하는 소송을 의미하
는바, 이 사건 소송에서와 같이 발행주식총수의 100분의 5 이상에 해당하는 주식을 가진
주주가 회사를 위하여 이사의 위법행위를 유지할 것을 구하는 소송에서는 담보제공에 관한
위 규정을 준용한다는 명문규정이 없으며, 이러한 위법행위유지청구소송이 넓은 의미에서
주주의 대표소송으로서의 성질을 가진다고 하더라도 소송당사자에게 일정한 의무를 부과하
는 담보제공에 관한 위 규정에 대하여는 이를 유추하여 적용할 수 없음). 이에 반대하여
제소주주에 대한 담보제공을 명하는 대표소송에서의 제403조 제7항 내지 제176조 제3항을
준용하여야 한다는 주장으로 이철송, 상게서(2018), 813면.
33) 그러나 이러한 효과는 유지청구가 없었던 경우도 동일하므로 이를 유지청구의 효과라고 할
수 있을지는 의문이라는 견해로 송옥렬, 1059면; 정찬형, 전게서, 1080면.
34) 송옥렬, 1059면.
35) 이철송, 상게서(2018), 813~814면; 정찬형, 전게서, 1097면.
36) 임재연, 전게서, 527면.

(2) 위반 행위의 사법상 효과

유지청구를 무시하고 한 행위의 효력에 대해서는 유지청구와 상관없이 항상 유효라는 견해[37]와 해당 행위가 원래 유효인 경우와 원래 무효인 경우를 나누어 보는 견해로 나뉜다.[38] 상대방이 재판상 가처분이 있음을 알고 거래를 한 때에는 회사가 그 무효를 주장할 수 있다는 견해도 있다.[39] 재판상 가처분을 하지 않은 경우, 이사가 감사나 주주의 유지청구에 불응하고 법령 또는 정관 위반행위를 한 경우에도 그 행위의 효력에는 영향이 없다고 봄이 타당하다.

유지청구권의 행사와 관련하여 주주와 이사 간에 부정한 거래가 이루어질 수 있으므로 이를 제재하기 위한 벌칙이 있다(제631조 제1항 제3호).

4) 이사의 행위 금지 가처분[40]

가) 가처분 신청의 필요성

이사를 피고로 하여 유지청구의 소를 제기하는 경우, 이를 본안으로 하여 가처분으로서 행위의 금지를 구할 수 있다. 위법행위유지판결 전에 유지청구의 대상인 위법행위가 종료되면 위법행위유지의 소는 소의 이익이 없어서 부적법 각하된다. 또 이사가 감사나 주주의 유지청구에 불응하고 법령 또는 정관 위반행위를 한 경우에도 그 행위의 효력에는 영향이 없다고 할 것이므로, 이사의 행위를 효과적으로 억제하려면 이사의 위법행위 등 유지의 소를 본안으로 하여 이사의 위법행위금지 가처분을 신청하는 것이 바람직하다.

나) 직무집행정지 가처분과의 차이

이사의 행위금지가처분은 이사의 직무집행정지가처분과는 달리 이사의 직무 전반의 집행정지를 명하는 것이 아니고 법령이나 정관에 위반하는 구체적 행위

---

37) 송옥렬, 전게서, 1059면; 이철송, 전게서(2018), 814면; 장덕조, 전게서, 588면. 이 논의와 관련하여 이철송 교수는 이 문제는 법령·정관에 위반한 이사의 행위가 유효인 경우에 제기되는 논의라는 점을 지적하고 있다.

38) 최준선, 전게서, 579면(이사가 유지청구를 무시하고 법령이나 정관에 위반하는 행위를 계속했을 때 그 행위가 단체법적 행위(사채발행 등)인 경우에는 상대방의 선의·악의를 불문하고 유효이지만, 개별적인 거래행위인 경우에는 상대방이 악의인 때에는 그 상대방에게 대하여는 무효를 주장할 수 있고, 당해 이사는 법령 또는 정관위반행위로 인한 책임을 부담하여야 함. 이때에는 이사는 중과실이 의제된 것으로 봄).

39) 최기원, 전게서, 716면.

40) 이 부분의 기술은 법원행정처, 「법원실무제요: 민사집행[IV]」(2003), 348~349면을 요약한 것으로 상세한 사항은 법원실무제요 참조.

의 금지를 명하는 것이다. 상법상 이사의 행위금지가처분에 관하여 특별한 규정이 없으므로 이는 민사집행법 제300조 제2항에 의한 가처분이라고 할 것이다.

다) 신청요건 및 관할

(1) 신청요건

채권자가 될 수 있는 자는 감사 또는 발행주식의 총수의 100분의 1 이상에 해당하는 주식을 가진 주주이다. 신청서에는 소수주주권이 있음을 소명하는 자료와 아울러 회사의 등기부등본(채권자가 감사인 경우에는 그 사실 및 채무자가 이사임을 소명)을 첨부하여야 한다. 이 가처분의 신청은 본래 회사가 행사할 유지청구권을 주주가 회사를 대위하여 행사한다고 할 것이므로, 일단 어떤 주주가 가처분을 신청하였다면 다른 주주나 회사는 다시 같은 가처분을 신청할 수 없고 이미 신청된 사건에 참가하여야 한다.

(2) 관 할

관할에 관하여는 제403조를 준용하여 본점소재지 지방법원의 전속관할에 속한다는 견해가 있으나, 명문의 규정이 없으므로 채무자의 보통재판적이 있는 지방법원도 본안을 관할할 수 있다고 보아야 하고, 따라서 그 법원도 가처분의 관할법원이 될 수 있다고 할 것이다.

라) 결정 및 집행

(1) 주문례

법원은 가처분 요건이 구비된 경우 "채권자의 채무자에 대한 이사행위유지청구소송의 본안판결 확정시까지 채무자는 이사회의 승인 없이 별지목록기재 건물에 관하여 채무자 또는 채무자가 이사인 회사에 양도, 저당권설정, 임대 그 밖에 일체의 처분행위를 하여서는 아니 된다."는 취지의 주문을 결정문에 기재하여 가처분을 인용하여야 한다.

(2) 집 행

이 가처분은 채무자에게 송달함으로써 그 효력이 발생한다. 이 가처분은 등기할 사항이 아니므로 등기촉탁의 문제는 없다.

마) 유지청구와 본안소소에서 패소 확정된 보전처분채권자의 고의·과실의 추정

유지가처분을 신청하였다가 패소 확정된 경우 손해배상을 인정할 수 있는지의 문제가 있다. 대법원은 가처분채권자가 본안소송에서 패소 확정되었다면 그 가처분으로 인하여 채무자가 입은 손해에 대하여 과실이 없다는 특별한 반증이 없는 한 이를 배상할 책임이 있다고 판시하고 있다.[41] 이러한 가처분 패소확정 시의 손해배상책임은 유지청구를 본안으로 하는 유지가처분 패소확정시에도 마찬가지라고 할 것인데, 구체적인 사안에 따라서 고의를 인정과 관련하여, 이사회가 급박하게 개최되고 자기주식 매각이 결의됨으로써 피고들은 더 이상 유지가처분 신청사건이나 유지청구 사건에서 다툴 수 없게 되었는데, 만약 위와 같이 급박하게 자기주식 처분이 이루어지지 않았다면 본안인 유지청구 사건은 별론으로 하더라도 적어도 유지가처분신청은 받아들여졌을 가능성을 배제할 수 없다는 사정은 고의추정을 복멸할 수 있는 특별한 사정의 증명이라는 것이 판례의 태도이다.[42]

나. 대표소송[43]

1) 의 의

가) 법상 근거

상법상 대표소송은 회사가 주주의 제소청구에 불구하고 이사의 책임을 추궁하는 소의 제기를 해태하는 경우 주주가 회사를 위하여 제기하는 소송이다(제

---

41) 대법원 1980.2.26. 79다2138, 2139.

42) "피고들이 주주로서 이사의 행위에 대하여 유지청구권을 행사하여 그 행위를 유지(류지)시키거나 또는 대표소송에 의하여 그 책임을 추궁하는 소를 제기할 수 있을 뿐 직접 제3자와의 거래관계에 개입하여 회사가 체결한 계약의 무효를 주장할 수는 없다거나, 자기주식 취득의 무효를 다툴 제소권이 없다는 이유 때문이었는데, 이는 사실관계의 차이에서 기인하는 것이 아니라 피고들의 확인의 이익 또는 제소권 등에 관한 법적 해석 내지 평가상의 차이에 기인하는 점, ⑤ 주주인 피고들의 이사에 대한 유지청구권은 상법상 인정되는 적법한 권한이고, 피고들이 이를 본안청구권으로 하여 자사주임의매각 유지가처분 신청을 하였으나, 그 심문기일에 앞서 자기주식 취득을 안건으로 한 이사회가 급박하게 개최되고 자기주식 매각이 결의됨으로써 피고들은 더 이상 유지가처분 신청사건이나 유지청구 사건에서 다툴 수 없게 되었는데, 만약 위와 같이 급박하게 자기주식 처분이 이루어지지 않았다면 본안인 유지청구 사건은 별론으로 하더라도 적어도 유지가처분신청은 받아들여졌을 가능성을 배제할 수 없는 점 등을 종합적으로 고려하면, 이 사건의 경우 고의·과실의 사실상 추정이 번복되는 특별한 반증이 있는 경우에 해당하여, 피고들의 고의 또는 과실을 인정하기 어렵다 할 것이다"(대법원 2014.7.10. 2012다29373).

43) 우리나라에서 주주대표소송이 모두 137건이 제기되었다고 한다. 이 중 원고의 청구가 전부 인용된 사건이 8건, 일부인용된 사건이 36건, 전부각하 40건, 전부기각이 53건이라고 한다. 이승희, "1997~2017 주주대표소송 제기 현황과 판결 분석," 경제개혁리포트(경제개혁연구소, 2018. 3.), 2면.

403조 제1항).[44] 주주의 대표소송은 이사 외에도 발기인, 업무집행관여자, 감사, 청산인 등의 책임을 추궁하기 위하여도 제기할 수 있고(제324조, 제401조의2, 제415조, 제415조의2 제7항, 제542조 제2항), 불공정한 가액으로 신주를 인수한 자(제424조의2), 주주권의 행사와 관련하여 이익을 공여 받은 자(제467조의2)에 대한 회사의 권리를 실현하기 위하여도 제기할 수 있으며, 자본시장법상 단기매매차익으로 인한 이득을 추궁하기 위해서도 제기할 수 있다(자본시장과 금융투자업에 관한 법률 제172조 제2항).[45]

나) 대표소송제도의 존부에 대한 입법례

미국은 대표소송이 인정되는 대표적인 국가이다. 미국 외에 국가에서 대표소송은 그리 활발하게 활용되고 있지 않다. 영국의 경우 2007년 성문화되었고, 독일의 경우에는 대표소송을 불허하다가 2005년 입법되었지만 거의 활용되고 있지 않다.

일본에서는 회사가 집무집행기관 또는 이사(취체역) 등에 대하여 책임 추궁을 해태하는 경우에 대한 조치로서 대표소송이 인정되었다.[46] 이사(취체역)회 설치 회사에서는 이사(취체역)에 대해서도 대표소송을 제기할 수 있다(제847조). 주주가 취체역의 책임 추궁을 위해서 이 소송을 제기할 때에는, 원칙적으로 먼저 감사역에게 취체역 등의 책임을 추궁하는 소를 제기하도록 청구하여야 한다(제386조 제2항 제1호). 대표소송은 ① 발기인, 설립시 취체역, 설립시 감사, 임원 등(임원, 회계참여, 감사역, 집행역 또는 회계감사인)(제52조, 제53조, 제432조 제1항) 또는 청산인의 책임추궁(제486조), ② 주주의 권리행사에 관한 이익공여의 이익 반환(제120조 제3항), ③ 불공정한 불입금액의 주식(제212조 제1항) 또는 신주예약권(제285조 제1항)을 인수한 경우 지급을 요청하는 절차로서 인정된다(제847조 제1항).[47]

영국의 경우 1998년 민사소송절차규칙(Civil Procedure Rules, CPR)[48] 제정

---

44) 임재연, 전게서, 529면.
45) 이철송, 전게서(2018), 815면.
46) 森・濱田松本法律事務所 編, 「新・會社法實務問題 シリーズ・取締役・取締役會・株主代表訴訟」(中央經濟社, 2006), 232~243面.
47) 江頭憲治郎, 「株式會社法」 第4版(有斐閣, 2011), 458面.
48) 민사소송절차법(Civil Procedure Act 1997)에 근거하여 1998년 12월에 제정되었으며, 1999년 4월 26일부터 시행되어 잉글랜드 및 웨일즈의 모든 사건에 적용된다.

당시에는 대표소송에 관한 근거 조항이 없었으나, 2007년 민사소송절차규칙을 개정하면서 대표소송에 관한 법적 근거가 마련되었다.49) 영국법상 대표소송이란 주주가 회사를 대신하여 회사가 갖는 청구원인(cause of action)을 근거로 제기한 소송을 뜻한다.50) 일반적으로 주주 개인의 권한과 관련된 청구원인으로는 대표소송을 제기할 수 없다. 예외적으로, 회사 업무가 주주 이익에 부당하게 손해를 끼치는 방법으로 진행되었거나 진행 중일 때, 또는 회사의 행위 혹은 제안된 행위가 주주에게 손해를 입힐 때 주주는 법원에 청원을 할 수 있으며,51) 이 때 법원의 명령에 따라 주주는 해당 소송을 대표소송으로 제기할 수 있다. 대표소송에서의 주주에는 주주명부에 등록된 자 이외에도 회사의 주식을 법률상 양도받은 자를 포함한다.52) 청구원인은 이사의 의무위반(breach of duty), 배임(breach of trust), 채무불이행(default), 과실(negligence)을 포함한 실제 또는 제안된(actual or proposed) 행위나 부작위로 정의된다.53) 주주는 이러한 청구원인을 근거로 해당 이사 및 제3자를 상대로 소를 제기할 수 있다.54) 판례에 의하면, 이사의 의무 위반에 도움을 주었거나 이사가 배임 행위로 회사 재산을 취득한 사실을 알고 있었던 자 등이 제3자에 해당된다.55) 그리고 민사소송절차규칙

---

49) Palmer's Company Law Annotated Guide to the Companies Act 2006, 2nd edition, p. 254 ("[T]he CPR were revised and expanded as from October 1, 2007 so as to fit with the new statutory framework for the derivative action.") (England and Wales or Northern Ireland); CPR 19.9 - 19.9F (19.9C 제외).

50) Companies Act 2006 §§260(1) (England and Wales or Northern Ireland), 265(6)(a) (Scotland).

51) Id. §§994 (Petition by company member), §996(2)(c) ("[T]he court's order may authorise civil proceedings to be brought in the name and on behalf of the company by such person or persons and on such terms as the court may direct").

52) Id. §§260(5)(c) ("reference to a member of a company include a person who is not a member but to whom shares in the company have been transferred or transmitted by operation of law") (England and Wales or Northern Ireland), §265(7)(e) (Scotland).

53) Id. §§260(3) ("A derivative claim … may be brought only in respect of a cause of action arising from an actual or proposed act or omission involving negligence, default, breach of duty or breach of trust by a director of the company.") (England and Wales or Northern Ireland), 265(4) (Scotland).

54) Id. §§260(3) ("The cause of action may be against the director or another person (or both).") (England and Wales or Northern Ireland), 265(4) (Scotland).

55) Palmer's Company Law Annotated Guide to the Companies Act 2006, 2nd edition, p. 256 ("The general rules which determine whether the company has a claim against third parties in respect of breaches of duty by directors are not set out in the Act, but are to be found in the common law rules relating to knowing

19.9E에 따라 법원은 원고의 소송비용을 회사가 배상하도록 명령할 수 있다. 아울러, 법원은 19.9F에 따라 법원의 허가 없이 소송이 취하하거나 화해(compromised, discontinued or settled)에 이르지 않도록 명령할 수 있는데,[56] 이를 통해 원고가 자신의 이익을 위하여 소송을 중단하는 것을 방지하고 있다.

독일의 경우는 대표소송은 허용되지 않다가 2005년 주식회사법 개정으로 도입되었다. 그러나 도입 이후 2011년 6월까지 오직 1건의 대표소송만이 제기되었고 이에 대해 원고 청구 기각 판결이 내려졌다.[57]

다) 대표소송 관련 입법시 유의사항

대표소송은 전통적으로 경영진의 위법행위를 막기 위한 수단으로 사용된다. 대표소송은 내부자의 부정행위에 대한 효과적인 구체책이 될 수 있으므로 활성화의 필요성이 있다. 그러나 대표소송을 제기하는 비용은 소를 제기하는 주주가 부담하지만, 그 이익은 전체 주주와 공유하게 되므로 주주의 입장에서는 대표소송을 제기할 인센티브가 크지 않다. 반면 회사가 당한 불이익을 고치기보다는 소송을 빌미로 거액의 합의금을 받아내는 수단으로 사용될 수 있다는 문제가 있다.[58] 대표소송은 원고변호사가 먼저 소송의 대상을 물색한 후 성공보수(contingent fee)약정에 따라 명목상의 주주를 내세워 소송을 하는 방식을 취하는 경우가 있으며, 이런 경우 회사를 공격하는 측에서 위협(green mail)을 동반하는 소송을 제기하고, 경영진이 이에 굴복하여 높은 가격으로 주식을 매입하기로 하는 등의 방법으로 화해를 하게 되면 그로 인한 피해는 궁극적으로 주주가 부담하게 된다. 대표소송이 악용되는 사례이다. 그러므로 입법론으로 대표소송 제도 설계에서는 회사와 주주간의 이해관계를 조정하는 것이 중요하다.

라) 대표소송을 제기할 경우의 장단점

(1) 장   점

원고 입장에서 집단소송 대신 대표소송을 제기할 경우 회사가 그 비용을 부

---

assistance in connection with a breach of duty by a director or knowing receipt of corporate property in breach of trust.").

56) Palmer's Company Law Annotated Guide to the Companies Act 2006, 2nd edition, p. 258 ("[U]nder CPR 19.9F the court may order that the claim may not be compromised, discontinued or settled without the leave of the court.").

57) LG Munich 29.03.2007 - 5HK O 12931/06.

58) 이런 유형의 소송을 미국에서는 이른바 "strike suit"이라고 함.

담하기 때문에 부담할 비용이 없다는 장점이 있다. 대표소송은 원고가 회사를 대신하여 회사의 이익을 대변하는 것이기 때문에 회사가 그 비용을 부담한다. 대표소송이 제기되는 경우는 회사 임직원들이나 이사회가 충실의무(fiduciary duties)를 위반했을 때가 대표적이다.[59] 단, 소송의 원인이 되는 피해가 회사 전체에 미쳤거나 모든 주주들에게 동일하게 미쳤을 때 대표소송을 제기할 수 있다. 예를 들어, 이사가 회사 자산을 낭비하였을 경우, 이사가 자신의 회사 내 입지를 굳히기 위해 직절힌 대가를 받지 않고 신주를 발행하였을 경우, 이사가 회사의 주식을 매수하겠다는 제안을 임의로 거절하였을 경우, 이사가 회사를 제대로 경영하지 아니하여 회사 주식의 가치가 하락하였을 경우, 주주는 대표 소송을 제기하여 자신의 권리를 확보할 수 있다.[60]

(2) 단 점[61]

경영진들은 대표소송의 제기 가능성 때문에 경영상의 위험을 부담하기 꺼리며, 이는 궁극적으로 주주에게 경제적 손해로 돌아간다. 또한, 특히 재정적으로 어려움에 처한 회사들의 경우, 능력 있는 인재를 이사로 영입하는 데 어려움이 있다. 또 승소할 가능성이 없는(non-meritorious) 사안임에도 불구하고 합의금을 받을 목적으로 대표소송을 제기할 가능성이 있다. 반면 승소가능성이 있는 사안의 경우에도 원고와 피고의 합의가 부적절하거나 원고와 피고가 공모하는 경우에는 회사가 큰 혜택을 받지 못하면서 높은 변호사 비용만 부담해야 하는 상황이 발생할 수 있다.

마) 집단소송

대표소송과 구별되는 개념으로 집단소송(class action suit)이 있다. 우리나라에서는 일반적인 집단소송법은 없고, 증권시장에서 발생하는 기업의 분식회계·부실감사·허위공시·주가조작·내부자거래 등을 규율하는 법으로 증권관련집단소송법이 2004년 1월 20일 법률 제7074호로 제정되었다.[62]

---

59) Brent Erwood, Shareholder Derivative Suits, 8 J. Corp. L. p. 145, 145-65 (1982).

60) Gregory P. Williams & Evan O. Williford, American Bar Ass'n, Annual Review of Development in Business and Corporate Litigation, p. 275 (2003).

61) ALI, p. 6.

62) 하지만 거의 활용이 되고 있지 않다. 증권관련집단소송법은 2005년 1월 1일 시행이후 2009년 4월 13일 처음으로 소송이 제기되었고, 2014년 2월까지 6건의 소가 제기되었다. 이중 1건은 화해로 종결되었고, 1건은 소송불허가결정이 이루어졌다(최승재 외, 증권관련집

　미국의 경우 집단소송이란 특정한 원고 집단의 대표자가 집단 전체를 위하여 회사나 이사회, 또는 기타 임직원들을 상대로 소송을 제기하는 것이다.[63] 미국의 집단소송제도가 대표적이다. 일반적으로 그 집단은 주식의 소유 여부에 따라 결정이 되며, 대표 소송에서 요구되는 주식동시소유의 원칙(contemporaneous ownership rules)이 유사하게 요구된다.[64] 흔히 집단 대표는 집단 내 최대 주주가 맡게 된다.[65] 집단소송의 장점은 대표소송에 비해 넘어야 할 장벽이 그리 많지 않다는 데에 있다.[66] 집단소송은 일반적으로 증권사기(securities fraud) 등에 활용된다.[67]

　독일의 경우 자본시장모델케이스법(Kapitalanleger-Musterverfahrensgesetz, 이하 "KapMuG")은 집단소송의 한 유형이다. 독일의 자본시장모델케이스법("모델케이스법")은 최소 10명 이상의 투자자들이 집단소송을 용이하게 제기할 수 있는 절차에 관하여 규정한 법률로서 2005년에 제정되었다. 모델케이스법은 공개된 자본시장 정보가 거짓이거나 오해를 불러일으키거나 정보가 누락된 경우에 대한 손해배상 청구와, 투자설명서에 기초한 계약이행청구에 한하여 적용된다(KapMuG §1 Abs. 1.). 증권소송의 원고 또는 피고는 제1심법원에 모델케이스 절차를 신청할 수 있다. 신청인은 당해 모델케이스 신청에 대한 결정이 당해 개별 소송뿐만 아니라 다른 유사 소송에 중요한 의의를 가질 수 있음을 입증하여야 한다(KapMuG §1 Abs. 2.). 신청이 받아들여지면 당해 신청은 소송등록부에 기입되어 일반에 공개된다. 4개월 내에 같은 주제에 관한 신청이 9건 이상 있어야 한다(KapMuG §4 Abs. 1.). 위 요건을 충족하면, 항소심 법원은 (1) 각 원고의 청구금액 및 모델케이스의 주제, (2) 원고들 사이에 하나의 모델케이스 원고를 지정하기로 하는 계약이 있는 여부 등을 고려하여 그 재량에 따라 모델 신

　　　단소송법 개정론, 법률신문사(2014), 60면). 한편 2015년 대법원 2015.4.9. 자 2013마1052, 1053 결정에서 소송허가결정을 한 것은 자본시장법의 해석과 관련해서 증권관련집단소송 허가가 넓게 인정될 여지를 만들었다.

63) Patrick M. Garry *et al*., The Irrationality of Shareholder Class Action Lawsuits: A Proposal for Reform, 49 S.D. L. Rev. pp. 275, 275~276 (2004).
64) Bangor Punta Operations v. Bangor & Aroostook R.R., 417 U.S. 703 (1974).
65) Rachael P. Mulheron, The Class Action In Common Law Legal Systems: A Comparative Perspective, p. 73 n. 36 (2004).
66) Khai Leong Ho, Reforming Corporate Governance in Southeast Asia: Economics, Politics, and Regulations(2005), pp. 46~47.
67) Garry, supra note 11, p. 280.

청인을 지정한다(KapMuG §8 Abs. 2.). 모델케이스에 대한 판결이 내려질 때까지 다른 사건들의 진행은 중단된다. 모델케이스의 심리가 진행되는 동안 소송등록부에 기재되지 않은 개별 원고들도 언제든지 모델케이스 절차에 참가할 수 있다. 모델케이스에 대한 판결이 내려지면 모델케이스 절차에 참가한 다른 원고들은 위 판결 내용에 구속된다. 중단되어 있던 개별 소송의 사실심 법원은 위 판결을 적용하여 개별적으로 결정을 내린다. 모델케이스에 대한 판결에 관해서는 중단된 사건의 원고를 비롯한 모든 당사자들이 항소할 수 있다. 항소심이 계속되는 동안, 다른 사건들은 여전히 중단된다. 법 제정 이후 2012년 현재까지 약 20여 건의 소송이 모델케이스법에 따라 제기되었다.

영국에는 주주대표소송이 활발하지 않고, 미국과 같은 집단소송(class action) 제도가 없는 반면, 유사한 기능을 할 수 있는 제도들이 있다. 우선 소송절차의 병합(consolidated proceedings)제도가 있다. 이 제도를 활용하여 법원은 다수의 개별 청구들을 단일한 소송절차로 통합할 수 있다. 또한, 그 대안으로 법원은 각 개별 청구들의 자격을 유지하면서 함께 재판을 받도록 지시할 수 있다.[68] 선정당사자 소송(representative action)도 집단소송과 같은 역할을 할 수 있는 제도이다. 영국 민사소송절차규칙 19.6은 소송에 "동일한 이해관계(same interest)"가 있는 다수를 대표한 사람이나 단체가 원고 또는 피고가 되어 소송을 수행하는 선정당사자 제도에 대해 규정한다. 선정당사자 제도를 통해 대표되는 다수는 한 집단(class)으로 통합되지 않지만, 해당소송의 결과에 법적으로 구속 받는다. 하지만, 소송에 참가하기로 한 이해관계인 이외의 자에 대해 소송결과를 집행하고자 할 경우, 법원의 허가가 필요하다. 이해관계인들은 동일한 이해관계 요건으로 인해 소송시작 단계부터 신원이 확인되어야 하고, 소송에 참가(opt-in)하기로 하여야 선정당사자 제도를 활용할 수 있다. 영국 법원은 "동일한 이해관계"의 정의를 좁게 해석해 민사소송절차규칙에 따라 선정당사자 제도를 이용한 건수가 많지 않다.[69] 한편 그룹소송명령(Group Litigation Orders, GLO)도 흥미로운 소

---

68) Class Action Reform (May 2009), Herbert Smith, p. 26 ("Alternatively, the court can direct that a number of individual claims be tried together, although they continue to exist as separate claims.").

69) Class Action Reform (May 2009), Herbert Smith, p. 26 ("Representative actions are not widely used in English litigation, largely because the courts have tended to interpret the "same interest" requirement very strictly.").

송제도이다. 법원은 사실이나 법적 쟁점이 동일하거나 관련된 다수의 청구들에 대해 그룹소송명령을 할 수 있다.[70]

그룹소송명령은 선정당사자 소송(Representative action)보다 폭넓게 적용되지만, 2000년에 처음 영국에 도입된 이후 2009년 5월까지의 그룹소송명령은 70여 건 미만에 불과하였고, 그 중 대부분은 보육시설의 학대나 환경 관련 청구들이었다. 학계[71]에서는 소송의 시작부터 이해관계인들을 확인하고 참가 방식(opt-in)으로 인해 참여율이 미미하다고 판단하여,[72] 포르투갈 등 유럽이나 호주의 배제 방식(opt-out)으로의 개정을 제안해 왔다.[73]

2) 제소권자

가) 개   관

우리 법상 대표소송은 제3자 소송담당으로서 법상 허용되는 경우이므로 법률에 제소권자가 되기 위한 요건들을 법정화하고 있다. 비교법적으로 대표소송을 인정하는 다른 국가들에서도 제소권자에 대하여는 제한을 하고 있다.

ALI는 대표소송을 제기할 수 있는 당사자적격(Standing)으로 원고는 (i) 지분증권(equity security)을 보유하여야 하고 (ii) 문제되는 행위가 발생하기 이전에 지분증권을 취득하였거나 문제되는 행위가 발생하기 이전에 지분증권을 양도받은, "주식동시소유자(contemporaneous owner)"이어야 하며 (iii) 원칙적으로 회사에 대한 지분증권을 소송기간 내내 보유하여야 하고(continuous ownership) (iv) 공정하고 충분하게 주주들의 이익을 대변할 수 있어야 한다(fair and adequate representation)는 요건들을 구비하여야 한다고 정하고 있다.[74] 미국법

---

70) CPR 19.11.

71) Reform of Collective Redress in England and Wales (2008), Rachael Mulheron, p. 25 ("For reference, further details about some of the GLO's deficiencies have been previously discussed by the author in: 'Some Difficulties with Group Litigation Orders-and Why a Class Action is Superior' (2005) 24 Civil Justice Quarterly pp. 40~68; and 'Justice Enhanced: Framing an Opt-out Class Action for England' (2007) 70 Modern Law Review pp. 550~580.").

72) Id. p. ix ("Empirical data from the United States, plus individual case data from Europe and England, confirms that the rates of participation under opt-in regimes, whilst variable, tends to be quite low.").

73) Id. p. 161 ("In the United States too, a much lower participation rate has been evident under opt-in than under opt-out. In that respect, the dual pillars-access to justice and judicial efficiency in disposing of the dispute once and for all-are enhanced by an opt-out regime.").

상 지분증권의 대표적인 예가 보통주(common stock)이다. 전환증권(convertible securities)의 보유자가 대표소송을 제기할 수 있는지에 대해서는 판례들이 나뉘나, ALI는 "지분증권"의 정의에 '지분증권으로 전환 가능한 증권들 또는 그러한 증권들을 매수할 수 있는 권리'를 포함하고 있다.[75] 원고로서 대표소송을 제기하기 위해서는 지분증권의 보유자로서 지속적인 이해관계(continuing interest)를 보유하고 있어야 한다.[76] ALI는 이 원칙에 대한 두 가지 예외를 두는데, 하나는 주주가 비자발적으로 지분 보유를 종료하기 이전에 소송이 개시된 경우이고, 다른 하나는 해당 지분 보유자가 소송을 제기한 다른 보유자들보다 피해를 입은 주주들의 이익을 더 잘 대변한다고 법원이 판단한 경우이다.[77] 마지막 요건은 미국법상의 특이한 요건인 공정하고 충분하게 주주들의 이익을 대표할 것이라는 요건이다. 이 조항은 연방민사소송규칙(Federal Rules of Civil Procedure) 제23.1항에서 온 것이다. 대표소송의 본질이 대표자가 다른 이들을 대표하여 소송을 제기하는 것이기 때문에 집단소송과 마찬가지로 대표소송이 남용될 가능성이 있어 이 요건이 요구된다.[78] 대표자의 공정성 및 충분성은, (i) 원고로 소송을 제기하는 주주에게 전체 주주의 이익과 주주 개인의 이익이 충돌하는 상황이 존재하는지 여부, (ii) 원고를 대리하는 변호사의 능력, 그리고 (iii) 기타 소송의 원활한 진행을 방해하는 요소들에 의해 판단된다.[79]

독일의 경우에는 주주가 일정한 요건만 구비하면 대표소송을 제기할 수 있는 것이 아니라, 법원의 허가를 요건으로 한다. 주식회사법(Aktiengesetz, "AktG") 제148조는 자본금의 100분의 1 이상 또는 10만 유로 이상의 지분을 소유한 주주는 회사를 대신하여 이사회나 감사회의 구성원을 상대로 회사에 대한 손해배상을 구할 수 있다. 본 제도는 소제기 허가 절차와 본안절차를 나누어 진행하는 것이 큰 특징이다. 독일에서 대표소송을 제기하려면, 소제기 허가 신청을 할 당시를 기준으로 합산하여 자본금의 100분의 1 이상 또는 10만 유로 이상의 지분

---

74) ALI, pp. 32~33 (§7.02(a)(1)-(4)).
75) ALI, p. 35 (comment on §7.02). 이에 대하여 MBCA는 주식전환권을 보유한 자는 대표소송을 제기할 제소자격(standing)이 없다고 보고 있다. MBCA, pp. 7~85 (comment on §7.41).
76) ALI, p. 37 (comment on §7.02).
77) Id. pp. 32~33 (§7.02(a)(2)).
78) Id. p. 38 (comment on §7.02).
79) Id. (citing Fradkin v. Ernst, 98 F.R.D. 478 (N.D.Ohio 1983)).

을 소유한 주주는, 회사에 대한 손해배상청구를 본인의 이름으로 제기할 수 있도록 소제기 허가를 신청할 수 있다.[80] 법원은 다음의 요건을 모두 충족하는 경우 소제기를 허가하여야 한다.[81] (i) 주주가, 본인 또는 포괄승계의 경우 전 소유자가 공개된 정보를 통해 의무 위반이나 손해 발생에 관하여 인지하였어야 하는 시점 이전에 주식을 취득하였다는 사실을 증명할 것, (ii) 주주가 적정한 기간 내에 회사에게 회사 스스로 소를 제기할 것을 요청하였으나 아무런 이득이 없었다는 사실을 증명할 것, (iii) 부정행위 또는 법률이나 정관에 반하는 중대한 위반행위로 인하여 회사에게 손해가 발생했다는 혐의를 정당화할 수 있는 사실이 존재하지 않을 것, (iv) 손해배상 청구를 하지 않아야 할 보다 중요한 회사의 이익이 존재하지 않는다는 점이 요건이다. 여기서 보다 중요한 회사의 이익이란 회사 사업에 부정적인 결과를 미칠 가능성 및 회사의 명성 등을 의미한다.[82] 소제기 허가신청은 회사의 본사가 있는 지역을 관할하는 지방법원이 판단한다.[83] 법원은 소제기 허가에 관한 결정이 있기 전 피신청인에게 진술할 수 있는 기회를 제공해야 한다.[84] 법원이 소제기 허가 결정을 내리면, 주주는 회사에게 회사 스스로 적정한 기한 내에 소를 제기하도록 한 번 더 요청하였으나 아무런 이득이 없는 경우에 한하여, 소제기 허가 결정이 확정된 날로부터 3개월 이내에 소를 제기할 수 있다.[85] 하나 이상의 소가 제기된 경우, 공동 심리와 판단을 위해 병합되어야 한다.[86]

영국의 경우에도 대표소송이 진행되기 위해서는 법원의 허가가 필요하다.[87] 허가 여부의 첫째 기준은 자명한 사건(prima facie case)으로, 허가를 신청한 해당 사안이 자명하지 않은 경우, 법원은 이를 기각해야 하며, 적절하다고 판단될 경우 원고에게 향후 소송절차의 금지 또는 비용청구 등의 명령을 내릴 수 있

---

80) AktG §148 Abs. 1 Satz 1.
81) AktG §148 Abs. 1 Satz 2.
82) Redeke, Julian, ZIP 2008, 1549 ff., "Auswirkungen des UMAG auf die Verfolgung von Organhaftungsansprüchen seitens des Aufsichtsrats?," s.1557.
83) AktG §148 Abs. 2 Satz 1.
84) AktG §148 Abs. 2 Satz 6.
85) AktG §148 Abs. 4 Satz 1.
86) AktG §148 Abs. 4 Satz 4.
87) Companies Act 2006 §§261 ("A member of a company who brings a derivative claim … must apply to the court for permission (in Northern Ireland, leave) to continue it.") (England and Wales or Northern Ireland), 267(2) (Scotland).

다.88). 그리고 원고는 회사에 소제기 사실을 알리는 통지와 함께 관련 문서의
사본을 전달하는 것89)이 일반적이나, 법원이 해당 통지가 원고의 구제를 어렵
게 할 수 있다고 판단한 경우, 원고의 통지의무는 생략될 수 있다.90)

나) 지분요건

발행주식총수의 100분의 1 이상에 해당하는 주식을 가진 주주(제403조 제1
항), 상장회사의 경우 6월 전부터 계속하여 발행주식총수의 1만분의 1 이상에
해당하는 주식을 보유하는 주주(제542조의6 제6항)가 소송을 제기할 수 있다. 상
장회사이건, 비상장회사이건 간에, 주주가 제소 당시 소수주주의 요건을 갖추었
다면 변론종결시에 지분비율이 그 미만으로 감소하였다고 하더라도 제소의 효력
에는 아무 영향이 없다(제403조 제5항).91)

그러나 대표소송을 제기한 주주가 제소 후 주식을 전혀 보유하지 않게 된 경
우에는 당사자적격이 없어 그러한 주주의 제소는 부적법한 것으로 각하된다.92)
이 때 원인이 자발적인 것이었는지는 묻지 않는다.93) 다른 주주 또는 회사가
이미 공동소송참가를 한 경우에는 그 참가인에 의해 소송은 계속된다. 법원은
주주인 원고가 제소요건을 결할 경우 각하판결이 선고되기 이전에 회사가 공동
소송참가를 하는 것은 적법하다고 본다.94) 관련하여 일본은 2014년 회사법 개

---

88) CPR 19.9A(12).

89) CPR 19.9(4), 19.9A(2), 19.9A(4).

90) CPR 19.9A(7).

91) 이와 관련하여 주식의 등록질권자도 대표소송을 제기할 수 있다는 주장이 있다. 권재열,
"주주대표소송의 개선방안 – 판례에 입각하여 –," 2~14면. 미국 판례에서 등록질권자에
대해서도 대표소송을 할 수 있도록 당사자적격을 인정한 사례가 있다고 하나 우리 상법의
해석으로 등록질권자의 대표소송에서의 원고적격을 인정할 수 있을지는 추가적인 검토가
필요하다고 본다.

92) 서울고등법원 2011.6.16. 2010나70751.

93) 대법원 2002.3.15. 2000다9086. 대법원은 2016년 판결에서도 이런 태도를 유지하였다. 대
법원은 "주주총회결의 취소소송의 계속 중 원고가 주주로서의 지위를 상실하면 원고는 상
법 제376조에 따라 그 취소를 구할 당사자적격을 상실하고(대법원 2011.2.10. 선고 2010다
87535 판결 등 참조), 이는 원고가 자신의 의사에 반하여 주주의 지위를 상실하였다 하여
달리 볼 것은 아니다."라고 하여 자발적으로 주주의 지위를 상실한 것인지 비자발적으로
주주의 지위를 상실한 것인지를 구별하지 않고 있다(대법원 2016.7.22. 선고 2015다66397
판결 [주주총회결의무효확인등]). 이러한 판례의 태도에 대해서 비판적으로 보는 견해로 최
문희, "합병, 주식교환, 주식이전 등 조직재편과 대표소송의 원고적격의 쟁점 – 대법원 판
례에 대한 비판적 고찰과 입법론적 제안 –," 商事判例研究 第29輯 第3卷(2016. 9. 30.).
이 논문은 법원의 태도를 비판하면서 김종인 의원안(김종인의원대표발의, 의안번호2000645
호, 2016. 7. 4.)에 대한 견해를 제시하고 있다(283~288면).

94) 대법원 2002.3.15. 2000다9086.

정이전에는 주주가 대표소송 제기 후 이루어진 조직재편행위에 의해 완전모회사, 존속회사 또는 그 모회사의 각각의 주주가 된 경우에 원고적격이 유지된다는 규정만 있었으나, 2014년 회사법 개정(일본 회사법 제847조의2, 회사법 시행규칙 제218조의2 내지 제218조의4)을 통해서 조직재편을 통해서 완전모자회사 관계가 설정된 겨우 완전모회사의 주주에까지 대표소송의 원고적격을 확장하였다. 이에 따라서 대표소송 제기 이전에 주식 교환, 삼각합병 등이 이루어진 경우에도 그 후 구주주가 대표소송을 제기할 수 있게 되었다.[95]

일본의 경우 1950년 개정 이전의 구법은, 주주총회의 결의 또는 자본금의 10분의 1의 소액주주에 의한 제소청구를 규정하고 있었다.[96] 1950년 개정을 통해 주주의 지위강화의 일환으로, 단독 주주가 회사를 위하여 이사(取締役)에 대한 대표소송을 제기할 수 있는 미국식 대표소송제도가 도입되었다(=단독주주권화).[97]

다) 지분취득의 시기

주주는 이사의 책임발생 시에 주주뿐만 아니라 이후에 주식을 취득한 자를 포함한다.[98] 제소주주가 주주명부상의 주주여야 한다는 견해가 있으나,[99] 타인 명의로 주금을 납입한 경우 명의차용인이 주주이므로 설사 주주명부에 명의개서가 되어 있지 않다 하더라도 대표소송을 제기할 수 있으며, 단순한 명의대여인은 주주가 될 수 없으므로 주주명부상의 주주가 아니라 실질주주가 대표소송의 제소권자이다.[100]

미국에서는 주주대표소송의 당사자적격(standing)의 존부 판단기준으로 주식 동시소유의 원칙(contemporaneous ownership rule)이 적용된다. 이는 문제되는 손해 발생이 공개되기 전 또는 주주가 그러한 문제를 알게 되거나 명확하게 전달받기 전에 지분을 보유한 경우에만 제소자격을 인정하는 것으로, 위법행위 당시의 주주에게 제소자격을 국한시키는 원칙이다.[101] 일부 주에서는 손해가 완전

---

95) 최문희, 각주 88)의 논문 281~282면.
96) 昭和 25년 개정 전 제267조, 제268조.
97) 江頭憲治郎, 457面.
98) 최기원, 전게서, 718면.
99) 이철송, 전게서(2018), 819면. 대법원 2011.5.26. 이철송 교수는 2010다22552가 실질주주만이 대표소송을 제기할 수 있도록 하는 태도를 취한 것에 대해서 의문이라고 본다.
100) 대법원 2011.5.26. 2010다22552. 같은 견해로 임재연, 전게서, 473면.
101) ALI, p. 35 (comment on §7.02).

히 확정되기 전까지는 손해가 지속적인 것으로 보는 지속적 손해(con-tinuing wrong)의 예외를 인정한다.[102] 예를 들면, 불공정한 계약 체결일과 계약 종결일 사이에 어느 주주가 지분을 매수하였다면, 손해는 종결일에 손해가 발생한 것으로 보아 해당 주주가 주식동시소유의 원칙을 만족한다고 보는 것이다.[103] 공시시점을 결정하는 경우, ALI는 해당 정보가 공시되거나 언론에 알려진 때가 아니라, 해당 정보가 주식시장에 영향을 미치는 때를 기준으로 위 요건을 판단한다.[104] 한편, MBCA에 의하면, 주식동시소유의 원칙이 지나치게 제한적이라는 비판에 따라 캘리포니아 주를 비롯한 소수의 주에서 이 요건을 완화한 바 있다.[105] 그러나 주식동시소유의 원칙이 간단, 명료하며 적용하기 용이하기 때문에 대부분의 주들이 이 원칙을 계속 사용하고 있다.[106]

라) 소송의 중단·승계

(1) 주주의 사망

소송담당자가 자격을 상실하거나 사망하면 본래 소송절차가 중단되고 교체된 담당자가 수계하는 것이지만(민사소송법 제237조), 대표소송은 주주도 소송물에 이해관계를 가지고 있기 때문에 민사소송법 제233조, 제234조에 근거하여 주주의 권리의무를 포괄승계한 상속인 또는 존속회사 등이 수계할 수 있다.

(2) 소를 제기한 주주가 자신이 보유한 주식을 전부 매각한 경우

민사소송법 제81조, 제82조는 참가승계나 인수승계제도를 마련하고 있으나 양도된 주식은 소송담당자로서의 자격요건이지 소송목적인 권리의무가 아니므로 민사소송법 제81조, 제82조에 규정된 참가승계나 인수승계제도는 적용되지 않는다.

(3) 회사가 소멸한 경우

A회사의 주주 甲이 소를 제기한 후 A회사가 B회사에 합병되거나 완전자회사가 된 경우, 甲은 B회사의 주주이기 때문에 법원은 소를 각하하여야 한다.[107]

---

102) Id. p. 36 (comment on §7.02).
103) Id.
104) Id.
105) MBCA, pp. 7~85 (comment on §7.41: discussing Cal. Corp. Code section 800(B) (West 1977 & Supp. 1989).
106) Id.(이와 다른 방식을 취한 캘리포니아의 경우에는 무분별한 대표소송을 조장할 가능성이 있다고 한다).
107) 임재연, 전게서, 540면.

상법 제403조 제5항은 괄호에서 "발행주식을 보유하지 아니하게 된 경우를 제외한다"고 규정하고 있으므로 문리해석상 기존 주식전부를 변론종결 전에 보유하지 않게 되면 당사자적격을 상실하는 것으로 해석하는 것이 타당할 것이고, 주식을 전혀 보유하지 않게 되는 사유에 대해서 아무런 제한을 가하고 있지 않으므로 자발적이든 타의에 의한 것이든 주식을 보유하지 않게 되면 원고적격을 상실한 것으로 보아야 할 것이라는 해석을 하게 된다. 이렇게 되면 부적법한 소가 되어 각하하여야 한다는 결론을 도출할 수 있다.[108] 대법원은 대표소송을 제기한 주주가 소송의 계속 중에 주식교환으로 인하여 주식을 전혀 보유하지 않게 되면 주주의 지위를 상실하는 경우라고 봐서 원고적격을 유지하여 못하여 부적법하게 되는 것으로 보고 있다.[109]

그러나 타의에 의해서 더 이상 주주가 아니게 된 경우, 일본 회사법 제851조 제1항은 원고적격이 유지된다는 명문의 규정을 두고 있는바, 입법 정책적으로는 일본과 같은 입법태도를 취하는 것이 타당하다고 본다.[110] 이와 관련하여 국회에 상법 개정안이 제안되어 상법 제405조 제5항에 "소를 제기한 주주가 제소 후 주식의 포괄적 교환·이전, 합병으로 주주의 자격을 상실한 경우"에도 제소의 효력에는 영향이 없음을 규정하는 내용이 법안에 포함된 바 있다.[111]

마) 소송참가

(1) 회사의 소송참가

회사는 소송에 직접 참가가 가능한데(제404조 제1항) 회사가 소송참가를 할 경우 그 법적 성질에 대해서 회사가 별소를 제기할 수 없다는 이유로 공동소송적 보조참가로 볼 수 있으나 주주가 회사의 권리를 대위해서 행사하는 것에 불과하므로 공동소송참가로 보는 것이 타당하다.[112] 대법원도 제일은행 사건에서 무상소각 직전에 공동소송참가신청을 한 제일은행의 참가신청이 공동소송적 보조참가이므로 피참가인의 소가 당사자적격을 상실하여 부적법하게 된 이상 소송참가로 부적법하다는 피고들의 주장을 배척하고 공동소송참가로 보았다.[113]

---

108) 송옥렬, 전게서, 1107면.
109) 대법원 2018.11.29. 2017다35717; 대법원 2019.5.10. 2017다279326.
110) 송옥렬, 전게서, 1063면.
111) 2015년 발의된 상법 일부개정법률안(의안번호, 15220).
112) 동지: 송옥렬, 전게서, 1055면.
113) 대법원 2002.3.15. 2000다9086(은행의 부실대출에 대하여 주주대표소송이 진행 중 주주인

회사가 피고 측에 보조참가하는 것이 인정되는 여부에 대해 일본에서는 논란이 있다. 일본 회사법은 소송참가의 제도를 인정하고 있어서, 회사가 소송을 제기한 경우에는 주주가, 주주가 소송을 제기한 경우에는 회사 또는 다른 주주가 당해 소송의 원고 측에 참가하는 것이 가능하다(제849조 제1항 본문). 피참가자의 소송수행이 부적절한 경우, 참가자는 소송참가를 통하여 직접 소송행위를 함으로써 소송당사자 간의 공모를 방지할 수 있다. 일본에서는 주주가 책임추궁 등의 소송을 제기한 경우 당해 임원 등에게 책임이 없다고 판단한 회사가 피고 측에 보조참가하는 것이 인정되는지 여부에 대해 2001년 개정법 이전에는 다툼이 있었으나, 2001년 개정법은 이러한 경우 회사가 피고 측에 보조참가 하는 것을 인정하였다.[114] 하지만, 주식회사가 임원, 집행임원 및 청산인 등을 보조하기 위해 소송참가 할 때에는 감사역설치회사인 경우 각 감사역, 취체역설치회사인 경우 각 취체역의 동의를 얻어야만 한다(제849조 제2항).[115] 입법론으로 이와 같은 일본의 태도가 타당하다고 판단되며, 우리의 경우도 일본법과 같은 방향으로 입법을 하는 것이 필요하다고 본다.[116]

(2) 주주의 소송참가

제404조 제1항은 회사의 소송참가만을 규정하고 있어 주주도 소송참가를 할 수 있는가가 문제된다. 일본 회사법 제849조 제1항은 주주도 공동소송인으로서 또는 당사자의 일방을 보조하기 위하여 소송에 참가할 수 있다고 규정하고 있다. 그러나 우리법의 경우에는 상법에 주주의 소송참가에 대한 규정을 명문으로 두고 있지 않으므로 주주는 민사소송법에 의한 소송참가만을 할 수 있다고 봄이 타당하다.[117]

일본 회사법에서는 주주의 회사법에 의한 소송참가가 허용된다. 주주가 소송참가를 할 경우에는 6개월 전부터 계속 주식을 보유할 것이 요구되지 않는다.

원고들 및 제1심 소송참가인들의 보유 주식이 모두 무상소각되어 대표소송에서의 당사자적격을 상실하게 된 사안임).
114) 前田庸, 「會社法入門」 第12版(有斐閣, 2011), 443~444面.
115) 長島·大野·常松法律事務所 編, 「アドバンス 新會社法」 第3版(商事法務, 2010), 460面.
116) 이에 대해서는 회사가 이사를 위해 대표소송에 보조참가하는 것을 금지하여야 한다는 견해가 있다[정준우, "주주대표소송의 제소요건에 관한 쟁점의 비판적 검토," 「법과 정책연구」 제16집 제1호(한국법정책학회, 2016. 3.), 295면].
117) 임재연, 전게서, 555면; 최기원, 전게서, 721면. 이와 달리 입법착오로 보고 다른 주주도 공동소송참가 할 수 있다고 해석하여야 한다는 견해로 이철송, 전게서(2018), 821~822면.

이미 다른 주주가 제기한 소송에 참가하는 것에 불과하고, 권리남용의 우려가 없기 때문이다. 소송참가가 부당하게 소송을 지연시키거나, 재판소에게 과도한 부담을 주는 경우에는 소송참가가 인정되지 않는다(일본회사법 제849조 제1항 단서).[118] 구 상법에서는 주주의 소송참가의 경우 이러한 소송참가가 공동소송참가인지, 아니면 공동소송적 보조참가인지에 대하여 견해가 나뉘었으나, 현행 일본 회사법 제849조 제1항은 공동소송인으로서 또는 당사자 일방의 보조를 위해 참가할 수 있다고 규정되어 있어, 공동소송참가를 인정한 것으로 해석되고 있다.[119]

독일의 경우 회사는 주주의 소송허가신청이나 소제기와 무관히 언제든지 회사 스스로 손해배상에 관한 소를 제기할 수 있다. 회사가 소를 제기하는 경우 주주가 제기한 소제기 허가절차나 본안절차는 더 이상 허용되지 아니한다.[120] 회사는 선택에 따라 계속 중인 손해배상 관련 소송절차를 승계 당시 상황 그대로 승계할 수도 있고, 그렇지 아니할 수도 있다.[121] 위와 같이 회사가 직접 소를 제기한 경우 법원은 기존에 소제기 신청을 하였거나 소를 제기한 주주를 소송에 참가하도록 하여야 한다.[122] 소송참가와 관련하여, 회사는 주주가 제기한 소제기 허가 절차와 본안절차에 소송참가 하여야 한다.[123] 회사 이외에 다른 주주도 소송참가를 할 수 있다. 다만, 소제기 허가를 받은 이후에는 주주의 소송참가가 허용되지 아니한다.[124]

입법론으로는 독일의 대표소송 제도는 우리의 대표소송과 달리 소송허가절차를 거치는 등 절차적인 특성이 있어 주주의 참가허부에 대해서 참고하기에는 적절하지 않으며, 일본법이 비교법적으로 참고대상이 된다. 상법도 일본 회사법과 같이 주주의 소송참가도 허용하는 것이 옳다고 본다.

바) 파산회사의 경우

회사가 파산절차에 들어가게 되는 경우 「채무자회생 및 파산에 관한 법률」

---

118) 前田庸, 「會社法入門」 第12版(有斐閣, 2011), 442面.
119) 上揭書, 443面.
120) AktG §148 Abs. 3 Satz 1.
121) AktG §148 Abs. 3 Satz 2.
122) AktG §148 Abs. 3 Satz 3.
123) AktG §148 Abs. 2 Satz 8.
124) AktG §148 Abs. 4 Satz 3.

상, 회사에 대하여 파산선고가 있은 때에는 채무자가 파산선고 당시에 가진 모든 재산은 파산재단에 속하고(제382조 제1항), 파산재단에 관한 소송에서는 파산관재인이 당사자가 된다(제359조). 회사에 파산이 선고된 경우에는 파산관재인이 당사자적격을 가지므로 주주는 대표소송을 제기하지 못한다.[125]

회사가 파산절차에 들어가게 되는 경우 이미 계속 중인 대표소송은 중단되지만, 이 경우에도 파산관재인에게 굳이 새로 손해배상청구의 소를 제기하도록 할 이유는 없으므로 기존의 대표소송을 수계할 수 있다고 보는 것이 타당하다.[126]

3) 대표소송의 제소요건

가) 이사의 책임범위

대표소송은 이사의 회사에 대한 책임을 추궁하는 것이지만, 여기서 회사에 대한 책임이 제399조의 책임으로 한정되는지에 대해서 견해가 나뉜다. 제1설은 대표소송은 이사의 지위에서 발생한 책임에만 적용된다고 보아 제399조의 책임과 제428조 인수담보책임으로 적용범위를 한정시키는 견해이다.[127] 제2설은 널리 이사가 회사에 대하여 부담하는 모든 채무를 포함한다고 보는 견해이다.[128]

살피건대, 이사에 대하여 회사가 제소를 해태할 가능성은 이 경우에도 상존하는 것이므로 이사가 회사에 대하여 부담하는 일체의 채무가 제403조상의 책임대상이 된다고 봐서, 제399조상의 손해배상책임이나 제428조상의 자본충실의 책임이 포함됨은 물론 차용금채무 등 이사가 회사에 대하여 부담하는 모든 채무가 이에 해당한다고 보는 것이 타당하다. 법원은 물권적 청구권은 주주가 대위할 수 없다고 하였으나,[129] 이것은 주주의 지위에 관한 일반원칙을 말한 것에 불과하고, 회사가 이사에 대하여 가지는 물권적 청구권 역시 대표소송의 방식으로 주주가 대위행사 하는 것이 가능하다고 보는 것이 옳다.[130] 한편 대표소송은

---

125) 대법원 2002.7.12. 2001다2617.

126) 송옥렬, 전게서, 1063면.

127) 정희철, 「상법원론(상)」(박영사, 1997), 769면.

128) 이철송, 전게서(2018), 818면; 정동윤, 「상법(상)」(법문사, 2012), 657~658면; 정찬형, 전게서, 1099면; 최기원, 전게서, 720면; 최준선, 전게서, 583면; 장덕조, 전게서, 592면.

129) 대표이사의 업무집행권 등은 대표이사의 개인적인 재산상의 권리가 아니며, 주주권도 어떤 특정된 구체적인 청구권을 내용으로 하는 것이 아니므로, 특별한 사정이 없는 한 대표이사의 업무집행권 등이나 주주의 주주권에 기하여 회사가 제3자에 대하여 가지는 특정물에 대한 물권적 청구권 등의 재산상의 청구권을 직접 또는 대위 행사할 수 없다(대법원 1998.3.24. 95다6885).

이사의 회사에 대한 책임을 추궁하기 위한 소송이므로 이사의 제3자에 대한 책임(제401조)을 추궁하기 위하여서나 주주 자신의 손실회복을 위해서는 제기할 수 없다.[131]

이사의 지위에 있는 동안에 발생한 모든 책임에 관해 대표소송이 가능하며, 일단 발생한 책임은 이사가 퇴임하더라도 추궁할 수 있다. 또한 이사가 취임 전에 부담한 채무에 대해서도 취임 후에 회사가 권리행사를 게을리할 수가 있으므로 대표소송의 대상이 된다.[132] 나아가 재직 중에 발생한 책임에 대해서는 퇴직 후라도 대표소송에 의한 책임추궁이 가능하다.[133]

나) 제소청구

(1) 의 의

주주는 먼저 회사에 대하여 이유를 기재한 서면으로 소의 제기를 청구하여야 한다(제403조 제1항, 제2항). 주주는 회사가 소제기 청구를 받은 날로부터 30일 이내에 소를 제기하지 않아야 대표소송을 제기할 수 있다(제403조 제3항). 주주가 30일을 기다리지 않고 소를 제기한 경우에도 회사가 소를 제기하지 않고 30일이 경과하면 하자가 치유되므로 법원은 소를 각하할 수 없다.[134] 소수주주의 청구에 따라 회사가 이사에 대하여 소를 제기한 때에는 감사가 회사를 대표한다(제394조 제1항 제2문). 주주의 제소요구가 있으면 감사는 소제기 여부를 결정할 재량권이 없고 반드시 소를 제기하여야 한다.[135]

미국의 경우에도 제소청구제도가 입법화되어 있다. 대표소송 제기 전에 주주는 회사의 이사회에게 적절한 조치를 취하도록 서면으로 요청해야 한다.[136] 이는 악의 또는 경솔하게 소를 제기하여 대표 소송을 남용하는 것을 방지하기 위한 요건이다.[137] MBCA에 따르면, 대표소송을 제기하고자 하는 주주는 회사가 적절한 조치를 취하도록 서면으로 청구해야 하며,[138] 이로부터 90일이 경과하여

---

130) 송옥렬, 전게서, 1061면.
131) 이철송, 전게서(2018), 817면; 장덕조, 전게서, 593면.
132) 이철송, 상게서(2018), 818면.
133) 장덕조, 전게서, 593면.
134) 대법원 2002.3.15. 2000다9086.
135) 최준선, 전게서, 582면.
136) ALI, pp. 51~52 (§7.03(a)); see also MBCA, 7-86 (§7.42)).
137) Id. p. 53 (comment on §7.03).
138) 서면에 주식 소유, 제소를 위한 구체적인 사실관계, 제소 근거를 제시하여야 한다는 판례로

야 대표소송을 제기할 수 있다.139) 단, 회사가 90일이 경과하기 이전에 주주의 요청을 거절하거나, 90일을 기다릴 경우 회사에 돌이킬 수 없는 손해(irreparable injury)가 발생할 것으로 판단되는 경우에는 예외적으로 위 요건을 구비하지 않더라도 대표소송을 제기할 수 있다.140) 비록 제소청구에 대한 검토는 이사회가 하지만, 제소청구가 반드시 이사회를 수신처로 할 필요는 없으며, 일반적으로 회사를 수신처로 하게 된다.141) 회사는 제소청구에 반드시 응해야 할 필요는 없다.142) 그러나 제소청구에 응하여 회사가 당해 주주를 대신하여 소송을 제기하거나 소송에 대해 주도적 역할을 수행하기로 결정하는 경우, 주주는 대표소송을 제기할 수 없거나 대표소송에서 주도적 역할을 수행할 수 없게 된다.143) 다만, 주주가 회사가 소송을 적절하게 진행하지 않을 것임을 입증하는 경우에는, 주주는 소송을 제기하거나 소송에 대한 주도적 역할을 할 수 있다.144)

(2) 제소요건의 필요성

주주대표소송을 제기하기 전에 제소요건을 두는 이유는 첫째, 이사들로 하여금 관련 문제를 다시 점검하도록 하여 적절한 시정 조치(corrective action)를 취하도록 유도하기 위함이며, 둘째 해당 사건에서 제소청구가 과연 요구되는지에 대한 문제를 다루는 데 있어 소송 당사자들 및 소송을 담당하는 법원의 시간과 노력을 낭비하지 않도록 하기 위함이다.145) 또한 90일로 그 기간을 확정함으로써, 제소청구 후 어느 정도 기간 안에 이사들이 모여 시정조치 등에 관한 의사결정을 하는 것이 적정한가에 대한 분쟁도 미연에 방지할 수 있다.146)

특히 미국의 경우 대위소권을 단독주주권으로 하는 관계로 남소의 가능성이 크므로, 일단 이사회에 소제기를 요구하게 하고 있으며 이곳에서 특별제소위원

Allison v. General Motors Corp., 604 F.Supp 1106, 1117 (D. Del. 1985).

139) 한편, 90일 이상의 기간이 필요할 수 있다고 판시한 판례도 있다. 예컨대, Mozes v. Welch, 638 F.Supp 215 (D.Conn. 1986) 사건에서 법원은 피고 이사회가 제소청구 서면 (Demand Letter)을 받은 지 약 8개월 정도 경과하였지만 사건의 복잡성에 비추어 볼 때 지나치게 긴 기간이라고 볼 수 없다고 판시하였다.

140) MBCA, pp. 7~86 (§7.42).

141) Id.

142) Id. pp. 7~88 (comment on §7.42).

143) Id.

144) Id.

145) MBCA, pp. 7~86 (comment on §7.42).

146) Id. pp. 7~87 (comment on §7.42).

회에 의하여 경영판단의 법칙을 적용하여 회사에게 유리하게 제소전에 소송을 종결시켜 버리는 예가 많다. 비교법적으로 제소전 절차와 제소자격의 요건은 상호 반비례하는 현상을 보이는바, 제소자격이 까다로우면 제소전 절차는 간이화하고 그 반대이면 제소전 절차는 강화된다.[147]

(3) 제소청구의 특정

만약 회사가 이사의 책임을 추궁하지 않는다면, 발행주식의 총수의 100분의 1 이상에 해당하는 주식을 가진 주주는 회사를 위하여 직접 이사의 책임을 추궁할 소를 제기할 수 있다(제403조 제3항). 주주는 소를 제기하기 전에 먼저 회사에 대하여 소의 제기를 청구해야 하는데, 이 청구는 이유를 기재한 서면인 '제소청구서'로 하여야 한다(제403조 제1항, 제2항).

대법원은 "제소청구서에 기재되어야 하는 '이유'에는 권리귀속주체인 회사가 제소 여부를 판단할 수 있도록 책임추궁 대상 이사, 책임발생 원인사실에 관한 내용이 포함되어야 한다. 다만 주주가 언제나 회사의 업무 등에 대해 정확한 지식과 적절한 정보를 가지고 있다고 할 수는 없으므로, 제소청구서에 책임추궁 대상 이사의 성명이 기재되어 있지 않거나 책임발생 원인사실이 다소 개략적으로 기재되어 있더라도, 회사가 제소청구서에 기재된 내용, 이사회의사록 등 회사 보유 자료 등을 종합하여 책임추궁 대상 이사, 책임발생 원인사실을 구체적으로 특정할 수 있다면, 그 제소청구서는 상법 제403조 제2항에서 정한 요건을 충족하였다고 보아야 한다."고 판시하여 제소청구서 특정의 정도에 대한 기준을 제시하였다.[148]

(4) 제소청구를 하지 않아도 되는 경우 및 제소청구 불경료 하자의 치유[149]

예외적으로 30일을 기다리면 회사에 회복할 수 없는 손해가 생길 염려가 있는 경우에는 주주가 즉시 소를 제기할 수 있다(제403조 제4항). 회복할 수 없는 손해가 생길 염려가 있다고 함은 곧 시효가 완성한다든지, 이사가 도피하거나 재산을 처분하려 하는 등 법률상 또는 사실상 이사에 대한 책임추궁이 불가능

---

147) 원고적격에 대한 비교법적 검토는 권재열(2021), 89~120면.

148) 대법원 2021.7.15. 2018다298744.

149) 상법에 해석에 있어 제소청구요건을 구비하지 않아도 하자의 치유를 쉽게 인정하는 것에 대해서 입법론으로 하자치유를 제한하여야 한다는 견해가 있다(권재열, 전게논문, 14면, "제소청구요건을 갖추지 못한 경우는 하자가 치유된다는 쪽으로 상법을 개정하기보다는 오히려 부적법하다는 취지의 내용을 명시적으로 반영할 필요가 있다.").

노는 무익해실 염려가 있는 성우를 의미한다.[150] 만일 회사가 명시석으로 소제
기를 거절한 경우에도 30일을 기다리지 않고 즉시 소를 제기할 수 있다. 나아가
회사에 대한 청구가 무익할 것이 명백한 경우(상법상 이사에 대한 책임추궁을 담
당하도록 되어 있는 감사가 문제된 책임사유와 관련되어 있는 경우 등)에도 30일의
경과를 기다리는 것을 불필요하다고 보는 견해도 있다.[151]

일본에서는 회사가 주주가 소제기를 청구한 날부터 60일 이내에 대표소송을
제기하지 않는 경우, 해당 청구를 한 주주는 회사를 위하여 소를 제기할 수 있
다(제847조 제3항). 그러나 60일의 경과로 인하여 회사에 회복하기 힘든 손해가
발생할 우려가 있는 경우에는 해당 청구를 한 주주는 회사를 위하여 직접 소를
제기할 수 있다(제847조 제5항). 회사에 회복하기 힘든 손해가 발생할 우려가 있
는 예로는 회사의 채권이 시효에 걸린다든지, 이사가 재산을 은닉할 우려가 있을
때 등이 있다. 또한, 주주가 대표소송을 제기하고 회사가 어느 소송당사자 편으로
소송참가한 경우에는 소송전의 절차상의 하자는 치유되는 것으로 이해된다.[152]

미국에서 제소청구가 불필요한 경우는 관할마다 다를 수 있다. 대다수의 주
가 채택하는 델라웨어주의 접근법에 따르면,[153] (i) 이사들이 이사들에게 요구되
는 독립성과 객관성 기준에 부합하였다는 기본가정(threshold presumption)을 원
고가 적절한 사실관계(well-pleaded facts)를 들어 반박한 경우, 또는 (ii) 문제되
는 사건이 타당한 경영 판단의 결과가 아니라는 합리적인 의심(reasonable
doubt)을 야기할 정도로 원고가 충분한 사실 관계(particularity facts)를 제시한
경우, 제소청구가 불필요하다고 본다.[154]

---

150) 이철송, 전게서(2018), 819면.
151) 최준선, 전게서, 582면.
152) 江頭憲治郎・中村直人 編, 「論點體系 會社法 6 株式會社III」(第一法規, 2012), 440~441面.
    이에 대해서 하자의 치유를 부정하는 견해로는 上柳克郎・鴻常夫・竹内昭夫 編, 「新版注釈
    会社法(6)」(有斐閣, 1987), 370面(北沢正啓 집필부분)("60일의 기간은 제소할지의 여부를
    심사숙고 할 여유를 회사에게 준 것이며, 또한 회사가 소제기의 의사가 없음을 밝힌다 하
    더라도 그 후 번복하지 않는다고도 할 수 없는 등의 이유로 60일이 경과하는 것을 기다려
    야 한다. 이에 반하여 긍정설에서는 회사가 제소 의사가 없는 것을 표명한 경우에는 60일
    이 경과될 것을 기다릴 필요가 없으므로 그러한 경우 주주는 즉시 대표소송을 제기할 수
    있다는 것이다.").
153) Levine v. Smith, 591 A.2d 194, 205 (Del. 1991).
154) ALI, p. 52.

⑸ 제소청구와 대표소송의 제기시 이사의 위법사유의 차이가 있는 경우

주주가 제소청구시에는 회사에 이사 甲이 a, b의 위법행위를 하였다고 하였으나 실제 소를 제기할 때는 a만을 사유로 들거나, 아니면 새로운 사유로 c를 추가하는 경우 이러한 대표소송을 위법한 것으로 볼 것인가의 문제가 있다. 전자의 경우에는 이미 회사가 숙고한 것이므로 문제가 되지 않을 것이나 후자의 경우에는 제소청구요건을 위반한 부적법한 대표소송으로 볼 여지가 있다.

이에 대해서는 주주대표소송이 회사가 제기하여야 할 소송을 대신하는 제3자의 소송담당으로 제소청구는 회사에 대하여 숙려할 수 있는 시간을 주고 제소청구에 제시된 위법성을 이유로 하여 소송을 할 것인지 여부를 정하는 것이므로 위법한 주주대표소송이라고 보는 견해가 있을 수 있으나, 부실한 내용의 제소청구를 하고 대표소송을 제기하였다고 하여 항상 부적법한 소로서 각하되는 것은 아니다. 우선 주주로서는 회사 내부에서 벌어지는 이사의 구체적인 위법행위를 차악하기 곤란하고, 상법 제404조 제2항은 대표소송을 제기한 주주는 소제기 후 지체 없이 회사에 대하여 소송의 고지를 하도록 규정하고, 소송고지서에는 피고지자가 공격, 방어를 하는데 부족함이 없도록 청구의 취지와 원인을 기재하여야 하므로, 제소주주가 부실한 내용으로 제소청구를 하였더라도 이와 같이 적법한 방식의 소송고지를 한 경우에는 당초의 제소청구시에 적법한 제소청구가 있는 것으로 볼 수 있다.[155]

대법원은 "주주가 아예 제소청구서를 제출하지 않은 채 대표소송을 제기하거나 제소청구서를 제출하였더라도 대표소송에서 제소청구서에 기재된 책임발생 원인사실과 전혀 무관한 사실관계를 기초로 청구를 하였다면 그 대표소송은 상법 제403조 제4항의 사유가 있다는 등의 특별한 사정이 없는 한 부적법하다. 반면 주주가 대표소송에서 주장한 이사의 손해배상책임이 제소청구서에 적시된 것과 차이가 있더라도 제소청구서의 책임발생 원인사실을 기초로 하면서 법적 평가만을 달리한 것에 불과하다면 그 대표소송은 적법하다. 따라서 주주는 적법하게 제기된 대표소송 계속 중에 제소청구서의 책임발생 원인사실을 기초로 하면서 법적 평가만을 달리한 청구를 추가할 수도 있다."고 하여 제소청구서와 소장기재의 차이에 대한 판단기준을 제시하고 있다.[156]

---

155) 임재연, 전게서, 545면.
156) 대법원 2021.7.15. 2018다298744.

다) 소송절차

(1) 관 할

대표소송은 회사의 본점소재지 지방법원의 전속관할이다(제403조 제7항, 제186조). 일본도 대표소송의 관할을 회사 본점 소재지를 관할하는 지방재판소 전속관할로 한다(일본 회사법 제848조). 회사 또는 주주의 소송참가의 편의를 위해서이다.[157] 대표소송은 주주가 회사를 대신하여 이사 등의 회사에 대한 책임을 소송상 청구하는 제도이지만, 그 청구가 인용되어도 그 효과는 직접 회사에 미칠 뿐 주주에 미치지 않고, 주주는 회사가 이익을 받음에 따라 간접적으로 이익을 받을 뿐이다. 만약 대표소송을 제기하기 위한 수수료를 청구금액에 의해 산정하면, 주주가 대표소송을 제기하는 것이 사실상 곤란하게 된다. 그리고 대표소송을 쉽게 제기할 수 있도록 하는 것은, 이사 등의 위법한 업무집행을 방지하기 위해 매우 유효하다. 이에 따라, 일본 회사법 제847조 제4항은 대표소송의 소가 산정에 대해서는 재산상 청구가 아닌 것으로 간주한다고 규정하고 있다. 이 경우 소송비용은 13,000엔이다(民事訴訟費用等に関する法律 4조 II 별표 제1-I).[158]

(2) 주주의 담보제공명령

담보제공명령은 피고가 대표소송으로 인해 입을 손해에 대한 배상청구권의 지불을 확보하여, 주주의 남용적인 대표소송 제기를 방지하려는 제도이다. 이사는 대표소송을 제기한 주주의 악의를 소명하여 상당한 담보를 제공하도록 청구할 수 있다(제403조 제7항, 제176조 제4항). 여기서의 "악의"는 이사의 임무해태 등이 없었음을 안다는 의미이고,[159] 단순히 승소의 가능성이 낮다고 인식하는 것만으로는 악의가 아니다.[160] 담보제공명령의 가액은 법원이 재량으로 정하는바, 피고가 소송비용의 담보제공을 신청한 경우 담보액을 산정하려면 소송물의 가격을 산정해야 하는바, 이 때 소송물의 가격은 피고가 대표소송에서 전부 패소할 경우 실제로 지급할 의무가 생기는 손해배상액이 아니라, 민사소송등인지

---

157) ALI, Id.

158) 前田庸, 「會社法入門」 第12版(有斐閣, 2011), 441面.

159) 주주의 악의란 피고인 이사를 해할 것을 알고 제기함을 의미라는 견해로 이철송, 전게서 (2018), 822면. 이에 대해서 악의는 원고주주가 피고이사를 해하게 됨을 안다는 뜻이고, 부당하게 피고인 이사를 해할 의사가 있어야 함은 아니라는 견해로 최준선, 전게서, 583~584면.

160) 송옥렬, 전게서, 1065면; 장덕조, 전게서, 591면.

법 제2조 제4항은 제소주주의 부담을 경감시켜 주기 위하여 대표소송은 소가를
알 수 없는 소송으로 보고,[161] 민사소송 등 인지규칙 제15조 제1항은 주주의 대
표소송, 이사의 위법행위유지청구의 소 및 회사에 대한 신주발행 유지청구의 소
는 소가를 산출할 수 없는 소송으로 보고, 규칙 제18조의2 단서는 제15조 제1
항 내지 제3항에 정한 소송의 소가는 1억 원으로 규정하고 있다.

일본에서도 주주가 책임추궁 등의 소를 제기할 때 재판소는 피고의 신청에
따라 해당 주주에게 상당한 담보를 제공할 것을 명할 수 있다(제847조 제7항).
피고가 담보 제공 명령을 신청하는 경우 피고는 원고의 소제기가 악의에 의한
것임을 소명해야 한다(제847조 제8항). 악의의 의미에 대해서, 최초에 법원은 피
고가 회사에게 부담하여야 할 책임이 아님을 원고인 주주가 알면서도 피고를 해
할 의도를 가진 경우로 보았으나,[162] 이후 그 범위를 넓혀서 청구원인 중 중요
한 주장 자체에 모순이 있거나, 주장을 대폭 보완하거나 변경하지 않는 한 청구
가 인용될 가능성이 없거나, 청구원인 사실을 입증하기 어려울 것이라고 예측되
거나, 피고의 항변으로 인해 청구가 기각 당할 개연성이 높다는 등의 사정을 인
식하면서도 소를 제기한 경우,[163] 원고의 청구에 이유가 없는데 이 사실을 원고
가 알면서도 제기한 경우 또는 원고가 주주대표소송의 제도의 취지를 악용하여
부당한 목적을 가지고 피고를 해하려고 소를 제기한 경우도 악의에 해당된다고
판단하였다.[164] 담보제공명령의 발령은 1997년을 경계로 급감하여 현재는 거의
발령되고 있지 않다. 이는 부당소송 유형의 악의에 대한 심사가 본건 심리와 중
복되는 부분이 많아, 재판소로서는 악의의 결정에 신중한 판단을 요구하는 사건
에 대해서는 본건 심리를 진행하여 종국 결정을 촉진하기 때문인 것으로 판단된
다.[165]

(3) 소송고지 및 소가

상법은 회사의 참가를 허용하고 참가의 기회를 보장하기 위해 소송고지 제도

---

161) 대법원 2009.6.25. 2008마1930.
162) 名古屋地方判決 平6.1.26. 判時1492-139, 東海銀行擔保提供申立事件.
163) 東京高決 6.12.26. 資料判商事法務 131-81, 三愛擔保提供申立事件.
164) 東京高決 平7.2.20金商968-23. 森・濱田松本法律事務所 編, 「新・會社法實務問題 シリー
ズ・取締役・取締役會・株主代表訴訟」(中央經濟社, 2006), 235面.
165) 小林久起 [東京地裁における商事事件の槪況(上)] 「商事法務」 1580호(2000), 7面; 永井給之
[大阪地裁における商事事件の槪況] 「商事法務」 1658호(2003), 6面.

를 두고 있다. 수수가 대표소송을 제기한 때에는 지체없이 회사에 대하여 소송의 고지를 하여야 한다(제404조 제2항, 제408조의9). 회사는 소수주주가 제기한 대표소송에 소송참가를 할 수 있다(제404조 제1항, 제408조의9). 일반적으로 소송고지는 고지자의 자유이나 대표소송의 고지는 의무이므로, 주주가 고지를 하지 아니한 경우 주주는 회사에 대하여 손해배상책임을 진다.[166]

일본 회사법은 주주는 대표소송을 제기한 경우 지체 없이 회사에게 소송고지를 하여야 한다(제849조 제3항). 또한 회사는 소제기를 한 경우, 또는 주주로부터 소송고지를 받은 경우, 지체 없이 그 취지를 공고하거나, 주주들에게 통지해야 한다(제849조 제4항, 한편 제849조 제5항에 의하면 비공개회사인 경우에는 통지만으로 충분하다). 전자는 회사에게, 후자는 주주에게 소송참가 기회를 주기 위함이다. 소송고지를 해태한 경우에는 손해배상책임을 지게 된다.[167]

(4) 소 가

민사소송등인지법에서는 제소주주의 부담을 경감시켜 주기 위하여 대표소송은 소가를 알 수 없는 소송으로 보아 청구금액에 관계없이 소가를 5천만 100원으로 보고 인지대(23만원)를 계산한다(민사소송등인지법 제2조 제4항, 민사소송 등 인지규칙 제15조 제1항, 제16조의2).

(5) 기타 문제

(가) 주주권남용 항변

대표소송의 제기가 회사를 곤경에 빠지게 하고 오로지 개인적 이익을 추구하기 위한 것인 때에는 주주권의 남용으로서 소는 각하되어야 할 것이라는 견해가 있다.[168] 이와 관련하여 일본에서는 2005년 회사법 제정 시 주주에 대한 책임 추궁 등의 소송에 관하여 목적에 따른 제한이 신설되었다(제847조 제1항). 즉, 대표소송이 당해 주주 혹은 제3자의 부정한 이익을 꾀하거나 당해 주식회사의 손해를 입히는 것을 목적으로 하는 경우에는 대표소송을 제기할 수 없다.[169] 담보제공명령 제도가 피고에 발생하는 손해를 담보하는 것이며, 담보가 제공되면 소송이 각하되지 않는 데 비하여, 목적에 따른 제한의 경우 요건에 해당된다면

---

166) 이철송, 전게서(2018), 821면; 장덕조, 전게서, 591면.
167) 前田庸, 442面.
168) 최기원, 전게서, 717면.
169) 江頭憲治郎・中村直人 編, 「論點體系 會社法 6 株式會社Ⅲ」(第一法規, 2012), 200面.

소송은 부적법 각하된다.[170] 이를 통하여 책임추궁 등의 소송 제도의 본래의 취지에 맞게, 재판소가 보다 정확하고 신속하게 권한을 남용하여 제기된 소송을 각하할 것을 기대할 수 있다.[171] 우리 법에도 일본 회사법과 같은 규정을 두어 주주권 남용을 견제할 필요성이 있다고 본다.

(나) 미국법상 특별소송위원회(Special Litigation Committee)

특별소송위원회는 이사회 내의 위원회 중 하나로서 소송의 유예(stay of action) 요청, 제소 청구, 합의에 대한 승인, 소송의 직접 담당, 소송의 기각 요청 등의 권한을 회사로부터 위임 받아 수행하는 기관이다.[172] 이해관계가 있는 이사들이 특별소송위원회의 구성원을 선출하는 과정에 참여한다 하더라도, 선출된 위원회 구성원들이 이해관계가 없는 이사·개인들이라면 위원회는 유효한 것으로 간주된다.[173] 우리 상법상 이사회 내 위원회로서 두는 것도 가능하다고 보므로 미국에서의 제도운영은 우리 회사법에서도 참고가 된다.

제소청구와의 관계에서 원고는 먼저 회사에 제소청구를 할 의무가 있고, 이사회는 이를 거부할 수 있다.[174] 이사회의 거부가 법적 효력을 가지기 위해서는 첫째, 제소청구를 거부한 주체가 문제되는 행위 또는 거래와 이해관계가 없는 이사들이어야 하고, 둘째, 이러한 이사들이 이사회의 다수를 구성해야 하며, 셋째, 이러한 이사들이 관련 상황을 종합적으로 고려하여 객관적인 판단을 내릴 능력을 가지고 있어야 한다.[175] 한편, 이사회 중 이해관계가 있는 이사들이 다수를 차지한다고 하더라도, 대표소송을 제기하기 위해서는 제소청구 요건을 여전히 충족하여야 한다.[176] 왜냐하면 이사회가 이해관계가 없는 이사들로 구성된 특별소송위원회를 구성하여 원고가 제기하는 대표소송을 거부할지 여부에 대하여 판단하도록 할 수 있기 때문이다.[177]

특별소송위원회는 2명 이상의 이사로 구성될 수 있다.[178] 3명의 이사로 구성

---

170) 上揭書, 207面.
171) 長島·大野·常松法律事務所 編, 「アドバンス 新會社法」 第3版(商事法務, 2010), 458面.
172) ALI, pp. 95~96 (§7.05)).
173) Id. pp. 98~99 (comment on §7.05).
174) Id. p. 108 (comment on §7.08).
175) Id. pp. 108~109.
176) Id.
177) Id.
178) Id. p. 117 (comment on §7.09).

되는 것이 일반적인 관례이지만, 판례에 따르면 2명으로 구성된 위원회도 인정하고 있다.[179) 위원회는 다음 두 가지 요건을 충족하여야 한다.[180) 첫째, 위원회는 해당 행위나 거래에 대하여 이해하고 평가할 수 있는 능력이 있어야 한다. 이해관계의 상충이 없다는 사실만으로는 본 요건이 충족될 수 없다. 둘째, 여기서 말하는 이해관계는 보통 경제적 또는 혈연과 관련된 이해관계만을 의미하지만, 법원이 위원회가 객관적인 판단력을 가지고 있는지에 대하여 판단할 경우에는 위원회의 구성원이 그 이외의 이해관계로 인하여 선입관을 가질 수 있는지 여부가 고려될 수 있다.[181)

만일 이사회를 지배하는 자 또는 대다수의 이사가 대표소송의 피고로 소가 제기되었고 당해 행위와 이해관계가 없는 이사들의 수가 적어 특별소송위원회를 구성할 수 없는 경우, 법원은 특별 심사원단(Special Panel)을 구성할 수 있다.[182) 이사회 또는 원고는 특별 심사원단의 구성원을 추천할 수 있으나, 추천된 자들이 우선적으로 고려되는 것은 아니다.[183)

(다) 미국법상 회사의 기각신청(motion to dismiss)

미국에서는 선의로 합리적인 조사를 한 결과(in good faith, after conducting a reasonable inquiry), 대표소송을 계속 진행하는 것이 회사의 이익에 반한다는 결론에 도달하는 경우, 회사는 법원에 주주대표 소송의 기각을 신청(motion)할 수 있다.[184)185) 당해 대표소송의 결과와 중대한 이해관계(material interest)가 없는

---

179) Id.; Id. at 121 (citing, among others, Minn. Bus. Corp. Act 302 (1981); Zapata Corp. v. Maldonado, 430 A.2d 779 (Del.1981); and Mills v. Esmark, Inc., 573 F.Supp. 169 (N.D.Ill.1983)).

180) Id. pp. 117~118.

181) 예를 들면 어떠한 이사가 피고와 강한 친분관계가 있다거나 가까운 이웃 사이이라면, 위원회 구성원으로서의 자격이 없다고 판단될 가능성이 크다. Id. p. 118.

182) Id. p. 158 (§7.12(a)).

183) Id. p. 160 (comment on §7.12).

184) MBCA, p. 7-89~90 (§7.44).

185) Abella v. Universal Leaf Tobacco Co., 546 F. Supp. 795 (E.D. Va. 1982)에서 법원은 특별소송위원회가 소송의 정당성에 대해 충분한 조사를 하였으며 위원회의 조사 방식이나 범위가 소송이 기업에게 긍정적인 영향을 끼칠지 여부에 대한 정확한 판단을 하기 위해 적절했으며, 소송의 예상 비용과 편익에 대한 조사를 하였고, 위원회의 보고서에 결론을 도출하기에 충분한 근거를 제시했기 때문에 위원회의 판단이 정당하다는 등의 이유로 피고의 기각신청을 받아들임. 한편, 피고가 특별소송위원회의 선의(Good Faith)와 독립성을 증명하지 못하였다는 이유로 피고의 약식판결 신청(Motion For Summary Judgment)을 받아들이지 아니한 사례로 Hasan v. CleveTrust Realty Investors, 729 F.2d 372 (6th Cir. 1984).

등 일정한 요건을 갖춘 적격 이사(qualified directors)로 이사회 정족수가 충족되는 경우, 그의 과반수,[186] 적법하게 선출된 특별소송위원회의 과반수,[187] 또는 회사가 법원에 요청하여 구성된 1인 이상의 특별심사원단[188]이 기각신청을 할 수 있다.

(라) 주주대표소송을 위한 회계장부열람

주주대표소송을 하기 위해서는 회사의 회계장부 등에 대한 열람이 필요한 경우가 많다. 원고가 되는 주주로서는 회사가 소송을 제기하고 있지 않은 상황에서 증거확보에 어려움이 많다. 상법 제466조 제1항 소정의 소수주주의 회계장부열람등사청구권을 피보전권리로 하여 당해 장부 등의 열람·등사를 명하는 가처분이 판례상 허용되므로[189] 이를 활용하여 장부 등의 등사를 함은 물론 열람이나 등사의 대상 장부 등에 관하여 훼손, 폐기, 은닉, 개판이 행하여질 위험이 있는 경우에는 이를 방지하기 위하여 그 장부 등을 집행관에게 이전·보관시키는 가처분을 활용할 필요가 있다.

대법원은 "적대적 인수·합병을 시도하는 주주의 열람·등사청구라고 하더라도 목적이 단순한 압박이 아니라 회사의 경영을 감독하여 회사와 주주의 이익을 보호하기 위한 것이라면 허용되어야 하는데, 주주가 회사의 이사에 대하여 대표소송을 통한 책임추궁이나 유지청구, 해임청구를 하는 등 주주로서의 권리를 행사하기 위하여 이사회 의사록의 열람·등사가 필요하다고 인정되는 경우에는 특별한 사정이 없는 한 그 청구는 회사의 경영을 감독하여 회사와 주주의 이익을 보호하기 위한 것이므로, 이를 청구하는 주주가 적대적 인수·합병을 시도하고 있다는 사정만으로 청구가 정당한 목적을 결하여 부당한 것이라고 볼 수 없고, 주주가 회사의 경쟁자로서 취득한 정보를 경업에 이용할 우려가 있거나 회사에 지나치게 불리한 시기를 택하여 행사하는 등의 경우가 아닌 한 허용되어야 한다."고 판시한 바 있다.[190]

---

186) Id. (§7.44(b)(1)).
187) Id. (§7.44(b)(2)).
188) Id. (§7.44(b)(e)).
189) 대법원 1999.12.21. 99다1137.
190) 대법원 2014.7.21. 자 2013마657(소위 '현대엘리베이터' 판결). 이 판결은 "갑 주식회사의 엘리베이터 사업부문을 인수할 의도로 갑 회사 주식을 대량 매집하여 지분율을 끌어올려온 을 외국법인이 갑 회사가 체결한 파생상품계약 등의 정당성을 문제 삼으면서 갑 회사 이사회 의사록의 열람·등사를 청구한 사안에서, 을 법인이 이사에 대한 대표소송 등 주주

이후 대법원은 2018년 "상법 제466조 제1항에서 규정하고 있는 주주의 회계장부와 서류 등에 대한 열람·등사청구가 있는 경우 회사는 청구가 부당함을 증명하여 이를 거부할 수 있고, 주주의 열람·등사권 행사가 부당한 것인지는 행사에 이르게 된 경위, 행사의 목적, 악의성 유무 등 제반 사정을 종합적으로 고려하여 판단하여야 한다. 특히 주주의 이와 같은 열람·등사권 행사가 회사업무의 운영 또는 주주 공동의 이익을 해치거나 주주가 회사의 경쟁자로서 취득한 정보를 경업에 이용할 우려가 있거나, 또는 회사에 지나치게 불리한 시기를 택하여 행사하는 경우 등에는 정당한 목적을 결하여 부당한 것이라고 보아야 한다. 한편 주식매수청구권을 행사한 주주도 회사로부터 주식의 매매대금을 지급받지 아니하고 있는 동안에는 주주로서의 지위를 여전히 가지고 있으므로 특별한 사정이 없는 한 주주로서의 권리를 행사하기 위하여 필요한 경우에는 위와 같은 회계장부열람·등사권을 가진다. 주주가 주식의 매수가액을 결정하기 위한 경우뿐만 아니라 회사의 이사에 대하여 대표소송을 통한 책임추궁이나 유지청구, 해임청구를 하는 등 주주로서의 권리를 행사하기 위하여 필요하다고 인정되는 경우에는 특별한 사정이 없는 한 그 청구는 회사의 경영을 감독하여 회사와 주주의 이익을 보호하기 위한 것이므로, 주식매수청구권을 행사하였다는 사정만으로 청구가 정당한 목적을 결하여 부당한 것이라고 볼 수 없다."고 하여 대표소송의 제기를 위한 수단으로서 회계장부 등의 열람을 허용하는 원칙으로 하고 있음을 확인하였다.[191]

로서의 권리를 행사하기 위하여 이사회 의사록의 열람·등사가 필요하다고 인정되는 점, 을 법인이 이사회 의사록으로 취득한 정보를 경업에 이용할 우려가 있다거나 갑 회사에 지나치게 불리한 시기에 열람·등사권을 행사하였다고 볼 수 없는 점 등 여러 사정에 비추어 을 법인의 열람·등사청구가 갑 회사의 경영을 감독하여 갑 회사와 주주의 이익을 보호하기 위한 것과 관계없이 갑 회사에 대한 압박만을 위하여 행하여진 것으로서 정당한 목적을 결하여 부당하다고 할 수 없는데도, 이와 달리 보아 위 청구를 배척한 원심결정에 주주의 이사회 의사록 열람·등사권 행사에 관한 법리오해의 위법이 있다고 한 사례"에 대한 판결이다. 이 판결은 노혁준, "2014년 회사법 중요 판례," 「인권과 정의」 제448호(2014)에서 주요판결로 언급되고 있으며, 정세진, "'회계장부 등 열람 및 등사 가처분' 결정 집행에서의 실무상 문제점에 관한 고찰," 「광주지방법원 재판실무연구」(2015), 35~58면 및 김수학, "주주의 열람·등사 청구권 행사의 판단기준: 대상결정: 대법원 2014.7.21. 자 2013마657 결정," 「대구판례연구회 재판과 판례」 제24집(2015), 213~236면 참조.

191) 대법원 2018.2.28. 2017다270916[회계장부와서류·열람등사]. 이 사건은 갑 주식회사의 주주인 을이 갑 회사의 회계장부 및 서류의 열람·등사를 청구하는 소를 제기하였는데, 소송 계속 중 갑 회사가 병 주식회사에 공장용지와 공장 건물을 양도하는 과정에서 을이 반대주주의 주식매수청구권을 행사하였고, 주식매수가액의 협의가 이루어지지 않자 을이 법원에 주식매수가액 산정결정 신청을 하여 재판이 계속 중이고, 그 후 을이 갑 회사의 이사들을

라) 대표소송의 효과

(1) 원고 승소의 경우

주주가 승소 시 소송비용 및 소송으로 인하여 지출한 비용 중 상당한 금액을 회사로부터 지급받을 수 있다(제405조 제1항). 회사가 주주에게 제405조 제1항의 비용을 지급하면 그 가운데 피고가 부담해야 할 소송비용 부분에 대해서는 회사가 다시 피고를 상대로 구상권을 가진다(제405조 제1항 후단).

회사로부터 상환을 받을 수 있는 비용의 범위는 원고가 실제로 지출한 변호사보수를 기준으로 법원이 상당하다고 인정하는 금액을 원고에게 상환하여야 한다.[192] 일부 학설은 이 규정이 말하는 비용이란 변호사보수를 의미하는 것으로 해석하고 있다.[193] 그런데 변호사보수는 대법원규칙(변호사보수의 소송비용산입에 관한 규칙)이 정하는 범위 안에서 당연히 소송비용으로 취급하므로(민소법 제109조 제1항), 위와 같이 해석한다면 제405조 제1항은 무의미해지므로, 이는 회사가 직접 소송을 제기하였더라면 지출되었을 모든 유형의 비용을 포함하는 뜻으로 새기는 것이 옳다.[194] 한편, 주주가 변호사에게 보수를 지급하기 전 미리 회사에 상환청구 가능한지 여부의 문제가 있다. 주주의 경제적 부담을 최소화한다는 취지에서 이를 인정하는 것이 타당하다고 본다.[195]

미국의 경우 대표소송에서의 소송비용의 분담은 승소한 원고가 회사에 상당한 이익(substantial benefit)을 발생시킨 경우 원고는 변호사 비용을 포함하여 소송 과정에서 소요된 합리적인 비용을 회사로부터 보상받을 수 있다.[196] 이는 승

상대로 주주대표소송을 제기하고, 갑 회사를 상대로 사해행위취소소송을 제기하여 각 소송이 계속 중인 사안에서, 을은 주식매수가액의 산정과 주주대표소송의 수행에 필요한 범위에서 갑 회사에 회계장부의 열람·등사를 청구할 권리가 있으나 사해행위취소소송을 제기한 것을 내세워 회계장부열람·등사청구를 하는 것은 부당하다고 한 사례이다.

192) 서울중앙지방법원 2008.6.20. 2007가합43745.

193) 강위두·임재호, 「상법강의(상)」(형설출판사, 2004), 885면.

194) 이철송, 전게서(2018), 824면("구증권거래법에서는 이와 같은 취지의 규정은 제191조의 13 제6항에서 두고 있었으나 이 규정은 동법 폐지 후 상법에 승계되지 않았다. 입법의 착오라고 본다."); 장덕조, 전게서, 594면; 송옥렬, 전게서, 1061면도 같은 취지에서 변호사보수 이외의 실제 지출한 비용도 가능하면 소송관련성을 널리 인정하여야 한다고 본다.

195) 서울중앙지방법원 2007가합43745은 주주대표소송의 소송비용 중 적어도 변호사보수에 있어서는 승소한 주주가 이를 현실적으로 지급하기 전에도 회사에게 소송비용으로 그 상환을 청구할 수 있다고 보고 있다.

196) ALI, p. 196 (§7.17). 이는 Mills v. Electric Auto-Lite Co., 396 U.S. 375 (1970)와 같은 판례법을 성문화한 것이라 한다(MBCA, pp. 7~97 (§7.46(1))).

소원고가 개인적으로 변호사 비용을 부담하여야 할 경우 다른 주주들이 대표소송을 통해 무임승차와 같은 이득을 얻는 것을 방지하기 위함이다.[197] 그러나 변호사 비용은 전체 보상액 중 합리적인 비율 이상을 차지하여서는 안 된다.[198] 이러한 제한 때문에 일부 사례의 경우 변호사 비용을 정당화하기 위하여 회사에 발생시킬 이익을 부풀려 합의를 도출하는 경우도 있다.[199] 원고가 변호사 비용을 회사로부터 보상받을 정도의 "상당한 이익"을 회사에 가져다 주었는지 결정하기 위해서는, 소송을 통해 기술적인 사항 이상의 실질적인 결과물이 발생하였는지 여부, 그리고 회사의 권리와 이익 및 주주의 권리에 악영향을 미치는 요인을 시정, 제거하였는지 여부가 심사되어야 한다.[200] 판례에 따르면 회사가 "비금전적인 보상"을 받는 것도 상당한 이익을 얻은 것으로 간주된다.[201] 일반적으로 비용 부담액의 계산은 전체 보상액 중 특정 비율의 금액을 변호사 비용으로 책정할 수 있다. 승소 액이 미화 1백만 달러 미만일 경우, 변호사 비용의 비율은 20~30% 정도이며, 미화 1백만 달러 이상일 경우 15~20% 정도를 지급하는 방법을 사용하나, 연방법원에서는 변호사가 투입한 시간의 가치와 변호사가 일반적으로 받는 수임료를 먼저 고려한 후, 변호사가 부담한 위험요인과 변호사의 업무의 질을 고려하여 상위 수치를 상향 또는 하향 조정하는 계산방식을 사용한다.[202]

일본의 경우 대표소송을 제기한 주주가 승소(일부승소 포함)한 경우 해당 소송과 관련하여 필요한 비용(소송비용은 제외) 또는 변호사 수임료를 지급했다면 주주는 회사에 대하여 그 비용의 범위 또는 보수액의 범위 내에서 상당하다고 인정되는 액수의 지급을 청구할 수 있다(제852조 제1항). 그 액수의 결정에 대해서는 승소판결에 의해 회사가 얻은 이익이 고려된다. 여기서 승소판결에는 일부 승소판결도 포함되지만, 그것이 소송당사자 간에 공모한 소송에 해당하는 경우에는 비용 지급 청구가 인정되지 않는다고 해석된다. 그 비용에는 사실관계 조

---

197) ALI, p. 198 (comment on §7.17).
198) Id. p. 196 (§7.17).
199) Id. p. 197 (comment on §7.17).
200) Id. p. 199~200 (comment on §7.17).
201) Id. p. 200 (citing Hornstein, Legal Therapeutics: The "Salvage" Factor in Counsel Fee Awards, 69 Harv. L. Rev. 658, 663 (1956); Mills v. Electric Auto-Lite Co., 396 U.S. 375, 90 S.Ct. 616, 24 L.Ed.2d 593 (1970)).
202) Id. pp. 197~199 (comment on §7.17).

사비용(대표소송을 제기하기 위해서는 이사(취체역)의 위법행위 등으로 인한 회사의 손해가 발생한 사실이 있는지 조사할 필요가 있음), 사법서사수수료, 재판소 출석 비용 등이 포함된다.203)

독일의 경우 주주가 대표소송에 지출한 비용을 회사로부터 상환 받을 수 있는지에 관하여, 주식회사법은 소제기 허가 신청 단계와 그 밖의 단계를 구분하여 규정한다. 우선 소제기 허가 신청이 기각된 경우에는 주주가 허가절차에 소요된 비용을 부담한다.204) 다만, 허가신청이 기각되어야 할 회사의 이익이 분명함에도 불구하고 회사가 소제기 이전에 주주에게 이를 알려주지 아니하여 허가신청이 기각된 경우에는 회사가 해당 주주에게 그 비용을 상환하여야 한다.205) 만약 회사가 스스로 소송을 제기하거나, 주주에 의해 계속 중인 소송을 승계한 경우에는, 회사가 소제기 시점 또는 소송절차를 승계한 시점까지 발생한 주주의 모든 비용을 부담하여야 한다.206) 주주가 고의 또는 중과실로 거짓 진술을 함으로 인하여 소제기가 허가된 경우가 아닌 한, 주주가 제기한 소의 전부 또는 일부가 기각된 경우에도 회사는 주주에게 원고가 부담하여야 할 비용을 상환하여야 한다.207) 다만, 주주들이 공동으로 소송을 수행하는 경우 소송 수행을 위해 추가적인 변호사선임이 반드시 필요한 경우가 아닌 한 한 명의 변호사에 대한 비용만을 상환받을 수 있다.208)

앞에서 살펴본 것과 같이 대표소송에서의 비용부담에 대하여서 다른 나라의 규정과 비교하면 세부적인 규율이 보완될 필요가 있다고 본다.

(2) 원고 패소의 경우

단순 패소로는 주주에게 아무 영향 없다. 다만 주주가 악의인 경우에 한해 회사에 대하여 손해배상책임을 부담한다(제405조 제2항). 이 때 악의란 회사를 해할 것을 알고 부적당한 소송을 수행한 경우를 의미한다. 따라서 승산 없는 소송임을 알고 제기한 경우는 물론이고, 불성실하게 소송을 수행하여 패소로 이끈 경우에도 손해배상책임이 있다고 보아야 한다.209)

---

203) 前田庸, 「會社法入門」第12版(有斐閣, 2011), 445~446面.
204) AktG §148 Abs. 6 Satz 1.
205) AktG §148 Abs. 6 Satz 2.
206) AktG §148 Abs. 6 Satz 3, 4.
207) AktG §148 Abs. 6 Satz 5.
208) AktG §148 Abs. 6 Satz 6.

일본에서는 소를 제기한 주주가 패소한 경우라 하더라도 악의가 있는 경우를 제외하고, 주주는 회사에 대해 손해배상책임을 지지 않는다(제852조 제1항). 주주대표소송에서 주주가 부적절한 소송수행 등으로 패소한 경우에도 패소판결의 효력은 당연히 회사에 미치지만(민사소송법 제201조 제2항), 주주가 주주대표소송 제도를 이용하기 어렵지 않게 하고, 회사도 주주대표소송에 소송참가할 수 있음을 고려하여 악의의 주주에 한해서만 손해배상책임을 지도록 하는 것이다. 승소주주의 권리, 패소주주의 책임에 대한 규정(제852조 제1, 2항)은 대표소송에 대하여 소송참가한 주주에게 준용된다(제852조 제3항). 그러므로 원고패소의 경우 소송참가한 주주도 패소주주로서의 책임을 부담한다.

(3) 소의 취하, 청구의 포기, 화해

(가) 상법의 태도

주주는 소제기 이후 법원의 허가 없이 소의 취하, 청구의 포기, 화해를 할 수 없다(제403조 제6항). 청구의 인락은 이사가 하는 것이므로 금할 이유가 없음에도 청구 인락도 법원의 허가를 얻도록 되어 있으나 그 취지는 의문이다.[210]

판결에 의한 소송 종료 이외에도 당사자의 의사에 따라 소송의 종료가 도래할 수도 있으나, 대표소송이나 이사의 책임을 추궁하는 회사의 소송은 모두 회사와 다른 주주들의 이해가 관련되어 있으므로 민사소송법상의 당사자처분권주의는 그 제한이 필요하다. 그리하여 1998년 개정상법은 회사가 주주의 서면청구에 따라 이사에 대해 손해배상청구소송을 제기하거나, 회사의 제소가 없어 주주가 대표소송을 제기한 경우 이러한 소송의 당사자들은 소의 취하, 청구의 포기, 인락, 화해는 법원의 허락을 얻지 않고는 할 수 없는 것으로 규정하였다(제403조 제6항). 2011년 개정된 현행 상법은 회사 자신도 화해 등의 금지대상에 포함시켰다.[211]

(나) 합의(Settlement)에 대한 입법례

미국에서는 대표소송이 합의로 종결되는 경우가 많다. 대표소송을 취하하거

---

209) 이철송, 전게서(2018), 825면.
210) 이에 대해서 입법의 착오라는 지적이 있다(이철송, 전게서(2018), 823면).
211) 제403조 제6항 "회사가 제1항의 청구에 따라 소를 제기하거나 주주가 제3항과 제4항의 소를 제기한 경우 당사자는 법원의 허가를 얻지 아니하고는 소의 취하, 청구의 포기·인락·화해를 할 수 없다." (신설 1998. 12. 28, 2011. 4. 14)

나 합의하는 경우 반드시 법원의 승인을 얻어야 한다.[212] 제안된 합의사항이 회
사 주주들의 이익에 중대하게 영향을 미친다고 법원이 판단하는 경우, 당해 주
주들에게 관련 합의사항이 통지되어야 한다.[213] 합의를 반대하는 주주들은 합의
에 대한 공청회를 준비하고, 합의가 적절한지 이의를 제기할 수 있는 기회를 부
여 받는 등 합의에 대해 거부할 권리를 가진다.[214] 이와 같이 합의 등에 법원의
승인을 요구하는 것은 전체 주주를 위한 해결방안을 강구하기보다 소송을 제기
한 주주와 회사가 합의하여 일부 주주들만 금전적 이익을 얻는 것을 방지하기
위함이다.[215] 한편, 최근의 판례들은 회사와 피고 간에 합의가 이루어질 경우
이러한 합의는 법원의 승인이 필요 없다는 입장을 보이고 있다.[216] 그러나 이러
한 승인이 없을 경우 상기 합의가 구속력이 있는지 명확하지는 않다.[217] 그러므
로 ALI는 부적절한 합의를 방지하고, 회사와 피고간의 합의에 기판력(res
judicata)을 부여하고, 합의에 참여하는 이사가 잠재적으로 질 수 있는 책임을
최소화하기 위하여, 상기 합의에 대하여 사법부의 승인을 요구하고 있다.[218]

일본에서는 임원 등의 책임추궁 등의 소송에 관하여 화해를 할 경우, 주주의
동의를 필요로 하지 않는다(제850조 제4항).[219] 회사가 대표소송과 관련된 소송
에서 화해의 당사자가 아닌 경우, 화해를 하더라도 확정판결과 동일한 효력을
갖지 않는다(제850 제1항 본문). 그러나 해당 회사의 승인이 있는 경우 해당 화
해는 확정판결과 동일한 효력을 갖는다(제850조 제1항 단서). 그리고 회사가 대
표소송과 관련된 소송에서 화해의 당사자가 아닌 경우, 법원은 회사에게 화해
내용을 통지하여 회사가 해당 화해에 이견이 있는 경우 2주 내에 이의를 제기
하라는 권고를 해야 한다(제850조 제2항).[220] 회사가 위 기간 내에 서면으로 이
의 제기를 하지 않는 경우 통지의 내용대로 주주의 화해를 승인하는 것으로 간
주되어(제850조 제3항) 해당 화해는 확정판결과 동일한 효력을 갖는다. 따라서,

---

212) ALI, p. 176 (§7.14).
213) Id.
214) Id.
215) Id. p. 177 (comment on §7.14).
216) Id. p. 190 (comment on §7.15).
217) Id.
218) Id.
219) Id., p. 460.
220) 前田庸, 「會社法入門」第12版(有斐閣, 2011), 445面.

회사 또는 다른 주주와의 관계에서 재소금지의 효력이 생긴다.[221] 한편, 회사가 위 기간 내에 이의를 제기하는 경우에는 화해가 불가능하고 판결이 내려질 때까지 소송을 계속하여야 한다.[222]

(4) 재심의 소

(가) 의 의

대표소송을 제기한 주주가 이사와 공모하여 고의적으로 패소하는 등 회사의 권리를 침해한 경우 회사 또는 다른 주주는 확정된 판결에 대해 재심의 소를 제기할 수 있다(제406조 제1항, 제408조의9). 제406조 제2항은 제405조의 규정은 재심의 소에도 준용된다고 하고 있어 제소주주의 권리의무에 대한 사항은 제405조 준용을 통하여 재심의 소(제406조)에도 그대로 규율된다(제406조 제2항). 이사의 책임을 추궁하는 소는 소송참가제도가 있음에도 불구하고 원고와 피고와의 공모에 의해서 불공정한 결과가 발생할 염려가 크므로, 민사소송법에도 재심의 제도가 있으나(민사소송법 제451조) 그것만으로는 충분하지 않기 때문에 상법이 이에 관하여 특칙을 둔 것이다.[223] 상법상 재심은 대표소송에 한하여 허용된다. 그러므로 예컨대 회사가 직접 이사를 상대로 제기한 소송에서는 비록 사해적 수단으로 회사의 권리침해가 있더라도 재심을 청구할 수 없다.[224]

일본의 경우 대표소송에서 원고와 피고가 공모하여 회사의 권리를 해할 의도로 판결을 받은 경우 회사 또는 주주는 확정된 종국판결에 대하여 재심의 소를 제기하여 불복할 수 있다(제853조 제1항, 민사소송법 제340조, 제1348조. 소송상의 화해의 경우에는 무효원인이 됨).[225] 소송참가 이외에 재심도 인정되는 이유는 주주가 대표소송의 존재를 모를 가능성도 있고, 대표소송 제기 사실을 알고 있던 자도 원고의 소송수행에 신속하게 소송참가 등을 하지 않을 가능성도 있기 때문이라고 본다.[226]

221) 長島·大野·常松法律事務所 編, 「アドバンス 新會社法」 第3版(商事法務, 2010), 460面.
222) 前田庸, 前揭書, 445面.
223) 정찬형, 전게서, 1102면; 법무부, 「상법개정공청회자료」(1998. 4. 1.), 30면.
224) 이철송, 전게서(2018), 824면; 장덕조, 전게서, 592면.
225) 회사가 직접 이사의 책임을 추궁한다고 하더라도 실제 소송수행자에 의한 공모의 가능성이 있기 때문에 입법론적으로는 일본회사법의 태도가 바람직하다는 견해로 이철송, 전게서(2018), 824면.
226) 江頭憲治郎, 「株式會社法」 第4版(有斐閣, 2011), 466面.

(나) 요 건

재심의 소를 제기하기 위해서는 원피고의 공모로 회사의 권리를 해할 목적으로 판결하게 하였을 것이 요구된다. 예를 들어 부당하게 청구의 액수를 줄인다든지, 고의적으로 원고의 패소로 이끈다든지 하는 경우 등이 재심사유가 된다. 그러므로 원고와 피고의 공모를 요구하므로 원고의 단순한 불성실로 회사의 권리가 침해된 경우에는 재심사유가 될 수 없다.

이러한 현행법의 태도에 대해서는 회사의 권리구제수단으로는 매우 불충분하며, 그러므로 대표소송이 제기되면 감사는 회사를 대표하여 참가하고, 적극적으로 권리주장을 하여야 할 것이며, 이를 게을리한 경우에는 감사의 임무해태로 보아야할 것이라는 비판론이 있다.[227] 입법론으로 고려할 실익은 있다고 본다.

(다) 제소권자

재심의 소의 제소권자는 회사 또는 주주이다. 주주에는 제한이 없으므로 재심청구 당시의 주주이면 족하지, 소수주주이어야 하는 것은 아니다.

(5) 대표소송의 집행

대표소송의 경우 원고가 승소하더라도 귀속되어야 할 손해배상금의 귀속주체는 회사이고 원고는 승소판결로 집행하여 그 이익을 자신에게 귀속시킬 수 없다. 상법 제403조 및 민사집행법 제25조의 문언과 제도의 취지를 종합하여 보면, 원고가 승소를 하고 집행문을 받고, 회사는 승계집행문을 받는 방식으로 집행을 할 수 있다고 본다.[228] 대표소송에서의 원고도 제3자 소송담당의 문제이므로 집행적격이 있다고 보아야 할 것이다. 이렇게 보게 되면 주주대표소송의 경우 궁극적으로 회사에 귀속되어야 할 재산이지만 승소주주가 집행을 할 수 있으므로 회사에의 귀속은 주주의 선의에 기하여 반환을 구하여야 하는 상황이 된다. 이 경우 회사는 주주가 반환을 하지 않으면 주주에게 부당이득으로 그 반환을 구하여야 할 것으로 보인다.

---

227) 이철송, 전게서(2018), 823면.

228) 이런 취지의 판결로 대법원 2014.2.19. 자 2013마2316("주주대표소송의 주주와 같이 다른 사람을 위하여 원고가 된 사람이 받은 확정판결의 집행력은 확정판결의 당사자인 원고가 된 사람과 다른 사람 모두에게 미치므로, 주주대표소송의 주주는 집행채권자가 될 수 있다"). 이 판결에 대한 판례평석으로 김상수, "주주대표소송과 강제집행 – 대법원 2014.2. 19. 자 2013마2316 결정," 「법과 기업연구」 제5권 제3호(서강대학교, 2015. 12.), 167~ 182면.

한편 회사의 채권자로서는 궁극적으로는 회사에 귀속되어야 할 재산이라도 아직 회사로 귀속되기 전(前)단계에서 압류 등 집행의 대상으로 할 수 없다고 할 것이다. 또 주주로서는 자신이 회사에 대해서 가지고 있는 채권이 있고, 양 채권이 상계적상에 있을 경우 주주대표소송이 애초에 제도설계상 예견한 것은 아니더라도 이러한 이론구성을 하게 되면 주주의 상계에 의한 우선 만족을 막기는 어려울 것으로 본다.

4) 다중대표소송[229]

가) 의 의

2020년 상법 개정을 통해서 다중대표소송이 입법화되었다(제406조의2).[230] 개정상법은 모회사의 주자가 자회사의 이사의 책임을 추궁하기 위한 대표소송을 제기할 수 있도록 하는 다중대표소송을 도입했다. 이 제도는 법인을 중심으로 해서 개별회사단위의 법제도 설계에 대한 중대한 예외가 된다고 생각한다. 개별회사법제로서의 상법과 기업집단법제로서의 공정거래법이라는 이원적 체제하에서도 대법원은 약간의 변화의 조짐을 보이는 판결을 선고하기도 하였다.[231] SPP 판결이라고 불리는 이 사건에서 대법원은 "동일한 기업집단에 속한 계열회사 사이의 지원행위가 합리적인 경영판단의 재량 범위내에서 행하여진 것인지를 판단하기 위해서 ... 지원을 주고받는 계열회사들이 자본과 영업 등 실체적인 측면에서 결합되어 공동이익과 시너지 효과를 추구하는 관계에 있는지, 이러한 계열회

---

229) 다수의 문헌에서도 입법론적으로도 모자회사간의 이중대표소송뿐만 아니라 이를 넘어 다중대표소송 도입논의가 이루어지고 있고 이중대표소송도 다중대표소송의 한 형태이므로 표제를 다중대표소송으로 바꾼다. 문헌의 예로, 박정구, "기업집단의 소수주주 보호와 다중대표소송 도입,"「기업법연구」제31권 제2집(2017. 6.) 등. 이철송 교수도 직접의 자회사만이 아니라 손회사의 이사를 상대로 하는 대표소송도 인정되므로 다중대표소송이라는 명칭을 사용한다고 한다(이철송, 전게서(2021), 844면).

230) ① 모회사 발행주식총수의 100분의 1 이상에 해당하는 주식을 가진 주주는 자회사에 대하여 자회사 이사의 책임을 추궁할 소의 제기를 청구할 수 있다.
② 제1항의 주주는 자회사가 제1항의 청구를 받은 날부터 30일 내에 소를 제기하지 아니한 때에는 즉시 자회사를 위하여 소를 제기할 수 있다.
③ 제1항 및 제2항의 소에 관하여는 제176조제3항·제4항, 제403조제2항, 같은 조 제4항부터 제6항까지 및 제404조부터 제406조까지의 규정을 준용한다.
④ 제1항의 청구를 한 후 모회사가 보유한 자회사의 주식이 자회사 발행주식총수의 100분의 50 이하로 감소한 경우(발행주식을 보유하지 아니하게 된 경우를 제외한다)에도 제1항 및 제2항에 따른 제소의 효력에는 영향이 없다.
⑤ 제1항 및 제2항의 소는 자회사의 본점소재지의 지방법원의 관할에 전속한다.

231) 대법원 2017.11.9. 2015도12633(소위 "SPP판결").

사들 사이의 지원행위가 지원하는 계열회사를 포함하여 기업집단에 속한 계열회사들의 공동이익을 도모하기 위한 것으로서 특정인 또는 특정회사만의 이익을 위한 것은 아닌지, 지원 계열회사의 선정 및 지원 규모 등이 당해 계열회사의 의사나 지원 능력 등을 충분히 고려하여 객관적이고 합리적으로 결정된 것인지, 구체적인 지원행위가 정상적이고 합법적인 방법으로 시행된 것인지, 지원을 하는 계열회사에 지원행위로 인한 부담이나 위험에 상응하는 적절한 보상을 객관적으로 기대할 수 있는 상황이었는지 등까지 충분히 고려하여야 한다.“고 판시하였다.232) 이런 판례의 흐름과 2020년 다중대표소송의 도입에도 불구하고 회사법이 개별회사법제라는 속성이 바뀔 수는 없다고 생각한다. 이와 같은 점은 2020년 개정 상법의 제406조의2의 해석에서도 마찬가지로 반영되어야 한다.

2012년 법무부의 상법개정안은 제406조의2에서 모회사의 1% 이상 주식을 보유한 주주에게 자회사의 이사에 대하여 이중대표소송을 제기할 수 있도록 하였으며, 제542조의6 제6항에서 이를 상장회사에 확대하였다. 입법론의 논점 중 2013년 법무부의 상법개정안이 다중대표소송을 위한 지배회사의 지분율을 상법상 모자회사의 기준인 50% 초과 지분으로 한 것에 대해서는 논란이 있다.233) 이에 대해서는 일본 회사법과 같이 지배회사가 발행주식 총수를 소유한 완전자회사에 한정하여야 한다는 법안(윤상직 의원안)부터 다양한 지분율을 제시하고 있는 법안이 발의되었다.234) 이에 대해서 미국의 경우에도 델라웨어주 법원은 다중대표소송의 제기가 모회사와 자회사의 이익에 부합하는지에 관하여 엄격한 입증을 요구하려는 차원에서 완전모자회사간에서만 인정하고 있다고 하면서,235)

---

232) 대법원 2017.11.9. 2015도12633(“기업집단의 공동목표에 따른 공동이익의 추구가 사실적, 경제적으로 중요한 의미를 갖는 경우라도 기업집단을 구성하는 개별 계열회사는 별도의 독립된 법인격을 가지고 있는 주체로서 각자의 채권자나 주주 등 다수의 이해관계인이 관여되어 있고, 사안에 따라서는 기업집단의 공동이익과 상반되는 계열회사의 고유이익이 있을 수 있다. 이와 같이 동일한 기업집단에 속한 계열회사 사이의 지원행위가 기업집단의 차원에서 계열회사들의 공동이익을 위한 것이라 하더라도 지원 계열회사의 재산상 손해의 위험을 수반하는 경우가 있으므로, 기업집단 내 계열회사 사이의 지원행위가 합리적인 경영판단의 재량 범위 내에서 행하여졌는지는 신중하게 판단하여야 한다.”).

233) 도입이 필요하다고 보면서도 지분비율을 50%로 하는 것이 타당하다고 보는 문헌으로, 박정기 전게논문이 있다. 지분비율에 대해서 여러 가지 논의를 소개하고 있는 문헌으로 천경훈, “다중대표소송재론,” 「법학연구」 제28권 제1호(연세대학교 법학연구원, 2018. 3.), 97면.

234) 50% 초과안으로 법무부 안 외에 김종인 이원안, 이종걸 의원안, 30% 이상으로 해야 한다는 견해로 채이배 의원안, '실질적 지배력' 기준으로 해야 한다는 견해로 노회찬 의원안, 한국채택 국제재무보고기준(IFRS)상 지배종속관계가 인정되어 연결대상인 종속회사를 대상으로 하여야 한다는 견해로 김상조 현 공정거래위원장 안 등이 있다(천경훈, 위의 논문, 97면).

다중대표소송 제기요건 완화에 대해서 부정적으로 보는 견해도 있었다.[236]

　2017년 새로운 정부가 들어서면서 다중대표소송의 문제는 입법가능성이 높아졌다는 평가를 받았다. 2016년 이후 다중대표소송에 대한 의원발의안을 분석한 논문에 의하면, 2013년 이후 본격적으로 다중대표소송 도입을 위한 상법개정안이 국회에 발의되기 시작하였다고 하고 한다. 2013년 법무부의 상법개정안에 다중대표소송이 논의되었고, 2016년과 2017년 7월 사이에도 국회에 총 7건의 법안이 발의되었다고 한다.[237]

　모자회사는 지배종속관계에 있지만 법인격을 달리하므로 모회사의 주자가 자회사의 권리를 행사하는 것은 통상의 법인이론에는 부합하지 않는다. 그러나 최근 기업들이 사업을 다각화하는 수단으로 다수의 자회사를 이용하는 경향이 있어 자회사의 이사의 유책행위로 인하여 생긴 자회사의 손실은 실질적으로 모회사 및 그 주주에게 귀속되므로 모회사의 주주가 손해의 궁극적 당사자라 할 수 있다는 이유로 다중대표소송이 도입되었다.[238]

　개정전 학계 및 실무계에서는 자회사 이사의 임무해태 등으로 자회사에 손해가 발생한 경우 모회사의 주주가 그 이사를 상대로 대표소송을 제기할 수 있는가의 문제가 있다. 법인주주도 소수수주권의 요건을 갖추면 대표소송을 제기할 수 있지만, 모회사의 주주가 자회사의 이사 등에 대하여 책임을 추궁하는 이중대표소송 등 다중대표소송의 문제는 상법에 명문의 규정이 없어 논란이 되어왔다.[239] 그러다가 법제화되면서 이런 다중대표소송 도입 여부에 대한 입법론은

---

235) 권재열, "대표소송의 개선과 다중대표소송의 도입을 위한 2016년 상법개정안의 검토 – 델라웨어주의 관련 법제 및 판례 동향과의 비교를 중심으로 –,"「경영법률」제27권 제1호(한국경영법률학회, 2016. 10.), 151면.

236) 권재열, 위의 논문, 158면. 이에 대해서는 권재열 교수와 같이 미국 법원의 판례를 분석하면서 모회사의 주주가 자회사의 주식을 보유하지 않는 이상 그가 자회사의 경영에 관하여 직접적인 이해관계가 있다고 보기도 어려운데 다중대표소송의 적격을 인정하는 것은 타당하지 않다는 점은 권재열 교수와 같은 견해를 취하면서도 대표소송의 제소요건을 단독주주권으로 완화하는 것을 검토할 필요가 있다는 견해도 있다(김병연, "상법상 다중대표소송제도 도입에 관한 연구 – 미국의 사례와 비교하여 –,"「기업법연구」제31권 제3호(한국기업법학회, 2017. 9.), 228~229면.

237) 김재형·조형래, "2016년 이후 다중대표소송에 관한 의원발의안의 비교 – 실효성 분석을 중심으로,"「기업법연구」제31권 제3집(한국기업법학회, 2017. 9.), 234~235면.

238) 이철송, 전게서(2021), 844면. 제382회 국회 법제사법위원회 회의록 제4호(2020. 11. 17.)이 인용되어 있다.

239) 임재연,「미국회사법」(박영사, 2009), 316~317면("A의 모회사가 B이고, B의 모회사가 C인 경우 C의 주주가 A의 이사를 상대로 대표소송을 제기하는 것을 삼중대표소송(triple

마무리되었고, 해석론 및 개정론이 진행되어야 할 상황이 되었다.

나) 입법례[240]

미국은 이중대표소송(double derivative action) 또는 다중대표소송(multiple derivative action)이 가장 활발하게 활용하는 국가이다.[241] 원고 개인이 그가 지분을 가지고 있는 회사를 대신하는 소송뿐만 아니라 그 회사가 상당한 투자를 한 자회사를 대신해서도 소송을 제기하는 다중대표소송은 미국에서 판례법상 인정되고 있다.[242] 따라서, 모회사의 지분을 가진 자는 다중대표소송을 통해서 그 아래 자회사들을 대신하여서도 대표소송을 제기할 수 있다.[243] 모회사의 주주들이 다중대표소송을 제기할 수 있는 권리는 1970년대 들어 여러 판례들을 통해 인정받았다.[244] MBCA는 제소권자에 명의상 주주뿐만 아니라 실질주주(beneficial owner)도 포함된다고 보고 있고,[245] ALI는 대부분의 주에서 명시적으로 실질주주들이 제소자격을 가지는 것을 허용하거나, 소유권 기록을 요구하지 않는다고 하면서, 실질주주가 제소자격이 있는지 여부는 개인이 가진 지분이 총 펀드 또는 신탁에서 차지하는 비율에 따라 결정된다고 한다.[246] 이중대표소송이 두 회사간의 관계가 모-자회사일 경우에만 적용되는지, 아니면 한 회사가 다른 회사에 투자를 한 경우에는 확보 지분에 관계없이 적용이 되는지에 대해서는 판례가 엇갈린다.[247] 그러나 일반적인 관행은 주주가 지분을 가진 모회사가 손해를 입은 회사의 사실상 지배적 지분(de facto controlling interest)을 확보하고 있을 시에만 이중대표소송을 허용하는 것이다.[248] 또한 이중대표소송뿐만 아

---

derivative suit)이라고 부르는 데, 이러한 유형의 대표소송을 통칭하여 다중대표소송이라고 부르며, 삼중대표소송을 인정한 사례로 Kaufman v. Wolfson, 132 F.Supp. 733 (S.D. N.Y. 1955) 판결이 있다.").

240) 세계 각국의 이중대표소송에 대한 사례로는 권재열, "다중대표소송 관련 국제적인 동향과 그 시사점," 「법제연구원 글로벌 법제전략 연구 13-22-2-1」(2013) 참조.

241) 미국제도에 대한 추가적인 정보는 권재열, 「주주대표소송론」, 정독(2021), 252~266면.

242) ALI, p. 39 (comment on §7.02).

243) Id.

244) Phillip I. Blumberg et al., The Law of Corporate Groups: Jurisdiction, Practice, and Procedure §44.02, pp. 44~4 (2007).

245) MBCA, pp. 7~83 (§7.40(2)).

246) ALI, pp. 39~42 (comment on §7.02).

247) Id. p. 39.

248) Id. (citing Brown v. Tenney, 532 N.E.2d 230 (Ill. 1988); Goldstein v. Groesbeck, 142 F.2d 422 (2d Cir. 1944); and Breswick & Co. v. Harrison Rye Realty Corp., 114 N.Y.S.2d 25 (App. Div. 1952)).

니라, 모회사의 지분을 가진 자가 손자회사를 대신하여 대표소송을 제기할 수 있는 자격, 즉 삼중대표소송 권리를 인정한 미국 판례도 존재한다.[249] 또한 델라웨어 주 법원에서는 사중대표소송 권리를 인정하기도 하였다.[250]

일본의 주주대표소송은 미군정의 요구에 의해서 입법적인 논의가 시작되었지만 다중대표소송의 입법은 최근이다.[251] 일본에서 미즈호홀딩스 사건 등에서 이중대표소송을 인정하지 않다가 2012년 법무성 개정시안에서 완전모자회사 간에서 제한적으로 이중대표소송을 인정하는 방안이 제시되었고 2014년 입법되었다.[252] 다중대표소송 도입 법안이 2013년 11월 29일에 제185호 국회임시회에 제출된 후, 2014년 6월 27일에 법률 제90호로 공포되고, 같은 법 부칙 제1조의 위임에 의해 2015년 2월 6일 공포된 정령 제16호로 2015년 5월 1일부터 시행되었다.[253] 일본 회사법은 다층계층대표소송, 즉 모회사 주주가 자회사 이사에 대하여 책임을 추궁하는 등 소제기권을 인정하지 않는다. 그러므로 주식교환, 주식이전의 효력발생 이후 완전자회사가 된 특정 회사의 임원이 임무해태로 당해 회사에 손해를 입힌 것으로 판명된 경우, 모회사의 주주가 위 임원에 대하여 책임추궁 등의 소를 제기하는 방법으로 직접 임원의 책임을 추궁할 수는 없었다.[254] 일본에서는 모회사의 의결권 또는 발행주식총수의 100분의 1 이상을 6개월간 계속 소유하는 주주가 자회사의 이사의 책임을 추궁하기 위한 대표소송을 제기할 수 있지만, 모회사는 자회사의 발행주식총수를 단독으로 혹은 다른 완전자회사와 더불어 소유하는 완전모회사라야 하고, 그 자회사의 발행주식총수의 장부가액이 완전모회사의 총자산액의 5분의 1 이상이어야 한다(일본 회사법 제847조의3).[255]

한편, 대표소송을 제기한 주주 또는 소송참가를 한 주주는 해당 소송의 계속

---

249) Id. (citing Fischer v. CF & I Steel Corp., 599 F.Supp. 340 (S.D.N.Y. 1984); Marcus v. Otis, 168 F.2d 649 (2d Cir. 1948); Saltzman v. Birrell, 78 F.Supp. 778 (S.D.N.Y. 1948)).

250) Carlton Invs. v. TLC Beatrice Int'l Holdings, Inc., 1997 WL 305829, *11 (Del. Ch. May 30, 1997)

251) 일본제도에 대한 추가적인 정보는 권재열, 「주주대표소송론」, 정독(2021), 266~273면.

252) 江頭憲治郎, 「株式會社法」 第5版(有斐閣, 2014), 483面.

253) 김상수, "다중대표소송 재검토 – 일본법을 소재로 –",「법과 기업 연구」 제8권 제1호(서강대학교, 2018), 89면. 일본에서의 논의전개에 대하여 참고가 되는 논문이다.

254) 長島・大野・常松法律事務所 編, 「アドバンス 新會社法」 第3版(商事法務, 2010), 462面.

255) 이철송, 전게서(2021), 844면.

중 주주가 아니게 된 때에도 (i) 해당 회사의 주식교환 또는 주식이전에 의해 해당 회사의 완전모회사(특정 주식회사의 발행주식 전부를 가지고 있는 주식회사, 기타 그와 동등한 것으로 규약 219건에서 정해진 주식회사)의 주식을 취득한 경우, (ii) 해당 회사가 소멸회사가 되는 합병에 의하여 설립된 주식회사 또는 합병 후 존속회사, 또는 완전모회사의 주식을 취득한 경우에는 소송을 수행할 수 있다 (일본 회사법 제851조 제1항).[256]

영국에서는 대표소송을 제기하는 자가 소송 당시 회사의 주주라면, 주주가 되기 이전에 발생한 사안에 대하여도 소송이 가능하다. 반면 현재 회사의 주주가 아니라면, 과거 회사의 주주였을 당시 발생한 사안과 관련해 소송을 제기 할 수 없다. 한편, 일부 관할에서는 해당 사안이 발생할 당시에 주주였던 자로 제소자격을 제한하고 있다.[257] 영국 회사법은 모회사의 주주가 자회사 이사에 의해 손해를 입은 자회사를 대신해 제기하는 다중대표소송을 불허하고 있다. 독일의 경우도 영국과 마찬가지로 주식회사법은 회사의 주주만이 대표소송을 제기할 수 있도록 규정하여, 모회사의 주주 등에 의한 이중대표소송을 허용하지 아니한다.

다) 2020년 개정전의 실무 및 학계의 논의상황[258]

2020년 법 개정으로 다중대표소송이 도입됨에 따라 이제 실무도 해석론을 중심으로 진행될 것으로 예상된다. 그러나 해석론을 전개하는 과정에서도 기존의 견해대립을 이해하는 것은 필요할 것으로 보이므로 이를 소개한다.

대법원은 대표소송의 원고적격을 책임추궁을 당하는 이사가 속한 회사의 주주로 한정함으로써 이중대표소송을 부정했다.[259] 이 사건의 원심인 서울고등법원은 해석론으로 이중대표소송을 인정한 바 있지만,[260] 대법원은 대표소송의 제소자격에 관한 상법 규정을 이유로 이중대표소송을 허용하지 않았다.[261]

---

256) 長島·大野·常松法律事務所 編, 461面.
257) Palmer's Company Law Annotated Guide to the Companies Act 2006, 2nded. ("[I]n some jurisdictions the claimant must have been a member at the time the events complained of occurred.").
258) 2020년 법 개정 전의 입법동향에 대한 추가적인 정보에 대해서, 권재열, 「주주대표소송론」, 정독(2021), 242~251면.
259) 대법원 2004.9.23. 2003다49221.
260) 서울고등법원 2003.8.22. 2002나13746(자회사 주식의 90% 정도를 보유하고 있는 모회사의 주주가 자회사의 이사가 주식을 저가 매도하여 회사에 대하여 손해를 끼쳤다고 주장하면서 자회사의 이사에 대하여 대표소송을 제기한 사안).
261) 어느 한 회사가 다른 회사의 주식의 전부 또는 대부분을 소유하여 양자간에 지배종속관계

    2020년 개정전 학계의 견해는 나뉘었다. 입법이 없이도 나중대표소송이 해석론으로 가능한가에 대해서 상법이 정하고 있는 대표소송의 제소자격을 해석에 의해 확장하는 것은 옳지 않으므로 대법원 판결이 타당하다는 견해,[262] 대법원 판례에 기본적으로 동의하지만, 완전모회사의 경우에는 모회사 외에는 달리 주주가 없으면서 자회사의 경영의 실패는 모회사 및 그 주주에게 큰 피해를 주는 만큼 법률의 합리적 해석을 통하여 이를 인정하여야 한다는 견해,[263] 회사가 이사의 책임을 추궁하지 않는 경우 주주에게 회사를 대위해서 책임을 추궁하도록 한 것은 실질적으로 주주가 전체 손해의 일부를 부담하고 있다는 점을 고려한 것인바, 모회사의 주주도 실질적으로 자회사가 입은 손해의 일부를 부담하고 있으므로 결국 제403조의 해석으로도 이중대표소송을 인정할 여지가 있다고 보는 견해가 있었다.[264] 그러나 대법원이 이미 해석론으로 이중대표소송이 허용되지 않는다고 판단한 상황에서 해석론으로 이중대표소송을 인정하고 있다고 해석하는 것은 해석론의 한계를 넘는다고 본다.

    입법론으로 이중대표소송을 허용하여야 한다는 주장이 있어서 2006년 입법예고된 상법개정법률안에는 이중대표소송을 허용하는 규정이 포함되어 있었는데, 재계의 반대가 크자 국회에 제출된 개정법률안에서는 삭제된 바 있다.[265]

    입법론으로 허용하여야 한다는 주장의 논거로는 최소한 모회사가 자회사 주식을 전부 소유하는 완전모자회사관계인 경우에는 완전모회사 주주의 완전자회사 이사에 대한 대표소송 제기권을 허용할 필요가 있다는 점, 나아가 종속회사에 대하여 명백한 이해관계를 가지는 지배회사의 주주에게도 종속회사의 이사에

에 있고, 종속회사가 그 이사 등의 부정행위에 의하여 손해를 입었다고 하더라도, 지배회사와 종속회사는 상법상 별개의 법인격을 가진 회사이고, 대표소송의 제소자격은 책임추궁을 당하여야 하는 이사가 속한 당해 회사의 주주로 한정되어 있으므로, 종속회사의 주주가 아닌 지배회사의 주주는 상법 제403조, 제415조에 의하여 종속회사의 이사 등에 대하여 책임을 추궁하는 이른바 이중대표소송을 제기할 수 없다(대법원 2004.9.23. 2003다49221). 이 주제에 대해서는 다수의 논문이 있다. 이동원, "이중대표소송의 허부,"「대법원판례해설」통권 제51호(법원도서관, 2005.); 전삼현, "이중대표소송제에 관한 소고,"「경영법률」제17집 제1호(상권)(한국경영법률학회, 2006); 김건식, "재벌총수의 사익추구행위와 회사법,"「BFL」제19호(서울대학교 금융법센터, 2006. 9.); 김재범, "이중대표소송제도의 도입,"「상사법연구」제25권 제4호 통권 제53호(한국상사법학회, 2007).
262) 이철송, 전게서(2018), 820면.
263) 최준선,「회사법」제13판(삼영사, 2018), 582면.
264) 송옥렬, 1064~1065면; 장덕조, 389면.
265) 임재연, 535~536면에서는 입법론으로는 몰라도 해석론으로는 부정하는 것이 타당하다는 견해를 취한다.

대한 대표소송 제기권을 허용할 필요가 있다는 점 등이 있었다.[266]

한편 입법론으로 허용될 필요가 없다는 주장의 논거로는 대표소송이 거의 이용되지 않는 현실을 감안하면 대표소송조차 활용되지 않는 상황에서 이중대표소송을 허용할 실익이 거의 없다는 점,[267] 지배회사 주주의 지배회사 이사에 대한 대표소송만으로도 종속회사에 대한 감시목적을 충분히 달성할 수 있으므로 이중대표소송이 불필요하다는 점[268] 등을 들어 입법이 불필요하다는 주장 등이 있었다.

라) 다중대표소송의 제소요건

(1) 제소전청구

일반 대표소송의 제소전 절차와 같이 다중대표소송의 경우에도 제소전 청구가 있어야 한다. 모회사의 주주가 자회사에 대해 서면으로 자회사의 이사의 책임을 추궁할 소의 제기를 청구할 수 있으며(제406조의2 제1항), 이 청구를 받고 자회사가 30일 내에 소를 제기하지 않을 때에는 그 청구를 한 모회사의 주주는 즉시 자회사를 위하여 자회사의 이사를 상대로 대표소송을 제기할 수 있다(제406조의2 제2항). 주주가 제소전 청구를 전혀 하지 않고 바로 대표소송을 제기하면 이는 제소요건 흠결이 되어 소는 부적법 각하된다.[269]

이는 모회사의 주주가 자회사를 위해 자회사의 권리를 행사하여 자회사 이사의 책임을 추궁할 수 있는 다중대표소송을 인정함에 있어 자회사의 이익보호를 도모함과 동시에 주주의 다중대표소송이 가지는 남소우려를 제어하기 위하여 둔 조항이라고 할 것이다.[270] 이 시간의 경과로 인하여 회사에 회복할 수 없는 손해가 생길 염려가 있는 경우에는 회사에 소제기를 청구함이 없이 바로 대표소송을 제기할 수 있다.[271]

---

266) 임재연, 469면에 제시된 허용론의 논거임.
267) 송옥렬, 1064면.
268) 임재연, 535면에 제시된 허용 반대론의 논거임.
269) 김태진, "다중대표소송(상법 제406조의2)의 이해,"「기업법연구」제35권 제3호(한국기업법학회, 2021. 9.), 91면.
270) 김태진, 전게논문, 91면.
271) 이철송, 전게서(2021), 845면.

(2) 원고의 모회사 지분비율[272]

모회사의 발행주식총수의 100분의 1 이상에 해당하는 주주는 다중대표소송을 제기할 수 있다(제406조의2 제1항). 상장회사의 경우에는 1만분의50이상을 6개월 계속 보유한 주주여야 다중대표소송을 제기할 수 있다(제542조의6 제7항). 상장회사중에서 시가총액이 큰 대규모 기업집단의 경우에는 지분율요건을 충족하기 위해서 막대한 돈이 필요할 것으로 보이므로 실제 이 제도가 활용될 가능성은 중소기업이나 중견기업이 될 가능성이 크다고 본다.[273]

입법론으로 원고의 모회사 지분비율에 대해서 모회사에 대한 100분의1 지분비율 요건을 다중대표소송의 경우에도 일반대표소송과 마찬가지로 두게 되면 이는 다중대표소송의 지분요건을 일반대표소송보다 완화한 것으로 부당하다는 주장이 있다. 즉 원고가 모회사의 발행주식총수의 100분의 1을 소유한 경우에 모회사의 자회사에 대한 지분율이 100% 미만이라면, 원고가 자회사에 대하여 가지는 실질적인 경제적 지분은 100분의 1보다 작게 되는 것이므로 이런 원고가 모회사의 발행주식총수의 100분의 1 보유요건의 동일한 규정은 다중대표소송의 지분요건을 일반대표소송보다 완화한 것이라는 비판[274]으로 향후 입법시 고려할 점이라고 본다.

제소주주의 지분이 소송계속 중에 감소하게 되더라도 소송을 유지된다. 회사법이 주주라고 당사자적격을 정하면서 일정한 지분요건을 둔 경우 이런 지분요건은 제소시에만 충족하면 되지만(제소요건). 사실심 변론종결시까지 최소한 1주 이상은 보유하여야 한다고 보아야 한다. 주주가 아닌 자는 주주라는 당사자적격을 가지고 있다고 보는 것은 주주대표소송의 본질과 부합하지 않는다고 본다.

우리 법은 미국법과 달리 동시보유요건이라고 해서 이 주주가 이 두 시기에 모두 주주일 것을 요구하지 않고 있다. 따라서 이사의 책임원인사실이 발생하였을 때의 주주와 실제로 소제기를 하였을 때의 주주가 서로 달라진다고 해서 소제기가 부적법하게 되는 것은 아니라고 할 것이다.

주식을 전혀 보유하지 않게 되면 제소자격을 상실하게 되는데, 이는 제403조의 대표소송과 같다(제406조의2 제3항에서 제403조 제5항 준용). 상법 제403조 제

---

272) 김태진 교수는 이를 '지분율' 요건이라고 한다(김태진, 전게논문, 86면).
273) 김태진, 전게논문, 88~89면.
274) 김건식·노혁준·천경훈, 「회사법」, 박영사(2021), 517면.

5항의 쟁점은 회사소송에서의 당사자적격의 문제이다. 이 조항의 입법배경은 원고가 비자발적으로 주주의 지위를 상실한 경우를 염두에 둔 것이고, 이런 경우에도 당사자적격이 상실되도록 하면 의도적으로 당사자적격을 상실시키는 행위를 해도 당해 주주는 무방비가 된다. 이런 점에 대응하기 위한 조문이 상법 제403조 제5항이다. 그런데 상법 제403조 제5항은 입법적인 논의가 있는 조문으로[275] 이런 점에서 다중대표소송의 경우에도 일반 대표소송에서와 같은 문제가 있다.

(3) 모자관계 요건

다중대표소송은 따로 모자관계에 대한 정의를 하고 있지 않다. 그런데 상법에서 모자회사에 대한 개념정의는 상법 제342조의2가 유일하다. 이에 따르면 어느 회사가 다른 회사의 발행주식총수의 100분의 50을 초과하는 주식을 소유할 때 소유하는 회사를 모회사, 소유당하는 회사를 자회사라고 한다(제342조의2 제1항). 모회사가 자회사와 더불어 혹은 자회사가 단독으로 다른 회사의 발행주식총수의 100분의 50을 초과하여 소유할 경우 그 다른 회사도 모회사의 자회사로 취급한다(제342조의2 제3항). 이 경우 이 자회사를 손(자)회사라고 한다. 따라서 다중대표소송의 모자관계의 해석도 이런 해석에 따르는 것이 타당하다.[276]

100분의 50의 지분을 근거로 다중대표소송을 하도록 하는 것이 타당한가에 대해서는 입법적으로 의문이 있다. 일본의 경우와 같이 완전모자회사일 것을 요구하는 입법안이 타당하다.[277] 지분율의 문제는 단순히 지분율의 문제에 그치는 것이 아니다. 완전모자관계를 요구하는 법제를 설계한다는 의미는 모자회사가 서로 경제적 단일체를 구성하고 있으므로 모회사의 주주가 자회사의 이사를 상대로 소송을 하는 것(다중대표소송)을 허용하는 것은 주로 경제적 효과에 기인하는 것이다. 물론 법리적으로는 모회사의 주주가 아니면 달리 자회사의 이사에

---

275) 주주가 지위를 상실하게 된 사유를 살펴서 주주가 비자발적으로 지위를 상실한 경우에는 예외적으로 원고적격을 유지시키는 것이 바람직하다는 견해로, 황현영, "주주대표소송 활성화를 위한 법적 과제,"「기업법연구」제27권 제4호(2013), 17면; 제20대 국회의 논의와 관련하여, 황현영, "기업지배구조 개선을 위한 상법 개정안의 쟁점별 검토 – 제20대 국회 논의를 중심으로 –,"「증권법연구」제18권 제3호(2017).

276) 김건식·노혁준·천경훈, 전게서, 517면; 이철송, 전게서(2021), 845면; 김태진, 전게논문, 100~107면.

277) 30% 보유와 실질적 지배 등을 정한 입법안 등이 제안되기도 했지만 이는 모자관계도 없는 경우에도 대표소송을 허용하자는 것으로 그 이론적인 근거를 이해할 수 없다.

대해서 법적으로 추궁할 수 있는 주체가 없다는 점도 고려된다. 입법적으로 너무 넓게 인정된 현행법의 타당성은 향후 개정의 필요성에 대하여 검토할 필요가 있다. [278]

본조에 대한 입법적인 논의가 필요한 추가적인 이유로 현행법에 의할 때 모회사 주주와 자회사 주주간의 이해상충(conflict of interest)의 우려 및 법인격부인론과의 충돌우려가 있다는 점[279], 일본의 경우는 일반대표소송은 단독주주권이나 다중대표소송의 경우에는 남용우려를 감안하여 요건을 강화하고 있다는 점을 고려한다면 더구나 이와 정반대의 입장을 취하고 있는 우리 다중대표소송제도는 국제적인 비교법적 관점에서 우리 기업들에게 경영활동에 위협을 가할 수 있다는 점도 이유라고 본다.

마) 모자관계 해소의 효과

상법 제406조의2 제4항은 "제1항의 청구를 한 후 모회사가 보유한 자회사의 주식이 자회사 발행주식총수의 100분의 50 이하로 감소한 경우(발행주식을 보유하지 아니하게 된 경우를 제외한다)에도 제1항 및 제2항에 따른 제소의 효력에는 영향이 없다."고 규정하여 1주도 없게 되는 상황이 아니면 제소당시에는 요건을 구비하였다가 이후에 모자관계가 해소되어도 구 모회사가 구 자회사의 주식을 1주라도 가지고 있으면 다중대표소송은 유효하다. 다만 1주도 없게 되면 부적법한 소가 된다.[280] 그러므로 제소 후 모회사가 자회사 주식을 1주도 가지지 않게 되면 그것이 모회사의 자발적인 상실인지 여부와 무관하게 모회사의 주주는 원고적격을 잃게 되어 다중대표소송은 각하되어야 한다.[281]

여기서 "제1항의 청구를 한 후"의 의미를 문언대로 해석하게 되면, 모회사의 주주가 자회사에 대해 이사에 대한 소제기를 청구한 후 모자관계가 해소되더라도 모자관계가 없는 회사간에 일방회사의 주주가 타방회사의 이사를 상대로 (다

---

278) 권재열 교수는 단순대표소송이라고 한다(권재열(2021), 280면).
279) 권재열, 위의 책, 280~282면.
280) 이철송 교수는 입법론으로 극단적으로 갑주주가 A회사의 주식을 단 1주만 소유하고 A회사는 B회사의 주식을 단 1주만 소유하는 상태에서 갑이 B회사의 이사의 책임을 묻는 소송을 수행하는 사태가 생길 수 있으며, 손회사까지 포함시킨다면 이에 더하여 갑주주는 B회사가 1주만 가진 C회사의 이사의 책임을 묻는 소송을 수행하는 결과를 허용하는 것이라고 하면 이는 불합리하다고 비판하면서 제406조의2 제4항은 삭제되어야 한다고 주장한다(이철송, 전게서(2021), 845면).
281) 김태진, 전게논문, 96면.

중)대표소송을 할 수 있게 된다는 의미가 된다.[282] 즉 문언을 그대로 읽으면, 자회사에 대한 제소청구시점에만 모자회사 관계가 존재하면 된다는 해석이 되므로 소제기 청구 후에는 모자관계가 해소되어야도 다중대표소송이 가능하다는 해석이 되는데, 이는 매우 기이한 해석으로 해석론에 의한 보완이 필요하다.[283]

그러나 최소한 제소단계에서는 모자회사의 존재를 요구하여야 할 것이므로 이런 점에서 "제1항의 청구를 한 후"의 의미는 단순히 청구를 한 것을 의미하는 것이 아니라 "다중대표소송을 제기한 후"라고 해석하는 것이 최소한의 합리성을 담보할 수 있는 해석이라고 생각한다.[284]

바) 사후적 모자관계의 발생과 다중대표소송

불법행위는 자회사가 아닌 시기에 자회사의 이사에 의하여 행해졌으나, 이후 모회사가 된 회사의 주주가 다중대표소송을 제기할 수 있는지의 문제가 있다.[285] 이런 형태의 주주대표소송은 주주대표소송의 의도와 부합하지 않는다. 그런데 문언만 보면 이런 사후적인 모자관계가 발생하는 경우에도 다중대표소송을 막을 수 없다. 다만 이는 손해요건이라는 점에서 통제가 가능하다고 생각되는데, 법원의 판단에 의해서 기각되는 사안이 나올 것으로 생각되고, 각하될 수는 경우는 아닌 것으로 보인다.

사) 중복적 모자관계와 모회사과 자회사의 특정문제

2020년 개정상법은 다중대표소송을 도입한 것으로 보인다. 왜냐하면 상법의 법문에 의하면 자회사의 자회사인 손회사도 모회사의 자회사로 본다(제342조2 제3항). 그러므로 모회사의 주자가 이사의 책임을 추궁할 수 있다는 것은 모회사의 주주가 자회사의 자회사인 손회사의 이사에 대해서도 책임을 추궁할 수 있다는 의미로 해석되기 때문이다.[286] 다만 문언을 볼 때 손회사 이하의 증손회사나 고손회사에 대한 대표소송까지 허용한 것으로는 볼 수 없다.[287]

모회사의 주주가 직근의 자회사의 이사를 상대로 제기한 소송에서는 제406 조의2 제4항에서 말하는 모회사와 자회사를 특정 하는 것은 문제없다. 그러나

---

282) 심영, "2020년 개정상법(회사편) 해석에 관한 소고,"「법학연구」제21권 제1호(2021), 53면.
283) 본조를 입법착오로 보는 견해로, 김태진, 전게논문, 98면.
284) 이철송, 전게서(2021), 846면.
285) 김태진, 전게논문, 98~99면.
286) 김건식·노혁준·천경훈, 518면.
287) 이철송, 전게서(2021), 847면도 같은 견해로 보인다.

모회사의 주주가 손회사의 이사를 상대로 제기한 대표소송의 경우 모회사가 둘 혹은 그 이상 있을 수 있고 자회사도 둘 혹은 그 이상 있을 수 있으므로 제406조의2 제4항의 모회사와 자회사는 어느 회사를 가리키는 것인지의 문제가 있다. 이와 관련해서 해석론이 필요하다.[288]

　이에 대해서 수직적 모자손관계의 경우와 복합적 모자손관계로 나누어서 검토하는 견해가 있다.[289] 이 견해에 의하면 모회사(A)가 손회사C)의 지분을 갖지 않지만, 자회사(B)가 손회사(C)의 모회사가 되므로 최상위의 모회사(A)가 손회사(C)의 모회사가 되는 경우를 수직적 모자손관계로 부른다. 한편 모회사가 자회사 혹은 수개의 자회사와 더불어 손회사의 발행주식총수의 과반수를 소유하는 경우를 복합적 모자손회사라고 부른다.[290] 이들 관계에서 모회사와 자회사간의 모자관계가 해소된다면 다중대표소송의 원고와 피곡간의 "모회사"의 주주와 "자회사"의 이사라는 다중대표소송의 기초적인 요건을 결하게 되므로 제406조의2 제4항과 같은 명문의 규정이 없는 이상 갑의 대표소송은 제소요건을 결한 부적법한 소송이 된다고 할 것이다.[291]

(4) 소송 절차

　다중대표소송은 책임추궁의 대상이 되는 이사가 속한 자회사의 본점소재지의 지방법원의 관할에 전속된다(제406조의2 제5항). 자회사는 제소주주가 악의임을 소명하여 법원에게 제소주주에게 담보제공을 명하도록 청구할 수 있으며, 자회사는 다중대표소송에 참가할 수 있고, 제소주주는 자회사에 소송을 고지해야 한다.[292]

　제소주주가 승소할 경우 자회사에 소송비용을 청구할 수 있고, 다중대표소송이 원고와 피고의 공모로 회사의 권리를 사해할 목적으로 제기된 것이고 그런 판결이 이루어진 경우에 자회사 또는 모회사의 다른 주주 또는 자회사의 다른 주주가 재심의 소를 제기할 수 있다(406조의2제3항이 403조 제1항 준용). 다중대표소송도 법원의 허가 없이는 소의 취하, 청구의 포기·인락·화해를 할 수 없다(406조의2제3항이 403조 제6항 준용).

---

288) 이철송, 상계서(2021), 846~847면.
289) 이철송, 상계서(2021), 847면.
290) 이철송, 상계서(2021), 847면.
291) 이철송, 상계서(2021), 848면.
292) 김건식·노혁준·천경훈(2021), 519면.

4. 다중대표소송 남궁 주현*

가. 의   의

대표소송(derivative suit)이란 일반적으로 소수주주가 회사를 위하여 이사의 회사에 대한 책임을 추궁할 수 있도록 한 소송이다. 나아가 자회사 이사의 임무 해태 등으로 자회사에 손해가 발생한 경우 모회사의 주주가 자회사의 이사에 대한 책임을 추궁하는 소송을 이중대표소송(double derivative suit)이라 하고, 모회사의 주주가 손회사의 이사에 대한 책임을 추궁하는 소송을 삼중대표소송(triple derivative suit)이라 하는데, 이처럼 모회사의 주주가 자회사 또는 손회사의 이사 등에 대하여 책임을 추궁하는 소송을 다중대표소송(multiple derivative suit)이라고 부른다.[1]

상법[2] 제403조 제1항은 회사가 주주의 제소청구에도 불구하고 이사의 책임을 추궁하기 위하여 소의 제기를 해태하는 경우 주주가 회사를 위하여 제기하는 대표소송을 규정하고 있다.[3] 이에 더하여 개정상법[4]은 제406조의2[5]를 신설함으로써 다중대표소송제도를 명문으로 규정하였는데,[6] 구체적으로 모회사 발행주

---

* 성균관대학교 법학전문대학원 조교수, 변호사
1) 최준선, 「회사법」 제16판(삼영사, 2021), 586면.
2) 이하 법명을 표시하지 않으면 상법을 의미한다.
3) 임재연, 「회사법 Ⅱ」 개정7판(박영사, 2020), 576면.
4) 2020. 12. 29. 법률 제17764호로 시행되었다.
5) 제406조의2(다중대표소송) ① 모회사 발행주식총수의 100분의 1 이상에 해당하는 주식을 가진 주주는 자회사에 대하여 자회사 이사의 책임을 추궁할 소의 제기를 청구할 수 있다.
  ② 제1항의 주주는 자회사가 제1항의 청구를 받은 날부터 30일 내에 소를 제기하지 아니한 때에는 즉시 자회사를 위하여 소를 제기할 수 있다.
  ③ 제1항 및 제2항의 소에 관하여는 제176조제3항·제4항, 제403조제2항, 같은 조 제4항부터 제6항까지 및 제404조부터 제406조까지의 규정을 준용한다.
  ④ 제1항의 청구를 한 후 모회사가 보유한 자회사의 주식이 자회사 발행주식총수의 100분의 50 이하로 감소한 경우(발행주식을 보유하지 아니하게 된 경우를 제외한다)에도 제1항 및 제2항에 따른 제소의 효력에는 영향이 없다.
  ⑤ 제1항 및 제2항의 소는 자회사의 본점소재지의 지방법원의 관할에 전속한다.
  제542조의6(소수주주권) ⑦ 6개월 전부터 계속하여 상장회사 발행주식총수의 1만분의 50 이상에 해당하는 주식을 보유한 자는 제406조의2(제324조, 제408조의9, 제415조 및 제542조에서 준용하는 경우를 포함한다)에 따른 주주의 권리를 행사할 수 있다.
6) 국회 법제사법위원회 법안심사제1소위원회는 명칭과 관련하여 다중대표소송과 이중대표소송 안 중에서 이중대표소송은 통상적으로 자회사의 이사 등의 책임을 묻는 경우에 사용되고, 다중대표소송은 그것보다 더 넓게 손회사 이상으로 확대되는 경우까지 포함하여 사용

식 총수의 1% 이상에 해당하는 주식을 가진 주주는 사회사에 내하어 자회사 이사의 책임을 추궁할 소의 제기를 청구할 수 있고, 위 주주는 자회사가 소제기의 청구를 받은 날부터 30일 내에 소를 제기하지 아니한 때에는 자회사를 위하여 소를 제기할 수 있도록 하였다. 또한 모회사의 주주가 자회사에 대하여 소의 제기를 청구한 후 모회사가 보유한 자회사의 주식이 자회사 발행주식 총수의 50% 이하로 감소한 경우에도 제소의 효력에는 영향이 없으나 발행된 주식을 보유하지 아니하게 된 경우는 예외로 규정하였다(제406조의2). 6개월 전부터 계속하여 상장회사 발행주식 총수의 0.5% 이상에 해당하는 주식을 보유한 자는 제406조의2에 따른 주주의 권리를 행사할 수 있도록 하였다(제542조의6 제7항).

나. 도입의 배경

전 세계적으로 다층적인 지배구조를 가진 기업집단이 늘어나면서 자연스럽게 상장회사 영업활동의 중요한 부분이 비상장인 자회사, 손회사, 증손회사 등에서 이루어지는 경우가 발생하였다.[7] 우리나라의 경우 기업집단이 비상장 자회사를 활용하여 부당하게 이익을 취득하는 행위가 계속하여 문제되었는데,[8] 이는 주로 형사적·행정적 제재를 통하여 해결하였다.[9] 민사적으로 보면, 비상장 자회사의 이사가 그 의무를 위반하여 자회사에 손해를 입혔다면, 이사에 대한 손해배상을 청구할 수 있는 권리는 자회사가 보유한다. 따라서 자회사는 이사에 대한 손해배상청구권을 행사할 수 있다. 그런데 자회사의 감사는 동료인 이사와의 인적관계 등으로 인하여 그 이사에게 책임을 묻는 것이 현실적으로 쉽지 않을 수 있다. 이 경우 자회사의 주주들은 소수주주권의 요건을 갖추어 대표소송을 제기할 수 있으나, 모회사와 자회사의 지배·종속관계, 자회사의 주주와 자회사의 지배관계 등으로 인하여 모회사와 그 밖의 자회사의 주주들 또한 자회사의 이사에

하는 개념임을 전제한 후 그동안 다중대표소송과 관련하여 많은 논의를 하였음을 들어 다중대표소송으로 명칭을 정리하였다[제382회 국회(정기회) 법제사법위원회 법안심사제1소위원회 제8차(2020. 12. 7.) 회의록, 25면]. 이하에서는 그 명칭을 통일하여 이중대표소송에 관한 논의라도 다중대표소송으로 칭하기로 한다.

7) 천경훈, "2020년 개정상법의 주요 내용과 실무상 쟁점," 「경제법연구」 제20권 제1호(한국경제법학회, 2021. 4.), 6면.

8) 공정거래위원회 보도자료, 2020년 공시대상기업집단 내부거래 현황 공개, 2020. 11. 13.

9) 김신영, "2020년 개정상법상 도입된 다중대표소송에 관한 검토," 「법과 기업 연구」 제11권 제1호(서강대학교 법학연구소, 2021. 4.), 174면.

대한 손해배상청구권을 행사하지 아니할 수도 있다. 이때 모회사의 주주가 자회사의 손해배상청구권을 소송상 행사할 수 있는지, 즉 이중대표소송 더 나아가 다중대표소송을 제기할 수 있는지에 관하여 종래의 상법에 명문의 규정이 없었기 때문에 논란이 있었다.[10] 특히 다중대표소송의 인정에 관한 논의는 자회사에 대표소송을 제기할 수 있는 소수주주가 존재하지 아니한 경우에 실익이 더 컸다.[11]

다중대표소송을 허용하여야 한다는 견해는, 자회사가 손해배상을 받게 되면 모회사도 간접적으로 손해배상을 받으므로 모회사가 자회사 주식을 전부 소유하는 완전모자회사관계인 경우에는 완전모회사 주주의 완전자회사 이사에 대한 대표소송 제기권을 허용할 필요가 있고, 완전모자회사 관계가 아니더라도 종속회사에 대하여 명백한 이해관계를 가지는 지배회사의 주주에게도 종속회사의 이사에 대한 대표소송 제기권을 허용할 필요성이 있다는 점 등을 근거로 들었다. 반면에 다중대표소송을 허용하지 아니한다는 견해는, 상법에 다중대표소송을 허용하는 명문의 규정이 없고, 지배회사 주주의 지배회사 이사에 대한 대표소송만으로도 종속회사에 대한 감시목적을 충분히 달성할 수 있다는 점 등을 근거로 들었다. 이와 관련하여 다중대표소송을 인정한 하급심판결도 있었으나,[12] 대법원은 대표소송의 제소자격에 관한 상법 규정을 이유로 다중대표소송을 허용하지

10) 고일훈, "다중대표소송제도의 방향성 – 미국과 일본의 이론적 근거에 대한 논의를 바탕으로 –,"「일감법학」제38호(건국대학교 법학연구소, 2017. 10.); 김병연, "상법상 다중대표소송제도 도입에 관한 연구 – 미국의 사례와 비교하여 –,"「기업법연구」제31권 제3호(한국기업법학회, 2017. 9.); 김상수, "다중대표소송의 재검토 – 일본법을 소재로 –,"「법과 기업 연구」제8권 제1호(서강대학교 법학연구소, 2018. 4.); 박정구, "기업집단의 소수주주 보호와 다중대표소송 도입,"「기업법연구」제31권 제2호(한국기업법학회, 2017. 6.); 양만식, "상법상 다중대표소송제도의 도입에 관한 고찰,"「상사법연구」제32권 제2호(한국상사법학회, 2013. 8.); 원동욱, "다중대표소송의 도입에 관한 법적 연구,"「법학논총」제44권 제3호(단국대학교 법학연구소, 2020. 9.); 이창기, "이중대표소송제도의 도입방안에 대한 소고,"「기업법연구」제27권 제2호(한국기업법학회, 2013. 6.); 지광운, "다중대표소송제도 도입에 대한 비판적 고찰,"「한양법학」제31권 제2호(한양법학회, 2020. 5.); 최승재, "대표소송제도관련 상법개정안의 평가와 과제,"「상장협연구」2016-3(한국상장사협의회, 2016.); 최정식, "상법상 이중대표소송 도입의 필요성에 대한 검토,"「법학연구」제57권(한국법학회, 2015. 3.); 황근수, "다중대표소송의 제도적 수용과 실무적 적용방안에 관한 고찰,"「법학논총」제40권 제2호(전남대학교 법학연구소, 2020. 5.) 등 다수.
11) 김건식·노혁준·천경훈, 「회사법」제4판(박영사, 2021), 506면.
12) 서울고등법원 2003.8.22. 2002나13746(발행주식 총수의 80.55%를 보유한 지배회사의 주주가 제기한 대표소송 사건으로서 이중대표소송의 적법성을 인정하였고, 이 판결이 우리나라에서 이중대표소송을 인정한 최초의 사례이다).

아니하는 태도이었다.[13]

그러던 중 2020년 상법 개정을 통하여 다중대표소송제도를 도입하였으므로,[14] 다중대표소송의 인정 여부 자체에 관한 논란은 일단 정리되었다고 볼 수 있다.[15] 이에 따라 다중대표소송제도의 도입으로 단일 회사를 넘어 기업집단 전체에 관한 내부통제시스템의 구축이 더욱 강화될 것으로 보인다.[16] 상법은 기본적으로 독립된 개별회사에 대한 규율을 전제로 하는데, 다중대표소송은 기업집단의 형태로 운영되는 우리 기업의 현실을 반영하여 기업집단 내 이해관계자들의 이익을 보호하기 위하여 도입되었다는 점에서 특색이 있다. 한편, 개정상법이 인정하고 있는 다중대표소송제도는 그 행사요건 측면에서 비교법적으로 유사한 예를 찾아보기 어려울 정도로 개성이 강하여 그 시행상의 주의가 요구된다는 지적도 있다.[17] 다중대표소송제도가 상법에 새롭게 규정되어 시행된 이상 그 도입의 정당성과 적절성은 제도가 본격적으로 운용된 후의 결과를 보고, 이를 객관적으로 검토한 후에 제대로 판단할 수 있을 것으로 보인다.

다. 입 법 례

1) 미 국

가) 도 입

미국은 비교법적으로 다중대표소송이 가장 활발하게 활용되고 있는 국가로 판례를 통하여 다중대표소송을 인정하고 있다. 미국은 이중대표소송, 삼중대표소

---

13) 대법원 2004.9.23. 2003다49221은 "어느 한 회사가 다른 회사의 주식의 전부 또는 대부분을 소유하여 양자간에 지배·종속관계에 있고, 종속회사가 그 이사 등의 부정행위에 의하여 손해를 입었다고 하더라도, 지배회사와 종속회사는 상법상 별개의 법인격을 가진 회사이고, 대표소송의 제소자격은 책임추궁을 당하여야 하는 이사가 속한 당해 회사의 주주로 한정되어 있으므로, 종속회사의 주주가 아닌 지배회사의 주주는 제403조, 제415조에 의하여 종속회사의 이사 등에 대하여 책임을 추궁하는 이른바 이중대표소송을 제기할 수 없다"라고 판시하였다(위 서울고등법원 2003.8.22. 2002나13746의 상고심 판결이다).

14) 법무부는 다중대표소송제의 입법을 찬성하는 입장에서 2006년 상법 개정안, 2013년 상법 개정안에서 이중대표소송에 관한 조항을 제안하였고, 제20대, 제21대 국회에서 제출된 의원안들 중에서도 이중대표소송에 관한 조문이 포함되어 있었다. 그러던 중 2020년 12월에 이르러 종래의 법무부의 입법안에 가까운 개정 내용이 입법되었다(천경훈, 전게 "2020년 개정상법의 주요 내용과 실무상 쟁점," 7면).

15) 김정호, "2020년 개정 상법상의 다중대표소송 – 해석론과 문제점 –,"「고려법학」제100호(고려대학교 법학연구원, 2021. 3.), 92면.

16) 김신영, 전게논문, 174면; 박정구, 전게논문, 161면.

17) 김정호, 전게논문, 92면.

송을 비롯하여 심지어 사중대표소송(quadruple derivative suit)[18]까지 제기되기도 하였다. 연혁적으로는 캔사스주 대법원이 1879년 "Ryan v. Leavenworth, Atchison & Northwestern Railway Co."사건에 관하여 내린 판결[19]에서 최초로 이중대표소송을 인정한 것으로 알려져 있다. 그 이후로도 미국에서는 적지 않은 기간 동안 다중대표소송을 인정하는 판례와 그렇지 않은 판례가 공존하였다.[20] 미국은 다중대표소송에 관하여 최초의 판결 이후부터 약 100년 이상의 기간을 걸쳐 다중대표소송에 관한 실체법적·절차법적 법리를 지속적으로 발전시켜 왔다. 이에 따라 미국은 다중대표소송을 인정함에 있어서 모자회사관계 등의 요건 뿐만 아니라 아래에서 보는 것과 같이 법인격부인론이나 공동지배이론 등에 기초한 추가적인 법적 근거가 인정되는 경우에만 모회사 주주의 소제기권을 인정하고 있다. 우리의 경우 상법의 개정을 통하여 다중대표소송제도가 도입되기 전까지는 대법원 판례에 의하여 다중대표소송이 인정되지 아니하였으므로 위와 같은 법적 근거가 판례의 법리상 인정될 여지가 없었던 것과 대조된다.[21]

델라웨어(Delaware)주에서는, 주대법원이 1988년 Sternberg v. O'Neil 사건에서 모자회사관계에 있는 두 회사와의 관계에서 이중대표소송을 처음으로 인정하였다.[22] 다만 델라웨어주 판례 중에서 다중대표소송에 관련된 것은 많지 않

---

18) Carlton Investments v. TLC Beatrice Int'l Holdings, Inc. Del. Ch., CA No. 13950, mem. op. (1996).

19) Ryan v. Leavenworth, Atchison & Northwestern Railway Co., 21 Kan. 365(1879); 법원은 이 판결에서 지배회사와 종속회사 사이의 형평법상 주식소유관계를 근거로 지배회사의 주주에게 종속회사의 이사에 대한 손해배상청구를 인정하였다.

20) 권재열, "다중대표소송 관련 국제적인 동향과 그 시사점," 「글로벌 법제전략 연구」 13-22-②-1(한국법제연구원, 2013. 6.), 21면.

21) 다중대표소송제도가 도입되기 이전에 이중대표소송을 인정한 하급심판결인 서울고등법원 2003.8.22. 2002나13746은 미국의 경우와 같이 법이론적 근거를 정립하는 대신, "종속회사의 경영진이나 주주들이 여러 가지 이유로 이사들의 종속회사에 대한 부정행위를 시정하지 못하는 경우가 있을 수 있는바, 이러한 경우 이중대표소송을 인정함으로써 종속회사 이사들의 부정행위를 억제할 수 있는 효과를 기대할 수 있고, 종속회사의 손해는 종국적으로 지배회사 주주의 손해로 귀속되므로 이중대표소송을 통하여 종속회사의 손해를 회복함으로써 간접적으로 지배회사 및 지배회사 주주의 손해를 경감하는 효과를 기대할 수도 있다."는 현실적 필요성을 기초로 2020년 개정 전 상법의 해석에서도 대표소송을 제기할 수 있는 주주의 개념에 '회사인 주주의 주주'를 포함함으로써 이중대표소송을 인정할 수 있다는 취지로 판단을 하였다.

22) Sternberg v. O'Neil, 550 A. 2d 1105 (Del. 1988); 델라웨어 주대법원은, 모회사의 주주가 자회사를 위하여 자회사의 이사를 상대로 제기하는 대표소송은 모회사의 이익이 직접적으로 침해되고 또 자회사가 침해를 받음으로 인해서 모회사가 간접적으로 손해를 받는 경우도 포함하며, 따라서 자회사를 피고로 하는 이중대표소송에 있어서 모회사는 필수당사자

고, 사실상 완전모회사의 주주가 완전자회사의 이사를 상대로 하는 다중대표소송이 가능할 뿐이다.[23] 델라웨어 주법원은 2010년에 완전모자회사 관계에서 이중대표소송을 인정하였고,[24] 2011년에는 삼중대표소송도 인정하였다.[25]

나) 법적 근거

미국의 다중대표소송은 주주의 대표소송에 관한 권리를 판례를 통하여 지배회사의 주주에게 인정한 것이므로, 다중대표소송에 관하여 적용될 통일적인 근거는 없다.[26] 즉, 미국의 판례는 다양한 법적 근거에 기초하여 이중대표소송을 포함한 다중대표소송을 인정하고 있는데, 판례를 통하여 채택된 다중대표소송의 근거로는 모자회사 간의 법인격을 부인하는 법인격부인론(piercing the corporate veil),[27] 동일한 이사의 모자회사 공동지배이론(common control theory),[28] 모자회사 간의 대리관계이론(agency theory),[29] 모회사의 주주에 대한 신인관계와 자회사의 모회사에 대한 신인의무이론(double fiduciary theory)[30] 등을 들 수 있다. 이처럼 미국은 특정 이론에 근거하여 다중대표소송을 인정하기보다는 각 사건에서의 구체적 타당성을 추구하면서 그에 맞추어 다양한 법적 근거를 마련하였다.[31]

다) 원고적격

미국의 다중대표소송은 주주의 단순대표소송 제기권을 판례를 통하여 지배회

가 된다고 하여 모자회사관계에서 이중대표소송을 인정하였다.

23) 권재열, "2020년 상법 개정안의 주요 쟁점 검토 ─ 다중대표소송제와 감사위원 분리선임제의 도입을 중심으로 ─," 「상사법연구」 제39권 제3호(한국상사법학회, 2020. 11.), 4면.

24) Lambrecht v. O'Neal, 3 A.3d 277 (Del. 2010).

25) Sagarra Inversiones, S.L. v. Cementos Portland Valderrivas, S.A., 34 A.3d 1074(Del. 2011).

26) William H. Painter, "Double Derivative Suits and Other Remedies with Regard to Damaged Subsidiaries," 36 Indiana Law Journal 143(1961), pp. 146~151.

27) Brown v. Tenney, 508 N.E.2d 347 (Ill. App. 1987); Murray v. Miner, 876 F.Supp. 512 (S.D.N.Y. 1995).

28) United States Lines, Inc. v. United States Lines Co. 96 F. 2d 148(2d Cir. 1938); Saltzman v. Birrell, 78 F.Supp. 778 (D.C.N.Y. 1948).

29) Piccard v. Sperry Corporation, 30 F.Supp. 171 (D.C.N.Y. 1939).

30) 모회사가 자회사에 대하여 신인관계상의 권리를 행사하지 않는 경우 모회사의 자회사가 모회사를 위하여 그 권리를 행사하는 것을 말한다; Goldstein v. Groesbeck, 142 F.2d 422 (2d Cir. 1944).

31) 최준선, "이중대표소송제도의 입법론에 대한 검토," 「성균관법학」 제18권 제3호(성균관대학교 법학연구소, 2006), 443면.

사의 주주에게 인정한 것이므로 지배회사와 종속회사의 관계에 관한 요건을 제외하면 단순대표소송에 적용되는 요건이 다중대표소송에도 대부분 적용된다. 또한 미국은 단순대표소송의 제기권과 관련하여 소제기 시 주주가 보유하여야 할 지분비율요건 등에 관한 규율이 없으므로 단독주주권에 해당하고, 다중대표소송 제기권 역시도 단독주주권에 해당한다.

다중대표소송은 모자회사집단(parent-subsidiary complexes)의 모회사가 어느 자회사의 주식 전부를 소유하고(wholly owned subsidiaries), 자회사가 그 집단의 지배하에 있는 자산의 실질적인 전부를 법적으로 소유하는 경우에는 자회사의 자산의 실질적인 전부의 매각이나 합병거래를 승인함에 있어서 모회사가 보유하는 자회사의 주식의 의결권을 모회사가 직접 행사할 것이 아니라 모회사의 주주들이 직접 자회사 주주총회에 출석하여 그들이 소유하고 있는 모회사의 주식의 비율에 따라 모회사가 보유하는 자회사의 주식의 일부씩에 대하여 의결권을 행사하는 의결권의 통과행사(pass-through of voting right)와 같은 취지에서 인정되는 것이다.[32] 미국에서는 지배회사와 종속회사의 관계에 대한 요건을 일정하게 규율하지 아니하고, 지배회사가 종속회사에 대하여 사실적인 지배를 하고 있는지를 기준으로 다중대표소송을 인정하고 있다.[33] 따라서 모회사가 자회사 주식을 전부 소유할 필요는 없으나, 최소한 자회사의 지배주주의 지위에 있어야 하고, 단순히 자회사 주식을 소유한 회사의 주주라고 하여 다중대표소송을 제기할 수 있는 것은 아니다.

라) 제소요건

다중대표소송을 제기하기 위해서는 모회사의 주주가 모회사와 자회사에 소제기청구를 하여야 한다.[34] 그러나 이사 등이 지배회사와 종속회사를 모두 지배하고 있어 이사회에 대한 소제기청구가 무익한 경우에는 소제기청구가 면제될 수 있다.[35] 다중대표소송도 대표소송처럼 대표적절성요건(fair and adequate representation requirement), 주식동시소유요건(contemporaneous ownership requirement), 주식계속소유요건(continuing ownership requirement), 사전제소청

---

32) Brown v. Tenney, 532 N.E.2d 230 (Ill. 1988).
33) American Law Institute, Principles of Corporate Governance: Analysis and Recommendations, (ALI Press, 1994), p. 41.
34) Brown v. Tenney, 532 N.E.2d 230, 235~236(1988).
35) Lambrecht v. O'Neal, 3 A.3d 277 (Del. 2010).

구요건(demand requiremen) 등이 철저하게 준수되고 있다.[36][37] 다중대표소송에서는 원고가 모회사의 주주이면 주식동시소유원칙과 주식계속소유원칙에 부합하는 것으로 본다. 한편, 다중대표소송은 모회사의 주주가 모회사와 자회사 이사회 쌍방에 제소청구를 한 후 제기할 수 있다.[38]

2) 일 본

가) 도 입[39]

일본은 2014년 회사법 개정 시 다중대표소송제도를 도입하였는데, 원고적격을 "최종완전모회사등"의 주주로 한정하였고, 단독주주권이 아닌 1% 소수주주권으로 규정하였으며, 피고도 최종완전모회사의 총자산의 20%를 초과하는 완전자회사등의 이사만을 대상으로 한다는 점에서 상당히 제한적으로 인정하였다(일본 회사법 제847조의3).[40] 일본이 도입한 다중대표소송제도는 완전모자회사관계를 전제로 하므로 우리 상법이 도입한 다중대표소송제도와 차이가 있다.

---

36) 연방민사소송규칙(Federal Rule of Civil Procedure) 제23.1조[우리 상법은 단순대표소송이든 다중대표소송이든 주식의 동시소유원칙을 요구하지 아니하고 있으므로, 이사의 임무해태 등으로 인하여 회사의 손해가 발생할 시점에 원고가 당해 회사의 주주일 필요는 없다. 주식동시소유원칙은 대표소송제기권을 단독주주권으로 인정하고 있는 미국에서 남소의 위험을 방지하기 위하여 인정한 것인데, 우리의 경우 단순대표소송이든 다중대표소송이든 단독주주권이 아닌 소수주주권으로 규정하고 있으므로 위와 같은 원칙을 관철할 유인이 적다(김정호, 전게논문, 94면)].

37) 손영화, "다중대표소송제도의 도입에 관한 쟁점사항 검토," 「경제법연구」 제12권 제2호(한국경제법학회, 2013. 12.), 11면.

38) Blasband v. Rales, 971 F.2d 1034 (3d Cir. 1992).

39) 일본의 「회사법 개정안 중간시안에 관한 보충설명」에 따르면, 다중대표소송의 도입이유로, 주주대표소송제도는 이사 등이 위법행위를 하여 회사에 대해 손해배상책임을 부담하는 경우에 다른 임원들과 해당 이사 등과의 친밀한 관계, 동료의식 등의 이유로 회사가 이사 등의 책임을 추궁하는 것을 기대하기 어려운 경우가 많은 점, 이는 회사 혹은 주주의 이익에 반할 우려가 있으므로 주주가 직접 이사 등의 책임을 추궁하기 위하여 대표소송을 제기할 수 있도록 하여 주식회사 혹은 주주들의 이익회복을 꾀하기 위한 점 등을 들고 있다. 제도의 취지에는 손해회복기능 뿐만 아니라 이사 등의 임무해태를 방지하는 기능이 있으므로 다중대표소송제도 도입의 당부에는 손해회복기능과 위법행위억제 기능의 실효성 확보라는 관점에서 검토함이 유익하다는 취지로 서술되어 있다(法務省民事局参事官室, 会社法制見直しに関する中間試案の補足説明, 法務省, 2011, 28面).

40) 일본의 다중대표소송제도에 관한 상세한 내용은, 김경일, "일본에서의 다중대표소송 제도의 쟁점에 대한 논의와 그 시사점," 「상사법연구」 제37권 제1호(한국상사법학회, 2018. 5.), 243면 이하 참조.

나) 원고적격

최종완전모회사등의 의결권 또는 발행주식총수의 1%(통상의 대표소송은 단독 주주권인데 다중대표소송은 소수주주권이다) 이상의 수의 주식을 보유하고 있는 주주(최종완전모회사가 공개회사인 경우에는 6개월 전부터 계속하여 보유하는 요건 추가)는 자회사의 이사등에 대하여 책임을 추궁하는 소송을 제기할 수 있다(일본회사법 제847조의3 제1항, 제6항). 이때 1%를 계산함에 있어 자기주식은 포함하지 아니한다(일본회사법 제847조의3 제1항). 최종완전모회사등은 완전모회사등 중 자기의 완전모회사가 없는 회사이다(일본회사법 제847조의3 제1항).[41] 완전모회사 등의 주주로 한정되어 있는 것은 완전모회사 등이 아닌 모회사는 자회사에 소수주주가 존재하므로 그 소수주주가 자회사 이사에 대한 책임추궁의 소제기를 청구하거나 대표소송을 제기해서 자회사의 손해를 회복할 수 있기 때문이다.[42]

다) 완전자회사등의 범위

다중대표소송의 대상은 책임원인사실이 발생한 날을 기준으로 최종완전모회사등이 소유한 당해 주식회사 주식의 장부가액이 최종완전모회사등의 총자산의 20%를 초과하는 회사의 이사이다(일본회사법 제847조의3 제4항, 제5항).

라) 제소청구

최종완전모회사등의 주주는 다중대표소송을 제기하기 전에 완전자회사에 대하여 소제기를 청구하고(일본회사법 제847조의3 제1항), 완전자회사가 청구일로부터 60일 이내에 소를 제기하지 않는 경우 대표소송을 제기할 수 있다(일본회사법 제847조의3 제7항). 완전자회사가 소를 제기하지 아니하는 경우에는, 청구에 따라 부제소이유의 통지를 하여야 한다(일본회사법 제847조의3 제8항).

마) 모회사손해요건

완전자회사가 손해를 입었더라도 최종환전모회사에게 손해가 발생하지 않은 경우에는 다중대표소송을 제기할 수 없다(일본회사법 제847조의3 제2항 제2호).[43]

---

41) "완전모회사등"은 A가 B의 발행주식 전부를 단독으로 소유하는 경우뿐 아니라, A의 다른 완전자회사 C의 지분을 합하여 B의 발행주식 전부를 소유하는 경우도 포함하는 개념이다. 일본에서는 모회사 아닌 親会社라는 용어가 사용되므로, 원문에서는 "最終完全親会社等"으로 표기된다.

42) 김경일, 전게논문, 249면.

43) 완전모자회사 간의 거래에서 자회사에게 불리한 거래가 이루어졌고, 이때 발생한 자회사의

바) 책임면제요건

회사에 최종완전모회사등이 있는 경우에는 해당 회사 주주 전원의 동의 외에 최종완전모회사등의 주주 전원의 동의가 요구된다(일본회사법 제847조의3 제10항).

3) 영 국

영국은 이중대표소송제도를 성문법을 통하여 도입할 것을 검토한 적이 있으나, 영국의 법률위원회(Law Commission)에서 이를 거부하여 도입하지 못하였다.[44] 현행법인 2006년 회사법(Companies Act of 2006)은 제260조 이하에서 대표소송의 요건과 절차에 관한 내용을 규정하고 있으나, 이중대표소송제도에 관해서는 별도로 규정하고 있지 아니하다. 한편, 영국의 법원은 '2006년 회사법' 시행 이후인 2013년에도 보통법상 다중대표소송이 허용된다고 인정하였다.[45] 영국은 별도의 규정 없이 해석론으로 다중대표소송을 인정하고 있는데, 위 판례는 완전모자회사 관계에 관한 것이어서 다른 주주가 있는 자회사의 이사에 대하여 다중대표소송이 인정될지는 예단하기 어렵다.[46]

라. 다중대표소송의 내용

1) 규정의 형식

상법은 다중대표소송에 관하여 제176조 제3항(회사 해산명령에 대한 담보제공 명령청구)·제4항(악의의 소명), 제403조 제2항(서면에 의한 제소청구), 제4항부터 제6항까지 및 제404조부터 제406조까지의 규정을 준용한다(제406조의2 제3항). 다중대표소송에 관한 제406조의2는 집행임원(제408조의9), 감사(제415조)에 준용된다. 그리고 업무집행관여자는 그 지시하거나 집행한 업무에 관하여 제406조의

손해에 의하여 모회사가 이익을 얻은 경우, 자회사 이사가 다시 자회사에 손해를 배상한다면 모회사의 주주는 의외의 이익을 이중으로 얻는 결과가 되므로, 위와 같은 제한을 둔 것이다.

44) 권재열, 전게 "다중대표소송 관련 국제적인 동향과 그 시사점," 46면.

45) Universal Project Management Services Ltd v. Fort Gilkicker Ltd. & Others[England and Wales High Court (Chancery Division)], February 23, 2013(영국에서 다중대표소송을 명시적으로 허가한 최초의 사례이다).

46) 천경훈, "다중대표소송 재론," 「법학연구」 제28권 제1호(연세대학교 법학연구원, 2018. 3.), 91면.

2를 적용하는 경우에는 그 업무집행관여자를 이사로 본다(제401조의2 제1항).

제406조의2가 정하고 있는 소송의 형태를 정리하면, ① 모회사 소수주주의 청구에 따라 자회사가 제기하는 소송(제406조의2 제3항, 제403조 제6항), ② 모회사의 소수주주가 소제기청구 후 제기한 다중대표소송(제406조의2 제2항), ③ 모회사의 소수주주가 소제기청구를 생략하고 제기한 다중대표소송(제406조의2 제3항, 제403조 제4항)으로 구분할 수 있다.[47] 제406조의2는 제3항, 제4항, 제5항에서 "제1항 및 제2항의 소" 또는 "제1항 및 제2항에 따른 제소"라고 표현하고 있는데, 제1항은 모회사 소수주주의 소제기청구에 관한 규정이어서 제1항의 소가 구체적으로 무엇을 의미하는 것인지 정확히 알기 어렵다. 다만 제1항의 내용을 고려할 때, 제406조의2에서 말하는 '제1항의 소'란 모회사 소수주주의 소제기청구에 따라 자회사가 이사를 상대로 제기한 소송을 의미한다고 보는 것이 합리적이다.[48] 자회사가 모회사의 소수주주의 소제기청구에 따라 자회사의 이사를 상대로 책임 추궁의 소를 제기한 때에는 자회사 측에서 직접 소송을 수행하므로 자회사가 제기한 소의 취하, 청구의 포기·인낙·화해 시 법원의 허가가 필요한 것(제403조 제6항 준용) 외에 제406조의2 제4항과 제5항과 같은 규정은 필요하지 아니한 것으로 보인다.[49]

2) 당사자

가) 원고에 대한 요건

(1) 개 관

모회사의 주주가 다중대표소송을 제기하기 위해서는 ① 모회사의 주주가 모회사 발행주식 총수의 1% 이상을 보유하고(모회사가 상장회사인 경우, 원고인 모회사의 주주가 6개월 전부터 계속하여 모회사 발행주식 총수의 1만분의 50 이상에 해당하는 주식을 보유), ② 모회사가 자회사 발행주식 총수 50%를 초과하여 보유하여야 한다.

대표소송은 소수주주가 회사의 이익을 위하여 스스로 원고가 되고 이사 등을 피고로 하는 소송을 제기하여 판결을 받을 수 있도록 하는 것이므로 주주가 회

47) 심영, "2020년 개정 상법(회사법) 해석에 관한 소고," 「법학연구」 제31권 제1호(연세대학교 법학연구원, 2021. 3.), 57면.
48) 심영, 상계논문, 58면.
49) 심영, 상계논문, 58면.

사의 대표기관적 지위에 서게 되는 이른바 "제3자의 소송담당"[50]에 해당한다.[51] 법정소송담당의 자격을 모회사의 주주까지 확대한 다중대표소송의 법적 성격 역시 제3자의 소송담당에 해당한다.

자회사에 대한 회생절차 개시결정 후에는 회사재산의 관리처분권이 관리인에게 전속되므로 모회사의 주주는 자회사의 주주와 마찬가지로 대표소송을 제기할 수 없다. 자회사에 대한 파산선고가 있으면, 파산절차에 있어서 회사의 재산을 관리·처분하는 권리는 파산관재인에게 속하고 파산관재인이 당사자적격을 가지므로, 모회사의 주주는 대표소송을 제기할 수 없다고 보아야 할 것이다.[52] 이는 모회사의 주주가 자회사에 대하여 소제기청구를 한 후 자회사가 소의 제기를 하지 아니하고 있는 사이에 자회사에 대하여 파산선고가 있는 경우에도 동일하다.[53] 한편, 다중대표소송이 제기된 후에 자회사가 파산선고를 받은 경우에는, 자회사의 이사에 대한 손해배상청구권은 파산재단에 속하는 권리이므로 파산관재인이 소송을 수계할 수 있다고 봄이 타당하다.

(2) 모회사의 자회사에 대한 지분요건

(가) 지분비율

다중대표소송은 한 회사의 주주가 법인격이 다른 회사의 이사에 대한 책임 추궁하는 것이므로 그 인정 범위를 무한정으로 늘릴 수는 없다. 따라서 그 인정 범위와 관련하여 모회사가 자회사에 대하여 어느 정도의 영향력을 가질 때 모회사의 주주에게 다중대표소송 제기권을 인정할지가 중요한 쟁점인데, 상법은 모자회사관계에 한하여 다중대표소송을 인정하고 있다.[54] 모회사의 주주가 자회사의 이사 등에 대한 책임을 추궁하고자 다중대표소송을 제기하기 위해서는 지분요건에 더하여 자회사에 대한 제소청구 시에 각 회사 사이에 모자회사관계가 존재하여야 한다. 상법상 한 회사가 다른 회사 발행주식 총수의 50%를 초과하여 보유하고 있는 때에 모자회사관계가 성립하므로, 다중대표소송이 인정되기 위해

---

50) 제3자의 소송담당은 소송물의 내용이 되는 법률관계의 존부에 관하여 법적 이익을 가지는 통상의 당사자적격자를 대신하여 제3자에게 당사자적격이 있는 경우를 의미한다.

51) 임재연, 전게서, 578면.

52) 심영, 전게논문, 51면.

53) 대법원 2002.7.12. 2001다2617(대표소송에 관한 판례이다).

54) 우리나라보다 앞서 다중대표소송을 인정한 일본은 완전모자회사관계에 한하여 다중대표소송을 인정하고 있다(일본 회사법 제847조의3).

서는 모회사가 자회사 주식의 50%를 초과하여 보유하고 있어야 하는 것이다(제 342조의2).[55] 이처럼 기존의 상법상 모자회사관계를 전제로 적용하면, 다중대표 소송의 인정 여부를 검토함에 있어서 사전적 예측가능성을 높인다는 점에서 장 점이 있다.[56] 한편, 모자회사관계의 인정기준과 다중대표소송의 지분요건은 모 두 발행주식 총수를 기준으로 하므로 의결권 없는 주식이나 의결권이 제한되는 주식 등을 포함하여 산정한다.

(나) 자회사의 범위

제406조의2는 다중대표소송이라는 제목을 두면서도 제1항에서 "모회사 발행 주식 총수의 100분의 1 이상에 해당하는 주식을 가진 주주는 자회사에 대하여 자회사 이사의 책임을 추궁할 소의 제기를 청구할 수 있다."고 규정하고 있어 제406조의2가 정하는 "자회사"의 범위를 어디까지 인정할 것인지를 검토할 필 요가 있다.

이와 관련하여 상법 개정을 위한 논의 과정에서 다중대표소송을 어느 범위까 지 허용할 것인지에 관해서 다양한 의견이 제시되었으나, 다중대표소송에 관한 별도의 기준을 정하는 대신 기존부터 존재하였던 모회사와 자회사의 법적 개념 을 차용하는 것으로 정리되었다.[57] 제342조의2 제3항은 다른 회사의 발행주식 의 총수의 100분의 50을 초과하는 주식을 모회사 및 자회사 또는 자회사가 가 지고 있는 경우 그 다른 회사는 상법의 적용에 있어 그 모회사의 자회사로 본 다고 정하고 있다. 제342조의2 제3항은 상법의 다른 조문에서도 의제 모자회사 관계가 인정됨을 정하고 있으므로, 위 규정에 의하여 모회사로 인정되는 경우에 도 의제 자회사의 이사에 대하여 다중대표소송을 제기할 수 있다고 해석할 수

---

55) 상법 개정 과정에서 다중대표소송은 완전모자회사관계를 전제로 하여 인정되어야 한다는 주장이 있었으나, 실제 입법은 완전모자회사관계에 한하지 아니하고 상당히 넓게 인정하였 다(천경훈, 전게 "2020년 개정상법의 주요 내용과 실무상 쟁점," 9면).

56) 송옥렬, 「상법강의」 제11판(홍문사, 2021), 1111면; 형식적 지분율이 적용되는 상법상의 모 자회사관계를 전제로 할 경우 50%보다 훨씬 적은 지분으로 회사에 대한 실질적 지배관계 를 형성하는 우리나라 기업지배구조 현실에 비추어 다중대표소송의 실효성을 거두기 어려 울 것이라는 의견도 있다(김신영, 전게논문, 184면).

57) 이승규·이승환·장문일, "2020년 개정 상법의 분석 1: 다중대표소송과 소수주주권," 「BFL」 제106호(서울대학교 금융법센터, 2021. 3.), 8면; 한편, 다중대표소송은 자회사의 이사에 대 하여 모회사의 주주가 대표소송을 하도록 하여야 할 필요성을 충족하여야 하나 이러한 필 요성은 완전모자회사 관계를 제외하고는 찾기 어렵다는 지적도 있다(최승재, 전게논문, 38 면).

있나.[58] 따라서 제406조의2에서 모회사의 주주가 자회사 이사의 책임을 추궁할 수 있다는 것은 적어도 모회사의 주주가 자회사의 자회사(손회사) 이사의 책임을 추궁할 수 있다는 것을 포함한다고 봄이 타당하다.[59]

그렇다면 자회사의 범위를 더 확장하여 증손회사, 고손회사와의 관계에서도 대표소송을 인정할 수 있는지가 문제될 수 있다. 이는 자회사에 의한 모회사주식의 취득 금지에 관한 제342조의2의 해석론[60]에서 파생되는 논의이나, 해석론적 관점에서 다중대표소송에서 자회사의 범위와 관련하여 증손회사 아래의 회사를 자회사로 의제할 수 있는지에 관한 논의로도 연결될 수 있다. 이와 관련하여 모회사주식의 취득 금지에 관한 제342조의2의 해석론에 관해서는 손회사 아래의 회사에 대해서도 모회사의 자회사로 보아야 한다는 견해[61]와 제342조의2 제3항을 엄격히 해석하여 손회사 아래의 회사에 대해서는 모회사의 자회사로 볼 수 없다는 견해[62] 등이 대립하고 있다. 전자의 견해에 의하면, 모자회사관계가 존재하는 한 사중, 오중을 넘는 다중대표소송도 가능한 것으로 해석되고, 후자의 견해에 의하면, 제406조의2는 삼중대표소송까지만 인정하는 것으로 해석된다.[63] 주식상호 보유규제의 목적인 상호주식의 자기주식성에서 발생하는 사단성의 파괴, 회사지배의 왜곡, 자본충실의 저해 등의 폐해방지와 다중대표소송 제도의 목적이 동일하다고 볼 수 없으므로, 제342조의2 제3항에 관한 해석을 곧바로 다중대표소송에서 자회사 범위에 대한 해석으로 이용하는 것은 문제라는

---

58) 심영, 전게논문, 54면.
59) 천경훈, 전게 "2020년 개정상법의 주요 내용과 실무상 쟁점," 10면; 김신영, 전게논문(각주 3), 183면.
60) 이영철, "주식상호보유의 규제,"「주식회사법대계 Ⅰ」제3판(법문사, 2019), 962~964면.
61) 송옥렬, 전게서, 728, 1111면은 모자회사관계에서 자회사는 상법상의 자회사 개념에 의존하고 있으므로, 제342조의2 제3항의 문언상으로만 본다면 의제 자회사의 고리가 무한히 아래로 내려갈 수 있다고 하면서 그 해석에 주의를 요할 필요가 있다고 설명한다. 한편 모자회사간 주식의 상호보유를 금지하는 취지인 자본공동화의 우려가 있는 한 손회사 이후의 계속되는 모자회사관계에도 적용되어야 하고, 증손회사는 고유한 의미에서 손회사의 자회사이고, 손회사는 명문상 모회사의 자회사로 의제되므로 손회사의 자회사인 증손회사도 모회사의 자회사로 인정할 수 있다는 점 등을 근거로 들고 있다(이영철, 전게서, 962면).
62) 이철송,「회사법강의」제29판(박영사, 2021), 431면; 제342조의2 제3항을 확대해석하여 자회사에 의한 모회사의 주식취득을 금지하는 것은 거래실정에 맞지 아니하고, 제342조의2 취지가 주식의 상호보유를 모두 금지하는 것이 아니라 폐해가 심각한 경우를 제한적으로 열거하여 금지하려는 것이므로 적용범위를 규정 이상으로 확대할 수 없다는 점 등을 근거로 들고 있다(이영철, 전게서, 963면).
63) 천경훈, 전게 "2020년 개정상법의 주요 내용과 실무상 쟁점," 10면.

의견도 있다.[64]

(다) 모자관계의 존재시점

원고가 제소청구를 한 이후에 모회사가 보유한 자회사의 주식이 자회사 발행
주식 총수의 100분의 50 이하로 감소한 경우(발행주식을 보유하지 아니하게 된 경
우를 제외한다)에도 제소의 효력에는 영향이 없다(제406조의2 제4항). 모회사의
소수주주가 자회사에게 소제기청구를 한 이후부터 다중대표소송을 제기하기 전
까지의 시간 동안 회사 측에서 그 책임의 추궁을 무력화시키기 위하여 모자회사
관계를 없앨 수 있으므로, 이를 방지하기 위한 것이다.[65] 따라서 모회사의 자회
사에 대한 지분요건은 제소청구 시에만 충족하면 되고 책임원인의 발생 시나 변
론종결 시에는 충족하지 아니하여도 된다. 다만 이에 대해서는 상법 제403조 제
5항의 법문과의 균형에 비추어 제소청구시뿐 아니라 제소시점에도 모자회사관계
가 존재하여야 한다는 반론이 제기되고 있다.[66]

한편 모회사는 변론종결 시까지 자회사의 주식을 적어도 1주는 보유하여야
한다.[67] 모회사의 소수주주가 다중대표소송을 제기한 후에 모회사가 자회사 주
식 전부를 상실하였다면, 모회사가 그 사유의 발생을 의도하였는지와 상관없이
모회사의 소수주주는 원고적격을 상실하므로 그 소는 각하될 것이다.[68] 당사자
적격이라는 소송요건은 원칙적으로 사실심 변론종결시점을 기준으로 판단하
나,[69] 이는 직권조사사항이므로 사실심 변론종결 이후라도 당사자적격이 흠결되
면 상고심에서도 이를 참작하여 소를 각하할 수 있다.[70] 따라서 다중대표소송이
제기되어 이사에게 불리한 판결이 선고된 경우 모회사가 자신이 보유한 자회사
의 주식 전부를 다른 회사에 처분하는 등의 방법으로 다중대표소송 결과의 무력
화를 시도할 가능성이 있다.[71]

---

64) 심영, 전게논문, 55면.
65) 심영, 상게논문, 53면.
66) 김태진, "다중대표소송(상법 제406조의2)의 이해,"「기업법연구」 제35권 제3호(한국기업법
    학회, 2021. 9.), 96~98면.
67) 이승규·이승환·장문일, 전게논문, 10면; 김신영, 전게논문, 182면.
68) 심영, 전게논문, 53면.
69) 대법원 2010.2.25. 2009다85717.
70) 대법원 2011.2.10. 2010다87535.
71) 이승규·이승환·장문일, 전게논문, 17면.

(3) 원고의 모회사에 대한 지분요건

(가) 지분비율

다중대표소송을 제기할 수 있는 자, 즉 원고는 모회사의 주주이다. 상법은 다중대표소송에 관한 권리를 일정한 비율의 주식을 보유한 주주만이 소를 제기하도록 하는 소수주주권의 형식으로 규정하고 있다. 원고는 모회사 발행주식 총수의 100분의 1(1%) 이상에 해당하는 주식을 가진 주주이어야 한다(제406조의2 제1항). 모회사가 상장회사인 경우에는 원고인 모회사의 주주가 6개월 전부터 계속하여 모회사 발행주식 총수의 1만분의 50(0.5%) 이상에 해당하는 주식을 보유하면 원고적격이 인정된다(제542조의6 제7항).[72][73] 다만 이는 제406조의2에 따른 권리행사에는 영향을 미치지 아니하므로(제542조의6 제10항), 상장회사의 주주가 해당 회사 발행주식 총수의 100분의 1 이상을 가지고 있다면 해당 주식의 보유기간과 무관하게 다중대표소송에 관한 권리를 행사할 수 있다. 지분요건을 계산함에 있어서 의결권의 유무를 따지지 아니한다.[74] 원고의 지분요건은 여러 주주의 지분을 합산하여 충족할 수 있다.[75]

(나) 지분요건의 충족시점

모회사 주주인 원고가 자회사에 대한 소제기청구와 다중대표소송을 제기하기 위해서는 소제기청구 시(제406조의2 제1항)와 다중대표소송 제기 시(제406조의2 제3항, 제403조 제5항)에 지분요건을 충족하여야 한다.[76] 원고가 자회사의 손해

---

72) 조문 구성에서 기존의 제542조의6 제3항에 규정하지 아니하고, 제7항을 신설하여 규정함으로써 최근 사업연도말 현재의 자본금이 1천억 원 이상인 상장회사에 대하여 지분율요건을 1/2로 완화하는 예외를 두지 아니하고, 모든 상장회사에 대하여 동일하게 발행주식 총수의 1만분의 50으로 통일하게 되었다.

73) 상법 제542조의6 제8항은 같은 조 제1항부터 제6항까지에 대해서만 정관에 의한 소수주주권 행사요건을 완화할 수 있도록 하였을 뿐, 상장회사 다중대표소송의 소수주주권 행사요건을 정한 제7항은 포함하지 아니하여, 모회사에 대한 지분율을 정관으로 더 낮출 수 있는지가 문제되는데, 이를 입법상의 잘못으로 보아 모회사인 상장회사는 다중대표소송 제기를 위한 주식보유기간이나 주식보유비율을 정관으로 상법이 정한 것보다 완화할 수 있다는 견해가 있다(심영, 전게논문, 52면).

74) 김정호, 전게논문, 93면.

75) 상법 제542조의6 제9항은 '주식을 보유한 자'(주식을 소유한 자, 주주권 행사에 관한 위임을 받은 자, 2명 이상 주주의 주주권을 공동으로 행사하는 자)의 의미와 관련하여 같은 조 제1항부터 제6항까지와 제542조의7 제2항에 관해서만 규정을 하고 있고, 같은 조 제7항은 포함하지 아니하고 있으나, 소수주주권의 행사요건은 여러 주주가 합산하여 충족할 수 있는 것이므로, 위 제9항에서 제7항을 누락한 것은 입법상의 잘못으로 보인다(같은 취지: 심영, 전게논문, 51면; 천경훈, 전게 "2020년 개정상법의 주요 내용과 실무상 쟁점," 8면).

발생 당시 모회사의 주주이었을 필요는 없으므로 자회사의 손해가 발생한 후에 모회사의 주식을 취득한 모회사의 주주도 다중대표소송의 원고가 될 수 있다.[77] 원고가 위 지분요건을 충족하면, 그가 보유한 모회사의 주식이 제소 후 발행주식 총수의 100분의 1 미만으로 감소하더라도 제소의 효력에는 영향이 없다(제406조의2 제3항, 제403조 제5항). 다만, 원고가 보유한 모회사의 주식 수가 0이 된 경우[78]에는 원고적격을 상실하여 각하될 것이므로,[79] 원고는 다중대표소송의 변론종결 시까지는 모회사의 주식 1주는 보유하여야 한다.[80]

(다) 원고의 모회사에 대한 지분비율에 관한 문제

다중대표소송을 제기하는 원고는 모회사 발행주식 총수의 1% 이상에 해당하는 주식을 가진 주주이어야 하는 점은 앞서 살펴보았다. 그런데 원고의 모회사에 대한 지분요건과 모회사의 자회사에 대한 지분요건을 연결하여 생각해보면, 모회사가 자회사의 지분을 50% 가지고 있다고 가정할 때, 자회사와의 관계에서 모회사의 1주의 가치는 자회사 주식의 0.5주의 가치만을 가진다고 볼 수 있다. 즉, 원고가 모회사 발행주식 총수의 1%를 소유하고 있고, 모회사의 자회사에 대한 지분율이 100% 미만이라면, 원고의 자회사에 대한 실질적인 경제적 지분은 1% 미만이 되는 것이다. 이를 다시 모회사 주주의 다중대표소송 제기권과 자회사 주주의 대표소송 제기권에 적용하여 검토하면, 현행 다중대표소송제도는 자회사의 손해에 대하여 직접적·경제적 이해관계를 가지는 자회사 주주의 권리보다 상대적으로 덜 직접적인 이해관계를 가지는 모회사 주주의 권리를 더 우대하는 입법적 불균형을 가지고 있다.[81] 이러한 문제의 제기는 상법개정안의 법안심사소위 단계에서도 지적되었고, 이에 따라 원고의 모회사에 대한 지분비율을

---

76) 심영, 상계논문, 52면.

77) 심영, 상계논문, 51면; 천경훈, 전게 "2020년 개정상법의 주요 내용과 실무상 쟁점" 8면.

78) 원고가 자신의 의사에 반하여 모회사 주주의 지위를 상실한 경우를 포함한다(대법원 2018. 11.29. 2017다35717).

79) 천경훈, 전게 "2020년 개정상법의 주요 내용과 실무상 쟁점," 8면; 원고적격을 상실시키는 이유로는 주주가 주식을 전혀 보유하지 아니하게 된 경우에는 대표소송을 수행할 유인이 없다는 점을 들 수 있다[최문희, "합병, 주식교환, 주식이전 등 조직재편과 대표소송의 원고적격의 쟁점 – 대법원 판례에 대한 비판적고찰과 입법론적 제안 –," 「상사판례연구」 제29집 제3권(한국상사판례학회, 2016), 250면].

80) 송옥렬, 전게서, 1111면; 김신영, 전게논문, 185면.

81) 같은 취지: 천경훈, 전게 "2020년 개정상법의 주요 내용과 실무상 쟁점," 9면; 김신영, 전게 "2020년 개정상법상 도입된 다중대표소송에 관한 검토," 각주 3), 186면.

2% 정도로 해야 한다는 의견이 제시되기도 하였으나 실제 반영이 되지는 아니하였다.[82]

한편, 단순대표소송의 경우 상장회사의 주주는 회사의 주식을 6개월간 0.01%만 보유하면 되는데(제542조의6 제6항), 모회사가 상장회사인 경우 원고인 모회사의 주주는 6개월 전부터 계속하여 모회사 발행주식 총수의 0.5% 이상에 해당하는 주식을 보유하여야만 다중대표소송을 제기할 수 있다. 상장회사의 경우 단순대표소송에 비하여 다중대표소소송에서 그 지분요건에 관한 기준을 높게 설정하였음을 알 수 있다.[83] 정부가 다중대표소송에 관한 상법개정안을 제출할 때에는 그 지분비율이 단순대표소송과 같이 0.01%로 되어 있었으나 국회에서의 논의 과정에서 모회사·자회사 주주간의 평등, 다중대표소송의 제기가 회사의 운영에 치명적인 영향을 줄 수 있는 점, 이에 따른 남소 방지의 필요성 등을 고려하여 0.5%로 상향되었다. 이와 관련하여 0.5%의 지분요건은 상장회사의 이사에 대한 해임청구요건과 같은데, 다중대표소송이 이사에 대한 손해배상책임을 추궁하는 소임을 고려할 때 이사 책임의 균형성 측면에서 위와 같은 지분율의 설정은 그 요건이 너무 강화된 측면이 있어 이를 완화할 필요가 있다는 의견도 제시되었으나, 실제로 반영되지는 아니하였다.[84]

(4) 주식의 포괄적 교환 등에 의한 조직재편 시 원고적격의 인정 여부

(가) 대표소송이 제기된 후 조직 재편이 이루어진 경우 원고적격 상실의 문제

A회사와 B회사가 존재하는 것을 전제로, B회사의 주주가 대표소송을 제기한 뒤 제360조의2에서 정한 주식의 포괄적 교환에 의하여 B회사가 A회사의 완전자회사가 되고, 위 주주가 B회사의 주식 대신 A회사의 주식을 취득하였을 경우 위 주주가 제기한 대표소송이 적법한지 문제될 수 있다.

대표소송을 제기한 주주인 원고는 제403조에서 정한 대표소송의 원고적격은 상실하나,[85] 상법이 다중대표소송을 허용하고 있는 이상 그 원고가 제406조의2에서 정한 다중대표소송의 제기에 필요한 지분요건을 충족하고 있다면, 청구원

---

82) 제382회 국회(정기회) 법제사법위원회 법안심사제1소위원회 제8차(2020. 12. 7.) 회의록, 28면.

83) 김신영, 전게논문, 186면.

84) 제382회 국회(정기회) 법제사법위원회 법안심사제1소위원회 제8차(2020. 12. 7.) 회의록, 28~29면.

85) 대법원 2018.11.29. 2017다35717.

인의 변경(단순대표소송에서 다중대표소송으로)을 통하여 그 소가 부적법하여 각하되는 것을 면할 수 있을 것이다.[86]

나아가 만약 위의 사례에서 원고가 다중대표소송을 제기하는데 필요한 주식보유요건을 충족하지 못한 때에도 기존 대표소송이 적법한지 문제될 수 있다.[87] 이에 관해서는 원고가 이미 적법하게 대표소송을 제기한 경우라면 설령 주식교환을 통해 모회사에 대한 원고의 지분율이 하락하여 상법에서 정한 지분율 요건(모회사 발행주식총수의 100분의 1 이상에 해당하는 주식을 보유할 것)을 구비하지 못하게 되더라도, 다시 말하면 원고의 모회사에 대한 지분율이 100분의 1 미만으로 하락하더라도, 당해 소송은 다중대표소송으로 청구원인이 변경될 수 있고 다중대표소송으로서의 제소의 효력에는 영향이 없다고 해석하는 입장이 있다.[88] 이미 적법하게 대표소송이 제기된 상황에서 사후적으로 주식보유요건을 충족하지 못한 경우에도 원고적격을 유지하도록 하는 제406조의2 제4항의 취지를 고려하여 이미 제기된 대표소송의 원고적격을 상실하지 아니한다고 보는 견해도 같은 입장이라 할 수 있다.[89]

(나) 대표소송의 제기 전에 조직재편이 이루어진 경우 원고적격의 인정에 관한 문제

B회사의 주주이었던 자가 그 회사의 이사에게 대표소송을 제기하기 전에 A회사와 B회사가 주식의 포괄적 교환·이전 등의 조직재편행위에 의하여 완전모자회사관계가 됨에 따라 B회사의 주주가 완전모회사인 A회사의 주식을 배정받아 B회사 주주의 지위를 상실한 경우 A회사의 주주로서 B회사의 이사에 대하여 이중대표소송을 제기할 수 있는지 문제될 수 있다.

개정상법은 다중대표소송을 도입하면서 이에 관한 내용을 별도로 규정하지는 아니하였고, 유사한 문제를 다루고 있는 판례 역시 없는 것으로 보인다.[90] 참고로 미국의 판례 중에는 원고가 B회사의 이사가 의무를 위반할 시점에 B회사의 주식을 소유하고 있어야 하되, 대표소송의 제기시점에는 A회사의 주식을 소유하

---

86) 천경훈, 전게 "2020년 개정상법의 주요 내용과 실무상 쟁점," 17면; 김태진, 전게논문, 111~113면.
87) 이승규·이승환·장문일, 전게논문, 17면.
88) 김태진, 전게논문, 114면.
89) 이승규·이승환·장문일, 상게논문, 17면.
90) 김신영, 전게논문, 192면.

고 있으면 충분하고, A회사가 B회사 이사의 의무위반시점에 B회사의 주식을 소유하고 있을 필요는 없다고 본 경우가 있다.[91] 일본은 회사법 제847조의2에 따라 B회사의 주주가 주식교환, 주식이전, 삼각합병 등 조직재편으로 당해 회사의 지위를 상실하더라도 완전모회사인 A회사의 주식을 취득하여 소유하고 있으면 B회사의 이사를 상대로 조직재편 이전에 발생한 책임원인에 기하여 대표소송을 제기할 수 있다.

나) 피고에 대한 요건

다중대표소송의 피고는 자회사의 이사인데(제406조의2 제1항), 제406조의2가 준용되는 자회사의 발기인(제324조), 업무집행지시자 등(제401조의2 제1항), 집행임원(제408조의9), 감사(제415조), 청산인(제542조 제2항)에 대해서도 다중대표소송을 제기할 수 있다. 상법은 감사위원에 관한 규정인 제415조의2 제7항에서 다중대표소송에 관한 제406조의2가 준용됨을 명시하지는 아니하였으나, 제415조의2 제7항에서 감사위원회에 준용되는 조문으로 "제402조 내지 제407조"라고 규정하고 있으므로, 조문의 순서를 고려할 때 제406조의2도 준용대상에 포함된다고 봄이 합리적이다.[92] 따라서 다중대표소송은 감사위원에 대해서도 제기할 수 있다.

한편, 대표소송은 이사, 발기인(제324조), 집행임원(제408조의9), 감사(제415조), 불공정한 가액으로 주식을 인수한 자(제424조의2), 주주권의 행사와 관련하여 이익을 공여받은 자(제467조의2), 불공정한 가액으로 전환사채를 인수한 자(제516조 제1항), 불공정한 가액으로 신주인수권부사채를 인수한 자(제516조의11), 청산인(제542조 제2항), 유한책임회사의 업무집행자(제287조의22 제2항), 유한회사의 이사(제565조)에도 준용된다. 그러나 상법은 불공정한 가액으로 주식을 인수한 자(제424조의2), 주주권의 행사와 관련하여 이익을 공여받은 자(제467조의2), 불공정한 가액으로 전환사채를 인수한 자(제516조 제1항), 불공정한 가액으로 신주인수권부사채를 인수한 자(제516조의11) 등에 대해서는 다중대표소송에 관한 제406조의2를 준용하고 있지 아니하다. 입법적 착오로 보이나,[93] 현행 규정에

---

91) Lambrecht v. O'Neal, 3 A.3d 277(Del. 2010); Schreiber v. Carney, 447 A.2d. 17, 22(Del. Ch. 1982).
92) 심영, 전게논문, 56면; 천경훈, 전게 "2020년 개정상법의 주요 내용과 실무상 쟁점," 11면.
93) 최준선, 전게서, 586면.

관한 문언해석상 위 각 경우에는 다중대표소송의 제기가 인정되지 아니한다고 봄이 타당하다.94)

3) 절차에 관한 요건

가) 소제기청구

다중대표소송에서 원고가 될 주주는 자회사에 대하여 자회사 이사의 책임을 추궁할 소를 제기할 것을 청구할 수 있다(제406조의2 제1항). 이때 모회사의 주주는 그 이유를 기재한 서면으로 자회사에게 소제기청구를 하여야 한다(제406조의2 제3항, 제403조 제2항). 서면에 기재하여야 할 사항은 피고가 될 자의 성명, 그 책임발생의 원인이 되는 사실 등이다. 소제기청구 요건은 회사로 하여금 소의 제기가 회사의 입장에서 최선의 이익인지를 검토할 기회를 부여하기 위하여 인정하는 것이다.95) 원고가 적법한 소제기절차를 거치지 아니한 경우에는, 그 소는 위법하여 각하될 것이다.96) 모회사 주주의 소제기청구는 자회사의 감사 또는 감사위원회에 대해서 하여야 한다(제394조 제1항 2문).97) 다만 자본금이 10억원 미만인 소규모회사는 감사를 선임하지 아니할 수 있는데(제409조 제4항) 소규모회사가 감사를 선임하지 아니한 경우의 소제기청구 방법에 관해서는 상법에 규정되어 있지 아니하므로, 이때는 자회사의 대표이사에게 청구하여야 한다고 봄이 타당하다.98) 감사에 대한 책임추궁의 경우에도 대표이사에게 청구하면 될 것이다. 한편, 자회사가 소제기청구를 받은 날부터 30일 내에 소를 제기하지 아니한 때에는, 소제기청구를 한 주주는 즉시 자회사를 위하여 소를 제기할 수 있다(제406조의2 제2항).

나) 소제기청구의 면제

30일의 기간 경과로 인하여 자회사에 회복할 수 없는 손해가 생길 염려가

---

94) 심영, 전게논문, 56~57면; 천경훈, 전게 "2020년 개정상법의 주요 내용과 실무상 쟁점," 11면.

95) 오세빈, "주주대표소송의 실무상 문제점에 관한 고찰," 「민사재판의 제문제」 제24권(한국사법행정학회, 2016. 12.), 104면.

96) 대법원 2010.4.15. 2009다98058(대표소송에 관한 판례이다).

97) 제394조(이사와 회사간의 소에 관한 대표) ① 회사가 이사에 대하여 또는 이사가 회사에 대하여 소를 제기하는 경우에 감사는 그 소에 관하여 회사를 대표한다. 회사가 제403조 제1항 또는 제406조의2 제1항의 청구를 받은 경우에도 또한 같다.

98) 천경훈, 전게 "2020년 개정상법의 주요 내용과 실무상 쟁점," 12면; 오세빈, 전게논문, 104면.

있는 경우에는 소제기청구를 한 주주는 즉시 소를 제기할 수 있다(제406조의2 제3항, 제403조 제4항). 여기서 '자회사에 회복할 수 없는 손해가 생길 염려'가 있는 경우는 이사에 대한 손해배상청구권의 시효가 완성되거나 이사가 도피 또는 재산을 처분하려는 때와 같이 이사에 대한 책임의 추궁이 불가능해지거나 무익해질 염려가 있는 경우 등을 의미한다.[99] 상법은 회사가 소제기하는 것을 거절하였을 경우에 관하여 규정을 하고 있지 아니하나, 자회사가 소제기 거절의사를 명확히 밝힌 때에는, 모회사의 주주는 30일의 경과를 기다리지 아니하고 즉시 소를 제기할 수 있다고 보아야 할 것이다.[100]

다) 소송물

모회사(A), 자회사(B), 손회사(C)를 전제로 손회사(C)의 이사에 대한 책임을 추궁하는 소송을 검토해보면, ① 손회사(C)가 손회사(C)의 이사를 상대로 책임을 추궁하는 직접소송, ② 손회사(C)의 주주인 자회사(B)가 손회사(C)의 이사를 상대로 책임을 추궁하는 대표소송, ③ 자회사(B)의 주주인 모회사(A)가 손회사(C)의 이사를 상대로 책임을 추궁하는 이중대표소송, ④ 모회사(A)의 주주가 손회사(C)의 이사를 상대로 책임을 추궁하는 삼중대표소송 등의 구조를 생각해볼 수 있다. 각 소송에 관한 소송물은 모두 "C의 피고(손회사의 이사)에 대한 손해배상청구권"으로 동일하고, 각 청구취지와 청구인용판결의 주문 역시 "피고(손회사의 이사)는 C에게 000원을 지급하라."로 동일하다.[101]

라) 소송절차

(1) 관 할

다중대표소송사건은 자회사 본점소재지의 지방법원 관할에 전속한다(제406조의2 제5항).

(2) 담보제공

법원은 다중대표소송의 피고인 이사의 청구가 있으면, 원고인 주주에게 상당한 담보를 제공하도록 명할 수 있다. 이때 이사는 주주의 악의를 소명하여야 한다(제406조의2 제3항, 제176조 제3항, 제4항). 주주의 악의는 자회사 이사의 임무

---

99) 대법원 2010.4.15. 2009다98058(대표소송에 관한 판례이다).
100) 천경훈, 전게 "2020년 개정상법의 주요 내용과 실무상 쟁점," 12면.
101) 천경훈, 상게논문, 6면.

해태 등이 없었음을 알면서 소를 제기하는 것을 의미한다. 이러한 담보의 제공은 주주의 부당한 소제기로부터 이사를 보호하고 이를 통하여 주주의 남소를 억제하는 기능을 한다.[102] 참고로 대법원은 피고인 이사가 단순대표소송을 제기한 주주에 대하여 민사소송법 제117조의 담보제공명령을 신청한 사안에서 소송목적의 값은 이사가 본안소송에서 전부패소할 경우 실제로 지급할 의무가 생기는 금액이 아니라 인지규칙 소정의 소가를 전제로 하여 산정한 소송비용을 담보로 제출할 의무가 있다고 판단하였는데, 이러한 법리는 다중대표소송에서의 원고인 주주의 담보제공의무에도 동일하게 적용될 수 있다 할 것이다.[103]

(3) 소의 취하, 청구의 포기·인낙·화해 등

(가) 의 의

원고인 주주는 법원의 허가 없이는 소의 취하, 청구의 포기·인낙·화해를 할 수 없다(제406조의2 제3항, 제403조 제6항). 원고인 주주가 소송물에 대한 처분권을 가지지 못하는 점, 위와 같은 소송종결행위를 허용할 경우 모회사의 주주와 자회사의 이사가 통모하여 자회사의 이사에게 가벼운 배상책임만을 지우고 소송을 종료시킬 우려가 있는 점 등을 고려하여 위와 같이 규정한 것이다.[104]

(나) 항소의 취하

문언해석상 제403조 제6항이 정하고 있는 '소의 취하'에 항소의 취하가 포함된다고 보기 어려워 원고인 주주가 제1심에서 패소한 후 법원의 허가 없이 항소를 취하할 수 있는 것이 아닌지 문제될 수 있다. 만약 원고가 항소를 취하하면 법원의 결정 없이 효력이 발생하므로 해당 제1심판결은 그대로 확정될 것이다. 원고인 주주가 소를 취하할 때 법원의 허가를 받도록 한 것과 비교할 때 위와 같은 결론이 부당해 보이기는 하나, 이 경우 자회사와 그 주주는 제406조에 따라 위 확정판결에 관하여 재심의 소를 제기하는 방식으로 다툴 수 있을 것이다.

(다) 소취하 간주

원고인 모회사의 주주가 제1심에서 변론기일에 2회 불출석한 다음 1개월 이

---

102) 오세빈, 전게논문, 108면.
103) 대법원 2009.6.25. 자 2008마1930.
104) 오세빈, 전게논문, 108면.

내에 기일지정신청을 하지 아니한 경우, 2회 쌍방불출석에 의한 소취하 간주의 효력이 발생할 수 있는데, 이 경우 그 효력을 인정할지 문제될 수 있다. 소취하의 간주가 제403조 제6항이 정하고 있는 '소의 취하'에 포함된다고 보면 이 경우에도 법원의 허가가 있어야만 그 효력이 발생할 것이나, 그렇지 않다고 보면 법원의 허가 없이도 소취하 간주의 효력이 발생하게 된다. 후자의 경우, 자회사는 다시 소를 제기할 수 있으므로 자회사의 권리에 특별하게 부당한 침해가 발생한다고 보기는 어렵다. 그러나 원고의 불출석에도 불구하고 피고가 변론에 응하여 변론이 계속 진행된 경우에는 원고에 대한 전부패소판결이 선고될 가능성이 매우 높으므로, 이 경우에는 자회사는 소송참가를 겸한 항소의 제기 또는 제406조에 따라 위 확정판결에 관하여 재심의 소를 제기하는 방법으로 위 판결에 다툴 수 있다 할 것이다.

(4) 소송고지

다중대표소송의 원고인 주주는 소를 제기한 후 지체 없이 자회사에 소송의 고지를 하여야 한다(제406조의2 제3항, 제404조 제2항).

(5) 소송참가

자회사는 모회사의 주주가 제기한 다중대표소송에 참가할 수 있다(제406조의2 제3항, 제404조 제1항). 대표소송은 제3자의 소송담당 중 회사가 소송수행권을 상실하지 아니하는 병존형으로 분류되는데, 회사가 자신의 소송수행권에 기초하여 이미 소송계속 중인 대표소송에 당사자로서 참가하는 것이므로 회사는 공동소송참가의 형태로 참가하게 된다.[105] 판례 또한 제404조 제1항에서 정한 회사의 참가에 관하여 공동소송참가를 의미하는 하는 것으로 해석하고 있다.[106] 따라서 다중대표소송의 경우에도 자회사는 여전히 소송수행권을 보유하면서 이에 기초하여 소송계속 중인 다중대표소송 사건에 참가하는 것이므로, 그 참가는 공동소송참가에 해당한다고 봄이 타당하다. 다중대표소송의 원고인 주주가 원고적격을 상실하더라도 그 소송은 종료되지 아니하고 참가인인 자회사와 피고간의 소송으

---

105) 이승규·이승환·장문일, 전게논문, 14면; 다만 이에 대해서는 공동소송적 보조참가 또는 독립당사자참가라는 견해도 있다(천경훈, 전게 "2020년 개정상법의 주요 내용과 실무상 쟁점," 12면 각주 25).

106) 대법원 2002.3.15. 2000다9086; 이러한 대법원의 판단에 대하여 의문이라는 지적도 있다 [이시윤, 「신민사소송법」 제15판(박영사, 2021), 821면].

로 존속한다.[107)]

한편, 모회사의 주주가 다중대표소송을 제기하였는데, 모회사의 다른 주주, 자회사의 주주 등이 소송계속 중인 사건에 공동소송참가를 할 수 있는지가 문제될 수 있다. 이에 관한 판례는 존재하지 아니하나, 대법원이 제3자 소송담당의 대표적인 예인 채권자대위소송과 관련하여 채권자대위소송이 계속 중일 때 다른 채권자가 채권자대위권을 행사하면서 공동소송참가신청을 할 수 있다는 취지로 판단[108)]한 점을 고려할 때, 일부 주주가 제3자의 소송담당으로 대표소송을 제기하여 소송계속 중일 때 다른 주주들도 공동소송참가를 할 수 있다고 봄이 합리적이다.[109)] 다시 이를 다중대표소송에 적용하면, 원고 공동소송참가의 범위가 더 넓어지게 되어 자회사의 주주, 모회사의 주주도 다중대표소송에 원고 공동소송참가인으로 소송에 참여할 수 있을 것이고,[110)] 모회사는 대표소송의 제기를 위한 주식보유요건을 충족하므로 자회사의 주주 지위에서 원고 공동소송참가인이 될 수 있을 것이다.[111)] 이에 관하여 모회사의 주주에 의하여 다중대표소송이 제기된 경우에 다른 주주들은 원고적격을 상실하므로 공동소송참가가 아닌 공동소송적 보조참가에 해당하는 의견도 있을 수 있다.

(6) 승소주주의 비용청구권

원고인 주주가 승소한 때에는, 그 주주는 자회사에 대하여 소송비용과 그 밖에 소송으로 지출한 비용 중 상당한 금액의 지급을 청구할 수 있고, 이 경우 소송비용을 지급한 자회사는 이사 또는 감사에 대하여 구상권을 가진다(제406조의2 제3항, 제405조 제1항). 이때 구상권 행사의 상대방인 이사 또는 감사는 다중대표소송에서 패소한 피고인 이사 또는 감사를 의미한다고 봄이 합리적이다.[112)]

(7) 패소주주의 손해배상책임

상법은 원고인 주주가 다중대표소송에서 패소한 때에는 악의인 경우 외에는 자회사에 대하여 손해를 배상할 책임이 없다고 하여 그 책임요건을 강화하였다(제406조의2 제3항, 제405조 제2항).

---

107) 천경훈, 전게 "2020년 개정상법의 주요 내용과 실무상 쟁점," 12면.
108) 대법원 2015.7.23. 2013다30301, 30325.
109) 이승규·이승환·장문일, 전게논문, 15면.
110) 천경훈, 전게 "2020년 개정상법의 주요 내용과 실무상 쟁점," 15면.
111) 이승규·이승환·장문일, 전게논문, 15면.
112) 천경훈, 전게 "2020년 개정상법의 주요 내용과 실무상 쟁점," 12면.

(8) 다중대표소송과 재심의 소

다중대표소송이 제기된 경우에 원고와 피고의 공모로 인하여 소송의 목적인 자회사의 권리를 사해할 목적으로 판결을 하게 한 때에는 자회사 또는 주주는 확정한 종국판결에 관하여 재심의 소를 제기할 수 있다(제406조의2 제3항, 제406조). 여기서 다중대표소송에 관한 제406조의2 제3항에 의하여 준용되는 제406조 제1항[113])에서 회사를 자회사로 해석하는 것에는 특별한 의문이 없으나, 같은 항에서의 주주를 자회사의 주주로 한정할지 모회사의 주주까지 확대하여 해석할지 문제될 수 있다. 제406조의2에서 칭하는 주주는 모회사의 주주이므로 이에 기초하여 제406조 제1항을 해석하면, 다중대표소송과 관련하여 재심의 소송을 제기할 수 있는 주주에는 모회사의 주주도 포함된다고 주장할 여지가 있으나, 제406조의 규정 자체가 단순대표소송을 전제로 한 것이므로 실질적으로는 "회사 또는 (그) 주주"를 의미하는 것으로 봄이 타당하고, 이를 준용하는 제406조의2 제3항의 해석 역시 위와 같은 의미를 전제로 해석하는 것이 타당하다. 따라서 다중대표소송과 관련한 위 재심의 소는 자회사와 그 주주만이 제기할 수 있다고 봄이 타당하다.[114])

마) 다중대표소송의 중복에 관한 문제

모회사의 주주가 다중대표소송을 제기한 이후에 같은 피고에 대하여 자회사가 소송을 제기하거나 자회사의 주주가 대표소송을 별도로 제기하면, 후소는 중복소송에 해당할 것이고, 반대로 자회사의 주주가 대표소송을 제기한 후에 모회사의 주주가 제기하는 다중대표소송이나 회사가 제기하는 소송 역시 중복소송에 해당할 것이다.[115]) 이 경우 후소는 각하될 것이나, 각하되기 전에 변론이 병합되는 경우에도 여전히 중복소송에 해당하여 각하되어야 하는지에 관해서는 아직 판례가 없는 것으로 보인다.[116])

---

113) 제406조(대표소송과 재심의 소) ① 제403조의 소가 제기된 경우에 원고와 피고의 공모로 인하여 소송의 목적인 회사의 권리를 사해할 목적으로써 판결을 하게 한 때에는 회사 또는 주주는 확정한 종국판결에 대하여 재심의 소를 제기할 수 있다.

114) 김신영, 전게논문, 197면(이에 더하여 재심의 소를 제기할 수 있는 주체를 무한히 확장할 수는 없다는 점을 근거로 들기도 한다).

115) 이승규·이승환·장문일, 전게논문, 13면.

116) 이승규·이승환·장문일, 상게논문, 13면.

바) 다중대표소송 확정판결의 효력

자회사의 직접소송, 단순대표소송, 다중대표소송 등에 관한 각 확정판결의 효력범위가 문제될 수 있다. 민사소송법 제218조 제3항은 "다른 사람을 위하여 원고나 피고가 된 사람에 대한 확정판결은 그 다른 사람에 대하여도 미친다."고 정하여 제3자의 소송담당에 따른 확정판결의 효력범위를 정하고 있는데, 이에 따라 제3자의 소송담당인 대표소송의 기판력도 소송물인 회사의 이사에 대한 권리의 귀속 주체인 회사에 미친다.[117] 따라서 승소판결의 효력은 회사에 미치므로, 회사가 이를 집행권원으로 하여 집행채권자가 될 수 있고, 이 경우 민사집행법 제31조에 의하여 회사에게 승계집행문이 부여될 것이다. 다중대표소송과 같이 다른 사람을 위하여 원고가 된 사람이 받은 확정판결의 집행력은 확정판결의 당사자인 원고가 된 사람과 다른 사람 모두에게 미치므로, 다중대표소송의 원고인 모회사의 주주도 집행채권자가 될 수 있다 할 것이다.[118]

제3자의 소송담당인 채권자대위소송에서 채권자가 제3채무자를 상대로 하여 제기하여 얻은 판결의 효력이 채무자에게 미치는지에 대하여 항상 미친다는 견해와 채무자가 이를 안 때에만 효력이 미친다는 견해 등이 대립하고 있다.[119] 판례는 이에 관하여 채무자가 채권자대위소송이 제기된 사실을 알았을 경우에만 그 판결의 효력이 그 채무자에게 미친다는 입장을 취하고 있다.[120] 또한 채권자가 제기한 채권자대위소송의 판결이 확정된 이후에 다른 채권자가 다시 채권자대위소송을 제기한 경우에는 채무자가 채권자대위소송의 제기 사실을 알았을 때에는 다른 채권자가 동일한 소송물에 관하여 채권자대위권에 기초하여 소를 제기하면 기판력이 미친다고 한다.[121] 대표소송이 채권자대위소송과 마찬가지로 제3자의 소송담당이라는 사실을 고려하면, 대표소송에 따른 확정판결의 효력 역시 판례의 위와 같은 법리에 따라 해석할 수 있을 것이다.[122] 따라서 회사가 대표소송의 제기 사실을 알았는지에 따라 대표소송의 기판력의 효력범위가 달라질

---

117) 이승규·이승환·장문일, 상게논문, 12면.
118) 대법원 2014.2.19. 자 2013마2316(대표소송에 관한 결정이다).
119) 천경훈, 전게 "2020년 개정상법의 주요 내용과 실무상 쟁점," 14면.
120) 대법원 1975.5.13. 74다1664 전원합의체.
121) 대법원 1994.8.12. 93다52808.
122) 이에 대하여 대표소송에서는 회사가 알았는지와 관계없이 당연히 기판력이 미치므로, 이 부분에서는 채권자대위소송과 차이가 있다는 견해도 있다(이승규·이승환·장문일, 전게논문, 12면 각주 21).

것이나, (자)회사가 대표소송 또는 다중대표소송의 제기 사실을 알지 못하는 상황을 생각하기는 어려우므로, 일반적으로 (다중)대표소송의 확정판결의 효력은 (자)회사에 미칠 것이다. 다중대표소송이 제기되어 판결이 확정되었다면, 모회사의 다른 주주는 물론 자회사의 주주가 자회사의 동일한 권리를 행사하여 대표소송을 제기하는 것도 전소인 다중대표소송의 확정판결의 기판력에 저촉하게 될 것이다.[123)]

VIII. 업무집행지시자 등

최 수 정*

1. 서 설

1997년 외환위기가 재벌그룹 또는 대규모기업집단이라는 우리나라의 특유의 경영체제하 지배주주의 부당한 영향력 행사에 기인하였다고 보고 1998년 개정 상법에서 업무집행지시자 등에 관한 상법 제401조의2를 신설하였다. 원칙적으로 주식회사의 업무집행기관은 이사회와 대표이사이고, 이사가 아닌 자는 직접적으로 회사경영에 참여할 수 없지만 그동안 관행상으로 회사의 영향력을 지대하게 행사할 수 있는 지배주주가 회사법상 책임을 회피하기 위하여 이사에 취임하지 아니하고 업무에 관한 지시를 하거나 회장, 전무, 상무 등의 명칭으로 취임하여 회사의 업무를 집행하였다.[1)]

1998년 이전 상법은 배후에서 회사의 업무에 관여한 자에 대한 책임을 명문으로 규정하지 않았다. 다만 학설상으로 법률상 이사의 지위를 가지고 있지 않아서 이사로서의 법적 책임이 없는 자가 실제적으로 회사업무에 관여한 경우에 사실상의 이사 개념을 인정하여 상법 제399조 또는 제401조에 있어서 이사와 동일하게 다루어져야 한다는 주장이 있었다.[2)]

---

123) 이승규·이승환·장문일, 전게논문, 13면.

  * 중소벤처기업연구원 연구위원, 법학박사
  1) 1998년 개정상법 이전에는 이사로 등기되지 아니한 자가 실제적으로 회사의 업무를 집행하거나 관여한 경우 이 자에 대한 책임을 규정하고 있지 않아서 많은 비난을 받았다. 박길준, 「개정상법축조해설」(박영사, 1998), 55면.
  2) 1인 주주 또는 지배주주 등 회사의 영업에 영향력을 행사할 수 있는 자가 회사의 이사로서는 취임하지 아니하고 자신의 뜻에 따라 이사의 임면을 하면서 그 이사를 통해서 회사의

1998년 개정상법은 업무집행지시자 등의 책임에 관하여 명문의 규정을 도입하였다. 즉 이사가 자신의 회사에 대한 영향력을 행사하여 회사의 업무에 관여하거나, 이사의 이름으로 또는 명예회장·회장·사장·부사장·전무·상무·이사 기타 회사의 업무를 집행할 권한이 있는 것으로 인정될 만한 명칭을 사용하여 업무를 집행한 자에게도 이사로서의 책임을 부담하게 하고, 주주가 그 책임을 묻기 위하여 대표소송을 제기할 수 있도록 하여 기업경영의 투명성을 높이고 경영진의 책임을 강화하였다.[3)]

2. 업무집행지시자 등의 의의

가. 업무집행지시자 등의 개념

제401조의2(업무집행지시자 등의 책임) ① 다음 각호의 1에 해당하는 자는 그 지시하거나 집행한 업무에 관하여 제399조·제401조 및 제403조의 적용에 있어서 이를 이사로 본다.
    1. 회사에 대한 자신의 영향력을 이용하여 이사에게 업무집행을 지시한 자
    2. 이사의 이름으로 직접 업무를 집행한 자
    3. 이사가 아니면서 명예회장·회장·사장·부사장·전무·상무·이사 기타 회사의 업무를 집행할 권한이 있는 것으로 인정될 만한 명칭을 사용하여 회사의 업무를 집행한 자
    ② 제1항의 경우에 회사 또는 제3자에 대하여 손해를 배상할 책임이 있는 이사는 제1항에 규정된 자와 연대하여 그 책임을 진다.

제401조의2상에 규정되어 있는 업무집행지시자 등은 세 가지 범주로 나눌 수 있는데, 첫째 회사에 대한 자신의 영향력을 이용하여 이사에게 업무집행을 지시한 자(제1호), 둘째 이사의 이름으로 직접 업무를 집행한 자, 셋째 명예회장·회장·사장·부사장·전무·상무·이사 기타 회사의 업무를 집행할 권한이 있는 것으로 인정될 만한 명칭을 사용하여 회사의 업무를 집행한 자이다. 즉 첫

업무에 관한 지시를 하거나 관여하고 있는 자, 또는 회장 등의 명칭을 사용하여 회사의 업무를 집행한 자에 대하여도 이사의 같은 책임을 물어 기업경영의 투명성을 보장하고 책임경영을 하도록 할 필요가 있다. 박길준, 전게서, 55면.
  3) 박길준, 상게서, 56면.

번째 유형은 업무집행지시자이며, 두 번째 유형은 사실상의 이사, 그리고 세 번째 유형은 표현이사에 해당한다. 법률상의 이사는 아니지만 회사에 대한 자신의 영향력을 이용하여 실질적으로 이사로서의 기능을 수행한다는 의미에서 '실질상의 이사'라고도 한다.[4]

마찬가지로 2011년 개정상법에서 도입된 집행임원제도[5]의 경우에도 제401조의2가 적용될 것이다. 회사에 대한 영향력을 이용하여 집행임원에게 업무집행을 지시하거나 집행임원의 이름으로 직접 업무를 집행하거나, 업무집행권이 있는 것으로 인정될 만한 명칭으로 업무를 집행한 자는 집행임원으로서 책임을 부담한다.[6]

나. 유사개념

1) 사실상 이사

1998년 상법 개정에서 업무집행지시자 등의 개념을 법문에서 도입하기 이전에는 사실상 이사(de facto director)라는 용어를 사용하여 법률상 책임이 없는 자가 회사의 업무에 관여하는 것을 규율하려고 하였다. 사실상 이사의 대표적 유형으로는 첫째, 주주총회의 선임절차 없이 이사취임등기에 동의한 자 또는 이사 사임 후에도 퇴임등기를 하지 않아도 좋다고 승낙한 자, 둘째 표현대표이사, 셋째 법률상 이사는 아니지만 실질적으로 경영자로서 계속적으로 업무집행을 하고 있는 자, 마지막으로 이사선임결의의 무효 또는 취소판결이 확정된 이사가 있다.

위 유형 중 표현대표이사의 경우 회사의 귀책사유를 매개로 하여 제3자에게 외관의 신뢰를 발생시켰다는 이유로 회사에게 거래상 표현책임을 인정하려는 외

---

4) 최준선 교수는 업무집행지시자 등을 법률상의 이사는 아니지만 회사에 대한 자신의 영향력을 이용하여 실질적으로 이사로서의 기능을 수행한다고 하여 실질상의 이사로 표현한다. 최준선, 「회사법」 제16판(삼영사, 2021), 571면. 이철송 교수는 업무집행지시자 등의 개념을 업무집행관여자로 표현하는데 업무집행지시자, 무권대행자, 표현이사로 구분하는 것은 동일하다. 이철송, 「회사법강의」 제29판(박영사, 2021), 825~827면(이하 전게서 1).

5) (2011년) 개정상법은 현재의 대표이사를 대체하는 업무집행기관으로 집행임원을 신설하였는데 이는 법률상 근거가 없는 비등기임원인 집행임원을 법제화하기 위한 것이다. 이철송, 「2011 개정상법 – 축조해설 –」(박영사, 2011), 165면(이하 전게서 2).

6) 경제계는 집행임원제도 도입하는 것을 반대하였는데 그 중 하나의 논거가 집행임원의 책임은 바로 업무집행지시자의 책임규정이나 표현대표이사제도(제395조) 등에 기하여 추궁이 가능하다고 하였다. 이철송, 전게서 2, 165면.

관법리의 문제이기 때문에 거래의 유효성 문제와도 관련이 있다.[7]

2) 명목상 이사

명목상 이사란 주주총회에 의하여 선임된 법률상 완전한 이사이지만 회사에 대하여 영향력을 가진 자가 명목상 이사의 이름으로 경영에 관여하는 경우이다. 고용사장 또는 전문경영인이 지배주주의 지시에 따라 경영방침을 결정하고 업무를 수행하는 경우 명목상 이사라고 볼 수 있는데 이 경우에도 이사로서의 법률상 책임을 부담한다.[8]

3) 배후이사

2006년 영국회사법 제251조는 회사의 이사가 통상적으로 배후이사의 지시에 따라 행동을 할 때 이러한 자를 배후이사라고 규정하고 있다. 이러한 배후이사의 개념은 우리 상법상 제401조의1 제1항 제1호와 유사하다.[9]

3. 입 법 례

가. 영   국

영국 회사법 제251조[10)]에 의하면 배후이사란 회사의 이사가 통상적으로 배후이사의 지시(whose direction or instructions)에 따라 행동을 하도록 하는 자를

---

7) 김동근, "상법상 업무집행지시자 등의 책임,"「기업법연구」제9집(한국기업법학회, 2002), 554면.
8) 김동근, 전게논문, 555면.
9) 김동근, 상게논문, 556면.
10) Companies Act 2006 §251 "Shadow director"
   (1) In the Companies Acts "shadow director," in relation to a company, means a person in accordance with whose directions or instructions the directors of the company are accustomed to act.
   (2) A person is not to be regarded as a shadow director by reason only that the directors act on advice given by him in a professional capacity.
   (3) A body corporate is not to be regarded as a shadow director of any of its subsidiary companies for the purposes of −
   Chapter 2 (general duties of directors),
   Chapter 4 (transactions requiring members' approval), or
   Chapter 6 (contract with sole member who is also a director),
   by reason only that the directors of the subsidiary are accustomed to act in accordance with its directions or instructions.

말하는데(제1항) 그 지시가 전문적 조언일 때는 배후이사로 간주되지 않는다(제2항).[11]

여기에서의 배후이사는, 첫째 법률상 이사는 물론 사실상 이사도 포함하며 이사가 누구인가를 입증해야 하며, 둘째 이러한 이사에 대해 회사의 경영에 대하여 지시나 명령을 했으며, 셋째 이사들이 배후이사의 지시에 따라 움직였고, 그리고 이사들이 배후이사의 지시에 따라 행위하는 것이 관행화되어 있어야만 성립한다.[12]

나. 독   일

독일에서는 사실상 이사의 성립요건으로 어떠한 자가 사실상 이사의 업무를 집행하여야 하고, 회사가 그 외관을 작출했을 것을 요건으로 하고 있다. 이 때 회사는 하자있는 이사를 선임하여야 하는 것은 아니고 법률상 이사의 지위에 있지 아니한 자가 이사의 권한을 행사하고 있음을 알고 있으면 된다.[13] 독일주식법 제117조에서는 사실상 이사를 법률상 권한이 없는 자가 이사의 권한을 행사함으로써 불법행위책임자로서 다루기 때문에 이는 영향력행사자를 이사로 취급하는 영국의 배후이사법리와는 차이가 있다.[14]

다. 미   국

영국의 경우와 마찬가지로 미국에서도 사실상 이사의 법리가 존재한다. 미국 판례상 드러난 사실상 이사의 중요한 유형은 ① 이사인 자가 임기만료 후에도 동일한 지위에 있는 경우, ② 선임이나 임명에 관하여 하자가 존재하는 경우, ③ 부적격한 자가 선임된 후 자격을 상실한 경우 등이다. 이와 같이 사실상 이사로 인정된 자는 법률상 이사와 마찬가지로 취급되고, 법률상 이사와 동일한 권리·의무를 갖는다. 따라서 미국의 사실상 이사의 법리는 영국 회사법상의 사실상 이사와 마찬가지로 실질적으로 경영에 관여한 자의 책임과는 무관한 법리

---

11) 영국법상의 배후이사(그림자이사)에 관하여는 이중기, "영국법상의 그림자 이사(shadow directors)와 법인이사(corporate director) — 재벌의 규제에 어떻게 이용될 수 있는가," 「상사법연구」 제15집 제1호(한국상사법학회, 1996).
12) 이중기, 전계논문, 266면.
13) 김동근, 전계논문, 562면.
14) 김동근, 상계논문, 562면.

이다.[15]

한편 미국의 판례법에서는 경영에 실질적으로 관여한 자에게 지배주주의 회사 및 다른 주주에 대한 충실의무를 인정하고 있다.[16] 즉 지배주주를 이사에 준하는 것으로 보아 이사에 관한 문제를 해결하는 원칙인 주주의 충실의무를 경영에 실질적으로 간여한 자에게도 인정하여 문제를 해결한다는 점에서 사실상 이사의 법리와 궤를 같이 한다고 할 수 있다.[17]

4. 업무집행지시자 등의 책임의 성질

업무집행지시자 등을 이사처럼 간주하는 것은 책임을 인정하기 위하여서지만 그 인정근거에 대하여 불법행위책임설, 법정책임설, 기관책임설의 대립이 있다.

가. 불법행위책임설

제401조의2에 규정된 자들은 조직법상의 지위를 갖지 않은 자로서 회사에 대한 관계에서 임무해태라는 것을 생각할 수 없으므로 무권대행자와 표현이사의 업무집행자체가 불법행위를 구성하므로 불법행위책임을 진다는 견해이다.[18] 그 근거로는, 첫째 제401조의2가 업무집행지시자 등을 이사로 본다고 규정하고 있으나 이는 법률상 이사가 아닌 업무집행지시자 등도 이사의 손해배상책임에 상응하는 정도의 책임을 진다는 의미에 불과하고, 업무집행관여행위로 인하여 이사가 아닌 자가 이사로 되는 것은 아니며, 둘째 제1항의 "그 지시하거나 집행한 업무에 관하여"라는 법문 때문에 업무집행지시자 등에 관하여는 감시의무위반에 대한 책임을 인정할 수 없는데, 만일 본조가 업무집행지시자 등에게 이사의 지위를 부여한 것이라면 업무집행지시자 등에게 감시의무를 면제시켜 줄 이유가 없다는 점에 있다.[19]

---

15) 서태경, "상법상 업무집행관여자의 민·형사책임에 관한 연구"(한양대학교 박사학위논문, 2007), 27면.

16) André Tunc, C. M. Schmitthoff & F. Wooldridge(eds.), 「Group of Companies」, 1991, p. 10

17) 정승욱, "업무집행관여자의 책임," 「상사법연구」 제17권 제2호(한국상사법학회, 1998), 270면.

18) 이철송, 전게서 1, 827면.

19) 정승욱, 전게논문, 273~274면.

나. 법정책임설[20]

업무집행지시자 등이 지시하거나 집행한 업무로 인하여 회사에 손해가 발생한 경우에 이들에게 특별히 인정한 법정책임이라는 견해이다.

이 견해에 따르면 법리적으로는 이사와 대표이사를 제외하고는 회사의 업무를 집행할 수도 없고 집행하여서도 안 된다. 따라서 원래 업무집행지시자 등의 회사활동에 관한 의무 내지 임무는 '회사의 업무에 관여하지 않아야 할' 의무이다. 이러한 부작위의무에 위반하여 그 위반행위 자체에 대하여 법률적 평가를 내릴 수 있을 뿐이고, 부작위의무에 위반하여 무엇인가 위법한 행위를 한 경우에 기왕 위법한 행위를 하더라도 그 위법행위로 인한 손해가 발생하지 않도록 행위를 할 의무를 부과시키는 것이 논리적으로 가능한지 의문이다. 상법 제399조 제1항의 법령이나 정관은 법률상 이사나 주주만을 구속할 뿐이지 그러한 범주 밖에 있는 자에게까지 구속력이 있을 수 없다. 또한 상법 제401조 제1항이 말하는 '임무'는 회사의 이사로서 행하거나 행하여야 하는 업무집행상의 임무를 칭한다. 그와 같은 의무가 이사가 아닌 자에게 당연히 있다고 볼 수는 없는 일이다. 이러한 논리적 어려움이 법개정을 통하여 업무집행지시자 등의 책임을 묻는 규정을 둠으로써 해결된 것으로 업무집행지시자 등에게 이사로서의 권한은 전혀 인정하지 않고 그들이 회사의 경영에 관여하였을 경우에는 적어도 관여한 경영행위에 관하여는 법률상 이사와 동일한 의무(선관주의의무 및 충실의무)를 부담함을 전제로 해서 그 의무위반에 대한 책임을 물을 때에만 이사처럼 여기겠다는 취지라는 것이다.

다. 기관책임설

기관책임설에 의하면 업무집행지시자 등의 책임은 이사의 책임과 같은 성질의 것으로 이사의 지위에 기한 기관으로서의 책임이라고 설명된다.[21] 업무집행지시자가 법적으로 계속적인 이사의 지위를 가지는 것은 아니지만 영향력 행사

---

20) 이상훈 "업무집행지시자등의 책임," 「21세기 상사법의 전개(하촌정동윤선생화갑기념)」(법문사, 1999. 6.).

21) 최기원, 「상법학신론(상)」(박영사, 2003), 623면; 정동윤, 「회사법」(법문사, 2001), 965면; 손주찬, 「상법(상)」(박영사, 2003), 812면.

를 할 때에는 이사의 지위를 가진다는 것이고 그 책임을 인정하기 위하여는 업무집행자의 지시가 임무해태에 해당해야 한다. 즉 기관책임설은 회사와 실질상 이사와의 위임계약이 업무집행관여라는 사실로부터 의제되기 때문에 업무집행관여자가 이사로서의 지위를 부여받은 것이라고 설명하며 그 책임의 성격은 채무불이행책임이라고 본다. 또한 업무집행지시자에게 감시의무를 면제한 것은 이사가 아니기 때문이 아니라 회사에 대한 영향력을 행사할 수 있는 자의 경영간섭을 방지하자는 정책적 판단을 중요하게 여기기 때문이라고 설명하고 있다.[22]

라. 결

상법 제401조의2의 입법취지가 법률상의 이사는 아니지만 사실상 기업의 총수들에게 기업의 부실경영에 따른 책임을 부담시킴으로써 기업경영진의 부당한 행동을 엄격히 규율하고 기업경영의 투명성을 제고시키는데 있다고 볼 때 업무집행지시자 등에게도 위임계약관계를 의제하여 법률상 이사의 의무인 선관주의의무와 충실의무를 부담시킬 필요가 있다. 따라서 업무집행지시자 등의 지시 또는 업무집행이 이러한 의무를 위반하였을 경우 업무집행지시자 등의 임무해태가 되고, 이에 대한 책임을 업무집행지시자 등도 부담해야 할 것이기 때문에 기관책임설을 인정하는 것이 회사 또는 제3자 보호에 더 유리할 것으로 보인다.[23] 그러나 제399조 책임규정은 손해배상책임을 주장하는 자가 이사의 임무해태 입증책임을 부담하고 있어서 업무집행자의 책임을 기관책임설로 보던지 아니면 불법행위책임설로 봐도 크게 다르지 않다. 즉 불법행위책임설과 기관책임설은 업무집행지시자의 해태를 요하는지 등 요건에 차이가 있는 것처럼 보이지만 실제적인 차이는 없다.[24] 업무집행지시자의 책임을 기관책임설을 보는 입장에서도 실질상의 이사는 기관으로서가 아니라 기관구성원으로서의 책임을 부담한다고 보는 견해도 있다.[25]

---

22) 정승욱, 전게논문, 274면.
23) 김동근, 전게논문, 576면.
24) 송옥렬, 「상법강의」 제11판(홍문사, 2021), 1097면.
25) 최준선, 전게서, 573면.

5. 책임의 주체

가. 업무집행지시자

회사에 대한 자신의 영향력을 이용하여 이사에게 업무집행을 지시한 자는 그 지시한 업무에 관하여 이사로 본다(제401조의2 제1항 제1호). 실질적인 이사로서 업무 집행의 주체가 되면서도 기관으로서 법적 책임을 지지 않는 자를 회사법상 책임을 부담하게 하려고 이사로 의제하는 것이다.[26]

1) 회사에 대한 영향력

영향력이란 타인이 어떠한 의사결정을 함에 있어 그 의사결정의 대상이 되는 이해관계와 무관한 동기에 입각하여 그 타인으로 하여금 자신이 의도하는 바대로 의사결정을 하게 할 수 있는 사실상의 힘을 말한다.[27] 업무집행지시자는 회사에 대한 영향력[28]을 가지고 있어야 하며 단지 이사 개인에 대하여 개인적인 영향력을 행사하는 것은 이에 해당하지 않는다. 특정인이 회사에 대하여 이러한 영향력을 가질 수 있는 전형적인 경우는 지배주식을 보유한 지배주주의 경우가 있으며, 영향력을 행사하는 자는 자연인에 한하지 아니하고 지배회사 등 법인을 포함한다.[29] 판례에 의하면 지배적 지분을 가진 회사도 영향력의 보유자가 될 수 있으며,[30] 이외에도 회사의 모회사도 주주총회 이외에서 사실상의 영향력을

---

26) 이철송, 전게서 1, 804면.
27) 이철송, 전게서 1, 824면.
28) 미국 증권법상에서는 controlling person이라는 용어를 사용하고 있는데 이는 제401조의2 업무집행지시자와 유사한 개념이라고 할 수 있다. 미국 증권거래위원회는 지배(control)의 개념을 증권의 소유, 계약 등을 통하여 직접 혹은 간접적으로 어떠한 자의 결정의 방향에 영향력을 행사할 수 있는 힘으로 규정하고 있다. 미국 증권거래법과 판례의 지배력의 개념에 관하여는 김병연, "미국 증권법상 부실공시에 대한 지배력을 가진 자(controlling person)의 책임," 「상사법연구」 제19권 제2호(한국상사법학회, 2000), 679~683면, 지배력을 가진 자의 책임규정의 근거에 관하여는 683~685면 참조.
29) 최준선, 전게서, 573면; 최기원, 전게서, 650면; 이철송, 전게서 1, 826면; 대법원 2006.8. 25. 2004다26119.
30) 대법원 2006.8.25. 2004다26119에 의하면 상법 제401조의2 제1항 제1호의 '업무집행지시자'에 법인이 해당되나, 회사채무의 단순한 이행지체는 상법 제401조에서 정한 임무해태행위가 아니므로 지배회사는 책임을 지지 않는다고 한다. 본 판례에서는 피고가 외환위기로 말미암은 PT&T(필리핀통신회사로서 KTPI에게 통신망확장공사를 발주함)의 지불유예선언 등을 미리 예견하였다는 사정을 인정할 아무런 근거가 없다고 판시하면서 이 사건에서 원심이 피고가 코리아텔레콤필리핀주식회사(피고가 100% 출자한 필리핀국 소재 자회사)에게

행사하는 경우에는 본조가 적용될 수 있다. 영향력의 보유는 일시적인 영향력을 이용한 경우에도 본조가 적용된다.[31]

회사의 의사결정에 영향력을 가지는 것은 비단 지배주주뿐만이 아니라 나아가 주거래은행[32]·노동조합·도급업체 등을 생각할 수 있고, 정치적인 영향력을 고려하여 볼 때 정부, 국회의원도 회사에 대하여 그 영향력을 행사할 수 있다.[33]그러나 입법배경을 살펴볼 때 지배주주를 대상으로 한 것이므로 회사 밖에서 영향력을 행사하는 자들은 본조의 업무집행지시자에 해당하지 않는다고 한다.[34]

업무집행지시자가 회사에 대한 영향력을 행사하는 전형적인 예는 다수의 주식을 보유한 지배주주가 주주총회를 지배하여 선임한 이사를 통하여 간접적으로 회사의 경영에 영향력을 행사하는 것을 말한다. 따라서 지배주주가 주주총회에서 의결권의 행사를 통하여 영향력을 행사하는 것은 정당한 주주권 행사이므로[35] 이를 통하여 지배주주가 사익을 추구하더라도 업무집행지시자로서의 책임을 묻기는 어렵다.[36] 우리나라에서는 미국에서의 폐쇄회사나 지배권 양도 상황에 있어서의 지배주주의 충실의무 법리를 아직 도입하지 않았으므로 주주총회의 정당한 의결권 행사를 통한 지배권 남용은 제401조의2에 의하여 통제되지 않는다.[37]

2) 업무집행의 지시

본조는 회사에 대하여 영향력을 가진 자가 그 영향력을 이용하여 회사의 이사 또는 대표이사에게 업무집행을 지시함을 그 요건으로 한다.[38][39] 영향력의

사실상 체이스론 인출제한 지시를 한 것이 위법한 업무집행지시라고 볼 수 없다고 하였다.

31) 이철송, 상게서 1, 826면.

32) 계약관계에 있는 권리자를 업무집행지시자로 판단하는 경우에는 주의해야 한다고 한다. 계약의 당사자가 상대방인 회사에 대해 그 권리행사를 하는 것은 인정되기 때문이다. 김건식·노혁준·천경훈, 「회사법」 제5판(박영사, 2021), 503면.

33) 이철송, 전게서 1, 824면; 송옥렬, 전게서, 1097면.

34) 송옥렬, 전게서, 1097면; 최준선, 전게서, 573~574면.

35) 독일은 2005년 이전에는 독일주식법 제117조 제7항에서 정당한 의결권의 행사에는 영향력 행사자의 규정을 적용하지 않는다고 하였으나 2005년 개정으로 인하여 이 조항은 삭제되었다. 따라서 독일의 경우 주주의 의결권행사도 영향력행사로 볼 여지가 있다. 이철송, 전게서 1, 824~825면.

36) 송옥렬, 전게서, 1097면; 최준선, 전게서, 573면.

37) 송옥렬, 전게서, 1098면.

38) 법원은 한화투자증권이 보유하던 대한생명(현 한화생명)의 콜옵션을 주식회사 한화 등에

행사는 일반인을 표준으로 하여 같은 상황에 처해있는 경우 이를 거부하기 어려운 지시로 해석하여야 하지만 폭력과 협박 같은 물리력 또는 심리적 위협을 요하지는 않는다.[40) 직접적 영향력 행사뿐만 아니라 간접적 영향력 행사도 본조에 적용된다. 또한 본조는 사익추구를 명문으로 규정하고 있지 않기 때문에 영향력을 가진 자가 영향력을 행사함에 있어서 반드시 자신의 사익을 추구할 것을 요건으로 하지 않는다.[41)

업무집행지시의 상대방은 대표이사나 이사이나 등기되지 아니한 이사, 지배인, 부장, 과장 기타 사용인에 대한 지시도 이에 해당한다는 것이 일반적인 견해이다.[42) 즉 그 지시는 통상적인 것이든 그 구체적인 업무에 관한 것이든 묻지 않으며, 이사에게 직접 지시한 경우는 물론 그 직원을 통해서 간접적으로 이

무상으로 양도하여 회사가 손해를 입은 것에 대해 한화그룹 회장인 김승연에게 상법 제401조의2 '업무집행지시자'로서 배상책임을 물은 주주대표소송에서 지시를 입증할 증거가 부족하다는 취지로 책임을 인정하지 않았다(서울남부지법 2014가합101300). 재판부는 상법 제401조의2 업무집행지시자는 그가 지시하거나 집행한 업무에 관하여 이사와 동일하게 회사 및 제3자에 대하여 책임을 지고, 실제로 개별 업무에 관여하였는지와 무관하게 업무집행지시자의 지위 자체만으로 손해배상책임을 부담한다고 볼 수 없다고 하였다. 김승연회장이 한화그룹 회장으로서 각 계열사에 영향력을 행사하고 있더라도, 무상양도를 지시했다고 인정할 증거가 없다고 판단하였다.

　반면 동일 사건에서 당시 한화투자증권의 이사가 아닌 한화그룹 경영기획실 재무팀장에 대한 판단에서는 이 사건 콜옵션이 재산적 가치가 있음에도 회사의 대표이사에게 주식회사 한화에게 무상으로 양도할 것을 요청하여 콜옵션이 주식회사 한화에게 무상으로 양도되는 손해가 발생하였다고 보아 상법 제401조의2를 적용하여 업무집행지시자의 책임을 인정했다.

39) 2017년 정부가 제소한 구상금청구소송에서 제1심 재판부는 피고(유대균)이 회사에 대한 자신의 영향력을 이용하여 청해진해운의 이사에게 업무집행지시를 하였는지에 대한 판단에서 피고가 실질적으로 청해진해운의 대주주의 지위에 있었던 사실을 인정하였지만 청해진해운의 경영 관련 업무집행지시를 하였다는 점은 인정하지 않았다(서울중앙지방법원 2015가합561354).

　반면 2018년 서울중앙지법 민사합의부는 유병언 전 세모그룹 회장에 대해 "유 전 회장은 청해진해운의 세월호 증·개축 및 운항과 관련해 업무집행을 지시한 자"라면서 손해배상책임을 인정하였지만 소송 대상이 된 부동산이 유 전 회장이 피고들에게 계약명의신탁을 한 것이라고 인정하기 부족하다는 점을 들어 정부의 청구를 인정하지 않았다. 법원의 판결로 보아 유병언 전 세모그룹회장에 대해서는 업무집행지시자로서의 손해배상책임을 인정한 것으로 해석된다. 중앙일보, "정부, 故유병언 측에 세월호 수습비용 청구했지만 패소," 2018. 7. 9.(인터넷판).

40) 독일의 경우 영향력의 행사를 교사로 이해하고 있다. 이철송, 전게서, 826면.

41) 이철송, 전게서 1, 827면.

42) 손주찬, 전게서, 815면; 정동윤, 전게서, 459면. 독일주식법 제117조 제1항은 이사 이외에 감사, 지배인 및 사용인에 대한 영향력의 행사까지 명문으로 규정하고 있다. 이와 같이 이사와 상업사용인을 동일하게 취급하는 것은 주식회사의 기관과 상업사용인을 같이 취급하여 어색하고 적용범위를 광범위하게 넓힘으로써 부작용이 있다는 이유로 반대하는 견해가 있다. 박명서, 「지배주주의 책임에 관한 연구」(조선대 박사학위논문, 1994), 193면.

사에게 전달한 경우에도 업무집행의 지시가 인정된다. 업무집행지시의 내용은 종업원의 고용, 자금조달, 원자재의 구매, 제품의 제조 및 판매 등 회사의 영업을 위하여 하는 모든 행위로서 회사의 목적을 달성하기 위하여 직접 또는 간접으로 관련되는 모든 업무처리를 말한다.

지시행위가 통상적이거나 관행적이어야 하는지에 대해서는 견해가 대립된다. 우선 지시행위가 통상적이거나 관행적일 것을 요구하지 않는다는 견해는 제401조의2 제1항 제1호에 있어서의 지시행위는 이러한 지시행위가 통상적일 것을 요구하는 영국회사법 제741조 제2항과 달리 "그 지시하거나 집행한 업무에 관하여"라고 규정하고 있으므로 지시가 통상적이나 관행적이 아닌 경우에도 지시개념에 포함된다고 본다.[43] 그러나 이러한 지시에 영향력행사가 전제되어 있음을 감안하면 1회의 우연한 지시만으로는 영향력을 인정하기는 부족할 것이다.[44] 따라서 그 지시는 원칙적으로 통상적이고 관행적이어야 하며 1회성 지시는 이에 해당하지 않는다고 보는 것이 타당하다.[45]

다만 회사에 대하여 영향력을 가지고 있는 자가 단순히 그 업무집행에 관하여 조언하고 그 처리방향에 대하여 자신의 의견을 표명한 것은 지시에 해당하지 않고 적극적으로 부당하게 자신의 지시에 따라 업무집행을 하도록 한 경우에 업무집행지시자로서 책임을 진다.[46]

3) 이사의 업무집행

업무집행지시자의 영향력 행사에 복종하여 이사가 업무를 집행하였어야 하고 그 집행이 이사의 임무해태에 해당하여 회사 또는 제3자에게 손해를 발생하게 하여 제399조와 제401조가 규정한 요건을 충족하여 이사의 책임을 발생하게 하였어야 한다.[47] 이사의 업무집행에는 대내적 업무뿐만 아니라 대외적 업무도 포함된다.[48] 다만 정관변경·영업양도·합병·조직변경·해산 등의 영업의 조직 자체를 변경하는 행위도 업무집행에 포함되는지에 대해 견해가 대립한다. 영업

---

43) 정승욱, 전게논문, 280면; 김동근, 전게논문, 254면.
44) 정동윤, 전게서, 459면.
45) 박길준, 전게서, 59면; 최준선, 전게서, 574면.
46) 박길준, 상게서, 59면. 영국 2006 회사법 §251(2)에서도 이와 같은 내용을 규정하여 이러한 경우에는 배후이사로 보지 않는다.
47) 최준선, 전게서, 574면.
48) 이철송, 전게서 1, 827면.

의 조직자체를 변경하는 행위도 업무집행의 범위에 속한다고 보는 견해는 회사의 업무집행은 회사 또는 제3자의 이해에 영향을 미치는 영업상 또는 영업외 모든 경영활동을 의미하는 것이라는 점을 근거로 하고 있다.[49] 그러나 이들 행위는 주주총회의 특별결의사항으로서 이사가 독자적으로 할 수 있는 것이 아니어서 업무집행에 포함되지 않는다는 견해가 타당하다.[50]

4) 이사의 책임발생

회사에 대하여 영향력 행사한 자의 지시에 따라 업무집행한 이사가 임무를 해태하고 회사 또는 제3자에게 손해를 발생하게 하여 제399조 또는 제401조의 요건을 충족하여야 한다. 이사의 업무집행이 정당하여 이사의 책임이 발생하지 않는 경우에는 영향력행사자가 책임을 부담하지 않는다.[51]

나. 무권대행자

제401조의2 제1항 제2호는 업무집행지시자가 이사의 이름으로 직접 업무를 집행한 경우를 규정하고 있는데 이를 "무권대행자"라고도 한다.[52] 법문에는 무권대행자의 영향력 행사를 명문으로 규정하고 있지 않으나 상법 제401조의2의 입법취지와 책임주체의 지나친 확대방지라는 측면에서[53] 제1호의 업무집행지시자로서의 요건을 충족한 자가 이사에게 지시하지 않고 자신이 이사의 이름으로 직접 업무를 집행한 경우를 의미한다.[54]

이러한 무권대행자는 이사 등에 대한 지시를 통하여 회사의 업무에 대한 간접적 관여가 아니라 본인이 직접 업무를 집행한다는 점에서 제1호의 업무집행지시자와 차이가 있다. 또한 제3호의 표현이사와 비교했을 때 본인이 직접 업무를 집행한다는 점은 같지만, 무권대행자의 경우에는 집행자와 명의자가 일치하지 않는다는 점이 다르다.[55]

무권대행자와는 별도로 명목상의 이사도 책임을 진다. 이때 양자는 연대책임

---

49) 최기원, 전게서, 701면; 정승욱, 전게논문, 279면.
50) 정동윤, 상게서, 459면; 최준선, 전게서, 574면.
51) 이철송, 전게서 1, 826면.
52) 이철송, 전게서, 827면.
53) 권기범, 전게서, 738면.
54) 대법원 2009.11.26. 2009다39240.
55) 서태경, 전게논문, 39면.

을 진다.56) 판례 역시 "대표이사가 그 업무일체를 다른 이사 등에게 위임하고, 대표이사로서의 직무를 전혀 집행하지 않는 것이 직무상 충실 및 선관의무를 위반하는 행위에 해당한다"고 판시하였다.57) 대규모 기업집단의 경우 제1호의 업무집행지시자로서 회사 업무집행에 관여하지만 그렇지 않은 회사의 경우엔 제2호의 무권대행의 형태로 회사 업무집행을 할 수 있을 것이다.58)

다. 표현이사

1) 의 의

제3호는 이사가 아니면서 명예회장, 회장, 사장, 부사장, 전무, 상무, 이사 기타 회사의 업무를 집행할 권한이 있는 것으로 인정될 만한 명칭을 사용하여 업무를 집행한 자를 이사로 보고 책임을 추궁한다(제401조의2 제1항 제3호).59)

여기서 명예회장 등의 명칭을 사용하여 업무를 집행하는 자를 표현이사라고 부르는 것이 일반적인데, 업무집행의 법적 근거 유무라든가 법적근거가 있는 경우에 그 구체적인 법률관계가 위임인지 고용인지 아니면 단순한 대리권 수여인지 여부는 묻지 아니한다.60)

2) 표현대표이사와의 구별

표현이사와 표현대표이사를 혼동할 수 있는데 양자의 차이점은 다음과 같다. 제395조의 표현대표이사는 회사에 책임을 묻기 위한 제도이므로 책임주체가 표현대표이사 개인이 아니라 회사인 반면 표현이사는 책임주체가 그 개인이다. 표현대표이사에게는 회사가 책임주체이므로 대표소송을 제기할 수 없지만 표현이사에게는 대표소송을 제기할 수 있다.61) 표현이사의 책임을 추궁하는 주체는 제3자이지만 표현대표이사의 책임을 묻는 주체는 제3자 및 회사이다.

표현이사제도의 인정근거는 실질적 업무집행자가 법적 책임을 회피하는 것을 방지하기 위한 제도이므로 제3자가 외관을 신뢰할 것을 요건으로 하지 않는다.

---

56) 최준선, 전게서, 575면.
57) 대법원 2003.4.11. 2002다70044.
58) 송옥렬, 전게서, 1098~1099면.
59) 기타 회사의 업무를 집행할 권한이 있는 것으로 인정될 만한 명칭에는 그룹기획조정실장, 그룹비서실장 등도 포함한다. 최준선, 전게서, 575면; 손주찬, 전게서, 816면.
60) 권기범, 전게서, 740면.
61) 송옥렬, 전게서, 1099면.

반면 표현대표이사는 외관신뢰의 보호를 인정근거로 하는 거래의 효력에 관한 제도이므로 제3자의 외관신뢰를 그 요건으로 한다.

표현이사는 외관법리에 근거한 것이 아니므로 외관의 형성에 대한 회사의 귀책사유나 제3자 외관신뢰는 표현이사의 책임을 인정하는 데 있어서 그 요건이 아니다. 따라서 표현이사에 있어서는 회사가 표현이사 명칭 사용을 허락하는 등 외관작출을 요건으로 하지 않는다. 이사선임의 결의가 취소 또는 무효가 된 경우 이사로 선임되어 직무를 수행한 자에게는 제401조의2 제3호가 적용되지 않는다.[62)]

3) 요 건

표현이사의 책임을 묻는 데에는 영향력행사라는 요건을 필요로 하지 않는다. 예시한 명칭 자체가 영향력행사의 결과이기 때문이다. 판례 역시 "상법 제399조·제401조·제403조의 적용에 있어 이사로 의제되는 자에 관하여, 상법 제401조의2 제1항 제1호는 '회사에 대한 자신의 영향력을 이용하여 이사에게 업무집행을 지시한 자', 제2호는 '이사의 이름으로 직접 업무를 집행한 자', 제3호는 '이사가 아니면서 명예회장·회장·사장·부사장·전무·상무·이사 기타 업무를 집행할 권한이 있는 것으로 인정될 만한 명칭을 사용하여 회사의 업무를 집행한 자'라고 규정하고 있는바, 제1호 및 제2호는 회사에 대해 영향력을 가진 자를 전제로 하고 있으나, 제3호는 직명 자체에 업무집행권이 표상되어 있기 때문에 그에 더하여 회사에 대해 영향력을 가진 자일 것까지 요건으로 하고 있는 것은 아니다"라고 판시하였다.[63)]

표현이사는 전무·상무 등 명칭을 사용한 자에게 이사와 동등한 책임을 지게 하는 것이므로 이사와 동등한 권한이 있을 것을 요건으로 하지 않는다. 하급심 판례에서도 "상법 제401조의2 제1항 제3호는 실제 사용되는 직명에 착안하여 이사가 아닌 자가 그 자체로 업무집행권한이 표상되는 직명을 사용하여 회사 업무를 집행하는 경우 그자에 대해서는 이사로 간주하여 이사와 동등한 책임을 부과시키려는 것이므로, 위 피고들이 상무나 전무로서 원고 회사의 업무를 집행한 이상 위 피고들에게 이사와 동등한 정도의 의사결정권한이 있었는지 여부와는

---

62) 송옥렬, 전게서, 1099면; 최준선, 「회사법」 제13판(삼영사, 2018), 571면.
63) 대법원 2009.11.26. 2009다39240.

관계없이 상법 제401조의2 제1항 제3호의 적용대상이 된다고 봄이 상당하다. …"고 판시하였다.[64)]

6. 업무집행지시자 등의 책임의 내용

본 조의 요건을 충족할 경우 업무집행지시자 등은 상법 제399조, 제401조 및 제403조를 적용함에 있어서 이사로 간주하여 상법상의 책임을 지게 할 수 있다. 그런데, 업무집행지사자 등이 제401조의2 제1항 각호가 정하는 요건을 충족하였다고 하더라도 막바로 회사 또는 제3자에 대하여 손해배상책임을 지는 것은 아니며 단지 그 지시하거나 집행한 업무에 관하여 상법 제399조·제401조·제403조의 적용에 있어서 "정규이사와 동일하게 취급"되는 효과만을 발생시킬 뿐이다. 따라서 업무집행지사자 등이 손해배상책임을 지기 위하여는 다시 제399조 또는 제401조가 규정하는 요건을 충족시키지 않으면 안된다.[65)]

가. 회사에 대한 책임(제399조의 손해배상책임)

업무집행지시자 등을 이사로 간주한다는 것은 업무집행지시자 등의 지시를 받은 이사의 업무집행으로 인하여 회사에 발생한 손해에 대하여 업무집행지시자 등에게도 손해배상책임을 부담시킨다는 의미다. 업무집행지시자 등의 경우 상법 상 회사의 기관이 아니므로 회사에 대한 의무를 부담하지 않고 따라서 회사에 대한 임무해태가 발생할 수 없다. 업무집행지시자 등의 지시를 받아 업무를 집행한 이사가 회사에 대한 임무해태를 하면 업무집행지시자 등의 책임이 발생한다.[66)] 이때 업무집행지시자 등의 지시로 업무를 집행한 이사도 연대하여 제399조의 책임을 진다. 업무집행지시자 등의 책임도 면제 또는 감경될 수 있는가에 관하여 본조는 제400조를 준용하지 않으므로 주주전원의 동의로도 업무집행지시자 등의 책임을 면제하지 못한다는 견해도 있으나,[67)] 이사의 책임이 감경 또

---

64) 서울중앙지방법원 2009.1.9. 2006가합78171.
65) 권기범, 전게서, 741면.
66) 이철송, 전게서 1, 826면.
67) 독일은 명문으로 업무집행관여자의 책임 면제결의를 허용한다(AktG §117 Absatz 4 Satz 3). 이철송, 전게서 1, 826면. 이 경우 민법 제506조에 의한 일반 채무면제 절차에 의하여 면제할 수 있다.

는 면제가 되는 것을 고려할 때 이사로 간주되는 자의 책임도 감경 또는 면제하는 것이 형평성에 부합하고 제400조는 제399조를 준용한 것에 수반된다고 보는 견해가 타당하다.[68] 업무집행지시자 등은 손해배상책임만을 부담하는 것에 비해 상법상 이사는 회사에 대하여 자본충실책임(제482조)과 손해배상책임을 진다. 또한 이사회출석권·의결권이 없는 업무집행지시자 등에게는 제399조 제2항 및 제3항이 적용될 여지가 없다.[69]

나. 제3자에 대한 책임(제401조의 책임)

업무집행지시자 등의 제3자에 대한 책임 역시 그 내용, 성질 등은 이사의 제3자에 대한 책임과 같다. 지시받은 이사의 업무집행에 관하여 그 이사가 제3자에 대하여 손해배상을 부담할 경우 업무집행지시자 등도 연대하여 책임을 부담하는데 이 때 업무집행지시자 등의 임무해태를 요건으로 하지 않는다.[70]

IX. 집행임원 　　　　　　　　정 찬 형*

1. 서 설

2011년 4월 개정상법은 제408조의2부터 제408조의9까지 규정을 신설하여 집행임원에 관한 규정을 최초로 신설하게 되었는데, 집행임원에 관한 규정을 신설하게 된 취지와 집행임원에 관한 외국의 입법례를 먼저 살펴보겠다.

가. 집행임원에 관한 규정의 입법 취지

2011년 개정상법이 제408조의2부터 제408조의9까지의 집행임원에 관한 규정을 신설하게 된 취지는 다음과 같다.[1]

---

68) 송옥렬, 전게서, 1100면. 이 견해는 또한 집행임원을 규정하는 제408조의9에서 명시적으로 제400조를 준용하는 것을 근거로 하고 있다.
69) 권기범, 전게서, 742면.
70) 이철송, 전게서 1, 827면.
 * 고려대학교 법학전문대학원 명예교수
 1) 이에 관하여는 정찬형, "회사법 개정안 해설자료"(이는 2007년 7월 2일 법무부〈법무심의관

1) IMF 경제체제 이후 사외이사제도를 강제로 도입함(특히 직전 사업연도 말 자산총액이 2조원 이상인 주식회사의 경우 사외이사를 3인 이상 및 과반수를 두도록 함 - 종래의 증권거래법 제191조의16 제1항 단서)에 따라 사외이사를 최소화할 목적으로 이사수를 대폭 축소하고[2] 실무에서 정관 또는 내규 등으로 (실무)집행임원을 사실상 두고 있었는데,[3] 이러한 집행임원에 관한 규정이 상법 또는 특별법에는 없어서 실무와 상법 등의 규정에 흠결이 발생하여 많은 문제가 발생하였다.

2) 실무에서도 많이 이용하고 있는 이러한 집행임원은 (이에 관한 규정이 상법 등에 없어) 등기도 되지 않고 또한 주주총회에서 선임되지도 않는다는 이유로 (집행임원이 사실상 종래의 이사의 업무를 수행함에도 불구하고) 우리 대법원판례[4]는 계속하여 집행임원을 고용계약에 의한 근로자라고 판시함으로써, 이는 현실과 너무 다름은 물론 이로 인하여 실무에서 많은 어려운 문제가 발생하여 집행임원제도 도입에 관한 상법개정 관련 건의서를 법무부에 제출하였다(법무법인 세종, 2005).

실, 상사팀〉의 집필 요청에 의하여 집필하여 동년 8월 10일 법무부에 제출한 내용임), 23~25면; 법무부(편), 「상법 회사편 해설(2011년 개정내용)」(법무부, 2012. 4.), 251~253면 등 참조.

2) 이와 같이 사외이사를 두는 것을 최소화하는 것은 참여형 이사회제도에서 사외이사가 회사의 의사를 결정하는 이사회에 매번 참여함으로써 사외이사의 기업정보에 대한 대외유출을 우려하고, 사외이사로 인한 이사회의 의사결정 지연 및 비용부담의 증가를 우려하기 때문이다[동지: 양동석, "임원제도도입에 따른 법적 문제," 「상사법연구」 제20권 제2호(한국상사법학회, 2001), 113~114면].

3) 예컨대 POSCO는 2002. 3. 20. 이사회 결정사항 및 경영상의 중요사항의 집행을 위하여 임기 2년 이내의 '집행임원'에 관한 규정을 정관 제46조에 신설하여, 집행임원에 관한 근거규정을 두었다.

[POSCO정관 제46조(집행임원)]
① 회사는 이사회의 결정사항 및 경영상의 중요사항의 집행을 위하여 집행임원을 둔다.
② 집행임원은 대표이사 회장이 임명한다. 다만, 이사회가 정하는 주요 직책에 집행임원을 임명할 경우에는 이사회의 승인을 받아야 한다.
③ 집행임원은 부사장, 전무, 상무로 구분하며, 그 보수와 성과금은 이사회에서 정하고 퇴직금은 주주총회에서 승인된 이사퇴직금규정의 부사장, 전무이사, 상무이사의 퇴직금기준에 의한다.
④ 집행임원의 업무분담에 관하여는 대표이사 회장이 정한다.
⑤ 집행임원의 임기는 2년 이내로 한다. 다만, 제34조 단서조항을 준용할 수 있다.
  또한 현대자동차는 정관 제29조의4에서 '경영진'에 대하여 규정하여, 집행임원에 관한 근거규정을 두었다.

[현대자동차 정관 제29조의4(경영진)]
① 회사는 이사회의 의결사항을 집행하기 위하여 경영진을 둔다.
② 경영진에 관한 사항은 별도의 이사회 규정으로 정한다.

4) 대법원 2003.9.26. 2002다64681; 2005.5.27. 2005두524.

3) 사실상 종래의 이사의 직무를 수행하고 있는 집행임원의 지위·권한·의무·책임 등에 관한 규정이 없어, 많은 문제가 발생하였다. 특히 집행임원에 대한 의무·책임에 관한 규정이 없어 집행임원과 거래하는 제3자의 보호에 문제가 있었다(회사의 내규에서는 이에 관하여는 거의 규정하지 않을 뿐만 아니라, 규정한다 하더라도 제3자에 대한 구속력이 없다).

4) 대규모 주식회사의 경우 이사회의 감독기능을 강화하기 위하여 종래의 증권거래법 등 특별법에 의하여 사외이사를 강제로 두도록 하였으면 이러한 이사회는 사외이사 중심으로 감독기능에 충실하도록 하고 이와 분리된 업무집행기관(집행임원)에 대하여 입법을 하였어야 했는데, 종래의 증권거래법 등은 업무집행기관(집행임원)에 대하여 규정을 두지 않아서 사외이사 중심의 이사회가 업무집행기능도 담당하므로(제393조 제1항)(참여형 이사회제도) 이사회의 감독기능 및 사외이사의 기능이 유명무실하게 되었다. 따라서 업무집행기관에 대한 감독기능을 담당하는 이사회와 업무집행기능을 담당하는 집행임원을 분리하여 실효성 있는 감독기능을 수행할 수 있도록 하고 또한 사외이사가 본래의 기능을 회복할 수 있도록 할 필요가 있었다. 이러한 점에서 학계에서도 많은 분들이 집행임원제도의 입법을 건의하였다.[5]

5) IMF경제체제가 발생한 이후, 금융위원회가 금융산업의 경쟁력 제고의 일환으로 금융관계법을 개정하여 사외이사제도의 도입 및 이사회내의 사외이사의 비율 강화, 일정 규모 이상의 금융기관에 감사위원회의 설치를 의무화하였고, 금융기관의 경영지배구조를 이사회와 집행임원으로 이원화할 것을 적극 권고함에 따라 대부분의 금융기관에서 집행임원제도를 도입하였다. IMF경제체제 이후 모든 금융기관의 지배구조를 감독기관으로서의 이사회와 집행기관으로서의 집행임원으로 이원화하겠다는 금융감독원의 기본정책에 따른 결과, 국민은행·제일

---

5) 강희갑, 「회사지배구조론」(명지대 출판부, 2004); 양동석, 전게논문(상사법연구 제20권 제2호); 전우현, "주식회사 감사위원회제도의 개선에 관한 일고찰 – 집행임원제 필요성에 관한 검토의 부가," 「상사법연구」 제23권 제3호(한국상사법학회, 2004); 양만식, "집행임원제도의 도입에 따른 지배구조의 전개," 「상사법연구」 제24권 제1호(한국상사법학회, 2005); 정찬형, "한국 주식회사에서의 집행임원에 대한 연구," 「고려법학」 제43호(고려대 법학연구원, 2004); 동, "주식회사 지배구조 관련 개정의견," 「상사법연구」 제24권 제2호(한국상사법학회, 2005); 원동욱, "주식회사 이사회의 기능변화에 따른 집행임원제도의 도입에 관한 연구," 법학박사학위논문(고려대, 2006. 2.); 유진희, "우리나라 기업지배구조 개혁의 성과와 과제," 「상사법연구」 제20권 제2호(한국상사법학회, 2001); 서규영, "주식회사의 집행임원제도에 관한 연구," (고려대학교 법학박사학위논문, 2009. 8.) 외.

은행·신한은행 등 은행권의 경우에는 사외이사제도의 실시와 함께 대부분 '사업본부제'를 도입하면서 종전의 등기임원의 대부분을 사업본부의 본부장(집행임원)으로 전환하고, 다수의 사외이사를 선임함으로써 현재 은행의 이사회구조는 사내이사들이 이사회 구성원을 겸하고 있던 전통적 지배구조와 달리 이사회와 집행부가 완전히 분리되었다.[6]

6) 한국상장회사협의회는 2003. 2. 4. '상장회사 표준정관'을 개정하여 사실상의 이사로 운영되고 있는 비등기임원(사실상 집행임원-필자 주)을 "등기된 이사가 아니면서 전무이사, 상무이사 등에 준하여 회사의 업무를 집행하는 자(예컨대, 부사장·전무·상무·상무보 등)"로 정의하여, 비등기임원을 '집행임원'으로 표현하면서 정관상 회사조직으로 수용할 수 있는 근거조항(제34조의2)을 신설하였다. 또한 전국경제인연합회의 '주식회사 임직원 직명 경제계 권고안'에 의하면 "집행임원은 회장(Chairman), 부회장(Vice Chairman), 사장(President), 부사장(Senior Executive Vice President), 전무(Executive Vice President), 상무(Senior Vice President), 상무보(Vice President)이다"로 규정하여, 상법 등 법률에 규정이 없는 (사실상) 집행임원을 인정하고 있었다.[7] 따라서 한국상장회사협의회는 전체 상장회사의 78.2%가 집행임원을 두고 있는 점(2005. 7. 현재), 이사회는 중요의사결정 및 감독기능을 수행하여 집행임원의 업무집행기능과 분화되고 있는 점, 집행임원의 법적 지위·역할·책임 등에 관하여 법적 규정이 없어 신분상 불안·책임 유무 등에 대하여 많은 문제점이 발생하고 있는 점 등에서 집행임원의 법제화를 요구하였다(2005. 12.).

7) 비교법적으로 볼 때도 독일에서는 업무집행기관(이사회)과 업무감독기관(감사회)이 처음부터 분리되었고(중층제도), 미국에서는 초기에 참여형 이사회제도이었으나(단층제도) 근래에는 감독형 이사회제도를 많이 채택하여 독일의 중층제도와 유사하게 되었다. 따라서 오늘날은 업무집행기관과 업무감독기관을 분리하는 입법추세가 국제적인 기준이 되고 있다고 볼 수 있다. 미국에서 집행임원을 의무적으로 두도록 한 주법(州法)으로는 캘리포니아주[8]·델라웨어주[9] 등이 있고, 정관에 의하여 집행임원을 둘 수 있도록 한 주로는 뉴욕주[10] 등이 있다.

---

6) 법무부, 전게서(상법 회사편 해설), 251면 및 같은 면 주 139).
7) 정찬형, 전게논문(고려법학 제43호), 41면.
8) Cal. Corp. Code 제312조.
9) Del. Gen. Corp. Law 제142조.

미국법조협회(American Law Institute: ALI)가 1992년 3월 31일에 최종안으로 제안한 회사지배구조의 원칙(Principles of Corporate Governance: Analysis and Recommendation)에 의하면 일정규모 이상의 공개회사는 집행임원제도를 채택하도록 하고(동 원칙 3.01조), 개정모범회사법(Revised Model Business Corporation Act 2006: MBCA)도 회사는 집행임원을 두도록 하고 있다(동법 제8.40조 제(a)항). 프랑스의 2001년 개정상법에서도 회사의 전반적인 업무집행권은 회사의 선택에 따라 대표이사 또는 대표이사와는 다른 자인 집행임원이 행사할 수 있도록 하였다(프랑스 상법 제225-51-1조). 일본의 2005년 신회사법에서는 사외이사를 과반수로 한 위원회를 설치하는 위원회설치회사에서는 집행임원(執行役)을 의무적으로 두도록 하고 있고(일본 회사법 제402조 제1항), 2005년 개정된 중국 회사법도 주식회사에서는 집행임원(經理)을 의무적으로 두도록 하고 있다(중국 회사법 제114조 제1문).[11]

나. 집행임원에 관한 외국의 입법례

1) 미 국

미국의 입법례에 관하여는 미국법조협회가 1992년 3월 31일에 최종안으로 제안한 회사지배구조의 원칙(American Law Institute, Principles of Corporate Governance: Analysis and Recommendations, 이하 본문에서는 'ALI 원칙'으로 하고, 인용조문에서는 'ALI'로 약칭함)과 미국 변호사회 회사법위원회가 1946년 제정하고 그 후 수차례에 걸쳐 개정되었는데 2006년 개정한 모범사업회사법(Committee on Corporate Laws of American Bar Association, Model Business Corporation Act, 이하 'MBCA'로 약칭함)상의 규정을 소개하고, 주요 주법상 집행임원에 관한 규정을 소개하겠다.

가) ALI 원칙에 의하면 공개회사(publicly held corporation)의 업무집행은 이사회에 의해서 선임된 주요 상급집행임원(principal senior executive)에 의하여 또는 이들의 감독하에 수행되어야 하고, 또한 이사회나 주요 상급집행임원의 위임을 받은 기타 집행임원(other officer) 및 피용자에 의하여 수행되어야 한다[ALI

---

10) N.Y. Bus. Corp. Law 제715조.
11) 이에 관하여는 정찬형, 「상법강의(상)」 제24판(박영사, 2021), 957~958면(이하 단순한 인용면은 2021년 제24판에 의한 것임) 참조.

제3.01조]. 이 때 공개회사란 '최근 정기주주총회의 소집을 위한 기준일 현재 주주 수가 500명 이상이고 총 자산이 500만 달러 이상인 회사'를 말하고[ALI 제1.31조], 주요 상급집행임원이란 '대표집행임원(chief executive officer)·총무집행임원(operating executive officer)·재무집행임원(financial executive officer)·법률집행임원(legal executive officer)·회계집행임원(accounting executive officer)'을 말하며[ALI 제1.30조, 제1.27조 제(a)항], 기타 집행임원이란 '주요 상급집행임원이 아닌 자로서 이사 업무 이외의 정책결정기능을 수행하거나 이사의 보수를 초과하여 상당한 보수를 수령하는 이사회 의장, 일정한 단위부서(판매·관리·금융 등)에서 업무를 담당하는 부장(president)·재무(treasurer)·총무(secretary)·부부장(vice-president) 또는 부의장(vice-chairman) 및 기타 회사에 의하여 집행임원으로 선임된 자'를 말한다[ALI 제1.27조 제(b)항·제(c)항]. 또한 ALI 원칙에 의하면 공개회사의 이사회는 주요 상급집행임원을 선임하고, 정기적으로 평가하며, 그 보수를 정하고, 필요한 경우에는 해임할 수 있는 권한을 갖는다[ALI 제3.02조 제(a)항 제(1)호].

나) MBCA에 의하면 회사는 부속정관(bylaws)에 의하여 또는 부속정관에 따라 이사회에 의하여 선임된 집행임원을 두는데[MBCA 제8.40조 제(a)항], 이사회는 집행임원으로서 1인 이상의 개인을 선임할 수 있고 이와 같이 선임된 집행임원은 부속정관이나 이사회의 수권에 의하여 1인 이상의 다른 집행임원을 선임할 수 있다[MBCA 제8.40조 제(b)항]. 동일인이 회사에서 동시에 2 이상의 집행임원의 직무를 겸임할 수 있다[MBCA 제8.40조 제(d)항]. 집행임원은 언제든지 회사에 통지함으로써 사임할 수 있는데, 이러한 통지서에 사임일자를 지정하지 않는 한 통지서가 도달하였을 때에 사임의 효력이 발생한다[MBCA 제8.43조 제(a)항]. 이사회·집행임원을 선임한 집행임원 또는 정관이나 이사회에 의하여 수권된 다른 집행임원은 언제든지 이유가 있든 없든 상관 없이 집행임원을 해임할 수 있다[MBCA 제8.43조 제(b)항].

다) 미국의 주요 주(州)법상 집행임원에 대하여는 다음과 같이 규정하고 있다.

(1) 델라웨어주 회사법[Delaware General Corporation Law(2008. 8): Del. Gen. Corp. Law]

델라웨어주 회사법에 의하여 설립되는 모든 회사는 정관 또는 (정관에 저촉하지 않는) 이사회의 결의에 의하여 부여되는 권리와 의무를 갖는 집행임원을 두어야 한다(shall have such officers). 이러한 집행임원은 원칙적으로 회사의 모든 문서와 주권에 서명할 권한을 갖는다. 집행임원 중의 1인은 주주총회 및 이사회의 경과를 기록하고 이를 비치할 의무를 부담한다. 정관에 달리 규정하지 않으면 동일한 집행임원이 수 개의 집행임원의 직을 겸할 수 있다[동법 제142조 제(a)항].

집행임원은 정관·이사회 또는 기타 경영기구(other governing body)에서 정하는 방법으로 선임되고 또한 집행임원의 임기는 정관·이사회 또는 기타 경영기구가 정하는 바에 의한다. 모든 집행임원은 후임 집행임원이 선임되고 그 자격을 갖출 때까지 집행임원으로서의 직을 갖는데, 이는 집행임원이 임기 전에 사임하거나 해임된 경우에도 같다. 모든 집행임원은 언제든지 회사에 대한 서면의 통지를 함으로써 사임할 수 있다[동법 제142조 제(b)항].

모든 집행임원은 회사에 대하여 증서(bond) 등으로 충실(fidelity)을 담보할 수 있다[동법 제142조 제(c)항].

집행임원이 선임되지 못한 것이 회사의 해산사유가 되지 못하고 또한 그 밖에 회사에 어떠한 영향을 미치지 않는다[동법 제142조 제(d)항].

집행임원이 사망·사임·해임 또는 그 밖의 사유로 결원이 되면 회사는 정관에서 정한 바에 따라 이를 보충하여야 한다. 정관에 집행임원의 결원시 보충에 관한 규정이 없으면 이사회 또는 기타 경영기구가 집행임원의 결원을 보충하여야 한다[동법 제142조 제(e)항].

(2) 캘리포니아주 회사법[California Corporations Code(2008): Cal. Corp. Code]

회사는 이사회 의장이나 사장(president) 또는 양자, 총무(secretary), 대표회계집행임원(chief financial officer) 및 그 밖의 집행임원을 두어야 하는데(shall have such other officers), 이러한 집행임원은 정관 또는 이사회에서 정한 권리와 의무를 갖고, 회사의 문서와 주권에 서명할 권한을 갖는다. 사장이나 사장이 없는 경우 이사회 의장은 정관에 다른 규정이 없으면 회사의 총관리자(general manager) 겸 대표집행임원(chief executive officer)이다. 정관에 다른 규정이 없으면 동일 집행임원이 수 개의 집행임원의 직을 겸할 수 있다[동법 제312조 제(a)항].

정관에 다른 규정이 없으면 집행임원은 이사회에 의하여 선임되어야 하고 (shall be chosen by the board) 임용계약(contract of employment)에 의한 그의 권리를 이사회를 위하여 행사하여야 한다. 모든 집행임원은 그가 임용계약상의 권리를 침해받음이 없이 회사에 대한 서면통지에 의하여 언제든지 사임할 수 있다[동법 제312조 제(b)항].

　(3) 뉴욕주 회사법[New York Business Corporation Law(2006): N.Y. Bus. Corp. Law]

이사회는 사장(president), 1인 이상의 부사장(vice president), 총무(secretary) 및 재무(treasurer)를 선임하거나 임명할 수 있다(may elect or appoint a president ...). 그 밖의 집행임원은 이사회의 결의 또는 (부속)정관의 규정에 의하여 둘 수 있다[동법 제715조 제(a)항].

(기본)정관은 모든 집행임원 또는 특정한 집행임원은 이사회 대신에 주주총회에 의하여 선임되어야 한다고(shall be elected by the sharehoders) 규정할 수 있다[동법 제715조 제(b)항].

기본정관이나 부속정관에 달리 규정이 없으면 모든 집행임원은 정기주주총회에 이은 이사회의 회의시까지 그 직을 갖는데, 집행임원이 주주총회에 의하여 선임되는 경우에는 정기주주총회시까지 그 직을 갖는다[동법 제715조 제(c)항]. 또한 모든 집행임원은 후임자가 선임(지명)되고 그 자격을 갖출 때까지 그 직을 갖는다[동법 제715조 제(d)항].

동일인이 두 개 이상의 집행임원의 직을 겸할 수 있고, 1인 주주는 집행임원 모든 직이나 일부의 직을 가질 수 있다[동법 제715조 제(e)항].

이사회는 모든 집행임원에게 그의 의무를 충실하게 이행하는 보증서(security)를 제공할 것을 요구할 수 있다[동법 제715조 제(f)항].

모든 집행임원과 회사와의 관계에서 모든 집행임원은 (부속)정관에서 규정하는 또는 (부속)정관에 규정이 없으면 이사회가 정하는 회사의 업무집행에 있어서의(in the management of the corporation) 권리(authority)를 갖고 의무(duties)를 이행하여야 한다[동법 제715조 제(g)항].

집행임원은 집행임원으로서 충실하고(in good faith) 또한 같은 지위에 있는 보통 신중한 사람이면 유사한 환경에서 하였을 정도의 주의로써 그의 의무를 이행하여야 한다. 그의 의무의 이행에서 집행임원은 정당하게 작성되고 인정받은 재무제표(financial statements) 및 기타 재무자료(other financial data)상의 정보·의견·보고 또는 진술 등에 의존할 권리를 갖는다[동법 제715조 제(h)항].

이사회에서 선임되거나 지명된 집행임원은 이유 여하를 불문하고 이사회에 의하여 해임될 수 있다. 주주총회에서 선임된 집행임원은 이유 여하를 불문하고 주주총회의 결의에 의해서만 해임될 수 있는데, 이 경우 이사회는 정당한 사유가 있으면 집행임원의 권한을 정지시킬 수 있다[동법 제716조 제(a)항].

정당한 사유 없이 집행임원을 해임하여도 집행임원의 (회사와의) 계약상 권리를 침해하는 것이 아니다. 집행임원의 선임이나 임명이 그 자체로 계약상의 권리를 발생시키는 것이 아니다[동법 제716조 제(b)항].

정당한 이유가 있는 경우 집행임원의 해임판결을 구하는 소(訴)가 (연방정부의) 법무부장관(attorney-general) 또는 의결권 유무를 불문하고 (회사의 자기주식을 제외한) 발행주식(outstanding shares)의 10%를 가진 주주에 의하여 제기될 수 있다. 법원은 이와 같이 해임된 집행임원에 대하여는 일정기간 재선임이나 재임명을 금지할 수 있다[동법 제716조 제(c)항].

2) 영 국

영국의 2006년 개정회사법(Companies Act 2006: CA)에서는 집행임원에 해당하는 총무(secretary)에 대하여 다음과 같이 규정하고 있다. 즉, 폐쇄회사(private company)에서는 총무를 두는 것이 요구되지 않으나[동법 제270조 제(1)항], 공개회사는 반드시 총무를 두어야 한다(a public company must have a secretary)(동법 제271조). 공개회사가 총무를 두지 않는 경우 국무장관(Secretary of State)은 그 회사가 필요한 총무를 임명하도록 하고 또 이를 국무장관이 제시한 일정한 기간 내에 회사법에서 정한 공시를 하도록 지시할 수 있다[동법 제272조 제(4)항]. 회사가 국무장관의 이러한 지시에도 따르지 않으면 그 회사 및 과실 있는 회사의 모든 집행임원(officer)은 형사처벌을 받는데, 이 경우 업무집행지시자(shadow director)도 회사의 집행임원으로 인정된다[동법 제272조 제(6)항·제(7)항].

공개회사의 총무의 자격은 그 업무를 수행하기 위하여 필요한 지식과 경험을 가져야 하고, 다음의 어느 하나 이상의 자격이 있어야 한다. 즉, (i) 총무로 임명되기 직전 5년 중에서 최소 3년 총무의 직에 있었던 경험이 있거나, (ii) 잉글랜드·스코틀랜드·웨일즈 회계단체 등의 구성원이거나, (iii) 영국에서의 변호사이거나, (iv) 총무의 직무를 수행할 수 있는 능력이 있는 이사인 자이다(동법 제 273조).

총무는 등록되고 열람에 제공되어야 한다. 이러한 열람이 거부되면 법원의 명령에 의하여 즉시 열람할 수 있다(동법 제275조). 총무가 변경되면 회사는 그 로부터 14일 이내에 변경등록을 하여야 한다[동법 제276조 제(1)항].

3) 독 일12)

독일의 주식법(Aktiengesetz: AktG)상 주식회사의 업무집행기관은 이사회 (Vorstand)13)이고, 이러한 이사회는 업무집행에 관한 모든 책임을 진다(동법 76 조 1항). 독일 주식회사의 이사회는 1인 또는 수 인의 이사로 구성되는데, 일정 규모 이상의 자본금을 가진 주식회사의 이사회는 정관에 달리 규정하지 않으면 2인 이상의 이사로 구성된다(동법 제76조 제2항). 이사회의 업무집행권은 모든 이사에게 공동으로 귀속되므로, 모든 업무는 원래 이사회(또는 이사들)의 다수결 이 아니라 이사 전원의 승낙을 받아야 한다(동법 제77조 제1항 제1문). 그러나 정 관 또는 이사회규칙에 의하여 이와 달리 규정할 수 있다(동법 제77조 제1항 제2 문). 독일의 주식법상 이사회 의장이 선임될 수 있으나(동법 제84조 제2항), 이러 한 이사회 의장은 이사회의 회의를 소집하고 의사일정을 결정하며 동 회의를 주 재하고 또 투표의 결과를 확정하는 등의 권한밖에 없다.14)

독일의 주식법상 주식회사의 제3자에 대한 대표권도 이사회에 있다(동법 제 78조 제1항·제2항). 따라서 원칙적으로 모든 이사가 공동으로 회사를 대표하는 데(동법 제78조 제2항 제1문), 이러한 이사회는 재판상 및 재판 외의 모든 업무에 있어(일상업무이건 비일상업무이건 불문하고) 회사를 대표한다(동법 제78조 제1항). 이사회가 수 인의 이사로 구성되는 경우에는 원칙적으로 전원이 공동으로만 회 사를 대표할 수 있는데(동법 제78조 제2항), 예외적으로 정관 또는 정관으로부터 수권받은 감사회(Aufsichtrat)의 규정에 의하여 단독대표 또는 지배인과의 공동대 표에 대하여 규정할 수 있다(동법 제78조 제3항). 이에 따라 독일에서는 수 인의 이사가 있는 경우에 2인의 이사(또는 1인의 이사)와 1인(또는 2인)의 지배인이 공

---

12) 이에 관한 간단한 소개로는 정찬형, 전게서[상법강의(상)], 867~868면 참조.
13) 이를 "집행이사회"라고 번역하기도 하는데, 이는 미국법상 이사회에서 선임된 집행임원 (executive officer)에 해당한다고 볼 수 있다.
14) G. Hueck, Geslllschaftsrecht, 18, Aufl.(1983), S. 202.

동대표하는 것이 일반적이고, 이 외에 이사회 의장이 있는 경우에는 그가 단독 대표하는 경우도 있다.[15]

4) 프랑스[16]

프랑스는 주식회사를 포함한 회사에 관하여 종래에는 1966년에 제정된 상사회사법에서 규율하였으나, 2001년에 상법전을 대폭 개정하여 상법전 제2편에 '상사회사 및 경제이익단체'를 규정하게 됨으로써 1966년의 상사회사법을 폐지하고 회사법을 상법에 흡수하게 되었다(이하에서 인용하는 조문은 2001년 개정된 프랑스 상법을 말한다).

프랑스에서의 전통적인 주식회사의 업무집행기관은 이사회이다. 즉, 이사회는 법률 또는 정관에 명시적으로 달리 규정하고 있는 사항을 제외하고는 회사의 모든 업무를 집행한다(동법 제225-35조 제1항). 그런데 회사의 제3자에 대한 법률관계에 있어서는 대표이사가 회사를 대표하고(동법 제225-56조 Ⅰ. 제2항), 대표이사를 보좌하기 위하여 전무를 둔 경우에는 이러한 전무도 제3자에 대하여 회사를 대표한다(동법 제225-53조 제1항, 제225-56조 Ⅱ. 제2항). 이러한 대표이사는 회사의 업무집행에 관하여는 법률 또는 정관에 의하여 주주총회와 이사회에 부여된 업무를 제외한 회사의 업무를 집행한다(동법 제225-56조 Ⅰ. 제1항). 따라서 프랑스에서는 이사회와 대표이사간에 업무집행에 관한 권한의 한계를 정하는 것이 종종 문제가 되었다.

프랑스에서는 이와 같이 이사회와 대표이사간의 불분명한 권한분배가 자주 비판되어 1966년에는 독일의 제도인 이사회(집행이사회)와 감사회(감독이사회)의 중층제도를 선택적으로 도입하게 되었는데, 이러한 이사회(집행이사회)를 '신형이사회'라고 불렀다. 신형이사회는 법률 및 정관에 의하여 주주총회 및 감사회에 명시적으로 유보된 업무를 제외하고는 회사의 모든 업무를 집행할 권한을 갖는다(동법 제225-64조 제1항). 따라서 이러한 신형이사회는 감사회에 유보된 업무가 제외되는 점, 그의 모든 업무집행은 감사회에 의하여 계속적으로 감독과 감사를 받는 점(동법 제225-58조 제3항, 제225-68조 제1항) 등에서 전통적인 이사회의 권한보다 훨씬 축소되었다. 신형이사회제도를 선택한 경우에도 대표이사제

---

15) Hueck, a.a.O., S. 198.
16) 이에 관한 간단한 소개로는 정찬형, 전게서[상법강의(상)], 868~869면 참조.

도는 존속하는데, 전통적인 이사회제도에서의 대표이사와 구별된다. 즉, 전통적인 이사회제도에서는 주주총회(창립총회 또는 정관)에서 3인 이상 18인 이하의 이사를 선임하고(동법 제225-17조 제1항, 제225-18조 제1항) 이러한 이사들이 이사회를 구성하여 그 구성원 중에서 대표이사를 선임하는데(동법 제225-47조 제1항), 신형이사회제도에서는 감사회가 5인 이내의 이사를 선임하고 이렇게 선임된 이사 중의 1인에게 대표이사의 자격을 준다(동법 제225-58조 제1항, 제229-59조 제1항). 이 때에 감사회는 이사를 1인만 선임할 수 있는데, 이를 단독이사라고 한다(동법 제225-58조 제2항, 제225-59조 제2항). 신형이사회제도에서도 대표이사 또는 단독이사가 제3자에 대하여 회사를 대표하는데(동법 제225-66조 제1항), 이에 불구하고 감사회는 정관의 규정에 의하여 이사 중의 1인 또는 수 인에게 대표권을 부여할 수도 있다(동법 제225-66조 제1항).

2001년에 프랑스 개정상법은 대표이사제도를 다시 개정하였다. 즉, 이사회의 운영권(이사회 소집, 이사회의 회의 주재, 이사회 회의결과 주주총회 보고 등)은 언제나 대표이사가 행사하지만,[17] 회사의 전반적인 업무집행권은 회사의 선택에 따라 대표이사 또는 대표이사와 다른 자인 집행임원이 행사할 수 있도록 하였다(동법 제225-51-1조 제1항). 이 때 회사가 집행임원제도를 선택하는 경우에는 회사의 업무감독권과 집행임원의 업무집행권이 분리되고 또한 이사회 의장(대표이사)과 집행임원이 분리되어 미국의 집행임원제도와 유사하게 된다고 볼 수 있다. 그러나 회사가 집행임원제도를 선택하지 않으면 이사회 의장인 대표이사가 업무집행권을 갖는다(동법 제225-51-1조 제3항). 회사가 정관에 따라 집행임원제도를 선택하면, 이사회가 자연인인 집행임원을 선임하면서 '집행임원'의 명칭을 부여하여야 하고(동법 제225-51-1조 제1항), 또 이를 주주 및 제3자에게 공시하여야 한다(동법 제225-51-1조 제2항). 자연인인 집행임원은 프랑스 내에 있는 1개 이상의 회사에 동시에 집행임원을 겸하지 못한다(동법 제225-54-1조 제1항). 집행임원은 이사회에 의하여 언제든지 해임될 수 있다. 그러나 정당한 사유 없이 집행임원을 해임하는 경우 회사는 그 집행임원이 이사회 의장을 겸하는 경우가 아니면 손해배상책임을 부담할 수 있다(동법 제225-55조 제1항).

---

17) 이 경우 '대표이사'는 '이사회 의장'에 해당한다고 볼 수 있다.

5) 유럽보고서[18]

유럽에서는 상급 회사법 전문가(High Level Group of Company Law Expert)가 2002년 11월 4일에 보고한「유럽에서의 회사법의 최근 규제구조에 관한 보고서」(Report on a Modern Regulatory Framework for Company Law in Europe, 이하 '유럽보고서'로 약칭함)에 의하면 "… 이사회의 개편은 유럽연합국가에 있어서도 회사지배구조의 개선의 핵심이 되고 있다. 일원적 경영기구(영미제도)와 이원적 경영기구(독일제도) 둘 중의 어느 것이 더 효율적인 감독기구가 된다는 명확한 증거는 없으므로 각국은 그의 특별한 상황에 맞게 이를 이용할 수 있다. 또한 일원적 경영기구(영미제도) 또는 이원적 경영기구(독일제도)를 어떻게 구성하여야 하고 또한 독립적인 사외이사 또는 감독이사(감사)를 몇 명으로 할 것인가에 대하여는 의견을 표명할 수 없으나, 유럽연합국가에서 모든 상장회사에 대하여는 사내이사(집행임원)의 선임과 보수 및 회사의 업무에 관한 회계감사는 전적으로 사외이사 또는 감독이사(감사회)에 의하여 결정되어야 한다. 실제로 이러한 업무는 과반수가 독립적인 사외이사 또는 감독이사(감사)로 구성되는 이사회내의 지명위원회·보수위원회 또는 감사위원회에 의하여 수행될 수 있다"고 하고 있다.[19]

따라서 위의 유럽보고서도 회사의 업무를 집행하는 집행임원(사내이사)은 과반수가 독립적인 사외이사로 구성되는 이사회내의 지명위원회에 의하여 선임되고, 그의 보수는 과반수가 독립적인 사외이사로 구성되는 보수위원회에서 결정되며, 그의 업무에 대한 (회계)감사는 과반수가 독립적인 사외이사로 구성되는 감사위원회에 의하여 수행되어야 함을 밝히고 있다. 이는 간접적으로 업무집행기관과 업무감독기관을 분리하여 업무집행기관(집행임원)은 업무감독기관(구체적으로는 사외이사가 과반수인 지명위원회 및 보수위원회에 의하여)으로부터 업무감독을 받고 또한 업무감독기관(구체적으로는 사외이사가 과반수인 감사위원회에 의하여)으로부터 업무에 대한 (회계)감사를 받도록 한 것이라고 볼 수 있다.

6) 일 본

일본에서는 '상법 등의 일부를 개정하는 법률'(2002년 법률 제44호)에 의하여

---

18) 이에 관하여는 정찬형, "주식회사의 지배구조,"「상사법연구」제28권 제3호(한국상사법학회, 2009. 11.), 16~17면 참조.
19) 유럽보고서, 59~61면.

미국제도를 도입한 '위원회 등 설치회사'에 대하여 규정하게 되었고, 이 제도는 2003년 4월 1일부터 시행되고 있었다. 이러한 내용은 처음에 '일본 주식회사의 감사 등에 관한 상법의 특례에 관한 법'(이하 '日商法特'으로 약칭함)에 규정되었는데, 이러한 법이 그 후 2005년 7월 26일 법 제86호로 제정된 會社法(이하 '日會'로 약칭함)에 흡수됨에 따라 위원회 등 설치회사에 관한 내용은 현재 일본의 회사법에서 상세하게 규정하고 있다(日會 제400조~제422조).

일본에서 이러한 위원회 등 설치회사는 위원회로서 지명위원회(日會 제404조)·감사위원회(日會 제405조) 및 보수위원회(日會 제409조)를 두는데, 이러한 각 위원회는 3인 이상의 위원으로 조직되며(日會 제400조 제1항), 각 위원회의 위원은 이사회의 결의로 선임·해임된다(日會 제400조 제2항, 제401조 제1항), 또한 각 위원회의 위원의 과반수는 사외이사이어야 한다(日會 제400조 제3항).

이러한 위원회 등 설치회사는 1인 또는 2인 이상의 집행임원(執行役)을 두어야 하는데(日會 제402조 제1항), 이러한 집행임원의 선임·해임은 이사회의 결의에 의한다(日會 제402조 제2항, 제403조 제1항). 위원회 등 설치회사와 집행임원간의 관계는 위임관계이고(日會 제402조 제3항), 공개회사인 경우에는 집행임원이 주주이어야 함을 정관으로 정할 수 없다(日會 제402조 제5항). 그러나 집행임원은 이사를 겸할 수 있다(日會 제402조 제6항). 집행임원의 임기는 선임 후 1년 이내에 종료하는 사업연도의 정기주주총회 종결 후 최초로 소집되는 이사회의 종결시까지인데, 정관에 의하여 이 임기를 단축할 수 있다(日會 제402조 제7항).

위원회 등 설치회사의 집행임원은 이사회의 결의에 의하여 위임받은 회사의 업무집행에 관한 사항의 결정과 위원회 등 설치회사의 업무를 집행한다(日會 제418조).

이사회는 집행임원 중에서 대표집행임원을 선임하여야 하는데, 집행임원이 1인인 경우에는 그가 대표집행임원이 된다(日會 제420조 제1항).

일본에서는 이러한 법의 개정 이전에도 소니주식회사는 위와 같은 회사의 지배구조를 선택하여 세계의 자본시장에서 자금조달을 하였다. 특히 1970년 뉴욕증권거래소에 상장하기 위하여는 그의 상장규칙(사외이사의 설치 등)을 준수하여야 했기 때문에 미국회사의 지배구조를 채택한 것이다. 그 후 위에서 본 바와 같이 2002년의 상법개정에 의하여 많은 회사가 위원회 등 설치회사로 지배구조를 변경하게 되었는데, 2003년 4월 1일의 개정상법의 시행 후 2003년 6월까지

위원회 등 설치회사로 지배구조를 변경한 회사는 55개사이었다. 이와 같이 일본의 회사가 위원회 등 설치회사를 선택하면 감사(監事)제도는 폐지되고, 이사회는 경영의 기본방침 등을 결정하고 집행임원의 직무집행을 감독한다. 이러한 위원회 등 설치회사의 경우 이사는 법률 등에 특별한 규정이 없는 한 업무집행을 할 수 없고, 이사회는 이러한 이사에 업무의 결정을 위임할 수 없다. 이와 같이 위원회 등 설치회사에 있어서는 업무집행기관의 직무집행의 타당성을 감독하는 기능과 업무집행의 기능을 분리하여, 감독기능을 강화하고 의사결정·업무집행 기능의 향상을 도모하고 있다.

7) 중 국[20]

2005년 개정된 중국 회사법(中華人民共和國公司法)(이하 '中會'로 약칭함)은 주식회사에서는 집행임원(經理)을 의무적으로 두어야 하는데, 이러한 집행임원의 선임·해임권은 이사회(董事會)에 있다(中會 제114조 제1문). 유한회사는 임의적으로 집행임원을 둘 수 있는데(中會 50조), 2005년 개정 이전에는 유한회사도 의무적으로 집행임원을 두도록 하였다.

중국 회사법상 집행임원제도는 회사법의 중요한 특색이라고 할 수 있는데, 이는 회사 경영의 효율성과 투명성을 높이기 위하여 이러한 제도를 취하고 있다. 중국 회사법상 집행임원은 이사회와 함께 회사의 경영기관인데, 법령·정관 및 이사회의 수권에 의하여 회사의 (일상적인) 업무를 집행하는 고급관리자이다. 이러한 집행임원의 권한에 대하여는 회사법에서 상세히 규정하고 있다(中會 제114조 제2문, 제50조 제2문).

2. 상법상 집행임원 설치회사

가. 상법의 규정

1) 2011년 개정상법상 주식회사는 선택에 의하여 집행임원을 둘 수 있는데(이 경우 집행임원을 둔 회사를 '집행임원 설치회사'라 함), 이러한 집행임원 설치회사는 대표이사를 두지 못한다(제408조의2 제1항).

---

20) 이에 관한 간단한 소개로는 정찬형, 전게논문(상사법연구 제28권 제3호), 19~20면 참조.

이러한 집행임원 설치회사는 회사의 업무집행기관(집행임원)과 업무감독기관 (이사회)을 분리하여(이하 '감독형 이사회'로 약칭함), 이사회는 회사의 업무를 잘 알고 또한 경영의 전문가인 집행임원을 업무집행기관으로서 선임·해임하여 회 사의 업무집행(경영)을 맡기고, 이사회는 이에 대한 감독만을 하면서 (필요한 경 우) 회사의 중요한 사항에 대하여 의사를 결정하는 회사를 말한다.[21]

우리 상법은 제정 이후부터 (주식회사의 규모에 관계 없이) 이사회가 회사의 업무를 집행하고(의사결정)(제393조 제1항) 또한 (대표)이사의 직무집행을 감독하 는 기능(이하 '참여형 이사회'로 약칭함)을 하였는데(제393조 제2항), 이는 특히 대 규모 주식회사(이하 '대회사'로 약칭함)에 맞지 않고 또한 이사회는 주로 업무집행 기능에만 전념하여 이사회의 업무감독기능은 유명무실화 하게 되어, 회사경영의 투명성과 관련하여 이사회의 감독기능의 활성화 방안이 그 동안 많이 논의되어 왔었다.[22] 따라서 IMF 경제체제 이후 자산총액 2조원 이상인 상장회사는 사외 이사를 이사총수의 과반수가 되도록 하여 이사회의 업무집행기관에 대한 감독기 능을 활성화하고자 하였다. 그런데 이러한 감독기관(이사회)과 분리된 업무집행 기관(집행임원)에 대하여는 그 동안 입법이 되어 있지 않아, 이사회는 감독기능 도 제대로 수행하지 못하면서 업무집행기능(의사결정)의 효율성도 종래보다 더 떨어지게 되었다. 즉, (사외이사가 과반수인 이사회가) 업무집행기능에도 참여하여 사실상 집행임원을 양산하게 되었고, 이러한 사실상 집행임원은 '비등기 임원(이 사)'의 형식으로 현재 상장회사(특히, 대규모 상장회사)에서 많이 이용되고 있다. 이러한 현상은 주식회사의 지배구조에서 우리 상법이 먼저 집행임원제도를 도입 하고 그 다음으로 이사회의 감독기능을 강화하기 위하여 사외이사제도 및 감사 위원회제도를 도입하여야 하였는데, 이와 반대로 (상법상) 집행임원이 없는 상태

---

21) 집행임원 설치회사는 업무집행기관과 업무감독기관을 분리한 지배구조를 가진 회사인데, 업무집행기관의 면에서 보면 '집행임원 설치회사'로 부를 수 있고, 업무감독기관의 면에서 보면 '감독형 이사회제도'라고 부를 수 있다. 이에 반하여 업무집행기관과 업무감독기관을 분리하지 않은 종래의 이사회제도를 가진 회사는 업무집행기관의 면에서 보면 '집행임원 비설치회사'라고 부를 수 있고, 업무감독기관의 면에서 보면 '참여형 이사회'제도로 부를 수 있다.

22) 이에 관하여는 정찬형, "주식회사의 경영기관(비교법을 중심으로)," 「법률학의 제문제」(유기 천박사 고희기념 논문집), 1988; 동, "기업경영의 투명성 제고를 위한 주식회사의 지배구조 의 개선," 「상사법연구」 제17권 제1호(한국상사법학회, 1998. 6.); 동, 전게논문(고려법학 제43호); 동, 전게논문(상사법연구 제28권 제3호); 홍복기, "사외이사제도에 관한 입법론적 연구," 법학박사학위논문(연세대학교, 1988) 등 참조.

에서 의무적으로 사외이사제도와 감사위원회제도를 도입하였기 때문에 (상법에 규정이 없는) 사실상 집행임원(비등기임원)이 발생하게 된 것은 부득이한 현상이라고 볼 수 있다.23) 따라서 이러한 사실상 집행임원에 대한 법적 근거를 마련하고 대내적으로 경영의 안전성과 효율성을 확보하며 대외적으로 거래의 안전을 기할 수 있도록 하기 위하여 2011년 개정상법은 집행임원 설치회사에 대하여 입법을 한 것이다.24) 그러므로 사실상 집행임원(또는 비등기임원)을 두고 있는 상장회사는 이러한 사실상 집행임원(또는 비등기임원)을 (전부 또는 일부) 이번에 상법상 신설된 집행임원(집행임원 설치회사)으로 전환하여야 할 것으로 본다.25) 또한 최근 사업연도말 현재의 자산총액 2조원 이상인 주식회사는 의무적으로 이사회를 사외이사가 이사총수의 과반수로 구성하고(제542조의8 제1항 단서, 상법시행령 34조 제2항) 또한 이사회내의 위원회의 하나이고 사외이사가 위원의 3분의 2 이상인 감사위원회를 의무적으로 두어야 하는 규정(제542조의11 제1항, 상법시행령 제37조 제1항)의 취지에서 볼 때도 이러한 이사회는 업무감독기능에 중점이 있으므로, 이러한 이사회(업무감독기관)와는 분리된 집행임원(업무집행기관)을 반드시 두어야 할 것으로 본다(즉, 집행임원 설치회사를 선택하여야 한다).26) 이러한 대회사가 집행임원 설치회사를 선택하기 위하여는 회사의 정관상 대표이사에 관한 규정이 있으면 먼저 대표이사 대신에 집행임원을 두는 것을 내용으로 하는 정관변경이 있어야 할 것으로 본다. 그러나 회사의 정관에 대표이사에 관한 규정이 없다면 이사회 결의만으로 집행임원을 둘 수 있다고 본다.

　자산총액 2조원 미만의 상장회사는 사외이사를 이사총수의 4분의 1 이상 의무적으로 두도록 하고 있고(제542조의8 제1항 본문), 비상장회사는 사외이사를 의

---

23) 정찬형, "2011년 개정상법에 따른 준법경영제도 발전방향 – 집행임원 및 준법지원인을 중심으로,"「선진상사법률연구」통권 제55호(법무부, 2011. 7.), 13면; 동, 전게서[상법강의(상)], 954~957면.

24) 정찬형, 상게서, 958면.

25) 정찬형, 전게논문(선진상사법률연구 통권 제55호), 13면.

26) 이러한 대회사에 대하여는 이사회에 의무적으로 사외이사를 이사총수의 과반수가 되도록 하고(제542조의8 제1항 단서) 또한 감사위원회를 의무적으로 두도록 한 점(제542조의11 제1항)과의 균형상 집행임원도 의무적으로 두도록 하여야 하는데[정찬형, "주식회사법 개정제안,"「선진상사법률연구」통권 제49호(2010. 1.), 14~15면], 상법이 집행임원 설치회사를 임의규정으로 하였다고 하더라도 위와 같이 사외이사 및 감사위원회를 의무적으로 두도록 한 규정의 취지 및 현실적으로 사실상 집행임원을 두고 있는 점 등에서 이러한 대회사는 집행임원 설치회사의 지배구조를 갖추어야 할 것으로 본다[정찬형, 상게논문, 13~14면 및 14면 주 2; 동, 전게서[상법강의(상)], 1033면].

무적으로 두도록 하고 있지 않으므로, 이러한 회사에서는 이사회가 사외이사 중심의 이사회가 아니므로 업무집행기관에 대한 충실한 감독을 할 수 없다. 따라서 사외이사가 이사총수의 과반수가 아닌 주식회사는 집행임원 설치회사를 선택할 필요가 없다. 설사 이러한 회사가 집행임원 설치회사를 선택한다고 하더라도 자기감독의 소지가 많으므로 효율적인 감독권을 수행할 수 없어 집행임원 비설치회사의 경우와 유사하게 된다. 그러나 이러한 주식회사라도 (의무는 없으나) 임의로 사외이사를 이사총수의 과반수 선임하면 그러한 주식회사는 위에서 본 대회사의 경우와 같은 취지에서 볼 때 집행임원 설치회사이어야 한다고 본다. 또한 집행임원 설치회사에 한하여 감사위원회를 두도록 하는 것이 감사의 실효성에 면에서 타당하다고 본다27)(제415조의2 제1항 참조).

2) 자본금 총액이 10억원 미만으로서 이사를 1명 또는 2명 둔 경우에는 이사회가 없으므로 집행임원 설치회사가 있을 수 없다고 본다.28)

3) 집행임원 설치회사에서는 대표이사가 없으므로 대외적으로 회사를 대표하는 자는 (대표)집행임원(CEO)이지 대표이사가 아니고, 이사회의 회의를 주재하기 위하여는 (정관에 규정이 없으면 이사회의 결의로) 이사회 의장을 두어야 한다(제408조의2 제4항). (대표)집행임원과 이사회 의장은 분리되는 것이 집행임원 설치회사의 원래의 취지(집행과 감독의 분리)에 맞으나, 우리 상법상 이를 금지하는 규정을 두고 있지 않으므로 이 양자의 지위를 겸할 수 있다(이 경우 법률상 명칭은 종래의 대표이사에 갈음하여 '대표집행임원 및 이사회 의장'이다). 또한 집행임원과 이사와의 관계에서도 원래는 분리되어야 집행임원 설치회사의 취지에 맞으나, 우리 상법상 이 양자의 지위를 금지하는 규정을 두고 있지 않으므로 이 양자의 지위도 겸할 수 있다(이 경우 법률상 사내이사는 '집행임원 및 이사'이고, 사외이사 및 그 밖에 상무에 종사하지 않는 이사는 '집행임원이 아닌 이사'를 의미한다).

이러한 점에서 법무부에 발제한 상법개정시안에서는 이사회 의장은 집행임원의 직무를 겸할 수 없도록 하였고, 이사는 부득이한 경우에 한하여 또한 최소한

---

27) 정찬형, 전게논문(선진상사법률연구, 통권 제49호), 170면; 동, 전게논문(선진상사법률연구 통권 제55호), 14면; 동, 상게서, 1033면.

28) 이러한 점에서 볼 때, 2011년 개정상법 제383조 제5항은 자본금 총액이 10억원 미만으로서 이사를 1명 또는 2명 둔 주식회사에 대하여 집행임원에 관한 일부 규정만을 적용하지 않는 것으로 규정하고 있으나, 집행임원에 관한 규정 전부(제408조의2부터 제408조의9까지)를 적용하지 않는 것으로 규정하였어야 한다고 본다. 이는 입법의 미비라고 본다.

에서만 집행임원을 겸할 수 있도록 하였다(동 시안 제408조의2 제2항 단서, 제408조의3 제2항).

나. 비 교 법

우리 상법은 위에서 본 바와 같이 모든 주식회사는 상장 유무·규모 유무·사외이사 유무 등에 불문하고 집행임원제도를 선택할 수 있도록 하였는데, 외국의 입법은 어떠한지 살펴본다.

1) 미 국

가) ALI 원칙에 의하면 '최근 정기주주총회의 소집을 위한 기준일 현재 주주의 수가 500명 이상이고 총 자산이 500만 달러(약 57억원) 이상인 회사(공개회사)는 집행임원을 의무적으로 두도록 하고 있다(ALI 제3.01조, 제1.31조).

나) 주법(州法)상으로도 델라웨어주 회사법[제142조 제(a)항] 및 캘리포니아주 회사법[제312조 제(a)항] 등은 집행임원을 의무적으로 두도록 하고 있다.

2) 영 국

영국 회사법에서도 공개회사(public company)는 집행임원에 해당하는 총무(secretary)를 의무적으로 두도록 규정하고 있다(동법 제271조).

3) 독 일

독일 주식법상 업무집행기관인 1인 또는 수 인의 이사로 구성되는 집행이사회는 필수기관이다(동법 제76조). 집행이사회를 구성하는 이사는 감독이사회(감사회)에 의하여 선임되고(동법 제84조) 또한 감독이사회(감사회)에 의한 감독을 받는다(동법 제111조).

4) 일 본

위원회 설치회사를 선택할 것인지 여부는 임의적이나, 위원회 설치회사는 1인 또는 2인 이상의 집행임원(執行役)을 의무적으로 선임하여야 한다(日會 제402조 제1항). 위원회 설치회사에서는 회사의 업무집행은 집행임원이 하고(日會 제418조 제2호) 회사법 등에 별도의 규정이 없으면 이사가 하지 못한다(日會 제415조).

다. 사 견

1) 사외이사 중심의 이사회(감독형 이사회)에서 집행임원의 필요성

가) 집행임원에 관하여 법무부에 최초로 발제한 상법개정시안에서는 (의무적이든 임의적이든 불문하고) 이사회를 사외이사 3인 이상 및 이사총수의 과반수로 구성하는 감독이사회에는 (대표이사를 두지 못하고) 이사회 결의에 의하여 집행임원을 선임하여야 하는 것으로 규정하였다(동 시안 제408조의2 제1항, 제408조의3 제1항). 이와 같이 사외이사 중심으로 구성된 감독형 이사회는 업무집행기관에 대한 감독에 중점을 두고 있고 또한 감독의 실효성을 거두고자 한 것이므로 필연적으로 이러한 감독형 이사회제도를 취하면 이사회와는 별도로 집행임원을 두어야 하는 것이다. 그런데 IMF 경제체제 이후에 발생한 사외이사로 인하여 자산총액 2조원 이상인 상장회사에 대하여는 의무적으로 사외이사를 3인 이상 및 이사총수의 과반수가 되도록 두도록 하면서(즉, 의무적으로 감독형 이사회를 두도록 하면서) 집행임원에 관하여 규정을 두지 않음으로써 필연적으로 사실상 집행임원이 발생한 점에서, 이러한 법의 흠결을 보완하고 사실상 집행임원에 대하여 법에서 흡수하여 규정하면서 대회사의 경우 종래의 참여형 이사회제도(집행임원 비설치회사)에서 감독형 이사회제도(집행임원 설치회사)로 지배구조를 전환하여 경영의 투명성과 효율성을 기하고 또한 국제기준에 맞는 지배구조를 갖도록 함으로써 우리 회사(대회사)의 지배구조의 선진화를 도모하고자 하는 것이 원래의 집행임원제도의 입법목적이었다.

나) 그런데 입법과정에서 각 이해관계인의 의견을 조정하는 과정에서 2011년 개정상법의 내용과 같이 입법이 되어 원래에 의도했던 입법취지가 퇴색하고 집행임원제도의 입법목적이 무엇인지 그 초점이 흐려지게 되어, 해석 및 적용에서도 혼란을 가져오게 되었다. 즉, 2011년 개정상법상 집행임원은 회사의 선택에 의하여 둘 수 있도록 하고 또한 집행임원을 선택할 수 있는 회사에도 제한을 두지 않아, 회사는 이 제도를 채택하여야 하는지, 채택하면 어떠한 유리한 점이 있는지, 사실상 집행임원을 두고 있는 회사가 상법상 집행임원제도를 채택하지 않으면 어떠한 불리한 점이 있는지 등에 관하여 많은 의문을 유발시키고 있다. 따라서 이에 관하여 2011년 개정상법상 해석론으로서 다음과 같은 의견을 제시한

다. 이는 회사의 규모, 상장유무 등에 따라 구별하여 해석하여야 할 것이다.

(1) 회사의 규모가 자산총액 2조원 이상인 상장회사는 상법상 의무적으로 사외이사를 3인 이상 및 이사총수의 과반수 두도록 하고 있어(제542조의8 제1항 단서) 이미 의무적으로 감독형 이사회제도를 두도록 하고 있으므로, 이러한 이사회와는 분리되는 업무집행기관(집행임원)을 두도록 하는 것이 논리에도 맞고 또한 실무상 이용하고 있는 사실상 집행임원을 개정상법이 흡수하는 효과도 있다. 따라서 이러한 감독형 이사회를 (의무적이든 임의적이든) 가진 주식회사는 집행임원제도를 채택하는 것이(즉, 집행임원 설치회사의 지배구조를 선택하는 것이) 집행임원제도의 입법취지에 맞고 경영의 투명성과 효율성을 가져오며 국제기준에 맞는 지배구조를 갖게 되는 장점이 있다.

만일 이러한 대회사가 상법상 집행임원 설치회사의 지배구조를 선택하지 않으면(즉, 참여형 이사회제도를 갖게 되면) 현재와 같은 경영의 비효율성과 이사회의 감독기능 및 사외이사제도의 무력화를 가져오게 된다. 또한 이러한 대회사가 상법상 집행임원제도를 선택하지 않으면 2011년 개정상법상 집행임원제도에 관한 규정은 사실상 사문화되고, 사실상 집행임원을 두고 있는 대회사는 상법상 집행임원에 관한 규정을 탈법하는 결과가 된다.

(2) 자산총액 2조원 미만인 상장회사는 의무적으로 사외이사를 이사총수의 4분의 1 이상 두어야 한다(제542조의8 제1항 본문). 사외이사가 이사총수의 4분의 1인 이사회는 사외이사 중심의 이사회라고 볼 수 없고 또한 감독형 이사회라고 볼 수도 없다. 따라서 이러한 회사에서의 이사회는 업무집행기관에 대한 실효성 있는 감독업무를 수행할 수 없을 것이다. 그러나 사외이사가 2인 이상인 경우에는 감사(監事) 대신에 감사위원회를 둘 수 있는 장점은 있을 것이다(제415조의2 제2항 참조). 만일 이러한 회사에 사외이사가 아닌 비상근이사가 있고 사외이사와 비상근이사의 합계가 이사총수의 과반수가 되면 이사회의 감독기능에 자기감독의 모순이 없게 되어 집행임원제도를 도입할 실익이 있겠으나, 그렇지 않은 경우에는 이사회에 업무집행을 담당하는 사내이사가 과반수 있어 이사회의 감독기능이 무력화되므로 집행임원제도를 도입하는 실익이 없다고 본다.

그러나 자산총액 2조원 미만의 상장회사라도 (의무는 없으나) 사외이사를 이사총수의 과반수 둔 경우에는, 위의 대회사의 경우와 같이 상법상 집행임원제도를 채택하여야 할 것으로 본다.

(3) 비상장회사는 그 규모에 관계 없이 사외이사를 두어야 할 의무가 없다. 따라서 사외이사가 없는 이사회는 원칙적으로 참여형 이사회이므로 이러한 회사는 집행임원제도를 채택하여서는 안된다고 본다. 즉, 주식회사의 지배구조에서 '참여형 이사회＋대표이사'의 지배구조(집행임원 비설치회사)를 선택하느냐 또는 '감독형 이사회＋집행임원'의 지배구조(집행임원 설치회사)를 선택하느냐의 문제가 기본적인데, 참여형 이사회제도를 채택하면서 집행임원제도를 선택하는 것은 자기모순이며 아무런 실익이 없고, 감독형 이사회제도를 채택하면서 집행임원제도를 채택하지 않으면 앞에서 본 바와 같이 많은 문제가 발생하게 된다.

그러나 사외이사를 두어야 할 의무가 없는 비상장회사라도 사외이사를 이사 총수의 과반수가 되게 둔 경우(사외이사가 아니라도 비상근이사를 이사총수의 과반수가 되게 둔 경우에도 이와 유사하게 볼 수 있음)에는 위에서 본 대회사의 경우와 같이 집행임원제도를 채택하는 실익이 있을 것으로 본다.

(4) 자산총액 2조원 미만의 상장회사이든 비상장회사이든 주주의 수가 많지 않아 주주가 직접 업무집행기관(보통 업무담당이사)을 감독할 수 있는 경우에는 집행임원제도를 채택할 필요가 없다. 즉, 이 경우에는 주주들(또는 주주총회)이 업무집행기관을 직접 감독하면 되기 때문이다.

집행임원제도를 두는 것은 주주의 수가 많고 또한 분산되어 있는 대규모 주식회사에서 주주총회(주주들)가 형식화되어 업무집행기관을 직접 효율적으로 감독할 수 없기 때문에 주주총회(주주들)의 위임을 받은 이사들(대리인)이 주주총회(주주들)를 갈음하여 이사회(감독형 이사회)를 통하여 집행임원(복대리인)을 선임·해임하고 그의 업무집행을 감독하는 것이기 때문이다. 이는 업무집행의 효율성과 업무감독의 실효성을 담보하여 효율적이고 투명한 경영활동을 하기 위한 것이다.

집행임원제도는 업무담당이사를 보조하는 자에 관한 입법이 아니라, 이사회를 감독형 이사회로 변경하면서 이와 분리된 업무집행기관(참여형 이사회제도 하에서의 대표이사 또는 업무담당이사에 갈음하는 기관)을 두도록 하는 지배구조에 관한 입법이다.

(5) 자본금 총액이 10억원 미만인 회사(소회사)는 이사를 1명 또는 2명 둘 수 있는데(제383조 제1항 단서), 이와 같은 소회사가 이사를 1명 또는 2명 둔 경우에는 이사회가 없으므로(제383조 제4항~제6항 참조) 이사회가 선임·해임하는 집

행임원이 있을 수 없고, 이러한 회사에서는 1명 또는 2명의 이사가 업부집행기관이다.

다) 위에서 본 바와 같이 집행임원제도는 업무담당이사를 보조하는 자에 관한 입법이 아니라 감독형 이사회제도를 가진 회사가 필연적으로 감독기관과 분리된 업무집행기관으로서 채택하여야 하는 제도이므로(즉, 지배구조에 관한 문제이므로), 어떠한 이사회제도(감독형 이사회제도 또는 참여형 이사회제도)를 채택하느냐와 관련하여 규정을 하여야 할 것으로 본다. 또한 감독형 이사회제도는 회사의 주주가 많고 널리 분산되어 있는 것을 전제로 하므로 당연히 회사의 규모와 관련된다.

따라서 입법론으로는 (의무적이든 임의적이든) 사외이사가 이사총수의 과반수인 감독형 이사회를 가진 주식회사에서만 집행임원을 두어야 하는 것으로 상법 제408조의2 제1항을 개정하여야 할 것으로 본다.[29]

위와 같이 감독형 이사회를 가진 회사(대회사)가 집행임원을 두게 되면(즉, 집행임원 설치회사를 채택하면) 다음과 같은 장점이 있게 된다.[30]

(1) 대회사의 경우 주주의 수가 많고 주주총회가 형식화되어 있어 주주총회에 의한 업무집행기관에 대한 감독의 실효를 거두기는 사실상 불가능하다. 따라서 주주총회의 위임을 받은 이사회(주주의 대리인)가 업무집행기관인 집행임원(주주의 복대리인)을 실효성 있게 감독할 수 있다. 따라서 집행임원 설치회사에서는 이사회가 주주총회에 갈음하여 업무집행기관(집행임원)을 선임·해임하고, 그들의 보수를 결정하며, 또한 재무제표·이익배당안 등에 대하여도 확정할 수 있는 권한을 갖는 것이다.

(2) 업무집행기관과 업무감독기관의 분화가 확실하고 이로 인하여 경영능력 있는 자를 집행임원으로 선임하여 업무집행(경영)의 효율성을 기할 수 있고 또한 이사회는 업무집행기관(집행임원)의 선임·해임권 및 보수결정권 등을 통하여 업무집행기관에 대한 효율적인 감독권을 수행할 수 있다. 또한 이사회는 회사의 중요한 사항에 대하여 (주주총회에 갈음하여) 업무집행에 관한 의사결정권도 행사

---

29) 동지: 정찬형, 전게논문(상사법연구 제28권 제3호), 39~41면; 동, 전게논문(선진상사법률연구 통권 제49호), 14~15면; 동, 전게논문(선진상사법률연구 통권 제55호), 13~14면; 동, 「사외이사제도 개선방안에 관한 연구」 상장협 연구보고서 2010-2(한국상장회사협의회, 2010. 10.), 100~101면 외.
30) 이에 관하여는 정찬형, 전게논문(선진상사법률연구 통권 제55호), 27~28면.

하여 효율적인 회사 운영을 도모할 수 있다.

(3) 2011년 개정상법은 집행임원의 지위에 대하여 이사의 경우와 같이 명문으로 위임관계로 규정하고 있으므로, 이제는 회사가 집행임원을 해임하였을 때 집행임원이 근로자라고 주장할 수 있는 여지가 거의 없다. 따라서 지금까지 사실상의 집행임원(비등기임원)을 회사가 해임하였을 때 이러한 사실상의 집행임원이 근로자라고 주장하면서 소송을 제기하여 회사에 많은 어려움을 주었는데, 회사측에게는 이러한 어려움이 많이 줄어들 것으로 본다.

(4) 2011년 개정상법은 집행임원의 임기(2년을 초과하지 못함)를 규정하면서 또한 집행임원이 이사회에 의하여 선임·해임되는 것으로 규정하고 있으므로, 집행임원측에서는 (사실상의 집행임원이 보통 대표이사에 의하여 선임되고 임기에 관하여 전혀 보장받지 못하고 있는 점과 비교하여) 어느 정도 신분의 안정을 유지할 수 있어 내부적으로 경영의 안정과 효율성을 기할 수 있다.

(5) 2011년 개정상법은 집행임원의 의무와 책임 등에 대하여 (이사의 경우와 같이) 명확히 규정하고 또한 집행임원은 등기되어 공시되므로 외부적으로 거래의 안전을 기할 수 있다.

(6) 집행임원 설치회사는 업무집행기관(집행임원)과 업무감독기관(이사회)이 분리되어 이사회가 집행임원을 효율적으로 감독할 수 있고 또한 이러한 지배구조는 global standard에 맞는 지배구조로서 국제적인 신뢰를 받게 될 것이다.[31]

라) 2011년 개정상법 이전에는 집행임원제도가 상법 및 특별법의 어디에도 규정되어 있지 않아서, 우리나라에서 주식회사를 경영하는 자는 참여형 이사회제도 및 대표이사제도에 매우 익숙해져 있는데, 감독형 이사회제도 및 집행임원제도로 지배구조의 형태를 변경함에 있어서는 다음의 점을 우려할 여지가 있다. 그러나 이러한 우려는 인식의 문제이므로, 이러한 인식을 전환하고 회사의 이익을 고려할 때에는 다음에서 보는 바와 같이 문제 될 성질이 아니라고 본다.[32]

(1) 집행임원 설치회사의 경우 회사는 이사 외에 집행임원을 다시 두어야 하는 점에서 비용부담이 크다는(또는 비용부담이 이중으로 든다는) 우려가 있을 수 있다. 따라서 집행임원 설치회사는 (자산총액이 2조원 이상인) 대회사(또는 사외이

---

31) 세계 주요국가의 집행임원에 관한 입법례에 관하여는 정찬형, 전게논문(상사법연구 제28권 제3호), 12~20면 참조.
32) 이에 관하여는 정찬형, 전게논문(선진상사법률연구 통권 제55호), 28~29면.

사가 이사총수의 과반수인 회사)에 필요한 것이지 주주총회가 업무집행기관에 대하여 직접 감독할 수 있는 (자산총액 2조원 미만인) 중회사의 경우에는 굳이 필요한 것이 아니다. 즉, 대회사의 경우 주주의 수가 많고 주주총회가 형식화되어 있어 주주총회에 의한 업무집행기관에 대한 감독의 실효를 거두기가 사실상 불가능하므로, 이러한 주주총회의 감독기능(및 중요사항에 대한 의사결정기능)을 이사회에 부여하고, 이사회의 감독하에 별도의 경영전문가인 집행임원을 두도록 하는 것이다. 집행임원 설치회사의 지배구조는 global standard에 맞는 지배구조이므로, 세계를 상대로 거래하는 대기업이 집행임원 설치회사의 지배구조를 갖는 것은 국제적으로 인정을 받는 지배구조를 갖게 되는 것이다.

(2) 집행임원 설치회사의 경우 회사의 업무집행에 관한 의사결정 및 집행은 원칙적으로 각 집행임원이 하고 회사의 대표는 대표집행임원만이 하는데, 집행임원 비설치회사의 경우는 업무집행에 관한 의사결정은 이사회가 하고 이와 같이 이사회에 의하여 결정된 사항에 관한 업무집행 및 대표를 대표이사가 하게 되어, 종래의 대표이사에 대한 오랜 인식에 혼란을 줄 수 있는 단점이 있다. 그러나 이러한 점은 초기에는 그러한 면이 있고 저항하는 회사도 있을 수 있겠으나, 국제적으로 인정받는 집행임원제도의 활성화와 함께 변화하게 될 것이므로, 이는 어디에나 있는 변화에 따른 초기의 인식의 문제이지 근본적인 문제는 아니라고 본다. 우리의 현행 주식회사의 대표이사제도는 원래 프랑스제도인데, 일본이 이 제도를 회사법에 도입하여 우리도 이러한 일본제도를 오랫동안 사용한 것뿐이다. 이 대표이사제도는 원래 영국·미국·독일에는 없고, 프랑스에서도 대표이사제도의 문제점을 인식하여 최근 집행임원제도를 선택적으로 채택하였다.[33] 따라서 오늘날 우리의 주식회사가 세계를 상대로 거래하는 현실에서 국제기준에 맞는 지배구조를 가져야 하고 또한 이에 따른 인식의 전환이 필요한 것이지, 오랫동안 이용하여 왔다는 이유만으로 일본제도에만 집착할 필요는 없다고 본다.

(3) 지배주주가 있는 대회사의 경우 지금까지 대표이사로서 최고의 경영권을 행사하고 또한 (사실상) 집행임원을 자기가 선임·해임함으로써 완전한 경영권을 장악하고 행사하면서 (사실상) 집행임원은 이사회에 의한 감독을 받지 않고 대표

---

33) 이에 관하여는 정찬형, 전게서[상법강의(상)], 869면 참조.

이사는 (사실상) 자기가 추천한 사외이사 중심의 이사회에 의하여 실질적인 감독을 받지 않고 효율적인 경영을 하였는데, 집행임원 설치회사를 채택하면 대표집행임원(CEO)을 포함하여 모든 집행임원은 사외이사가 과반수인 이사회에 의하여 선임·해임되고 (정관에 규정이 없거나 주주총회의 승인이 없는 경우) 이사회가 집행임원의 보수를 결정하게 되어 모든 집행임원이 이사회에 의하여 실질적인 감독을 받게 되므로 종래와 같이 효율적인 경영을 할 수 없을 것을 우려하여 대회사의 지배주주 등은 집행임원 설치회사의 채택을 매우 부담스럽게 생각할 수 있다. 그러나 대회사의 경영을 지배주주(대표이사)가 독단적으로 행사하면서 (사실상) 누구의 감독도 받지 않는다는 것은 전체 주주 및 회사의 이해관계인 등을 위하여 매우 위험하고 또한 이는 국제기준에 맞는 지배구조가 아니다. 따라서 이사회와 독립된 업무집행기관(집행임원)은 이사회에 의하여 감독을 받아야 하고 이러한 이사회가 사외이사 과반수로 구성되면 (사내이사로 구성된 이사회보다는) 더 효율적인 감독을 받을 것이다. 이 때 사외이사도 사내이사와 같이 지배주주에 의하여 선임된 이사이고 주주의 이익을 위한 수임인이므로(제382조 제1항·제2항) 지배주주가 너무 사외이사에 대하여 부담을 가질 필요는 없다고 본다. 다만 사외이사는 종래의 사내이사와는 달리 회사 외의 전문가로서 회사를 객관적으로 올바르게 경영하고자 하는 자이므로, 지배주주가 전문가인 훌륭한 사외이사를 선임하여 이러한 사외이사들에 의하여 대표집행임원으로 선임되는 것이 객관적으로도 경영능력을 인정받는 것이 되어 떳떳할 것으로 본다. 다시 말하면 지금까지의 대표이사는 정관의 규정에 의하여 주주총회에서 선임될 수 있고(제389조 제1항 단서) 이와 같이 주주총회에서 선임된 대표이사에 대하여는 이사회가 감독권을 사실상 행사할 수 없었으나, 집행임원제도가 도입되면 대표집행임원을 포함한 모든 집행임원은 (사외이사 중심의) 이사회에 의하여 선임·해임되므로 이사회에 의한 실질적인 감독을 받을 수 있고, 이로 인하여 사외이사제도의 효율성도 크게 높일 수 있다.[34]

2) 집행임원(집행임원 설치회사)과 대표이사(집행임원 비설치회사)의 비교[35]

가) 집행임원 비설치회사(참여형 이사회제도)에서는 원칙적으로 회사의 모든

---

34) 동지: 정찬형, 전게서(상장협 연구보고서 2010-2), 101~102면.
35) 이에 관하여는 정찬형, "상법회사편(특히 주식회사의 지배구조) 개정안에 대한 의견," 국회

업무집행에 관한 의사결정을 이사회의 결의로 하므로(제393조 제1항) 대표이사는 원칙적으로 이사회에서 결정된 내용을 집행만 하나, 집행임원 설치회사에서는 업무집행에 관한 의사결정 및 집행을 원칙적으로 집행임원이 한다(제408조의4).

나) 집행임원 비설치회사에서는 업무집행에 관한 의사결정을 회의체인 이사회에서 하고(제393조 제1항) 이의 집행은 대표이사가 하므로(제389조) 의사결정과 집행이 분리되어 있으나, 집행임원 설치회사에서는 업무집행에 관한 의사결정기관과 집행기관이 분리되지 않고 또한 의사결정에 있어서 이사회와 같은 회의체 기관이 없고 각 집행임원이 결정하므로 업무집행의 효율성을 기할 수 있다(제408조의2 제3항 제4호, 제408조의4).

다) 집행임원 설치회사에서는 (상법에 의하여 이사회 권한사항으로 정한 경우를 제외하고) 회사의 업무에 관한 이사회 결의사항에 대하여 정관이나 이사회 결의에 의하여 집행임원에 그 업무집행에 관한 의사결정을 위임할 수 있는데(제408조의2 제3항 제4호), 이 때 집행임원은 위임받은 업무집행에 관하여는 의사를 결정하여 집행한다(제408조의4). 따라서 집행임원 설치회사에서의 이사회는 (상법에서 이사회 권한사항으로 규정한 것을 포함한) 회사의 중요한 사항에 대하여만 결의하고, 나머지는 집행임원에 그 의사결정을 위임할 수 있게 된다.

집행임원 비설치회사에서도 대표이사는 일상업무에 관한 사항 및 이사회가 구체적으로 위임한 사항에 대하여는 의사결정권이 있다고 해석하는데,[36] 이 경우에는 집행임원 설치회사와 유사하게 되는 것이 아니냐 하는 점도 있다. 그러나 집행임원 설치회사에서의 이사회는 업무집행에 관한 경영전문가를 별도로 선임하여 업무집행을 위임하는 것이므로 포괄적·일반적 위임이 가능하고 또한 집행임원 설치회사에서의 이사회는 집행임원 비설치회사에서와는 달리 주업무가 업무집행에 관한 의사결정을 하는 것이 아니라 업무집행기관(집행임원)을 감독하며 회사의 중요한 사항에 대하여만 의사결정을 하고 업무집행은 원칙적으로 각 집행임원이 의사를 결정하여 집행하는데, 집행임원 비설치회사에서는 업무집행에 관한 의사결정을 원칙적으로 이사회가 하여(제393조 제1항) 대표이사에게 위임하는 업무집행에 관한 의사결정권도 대표이사의 수와 대표권 행사와 관련하여

법사위 상법일부개정법률안에 관한 공청회 자료(2009. 11. 20.), 27~28면; 동 전게논문(선진상사법률연구 통권 제55호), 22~24면 참조.
36) 정찬형, 전게서[상법강의(상)], 1008면.

매우 제한되어 있다고 볼 수 있다.

라) 집행임원 비설치회사에서는 대표이사가 정관의 규정에 의하여 주주총회에서 선임되는 경우에는(제389조 제1항 제2문) 이사회가 대표이사의 선임·해임권이 없으므로 이사회가 대표이사의 직무집행을 실제로 감독할 수 없다. 집행임원 비설치회사에서 대표이사가 이사회에서 선임되는 경우에도(제389조 제1항 제1문) (대표)이사의 보수는 정관에 규정이 없으면 주주총회의 결의로 정하여지므로(제388조) 이사회는 대표이사의 직무집행을 실제로 감독할 수 없다. 그러나 집행임원 설치회사에서는 이사회가 집행임원의 선임·해임권 및 보수결정권(정관·주주총회의 승인이 없는 경우)이 있으므로(제408조의2 제3항), 이사회는 실질적으로 집행임원에 대한 감독권을 실효성 있게 행사할 수 있다.

마) 집행임원 비설치회사에서는 현행 상법상 (대표)이사는 한편으로 이사회 구성원으로서 업무집행과 업무감독에 관한 의사결정을 하고(제393조 제1항·제2항) 다른 한편 업무집행기능을 수행하나, 집행임원 설치회사에서는 이 양자가 명확히 분리되어(제408조의2 제3항·제4항, 제408조의4, 제408조의5) 이사회는 업무집행기관(집행임원)에 대하여 실효성 있는 감독업무를 수행할 수 있다.

3) 집행임원 설치회사와 감사위원회와의 관계[37]

가) 주식회사의 지배구조에서 업무집행기관, 이에 대한 감독기관 및 감사기관[38]은 상호 밀접한 관계에 있다. 즉, 업무집행기관(집행임원)과 업무감독기관(이사회)이 분리된 경우에 이사회내 위원회의 하나로서 감사위원회가 의미가 있는 것이다. 집행임원 비설치회사(참여형 이사회제도)에서는 감사위원회는 그 독립성에서도 문제가 있을 뿐만 아니라 자기감사의 모순이 있어 기존의 감사(監事) 또는 상근감사에 의한 감사(監査)보다도 더 감사(監査)의 실효성을 떨어뜨리는 것이다. 따라서 집행임원 설치회서에서만 감사위원회를 두도록 하여야 할 것으로 본다.

나) 우리 상법상 감사(監事) 또는 감사위원회에 관한 규정은 다음과 같다. 즉,

---

37) 이에 관하여는 정찬형, 전게논문(선진상사법률연구 제55호), 24~26면.
38) 업무집행기관에 대한 감독기관(제393조 제2항, 제408조의2 제3항 제2호)과 감사기관(제412조 제1항, 제415조의2 제7항)은 구별된다. 따라서 우리 상법도 이를 구별하여 쓰고 있는데, 감독권은 업무집행의 타당성 여부에도 미치나, 감사권은 원칙적으로 위법성 여부에만 미친다(정찬형, 전게서[상법강의(상)], 992면 참조). 따라서 주식회사의 업무집행기관에 대한 감독권은 이사회에게 있고, 감사권은 감사(監事) 또는 감사위원회에 있다.

2009년 1월 개정상법 제542조의11 제1항은 "자산규모 등을 고려하여 대통령령으로 정하는 상장회사(최근 사업연도말 현재 자산총액이 2조원 이상인 상장회사)는 감사위원회를 설치하여야 한다"고 규정하고, 동 제542조의10 제1항은 "대통령령으로 정하는 상장회사(최근 사업연도말 현재 자산총액이 1,000억원 이상인 상장회사)는 주주총회 결의에 의하여 회사에 상근하면서 감사업무를 수행하는 감사(이하 '상근감사'라고 한다)를 1명 이상 두어야 한다. 다만 이 절 및 다른 법률에 따라 감사위원회를 설치한 경우(감사위원회 설치 의무가 없는 상장회사가 이 절의 요건을 갖춘 감사위원회를 설치한 경우를 포함한다)에는 그러하지 아니하다"고 규정하며, 동 제415조의2 제1항은 "회사는 정관이 정한 바에 따라 감사(監事)에 갈음하여 제393조의2의 규정에 의한 위원회로서 감사위원회를 설치할 수 있다. 감사위원회를 설치한 경우에는 감사(監事)를 둘 수 없다"고 규정하고 있다.

위와 같이 상법은 감사위원회에 대하여 (집행임원제도가 도입되기 전에) 어떤 기준도 없이 매우 혼란스럽게 규정하고 있다. 감사위원회는 이사회내 위원회의 하나로서 감독기관인 이사회의 하부기관이라고 볼 수 있다. 따라서 감사위원회를 두고 감사위원회에 의한 감사의 실효를 거두고자 하는 회사는 먼저 업무집행기관(집행임원)과 분리된 업무감독기관으로서의 이사회를 전제로 한다. 즉, 집행임원 설치회사에 한하여 감사위원회를 두도록 하여야 감사위원회의 의미가 있고 또 그 기능의 실효성이 발휘될 것으로 본다.[39] 집행임원 설치회사가 아닌 경우에는 감사위원회가 아닌 감사(監事)에 의한 감사가 실효성을 거둘 수 있고, 이러한 회사가 감사위원회를 두는 경우에는 위에서 본 바와 같이 그 독립성에서 뿐만 아니라 자기감사의 모순이 발생하게 되어 감사(監事)보다도 감사의 실효성을 거둘 수 없게 된다. 이러한 전제하에서 감사위원회에 관한 위의 상법의 규정의 개정안을 제시하면 다음과 같다.

(1) 제542조의11 제1항은 "자산규모 등을 고려하여 대통령령으로 정하는 상장회사로서 집행임원 설치회사는 감사위원회를 설치하여야 한다"로 개정되어야 한다고 본다.

(2) 제542조의10 제1항 단서는 "다만 집행임원 설치회사로서 감사위원회를

---

39) 입법론상 집행임원제도가 먼저 도입되고 그 후에 감사위원회제도가 도입되었어야 했는데, 우리 상법(및 특별법)에서는 이와 반대로 감사위원회제도가 어떤 기준도 없이 먼저 도입되어 감사의 효율성을 더 떨어뜨리게 되었다.

설치한 경우에는 그러하지 아니하다"로 간명하게 규정될 수 있다.

(3) 제415조의2 제1항은 "집행임원 설치회사는 감사(監事)에 갈음하여 제393조의2의 규정에 의한 위원회로서 감사위원회를 설치할 수 있다"로 개정되어야 한다고 본다.

집행임원 설치회사에 한하여 감사위원회를 설치하도록 하면, 감사위원회 위원은 당연히 제393조의2 제2항 제3호에 의하여 이사회에 의하여 선임 및 해임되므로 제542조의12 제1항부터 제4항까지는 삭제되어야 할 것이다. 또한 감사위원회가 업무집행기관(집행임원)에 대한 감사결과를 각 이사에게 통지하고 각 이사는 이사회를 소집할 수 있는데, 이러한 이사회는 업무집행기관에 대한 감독기관이며 감사위원회의 상급기관으로서 감사위원회가 결의한 사항에 대하여 다시 결의할 수 있는 것은 당연하다(제393조의2 제4항). 따라서 제415조의2 제6항(감사위원회에 대하여는 제393조의2 제4항 후단을 적용하지 아니한다)은 삭제되어야 할 것으로 본다. 이와 함께 대회사의 감사위원회 위원의 자격에 대하여만 추가적인 요건을 규정하고 있는 점(제542조의11 제2항)도 재검토되어야 할 것으로 본다.

집행임원 설치회사가 아닌 경우에는 監事를 두어야 하고, 집행임원 설치회사가 아닌 회사로서 자산총액 1,000억원 이상이고 자산총액 2조원 미만인 상장회사는 반드시 상근감사를 1명 이상 두어야 한다(제542조의10 제1항 본문).

4) 집행임원 설치회사와 사외이사와의 관계[40]

가) 우리 상법은 상장회사에 대하여 "상장회사는 자산 규모 등을 고려하여 대통령령으로 정하는 경우를 제외하고는 이사총수의 4분의 1 이상을 사외이사로 하여야 하고, 최근 사업연도말 현재의 자산총액이 2조원 이상인 상장회사의 사외이사는 3인 이상으로 하되 이사총수의 과반수가 되도록 하여야 한다"고 규정하고 있다(제542조의8 제1항, 상법 시행령 제34조 제1항·제2항).

이와 같이 자산총액 2조원 이상인 상장회사(대회사)에 대하여 이사회에 사외이사를 의무적으로 이사총수의 과반수가 되게 하고(제542조의8 제1항 단서) 또한 이러한 이사회내 위원회의 하나로서 감사위원회를 의무적으로 두도록(제542조의11 제1항) 하였다면 그러한 이사회는 업무집행기관(집행임원)에 대한 감독기능을 충실하게 하도록 한 것이므로, 이는 집행임원 설치회사를 전제로 한다. 따라서

---

40) 이에 관하여는 정찬형, 전게논문(선진상사법률연구 제55호), 26~27면.

이러한 자산총액 2조원 이상인 상장회사에 대하여는 의무적으로 집행임원을 두어야 하는 것으로(즉, 집행임원 설치회사로) 규정하는 것이 균형이 맞을 것으로 본다.

위와 같은 취지를 살리기 위하여는 상법 제542조의8 제1항 단서를 다음과 같이 개정하여야 한다고 본다.

"다만, 자산 규모 등을 고려하여 대통령령으로 정하는 상장회사의 사외이사는 3인 이상으로 하되 이사총수의 과반수가 되도록 하여야 하며, 이러한 상장회사는 집행임원 설치회사이어야 한다."

나) 이와 같이 자산총액 2조원 이상인 상장회사가 집행임원을 두게 되면 사외이사는 개별적인 업무집행(의사결정)에 참여하지 않게 되어 업무집행의 효율성을 높일 수 있고, 사외이사는 업무집행기관(집행임원)의 선임·해임 등과 중요한 회사의 (정책적인) 의사결정에만 참여하여 감독권을 효율적으로 행사할 수 있다. 또한 사외이사는 이사회 구성원으로서 업무감독에만 관여하여 업무집행기관(집행임원)과 이해관계가 없으므로 이사회의 업무집행기관(집행임원)에 대한 업무감독의 효율성을 높일 뿐만 아니라, 이사회내 위원회의 하나인 감사위원회에도 참여하여 업무집행기관(집행임원)의 직무집행에 대하여 효율적인 감사를 할 수 있다.

3. 집행임원 설치회사에서의 이사회의 권한 및 기구

가. 집행임원 설치회사에서의 이사회의 권한

집행임원 설치회사의 이사회는 업무집행에 관한 중요한 사항에 대하여만 의사결정권을 갖고 업무집행에 관한 많은 사항의 의사결정권은 정관 또는 이사회의 결의에 의하여 집행임원에게 위임할 수 있도록 하고 있으며(제408조의2 제3항 제4호, 제408조의4 제2호), 또한 업무집행기관(집행임원)에 대한 감독권을 갖는데(제408조의2 제3항 제2호) 특히 이러한 감독권이 실효를 거둘 수 있도록 하기 위하여 이에 필수적인 중요한 몇 가지 권한을 이사회에게 구체적으로 부여하고 있다(제408조의2 제3항 제1호, 제5호, 제6호). 이 외에 집행임원 설치회사의 이사회는 집행임원과 회사와의 소송에서 회사를 대표할 자의 선임권이 있다(제408조의2 제3항 제3호).

이하에서 차례대로 살펴본다.

1) 업무집행에 관한 의사결정권

가) 집행임원 비설치회사의 경우 이사회는 회사의 중요한 자산의 처분 및 양도, 대규모 재산의 차입, 지배인의 선임 또는 해임과 지점의 설치·이전 또는 폐지 등 회사의 업무집행에 관한 사항에 대하여 의사결정권을 갖는다(제393조 제1항). 즉, 상법상 집행임원 비설치회사에서의 이사회는 회사의 업무집행에 관한 모든 사항에 대하여 의사결정권을 갖는다(이사회가 대표이사에게 업무집행에 관한 의사결정권을 위임할 수 있는지에 대하여는 상법에 규정이 전혀 없고, 해석상 일상업무에 관한 사항 및 구체적으로 위임한 사항에 대하여는 대표이사가 의사를 결정하여 집행할 수 있다고 보고 있을 뿐임).[41]

그러나 집행임원 설치회사에서의 이사회는 집행임원에게 업무집행에 관한 의사결정을 위임할 수 있다(제408조의2 제3항 제4호). 이 때 '상법에서 이사회 권한사항으로 정한 경우'는 제외하는데(제408조의2 제3항 제4호의 괄호), 상법 제393조는 원래 집행임원 비설치회사(참여형 이사회)를 전제로 한 규정이므로 집행임원 설치회사(감독형 이사회)에는 상법 제393조가 적용되지 않는다고 본다(따라서 집행임원 설치회사에서 이사회의 권한에 관한 규정인 상법 제408조의2 제3항 제4호의 괄호에서 '상법에서 이사회 권한사항으로 정한 경우'에는 상법 제393조 제1항이 배제된다고 본다. 이하 '상법에서 이사회 권한사항으로 정한 경우'는 모두 이와 같이 해석한다). 이러한 점은 상법 제393조에 해당하는 규정을 집행임원 설치회사에서는 이에 갈음하여 별도로 규정하고 있는 점(제408조의2 제3항, 제408조의6)에서도 알 수 있다. 입법론으로는 상법 제408조의2 제3항에서 집행임원 설치회사에는 상법 제393조가 적용되지 않음을 명확히 규정하였어야 한다고 본다(법무부 2005년 상법개정위원회가 집행임원에 관하여 발제한 안 제408조의2 감독이사회에 대하여는 상법 제393조가 적용되지 않음을 명백히 규정하였다). 이와 같이 집행임원 설치회사에서의 이사회는 상법의 명문규정에 의하여 (상법에서 이사회의 권한사항으로 정한 경우를 제외하고는) 회사의 업무집행에 관한 사항을 포괄적(일반적)으로 집행임원에게 위임할 수 있다(제408조의2 제3항 제4호). 집행임원 설치회사의 경우에는 이외에도 집행임원은 정관에 의해서도 업무집행에 관한 의사결정을 위임받을 수

---

41) 정찬형, 전게서[상법강의(상)], 1008면 외.

있다(제408조의4 제2호).[42] 이 점은 양자가 크게 구별되는 점이다. 실무에서는 상법에서 이사회의 권한사항으로 규정하지 않은 많은 사항에 대하여 종래에는 (즉, 집행임원 비설치회사의 경우에는) 이사회 승인을 받도록 하였으나, 집행임원 설치회사를 선택하면 과감히 이러한 사항을 집행임원에 포괄적(일반적)으로 위임할 수 있는 것이다. 따라서 상법의 규정만을 보고 "집행임원에게 위임할 수 있는 사항이 극히 제한되므로 집행임원의 권한의 면에서도 대표이사와 차별성을 인정하기 어렵다"고,[43] 단정할 수는 없다고 본다.

나) 집행임원을 의무적으로 두도록 한 외국의 입법례에서는 이사회의 권한에 대하여 다음과 같이 규정하고 있다.

(1) 미국의 ALI 원칙에서는 이사회가 다음의 권한을 갖는 것으로 규정하고 있다[ALI 제3.02조 제(b)항].

(가) 회사의 계획의 수립과 채택, 이의 위임 및 시행

(나) 회계원칙의 변경

(다) 주요 상급집행임원에 대한 조언 및 상의

(라) 위원회·주요 상급집행임원 또는 기타 집행임원에 대한 지시 및 그들의 활동에 대한 감사

(마) 주주총회에 대한 제안

(바) 회사의 영업의 관리

(사) 주주총회의 승인을 요하지 않는 기타 회사의 모든 업무에 관한 행위

그런데 집행임원을 두어야 하는 공개회사[ALI 제3.01조]의 이사회는 다음과

---

42) 이 규정과 관련하여 상법이 원칙적으로 이사회 권한으로 규정하고 있지만 정관에 의하여 주주총회의 권한으로 할 수 있음을 규정한 경우에는 정관의 규정에 의하여 집행임원의 권한으로 규정할 수 있다고 볼 수 있는 여지도 있으나(제416조 등), 이와 같이 해석하는 것은 무리가 있다고 본다. 또한 상법에 이사회의 고유한 권한으로 규정하고 있는 사항을 정관의 규정에 의하여 주주총회의 권한으로 규정할 수 있다고 보는 견해[정동윤, 「회사법」 제7판(법문사, 2001), 315면 외]에서는 상법에 의하여 이사회의 권한으로 규정하고 있는 사항을 정관의 규정에 의하여 집행임원의 권한으로 규정할 수 있다고 해석할 수 있는 여지도 있겠으나, 상법에 의하여 이사회의 고유한 권한으로 규정한 조항은 각 기관의 권한분배에 관한 규정으로서 강행규정으로 보면 정관의 규정에 의하여 주주총회나 집행임원의 권한으로 규정할 수 없다고 본다(정찬형, 상게서, 882~883면).

43) 이철송, 「회사법강의」 제29판(박영사, 2021), 861면(이하 단순한 인용면은 2021년 제29판에 의한 것임). 동지: 임재연, 「회사법 II」 개정7판(박영사, 2020), 461면(이하 단순한 인용면은 2020년 개정7판에 의한 것임); 송옥렬, 「상법강의」 제11판(홍문사, 2021), 1119면(이하 단순한 인용면은 2021년 제11판에 의한 것임).

같은 권한(기능)을 수행하여야 하는 것으로 규정하고 있다[ALI 제3.02조 제(a)항].

　(가) 주요한 상급집행임원의 선임·정기적인 평가·보수 결정 및 필요한 경우 이의 교체

　(나) 회사의 영업이 정당하게 수행되고 있는지 여부를 평가하기 위한 회사의 영업행위의 감독

　(다) 회사의 금융지원의 대상 및 주요 회사의 계획과 실행에 대한 검사와 필요한 경우의 동의

　(라) 회사의 재무제표를 작성하는데 사용되는 해당 감사 및 회계원칙의 주요 변경과 선택 등의 중요한 문제의 결정에 대한 검사 및 필요한 경우의 동의

　(마) 법률 또는 정관의 규정 등에 의하여 이사회에 위임된 기타 업무의 수행

⑵ 일본의 회사법은 위원회 설치회사의 이사회의 권한에 대하여 위원회 비설치회사의 이사회의 권한(日會 제362조)을 적용하지 않고 다음과 같이 별도로 규정하고 있다(日會 제416조).

　(가) 경영의 기본방침, 감사위원회의 직무집행을 위하여 필요한 것으로서 법무성령으로 정하는 사항, 집행임원이 2인 이상인 경우 집행임원의 직무분담 및 지휘명령의 관계, 그 밖의 집행임원 상호관계에 관한 사항, 집행임원으로부터 이사회의 소집청구를 받는 이사, 집행임원의 직무집행이 법령·정관에 적합할 것을 확보하기 위한 체제 그 밖의 주식회사의 업무의 적정을 확보하기 위하여 필요한 것으로서 법무성령으로 정하는 체제의 정비에 관한 사항, 그 밖의 위원회 설치회사의 업무집행에 관한 의사를 결정한다(日會 제416조 제1항 제1호, 제2항).

　(나) 집행임원 등의 직무집행을 감독한다(日會 제416조 제1항 제2호).

　(다) 위원회 설치회사의 이사회는 (가)의 업무집행을 이사에게 위임할 수 없다(日會 제416조 제3항). 그러나 위원회 설치회사의 이사회는 그 결의에 따라 위원회 설치회사의 업무집행의 결정을 집행임원에게 위임할 수 있는데, 다음에 정한 사항에 대하여는 위임하지 못한다(日會 제416조 제4항). 즉, 주식양도 승인 여부와 불승인시 매수인 지정, 자기주식 취득에 관하여 결정할 사항, 신주예약권 양도승인 여부, 주주총회소집의 결정, 이익상충거래의 승인, 이사회의 소집결정,

위원회 위원의 선임과 해임, 집행임원의 선임과 해임, 위원회 설치회사와 집행임원간의 소송에서 회사를 대표할 자의 선임, 대표집행임원의 선임과 해임, 이사·회계참여·집행임원 등의 책임면제 결정, 계산서류의 승인, 중간배당, 사업양도계약, 합병계약, 흡수분할계약, 신설분할계약, 주식교환(이전)계약 등의 의사결정에 관하여는 위원회 설치회사의 이사회가 집행임원에게 이를 위임할 수 없다(日會 제416조 제4항 단서 및 제1호~제20호).

(3) 사 견

집행임원 설치회사는 원래 업무집행기관(집행임원)과 업무감독기관(이사회)을 분리하여 업무집행기관(집행임원)에 대한 업무감독기능의 실효를 거두어 경영의 투명성과 효율성을 기하고자 하는 것이므로, 이사회는 상법 등에서 이사회의 고유권한으로 규정한 사항과 회사의 경영에 관한 중요한 사항에 대하여만 의사결정을 하고, 주로 업무집행기관(집행임원)에 대한 감독업무를 충실히 하여야 할 것이다. 이를 위하여 집행임원 설치회사의 이사회는 (상법 등에서 이사회 고유권한사항으로 규정한 것을 포함한) 회사의 경영에 중요한 사항에 대하여만 의사결정을 하고, 나머지는 과감하게 집행임원에 그 의사결정을 위임하는 것이 바람직하다고 본다.

2011년 개정상법에서는 집행임원 설치회사에서 이사회의 업무집행에 관한 의사결정에 관하여 별도로 구체적으로 규정하고 있지 않다. 그런데 상법 제393조는 원래 집행임원 비설치회사(참여형 이사회)에 적용되는 규정이므로 제393조를 집행임원 설치회사(감독형 이사회)에 대하여 적용할 수는 없다고 본다(법무부에 최초로 발제한 상법개정시안에서는 제393조의 적용을 배제하였다－동 시안 제408조의2 제1항 후단). 입법론으로는 상법 제393조는 원래 집행임원 비설치회사(참여형 이사회)에 적용되는 규정이므로, 이와 별도로 집행임원 설치회사에서 이사회가 업무집행에 관하여 의사결정을 할 수 있는 범위와 이사회가 집행임원에게 의사결정을 위임할 수 없는 범위를 구체적으로 명확하게 규정하여야 할 것으로 본다(日會 제416조 제1항 및 제4항 단서 참조).

2) 집행임원의 업무집행 감독권

집행임원 설치회사에서의 이사회는 집행임원과 대표집행임원의 선임권과 해임권·집행임원 등의 직무분담 등의 결정권 및 (정관·주주총회의 승인이 없는 경우) 집행임원의 보수결정권을 가짐으로 인하여 집행임원에 대한 실효적인 업무집행 감독권을 행사할 수 있게 되었다. 집행임원 비설치회사에서도 이사회에 (대표)이사에 대한 감독권을 부여하고는 있으나(제393조 제2항), 대표이사가 주주총회에서 선임되는 경우(제389조 제1항 단서) 이사회는 대표이사에 대하여 전혀 인사권이 없고 또한 상법상 이사회가 (대표)이사에 대한 보수결정권 등을 행사할 수 없게 되어, (대표)이사에 대한 이사회의 감독권은 사실상 유명무실하게 되었다. 따라서 이러한 이사회의 업무집행기관(대표이사 등)에 대한 감독권을 실효성 있게 하기 위하여 일정규모 이상의 상장회사에 대하여는 의무적으로 사외이사를 이사총수의 과반수가 되게 두도록 하였으나 이러한 감독기관(이사회)과 분리된 업무집행기관(집행임원)을 별도로 입법하지 않아 회사는 사외이사가 있는 이사회를 사실상 무력화시키고 사실상의 집행임원에 의하여 실제로 운영되었던 것이다. 따라서 2011년 개정상법이 감독기관(이사회)과 분리된 집행임원에 관하여 입법을 하면서 이사회의 감독기능이 실효를 거두기 위하여 이사회에 집행임원에 대한 인사권·보수결정권 등을 부여한 것은 중요한 의미가 있다고 본다.

이하에서 차례로 살펴본다.

가) 집행임원과 대표집행임원의 선임·해임권

집행임원 설치회사에서의 이사회는 회사의 업무를 집행하는 집행임원과 대표집행임원의 선임·해임권(인사권)에 의하여 업무집행기관(집행임원)에 대하여 보다 더 효율적인 감독권을 행사할 수 있다. 이 점이 집행임원 비설치회사에서의 이사회의 감독권과 다르다. 즉, 집행임원 비설치회사에서는 (업무담당)이사의 선임·해임권은 주주총회에 있고(제382조 제1항, 제385조) 대표이사의 선임·해임권은 정관에 의하여 주주총회의 권한으로 할 수 있으므로(제389조 제1항 단서), 이 경우에는 이사회에 인사권이 없으므로 이사회의 업무집행을 담당하는 (대표)이사에 대한 감독권(제393조 제2항)은 실효를 거둘 수 없다.

집행임원의 선임·해임권에 관한 상세한 설명은 후술하는 집행임원에서 하겠다.

나) 집행임원의 업무집행 감독권

(1) 업무집행 감독권과 업무집행 감사권 등과의 구별

집행임원 비설치회사의 이사회는 이사의 직무집행을 감독하고(제393조 제2항) 집행임원 설치회사의 이사회는 집행임원의 업무집행을 감독한다(제408조의2 제3

항 제2호). 그러나 감사(監事) 또는 감사위원회는 집행임원 비설치회사의 경우 이사의 직무집행을 감사(監査)하고(제412조 제1항) 집행임원 설치회사의 경우 집행임원의 업무집행을 감사한다(제408조의9, 제412조). 이와 같이 우리 상법은 감독(監督)과 감사(監査)를 구별하여 사용하고 있다. 따라서 이 양자를 개념상 구별하여야 이사회와 감사(監事) 또는 감사위원회의 업무범위가 정하여진다.

감독권은 상하관계에서 행사되는 것이고 또한 타당성(합목적성) 감사에도 미치나, 감사권은 수평적 지위에서 원칙적으로 적법성 감사에만 미친다.[44] 따라서 감독권을 실효성 있게 행사하려면 인사권과 보수결정권을 부여하여야 하고, 이로 인하여 업무집행에서의 무능이나 부실이 있게 되면 그 책임을 물어 해임·지위강등 등의 인사조치를 하거나 보수의 감액 등을 할 수 있는 것이다.[45] 이에 반하여 감사권은 업무집행기관(이사 또는 집행임원)과 수평적 지위에서 원칙적으로 업무집행기관이 법령·정관 등 규정에 위반하였는지 여부를 감사하여 감사록에 기재하고(제413조의2), 회계에 관하여는 감사보고서를 작성하며(제447조의4), 이사회(제412조의4) 또는 주주총회(제412조의3)를 소집하여 의견을 진술할 수 있고, 회사법상 각종의 소(訴)를 제기할 수 있으며(제429조 외), 업무집행기관의 위법행위에 유지청구권을 행사할 수 있다(제402조, 제408조의9). 또한 이사회의 감독권은 업무집행기관의 상하관계(또는 때에 따라서는 수평관계에서)에서 위법한 업무집행을 하고 있는지 여부를 감시할 권한이 있는 감시권[46]과도 구별된다.

집행임원 설치회사에서의 이사회의 감독권은 광의로는 상법 제408조의2 제3항 제1호부터 제6호까지의 내용을 의미하나, 협의로는 제408조의2 제3항 제2호만을 의미한다고 볼 수 있다. 따라서 집행임원 비설치회사에 적용되는 제393조 제2항은 집행임원 설치회사에서는 적용될 여지가 없다.

(2) 집행임원 설치회사에서의 집행임원의 이사회에 대한 보고의무

집행임원 비설치회사의 경우는 이사가 대표이사로 하여금 다른 이사 또는 피용자의 업무에 관하여 이사회에 보고할 것을 요구할 수 있고(제393조 제3항), 이

---

44) 정찬형, 전게서[상법강의(상)], 992면, 1118면.
45) 집행임원 설치회사의 이사회에게는 업무집행기관(집행임원)에 대한 인사권과 보수결정권(제408조의2 제3항 제1호·제6호)을 부여하고 있으므로 집행임원 비설치회사에 비하여 감독권을 실효성 있게 행사할 수 있다.
46) 이에 관하여는 정찬형, 전게서[상법강의(상)], 1067~1069면; 대법원 2008.9.11. 2006다68636 등 참조.

사는 3월에 1회 이상 업무의 집행상황을 이사회에 보고하도록 하고 있다(제393
조 제4항). 그러나 집행임원 설치회사에서는 집행임원이 3개월에 1회 이상 업무
의 집행상황을 이사회에 보고하도록 하고(제408조의6 제1항), 집행임원은 이 외
에도 이사회의 요구가 있으면 언제든지 이사회에 출석하여 요구한 사항을 보고
하여야 하며(제408조의6 제2항), 이사는 대표집행임원으로 하여금 다른 집행임원
또는 피용자의 업무에 관하여 이사회에 보고할 것을 요구할 수 있도록 하였다
(제408조의6 제3항). 이와 같이 집행임원 설치회사의 경우 집행임원 비설치회사
에 비하여 집행임원의 이사회에 대한 보고의무를 확대하여(특히 제408조의6 제2
항에서) 이사회의 집행임원에 대한 감독권이 실효를 거둘 수 있도록 하였다.

(3) 집행임원 설치회사에서 이사회의 감독권의 효율성

(가) 집행임원 설치회사에서는 상법에 이사회 권한으로 규정하고 있는 사항
을 제외하고는 업무집행에 관한 의사결정권을 집행임원에게 위임할 수 있고(제
408조의2 제3항 제4호, 제408조의4 제2호) 또한 이와 같이 업무집행에 관한 의사
결정권을 집행임원에게 위임하는 것이 일반적일 것이므로, 이사회는 그 결과에
따라 집행임원을 재선임 또는 해임하거나 보수를 조정하는 점 등을 함으로써 감
독권을 실효성 있게 행사할 수 있는 것이다. 집행임원 비설치회사에서는 이사회
가 업무집행에 관한 의사결정권을 대표이사에게 위임한다고 하더라도 대표이사
의 수와 그 대표권의 행사와 관련하여 한계가 있으나, 집행임원 설치회사에서는
업무집행에 관한 경영전문가를 별도로 선임하여 업무집행을 위임하는 것이므로
이러한 제한이 있을 수 없고 포괄적·일반적 위임이 가능하다.[47] 따라서 집행임
원 설치회사에서의 이사회는 집행임원 비설치회사에서의 이사회에 비하여 업무
집행기관(집행임원)에 대한 감독권을 실효성 있게 행사할 수 있다.

(나) 집행임원 설치회사는 업무집행기관(집행임원)과 업무감독기관(이사회)의
분리가 명확하고 또한 경영전문가에게 업무집행기능을 맡길 수 있어, 업무집행
기능과 업무감독기능의 효율성을 보다 더 높일 수 있다. 특히 이사회에 사외이
사가 과반수 있는 대회사의 경우에는 사외이사가 개별적인 업무집행(의사결정)에
참여하지 않게 되어 업무집행의 효율성을 높일 수 있고, 사외이사는 업무집행기
관(집행임원)의 선임·해임 등과 중요한 회사의 (정책적인) 의사결정에만 참여하

---

47) 정찬형, 상게서, 993면.

여 감독권을 효율적으로 행사할 수 있는 것이다. 또한 사외이사는 이사회 구성원으로서 업무집행기관과 이해관계가 없으므로 이사회의 업무집행기관(집행임원)에 대한 업무감독에 참여하여 업무감독의 효율성을 높일 뿐만 아니라, 이사회내 위원회의 하나인 감사위원회에도 참여하여 업무집행기관(집행임원)의 직무집행에 대하여 효율적인 감사를 할 수 있게 된다.[48]

다) 집행임원에게 업무집행에 관한 의사결정의 위임

(1) 집행임원 설치회사에서의 이사회는 (상법에서 이사회 권한사항으로 정한 경우를 제외하고) 업무집행에 관한 의사결정권을 포괄적·일반적으로 집행임원에게 위임할 수 있다(제408조의2 제3항 제4호). 집행임원은 이 외에도 정관에 의해서도 업무집행에 관한 의사결정권을 위임받을 수 있다(제408조의4 제2호). 이 때 정관에 의한 위임은 주주들(주주총회)(본인)에 의한 위임으로 볼 수 있고, 이사회에 의한 위임은 이사들(대리인)에 의한 (복대리인인 집행임원에 대한) 위임으로 볼 수 있다. 상법상 이사회의 고유권한에 관한 규정(상법에서 이사회 권한사항으로 정한 경우)은 주식회사 각 기관에 대한 권한분배에 관한 강행법규라고 볼 수 있으므로,[49] 이러한 사항을 정관에 의하여 집행임원에게 위임할 수는 없다고 본다.[50] 집행임원 설치회사에서는 이와 같이 업무집행에 관한 의사결정권을 주주총회(정관) 또는 이사회가 각 집행임원에게 포괄적·일반적으로 위임할 수 있는 점에서, 상법상 업무집행에 관한 의사결정권을 이사회만이 갖는(제393조 제1항) 집행임원 비설치회사와는 크게 구별되고 있다. 집행임원 비설치회사에서 해석상 업무집행에 관한 의사결정권을 대표이사에게 위임할 수 있다고 하더라도 대표이사의 수와 그 대표권의 행사와 관련하여 한계가 있고, 또한 위임의 범위도 포괄적·일반적으로는 인정될 수 없고 구체적·개별적으로만 제한된 범위에서 인정될 수 있다.[51] 따라서 상법 제408조의2 제3항 제4호 괄호(상법에서 이사회 권한사항으로 정한 경우는 이사회가 집행임원에게 업무집행에 관한 의사결정권을 위임할 수 없음)에 의하여 이사회가 집행임원에게 위임할 수 있는 사항이 극히 제한되므로 (집행임원의) 권한의 면에도 대표이사와의 차별성을 인정하기 어렵다고 보는 견해는,[52]

---

48) 정찬형, 상게서, 993~994면.
49) 정찬형, 상게서, 882~883면 참조.
50) 동지: 이철송, 전게서(회사법강의), 861면.
51) 정찬형, 전게서[상법강의(상)], 1008면 참조.
52) 이철송, 전게서(회사법강의), 861면.

앞에서 본 바와 같이 타당하지 않다고 본다.

이와 같이 집행임원 설치회사에서는 이사회(또는 정관)가 각 분야의 경영전문가에게 업무집행에 관한 의사결정권을 포괄적·일반적으로 위임할 수 있어, (집행임원 비설치회사에 비하여) 업무집행기능과 업무감독기능의 효율성을 보다 더 높일 수 있다.

(2) 상법에서 이사회 권한사항으로 정하여 이사회가 집행임원에게 업무집행에 관한 의사결정권을 위임할 수 없는 사항은 다음의 사항으로 볼 수 있다. 즉, 주식매수선택권 부여의 취소권(제340조의3 제1항 제5호), 주주총회의 소집권(제362조), 이사회 소집권자의 특정권(제390조 제1항 단서), 이사·집행임원의 경업거래와 겸직의 승인 및 경업의 경우의 개입권의 행사(제397조, 제408조의9), 이사·집행임원의 회사 사업기회 이용의 승인권(제397조의2, 제408조의9), 이사·집행임원의 자기거래의 승인권(제398조, 제408조의9), 집행임원[53]과 대표집행임원의 선임·해임권(제408조의2 제3항 제1호), 공동대표집행임원의 결정권(제408조의5 제2항, 제389조 제2항),[54] 신주발행사항의 결정권(제416조 본문), 정관에서 정하고 일정한 요건을 갖춘 경우 재무제표 등의 승인권(제449조의2 제1항), 준비금의 자본전입권(제461조 제1항 본문), 중간배당의 결정권(제462조의3 제1항), 사채의 발행권(제469조 제1항), 전환사채 및 신주인수권부사채의 발행권(제513조 제2항 본문, 제516조의2 제2항 본문), 대통령령으로 정하는 상장회사가 최대주주 등과 일정규모 이상인 거래를 하는 경우 승인권(제542조의9 제3항) 등이다. 위와 같은 이사회의 권한은 그 성질에서 보아도 집행임원에게 의사결정을 위임하는 것이 적절하지 않다고 본다. 입법론상으로는 앞에서 본 바와 같이 이사회가 집행임원에게 의사결정을 위임할 수 없는 업무집행의 범위를 명확하게 규정하는 것이 분쟁을 사전에 예방하는 방법으로 적절하다고 본다(日會 제416조 제4항 단서 및 제1호~제20호 참조).

집행임원 설치회사에서 사채의 발행권한은 원칙적으로 이사회에게 있는데(제469조 제1항), 이사회는 정관으로 정하는 바에 따라 (대표)집행임원에게 사채의 금액 및 종류를 정하여 1년을 초과하지 아니하는 기간 내에 사채를 발행할 것

---

53) 동지: 임재연, 전게서(회사법 II), 456면(집행임원 선임·해임권은 회사에서 중요한 결정사항이므로 이사회가 대표집행임원에게 이를 위임할 수 없다).
54) 입법론으로 이를 제408조의2 제3항 제1호에서 명확히 함께 규정하는 것이 타당하다고 본다.

을 위임할 수 있다고 본다(제408조의5 제2항, 제469조 제4항).[55]

라) 집행임원의 직무분담권 등

(1) 집행임원 설치회사에서의 이사회는 집행임원이 여러 명인 경우 집행임원의 직무분담 및 지휘·명령관계, 그 밖에 집행임원의 상호관계에 관한 사항을 결정한다(제408조의2 제3항 제5호). 집행임원이 수 인인 경우 회사의 의사를 통일하기 위한 점 등에서, 이사회가 각 집행임원에 대한 지휘·명령관계를 정할 필요가 있다. 구체적으로 사장·부사장·전무·상무 등의 직위로 정하여지는데, 구체적으로는 집행임원규정 등 회사의 내규에서 집행임원의 직위와 권한이 정하여진다.[56] 집행임원 상호간에는 일반적으로 감시의무가 없다. 그러나 업무상 지휘·명령관계에서 상급자는 하급자를 당연히 감독하여야 할 직무를 부담하므로 이러한 점에서 상급집행임원은 하급집행임원에 대한 감시의무를 부담한다.[57]

상법상 집행임원은 원칙적으로 단독기관이나, 그들의 직무분장과 지휘·명령관계가 설정되면 집행임원 전부는 통일적인 집행기관이 된다고 볼 수 있다.[58]

(2) 집행임원의 직무분담 및 지휘·명령관계에 대하여 한국상장회사협의회에서 제정한 상장회사표준정관(2012. 1. 16. 개정) 제33조 및 제34조에 의하면 집행임원을 설치한 회사에 대하여 다음과 같이 규정하고 있다.

> 제33조(집행임원) ① 이 회사는 대표집행임원과 집행임원을 둔다. 대표집행임원과 집행임원의 수, 직책, 보수 등은 이사회의 결의로 정한다.
> ② 대표집행임원과 집행임원은 이사회의 결의로 선임한다.
> 제34조(대표집행임원과 집행임원의 직무) ① 대표집행임원은 회사를 대표하고 이 회사의 업무를 총괄한다.
> ② 집행임원은 대표집행임원을 보좌하고 이 회사의 업무를 분장한다.

그런데 집행임원에 관한 입법의 배경이 "대다수의 (사실상) 집행임원이 등기되지 않은 임원으로서 과거에 사내이사가 담당하였던 직무를 담당하며 이사에 준하는 책임과 권한을 갖고 그에 준하는 대우를 받음에도 불구하고 이에 관한

---

55) 동지: 임재연, 전게서(회사법 II), 461면.
56) 동지: 商事法務(編),「取締役·執行役」(東京: 商事法務, 2004), 281~282面.
57) 동지: 商事法務(編), 上揭書, 282面.
58) 동지: 商事法務(編), 上揭書, 282面.

명시적 규정이 없어 그 법적 성격 및 지위에 대하여 논란이 있었으므로, 이러한 현실을 반영하여 (사실상) 집행임원을 법률상의 제도로서 규정함으로써 법의 흠결에서 발생하는 법률문제를 해결하고 글로벌 스탠다드에 맞는 기업지배구조를 갖출 수 있도록 하자는 것이다"는 점이고,[59] 이러한 (사실상) 집행임원을 제도권의 지위로 양성화하자는 것이 집행임원제를 입법한 동기이었으며,[60] 사장·부사장·전무·상무 등에 관한 직무분담 및 지휘·명령관계를 이사회가 결정할 수 있음을 상법에서 규정하고 있는 점을 고려할 때, 다음과 같이 규정하여야 할 것으로 본다.

> **제33조(집행임원)** ① 이 회사는 대표집행임원으로 사장을 두고, 집행임원으로 부사장·전무·상무 및 상무보를 둔다.[61]
> ② 대표집행임원과 집행임원의 수, 직무분담, 지휘·명령관계 등은 이사회의 결의로 정한다.
> ③ 대표집행임원 및 집행임원의 보수는 정관에 규정이 없거나 주주총회의 승인이 없는 경우 이사회의 결의에 의한다.
> ④ 대표집행임원 및 집행임원은 이사회의 결의로 선임한다.
>
> **제34조(대표집행임원과 집행임원의 직무)** ① 대표집행임원인 사장은 회사를 대표하고 이 회사의 업무를 총괄한다.
> ② 각 집행임원은 이사회의 결의로 정한 집행임원규정에 따라 회사의 업무를 분장한다.
> ③ 대표집행임원의 결원시 집행임원규정에서 정한 집행임원의 순서에 따라서 대표집행임원의 업무를 대행한다.

주식회사가 집행임원 설치회사의 지배구조를 선택하는 경우 회사에 따라 다양하게 불리는 (사실상) 집행임원이 상법상의 집행임원으로서 법상 근거를 갖게 되었고, 또한 부사장·전무·상무(부행장·부행장보) 등도 상법상 이사회가 집행임원의 직무분담 및 지휘·명령관계 그 밖에 집행임원의 상호관계에 관한 사항을 결정함으로써(제408조의2 제3항 제5호) 발생하는 명칭이 됨으로 인하여 상법

---

59) 법무부, 전게서(상법 회사편 해설), 253면.
60) 동지: 이철송, 전게서(회사법강의), 856면.
61) 은행인 경우에는 "대표집행임원으로 은행장을 두고, 집행임원으로 부행장·부행장보 및 본부장을 둔다" 등으로 규정할 수 있다.

상 제도로서의 지위를 얻게 되었다. 따라서 집행임원 설치회사에서의 부사장·전무·상무 등은 회사에 의하여 붙여진 자의적인 명칭이 아니라, 상법상 근거에 의하여 집행임원의 직무분담 등에 따라 이사회 결의에 의하여 붙여진 명칭으로의 지위를 갖게 되었다. 집행임원제도의 도입으로 인하여 이와 같이 회사의 실무상 제도를 상법상 제도로 발전시킬 수 있게 된 점도 집행임원제도의 입법의 큰 의미라고 본다.

마) 집행임원의 보수 결정권

집행임원 설치회사에서 집행임원의 보수는 (정관에 규정이 없거나 주주총회의 승인이 없는 경우) 이사회의 결의로 정하여진다(제408조의2 제3항 제6호). 실무상 집행임원 설치회사에서의 집행임원의 보수는 (정관이나 주주총회의 승인에 의하여 정하여지기보다는) 보통 이사회의 결의로 정하여질 것으로 본다. 따라서 집행임원 설치회사에서의 이사회는 앞에서 본 집행임원에 대한 인사권(선임·해임권)과 함께 보수에 대한 결정권까지 가짐으로써 업무집행기관인 집행임원에 대하여 보다 더 효율적인 감독권을 행사할 수 있다. 이 점이 집행임원 비설치회사에서의 이사회의 감독권과 다르다. 집행임원 비설치회사에서의 (대표)이사에 대한 보수는 정관에 그 액을 정하지 아니한 때에는 주주총회의 결의로 정하여지므로(제388조) 이사회가 이에 관여할 수 없다. 따라서 집행임원 비설치회사에서의 이사회는 (대표)이사에 대한 보수 결정권이 없으므로 (대표)이사의 직무집행에 대하여 실효성 있는 감독권을 행사할 수 없다(제393조 제2항).

집행임원의 보수 결정권에 관한 상세한 설명은 후술하는 집행임원에서 하겠다.

3) 집행임원과 회사와의 소송에서 회사를 대표할 자의 선임권

가) 이사와 회사와의 소송에서는 감사(監事)가 회사를 대표하고(제394조 제1항), 감사위원회 위원과 회사와의 소송에서는 감사위원회 또는 이사가 법원에 회사를 대표할 자를 선임하여 줄 것을 신청하여야 한다(제394조 제2항). 그런데 집행임원 설치회사에서 집행임원과 회사와의 소송에서는 이사회가 회사를 대표할 자를 선임하여야 한다(제408조의2 제3항 제3호). 따라서 집행임원 설치회사에서 감사위원회를 둔 경우에는, 이사와 회사와의 소송에서는 감사위원회가 회사를 대표하고(제415조의2 제7항, 제394조 제1항), 감사위원회 위원과 회사와의 소송에서는 감사위원회 또는 이사가 법원에 회사를 대표할 자를 선임하여 줄 것을

신청하고 이에 따라 법원이 선정한 자가 회사를 대표하며(제394조 제2항), 집행임원과 회사와의 소송에서는 이사회가 그 소송에서 회사를 대표할 자를 선임한 자가 회사를 대표한다(제408조의2 제3항 제3호). 이와 같이 누가 회사와 소송을 하느냐에 따라 회사를 대표할 자가 세 번이나 상이하게 된다.

입법론상 집행임원 설치회사의 경우 이를 단순화시킬 필요가 있다고 본다.

나) 일본 회사법의 경우에는 위원회 설치회사에서 이사(이사이었던 자를 포함함)와 회사와의 소송에서는 (그 이사가 감사위원회 위원으로서 당해 소송과 관련된 당사자가 아닌 경우) 감사위원회가 선정하는 감사위원회 위원이 회사를 대표하고 (日會 제408조 제1항 제2호), 감사위원회 위원이 당해 소송과 관련된 당사자일 경우에는 이사회가 정하는 자(주주총회가 당해 소송에 관하여 위원회 설치회사를 대표할 자를 정한 경우에는 그 자)가 회사를 대표한다(日會 제408조 제1항 제1호). 집행임원(집행임원이었던 자를 포함함)과 회사와의 소송에서는 감사위원회가 선정하는 감사위원회 위원이 회사를 대표한다(日會 제408조 제1항 제2호). 어떠한 경우에도 집행임원 또는 이사가 위원회 설치회사에 대하여 소송을 제기한 경우에는 감사위원회 위원(당해 소송을 제기한 자를 제외함)에 대하여 한 소장의 송달은 당해 회사에 대하여 효력이 있고(日會 제408조 제2항), 집행임원 또는 이사의 책임을 추궁하는 소송의 제기를 청구받는 경우 등에서 감사위원회 위원(당해 감사위원회 위원이 당해 소송과 관련된 상대방인 경우를 제외함)이 위원회 설치회사를 대표한다 (日會 제408조 제3항).

나. 집행임원 설치회사에서의 이사회의 기구

1) 이사회 의장

가) 집행임원 설치회사는 이사회의 회의를 주관하기 위하여 이사회 의장을 두어야 하는데, 이 경우 이사회 의장은 정관의 규정이 없으면 이사회의 결의로 선임한다(제408조의2 제4항).

집행임원 설치회사는 업무집행기관(집행임원)과 이의 감독기관(이사회)을 분리하여 업무집행기관에 대한 감독의 효율성을 높여 경영의 투명성과 효율성을 기하고자 하는 것이므로, 이러한 취지에서 보면 이사회 의장과 (대표)집행임원은 분리하는 것이 타당하다. 따라서 법무부에 최초로 발제한 상법개정시안에서도

"집행임원은 이사회 의장의 직무를 겸할 수 없다"고 하였다(동 시안 제408조의2 제2항 단서). 그런데 논의의 과정에서 집행임원이 이사회 의장의 직무를 겸할 수 없도록 한 점에 대하여, 이론상 분리가 타당하나 현실적으로 실무계의 현황을 고려하여 양자의 지위를 겸할 수 있도록 하기 위하여 이에 관한 발제안 제408 조의2 제2항 단서를 삭제하는 것이 타당하다는 의견이 많아 동 규정을 삭제한 것이다. 따라서 이사회 의장과 집행임원을 겸할 수 없도록 한 금지규정이 없어 양자의 지위를 겸할 수 있다고 해석할 수밖에 없으나,[62] 이사회 의장과 (대표) 집행임원의 직을 겸직하는 경우에는 참여형 이사회(집행임원 비설치회사)에서 대표이사와 유사하게 되어[63] 자기감독의 모순이 발생하는 등으로 인하여 집행임 원에 대한 이사회의 감독기능이 사실상 유명무실하게 되어 집행임원제도의 도입 취지에 반하고 또한 바람직한 지배구조라고도 할 수 없다.[64]

이사회 의장의 자격에 대하여 상법에 명문규정은 없으나, 이사회는 이사로 조직되는 점에서 이사회 의장의 전제요건은 이사이어야 한다고 본다.

이사회 의장의 권한은 이사회의 회의를 주관한다(제408조의2 제4항). 이사회 의장에게는 주주총회 의장에게 인정되는 질서유지권(제366조의2 제3항)은 인정되 지 않는다.

이사회 의장은 이사회 회의록을 작성하여 주주의 열람에 제공할 의무가 있다 고 본다(제391조의3).

나) 비교법적으로 볼 때 미국의 ALI 원칙은 이사가 아닌 이사회 의장이 가능 하고 이러한 이사회 의장은 '기타 집행임원'으로 정의되고 있으며[ALI 제1.27조 제(b)항·제(c)항], 캘리포니아주 회사법은 회사는 이사회 의장이나 사장 또는 양 자를 선임할 수 있는 것으로 규정하면서 이사회 의장은 정관에 다른 규정이 없 으면 회사의 총관리자 겸 대표집행임원이라고 규정함으로써 이사회 의장과 대표

---

62) 동지: 임재연, 전게서(회사법 II), 459면.
63) 집행임원 설치회사의 경우 이사회 의장이 대표집행임원의 직을 겸하는 경우에도 이사회 의 장 및 대표집행임원은 정관의 규정에 의하여 주주총회에서 선임될 수 없는 점(제389조 제1 항 단서), 이사회 의장 및 대표집행임원에 대하여는 상법의 명문규정에 의하여 이사회가 업무집행에 관한 의사결정권을 포괄적·일반적으로 위임할 수 있는 점(제408조의2 제3항 제4호) 등에서 집행임원 비설치회사에서의 대표이사와는 차이가 있으나, 대표이사와 유사한 점이 많아 사실상 이사회의 업무집행기관에 대한 감독기능을 무력화시키기 쉽다.
64) 동지: 정찬형, 전게논문(선진상사법률연구 통권 제55호), 14면; 법무부, 전게서(상법 회사편 해설), 270면.

집행임원의 겸직을 인정하는 입법을 하고 있다[동법 제312조 제(b)항].

일본 회사법은 이사회 설치회사에서 이사회 의장(대표이사)은 이사회가 이사 중에서 선임하여야 한다고 규정하고 있다(日會 제362조 제3항).

2) 이사회내 위원회

가) 우리 상법상 집행임원 설치회사의 이사회는 언제나 집행임원·대표집행 임원의 선임·해임권을 갖고 있으므로(제408조의2 제3항 제1호), 이러한 집행임 원·대표집행임원의 후보를 이사회에 추천하기 위하여 정관의 규정에 의하여 이 사회내 위원회로서 지명위원회를 둘 수 있다(제393조의2 제1항). 이러한 지명위 원회는 이사회의 위임에 의하여 (대표)집행임원을 선임·해임할 수는 없고(제393 조의2 제2항 제2호 참조), 이사회에 능력 있는 집행임원의 선임을 추천하거나 또 는 문제 있는 집행임원의 해임을 제안할 수 있다고 본다. 또한 이러한 지명위원 회를 둔 경우에 지명위원회는 사외이사뿐만 아니라 사내이사에 관하여도 이사회 에게 이사후보를 추천하고 이사회는 그의 결의로 이사후보로 확정하여 주주총회 에 승인요청을 할 수 있도록 할 수 있다(제393조의2 제2항 제1호 참조). 이와 같 이 하면 자산총액 2조원 이상인 상장회사에 대하여 의무적으로 설치하도록 한 "사외이사 후보추천위원회"(제542조의8 제4항 제1문)는 이러한 지명위원회에 흡 수되어야 할 것이다. 따라서 이러한 상장회사가 지명위원회를 설치한 경우에는 사외이사 추천위원회를 별도로 설치할 필요가 없다고 보아야 할 것이다. 다만 이러한 상장회사의 지명위원회도 사외이사가 총위원의 과반수가 되도록 구성하 여야 할 것이다(제542조의8 제4항 제2문).

또한 우리 상법상 집행임원 설치회사의 이사회는 (정관에 규정이 없거나 주주 총회의 승인이 없는 경우) 집행임원의 보수결정권이 있으므로(제408조의2 제3항 제 6호), 이를 위하여 정관의 규정에 의하여 이사회내 위원회로서 보수위원회를 둘 수 있다(제393조의2 제1항). 집행임원의 보수결정권을 이사회에 부여한 경우, 이 사회는 그 권한을 보수위원회에 위임할 수 있다(제393조의2 제2항). 보수위원회 의 구성원인 이사에 대하여는 자산총액 2조원 이상인 상장회사에 대하여도 일정 비율을 사외이사로 구성하여야 한다는 제한이 없다. 따라서 보수위원회는 사내 이사이든 사외이사이든 2인 이상의 이사로 구성하면 된다(제393조의2 제3항). 그 러나 보수위원회를 집행임원을 겸한 이사(사내이사)만으로 구성하면 자기의 보수를 자기가 결정하는 이익충돌의 문제가 있으므로 이러한 자는 보수위원회에서 배제하는 것이 바람직하다고 본다.

또한 우리 상법상 집행임원 설치회사는 (의무는 없으나) 감독과 감사를 연결하여 감사의 실효를 거두고 별도로 감사(監事)를 두는 비용을 절약하기 위하여 감사위원회를 둘 수 있다. 그러나 자산총액 2조원 이상인 상장회사는 의무적으로 감사위원회를 두어야 한다(제542조의11 제1항). 또한 자산총액 2조원 미만 1,000억원 이상인 상장회사는 상근감사를 두는 것을 피하기 위하여 감사위원회를 둘 수도 있다(제542조의10 제1항 단서). 집행임원 설치회사가 감사위원회를 두고자 하면 사외이사가 최소한 2명 이상 있어야 한다. 왜냐하면 감사위원회는 3명 이상의 이사로 구성되는데, 사외이사가 위원의 3분의 2 이상이어야 하기 때문이다(제415조의2 제2항). 감사위원회는 이사회가 감독기능을 충실히 수행할 수 있을 때 그 기능을 제대로 수행할 수 있으므로, 사외이사가 이사총수의 과반수가 되고 또한 이러한 회사가 집행임원을 두어 업무집행기관과 업무감독기관이 분리되며 또한 사외이사가 과반수인 이사회가 업무집행기관에 대한 업무감독기능을 충실히 수행할 수 있는 경우에 감사위원회를 두도록 하는 것이 자기감사의 모순을 제거하고 감사의 실효성을 위하여 타당하다고 본다. 따라서 집행임원 설치회사가 아니거나 집행임원 설치회사라도 대부분의 집행임원이 이사를 겸하고 있어 이사회의 감독기능이 실효를 거둘 수 없는 경우에는 감사위원회보다는 감사(監事)에 의한 감사가 오히려 더 감사(監査)의 실효를 거둘 수 있는 것으로 본다.

나) 일본의 회사법은 위원회 설치회사에서는 의무적으로 집행임원을 두도록 하고 있어(日會 제402조 제1항), 우리의 입법과는 달리 입법을 하고 있는데, 결과적으로 볼 때 집행임원 설치회사는 위원회를 의무적으로 두도록 하고 있는 것과 동일하다고 볼 수 있다.

일본 회사법상 위원회 설치회사는 지명위원회·감사위원회 및 보수위원회의 3개의 위원회를 두어야 한다(日會 제404조 제1항~제3항). 이러한 각 위원회의 위원은 3명 이상이어야 하는데, 이사 중에서 이사회의 결의로 선임한다(日會 제400조 제1항·제2항). 각 위원회의 위원의 과반수는 사외이사이어야 하는데(日會 제400조 제3항), 감사위원회 위원은 위원회 설치회사 또는 그 자회사의 집행임원 또는 업무집행이사 등을 겸할 수 없다(감사위원회 위원이 전부 3명인 경우, 2명은 집행임원 설치회사의 사외이사이어야 하고 1명은 집행임원 설치회사 또는 그 자회사의 사외이사이어야 함 - 저자 주)(日會 제400조 제3항·제4항).

일본의 회사법상 위원회 설치회사에서 지명위원회는 주주총회에 제출하는 이사의 선임·해임에 관한 의안내용을 결정하고(日會 제404조 제1항), 감사위원회는 집행임원의 직무집행의 감사 및 감사보고서의 작성 등의 직무를 수행하며(日會 제404조 제2항), 보수위원회는 집행임원 등의 개인별 보수 등의 내용을 결정한다(日會 제404조 제3항).

다) 일본에서는 이사회의 감독권에 실효성을 부여하기 위하여 이사회내 위원회를 두도록 하고 이러한 위원회는 사외이사 중심으로 구성하도록 하면서 위원회에 이사회의 많은 권한을 위임하도록 하고 있다. 이와 함께 업무감독권과 분리되는 집행임원을 두도록 하였다. 이는 일본 회사법이 채택한 지배구조의 하나의 형태로서 업무집행기관과 업무감독기관을 분리한 것이고, 업무감독기관을 이사회로부터 위임받은 위원회 중심으로 한 것이다. 집행임원제도는 업무집행기관과 업무감독기관을 분리하고 업무감독기관의 구성원에 업무집행에 참여한 자를 배제함으로써 그 실효성이 발생하는 것이지, 위원회제도와는 아무런 관련이 없다. 따라서 일본 회사법이 이사회의 감독기능을 위원회 중심으로 운영하고 있다고 하여, "우리 개정상법이 위원회제도를 채택하지 않았으므로 집행임원제도의 기본구조에 이론적인 결함이 있을 수 있다"[65]고 비난하는 것은 타당하지 않다고 본다.

집행임원제도의 실효성을 위하여 우리 개정상법이 입법상 잘못한 것은 법무부에 최초로 발제한 상법개정시안대로 사외이사가 이사총수의 과반수로 구성되는 이사회를 가진 회사(이러한 회사의 이사회는 업무집행에 대한 감독에 중점이 있으므로 감독형 이사회라고 볼 수 있음)에 대하여만 집행임원을 두도록 하였어야 했는데, 이러한 제한 없이 모든 회사에 확대하고 그것도 선택적으로 둘 수 있는 것으로 하여 원래의 입법목적이 없어지고 집행임원제도의 정체성이 무엇인지 애매하게 된 것이다. 따라서 앞으로 집행임원제도에 대하여는 원래의 취지에 맞게 운용될 수 있도록 각계 각층이 모두 협력하여 특히 우리 대회사(대기업)의 지배구조의 발전에 함께 노력하여야 할 것으로 본다.

---

65) 이철송, 전게서(회사법강의), 859면.

4. 집행임원

가. 집행임원의 의의 · 지위 · 등기

1) 집행임원의 의의

가) 2011년 개정상법은 주식회사(특히, 대규모 주식회사)에서 실효성 있는 업무집행기관에 대한 감독을 통하여 경영의 투명성과 효율성을 높이기 위하여 주식회사는 (선택에 의하여) 대표이사에 갈음하여 집행임원[66]을 둘 수 있도록 하였는데(제408조의2 제1항), 이와 같이 대표이사에 갈음하여 집행임원을 둔 회사(이하 '집행임원 설치회사'라 한다)에서 집행임원은 「대내적으로 회사의 업무를 집행하고 대표집행임원은 대외적으로 회사를 대표하는 기관」이라고 볼 수 있다.[67] 따라서 집행임원 설치회사에서의 집행임원은 회사와의 관계에서는 위임관계에서(제408조의2 제2항) 집행임원 비설치회사에서 대표이사 또는 업무담당이사에 해당하는 자를 말하고, 회사와의 관계에서 고용관계에 있는 피용자로서 단순히 집행임원 또는 업무담당이사를 보조하는 자는 상법상 집행임원이 아니라 지배인 또는 부분적 포괄대리권을 가진 상업사용인 등과 같은 상업사용인(제10조 이하)이라고 볼 수 있다.

나) 미국의 ALI원칙에서는 집행임원을 주요상급집행임원(principal senior executive)과 기타 집행임원(other officer)로 분류하면서, 주요 상급집행임원은 '대표집행임원(chief executive officer) · 총무집행임원(operating executive officer) · 재무집행임원(financial executive officer) · 법률집행임원(legal executive officer) · 회계집행임원(accounting executive officer)'을 말하고[ALI 제1.30조, 제1.27조 제(a)항], 기타 집행임원이란 '주요 상급집행임원이 아닌 자로서 이사 업무 이외의 정책결정 기능을 수행하거나 이사의 보수를 초과하여 상당한 보수를 수령하는

---

66) 집행임원 설치회사에서 '집행임원'은 회사의 업무집행에 중점을 두어 붙여진 이름으로 집행임원 중 대표집행임원만이 제3자에 대하여 회사를 대표한다. 이에 반하여 집행임원 비설치회사에서의 대표이사(제389조)는 회사의 제3자에 대한 대표에 중점을 두어 붙여진 이름인데 회사의 대표이사는 회사의 영업에 관하여 재판상 또는 재판외의 모든 행위를 할 권한이 있으므로(제389조 제3항, 제209조 제1항) 원칙적으로 회사의 모든 업무에 관하여 집행권을 갖는 것으로 해석하고 있다(정찬형, 전게서[상법강의(상)], 1008면 참조).

67) 정찬형, 상게서, 1031~1032면.

이사회 의장(chairman), 일정한 단위부서(판매·관리·금융 등)에서 업무를 담당하는 부장(president)·재무(treasurer)·총무(secretary)·부부장(vice-president) 또는 부의장(vice-chairman) 및 기타 회사에 의하여 집행임원으로 선임된 자'를 말한다고 규정하고 있다[ALI 제1.27조 제(b)항·제(c)항].

캘리포니아주 회사법도 집행임원에 대하여 '이사회 의장, 사장(president), 총무(secretary), 대표회계집행임원(chief financial officer) 및 그 밖의 집행임원'으로 규정하고 있다[동법 제312조 제(a)항].

뉴욕주 회사법도 집행임원에 대하여 '사장(president), 부사장(vice president), 총무(secretary) 및 재무(treasurer)'로 규정하고 있다[동법 제715조 제(a)항].

2) 집행임원의 지위

가) 집행임원 설치회사와 집행임원의 관계는 민법 중 위임에 관한 규정이 준용된다(제408조의2 제2항). 이는 이사와 회사와의 관계와 같고(제382조 제2항), 상업사용인과 회사와의 관계가 보통 고용관계인 점과 구별된다. 민법상의 위임계약이 원칙적으로 무상인 점과는 달리 집행임원 설치회사는 (이사의 경우와 같이) 집행임원에게 보수를 주는 것이 보통이므로(유상계약), 집행임원의 보수에 대하여는 정관에 규정이 없거나 주주총회의 승인이 없는 경우 이사회가 이를 결정한다(제408조의2 제3항 제6호).

2011년 개정상법은 주식회사에서 이와 같이 집행임원에 대하여 규정하고 이와 함께 집행임원과 집행임원 설치회사와의 관계가 위임관계임을 명백히 규정하고 있으므로, 종래에 사실상 집행임원(비등기임원)에 대하여 우리 대법원판례가 주주총회에서 선임되지 않았고 또한 등기되지 않았다는 이유를 들어 이사가 아니라는 점에서 회사와의 관계는 (고용계약을 전제로 하는) 근로자이고 또한 이러한 사실상 집행임원(비등기임원)에 대하여는 근로기준법이 적용된다고 판시한 것은,[68] 이에 관한 근거규정이 제정되었으므로 수정되어야 할 것으로 본다.[69]

나) 일본 회사법에서도 "위원회 설치회사와 집행임원과의 관계를 위임에 관한 규정에 따른다"고 규정하고 있다(日會 제402조 제3항).

---

68) 대법원 2003.9.26. 2002다64681(비등기임원을 원심에서는 근로자가 아니라고 보았으나, 대법원에서는 이러한 비등기임원을 근로자라고 보고 원심을 파기환송함) 외.

69) 정찬형, 전게논문(선진상사법률연구 통권 제55호), 15면; 동, 전게서[상법강의(상)], 1034~1035면.

3) 집행임원의 등기

가) 집행임원의 성명과 주민등록번호는 이사와 같이 등기사항이고(제317조 제2항 제8호), 또한 회사를 대표할 집행임원(대표집행임원)의 성명·주민등록번호 및 주소도 등기사항이며(제317조 제2항 제9호), 둘 이상의 대표집행임원이 공동으로 회사를 대표할 것을 정한 경우에는 그 규정(공동대표집행임원)도 등기사항이다(제317조 제2항 제10호).

회사가 집행임원을 선임하여 회사의 업무집행권한을 부여하면서 (대표)집행임원에 관한 등기를 하지 않으면, 그러한 집행임원은 집행임원으로서의 권한을 갖고 회사는 다만 선의의 제3자에게 대항하지 못하는(상업등기의 일반적 효력) 불이익을 받게 된다(제37조 제1항). 이는 (대표)이사 및 지배인의 경우에도 동일하다.

현재 대회사에서 많이 시행하고 있는 사실상 집행임원(비등기임원)에 대하여는, IMF 경제체제 이전(즉, 의무적인 사외이사제도가 도입되기 이전)에 (업무담당)이사의 업무를 수행하는 자의 경우에는 2011년 개정상법상 (이사회에 의한 선임절차를 취함과 동시에 — 제408조의2 제3항 제1호) 집행임원으로 등기하여야 할 것이고(제317조 제2항 제8호), 종래의 (업무담당)이사와 같은 업무를 수행하지 않고 지배인과 동일 또는 유사한 업무를 수행하는 자에 대하여는 지배인 등기를 하여 공시하여야 할 것으로 본다(제13조). 만일 현행 사실상 집행임원(비등기임원)이 실제로 상법상 부분적 포괄대리권을 가진 상업사용인(제15조)에 해당된다면(회사의 차장·과장 등) 등기할 필요가 없을 것인데, 이러한 비등기임원이 부분적 포괄대리권을 가진 상업사용인에 해당한다고 보기는 어려울 것으로 본다.[70]

나) 일본 회사법상 위원회 설치회사에서 집행임원의 성명과 대표집행임원의 성명 및 주소는 등기사항이다(日會 제911조 제3항 제22호).

나. 집행임원의 선임·해임

1) 선임·해임기관

가) 우리 상법상 집행임원 설치회사에서의 집행임원의 선임·해임권은 이사회에 있다(제408조의2 제3항 제1호). 이와 같이 상법의 규정에 의하여 집행임원과

---

70) 정찬형, 상계논문, 15~16면; 동, 상계서, 1037면.

대표집행임원의 선임·해임권은 이사회의 고유의 권한으로 규정하고 있고 또 이러한 규정은 강행규정으로 볼 수 있으므로 정관의 규정에 의하여 이 권한을 주주총회의 권한으로 할 수 없다고 본다.[71] 이는 집행임원 비설치회사에서의 대표이사의 선임·해임권이 원칙적으로 이사회에 있으나, 정관으로 주주총회에서 대표이사를 선정할 것을 정할 수 있도록 한 점(제389조 제1항)과 구별된다. 집행임원 설치회사에서는 원칙적으로 이사회의 구성원과 집행임원이 구별되고 또한 이사회가 집행임원과 대표집행임원의 인사권을 갖고 있기 때문에 이사회는 집행임원에 대하여 실효성 있는 감독권을 행사할 수 있는 것이다. 집행임원 비설치회사의 대표이사도 원칙적으로 이사회에서 선임되나 이사회를 구성하는 이사들이 사실상 대표이사의 지휘·감독하에 있으므로 이사회가 대표이사의 업무집행을 감독한다는 것은 사실상 불가능하고, 더욱이 정관의 규정에 의하여 대표이사가 주주총회에 의하여 선임된 경우에는 이사회가 이러한 대표이사를 감독한다는 것은 사실상 불가능하다.

나) 집행임원의 선임·해임은 원래 주주총회의 권한사항인데 이를 이사회에 위임한 것이므로 정관에 의하여 집행임원의 선임·해임권을 주주주총회의 권한사항으로 할 수 있다는 견해도 있으나,[72] 집행임원의 선임·해임권을 주주총회 고유의 권한사항으로 볼 수는 없고 지배구조의 권한분배에서 입법정책적으로 이사회의 고유 권한사항으로 규정한 것이라고 볼 수 있으며 또한 이사회의 감독기능을 강화하기 위한 취지에서 볼 때 타당하지 않다고 본다. 따라서 정관으로 집행임원의 선임·해임권을 주주총회에 부여하면 그러한 정관의 규정은 상법의 강행규정에 반하여 무효라고 본다.

입법론으로도 집행임원의 선임·해임권을 주주총회에 부여할 수 있도록 하는 것은 이사회의 감독기능을 유명무실하게 하는 것으로서 타당하지 않다고 본다. 비교법적으로도 미국의 ALI 원칙 및 모범사업회사법상 집행임원은 이사회에 의하여 선임·해임되는 것으로 규정하고[ALI 제3.01조, 제3.02조 제(a)항 제(1)호], 또한 미국의 대부분의 주(州)회사법도 집행임원은 이사회에 의하여 선임·해임되는 것으로 규정하고 있다[Del. Gen. Corp. Law 제142조; Cal. Corp. Code 제

---

71) 정찬형, 상게서, 882~883면 참조.
72) 신동찬·황윤영·최용환, "개정상법상 집행임원제도," 「BFL」 제51호(서울대학교 금융법센터, 2012), 79면.

132조 등]. 다만 소수의 주(州)회사법은 (폐쇄회사에서) 집행임원(전부 또는 일부)
이 정관의 규정에 의하여 주주총회에 의하여 선임·해임될 수 있음을 규정하고
있다[N.Y. Bus. Corp. Law 제715조]. 일본의 회사법도 집행임원의 선임·해임권
은 이사회에 있는 것으로 규정하고 있다(日會 제402조 제2항, 제403조 제1항).

다) 집행임원 설치회사에서의 이사회는 집행임원(특히, 대표집행임원)이 다른
집행임원을 선임·해임할 수 있도록 위임할 수 있는가의 문제가 있다. 이에 대
하여 미국의 모범사업회사법에서는 「집행임원도 정관이나 이사회의 수권에 의하
여 1인 이상의 다른 집행임원이나 하위의 집행임원을 선임할 수 있다」고 규정
하여[MBCA 제8.40조 제(b)항], 이사회 또는 정관은 집행임원에게 다른 집행임원
의 선임권을 위임할 수 있는 것으로 규정하고 있다. 그러나 우리 상법은 이러한
규정이 없으므로 집행임원 설치회사의 이사회는 (대표)집행임원에게 다른 집행
임원의 선임·해임권을 위임할 수 없다고 본다.[73] 집행임원의 선임·해임권은
주주총회의 고유한 권리라고도 할 수 없으므로 상법에 위반하여 정관에 의해서
도 이사회 외의 다른 자(주주총회 또는 대표집행임원 등)에게 집행임원의 선임·
해임권을 부여할 수 없고, 이와 같이 이사회 외의 자에게 집행임원의 선임·해
임권을 부여한 정관의 규정은 무효라고 본다.

2) 선임·해임의 절차

이사회는 정관에 (높은 비율로) 달리 규정하고 있지 않는 한 이사 과반수의
출석과 출석이사 과반수의 찬성으로 집행임원을 선임·해임할 수 있다(제391조
제1항).[74] 이 때 가부동수(可否同數)인 경우 이사회 의장에게 결정권을 주는 것
으로 정한 정관의 규정은 법적 근거 없이 이사회 의장에게 복수의결권을 주는
것이 되어 무효라고 본다.[75]

이사회 결의에 관하여 특별한 이해관계를 갖는 이사는 이사회에서 의결권을
행사하지 못하는데(제391조 제3항, 제368조 제4항), 집행임원 후보인 이사가 이사
회에서 의결권을 행사할 수 있는지 여부가 문제될 수 있다. 주주총회의 결의에
서 주주가 주주의 입장(사단관계)에서 이해관계를 갖는 경우에는 특별한 이해관

---

73) 동지: 임재연, 전게서(회사법Ⅱ), 456면; 김태진, "개정 상법하의 집행임원제 운용을 위한
    법적 검토," 「상사법연구」 제30권 제2호(한국상사법학회, 2011), 351면.
74) 동지: 임재연, 상게서, 456면.
75) 정찬형, 전게논문(선진상사법률연구 통권 제55호), 16면; 동, 전게서[상법강의(상)], 1035면.

계를 갖지 않는 것으로 보고 주주가 주주의 입장을 떠나서 개인적으로 갖는 이 해관계만을 특별한 이해관계를 갖는 것으로 해석하는 것(개인법설)이 통설인 데,76) 이러한 통설을 이사회에서도 동일하게 적용한다면 집행임원 후보인 이사 는 의결권을 행사할 수 있는 것으로 볼 수 있다.77)

이러한 이사회의 결의에 대하여 이사는 책임을 져야 하므로(제399조 제2항·제 3항 참조) 무기명투표는 허용되지 않는다.78)

집행임원은 이와 같이 이사회에서 선임·해임되어야 하므로 (이사회에서 선 임·해임되지 않는) 회장(또는 지배주주겸 대표이사) 등과 이들이 선임·해임하는 (사실상) 집행임원은 상법상 집행임원은 아니나, 상법상 집행임원과 동일하게 보 아 그의 책임을 물을 수 있다고 본다(제408조의9, 제401조의2).79)

3) 집행임원의 수

집행임원의 수에는 (최저이든 최고이든) 제한이 없다. 따라서 집행임원을 1인 둘 수도 있고(이 경우에는 그 집행임원이 대표집행임원의 지위를 겸한다 – 제408조의 5 제1항 단서), 2인 이상 다수 둘 수도 있는데 집행임원이 2인 이상인 경우에는 이사회의 결의로 대표집행임원을 선임하여야 한다(제408조의5 제1항 본문). 이 때 이사회는 집행임원과 대표집행임원을 동시에 선임할 수 있다고 본다.

집행임원이 다수인 경우에도 상법상 (이사회와 같이) 회의체를 구성하는 것이 아니다.

4) 집행임원의 자격

집행임원의 자격에는 제한이 없다. 그러나 해석상 집행임원은 당해 회사 및 자회사의 감사(監事)를 겸직할 수 없다고 본다(제411조 참조).80) 따라서 이사회 는 유능한 경영인을 집행임원으로 선임하여 업무집행의 효율성을 극대화할 수

---

76) 정찬형, 상게서, 899~900면; 정동윤, 전게서(회사법), 329면 외.
77) 정찬형, 전게논문(선진상사법률연구 통권 제55호), 16면; 동, 상게서, 1035면.
　　동지: 임재연, 전게서(회사법Ⅱ), 455면(이는 이사회에서의 대표이사 선임의 경우와 같이 회사지배에 관한 주주의 비례적 이익이 연장·반영되기 때문이기도 하다고 한다).
78) 정찬형, 전게서[상법강의(상)], 1035면; 동, 전게논문(선진상사법률연구 통권 제55호), 16면.
79) 정찬형, 상게서, 1035~1036면; 동, 상게논문, 16면.
80) 따라서 제411조에서는 당연히 "집행임원"이 추가되어야 한다고 본다. 제411조의 감사의 겸 직금지의 대상에 집행임원이 빠진 것은 입법의 미비라고 본다[동지: 송옥렬, 전게서(상법강 의), 1117면].

있고, 언제든지 그 결과에 대하여 책임을 물을 수 있다.

이사가 집행임원이 될 수 있는가의 문제가 있다. 우리 상법상 이사가 집행임원이 될 수 없음을 명문으로 규정하고 있지 않으므로 이사는 집행임원이 될 수 있다고 본다.[81] 그러나 사외이사가 집행임원이 될 수 없음은 상법상 명백하다(제382조 제3항 제1호). 따라서 이사가 집행임원의 지위를 겸한 경우를 사내이사라고 부를 수 있고(엄격히는 이사 겸 집행임원임), 집행임원의 지위를 겸하지 않는 이사를 사외이사 또는 비상근이사라고 부를 수 있다. 집행임원은 그 성질상 자연인만이 될 수 있고 법인은 될 수 없으며[MBCA 제8.40조 제(b)항 참조], 자연인 중에서도 행위무능력자·파산자 등은 집행임원이 될 수 없다고 본다.[82]

상업사용인은 영업주의 허락이 있어야 (다른) 회사의 집행임원이 될 수 있고(제17조 제1항 유추적용),[83] 대리상도 본인의 허락이 있어야 동종영업을 목적으로 하는 회사의 집행임원이 될 수 있으며(제89조 제1항 유추적용),[84] 합자조합의 업무집행조합원·합명회사의 사원·합자회사의 무한책임사원도 다른 조합원(사원)의 동의가 있어야 동종영업을 목적으로 하는 다른 회사의 집행임원이 될 수 있고(제86조의8 제2항, 제198조 제1항, 제269조 유추적용),[85] 유한책임회사의 업무집행자는 사원 전원의 동의가 있어야 같은 종류의 영업을 목적으로 하는 다른 회사의 집행임원이 될 수 있으며(제287조의10 제1항), 주식회사·유한회사의 이사는 이사회의 승인이 있어야 동종영업을 목적으로 하는 다른 회사의 집행임원이 될 수 있고(제397조, 제567조),[86] 주식회사의 집행임원은 이사회의 승인이 있어야 동종영업을 목적으로 하는 다른 회사의 집행임원 등이 될 수 있다(제408조의9, 제397조).

비교법적으로 볼 때 일본의 회사법은 명문으로 집행임원은 이사를 겸할 수 있다고 규정하고 있다(日會 제402조 제6항).

---

81) 정찬형, 전게서[상법강의(상)], 1034면; 동, 전게논문(선진상사법률연구 통권 제55호), 14면; 동지: 임재연, 전게서(회사법Ⅱ), 451면; 이철송, 전게서(회사법강의), 860면; 송옥렬, 전게서(상법강의), 1117면.
82) 동지: 임재연, 상게서, 450면.
83) 입법론상 제17조 제1항에 "집행임원"을 추가하여야 한다고 본다[동지: 임재연, 상게서, 452면].
84) 입법론상 제89조 제1항에 "집행임원"을 추가하여야 한다고 본다.
85) 입법론상 제198조 제1항에 "집행임원"을 추가하여야 한다고 본다.
86) 입법론상 제397조 후단에 "집행임원"을 추가하여야 한다고 본다.

법무부에 최초로 발제한 집행임원에 관한 상법개정시안에 의하면 "이사는 집행임원의 직무를 겸할 수 있는데, 이는 부득이한 경우에 한하여 또한 최소한으로 하여야 한다"고 규정하였다(동 시안 제408조의3 제2항). 집행임원의 전부 또는 거의 전부가 이사를 겸하면 자기감독의 모순이 있게 되어 이사회가 집행임원을 실질적으로 감독할 수 없게 되어, 이는 참여형 이사회제도(집행임원 비설치회사)에서 이사회가 업무집행기관에 대하여 실효성 있는 감독권을 행사할 수 없는 문제점이 그대로 나타난다.87) 그러나 집행임원이 이사를 겸하는 경우 그러한 이사는 업무집행상황을 신속·정확하게 이사회에 전달하고 이사회의 결의사항을 정확하게 파악하여 집행하는 등 이사회와 집행임원간의 의사전달을 원활히 하여 업무집행의 효율성을 기하는 장점도 있다. 따라서 해석상 집행임원이 이사의 지위를 겸하는 경우에는 부득이한 경우에 한하고 또한 최소한(1명 내지 2명)으로 한정하는 것이 집행임원제도의 원래의 취지에 맞는다고 본다. 따라서 대부분 이사가 회사의 업무집행을 담당하는(즉, 과반수 내지 전부의 이사가 사내이사인) 자산총액 2조원 미만의 상장회사 및 비상장회사는 집행임원제도를 채택할 실익이 없고 또한 비록 그러한 회사가 집행임원제도를 채택한다고 하더라도 이는 이사회에 의한 업무집행기관에 대한 실효성 있는 감독을 하고자 하는 집행임원제도의 본래의 취지에 맞지 않는다고 본다.

그 밖에 집행임원의 자격요건에 관한 입법을 비교법적으로 살펴보면 영국의 회사법(2006)은 공개회사의 총무(secretary)의 적극적 자격요건에 대하여 규정하고 있다(동법 제273조). 즉, 총무는 (i) 총무로 임명되기 직전 5년 중에서 최소 3년 총무의 직에 있었던 경험이 있거나, (ii) 영국의 회계단체의 구성원이거나, (iii) 영국에서의 변호사이거나, (iv) 총무의 직무를 수행할 수 있는 능력이 있는 이사이어야 한다. 또한 일본의 회사법은 위원회 설치회사에서 집행임원의 소극적 자격요건에 대하여 규정하고 있다. 즉, 회사법 위반으로 유죄판결을 받은 경우 등과 같은 이사의 결격사유가 있는 자(日會 제331조 제1항)는 집행임원이 될 수 없도록 하고 있다(日會 제402조 제4항).

---

87) 동지: 법무부, 전게서(상법 회사편 해설), 269~270면.

5) 집행임원의 해임

가) 집행임원의 종임사유

집행임원과 회사와의 관계는 위임관계이므로(제408조의2 제2항) 집행임원은 위임의 종료사유에 의하여 종임된다. 이는 이사의 경우와 같다. 위임계약은 약정종료사유(각 당사자의 계약해지)(민법 제689조)에 의하여 종료되는 점에서, 집행임원은 사임에 의하여 또한 회사에 의한 해임에 의하여 집행임원에 관한 위임계약이 종료된다. 또한 위임계약은 법정종료사유(위임인의 사망·파산, 수임인의 사망·파산·성년후견개시)(민법 제690조)에 의하여 종료되므로, 회사의 해산·파산이나 집행임원의 사망·파산·성년후견개시에 의하여 종료된다.

집행임원은 위와 같은 위임의 종료사유 이외에도 임기의 만료·정관소정 자격의 상실 등에 의하여도 종임된다.

집행임원이 사임한 경우 언제 그 효력이 발생하는가에 관하여는 이사의 경우와 동일하게 보아야 할 것이다. 즉, 집행임원의 사임의 의사표시가 대표집행임원(또는 이사회 의장)에게 도달하면 사임의 효과가 발생하나, 대표집행임원(또는 이사회 의장)에게 사표의 처리를 일임한 경우에는 대표집행임원(또는 이사회 의장)이 사표를 수리함으로써 사임의 효과가 발생한다.[88] 비교법적으로 보면, 미국의 모범사업회사법은 "집행임원은 언제든지 회사에 통지함으로써 사임할 수 있는데, 이러한 통지서에 사임일자를 지정하지 않는 한 통지서가 도달하였을 때에 사임의 효력이 발생한다"고 규정하고 있다[동법 제8.43조 제(a)항].

그러나 집행임원이 사망함으로써 위임계약이 종료되는 경우에는 (사망의) 통지를 요하지 않고 대항력이 발생한다.[89]

나) 집행임원의 해임

(1) 해임사유

상법은 집행임원의 해임사유에 대하여는 규정하지 않고, 집행임원의 (선임) 해임기관(제408조의2 제3항 제1호)에 대하여만 규정하고 있다. 따라서 집행임원의 (선임)해임기관인 이사회는 후술하는 바와 같이 집행임원의 임기중에도 집행임원에게 정당한 사유가 있거나 없거나 언제든지 집행임원을 해임할 수 있는데,

---

88) 동지: 대법원 1998.4.28. 98다8615(이사에 관하여).
89) 동지: 대법원 1963.9.5. 63다233(이사에 관하여).

이 때 집행임원은 회사에 대하여 손해배상청구를 할 수 없다고 본다.[90] 이사의 경우에는 상법에서 "이사의 임기를 정한 경우에 주주총회가 정당한 사유 없이 이사의 임기만료 전에 이사를 해임한 때에는 그 이사는 회사에 대하여 해임으로 인한 손해의 배상을 청구할 수 있다"고 규정하고 있는데(제385조 제1항 단서), 이러한 상법의 규정이 대표이사에 대하여 유추적용될 수 있는지 여부에 대하여 우리 대법원판례는 명백히 이를 부정하는 입장에서 판시하고 있다. 즉, 우리 대법원은 "상법 제385조 제1항은 주주총회의 특별결의에 의하여 언제든지 이사를 해임할 수 있게 하는 한편, 임기가 정하여진 이사가 그 임기 전에 정당한 이유 없이 해임당한 경우에는 회사에 대하여 손해배상을 청구할 수 있게 함으로써 주주의 회사에 대한 지배권 확보와 경영자 지위의 안정이라는 주주와 이사의 이익을 조화시키려는 규정이고, 이를 이사회가 대표이사를 해임한 경우에도 유추적용할 것은 아니고, 대표이사가 그 지위의 해임으로 무보수 비상근의 이사로 되었다고 하여 달리 볼 것도 아니다"고 판시하였다.[91] 이사의 지위와 대표이사의 지위는 다르므로 대표이사에 대하여 제385조 제1항 단서를 유추적용할 수 없다는 대법원판결에 찬성한다.[92] 집행임원의 경우에도 업무집행에 대한 결과에 대하여 그 선임권자는 언제든지 그 책임을 물어 해임할 수 있도록 하여야 하므로 그 해임에 정당한 사유가 있는지 없는지를 법원이 평가하도록 하는 것은 타당하지 않다고 본다. 만일 입법정책적으로 집행임원을 이사회가 정당한 사유 없이 해임한 경우 그 집행임원이 손해배상청구를 할 수 있도록 하려면 상법에 명문으로 제385조 제1항 단서를 준용하는 규정을 두었어야 할 것으로 본다. 법무부에 최초로 발제한 집행임원에 관한 상법개정안시안에서는 집행임원의 해임에 관한 규정에서 제385조 제1항 단서를 준용하는 것으로 규정하였는데(동 시안 제408조의5 제2항), 입법에 관한 논의의 과정에서 이를 삭제하여 위의 대법원판례와 동일내용으로 하였다.

집행임원을 임기 중 정당한 이유 없이 해임한 경우 집행임원은 제385조 제1항 단서를 유추적용하여 손해배상을 청구할 수 없다면 민법 제689조 제2항(당사자 일방이 부득이한 사유 없이 상대방의 불리한 시기에 위임계약을 해지한 때에는 그

---

90) 정찬형, 전게서[상법강의(상)], 1036면; 동, 전게논문(선진상사법률연구 통권 제55호), 17면. 동지: 임재연, 전게서(회사법Ⅱ), 457면.
91) 대법원 2004.12.10. 2004다25123 외.
92) 정찬형, 전게서[상법강의(상)], 1006면.

손해를 배상하여야 한다)에 의한 손해배상을 청구할 수 있다는 견해가 있는데,[93] 타당하지 않다고 본다. 그 이유는 집행임원(대표이사의 경우도 동일함)의 해임은 단체법상의 행위이기 때문에 사인간의 단순한 위임계약과 구별되는 점, 집행임원의 업무 무능 등의 이유로 (정당한 사유 없이) 집행임원을 해임한 것이 민법 제689조 제2항에 해당한다고 볼 수 없는 점, 회사가 집행임원의 업무결과에 따라 책임을 묻는 것을 정당사유 유무 등에 따른 사법판단에 맡기는 것은 적절하지 않은 점 등이다.

비교법적으로 볼 때 미국의 모범사업회사법은 "이사회 등은 언제든지 (정당한) 이유가 있든 없든 상관없이 집행임원을 해임할 수 있다"고 규정하고[동법 제8.43조 제(b)항], 뉴욕주 회사법은 "정당한 사유 없이 집행임원을 해임하여도 집행임원의 (회사와의) 계약상 권리를 침해하는 것이 아니다"고 규정하고 있다[동법 제716조 제(b)항]. 그러나 일본 회사법은 "집행임원은 언제든지 이사회의 결의에 의하여 해임될 수 있는데, 이와 같이 해임된 집행임원은 그 해임에 관하여 정당한 이유가 있는 경우를 제외하고 위원회 설치회사에 대하여 해임으로 발생한 손해의 배상을 청구할 수 있다"고 규정하고 있다(日會 제403조 제1항·제2항).

(2) 해임결의

이사회에 의한 집행임원의 해임결의는 앞에서 본 바와 같이 정관에 (높은 비율로) 달리 규정하고 있지 않는 한 선임의 경우와 같이 보통결의로(즉, 이사 과반수의 출석과 과반수의 찬성으로) 한다(제391조 제1항). 이는 상법상 이사의 해임결의를 주주총회의 특별결의로 규정하고(제385조 제1항 본문), 감사위원회 위원의 해임결의를 이사회의 특별결의(이사총수의 3분의 2 이상)로 규정하고 있는 점(제415조의2 제3항)과 구별되고 있다.

외국의 입법례도 우리 입법의 경우와 같이 집행임원의 해임에 관하여 이사회의 결의요건을 달리 규정하고 있지 않다[MBCA 제8.43조 제(b)항; 日會 제403조 제1항 외].

집행임원이 그 직무에 관하여 부정행위 또는 법령이나 정관에 위반한 중대한 사실이 있음에도 불구하고 이사회에서 그 해임을 부결한 때에는, 소수주주가 집행임원해임의 소를 제기할 수는 없고,[94] 집행임원에게 이러한 사유가 있음에도

---

93) 임재연, 전게서(회사법II), 457면.
94) 입법론으로 소수주주의 집행임원해임의 소를 직접 규정하거나 이사해임의 소에 관한 제385

이사회에서 해임안건이 부결되어 회사에 손해가 발생한 경우에는 소수주주는 대
표소송 또는 다중대표소송을 제기하여 이사의 임무해태로 인한 회사에 대한 책
임을 추궁할 수 있다고 본다(제399조, 제403조~제406조, 제406조의2).[95]

(3) 집행임원의 직무집행정지·직무대행자 선임

집행임원해임의 소가 제기되거나 집행임원선임결의의 무효나 취소의 소가 제
기된 경우에 법원은 당사자의 신청에 의하여 가처분으로써 집행임원의 직무집행
을 정지할 수 있고 또는 직무대행자를 선임할 수 있으며, 급박한 사정이 있는
때에는 본안소송의 제기 전에도 그 처분을 할 수 있다(제408조의9, 제407조 제1
항). 또한 법원은 당사자의 신청에 의하여 이러한 가처분을 변경 또는 취소할
수 있고, 이러한 가처분이 있는 때에는 본점과 지점의 소재지에서 그 등기를 하
여야 한다(제408조의9, 제407조 제2항·제3항).

이 경우 직무대행자는 가처분명령에 다른 정함이 있거나 법원의 허가를 얻은
경우 외에는 회사의 상무에 속하지 아니한 행위를 하지 못하는데, 직무대행자가
이에 위반한 행위를 한 경우에도 회사는 선의의 제3자에 대하여 책임을 져야
한다(제408조의9, 제408조).

위와 같이 가처분에 의하여 직무집행의 정지를 당한 집행임원이 가처분의 취
지에 반하여 한 행위는 무효이고, 대표집행임원이 제3자에 대하여 한 행위도 무
효이다.[96] 또한 직무집행의 정지를 당한 집행임원은 직무집행에서 배제되므로
그 직무와 관련하여 발생하는 책임도 없다.[97] 이러한 직무집행정지가처분은 그
존속기간의 정함이 없는 경우에도 본안소송에서 가처분신청자가 승소하여 그 판
결이 확정된 때에는, 그 목적을 달성한 것이 되어 당연히 그 효력을 상실한

조 제2항을 준용하도록 할 필요가 있다는 견해도 있으나[정준우, "2011년 개정상법상 집행
임원의 법적 지위에 관한 비판적 검토,"「한양법학」제35집(한양대학교 법학연구소, 2011.
8), 461면], 타당하지 않다고 본다. 왜냐하면 이는 집행임원의 선임·해임권을 이사회에 준
규정(제408조의2 제3항 제1호)에 반하고, 제385조 제2항은 지배주주의 권리남용에 대한 소
수주주의 견제에 관한 규정이므로 이를 이사회의 경영판단에 관한 규정에 준용하도록 하는
것은 적절하지 않기 때문이다.
    참고로 뉴욕주 회사법은 정당한 이유가 있는 경우 집행임원의 해임판결을 구하는 소가
(연방정부의) 법무부장관(attorney-general) 또는 소수주주(발행주식총수의 10%)에 의하여
제기될 수 있음을 규정하고 있다[동법 제716조 (c)항].
95) 동지: 임재연, 전게서(회사법 II), 458면.
96) 정찬형, 전게서[상법강의(상)], 972면.
97) 동지: 대법원 1980.3.11. 79누322(이사에 관하여).

다.[98] 직무집행정지·직무대행자선임의 가처분에 의하여 직무집행이 정지된 집행임원이 사임하고 이사회결의로 후임 집행임원이 선임되더라도, 그것만으로 즉시 위 가처분이 실효하거나 위 직무대행자의 권한이 소멸하는 것은 아니고, 가처분의 취소가 있어야 가처분에 의한 직무대행자의 권한이 소멸한다.[99] 따라서 후임 집행임원은 위 가처분이 취소되지 않는 한 그 권한을 행사하지 못한다.[100]

(4) 집행임원 결원의 경우

이사는 법정정원이 있어(제383조 제1항 본문) 이사가 법률 또는 정관에 정한 이사의 수를 결한 경우에는 임기의 만료 또는 사임으로 인하여 퇴임한 이사는 새로 선임된 이사가 취임할 때까지 이사의 권리의무가 있다(제386조 제1항). 이 경우에 필요하다고 인정할 때에는 법원은 이사·감사·기타의 이해관계인의 청구에 의하여 일시 이사의 직무를 행할 자(임시이사, 직무대행자)를 선임할 수 있는데, 이 때에는 본점의 소재지에서 그 등기를 하여야 한다(제386조 제2항). 이사에 관한 이러한 규정이 집행임원에게도 유추적용될 수 있는지 여부에 관한 문제가 있다. 집행임원은 수 인이 있는 경우에도 이사회와는 달리 회의체를 구성하지 않고 각자 업무집행을 하는 것이므로 집행임원이 사임 또는 임기만료로 퇴임하면 잔존 집행임원이 그 업무를 처리하면 되는 점 등에서 제408조의9가 제386조를 준용하지 않은 것으로 본다.[101] 이러한 취지에서 볼 때 원칙적으로 제386조를 무리하게 유추적용할 필요가 없다고 본다. 그런데 집행임원이 1인이거나 또는 정관에서 집행임원의 수를 정한 경우에는 제386조를 유추적용하여 집행임원이 임기만료 또는 사임으로 인하여 집행임원이 없게 되거나 또는 정관에서 정한 수를 결(缺)한 경우에는 퇴임한 집행임원은 후임 집행임원이 취임할 때까지 집행임원의 권리의무가 있고, 필요한 때에는 이사 등이 임시 집행임원의 선임을 법원에 청구할 수 있다고 본다(제386조 유추적용).[102]

입법론으로는 제408조의9에 제386조를 준용하도록 하는 것이 이러한 의문점을 해소하고 업무집행의 연속성을 위하여 더 타당하지 않을까 생각한다.

비교법적으로 볼 때 일본 회사법은 "집행임원이 부족한 경우 또는 정관에서

---

98) 동지: 대법원 1989.5.23. 88다카9883(이사에 관하여) 외.
99) 동지: 대법원 1997.9.9. 97다12167(이사에 관하여).
100) 동지: 대법원 1992.5.12. 92다5638(대표이사에 관하여).
101) 동지: 임재연, 전게서(회사법 II), 458면.
102) 동지: 임재연, 상계서, 458면.

정한 집행임원의 수가 부족한 경우에, 임기만료 또는 사임에 의하여 퇴임한 집행임원은 새로이 선임된 집행임원(임시 집행임원을 포함한다)이 취임할 때까지 집행임원으로서의 권리의무가 있고, 법원은 필요하다고 인정한 때에는 이해관계인의 신청에 의하여 임시 집행임원의 직무를 행할 자를 선임할 수 있으며, 이러한 임시 집행임원이 선임된 때에는 위원회 설치회사가 그에 대하여 지급하는 보수액을 정할 수 있다"고 규정하고 있다(日會 제403조 제3항, 제401조 제2항~제4항). 미국의 델라웨어주 회사법도 "모든 집행임원은 후임 집행임원이 선임되고 그 자격을 갖출 때까지 집행임원으로서의 직을 갖는데, 이는 집행임원이 임기 전에 사임하거나 해임된 경우에도 같다"고 규정하고 있다[동법 제142조 제(b)항].

다. 집행임원의 보수

1) 이사의 보수는 정관에 그 액을 정하지 아니한 때에는 주주총회의 결의로 이를 정한다(제388조). 그런데 대표집행임원을 포함한 집행임원의 보수는 정관에 규정이 없거나 주주총회의 승인이 없는 경우 이사회의 결의로 정하여진다(제408조의2 제3항 제6호). 이사회에 대하여 이와 같이 집행임원의 보수결정권을 부여한 것은 앞에서 본 바와 같이 집행임원에 대한 실효성 있는 감독권을 행사할 수 있도록 한 것이다.[103] 집행임원 설치회사에서는 이와 같이 이사회에 집행임원의 선임·해임권과 함께 보수결정권을 부여함으로써 이사회가 집행임원의 실적을 평가하여 집행임원을 해임하거나 보수를 조정할 수 있으므로 집행임원에 대한 실효적인 감독권을 행사할 수 있는 것이다. 이 점은 집행임원 설치회사가 집행임원 비설치회사와 구별되는 점이다.

2) 집행임원 설치회사가 이사를 집행임원으로 선임하든가 또는 상업사용인을 집행임원으로 선임하는 경우 집행임원의 보수는 어떻게 결정하는가의 문제가 있다. 이사와 집행임원은 모두 회사와의 관계에서 위임관계이나(제382조 제2항, 제408조의2 제2항), 보수결정기관이 다른 경우에는 각각 달리 정하여 할 것이다. 즉, 이사의 보수결정을 주주총회의 결의에 의하여 정하고 집행임원의 보수결정을 이사회에 의하여 정할 때에는 각각 달리 정할 수 있는데, 이사회가 이사를 겸한 집행임원의 보수를 결정할 때에는 주주총회에서 정한 이사의 보수를 고려

---

103) 동지: 이철송, 전게서(회사법강의), 864면.

하여야 할 것이다. 그러나 이사를 겸한 집행임원의 보수를 정관의 규정이나 주주총회의 결의로 한꺼번에 정할 수도 있다고 본다.[104]

상업사용인을 겸한 집행임원의 보수도 양자는 그 계약관계가 다르므로(상업사용인과 회사와의 계약관계는 일반적으로 고용계약이나 집행임원과 회사와의 계약관계는 위임계약임) 양자는 원칙적으로 구분하여 그 보수를 결정하여야 할 것이다.[105] 그러나 이사회에서 이 양자를 고려한 보수액을 결정할 수 있다고 본다.

이사회에서 집행임원에 대한 보수액을 결정할 때에는 각 집행임원별로 정하여야 한다고 본다. 따라서 이사회가 집행임원 전원에 대한 보수의 총액 또는 한도액을 정하고, 이를 대표집행임원이 각 집행임원에 대하여 배분하도록 위임하는 것은 제408조의2 제3항 제6호에 위반하여 무효라고 본다.

이사 겸 집행임원은 집행임원의 보수액을 결정하는 이사회에서 특별이해관계인이므로 자기의 집행임원으로서 보수를 결정하는 이사회에서 의결권을 행사하지 못한다고 본다(제391조 제3항, 제368조 제3항).

이사회가 집행임원의 보수를 과다하게 정하여 회사에 손해를 발생시킨 경우에는 그 이사회 결의에 찬성한 이사들은 연대하여 임무를 게을리함으로 인한 손해배상책임을 부담한다고 본다.[106]

3) 비교법적으로 볼 때 미국의 ALI 원칙은 "이사회는 주요 상급집행임원을 선임하고, 정기적으로 평가하며, 그 보수를 정하고, 필요한 경우에는 해임할 수 있다"고 규정하고[ALI 제3.02조 제(a)항], 일본의 회사법은 "위원회 설치회사의 보수위원회가 집행임원 등의 보수를 결정하는데, 집행임원이 지배인 그 밖의 사용인을 겸하고 있는 때에는 당해 지배인 그 밖의 사용인의 보수 등의 내용에 대하여도 같다"고 규정하고 있다(日會 제404조 제3항).

라. 집행임원의 임기

1) 원 칙

집행임원의 임기는 정관에 다른 규정이 없으면 2년을 초과하지 못한다(제408조의3 제1항). 집행임원의 임기가 이와 같이 2년을 초과하지 못하도록 한 것은

---

104) 동지: 임재연, 전게서(회사법 II), 460면.
105) 정찬형, 전게서[상법강의(상)], 980면(상업사용인을 겸한 이사에 관하여).
106) 동지: 임재연, 전게서(회사법 II), 460면.

집행임원에 대한 감독을 하는 이사의 임기가 3년을 초과하지 못하도록 하고 있으므로(제383조 제2항) 집행임원의 임기가 이와 같거나 이보다 길면 이사회가 선임한 집행임원에 대한 책임을 물을 수 없기 때문이다.[107] 그런데 집행임원의 임기는 이사의 임기(제383조 제2항)와는 달리 정관의 규정에 의하여 이와 달리 정할 수 있는데(제408조의3 제1항), 이의 의미가 무엇인지가 논란이 될 수 있다. 즉, 정관의 규정에 의하여 2년을 초과하지 않는 범위 내에서 임기를 정할 수 있다는 의미인지,[108] 또는 정관으로 2년을 초과하여 임기를 정할 수 있다는 의미인지[109]에 대하여 논란이 있다. 집행임원의 임기는 이사의 경우(제383조 제2항)와는 달리 상법에서 정관에 위임하여 임기를 정하도록 하고 정관에 규정이 없는 경우에 2년을 초과하지 못하는 것으로 규정하고 있으므로, 제408조의3 제1항의 문언상 정관에서는 2년 내에서 정할 수도 있고(예컨대, 1년) 2년을 초과하여 정할 수도 있다고 본다(예컨대, 3년). 그러나 정관에서 이사의 임기를 초과하여 집행임원의 임기를 정한 경우에는(예컨대, 4년) 집행임원을 선임한 이사로 구성된 이사회의 집행임원에 대한 감독권을 무력화시키므로 이는 집행임원의 임기를 이사의 임기보다 단기로 정하여 이사회의 집행임원에 대한 감독권의 실효를 거두고자 하는 입법취지에 반한다고 본다.

집행임원의 임기에 관하여는 이사의 임기와 그 기간만이 다르지, 임기의 산정에 관하여는 이사의 임기에 관한 해석과 같다. 따라서 이사회는 집행임원을 선임할 때에 정관에 달리 규정하고 있지 않으면 2년을 초과하지 않는 범위 내에서 집행임원의 임기를 정하여야 한다.[110] 정관이나 이사회에서 집행임원의 임기를 정하지 않은 경우에는 집행임원의 임기를 2년으로 볼 수밖에 없고, 이사회에서 집행임원의 임기를 2년 초과하여 정한 경우에는 2년으로 보아야 한다. 앞에서 본 바와 같이 이사의 임기가 3년을 초과하지 못하는 점(제383조 제2항)에서 이사회는 그가 선임한 집행임원에 대하여 책임을 물을 수 있도록 하기 위하여(즉, 이사회가 집행임원을 해임할 수 있도록 하기 위하여) 2년으로 단축한 것인데,

---

107) 동지: 정찬형, 전게서[상법강의(상)], 1036면; 임재연, 상게서, 453면; 송옥렬, 전게서(상법강의), 1118면.
108) 정찬형, 전게논문(선진상사법률연구 통권 제55호), 17면(그러나 본문과 같이 견해를 바꾼다); 이철송, 전게서(회사법), 860면.
109) 임재연, 전게서(회사법Ⅱ), 453면; 송옥렬, 전게서(상법강의), 1118면.
110) 대법원 2001.6.15. 2001다23928(회사의 정관에서 제383조 제2항과 동일하게 규정한 것이 이사의 임기를 3년으로 정하는 취지라고 해석할 수는 없다) 참조.

집행임원의 임기를 2년으로 단축하였다고 하여도 집행임원의 임기 시작 1년 전에 이사로 선임된 자는 집행임원의 임기 전에 퇴임하므로 집행임원의 책임을 물을 수 없는 경우가 발생한다. 따라서 이 규정은 일반적인 경우에 집행임원을 선임한 이사가 집행임원의 책임을 물을 수 있는 경우가 많도록 하기 위한 규정이지, 이 규정으로 인하여 언제나 이사가 집행임원의 책임을 물을 수 있게 되는 것은 아니다.

앞에서 본 바와 같이 이사회는 집행임원의 임기 중에도 집행임원에게 정당한 사유가 있거나 없거나 언제든지 집행임원을 해임할 수 있다. 따라서 집행임원의 임기를 2년으로 정하고 이사회가 2년 전에 집행임원을 해임하였다고 하여도, 집행임원은 정당한 사유 없이 임기 만료 전에 해임하였다고 하여 회사에 손해배상을 청구할 수는 없다.[111] 즉, 집행임원에 대하여도 대표이사의 경우와 같이 제385조 제1항 단서가 유추적용되지 않는다. 또한 집행임원에 대하여는 앞에서 본 바와 같이 민법 제689조 제2항도 적용되지 않는다고 본다(그러나 위임계약상 회사에 채무불이행이 있거나 불법행위가 있는 경우에는 손해배상책임을 물을 수 있다고 본다).[112] 집행임원에 대하여 2년의 임기만료 전에 이사회가 정당한 사유가 없는 경우에도 해임할 수 있는 점을 들어 상법이 집행임원의 임기를 규정한 의미가 없다는 의견이 있을 수 있으나, 상법이 이와 같이 집행임원의 임기를 규정함으로써 정관 또는 이사회가 집행임원의 임기를 정함에 있어서 기준이 되는 점 또한 집행임원의 종임의 사유가 임기만료와 해임은 구별되는 점 등에서 상법에서 집행임원의 임기를 규정하는 것은 의미가 있다고 본다.[113]

집행임원이 임기만료 후에 재선이 가능한 점은 이사의 경우와 같다. 또한 중임에 대한 제한도 없다.

현재 대기업에서 시행하고 있는 사실상 집행임원(비등기임원)에 대하여는 상법상 규정이 없으므로 임기에 대한 보장이 있을 수 없으나, 그러한 대기업이 상법상 집행임원 설치회사의 지배구조를 채택하면 집행임원은 (이사회에 의하여 선

---

111) 동지: 정찬형, 전게서[상법강의(상)], 1036면; 동, 전게논문(선진상사법률연구 통권 제55호), 17면; 임재연, 전게서(회사법Ⅱ), 457면; 송옥렬, 전게서(상법강의), 1118면; 대법원 2004. 12.10. 2004다25123(대표이사에 대하여는 제385조 제1항 단서가 유추적용되지 않는다).

112) 동지: 송옥렬, 상게서, 1118면.

113) 정찬형, 전게서[상법강의(상)], 1036~1037면; 동, 전게논문(선진상사법률연구 통권 제55호), 17면.

임·해임되는 점과 함께) 상법상 2년까지 임기를 어느 정도 보장받게 되어 안정된 상태에서 업무집행기능을 수행할 수 있게 될 것으로 본다.

2) 예 외

이러한 집행임원의 임기는 정관에 그 임기 중의 최종 결산기에 관한 정기주주총회가 종결한 후 가장 먼저 소집하는 이사회의 종결시까지로 정할 수 있다(제408조의3 제2항). 예컨대, 12월 31일을 결산기로 하는 회사의 집행임원의 임기가 다음 해 1월 10일에 만료하고 정기주주총회일이 다음 해 3월 20일이며 이후 가장 먼저 소집하는 이사회가 다음 해 3월 30일이면, 정관의 규정으로 집행임원의 임기를 3월 30일에 만료되는 것으로 할 수 있다.

3) 비교법

미국의 델라웨어주 회사법은 "집행임원의 임기는 정관·이사회 또는 기타 경영기구가 정하는 바에 의한다. 모든 집행임원은 후임 집행임원이 선임되고 그 자격을 갖출 때까지 집행임원으로서의 직을 갖는데, 이는 집행임원이 임기 전에 사임하거나 해임된 경우에도 같다"고 규정하고[동법 제142조 제(b)항], 뉴욕주 회사법은 "정관에 달리 규정이 없으면 모든 집행임원은 정기주주총회에 이은 이사회의 회의시까지 그 직을 갖고(임기가 1년이라는 의미임 – 필자 주), 집행임원이 주주총회에 의하여 선임되는 경우에는 정기주주총회시까지 그 직을 갖는데, 모든 집행임원은 후임자가 선임되고 그 자격을 갖출 때까지 그 직을 갖는다"고 규정하고 있다[동법 제715조 제(c)항·제(d)항]. 또한 뉴욕주 회사법은 "이사회나 주주총회에서 선임된 집행임원은 이유 여하를 불문하고 이사회 또는 주주총회의 결의에 의하여 해임될 수 있다"고 규정하고[동법 제716조 제(a)항], "정당한 사유 없이 집행임원을 해임하여도 집행임원의 (회사와의) 계약상 권리를 침해하는 것이 아니다"고 규정하고 있다[동법 제716조 제(b)항].

일본의 회사법은 "집행임원의 임기는 선임 후 1년 이내에 종료하는 사업연도 중 최종정기주주총회의 종결 후 최초로 소집되는 이사회의 종결시까지로 한다. 그러나 정관에 의하여 그 임기를 단축하는 것은 무방하다"고 규정하여(日會 제402조 제7항), 집행임원의 임기를 1년으로 하고 정관에 의하여 이보다 단축할 수는 있으나 연장할 수는 없도록 한 점은 우리 상법의 경우와 구별된다. 또한 일본 회사법은 "집행임원은 언제든지 이사회의 결의에 따라 해임될 수 있다. 이 경우 해임된 집행임원은 그 해임에 관하여 정당한 이유가 있는 경우를 제외하고 회사에 대하여 해임으로 발생한 손해의 배상을 청구할 수 있다"고 규정하고 있는데(日會 제403조 제1항·제2항), 집행임원이 정당한 이유가 없이 해임된 경우 회사에 대하여 손해배상청구를 할 수 있음을 명백히 규정한 점이 우리 상법의 규정과 구별된다.

마. 집행임원의 권한

1) 집행임원의 업무집행권

집행임원은 주주총회 또는 이사회가 결정한 사항을 집행하고 정관이나 이사회의 결의에 의하여 위임받은 업무집행에 관하여는 의사를 결정하여 집행할 권한을 갖는다(제408조의4). 집행임원이 다수인 경우에도 (이사회와 같이) 회의체를 구성하는 것이 아니므로 각자가 업무를 집행한다.

집행임원 비설치회사에서의 대표이사에 대하여는 대표권에 대하여만 규정하고(제389조 제3항, 제209조) 업무집행권에 대하여는 규정하고 있지 않으나, 집행임원 설치회사에서의 집행임원에 대하여는 업무집행에 대하여 명확히 규정하고(제408조의4) 회사의 대표에 대하여는 별도로 규정하고 있다(제408조의5).[114] 따라서 집행임원이 다수인 경우에 대표집행임원을 제외한 집행임원은 회사의 대표권이 없다. 그러나 대표권이 없는 집행임원이 대외적인 행위를 한 경우에는 회사는 선의의 제3자에 대하여 표현대표집행임원의 책임을 지게 된다(제408조의5 제3항, 제395조).

집행임원의 업무집행에 관한 사항을 다음과 같이 분류하여 살펴본다.

가) 주주총회와 관련된 사항

주주로부터 선임된 자는 이사(대리인)이고 집행임원은 이사회로부터 선임된 자(복대리인)이므로 집행임원은 주주로부터 직접 위임을 받은 자가 아니다. 따라서 주주에 대하여 제1차적으로 설명할 책임을 지고 의안의 제안자로서 책임을 지는 자는 이사(회)이지 집행임원이 아니다. 그러나 집행임원은 회사의 업무집행

---

114) 이 점은 합명회사(제201조, 제207조)·합자회사(제273조, 제278조) 및 유한책임회사(제287조의5 제1항 제4호·제5호, 제287조의19)의 경우와 같다.

기관이고 실질적인 경영자이므로, 이 점에서 주주총회와 관련하여서도 중요한 역할을 한다.115) 즉, 주주총회의 소집에 관한 의사결정은 원칙적으로 이사회가 하나(제362조), 주주총회의 소집절차에 관한 사항은 집행임원이 한다.

회사의 업무집행에 관하여 부정행위 또는 법령이나 정관에 위반한 중대한 사실이 있음을 의심할만한 사유가 있는 때에는 소수주주는 회사의 업무와 재산 상태를 조사하게 하기 위하여 법원에 검사인의 선임을 청구할 수 있고(제467조 제1항), 법원이 선임한 검사인은 그 조사의 결과를 법원에 보고하여야 하는데(제467조 제2항), 법원은 이러한 검사인의 보고에 의하여 필요하다고 인정한 때에는 대표집행임원에게 주주총회의 소집을 명할 수 있다(제467조 제3항 제1문, 제408조의5 제2항). 이 때 대표집행임원은 주주총회의 소집절차를 밟아야 한다.

집행임원 설치회사에서 주주총회의 의장은 누가 되는가의 문제가 있다. 정관의 규정에 의하여 이사회 의장 또는 대표집행임원이 된다고 본다.116) 만일 정관에 아무런 규정이 없으면 주주총회 의장은 주주총회에서 선임된다(제366조의2 제1항).

상법에 규정은 없으나 집행임원은 주주총회에 출석하여 설명의무를 부담한다고 본다.117) 집행임원은 주주와의 관계에서 직접적인 수임인은 아니나 주주의 복대리인으로서 간접적인 수임인으로 볼 수 있으므로 주주의 청구가 있는 때에는 자기가 담당하는 직무에 관하여 주주에게 설명의무를 부담한다고 본다(민법 제683조 참조). 그러나 주주총회의 결의사항에 대하여 설명의무를 부담하는 자는 기본적으로 이사회(이사)이고, 집행임원은 다만 이를 보조하는 자라고 볼 수 있다.

상법상 소수주주에 의한 주주총회 소집청구는 「이사회」에 하도록 규정하고(제366조 제1항), 소수주주의 주주제안권은 「이사」에게 하도록 규정하며(제363조의2 제1항), 주식매수청구권은 「회사」에 대하여 하도록 규정하고 있다(제374조의2 제1항). 집행임원 설치회사에서 소수주주에 의한 주주총회 소집청구는 「이사회 의장」에게 하고(상법에서는 「이사회」로 규정하고 있는데, 현실적으로 이사회를 대표하는 이사회 의장에게 하여야 할 것임), 소수주주의 주주제안권은 「이사」에게 하며, 주식매수청구권은 「대표집행임원」에게 하여야 한다고(상법에서는 「회사」로

---

115) 동지: 商事法務(編), 前揭書(取締役·執行役), 289面.
116) 정찬형, 전게서[상법강의(상)], 912~913면. 동지: 商事法務(編), 上揭書, 289面.
117) 동지: 商事法務(編), 上揭書, 289~290面.

규정하고 있는데, 현실적으로는 회사를 대표하는 대표집행임원에게 하여야 할 것임) 본다.

집행임원 설치회사에서 주주총회 회의록을 작성할 의무를 부담하는 자는 주주총회 의장이냐 또는 대표집행임원이냐의 문제가 있다. 의장이 대표집행임원인 경우에는 아무런 문제가 없으나, 양자가 나뉘어진 경우에는 의장이 이 의무를 부담한다고 본다(제373조 제1항). 주주총회 의사록에 기명날인 또는 서명할 자에 대하여 상법은 「의장과 출석한 이사」로 규정하고 있으나(제373조 제2항), 「의장과 출석한 이사 및 집행임원」으로 보아야 할 것이다.[118] 주주총회 의사록을 본점과 지점에 비치할 의무를 부담하는 자는 집행임원이고(제396조 제1항),[119] 이를 주주와 회사채권자의 열람에 제공하여야 의무를 부담하는 자는 「대표집행임원」으로 해석하여야 할 것으로 본다.[120]

나) 이사회와 관련된 사항

집행임원은 이사회의 구성원이 아니므로 원칙적으로 이사회에 출석할 권한이 없다. 그러나 집행임원이 업무를 집행함에 있어 이사회의 승인을 요하는 경우가 많다. 이러한 점으로 인하여 상법은 집행임원에게 이사회 소집청구권을 인정하고 있다. 즉, 집행임원은 필요하면 회의의 목적사항과 소집이유를 적은 서면을 이사(소집권자가 있는 경우에는 소집권자를 말함)에게 제출하여 이사회 소집을 청구할 수 있는데(제408조의7 제1항), 집행임원이 이러한 청구를 한 후 이사가 지체 없이 이사회 소집의 절차를 밟지 아니하면 소집을 청구한 집행임원은 법원의 허가를 받아 이사회를 소집할 수 있다(제408조의7 제2항 제1문). 이 경우 이사회 의장은 법원이 이해관계자의 청구에 의하여 또는 직권으로 선임할 수 있다(제408조의7 제2항 제2문). 이와 같은 집행임원의 이사회 소집청구권은 대표집행임원에게 한정하여 인정되는 것이 아니므로 각 직행임원이 개별적으로 이사회 소집을 청구할 수 있다고 본다.[121]

집행임원 설치회사에서 이사회 의사록을 작성할 위무를 부담하는 자는 이사회 의장이고(제391조의3 제1항), 주주총회 의사록과는 달리 이사회 의사록에는

---

118) 동지: 商事法務(編), 上揭書, 291面. 입법론으로는 제373조 제2항의 「이사」를 「이사 또는 집행임원」으로 개정하여야 할 것으로 본다.
119) 동지: 商事法務(編), 上揭書, 292面.
120) 동지: 商事法務(編), 上揭書, 292面.
121) 동지: 商事法務(編), 上揭書, 293面.

출석한 이사 및 감사만이 기명날인 또는 서명할 의무가 있고(제391조의3 제2항) 집행임원은 이러한 의무가 없다. 그러나 이사회 의사록의 비치의무를 부담하는 자는 집행임원이고,[122] 이에 대한 주주의 열람청구의 상대방은 대표집행임원이라고 본다.

다) 재무제표 등과 관련된 사항

집행임원 설치회사에는 집행임원이 재무제표(및 연결재무제표)와 그 부속명세서를 작성하는데(제447조), 이를 위하여 회계집행임원 등이 별도로 선임된다. 또한 집행임원은 영업보고서를 작성하고(제447조의2), 재무제표 및 영업보고서를 감사(監査)받기 위하여 일정한 기일 내에 감사(監事) 또는 감사위원회에 제출하여야 한다(제447조의3, 제415조의2 제7항).

집행임원은 정기총회 회일의 1주간 전부터 재무제표 및 영업보고서와 감사보고서를 본점에 5년간, 그 등본을 지점에 3년간 비치할 의무를 부담하고(제448조 제1항), 주주와 회사채권자는 대표집행임원에 대하여 이러한 서류의 열람 등을 청구할 수 있다(제448조 제2항).

(대표)집행임원은 재무제표를 주주총회 또는 이사회에 제출하여 그 승인을 청구하고(제449조 제1항, 제449조의2 제1항), 영업보고서를 주주총회에 제출하여 그 내용을 보고할 의무를 부담한다(제449조 제2항).

(대표)집행임원은 재무제표에 대하여 승인이 있으면 지체 없이 대차대조표의 공고의무를 부담한다(제449조 제3항).

라) 회사소송과 관련된 사항

집행임원 설치회사에서 회사를 상대로 하는 소송에서 (대표)집행임원은 원고는 될 수 없고 피고(회사)를 대표하여 소송업무를 수행한다. 즉, 설립무효의 소의 원고는 주주·이사 또는 감사인데, 피고는 회사이므로[123] (대표)집행임원은 회사를 소송상 대표하여 소송업무를 수행한다(제328조). 이러한 점은 주식교환무효의 소(제360조의14), 주식이전무효의 소(제360조의23), 주주총회결의 취소의 소(제376조)·주주총회결의 무효(부존재)확인의 소(제380조)·주주총회부당결의 취

---

122) 동지: 商事法務(編), 上揭書, 295面.
123) 정찬형, 전게서[상법강의(상)], 500면. 동지: 대법원 1982.9.14. 80다2425(주주총회결의 취소의 소의 피고에 대하여).

소·변경의 소(제381조), 신주발행무효의 소(제429조), 감자무효의 소(제445조), 합병무효의 소(제529조), 분할무효의 소(제530조의11 제1항) 등의 경우에도 같다.

마) 감시의무

집행임원 비설치회사의 경우 대표권도 없고 업무도 담당하지 않는 평이사(사외이사 또는 비상근이사)는 다른 이사에 대한 감시의무를 부담하는가에 대하여, 우리 대법원판례는 "주식회사의 업무집행을 담당하지 않는 평이사는 대표이사를 비롯한 업무담당이사의 전반적인 업무집행을 감시할 수 있는 것이므로, 업무담당이사의 업무집행이 위법하다고 의심할 만한 사유가 있음에도 불구하고 평이사가 감시의무를 위반하여 이를 방치한 때에는 이로 말미암아 회사가 입은 손해에 대하여 배상책임을 면할 수 없다"고 판시하여,124) 감시의무를 인정하고 있다.

그러나 집행임원 설치회사의 경우 집행임원은 회의체도 구성하지 않고 각자자기가 담당하는 업무를 집행하므로, 특히 지휘·명령관계에서(제408조의2 제3항 제5호) 감시의무를 부담하지 않는 한 다른 집행임원에 대하여 감시의무를 부담하지 않는다고 본다.125) 이 점은 집행임원 비설치회사에서 이사가 이사회의 구성원으로서 다른 이사의 직무집행을 감독할 의무를 부담하는 점(제393조 제2항)과 구별된다. 그런데 집행임원 설치회사에서 집행임원이 다른 집행임원의 위법행위를 알고 있는 경우 그가 이를 방치하였다면 그러한 집행임원에게 어떠한 책임을 물을 수 있는 것으로 보면,126) 실질적으로 집행임원 비설치회사의 경우와 크게 차이가 있다고 볼 수 없다.

이사회의 결의에 의하여 수 인의 집행임원에 대하여 지휘·명령관계를 인정하면(제408조의2 제3항 제5호), 상위의 집행임원은 하위의 집행임원을 감독·감시할 의무가 있다. 이의 결과 대표집행임원(사장)은 회사의 업무를 총괄하는 점에서 전반적인 감시의무를 부담한다.127)

바) 준법통제기준

일정 규모 이상의 상장회사(최근 사업연도 말 현재의 자산총액이 5,000억원 이상인 상장회사)는 (이사회 결의에 의하여) 준법통제기준을 제정하고(제542조의13), 이

124) 대법원 1985.6.25. 84다카1954 외.
125) 동지: 江頭憲治郞, 「株式會社·有限會社」第2版(有斐閣, 2002), 431面.
126) 商事法務(編), 前揭書(取締役·執行役), 297~298面.
127) 동지: 商事法務(編), 上揭書, 298面.

사회 결의에 의하여 선임된 준법지원인이 집행임원 등이 준법통제기준을 준수하고 있는지 여부를 점검하여 그 결과를 이사회에 보고하여야 하므로(제542조의13 제2항~제4항), 집행임원은 준법통제기준을 준수하고 준법지원인의 점검에 협조하여야 할 의무가 있다.

사) 집행임원회

상법상 집행임원회는 없다. 집행임원 비설치회사에서는 (자본금 총액이 10억원 이상인 경우) 반드시 이사를 3명 이상 두고(제383조 제1항) 이러한 이사들은 합의제 의결기관인 이사회로서 회사의 업무집행에 관하여 의사를 결정한다(제393조 제1항). 그러나 집행임원은 (보통 정관 또는 이사회로부터 업무집행에 관한 의사결정을 위임받아 - 제408조의2 제3항 제4호, 제408조의4 제2호) 업무집행에 관하여 단독으로 의사결정을 하여 집행하므로 신속한 경영을 할 수 있다.

그러나 집행임원 설치회사는 임의로 집행임원회를 둘 수 있다고 본다.[128) 집행임원회를 두는 경우, 이사회의 결의에 의한다고 보며 이 때 이사회는 집행임원 상호관계에 관한 사항(제408조의2 제2항 제5호)을 결정하여야 한다고 본다. 즉, 이사회가 대표집행임원에게 업무집행에 관한 의사결정을 위임하면서 (집행임원회를 설치할 것을 결의하고 이와 함께) 대표집행임원이 업무집행에 관한 의사결정을 할 때에는 집행임원회의 의결을 거치도록 할 수 있다.[129)

이사회의 결의에 의하여 집행임원회를 두는 경우에는 그 구성·결의사항·소집방법·소집권자·의장·결의방법·의사록 등에 관하여 집행임원회 규정에서 정하여야 하는데, 이러한 집행임원회 규정의 제정·변경은 이사회 결의에 의한다고 본다.[130)

아) 비교법

미국의 델라웨어주 회사법은 "집행임원은 원칙적으로 회사의 문서와 주권에 서명할 권한을 갖는다. 집행임원 중의 1인은 주주총회 및 이사회의 경과를 기록하고 이를 비치할 의무를 부담한다"고 규정하고[동법 제142조 제(a)항], 캘리포니

---

128) 동지: 이철송, 전게서(회사법), 860면(법상 집행임원의 회의체는 정해진 바 없지만 이사회의 결의로 또는 집행임원들이 자율적으로 집행임원의 업무집행방법으로서 집행임원회의를 구성하여 운영할 수는 있다); 前田 庸,「入門会社法」第9版(有斐閣, 2003), 448面; 神田秀樹,「会社法」第4版(弘文堂, 2004), 155面.

129) 동지: 商事法務(編), 前揭書(取締役·執行役), 299~300面.

130) 동지: 商事法務(編), 上揭書, 300面.

아주 회사법은 "집행임원은 회사의 문서와 주권에 서명할 권한을 갖는다"고 규정하고 있다[동법 제312조 제(a)항].

일본의 회사법상 위원회 설치회사의 집행임원은 동 회사의 업무를 집행한다(日會 제418조 제2호).

2) 집행임원의 업무집행에 관한 의사결정권

가) 상법의 규정

집행임원은 정관이나 이사회 결의에 의하여 위임받은 업무집행에 관한 의사결정권이 있다(제408조의4 제2호). 그러나 상법에서 이사회 권한사항으로 규정한 사항은 이사회 결의에 의하여 집행임원에게 그 의사결정을 위임할 수 없다(제408조의2 제3항 제4호의 괄호). 상법에서 이사회 권한사항으로 규정한 사항은 정관에 의하여 주주총회 권한사항으로 할 수 없는 것과 같이,[131] 정관의 규정에 의하여 집행임원의 권한으로 할 수 없다고 본다. 따라서 이와 같이 보면 상법에서 이사회 권한사항으로 규정한 것을 제외하고 나머지 업무집행에 관한 의사결정권을 정관에서 집행임원에게 위임하는 것은 주주(본인)가 직접 집행임원(복대리인)에게 위임하는 것이고, 이사회(대리인)가 집행임원(복대리인)에게 위임하는 것은 (상법에서 이사회 권한사항으로 규정한 것을 제외하고) 정관에서 집행임원에게 위임하지 않은 사항에 대하여 집행임원에게 위임하는 것이라고 볼 수 있다. 상법에서 정관의 규정에 의하여 주주총회의 권한으로 할 수 있는 사항(예컨대, 제416조 단서에 의한 신주발행)은 정관의 규정에 의하여 집행임원에 위임할 수 없다고 본다. 이에 관하여는 앞에서 상세히 살펴보았다.

나) 비교법

(1) 미국의 델라웨어주 회사법은 "집행임원은 정관 또는 (정관에 저촉하지 않는 한) 이사회의 결의에 의하여 부여된 권리를 갖는다"고 규정하고[동법 제142조 제(a)항], 캘리포니아주 회사법도 "집행임원은 정관 또는 이사회에서 정한 권리를 갖는다"고 규정하며[동법 제312조 제(a)항], 뉴욕주 회사법도 "집행임원은 정관 또는 정관에 규정이 없으면 이사회가 정하는 회사의 업무집행에 있어서의 권리를 갖는다"고 규정하고 있다[동법 제715조 제(g)항].

---

131) 정찬형, 전게서[상법강의(상)], 882~883면.

(2) 일본의 회사법상 위원회 설치회사의 이사회는 그 결의에 따라 동 회사의 업무집행에 관한 의사결정을 집행임원에게 위임할 수 있는데(日會 제416조 제4항 본문), 이 경우 집행임원은 이사회 결의에 따라 위임받은 동 회사의 업무집행에 관한 의사를 결정한다(日會 제418조 제1호).

일본의 회사법은 위원회 설치회사의 이사회가 동 회사의 업무집행에 관한 의사결정을 위임할 수 없는 경우를 앞에서 본 바와 같이 별도로 열거하고 있는데(日會 제416조 제4항 단서 및 제1호~제20호), 이는 우리 상법의 경우와 구별되는 점이다. 즉, 주식양도승인 여부와 불승인시 매수인 지정, 자기주식 취득에 관하여 결정할 사항, 신주예약권 양도승인 여부, 주주총회 소집의 결정, 주주총회에 제출할 의안의 내용 결정, 이익상반거래의 승인, 이사회의 소집 결정, 위원회 위원의 선임과 해임, 집행임원의 선임과 해임, 위원회 설치회사와 집행임원간의 소송에서 회사를 대표할 자의 선임, 대표집행임원의 선임과 해임, 이사·회계참여·집행임원 등의 책임면제 결정, 계산서류의 승인, 중간배당의 결정, 영업양도계약·주식교환계약 등의 내용결정 등은 집행임원에게 위임하지 못한다.

3) 집행임원의 이사회 소집청구권

가) 집행임원의 이사(소집권자)에 대한 이사회 소집청구

(1) 집행임원은 필요하면 회의의 목적사항과 소집이유를 적은 서면을 이사(소집권자가 있는 경우에는 소집권자)에게 제출하여 이사회 소집을 청구할 수 있다(제408조의7 제1항). 집행임원이 업무를 집행하는데 있어서 이사회의 승인이 필요한 경우가 많은데, 이 때 집행임원이 그러한 업무를 집행하기 위하여 이사회 소집을 청구할 수 있도록 한 것이다.

(2) 이 때 「집행임원」은 대표집행임원만을 의미하는 것이 아니라, 분야별로 업무를 담당하는 각 집행임원은 자기가 맡은 업무와 관련하여 이사회의 결의가 필요한 경우에는 이사(소집권자가 있는 경우에는 소집권자)에게 이사회의 소집을 청구할 수 있다.132) 집행임원의 이사회 소집청구권은 업무집행의 실효성을 확보하기 위한 제도이다.133)

---

132) 동지: 임재연, 전게서(회사법Ⅱ), 461~462면; 商事法務(編), 前揭書(取締役·執行役), 293面.
133) 동지: 이철송, 전게서(회사법강의)(2014년 제22판), 815면.

(3) 집행임원이 「필요하면」이란 집행임원이 자기의 업무집행을 위하여 필요한 경우이다.[134) 상법에서 이사회 권한사항으로 규정한 것은 이사회가 그에 관한 의사결정권을 집행임원에게 위임할 수 없는데(제408조의2 제3항 제4호), 특히 이러한 사항에 대하여 이사회 소집청구를 하는 경우가 많을 것이다. 예컨대, 이사 또는 집행임원이 회사와 거래를 하기 위하여는 이사회 승인을 요하므로(제398조, 제408조의9) 이러한 업무를 담당하는 집행임원은 이사(보통 이사회 소집권이 있는 이사회 의장)에게 이사회 소집청구를 할 수 있고, 회사 영업의 중요한 일부를 양도하는 경우에는 주주총회의 특별결의를 요하므로(제374조 제1항 제1호) 이의 업무를 담당하는 집행임원은 이사(보통 이사회 소집권이 있는 이사회 의장)에게 이사회 소집 청구를 하고(제408조의7 제1항) 이사회에서 이러한 의제로 주주총회 소집을 의결하도록(제362조) 요구할 수 있다.[135)

(4) 「회의의 목적사항」이란 이사회의 의제를 말한다. 위의 예에서 볼 때 '이사 또는 집행임원과 회사와의 거래에 관한 이사회 승인건'이나 '주주총회 소집에 관한 이사회 결의' 등이 이에 해당할 것이다.

「소집이유」란 이사회를 소집하여 의결하여야 하는 이유 및 언제까지 이사회 의결이 있어야 하는 사유 등이 이에 해당할 것이다.[136)

우리 상법은 회의의 목적사항과 소집이유를 적은 「서면」을 소집권자에게 제출하도록 하고 있다.[137) 따라서 구두나 전자적 방법에 의한 이사회 소집청구는 인정되지 않는다고 본다.

(5) 이사회 소집청구의 상대방은 이사회 소집권자가 정하여져 있으면 그 소집권자이나, 소집권자가 정하여져 있지 않으면 각 이사이다(제408조의7 제1항, 제390조 제1항). 이사회는 소집권자가 정하여져 있지 않으면 각 이사가 소집할 수 있기 때문이다(제390조 제1항). 일반적으로 이사회 소집권자는 이사회규정 등에 의하여 정하여져 있는데, 집행임원 설치회사의 경우에는 제1순위의 이사회 소집권자는 이사회 의장일 것이다.

---

134) 동지: 이철송, 상게서(2014년 제22판), 815면.
135) 동지: 이철송, 상게서(2014년 제22판), 815면; 임재연, 전게서(회사법 II), 461면.
136) 일본 회사법은 이사회의 목적사항만을 고지하고 이사회의 소집을 청구할 수 있는 것으로 규정하고(日會 제417조 제2항 제1문), 소집이유를 고지할 의무는 없는 것으로 규정하고 있다.
137) 일본 회사법은 고지의 방법에 대한 제한이 없다(日會 제417조 제2항 제1문).

나) 법원의 허가에 의한 이사회 소집

(1) 법원의 허가

(가) 집행임원이 이사(또는 소집권자)에게 이사회의 소집을 청구하였음에도 불구하고 이러한 청구를 받은 이사(또는 소집권자)가 지체 없이 이사회 소집절차를 밟지 아니하면 소집을 청구한 집행임원은 법원의 허가를 받아 이사회를 소집할 수 있다(제408조의7 제2항 제1문).

(나) 이와 같이 이사(또는 소집권자)가 집행임원으로부터 이사회의 소집청구를 받았음에도 불구하고 이사회 소집절차를 밟지 않는 경우에 이사회 소집을 청구한 집행임원이 「법원의 허가」를 받아 이사회를 소집하도록 한 점은 다음과 같은 점에서 문제가 있다고 본다.

① 앞에서 본 바와 같이 집행임원의 이사회 소집청구권은 업무집행의 실효성을 확보하기 위한 제도인데, 집행임원의 이사회 소집청구에도 불구하고 이사회 소집권자가 이사회를 소집하지 않는다고 하여 법원에 이사회 소집청구를 하도록 하는 것은 업무집행의 신속을 저해함은 물론 불필요하게 회사의 업무집행에 관한 사항까지도 사법심사의 대상으로 한다.

② 우리 상법상 감사(監事)도 이사(또는 소집권자)에게 이사회의 소집청구를 할 수 있는데, 이러한 감사의 이사회 소집청구에도 불구하고 이사가 지체 없이 이사회를 소집하지 아니하면 그 청구한 감사가 이사회를 소집할 수 있는 것으로 규정하고 있다(제412조의4). 따라서 업무감사기관인 감사(監事)에게는 이사회의 직접 소집권을 부여하면서 (신속하게 업무를 집행하고자 하는) 업무집행기관인 집행임원에게는 이사회의 직접 소집권을 부여하지 아니한 것은 균형을 잃은 면이 있다.[138]

③ 현행법에 의하더라도 집행임원이 이사(또는 소집권자)에게 이사회의 소집청구를 한 후 그가 지체 없이 이사회의 소집절차를 밟지 않으면 다른 이사(또는 소집권자가 있는 경우에는 이사로 하여금 소집권자)에게 이사회의 소집청구를 함으로써 법원의 허가절차를 회피할 수 있어 법원의 허가를 받아 이사회를 소집하도록 한 규정은 실효를 거두기 어렵다. 즉, 이사회의 소집권자가 없으면 집행임원이 A이사에게 이사회의 소집청구를 하였으나 그가 이사회의 소집절차를 밟지

---

138) 동지: 이철송, 전게서(회사법강의), 862면.

않으면 집행임원은 B이사 또는 C이사에게 다시 이사회의 소집청구를 하여 이사회를 소집할 수 있으며, 이사회의 소집권자(A이사)가 있어 집행임원이 A이사에게 이사회의 소집청구를 하였으나 A이사가 이사회의 소집절차를 밟지 않으면 집행임원은 B이사 또는 C이사에게 요청하여 A이사로 하여금 이사회의 소집절차를 밟도록 할 수 있다. 이 때에도 A이사가 정당한 이유 없이 이사회의 소집절차를 밟지 않으면 B이사 또는 C이사가 직접 이사회를 소집할 수 있다(제390조 제2항).

④ 비교법적으로 볼 때도 일본 회사법은 집행임원의 이사회 소집청구를 받은 이사(이러한 이사는 이사회가 정함)가 일정한 기일 내에 이사회 소집절차를 밟지 않으면 이사회 소집청구를 한 집행임원이 직접 이사회를 소집할 수 있는 것으로 규정하고 있다(日會 제417조 제2항 제2문).

우리 상법의 입법론상, 위에서 본 바와 같은 이유로 이 경우 법원의 허가를 받아 이사회를 소집할 수 있도록 하는 것은 적절하지 않으므로, 이사회 소집을 청구한 집행임원이 직접 이사회를 소집할 수 있도록 하는 것이 타당하다고 본다.[139] 또 이와 같이 규정하는 것이 감사(監事)의 이사회 소집권과 불균형을 해소할 수 있을 것으로 본다.[140]

(2) 이사(소집권자)의 이사회 소집절차의 해태

(가) 법원의 허가를 받아 이사회를 소집하기 위하여는 집행임원으로부터 이사회 소집청구를 받은 이사(또는 소집권자)가 「지체 없이」 이사회 소집절차를 밟지 않아야 한다. 이 때 「지체 없이」는 언제까지 이사회 소집절차를 밟아야 하는 것이냐의 문제가 있다. 이에 대하여 일본 회사법은 「지체 없이」라는 애매한 문언을 사용하지 않고, 명확하게 기간을 규정하고 있다. 즉, 이사가 집행임원으로부터 이사회 소집청구를 받은 날로부터 5일 이내에 당해 청구가 있은 날로부터 2주 이내의 날을 이사회의 회일로 하는 이사회 소집통지서를 발송하지 아니한 경우로 규정하고 있다(日會 제417조 제2항 제2문). 이는 우리 상법의 「지체 없이」의 해석에도 참고가 될 수 있겠는데, 입법론으로는 이를 명확하게 규정하는 것이 분쟁을 사전에 예방할 수 있을 것으로 본다.

우리 상법상 이사회를 소집함에는 회일을 정하고 그 일주간 전에 각 이사 및

---

139) 동지: 임재연, 전게서(회사법 II), 462면.
140) 동지: 이철송, 전게서(회사법강의), 862면.

감사에게 통지를 발송하여야 하는데, 이 기간은 정관으로 단축할 수 있다(제390조 제3항). 그러나 이사 및 감사 전원의 동의가 있으면 이러한 통지절차 없이 언제든지 회의할 수 있다(제390조 제4항). 따라서 위의 기간을 명시한 일본 회사법의 규정은 이사회 소집통지를 회의의 일주간 전에 하여야 할 경우에 참고가 될 수 있을 것이나, 정관으로 그 기간을 단축한 경우에는 더 단축하여 해석하여야 할 것으로 본다. 이 경우에는 청구받은 이사(또는 소집권자)가 이사회의 소집을 거부한 것이므로 제390조 제4항은 적용될 여지가 거의 없다고 볼 수 있다.

(나) 위에서 본 바와 같이 집행임원으로부터 이사회 소집청구를 받은 이사(또는 소집권자)가 이사회 소집절차를 밟지 않는 경우, 당해 집행임원은 다른 이사(소집권자가 없는 경우)에게 이사회 소집청구를 다시 하거나(제390조 제1항 본문) 또는 소집권자가 아닌 이사에게(소집권자가 있는 경우) 소집권자인 이사에 대하여 이사회 소집절차를 밟도록 요구함으로써(이 경우 소집권자가 정당한 이유 없이 이사회 소집을 거절하는 경우에는 이사회 소집을 요구한 이사가 직접 이사회를 소집할 수 있음)(제390조 제1항 단서, 제2항), 사실상 법원의 허가에 의한 '소집절차'를 회피할 수 있다.

(다) 법원의 허가를 받아 이사회를 소집하는 경우에는, 이사회 의장은 법원이 이해관계인의 청구에 의하여 또는 직권으로 선임할 수 있다. 이 때 이사회 소집청구를 거부한 이사회 의장에게 이사회 회의를 주관하도록 하는 것은 원활한 이사회의 운영을 기대할 수 없기 때문에 상법이 이와 같은 규정을 두게 된 것이다.

위 (나)의 경우에는 기존의 이사회 의장이 이사회 회의를 주관할 수밖에 없으므로 이러한 이사회 의장을 배제하기 위하여 이사회 의장(이사회 소집권자)이 집행임원의 이사회 소집요청을 거부한 경우에는 이사회 소집에 관한 법원의 허가를 받는 실익은 있을 것으로 본다.

바. 집행임원의 의무

1) 집행임원의 선관의무 및 충실의무

집행임원은 회사에 대하여 수임인으로서 선관의무(제408조의2 제2항, 민법 제681조)를 부담하는 외에 법령과 정관의 규정에 따라 회사를 위하여 그 직무를 충실하게 수행하여야 하는 충실의무를 부담한다(제408조의9, 제382조의3). 우리 상법은 1998년 개정상법에서 이사의 책임강화를 통한 건전한 기업운영을 촉진한다는 목적으로 이사의 충실의무를 도입하였다. 이사의 선관의무는 대륙법계의 위임관계에 기초한 의무인데, 1998년 개정상법은 이에 다시 영미법계의 충실의무에 대하여 1개의 조문을 둔 것이다.[141]

이러한 충실의무에 관한 규정의 신설에 따라 이사(집행임원)가 회사를 위하여 직무를 집행하는 측면(기관관계적 측면)에서 요구되는 의무(수임인으로서 일반적 주의의무, 보고의무, 감시의무 및 영업비밀준수의무 등)는 선관의무이고 이사(집행임원)가 그 지위를 이용하여 행동하는 측면(개인관계적 측면)에서 요구되는 의무(경업피지의무, 회사기회유용금지의무, 자기거래금지의무 등)는 충실의무라고 보는 견해가 있다.[142] 그러나 이사(집행임원)의 선관의무의 내용을 반드시 이사(집행임원)가 기관관계적 측면에서 요구되는 의무로 제한하여 볼 이유는 없고 매우 탄력성 있게 해석하여 회사에 최선의 이익이 되는 결과를 추구해야 할 의무(적극적 의무)를 포함하는 것으로 해석하면 선관의무와 충실의무는 크게 구별되는 것이 아니며, 1998년 개정상법이 신설한 이사의 충실의무는 이사의 회사에 대한 선관의무를 다시 강조한 선언적 규정이라고 볼 수 있다(同質說).[143] 우리 대법원 판례도 "이사가 악의 또는 중과실로 임무를 해태한 행위를 한 것이란 이사의 충실의무 또는 선관의무의 위반행위로서 위법성이 있는 것을 말한다"고 하여,[144] 양자를 동의어로 쓰고 있을 뿐이고, 충실의무를 선관의무와 구별하여 특별한 의미를 부여하고 있지 않다.[145]

2) 집행임원의 비밀유지의무

집행임원은 재임 중뿐만 아니라 퇴임 후에도 직무상 알게 된 회사의 영업상 비밀을 누설하여서는 아니 될 의무를 부담한다(제408조의9, 제382조의4).

집행임원은 회사의 업무를 집행하는 점에서 누구보다도 자기의 업무와 관련한 회사의 영업상 비밀을 잘 알고 있을 것이므로, 집행임원의 이 의무는 회사의 이익을 보호하기 위하여 정책적으로 인정한 법정의무라고 볼 수 있다.[146] 집행

---

141) 정찬형, 전게서[상법강의(상)], 1039면.
142) 정동윤, 전게서(회사법), 432면.
143) 정찬형, 전게서[상법강의(상)], 1039면, 1040~1042면.
144) 대법원 1985.11.12. 84다카2490.
145) 정찬형, 전게서[상법강의(상)], 1040면.
146) 정찬형, 상게서, 1067면.

임원은 퇴임 후에도 이러한 비밀유지의무를 부담하는 점에서 이 규정의 의미가 크다고 볼 수 있다.[147]

3) 집행임원의 정관 등의 비치·공시의무

집행임원은 회사의 정관·주주총회의 의사록을 본점과 지점에, 주주명부·사채원부를 본점에 비치하여야 하는데, 이 경우 명의개서대리인을 둔 때에는 주주명부나 사채원부 또는 그 부본을 명의개서대리인의 영업소에 비치할 수 있다(제408조의9, 제396조 제1항). 주주와 회사채권자는 영업시간 내에 언제든지 위의 서류의 열람 또는 등사를 청구할 수 있다(제408조의9, 제396조 제2항).

(대표)집행임원은 회사의 업무를 집행하는 자이므로, (대표)집행임원은 회사의 정관·주주총회의 의사록을 본점과 지점에 비치하고 또한 주주명부·사채원부를 본점에 비치하고 주주 및 회사채권자의 열람에 제공하여야 할 의무를 부담한다.

주주총회의 의사록의 작성의무자에 대하여는 상법에 명문규정이 없어(제373조 제1항) 주주총회 의장으로 볼 수도 있고 대표집행임원으로 볼 수도 있는데,[148] 이미 앞에서 본 바와 같이 주주총회 의장으로 보아야 할 것이다. 집행임원은 주주총회에 관하여 설명할 의무를 부담하므로, 주주총회에 출석한 집행임원은 주주총회 의사록에 기명날인 또는 서명할 권한이 있다고 본다.[149]

이사회 의사록의 비치의무 및 주주의 이에 관한 열람청구에 응하거나 거부할 의무를 부담하는 자도 (대표)집행임원이라고 본다[150](제391조의3 제3항·제4항 참조).

4) 집행임원의 경업피지의무

집행임원은 이사회의 승인이 없으면 자기 또는 제3자의 계산으로 회사의 영업부류에 속하는 거래를 하거나(경업금지의무) 동종영업을 목적으로 하는 다른 회사의 무한책임사원이나 이사가 되지 못한다(겸직금지의무)(제408조의9, 제397조). 즉, 구매담당 상무(집행임원)가 이사회의 승인 없이 자기 또는 처(제3자)의 계산으로 (회사의 명의로) 거래처로부터 물건을 구입할 수 없고, 또한 동종영업

---

147) 정찬형, 상게서, 1067면.
148) 商事法務(編), 前揭書(取締役·執行役), 291面.
149) 동지: 商事法務(編), 上揭書, 289~291面.
150) 동지: 商事法務(編), 上揭書, 295面.

을 목적으로 하는 다른 합명회사·합자회사의 무한책임사원이나 주식회사·유한회사의 이사가 되지 못한다. 또한 이러한 집행임원은 동종영업을 목적으로 하는 유한책임회사의 "업무집행자"도 될 수 없다고 보아야 하므로, 상법 제397조 제1항 후단에는 "업무집행자"를 추가하여야 할 것으로 본다. 또한 제397조 제1항 후단에는 "집행임원"도 추가하여야 할 것으로 본다.

집행임원이 경업금지의무에 위반하여 거래한 경우에 위반한 거래 자체는 유효하나, 회사는 그 집행임원을 해임할 수 있고(제408조의2 제3항 제1호) 또 그 집행임원에 대하여 손해배상을 청구할 수 있다(제408조의8 제1항·제3항). 회사가 그 집행임원에 대하여 손해배상을 청구하는 경우 주주 전원의 동의가 있으면 상법의 법문상 그 집행임원에 대한 책임이 면제될 수 있을 것 같으나(제408조의9, 제400조 제1항), 뒤(집행임원의 책임)에서 보는 바와 같이 주주의 이익과 회사의 이익은 구별되고 또한 이 규정은 강행법규라는 점 등에서 볼 때 면제될 수 없다고 본다. 이 때 집행임원의 책임을 감경할 수 없는 점은 상법의 규정상 명백하다(제408조의9, 제400조 제2항 단서). 이 경우 회사는 개입권을 행사할 수도 있다. 즉, 회사는 이사회의 결의로 그 집행임원의 거래가 자기의 계산으로 한 것인 때에는 이를 회사의 계산으로 한 것으로 볼 수 있고 제3자의 계산으로 한 것인 때에는 그 집행임원에 대하여 이로 인한 이득의 양도를 청구할 수 있다(제408조의9, 제397조 제2항). 이러한 개입권의 법적 성질은 형성권이므로, 회사는 집행임원에 대하여 의사표시만을 하여 그 권리를 행사할 수 있다.[151] 회사의 이러한 개입권은 그 거래가 있은 날부터 1년간 행사하지 않으면 소멸한다(제척기간)(제408조의9, 제397조 제3항).

집행임원이 겸직금지에 위반한 경우에 회사는 그 집행임원을 해임할 수 있고(제408조의2 제3항 제1호) 또 회사에 손해가 있는 경우에는 손해배상을 청구할 수 있다(제408조의8 제1항·제3항). 이 점은 집행임원이 경업금지위반을 한 경우와 같다. 다만 집행임원이 겸직금지위반을 한 경우에 (이는 거래가 아니므로) 회사가 개입권을 행사할 수 없는 점은 경업금지위반의 경우와 다르다.

5) 집행임원의 회사기회유용금지의무

집행임원은 이사회의 승인 없이 현재 또는 장래에 회사의 이익이 될 수 있는

---

151) 정찬형, 전게서[상법강의(상)], 1043면, 111면.

사업기회로서 (i) 집행임원이 직무를 수행하는 과정에서 알게 되거나 회사의 정보를 이용한 사업기회(주관적 사유에 따른 사업기회) 또는 (ii) 회사가 수행하고 있거나 수행할 사업과 밀접한 관계가 있는 사업기회(객관적 사유에 따른 사업기회)를 자기 또는 제3자의 이익을 위하여 이용하여서는 아니될 의무를 부담한다(제408조의9, 제397조의2 제1항 제1문). "회사의 현재 및 장래의 사업기회"라는 개념이 매우 포괄적이고 추상적인 내용이어서 이를 좀 더 구체화하기 위하여 상법은 주관적 사유에 따른 사업기회 및 객관적 사유에 따른 사업기회를 규정하게 된 것인데, 이와 같은 규정에도 불구하고 회사의 사업기회의 개념은 매우 광범위하고 비정형적인 면이 있어 구체적인 경우에 회사의 사업기회에 해당하는지 여부는 법원의 판단에 맡길 수밖에 없다.152)

집행임원이 회사의 사업기회를 이용하는 유형에는 집행임원이 그 사업기회를 이용하면 회사와 거래관계에 있게 되는「자기거래형」(예컨대, 자동차를 제조하는 Y회사의 집행임원 A가 그가 100% 출자한 X회사를 설립하여 X회사는 Y회사가 생산한 자동차의 운송을 전적으로 영위하는 경우), 회사의 사업과 경쟁관계에 있는「경업형」(예컨대, 백화점을 경영하는 Y회사의 집행임원 A가 그가 100% 출자한 X회사를 설립하여 X회사는 다른 지방도시에서 백화점을 영위하는 경우) 및 이 두 가지 유형에는 해당하지 않지만 집행임원이 회사의 사업기회를 이용하는「기타 유형」이 있다.153)

회사기회유용금지의 대상은「집행임원」에 대하여만 인정되고, 집행임원의 배우자 및 직계존비속 등 주변인물은 이에 해당하지 않는다(이는 제397조와 같고, 제398조와 구별된다).

집행임원의 회사사업기회 유용금지의 대상이 되는 사업이라도, 집행임원은 이사회의 승인이 있는 때에는 유효하게 그러한 사업을 수행할 수 있다. 이사회가 승인하는 것은 회사가 그 사업이 중소기업의 고유업종이거나, 협력업체와의 관계개선 등을 위해서나, 또는 퇴직자의 복지차원 등에서 그 사업을 포기하는 것이다.154) 승인기관은「이사회」이고, 이사회의 승인은 이사 3분의 2 이상의 수로써 하여야 한다(제408조의9, 제397조의2 제1항 제2문). 승인시기는「사전」에 하

---

152) 정찬형, 상게서, 1046면.
153) 정찬형, 상게서, 1047면.
154) 이에 관한 상세는 천경훈, "개정상법상 회사기회유용 금지규정의 해석론 연구,"「상사법연구」제30권 제2호(한국상사법학회, 2011. 8.), 197~198면 참조.

여야 하고, 사후승인(추인)은 인정되지 않는다고 본다. 따라서 입법론상 제398조와 같이 '미리'의 문구를 넣어 명확하게 하여야 할 것으로 본다.[155]

집행임원이 회사의 사업기회를 이사회의 승인 없이 이용하여 한 여러 가지의 법률행위 및 사실행위는 유효하다. 즉, 집행임원이 회사의 사업기회를 이용하여 한 그 사업에 관한 모든 행위는 그에 관한 이사회의 승인 여부와는 무관하게 유효하다고 보아야 할 것이다[156](이 점은 집행임원이 제398조에 위반하여 한 행위와 구별된다). 따라서 집행임원이 이사회의 승인을 받아 회사의 사업기회에 해당하는 행위를 한 경우는 그 행위가 유효하다는 의미보다는 집행임원이 회사에 대하여 원칙적으로 책임을 지지 않는다는 점에 의미가 있다고 본다.[157] 그런데 집행임원이 이사회의 승인 없이 회사의 사업기회에 해당하는 행위를 하여 회사에 손해를 발생시킨 경우에는 그 집행임원은 회사에 대하여 손해배상을 할 책임이 있다(제408조의8 제1항). 집행임원이 이사회의 승인 없이 자기 또는 제3자의 이익을 위하여 회사의 사업기회에 해당하는 행위를 하여 회사에 손해를 발생시킨 경우에는 집행임원 또는 제3자가 얻은 이익을 손해로 추정한다(제408조의9, 제397조의2 제2항 후단). 따라서 이 경우 회사는 그러한 집행임원에 손해배상을 청구함에 있어서 회사의 손해(일실이익)[158]를 증명하여야 하는 부담을 덜 수 있게 되었는데, 이 점은 집행임원이 경업피지의무 위반(제397조) 및 자기거래금지의무 위반(제398조)의 경우에 손해배상을 청구하는 경우와 구별되는 점이다. 그런데 회사가 그의 사업기회를 이용하여 얻을 수 있었던 일실이익이 집행임원 또는 제3자가 얻은 이익보다 크다는 것을 증명하면 회사는 그의 일실이익을 손해액으로 배상청구할 수 있다고 본다.[159]

집행임원의 회사에 대한 이러한 손해배상책임은 집행임원의 경업피지의무 위반의 경우와 같이 면제될 수 없다고 보며(제408조의9, 제400조 제1항 참조), 또한 감경될 수 없다(제408조의9, 제397조의2, 제400조 제2항 단서).

---

155) 정찬형, 전게서[상법강의(상)], 1049면.
156) 정찬형, 상게서, 1051면. 동지: 천경훈, 전게논문(상사법연구 제30권 제2호), 194면.
157) 정찬형, 상게서, 1051면.
158) 이 때 「회사에 발생시킨 손해」란 "회사가 그 사업기회를 이용하여 사업을 하였더라면 얻을 수 있었던 일실이익"인데, 회사가 소송과정에서 이를 산정하고 증명하는 것은 매우 어려운 문제이다(정찬형, 상게서, 1052면).
159) 정찬형, 상게서, 1052면.

6) 집행임원 등의 자기거래금지의무

집행임원 등(후술하는 바와 같이 집행임원·주요주주 및 이들의 주변인물을 포함하여 '집행임원 등'으로 한다. 이하 같다)은 회사의 업무집행에 관여하여 그 내용을 잘 아는 자이므로 집행임원 등이 회사와 거래한다면 집행임원 등 또는 제3자의 이익을 위하여 회사의 이익을 희생하기 쉽다.[160) 따라서 상법은 집행임원 등이 자기 또는 제3자의 계산으로 회사와 거래를 하는 것을 원칙적으로 금지하고, 다만 예외적으로 이를 하는 경우에는 이사회의 승인을 받아야 하는 것으로 규정하고 있다(제408조의9, 제398조 본문). 이 때 원칙적으로 금지되는 집행임원 등과 회사와의 거래는 「집행임원 등 또는 제3자의 계산으로」하는 경우이므로, 거래를 누구의 명의로 하느냐는 문제되지 않고 경제상의 이익의 주체가 「집행임원 등 또는 제3자」이면 된다.

2011년 개정상법은 회사경영의 투명성을 강화하기 위하여 이사회의 승인 없이 회사와 하는 거래가 금지되는 범위를 집행임원 본인이 회사와 거래하는 경우뿐만 아니라 주요주주 및 집행임원의 주변인물이 회사와 거래하는 경우까지 확대하였다(제408조의9, 제398조). 즉, (i) 집행임원 또는 주요주주, (ii) (i)의 자의 배우자 및 직계존비속, (iii) (i)의 자의 배우자의 직계존비속, (iv) (i)부터 (iii)까지의 자가 단독 또는 공동으로 의결권 있는 발행주식총수의 100분의 50 이상을 가진 회사 및 그 자회사 또는 (v) (i)부터 (iii)까지의 자가 (iv)의 회사와 합하여 의결권 있는 발행주식총수의 100분의 50 이상을 가진 회사가, 자기 또는 제3자의 계산으로 회사와 거래를 하기 위하여는 미리 이사회의 승인을 받아야 한다.

이사회의 승인을 받아야 하는 집행임원 등과 회사와의 거래에는 "집행임원 등과 회사간의 이익충돌을 생기게 할 염려가 있는 모든 재산상의 법률행위"이고, 이러한 거래이면 거래의 형태가 형식상 집행임원 등과 회사간의 거래이든(직접거래) 회사와 제3자간의 거래이든(간접거래) 불문한다. 이러한 직접거래와 간접거래에는 각각 「자기계약의 형태」와 「쌍방대리의 형태」가 있다.[161)

집행임원 등과 회사간의 행위가 이해충돌을 생기게 할 염려가 있는 재산상의

---

160) 정찬형, 상게서, 1053면.
161) 상법 제398조와 관련하여 이에 관한 상세는 정찬형, 상게서, 1054~1057면 참조.

행위이더라도, 집행임원 등은 이사회의 승인이 있는 때에는 유효하게 그러한 행위를 할 수 있다(제408조의9, 제398조). 제398조를 강행규정으로 볼 때 승인기관은 「이사회」에 한하고 정관의 규정에 의해서도 주주총회의 결의사항으로 할 수 없으며, 또한 총주주의 동의에 의해서도 이사회의 승인을 갈음할 수 없다고 본다.[162] 그런데 우리 대법원판례는 이사의 회사와의 거래에 관하여 "이사의 회사와의 거래는 정관에 주주총회의 권한사항으로 정해져 있다는 등의 특별한 사정이 없는 한 이사회의 전결사항이다"고 하여 정관으로 이사와 회사와의 거래에 대하여 주주총회의 승인사항으로 규정할 수 있는 취지로 판시하거나,[163] 또는 "상법 제398조의 이사의 자기거래에 해당하는 행위라도 사전에 주주 전원의 동의가 있었다면, 회사는 이사회의 승인이 없었음을 이유로 그 책임을 회피할 수 없다"고 판시하고 있었는데,[164] 이러한 판례는 타당하지 않다고 본다. 승인시기는 「사전」에 하여야 하고, 사후승인(추인)은 인정되지 않는다. 2011년 개정상법 이전의 우리 대법원판례에서는 이사회의 사후승인(추인)을 인정하였는데,[165] 2011년 개정상법은 「미리」이사회의 승인을 받도록 명문규정을 두었다(제408조의9, 제398조). 승인방법은 집행임원 등이 회사와 거래를 하기 전에 집행임원이 이사회의 회의에서 미리 해당 거래에 관한 중요한 사실을 밝히고 이사회의 승인을 받아야 하는데, 이 경우 이사회의 승인은 이사 3분의 2 이상의 수로써 하여야 하고 그 거래의 내용과 절차는 공정하여야 한다(제408조의9, 제398조). 따라서 이사회는 집행임원 등과 회사와의 거래의 내용과 절차가 공정한지 여부도 고려하여 승인하여야 한다.[166] 집행임원 등과 회사와의 거래에 대하여 이사회가 승인하면 그 거래가 유효하다는 것이지, 이로 인하여 집행임원의 책임이 면제되는 것은 아니다. 이 경우 집행임원의 귀책사유가 있으면 집행임원은 회사에 대하여 책임을 부담한다고 본다[167](제408조의8 제1항).

집행임원 등이 이사회의 승인 없이 회사와 거래를 한 경우, 그 행위의 사법상 효력은 거래의 안전과 회사의 이익을 고려하여 볼 때 대내적으로는 무효이나

---

162) 정찬형, 상게서, 1058면, 882~883면.
163) 대법원 2007.5.10. 2005다4284.
164) 대법원 1992.3.31. 91다16310; 2002.7.12. 2002다20544 외.
165) 대법원 2007.5.10. 2005다4284.
166) 정찬형, 전게서[상법강의(상)], 1060면.
167) 정찬형, 상게서, 1060면. 동지: 대법원 1989.1.31. 87누760(대표이사와 회사간의 거래에 대하여).

대외적으로는 상대방인 제3자의 악의를 회사가 증명하지 못하면 유효라고 보아야 할 것이다(상대적 무효설).[168] 이 때 거래의 무효를 주장할 수 있는 자는 회사이다.[169] 상대적 무효설에 의할 때 집행임원 등이 거래의 당사자일 때에는 선의의 제3자로서 인정받을 수 없고, 집행임원 등이 거래의 당사자로서 참여하지 않고 회사와 제3자간에 한 간접거래 또는 집행임원 등이 회사와의 거래로서 취득한 물건을 제3자에게 양도한 거래 등에서 선의의 제3자가 보호될 수 있을 것으로 본다.[170] 이와는 별도로 집행임원은 법령위반의 행위를 한 것이므로 회사에 대하여 손해배상책임을 지고(제408조의8 제1항), 이 책임은 집행임원의 경업피지의무 위반의 경우와 같이 면제될 수 없다고 보며(제408조의9, 제400조 제1항 참조), 또한 감경될 수 없다(제408조의9, 제400조 제2항 단서).

최근 사업연도 말 현재의 자산총액이 2조원 이상의 상장회사의 집행임원, 그 상장회사 계열회사의 집행임원 등(상법 시행령 제35조 제4항·제5항, 제34조 제4항 제2호)을 상대방으로 하거나 그를 위하여 회사가 (i) 단일 거래규모가 최근 사업연도 말 현재의 자산총액 또는 매출총액의 100분의 1 이상인 거래(상법 시행령 제35조 제6항)를 하거나 또는 (ii) 해당 사업연도 중에 집행임원 등의 특정인과 해당 거래를 포함한 거래총액이 해당 회사의 최근 사업연도 말 현재의 자산총액 또는 매출총액의 100분의 5(상법 시행령 제35조 제7항) 이상이 되는 경우의 해당 거래(제542조의9 제1항에 따라 금지되는 거래를 제외한다)를 하려는 경우에는 이사회의 승인을 받아야 한다(제542조의9 제3항). 이 때 「이사회의 승인」은 이사 과반수의 출석과 출석이사의 과반수로 하는데, 정관으로 그 비율을 높게 정할 수 있다(제391조)(이 점은 제398조가 적용되는 경우와 구별된다). 이러한 상장회사는 위의 경우 집행임원 등과 회사와의 거래에 대하여 이사회의 승인을 받으면, 이사회의 승인 결의 후 처음으로 소집되는 정기주주총회에 해당 거래의 목적, 상대방, 그 거래의 내용·날짜·기간 및 조건, 해당 사업연도중 거래상대방과의 거래유형별 총거래금액 및 거래잔액을 보고하여야 한다(제542조의9 제4항, 상법 시행령 제35조 제8항). 위의 경우에도 불구하고 동 상장회사가 경영하는 업종에 따른 일상적인 거래로서 (i) 약관에 따라 정형화된 거래로서 「약관의 규제에 관

---

168) 정찬형, 상계서, 1062면; 정동윤, 전계서(회사법), 444면 외.
169) 동지: 서울민사지방법원 1984.5.18. 83나292.
170) 정찬형, 전계서[상법강의(상)], 1062면.

한 법률」 제2조 제1호의 약관에 따라 이루어지는 거래 또는 (ii) 이사회에서 승인한 거래총액의 범위 안에서 이행하는 거래는 이사회의 승인을 받지 아니하고 할 수 있으며, (ii)의 거래에 대하여는 그 거래내용을 주주총회에 보고하지 아니할 수 있다(제542조의9 제5항, 상법 시행령 제35조 제9항).

7) 집행임원의 이사회에 대한 보고의무

가) 집행임원의 이사회에 대한 정기보고의무

집행임원은 이사회로부터 업무집행에 관하여 감독을 받으므로(제408조의2 제3항 제2호), 이사회의 집행임원에 대한 감독의 실효를 위하여 각 집행임원은 3개월에 1회 이상 자기의 업무집행상황을 이사회에 보고하여야 한다(제408조의6 제1항). 이 점은 집행임원 비설치회사의 경우 (업무담당)이사의 이사회에 대한 보고의무를 규정한 점(제393조 제4항)과 같다. 집행임원은 이사회의 구성원이 아니므로 이사회에 출석할 권한이 없으나, 이 보고를 위하여 이사회로부터 승낙을 받아 이사회에 출석할 수 있다. 이를 위하여 회사는 정관에서 이사회의 소집통지를 집행임원에게도 할 수 있음을 정할 수 있다. 집행임원이 이사의 직을 겸임하는 경우에는 이러한 문제가 없다.[171]

집행임원의 이 보고의무는 집행임원 전원의 의무이고, 각 집행임원은 자기가 맡은 업무집행상황을 각각 보고하는 의무를 부담한다. 집행임원은 자기의 보고의무를 다른 집행임원으로 하여금 대리하여 보고하도록 할 수 있다(日會 제417조 제4항 제2문은 이 점을 명문으로 규정하고 있다). 따라서 대표집행임원은 재무담당 집행임원 등의 업무집행상황의 보고를 대리할 수 있다고 본다.

집행임원의 보고내용은 자기가 맡은 업무집행상황에 관한 것이다. 집행임원 설치회사에서의 이사회는 경영의 기본방향 등에 대하여만 결정하고 업무집행에 관한 의사결정권을 대부분 집행임원에게 위임할 것이므로(제408조의2 제3항 제4호), 집행임원으로부터 이러한 보고를 받는 것은 집행임원의 업무집행에 관한 의사결정이 타당한지 또는 경영의 기본방향과 일치하는지 여부 등을 평가하여 집행임원의 인사와 보수에 반영하게 된다. 그러나 집행임원 비설치회사에서는 업무집행에 관한 의사결정권이 이사회에 있으므로(제393조 제1항) 이사회가 (업무담당)이사 또는 대표이사로부터 업무집행상황의 보고를 받는 것은(제393조 제4

---

171) 동지: 商事法務(編), 前揭書(取締役・執行役), 301面.

항) 대표이사 등이 이사회의 결의사항을 충실하게 집행하였는지를 확인하기 위한 것이라고 볼 수 있다. 이러한 점에서도 양자는 구별된다고 본다.[172]

나) 집행임원의 이사회에 대한 수시보고의무

집행임원은 위와 같은 정기보고의무 외에도 이사회의 요구가 있으면 언제든지 이사회에 출석하여 요구한 사항을 보고하여야 할 의무가 있다(제408조의6 제2항). 이는 집행임원 비설치회사에서는 없는 사항이다(제393조 제3항·제4항 참조). 이것도 이사회의 집행임원에 대한 감독기능(제408조의2 제3항 제2호)을 원활히 하기 위한 것이다.

이사회 요구는 이사회의 결의에 의하고, 이사회 요구의 전달방법은 제한이 없으며, 이사회가 요구하는 경우에는 보고할 사항을 명시하여 요구하여야 한다고 본다. 따라서 요구하는 사항에 관하여 업무를 담당하는 집행임원만이 이러한 경우 이사회에 출석하여 보고할 의무를 부담한다.[173]

다) 대표집행임원의 보고의무

이사는 대표집행임원으로 하여금 다른 집행임원 또는 피용자의 업무에 관하여 이사회에 보고할 것을 요구할 수 있는데, 대표집행임원은 이에 따를 의무가 있다(제408조의6 제3항). 이 점은 집행임원 비설치회사의 경우 이사가 대표이사에게 요구하는 점과 같다(제393조 제3항).

집행임원이 이사회의 요구에 의하여 이사회에 보고하는 것은(제408조의6 제2항) 이사회의 결의에 의하여 이사회가 담당집행임원에게 요구하는 것인데, 이 항(제408조의6 제3항)에서는 이사가 대표집행임원에게 요구하는 것이다. 따라서 어느 집행임원의 업무집행에 관한 사항에 대하여 의문이 있는 이사는 누구든지 대표집행임원에게 그러한 집행임원의 업무에 관하여 이사회에 보고할 것을 요구할 수 있다. 제408조의6 제2항과의 관계에서 볼 때 이사는 그러한 집행임원에게 직접 요구할 수는 없고 대표집행임원에게만 요구할 수 있다고 본다. 그러한 집행임원에게 직접 요구하기 위하여는 이사회 결의에 의한 이사회의 요구가 있어야 한다고 본다(제408조의6 제2항). 이는 집행임원 상호간의 지휘·명령관계에서 이사회는 직접 집행임원에게 요구할 수 있으나, 모든 이사는 대표집행임원을

---

172) 동지: 商事法務(編), 上揭書, 301~302面.
173) 동지: 商事法務(編), 上揭書, 302~303面.

통하여서만 요구할 수 있도록 한 것으로 보인다. 이사로부터 요구받은 대표집행임원은 자기가 직접 담당 집행임원(또는 피용자)을 대리하여 이사회에 보고할 수도 있고, 담당 집행임원(또는 피용자)으로 하여금 이사회에 보고하도록 할 수도 있다고 본다.

8) 집행임원의 감사(監事)에 대한 보고의무

집행임원 설치회사의 경우 집행임원은 회사에 현저하게 손해를 미칠 염려가 있는 사실을 발견한 때에는 즉시 이를 감사(監事)(감사에 갈음하여 '감사위원회'를 둔 경우에는 감사위원회를 말한다. 이하 같다 – 제415조의2 제7항)에게 보고할 의무를 부담한다(제408조의9, 제412조의2). 집행임원은 원칙적으로 감사에 대하여는 그의 요구가 있는 때에만 보고의무를 부담하는 소극적 보고의무만을 부담하는데(제408조의9, 제412조 제2항),[174] 이에 대한 예외로 '회사에 현저하게 손해를 미칠 염려가 있는 때'에는 감사에 대하여 적극적 보고의무를 부담하도록 한 것이다. 이는 감사(監事)에 의한 감사(監査)의 실시를 용이하게 하고 또한 회사의 손해를 사전에 방지할 수 있도록 함으로써 감사의 실효성을 확보하기 위한 방안의 하나로 인정된 것이다.[175]

사. 집행임원의 책임

1) 집행임원의 회사에 대한 책임

가) 책임의 성질

(1) 집행임원은 회사에 대하여 수임인으로서 선관의무를 부담하고(제408조의2 제2항, 민법 제681조) 또한 충실의무를 부담하므로(제408조의9, 제382조의3) 이에 따른 채무불이행으로 인한 손해배상책임을 부담하는데(민법 제390조), 상법은 광범위한 권한을 갖고 있는 집행임원에 대하여 이러한 민법상의 일반책임에 대한 특칙으로 집행임원의 책임을 규정하고 있다.[176] 즉, 상법은 "집행임원이 고의 또는 과실로 법령이나 정관을 위반한 행위를 하거나 그 임무를 게을리한 경우에는 그 집행임원은 집행임원 설치회사에 손해를 배상할 책임이 있다"고 규정하고

---

174) 그러나 집행임원은 감독권이 있는 이사회에 대하여는 정기적인 보고의무인 적극적 보고의무를 부담한다(제408조의6 제1항).
175) 정찬형, 전게서[상법강의(상)], 1066면.
176) 정찬형, 상게서, 1070면.

있다(제408조의8 제1항). 이러한 집행임원의 책임은 이사의 회사에 대한 책임(제399조 제1항)과 유사한데, 집행임원은 회의체를 구성하지 않고 원칙적으로 각자 업무를 집행하므로 연대책임이 아니고 개별책임인 점에서 이사의 책임과 구별되므로, 상법은 제408조의9에서 제399조를 준용하지 않고 제408조의8에서 별도로 규정한 것이다.177)

(2) 비교법적으로 볼 때 미국의 델라웨어주 회사법은 "모든 집행임원은 회사에 대하여 증서(bond) 등으로 충실(fidelity)을 담보할 수 있다"고 규정하고(동법 제142조 제(c)항), 뉴욕주 회사법도 "회사의 이사회는 모든 집행임원에게 그의 의무를 충실하게 이행하는 보증서(security)를 제공할 것을 요구할 수 있다"고 규정하고 있다(동법 제715조 제(f)항). 또한 뉴욕주 회사법은 "집행임원은 집행임원으로서 충실하고(in good faith) 또한 같은 지위에 있는 보통 신중한 사람이면 유사한 환경에서 하였을 정도의 주의로써 그의 의무를 이행하여야 한다"고 규정하고 있다(동법 제715조 제(h)항).

일본의 회사법에서도 "위원회 설치회사와 집행임원과의 관계는 위임에 관한 규정에 따른다"고 규정하고 있다(日會 제402조 제3항).

나) 책임의 원인

(1) 법령이나 정관을 위반한 행위를 한 경우

(가) 집행임원이 "고의 또는 과실로 법령에 위반한 행위를 한 경우"란, 예컨대 집행임원이 이사회의 승인 없이 경업피지의무(제408조의9, 제397조)를 위반한 행위를 하거나 또는 회사기회유용금지의무(제408조의9, 제397조의2)를 위반한 행위를 한 경우 등이다. 집행임원이 "회사의 자금으로 뇌물을 공여한 경우"에도 이에 해당한다고 본다.178)

이 때의 "법령"이란 법률과 그 밖의 법규명령으로서의 대통령령·총리령·부령 등을 의미하고, 예컨대 종합금융회사 업무운용지침·외화자금거래취급요령·종합금융회사 내부의 심사관리 규정 등은 이에 해당하지 않는다.179)

집행임원이 법령에 위반한 행위를 한 것에 대한 책임은 상법에 명문으로 규정하고 있는 바와 같이 과실책임인데, 집행임원이 법령에 위반한 행위를 한 때

---

177) 동지: 송옥렬, 전게서(상법강의), 1120면.
178) 동지: 대법원 2005.10.28. 2003다69638(이사의 책임에 대하여).
179) 대법원 2006.11.9. 2004다41651, 41668.

에는 그 행위 자체가 회사에 대하여 채무불이행에 해당하므로 (집행임원이 특별히 무과실을 증명하지 못하는 한) 이로 인하여 회사에 손해가 발생한 이상 집행임원은 회사에 대하여 손해배상을 면할 수 없다.[180]

집행임원이 법령에 위반한 행위를 한 때에는 경영판단의 원칙이 적용될 여지가 없다.[181]

(나) 집행임원이 "고의 또는 과실로 정관을 위반한 행위를 한 경우"란, 예컨대 정관 소정의 임의적립금을 적립하지 않고 이익배당을 한 경우 등이다.

집행임원이 정관에 위반한 행위를 한 경우에도 법령에 위반한 행위를 한 경우와 같이 과실책임이나, 집행임원이 정관에 위반한 행위를 한 때에는 그 행위 자체가 회사에 대하여 채무불이행에 해당하므로 (집행임원이 특별히 무과실을 증명하지 못하는 한) 이로 인하여 회사에 발생한 손해를 배상하여야 한다고 본다.

집행임원이 정관에 위반한 행위를 한 때에도 경영판단이 원칙이 적용될 여지가 없다.

(2) 임무를 게을리한 경우

(가) 집행임원이 "고의 또는 과실로 임무를 게을리한 경우"란, 예컨대 집행임원의 감독불충분으로 지배인이 회사재산을 낭비한 경우, 은행의 집행임원이 돈을 대출하면서 충분한 담보를 확보하지 아니하는 등 그 임무를 게을리하여 대출금을 회수하지 못하여 은행에 손해를 입게 한 경우[182] 등이다.

집행임원의 이러한 책임은 위임계약의 불이행으로 인한 과실책임이다.

집행임원이 그 임무를 게을리함으로 인하여 손해배상을 청구하는 경우에는 일반원칙에 따라 이를 주장하는 자(회사)가 증명책임을 부담한다.

(나) 집행임원이 임무를 게을리한 경우에는 경영판단과 관련되는데, 집행임원이 단순히 경영상의 판단(business judgment)을 잘못한 것은 그 임무를 게을리한 것(선관주의의무 위반)으로 볼 수 없다.[183] 그런데 이에 반하여 소유와 경영의 분리가 아닌 소유와 경영의 집중화가 심화된 우리 나라의 기업현실에서 경영판단의 원칙을 집행임원에게 그대로 적용한다면 도덕적 해이 내지는 면책수단

---

180) 대법원 2007.9.20. 2007다25865(이사의 책임에 대하여).
181) 동지: 대법원 2008.4.10. 2004다68519(이사의 책임에 대하여).
182) 동지: 대법원 2002.2.26. 2001다76854(상호신용금고에서 대표이사의 책임에 대하여).
183) 정찬형, 전게서[상법강의(상)], 1075면; 임재연, 전게서(회사법 II), 466면.

으로 활용되는 점 등과 같은 부정적인 결과를 초래할 가능성이 매우 크다는 이유로 집행임원의 책임에 대하여는 경영판단의 원칙을 적용하지 않는 것이 바람직하다고 보는 견해도 있으나,[184] 소유와 경영이 분리되어 있느냐 분리되어 있지 않느냐에 따라 집행임원에게 경영판단의 원칙이 적용되기도 하고 적용되지 않기도 한다고 보는 것은 타당하지 않다고 본다. 따라서 소유와 경영의 분리 여부에 불문하고(소유와 경영이 분리된 것인지 여부의 문제도 애매함) 집행임원이 임무를 게을리한 것인지 여부를 판단함에 있어서는 경영판단의 원칙이 적용된다고 본다.

(3) 인과관계

집행임원의 "법령·정관에 위반한 행위" 또는 "임무를 게을리한 행위"와 회사의 손해와의 사이에는 상당인과관계가 있어야 한다.[185] 우리 대법원판례도 이사의 책임에 대하여 이와 동지로 "이사의 법령·정관 위반행위 혹은 임무해태행위로 인한 상법 제399조의 손해배상책임은 그 위반행위와 상당인과관계 있는 손해에 한하여 인정되므로, 그 결과로서 발생한 손해와의 사이에 상당인과관계가 인정되지 아니하는 경우에는 이사의 손해배상책임이 성립하지 아니한다"고 판시하고 있다.[186]

다) 책임의 부담자

회사에 대하여 손해배상책임을 부담하는 자는 집행임원(제408조의8 제1항)과 집행임원에 대한 업무집행지시자 등(제408조의9, 제401조의2)이다.

(1) 집행임원

행위자인 집행임원이 책임을 지는 것은 당연하다. 그런데 집행임원은 원칙적으로 각자 자기가 맡은 업무를 개별적으로 집행하는 것이므로, 각자 책임을 진다. 따라서 집행임원 비설치회사에서 이사가 연대책임을 지는 점(제399조 제1항)과 구별된다.

(2) 업무집행지시자 등

이러한 업무집행지시자 등에는 다음과 같이 세 가지의 유형이 있다(제408조

의9, 제401조의2 제1항).

(가) 업무집행지시자

회사에 대한 자신의 영향력을 이용하여 집행임원에게 업무집행을 지시한 자이다. 지배주주 등이 집행임원을 맡지 않으면서(따라서 등기도 되어 있지 않으면서) 지배주주 등으로서의 인사권 등과 같은 사실상의 힘을 이용하여 집행임원으로 하여금 자신이 의도하는 바대로 업무를 집행하도록 하는 경우이다.

(나) 무권대행자

집행임원이 아니면서 집행임원의 이름으로 직접 업무를 집행한 자이다. 지배주주 등이 집행임원에 대한 지시에 의하여 간접적으로 회사의 업무에 관여하는 것이 아니고 본인이 직접 명목상의 집행임원의 명의로 업무집행을 하는 것이다[187](위 업무집행지시자와 다른 점).

(다) 표현집행임원

집행임원이 아니면서 명예회장·회장·사장·부사장·전무·상무·이사 기타 회사의 업무를 집행할 권한이 있는 것으로 인식될 만한 명칭을 사용하여 회사의 업무를 집행하는 자이다. 현재 집행임원으로서 이사회에서 선임되지 않고 또한 등기되지도 않은 자가 회사의 업무를 집행할 권한이 있는 것으로 인정될 만한 명칭을 사용하는 경우인 "사실상 집행임원"에 대하여는, 이 규정에 의하여 그의 회사 및 제3자에 대한 책임을 물을 수 있을 것이다.

이 점에 대하여, "집행임원을 도입하지 않더라도 사실상 집행임원에 해당하는 종래의 비등기이사는 상법 제401조의2 제1항 제3호의 표현이사로서 이사의 책임을 지고 있었다. 집행임원 설치회사에서도 집행임원에 대하여는 제408조의9에 따라 이사의 책임이 적용되고, 그 이외의 비등기이사는 표현집행임원으로서 같은 법리가 적용된다(제408조의9, 제401조의2). 결국 집행임원제도의 도입에 따라 비등기이사의 책임이 실질적으로 달라진 부분은 없다"고 설명하는 견해가 있다.[188] 집행임원 설치회사에서 집행임원에 대하여는 "상법 제408조의9에 따라 이사의 책임"이 적용되는 것이 아니라, 집행임원의 책임은 앞에서 본 바와 같이 (연대책임이 아닌 점 등에서) 이사의 책임과 구별되므로 상법 제408조의8에서 별

---

187) 정찬형, 전게서[상법강의(상)], 1080면.
188) 송옥렬, 전게서(상법강의), 1120면.

도로 규정하고 있다. 또한 "집행임원을 도입하지 않더라도 사실상 집행임원에 해당하는 종래의 비등기이사는 상법 제401조의2 제1항 제3호 표현이사로서 이사의 책임을 지고 있었다"는 점에 대하여는, 종래에는 상법에 집행임원에 관한 규정이 전혀 없었으므로 사실상 집행임원에 대하여 그 책임을 묻기 위하여 무리하게 표현이사에 관한 규정을 유추적용한 점이 있다. 즉, 표현이사 등에 관한 규정은 IMF 경제체제 직후인 1998년 개정상법에서 지배주주가 사실상 경영권을 행사하면서 이사 등으로 등기가 되지 않은 사실상(실질상) 이사(de facto director)가 이사로서 면책되는 것을 방지하기 위하여 독일·영국 등에서 인정하고 있는 제도(shadow director)를 도입하여 업무집행지시자 등의 회사 및 제3자에 대한 책임을 인정한 것이다(제401조의2). 그런데 사실상 집행임원은 대부분 이러한 지배주주(대표이사)에 의하여 업무집행을 위하여 선임된 자로서 위의 업무집행지시자 등과는 반대의 입장이다. 이러한 사실상 집행임원에 대하여 그의 책임을 묻기 위하여 상법상 업무집행지시자 등의 책임에 관한 규정(제401조의2)을 유추적용하는 것은 동 규정의 입법취지에 맞지 않는다.[189] 따라서 집행임원 설치회사에서의 집행임원에 대하여는 상법 제408조의8에 의하여 그의 책임을 묻고, 사실상 집행임원에 대하여는 상법 제409조의9에서 준용하고 있는 상법 제401조의2에 의하여 그 책임을 묻도록 하여 법의 미비를 보완한 것이다. 또한 이와 같이 규정함으로써 비등기이사가 아니라도 폭 넓은 사실상 집행임원에 대하여 표현집행임원에 관한 규정을 준용할 수 있게 되었다. 따라서 "집행임원제도의 도입에 따라 비등기이사의 책임이 실질적으로 달라진 부분은 없다"고 단정할 수는 없고, 집행임원제도의 도입에 따라 사실상 집행임원에 대하여 적용할 수 있는 법규정이 보다 명확하여졌고 그 대상도 넓게 되었다고 볼 수 있다.

(3) 연대책임

회사에 대하여 손해배상책임을 부담하는 집행임원은 업무집행지시자 등과 연대하여 그 책임을 진다(제408조의9, 제401조의2 제2항).

---

189) 정찬형, "2007년 확정한 정부의 상법(회사법) 개정안에 대한 의견," 「고려법학」 제50호(고려대학교 법학연구원, 2008), 390면.

라) 책임의 면제·감경

(1) 책임의 면제

(가) 적극적 책임면제

집행임원의 회사에 대한 손해배상책임은 주주 전원의 동의로 면제될 수 있다 (제408조의9, 제400조 제1항). 이것은 회사가 적극적으로 집행임원의 책임을 면제 하는 방법인데, 주주 전원의 동의는 개별적인 동의도 무방하고[190) 또한 묵시적 인 의사표시의 방법으로도 동의할 수 있다.[191) 이 때의 주주에는 의결권이 없는 종류주식이나 의결권이 제한되는 종류주식을 가진 주주도 포함된다(통설).[192) 이 때 주주 전원의 동의로 면제되는 집행임원의 책임은 상법 제408조 제1항의 집 행임원의 회사에 대한 책임에 국한되는 것이고, 집행임원의 회사에 대한 불법행 위로 인한 손해배상책임까지 면제되는 것은 아니다.[193)

집행임원이 고의 또는 중과실로 회사에 손해를 발생시킨 경우, 경업피지의무 (제397조)·회사기회유용금지의무(제397조의2)·자기거래금지의무(제398조)에 위 반하여 회사에 손해를 발생시킨 경우에도 주주 전원이 동의하면 그 책임이 면제 된다고 보는 견해가 있으나,[194) 이는 타당하지 않다고 본다. 왜냐하면 이러한 경우는 집행임원의 책임을 감경하지 못하는데 면제할 수 있다고 보는 것은 균형 을 잃은 것이고, 주주의 이익과 회사의 이익은 구별되는 것이며, 또한 이러한 경우에 책임을 면제하는 것은 신의칙에 반하거나(고의·중과실의 경우) 또는 강행 법규(제397조~제398조)에 반하기 때문이다.

(나) 소극적 책임면제

집행임원에 대하여 상법 제450조에 의한 소극적 책임면제를 인정할 것인가 의 문제가 있다. 상법 제450조에 의한 소극적 책임면제는 주주총회의 재무제표 승인에 따른 효과인데, 집행임원 설치회사에서는 집행임원이 재무제표를 작성하 므로(제447조) 집행임원에 대하여도 그 책임을 해제한 것으로 의제할 필요가 있

---

190) 정찬형, 전게서[상법강의(상)], 1083면; 임재연, 전게서(회사법 II), 467면 외.
191) 동지: 대법원 2002.6.14. 2002다11441(이사의 책임에 대하여).
192) 정찬형, 전게서[상법강의(상)], 1083면 외.
193) 동지: 대법원 1989.1.31. 87누760; 1996.4.9. 95다56316(감사의 회사에 대한 책임에 대하 여).
194) 임재연, 전게서(회사법 II), 467면.

다. 그런데 현행 상법상 집행임원에 대하여 그 책임을 해제하는 것으로 의제하는 규정을 두고 있지 않으므로 해석론상 집행임원의 회사에 대한 책임을 소극적으로 면제하는 것으로 볼 수는 없으나,[195] 입법론으로는 상법 제450조에 "집행임원"을 추가하든지 또는 상법 제408조의9에 제450조를 준용하는 규정을 두어서 집행임원의 회사에 대한 책임을 소극적으로 면제하는 규정을 두어야 할 것으로 본다.[196]

(2) 책임의 감경

회사는 정관으로 정하는 바에 따라 집행임원의 회사에 대한 책임을 집행임원이 그 행위를 한 날 이전 최근 1년간의 보수액(상여금과 주식매수선택권의 행사로 인한 이익 등을 포함한다)의 6배를 초과하는 금액에 대하여 면제할 수 있다(제408조의9, 제400조 제2항 본문). 그러나 집행임원이 고의 또는 중대한 과실로 손해를 발생시킨 경우와, 경업피지의무 위반(제408조의9, 제397조)·회사기회유용금지의무 위반(제408조의9, 제397조의2) 및 자기거래금지의무 위반(제408조의9, 제398조)의 경우에는 집행임원의 회사에 대한 책임을 감경할 수 없다(제408조의9, 제400조 제2항 단서).

2011년 개정상법 이전에도 이사의 회사에 대한 손해배상책임액에 대하여 법원은 제반사정을 참작하여 감경한 바 있으나,[197] 위와 같은 상법의 규정에 의하여 법원의 재량에 의한 집행임원의 회사에 대한 손해배상액의 감경에 제한을 받게 되었다.

마) 책임의 시효기간

집행임원의 회사에 대한 손해배상책임의 시효기간은 채권의 일반시효기간(민법 제162조 제1항)과 같이 10년이다(통설).[198] 우리 대법원판례도 이와 동지로 이사의 회사에 대한 손해배상책임에 대하여, "이사의 임무해태로 인한 손해배상책임은 위임관계로 인한 채무불이행책임이므로 그 소멸시효기간은 일반채무와 같이 10년이다"고 판시하고 있다.[199]

---

195) 동지: 임재연, 상게서, 467면.
196) 정찬형, 전게서[상법강의(상)], 1084면. 동지: 송옥렬, 전게서(상법강의), 1120면.
197) 대법원 2004.12.10. 2002다60467, 60474(이사의 책임에 대하여) 외.
198) 정찬형, 전게서[상법강의(상)], 1084면 외.
199) 대법원 1985.6.25. 84다카1954; 1969.1.28. 68다305.

또한 상법 제408조의8 제1항에 기한 손해배상청구의 소를 제기한 것이 일반 불법행위로 인한 손해배상청구권에 대한 소멸시효 중단의 효력은 없다.[200) 이 점은 양자의 권리를 별개로 보는 청구권경합설에서 볼 때 당연하다고 본다.

2) 집행임원의 제3자에 대한 책임

가) 책임의 성질

집행임원이 그 임무를 게을리함으로 인하여 제3자에게 손해를 입혔을 경우에는 (회사가 그 집행임원의 행위로 인하여 책임을 지는 것은 몰라도) 집행임원이 개인적으로 직접 제3자에 대하여 책임을 지는 경우는 (민법상 불법행위의 책임을 지는 경우를 제외하고는) 없다. 따라서 상법은 제3자를 보호하고 또 집행임원의 직무집행을 신중하게 하기 위하여, 집행임원이 고의 또는 중대한 과실로 그 임무를 게을리한 경우에는 그 집행임원은 제3자에 대하여 직접 손해배상을 하도록 규정하고 있다[201)(제408조의8 제2항). 따라서 집행임원이 고의 또는 중대한 과실로 그 임무를 게을리하여 제3자에게 직접 또는 간접으로 손해를 입힌 경우에는, 비록 불법행위의 요건을 갖추지 않아도 그 집행임원은 제3자에 대하여 상법 제408조의8 제2항에 의한 손해배상책임을 부담하는 것이다. 이러한 점에서 볼 때 집행임원의 제3자에 대한 책임의 법적 성질은 민법상 불법행위책임과는 다른 법정책임이라고 보는 것이 타당하다(법정책임설).[202) 이러한 법정책임설에 의하면 이러한 집행임원의 제3자에 대한 손해배상책임은 민법상 불법행위책임(민법 제750조)과는 별개의 책임으로 보기 때문에, 민법상 불법행위책임과는 경합을 인정하고 있다.

대표집행임원이 제3자에 대하여 그 업무집행으로 인하여 손해를 가한 때에는 회사의 불법행위로서 회사가 제3자에 대하여 손해배상책임을 부담한다(제408조의5 제2항, 제389조 제3항, 제210조). 이 때 대표집행임원도 개인적으로 제3자에 대하여 민법 제750조에 의한 손해배상책임 또는 상법 제408조의8 제2항에 의한 책임을 지는데, 대표집행임원이 민법 제750조에 의한 손해배상책임을 지는 경우에는 회사와 부진정연대책임을 부담한다(제408조의5 제2항, 제389조 제3항, 제

---

200) 동지: 대법원 2002.6.14. 2002다11441(이사의 책임에 대하여).
201) 정찬형, 전게서[상법강의(상)], 1085~1086면 외.
202) 정찬형, 상게서, 1090~1091면 외.

210조).

대표집행임원 이외의 집행임원이 그 사무집행에 관하여 제3자에게 손해를 가한 때에는 회사는 민법 제756조에 의하여 책임을 지는데, 그러한 행위를 한 집행임원은 개인적으로 제3자에 대하여 민법 제750조 또는 상법 제408조의8 제2항에 의한 손해배상책임을 부담한다.

이와 같이 제3자에 대하여 회사도 손해배상책임을 지고(제408조의5 제2항·제389조 제3항·제210조, 민법 제756조) 집행임원도 제3자에 대하여 손해배상책임을 지는 경우에(제408조의8 제2항, 민법 제750조) 양자는 앞에서 본 바와 같이 부진정연대채무의 관계에 있다. 그런데 양자는 법률적으로 발생원인을 달리하는 별개의 책임이므로, 채권자가 회사에 대한 채권을 타인에게 양도하였다고 하여 집행임원에 대한 채권이 함께 수반되어 양도되는 것은 아니다.[203]

나) 책임의 원인

(1) 집행임원이 "고의 또는 중대한 과실로 그 임무를 게을리한 경우"란 집행임원이 직무상 충실의무 및 선관의무 위반의 행위로서 위법성이 있는 경우를 말한다.[204] 예컨대, 집행임원이 주식청약서·사채청약서·재무제표 등에 허위의 기재를 하거나 허위의 등기나 공고를 하여 제3자에게 손해를 입힌 경우,[205] 대표집행임원이 대표집행임원으로서의 업무 일체를 다른 집행임원 등에게 위임하고 대표집행임원으로서의 직무를 전혀 집행하지 않아 제3자에게 손해를 입힌 경우,[206] 회사의 집행임원이 대규모 분식회계를 하여 그 회사에 대하여 여신을 제공한 금융기관(제3자)에게 손해를 입힌 경우[207] 등이다.

(2) 집행임원의 제3자에 대한 책임은 "고의 또는 중대한 과실로 그 임무를 해태한 경우"에만 지는 책임으로 중과실책임이다. 이 점은 집행임원의 회사에 대한 책임과 구별되는 점이다. 집행임원은 제3자와 법률관계가 없기 때문에 원칙적으로 제3자에 대하여 책임을 지지 않는데, 제3자를 보호하고 집행임원의 직

203) 동지: 대법원 2008.1.18. 2005다65579(이사의 제3자에 대한 책임에 대하여).
204) 동지: 대법원 2003.4.11. 2002다70044(이사의 제3자에 대한 책임에 대하여) 외.
205) 일본 회사법 제429조 제2항 제1호는 이러한 사항이 집행임원의 제3자에 대한 책임의 예시로서 규정하고 있다.
206) 동지: 대법원 2003.4.11. 2002다70044; 2006.9.8. 2006다21880(대표이사의 제3자에 대한 책임에 대하여) 외.
207) 동지: 대법원 2008.1.18. 2005다65579(이사의 제3자에 대한 책임에 대하여).

무집행을 신중하게 하도록 하기 위하여 법정책임으로 집행임원의 제3자에 대한 책임을 규정한 것이므로, 이를 경과실책임으로 규정하면 집행임원에게 너무 가혹하므로 중과실책임으로 규정한 것이다. 따라서 집행임원이 경과실로 임무를 게을리하여 제3자에게 손해가 발생한 경우에도 집행임원은 제3자에 대하여 손해배상책임을 지지 않는다. 예컨대 집행임원의 경영상 판단에 경과실로 인한 과오가 있고 이로 인하여 제3자에게 손해가 발생한 경우에도 집행임원은 그러한 제3자에게 제408조의8 제2항에 의한 손해배상책임을 부담하지 않는다.[208]

다) 책임의 부담자

(1) 제3자에 대하여 손해배상책임을 부담하는 자는 고의 또는 중대한 과실로 그 임무를 게을리한 집행임원(제408조의8 제2항) 및 집행임원에게 그러한 행위를 하도록 지시한 업무집행지시자 등(제408조의9, 제401조의2 제1항)이다. 이에 관하여는 집행임원의 회사에 대한 책임과 같다.

(2) 제3자에 대하여 손해배상책임을 부담하는 집행임원은 업무집행지시자 등도 책임을 지는 경우에는 업무집행지시자 등과 연대하여 그 책임을 진다(제408조의9, 제401조의2 제2항).

라) 책임의 면제 · 감경

집행임원의 제3자에 대한 책임은 주주 전원의 동의로 면제될 수 없고, 또한 회사에 의하여 감경될 수 없다. 채권자인 제3자에 의해서만 면제되거나 감경될 수 있는데, 이로 인하여 정당한 이익을 가진 자에게 대항하지 못한다(민법 제506조).

마) 제3자의 범위

집행임원이 제3자에 대하여 손해배상책임을 지는 경우, 제3자의 범위에 주주(또는 주식인수인)가 포함되는가의 문제가 있다. 이에 대하여 우리 대법원판례는 대표이사의 제3자에 대한 책임에서 주주가 직접손해를 입은 경우에는 제3자의 범위에 주주가 포함되나, 회사가 손해를 입음으로써 주주가 간접손해를 입은 경우에는 회사가 손해의 배상을 받음으로써 주주의 손해는 간접적으로 보상되는 것이므로(만일 이 때 제3자의 범위에 주주를 포함시키면 주주가 회사채권자에 우선하여 변제를 받는 결과가 되므로) 제3자의 범위에 주주가 포함되지 않는다고 보고

---

208) 정찬형, 전게서[상법강의(상)], 1090면.

있다.209) 그러나 주주는 언제나 제3자의 범위에 포함된다고 본다.210) 그러나 이 경우 주주가 입은 간접손해(예컨대, 집행임원이 회사재산에 대하여 손해를 가하였기 때문에 이익배당을 받지 못한 주주가 입은 손해)에 대하여는, 주주는 그 집행임원에게 자기에 대하여 직접 손해배상할 것을 청구할 수는 없고 회사에 대하여 손해배상할 것을 청구할 수 있다. 그런데 이 경우 제3자의 범위에 주주가 포함되지 않는다고 보면 주주는 이러한 청구를 대표소송(제403조)에 의해서만 청구할 수 있다. 그러나 이 경우 제3자의 범위에 주주를 포함시키면 주주는 대표소송의 요건을 구비하지 않은 경우에도 집행임원에 대하여 회사에게 손해배상을 할 것을 청구할 수 있다.211) 이 점이 주주가 입은 간접손해에 대하여도 주주를 상법 제408조의8 제2항의 제3자의 범위에 포함시키는 실익이다.

그러나 제3자의 범위에 공법관계인 국가와 지방자치단체는 포함되지 않는다.212)

바) 책임의 시효기간

집행임원의 제3자에 대한 책임의 법적 성질을 법정책임으로 보는 경우, 집행임원의 제3자에 대한 손해배상책임의 소멸시효기간은 일반채권과 같이 10년으로 본다.213) 우리 대법원판례도 이와 동지로 이사의 제3자에 대한 책임에서 "상법 제401조에 기한 이사의 제3자에 대한 손해배상책임이 제3자를 보호하기 위하여 상법이 인정하는 특수한 책임이라는 점을 감안할 때, 일반 불법행위책임의 단기 소멸시효를 규정한 민법 제766조 제1항은 적용될 여지가 없고, 일반채권으로서 민법 제162조 제1항에 따라 그 소멸시효기간은 10년이다"고 판시하고 있다.214)

3) 다른 집행임원 등과의 연대책임

집행임원은 각자 자기의 업무에 관하여 (이사회로부터 위임받은 사항에 대하여

---

209) 대법원 1993.1.26. 91다36093(대표이사가 회사재산을 횡령하여 회사재산이 감소함으로써 회사가 손해를 입고 결과적으로 주주의 경제적 이익이 침해되는 손해와 같은 간접손해는 상법 제401조 제1항에서 말하는 손해의 개념에 포함되지 아니하므로 주주는 상법 제401조에 의한 손해배상을 청구할 수 없다); 2003.10.24. 2003다29661.

210) 정찬형, 전게서[상법강의(상)], 1091~1093면.

211) 정찬형, 상게서, 1092~1093면.

212) 동지: 대법원 1982.12.14. 82누374(이사의 제3자에 대한 책임에 대하여) 외.

213) 정찬형, 전게서[상법강의(상)], 1091면.

214) 대법원 2006.12.22. 2004다63354 외.

는 의사를 결정하여) 집행을 하는 것이지 이사회와 같은 집행임원회도 없으므로 이사가 이사회의 결의와 관련하여 부담하는 연대책임(제399조 제2항·제3항, 제401조 제2항)과 같은 연대책임은 없다.

그러나 집행임원의 업무집행과 관련하여 귀책사유가 있는 다른 집행임원·이사 또는 감사도 그 책임이 있으면 집행임원은 그 다른 집행임원·이사 또는 감사와 연대책임을 지도록 한 것이다(제408조의8 제3항). 이러한 집행임원의 연대책임을 내부통제시스템 하에 연결되어 있는 책임이며 집행임원의 책임을 강화하기 위한 책임으로 보는 견해가 있는데,[215] 집행임원의 이러한 책임은 내부통제시스템 하에 연결되어 있는 책임으로서 연대책임은 아니고 동일 또는 유사업무의 집행에서 귀책사유가 있는 다른 집행임원·이사 및 감사에 대하여 연대책임을 지도록 한 것이고 또한 이는 집행임원의 책임을 강화한다기보다는 손해를 입은 제3자를 보호하기 위하여 연대책임으로 규정한 것으로 볼 수 있다. 따라서 회계업무를 담당하는 집행임원들이 분식회계를 한 경우에는 회계업무를 담당하는 집행임원들 또 이러한 사실을 알고 이사회에서 승인한 이사 및 이러한 사실을 알면서 지적하지 않은 감사가 연대책임을 지는 것이지, 다른 업무로 귀책사유가 있는 법무담당 집행임원 등과는 연대책임을 지는 것이 아니다. 또한 일정한 업무에 관하여 지휘·명령관계에 있는 집행임원들이 있으면 그들은 연대책임을 질 것이고, 어떤 업무에 대하여 (상법에는 규정이 없으나) 임의로 설치한 집행임원회의 결의에 의하여 집행하여 회사 또는 제3자에게 손해를 가한 경우에는 그러한 결의에 찬성한 집행임원들은 연대책임을 부담하여야 할 것이다.

5. 집행임원에 대한 주주의 직접감독권과 감사(監事)의 감사

가. 집행임원에 대한 주주의 직접감독권

집행임원에 대한 주주의 직접감독권으로는 사전의 조치로서 집행임원의 위법행위에 대한 유지청구권과 사후의 조치로서 집행임원의 책임을 추궁하는 대표소송권 또는 다중대표소송권이 있다. 이하에서 주주의 이러한 권리에 대하여 살펴보겠다.

---

215) 정준우, 전게논문(한양법학 제35집), 473면.

1) 집행임원의 위법행위에 대한 유지청구권

집행임원 설치회사의 경우 회사의 업무집행권이 집행임원에게 있고(제408조의
4), 주주는 회사의 구성원으로서 집행임원의 회사의 업무집행에 관하여 이해관계
가 크므로 집행임원의 업무집행을 직접 감독할 권한을 갖는다. 주주는 이러한 감
독권을 주주총회에서 또는 이사회를 통하여(제408조의2 제3항) 간접적으로 행사
하는 것이 원칙이지만, 일정한 경우에는 소수주주를 통하여 직접적으로 행사할
수 있다. 따라서 상법은 집행임원의 위법행위에 대한 주주의 이러한 직접감독권
의 하나로 사전의 조치로서 위법행위 유지청구권을 규정하고 있는 것이다.[216]

주주의 집행임원의 위법행위 유지청구권이란 "집행임원이 법령 또는 정관에
위반한 행위를 하여 이로 인하여 회사에 회복할 수 없는 손해가 생길 염려가
있는 경우에는 감사(監事)나 감사위원회 또는 소수주주[비상장회사의 경우에는 발
행주식총수의 100분의 1 이상에 해당하는 주식을 가진 소수주주이고, 상장회사의 경우
는 발행주식총수의 100분의 1 이상에 해당하는 주식을 가진 소수주주 또는 6개월전부
터 계속하여 상장회사 발행주식총수의 100,000분의 50 이상에 해당하는 주식을 보유
한 소수주주(최근 사업연도 말 자본금이 1,000억원 이상인 상장회사의 경우는 6개월
전부터 계속하여 상장회사 발행주식총수의 100,000분의 25 이상에 해당하는 주식을
보유한 소수주주)]가 회사를 위하여 그 집행임원에 대하여 그 행위를 유지(留止)
할 것을 청구할 수 있는 권리"이다(제408조의9, 제402조, 제415조의2 제7항, 제542
조의6 제5항·제10항, 상법 시행령 제32조). 이러한 집행임원의 「행위」는 불법행위
는 물론 법률행위나 준법률행위 나아가서 사실행위도 포함하고, 「회사에 회복할
수 없는 손해」인지 여부를 사회통념에 따라 판단되는데 반드시 법률적으로 불가
능한 것만을 의미하는 것이 아니다.[217]

위의 요건이 충족된 경우에 주주(소수주주)가 유지청구권을 행사할 것인지 여
부는 임의이지만, 감사(監事) 또는 감사위원회는 반드시 이를 행사하여야 하고
이를 행사하지 않으면 임무를 게을리한 것이 된다.[218]

감사(監事)나 감사위원회 또는 소수주주는 집행임원이 그 행위를 하기 전에
유지청구권을 행사하여야 하고, 행사의 방법은 소(訴)에 의하여 할 수 있고(이 경

---

216) 정찬형, 전게서[상법강의(상)], 1094면.
217) 정찬형, 상게서, 1095면 외.
218) 정찬형, 상게서, 1096면 외.

우에는 그 소를 본안으로 하여 가처분으로 그 행위를 유지시킬 수도 있다 - 민사집행법 제300조) 소 이외의 방법(의사표시)에 의하여 할 수도 있다. 주주 등이 집행임원의 위법행위 유지청구를 하면, 그 집행임원은 그 행위를 중지하여야 한다. 그런데 그 집행임원이 주주 등의 유지청구에도 불구하고 그 행위를 하였다면, 유지청구가 그 행위의 사법상의 효력에는 영향이 없고,[219] 그 집행임원은 법령 또는 정관에 위반한 행위를 하였음이 나중에 확정된 경우에 한하여 책임을 진다(제408조의8 제1항). 그런데 집행임원의 이러한 책임은 주주 등이 유지청구권을 행사하였는지 여부에 불문하고 생기는 것이므로, 이러한 책임이 유지청구권의 효과라고 볼 수도 없다. 그러나 집행임원의 그러한 행위가 그 후에 법령 또는 정관에 위반한 행위로 확정되면, 그러한 집행임원은 중과실로 의제되어 언제나 제408조의8 제1항에 의하여 회사에 대한 손해배상책임을 부담한다고 본다.[220] 이러한 점에서 주주 등의 유지청구권의 행사가 전혀 의미가 없다고 볼 수는 없다.

2) 집행임원의 책임을 추궁하는 대표소송권

집행임원 설치회사의 경우 회사의 업무집행권이 집행임원에게 있고(제408조의4) 주주는 회사의 구성원으로서 집행임원의 회사의 업무집행에 관하여 이해관계가 크므로, 집행임원의 업무집행에 대한 직접감독권의 하나로 소수주주에게 사전의 조치로서 앞에서 본 바와 같이 유지청구권이 인정되고, 사후의 조치로서 대표소송권이 인정되어 있다.

주주의 대표소송권이란 "소수주주(비상장회사의 경우에는 발행주식총수의 100분의 1 이상에 해당하는 주식을 가진 주주이고, 상장회사의 경우는 발행주식총수의 100분의 1 이상에 해당하는 주식을 가진 주주 또는 6개월 전부터 계속하여 상장회사 발행주식총수의 10,000분의 1 이상에 해당하는 주식을 보유한 주주이다)가 회사를 위하여 집행임원(집행임원에 대한 업무집행지시자 등을 포함한다)의 책임을 추궁하기 위하여 제기하는 소송"을 말한다(제408조의9, 제403조 제1항, 제542조의6 제6항·제10항, 제401조의2 제1항). 이러한 소수주주의 대표소송은 소수주주가 회사의 이익을 위하여 회사의 대표기관적 자격에서 소송을 수행하는 것이므로 「제3자의 소송담당」에 해당한다.[221] 따라서 판결의 효력은 당연히 회사 및 다른 주주에게

---

219) 동지: 정동윤, 전게서(회사법), 464면.
220) 정찬형, 전게서[상법강의(상)], 1097면.
221) 정찬형, 상게서, 1098면; 정동윤, 전게서(회사법), 446면(이사의 위법행위에 대한 대표소송

미치고(민사소송법 제218조 제3항), 소수주주의 이 권리는 공익권의 일종이라고 볼 수 있다.222)

집행임원 설치회사의 경우 집행임원과 집행임원설치회사간의 소송에 관하여는 이사회가 회사를 대표할 자를 선임하는데(제408조의2 제3항 제3호), 소수주주가 회사에 대하여 그 이유를 기재한 서면(이 서면에는 책임추궁 대상 집행임원의 성명과 책임발생 원인사실에 관한 내용이 기재되어야 함 - 대법원 2021.5.13. 2019다291399)에 의하여 집행임원의 책임을 추구할 소의 제기를 청구한 경우(제408조의9, 제403조 제1항·제2항) 회사가 이에 응하여 집행임원의 책임을 추궁하는 소를 제기하는 경우 회사를 대표할 자는 이사회에 의하여 선임된 회사를 대표할 자이다(제408조의2 제3항 제3호). 그런데 소수주주의 이러한 청구에도 불구하고 회사가 그 청구를 받은 날부터 30일 내에 소를 제기하지 아니한 때에는 소의 제기를 청구한 소수주주가 직접 소를 제기할 수 있다(제408조의9, 제403조 제3항). 그런데 30일의 경과로 인하여 회사에 회복할 수 없는 손해가 생길 염려가 있는 경우에는 소수주주는 회사에 청구할 필요 없이 즉시 직접 소를 제기할 수 있다(제408조의9, 제403조 제4항). 소수주주가 이와 같이 직접 소를 제기한 경우에는 제소주주의 주식보유비율(비상장회사의 경우에는 발행주식총수의 100분의 1이고, 상장회사의 경우에는 발행주식총수의 100분의 1 또는 6개월 전부터 계속하여 상장회사 발행주식총수의 10,000분의 1이다) 미만으로 감소한 경우(발행주식을 보유하지 아니하게 된 경우를 제외한다)에도 제소의 효력에는 영향이 없다(제408조의9, 제403조 제5항). 이는 대표소송의 제기를 쉽게 하고 또한 이러한 소를 가능한 한 유지시킴으로써 소수주주권을 강화하여 주주들의 효율적인 경영감시를 유도하며 또한 기업경영의 투명성을 보장하기 위하여 1998년 개정상법이 신설한 것이다.223) 소수주주의 청구에 의하여 회사가 소를 제기하거나 또는 소수주주가 직접 대표소송을 제기하는 경우 당사자는 법원의 허가를 얻지 아니하고는 소의 취하·청구의 포기·인낙224)·화해를 할 수 없다(제408조의9, 제403조 제6항). 소수주주의 대표소송은 소수주주가 회사의 이익을 위하여 제기하는 것이므로 회사

에 관하여) 외.

222) 정찬형, 상게서, 1098면.

223) 정찬형, 상게서, 1099~1100면.

224) 청구의 「인낙」은 집행임원이 하는 것으로서 이를 금할 이유가 없으므로 이를 규정한 것은 입법의 착오라는 견해가 있다[이철송, 전게서(회사법), 841면].

또는 제소주주가 쉽게 소의 취하·화해 등을 하는 것은 곤란하지만 소송수행중 부득이하게 소의 취하·화해 등을 할 필요성도 있으므로 이 양자를 조화하여 1998년 개정상법은 이 경우「법원의 허가」를 받아 소의 취하 등을 할 수 있도록 한 것이다.225)

주주의 대표소송의 대상이 되는 집행임원의 책임범위는 집행임원이 제408조의8 제1항에 의하여 회사에 대하여 부담하는 책임뿐만 아니라 집행임원이 회사에 대하여 부담하는 모든 책임(예컨대, 집행임원이 회사와의 거래에서 부담하는 모든 거래상의 채무 및 손해배상책임, 집행임원으로 취임하기 전에 회사에 대하여 부담하는 채무, 상속 또는 채무인수에 의하여 승계취득한 채무 등)을 포함한다고 본다.226)

회사가 파산절차중에는 주주가 집행임원의 책임을 추궁하는 이러한 대표소송을 제기하지 못한다.227)

집행임원의 책임을 추궁하는 소는 회사 본점소재지의 지방법원의 전속관할이고(제408조의9, 제403조 제7항, 제186조), 소수주주가 악의(집행임원을 해한다는 것을 아는 것)로 대표소송을 제기하는 경우 피고인 집행임원은 원고인 소수주주의 악의를 소명하여 소수주주에게 상당한 담보를 제공하게 할 것을 법원에 청구할 수 있다(제408조의9, 제403조 제7항, 제176조 제3항·제4항). 이것은 대표소송의 남용을 방지하기 위한 것이다.228)

소수주주가 직접 제소한 경우에 회사는 그 소송에 참가할 수 있는데(제408조의9, 제404조 제1항), 이를 위하여 소를 직접 제기한 소수주주는 소를 제기한 후 지체 없이 회사에 대하여 그 소송의 고지를 하여야 한다(제408조의9, 제404조 제2항). 판결이 확정되면 기판력이 생겨 그 집행임원의 회사에 대한 책임을 또 다시 문제삼을 수 없게 되므로 소수주주가 직접 대표소송을 제기한 경우에 회사에게 소송참가의 기회를 준 것이다.229)

집행임원의 책임을 추궁하는 소가 제기된 경우에 원고와 피고의 공모로 인하여 소송의 목적인 회사의 권리를 사해(詐害)할 목적으로 판결을 하게 한 때에는

---

225) 정찬형, 전게서[상법강의(상)], 1102면.
226) 정찬형, 상게서, 1099면; 정동윤, 전게서(회사법), 467면(이사의 위법행위에 대한 대표소송에 관하여) 외.
227) 대법원 2002.7.12. 2001다2617(이사의 책임에 대하여).
228) 정찬형, 전게서[상법강의(상)], 1101면.
229) 정찬형, 상게서, 1101~1102면.

회사(소수주주가 원고인 경우) 또는 주주(회사가 원고인 경우인데, 이 경우의 주주는 소수주주에 한하지 않는다)는 확정된 종국판결에 대하여 재심의 소를 제기할 수 있다(제408조의9, 제406조 제1항). 민사소송법에도 재심의 소에 관한 규정이 있으나(민사소송법 제451조), 상법상 대표소송에서는 원고와 피고와의 공모에 의하여 불공정한 결과가 발생할 우려가 크므로 상법은 이에 관한 특칙을 두고 있다.[230] 재심의 소는 당사자가 확정판결 후 재심의 사유를 안 날부터 30일 내에 제기하여야 하고, 판결확정 후 5년을 경과한 때에는 재심의 소는 제기하지 못한다(민사소송법 제456조). 이 재심의 소를 제기한 주주가 승소한 경우에는 회사에 대하여 소송비용 및 그 밖에 소송으로 인하여 지출한 비용중 상당한 금액의 청구권을 갖고, 패소한 경우에는 악의가 없는 한 책임이 없다(제408조의9, 제406조 제2항, 제405조).

대표소송은 제3자의 소송담당의 한 경우이므로, 원고인 소수주주가 받는 판결의 효력(승소이든 패소이든)은 당연히 회사에 미치게 되고(민사소송법 제218조 제3항), 다른 주주도 동일한 주장을 하지 못한다. 대표소송에서 원고인 소수주주가 승소하면 그 주주는 회사에 대하여 소송비용 및 그 밖에 소송으로 인하여 지출한 비용 중 상당한 금액의 지급을 청구할 수 있는데, 이 경우 소송비용을 지급한 회사는 집행임원 또는 감사에 대하여 구상권이 있다(제408조의9, 제405조 제1항). 대표소송을 제기한 소수주주가 회사로부터 이러한 소송비용 등을 지급받을 수 있도록 한 것은, 소수주주의 이러한 소송으로 인하여 이익을 받게 되는 자는 회사와 다른 주주들도 해당되므로, 회사가 이러한 비용을 모두 부담하도록 하고 다만 소송비용은 패소한 집행임원 또는 감사에게 구상하도록 한 것이다. 상법이 「그 밖에 소송으로 인하여 지출한 비용중 상당한 금액」으로 규정한 것은 변호사비용 등이 부당하게 다액으로 약정되는 폐해를 방지하기 위한 것이다.[231] 원고인 소수주주가 직접 대표소송을 제기하여 패소한 때에는 그가 악의인 경우 외에는 과실이 있다 하더라도 회사에 대하여 손해배상의 책임을 지지 아니한다(제408조의9, 제405조 제2항). 이것은 원고인 소수주주가 패소를 두려워하여 대표소송제도의 이용을 기피하는 것을 방지하기 위한 것이다.[232]

---

230) 정찬형, 상게서, 1102면.
231) 정찬형, 상게서, 1103~1104면.
232) 정찬형, 상게서, 1104면.

대표소송에 관하여 부정한 청탁을 받고 재산상의 이익을 수수·요구 또는 약속한 자는 1년 이하의 징역 또는 300만원 이하의 벌금의 처벌을 받는다(제631조 제1항 제2호).

3) 집행임원의 책임을 추궁하는 다중대표소송권

2020년 개정상법(2020. 12. 29. 공포, 법률 제17764호)은 다중대표소송을 상법에 신설하면서(제406조의2) 이를 집행임원에 대하여도 준용하는 것으로 규정하였다(제408조의9). 따라서 다중대표소송의 입법 이전에 모회사의 소수주주가 자회사의 집행임원의 위법행위에 대하여 자회사를 대위하여 이중(다중)대표소송을 제기할 수 있는지 여부에 대한 논의는 입법적으로 해결되었고, 이때 이중대표소송을 부정한 대법원판례[233]는 다중대표소송의 입법 이후에는 의미가 없게 되었다.

2020년 개정상법상 인정되고 있는 다중대표소송(관련회사가 2개인 경우에는 이중대표소송이고, 관련회사가 3개 이상인 경우는 다중대표소송임)은 "모회사 발행주식총수의 100분의 1 이상에 해당하는 주식을 주주(상장회사의 경우는 이 경우뿐만 아니라, 6개월 전부터 계속하여 모회사 발행주식총수의 1만분의 50 이상에 해당하는 주식을 보유한 주주)가 자회사(의제자회사 포함－제342조의2 제3항)의 집행임원의 책임을 추궁하는 소송"을 말한다(제406조의2 제1항, 제542조의6 제7항·제10항). 이러한 다중대표소송(이중대표소송)제도의 도입으로 종속회사의 집행임원의 위법행위에 대하여 종속회사 또는 그 주주인 지배회사가 종속회사의 집행임원의 책임을 추궁하지 않는 경우에는 실질적인 이해관계를 갖는 지배회사의 소수주주에게 종속회사를 대위하여 종속회사의 집행임원의 책임을 물을 수 있게 되었다.[234] 다중대표소송에 대하여는 대표소송에 관한 규정을 많이 준용하고 있으므로(제406조의2 제3항) 이러한 범위 내에서는 대표소송의 경우와 같다. 따라서 이하에서는 다중대표소송과 대표소송이 같은 부분은 대표소송에 관한 부분의 설명으로 갈음하고, 다중대표소송에 특유한 사항에 대해서만 간단히 살펴본다.

다중대표소송의 경우에는 모회사의 소수주주가 자회사 집행임원의 책임을 추궁하는 소이기 때문에 소 제기 이후 모자회사관계의 변동이 이 소에 어떠한 영향을 미치는지가 문제된다. 이에 대하여 상법은 특별히 규정하고 있다. 즉, 모

---

233) 대법원 2004.9.23. 2003다49221.
234) 정찬형, 전게서[상법강의(상)], 1106면.

회사의 소수주주가 자회사에 대하여 자회사 집행임원의 책임을 추궁할 '소의 제기를 청구한 후' 모회사가 보유한 자회사의 주식이 자회사 발행주식총수의 100분의 50 이하로 감소한 경우(발행주식을 보유하지 아니하게 된 경우를 제외한다)에도 자회사에 대하여 자회사 집행임원의 책임을 추궁할 소의 제기의 청구(제406조의2 제1항)와 자회사를 위한 제소(제406조의2 제2항)의 효력에는 영향이 없다(제408조의9, 제406조의2 제4항). 다시 말하면 다중대표소송에서 모자회사관계는 모회사의 소수주주가 자회사에 대하여 자회사 집행임원의 책임을 추궁할 '소의 제기를 청구한 때'에만 유지되면 되는 것이다(그러나 다중대표소송에서 모회사 소수주주가 보유하여야 할 주식의 비율은 '소 제기시'에만 유지되면 된다).[235]

다중대표소송을 제기하기 위하여는 모회사의 주주가 먼저 자회사에 대하여 그 이유를 기재한 서면으로 자회사 집행임원의 책임을 추궁할 소의 제기를 청구하여야 하고(제408조의9, 제406조의2 제1항·제3항), 자회사가 이러한 청구를 받은 날부터 30일 내에 소를 제기하지 아니한 때에는(다만 이러한 30일의 경과로 인하여 자회사에 회복할 수 없는 손해가 생길 염려가 있는 경우에는 예외적으로 30일의 경과 전에도) 즉시 자회사를 위하여 소를 제기할 수 있는데(제408조의9, 제406조의2 제2항·제3항), 이러한 점은 대표소송의 경우(제403조 제1항~제4항)와 같다. 그러나 다중대표소송은 해석상 자회사의 주주가 대표소송을 제기하지 않은 경우에 모회사의 주주(소수주주)가 다중대표소송을 제기할 수 있다고 본다. 왜냐하면 자회사 집행임원의 책임을 추궁하는 소는 모두 동일한 소송이므로, 자회사가 그의 집행임원의 책임을 추궁하지 않는 경우 자회사의 주주(소수주주)에게 대표소송을 인정하고(제408조의9, 제403조), 자회사의 주주(소수주주)가 대표소송을 제기하지 않는 경우에 그 자회사의 모회사의 주주(소수주주)에게 다중대표소송이 인정되는 것으로 해석하여야 할 것이기 때문이다(제408조의9, 제403조 제1항 및 제406조의2 제1항 취지 참조).[236]

나. 집행임원의 업무집행에 대한 감사(監事)의 감사

집행임원 설치회사의 경우 감사(監事)(감사에 갈음하여 '감사위원회'를 둔 경우에는 감사위원회를 말한다. 이하 같다 - 제415조의2 제7항)는 집행임원의 직무집행을

---

235) 정찬형, 상게서, 1107~1108면.
236) 정찬형, 상게서, 1108면.

감사할 권한을 갖는다(제408조의9, 제412조 제1항). 이는 감사가 집행임원의 업무집행에 관하여 회계감사 및 업무집행 전반을 감사할 권한을 갖는다는 것을 의미한다.[237] 감사의 이러한 업무감사권은 이사회의 업무감독권(제408조의2 제3항 제2호)과 구별된다. 즉, 이사회의 업무감독권은 상하관계에서 행사되는 것이고 또 타당성(합목적성) 감사에도 미치나, 감사의 감사권은 수평관계에서 행사되는 것이고 또 상법에 명문규정이 있는 경우를 제외하고는 위법성 감사만을 할 수 있는 점에서 양자는 구별된다.[238]

감사는 집행임원의 업무집행에 대한 감사권이 있는 점에서, 감사는 언제든지 집행임원에 대하여 영업에 관한 보고를 요구하거나 회사의 업무와 재산상태를 조사할 수 있다(제408조의9, 제412조 제2항). 집행임원은 업무집행에 대한 감독권이 있는 이사회에 대하여는 3개월에 1회 이상 업무의 집행상황을 정기적으로 보고하여야 할 의무가 있고(제408조의6 제1항) 또한 이사는 대표집행임원으로 하여금 다른 집행임원 또는 피용자와 업무에 관하여 이사회에 보고할 것을 요구하면 대표집행임원은 이에 따라 보고할 의무가 있는데(제408조의6 제3항), 감사에 대하여 (대표)집행임원은 이러한 의무가 없다.

6. 입법론상 '집행임원'을 추가하여야 할 조문

입법론상 '집행임원'을 추가하여야 할 조문에 대하여는 이미 본문 또는 주에서 부분적으로 언급하였는데, 이를 이곳에서 통일하여 정리하여 보면 다음과 같다.

1) 제17조 제1항 후단은 상업사용인이 겸직금지의무를 부담하는 대상을 「회사의 무한책임사원, 이사 또는 다른 상인의 사용인」으로 규정하고 있는데, 2011년 개정상법에 의하여 유한책임회사의 '업무집행자'가 있고(제287조의12) 또한 집행임원 설치회사(주식회사)의 '집행임원'이 있으므로(제408조의4) 이러한 업무집행자와 집행임원이 추가되어야 할 것으로 본다. 따라서 제17조 제1항 후단은 「회사의 무한책임사원, 업무집행자, 이사, 집행임원 또는 다른 상인의 사용인」으로 개정되어야 할 것이다.

---

237) 정찬형, 상게서, 1118면; 정동윤, 전게서(회사법), 478면(감사의 이사의 직무집행에 대한 감사에 대하여) 외.
238) 정찬형, 상게서, 992면, 1118면.

2) 제89조 제1항 후단의 대리상의 겸직금지의무의 대상에도 위에서 본 바와 같은 이유로 유한책임회사의 '업무집행자'와 집행임원 설치회사(주식회사)의 '집행임원'이 추가되어야 할 것으로 본다. 따라서 제89조 제1항 후단은 「동종영업을 목적으로 하는 회사의 무한책임사원, 업무집행자, 이사 또는 집행임원이 되지 못한다」로 개정되어야 할 것이다.

3) 제198조 제1항 후단의 합명회사 사원의 겸직금지의무의 대상에도 위에서 본 바와 같은 이유로 유한책임회사의 '업무집행자'와 집행임원 설치회사(주식회사)의 '집행임원'이 추가되어야 할 것으로 본다. 따라서 제198조 제1항 후단은 「동종영업을 목적으로 하는 다른 회사의 무한책임사원, 업무집행자, 이사 또는 집행임원이 되지 못한다」로 개정되어야 할 것이다.

4) 합자회사의 유한책임사원은 겸직금지의무를 부담하고 있지 않은데, 이에 대하여 제275조 후단은 「동종영업을 목적으로 하는 다른 회사의 무한책임사원 또는 이사가 될 수 있다」고 규정하고 있다. 이는 위에서 본 바와 같은 이유로 「동종영업을 목적으로 하는 다른 회사의 무한책임사원, 업무집행자, 이사 또는 집행임원이 될 수 있다」로 개정되어야 할 것으로 본다.

5) 제397조 제1항 후단은 이사가 겸직금지의무를 부담하는 대상을 「동종영업을 목적으로 하는 다른 회사의 무한책임사원이나 이사」로 규정하고 있다. 여기에도 위에서 본 바와 같은 이유로 유한책임회사의 '업무집행자'와 집행임원 설치회사(주식회사)의 '집행임원'이 추가되어야 할 것으로 본다. 따라서 제397조 제1항 후단은 「동종영업을 목적으로 하는 다른 회사의 무한책임사원, 업무집행자, 이사 또는 집행임원이 되지 못한다」로 개정되어야 할 것이다. 제408조의9가 제397조를 준용하는 것은 겸직금지의무를 부담하는 주체에 관한 것이고 위와 같이 변경하는 것은 겸직금지의 대상(객체)에 관한 것이므로, 양자는 상호 상충되지 않는다. 만일 제397조 제1항 후단을 위와 같이 개정하지 않으면, 집행임원은 다른 회사인 합명회사·합자회사의 무한책임사원이나 주식회사·유한회사의 이사가 되지 못하나(제408조의9, 제397조), 집행임원은 다른 회사인 유한책임회사의 업무집행자나 주식회사의 집행임원이 될 수 있게 되는 모순이 발생한다.

6) 집행임원 설치회사에서 집행임원은 주주총회에 출석하여 주주들에게 회사의 업무집행에 관한 사항을 설명할 의무를 부담한다고 볼 수 있으므로, 주주총회의 의사록에 기명날인 또는 서명하도록 하여야 할 것이다. 따라서 제373조 제

2항 후단은 「의장과 출석한 이사 및 집행임원이 기명날인 또는 서명하여야 한다」로 개정되어야 할 것으로 본다.

7) 주식회사는 해당 영업년도의 결산기에 배당가능이익이 없을 우려가 있는 경우에는 자기주식을 취득할 수 없는데(제341조 제3항), 이에 위반하여 자기주식을 취득하는 자는 집행임원 설치회사의 경우 '집행임원'일 것이므로, 이에 따른 귀책도 집행임원에 대하여 하여야 할 것이다. 따라서 제341조 제4항에서 「이사」는 「이사 또는 집행임원」으로 개정되어야 할 것으로 본다.

8) 주식교환서 등의 공시의무를 부담하는 자는 집행임원 설치회사의 경우 '집행임원'일 것이므로, 제360조의4 제1항의 「이사」는 「이사 또는 집행임원」으로 개정되어야 할 것으로 본다.

주식교환사항을 기재한 서면의 사후공시에 대하여도 이러한 공시의무를 부담하는 자는 집행임원 설치회사의 경우 '집행임원'일 것이므로, 제360조의12 제1항의 「이사」는 「이사 또는 집행임원」으로 개정되어야 할 것으로 본다.

주식이전계획서 등의 공시의무를 부담하는 자도 집행임원 설치회사의 경우 '집행임원'일 것이므로, 제360조의17 제1항의 「이사」도 「이사 또는 집행임원」으로 개정되어야 할 것으로 본다.

9) 집행임원 설치회사의 경우 주주총회는 '집행임원'이 제출한 서류를 조사하게 하기 위하여 검사인을 선임할 수 있을 것이므로, 제367조 제1항에서의 「이사」는 「이사 또는 집행임원」으로 개정되어야 할 것으로 본다.

10) 자본금 총액이 10억원 미만인 주식회사로서 이사가 1명 또는 2명인 주식회사에는(제383조 제1항 단서) 이사회가 없으므로, 이사회에서 집행임원을 선임·해임하고 집행임원의 업무집행에 대하여 이사회가 감독하는 것을 핵심으로 하는 집행임원 설치회사가 있을 수 없다. 따라서 제383조 제5항에서는 그러한 회사에 대하여 집행임원에 관한 일부의 규정만 배제하는 것으로 규정하고 있는데, 집행임원에 관한 규정의 전부(즉, 제408조의2부터 제408조의9까지)를 배제하는 것으로 개정되어야 할 것으로 본다.

11) 이사 결원의 경우 새로 선임된 이사가 취임할 때까지 이사의 권리의무가 있고 또한 필요한 경우 임시이사를 선임하도록 하는 것은, 집행임원의 수가 정관에 의하여 정하여지는 경우에도 동일하므로, 제386조 제1항 및 제2항에서의 「이사」는 「이사 또는 집행임원」으로 개정되어야 할 것으로 본다.

12) 집행임원 설치회사에서 정관으로 집행임원이 가질 주식의 수를 정한 경우에 다른 규정이 없는 때에는 집행임원은 그 수의 주권을 감사(監事)에게 공탁하도록 하여야 할 것이므로, 제387조에서의 「이사」는 「이사 또는 집행임원」으로 개정되어야 할 것이다.

참고로 일본 회사법은 "주식회사는 집행임원이 주주이어야 한다는 취지를 정관으로 정할 수 없다. 그러나 공개회사가 아닌 위원회 설치회사에 관하여는 그러하지 아니하다"로 규정하고 있어(日會 제402조 제5항), 공개회사가 아닌 위원회 설치회사는 정관으로 집행임원이 주주이어야 한다는 취지를 정할 수 있는 것으로 규정하고 있다. 이에 반하여 우리 상법은 이에 관하여 현재 아무런 규정이 없으나, 제387조에 '집행임원'을 추가하면 종래의 이사의 경우와 같이 정관으로 집행임원은 주주임을 규정할 수 있게 된다.

13) 집행임원 설치회사의 경우 감사(監事)는 '집행임원'이 법령 또는 정관에 위반한 행위를 하거나 그 행위를 할 염려가 있다고 인정한 때에 이사회에 이를 보고할 의무를 부담하는 것이므로, 제391조의2 제2항의 「이사」는 「이사 또는 집행임원」으로 개정되어야 할 것으로 본다.

14) 집행임원 설치회사의 경우 감사(監事)는 회사 및 자회사의 집행임원을 겸할 수 없도록 하여야 할 것이므로, 제411조의 「이사」는 「이사·집행임원」으로 개정되어야 할 것으로 본다.

15) 집행임원 설치회사의 경우 감사(監事)는 집행임원이 주주총회에 제출할 의안 및 서류를 조사할 것이므로, 제413조의 「이사」는 「이사 또는 집행임원」으로 개정되어야 할 것으로 본다.

16) 감사(監事)가 회사 또는 제3자에 대하여 손해를 배상할 책임이 있는 경우에 이사·집행임원도 책임이 있으면 감사는 이사·집행임원과 연대하여 배상할 책임이 있으므로(제408조의8 제3항), 제414조 제3항에서 「이사」는 「이사 또는 집행임원」으로 개정되어야 할 것으로 본다. 이는 제408조의8 제3항과의 균형을 위해서도 필요하다.

17) 집행임원 설치회사에서는 '집행임원'이 주식청약서 및 사채청약서를 작성할 것이므로, 제420조 및 제474조 제2항에서 「이사」는 「이사 또는 집행임원」으로 개정되어야 할 것으로 본다. 이 때 '이사'는 대표이사를 의미하고 이는 제408조의5 제2항에 의하여 '대표집행임원'을 의미하는 것으로 해석할 수도 있으나,

명확하게 규정하는 것이 법적용의 혼란을 방지할 수 있을 것으로 본다.

18) 집행임원 설치회사에서는 신주발행에 관한 업무를 '집행임원'이 하고 또한 불공정한 가액의 통모인수인은 신주를 발행하는 업무를 담당하는 '집행임원'과 통모할 것이므로, 제424조의2 제1항 및 제3항에서 「이사」는 「이사 또는 집행임원」으로 개정되어야 할 것으로 본다.

19) 집행임원 설치회사에서는 신주발행으로 인한 변경등기를 '집행임원'이 할 것이므로, 이러한 집행임원의 부실등기에 대하여는 그 집행임원에게 자본충실의 책임을 지워야 할 것이다. 따라서 제428조 제1항 및 제2항에서 「이사」는 「이사 또는 집행임원」으로 개정되어야 할 것으로 본다.

20) 집행임원 설치회사에서는 '집행임원'이 재무제표 및 연결재무제표를 작성하므로, 제447조 제1항 및 제2항에서 「이사」는 「이사 또는 집행임원」으로 개정되어야 할 것으로 본다.

제447조 제1항·제2항, 후술하는 제447조의2 제1항·제447조의3·제447조의4 제1항 및 제449조 제1항부터 제3항까지에서의 '이사'는 대표이사를 의미하고 이는 제408조의5 제2항에 의하여 '대표집행임원'을 의미하는 것으로 해석할 수도 있으나, 명확하게 규정하는 것이 법적용의 혼란을 방지할 수 있을 것으로 본다.

21) 집행임원 설치회사에서는 '집행임원'이 영업보고서를 작성하므로, 제447조의2 제1항에서 「이사」는 「이사 또는 집행임원」으로 개정되어야 할 것으로 본다.

22) 집행임원 설치회사에서는 '집행임원'이 재무제표 및 영업보고서를 감사(監事)에게 제출하므로, 제447조의3에서 「이사」는 「이사 또는 집행임원」으로 개정되어야 할 것으로 본다.

23) 집행임원 설치회사에서는 감사(監事)가 감사보고서를 '집행임원'에게 제출하므로, 제447조의4 제1항에서 「이사」는 「이사 또는 집행임원」으로 개정되어야 할 것으로 본다.

24) 집행임원 설치회사에서는 재무제표를 정기총회에 제출하여 그 승인을 요구하고 영업보고서를 정기주주총회에 제출하여 그 내용을 보고하며 대차대조표를 공고하여야 하는 자는 '집행임원'이므로, 제449조 제1항부터 제3항까지의 「이사」는 「이사 또는 집행임원」으로 개정되어야 할 것으로 본다.

25) 집행임원 설치회사에서는 재무제표를 집행임원이 작성하므로 정기주주총

회에서 재무제표가 승인됨에 따라 그 책임이 해제된 것으로 보게 되는 자는 '집행임원'이므로, 제450조에서 「이사와 감사」는 「이사 또는 집행임원과 감사」로 개정되어야 할 것으로 본다.

26) 집행임원 설치회사의 경우 당해 결산기에 배당가능이익이 없음에도 불구하고 중간배당안을 이사회에 제출하는 자는 '집행임원'이므로 이에 따른 책임도 집행임원이 부담하여야 할 것이다. 따라서 제462조의3 제4항의 「이사」는 「이사 또는 집행임원」으로 개정되어야 할 것으로 본다. 집행임원의 책임은 원칙적으로 연대책임이 아니고 또 그 책임의 면제 및 감경에 관하여는 제408조의9에서 제400조를 준용하고 있으므로, 제462조의3 제6항에서는 집행임원을 추가할 필요가 없다고 본다.

27) 집행임원 설치회사에서는 사채인수인에 대하여 각 사채의 납입을 시키는 자는 '집행임원'이므로, 제476조 제1항의 「이사」는 「이사 또는 집행임원」으로 개정되어야 할 것으로 본다.

28) 집행임원 설치회사의 경우 신주인수권증권의 발행시 이 증권에 기명날인 또는 서명할 자는 '집행임원'이므로, 제516조의5 제2항에서 「이사」는 「이사 또는 집행임원」으로 개정되어야 할 것으로 본다.

이 때 '이사'는 대표이사를 의미하고 이는 제408조의5 제2항에 의하여 '대표집행임원'을 의미하는 것으로 해석할 수도 있으나, 명확하게 규정하는 것이 법적용의 혼란을 방지할 수 있을 것으로 본다.

29) 흡수합병에서 보고총회를 소집하고 합병에 관한 사항을 보고하는 자는 존속회사가 집행임원 설치회사의 경우 '집행임원'이므로, 제526조 제1항의 「이사」는 「이사 또는 집행임원」으로 개정되어야 할 것으로 본다.

30) 합병에 관한 서류에 대하여 사후공시의 의무를 부담하는 자는 집행임원 설치회사의 경우 '집행임원'이므로, 제527조의6 제1항에서 「이사」는 「이사 또는 집행임원」으로 개정되어야 할 것으로 본다.

31) 주식회사를 유한회사로 조직변경하는 경우 회사에 현존하는 순재산액이 자본금의 총액에 부족한 때에 이 부족액에 대하여 연대책임을 지는 자에는 집행임원 설치회사의 경우 이러한 업무를 집행한 '집행임원'이 포함되어야 할 것이므로, 제605조 제1항에서 「주주총회결의 당시의 이사와 주주」는 「주주총회결의 당시의 이사 또는 집행임원과 주주」로 개정되어야 할 것으로 본다.

X. 이사 등의 직무집행정지 및 직무대행자선임

이 숙 미*

1. 의   의

이사선임결의의 무효나 취소 또는 이사해임의 소가 제기된 경우에는 법원은 당사자의 신청에 의하여 가처분으로써 이사의 직무집행을 정지할 수 있고 또는 직무대행자를 선임할 수 있다(제407조 제1항). 상법은 주식회사의 기관 중 이사와 관련하여 제407조에서 직무집행정지가처분 및 직무대행자선임에 관하여 규정하고 있고, 제408조에서 직무대행자의 권한에 관하여 규정하고 있는데, 위 규정들은 집행임원(제408조의9),[1] 청산인(제542조 제2항)에 대해서 준용되고, 상법 제407조는 주식회사의 감사(제415조) 및 감사위원회 위원(제415조의2 제7항)에 준용된다.[2] 그 외에 유한회사의 이사, 청산인에 상법 제407조, 제408조가, 감사에 상법 제407조가 준용된다(제567조, 제570조, 제613조 제2항).

편의상 이하에서는 원칙적으로 이사에 관한 직무집행정지 및 직무대행자선임에 관하여만 언급하나 그 내용은 상법 제407조, 제408조가 준용되는 다른 기관에 대하여도 타당하다.

2. 제도의 취지

특정한 이사의 지위에 다툼이 있어 장차 해당 이사의 지위가 박탈될 가능성

---

* 법무법인(유) 세종 변호사

  이 집필부분은 「주식회사법대계」 제2판 황남석 교수 집필부분을 활용하여 개정판으로 작성된 것이다.

1) 집행임원은 주식회사의 대표이사에 갈음하는 기구로서 집행임원에 대해서는 제407조, 408조를 준용하는 규정이 있는데 반하여, 대표이사에 대해서는 제407조, 제408조를 명시적으로 준용하는 규정이 없다. 대표이사는 이사 중에서 선임되기 때문에 굳이 준용규정을 두지 않은 것으로 보인다.

2) 다만, 감사 및 감사위원회의 준용규정인 제415조 및 제415조의2 제7항에서는 직무집행정지 및 직무대행자 선임에 관한 제407조를 준용규정으로 명시하고 있으면서도 직무대행자의 권한 범위에 관한 제408조는 준용규정으로 명시하고 있지 않다. 감사(감사위원회)의 경우 기본적인 권한의 범위가 회사의 내부적 통제에 국한되어 있기 때문에 상무외 행위에 대한 규제가 별도로 필요하지 않다고 할 것이다.

이 있는 경우에도 해당 이사가 계속하여 회사 업무를 집행하도록 한다면 직무의 태만, 부적절 또는 직무집행의 거부 등으로 회사의 정상적인 경영이 어려워질 가능성이 있다. 이러한 경우 일시적으로 해당 이사를 직무에서 배제시킬 필요가 있다. 동시에 이로 인하여 직무집행자가 부재하면 회사의 정상적인 운영이 어려워질 수 있으므로 임시로 직무를 대행할 자를 선임할 필요가 있다.[3]

특히 경영권 분쟁시에 경영권에 도전하는 세력이 위 가처분 절차를 활용하면 기존의 경영진을 직무집행에서 잠정적으로 배제시킬 수 있으므로 경영권 도전의 수단으로도 활용될 수 있다.[4]

3. 법적 성질

가. 상법상의 특수가처분이라는 견해

상법 제407조가 규정하는 이사직무집행정지, 직무대행자선임 가처분은 상법이 인정한 특수한 가처분이라는 견해이다.[5] 상법상 직무집행정지가처분은 그 효력면에서 형성적 효력 및 대세적 효력을 가지고, 잠정성, 종속성이 일부 배제된다는 점에서 민사집행법상의 다른 가처분과는 다르다는 점을 근거로 들고 있다.

나. 민사집행법상 임시의 지위를 정하기 위한 가처분이라는 견해

직무집행정지 및 직무대행자선임 가처분을 민사집행법 제300조 제2항의 '다툼이 있는 권리관계에 대하여 임시의 지위를 정하기 위한 가처분' 중 한 형태로 보는 견해이다.[6] ① 근거 규정의 연혁, ② 상법상 위 가처분에 관한 구체적인 규정의 결여 등을 근거로 들고 있다.

---

3) 이철송, 「회사법강의」 제29판(박영사, 2021), 849면.
4) 임재연, 「회사법 Ⅱ」 개정7판(박영사, 2020), 342면.
5) 최기원, 「신회사법론」 제14대정판(박영사, 2012), 592면. 이숙미, "이사의 직무집행정지가처분과 직무대행자선임에 관한 실무상 쟁점," 「기업법연구」 제31권 제1호(한국기업법학회, 2017), 198~199면.
6) 강봉수, "이사등의 직무집행정지·직무대행자 선임의 가처분," 「회사법상의 제문제[하]」 재판자료 제38집(법원행정처, 1987), 215면; 김상원·정지형, 「가압류·가처분」(한국사법행정학회, 1995), 621면; 임재연, 전게서, 342면; 최준선, 「회사법」 제16판(삼영사, 2021), 468면.

다. 소 결

통설·판례[7]는 상법이 인정한 특수한 가처분으로 본다. 상법상 직무집행정지가처분은 절차나 심리방식에 있어서 민사집행법상의 임시의 지위를 정하기 위한 가처분과 달리 취급되는 부분은 없으므로, 그러한 부분에 한해서는 위 두 견해 중 어느 것을 취하든 실제 차이는 없다.[8]

4. 가처분신청의 당사자

가. 신청인 적격

1) 본안소송의 원고 적격자

신청인 적격자는 성질상 다툼이 있는 권리관계에 관하여 그 주장 자체에 의하여 정당한 이익이 있는 자가 신청인인데, 이는 원칙적으로 본안소송의 원고 적격자와 일치한다.[9] 본안소송을 제기하기 전에는 본안소송의 원고가 될 자가 신청할 수 있다.[10] 따라서 본안소송이 이사선임결의취소의 소인 경우 주주, 이사 또는 감사가 신청인이 될 수 있고(제376조 제1항), 이사선임결의무효 또는 부존재확인의 소인 경우 상법이 제소권자를 제한하고 있지 않으므로 소의 이익이 있는 자는 누구나 신청인이 될 수 있다. 이사해임의 소는 이사선임결의의 효력을 다투는 소보다 원고의 적격이 제한적이어서 발행주식총수의 3% 이상을 가진 주주만이 소를 제기할 수 있다.[11] 즉, 직무집행정지가처분 신청도 이러한 소수

---

7) 대법원 1997.1.10. 95마837; 1989.5.23. 88다카9883; 1972.1.31. 71다2351.

8) 이효제, "직무집행정지가처분 실무의 단체 유형별 검토,"「민사판례연구」제32권(박영사, 2010), 1046면.

9) 보전소송에 있어서는 민사판결절차와 달리 당사자를 '원고', '피고'라고 부르지 않고 신청인을 '채권자', 그 상대방을 '채무자'라고 한다(민사집행법 제280조, 제287조, 제292조). 그런데 임시의 지위를 정하는 가처분에 있어서 실무상 채권자를 '신청인'으로, 채무자를 '피신청인'으로 부르는 경우가 많고, 이사 등의 직무집행정지가처분의 경우 어떠한 채권적 권리에 기초하여 가처분신청을 하는 것은 아니므로 본서에서는 신청인, 피신청인이라는 용어를 사용하기로 한다.

10) 이철송, 전게서, 851면.

11) 상장회사의 경우 발행주식총수의 10,000분의 50(자본금이 1,000억원 이상인 회사는 10,000분의 25) 이상의 주식을 6개월간 계속 보유한 주주가 위 해임소송을 제기할 수 있다(제542조의 6 제3항). 이와 같은 주주권의 행사와 관련하여, 상장회사의 경우 상장회사 특례 규정상의 보유요건(6개월간 계속 보유)과 상법 일반 규정상의 보유요건 중 어느 하나만 충족해

주주만이 신청인 적격이 있다. 신청인 적격은 신청 당시는 물론 가처분 결정이 발령될 때까지 유지하여야 한다.[12]

2) 실질적인 이해관계인

회사의 금전채권자가 회사 임원의 불법행위로 인하여 그 책임재산이 감소하고 있다는 등의 이유를 들어 직무집행정지가처분을 신청할 수 있는가. 주주총회 결의 무효 및 부존재 확인의 소는 통상의 확인소송이므로 회사의 채권자라 하더라도 확인의 이익이 있다면 제기할 수 있다. 그런데 회사의 채권자는 주주총회의 결의가 그 채권자의 권리 또는 법적 지위를 구체적으로 침해하고 직접적으로 이에 영향을 미치는 경우에 한하여 확인의 이익이 있으므로,[13] 금전채권자가 회사의 임원 선임 결의 자체로 인하여 그 권리 또는 법적 지위에 직접적인 영향을 받는 경우는 생각하기 어렵다. 또한 금전채권의 집행보전을 위한 보전처분은 가압류절차에 의하여야 한다는 점도 고려하여야 한다.[14] 이사해임의 소는 회사의 금전채권자가 원고 적격을 가질 수 없으므로 본 가처분의 신청인 적격도 갖지 못한다.

3) 신청인 적격이 없는 경우의 처리

신청인 적격이 없는 경우 가처분신청을 기각할 것인가 혹은 각하할 것인가? 이에 관하여 각하하여야 한다는 견해가 있고,[15] 하급심 판례는 각하 결정을 하는 경우가 많으나 기각 결정을 하는 경우도 있어 통일되어 있지 않다. 대법원

도 행사가능한지(병존설), 아니면 상장회사 특례 규정상의 요건을 반드시 충족해야 하는지 (특칙설) 쟁점이 되어 왔다. 대법원 판결이 없는 상황에서 하급심 판결은 입장이 엇갈리고 있었다. 그런데 2020. 12. 29. 개정상법(법률 제17764호)에서 제542조의6 제10항을 신설하여 "제1항부터 제7항까지는 제542조의2 제2항에도 불구하고 이 장의 다른 절에 따른 소수주주권의 행사에 영향을 미치지 아니한다."라고 규정하여 입법적으로 해결되었다(병존설).

12) 서울중앙지방법원 2008.12.12. 2008카합3871; 서울중앙지방법원 2008.4.25. 2008카합351; 이와 관련하여, 본안소송의 변론종결일까지 원고적격을 갖출 여지가 있다면 피보전권리나 보전의 필요성에 대한 소명이 부족한 것은 별론으로 하고, 가처분신청을 할 자격이 없다고 볼 수는 없다는 견해도 있다. 이효제, 앞의 논문, 1051면

13) 대법원 1992.8.14. 91다45141; 1980.10.27. 79다2267; 1980.1.29. 79다1322; 1977.5.10. 76 다878.

14) 서울중앙지방법원 2008.5.20. 2008카합1118; 서울중앙지방법원 2007.1.17. 2006카합3955; 이효제, 전게논문, 1078~1079면.

15) 전휴재, "특수가처분의 실무상 제문제,"「민사집행·보전소송」(대한변호사협회 변호사연수원, 2006), 329면의 주 16.

판례는 가처분 신청의 기각과 각하를 엄격하게 구별할 필요는 없다고 밝힌 바 있다.[16] 실무적인 면에서도 그 효력이나 불복방법에 있어서 차이가 없어 기각과 각하를 구별할 필요가 없다.

나. 피신청인

1) 피신청인 적격자

일반론으로는 본안의 당사자 이외의 자를 가처분의 당사자로 하는 것은 허용되지 않는다. 그런데 직무집행정지가처분의 경우 이사선임결의의 효력을 다투는 본안소송은 회사만이 피고가 되고, 이사해임을 다투는 본안소송은 회사와 이사가 공동피고가 되는데, 가처분의 피신청인도 회사가 되는 것인지, 그에 대한 예외를 인정하여 실제 분쟁당사자인 지위가 다투어지는 이사가 피신청인이 되는 것인지에 대하여 다툼이 있다.

가) 학 설

(1) 이사설

피신청인은 실제 분쟁당사자이어야 하므로, 신청인의 주장에 의하여 지위가 다투어지는 이사가 피신청인 적격을 갖고 회사는 피신청인이 될 수 없다고 한다. 회사는 피신청인이 될 수 없으므로 본안소송의 피고와 가처분 신청의 피신청인이 달라지게 된다.[17]

(2) 회사설

본안소송의 피고를 이사가 아닌 회사로 하는 것은 그 소송의 목적이 이사 지위의 존부 자체의 확정에 있지 않고 그 지위를 생기게 하는 주주총회결의의 효력을 확정하는데 있는 것이다. 마찬가지로 가처분의 취지가 이사의 지위부정을 직접적인 목적으로 하는 것이 아니고 회사로 하여금 임원에게 직무집행을 시켜서는 안 된다는 것을 명하는 것이므로 회사가 피신청인이 되어야 한다는 견해이다.

---

16) 신청을 각하한 원심을 확정한 것으로는 대법원 1966.12.19. 66마516. 신청을 각하한 하급심 결정으로는 서울중앙지방법원 2008.12.12. 2008카합3871; 서울중앙지방법원 2008.4.25. 2008카합351; 이효제, 전게논문, 1051면의 주 26. 가처분 신청의 기각과 각하를 엄격하게 구별할 필요가 없다는 취지의 판결은 대법원 1960.7.21. 4293민항137.

17) 권기범, 「현대회사법론」 제8판(삼영사, 2021), 843면; 이철송, 전게서, 851면; 이효제, 전게논문, 1053면; 임재연, 전게서, 343면.

다만, 그 결정의 효력은 사단법적 관계를 통하여 이사에게도 미친다고 한다.[18]

(3) 회사 및 이사 쌍방설

직무집행정지가처분의 본질은 하자 있는 선임결의에 의하여 생긴 법률관계를 회사와 이사 쌍방에 대하여 일시적으로 동결하도록 명하는 것에 있다고 보고 회사와 이사 쌍방이 모두 피신청인이 되어야 한다는 견해이다. 이때 회사와 이사는 고유필수적 공동소송관계에 있게 된다고 한다.[19]

나) 판 례

판례는 임시의 지위를 정하기 위한 가처분은 성질상 그 주장 자체에 의하여 다툼이 있는 권리관계에 관한 정당한 이익이 있는 자가 그 가처분의 신청을 할 수 있으며, 그 경우 그 주장 자체에 의하여 신청인과 저촉되는 지위에 있는 자를 피신청인으로 하여야 한다는 이유로 이사만이 피신청인 적격을 갖는다고 한다.[20] 이로 인해 본안소송의 피고와 가처분신청의 피신청인이 달라지게 된다.

2) 이사가 사임한 경우

피신청인 이사는 가처분결정시까지 그 지위를 유지하여야 한다. 가처분결정 전에 이사가 사임 기타의 사유로 퇴임하면 신청의 이익이 없어지게 되어 가처분신청을 각하하여야 한다.[21] 이사가 일단 사임하면 동일인이 새로운 주주총회에서 이사로 선임되었다 하더라도 본안소송과 관련된 피보전권리가 없으므로 역시 기각하여야 한다.[22]

---

18) 강봉수, 전게논문, 229면; 권창영, 「민사보전법」 제2판(유로, 2012), 173면.
19) 강봉수, 전게논문, 231~232면; 김능환, "단체의 대표자에 대한 직무집행정지·직무대행자 선임의 가처분과 본안소송 등에서 그 단체를 대표할 자," 「민사소송」 제1권(한국민사소송법학회, 1998), 48면; 권창영, 전게서, 174~176면; 최기원, 전게서, 593면.
20) 대법원 1982.2.9. 80다2424(이사에 대한 것); 대법원 1972.1.31. 71다2351(청산인에 대한 것).
21) 이철송, 전게서, 850면; 피신청인 이사가 사임한 경우 신청을 기각해야 하는지, 각하해야 하는지 분명하지 않다. 신청의 이익이 없어지게 되어 부적법하므로 각하해야 한다고 볼 수도 있고, 이사 선임결의의 하자를 다투는 본안소송(피보전권리)이 존재하지 않게 되므로 기각해야 한다고 볼 수도 있다. 서울중앙지방법원 2018.6.11. 2018카합20751 결정은 피신청인 이사가 사임하였음을 이유로 신청의 이익이 없다고 하여 가처분신청을 '각하'하였다. 대법원은 신청인 적격이 없는 경우의 결정 형식과 관련하여 가처분 신청에 대하여는 기각과 각하간에 큰 차이가 없다고 한다. 대법원 1960.7.21. 4293민항137. 피신청인 적격이 없는 경우에도 동일하게 볼 수 있을 것이다.
22) 대법원 1982.2.9. 80다2424. 위 대법원 판결의 원심 판결(서울고등법원 1980.8.29. 73카412)은 신청을 '기각'하고 있다.

그러나 이사해임의 소가 본안소송인 경우에는 문제가 된 이사가 사임한 후 새로운 주주총회결의에 의하여 다시 이사로 선임되었다 하더라도 피보전권리가 인정된다고 해석된다. 이사해임의 소는 이사선임결의의 하자를 이유로 하는 것이 아니라 이사 개인의 부정행위 또는 법령이나 정관에 위반한 중대한 사실을 이유로 하는 것인데(제385조 제2항) 사임하였다고 하여 위와 같은 사실이 없어지는 것은 아니기 때문이다. 특히 이 경우에는 이사 재선임 후 직무집행정지 가처분을 위하여 별도로 주주총회에서 해임 안건이 재차 부결되어야 할 필요는 없다.[23]

3) 퇴임이사가 피신청인이 될 수 있는지

이사지위에 다툼이 있는 이사가 사임을 하고 퇴임이사가 된 경우 퇴임이사에 대한 직무집행정자가처분 신청이 허용되는지에 대하여 다툼이 있다. 적법하게 이사로 선임되었으나 해임사유가 있는 이사가 사임을 한 경우와 이사선임에 법적 하자가 있는 이사가 사임을 한 경우를 구분해서 보아야 한다.

먼저 적법하게 이사로 선임되었으나 해임사유가 있는 이사가 사임을 하고 상법 제386조 제1항에 따라 퇴임이사가 된 경우, 그 퇴임이사를 상대로 해임사유의 존재나 임기만료·사임 등을 이유로 그 직무집행의 정지를 구하는 가처분신청은 허용되지 않는다. 상법 제386조 제2항은 퇴임이사를 직무에서 배제하고자 할 경우 법원에 일시 이사의 직무를 행할 자의 선임을 청구하도록 규정하고 있기 때문이다.[24] 다만 제386조 제1항의 규정에 따라 퇴임이사가 이사의 권리의무를 행할 수 있는 것은 법률 또는 정관에 정한 이사의 원수를 결한 경우에 한정되는 것이므로, 퇴임할 당시에 법률 또는 정관에 정한 이사의 원수가 충족되어 있음에도 불구하고 퇴임하는 이사가 여전히 이사로서의 권리의무를 행사하고 있는 경우에는 그 권리의무의 부존재확인청구권을 피보전권리로 하여 직무집행의 정지를 구하는 가처분신청이 허용된다.[25]

다음으로 이사선임에 법적 하자가 있는 이사가 사임을 하고 퇴임이사로서의 권리의무를 행사하고 있는 경우에는 직무집행의 정지를 구하는 가처분신청이 허

---

23) 임재연, 전게서, 345면.
24) 대법원 2009.10.29. 2009마1311.
25) 대법원 2009.10.29. 2009마1311.

용된다. 퇴임이사제도는 이사의 결원으로 인한 경영공백을 방지하기 위한 제도로서 당연히 원래 적법하게 선임되었던 이사가 임기의 만료 또는 사임 등 후발적 사유로 퇴임한 경우를 전제로 하는 것이다. 만약 선임의 효력이 문제된 이사의 경우에도 제386조 제2항을 이유로 직무집행정지가처분신청이 허용되지 않는다면, 애초에 부적법하게 선임된 이사라도 곧바로 사임의사를 표명함으로써 새로 적법한 이사가 선임될 때까지 퇴임이사로서의 직무상 권한을 행사할 수 있다는 결과가 되고, 이는 이사로서의 자격이 없는 사람에게 회사의 경영 공백을 메우게 하는 셈이 되어 입법취지에도 부합하지 않는다.[26]

5. 가처분의 요건

가. 본안소송의 존재

1) 원 칙

직무집행정지가처분을 신청하기 위하여는 원칙적으로 이사의 지위를 다투는 본안소송이 제기되어 있어야 한다(제407조 제1항 본문). 직무집행정지가처분의 신청원인이 될 수 있는 본안소송에 관하여 제407조 제1항은 이사선임결의의 무효나 취소 또는 이사해임의 소를 들고 있으므로 본안소송이 이에 제한되는지 문제가 된다. 학설 중에는 본안소송의 소송물과 가처분의 피보전권리는 동일하여야 함을 이유로 제한적으로 보는 견해와,[27] 이사 선임에 관한 정관을 변경하는 등 이사의 선임 및 해임 이외의 주주총회결의의 효력에 관한 소송, 주식회사 설립 무효에 관한 소송 등도 본안소송이 될 수 있다고 보는 견해가 대립한다.[28] 판례는 본안소송의 범위를 법문에 열거된 경우로 제한하지는 않는다. 판례에서 본안소송으로 인정한 것은 크게 다음의 세 가지 종류로 나누어 볼 수 있다.

---

26) 인천지방법원 부천지원 2014.8.16. 2014카합1059; 직무집행정지가처분 신청이 허용되지 않는다고 판단한 하급심 판례로 수원지방법원 성남지원 2014.3.27. 2014카합60014.

27) 이철송, 전게서, 849면. 다만 이 견해는 이사선임결의 부존재확인의 소, 대표이사를 선임한 이사회결의의 효력을 다투는 소는 본안소송에 포함된다고 한다.

28) 송인권, "직무집행정지가처분의 효력 - 선임절차의 하자를 원인으로 하는 경우를 중심으로 -,"「법조」제634호(법조협회, 2009), 360면; 이효제, 전게논문, 1061, 1062면.

가) 이사선임결의의 취소·무효·부존재확인의 소

선임절차의 하자를 원인으로 하는 경우이다. 이사선임결의의 부존재확인의 소는 법문에 열거되어 있지 않으나(제407조 제1항 본문) 이사의 지위를 다투는 본안소송에 포함된다고 해석한다.[29] 이사회에서 선임된 대표이사가 직무집행정지가처분의 대상인 경우 그 이사회 결의의 효력을 다투는 소도 가처분신청의 전제가 되는 본안소송에 해당한다.[30]

나) 이사해임의 소

이사에 대한 해임청구권 보전을 위한 경우이다. 이사해임의 소는 형성의 소로서 법률의 규정이 있는 경우에만 허용된다. 제385조 제2항은 이사해임청구권을 명문으로 규정하고 있으므로 이사해임의 소를 본안으로 한 직무집행정지가처분이 허용된다.[31] 위 규정은 주식회사의 감사, 유한회사의 이사에 준용되고(제415조, 제567조), 주식회사와 유한회사의 청산인에 대하여도 동일한 내용의 규정이 있으므로(제539조, 제613조 제2항), 이들에 대한 직무집행정지가처분도 허용된다.[32]

이사해임의 소는 주주총회에서 그 해임을 부결한 때로부터 1월 내에 제기해야 한다. 단기의 제소기간은 복잡한 법률관계를 조기에 확정하고자 하는 것이므로 해임사유의 주장시기에 대하여도 위 제소기간의 제한이 적용된다.[33] 따라서

---

29) 대법원 1989.5.23. 88다카9883; 임재연, 전게서, 347면; 정동윤·손주찬, 「주석 상법: 회사법(3)」 제5판(한국사법행정학회, 2015), 416면. 다만 실제로 본안소송의 유형을 확정하기에 어려움이 있을 수 있으므로 직무집행정지가처분 등 인용결정의 주문은 "주주총회결의 부존재확인 또는 주주총회결의 취소청구 본안판결 확정시까지" 또는 "주주총회결의 부존재확인 또는 주주총회결의 무효확인 청구사건의 본안판결 확정시까지" 등의 형식으로 발령되기도 한다. 이효제, 전게논문, 1064면 각주 73.

30) 이철송, 전게서, 849면; 임재연, 전게서, 347면.

31) 법원실무제요, 「민사집행[V]」(사법연수원, 2020), 467면.

32) 한편, 민법상 법인의 이사, 법인격 없는 사단·재단의 대표자, 합명회사 및 합자회사의 대표자 등의 경우에는 해임청구권에 관한 명문의 규정이 없다. 이에 대표자 등이 부정행위를 하여 그 단체의 존립을 위태롭게 할 만한 특수사정이 있는 경우에 위와 같은 가처분이 허용되는지 여부가 문제된다. 이와 관련하여 판례는 학교법인, 중소기업협동조합법에 따라 설립된 조합에 관한 사안에서 해임청구권을 피보전권리로 하는 직무집행정지가처분은 허용되지 않는다고 판시한 바 있다(대법원 1997.10.27. 97마2269; 2001.1.16. 2000다45020). 결국 본안소송이 있을 수 없는 가처분을 허용한다는 것은 보전처분의 본질에 반하는 것이고, 단체 내부의 분쟁은 결국 총회 등 단체구성원의 총의에 의해 해결되어야 하므로 해임청구권 보전을 위한 직무집행정지가처분을 허용하지 않는 것이다.

33) 대법원 2004.6.25. 2000다37326.

직무집행정지가처분 사건의 심리도중 또는 가처분 결정 후에라도 위 본안소송의 제소기간이 도과하지 않도록 주의해야 한다.

실무상 이사해임의 소를 본안소송으로 하는 가처분이 발령되는 예는 극히 드물다. 법령·정관 위반의 중대한 잘못을 저질렀는지 여부가 중요한 쟁점이 되는데, 그 위법성의 정도가 중하고 이사에 대한 형사처벌까지 이루어진 경우에는 이에 관한 소명이 용이하지만, 그렇지 않다면 즉시성 있는 증거방법에 의해 소명해야 하는 가처분사건에서는 이를 입증하는 것이 어려울 수밖에 없기 때문이다.[34]

다) 임원의 지위 또는 권한 부존재 확인의 소

임원의 지위 또는 권한 부존재 확인을 본안으로 한 경우이다. 판례는 임기가 만료되었으나 퇴임이사의 요건을 갖추지 못한 자가[35] 여전히 이사로서의 권리의무를 실제로 행사하고 있는 경우 그 권리의무의 부존재확인청구권을 피보전권리로 하여 직무집행의 정지를 구하는 가처분신청이 허용된다고 한다.[36]

2) 예 외

제407조 제1항 단서는 '예외적으로 급박한 사정이 있는 때에는' 본안소송을 제기하기 전에도 가처분을 할 수 있다고 규정한다. 급박한 사정이란 본안소송의 제기 전임에도 이사의 직무수행의 현황에 비추어 본안소송까지 기다릴 수 없는 경우이다.[37] 그 정도와 관련하여 법원은 해임의 소를 본안으로 하는 직무집행정지가처분 신청의 경우 엄격하게 판단하고 있다. 즉, 상법 제385조 제2항이 해임의 소를 제기하기 위한 절차를 별도로 규정하고 있는 것을 감안해 보면 특별히 급박한 사정이 없는 한 해임의 소를 제기할 수 있을 정도의 절차적 흔적이 소명되어야 비로소 그것을 본안으로 하는 직무집행정지가처분의 피보전권리와 보전의 필요성이 인정될 수 있다는 것이 판례이다.[38] 따라서 이사 해임을 안건으

---

34) 이효제, 전게논문, 1072, 1077면.
35) 제386조 제1항의 규정에 따라 퇴임이사가 이사의 권리의무를 행할 수 있는 것은 법률 또는 정관에 정한 이사의 원수를 결한 경우에 한정되므로, 퇴임할 당시에 법률 또는 정관에 정한 이사의 원수가 충족되어 있는 경우라면 퇴임하는 이사는 퇴임과 동시에 당연히 이사로서의 권리의무를 상실한다.
36) 대법원 2009.10.29. 2009마1311. 하급심 판결로는 서울중앙지방법원 2007.10.30. 2007카합2941; 2007.2.2. 2006카합4204; 2007.3.29. 2007카합515.
37) 이철송, 전게서, 850면.

로 한 임시주주총회의 소집을 법원에 신청하거나 주주제안을 하는 등의 절차를 거쳤다는 소명이 필요하다.

나. 보전의 필요성[39]

이사의 직무집행정지가처분도 통상의 임시의 지위를 정하는 가처분에 속하므로 역시 보전의 필요성이 인정되어야 한다.[40] 민사집행법상 임시의 지위를 정하는 가처분에 있어서 보전의 필요란 '특히 계속하는 권리관계에 현저한 손해를 피하거나 급박한 위험을 막기 위하여 또는 그 밖의 필요한 이유'를 말한다(민사집행법 제300조 제2항 단서). '그 밖의 필요한 이유가 있을 경우'라고 하는 일반조항의 형태를 취하고 있으므로 가처분의 필요성은 해당 가처분의 인용 여부에 따른 당사자 쌍방의 이해득실관계, 본안소송의 승패의 예상,[41] 기타 여러 사정을 고려하여 법원의 재량적 판단에 따라 합목적적으로 결정한다.[42]

따라서, 이사의 직무수행으로 인해 회사에 특히 큰 손해가 초래된다든지(현저한 손해), 직무수행의 내용으로 보아 그대로 방치하면 본안판결을 받더라도 이를 무익하게 한다든지(급박한 위험), 기타 이에 준하는 사유가 있을 때(그 밖의 필요한 이유)에 가처분을 할 수 있다. 다만, 보전의 필요성을 판단할 때에는 일반적인 가처분과는 다르게 가처분 신청인이 아닌 회사의 손해 여부가 판단의 기준이 된다. 가처분신청이 주주 등 신청인의 회사에 대한 공익권의 행사이기 때문이다.[43]

보전의 필요성이 없으면 가처분을 할 필요는 없다. 특히 이사 선임결의의 하자를 원인으로 하는 가처분에 있어서 주주들이 가처분의 원인이 된 결의의 내용과 동일한 내용의 결의를 할 개연성이 있는 사안의 경우 보전의 필요성을 보다 엄격하게 심사하는 것이 실무이다.[44] 따라서 판례는 회사 주식의 60%를 소유하

---

38) 대법원 1997.1.10. 95마837.

39) 외국의 경우 보전소송의 일반론으로서 보전의 필요성 이외에 권리보호의 이익을 갖추어야 하는지 여부가 다투어지고 있으나, 우리나라에서는 필요하다는 견해만이 주장되고 있으며 판례도 그러한 전제하에 서 있는 것으로 보인다. 그러나 직무집행정지가처분과 관련하여서는 구체적인 논의가 없으므로 더 이상의 검토는 생략하기로 한다. 상세는 권창영, 전게서, 240~242면.

40) 이철송, 전게서, 851면.

41) 대법원 2014.7.11. 자 2013마2397.

42) 대법원 2007.1.25. 2005다11626; 전휴재, 전게논문, 341면.

43) 이철송, 전게서, 851면.

고 있는 주주의 의사에 의하여 대표이사 등 임원이 선임된 경우 선임절차상의 잘못이 있다고 하더라도 그 직무집행을 정지시키고 그 대행자를 선임하여야 할 필요성이 있다고 보지 않았고,[45] 종중에 관한 것이기는 하나, 단체의 대표자 선임 결의의 하자를 원인으로 하는 가처분신청에 있어서는 장차 신청인이 본안소송에 승소하여 적법한 선임 결의를 하게 될 경우, 피신청인이 다시 대표자로 선임될 개연성이 있는지의 여부도 가처분의 필요성 여부 판단에 참작하여야 한다고 한다.[46] 실제 사례에 있어서는 이사 선임결의에 절차의 하자 등이 엿보이는 경우에도 그것이 곧바로 결의의 취소나 무효 사유가 되는 것은 아니어서 본안소송에서의 승패의 예상이 불분명한 경우가 많고, 특히 주주들의 총의에 의해 가처분의 원인이 된 결의의 내용과 동일한 내용의 결의가 이루어질 개연성이 있는 경우가 많다. 이러한 경우 보전의 필요성에 대해서는 보다 엄격하게 심사한다.[47]

해임의 소를 본안으로 하는 경우, 해임의 소는 주주총회에서 해임안건이 부결된 경우에 제기되는 것이어서 주주들의 총의와는 다른 결과가 생기는 것을 전제하는 것이어서 다시 선임될 가능성이 있다는 사정은 고려대상이 아니다.[48] 다만, 애초에 당해 이사가 주주들의 총의에 의해 적법하게 선임되었고, 신청인이 주장하는 해임사유에도 불구하고 주주총회에서 다수주주에 의해 해임안건이 부결된 점을 고려하면 보전의 필요성에 관해서 고도의 소명이 있어야 한다는 점은 변함이 없다. 하급심 판결 중에는 신청인이 1인 주주로서 이사가 위법행위를 저질렀는지 여부를 불문하고 이사를 해임할 수 있는 경우,[49] 당해 이사의 임기가 임박하였거나 이미 사임한 이사를 상대로 하는 경우[50]에는 보전의 필요성을 인정하지 않았다.

이사를 처음 선임한 결의에는 하자가 없지만 해당 이사를 재선임한 결의에

---

44) 법원실무제요, 전게서, 473, 474면. 이 경우 그러한 사정은 요건사실에 반하는 간접사실에 해당하므로 피신청인이 적법한 절차를 거치더라도 같은 결의를 하게 될 것이라는 사정을 소명하여야 한다. 이효제, 전게논문, 1070면.
45) 대법원 1991.3.5. 90마818.
46) 대법원 1997.10.14. 97마1473.
47) 법원실무제요, 전게서, 474면.
48) 이효제, 전게논문, 1078면.
49) 서울중앙지방법원 2007.12.24. 2007카합3433; 서울중앙지방법원 2008.6.13. 2008카합1237.
50) 서울중앙지방법원 2007.1.18. 2006카합4126; 서울중앙지방법원 2008.3.24. 2008카합574.

하자가 있는 경우 신청인이 본안소송에서 승소하더라도 피신청인은 제386조 제
1항에 의하여 퇴임이사의 권리의무를 갖게 되므로 이 경우 보전의 필요성이 있
는지 여부가 문제될 수 있는바, 이를 인정하는 견해와 인정하지 않는 견해로 나
뉘어 있다.[51] 하급심 판결 중에는 보전의 필요성이 없다고 판단한 사례가 있
다.[52]

6. 가처분신청의 절차 및 심리

일반적으로 민사집행법상의 임시의 지위를 정하는 가처분절차에 따른다.

가. 관 할

관할은 ① 본안의 관할법원 또는 ② 다툼의 대상이 있는 곳을 관할하는[53]
지방법원이 관할한다(민사집행법 제303조).

본안소송이 제2심에 계속 중인 경우 민사집행법 제311조가 제2심 법원을 본
안법원으로 한다고 규정하고 있으므로 제2심 법원에 직무집행정지가처분신청을
해야 할 것이다. 본안소송인 결의취소의 소 또는 이사해임의 소는 합의부 관할
사건이므로, 가처분 재판도 합의부 관할사건이다.[54] 다툼의 대상이 있는 곳을
관할하는 지방법원도 결국 본안소송의 관할법원이다.[55] 문제는 직무집행정지가
처분은 피신청인이 이사이므로 이사의 주소지가 '다툼의 대상이 있는 곳'에 해당
하는지 여부이다. 다투는 권리관계가 있는 곳은 회사의 본점 소재지이며 피신청
인의 보통재판적은 이에 해당하지 않는다고 보아야 할 것이다.[56]

---

51) 법원실무제요, 전게서, 474면.
52) 서울중앙지방법원 2018.6.11. 2018카합20751.
53) 다툼의 대상이 있는 곳을 관할하는 지방법원도 결국 본안소송의 관할법원이다.
54) 문제가 되는 회사관계소송은 「민사소송 등 인지규칙」 제15조 제2항에 의하여 비재산권을
    목적으로 하는 소송에 해당하므로 「민사 및 가사소송의 사물관할에 관한 규칙」 제2조, 「민
    사소송 등 인지법」 제2조 제4항에 의하여 합의부 관할사건이 된다.
55) 법원실무제요, 전게서, 472면.
56) 법원실무제요, 전게서, 472, 473면. 다만 사임이나 임기만료에 따른 임원의 지위부존재 등
    을 이유로 하는 직무집행정지가처분의 경우에는 채무자인 임원 개인의 주소지에 관할이 인
    정될 수 있을 것이라고 한다; 이효제, 전게논문, 1055면.

나. 정지대상 직무

신청취지에는 직무집행정지의 대상을 명확하게 특정하여야 한다. 이를테면 대표이사가 피신청인인 경우 대표이사 및 이사로서의 직무집행을 모두 정지하는 것인지 대표이사로서의 직무집행만을 정지하는 것인지 명확하게 하여야 한다.[57]

다. 가처분신청의 심리

1) 변론기일 또는 심문기일

민사집행법은 직무집행정지 및 직무대행자선임 가처분에 관하여 별도의 심리 절차를 규정하고 있지 않으므로 임시의 지위를 정하기 위한 가처분의 일반적인 절차에 따라 심리하여야 한다는 점에는 이론이 없다.[58] 따라서, 법원은 심리과정에서 원칙적으로 변론기일 또는 피신청인이 참석할 수 있는 심문기일을 열어야 한다(민사집행법 제304조 본문). 민사집행법 제304조 단서에서는 변론기일 또는 심문기일을 열어 심리하면 가처분의 목적을 달성할 수 없는 사정이 있는 때에는 예외적으로 기일을 열지 않을 수 있다고 규정하고 있으나, 직무집행정지가처분은 피신청인뿐만 아니라 회사 및 그 거래자에게 미치는 영향이 매우 크고 당사자들 사이에서 분쟁이 지속되다가 신청되는 것이 일반적이므로 변론이나 심문을 거치면 가처분의 목적을 달성할 수 없는 경우는 거의 없다.[59] 이런 이유에서 실무상으로는 대부분의 경우 신청인, 피신청인이 모두 참여할 수 있는 기일을 열어 신중하게 심리하되 변론기일보다는 심문기일을 열고 있다.[60] 본안사건과 병행하여 심리하는 경우에는 변론기일을 열기도 한다.[61] 심문기일은 특별한 사정이 없는 한 1, 2회만 실시한 후 결정하는 날까지 접수된 서면과 소명자료를 근거로 인용 여부 및 이유를 기재한 재판서를 작성하여 당사자들에게 송달

---

57) 임재연, 전게서, 349면.
58) 이효제, 전게논문, 1055면.
59) 이효제, 전게논문, 1055면.
60) 법원실무제요, 전게서, 473면; 김능환·민일영, 「주석 민사집행법(VII)」 제3판(한국사법행정학회, 2012), 786면(권창영 집필부분).
61) 이효제, 전게논문, 1055~1056면. 임시의 지위를 정하기 위한 가처분에서는 변론기일을 열어야 한다는 견해[강봉수, 전게논문, 236면; 김교창, "이사직무집행정지 등 가처분," 「실무연구」 제1집(서울변호사회, 1979), 138면]와 신속하고 탄력적인 절차 진행을 위하여는 현재의 실무와 같이 심문기일을 여는 것이 타당하다는 견해가 대립하고 있다(이효제, 전게논문, 1056면의 주 44).

한다.[62)]

2) 송달방법

심문기일의 통지는 우편송달을 원칙으로 하되, 신속한 절차의 진행을 위하여 처음부터 집행관이나 법정 경위에 의한 송달을 하는 경우도 적지 않다.[63)] 실무상 급박한 경우 전화로 피신청인에게 심문기일을 고지하는 경우도 있으므로, 가처분신청서에 연락 가능한 피신청인의 전화번호를 기재할 필요가 있다.

3) 입증의 정도

피보전권리와 보전의 필요성은 신청인이 소명하여야 한다(민사집행법 제301조 본문, 제279조 제2항). 소명은 소송당사자가 주장사실에 대하여 법관으로 하여금 그 사실이 맞을 것이라는 짐작이 들 정도의 믿음이 일어나도록 증거를 제출하는 당사자의 노력을 말한다.[64)] 소명이 증명보다 낮은 수준의 입증으로 족한 것인지에 관하여 명백한 규정은 없으나, 가처분은 잠정적으로 권리의무의 존부를 판단하는 것이므로 증명보다는 낮은 정도의 입증으로 족한 것으로 해석되고 있다. 소명은 즉시 조사할 수 있는 증거에 의하여야 한다(민사소송법 제299조 제1항). 이에 증인신청, 문서제출명령신청, 사실조회신청 등 본안소송에서 다양하게 이루어지는 증거신청이 허용되지 않는다. 실무상으로는 가압류나 다툼의 대상에 관한 가처분에서는 채무불이행 그 밖의 필요성을 엿볼 수 있는 소명이 있으면 별다른 사정이 없는 한, 보전의 필요성을 인정하지만, 임시의 지위를 정하기 위한 가처분에서는 이와 반대로 보전의 필요성을 인정할 만한 특별한 사정의 소명이 없는 한 가처분신청을 배척하는 예가 많다.[65)] 즉, 실무상으로는 직무집행정지가처분에 관하여는 증명에 가까운 고도의 소명을 요구하는 것이 일반적이다.[66)] 직무집행정지가처분은 만족적 가처분 중에서도 만족적 형성을 내용으로 하는 것이기 때문이다.[67)] 그런데 가처분의 입증은 소명에 의해야 하고, 즉시성이 없는 증거방법은 제한됨에 따라, 직무집행정지가처분 사건의 신청인은 실무상 자신의

---

62) 이효제, 전게논문, 1056면.
63) 이효제, 전게논문, 1056면.
64) 법원실무제요, 전게서, 100면.
65) 대법원 1997.1.10. 95마837; 전휴재, 전게논문, 341면의 주 10.
66) 법원실무제요, 전게서, 100면.
67) 이효제, 전게논문, 1058면.

주장을 입증하는데 상당한 어려움을 겪기도 한다.

7. 가처분 결정

가. 직무집행정지가처분 결정

법원은 신청을 인용하는 결정을 할 때에는 직무집행을 정지하는 대상을 정확하게 특정하여야 한다. 특히, 대표이사 겸 이사로서의 직무집행을 모두 정지하는 것인지 아니면 대표이사로서의 직무집행만을 정지하는 것인지를 명확하게 하여야 한다.[68] 보통 가처분결정의 주문은 "대표이자 겸 이사의 직무를 집행하여서는 아니된다", "이사의 직무를 집행하여서는 아니된다"는 식으로 이루어진다.

일반적으로 결정은 판결과 달리 상당한 방법으로 고지할 수 있지만(민사소송법 제221조), 민사집행규칙 제203조의4는 보전처분의 신청에 대한 결정은 송달의 방법으로 고지하도록 규정하고 있다. 이는 ① 보전처분이 신청인에게 보전명령의 집행권원을 부여하는 중요한 결정인 점, ② 보전처분은 당사자에 대하여 그 내용을 확실히 인식시켜 증명방법을 기록에 남겨 놓을 필요가 있는 점, ③ 실무상으로 결정을 송달로 고지해 온 점, ④ 불복기간을 명확하게 기산할 필요가 있는 점 등을 고려한 까닭이다. 가처분 결정이 피신청인에게 송달되기 전에 피신청인이 그 내용을 사실상 알게 되더라도 효력은 생기지 않지만, 집행력만은 신청인에게 가처분 결정이 고지되면 설사 송달되기 전이라도 생긴다(민사집행법 제301조 본문, 제292조 제3항).[69] 피신청인이 미리 보전처분의 내용을 알고 그 집행을 피하는 수단을 강구하는 것을 막기 위한 것이다.

나. 직무대행자의 선임 결정

1) 직무집행정지가처분과의 관계

법원은 이사의 직무집행정지가처분과 함께 직무대행자를 선임할 수 있다(제407조 제1항 단서). 이것도 가처분의 내용으로서 하는 것이다. 직무집행정지결정이 이루어지는 경우 상법 제407조 제1항에 따라 그 부수적 처분[70]으로 직무대

---

68) 법원실무제요, 전게서, 474면.
69) 권창영, 전게서, 527면.
70) 부수적 처분은 가처분 자체의 목적달성을 위하여 반드시 필요한 것은 아니나 가처분집행으

행자를 선임하는 것이다. 따라서 식부집행정지를 하지 않고 직무대행자만 선임
할 수는 없다.

직무대행자는 이사의 직무집행정지로 인한 회사운영의 공백에 대처하기 위한
것이므로 그러한 필요가 인정되지 않는다면 반드시 선임할 필요는 없다. 예컨대,
일부 이사의 직무집행이 정지되더라도 나머지 이사만으로 회사의 업무집행에 지
장이 없을 때에는 직무대행자를 선임할 필요가 없을 수도 있다.[71]

정관에 직무대행에 관한 규정이 있다는 것이 법원이 직무대행자를 선임하지
않는 타당한 이유가 될 수 없다. 직무집행정지시의 직무대행자는 가처분의 잠정
성에 비추어 상무에 속한 행위밖에 할 수 없음에 반하여 정관에 의한 직무대행
자는 해당 임원의 모든 권한을 행사할 수 있으므로 정관상의 직무대행자를 인정
하는 것은 직무집행정지가처분의 취지에 반하고, 현실적으로도 정관상의 직무대
행자가 통상 직무집행이 정지되는 임원과 이해관계를 같이 하는 경우가 있어서
분쟁이 악화될 우려가 있을 뿐만 아니라 정관상의 직무대행자가 직무집행정지가
처분의 원인이 되는 결의에 의하여 선출되어 동일한 하자를 안고 있는 경우도
있을 수 있기 때문이다.[72]

직무집행정지가처분을 먼저 신청하여 가처분을 받은 후 직무대행자선임 가처
분을 신청하기도 하고, 법원도 가처분 사건을 심리하는 과정에서 예단을 주지
않고 적절한 직무대행자를 선임하기 위하여 직무집행정지가처분 결정을 먼저 하
고, 직무대행자 선임 결정은 별도의 결정으로 하기도 한다.[73] 다만, 직무집행정
지를 하지 않고 직무대행자만 선임할 수는 없다.[74] 직무대행자 선임에 관한 재
판은 이유를 붙인 결정으로 하며 신청을 허가하는 재판에 대하여는 불복할 수
없다(비송사건절차법 제84조, 제81조 제1항, 제2항).

로 인하여 피신청인 등에게 생길 수 있는 영향을 감안하여 가처분의 내용에 부수적으로 명
해지는 처분을 말한다. 법원실무제요, 전게서, 131면.

71) 이철송, 전게서, 852면; 임재연, 전게서, 354면.

72) 법원실무제요, 전게서, 476면. 다만 정관에서 정한 직무대행자가 중립적으로 직무를 수행하
는데 별다른 문제가 없다고 판단되는 경우에는 정관상 직무대행자를 그대로 가처분상 직무
대행자로 선임하기도 한다; 그런데 이사선임결의에 하자가 있어서 해당이사에 대한 직무집
행정지가처분을 하는 경우 회사나 단체가 통상의 이사결원 및 후임이사 미선임을 대비하여
둔 직무대행규정에 따라 조직을 운영하도록 하는 것이 타당하다는 견해도 있다. 이숙미, 전
게논문, 211면.

73) 이효제, 전게논문, 1059면.

74) 이철송, 전게서, 853면; 임재연, 전게서, 354면.

2) 직무대행자의 자격

직무대행자의 자격에는 원칙적으로 특별한 제한이 없다. 분쟁해결과 실무상 신청인이 직무대행자를 추천하는 경우가 많지만 법원은 이에 구속되지 않는다.[75] 신청인과 피신청인이 추천하는 후보들이 모두 적절하다고 인정하면 쌍방이 제시하는 자들을 모두 직무대행자로 선임하기도 한다.[76] 직무대행자제도의 취지상 중립적인 사람을 선임하는 것이 이상적이기도 하고 일반적이지만,[77] 구체적 사안에 따라서는 적대적인 사람을 선임하는 것이 분쟁해결과 권리구제에 가장 유효적절한 수단이 될 수도 있다.[78] 실무상 법원과의 원활한 소통과 법률지식을 고려하여 변호사 중에서 직무대행자를 선임하는 경우가 많다.[79] 그러나, 법원이 직무집행정지가처분에 의하여 직무집행을 정지시킨 이사를 직무대행자로 선임할 수는 없다.[80] 법원은 신청인의 추천에 구속되지 않으므로 신청인이 추천한 사람이 선임되지 않고 다른 사람을 직무대행자로 선임하였다고 하더라도 선임신청을 불허한 결정은 아니다. 따라서 선임신청을 불허한 결정임을 전제로 불복할 수 없다.[81]

3) 직무대행자의 수

직무대행자는 법원이 회사의 상무에 속하는 행위를 처리하기 위하여 선임하는 임시기관이므로 다수의 이사에 대하여 직무집행을 정지하는 결정을 발령하더라도 법령 및 정관에서 정한 최소 인원에 해당하는 직무대행자만을 선임하는 것이 적절한 경우도 있다.[82] 이와 관련하여 직무집행이 정지된 임원이 사임하면

---

75) 대법원 1985.5.28. 85그50.
76) 법원실무제요, 전제서 477면; 임재연, 전게서, 355면.
77) 법원실무제요, 전게서, 476면.
78) 서울중앙지방법원 2006.10.16. 2006카합2899; 김용호, "적대적 M&A에서 가처분이 활용되는 사례," 「BFL」 제23호(서울대학교 금융법센터, 2007. 5.), 58면; 임재연, 전게서, 355면.
79) 법원실무제요, 전게서, 477면; 이사의 자격요건을 법률에서 규정하는 경우에는 그 요건을 충족하는 자를 직무대행자로 선임하여야 한다는 견해가 있다. 임재연, 전게서, 355면. 그러나 직무대행자는 법원이 선임하고, 직무대행자의 상무외 행위는 법원의 허가사항이라는 점을 고려하면 직무대행자에게까지 법률상의 자격요건을 갖추어야 한다고 보는 것은 무리가 있다.
80) 대법원 1990.10.31. 자 90그44.
81) 대법원 1985.5.28. 85그50.
82) 서울중앙지방법원 2008.12.26. 2008카합4356.

ㄱ 가처분 결정은 취소되어야 하므로 직무대행자가 다수인 경우에는 피신청인들 중 누구의 직무를 대행하는 자인지를 가처분결정 주문에 기재한다.[83]

4) 직무대행자의 보수

직무대행자 선임결정을 하는 경우 직무대행자의 보수와 보수의 부담자를 가 처분결정의 주문에 기재하는 것이 일반적이지만 직무대행자 선임 이후에 별도로 하는 경우도 있다.[84] 실무상으로는 가처분 결정 전에 신청인에게 보수 상당액 을 법원보관금으로 예납할 것을 명령하고 신청인이 이를 예납하면 가처분 결정 을 한다.[85] 법원은 통상적으로 3개월분의 보수금을 예납하도록 하고, 3개월 단 위로 보수금을 예납받고 있다. 신청인이 예납한 금전에서 지급된 직무대행자의 보수는 가처분의 집행에 소요되는 비용에 해당하므로 민사집행법 제53조 제1항 에 정해진 집행비용으로 보아야 하고, 집행절차에서 변상받을 기회가 없으므로 별도의 비용액확정결정을 받아 금전집행을 하여야 한다(민사집행규칙 제24조).[86] 신청인이 보수 상당액을 예납하지 않을 경우에는 당사자 사이의 이해관계를 조 율하여야 하는 가처분 결정의 특성상 가처분 이의사건을 심리하면서 보전의 필 요성이 없다는 이유로 종전의 가처분 인용 결정을 취소하는 경우도 있다.[87]

5) 직무대행자의 개임

직무대행자의 직무수행이 부적법한 경우 법원은 직권으로 직무대행자를 변경 할 수 있다. 그러나 당사자에게는 개임신청권이 없으므로 설사 개임을 신청하더 라도 법원의 직권 발동을 촉구하는 의미를 갖는 것에 그치고 개임신청이 기각되 더라도 이에 불복할 수 없으며[88] 법원도 그 신청에 대하여 결정할 필요가 없 다.[89] 한편, 이사에 대한 직무대행자를 선임하고 회사가 해산하는 경우 직무대 행자의 직무행위의 내용은 직무집행이 정지된 이사의 그것과 동일하고, 회사가

---

83) 이효제, 전게논문, 1058면의 주 61.
84) 법원실무제요, 전게서, 479면.
85) 이효제, 전게논문, 1059면. 실무상 변호사를 직무대행자로 선임하는 경우 통상 월 500만원 정도의 보수를 정하는 것이 일반적인데, 회사의 규모, 업무의 정도에 따라 그 보수는 다양 하게 정해진다.
86) 대법원 2011.4.28. 2011마197.
87) 이효제, 전게논문, 1059면의 주 60.
88) 대법원 1979.7.19. 79마198.
89) 임재연, 전게서, 357면.

해산하는 때에는 원칙적으로 해산 당시의 이사가 청산인이 되므로(제531조 제1항), 해산 전 가처분에 의하여 선임된 이사 직무대행자는 회사가 해산하는 경우 당연히 청산인 직무대행자가 된다.[90]

8. 불복절차

가. 개 관

직무집행정지 및 직무대행자 선임 가처분에 대한 불복에 관하여도 상법에 특별한 규정이 없으므로 민사집행법의 규정에 의하여야 한다.[91] 신청인은 각하 또는 기각결정에 대하여 즉시항고에 의하여 불복할 수 있고, 피신청인은 인용결정에 대하여 가처분 이의·취소절차에 의하여 불복할 수 있다. 피신청인은 인용결정이 항고법원에 의하여 행하여진 경우라 하더라도 후술하는 불복방법 외에는 민사소송법 제442조에 의한 재항고나 같은 법 제444조에 의한 즉시항고로 다툴 수 없다.[92] 가처분 결정은 소명에 의한 신속한 판단이므로 해당 가처분 결정을 한 법원이 부당한 인용결정을 신속하게 경정하도록 하는 것이 피신청인의 권리구제 측면에서 용이하다는 점을 전제로 하는 것이다.[93] 또한, 보전명령과 내용이 저촉되는 제2의 보전명령을 받아 사실상 선행 보전명령의 효력을 배제하는 것도 허용되지 않는다.[94][95]

나. 즉시항고

가처분 신청이 각하 또는 기각된 경우 신청인은 즉시항고를 제기할 수 있다(민사집행법 제301조 본문, 제281조 제2항).

다. 이의절차

이의절차는 보전명령에 대하여 피신청인이 보전명령의 형식적·실체적 요건

---

90) 대법원 1991.12.24. 91다4355.
91) 정찬형, 「상법강의(상)」 제24판(박영사, 2021), 972면.
92) 대법원 2008.12.22. 2008마1752; 2005.9.15. 2005마726; 1999.1.20. 99마865.
93) 이효제, 전게논문, 1056~1057면.
94) 대법원 1992.6.26. 92마401.
95) 권창영, 전게서, 537면.

을 흠결하였음을 이유로 보전명령을 발령한 법원에 대하여 그 보전명령의 취소·변경 또는 보전신청의 기각을 구하는 불복절차이다.

피신청인은 가처분 결정에 대하여 가처분의 취소·변경을 신청하는 이유를 밝혀 이의를 신청할 수 있다(민사집행법 제301조 본문, 제283조 제1항, 제2항). 회사는 가처분 사건의 당사자가 될 수 없으므로 독립적으로 이의신청을 할 수 없으며,[96] 보조참가와 동시에 이의신청을 할 수 있을 뿐이다.[97]

가처분 이의신청이 있더라도 가처분 집행이 정지되지 않는다(민사집행법 제301조 본문, 제283조 제3항). 민사집행법 제309조는 소송물인 권리 또는 법률관계가 이행되는 것과 같은 내용의 가처분(만족적 가처분)을 명한 재판에 대하여 가처분집행정지·취소를 허용하지만, 이사직무집행정지가처분은 형성적 가처분이므로 집행정지를 허용하지 않는 것이 실무이다.[98]

라. 취소절차

1) 의 의

가처분 결정을 한 법원은 특별한 사정이 있는 등 일정한 사유가 있는 때에는 당사자의 신청에 의하여 가처분을 변경 또는 취소할 수 있다(민사집행법 제307조 제1항, 제301조, 제287조 제3항, 제288조 제1항). 취소절차는 '일단 유효하게 발령된' 보전명령을 일정한 취소사유가 있는 경우에 '새로운 재판'에 의하여 실효시키고자 하는 것으로서 일종의 형성소송이다.[99] 따라서, 신청취지에 가처분신청의 기각을 구하는 취지가 포함되어 있다면 이는 가처분 취소신청이 아니라 가처분 이의신청에 해당한다.[100]

2) 취소사유

가처분의 취소사유에는 ① 신청인이 본안의 제소명령을 기간 내에 이행하지 않은 경우(민사집행법 제287조 제3항), ② 가처분 후 사정의 변경이 있는 경우(같은 법 제288조 제1항 제1호), ③ 보전집행 후 3년간 본안의 소를 제기하지 않은

---

96) 대법원 1997.10.10. 97다27404.
97) 임재연, 전게서, 360면.
98) 법원실무제요, 전게서, 152면.
99) 권창영, 전게서, 537면.
100) 권창영, 전게서, 537면.

경우(같은 법 제288조 제1항 제3호), ④ 특별한 사정이 있는 경우(같은 법 제307조) 등이 있다.

청산인 직무집행정지 및 직무대행자 선임의 가처분결정이 있은 후 소집된 주주총회에서 회사를 계속하기로 하는 결의 및 새로운 이사들과 감사를 선임하는 결의가 있었다면, 특별한 사정이 없는 한 위 주주총회의 결의에 의하여 위 직무집행정지 및 직무대행자선임의 가처분결정은 더 이상 유지할 필요가 없는 사정변경이 생겼다고 할 것이므로, 위 가처분에 의하여 직무집행이 정지되었던 피신청인으로서는 그 사정변경을 이유로 가처분 취소신청을 하여 위 가처분의 취소를 구할 수 있다.[101]

3) 신청인 적격

원칙적으로 당초 가처분 신청사건의 피신청인이 가처분 취소신청의 신청인 적격을 갖는다. 직무집행정지 및 직무대행자 선임의 가처분 결정 이후 직무집행이 정지된 임원의 임기가 만료되고 새로운 임원이 선임되어 가처분을 더 이상 유지할 필요가 없는 사정변경이 생긴 경우 가처분 취소신청을 할 수 있는 자는 누구인지가 문제된다. 원칙적으로 가처분사건의 피신청인이 취소신청을 하여야 할 것이나 가처분 피신청인이 직무집행 정지기간 중 임기가 만료되거나 해임된 경우 새로운 임원의 직무집행을 위하여 가처분 취소신청을 할 것으로 기대하기 어려운 경우가 있다. 판례는 가처분 사건의 당사자가 될 수 없는 회사는 그 가처분의 취소신청도 할 수 없다고 하므로[102] 결국 새로이 선임된 임원이 피신청인의 특정승계인으로서 가처분 취소신청을 할 수 있다는 견해가 주장되고 있다.[103]

9. 집   행

이사의 직무집행정지가처분도 통상의 가처분과 마찬가지로 신청인과 피신청인 모두에게 송달하여야 한다(민사집행규칙 제203조의4). 회사는 당사자가 아니므

---

101) 대법원 1997.9.9. 97다12167.
102) 대법원 1997.10.10. 97다27404.
103) 법원실무제요, 전게서, 484면. 이 견해는 부동산을 목적물로 하는 가처분 취소소송에 관한 대법원 1968.1.31. 66다842를 논거로 제시한다.

로 송달할 필요가 없으며 실무도 그렇다.[104] 직무대행자를 선임한 경우에는 선임된 직무대행자에 대하여도 송달 그 밖의 상당한 방법으로 그 사실을 고지하여야 한다.[105]

가처분 결정, 변경, 취소가 있는 경우에는 본점과 지점의 소재지에서 이를 등기하여야 한다(제407조 제3항). 이 등기는 가처분 법원의 법원사무관 등이 법인의 주사무소 및 분사무소 또는 본점 및 지점이 있는 곳의 등기소에 촉탁하여 이루어진다(민사집행법 제306조).

직무집행정지가처분 등기가 제3자에 대한 대항요건임에는 별다른 의문이 없다(제37조). 그런데 가처분의 집행방법인가 아니면 단순한 공시방법인가에 대해서는 견해가 나뉜다.[106] 직무집행정지가처분 등기가 집행방법이라고 한다면, 민사집행법 제292조 제2항, 제301조에 따라 재판의 고지 후 2주일 내에 등기촉탁절차를 밟아야 하고, 2주일 내에 등기촉탁절차를 밟지 않으면 가처분은 집행할 수 없고, 취소될 운명에 처해진다. 직무집행정지가처분 등기를 공시의 방법으로 본다면, 위 가처분 등기는 가처분결정의 효력발생시기와는 무관하고, 가처분결정이 피신청인에게 송달된 때에 효력이 생긴다고 보아야 할 것이다.[107] 판례는 직무집행정지 및 직무대행자선임가처분은 등기가 되지 않더라도 그 내용에 따른 효력이 발생하고 다만 등기전까지 선의의 제3자에게 대항할 수 없을 뿐이라고 판시하여 등기가 공시수단에 불과하다는 입장에 있는 것으로 이해되고 있다.[108] 2014년 법원행정처에서 발간한 법원실무제요에서는 직무집행정지가처분 등기가 집행방법이라는 전제에서 서술하고 있어서 실무를 하는 입장에서는 가처분결정 후 2주 이내에 법원사무관이 등기촉탁을 하도록 등기에 필요한 등록세, 지방교육세 등을 미리 납부할 필요가 있었는데,[109] 2020년 사법연수원에서 발간된 법원실무제요에서는 공시방법이라는 입장에서 설명하고 있다.[110]

---

104) 법원실무제요, 전게서, 484면.
105) 「보전처분 신청사건의 사무처리요령(재민 2003-4)」제10조.
106) 직무집행정지가처분등기는 공시방법이고, 직무집행정지가처분의 집행은 피신청인에 대한 결정의 송달에 의하여 이루어진다고 해석해야 한다는 견해도 있다. 이흥주, "직무집행정지 가처분으로 직무집행이 정지된 대표이사가 한 행위의 효력,"「민사판례연구(32)」(박영사, 2010), 767면.
107) 법원실무제요, 전게서, 485면.
108) 대법원 2014.3.27. 2013다39551.
109) 상업등기법 제17조 제4항에 의하여 상업등기를 하려는 사람은 수수료를 납부하여야 하고, 위 조항은 비송사건절차법 제66조 제1항에 따라 법인등기에 준용된다.

가처분결정은 채무자에게 송달함으로써 효력이 생기지만, 이를 등기하지 아니하면 선의의 제3자에게 대항할 수 없다(제37조 제1항). 가처분신청 후 발생한 사정으로 가처분결정에 따른 등기가 불가능하게 되더라도 악의의 제3자에게는 가처분결정의 효력이 미친다는 것이 판례이다.[111]

10. 효   과

가. 직무집행정지가처분의 효과

1) 효과 일반

직무집행이 정지된 이사는 그 정지된 기간 중에는 이사로서의 직무를 집행할 수 없다.[112]

일반적으로 보전처분은 본안소송이 확정되기 전의 잠정처분이기 때문에 만약 본안소송에서 가처분 신청인이 패소하면 가처분 집행 전의 상태로 회복시켜야 한다(보전처분의 잠정성). 또한 본안의 청구를 보전하기 위한 것이므로 본안청구로서 신청인에게 요구할 수 있고 또 집행할 수 있는 범위를 벗어날 수 없다(보전처분의 종속성).

직무집행정지가처분의 경우 잠정성, 종속성면에서 일반적인 보전처분과는 상이하다. 통상의 가처분의 경우 후에 피보전권리 없이 가처분을 받은 사실이 밝혀지게 되면, 가처분에 반하는 행위가 무효로 되지 않는다.[113] 부동산처분금지가처분의 경우 피보전권리가 없는 경우에는 그 가처분에 위반한 행위가 무효로 되는 것이 아니며, 채권자가 본안에서 패소확정판결을 받거나, 그렇지 아니하더라도 피보전권리가 없다고 사실이 인정되면 처분금지가처분에 위반한 채무자나 제3자는 가처분채권자에게 대항할 수 있다는 것이 판례의 일관된 입장이다.[114] 또한 임시의 지위를 정하는 가처분 중에서 명도단행가처분의 경우, 가처분 신청인이 가처분 사건에서 승소하여 그에 기한 명도집행을 하였다 하여도 이후에 본안

---

110) 법원실무제요, 전게서 485, 486면.
111) 대법원 2014.3.27. 2013다39551.
112) 대법원 1980.3.11. 79누322.
113) 대법원 1994.4.29. 93다60434; 1995.10.13. 94다44996.
114) 대법원 1999.10.8. 98다38760; 1999.7.9. 98다6831 등.

소송에서 가처분 신청인이 패소하였다는 사정 등으로 가처분 결정이 취소되면 원상회복을 하도록 하여(민사집행법 제308조) 가처분의 잠정성이 유지되고 있다고 할 수 있다. 그런데 이와 달리 직무집행정지가처분의 경우 직무집행정지자의 직무집행행위는 절대적으로 무효이고, 그 후 가처분이 취소되었다고 하더라도 집행의 효력은 장래를 향하여 소멸할 뿐 소급적으로 소멸하는 것은 아니다.[115] 이러한 직무집행정지가처분의 절대적인 효력은 보전처분의 잠정성면에서 예외에 해당한다.

대표이사를 선임한 이사회결의무효확인의 소를 본안으로 한 직무집행정지가처분의 경우 본안판결은 대세효가 없음에도 불구하고 직무집행정지가처분에는 대세효가 인정되므로 보전처분의 종속성면에서 예외에 해당한다.[116]

2) 이사로서의 지위

직무집행정지가처분이 있더라도 해당 이사는 직무집행에서만 배제될 뿐 이사로서의 지위를 잃지는 않는다. 이사의 임기도 영향을 받지 않으므로, 가처분으로 인해 임기가 정지되거나, 가처분이 존속하는 기간만큼 임기가 연장되는 것도 아니다.[117] 본안소송이 확정되기도 전에 가처분으로써 이사 지위까지 부인한다면 보전처분의 잠정성에 반한다. 형사사건에 관한 판례 중에는 대표이사 직무집행정지가처분결정은 대표이사의 직무집행만을 정지시킬 뿐 대표이사의 자격까지 박탈하는 것이 아니라고 판시한 예가 있다.[118] 따라서 그 이사는 사임할 수 있고, 주주총회 또는 이사회도 이사·대표이사를 해임할 수 있다.[119]

---

115) 대법원 2008.5.29. 2008다4537; 2014.3.27. 2013다39551.
116) 하급심 판결 중에는 이사해임청구소송을 본안으로 하는 직무집행정지가처분 사건에서 A회사의 대표이사 겸 이사 甲에 대한 직무집행정지가처분 및 직무대행자 선임, 나머지 이사들에 대한 직무집행정지가처분이 내려진 후에, 주주총회에서 甲에 대한 해임안건이 가결되고, 나머지 이사들에 대한 해임안건은 부결되어 甲이 사정변경을 이유로 직무집행정지가처분 및 직무대행자선임 취소신청을 한 사례에서, 법원은 甲의 후임자가 선임되지 않아 위 가처분결정을 취소할 경우 甲이 대표이사의 업무를 수행할 개연성이 있는 점, A회사의 내·외부적 분쟁상황으로 단기간 내에 甲의 후임자가 선임되기는 쉽지 않은 점을 이유로 들어 가처분취소신청을 기각한 바 있다(서울동부지방법원 2016.4.11. 2015카합778), 위 사례는 甲이 해임되어 본안 소송 자체가 존재할 수 없는 경우임에도 법원이 후임 대표이사가 선임되기 어려운 A회사에 대한 후견인적 역할을 발휘하여 직무대행자의 권한을 유지시킨 경우라 할 수 있는데, 이 또한 보전처분의 종속성의 예외사례에 해당한다.
117) 대법원 2020.8.20. 2018다249148.
118) 대법원 1987.8.18. 87도145.
119) 임재연, 전게서, 352면.

3) 대세적·형성적 효력

직무집행정지가분의 효력에 형성적, 대세적 효력을 인정할 것인가에 관하여 형성적, 대세적 효력을 긍정하는 견해,[120] 선임절차의 위법성을 잠정적으로 확인하는 효력으로 해석하여 형성적, 대세적 효력을 부정하는 견해,[121] 상법 제376조 제2항과 같이 본안판결에 대세적 효력이 인정되는 경우에는 직무집행정지가처분의 대세적 효력을 인정하고, 그 외의 경우에는 단체 내부의 구성원들에게만 효력이 미친다는 견해[122]가 있다. 통설과 판례[123]는 형성적, 대세적 효력을 인정하는 입장에 있다. 직무집행정지가처분은 본안판결에 형성적 효력이 있거나[124] 기판력이 제3자에게 미치게 되므로[125] 단체 법률관계의 획일적 처리 필요성을 위해 형성적, 대세적 효력을 인정할 필요가 있는 것으로 보인다.

따라서 이사의 직무집행정지 및 직무대행자선임의 가처분이 이루어지면 해당 이사의 직무집행이 정지됨은 물론, 직무집행이 정지된 이사가 퇴임하고 후임이사가 선임되더라도 가처분이 취소되기까지는 직무대행자의 권한이 존속한다. 또한 위 가처분은 당사자 사이에서 뿐만 아니라 제3자에게도 효력이 미치므로, 법원의 직무집행정지가처분 결정에 의해 회사를 대표할 권한이 정지된 대표이사가

---

120) 이철송, 전게서, 852면; 법원실무제요, 전게서, 488, 489면; 염미경, "회사의 이사 직무집행정지 및 직무대행자 선임 가처분의 경우 그 이사와 직무대행자의 지위,"「민사집행법연구(제8권)」(한국사법행정학회, 2012), 341면; 임재연, "회사의 이사와 기타 단체의 임원에 대한 직무집행정지가처분의 법적 쟁점,"「황천이기수선생정년기념 세계화시대의 기업법」, (2010), 172면; 이홍주, 전게논문, 781면; 강봉수, 전게논문, 252면; 윤경, "이사회결의무효확인의 소, 직무집행정지 및 직무대행자선임가처분과 공동소송참가,"「인권과 정의 제303호」(대한변호사협회, 2001. 7.), 31면. 다만, 형성적, 대세적 효력을 인정하는 근거에 대하여는 견해마다 많은 차이가 있는데, 대표적으로 임시의 지위를 정하는 가처분의 성질상 당연한 효과라는 견해와 이사 등의 선임결의취소, 무효 및 부존재 확인의 소를 본안으로 하는 경우에는 그 대세적 효력에 관한 규정(제190조, 제376조, 제380조)이 준용되므로 이사만을 채무자로 한 가처분의 효력이 회사에 미친다는 견해가 있다.

121) 송인권, 전게논문, 380~381면.

122) 이승영·이우재·이원·김민수·이재혁·박기쁨·범선윤, "임시의 지위를 정하기 위한 가처분의 효력에 관한 연구,"「민사집행법 실무연구Ⅲ」(민사집행법 연구회, 2011), 68~69면

123) 대법원 1992.5.12. 92다5638; 2001.1.16. 2000다45020.

124) 이사해임의 소, 주주총회결의취소의 소는 형성소송이다.

125) 주주총회결의무효 또는 부존재 확인 소송은 확인소송이지만(대법원 1992.8.18. 91다39924), 상법 제190조 본문이 준용됨에 따라 기판력이 제3자에게 확장되는 대세적 효력이 있다. 강현중,「신민사소송법강의」(박영사, 2015), 221면; 한편, 주주총회결의 무효 또는 부존재 확인 소송은 그 명칭에도 불구하고 원고 승소판결이 법률관계의 대세적 변동을 초래한다는 점을 고려하면 형성의 소라고 보아야 한다는 견해도 있다. 송상현·박익환,「민사소송법」개정7판(박영사, 2014), 197면.

그 정지기간 중에 체결한 계약은 절대적으로 무효이고, 상대방이 선의라도 유효를 주장하지 못한다.[126) 그 후 가처분신청의 취하에 의하여 보전집행이 취소되었다 하더라도 집행의 효력은 장래를 향하여 소멸할 뿐 소급적으로 소멸하는 것은 아니므로 가처분 신청이 취하되었다 하여 무효인 계약이 유효하게 되지는 않는다.[127) 또한 기존 대표이사에 대한 직무집행정지 및 직무대행자선임 가처분결정이 내려진 이상, 그 후 대표이사가 해임되고 새로운 대표이사가 선임되었다 하더라도 직무대행자의 권한은 유효하게 존속하는 반면 새로이 선임된 대표이사는 그 선임결의의 적법 여부에 관계없이 대표이사로서의 권한을 가지지 못한다.[128) 물론 위 가처분 결정이 취소되면 새로운 대표이사가 대표이사로서의 권한을 갖게 된다.

4) 집행정지되는 직무의 범위

가처분 결정이 내려질 경우 문제된 이사는 가처분 인용결정의 주문에서 특정한 집행정지 대상 직무를 수행할 수 없다. 이를테면, 이사 겸 대표이사인 자에 대하여 대표이사로서의 직무집행만 정지할 경우 이사로서의 직무는 계속 집행할 수 있다.[129) 직무집행이 정지된 이사는 인용결정 주문의 정지대상 직무는 일체 집행할 수 없다. 이에 반한 직무집행은 절대무효이며, 후에 가처분이 취소되더라도 소급하여 유효하게 될 수는 없다.[130)

5) 직무집행 정지기간

가처분은 기간을 정한 경우에는 그 기간이 만료할 때까지 효력을 갖고, 기간을 정하지 않은 경우에는 본안소송의 판결이 확정될 때까지 효력을 갖는다.

가) 정지기간을 정한 경우

정지기간을 정한 경우 직무집행정지결정은 그 기간의 만료로 효력을 상실한다.[131) 직무집행 정지기간은 '본안판결 확정시'까지로 하는 것이 일반적이다. 다

---

126) 대법원 1992.5.12. 92다5638; 2014.3.27. 2013다39551.
127) 대법원 2008.5.29. 2008다4537.
128) 대법원 1992.5.12. 92다5638; 이철송, 전게서, 853면; 임재연, 전게서, 356면.
129) 수원지방법원 1997.10.31. 96가합24791; 임재연, 전게서, 350면.
130) 대법원 2008.5.29. 2008다4537.
131) 대법원 1989.9.12. 87다카2691. 따라서 그 기간 경과 후에는 가처분결정이 외형상 잔존함으로 인하여 어떠한 법률상 이익이 침해되었다고 볼 만한 특별한 사정이 없는 한 그 취소

만, 가처분신청시 정지기간을 '제1심 본안판결 선고시까지'로 하고 그대로 인용
된 경우에는 신청인이 1심 본안소송에서 승소하더라도 1심판결 선고 후 다시
가처분신청을 하여야 한다.[132]

나) 정지기간을 정하지 않은 경우

이사에 대한 직무집행정지 가처분은 민사집행법 제300조 제2항에 의한 임시
의 지위를 정하는 가처분의 성질을 가지는 것으로서, 본안소송의 제1심판결 선
고시 또는 확정시까지 그 직무 집행을 정지한다는 취지가 빠져 있다고 하여 당
연무효는 아니다. 문제는 이 경우 본안소송의 확정이 가처분의 효력에 영향을
미치는지 여부이다.

(1) 신청인이 본안소송에서 승소한 경우

가처분에 의해 직무집행이 정지된 당해 이사 등을 선임한 주주총회결의의 취
소나 그 무효 또는 부존재확인을 구하는 본안소송에서 가처분 신청인이 승소하
여 그 판결이 확정되면 그 가처분은 그 직무집행정지 기간의 정함이 없는 경우
에도 본안승소판결의 확정과 동시에 그 목적을 달성한 것이 되어 당연히 효력을
상실한다는 것이 통설·판례의 입장이다.[133] 이에 대하여는 직무집행정지가처분
이 통상의 가처분인 이상 본안소송과는 별개·독립의 절차이므로 본안소송의 종
료, 확정은 단순히 사정변경으로 인한 가처분 취소사유에 불과하고 취소시까지
는 가처분의 효력이 유지된다고 보는 소수설도 있다.[134]

(2) 신청인이 본안소송에서 패소한 경우

신청인이 본안소송에서 패소한 판결이 확정된 경우 사정변경으로 인한 가처
분 취소사유가 될 뿐이고 가처분이 취소될 때까지는 그 효력이 존속한다는 것이
다수설, 판례이다.[135]

를 구할 법률상의 이익이 없다(대법원 2013.6.27. 2013마568).

132) 법원실무제요, 전게서, 474면.
133) 대법원 1989.9.12. 87다카2691; 1989.9.12. 87다카17877; 1989.5.23. 88다카9883.
134) 강봉수, 전게논문, 240면.
135) 권창영, 전게서, 530면; 장윤기, "이사직무집행정지 및 직무대행자 선임 가처분의 효력이
    당연히 상실하는 경우," 「대법원판례해설」 제11호(법원도서관, 1990), 190면; 임재연, 전게
    논문, 170면; 대법원 1963.9.12. 63다354; 이에 대한 반대견해로는 송인권, 전게논문, 383
    면.

나. 직무대행자 선임의 효과

1) 선임의 효력

직무대행자를 선임하는 가처분은 당사자 사이뿐만 아니라 제3자에게도 효력이 미친다.[136] 가처분에 의하여 선임된 이사 직무대행자의 권한은 본안소송의 승소 판결이 확정되거나 가처분이 취소될 때까지 유효하게 존속한다. 따라서 이사 직무대행자가 선임된 회사가 해산되고 해산 전의 가처분이 실효되지 않은 채 새로운 가처분에 의하여 해산된 회사의 청산인 직무대행자가 선임되었다 하더라도 선행가처분의 효력은 그대로 유지되어 그 가처분에 의하여 선임된 직무대행자만이 청산인 직무대행자로서의 권한이 있다.[137]

선임된 직무대행자는 직무집행이 정지된 이사가 퇴임하고 후임이사가 선임되더라도 가처분이 취소될 때까지는 직무대행자로서의 권한을 갖는다.[138] 따라서, 직무집행이 정지된 이사 또는 그 후임자가 한 대외적 행위는 무효이다.[139] 상대방이 선의라도 유효를 주장할 수 없다. 직무대행자가 선임된 이후 가처분이 취소되더라도 집행의 효력은 장래를 향하여 소멸할 뿐이고 소급적으로 무효로 되는 것은 아니다.[140] 한편 직무대행자가 선임된 후 회사가 해산하면 그 직무대행자가 바로 청산인의 직무대행자가 되는데(제531조 제1항), 그 직무대행자의 선임이 취소되지 않는 한 새로이 청산인의 직무대행자를 선임할 수는 없다.[141]

직무대행자가 선임되면 이사회의 소집시 직무대행자에게 통지하여야 하나, 직무집행이 정지된 이사에게는 통지하지 않는다. 이사회 결의의 정족수를 계산할 때에는 직무집행이 정지된 이사는 제외하고, 직무대행자는 의결권 행사에 관하여 상무 외 행위 허가를 받은 경우 정족수 계산에 포함시킨다.

2) 권 한

직무대행자는 임시의 지위를 갖는 것이므로 가처분 명령에 달리 정하지 않는

136) 대법원 1991.12.24. 91다4355.
137) 대법원 1991.12.24. 91다4355.
138) 대법원 2000.2.22. 99다62890.
139) 이철송, 전게서, 853면; 임재연, 전게서, 356면.
140) 대법원 2008.5.29. 2008다4537.
141) 대법원 1997.9.9. 97다12167; 1991.12.24. 91다4355.

이상 회사의 상무(常務)에 속하지 않는 행위는 법원의 허가를 얻어야만 할 수 있다(제408조 제1항 단서). 이사의 직무대행자는 회사의 상무가 아닌 사항에 관하여 이사회의 결의에 참가할 수 없다.[142]

가) 상무의 범위

상무는 '일상의 업무'를 줄인 말로서 그 범위가 명백하지 않지만[143] 판례는 '회사의 영업을 계속함에 있어 통상의 업무범위 내의 사무, 즉 회사의 경영에 중요한 영향을 미치지 않는 보통의 업무'라고 정의하고 있다.[144] 그 범위는 적어도 직무집행이 정지된 이사의 본래 권한을 넘어설 수 없고 임시의 지위라는 성격상 회사의 정상적인 운영에 최소한으로 필요하고 불가피한 관리업무만을 할 수 있다고 보아야 한다.[145] 따라서, 직무대행자는 신주발행, 사채발행, 영업양도와 같은 회사의 기본조직을 변경하는 행위, 중요재산의 처분, 목적사업의 변경 등과 같이 일상적인 것으로 보기 어려운 행위를 할 수 없는 것이 원칙이다.[146] 또한 직무대행자는 신주·사채발행을 위한 결의, 대표이사 선임 결의 등 상무에 속하지 않는 이사회의 의사결정에서는 의결권을 행사할 수 없다.[147] 정기주주총회라 하더라도 그 의안이 상무에 속하지 않을 경우에는 법원의 허가를 요한다.[148] 직무대행자가 타인에게 직무대행자로서의 권한을 위임하는 것도 가처분명령의 취지에 반하므로 허용될 수 없다.[149] 구체적으로는 다음과 같은 것들이 문제가 된다.

나) 개별적인 행위의 상무 해당 여부

(1) 변호사 선임 및 보수 약정

가처분에 의하여 대표이사 직무대행자로 선임된 자가 변호사에게 소송대리를 위임하고 그 보수계약을 체결하거나 그와 관련하여 반소제기를 위임하는 행위는

---

142) 정동윤·손주찬, 전게서, 323면.
143) 이철송, 전게서, 854면.
144) 대법원 1991.12.24. 91다4355.
145) 대법원 1989.9.12. 87다카2691; 1970.4.14. 69다1613; 이철송, 전게서, 854면.
146) 이철송, 전게서, 854면. 청산법인의 경우 상무는 청산업무범위에 속하는 사무를 말한다. 대법원 1982.4.27. 81다358.
147) 대법원 1984.2.14. 83다카875, 876, 877.
148) 대법원 2007.6.28. 2006다62362. 위 판례는 대표이사 및 이사선임 승인의 건, 신규이사 선임의 건, 회사 중요재산 매각 추인의 건을 상무에 해당하지 않는다고 판시하였다.
149) 대법원 1984.2.14. 83다카875, 876, 877.

회사의 상무에 속하지만, 회사의 상대방 당사자의 변호인의 보수지급에 관한 약
정은 회사의 상무에 속한다고 볼 수 없으므로 법원의 허가를 받지 않는 한 효
력이 없다.[150]

(2) 항소취하

판례는 이사선임결의, 해산결의와 청산인의 선임결의 등의 무효를 다투는 소
송에 있어서 가처분 결정에 의하여 청산인 직무대행자로 선임된 자가 그 본안
소송인 주주총회결의 무효확인의 제1심 판결에 대한 항소를 취하하는 행위는 회
사의 상무라고 할 수 없다고 한다.[151]

(3) 항소여부의 결정

판례는 항소여부의 결정은 원칙적으로 상무에 해당한다고 본다. 종업원이 회
사로부터 지급받을 출장비 대신에 부동산을 대물변제받기로 한 약정에 따라 회
사에게 그 소유권이전등기절차의 이행을 구하는 소송에서 회사의 대표이사 직무
대행자가 법원으로부터 적법한 소환을 받고도 변론기일에 출석하지 아니하여 종
업원이 의제자백으로 승소하였고 그 판결에 대하여 위 직무대행자가 항소를 제
기하지 아니함에 따라 판결이 확정된 사안에서 판례는 비록 위 직무대행자의 위
와 같은 행위로 인하여 청구를 인낙하는 것과 같은 효과를 가져왔다고 하더라도
그 부동산이 회사의 기본재산이거나 중요한 재산에 해당한다고 볼 수 없다면 직
무대행자의 위 행위는 상무에 해당한다고 판시하였다.[152]

(4) 청구에 대한 인낙

소송 상대방의 청구에 대한 인낙은 상무에 속하지 않는다. 따라서 직무대행
자가 법원의 허가없이 회사를 대표하여 변론기일에서 상대방의 청구에 대하여
인낙한 경우 민사소송법 제451조 제1항 제3호 소정의 소송행위를 함에 필요한
특별수권의 흠결이 있는 재심사유에 해당한다.[153]

---

150) 대법원 1989.9.12. 87다카2691. 위 사안에서 회사가 그 상대방 당사자의 변호인에 대하여
　　보수지급약정을 하게 된 경위는, 문제가 된 소송이 잘못되어 있는 회사의 내부를 바로잡기
　　위한 것으로서 실질적으로 회사 자신의 일이었기 때문이었다. 위 대법원 판결의 원심 판결
　　인 서울고등법원 1987.10.16. 85나4359 참조. 한편, 대표이사 직무대행자가 직무집행이 정
　　지된 피신청인의 소송대리인에게 회사의 소송대리까지 함께 맡긴 사례에서 상무행위에 해
　　당한다고 판단한 하급심 판결이 있으나(서울동부지방법원 2017.1.13. 2015가합111813), 동
　　의하기는 어렵다.
151) 대법원 1982.4.27. 81다358.
152) 대법원 1991.12.24. 91다4355.

(5) 주주총회의 소집

주주총회의 소집이 상무인지 여부와 관련하여 판례는 정기주주총회와 임시주주총회를 가리지 않고 그 '의안의 내용'이 상무에 속하지 않는다면 법원의 허가가 필요하다는 입장을 취하고 있으나,[154] 일부 학설은 주주총회의 소집 자체만으로 회사의 현실적인 이해관계에 변화가 오는 것은 아니고 궁극적인 의사결정은 주주가 하는 것임을 들어 언제나 상무에 해당한다고 해석한다.[155]

다) 상무외 행위에 대한 허가신청

(1) 신청인

직무대행자가 상무외 행위를 하고자 할 경우에는 법원의 허가를 얻어야 한다. 그 허가신청은 비송사건에 해당한다(비송사건절차법 제85조). 상무외 행위가 필요한 상황에서 직무대행자가 상무외 행위의 허가신청 자체를 하지 않는 경우가 있을 수 있는데, 신청인이 직무대행자이므로 이해관계인은 상무외행위 허가신청을 촉구하는 방법밖에는 없다. 직무대행자가 상무외 행위 허가신청 자체를 하지 않는 것에 대해서는 이사의 회사에 대한 책임(제399조)에 관한 규정을 유추적용할 수 있을 것이다.

(2) 관 할

상무 외 행위에 대한 허가신청사건의 관할법원은 가처분 법원이다. 항고심에서 제1심 결정을 취소하고 이사에 대한 직무집행정지가처분결정과 직무대행자 선임결정을 한 경우, 그 항고법원은 직무대행자의 상무외 행위 허가사건의 관할법원이 될 수 있다.[156] 그러나, 가처분취소소송은 별개의 독립된 사건이므로 상무외 행위 허가에 대하여는 관할권을 갖지 않는다.[157] 법원행정처의 발간자료에 따르면 가처분이의사건이 항고심에 계속 중인 때에는 상무 외의 행위허가도 항고심법원이 관할함이 타당하다고 하는데[158], 최근 가처분이의사건이 항고심에 계속중인 상태에서 직무대행자가 가처분결정을 한 제1심 법원에 상무외 행위 허

---

153) 대법원 1975.5.27. 75다120.
154) 대법원 2007.6.28. 2006다62362.
155) 이철송, 전게서, 854면.
156) 대법원 2008.4.14. 2008마277.
157) 법원실무제요, 전게서, 481면.
158) 법원실무제요, 전게서, 481면. 대법원 2008.4.14. 2008마277.

가신청을 한 사례에서 제1심 법원이 관할에 대한 고려 없이 상무외 행위의 허가여부에 대한 판단을 한 바 있다.[159]

(3) 허가기준

법원이 상무외 행위의 허가여부를 결정할 경우 해당 행위의 필요성, 회사의 경영·업무 및 재산에 미치는 영향 등을 종합적으로 고려하여야 한다.[160] 법원의 허가는 개개의 행위에 대하여 하여야 하며, 포괄적으로 할 수는 없다.[161]

(4) 재판과 불복

신청을 인용한 재판에 대하여는 즉시항고를 할 수 있으며, 즉시항고는 집행정지의 효력이 있다(비송사건절차법 제85조 제2항, 제3항). 즉시항고기간은 직무대행자가 재판의 고지를 받은 때로부터 7일인데(비송사건절차법 제23조, 민사소송법 제444조), 이해관계 있는 제3자가 허가신청을 인용하는 재판을 알기 어렵기 때문에 즉시항고기간을 준수하기도 어려운 면이 있다.

라) 위반행위의 효력

직무대행자가 법원의 허가를 받지 않고 상무 외의 행위를 한 경우 회사는 선의의 제3자에 대하여 책임을 진다(제408조 제2항). 이때 제3자의 과실 유무는 묻지 않으며,[162] 선의 여부에 관한 입증책임은 제3자가 진다.[163] 직무대행자가 법원의 허가 없이 상무 외 행위인 소송행위를 한 경우 무권한자의 소송행위로서 무효이지만, 나중에 법원의 허가를 받은 경우에는 추인되어 유효하다고 할 것이다.[164]

3) 직무대행자의 책임

직무대행자는 회사에 대하여 위임관계에 있는 것은 아니지만 이사의 회사에 대한 책임(제399조)과 제3자에 대한 책임(제401조)에 관한 규정은 직무대행자에

---

159) 서울중앙지방법원 2018.5.14. 2018카합20569에 대한 가처분이의사건의 항고심이 2018.7. 24. 서울고등법원에 접수되어 2018라20930호로 계속중인 상태에서 직무대행자가 제1심 법원인 서울중앙지방법원에 상무외 행위 허가신청을 한 것에 대하여 이를 허가한 사례가 있다. 서울중앙지방법원 2018.8.17. 2018비합30182.
160) 대법원 2008.4.14. 2008마277.
161) 정동윤·손주찬, 전게서, 424면.
162) 최준선, 전게서, 469면.
163) 대법원 1965.10.6. 65다1677.
164) 법원실무제요 「비송」(법원행정처, 2014), 187면.

게 유추적용할 수 있다는 견해가 유력하다.[165]

4) 직무대행자의 변경

법원은 일단 선임한 직무대행자가 부적당하다고 인정한 때에는 직권으로 언제든지 이를 개임할 수 있다. 그러나 당사자에게는 개임신청권이 없으므로 개임신청을 법원이 받아들이지 않았다 하더라도 불복할 수 없다[166] 당사자가 직무대행자의 개임을 구하는 서면을 제출하더라도 이는 법원의 직권발동을 촉구하는 것에 불과하므로 이에 대하여 판단을 할 필요가 없으나 당사자가 이에 대한 명시적인 판단을 구하고 있는 경우에는 신청을 각하한다. 보통 법원으로서는 일단 선임된 직무대행자가 부적당한지의 여부를 알기 어렵기 때문에 당사자가 직무대행자의 개임을 구하는 서면을 제출하여 직권발동을 촉구할 필요가 있다.

---

165) 손주찬, 「상법(상)」 제13정증보판(박영사, 2002), 817면; 정동윤, 「회사법」 제7판(법문사, 2001), 399면; 최기원, 전게서, 596면; 落合誠一(編), 前揭書, 37面(石山卓磨 집필부분).
166) 대법원 1979.7.19. 79마198.

제 3 절 감사 · 감사위원회 · 준법지원인

Ⅰ. 감   사

정 준 우*

1. 의   의

가. 법적 지위

감사는 주식회사의 필요적 상설기관이다.[1] 다만 자본금 총액이 10억원 미만인 소규모회사는 감사를 두지 않을 수 있는데(제409조 제4항), 이는 감사조직의 설치·유지에 관한 영세한 기업의 비용 부담을 덜어주기 위한 배려이다.[2] 감사는 업무감사(회계감사를 포함함)를 주된 직무로 한다. 1962년 제정상법은 감사에게 회계감사권만 부여하였지만, 1984년 개정에서 업무감사권을 부여하였고, 그 이후 여러 차례 개정되면서 감사의 지위와 권한을 강화해 왔다.[3] 특히 이해관계자가 다수이면서 국민경제적인 중요성이 큰 상장회사의 경우에는 경영감독을 강화하기 위하여 다수의 특례규정도 신설해 왔다. 예를 들어 1990년대에 와서 상장회사의 경영비리가 자주 발생하자, 1996년 개정 증권거래법은 감사의 지위와 업무의 독립성을 강화하기 위하여 ① 감사를 선임할 때 지배주주의 영향력을 배제하기 위한 특칙을 두었고, ② 일정한 경우에는 상근감사를 의무적으로 두도록 하며 상근감사의 자격을 제한하였는데(결격사유), 상법은 2009년 개정을 통해 이러한 증권거래법상의 규제를 대부분 그대로 수용하였다.[4]

---

  * 인하대학교 법학전문대학원 교수
 1) 대법원 2019.11.28. 2017다244115; 2008.9.11. 2006다68636.
 2) 이철송, 「회사법강의」 제29판(박영사, 2021), 867면.
 3) 원래 의용상법에서는 감사가 업무감사권과 회계감사권을 모두 갖고 있었다. 그런데 1962년에 상법이 제정되면서 감사는 원칙적으로 회계감사권만 있고, 업무감사권은 극히 예외적인 경우에만 인정되었다. 그러다가 1984년 개정상법이 회사의 건전한 운영과 채권자의 이익을 보호하기 위해 감사의 업무감사권을 부활시켰고, 1995년 개정상법은 감사에게 자회사조사권과 같은 새로운 권한까지 부여하며 감사의 지위와 권한을 강화하였다.

감사와 회사와의 관계에는 민법상 위임에 관한 규정이 준용되므로(제415조 → 제382조 제2항), 감사는 직무수행에 있어서 선관주의의무를 부담한다. 이런 점에서 감사와 회사와의 관계는 기본적으로 이사의 경우와 같지만, 감사가 부담하는 선관주의의무의 구체적인 내용은 회사의 종류·규모·업종 및 지배구조, 내부통제시스템의 구축 여부, 재정 상황, 법령상 규제의 정도, 감사의 능력·경력 및 근무 여건 등에 따라 각기 다를 수밖에 없다.5) 한편 감사는 이사와 달리 회사의 업무집행에 직접 관여하지 않으므로 이해상충방지에 관한 경업금지의무(제397조), 회사기회유용금지의무(제397조의2), 자기거래금지의무(제398조) 등을 부담하지 않는다(제415조 참조). 즉 감사는 이사회의 사전승인 없이 경업이나 자기거래 등을 자유롭게 할 수 있다.6) 그렇지만 감사도 그 직무를 수행하면서 회사의 업무집행에 관련된 각종 내부정보에 접근할 수 있고, 다른 한편으론 이사의 업무집행에도 일정 부분 영향력을 행사할 수 있으므로, 입법론적으로는 감사의 경우에도 경업과 회사기회유용 및 자기거래를 금지할 필요가 있다.

나. 수용 과정

주식회사는 주주총회·이사회·감사(감사위원회)와 같은 기능별로 분화된 다양한 기관을 두고 있는데, 그 특징은 주주로부터 독립된 지위를 갖는 이사들로 경영기구를 구성한다는 점이다. 주주가 회사를 직접 경영하면 필연적으로 다수결에 의할 수밖에 없어 대주주의 횡포가 우려되고, 주주 간의 의사 분열로 인해 경영이 정체될 수 있으며, 주주의 감시비용은 늘어나면서도 투자수익은 오히려 감소할 수 있기 때문이다.7) 그런데 이로 인하여 출자자인 주주가 회사의 경영에서 국외자가 되고, 이사가 주주 전체의 이익을 위해서 항상 합법적·합리적으로 행동하리란 보장이 없다는 문제가 제기되었다. 그리하여 주주는 자신의 이익을 보호하기 위해 경영담당자인 이사의 업무집행을 상시적으로 감독할 수 있는 전문적인 감시기구가 필요하였는데, 감사제도가 그 대표적인 예이다.

---

4) 주식회사의 감사에 관련된 2009년 개정상법의 주요 내용과 그에 내포된 문제점 등에 대해서는 정준우, "주식회사의 감사에 관한 2009년 개정상법의 문제점 검토,"「비교사법」제17권 제2호(한국비교사법학회, 2010), 321~355면 참조.

5) 대법원 2008.9.11. 2006다68636; 2019.11.28. 2017다244115.

6) 송옥렬, 「상법강의」제11판(홍문사, 2021), 1127면; 이철송, 전게서, 872면.

7) 이철송, 전게서, 496면.

　　감사제도는 17세기 네덜란드 동인도회사의 대주주회(Hauptpartizipanten)에 입법적 연원을 두고 있는데, 대주주회는 그 후 이사의 업무집행에 대한 감독과 승인을 주된 직무로 하는 관리위원회(Verwaltungsrat)로 변하였고, 관리위원회는 다시 일원주의인 영미의 이사회(Board of Directors)와 이원주의인 독일의 감사회(Aufsichtrat)로 발전하였다.8) 이런 점에 비추어 볼 때 주식회사의 감사는 주주의 대표자로서 경영진의 경영활동을 감독하는 기관이고, 그 직무 역시 경영감독이 될 수밖에 없다.9) 물론 주식회사의 경영감독 기능은 감사만이 아니라 주주총회·이사회·외부감사인·검사인·주주 등도 수행할 수 있지만,10) 이들의 권한과 그 행사에는 일정한 한계가 있기 때문이다. 한편 감사의 직무권한에는 업무감사는 물론 회계감사도 포함되는데, 이는 상법이 감사제도의 입법유형11) 중 일본의 독임제적 감사제도를 계수하였기 때문이다.12)

　　상법상 감사제도는 여러 차례 개정되었는데, 그 주된 흐름은 '감사의 독립성과 권한의 강화'였다. 그렇지만 개정의 실효성에 대하여 많은 비판이 있었고, 실무에서도 개정의 취지를 제대로 반영하지 못하였다.13) 즉 지배주주나 경영진은 여전히 감사제도의 효용성에 대해 부정적인 시각을 갖고 있었고, 감사도 지배주주나 경영진의 전횡에 효과적으로 대응하지 못해 주주와 투자자를 제대로 보호

---

8) 일원주의는 이사회가 경영과 감독을 모두 하는 입법례이고(예: 미국·영국·이탈리아·스페인 등), 이원주의는 이사회가 경영을 담당하고 감사회가 감독하는 입법례이다(예: 독일·오스트리아·스위스·일본 등). 그런데 최근에는 독일의 대규모 회사가 감사위원회를 두고 있고, 우리나라가 감사와 감사위원회를 모두 허용하고 있는 것처럼 이원주의의 입법례에서도 일원주의의 특성이 가미되고 있다.

9) 권종호, 「감사와 감사위원회제도」(한국상장회사협의회, 2004), 3면.

10) 주식회사에서 감사기능을 수행하는 다양한 주체들과 그 연혁에 관한 자세한 내용은 서성호, "소규모주식회사의 감사제도에 관한 비판적 고찰,"「기업법연구」 제28권 제4호(한국기업법학회, 2014), 241~243면, 253~254면 참조.

11) 감사제도의 유형으로는 독일의 감사회제도와 미국의 감사위원회제도 및 일본의 독임제적 감사제도가 있는데, 상법은 제정시부터 독임제적 감사제도를 채택하였다. 그러다가 1997년 말부터 시작된 IMF 외환위기를 극복하는 과정에서 기존의 감사가 경영감독기관으로서의 기능을 제대로 수행하지 못했다는 정부의 정책적 판단과 우리나라에 외화를 지원한 IMF와 IBRD 같은 국제금융기구의 권고에 따라 1999년 개정상법이 감사의 대체기구로서 감사위원회를 도입하였다(정준우, "감사위원회에 관한 2009년 개정상법의 입법론적 재검토,"「법학연구」 제18권 제3호(경상대학교 법학연구소, 2010), 125~126면).

12) 다만 상법상 감사제도는 일본 상법을 답습한 것이지만, 기본골격은 독일 주식법상 이사회의 경영과 감사회의 감독이라는 이원주의에 속한다는 견해도 있다(권기범, 「현대회사법론」 제8판(삼영사, 2021), 1035면).

13) 이에 관한 자세한 내용은 정준우, "현행 주식회사 감사제도의 문제점과 그 개선방안,"「기업법연구」 제18권 제1호(한국기업법학회, 2004), 1면.

하지 못하였다.[14) 그러던 중 1997년 말부터 시작된 IMF 외환위기를 극복하기 위해 추진된 기업지배구조 개선작업을 진행하는 과정에서 감사제도에도 많은 변화가 있었다. 특히 1999년 개정상법은 감사의 대체기구로서 감사위원회를 도입하면서(제393조의2, 제415조의2 제1항)[15) 기관구성과 권한배분에 관한 원칙을 대폭 개혁하였는데,[16) 이는 지배구조개선의 실효성을 확보하고[17) 경영의 투명성 및 감사업무의 효율성ㆍ전문성을 제고하기 위함이었다.[18)

한편 2009년 2월 「자본시장과 금융투자업에 관한 법률(이하 "자본시장법"이라고 함)」의 시행과 함께 이루어진 2009년 상법개정에서는 소규모회사의 창업절차 간소화 및 효율적인 운영을 위해 감사제도에 많은 변화를 가져왔다. 즉 자본금 10억원 미만의 소규모회사는 감사를 두지 않을 수 있게 되었고, 그동안 증권거래법에 상장회사 특례로 있던 상근감사 및 감사위원회에 관한 규정이 상법으로

---

14) 서완석ㆍ하삼주, "현행 감사제도의 개선방안에 관한 연구,"「상법학의 전망(평성임홍근교수 정년퇴임기념논문집)」(법문사, 2003), 207면. 한편 감사제도의 존재근거를 이처럼 주주와 채권자 보호에서 찾는다면 특히 모회사가 주식 100%를 보유하는 완전자회사의 경우에는 구태여 감사의 선임을 강제할 필요가 있는지 의문이라는 견해도 있다(김건식ㆍ노혁준ㆍ천경훈, 「회사법」 제5판(박영사, 2021), 523면).

15) 이에 더하여 2000년에 개정된 증권거래법은 자산총액 2조원 이상인 상장회사에 대하여 감사위원회의 설치를 의무화 하였다(동법 제54조의6 제1항, 제191조의17 제1항; 동법 시행령 제37조의6 제1항, 제37조의7, 제84조의23 제5항 본문). 참고로 미국의 경우에는 뉴욕증권거래소가 1978년부터 모든 회사의 상장요건으로서 사외이사로 구성되는 감사위원회의 설치를 의무화하였는데(American Law Institute(ALI), Principles of Corporate Governance: Analysis and Recommendations(Interim Report), 1997, §3.05 Comment a.), 지금은 거의 모든 회사들이 감사위원회를 설치하고 있다.

16) 강희갑, 「회사지배구조론」(명지대학교 출판부, 2004), 202면; 임중호, "주식회사 감사제도의 변천과정,"「상사법연구」 제20권 제2호(한국상사법학회, 2001), 171면.

17) 당시에 우리나라 기업의 고질적인 병폐였던 특정한 기업집단에의 경제력 집중, 기업의 선단식 경영, 대주주의 경영 전횡, 재무구조의 취약성, 외부감사체제의 형식화 등의 문제를 종합적으로 해결하기 위해서는 기업의 지배구조 그 자체를 근본적으로 개선해야 했는데, 이를 위해서는 무엇보다도 새로운 감독기관이 필요하다고 판단하였기 때문이다(정준우, 「감사와 외부감사인의 법적 책임」(한국상장회사협의회, 2005), 108면).

18) IMF 외환위기 당시에는 대주주와 그의 특수관계인이 이사회를 장악하고 통제하였는데(강희갑, "한국주식회사법상 지배구조의 문제점과 개선방향,"「기업지배구조개선의 법적 제문제」(한국상장회사협의회, 1999), 103~104면), 이러한 소유와 경영의 유기적 일체화에 따른 대주주와 소수 경영진의 경영 전횡과 독단 그리고 그에 따른 경영의 투명성 결여가 외환위기의 주범으로 인식되었다(권종호, "감사제도의 개선과 감사위원회제도의 과제,"「상사법연구」 제19권 제3호(한국상사법학회, 2001), 100면). 그리하여 경영의 투명성을 제고하여 지배구조의 건전성을 도모하고 주주와 채권자의 이익을 효과적으로 보호하기 위해서는 무엇보다도 감사기관이 그 본래의 기능을 충실히 수행할 수 있도록 개선할 필요가 있었다(최병규, "증권거래법ㆍ상법상 감사제도의 문제점과 개선방안,"「21세기 한국상사법의 진로(내동우홍구박사정년기념논문집)」(삼진인쇄공사, 2002), 280면).

일원화하였다(제3편 제4장 제13절).[19] 그리고 제3편(회사)을 대폭적으로 개편한 2011년 개정에서는 감사(감사위원회)에 관련된 규정을 일부 수정·보완하였으며, 2020년 개정에서는 감사(감사위원)의 선임과 관련하여 그동안 논의되었던 주요 쟁점들을 수용하여 입법화하였다.[20] 그렇지만 여전히 찬반 논란이 있고, 일부 내용이 불명확하여 합리적인 해석과 입법적 보완이 필요하다.

다. 상근 여부

상법은 감사를 주식회사의 필요적 상설기관으로 규정하면서도 상근 여부에 대해서는 명확히 정하고 있지 않다.[21] 그리하여 ① 상법 제412조 제2항(감사는 언제든지 이사에 대하여 영업에 관한 보고를 요구하거나 회사의 업무와 재산상태를 조

---

19) 2009년 개정상법에 따른 감사제도의 유형은 다음과 같다. 즉 ① 자본금 10억원 미만인 소규모의 비상장회사는 감사를 원칙으로 하되 예외적으로 두지 않을 수도 있고, ② 자본금 10억원 이상 자산총액 1천억원 미만인 중규모의 비상장회사 및 상장회사는 감사를 원칙으로 하되 정관의 규정으로 일반 감사위원회를 둘 수 있으며, ③ 자산총액 1천억원 이상 2조원 미만인 상장회사는 강화된 감사위원회를 설치한 경우가 아닌 한 상근감사를 1인 이상 두어야 하고, ④ 자산총액 2조원 이상인 대규모 상장회사는 강화된 감사위원회만을 두어야 한다(정준우, 전게 "주식회사의 감사에 관한 2009년 개정상법의 문제점 검토," 324면). 그런데 주식회사를 비상장회사와 상장회사로 구분한 뒤, 다시 상장회사를 소규모회사(자산총액 1천억원 미만)와 중규모회사(자산총액 1천억원 이상 2조원 미만) 및 대규모회사(자산총액 2조원 이상)로 구분하는 견해도 있고(최준선, 「회사법」 제16판(삼영사, 2021), 601면), 소규모회사, 소규모회사 이외의 비상장회사, 소규모상장회사, 중규모상장회사, 대규모상장회사의 5가지로 구분하는 견해도 있다(권종호, "감사법제의 특징과 쟁점," 「법학연구」 제24권 제1호(충남대학교 법학연구소, 2013), 333면).

20) 2020년 개정상법의 주요 내용은 다음과 같다. 즉 ① 2020년 1월 19일 시행령을 개정하여 감사의 선임을 위한 주주총회의 소집통지와 관련하여 주주총회일 기준 최근 5년 내에 국세징수법이나 지방세징수법상의 체납처분을 받은 사실이 있는지 여부, 주주총회일 기준 최근 5년 내에 임원으로 재직한 기업이 「채무자 회생 및 파산에 관한 법률(이하 "채무자회생법"이라고 함)」에 따른 회생절차나 파산절차를 진행한 사실이 있는지 여부, 법령에서 정한 취업제한사유 등 감사의 결격사유의 유무를 감사후보자에 관한 사항에 추가하였고(시행령 제31조 제3항 제3호 내지 제5호), ② 전자투표를 실시하는 회사에서는 상법 제368조 제1항에도 불구하고 출석한 주주의 의결권의 과반수로써 감사를 선임할 수 있도록 하였으며(제409조 제3항), ③ 상장회사에서 감사를 선임하거나 해임할 때 또는 대규모상장회사에서 감사위원을 선임하거나 해임할 때 최대주주에 대해서는 이른바 합산 3% Rule을 나머지 대주주에게는 단순 3% Rule을 적용하도록 하였고(제542조의12 제4항, 제7항), ④ 대규모상장회사에서 감사위원을 선임할 때 1명은 분리선출방식에 의해 선임하도록 하였으며(제542조의12 제2항 단서), ⑤ 소수주주권의 행사에 있어서 일반규정과 특례규정의 선택적 적용을 인정하고(제542조의11 제10항), 다중대표소송을 도입하였다(제406조의2).

21) 이와 관련하여 먼저 근무 형태를 기준으로 감사를 상근과 비상근으로 구분한 후 상근감사의 경우에는 중규모상장회사(자산총액 1천억원 이상 2조원 미만인 상장회사)에서 그 선임이 강제되므로, 결국 감사는 비상근감사, 법정상근감사, 임의상근감사의 3가지로 유형화된다는 견해도 있다(권종호, 전게 "감사법제의 특징과 쟁점," 330면).

사할 수 있다)은 감사의 상근성을 그 전제로 한 것이 명백하므로 회계감사가 아닌 업무감사에서는 비상근감사가 논리적으로 있을 수 없다는 견해,22) ② 감사는 상근일 필요가 없다는 견해23)가 있다. 그리고 대법원의 확립된 판례는 아직 없지만, "상법이 감사를 상근과 비상근으로 구분하며 그 자격요건을 달리 정하고 있는 이상 양자는 서로 다른 기관으로서의 신분을 갖는다고 보아야 하므로 기존의 상근감사를 비상근감사로 교체하거나 비상근감사를 상근감사로 교체하는 것은 새로운 기관의 선임이므로 주주총회의 결의를 거쳐야 한다"고 판시하며 간접적으로 비상근감사를 인정한 하급심 판결이 있다.24)

감사의 근무 형태를 상근으로 할 것인지 아니면 비상근으로 할 것인지는 감사의 효과적인 직무수행과 회사의 비용 부담을 함께 고려하여 결정해야 한다. 따라서 자본금 10억원 미만의 소규모회사가 절대다수를 차지하고 있는 우리나라의 현실을 고려할 때 모든 주식회사에 대하여 상근감사를 요구하는 것은 무리이지만, 다수의 이해관계인이 존재하고 국민경제적으로도 중요한 상장회사의 경우에는 경영의 투명성을 제고하고 일반투자자를 보호하기 위해서라도 가능한 상근감사를 두도록 하는 것이 바람직하다.25) 특히 정관으로 감사 또는 일반감사위원회를 자유롭게 선택할 수 있는 자산총액 1천억원 미만인 상장회사의 경우에는 적절한 내부통제와 감독 및 업무 결과를 신뢰할 수밖에 없는 일반투자자의 효과적인 보호를 위하여 가능한 상근감사를 두도록 해야 한다.26)

22) 이철송, "우리나라 감사관련 법제의 개정방향," 「제9차 감사인대회 발표자료집」(한국상장회사협의회, 2005. 9. 14.), 240면.
23) 송옥렬, 전게서, 1123면; 임재연, 「회사법 II」 개정4판(박영사, 2017), 570면.
24) 서울고등법원 2007.3.8. 2006나66885.
25) 정준우, 전게 「감사와 외부감사인의 법적 책임」, 15~16면.
26) 정준우, 전게 "주식회사의 감사에 관한 2009년 개정상법의 문제점 검토," 330~331면. 같은 취지에서 1인 이상의 상근감사 설치 의무를 모든 상장회사로 확대하는 방안을 검토할 필요가 있지만, 기업의 비용 부담을 고려하여 자산규모를 적절하게 조정하는 방안은 고려될 수 있다는 견해도 있다(송종준, "주식회사 회계감사권의 분배질서조정과 그 실효성 확보 방안," 「선진상사법률연구」 통권 제64호(법무부, 2013), 20~21면).

2. 감사의 임면

가. 감사의 자격

1) 일반적 자격요건

감사는 주식회사의 필요적 상설기관으로서 이사의 직무집행을 감독하고, 이사에게 영업에 관한 보고를 요구하거나 회사의 재산상태를 조사하는 등 각종 권한을 행사한다. 따라서 감사는 경영 전반을 폭넓게 이해하고 판단할 수 있는 전문적인 식견이 필요한데, 그 자격에 관한 세부 규정이 없어 실무에서는 전문성을 갖추지 못한 비적격자가 감사로 선임되기도 하고, 그로 인해 효과적인 경영감독이 이루어지지 못하였다. 따라서 감사의 실효적인 경영감독을 통하여 기업경영의 적법성과 투명성을 제고하기 위해서는 무엇보다도 적격성을 갖춘 자가 감사로 선임되어야 하는데,[27] 이에 관련된 주요 쟁점은 다음과 같다.

가) 감사의 행위능력

상법은 감사의 일반적 자격요건으로서 행위능력을 요구하고 있지 않지만, 상장회사의 상근감사에 대해서는 제한능력(행위무능력)을 결격사유로 규정하고 있다(제542조의10 제2항 제1호 → 제542조의8 제2항 제1호). 감사는 이사의 직무집행을 감사하는 필요적 상설기관이므로 경영사항을 폭넓게 이해하고 합리적인 판단을 내릴 수 있어야 하며, 때로는 그 결과에 대해서 회사 또는 제3자에게 손해배상책임을 져야 한다. 더욱이 행위능력과 관련하여 일반적인 감사와 상장회사의 상근감사를 차별할 합리적인 이유도 없다. 따라서 감사는 행위능력자여야 하고, 이런 점에서 결격사유인 제한능력에 관한 내용은 상근감사에 관한 제542조의10 제2항이 아니라, 일반규정인 제409조에 두는 것이 바람직하다.

---

[27] 특히 감사의 직무내용을 고려할 때 법률 또는 회계에 관한 전문적인 식견이 필요하다. 참고로 엔론사 사건을 비롯한 대형 기업회계부정사건을 경험한 미국에서는 기업내부자로서의 변호사·공인회계사 등의 전문성에 관한 논의가 진행되었는데, 이 과정에서 변호사가 회계에 관한 전문지식을 갖고 있지 않아 최근의 사건을 예방하는데 적절한 대응을 하지 못하였으며, 이는 로스쿨의 커리큘럼에도 그 문제가 있다는 주장이 제기되기도 하였다(Lawrence A. Cunningham, "Sharing Accounting's Burden: Business Lawyers in Enron's Dark Shadows," 57 The Business Lawyer, 1439~49(Aug. 2002)).

나) 법인의 감사 자격

법인이 감사가 될 수 있는가에 대해서는 ① 우수한 경리사원을 다수 확보하고 있어 감사업무의 실효성을 제고할 수 있고 대외적인 자력·신용에서도 자연인보다 훨씬 유리한 위치에 있음을 근거로 긍정하는 견해,[28] ② 감사는 회사와의 고도의 인적 신뢰를 바탕으로 직무를 수행하는 기관이므로 법인은 적합하지 않다는 견해,[29] ③ 이론적으로는 법인도 감사가 될 수 있지만 실제로 누가 감사업무를 수행하는지 알 수 없으므로 법인을 대표하여 감사업무를 수행할 자까지 지명하여 선임결의를 하지 않는 한 법인은 감사가 될 수 없다는 견해[30]가 있다. 생각건대 감사는 이사의 직무집행의 적법성 여부를 상시적으로 감독하고 판단해야 하므로 행위능력이 있어야 하는 점, 감사선임을 위한 주주총회에서는 후보자의 인적 사항과 대주주와의 관계 등이 중요한 판단기준이 되는 점, 감사는 주주의 대표자로서 고도의 인적 신뢰를 바탕으로 직무를 수행해야 하며 그 선임과 해임이 등기사항인 점 등을 종합할 때 법인은 감사가 될 수 없다.[31]

다) 감사의 자격을 주주로 한정할 수 있는지

정관에 의해 감사의 자격을 주주로 한정할 수 있는가에 대해서는 제한할 수 없다는 견해[32]와 상법이 금지하고 있지 않으므로 제한하는 것도 가능하다는 견해[33]가 있다. 그렇지만 상법이 감사의 자격에 대하여 특별한 제한을 두고 있지 않은 점, 정관도 강행법규와 법의 일반정신에 위반하지 아니하는 때에만 그 합

---

28) 김홍기, 「상법강의」 제6판(박영사, 2021), 662면; 임홍근, 「회사법」 개정판(법문사, 2001), 555면; 홍복기·박세화, 「회사법강의」 제8판(법문사, 2021), 586면.

29) 권기범, 전게서, 825~826면, 1037면; 김건식·노혁준·천경훈, 전게서, 524면; 서헌제, 「회사법」(법문사, 2000), 451면; 이범찬·오욱환, 「주식회사의 감사제도」(한국상장회사협의회, 1997), 95면; 임재연, 전게서, 572면; 정찬형, 「상법강의(상)」 제24판(박영사, 2021), 1114면.

30) 권종호, 전게서, 68면; 권종호, 전게 "감사법제의 특징과 쟁점," 338면.

31) 비교법적으로 독일 주식법상 이사는 자연인이어야 하며 완전한 행위능력이 있어야 하는데 (AktG §76 Abs.3), 감사에 대해서도 동일한 제한을 두고 있다(AktG §100 Abs.1). 그리고 일본의 경우에는 개정 전 상법 제280조 제1항과 제254조의2 및 회사법 제331조 제2항과 제335조 제1항에서 법인은 주식회사의 이사와 감사가 될 수 없음을 명시하고 있다. 한편 프랑스 상사회사법은 제91조 제1항에서 법인이사를 허용하면서 그 대표자가 이사의 의무와 책임을 지도록 규정하고 있다.

32) 이범찬·오욱환, 전게서, 96면.

33) 권종호, 전게서, 69면; 김건식·노혁준·천경훈, 전게서, 524면; 김홍기, 전게서, 662면; 송옥렬, 전게서, 1124면; 임재연, 전게서, 572면; 정찬형, 전게서, 1114면; 홍복기·박세화, 전게서, 587면.

법성이 인정되는 점, 감사의 경우에는 직무집행의 중립성·공정성·객관성의 확보가 무엇보다도 중요한 점, 이사의 내부자거래를 차단하기 위하여 자격주를 공탁하도록 한 규정(제387조)이 감사에게는 준용되지 않는 점 등을 종합적으로 고려할 때 감사의 자격을 주주로 제한하는 것은 타당하지 않다.

2) 상근감사의 자격요건

상법상 자산총액 1천억원 이상이며 2조원 미만인 상장회사는 강화된 감사위원회를 두지 않는 한 반드시 1인 이상의 상근감사[34]를 두어야 하는데(제542조의10 제1항, 시행령 제36조 제1항), 상근감사의 자격에는 일정한 제한이 있다. 즉 ① 미성년자·피성년후견인·피한정후견인,[35] ② 파산선고를 받고 복권되지 아니한 자, ③ 금고 이상의 형을 선고받고 그 집행이 끝나거나 집행이 면제된 후 2년이 지나지 아니한 자, ④ 대통령령으로 별도로 정하는 법률[36]을 위반하여 해임되거나 면직된 후 2년이 지나지 아니한 자, ⑤ 누구의 명의로 하든지 자기의 계산으로 의결권 없는 주식을 제외한 발행주식총수의 100분의 10 이상의 주식을 소유하거나 이사·집행임원·감사의 선임과 해임 등 상장회사의 주요 경영사항에 대하여 사실상의 영향력을 행사하는 주주(주요주주) 및 그의 배우자와 직계 존속·비속, ⑥ 회사의 상무에 종사하는 이사·집행임원 및 피용자 또는 최근 2년 이내에 회사의 상무에 종사한 이사·집행임원 및 피용자(특례규정상의 감사위원회 위원으로 재임 중이거나 재임하였던 이사는 제외함), ⑦ ①에서 ⑥까지에

---

34) 과거에는 상장회사에서도 감사를 비상근으로 한 예가 많았고, 그러다 보니 회사업무에 대한 정보 접근의 어려움으로 인해 감사업무의 실효성을 확보하기 어려웠다. 그리하여 1996년에 개정된 증권거래법은 일정한 규모 이상의 상장회사는 감사위원회를 설치한 경우를 제외하고는 1인 이상의 상근감사를 의무적으로 두도록 규정하였고, 이는 2009년 개정상법에 그대로 수용되어 현재에 이르고 있다.

35) 2011년에 개정된 민법은 기존의 행위무능력자를 제한능력자로, 금치산자를 피성년후견인으로, 한정치산자를 피한정후견인으로 변경하면서 기존의 규정을 일부 개정함과 동시에 새로운 보완 규정을 두고 있다(동법 제9조 내지 제17조).

36) 구체적으로 한국은행법, 은행법, 보험업법, 자본시장법, 상호저축은행법, 금융실명거래 및 비밀보장에 관한 법률, 금융위원회의 설치 등에 관한 법률, 예금자보호법, 금융회사부실자산 등의 효율적 처리 및 한국자산관리공사의 설립에 관한 법률, 여신전문금융업법, 한국산업은행법, 중소기업은행법, 한국수출입은행법, 신용협동조합법, 신용보증기금법, 기술신용보증기금법, 새마을금고법, 중소기업창업 지원법, 신용정보의 이용 및 보호에 관한 법률, 외국환거래법, 외국인투자 촉진법, 자산유동화에 관한 법률, 주택저당채권유동화회사법, 금융산업의 구조개선에 관한 법률, 담보부사채신탁법, 금융지주회사법, 기업구조조정투자회사법, 한국주택금융공사법을 말한다(시행령 제34조 제3항).

규정한 자 외에 회사의 경영에 영향을 미칠 수 있는 자로서 대통령령으로 정하는 자는 상근감사가 되지 못하며, 만약 상근감사가 된 후에 이에 해당하면 그 직을 상실한다(제542조의10 제2항). 여기서 「대통령령으로 정하는 자」란 ⓐ 해당 회사의 상무에 종사하는 이사·집행임원의 배우자 및 직계 존속·비속, ⓑ 계열회사의 상무에 종사하는 이사·집행임원 및 피용자이거나 최근 2년 이내에 상무에 종사한 이사·집행임원 및 피용자를 말한다(시행령 제36조 제2항). 이러한 상근감사의 자격요건에 관한 주요 쟁점은 다음과 같다.

가) 상근성의 부여기관

상근감사의 상근성은 어느 기관이 부여하는가? 이에 관한 학설은 아직 없지만, 주주총회에서 감사의 상근 여부를 정하지 아니하고 감사를 선임한 후 이사회가 상근 여부를 결정하도록 하는 것은 부적법하므로 반드시 주주총회의 결의에 의하여 상근 여부를 결정해야 한다는 하급심 판례가 있다.[37] 감사의 지위는 주주총회의 선임결의에 의해 주어지는 점, 감사는 이사 및 이사회의 직무집행을 감사하는 기관이라는 점, 감사의 경우에는 그 지위와 직무수행에서의 독립성 확보가 중요하다는 점 등을 고려할 때 하급심의 판단이 타당하다.

나) 상근감사의 선임기준

상근감사를 선임해야 할 기준이 되는 자산총액은 개별재무제표를 근거로 산출되는데, 「주식회사 등의 외부감사에 관한 법률」(이하 "외부감사법"이라고 함)」 제2조 제3호에 규정된 지배회사는 연결재무제표를 작성해야 한다(제447조 제2항). 그렇다면 지배회사의 경우에는 개별재무제표와 연결재무제표 중 어느 것을 근거로 자산총액을 산정해야 하는가? 이에 관한 논의는 별로 없지만, 법무부의 개정상법 해설서에서는 "한국채택국제회계기준(K-IFRS)에 의해 주재무제표로서 연결재무제표를 작성하는 상장회사라고 하더라도 상근감사를 두어야 하는 상장회사를 정하는 기준인 자산규모를 판단함에 있어서는 개별재무제표를 근거로 해야 한다"고 밝히고 있다.[38] 생각건대 연결재무제표란 지배회사와 종속회사로 이루어진 경제적 실체의 재무상태·경영성과·자본변동·현금흐름 등에 관한 정보를 파악하기 위하여 지배회사가 특별히 작성하는 것이지, 양 회사의 독립성을

---

37) 서울고등법원 2007.3.8. 2006나66885.
38) 법무부, 「상법 회사편 해설」(2012), 458면.

부정하는 것은 아니다. 따라서 상근감사를 두어야 하는 기준이 되는 '자산총액 1천억원 이상'의 충족 여부는 개별재무제표를 근거로 판단해야 한다.

다) 자산총액의 변동과 상근감사의 지위

상근감사를 두었다가 자산총액이 1천억원 미만으로 떨어진 상장회사에서는 감사기관을 어떻게 운영해야 하는가? 상법은 이에 관하여 규정하고 있지 아니하므로 이러한 상장회사가 기존의 상근감사 대신에 비상근감사(또는 제415조의2에 의한 일반감사위원회)를 두더라도 법적으로는 아무런 하자가 없다. 그런데 이렇게 하게 되면 자산총액 1천억원 이상인 상장회사에서는 매년 산정된 자산총액에 따라 감사기관의 형태를 달리 정해야 하는 번거로움이 있어 합리적이지 못하다. 따라서 상근감사를 둔 상장회사의 자산총액이 그 후 1천억원 미만으로 줄어들더라도 제410조에서 정한 임기까지는 상근감사를 그대로 유지해야 한다고 본다. 그리고 실무적으로도 우선은 정관에 이러한 내용을 두어 운영하되, 종국적으로는 조속히 이에 관련된 보완 규정을 상법에 두어야 할 것이다.

라) 최대주주 등의 상근감사 자격

상법은 상장회사의 사외이사 결격사유에 관한 제542조의8 제2항 제1호 내지 제4호 및 제6호만을 상근감사에 준용하고 있어(제542조의10 제2항 제1호), 최대주주와 그의 특수관계인(제5호)은 논리적으로 상근감사가 될 수 있다. 그런데 상법이 감사선임에 있어서 대주주의 의결권을 제한하는 것은 그의 강력한 영향력하에 선임되는 이사들의 직무집행을 감사해야 하는 감사의 법적 지위와 직무의 독립성·공정성·객관성·중립성을 제도적으로 확보·유지하기 위함이다. 그럼에도 불구하고 상장회사에서 사외이사도 될 수 없는 최대주주와 그의 특수관계인이 사외이사보다 더 엄격한 독립성이 요구되는 상근감사는 될 수 있다고 하는 것은 입법 취지에 반한다. 따라서 제542조의10 제2항 제1호는 「제542조의8 제1항 제1호부터 제6호까지에 해당하는 자」로 개정하는 것이 타당하고, 기업실무에서도 정관에 동일한 내용을 규정하여 운영하는 것이 바람직하다.

마) 사실상의 영향력의 의미

상법 제542조의8 제2항 제6호는 이사·감사의 선임·해임 등 상장회사의 주요 경영사항에 대하여 사실상의 영향력을 행사하는 주주를 주요주주에 포함시키고 있다. 그런데 「사실상의 영향력」이란 법문의 의미가 명확하지 않아 분쟁이 발생할 수 있다. 현재 이에 관한 논의는 별로 없지만, 유사한 내용을 규정하고 있는 상법 제401조의2(업무집행지시자 등의 책임) 제1항 제1호의 「영향력」과 관련하여 "타인이 어떠한 의사결정을 함에 있어서 그 의사결정의 대상이 되는 이해관계의 본질과 무관한 동기에 입각하여 그 타인으로 하여금 자신의 의도대로 의사결정을 하게 할 수 있는 사실상의 힘을 의미하고, 지배주주 외에 회사의 채권자나 지속적인 거래관계상의 우월적 지위를 갖는 자, 공법적·정치적으로 우월한 힘을 가진 자도 포함될 수 있다"는 견해가 있다.[39] 한편 자본시장법은 제9조 제1항에서 대주주를 「금융회사의 지배구조에 관한 법률(이하 "금융회사지배구조법"이라고 함)」 제2조 제6호에 따라 정의하고 있고, 제6호는 대주주를 최대주주와 주요주주로 구분한 후 주요주주에 대해서는 상법과 동일한 내용을 규정하면서 대통령령으로 정하는 자로 그 범위를 제한하고 있다.[40] 생각건대 이 문제는 결국 입법적으로 해결해야 하지만, 우선은 자본시장법 및 금융회사지배구조법과 동일한 내용으로 해석하는 것이 합리적일 것이다.

바) 이사의 포섭범위

회사의 상무(常務)에 종사하거나 최근 2년 이내에 회사의 상무에 종사한 이사는 상근감사가 될 수 없다(제542조의10 제2항 제2호 본문). 이처럼 상법은 상근감사의 결격사유인 「이사」를 회사의 상무에 종사하거나 종사한 경우로 한정하고 있는데, 이는 증권거래법 제191조의12 제3항 제6호의 「상근임원」을 구체화한 것으로서 현재의 사내이사를 의미한다. 그리하여 증권거래법에 익숙해져 있는

---

39) 이철송, 전게서, 823면.

40) 여기서 「대통령령으로 정하는 자」란 ① 혼자서 또는 다른 주주와의 합의·계약 등에 따라 대표이사 또는 이사의 과반수를 선임한 주주, ② 금융회사가 자본시장법 제8조 제1항에 따른 금융투자업자(겸영금융투자업자는 제외하며 이하 "금융투자업자"라 함)인 경우로서 ⓐ 금융투자업자가 자본시장법에 따른 투자자문업, 투자일임업, 집합투자업, 집합투자증권에 한정된 투자매매업·투자중개업·온라인소액투자중개업 외의 다른 금융투자업을 겸영하지 아니하는 경우에는 임원(상법 제401조의2 제1항 각 호의 자를 포함함)인 주주로서 의결권 있는 발행주식총수의 100분의 5 이상을 소유하는 사람, ⓑ 금융투자업자가 자본시장법에 따른 투자자문업, 투자일임업, 집합투자업, 집합투자증권에 한정된 투자매매업·투자중개업·온라인소액투자중개업 외의 다른 금융투자업을 영위하는 경우에는 임원인 주주로서 의결권 있는 발행주식총수의 100분의 1 이상을 소유하는 사람, ⓒ 금융회사가 금융투자업자가 아닌 경우에는 금융회사(금융지주회사인 경우 금융지주회사법 제2조 제1항 제2호 및 제3호에 따른 자회사 및 손자회사를 포함함)의 경영전략·조직변경 등 주요 의사결정이나 업무집행에 지배적인 영향력을 행사한다고 인정되는 자로서 금융위원회가 정하여 고시하는 주주 중 어느 하나에 해당하는 자를 말한다(금융회사지배구조법 시행령 제4조).

기업실무에서 사외이사는 상근감사가 될 수 있는 것으로 오해할 수 있다. 그런데 상법은 이사를 「사내이사와 사외이사 및 상무에 종사하지 않는 사외이사가 아닌 이사」로 구분하며 그 모두를 상법상의 이사로 포섭하였고, 제542조의10 제2항 제2호도 단지 이사라고만 규정하고 있다. 따라서 상근감사의 결격사유인 이사는 상법상의 모든 이사를 의미하는 것으로 해석함이 타당하다.

사) 배우자와 직계 존속·비속의 포섭범위

주요주주의 배우자와 직계 존속·비속(제542조의8 제2항 제6호) 그리고 회사의 상무에 종사하는 이사·집행임원의 배우자와 직계 존속·비속은 상근감사가 될 수 없다(제542조의10 제2항 제3호, 시행령 제36조 제2항 제1호). 그럼에도 불구하고 상법은 「배우자와 직계 존속·비속」의 포섭범위에 대하여 명확히 규정하고 있지 않아 사실혼관계에 있는 자, 양부모·양자, 혼인외의 출생자 등이 이에 포함되는지가 문제된다. 이에 비해 상장회사 사외이사의 결격사유에 관한 상법 제542조의8 제2항 제5호 및 시행령 제34조 제4항 제1호 가목은 최대주주의 특수관계인으로서 배우자를 규정하며 사실혼관계에 있는 자도 포함시키고 있다. 생각건대 상법이 주요주주·이사·집행임원의 배우자와 직계 존속·비속을 상근감사의 결격사유로 규정한 것은 이들의 경우 경제적인 측면에서 주요주주 등과 실질적인 동일체를 형성하고 있어 감사업무의 공정성·객관성을 확보할 수 없기 때문인데, 이러한 문제는 양부모·양자 및 혼인외의 출생자인 경우에도 다르지 않다. 따라서 상장회사 상근감사의 결격사유인 주요주주·이사·집행임원의 배우자와 직계 존속·비속에는 사실혼관계에 있는 배우자, 양부모·양자, 혼인외의 출생자도 포함되는 것으로 해석하는 것이 타당하다.

3) 감사의 겸임 제한

감사의 자격과 연계되는 또 다른 문제는 감사의 겸직 여부인데, 상법은 감사업무의 공정성·객관성을 확보·유지하기 위해 감사의 겸임을 제한하고 있다. 즉 감사는 당해 회사와 자회사의 이사 또는 지배인 기타의 사용인의 직무를 겸하지 못한다(제411조).[41] 만약 감사가 업무감사의 대상인 이사와 그 이사의 지휘·감독을 받는 사용인의 지위를 겸하게 되면 사실상 직무수행의 공정성·객

---

41) 따라서 비상장회사에서는 누구든지 감사로 선임될 수 있다는 견해가 있는데(권기범, 전게서, 1036~1037면), 감사의 지위·직무권한 및 독립성을 고려할 때 타당한지는 의문이다.

관성을 확보할 수 없고, 특히 모회사에 종속될 수밖에 없는 자회사의 특성을 고려할 때 모회사의 감사가 자회사의 이사를 겸하게 되면 자회사조사권 등의 경우 스스로가 그 대상이 될 수 있어 객관적이고 공정한 직무수행을 기대하기 어렵기 때문이다. 이러한 감사의 겸임 제한에 관련된 주요 쟁점은 다음과 같다.

가) 기타의 사용인의 의미

감사가 겸임할 수 없는 「기타의 사용인」의 의미에 대해서는 ① 상업사용인보다 넓은 개념이라는 견해,[42] ② 상법상의 상업사용인을 의미한다는 견해[43]가 있다. 상법상 사용인이란 일반적으로 상업사용인을 의미하고, 동일한 법률용어는 동일한 의미로 사용되어야 법적 안정성을 유지할 수 있다. 그렇지만 법문이 단순히 기타의 사용인이라고만 규정하고 있고, 상법이 감사의 겸임을 제한하는 것은 업무의 공정성·객관성을 확보·유지하기 위함이며, 감사가 상업사용인이 아닌 일반사용인의 지위를 겸하더라도 업무의 공정성·객관성은 얼마든지 침해받을 수 있다. 따라서 고문이나 공장장 등도 포함하는 전자가 타당하다.

나) 모회사 임원의 자회사 감사의 겸임

모회사의 이사 또는 감사가 자회사의 감사를 겸임할 수 있을까? 이에 관한 논의는 많지 않지만, 상법 제411조가 "감사는 회사 및 자회사의 이사 또는 지배인 기타의 사용인의 직무를 겸하지 못한다"고 규정하고 있으므로 이론적으로는 얼마든지 가능하고, 이 경우에는 자기감사의 문제도 발생하지 않는다는 견해가 있다.[44] 모자회사의 특수성과 모회사 감사의 자회사조사권을 고려할 때 모회사의 감사가 자회사의 감사를 겸임하는 것은 어느 정도 합리성이 있지만,[45] 모회사의 이사가 자회사의 감사를 겸임하는 것은 공정성·객관성의 측면에서 문제가 있다.[46] 모회사가 자회사를 재산 유출의 도관으로 이용하거나 모회사와 자회사가 가격이전거래 등을 하는 경우를 고려할 때 더욱 그러하다. 따라서 모회사의 이사가 자회사의 감사를 겸하는 것은 금지하는 것이 바람직하다.

---

42) 김홍기, 전게서, 662면; 최준선, 전게서, 602~603면; 홍복기·박세화, 전게서, 585면.
43) 임재연, 전게서, 572면.
44) 송옥렬, 전게서, 1124~1125면; 정찬형, 전게서, 1114면; 최준선, 전게서, 603면.
45) 홍복기·박세화, 전게서, 585면.
46) 이와 달리 모회사의 이사가 자회사의 감사를 겸하는 것은 자기감사의 문제가 발생하지 아니하므로 허용된다는 견해도 있다(장덕조, 「상법강의」 제4판(법문사, 2021), 608면).

다) 감사의 집행임원 겸임

이 문제를 다룬 문헌이나 판례는 거의 없지만, 상법 제411조가 겸임 제한의 대상을 「이사 또는 지배인 기타의 사용인」이라고 규정하고 있어 향후 논란이 제기될 수 있다. 생각건대 과거[47]와 달리 2011년 개정상법은 집행임원을 등기사항에 포함시키고(제317조 제2항 제8호), 회사와 집행임원의 관계에는 민법상 위임에 관한 규정을 준용하며(제408조의2 제2항), 집행임원을 두는 경우에는 대표이사를 두지 못하도록 하고(제408조의2 제1항), 대표집행임원에 대해서는 대표이사에 관한 규정을 준용하고 있다(제408조의5 제2항).[48] 즉 상법상 집행임원은 이사회의 기능 분리를 전제로 사실상 이사의 대체기구로서 도입된 경영기관인 것이다. 따라서 업무감사의 공정성·객관성을 확보·유지하기 위해서는 감사가 회사 또는 자회사의 집행임원도 겸하지 못한다고 해석해야 한다.

라) 위반 효과

감사가 겸임 제한을 위반하여 회사 또는 자회사의 이사·집행임원·지배인 등을 겸하고 있는 경우의 효과에 대한 선행연구는 아직 별로 없다. 그렇지만 일부 견해와 판례는 "감사가 회사 또는 자회사의 이사 또는 지배인 기타의 사용인에 선임되거나 반대로 회사 또는 자회사의 이사 또는 지배인 기타의 사용인이 회사의 감사에 선임된 경우에 그 선임행위는 각각의 선임 당시에 있어 현직을 사임하는 것을 조건으로 하여 효력을 가지고, 피선임자가 새로이 선임된 지위에 취임할 것을 승낙한 때에는 종전의 직을 사임하는 의사를 표시한 것으로 해석해야 한다"고 판단하고 있다.[49] 생각건대 감사는 법령을 준수해야 할 선관주의의

---

47) 과거 기업실무에서 사실상 이사와 같은 직무권한을 행사한 이른바 「경영임원」은 상법상의 이사가 아니어서 이사의 권한을 행사할 수 없었고 의무와 책임도 부담하지 않았다. 그리하여 판례도 "상법상 이사와 감사는 주주총회의 선임결의를 거쳐 임명하고 그 등기를 하여야 하며, 이사와 감사의 법정 권한은 위와 같이 적법하게 선임된 이사와 감사만이 행사할 수 있을 뿐이고 그러한 선임절차를 거치지 아니한 채 다만 회사로부터 이사라는 직함을 형식적·명목적으로 부여받은 것에 불과한 자는 상법상 이사로서의 직무권한을 행사할 수 없다"고 판시하였다(대법원 2005.5.27. 2005두524; 2003.9.26. 2002다64681).

48) 그리하여 집행임원과 같은 비등기임원을 회사와의 고용계약을 전제로 한 근로자로 보고 근로기준법이 적용되어야 한다고 한 판례(대법원 2003.9.26. 2002다64681)는 수정되어야 한다는 견해가 있다(정찬형, "2011년 개정상법에 따른 준법경영제도 발전방향," 「선진상사법률연구」 통권 제55호(법무부, 2011.), 15면).

49) 권기범, 전게서, 1040면; 송옥렬, 전게서, 1125면; 이철송, 전게서, 871면; 대법원 2011. 4.14. 2008다14633; 2009.11.12. 2007다53785; 2009.5.14. 2008다94097; 2007.12.13. 2007다60080; 서울고등법원 2009.10.16. 2009나7160.

무를 부담하므로 제411조를 위반하여 이사 등을 겸직하면 정당한 해임사유가 되지만, 회사가 허용한 것이므로 기대하기는 어렵다. 따라서 내부적으로는 당연히 무효로 보되, 감사가 외부적인 법률관계를 형성한 경우에는 거래안전을 보호하기 위해 예외적으로 그에 한정하여 유효로 보는 것이 타당할 것이다.

나. 감사의 선임

1) 선임절차

감사는 주주총회의 보통결의로 선임하고(제409조 제1항, 제368조 제1항),[50] 그 성명과 주민등록번호를 등기해야 한다(제317조 제2항 제8호). 주주총회의 감사선임권은 이사회나 대표이사에게 위임할 수 없고, 이들의 승인을 추가적으로 요구하는 것도 허용되지 않는다.[51] 한편 상장회사에서 감사를 선임할 때에는 이사선임안과 구분하여 별도 안건으로 상정하여 결의해야 하는데(제542조의12 제5항), 이는 비상장회사에서도 동일하므로 주의적인 규정에 불과하다.[52] 또한 상장회사에서 감사선임을 위한 주주총회를 소집하는 때에는 소집통지·공고에 감사후보자의 ① 성명, ② 약력, ③ 추천인, ④ 대통령령으로 정하는 사항(ⓐ 후보자와 최대주주와의 관계, ⓑ 후보자와 해당 회사와의 최근 3년간의 거래내역, ⓒ 주주총회 개최일 기준 최근 5년 이내에 후보자가 「국세징수법」 또는 「지방세징수법」에 따른 체납처분을 받은 사실이 있는지 여부, ⓓ 주주총회 개최일 기준 최근 5년 이내에 후보자가 임원으로 재직한 기업이 채무자회생법에 따른 회생절차 또는 파산절차를 진행한 사실이 있는지 여부, ⓔ 법령에서 정한 취업제한사유 등 감사 결격사유의 유무)을 기재해야 하고(제542조의4 제2항, 시행령 제31조 제3항), 그 후보자 중에서만 선임해야

---

50) 다만 ① 회사설립에 있어서 발기설립의 경우에는 발기인총회에서, 모집설립의 경우에는 창립총회에서 감사를 선임한다. ② 신설합병에서는 창립총회에서 선임하는 것이 원칙이지만 이를 이사회의 공고로 대체하는 때에는 감사를 합병계약서에 기재하여 주주총회의 합병승인결의로 선임한다. ③ 주식의 포괄적 이전에서는 주식 이전을 승인하는 주주총회에서 감사를 선임한다. ④ 유한회사가 주식회사로 조직변경을 하는 때에는 조직변경결의에서 선임한다. 주의할 것은 ① 회사가 법원으로부터 「신임 이사의 선임」을 회의의 목적으로 하는 임시주주총회의 소집을 허가받았음에도 불구하고 개최된 임시주주총회에서 이사회 결의나 법원의 소집허가 없이 감사의 선임결의를 하였다면, 이는 소집절차에 하자가 있는 것으로서 부적법하다는 점이다(서울고등법원 2008.7.30. 2007나66271). ② 이러한 선임절차를 거치지 아니하고 다만 회사로부터 감사라는 직함을 형식적·명목적으로 부여받은 것에 불과한 자는 상법상 감사의 직무권한을 행사할 수 없다(대법원 2003.9.26. 2002다64681).

51) 권기범, 전게서, 1038면.

52) 이철송, 전게서, 870면.

한다(제542조의5). 따라서 통지·공고된 후보자가 아닌 자를 감사로 선임하면 결의취소의 소의 대상이 되고(제376조), 이사 등에게는 500만원 이하의 과태료 처분이 가해진다(제635조 제1항 제30호). 이러한 감사선임에 관한 규제의 주요 쟁점은 다음과 같다.

가) 주주의 감사후보자 추천권

주주는 감사선임에 있어서 주주총회의 소집통지·공고에 기재된 후보자에 대하여 단순히 찬반의 의결권만 행사하게 되는데, 이는 감사후보자의 추천권을 사실상 이사회가 독점함으로써 결국 주주의 감사선임권이 제약된다는 것을 의미한다. 물론 주주가 제안권을 행사하여 감사후보자를 직접 추천할 수는 있지만, 제안권은 일정한 요건(의결권 있는 발행주식총수의 3% 이상 소유 등)을 충족하는 주주만이 주주총회일 6주 전에 행사할 수 있으므로(제363조의2) 이사회가 감사선임에 관한 주주총회를 이미 소집한 때에는 감사후보자를 추천하는 것 자체가 시기적으로 불가능하다. 그런데 감사제도는 연혁적으로 주주가 그 대표자를 통해 경영진의 경영활동을 감독하기 위하여 안출된 것이므로 누가 감사로 선임되느냐는 전체 주주들의 공통된 이해가 걸린 중요한 사항이다. 따라서 주주의 감사후보자추천권을 실질적으로 보장할 수 있는 제도적 보완이 필요하다.[53]

나) 비상장회사의 감사선임

상법은 주주총회의 보통결의로 감사를 선임한다고만 규정하고 있을 뿐(제409조 제1항, 제368조 제1항), 구체적인 방법은 규정하고 있지 않다. 그리하여 비상장회사에서 감사를 선임할 경우에는 ① 주주총회의 소집통지에 감사선임에 관한 의제만 기재하면 족하고 후보자의 성명까지 기재할 필요는 없다는 견해,[54] ② 감사선임에 있어서는 그 인적 사항이 매우 중요한 판단기준이 되므로 최소한 후보자의 성명이나 약력 등은 주주총회의 소집통지에 기재해야 한다는 견해[55]가 있다. 생각건대 대주주의 영향력하에 선임된 이사들이 경영을 전담하고 있는 기업 현실을 고려할 때 회사 내부에서 경영진을 효과적으로 견제해야 하는 주체인 감사로 누가 선임되느냐는 매우 중요한 문제이다. 따라서 비상장회사에서도 감

---

53) 정준우, 전게 "주식회사의 감사에 관한 2009년 개정상법의 문제점 검토," 339면.
54) 이범찬·오욱환, 전게서 102면.
55) 권종호, 전게서, 79면.

사선임을 위한 주주총회의 소집통지·공고를 할 경우에는 상장회사에서와 마찬가지로 감사후보자의 성명을 비롯한 일정한 인적 사항과 대주주 및 이사와의 관계 등은 기재하는 것이 바람직하다.[56]

다) 상장회사의 감사선임과 사정변경

상장회사에서 감사를 선임할 때 후보자에 관련된 사정이 변경된 경우에 어떻게 처리해야 하는가? 예를 들어 감사선임을 위한 주주총회를 소집한 후에 후보자가 사망하는 등 사정이 변경된 경우이다. 상법은 이에 관하여 규정하고 있지 않지만, "회사가 주주총회일에 다른 후보자를 선임할 수 없다면 후일에 다시 임시주주총회를 소집하여 감사를 선임해야 하지만, 이는 시간과 비용이 소요되므로 주주총회일에 회사가 다른 후보자를 주주총회의 의안으로 상정하여 감사를 선임하는 것이 바람직하다"는 견해가 있다.[57] 그런데 이에 의하면 회사의 필요에 따라 상법의 원칙이 침해될 수 있다. 상법상 주주총회는 그 소집통지·공고에 기재된 사항에 대해서만 결의할 수 있기 때문이다. 참고로 판례도 회의의 목적사항 이외의 결의는 비록 참석한 주주 전원의 동의가 있더라도 허용될 수 없다고 판시하고 있다.[58] 따라서 이런 경우에는 비록 일정한 시간과 비용의 소요는 있겠지만, 감사의 선임에 관한 주주들의 이해를 존중하여 후일에 다시 별도의 임시주주총회를 소집하여 새로운 후보자를 감사로 선임해야 한다.

라) 감사의 선임과 임용계약

감사의 선임에 있어서 임용계약이 필요한지에 대해 상법은 규정하고 있지 않지만, 그동안 ① 이사와 마찬가지로 주주총회의 선임결의만으로는 감사가 되지 못하고 회사와 임용계약을 체결해야만 감사의 지위를 취득한다는 견해, ② 감사선임에 관한 주주총회의 결의는 창설적 효력을 갖는 행위로서 그 자체가 청약의 효력이 있으므로 선임된 감사가 동의하면 곧바로 그 지위를 취득한다는 견해가 있었다. 그리고 판례도 "감사로 선임된 자는 임용계약을 체결하기 전에는 선임등기절차의 이행을 청구할 수 없다"고 판시하며 임용계약을 요구하였다.[59] 그런

---

56) 정준우, 전게 「감사와 외부감사인의 법적 책임」, 25면.
57) 김교창, "상장회사의 특례에 관한 2009년 개정상법의 논점," 「인권과 정의」 제396호(대한변호사협회, 2009), 65면.
58) 대법원 1979.3.27. 79다19.
59) 그동안 판례는 주주총회에서 특정인을 이사로 선임하였어도 대표이사가 피선임자에게 임용계약의 청약을 하고 피선임자가 그에 승낙해야만 비로소 피선임자가 이사가 된다는 논리를

데 2017년에 대법원은 전원합의체 판결을 통하여 주주총회에서 감사를 선임하는 경우에는 그 선임결의와 피선임자의 승낙만 있으면 대표이사와의 임용계약 체결 여부에 관계없이 피선임자가 감사의 지위를 취득하는 것으로 보아야 한다고 판시하며 종래의 입장을 변경하였다.[60] 생각건대 임용계약필요설과 기존 판례에 의하면, 특정인이 주주총회에서 감사로 선임되었어도 대표이사와의 임용계약이 체결되지 않으면 감사로 취임할 수 없게 되어 경영진의 오남용 가능성이 있을 뿐만 아니라, 감사의 독립성이 훼손될 위험성도 크다.[61] 따라서 대법원이 종래의 입장을 변경하여 임용계약불요설을 취한 것은 타당하다. 한편 이와 관련하여 제기되는 한 가지 의문은 감사로 선임되었음에도 회사가 임용계약 체결을 거부하여 회사를 상대로 그 지위의 확인을 구하는 소를 제기하여 진행하던 중 임기가 만료되었다면 확인을 구할 이익이 상실되는지이다. 그동안 이에 관한 논의는 별로 없었는데, 최근에 대법원은 원심이 감사 지위에 대한 확인을 구하던 종전의 청구가 임기 만료 등으로 과거의 법률관계에 대한 것이 되었다는 이유만으로 원고에게 과거에 일정 기간 동안 감사 지위에 있었음에 대한 확인을 구할 의사가 있는지 등에 대해 석명하거나 의견진술의 기회를 주지도 않은 채 확인의 이익이 없다고 보아 주위적 청구를 부적법 각하한 것은 확인소송에서 확인의 이익 및 석명의무의 범위에 관한 법리를 오해하였다고 판시하였다.[62]

마) 감사후보자의 업무적 적격성

상장회사에서 감사선임을 위한 주주총회를 소집하는 때에는 소집통지·공고에 후보자에 관한 일정한 사항(① 성명, ② 약력, ③ 추천인, ④ 최대주주와의 관계, ⑤ 회사와의 최근 3년간 거래내역, ⑥ 주주총회일 기준 최근 5년 내에 국세징수법이나 지방세징수법상의 체납처분을 받은 사실이 있는지 여부, ⑦ 주주총회일 기준 최근 5년 내에 임원으로 재직한 기업이 채무자회생법에 따른 회생절차나 파산절차를 진행한 사실이 있는지 여부, ⑧ 법령에서 정한 취업제한사유 등 감사 결격사유의 유무)을 통지·공고해야 한다(제542조의4 제2항, 시행령 제31조 제3항). 2020년 개정상법이

펴왔다(대법원 2005.11.8. 자 2005마541; 1995.2.28. 94다31440).

60) 대법원 2017.3.23. 2016다251215 전원합의체. 동 판례에 대한 자세한 평석은 정준우, "주식회사의 임원선임에 있어서 임용계약의 요부 — 대법원 2017.3.23. 선고 2016다251215 전원합의체 판결 —,"「법조」통권 제724호(법조협회, 2017), 640~666면 참조.
61) 강희갑,「주식회사의 경영감독·감사 및 감사위원회제도에 관한 연구」(한국상장회사협의회, 2002), 145면.
62) 대법원 2020.8.20. 2018다249148.

⑥ 내지 ⑧을 신설한 것은 감사후보자의 업무적 적격성 여부에 관한 주주들의 판단을 도와주기 위함이지만,[63] 여전히 다음과 같은 논란이 있다.

첫째, 감사후보자가 국세징수법 등에 의한 체납처분을 받았거나 채무자회생법상의 회생절차 등을 진행한 사실이 있는 경우에 도의적인 측면에서 비난할 수는 있겠지만, 그러한 사실이 후보자의 업무적 적격성과 어떠한 관련이 있는 것인지 의문이다.[64] 업무적 적격성이란 감사후보자가 이사의 직무집행의 적법성 여부를 법률과 정관에 따라 정확히 판단할 수 있는지 그리고 그에 따라 필요한 법적 조치를 적시에 적절하게 취할 수 있는지에 관한 자격이나 능력을 의미하기 때문이다.[65] 더욱이 감사후보자가 국세징수법 등에 의한 체납처분을 받은 이유나 채무자회생법상의 회생절차 등을 진행한 사유는 매우 다양할 수 있는데, 상법은 어떠한 원인으로 그러한 사실이 발생하였으며 그 당시 후보자가 어떠한 잘못을 하였는지 등은 전혀 고려하지 않고 있다. 따라서 주주들이 합리적으로 판단할 수 있는 검증 기반을 구축한다는 취지가 어느 정도 반영될 수 있을지 의문이다. 체납처분 등의 발생원인과 후보자의 잘못 등에 관한 정보가 없다면 오히려 선입견으로 인해 주주들이 잘못된 판단을 할 수도 있기 때문이다.[66] 또한 국세징수법 등에 의한 체납처분의 사실은 후보자가 제출해야만 알 수 있는 개인정보인데, 후보자가 제출한 자료의 정확성 여부를 회사가 검증할 수 있는 법적 근거도 없을 뿐만 아니라, 상장회사의 경우에는 대부분 그러한 사항을 금융감독원과 한국거래소의 공시시스템에 공시하고 있다. 그리하여 후보자가 잘못된 정보를 제공하거나 부실하게 제공하였더라도 회사는 그대로 공시할 수밖에 없는데, 추후 이러한 사실이 밝혀지면 부실공시의 책임은 후보자가 아니라 회사가 지는 불합리한 문제도 발생한다.[67] 따라서 조속한 입법적 보완이 필요하다.

---

63) 법무부·금융위원회·보건복지부·공정거래위원회, 「보도참고자료(공정경제 뒷받침할 상법·자본시장법·국민연금법 시행령 개정안 국무회의 의결)」, 2020. 1. 21, 2~3면.

64) 이에 관한 자세한 분석은 정준우, "지배구조 개선을 위한 개정 상법 시행령의 비판적 검토," 「법과 정책연구」 제20집 제4호(한국법정책학회, 2020), 473~474면 참조.

65) 물론 이러한 정보를 공시하면 후보자의 전문성·정직성·독립성 등에 관해 좀 더 충실한 판단이 가능하고, 이사회 전체의 전문성을 높이는 방향으로 이사회 구성의 합리성을 제고할 수 있으며, 이사회의 판단과 설명을 기재함으로써 후보자에 관한 정보의 신뢰성도 향상시킬 수 있고, 임원선임에 관한 위험의 정도를 감안하여 의결권을 행사할 수 있는 장점이 있다는 견해도 있지만, 그 대부분은 이사에 관한 것이다(송민경, "주주총회 내실화를 위한 제도 개선 방안," 「주주총회 내실화를 위한 공청회 발표자료」, 2019. 5. 28, 28면).

66) 정준우, "2020년 개정상법상 감사기관에 관한 개정내용 검토," 「상사법연구」 제39권 제4호(한국상사법학회, 2021), 126~127면.

둘째, 법령에서 정한 취업제한사유 등 감사로서의 결격사유 유무를 공시하게 한 것도 적격성을 갖춘 자가 선임되어 실효적인 감사업무를 수행할 수 있도록 하고, 이를 통해 경영진을 견제함과 동시에 회사 운영의 건전성을 확보하기 위함이다. 그런데 법문이 너무 추상적이어서 향후 해석·적용상 논란이 발생할 수 있다. 즉 ① 법령의 포섭범위가 명확하지 않아 실무적으로 상당한 혼란이 발생할 수 있다. 상장회사의 경우에는 상법 외에 자본시장법과 외부감사법이 적용되고, 업종이나 규모에 따라 다양한 특별법령이 적용되기 때문이다. ② 취업제한사유 "등"의 경우에는 이러한 문제가 더욱 심각해질 수 있다. 어떠한 법령에서 정한 취업제한사유인지도 명확하지 않은 상태에서 "등"이라고 규정하며 적용범위를 확대하고 있어 일반주주들의 경우 오히려 후보자에 대한 합리적인 의사결정을 내리기 어려울 수도 있기 때문이다. 물론 이러한 논란은 외국처럼 주주의 설명청구권을 보장하면 어느 정도 불식시킬 수 있다.[68] 그러나 이는 상법 시행령의 개정만으로는 어려울 뿐만 아니라, 주주총회 전에 일정한 정보를 제공하여 주주들의 합리적인 의사결정을 지원한다는 입법취지에도 반한다.[69]

2) 선임방법: 의결권의 제한

주주총회에서 감사를 선임할 때 의결권 없는 주식을 제외한 발행주식총수의 100분의 3을 초과하는 수의 주식을 가진 주주는 그 초과하는 주식에 관하여 의결권을 행사하지 못한다(제409조 제2항). 감사가 대주주의 강력한 영향력하에 선임되는 이사들을 효과적으로 감독·견제하기 위해서는 무엇보다도 그 지위의 독립성이 보장되어야 하고, 이를 위해서는 감사를 선임할 때부터 대주주의 영향력을 억제할 필요가 있기 때문이다.[70] 다만 의결권 없는 주식을 제외한 발행주식총수의 100분의 3보다 더 낮은 주식 보유비율을 정관으로 정할 수 있고(제409조 제2항 괄호), 회사가 상법 제368조의4 제1항에 따라 전자적 방법으로 의결권을 행사할 수 있도록 한 경우에는 제368조 제1항에도 불구하고 출석한 주주의 의결권의 과반수로써 감사의 선임을 결의할 수 있다(제409조 제3항). 이러한 감사

---

67) 정준우, 전게 "지배구조 개선을 위한 개정 상법 시행령의 비판적 검토," 474면.
68) 주주의 설명청구권에 관한 자세한 내용은 김재범, "주주의 질문권과 회사의 설명의무,"「상사법연구」제21권 제4호(한국상사법학회, 2003), 151면 이하 참조.
69) 정준우, 전게 "2020년 개정상법상 감사기관에 관한 개정내용 검토," 127~128면.
70) 이철송, 전게서, 869면.

선임에 관한 의결권 제한에 관련된 주요 쟁점은 다음과 같다.

가) 의결권 제한의 타당성

상법은 감사의 선임에 있어서 대주주의 의결권을 제한하는데, 이는 감사의 지위와 직무의 독립성·중립성을 확보·유지함으로써 대주주의 강한 영향력이 작용하여 선임된 이사들을 효과적으로 감독·견제하기 위함이다. 그렇지만 이러한 제한에 대해서는 ① 동일한 내용을 규정하고 있는 외국의 입법례가 없으므로 글로벌 스탠다드(Global Standard)에 맞지 않고,[71] ② 감사의 잘못으로 발생한 회사의 손실로 가장 큰 피해를 보는 것은 대주주임에도 불구하고 대주주가 자신을 대리할 자를 선임하지도 못하는 것은 법리적으로 문제가 있으며, ③ 펀드 또는 소수주주가 의결권 제한을 악용할 우려가 있고, ④ 이러한 제한은 재산권 행사의 본질적인 내용과 비례의 원칙 및 남녀평등의 원칙 등을 침해함으로써 위헌의 소지도 있으므로 폐지해야 한다는 주장도 있다.[72]

물론 주식회사에서 주주는 보유지분만큼 의결권을 행사할 수 있어야 하고, 이는 헌법상 보장되는 재산권의 행사이기도 하므로 강행법규나 사회질서에 반하지 않는 한 원칙적으로 제한할 수 없다. 그렇지만 일정한 경우에는 국가가 경제에 관한 규제와 조정을 할 수 있고(헌법 제119조), 재산권의 행사는 공공복리에 적합해야 하며(헌법 제23조 제2항), 국민의 기본권도 국가안전보장·질서유지·공공복리를 위해서는 본질적 내용을 침해하지 않는 한 법률로써 제한할 수 있다(헌법 제37조 제2항). 또한 실무에서는 감사후보자를 주로 이사회나 대표이사 및 이들에게 영향력을 행사하는 대주주가 추천하고 있어 감사의 독립성·중립성이 많이 훼손되고 있다. 더욱이 대주주의 의결권 제한은 회사의 수임인으로서 회사와 주주 전체의 이익을 위해 그 직무를 독립적으로 공정하게 수행해야 할 감사의 선임에 한정되고, 대주주와 경영진의 전횡을 실효적으로 차단하기 위한 것이

---

71) 미국과 일본에서는 감사(감사위원)의 선임결의에 관한 대주주의 의결권 제한에 관련된 규정을 두고 있지 않은데, 이는 기업지배구조와 경영의 투명성 및 소수자 보호 등에 있어서 이들 나라의 법제와 경영진의 인식이 우리나라와 상당한 차이가 있기 때문이다.

72) 김병연, "현행 상법상 주식회사의 감사선임의 문제점,"「경영법률」제25권 제4호(한국경영법률학회, 2014), 11면; 최준선, "감사·감사위원 선임시 의결권제한법리의 문제점과 개선방안,"「상장회사감사회 회보」제125호(한국상장회사협의회, 2010), 2~4면; 최준선, "감사(감사위원회)의 운영에 관한 실태분석과 문제점,"「성균관법학」제20권 제1호(성균관대학교 법학연구소, 2008), 321면; 하헌주, "주식회사 감사제도의 문제점과 그 개선방안,"「재산법연구」제25권 제2호(한국재산법학회, 2008), 268~269면.

다. 따라서 제한의 합리성을 부여할 수 있으므로 위헌이 아니다.[73]

나) 의결권 제한의 기준

감사를 선임할 때 적용되는 의결권 제한과 관련하여 그동안 상법은 비상장회사와 상장회사를 다르게 규제하였다. 즉 제409조 제2항에 의해 의결권 없는 주식을 제외한 발행주식총수의 100분의 3을 초과하는 수의 주식을 가진 비상장회사의 주주는 그 초과하는 주식에 관하여 의결권을 행사하지 못하였고(단순 3% Rule), 제542조의12 제3항에 의해 상장회사의 최대주주와 그의 특수관계인 및 대통령령으로 정하는 자가 소유하는 의결권 있는 주식의 합계가 그 회사의 의결권 없는 주식을 제외한 발행주식총수의 100분의 3을 초과하는 경우 그 초과하는 주식에 관하여 의결권을 행사하지 못하였다(합산 3% Rule). 상법이 이처럼 이원적으로 규제한 취지는 이미 제409조 제2항이 모든 대주주에게 단순 3% Rule을 적용하고 있으므로, 국민경제에 대한 영향이 큰 상장회사의 경우에는 특별히 합산 3% Rule을 적용하여 경영권을 확보한 최대주주로부터 감사의 독립성을 좀 더 실효적으로 확보하기 위함이었다.[74]

그런데 이를 잘못 이해하여 기업실무에서는 때때로 상장회사의 경우 최대주주를 제외한 다른 대주주는 감사선임에 있어서 의결권 제한을 받지 않는다고 오해하기도 하였다.[75] 그리하여 입법적 해결이 필요하다는 주장이 많았고, 이에 2020년 개정상법은 제542조의12에 제7항을 신설하여 "감사위원회위원을 선임 또는 해임할 때에는 상장회사의 의결권 없는 주식을 제외한 발행주식총수의 100분의 3(정관에서 더 낮은 주식 보유비율을 정할 수 있으며, 정관에서 더 낮은 주식 보유비율을 정한 경우에는 그 비율로 한다)을 초과하는 수의 주식을 가진 주주는 그

---

73) 김교창, "집중투표제의 채택 의제·강행법규화의 위헌성," 「상장협」 제44호(한국상장회사협의회, 2001), 59면; 이철송, "감사의 위상 - 이론과 실제 -," 「상장회사감사회 회보」 제123호(한국상장회사협의회, 2010), 2~3면; 정준우, 전게 「감사와 외부감사인의 법적 책임」, 26~27면; 정준우, 전게 "주식회사의 감사에 관한 2009년 개정상법의 문제점 검토," 347~348면.

74) 다만 이에 대해서는 최대주주를 2대주주 및 3대주주에 비해 역차별하는 것이므로 부당하다는 견해도 있었다(최준선, 전게서, 601면). 그리고 상장회사의 감사선임에 있어서 3%라는 의결권 제한기준을 적용할 때 최대주주에 대해서만 특수관계인 등의 지분을 합산하고 다른 대주주의 경우에는 단순히 1인의 소유주식수만을 기준으로 하는 것은 명백히 헌법 제11조 제1항의 평등의 원칙에 반한다는 견해도 있었다(김병연, "감사(위원) 선임시 의결권제한의 타당성 검토," 「상장회사감사회 회보」 제81호(한국상장회사협의회, 2006), 2면).

75) 이러한 의문에 대한 세부 내용에 대해서는 김순석, 「우리나라 감사제도의 운영실태 조사와 비교·평가」(한국상장회사협의회, 2009), 98~101면 참조.

초과하는 주식에 관하여 의결권을 행사하지 못한다"고 규정한 제4항을 상장회사
의 감사선임에 준용하면서 주주가 최대주주인 경우에는 그의 특수관계인 및 대
통령령으로 정하는 자가 소유하는 주식을 합산한다고 규정하였다. 즉 상장회사
에서 감사를 선임할 때 최대주주에게는 합산 3% Rule을 그리고 다른 대주주에
게는 단순 3% Rule을 적용함을 명확히 한 것이다.[76]

다) 의결권 제한의 확대 적용

2020년 개정상법 제542조의12 제7항은 상장회사의 감사선임에 있어서 최대
주주의 경우에는 그의 특수관계인이 소유한 주식을 합산하여 의결권 있는 발행
주식총수의 3%까지로 의결권을 제한하고 있다. 그렇다면 이 규정을 정관을 통
해 다른 대주주에게도 확대 적용할 수 있을까? 이러한 의문에 대해서는 ① 동
규정은 오직 최대주주만을 그 대상으로 하고 있으므로 비록 2대주주 등이 사실
상 더 큰 영향력을 행사할 수 있게 되더라도 다른 대주주에게는 적용할 수 없
다는 견해,[77] ② 최대주주의 의결권 제한에 관한 내용을 다른 대주주에게까지
확대하여 적용하는 것은 1주 1의결권 원칙에 반한다는 견해[78] 및 판례[79]가 있
다. 생각건대 상장회사에서는 대부분 최대주주가 경영권을 행사하고 있음을 고
려할 때, 감사가 적절하게 경영진을 견제할 수 있도록 하기 위해서는 의결권 제
한을 현재처럼 최대주주에게만 적용하는 것이 바람직하다.

라) 위임받은 주식의 처리

감사의 선임에 있어서 대주주의 의결권을 제한할 때 대주주가 타인으로부터
위임받은 주식은 어떻게 처리해야 하는가? 감사선임에 관한 일반규정인 제409조
제2항은 이에 관하여 규정하고 있지 않지만, 상장회사의 경우에는 최대주주의
보유지분을 계산할 때 명문으로 위임받은 주식도 포함시키고 있다(제542조의12
제7항, 시행령 제38조). 이는 의결권 행사를 위임한 주식의 경우 전적으로 수임인
의 영향력하에 놓여진다는 점을 고려한 것이다. 다만 여기서 「위임받은 주식」이
란 수임인이 의결권의 구체적인 내용을 자유롭게 결정할 수 있도록 백지위임한

---

76) 심영, "2020년 개정 상법(회사편) 해석에 관한 소고," 「법학연구」 제31권 제1호(연세대학교
    법학연구원, 2021), 41면.
77) 송옥렬, 전게서, 1124면.
78) 이철송, 전게서, 870면.
79) 대법원 2009.11.26. 2009다51820.

주식만을 의미하는 것으로 해석해야 한다. 위임인이 표결내용을 이미 결정한 후 단지 표결권의 행사만을 위임한 경우에는 수임인의 영향력과 전혀 관계없기 때문이다.[80] 한편 비록 명문 규정은 없지만, 비상장회사에서도 의결권 행사의 위임은 언제나 가능하므로 입법론적으로는 상장회사에서처럼 백지위임을 받은 주식은 대주주의 보유지분에 포함시켜야 할 것이다.

마) 제542조의12 제7항의 적용범위

상장회사의 감사선임에 적용되는 의결권 제한과 관련하여 최대주주에게만 합산 3% Rule를 적용하는 상법 제542조의12 제7항은 대규모상장회사에만 적용되는가? 이는 동일한 내용을 규정하고 있던 개정 전 상법 제542조의12 제3항이 증권거래법 제191조의11 제1항[81]을 그대로 수용하여 다른 항과 다르게 적용대상을 「상장회사」라고 규정하였고, 2020년 개정을 통해 신설된 동조 제7항에서 대규모상장회사를 전제로 한 제4항을 상장회사의 감사선임에 준용한다고 규정하고 있어서 발생하는 문제이다.[82] 이에 관한 판례는 아직 없지만, 학설로는 "이 규정을 대규모상장회사에만 적용된다고 해석하면 대규모상장회사의 경우에는 반드시 강화된 감사위원회를 두어야 한다는 규정과 충돌하게 되고, 이로 인해 '감사를 선임하거나 해임할 때'라는 문언이 무의미해지므로 동 항은 모든 상장회사에 적용된다고 해석해야 한다"는 견해가 있다.[83] 생각건대 증권거래법 제191조의11의 입법취지는 감사선임에 관한 대주주의 의결권 제한에 있어서 상장회사의 소유구조와 지배구조의 특성을 반영한 특례를 규정하기 위함이고, 다른 한편으론 사외이사인 감사위원의 선임에 있어서 증권거래법 제54조의6 제6항이 대주주의 의결권 제한에 관한 개정 전 상법 제409조 제2항과 제3항을 준용하고 있으므로 사외이사가 아닌 감사위원의 선임에 있어서도 사외이사인 감사위원의

---

80) 송옥렬, 전게서, 1124면; 이철송, 전게서, 870면; 서울중앙지방법원 2008.4.28. 2008카합 1306.
81) 증권거래법 제191조의11 제1항은 "최대주주와 그 특수관계인 기타 대통령령이 정하는 자가 소유하는 주권상장법인 또는 코스닥상장법인의 의결권 있는 주식의 합계가 당해 법인의 의결권 있는 발행주식총수의 100분의 3(정관으로 그 비율을 더 낮게 정한 경우에는 그 비율로 한다)을 초과하는 경우 그 주주는 그 초과하는 주식에 관하여 감사 또는 감사위원회 위원(사외이사가 아닌 위원에 한한다)의 선임 및 해임에 있어서는 의결권을 행사하지 못한다"라고 규정하고 있었다.
82) 이에 관한 자세한 내용은 김순석, 전게서, 98~101면 참조.
83) 송옥렬, 전게서, 1124면.

선임과 동일하게 처리하기 위함이었다.[84] 이러한 입법적 연혁과 신설된 제542조의12 제7항이 상장회사의 규모를 특정하지 않고 있는 점을 고려할 때 동 규정은 모든 상장회사에 적용되는 것으로 해석함이 타당하다.[85]

바) 의결권 제한과 선임결의의 정족수

감사는 주주총회의 보통결의(출석한 의결권의 과반수와 발행주식총수의 4분의 1 이상)로 선임되는데(제368조 제1항), 2가지 요건 중 하나라도 충족하지 못하면 무효가 된다. 그리고 감사선임에 관한 주주총회 결의에서 대주주가 소유한 의결권 없는 주식을 제외한 발행주식총수의 3%를 초과하는 주식은 출석한 의결권 수에 산입되지 않는다(제371조 제2항). 그리하여 대주주의 수가 많거나 대주주의 지분이 큰 회사에서는 「발행주식총수의 4분의 1 이상」이란 요건을 충족하지 못하여 감사를 선임하지 못하는 문제가 발생할 수 있고, 1인회사나 완전자회사의 경우에는 감사의 선임이 불가능해질 수도 있다.[86] 예를 들어 발행주식총수가 200주인 회사에서 대주주 A가 60주를 가지고 있을 때 감사선임을 위한 주주총회가 개최되었고 A의 주식을 포함하여 100주가 출석하였다면, A는 단 6주(3%)에 대해서만 의결권을 행사할 수 있으므로 출석한 주식수는 46주에 불과하다. 따라서 발행주식총수의 4분의 1 이상(즉 50주 이상)이란 요건을 충족하지 못하여 감사를 선임할 수 없는데, 이는 명백한 입법적 불비이다.

그리하여 최근에 판례는 상법 제371조에는 입법적 미비 내지 공백이 있으므로 개정이 필요하다고 지적하면서 "만약 3% 초과주식이 상법 제368조 제1항에서 말하는 발행주식총수에 산입된다고 보면, 어느 한 주주가 발행주식총수의 78%를 초과하여 소유하는 경우처럼 3% 초과주식이 발행주식총수의 75%를 넘는 경우에는 상법 제368조 제1항상의 발행주식총수의 4분의 1 이상이라는 요건을 충족시키지 못하게 되는데, 이러한 결과는 감사를 주식회사의 필요적 상설기관으로 규정한 상법의 기본입장과 모순된다. 따라서 감사의 선임에 있어서 3% 초과주식은 상법 제371조의 규정에도 불구하고 상법 제368조 제1항에서 말하는 발행주식총수에 산입되지 않는다고 보아야 한다"고 판시하였다.[87] 생각건대 판

---

84) 정준우, 「주식회사의 준법경영 관리체계」(나우커뮤니케이션, 2016), 210면.
85) 다만 동 규정이 감사위원회에 관한 조문에 편재되어 있으므로, 입법론적으로는 동 규정을 분리하여 감사의 선임·해임에 관련된 내용은 제542조의12가 아니라 상장회사의 감사선임 방법에 관한 제542조의5에 편재하는 것이 바람직하다.
86) 이철송, 「2011 개정상법 - 축조해설 -」(박영사, 2011), 139~141면.

례의 결론은 타당하지만, 현행 법령의 합리적인 해석을 통하여 해결해야 한다면 서 제371조를 무시하고 명확한 근거도 없이 발행주식총수에서 제외하는 것은 논리적으로 다소 문제가 있다. 따라서 우선은 제371조 제1항을 유추적용하여 해 결하면서 자본시장법 등에 의해 의결권이 제한되는 주식[88])도 동일하게 취급해 야 하겠지만, 종국적으로는 동 조항을 개정해야 한다.

이러한 논란이 계속하여 확대되자, 2020년 개정상법은 제409조 제3항을 개 정하여 제368조의4 제1항에 따라 전자투표를 실시하는 회사에서는 제368조 제1 항(보통결의)에도 불구하고 출석한 의결권의 과반수로써 감사선임에 관한 결의를 할 수 있도록 하였다.[89]) 이는 위에서 예시한 것처럼 대주주의 의결권 제한으로 인해 감사를 선임하기 어려우므로 개선이 필요하다는 기업실무의 요청을 적극적 으로 반영한 것이고, 다른 한편으론 전자투표를 활성화하여 주주들의 주주총회 참여를 유도하고 이를 통해 회사의 안정적인 주주총회 운영을 지원하기 위함이 다.[90]) 그런데 2009년 개정상법을 통해 전자투표가 도입된 후 10여년이 지났지 만, 실무에서의 전자투표 활용도는 여전히 저조하다.[91]) 물론 그동안 전자투표의 문제점으로 지적되었던 일부 사항이 2020년에 개정된 상법 시행령에 의해 해결

---

87) 대법원 2016.8.17. 2016다222996; 서울고등법원 2016.4.29. 2015나2061994. 동 판례에 대 한 자세한 평석은 정준우, "감사선임에 관한 대주주의 의결권 제한과 의결정족수의 계산," 「법조」 통권 제720호(법조협회, 2016), 694~711면 참조.

88) 자본시장법상 공개매수의무에 위반하여 취득한 주식과 주식 등의 대량 보유 또는 보유 주 식수의 변동사항에 대한 보고의무를 위반한 경우 및 중요한 사항을 거짓으로 보고하거나 중요한 사항의 기재를 누락한 경우에는 의결권 행사가 제한되고, 공정거래법상 공정거래위 원회는 각종 경쟁제한행위로 인한 폐해를 시정하려는 조치 중 하나로써 주식 전부나 일부 에 대한 처분을 명할 수 있는데 이러한 처분을 받은 주식은 의결권 행사가 제한된다.

89) 이와 관련하여 2020년 개정상법 제409조 제3항은 '선임을 결의할 수 있다'라고 규정함으로 써 회사의 결정이 필요한 것으로 이해되므로, 회사는 정관으로 완화된 선임결의요건을 규 정한 경우에만 출석한 주주의 의결권의 과반수로써 감사를 선임할 수 있다고 보아야 한다 는 견해가 있다(심 영, 전게논문, 44면). 그러나 상법상 전자투표는 정관에 근거 규정이 없 더라도 이사회의 결의만으로 언제든지 실시할 수 있고(제368조의4 제1항), 제409조 제3항 이 출석한 주주의 의결권의 과반수로써 감사선임을 결의할 수 있다고 명확히 규정하고 있 으므로, 정관에 그 적용에 관한 규정이 없더라도 실시할 수 있다고 보아야 한다.

90) 법무부, 「보도자료(법무부는 회사의 건강하고 투명한 성장을 위해 함께 하겠습니다)」, 2020. 12. 9, 2면. 참고로 2019년도 결산에 관한 상장회사 정기주주총회의 경우 전자투표 를 도입한 회사는 전체의 32.3%인 650개사에 불과하였다(황현영, "2020년 상장회사 정기 주주총회 관련 주요 쟁점과 과제," 「NARS 현안분석」 제124호(국회입법조사처, 2020. 3. 18.), 4면).

91) 2019년을 기준으로 한 조사에서 상장회사 중 약 78.7%가 전자투표를 실시하지 않고 있었 다(한국상장회사협의회, 「2019 상장회사 주주총회 백서」, 2019. 6., 27면).

되었지만,[92) 기업들이 전자투표를 적극적으로 활용할 것인지는 여전히 의문이
다. 전자투표를 실시하더라도 현실적인 주주총회의 개최는 생략할 수 없으므로,
회사가 전자투표시스템을 직접 개발하여 사용하든 전문기관이 구축해 둔 전자투
표시스템을 활용하든 모두 일정한 비용이 들어가므로 회사로서는 이중적인 부담
이 생기기 때문이다. 더욱이 최소한의 기준도 없이 출석한 주주의 의결권의 과
반수만으로써 업무감사기관인 감사를 선임할 수 있도록 허용한 것이 타당한지도
의문이다. 일반주주들의 참여도가 저조한 현실을 고려할 때, 회사가 형식적인
전자투표를 실시하는 때에는 참석한 극히 일부 주주들에 의해 감사가 선임되는
불합리한 문제가 발생할 수도 있기 때문이다.[93)

사) 특수관계인의 포섭범위

상장회사의 최대주주는 감사선임에 관한 주주총회의 결의에 있어서 자신이
소유한 주식과 특수관계인[94)의 소유주식을 합산하여 당해 회사의 의결권 없는

---

92) 상법 시행령 제13조 제3항에 의해 그동안 전자투표에서는 주주가 의결권 행사를 변경하거
나 철회할 수 없어 전자투표의 효용성을 반감시킨다는 비판을 받았다(정준우, "주주권의 행
사에 관련된 2009년 상법개정과 그 문제점," 「법학연구」 제12집 제3호(인하대학교 법학연
구소, 2009), 196면. 이에 정부는 2020년 1월에 시행령을 개정하여 제13조 제3항을 삭제
하였지만, 여전히 일부의 문제가 남아 있다. 이에 관한 자세한 내용은 정준우, 전게 "지배
구조 개선을 위한 개정 상법 시행령의 비판적 검토," 467면 참조.
93) 정준우, 전게 "2020년 개정상법상 감사기관에 관한 개정내용 검토," 132~133면.
94) 상법 시행령 제34조 제4항에서 규정하고 있는 특수관계인의 범위는 다음과 같다.

본 인	특 수 관 계 인	
	구 분	세 부 내 용
개인	배우자	가. 배우자(사실상의 혼인관계에 있는 사람을 포함함)
	친 족	나. 6촌 이내의 혈족 다. 4촌 이내의 인척
	관계법인 등	라. 본인이 단독으로 또는 본인과 가목부터 다목까지의 관계에 있는 사람과 합하여 100분의 30 이상을 출자하거나 그 밖에 이사·집행임원·감사의 임면 등 법인 또는 단체의 주요 경영사항에 대하여 사실상 영향력을 행사하고 있는 경우에는 해당 법인 또는 단체와 그 이사·집행임원·감사
		마. 본인이 단독으로 또는 본인과 가목부터 라목까지의 관계에 있는 자와 합하여 100분의 30 이상을 출자하거나 그 밖에 이사·집행임원·감사의 임면 등 법인 또는 단체의 주요 경영사항에 대하여 사실상 영향력을 행사하고 있는 경우에는 해당 법인 또는 단체와 그 이사·집행임원·감사
	임 원	가. 이사·집행임원·감사

주식을 제외한 발행주식총수의 3%까지만 의결권을 행사할 수 있는데(제542조의12 제3항), 이러한 제한에는 다음과 같은 문제점이 내포되어 있다.

첫째, 특수관계인의 범위가 너무 넓고 개념도 불명확하다. 상법이 증권거래법 제191조의11처럼 특수관계인의 지분을 최대주주의 지분에 합산한 것은 이들이 경제적으로 이해관계를 같이 하거나 경제적 이익을 무상으로 나눌 정도로 밀접한 관계를 형성하고 있음을 그 전제로 한다.[95] 그렇지만 특수관계인의 범위를 정한 근거가 명확하지 않고,[96] 지나치게 넓고 불명확하여 개인의 재산권 행사의 본질적인 내용을 침해할 위험성과 해석·적용을 둘러싼 법적 분쟁을 야기할 위험성이 있다. 따라서 동 규정의 타당성과 실효성을 확보하려면 특수관계인을 현대의 가족관계 등을 고려하여 합리적인 범위로 축소해야 한다.[97]

둘째, 특수관계인의 입증책임에 관한 문제이다. 최대주주의 특수관계인에 해당하는 자의 주식은 경제적인 실질관계를 떠나서 일단 최대주주의 지분에 합산되고, 감사선임에 있어서 의결권 행사의 제한을 받는다. 따라서 특수관계인이 의결권의 제한을 받지 않으려면 종국적으로 법원의 확인을 받을 수밖에 없는데, 이는 규제에 관한 법의 일반원리에 반할 뿐만 아니라 헌법에 보장된 개인의 재산권 행사에 대한 지나친 제약이 된다.[98] 따라서 동 규정의 타당성·실효성을

법인/단체	계열회사 등	나. 계열회사 및 그 이사·집행임원·감사
	관계법인 등	다. 단독으로 또는 제1호 각 목의 관계에 있는 자와 합하여 본인에게 100분의 30 이상을 출자하거나 그 밖에 이사·집행임원·감사의 임면 등 본인의 주요 경영사항에 대하여 사실상 영향력을 행사하고 있는 개인 및 그와 제1호 각 목의 관계에 있는 자 또는 단체(계열회사는 제외한다. 이하 이 호에서 같다)와 그 이사·집행임원·감사
		라. 본인이 단독으로 또는 본인과 가목부터 다목까지의 관계에 있는 자와 합하여 100분의 30 이상을 출자하거나 그 밖에 이사·집행임원·감사의 임면 등 단체의 주요 경영사항에 대하여 사실상 영향력을 행사하고 있는 경우 해당 단체와 그 이사·집행임원·감사

95) 최준선, 전게 "감사·감사위원 선임시 의결권제한법리의 문제점과 개선방안," 3~4면.
96) 정준우, "경제법령상 특수관계자규정의 타당성 검토 – 공정거래법을 중심으로 –,"「인권과 정의」제278호(대한변호사협회, 1999), 87면.
97) 정준우, 전게「주식회사의 준법경영 관리체계」, 211면.
98) 감사의 선임을 위한 주주총회의 소집통지는 주주총회일의 2주 전에 이루어지는데, 의결권 행사의 제한을 받는 대주주의 특수관계인 등이 자신은 대주주와 전혀 별개의 경제주체라는 것에 대하여 법원의 확인을 받아 의결권을 행사한다는 것은 거의 불가능하기 때문이다. 그리고 감사선임을 위한 당해 주주총회의 결의 이후에 법원의 확인을 받는다면, 의결권을 행

제고하려면 먼저 특수관계인에 해당하는지와 그들이 최대주주와 경제적 동일체를 형성하고 있는지에 관한 입증책임의 주체부터 명확히 해야 한다.

3) 선임에 관한 특례

가) 수용과정

상법은 감사의 선임과 관련하여 우리나라에서 주식회사의 절대다수를 차지하고 있는 소규모회사의 특성과 재정적 부담을 고려하고, 다른 한편으론 지배구조에 관련된 상장회사 특례규정의 회사법으로의 일원화를 위하여 2009년에 자본시장법을 제정·시행할 때 함께 이루어진 2009년 개정을 통해 기존에 증권거래법에 있던 상장회사의 감사선임에 관한 특례를 그대로 수용하였다.

나) 소규모회사에 관한 특례

상법은 자본금 총액 10억원 미만인 소규모회사에 대하여 감사의 선임의무를 면제해 주고 있다(제409조 제4항). 즉 상법은 소규모회사의 경우 감사의 선임 여부를 자율적으로 결정할 수 있도록 하고, 감사를 선임하지 아니한 경우에는 주주총회가 직접 이사의 업무 및 재산상태를 감독·감시하게 하며, 이사와 회사 간의 소에서는 회사와 이사 또는 이해관계인이 법원에 회사를 대표할 자를 선임하여 줄 것을 신청하도록 규정하고 있다(제409조 제5항, 제6항). 주로 가족기업 또는 소수의 동업 형태로 운영되는 소규모회사에서는 가족 또는 친인척을 명목상의 감사로 선임하는 경우가 대부분이어서[99] 감사의 역할이 사실상 형해화되었으며, 소규모회사에 대해서까지 감사를 선임하도록 강제하는 것은 오히려 경

사할 수 없었던 특수관계인 등이 손해배상을 청구하는 것은 별론으로 하더라도 당해 주주총회의 결의 그 자체의 효력이 문제 되어 거래의 안전을 저해하는 것은 물론이고 그에 관련된 또 다른 법적 분쟁이 발생할 가능성이 크기 때문이다.

99) 예전에 법무부가 중소기업청을 통하여 자본금 10억원 미만인 회사 64개사를 대상으로 조사한 자료를 살펴보면 다음과 같다. 즉 ① 감사의 대부분은 비상근감사였고(47개사), 상근감사를 선임한 기업은 불과 18개사였다. ② 감사는 주로 최대주주 또는 대표이사가 선정하고 있었고(34개사), 주주총회 결의로 선임한 회사는 14개사에 불과하였다. ③ 감사보수의 경우 무보수인 기업이 45개사로 압도적이었다(참고로 1천만원 미만 7개사, 1~3천만원 7개사, 3~5천만원 4개사였음). ④ 감사의 역할에 대해서는 감사업무를 형식적으로 운영하는 회사가 53개사로 압도적이었고, 의사록에의 기명날인이나 주주총회소집청구 등 상법에서 규정하고 있는 감사업무가 실질적으로 준수되는 기업은 10개사에 불과하였다. ⑤ 감사선임이 면제될 경우의 기대효과로는 주로 절차감소의 효과를 응답하였는데, 구체적으로 비용 및 시간 감소(18개 기업), 감사운영에 대한 비용 감소(6개 기업), 감사선임에 대한 형식적인 절차 감소(49개 기업)였다(법무부, 「보도자료(최저자본금제도 폐지, 전자투표제 도입 상법 등 개정안 국회 통과 및 시행)」(2009. 4. 29.), 11면).

제적인 부담 및 비효율성이 크다는 지적이 많았기 때문이다.

　한편 상법 제409조 제6항은 소규모회사가 감사를 선임하지 아니한 경우에는 제412조와 제412조의2 및 제412조의5 제1항과 제2항상의 「감사」를 각각 「주주총회」로 본다고 규정하고 있다. 그런데 제412조는 감사의 업무감사권에 관한 규정이고, 제412조의2는 이사가 회사에 현저한 손해를 미칠 염려가 있는 사실을 발견한 때에 감사에게 보고하도록 한 규정이며, 제412조의5 제1항과 제2항은 자회사조사권에 관한 규정이다. 그리고 주주총회는 회의체기관이어서 상시적으로 활동하지 아니하고, 원칙적으로 이사회가 소집하며, 기업실무에서 대부분 비상근으로 운영되는 감사의 직무권한은 기본적으로 상근성을 그 전제로 한 것이다. 이런 점을 종합할 때 제412조의2의 경우에는 별다른 문제가 없지만, 제412조와 제412조의5 제1항과 제2항의 경우에는 이를 주주총회가 제대로 수행할 수 있을지 매우 의문이다. 따라서 이에 관한 입법적 보완이 필요하고, 실무에서도 이에 관한 보완규정을 정관에 두는 것이 바람직하다.

　다) 상장회사에 관한 특례

　자산총액 1천억원 이상이며 2조원 미만인 상장회사는 주주총회의 보통결의로 선임되어 회사에 상주하면서 감사업무를 수행하는 상근감사를 1명 이상 의무적으로 두어야 한다. 다만 이 절(제13절) 및 다른 법률에 따라 감사위원회를 설치한 경우(감사위원회 설치의무가 없는 상장회사가 이 절의 요건을 갖춘 감사위원회를 설치한 경우를 포함함)에는 그러하지 아니하다(제542조의10 제1항). 원래는 단서에서의 「이 절」은 「이 법」이었다. 그리하여 자산총액 1천억원 이상이며 2조원 미만인 상장회사는 사실상 상근감사와 일반감사위원회 중 어느 하나를 선택할 수 있었는데, 이로 인해 원칙적으로 상근감사를 1인 이상 두도록 한 입법취지가 많이 감퇴되었다. 이러한 상장회사에서는 감사위원의 4분의 1 이상만 사외이사이면 되었는데, 이는 사외이사를 3명 이상 두되 이사 총수의 과반수이어야 하며 대표감사위원 또한 사외이사여야 하는 자산총액 2조원 이상인 대규모상장회사에 비해 매우 느슨하였기 때문이다. 그리하여 대규모상장회사에서 감사와 감사위원회 중 어느 것이 더 효율적인지는 좀 더 검토해야 할 필요성이 있지만, 대체로 감사위원회보다는 상근감사가 더 효율성 있는 감사업무를 수행할 수 있다는 주장이 제기되었다.[100] 이에 2009년 개정상법은 제542조의10 제1항 단서상의

「이 법」이란 문언을 「이 절」이란 문언으로 개정한 것이다. 따라서 이제는 자산 총액 1천억원 이상이며 2조원 미만인 상장회사가 상근감사 대신에 감사위원회를 설치하려면 자산총액 2조원 이상인 대규모상장회사와 마찬가지로 강화된 감사위원회(제542조의11)를 두어야 한다.

다. 감사의 수·임기·보수

1) 감사의 수

상법상 감사의 수에 대한 규제는 없다. 따라서 회사는 감사를 1명만 둘 수도 있고 여러 명을 둘 수도 있는데, 후자의 경우에도 감사는 각자가 독립적으로 권한을 행사할 수 있다(독임제적 감사). 다만 자본금 총액이 10억원 미만인 소규모 회사는 감사를 두지 않을 수도 있는데(제409조 제4항), 이는 감사조직을 설치·운영하는 데 들어가는 영세한 회사의 비용 부담을 줄여주기 위함이다.

2) 감사의 임기

감사의 임기는 취임 후 3년 내의 최종의 결산기에 관한 정기총회의 종결시까지이다(제410조). 다만 흡수합병의 경우에는 합병계약서에 다른 정함이 있는 경우를 제외하고는 합병 전에 취임한 존속회사의 감사의 임기는 합병 후 최초로 도래하는 결산기의 정기총회 종료시까지이다(제527조의4 제1항). 상법이 감사의 임기를 결산기에 관한 정기주주총회의 종결시로 정한 것은 사업연도 중에 임기가 만료되는 것을 방지하여 감사업무의 충실을 도모하고, 다른 한편으론 신임감사가 선임되자마자 정기주주총회를 맞게 되는 현실적 어려움을 해소해 주기 위함이다.[101] 한편 감사의 임기는 그 지위의 독립성·안정성에 매우 중요하므로 그에 관한 규정은 강행규정으로 보아야 하고, 따라서 정관에 의해서도 가감할 수 없다.[102] 이러한 감사의 임기에 관련된 주요 쟁점은 다음과 같다.

---

100) 정찬형, "2009년 개정상법중 상장회사에 대한 특례규정에 관한 의견," 「상사법연구」 제28권 제1호(한국상사법학회, 2009), 298면. 참고로 기업실무에서도 상장회사 대부분은 이미 상근감사를 두고 있다. 즉 한국상장회사협의회가 2010년 3월에 12월 결산법인을 대상으로 한 설문조사 결과에 의할 때 응답한 636개사 중 71.9%인 457개사가 547명의 감사를 두고 있었는데, 이 중 68.9%인 377명이 상근감사였다(한국상장회사협의회, 「상장회사감사회 회보」 제124호, 12면).

101) 권종호, 전게서, 84면.

102) 권종호, 전게서, 85면; 정찬형, 전게서, 1115면; 채이식, 「상법강의(상)」(박영사, 2003), 580면.

가) 종기의 의미

감사의 임기에 있어서 종기는 구체적으로 언제인가? 이 문제는 상법이 감사의 임기에 대하여 "3년 내의 최종의 결산기에 관한 정기총회의 종결시"라고만 규정하고 있기 때문에 제기된다. 결론적으로 감사의 임기에 있어서 종기는 감사로 선임된 후 3년 내에 도래하는 결산기의 말일이 기준이 되는 것이지, 3년 내에 도래하는 정기총회일이 기준이 되는 것은 아니다.[103] 따라서 감사의 임기는 실제적으로 3년을 초과할 수도 있고, 때로는 3년에 미달할 수도 있다. 예컨대 사업연도가 1년 단위이고 12월 말 결산인 회사에서 2017년 1월 15일에 감사가 선임되었다고 한다면, 이 감사는 취임 3년 후인 2020년 1월 15일 이전에 도래하는 결산기인 2019년도 결산기에 관한 정기주주총회의 종료일이 임기만료일이다. 그런데 만약 정기주주총회가 2020년 2월 25일에 끝난다면 결국 임기는 3년을 초과하게 되고, 같은 회사에서 2017년 4월 1일에 선임된 감사의 경우에는 2020년 2월 25일이 임기만료일이므로 3년을 채우지 못하게 된다.

나) 부당한 해임과 손해배상의 범위

감사가 임기 중 부당하게 해임되었을 경우 손해배상의 범위는 어떠한가? 감사의 해임에는 이사의 해임에 관한 규정이 준용되므로(제415조 → 제385조), 주주총회의 특별결의만 있으면 정당성의 유무에 관계없이 언제라도 감사를 해임할 수 있다. 다만 감사가 정당한 사유 없이 해임된 때에는 이사에서처럼 잔여임기 동안에 받았을 보수상당액을 배상받을 수 있다.[104] 그런데 이와 관련하여 판례는 "회사에 대하여 잔여임기 동안의 보수상당액을 손해의 배상으로 청구할 수 있지만, 이때의 임기란 「정관이나 주주총회에서 정한 임기」를 의미한다"라고 판시하였다.[105] 생각건대 이사와 다르게 감사의 임기는 상법에 정해져 있으므로 부당한 해임에 있어서는 해임된 날로부터 선임 후 3년째가 되는 최종의 결산기에 관한 정기총회의 종결시까지가 잔여임기라고 보아야 하고, 그 기간에 감사가 회사로부터 받았을 보수상당액을 손해배상액으로 보아야 한다.[106]

---

103) 권기범, 전게서, 1037면; 송옥렬, 전게서, 1125면; 이철송, 전게서, 871면.
104) 서울고등법원 1978.7.6. 77나2669.
105) 대법원 2001.6.15. 2001다23928. 이 사건은 이사의 해임에 관한 것이나 상법 제385조 제1항은 감사의 경우에도 준용되기 때문에 감사의 해임에 그대로 원용할 수 있다.
106) 정준우, 전게 「감사와 외부감사인의 법적 책임」, 35~36면.

그렇다면 감사의 해임에 있어서 「정당한 이유」란 구체적으로 무엇을 의미하는가? 이와 관련하여 판례는 "상법 제415조, 제385조 제1항에 규정된 '정당한 이유'란 주주와 감사 사이에 불화 등 단순히 주관적인 신뢰관계가 상실된 것만으로는 부족하고, 감사가 그 직무와 관련하여 법령이나 정관에 위반된 행위를 하였거나 정신적·육체적으로 감사로서의 직무를 감당하기 현저하게 곤란한 경우, 감사로서의 직무수행능력에 대한 근본적인 신뢰관계가 상실된 경우 등과 같이 당해 감사가 그 직무를 수행하는데 장해가 될 객관적 상황이 발생한 경우에 비로소 해임할 수 있는 정당한 이유가 있다"라고 판시하였다.107) 즉 감사의 부정행위나 직무의 현저한 부적임 등 객관적인 사유가 있어야 하는 것이다.

한편 감사의 해임에는 과실상계의 법리가 적용되지 않으므로108) 손익상계의 법리도 적용될 여지가 없을 것처럼 생각되지만, 이를 적용한 판례가 있다. 즉 "임기가 정해진 감사가 임기 만료 전에 정당한 이유 없이 주주총회의 특별결의로 해임되었음을 이유로 상법 제415조와 제385조 제1항에 의하여 회사에 대하여 손해배상액으로 청구하는 경우에 당해 감사가 해임으로 인하여 남은 임기 동안 회사를 위한 위임사무처리에 들이지 않게 된 자신의 시간과 노력을 다른 직장에 종사하여 사용함으로써 얻은 이익이 있고 이와 해임 간에 상당인과관계가 인정된다면 손해배상액을 산정함에 있어서 그 금액을 공제해야 한다"라고 하며 손익상계를 인정하였다.109) 그런데 부당해고에 관한 판결이 확정되면 자동적으로 복직되고 밀린 임금이 지급되어야 하는 근로자와 달리 감사의 경우에는 부당한 해임이 판결로 확정되어도 자동적 복직이나 밀린 보수의 지급은 없다. 그리고 해임이 새로운 취업을 위한 생활상의 계기나 동기는 되었겠지만, 해임과 손해 간에 인정되는 인과관계와 등가적인 법적 인과관계를 인정할 수는 없다.110) 더욱이 부당한 해임에 따른 손해배상책임은 회사가 위임계약 관계에 있는 감사를 부당하게 해임한 점에 대한 일종의 징벌적 성격도 내포하고 있으므로, 감사

---

107) 대법원 2013.9.26. 2011다42348; 2011.9.8. 2009다31260; 2004.10.15. 2004다25611.
108) 서울고등법원 1990.7.6. 89나46297.
109) 대법원 2013.9.26. 2011다42348; 2004.10.15. 2004다25611; 1992.12.22. 92다31361. 부당하게 해임된 이사나 감사의 손해배상책임에 있어서 손익상계의 법리를 적용한 판례에 대한 자세한 분석은 최문희, "정당한 이유 없이 해임된 이사 및 감사의 손해배상의 쟁점," 「선진상사법률연구」 통권 제66호(법무부, 2014. 4.), 37~53면 참조.
110) 이철송, "이사의 해임에 따른 손해배상과 손익상계," 「상장」 제472호(한국상장회사협의회, 2014), 17면 이하; 이철송, 전게서, 674면, 871면.

의 부당한 해임에 손익상계의 법리를 적용하는 것은 타당하지 않다.

3) 감사의 보수

가) 보수의 의의

감사가 회사로부터 받는 경제적 이익은 직무수행의 대가이므로 그 명칭에 관계없이 보수에 속한다. 그리고 감사의 보수도 이사의 보수와 같이 정관에서 그 액을 정하지 아니한 때에는 주주총회의 결의로 정해야 하는데(제415조 → 제388조),[111] 이는 강행규정이므로 다른 기관에 위임할 수 없다.[112] 즉 이사회나 대표이사가 감사의 보수를 결정할 수는 없는데, 지배주주라도 마찬가지이다.[113] 주의할 것은 ① 이사의 경우에는 주주총회에서 보수의 총액을 정하고 각 이사의 개별적 보수액은 이사회가 정하도록 위임할 수 있지만, 감사보수의 경우에는 이사회에서 정하도록 위임할 수 없다는 점이다. 감사의 보수결정권을 감사 대상인 이사회가 갖게 되면 결국 감사의 독립성을 침해할 수 있기 때문이다. ② 정관에서 감사의 보수에 관하여 주주총회의 결의로 정한다고 규정한 경우 그 금액·지급방법·지급시기 등에 관한 주주총회의 결의가 있었음을 인정할 증거가 없는 한 감사는 보수청구권을 행사할 수 없고,[114] 정관의 규정이나 주주총회의 결의가 없음에도 불구하고 감사에게 보수가 지급된 때에는 부당이득으로서 회사에 반환해야 한다는 점이다.[115] 한편 감사는 이사의 직무집행을 감사하는 기관이므로 그 보수도 직무권한에 부합하는 적절한 수준으로 보장되어야 한다.

나) 보수의 포섭범위

감사의 보수는 직무수행의 대가로서 지급되는 것이므로 상여금은 물론 퇴직위로금도 포함되지만, 정관 또는 주주총회의 결의로 정해야 한다.[116] 다만 상여

---

111) 대법원 2000.6.8. 2000마1439; 1999.2.24. 97다38930; 1988.6.14. 87다카2268; 1977.11.22. 77다1742.

112) 상법 제361조는 "주주총회는 본법 또는 정관에 정하는 사항에 한하여 결의할 수 있다."라고 규정하고 있는데, 이러한 주주총회 결의사항은 반드시 주주총회가 정해야 하고 정관이나 주주총회의 결의에 의하더라도 이를 다른 기관이나 제3자에게 위임하지 못한다(대법원 2020.6.4. 2016다241515, 241522; 2004.12.10. 2004다25123; 1979.11.27. 79다1599).

113) 대법원 2012.9.27. 2010다94342; 1979.11.27. 79다1599.

114) 대법원 2020.4.9. 2018다290436(이사에 관한 것이지만, 감사의 경우에도 같다).

115) 대법원 2010.3.11. 2007다71271; 2000.9.26. 99다54905.

116) 주의할 것은 정관으로 감사의 퇴직금을 주주총회의 결의로 정한다고 규정하면서 퇴직금의 액수만 정하고 있는 경우에 감사가 퇴직금 중간정산금 청구권을 행사하기 위해서는 퇴직금

금이 보수가 아니라 이익처분의 일환으로써 지급된 것이라면 상법 제449조에 의한 정기주주총회의 승인만 있으면 된다. 한편 퇴직위로금의 성격에 대하여 판례는 "주식회사의 이사, 감사 등 임원은 회사로부터 일정한 사무처리의 위임을 받고 있는 것이므로, (중략) 보수를 받는 경우에도 이를 근로기준법 소정의 임금이라 할 수 없고, 회사의 규정에 의하여 이사 등 임원에게 퇴직금을 지급하는 경우에도 그 퇴직금은 근로기준법 소정의 퇴직금이 아니라 재직 중의 직무집행에 대한 대가로 지급되는 보수에 불과하다"라고 판시하였다.[117]

이와 관련하여 퇴직위로금의 지급은 원칙적으로 정관이나 주주총회의 결의에 의해야 하지만, 사규인 퇴직위로금지급규정에 따라 지급된 경우라면 그 지급에 있어서 대표이사나 이사회의 재량 여지가 없을 뿐만 아니라 감사에게도 불리하지 아니하므로 유효하다는 견해가 있는데,[118] 이는 타당하지 않다. 이 견해에 의하면 퇴직위로금의 지급에 관한 정관의 규정이나 주주총회의 결의가 없더라도 사규에만 근거 규정이 있으면 지급할 수 있게 되는데, 감사의 보수를 정관이나 주주총회의 결의에 의해서만 정하도록 한 상법의 취지에 반할 뿐만 아니라 악용될 위험성도 있기 때문이다. 또한 판례는 "퇴직금을 정한 정관이 당해 이사(감사)의 재임 중 변경된 때에는 퇴직할 때의 정관 규정에 따라 퇴직금을 지급해야 된다"라고 판시하였는데,[119] 이도 타당하지 않다. 이사(감사)에 관한 한 선임할 때에 정관으로 정한 퇴직금은 임용계약의 내용을 이루기 때문이다.[120]

한편 상법 제340조의2 내지 제340조의5 및 제542조의3에 따라 회사는 정관이 정하는 바에 따라 주주총회의 특별결의로 회사의 설립·경영·기술혁신에 기여하거나 기여할 수 있는 당해 회사 또는 관계회사[121]의 감사에게 주식매수선

중간정산에 관한 주주총회의 결의가 있어야 한다(대법원 2019.7.4. 2017다17436). 이는 이사의 퇴직금 중간정산에 관한 판결이지만, 감사의 경우에도 마찬가지이다.

117) 대법원 2010.6.24. 2010다13541; 2007.2.22. 2005다73020; 2005.5.27. 2005두524; 2004. 12.10. 2004다25123; 2003.9.26. 2002다64681; 2000.6.8. 2000마1439; 1999.2.24. 97다 38930.

118) 권종호, 전게서, 95면.

119) 대법원 2006.5.25. 2003다16092, 16108.

120) 이철송, 전게서, 682면.

121) 여기서 「대통령령으로 정하는 관계회사」란 ① 해당 회사가 총출자액의 100분의 30 이상을 출자하고 최대출자자로 있는 외국 법인, ② ①의 외국 법인이 총출자액의 100분의 30 이상을 출자하고 최대출자자로 있는 외국 법인과 그 법인이 총출자액의 100분의 30 이상을 출자하고 최대출자자로 있는 외국 법인, ③ 해당 회사가 금융지주회사법에서 정하는 금융지주회사인 경우 그 자회사 또는 손자회사 가운데 상장회사가 아닌 법인 중 어느 하나에

택권을 부여할 수 있다. 그리하여 회사가 감사에게 부여한 주식매수선택권이 보수의 일종인가라는 문제가 제기된다. 원래 감사의 보수는 그 명칭에 관계없이 직무수행의 대가로서 지급되는 일체의 경제적 이익이고, 정기적이든 부정기적이든 불문한다. 그리고 주식매수선택권은 그 자체가 성과급의 일종이며, 감사의 책임감경에 관한 제400조 제2항도 감사의 보수범위와 관련하여 주식매수선택권의 행사로 인한 이익을 포함시키고 있다. 따라서 감사가 주식매수선택권을 행사하여 취득한 이익은 보수에 포함된다고 보아야 한다. 다만 주식매수선택권은 행사할 시점의 주가가 행사가액보다 좋지 아니하면 감사가 부여받은 권리를 행사하지 않을 수도 있으므로 미행사로 인한 평가이익은 제외해야 한다.

다) 보수에 관한 안건의 상정 방법

주주총회에서 감사의 보수를 결정할 때 반드시 독립된 안건으로 상정해야 하는가? 이 문제가 제기되는 것은 과거에 증권거래법이 상장회사에서 주주총회에 감사보수의 결정을 위한 의안을 상정하는 때에는 이사의 보수에 관한 의안과 구분하여 별도로 상정하도록 규정하였기 때문이다. 물론 가장 합리적인 방법은 감사보수에 관한 안건을 이사보수에 관한 안건과 분리하여 상정하는 것이고, 그동안 실무에서도 대체로 동일하게 처리해 왔다. 그렇지만 관련 규정이 없는 이상 이제는 더 이상 독립된 안건으로 상정할 필요가 없다. 이와 관련하여 하급심도 "재무제표에 임원의 보수를 기재하고 주주총회가 재무제표를 승인하였다면 보수에 관해서도 주주총회의 결의가 있었다고 보아야 한다"라고 판시하였다.[122)

라) 보수청구권의 행사 근거

감사는 보수에 관한 정관 규정이나 주주총회의 결의가 없어도 보수청구권을 행사할 수 있을까? 이는 판례가 상법 제388조의 의미를 "정관에 보수에 관한 규정이 없는 경우에는 주주총회가 이를 결정한다"고 해석하여 이사회가 정한 보수지급에 관한 사규가 있든지 또는 취임 후 관례적으로 보수를 받아 온 경우에는 그러한 수준의 보수지급에 관한 주주총회의 묵시적인 승인이 있었다고 보고 임원의 보수청구권을 인정하였기 때문이다.[123)] 그런데 감사와 회사는 위임계약관

해당하는 법인을 말하는데, 다만 ① 및 ②의 법인은 주식매수선택권을 부여하는 회사의 수출실적에 영향을 미치는 생산 또는 판매 업무를 영위하거나 그 회사의 기술혁신을 위한 연구개발활동을 수행하는 경우로 한정한다(시행령 제30조 제1항).

122) 인천지방법원 부천지원 2005.5.27. 2004가합3207.

계에 있으므로 근로기준법상의 근로자처럼 당연히 보수청구권을 갖지는 못한다. 즉 감사의 보수에 관한 정관의 규정이나 주주총회의 결의가 없는 한 감사의 보수청구권은 생기지 않는 것이다. 판례도 동일하게 판단하고 있다.[124) 그렇다면 정관의 규정이나 주주총회의 결의가 없음에도 불구하고 감사에게 보수가 지급되었다면 어떻게 해야 하는가? 결론적으로 이는 부당이득이므로 감사는 지급받은 보수를 회사에 반환해야 한다.[125) 주의할 것은 대부분 이런 경우에는 대표이사가 법 위반 사실을 인지하면서 보수를 지급할 것이므로 비채변제가 될 것이지만, 민법 제742조는 적용되지 않는다고 해석해야 한다는 점이다.[126)

마) 보수의 감액 등

정관이나 주주총회의 결의로 감사의 보수가 정해진 후에 정관의 변경이나 새로운 주주총회의 결의를 통해 당해 감사의 보수를 감액하거나 박탈할 수 있을까? 이미 앞에서 지적한 것처럼 감사의 보수는 선임계약의 내용을 이루는 것이고, 감사의 동의를 받아야 한다. 따라서 정관이나 주주총회의 결의를 통해 이미 결정된 감사의 보수를 그 후의 정관변경이나 새로운 주주총회의 결의를 통해 감액하거나 박탈할 수 있다고 한다면, 이는 감사의 독립성을 침해할 수 있을 뿐만 아니라 계약의 일반원칙에도 반한다. 따라서 당해 감사에 관한 한 이미 정해진 보수는 정관의 변경이나 새로운 주주총회의 결의에 의해서도 감액하거나 박탈할 수 없다. 판례도 이와 동일하게 판단하고 있다.[127)

바) 보수와 근로기준법

감사의 보수에 대하여 근로기준법을 적용할 수 있을까? 감사는 회사와 고용계약관계가 아닌 위임계약관계에 있으므로 감사의 보수에는 원칙적으로 근로기준법이 적용될 수 없다. 그런데 판례는 근로기준법상의 근로자에 해당하는지는 근무의 실질에 따라 임금을 목적으로 종속적인 관계에서 사용자에게 근로를 제

---

123) 대법원 1969.5.17. 69다327; 1969.2.4. 68다2220; 1965.8.31. 65다1156; 1964.3.31. 63다715.

124) 대법원 2004.12.10. 2004다25123; 1999.2.24. 97다38930; 1997.11.11. 97도813; 1997.10.24. 96다33037; 1993.8.24. 92다923; 1992.12.22. 92다28228; 인천지방법원 부천지원 2005.5.27. 2004가합3207.

125) 대법원 2010.3.11. 2007다71271.

126) 이철송, 전게서, 683면.

127) 대법원 2000.6.8. 2000마1439; 1999.2.24. 97다38930; 1988.6.14. 87다카2268; 1977.11.22. 77다1742.

공하는지 여부에 따라 판단해야 한다고 하며, 이사나 감사의 경우에도 그 명칭이 형식적·명목적인 것이고 실제로는 업무집행권을 갖는 대표이사나 사용자의 지휘·감독하에 일정한 근로를 제공하면서 그 대가로 보수를 받고 있거나 회사로부터 위임받은 사무를 처리하는 것 외에 대표이사 등의 지휘·감독 아래 일정한 노무를 담당하면서 그 대가로서 일정한 보수를 받아 왔다면 예외적으로 근로기준법상의 근로자에 해당한다고 판시하였다.[128] 즉 이런 경우에는 예외적으로 감사의 보수에 대해서도 근로기준법이 적용되는 것이다.

사) 보수와 임원배상책임보험

기업실무에서 대부분 회사가 대납하고 있는 임원배상책임보험의 보험료는 감사의 보수에 포함되는가? 1990년대 후반부터 주주들의 권리의식이 크게 신장되고 시민단체가 적극적으로 기업지배구조에 관여하면서 감사를 상대로 한 손해배상청구가 늘어났고, 이에 연계하여 임원배상책임보험이 활성화되었으며, 상장회사의 경우 많은 임원이 임원배상책임보험에 가입하였다. 그런데 문제는 보험료의 상당 부분을 회사가 대납하고 있다는 점이다. 물론 감사 등의 임원이 추후의 손해배상청구소송에 연연하지 않고 능동적·진취적으로 업무를 수행하도록 독려할 수 있다는 점에서 어느 정도 합리성이 있다. 그렇지만 원래 임원배상책임보험이란 임원이 회사 또는 제3자로부터 손해배상청구를 당했을 경우에 대비하기 위한 그 스스로의 안전망이다. 그렇다면 당연히 보험료도 임원이 직접 납부해야 하고, 회사가 대신 납부하고 있는 임원배상책임보험의 보험료도 임원(감사)의 직무수행에 연계되는 것이므로 보수에 포함된다고 해야 한다.[129]

라. 감사의 종임

감사는 원칙적으로 임기가 만료되거나 위임의 종료사유(사망·파산·성년후견개시심판: 민법 제690조)가 있으면 퇴임하지만,[130] 다음과 같은 경우에도 종임한다. 즉 ① 감사는 회사와 위임계약관계에 있으므로(제415조 → 제382조 제2항) 자

---

128) 대법원 2005.5.27. 2005두524; 2003.9.26. 2002다64681; 2002.9.4. 2002다4429; 2000.9.8. 2000다22591; 1997.12.23. 97다44393.
129) 정준우, "이사의 보수에 관한 쟁점사항의 입법론적 검토,"「경제법연구」제15권 제2호(한국경제법학회, 2016), 108~109면.
130) 대법원 1962.11.29. 62다524.

유로이 사임할 수 있다(민법 제689조 제1항). 다만 부득이한 사유 없이 회사에 불리한 시기에 사임한 때에는 그로 인한 회사의 손해를 배상해야 한다(민법 제689조 제2항). ② 감사는 주주총회의 특별결의만 있으면 언제든지 해임될 수 있다. 다만 감사가 정당한 이유 없이 임기 만료 전에 해임된 때에는 회사에 대하여 손해배상을 청구할 수 있고(제415조 → 제385조 제1항), 해임에 관한 주주총회에서 의견을 진술할 수 있다(제409조의2).[131] ③ 감사는 소수주주의 해임청구에 의해서도 해임될 수 있다. 즉 감사가 그 직무에 관하여 부정행위 또는 법령·정관에 위반한 중대한 사실이 있음에도 불구하고 주주총회에서 그 해임이 부결된 때에는 발행주식총수의 100분의 3 이상의 주식을 가진 주주가 그 결의일로부터 1개월 내에 감사의 해임을 법원에 청구할 수 있다(제415조 → 제385조 제2항). 다만 상장회사의 경우에는 6개월 전부터 계속하여 발행주식총수의 1만분의 50(자본금 1천억원 이상인 상장회사는 1만분의 25) 이상에 해당하는 주식을 보유한 주주만이 법원에 감사의 해임을 청구할 수 있다(제542조의6 제3항, 시행령 제32조). 이러한 감사의 종임에 관련된 주요 쟁점은 다음과 같다.

1) 비상장회사에서의 감사의 해임

감사의 해임에는 이사의 해임에 관한 규정이 준용되므로, 비상장회사에서도 주주총회의 특별결의만 있으면 정당성의 유무에 관계없이 언제든지 감사를 해임할 수 있다(제415조 → 제385조). 그런데 여기에는 다음과 같은 문제가 있다.

첫째, 주주총회의 결의는 다수결 원칙에 의해 이루어지므로 사실상 대주주와 그의 우호 세력에 의해 의사의 대부분이 결정된다. 그리고 대체로 감사해임에 관한 안건을 제출하는 이사회의 구성원은 대주주의 강력한 영향력하에 놓여 있으므로 잘못하면 감사의 독립성·중립성을 크게 훼손할 수 있다.

둘째, 상법 제409조 제2항이 감사의 선임에만 대주주의 의결권을 의결권 없는 주식을 제외한 발행주식총수의 3%까지 제한하고 있으므로, 감사해임에서는 대주주의 의결권이 제한되지 않는다. 그리하여 이에 대해서는 ① 합리적인 차별

---

131) 감사의 의견진술권은 감사해임안의 제출권을 통상 이사회가 행사하는 점을 고려할 때, 감사가 주주를 상대로 해임의 부당성을 직접 설명할 수 있는 기회를 제공한다는 점에서 감사의 독립성 강화에 매우 중요한 기능을 한다. 그리고 감사는 자신의 해임안건은 물론이고 다른 감사의 해임안건에 대해서도 의견을 진술할 수 있고, 해임안이 위법·부당한 경우는 물론이고 그러한 사유가 없더라도 의견을 진술할 수 있다.

이 아니므로 타당하지 않다는 견해,[132] ② 입법의 미비라는 견해,[133] ③ 상법이 명문으로 감사의 선임에 대해서만 의결권을 제한하고 있으므로 입법론으로서는 몰라도 해석론으로서는 선임에 관한 의결권 제한을 해임에 유추적용할 수 없다는 견해[134]가 있다. 생각건대 감사의 선임과 해임을 차별할 특별한 이유가 없으므로, 감사의 독립성을 확보·유지하기 위해서는 ①설이 타당하다.

셋째, 감사가 임기 중에 정당한 이유 없이 해임된 때에는 회사에 대하여 손해배상을 청구할 수 있지만, 여기서 임기란 「정관이나 주주총회에서 정한 임기」를 의미한다.[135] 그리하여 임기를 정하지 않은 감사는 해임되더라도 손해배상을 청구할 수 없게 되는데, 이 역시 감사의 독립성·중립성을 침해할 위험성이 크다. 따라서 감사의 해임에 대해서도 대주주의 의결권을 제한하는 것이 타당하다. 참고로 상장회사의 경우에는 2020년 개정상법이 신설한 제542조의12 제7항에 의해 감사의 해임에 대해서도 대주주의 의결권이 제한된다.

2) 소수주주의 해임청구와 피고

감사가 그 직무에 관하여 부정행위 또는 법령이나 정관에 위반한 중대한 사실이 있음에도 불구하고 주주총회에서 그 해임을 부결한 때에는 일정한 요건(① 비상장회사에서는 발행주식총수의 100분의 3 이상을 가진 주주, ② 일반상장회사에서는 발행주식총수의 1만분의 50 이상을 6개월 이상 계속 보유한 주주, ③ 자본금 1천억원 이상인 대규모상장회사에서는 발행주식총수의 1만분의 25 이상을 6개월 이상 계속 보유한 주주)[136]을 갖춘 소수주주가 주주총회결의일로부터 1개월 내에 그 감사의 해임을 법원에 청구할 수 있다(제415조 → 제385조 제2항). 그런데 상법은 누구를 피고로 하여 감사해임을 청구해야 하는지는 규정하고 있지 않다. 그리하여 우리나라와 일본의 경우 ① 감사해임청구의 소는 회사에 대해서 감사의 해임을 구하는 소이므로 회사만이 피고가 된다는 견해, ② 감사해임청구의 소는 판결에 의해 감사지위의 박탈을 구하는 소이므로 감사만이 피고가 된다는 견해 등도 있

---

132) 이철송, 전게서, 870면.
133) 송옥렬, 전게서, 1125면.
134) 임재연, 전게서, 573면.
135) 대법원 2001.6.15. 2001다23928(이 사건은 이사의 해임에 관한 것이지만 상법 제385조 제1항은 감사의 경우에도 준용되기 때문에 감사의 해임에도 그대로 원용할 수 있다).
136) 소수주주의 감사해임청구는 의결권의 행사를 그 전제로 하는 것이 아니므로, 지분요건의 계산에 있어서는 의결권 없는 주식도 포함된다(이철송, 676, 871면).

었지만, 대부분은 회사와 감사를 공동피고로 해야 한다고 본다.[137] 감사해임청구는 회사와 감사 간의 위임관계 해소를 목적으로 하는 것이고, 그 법적 성질이 형성의 소이므로, 판결이 확정되면 곧바로 해임의 효력이 발생한다. 이 점에서 ③설이 타당하다. 한편 소수주주의 감사해임청구는 회사의 본점 소재지를 관할하는 지방법원에 전속한다(제415조→제385조 제3항, 제186조).

3) 소수주주의 해임청구권 적용범위

법률 또는 정관에서 정한 감사의 인원수를 결한 경우에 임기의 만료 또는 사임으로 인하여 퇴임한 감사는 새로이 선임된 감사가 취임할 때까지 감사로서의 권리의무가 있는데(제415조→제386조 제1항), 이를 퇴임감사라고 한다. 이 경우 필요하다고 인정할 때에는 법원은 이사와 감사 및 기타 이해관계인의 청구에 의하여 일시적으로 감사의 직무를 행할 자를 선임할 수 있는데, 본점의 소재지에서 등기해야 한다(제415조→제386조 제2항). 그리하여 이러한 퇴임감사도 소수주주의 해임청구의 대상이 되는지가 문제되지만, 상법상 소수주주의 해임청구의 대상은「임기 중의 감사」이므로 퇴임감사에 대해서는 소수주주가 해임청구권을 행사할 수 없다. 이 경우에는 법원에 일시감사의 선임을 청구할 수 있으므로 해임청구를 인정할 실익이 사실상 없기 때문이다.[138]

4) 해임청구의 대상인 감사의 재선임

소수주주가 법원에 감사의 해임을 청구한 후에 당해 감사가 곧바로 사임하였고, 주주총회가 다시 동일인을 감사로 선임한 경우에 소수주주의 해임청구는 소의 이익을 상실하는가? 즉 감사해임청구가 부적법한 소로써 각하되어야 하는지이다. 이와 관련하여 소수주주의 감사해임청구는 특정한 감사에 대한 주주총회의 선임결의 그 자체의 위법성을 다투는 것이 아니라 감사의 부적격성을 이유로 제기된 것이므로, 사임 후 다시 선임되었어도 원래의 청구이유가 그대로 유지된다고 보아야 하고, 따라서 적법한 소라는 견해와 하급심 판결이 있다.[139] 생각

---

137) 권종호, 전게서, 91면; 이범찬·오욱환, 전게서, 114면; 이철송, 전게서, 677면, 871면; 정동윤, 전게서, 390면; 정준우, 전게서, 33면; 정찬형, 전게서, 977면, 1117면. 일본에서의 논의에 대한 자세한 내용은 商事法務研究會,「監査役ハンドブッグ」新訂3版(2000), 185面 참조.

138) 서울서부지방법원 1998.6.12. 97가합11348(이 판결은 이사에 관한 것이지만, 상법 제415조가 제386조를 준용하고 있으므로 감사의 경우에도 동일하다고 본다).

건대 소수주주의 감사해임청구는 감사의 부적격성을 주된 이유로 하는 것이고, 만약 사임 후의 재선임을 유효하게 본다면 오남용의 위험성이 크다. 따라서 원래의 청구이유가 그대로 유지되는 적법한 청구라고 보는 것이 타당하다.

5) 상장회사 소수주주의 행사요건 선택성

상장회사의 소수주주가 특례규정(제542조의6 제3항)이 아닌 일반규정(제415조 → 제385조 제2항)에 따라 감사해임을 청구할 수 있을까? 이러한 의문은 증권거래법에 상장회사 특례규정을 둔 때부터 제기되었는데, 2009년에 자본시장법의 시행과 함께 개정된 상법이 증권거래법상의 지배구조에 관한 특례규정을 상법으로 일원화하면서 특례규정의 적용범위에 관하여 "이 절은 이 장 다른 절에 우선하여 적용한다"라고 규정함으로써(제542조의2 제2항) 재조명되었고, 소수주주권에 관련된 유사한 사안에서 각기 다른 입장을 취한 하급심 판결이 다수 나오면서 논란이 확산되었다.[140] 구체적으로 특례규정은 동일 사항에 있어서 일반규정의 적용을 배제한다는 견해(배타적 적용설), 특례규정의 유형을 양자택일적 경합과 배타적 경합 및 중첩적 경합으로 구분한 뒤 소수주주권에 관한 특례규정은 양자택일적 경합관계라는 견해(선택적 적용설)[141]가 있었다. 그리고 전자의 경우에는 제542조의2 제2항은 증권거래법상의 특례규정에 관한 그동안의 논란을 종식시키고 상장회사 특례규정의 배타적인 적용을 명문화하기 위하여 둔 것이라는 견해,[142] 일반규정도 제13절의 특례규정에만 저촉되지 않으면 상장회사에 적용될 수 있지만, 제542조의6은 상장회사의 특례규정이므로 이에 저촉되는 일반규정은 상장회사에 적용할 수 없다는 견해[143]가 있었다.

---

139) 이철송, 전게서, 676, 871면; 부산지방법원 2004.4.14. 2002가합16791, 2003가합10660, 2003가합2719(이 판결은 원래 이사의 해임 청구에 관한 것이지만 감사에 대해서도 동일하게 적용할 수 있다).

140) 대표적으로 이사의 직무집행정지가처분에 관한 사건에서 서울중앙지방법원은 특례규정의 배타적 적용을 인정하였고(서울중앙지방법원 2010.12.27. 2010카합3874), 주주총회소집청구권에 관한 사건에서 서울고등법원은 일반규정과 특례규정의 선택적 적용을 인정하였다(서울고등법원 2011.4.1. 자 2011라123).

141) 이철송, 전게서, 11~13면; 임재연, "상장회사 주주의 소수주주권 행사 요건 - 서울중앙지방법원 2010카합3874 결정에 관하여 -," 「대한변협신문」 제340호(2011. 2. 21.), 8면; 정준우, "자본시장법상 상장법인 특례규정의 정합성 검토(I)," 「선진상사법률연구」 통권 제61호(법무부, 2013), 145면.

142) 김교창, 전게 "상장회사의 특례에 관한 2009년 개정상법의 논점," 62~63면, 69면; 최준선, 전게서, 249면.

143) 정찬형, 전게 "2009년 개정상법 중 상장회사에 대한 특례규정에 관한 의견," 271~274면.

이러한 논란이 지속되자 2020년 개정상법은 소수주주권에 관한 상장회사 특례규정인 제542조의6에 제10항을 신설하여 "제1항부터 제7항까지는 제542조의2 제2항에도 불구하고 이 장의 다른 절에 따른 소수주주권의 행사에 영향을 미치지 아니한다"라고 규정함으로써 선택적 적용설을 취하였다. 따라서 상장회사의 소수주주는 감사해임청구권의 행사에 있어서 일반규정과 특례규정 중 자신에게 유리한 규정을 선택할 수 있다. 생각건대 소수주주권에 관한 상장회사의 특례는 일반규정상의 지분요건이 너무 높아 주식이 대중에 분산된 상장회사의 경우에는 소수주주권의 행사가 오히려 어렵기 때문에 그 요건을 크게 완화하여 소수주주권의 행사를 활성화하기 위함이고, 요건 완화의 결과 그 오남용이 우려되기 때문에 '6개월 전부터 계속하여'란 보유기간에 관한 요건을 새로이 부가한 것이라는 점을 고려할 때 선택적 적용설을 취한 개정상법은 타당하다.

3. 감사의 권한

가. 개   요

주식회사의 필요적 상설기관인 감사는 이사의 직무집행을 감사하는데(제412조 제1항), 이를 감사의 기본적 권한인 업무감사권이라고 한다. 즉 상법상 감사는 회계감사를 포함한 업무감사의 주체로서 그 직무수행과 관련하여 언제든지 이사에 대하여 영업에 관한 보고를 요구하거나 회사의 업무와 재산상태를 조사할 수 있으며(제412조 제2항), 회사의 비용으로 전문가의 도움을 구할 수도 있다(제412조 제3항). 한편 상법은 서로 독립된 별개의 법인이지만 모회사와 자회사의 특수한 관계를 고려하여 모회사의 감사에게 그 직무수행에 필요한 경우 자회사조사권을 별도로 부여하고 있고(제412조의5), 이사회와 주주총회 및 회사소송 등에 관련된 감사의 개별적인 권한에 관하여 규정하고 있다.

나. 업무감사권

1) 의   의

감사는 이사의 직무집행을 감사한다(제412조 제1항).[144] 이처럼 감사는 이사

---

144) 상법이 감사를 주식회사의 필요적 상설기관으로 규정한 것은 주식회사의 경우 투자자와 경

의 직무에 속하는 일체의 사항을 감사하지만, 집행임원과 상업사용인 기타 직원의 업무수행도 감사할 수 있고(제408조의9 → 제412조, 제412조의2), 이사회의 권한사항도 감사할 수 있다.[145] 그리고 이를 위해 감사는 언제든지 이사에 대하여 영업에 관한 보고를 요구하거나 회사의 업무와 재산상태를 조사할 수 있다(제412조 제2항). 이는 감사업무의 실효성을 제고하기 위한 것이므로 감사의 요구와 조사에 대하여 이사는 회사의 기밀에 속한다는 등의 이유로 거부할 수 없다.[146] 주의할 것은 감사의 업무감사권은 권리인 동시에 의무의 성격도 아울러 내포하고 있다는 점이다.[147] 한편 감사는 그 직무수행을 위하여 필요할 경우 회사의 비용으로 전문가의 도움을 구할 수 있고(제412조 제3항), 감사의 업무감사 결과는 이사회에서의 의견진술 및 보고, 유지청구, 주주총회에서의 의견진술, 감사록·감사보고서 작성 및 제출 등으로 표현된다.

2) 적용범위

상법은 감사의 업무감사권이 미치는 범위에 관하여 명확히 규정하고 있지 않아 다소 논란이 있다.[148] 아직 이에 관한 판례는 없지만, 학설로는 ① 일반적으로 적법성·합목적성·타당성·능률성까지 판단할 수 있는 이사회의 업무감독권과 달리 감사의 업무감사권은 적법성 판단에만 한정된다는 견해,[149] ② 적법성 감사뿐만 아니라 타당성 감사에도 미친다는 견해,[150] ③ 원칙적으로 적법성

영자가 분리되어 있기 때문이므로, 감사는 공정하고 엄중한 업무감사와 회계감사를 통해 기업경영의 부실화를 방지하여 회사·주주·종업원 기타 이해관계인의 이익을 보호해야 한다(권영애, "지주회사의 감사제도에 관한 고찰 – 기업지배구조를 중심으로 –,"「기업법연구」제28권 제3호(한국기업법학회, 2014), 201면).

145) 감사의 업무감사권과 관련하여 특히 상장회사에서는 감사의 역할 중 업무감사가 가장 중요하므로, 이를 위해서는 감사가 회사의 업무를 집행하는 경영진으로부터 독립할 필요성이 있다는 견해도 있다(정응기, "상장회사의 감사선임과 감독체계의 개선방안에 대한 검토,"「법학논총」제39권 제1호(전남대학교 법학연구소, 2019), 223면).

146) 이철송, 전게서, 873면; 酒卷俊雄,「改正商法に理論と實務」(1974), 29面.

147) 권기범, 전게서, 1043면.

148) 이와 관련하여 감사의 업무감사권은 이사회의 업무감독권과 충돌하므로 기관권한분배원칙이라는 측면에서 양자의 관계를 어떻게 설명하고 조정할 것인지가 문제되고 있다는 견해가 있다(권종호, 전게 "감사법제의 특징과 쟁점," 328면).

149) 김동훈,「회사법」(한국외국어대학교출판부, 2010), 360면; 김정호,「회사법」제7판(법문사, 2021), 666면; 박상조,「신회사법론」제3증보판(형설출판사, 2000), 672면; 서돈각·정완용,「상법강의(상)」제4전정(법문사, 1999), 477면; 손주찬,「상법(상)」제15보정판(박영사, 2004), 873면; 이범찬·최준선,「상법개론」제4판(삼영사, 2001), 710면; 임홍근, 전게서, 557면; 장덕조, 전게서, 610면; 정경영, 전게서, 540면; 정동윤,「상법(상)」제6판(법문사, 2012), 669면; 정찬형, 전게서, 1118면.

감사에 한정되나 현저히 부당한 업무집행에 대해서는 예외적으로 타당성 감사도 할 수 있다는 견해[151] 등이 있다. 생각건대 만약 감사가 이사의 직무집행의 타당성 여부까지 감사하게 되면 사실상 감사의 경영판단이 이사의 경영판단보다 우선하게 되어 기관의 분화와 권한의 배분에 관한 상법의 원리에 반하게 되고,[152] 특별한 경우를 제외하고는 감사의 업무감사는 기본적으로 사후감사라는 점에도 맞지 않는다. 따라서 상법이 특별히 예외적으로 규정하고 있는 타당성 감사에 관한 경우(제413조, 제447조의4 제2항 제5호 및 제8호)를 제외하고는 감사의 업무감사권은 적법성 감사에 국한된다고 해석해야 한다.

3) 영업에 관한 보고 요구의 상대방

상법은 감사의 영업에 관한 보고 요구의 상대방으로서 이사를 규정하고 있다 (제412조 제2항). 그런데 영업에 관한 보고 요구는 감사가 그 직무수행에 필요한 정보를 적극적으로 수집함에 있어서 매우 중요한 권한이고, 필요한 정보의 종류나 내용에 따라서는 관련 업무를 담당하는 사용인들이 더 정확하게 알 수도 있다. 그리하여 감사는 사용인에 대해서도 보고 요구를 할 수 있다고 해석해야 한다는 견해가 있다.[153] 생각건대 이는 지나친 확장해석이지만, 감사가 그 직무수행을 위해 이사에게 특정한 사용인으로 하여금 영업에 관한 사항을 보고하도록 조치해 달라는 요구를 할 수는 있다고 본다. 다만 이사의 직무집행을 감사하는 업무감사권의 특성상 적극적인 협조를 받기 어려울 수도 있고, 더 나아가 승진 등 인사에 관여할 수 있는 이사와 사용인 간의 특수한 관계로 인해 필요한 정보를 제대로 얻지 못할 가능성도 있다. 따라서 이 문제는 향후 입법적으로 보고 요구의 상대방인 「이사」를 「이사 및 사용인」으로 개정해야 할 것이다. 한편 감사의 요구를 이사가 거부하거나 조사를 방해하면 당해 이사에게는 과태료의 제재가 있고(제635조 제1항 제3호, 제4호), 감사는 필요한 조사를 할 수 없었다는

---

150) 강위두, 「회사법」 전정판(형설출판사, 2000), 590면; 강위두·임재호, 「상법강의(상)」 제3전 정판(형설출판사, 2009), 893면; 권기범, 전게서, 1044면; 이기수·최병규, 「회사법(상법강 의Ⅱ)」 제11판(박영사, 2019), 596면; 이기수, 「회사법학」 제4판(박영사, 1997), 478면; 최 기원, 「신회사법론」 제14대정판(박영사, 2012), 737면.

151) 김홍기, 전게서, 664면; 권종호, 전게서, 14면; 서헌제, 「사례중심체계 상법강의(상)」(법문 사, 2007), 903면; 정희철, 「상법학(상)」(박영사, 1989), 506면; 채이식, 「상법강의(상)」 개 정판(박영사, 1996), 583면; 최준선, 전게서, 606~607면; 홍복기·박세화, 전게서, 592면.

152) 이철송, 전게서, 874면.

153) 권종호, 전게서, 100면.

뜻과 그 이유를 감사보고서에 기재해야 한다(제447조의4 제3항).

4) 감사가 복수인 경우의 행사방법

감사가 2인 이상 복수인 경우에 특정한 감사가 이사를 상대로 제기한 손해배상청구소송을 다른 감사가 취하할 수 있을까? 상법상 감사는 각자가 법정 권한을 행사할 수 있으므로(독임제적 감사) 권한의 충돌 문제가 발생할 수 있다. 물론 감사의 권한 행사는 후속적인 법률효과를 발생시키지 아니하므로 충돌하더라도 사실상 별다른 문제가 발생하지 않지만, 때로는 감사의 권한 행사를 무력화할 위험성이 있다. 현재 이에 관한 논의는 많지 않지만, "원칙적으로 이는 입법적 불비이지만, 현행법의 해석상 감사가 각자 권한을 행사하는 것을 부정할 근거가 없으므로 이로 인해 발생하는 회사의 손해는 감사의 손해배상책임으로 해결해야 한다"는 견해가 있다.[154] 그리고 판례는 A감사가 이사를 상대로 제기한 손해배상청구소송을 B감사가 취하한 사건에서 "상법 제394조는 수인의 감사가 각자 소송에서 대표권을 가짐을 전제로 한 것이고, 각자의 대표권을 달리 제한할 근거가 없으므로 B의 소 취하는 유효하다"라고 하며, 이로 인해 발생하는 문제점은 감사의 손해배상책임으로 해결해야 한다고 판시하였다.[155]

5) 업무감사의 하부조직

기업실무에서 감사의 업무감사는 매우 다양하게 이루어진다. 즉 ① 기중감사와 기말감사, ② 직접감사와 간접감사, ③ 종합감사와 특별감사 등으로 행해지는데, 문제는 감사가 이 모든 방법을 사용하는 것은 거의 불가능에 가깝다는 점이다. 따라서 감사는 그의 직접적인 지휘를 받으며 감사업무에 종사하는 인적 보조조직이 필요한데, 상법은 이에 관하여 규정하지 않고 있다. 따라서 결국 이 문제는 회사 내부의 감사부서에 대한 지휘·감독권을 감사에게 부여하는 방안 등을 마련하는 등 입법적인 해결을 도모할 수밖에 없다. 다만 이 경우에 내부의 감사부서는 대표이사를 비롯한 경영진의 지휘·감독을 받으므로 이들의 신분상 독립성을 어떻게 확보하느냐가 매우 중요하다. 따라서 감사요원의 자격·지위·선임방법·직무 등에 대한 제도적인 뒷받침이 필요하다.[156] 이 점에서 2011년

---

154) 이철송, 전게서, 872면.
155) 대법원 2003.3.14. 2003다4112.
156) 정준우, 전게 「감사와 외부감사인의 법적 책임」, 53~54면.

개정상법이 새로이 도입한 준법지원인제도의 활용이 기대된다.

다. 개별적 권한

1) 자회사조사권

가) 의 의

모회사의 감사는 그 직무수행을 위해 필요한 경우 자회사에 대하여 영업의 보고를 요구할 수 있고(제412조의5 제1항), 이에 자회사가 지체없이 응하지 아니하거나 보고내용을 확인할 필요가 있는 때에는 직접 자회사의 업무와 재산상태를 조사할 수 있다(제412조의5 제2항). 이 경우 자회사는 정당한 이유가 없는 한 모회사 감사의 보고 요구 및 조사를 거부할 수 없다(제412조의5 제3항). 상법이 법적으로 독립된 별개의 회사임에도 불구하고 이처럼 모회사의 감사에게 자회사에 대한 조사권을 인정하는 것은 모회사가 자회사와 가격이전거래를 하거나 분식결산을 하여 모회사의 진실한 현황을 은폐하는 경우가 많기 때문이다.

나) 조사권의 범위

모회사의 감사가 자회사를 조사하는 것은 모회사에 대한 감사업무를 효과적으로 수행하기 위함이다. 이처럼 모회사의 감사는 그 직무수행을 위해 필요한 경우에만 자회사를 조사할 수 있으므로,[157] 모회사의 감사가 자회사에 대하여 보고를 요구하기 위해서는 모회사에 대한 직무수행상 필요성이 소명되어야 한다. 그렇다면 모회사의 감사가 그 밖의 직무수행을 위해서도 자회사에 대하여 보고를 요구하거나 조사할 수 있을까? 상법이 법적으로 독립된 별개의 회사임에도 불구하고 특별규정을 두어 모회사의 감사로 하여금 자회사를 조사할 수 있도록 한 것은 자회사의 영업과 연계하지 않고는 모회사의 정확한 현황을 파악할 수 없고, 때때로 자회사가 모회사의 자산을 부당하게 유출하는 도구로 사용되고 있으므로 업무감사의 실효성을 높이기 위함이다. 또한 상법 제412조의5 제1항도 「그 직무를 수행하기 위하여 필요한 때」라고 규정하고 있다. 이러한 점을 종합적으로 고려할 때, 모회사의 감사가 이사를 상대로 소를 제기하거나 유지청구권을 행사할 경우에도 자회사를 조사할 수 있다고 해석해야 한다.[158] 한편 상장회

---

157) 권기범, 전게서, 1046면; 최준선, 전게서, 607면.
158) 이철송, 전게서, 875면.

사 등에 적용되는「주식회사 등의 외부감사에 관한 법률(이하 "외부감사법"이라고함)」도 지배회사에게 연결재무제표의 작성을 위해 필요한 범위 내에서 종속회사의 회계에 대한 조사권을 인정하고 있다(외부감사법 제7조).

다) 자회사의 거부

자회사는 원칙적으로 모회사 감사의 보고 요구나 조사를 거부할 수 없지만, 예외적으로 정당한 이유가 있는 때에는 거부할 수 있다(제412조의5 제3항). 그렇다면 자회사가 거부할 수 있는「정당한 이유」란 무엇인가? 이에 대한 상법 규정은 없지만, 학설의 경우에는 ① 보고요구권의 행사가 감사의 권한 남용이거나 조사권이 보고 요구 없이 행사되는 등 위법한 경우로만 국한된다는 견해,[159] ② 위법한 경우뿐만 아니라 정당한 권한 행사라도 자회사의 영업비밀 등과 같은 독립된 이익을 침해하는 때에는 거부권을 행사할 수 있다는 견해[160]가 있다. 자회사조사권의 입법취지를 고려할 때 ②설이 타당하다.

2) 이사회출석·의견진술권 등

가) 의 의

감사는 이사회에 출석하여 의견을 진술할 수 있다(제391조의2 제1항). 감사는 그 직무수행을 위해 이사회의 결의사항을 알 필요가 있고, 이사회의 위법하거나 부당한 결의를 사전에 방지할 수 있기 때문이다. 따라서 회사가 이사회를 소집하는 때에는 감사에게도 소집통지를 해야 하고(제390조 제3항), 그 통지를 생략하려면 감사의 사전동의를 얻어야 한다(제390조 제4항). 한편 이사회에 출석한 감사는 이사회의사록에 기명날인(또는 서명)을 해야 하는데(제391조의3 제2항), 이는 이사회의사록의 작성에 있어서 공정성을 기하기 위함이다.

나) 의무성 여부

감사의 이사회출석·의견진술권의 의무성에 대해서는 다소의 논란이 있다. 즉 ① 감사에게 이사회출석의무를 부과하면 오히려 감사의 지위를 약화시키는 원인이 될 수 있으므로 이사회출석의무가 없다는 견해,[161] ② 감사의 이사회 출석은 권한인 동시에 의무이므로 감사가 정당한 이유 없이 이사회에 계속 참석하

---

159) 商事法務研究會, 前揭書, 102面.
160) 권종호, 전게서, 105면; 이철송, 전게서, 875면.
161) 정경영, 전게서, 543면; 최기원, 전게서, 741면.

지 아니하면 임무해태가 되어 책임을 진다는 견해,[162] ③ 감사가 1회이든 수회이든 이사회에 결석한 사실 그 자체는 임무해태로 볼 수 없지만 정당한 사유 없이 이사회에 불출석하여 감사권 행사를 게을리한 때에는 임무해태가 된다는 견해[163]가 있다. 생각건대 감사의 이사회출석·의견진술권은 감사가 그 직무를 효과적으로 수행하려면 이사회의 결의사항을 알아야 하고, 필요한 때에는 감사가 이사회에 의견을 표시할 수 있어야 하므로 인정되는 것이므로 기본적으로 권한으로 보아야 한다. 그렇지만 감사가 이사회에 정당한 사유 없이 참석하지 아니함으로 인해 그 직무를 제대로 수행하지 못한 경우에는 당연히 임무해태에 따른 손해배상책임을 부담해야 한다. 이러한 점에서 ③설이 타당하다.

다) 소집통지 등을 결여한 이사회의 효력

감사에게 소집통지를 하지 않았거나 감사가 출석하지 아니한 상태에서 이루어진 이사회결의는 하자 있는 결의인가? 이에 대해서는 ① 감사가 출석하였더라면 이사회의 위법·부당한 결의를 저지하는 조치를 할 수도 있었으므로 소집절차에 하자가 있다는 견해,[164] ② 감사에게 소집통지를 하지 않았어도 이사회의 결의에는 하자가 없다는 견해[165] 및 판례[166]가 있다. 생각건대 상법은 감사가 이사회에 출석하여 의견을 진술할 수 있다고만 규정하고 있는데, 여기서 「의견진술」이란 구체적으로 의안에 대해 감사의견을 표시하는 것이다. 즉 감사의 이사회 출석은 직무수행을 위한 것이지 이사회의 의사 형성에 필요한 것이 아니므로, 감사에게 소집통지를 하지 않았거나 감사가 소집통지를 받고 출석하지 않았다고 하여 이사회의 결의에 하자가 있는 것은 아니다.

3) 보고수령권

가) 의 의

이사가 회사에 현저하게 손해를 미칠 염려가 있는 사실을 발견한 때에는 즉시 감사에게 이를 보고해야 한다(제412조의2). 일반적으로 감사는 회사의 일상적

---

162) 정동윤, 전게서, 671면; 손주찬, 전게서, 832면.
163) 이철송, 전게서, 876면.
164) 권기범, 전게서, 1045~1046면; 최기원, 전게서, 741면.
165) 이철송, 전게서, 876면.
166) 대법원 2009.4.9. 2008다1521; 2008.7.10. 2005다24981; 1992.4.14. 90다카22698; 부산고등법원 2004.1.16. 2003나12328.

인 업무에 대한 정보를 많이 갖고 있지 않아 감사업무를 실효적으로 수행하지 못할 수도 있고, 때때로 실무에서는 중대한 사고가 발생하더라도 그 사실을 은폐함으로써 감사가 책임소재 규명이나 책임추궁을 적시에 하지 못하는 경우도 있다. 그리하여 상법은 감사의 보고수령권을 통해서 긴급한 상황에 관련된 정보가 감사에게 적시에 보고되도록 하고 있고, 이러한 개시과정을 통해 감사가 정당한 방법으로 그 일을 합리적으로 수습할 수 있도록 유도하고 있다.[167]

나) 보고의 주체

상법은 보고의무의 주체를 단지 「이사」라고만 규정하고 있어 구체적으로 누가 보고의무를 이행해야 하는지 의문이다. 일반적으로는 대표이사가 보고의무를 부담하겠지만, 손해 발생에 원인적으로 관계된 이사와 그러한 사실을 알게 된 이사도 보고의무를 진다고 보아야 한다.[168] 이들도 회사의 수임인으로서 선량한 관리자의 주의의무를 지고, 이에 근거하여 일반적 감시의무를 부담하고 있으며, 동 규정의 입법취지가 회사의 손해를 방지하는 데에 있기 때문이다.

다) 보고의 내용

상법은 이사의 보고의무와 관련하여 「회사에 현저하게 손해를 미칠 염려가 있는 사실」이라고만 규정하고 있는데, 그 의미가 불명확하여 특정한 사실이 이사의 보고 대상인지 아닌지에 관한 논란이 제기될 수 있다. 따라서 현재로서는 보고할 사항인지를 회사의 규모와 영업의 종류 그리고 사안의 일상성 여부에 따라 판단할 수밖에 없다. 예를 들어 거액의 판매대금채권의 회수 불능, 거액의 손해배상채무의 발생, 어음의 부도, 거액의 세금 추징, 심각한 노사분규 등은 대표적인 보고할 사항이고, 이런 경우에는 이미 발생한 경우뿐만 아니라 그 발생이 예견되는 경우도 보고대상에 포함되어야 할 것이다.[169]

라) 보고의무 불이행의 효과

상법은 이사에게 보고의무만 부과하고 있을 뿐 그 위반에 대한 벌칙 규정은 두고 있지 않다. 그렇지만 이사가 보고의무를 이행하지 않으면 그 자체가 법령위반이므로, 만약 회사에 손해가 발생하였다면 당연히 배상책임을 져야 하고(제

---

167) 이철송, 전게서, 876면.
168) 이철송, 전게서, 877면.
169) 이철송, 전게서, 877면.

399조), 이사의 해임사유(제385조)에도 해당한다고 본다.

마) 보고받은 감사의 후속조치

이에 대한 상법 규정은 없다. 그렇지만 감사는 그 직무수행에 있어서 선관주의의무를 부담하므로 이사로부터 보고 받은 사실을 지체없이 조사하여 그 진상을 파악한 후 그 결과에 대하여 이사회와 주주총회에서 의견을 진술해야 할 것이고, 주주총회의 소집청구나 이사에 대한 유지청구 및 책임추궁 등과 같은 권한을 사안의 종류나 내용에 따라 적시에 행사해야 할 것이다. 물론 감사는 2011년 개정상법이 새로이 규정한 이사회소집청구권도 아울러 행사할 수 있는데, 이러한 감사의 청구에도 불구하고 이사가 지체없이 이사회를 소집하지 아니하면 감사가 직접 이사회를 소집할 수 있다(제412조의4).

4) 주주총회소집청구권

가) 의 의

감사는 회의의 목적사항과 소집의 이유를 기재한 서면을 이사회에 제출하여 임시주주총회의 소집을 청구할 수 있는데(제412조의3 제1항), 만약 이사회가 감사의 주주총회 소집 청구가 있음에도 불구하고 지체없이 소집 절차를 밟지 아니한 경우에는 감사가 법원의 허가를 얻어 직접 주주총회를 소집할 수 있다(제412조의3 제2항→제366조 제2항).

나) 청구권의 행사범위

상법은 이에 대하여 세부적인 내용을 규정하고 있지 않다. 상법이 감사에게 임시주주총회 소집청구권을 부여한 이유는 업무감사권의 실효성을 제고하기 위함이다. 감사의 업무감사권은 대체로 업무에 대한 조사에 그쳐 그 결과를 직접 회사의 업무나 경영정책에 반영할 수 있는 권능이 없고, 따라서 결국 주주총회의 의사결정에 의해서만 그 실효성을 보장받을 수 있기 때문이다. 그런데 바로 이러한 효과를 주주총회에서의 감사 결과에 대한 의견진술을 통해서 거둘 수 있는 것이다. 따라서 감사의 주주총회소집청구권은 주주총회에서 긴급히 의견을 진술할 필요가 있는 때에만 허용해야 한다.[170]

---

170) 정준우, 전게 「감사와 외부감사인의 법적 책임」, 60면.

다) 청구권의 실효성

감사가 이사회에 대하여 주주총회의 소집을 청구할 경우에는 회의의 목적사항과 소집이유를 서면으로 제출해야 한다. 그런데 주주총회의 결의는 소집통지에 기재된 안건에 대해서만 이루어질 수 있으므로, 이사회가 감사의 청구안건을 주주총회의 목적사항으로 상정하지 아니하면 결국 소집된 주주총회에 참석한 주주들은 감사의 의견진술만 들을 수 있을 뿐 아무런 결의도 할 수 없게 된다. 이러한 상황하에서 채권자적 지위에 있는 주주들이 얼마나 적극적으로 주주총회에 참석할 것인지는 의문이다. 즉 감사의 주주총회소집청구권은 실제적으로 실효성이 별로 없다. 따라서 이보다는 오히려 소수주주권의 활성화를 통해서 문제를 해결하든지 아니면 감사가 주주총회소집청구권을 행사하면서 주주총회의 목적사항을 직접 제출할 수 있는 길을 열어주는 것이 합리적일 것이다.[171]

5) 해임에 관한 의견진술권

가) 의 의

감사는 주주총회에서 감사의 해임에 관하여 의견을 진술할 수 있다(제409조의2). 이는 감사의 원만한 직무수행을 위해서는 먼저 그 신분의 안정성이 보장되어야 하므로 인정한 것이기 때문에 감사는 그 자신의 해임만이 아니라 다른 감사의 해임에 대해서도 의견을 진술할 수 있다. 한편 감사의 의견진술권은 주주총회결의의 공정성을 촉구하는 의미도 아울러 담고 있는데, 감사의 해임에 관한 주주총회의 결의는 일반적으로 이사들에 의해서 오도될 가능성이 크기 때문이다. 다만 주의할 것은 감사가 해임에 관하여 의견을 진술한다고 하여 주주총회의 결의를 구속하는 것은 아니라는 점이다.

나) 의견진술의 시기

상법은 감사가 주주총회에서 해임에 관하여 의견을 진술할 수 있다고만 규정하고 있을 뿐 구체적으로 언제 의견을 진술할 수 있는지는 규정하고 있지 않다. 생각건대 상법이 감사의 해임에 관한 의견진술권을 보장한 취지는 감사의 해임에 관한 주주총회 결의의 공정성을 촉구하기 위함이다. 그렇다면 감사의 의견진술권은 당연히 해임결의가 있기 전에 보장되어야 할 것이다.[172]

---

171) 정준우, 전게 「감사와 외부감사인의 법적 책임」, 61면.

다) 의견진술의 범위

상법은 이에 관해서도 규정하고 있지 않다. 그런데 감사의 의견진술권은 감사의 해임에 관한 주주총회 결의의 공정성을 촉구하기 위해 인정되는 것이므로, 주주총회 결의의 공정성을 위한 것이라면 결의의 위법이나 부당성의 지적 등 그 어떠한 내용이라도 감사가 의견을 진술할 수 있다고 보아야 한다.[173]

라) 의견진술권을 보장하지 않은 주주총회결의의 효력

상법은 감사가 해임에 관하여 의견을 진술할 수 있다고만 규정하고 있고, 회사가 감사에게 의견진술의 기회를 부여하지 아니한 경우의 효과는 규정하고 있지 않다. 그렇지만 감사의 의견진술권은 감사의 해임결의가 이사들에 의해 오도되는 것을 방지하기 위하여 인정된 것이다. 따라서 만약 회사가 감사의 의견진술 요구를 무시하고 결의를 강행하였다면, 이는 절차와 방법상의 중대한 하자가 있는 것이므로 감사가 주주총회결의취소의 소를 제기할 수 있다.[174]

6) 이사회소집청구권

감사는 필요하면 회의의 목적사항과 소집이유를 적은 서면을 이사(소집권자)에게 제출하여 이사회 소집을 청구할 수 있다(제412조의4 제1항). 이는 2011년 개정상법이 새로이 도입한 것인데, 감사가 직무수행의 결과를 이사회에서 적시에 진술하고자 할 경우 그 실행수단을 마련해 주기 위함이다. 즉 감사의 이사회소집청구권은 이사가 법령 또는 정관에 위반하거나 위반할 염려가 있는 경우에는 감사가 이를 이사회에 보고해야 한다는 이사회출석·의견진술권을 실질적으로 보장해 주기 위한 것이다(제391조의2 제2항). 따라서 여기서「필요하면」은 감사가 제391조의2에 의해 이사회에 의견을 진술하거나 보고하기 위한 경우로 해석해야 한다.[175] 이러한 감사의 이사회소집청구권에 대해서는 법원의 허가가 필요 없고, 감사의 청구에도 불구하고 이사가 지체없이 이사회를 소집하지 아니하면 청구한 감사가 직접 이사회를 소집할 수 있다(제412조의4 제2항).

---

172) 이철송, 전게서, 878면; 정준우, 전게「감사와 외부감사인의 법적 책임」, 62면.
173) 이철송, 전게서, 878면.
174) 上柳克郎·鴻常夫·竹內昭夫 外,「新版 注釋會社法(6)」(有斐閣, 1987), 471面.
175) 이철송, 전게서, 877면.

7) 유지청구권

가) 의 의

이사가 법령 또는 정관에 위반한 행위를 하여 회사에 회복할 수 없는 손해가 생길 염려가 있는 경우에는 감사가 회사를 위하여 이사에 대하여 그 행위를 유지할 것을 청구할 수 있다(제415조→제402조). 주의할 것은 유지청구의 요건이 충족되면 주주와 달리 감사는 반드시 이사에 대하여 유지청구를 해야 한다는 점이다. 따라서 만약 감사가 이를 게을리하면 임무해태가 된다.[176] 한편 감사의 유지청구는 의사표시 또는 소로써 할 수 있다. 이러한 감사의 유지청구는 감사가 회사의 대표기관적 지위에서 이사를 상대로 한다는 점에서 대표소송과 유사하지만, 대표소송은 사후적인 구제수단인 점에서 유지청구와 구별된다.

나) 행사방법

상법은 유지청구의 구체적인 방법에 관하여 규정하고 있지 않지만, 감사의 유지청구는 이사에 대한 의사표시 또는 소로써 할 수 있다고 일반적으로 해석하고 있다. 그리고 유지청구를 위한 소는 회사를 위해 제기하는 것이므로 그 판결의 효과가 당연히 회사에 미친다(통설). 그럼에도 불구하고 소의 관할이나 소송참가 등 유지청구의 절차에 관한 규정이 상법에는 없다. 따라서 유지청구의 소는 그 성질상 대표소송의 일종으로 볼 수 있는 만큼 우선은 대표소송에 관한 규정을 유추적용하여 해결해야 할 것이다(통설).

다) 유지청구를 무시한 경우의 효력

이사의 법령 또는 정관 위반행위에 대하여 감사가 유지청구를 하였지만 이사가 그 행위를 유지하지 않아 위반행위가 유효한 경우의 사법적 효력은 어떠한가? 아직 이에 대한 판례는 없지만, "신주·사채의 발행과 같은 단체법적 행위는 상대방이 유지청구의 사실을 알든 모르든 유효하지만, 매매와 같은 개인법적 거래행위에 있어서는 상대방이 유지청구의 사실을 안 경우 회사가 무효를 주장할 수 있다"는 견해[177]가 있다. 그런데 이에 의하면 감사의 유지청구는 적법성의 추정을 받고 이사의 행위는 위법성 추정을 받는 결과가 되는데, 이는 불공평

---

176) 이철송, 전게서, 831, 878면.
177) 강위두·임재호, 전게서, 881면; 박상조, 전게서, 658면; 손주찬, 전게서, 820면; 최준선, 전게서, 579면.

할 뿐만 아니라 법적 근거도 없다. 따라서 감사의 유지청구 유무 또는 상대방의 선의 여부는 행위의 효력에 영향을 주지 않는다고 보아야 한다.[178]

라) 유지청구의 실효성

감사의 유지청구는 강제력이 없으므로 이사가 무시할 수 있다. 다만 이사가 감사로부터 정당한 유지청구를 받고도 그 위반행위를 유지하지 않거나 감사의 유지청구가 부당함에도 그에 따른 경우에는 법령·정관에 위반한 행위이거나 임무를 해태한 경우가 되어 제399조에 의한 책임을 부담할 뿐이다. 그러므로 감사의 유지청구가 그 실효성을 가지려면 가처분제도를 함께 이용할 수 있어야 하는데, 상법은 이에 관한 규정을 두고 있지 않다. 명백한 입법적 불비이다.

8) 각종 소의 대표권

가) 의 의

회사가 이사에 대하여 또는 이사가 회사에 대하여 소를 제기한 때에는 감사가 그 소에 관하여 회사를 대표하고(제394조 제1항 전단),[179] 소수주주가 회사에 대하여 이사의 책임추궁을 위한 소 제기를 청구한 때에도 감사가 회사를 대표한다(제394조 제1항 후단, 제403조 제1항). 따라서 소수주주는 감사에 대하여 청구해야 하고, 감사가 소를 제기해야 한다. 한편 감사는 회사설립무효의 소(제328조), 주주총회결의취소의 소(제376조 제1항), 신주발행무효의 소(제429조), 감자무효의 소(제445조), 합병무효의 소(제529조), 분할·분할합병무효의 소(제530조의11 제1항→제529조), 주식교환·이전무효의 소(제360조의14, 제360조의23)를 제기할 수 있다. 주의할 것은 소를 제기할 것인지는 감사의 판단에 속하지만 선관주의의무를 부담하고, 감사가 주주총회결의취소의 소와 신주발행무효의 소 및 감자무효의 소를 제기한 때에는 담보제공의무가 면제된다는 점이다.

---

178) 권기범, 전게서, 962면; 송옥렬, 전게서, 1104면; 이철송, 전게서, 833면; 정동윤, 전게서, 653면.
179) 상법 제394조 제1항은 이사와 회사 간의 소에 대해서는 감사가 회사를 대표하도록 규정하고 있는데, 이는 이사와 회사 간에는 이해의 충돌이 있기 쉬우므로 그 충돌을 방지하고 공정한 소송수행을 확보하기 위한 것이다(대법원 2018.3.15. 2016다275679). 그러나 퇴임한 이사와 회사 간의 소에서는 대표이사가 회사를 대표한다(대법원 2007.9.21. 2005다34797; 2007.7.26. 2006다33609; 2006.7.6. 2004다8272; 2003.10.10. 2003도3516; 2002.6.14. 2001다52407; 2002.3.15. 2000다9086; 1977.6.28. 77다295; 부산고등법원 2002.12.18. 2002나8957).

나) 제소 여부의 결정

감사는 이사를 상대로 한 소송의 수행만이 아니라 그 제소 여부도 직접 결정할 수 있는가? 결론적으로 감사는 이사에 대한 제소 여부도 직접 결정할 수 있어야 한다.[180] 왜냐하면 만약 제소 여부는 이사회가 결정하고 감사에게는 당해 소송의 수행권만 부여한다면 이사에 대한 소의 제기 그 자체가 지연되거나 때로는 포기될 수도 있어 감사에게 소 대표권을 부여한 상법의 입법취지에 반하기 때문이다. 이 점에서 감사의 소 대표권은 권한인 동시에 의무이기도 하다. 따라서 감사가 제소할 정당한 이유가 있음에도 불구하고 소를 제기하지 아니한 때에는 회사에 대해서 임무해태에 따른 손해배상책임을 진다.

다) 제소요건의 선택성

비상장회사에서는 발행주식총수의 100분의 1 이상의 주식을 소유한 주주(일반요건)가 그리고 상장회사에서는 발행주식총수의 1만분의 1 이상의 주식을 6개월 전부터 계속하여 보유한 주주(특례요건)가 회사(감사)에 대하여 이사의 책임을 추궁할 소의 제기를 청구할 수 있다. 그렇다면 상장회사의 소수주주가 특례요건을 충족하지 않고 일반요건만 충족하여 청구한 경우에 감사는 어떻게 조치해야 하는가? 결론적으로 말해 2020년 개정상법이 제542조의6에 신설한 제10항이 선택적 적용설을 명확히 규정하고 있으므로, 감사는 이사를 상대로 소를 제기해야 하고, 만약 이를 무시하면 그 자체가 감사의 임무해태가 된다.

라) 대표이사가 수행한 소송행위의 효력

감사의 소 대표권에 관한 규정은 효력규정이므로, 이에 위반하여 대표이사가 회사를 대표하여 수행한 소송행위는 무효이다.[181] 따라서 법원이 이를 간과하고

---

180) 이철송, 전게서, 879면; 정경영, 「상법학강의」(박영사, 2007), 573면; 정동윤, 전게서, 671면.

181) 송옥렬, 전게서, 1127면; 이철송, 전게서, 879면; 대법원 2011.7.28. 2009다86918; 2003.3.28. 2003다2376; 1996.10.11. 96다3852; 1990.5.11. 89다카15199; 부산고등법원 2002.12.18. 2002나8957(이사가 회사에 대하여 소를 제기함에 있어서 상법 제394조에 의하여 그 소에 관하여 회사를 대표할 권한이 있는 감사를 대표자로 표시하지 아니하고 대표이사를 회사의 대표자로 표시한 소장을 법원에 제출하고, 법원도 이 점을 간과하여 회사의 대표이사에게 소장의 부본을 송달한 채, 회사의 대표이사로부터 소송대리권을 위임받은 변호사들에 의하여 소송이 수행되었다면, 그 소송에 관하여는 회사를 대표할 권한이 대표이사에게 없기 때문에, 소장이 회사에게 적법·유효하게 송달되었다고 볼 수 없음은 물론 회사의 대표이사가 회사를 대표하여 한 소송행위나 이사가 회사의 대표이사에 대하여 한 소송행위는

판결을 내렸다면 상고 또는 재심의 사유가 된다(민사소송법 제424조 제1항 제4호, 제451조 제1항 제3호). 한편 이사가 회사를 상대로 소를 제기하면서 소장에 회사의 대표자로 대표이사를 기재하였어도 이를 감사로 보정할 수 있는데,[182] 그 이후에는 감사의 추인 여부에 상관없이 적법한 소가 된다.[183]

마) 비송사건과 감사의 대표권

쟁송성이 미약한 비송사건에서도 감사가 회사를 대표해야 하는가? 이사와 회사 간의 소에 있어서는 감사가 회사를 대표하도록 한 것은 양자 간의 이해충돌을 방지하고, 소송수행의 공정성을 확보하기 위함이다. 그리하여 임시주주총회소집허가신청사건·일시이사선임신청사건·주식매수가액결정신청사건 등처럼 쟁송성이 미약한 경우에는 이사가 회사를 대표하더라도 문제되지 않는다고 생각할 수 있다. 이에 관한 학설이나 판례는 아직 없지만, 비송사건이라고 해서 반드시 쟁송성이 미약한 것은 아니라는 점과 소송사건의 비소송화라는 최근의 경향 등을 고려하면 이 경우에도 감사가 회사를 대표하도록 하는 것이 합리적이다.

바) 감사가 공동불법행위자인 경우의 대표권

회사와 이사 간의 소송에서는 대표이사가 아니라 감사가 회사를 대표하는데, 이는 효력규정이다. 그런데 감사가 이사와 공동불법행위자인 경우에는 회사의 이익을 위하여 이사에게 소송을 제기할 가능성이 거의 희박하다. 따라서 이 경우에는 예외적으로 다른 임원 등 회사를 대표할 자를 정해야 하는데, 불행히도 이에 관한 규정이 상법에 없을 뿐만 아니라 학설도 아직 없다. 다만 불법행위에서의 소멸시효 기산점과 관련하여 간접적으로 이러한 경우에는 회사의 이익을 정당하게 보전할 권한을 가진 다른 임원 또는 사원이나 직원 등이 손해배상청구권을 행사할 수 있음과 그들이 이사 등의 불법행위를 안 때를 소멸시효의 기산점으로 해야 한다고 밝힌 판례가 있을 뿐이다.[184]

모두 무효가 된다).
182) 이러한 대표권의 보정은 항소심에서도 가능하다(대법원 2003.3.28. 2003다2376).
183) 대법원 2011.7.28. 2009다86918; 2003.3.28. 2003다2376; 1996.10.11. 96다3852; 1990.5. 11. 89다카15199.
184) 대법원 2015.1.15. 2013다50435; 2012.7.12. 2012다20475(갑 주식회사의 대표이사 을이 이사회결의 등 적법한 절차를 거치지 않은 채 병의 갑 회사에 대한 채무를 면제해 주어 갑 회사에 손해가 발생하였는데, 채무면제행위 당시 갑 회사 감사 정이 그 자리에 함께 있었음에도 을의 행위에 대하여 유지할 것을 청구하거나 이사회 또는 주주총회에 보고하는 등 필요한 조치를 전혀 취하지 않은 사안에서, 을의 채무면제행위와 이에 대한 정의 고의 또

사) 감사가 없는 소규모회사의 경우

자본금 총액이 10억원 미만인 소규모회사가 감사를 두지 아니한 경우에는 회사와 이사 간의 소에 있어서 회사와 이사 및 이해관계인은 법원에 회사를 대표할 자를 선임하여 줄 것을 신청해야 한다(제409조 제5항).

4. 감사의 의무

가. 개   요

감사는 주식회사의 필요적 상설기관으로서 회사와 위임계약관계에 있다. 따라서 감사는 회사의 수임인으로서 그 직무수행에 있어서 선량한 관리자의 주의의무를 지고(민법 제681조), 회사의 영업비밀을 유지할 의무도 진다(제415조→제382조의4). 그리고 이미 앞에서 지적한 것처럼 감사의 권한은 의무의 성격도 함께 내포하고 있으므로, 감사는 업무감사권을 비롯하여 각종 개별적 권한을 행사할 경우에도 선량한 관리자로서의 주의를 다 기울여야 한다. 한편 상법은 감사의 직무수행에 관련된 다양한 개별적 의무를 규정하고 있다.

나. 선관주의의무

1) 의   의

감사와 회사와의 관계에는 위임에 관한 민법 규정(제680조)이 준용되므로(제415조→제382조 제2항), 감사는 회사에 대하여 선량한 관리자의 주의의무를 부담한다. 이는 감사의 개별적인 능력에 따른 의무가 아니라, 위임사무의 처리에 있어서 일반적으로 요구되는 고도의 주의의무이다. 한편 감사는 의무의 이행에서는 물론이고 권한을 행사함에 있어서도 선관주의의무를 부담하는데, 감사의

는 과실에 의한 방조행위가 객관적으로 관련 공동되어 있고 이로 인하여 갑 회사에 손해가 발생함으로써 공동불법행위가 성립한 이상 정이 갑 회사를 대표하여 을을 상대로 손해배상청구권을 행사하리라고 기대하기는 어려우므로, 갑 회사의 이익을 정당하게 보전할 권한을 가진 다른 임원 또는 사원이나 직원 등이 손해배상청구권을 행사할 수 있을 정도로 을의 불법행위를 안 때를 소멸시효의 기산점으로 잡아 소멸시효의 완성 여부를 판단해야 하는데도, 이와 달리 정이 을의 불법행위를 안 때부터 을에 대한 손해배상청구권의 소멸시효가 진행된다고 본 원심판결에 공동불법행위의 성립에 관한 법리오해의 위법이 있다); 1998.11. 10. 98다34126.

권한과 의무는 상호 연계되어 있기 때문이다. 따라서 감사가 의무의 이행이나 권한의 행사에 있어서 임무를 게을리하면 선관주의의무의 위반이 되어 회사에 대하여 손해배상책임을 부담한다.[185] 주의할 것은 이러한 감사의 선관주의의무는 상근·비상근 및 보수의 유무에 관계없이 모든 감사에게 부과되므로 비상근 감사도 선관주의의무의 위반에 따른 책임을 면할 수 없다는 점이다.[186]

2) 의무의 정도

감사가 회사에 대하여 부담하는 기본적 의무인 선관주의의무의 구체적인 내용과 범위는 회사의 종류·규모·업종, 지배구조의 내용과 합리성 여부, 내부통제시스템의 구축 여부, 재정상태, 법령상 규제의 정도, 감사 개개인의 능력과 경력, 근무 여건 등에 따라 다를 수 있다. 그렇지만 감사는 이사의 직무집행을 감사해야 하는 주식회사의 필요적 상설기관으로서 회계감사를 비롯하여 이사의 업무집행 그 전반을 감사할 권한(업무감사권)을 갖고 있고, 이를 위해 언제든지 이사에 대하여 영업에 관한 보고를 요구하거나 회사의 재산상태를 조사할 수 있으며(제412조), 이사가 감사의 조사를 방해하거나 감사의 요구를 거부한 때에는 그 뜻과 이유를 감사보고서에 기재해야 한다(제447조의4 제3항). 따라서 만약 회사 내부에서 일부 임직원의 전횡이 방치되고 있었다거나 회사의 중요한 재무정보로부터 감사가 조직적이고 지속적으로 차단되고 있었다면, 이러한 감사의 주의의무는 경감되는 것이 아니라 오히려 더 가중된다고 보아야 한다.[187]

3) 의무의 전제조건

감사의 선관주의의무 위반과 그에 따른 책임이 합리성을 인정받으려면 무엇보다도 감사가 의무를 이행하는 데에 있어 현실적인 장애가 없어야 하는데, 실제적으로는 여러 가지의 장애가 있다. 예를 들어 감사의 업무감사권에 수반하는 이사회에 대한 보고의무의 경우에 감사가 의무를 이행하려면 우선 이사가 법령

---

185) 대법원 2019.11.28. 2017다244115; 2008.9.11. 2006다68636(주식회사의 감사는 회사의 필요적 상설기관으로서 회계감사를 비롯하여 이사의 업무집행 전반을 감시할 권한을 갖는 등 상법 기타 법령이나 정관에서 정한 권한과 의무가 있다. 감사는 이러한 권한과 의무를 선량한 관리자의 주의의무를 다하여 이행하여야 하고, 이에 위반하여 그 임무를 해태한 때에는 그로 인하여 회사가 입은 손해를 배상할 책임이 있다).

186) 대법원 2011.4.14. 2008다14633; 2009.11.12. 2007다53785; 2009.5.14. 2008다94097; 2008.9.11. 2006다57926; 2007.12.13. 2007다60080; 2004.3.25. 2003다18838.

187) 대법원 2008.9.11. 2006다68834; 2007.6.28. 2006다59687.

또는 정관에 위반한 행위를 하거나 그러한 행위를 할 염려가 있다고 인정되어야 하고, 이를 위해서는 현재 이사가 구체적으로 어떠한 행위를 하고 있는지를 감사가 명확히 알아야 하는데, 이는 현실적으로 쉽지 않다. 그리고 이러한 어려움은 회사에 상주하지 않는 비상근감사의 경우에 더욱 크다. 따라서 감사에게 선관주의의무의 위반을 이유로 회사에 대한 책임을 추궁하기 위해서는 무엇보다도 감사가 그 의무를 제대로 이행할 수 있는 제도적 뒷받침(하부조직의 구축 등)이 필요하다. 이 점 입법적 미비이므로 조속한 보완이 요망된다.

4) 충실의무와의 관계

감사가 회사에 대하여 충실의무를 부담하는가에 대해서는 견해의 대립이 있다. 즉 ① 이사의 충실의무(제382조의3)를 선관주의의무의 구체적인 예로 보는 다수설은 감사의 경우 업무를 집행하지 아니하므로 회사와 이해충돌의 염려가 없기 때문에 경업금지의무와 자기거래금지의무를 부담하지 않는다고 하면서 간접적으로 감사의 충실의무를 부정하는 견해,[188] ② 감사가 경업금지의무와 자기거래금지의무를 부담하지 않음을 근거로 충실의무도 지지 않는다는 것은 전혀 설득력이 없을 뿐만 아니라, 사전적·예방적 감사의 중요성이 부각되고 있는 최근의 추세와 기업비밀에 근접한 거리에 있는 감사의 지위를 고려할 때 이해충돌의 위험이 전혀 없는 것은 아니므로 감사도 충실의무를 진다는 견해[189]가 있다. 생각건대 상법이 충실의무에 관한 제382조의3을 감사에게 준용하지 않는 점과 단순히 "충실하게 수행해야 한다"라는 법문만으로는 영미법상의 신인의무(fiduciary duties)를 수용하였다고 볼 수 없으므로 ①설이 타당하다.

다. 개별적 의무

1) 수비의무

감사는 재임 중만이 아니라 퇴임한 후에도 그 직무상 알게 된 회사의 영업상 비밀[190]을 누설해서는 아니된다(제415조 → 제382조의4). 이러한 감사의 수비의무

---

188) 김홍기, 전게서, 667면; 송옥렬, 전게서, 1127면; 이철송, 전게서, 760면; 정찬형, 전게서, 1121면; 최준선, 전게서, 609면; 홍복기·박세화, 전게서, 598면.
189) 권기범, 전게서, 1049면; 김건식·노혁준·천경훈, 전게서, 532면; 박상조, 전게서, 625면; 임홍근, 전게서, 501면; 정경영, 전게서, 512면; Mertens, in Kölner Kommentar, §116, Rn. 22f; U. Hüffer, AktG, 9, Aufl., C. H. Beck, 2010, §116, Rn. 4.

는 단순히 자신이 알게 된 회사의 영업비밀을 공개하지 않는 것만이 아니라, 타인에 의해서도 공개되지 않도록 주의를 기울이는 것까지 포함한다. 그렇지만 회사의 범죄행위나 탈세와 같은 위법·부당한 행위에 관한 사항은 수비의무의 대상이 아니고,[191] 오히려 수비하는 것 자체가 위법이다.[192] 또한 감사는 회사의 영업비밀을 내부자거래와 같은 사익을 위해서 이용해서도 아니 되고, 그러한 행위를 하는 것 자체가 선관주의의무의 위반이 된다.[193]

2) 이사회에 대한 보고의무

감사는 이사가 법령 또는 정관에 위반한 행위를 하거나 그 행위를 할 염려가 있다고 인정한 때에는 이사회에 이를 보고해야 한다(제391조의2 제2항). 이는 회사에 대한 손해의 발생 여부에 관계없이 요구되는 의무인데, 감사의 업무감사권에 수반하는 것으로서 이사회에 대하여 감독권의 발동을 촉구하는 의미를 지닌다. 그런데 문제는 이사의 행위 태양이 분명하지 않다는 점이다. 법문의 문리적인 측면에서만 본다면 이사의 작위적인 법령·정관 위반행위만을 의미하는 것으로 해석할 수 있지만, 이사가 해야 할 일을 하지 않거나 그러한 염려가 있는 때에도 감사는 이를 이사회에 보고해야 할 것이다.[194] 법령이나 정관은 이사의 권한뿐만 아니라 의무에 대해서도 아울러 규정하고 있기 때문이다.

한편 감사는 이사의 법령·정관 위반행위로 인하여 회사에 회복할 수 없는 손해 발생의 염려가 있는 경우에 유지청구의 의무를 부담하므로(제412조 제1항, 제391조의2, 제402조), 감사가 고의·과실로 선관주의의무를 위반하여 그 임무를 게을리한 때에는 그로 인하여 회사가 입은 손해를 배상해야 한다(제414조 제1항, 제415조→제382조 제2항).[195] 그리고 이사가 업무를 집행함에 있어서 법령위반행위를 한 때에는 그 행위 자체가 회사에 대하여 채무불이행이 되기 때문에 감사는 경영판단의 재량권을 들어 감사의무를 면할 수 없다. 또한 회사의 감사직

---

190) 「영업상의 비밀」이란 회사가 배타적으로 관리하면서 그 경제적인 가치를 독점적으로 이용할 수 있는 미공개된 정보를 의미하는데, 주의할 것은 비록 공시의무가 있는 정보라도 공개하기 전에는 수비의무의 대상이 되며 회계장부열람권과 같이 극히 제한된 경우에만 공개하는 정보도 그 대상이 된다는 점이다.

191) 권종호, 전게서, 127~128면.

192) 이철송, 전게서, 758면, 880면.

193) 정준우, 전게 「감사와 외부감사인의 법적 책임」, 43면.

194) 정준우, 전게 「감사와 외부감사인의 법적 책임」, 47면.

195) 대법원 2004.3.26. 2002다60177.

무규정에서 최종결재자의 결재에 앞서 그 내용을 검토하고 의견을 첨부하는 방법으로 사전감사를 할 의무를 정하고 있는 사항에 대해서는 감사에게 그와 같은 사전감사가 충실히 이루어질 수 있도록 할 의무가 있는 것이므로, 결재 절차가 마련되어 있지 않았다거나 이사의 임의적인 업무처리로 인해 감사사항을 알지 못하였다는 사정만으로는 감사가 그 책임을 면할 수 없다.[196]

3) 주주총회에서의 의견진술의무

감사는 이사가 주주총회에 제출할 의안 및 서류를 조사하여 법령 또는 정관에 위반하거나 현저하게 부당한 사항이 있는지의 여부에 관하여 주주총회에 그 의견을 진술해야 한다(제413조). 이사에 대한 최종적인 견제는 주주총회에서 이루어지므로, 감사의 이 의무가 사실상 가장 효과적인 감사기능을 수행한다고 할 수 있다. 한편 의견진술의무의 이행에 있어서는 감사가 예외적으로 적법성 여부만이 아니라 타당성 여부에 대해서도 감사할 수 있다.

4) 감사록의 작성의무

감사는 감사에 관하여 감사록을 작성해야 하는데(제413조의2 제1항), 여기에는 감사의 실시요령과 그 결과를 기재한 후 감사를 실시한 감사가 기명날인 또는 서명을 해야 한다(제413조의2 제2항). 이렇게 작성된 감사록은 추후 감사의 책임 문제가 제기되었을 때 책임의 유무를 판단할 수 있는 중요한 근거자료를 제공한다. 그런데 상법은 감사에게 감사록의 작성의무를 부과하며 일정한 사항을 기재한 후 기명날인(또는 서명)하라고만 요구하고 있을 뿐 감사록의 구체적인 작성방법에 대해서는 규정하고 있지 않다. 원래 감사록은 감사의 업무수행기록이면서 동시에 감사보고서의 작성에 활용되는 기초자료이고, 감사의 책임 여부가 문제되었을 때 감사가 그 직무를 성실히 수행하였는지에 대한 중요한 판단근거를 제공하는 자료이다. 따라서 감사록은 일정한 원칙에 따라 명료하게 작성되어야 하는데, 예를 들어 ① 작성연월일, ② 작성자, ③ 감사기간, ④ 감사사항, ⑤ 감사절차, ⑥ 감사결과 등이 포함되어야 한다.[197]

---

196) 대법원 2007.11.16. 2005다58830.
197) 자세한 내용은 이범찬·오욱환, 전게서, 64면 참조.

5) 감사보고서의 작성·제출의무

감사는 정기주주총회일의 6주 전에 재무제표와 그 부속명세서 및 영업보고서를 이사로부터 제출받아 그로부터 4주 내에 감사보고서198)를 작성하여 이사에게 제출해야 한다(제447조의3, 제447조의4 제1항). 다만 상장회사의 감사는 정기주주총회일의 1주 전까지 감사보고서를 이사에게 제출할 수 있다(제542조의12 제6항). 이처럼 비상장회사에서는 이사로부터 제출받은 재무제표 등이 제대로 작성되었는지, 그에 기록된 사항들이 사실에 부합하는지, 누락되거나 허위의 사실은 없는지 등에 관한 모든 사항을 감사가 종합적으로 검토한 후 그 결과를 작성하여 제출할 수 있는 기간이 4주간에 불과하다. 그리하여 이 기간 내에 감사가 이러한 모든 사항을 정확히 검토한 후 그 결과보고서인 감사보고서를 작성·제출할 수 있을지 강한 의문이 든다. 특히 비상근감사의 경우에는 회사의 내부정보에 대한 접근 가능성이 매우 낮으므로 더욱 그러하다. 한편 제447조의4 제2항은 10가지의 사항을 감사보고서에 기재하도록 규정하고 있다. 그렇다면 이는 예시사항인가 아니면 한정적 열거사항인가? 법문의 문리적인 측면에서 본다면 "다음의 사항을 기재하여야 한다"라고 되어 있으므로 한정적 열거사항으로 볼수 있다. 그러나 감사보고서에는 회사의 사정에 따라 이 외에도 다양한 사항이 기재될 수 있으므로 이는 예시적인 사항으로 보아야 한다.199)

---

198) 감사보고서에는 ① 감사방법의 개요, ② 회계장부에 기재될 사항이 기재되지 아니하거나 부실기재된 경우 또는 대차대조표나 손익계산서의 기재 내용이 회계장부와 맞지 아니하는 경우에는 그 뜻, ③ 대차대조표 및 손익계산서가 법령과 정관에 따라 회사의 재무상태와 경영성과를 적정하게 표시하고 있는 경우에는 그 뜻, ④ 대차대조표 또는 손익계산서가 법령이나 정관을 위반하여 회사의 재무상태와 경영성과를 적정하게 표시하지 아니하는 경우에는 그 뜻과 이유, ⑤ 대차대조표 또는 손익계산서의 작성에 관한 회계방침의 변경이 타당한지 여부와 그 이유, ⑥ 영업보고서가 법령과 정관에 따라 회사의 상황을 적정하게 표시하고 있는지 여부, ⑦ 이익잉여금의 처분 또는 결손금의 처리가 법령 또는 정관에 맞는지 여부, ⑧ 이익잉여금의 처분 또는 결손금의 처리가 회사의 재무상태나 그 밖의 사정에 비추어 현저하게 부당한 경우에는 그 뜻, ⑨ 제447조의 부속명세서에 기재할 사항이 기재되지 아니하거나 부실기재된 경우 또는 회계장부·대차대조표·손익계산서나 영업보고서의 기재 내용과 맞지 아니하게 기재된 경우에는 그 뜻, ⑩ 이사의 직무수행에 관하여 부정한 행위 또는 법령이나 정관의 규정을 위반하는 중대한 사실이 있는 경우에는 그 사실을 기재해야 한다(제447조의4 제2항).

199) 권종호, 전게서, 137면.

6) 이해상충방지에 관한 규정의 적용 여부

상법상 이사는 경업금지의무(제397조)와 회사기회유용금지의무(제397조의2) 및 자기거래금지의무(제398조)를 부담한다. 따라서 이사는 이사회의 사전승인이 있는 경우에 한하여 자기 또는 제3자의 계산으로 경업이나 자기거래를 할 수 있다. 상법이 이처럼 엄격히 규제하는 것은 회사의 업무집행에 직접 관여하면서 각종 영업비밀을 쉽게 지득할 수 있는 이사가 그러한 영업비밀을 이용하여 회사의 이익과 상충하는 행위를 할 가능성이 있기 때문이다. 그런데 감사에 대해서는 경업금지의무와 회사기회유용금지의무 및 자기거래금지의무가 적용되지 아니한다. 감사는 업무집행기관이 아니므로 회사의 영업비밀을 지득할 기회와 그러한 내부정보를 이용할 가능성이 적다고 보았기 때문이다. 그렇지만 결론적으로 이는 옳지 않다. 경업(또는 겸직)과 회사기회의 유용이 금지되며 자기거래가 제한되는 이사의 종류에는 제한이 없으므로 사내이사만이 아니라 사외이사도 의무를 부담하는데, 회사에 상주하지 않는 사외이사의 영업비밀에 대한 접근가능성이 감사보다 더 높은지는 의문이고, 또한 감사는 이사회출석·의견진술권을 갖고 있어서 사외이사가 지득할 수 있는 정도의 내부정보는 얼마든지 지득할 수 있을 뿐만 아니라 업무감사(회계감사 포함)를 통하여 오히려 회사의 내부정보에 더 밝을 수도 있기 때문이다. 따라서 입법론적으로는 감사의 경우에도 경업과 회사기회의 유용을 금지하고[200] 자기거래도 제한할 필요가 있다.

5. 감사의 책임

가. 개   요

감사는 회사의 수임인으로서 선관주의의무를 비롯한 각종 의무를 부담하며 경영활동을 감독하기 위한 각종 권한을 행사한다. 따라서 감사가 이러한 의무를 이행하지 아니하거나 게을리한 경우 또는 권한을 행사하지 아니하거나 게을리한 경우에는 회사에 대하여 임무해태에 따른 손해배상책임을 부담하고(제414조 제1항), 악의나 중대한 과실로 그 임무를 게을리한 때에는 제3자에 대해서도 예외

---

200) 윤성승, "주식회사 감사의 주의의무에 대한 검토," 「상사판례연구」 제31집 제2권(한국상사판례학회, 2018), 143면.

적으로 손해배상책임을 부담한다(제414조 제2항). 더욱이 일정한 경우에는 감사가 형사처벌 또는 행정적 처분을 받기도 한다. 한편 감사의 임무해태에 따른 회사에 대한 손해배상책임은 총주주의 동의로 감면할 수 있고(제415조→제400조), 10년의 소멸시효에 걸리며,[201] 주주의 대표소송이 인정된다(제415조→제403조 내지 제406조, 제542조의6 제6항). 또한 정기주주총회에서 재무제표 등의 승인결의를 한 후 2년 내에 다른 결의가 없으면 감사의 부정행위를 제외하고는 회사는 감사의 책임을 해제한 것으로 본다(제450조).

나. 회사에 대한 책임

1) 책임의 성질

감사가 그 임무를 게을리한 때에는 회사에 대하여 연대하여 손해를 배상할 책임이 있다(제414조 제1항). 이러한 책임의 법적 성질에 대해서는 ① 상법상 특수한 책임이라는 견해,[202] ② 위임계약상의 채무불이행책임이라는 견해[203]가 있는데, 판례는 ②설을 취하고 있다.[204] 생각건대 감사는 그 직무수행에 있어서 선관주의의무를 부담하므로 감사가 회사에 대하여 손해를 입혔다면 당연히 배상책임을 져야 한다. 그럼에도 불구하고 상법이 감사의 책임에 관한 별도의 규정을 둔 것은 감사의 지위상 특수성을 고려하였기 때문이다. 따라서 감사의 회사에 대한 책임은 상법상의 특수한 책임이라고 보아야 하는데, 이는 일반적인 채무불이행책임보다 더 무거우므로 별도로 채무불이행책임을 물을 실익은 거의 없다. 한편 감사의 회사에 대한 책임은 불법행위에 의해서도 발생할 수 있는데, 이러한 불법행위책임에 있어서는 손해의 전보방법으로서 금전배상 외에 원상회복도 인정된다(민법 제764조). 따라서 감사의 임무해태 행위가 불법행위도 아울러 구성할 때에는 양 책임의 경합을 인정해야 한다.

---

201) 대법원 2009.12.10. 2007다58285; 2008.12.11. 2005다51471; 2008.9.11. 2006다68834; 2007.9.20. 2007다25865; 2006.8.25. 2004다24144; 2006.7.6. 2004다8272; 2004.12.10. 2002다60467; 1992.12.8. 92다34568; 1985.6.25. 84다카1954; 서울고등법원 2006.9.13. 2006나14648.

202) 이철송, 전게서, 790면, 882면.

203) 권종호, 전게서, 139면; 이범찬·오욱환, 전게서, 120면; 商事法務硏究會, 前揭書, 253面.

204) 대법원 1985.6.25. 84다카1954(주식회사의 이사 또는 감사의 회사에 대한 임무해태로 인한 손해배상책임은 일반불법행위책임이 아니라 위임관계로 인한 채무불이행책임이므로 그 소멸시효기간은 일반 채무의 경우와 같이 10년이라고 보아야 할 것이다).

2) 책임의 요건

가) 임무해태

감사의 회사에 대한 책임은 「임무를 해태(게을리)한」 경우에 발생한다.[205] 즉 감사가 선관주의의무를 비롯한 각종 의무를 위반하거나 각종 권한의 행사를 게을리한 때에 책임이 인정된다. 이와 관련하여 판례는 "감사가 직무집행을 함에 있어서 자신의 직무집행이 법령 등에 위반한 것임을 알았거나 또는 어떤 부정한 청탁을 받거나 당해 직무집행에 어떤 이해관계가 있어 자기 또는 제3자의 부정한 이익을 취득할 목적으로 직무집행을 감행한 경우 또는 조금만 주의를 기울였으면 감사로서의 주의의무를 다할 수 있었을 것임에도 불구하고 그러한 주의를 현저히 게을리하여 쉽게 알 수 있었던 사실을 알지 못하고 직무집행을 한 경우라야만 고의 또는 중과실로 인한 책임을 진다"라고 판시하였다.[206]

주의할 것은 감사가 고의 또는 과실로 의무를 이행하지 않았거나 권한을 행사하지 아니한 경우만이 아니라, 의무를 이행하고 권한을 행사하였더라도 그것이 시기적으로 적당하지 아니하였거나 불성실했다면 역시 임무해태가 된다는 점이다.[207] 한편 감사의 임무해태에 관한 입증책임에 대해서는 ① 일반원칙에 따라 감사의 책임을 주장하는 자가 입증해야 한다는 견해,[208] ② 감사의 임무해태에 대한 책임은 감사의 임무위반을 전제로 한 것이므로 감사 스스로가 임무해태가 없었음을 입증해야 하지만, 불법행위책임에 있어서는 피해자인 회사가 감사의 고의 또는 과실을 입증해야 한다는 견해[209]가 있다. 생각건대 감사의 의

---

205) 비교법적으로 감사의 임무해태에 관한 일본의 판례를 보면, ① 감사가 직무권한을 분명히 하지 않고 자신의 인장을 대표이사에 맡긴 경우(東京地判 1967.9.30.), ② 허위의 대차대조표라는 것을 알면서 또는 부주의로 알지 못하고 그대로 주주총회를 통과·공고하게 한 경우(最判 1927.3.5. 新商判集(2), 373 下2), ③ 위법한 배당의안에 관하여 감사가 제대로 조사하지 않은 상태에서 적정·타당하다는 감사결과를 표명하여 주주총회에 보고함으로써 위법배당의안이 원안대로 통과된 경우(神戸地姬路支決 1966.4.11. 下民 第17卷 第3·4號, 222面), ④ 이사가 제출한 대차대조표가 허위인 것을 알면서 감사가 정당하다는 감사의견을 낸 경우(東京地判 1964.10.12.) 등이 있다.

206) 대법원 2010.12.9. 2009다101824; 2008.2.28. 2005다77091.

207) 그러나 감사가 결산업무를 수행하였으나 이사로부터 재무제표 등을 법정기한 내에 제출받지 못하여 다른 임직원들에 의하여 조직적으로 이루어진 분식결산을 발견하지 못한 경우에는 감사의 과실을 인정할 수 없다(대법원 2011.4.14. 2008다14633).

208) 이철송, 전게서, 794면, 882면; 정동윤, 전게서, 448면; 채이식, 전게서, 564면; 대법원 2011.10.13. 2009다80521; 2003.4.11. 2002다70044; 2002.6.14. 2001다52407; 1996.12.23. 96다30465.

무와 권한은 상법에 규정되어 있고, 감사의 의무이행이나 권한의 행사는 업무감
사를 포함한 경영감독기능의 수행과정에서 이루어진다. 따라서 감사에게 책임을
추궁하려면 감사가 그 의무의 이행과 권한의 행사를 적시에 성실히 수행하지 못
하였음을 주장하는 자(회사 또는 소수주주)가 입증해야 할 것이다.

나) 손해의 발생

감사의 회사에 대한 책임이 성립하려면 감사의 임무해태로 인하여 회사에 손
해가 발생하여야 한다. 주의할 것은 여기서 「손해」에는 통상적인 손해만이 아니
라 특별손해도 포함되고, 금전적인 손해 외에 회사의 신용실추와 같은 비금전적
인 손해도 포함된다는 점이다.210) 따라서 감사의 고의 또는 과실로 인해서 잘못
된 사실이 공시되고, 이로 인해서 회사의 신용이 크게 실추되었다면 그에 따른
회사의 손해에 대해서도 감사가 책임을 져야 한다. 예를 들어 과거 ㈜대우사건
에서 밝혀진 분식회계 문제가 이에 해당할 것이다.

다) 인과관계의 존재

감사의 회사에 대한 손해배상책임이 성립하려면 감사의 임무해태와 회사의
손해 사이에 인과관계가 있어야 한다. 그런데 계속기업인 회사의 특성상 감사의
임무해태에 따른 회사의 손해는 여러 단계를 거쳐 계속적으로 이어질 수 있고,
따라서 이 모든 손해에 대한 책임을 감사에게 묻는 것이 오히려 합리적이지 못
할 수도 있다. 이런 점을 종합할 때 감사의 회사에 대한 손해배상책임은 임무해
태와 상당인과관계가 있는211) 손해로 한정해야 한다.212)

3) 책임의 확장

복수의 감사를 둔 회사에서 감사가 그 임무를 게을리하여 회사에 대하여 손
해배상책임을 질 경우에는 다른 감사도 연대하여 책임을 진다. 그런데 이는 일

---

209) 권종호, 전게서, 142면.
210) 이범찬·오욱환, 전게서, 121면.
211) 대법원 2002.11.22. 2002다34871.
212) 감사의 회사에 대한 책임에 관련된 주요 판례는 다음과 같다. 즉 ① 감사의 책임을 부정한
판례로는 신양금고사건(대법원 2002.11.22. 2002다34871), 부민상호신용금고사건(대법원
2003.10.9. 2001다66727), 고려종합금융사건(대법원 2005.1.14. 2004다34349)이 있고, ②
감사의 책임을 긍정한 판례로는 동양모직사건(대법원 1985.6.25. 84다카1954), 신용협동조
합사건(대법원 2004.4.9. 2003다5252), 태고종신용협동조합사건(대법원 2005.1.28. 2004다
63347) 등이 있다.

반적인 채무불이행책임에서의 분할책임원칙에 반한다. 따라서 임무해태에 따른 감사의 회사에 대한 책임은 그 법적 성질을 상법상 특수한 책임으로 보아야 한다. 다만 이는 회사에 대한 관계에서의 문제이고, 복수의 감사 간에서는 임무해태의 정도에 따라 각자의 구체적인 책임이 달라야 할 것이다. 한편 감사의 회사에 대한 손해배상책임에 이사도 책임이 있는 경우에는 감사와 이사가 연대하여 책임을 지고(제414조 제3항), 외부감사인의 회사에 대한 손해배상책임에 이사와 감사도 책임이 있는 때에는 역시 이사·감사·외부감사인이 연대하여 책임을 진다(외부감사법 제31조 제4항 본문). 다만 손해를 배상할 책임이 있는 자가 고의가 없는 경우에 그 자는 법원이 귀책사유에 따라 정하는 책임비율에 따라 손해를 배상할 책임이 있다(외부감사법 제31조 제4항 단서).

4) 책임의 제한

감사가 법령·정관에 위반한 행위를 하거나 임무를 게을리함으로써 회사에 대하여 손해배상책임을 지는 경우에 배상의 범위를 정함에 있어서는 당해 사업의 내용과 성격, 임무위반의 경위 및 위반행위의 태양, 회사의 손해 발생 및 확대에 관여한 객관적인 사정이나 그 정도, 평소 감사의 회사에 대한 공헌도, 임무위반행위로 인한 감사의 이득 유무, 회사 조직체계의 흠결 유무나 위험관리체제의 구축 여부 등 제반 사정을 참작하여 손해분담의 공평이라는 손해배상제도의 이념에 비추어 그 손해배상액을 제한할 수 있다. 이 경우 책임감경사유에 관한 사실인정이나 그 비율을 정하는 것은 그것이 형평의 원칙에 비추어 현저히 불합리하다고 인정되지 않는 한 사실심의 전권사항에 속한다.[213]

5) 책임의 추궁

가) 책임추궁의 주체

감사의 회사에 대한 책임은 당연히 회사가 추궁해야 한다. 그렇지만 회사가 감사의 책임을 추궁하지 않거나 책임추궁을 지연시킬 때에는 예외적으로 발행주식총수의 100분 1 이상의 주식을 소유한 주주도 회사에 대하여 서면으로 감사의 책임을 추궁하는 소의 제기를 청구할 수 있다. 그리고 회사가 제소 청구를

---

213) 대법원 2007.11.30. 2006다19603; 2007.10.11. 2007다34746; 2006.12.7. 2005다34766, 34773.

받은 날로부터 30일 이내에 소를 제기하지 아니하면 청구한 주주가 즉시 회사를 위하여 소를 제기할 수 있다(제415조→제403조). 다만 상장회사에서는 6개월 전부터 계속하여 발행주식총수의 1만분의 1 이상의 주식을 소유하고 있는 주주가 위와 같은 방법으로 대표소송을 제기할 수 있다(제542조의6 제6항).

한편 2020년 개정상법은 그동안의 논의를 바탕으로 다중대표소송을 새로이 도입하면서 이를 감사에게 준용하고 있다(제415조→제406조의2). 그리하여 모회사의 발행주식총수의 100분의 1 이상의 주식을 소유한 주주는 위의 제403조에서와 같은 방법으로 자회사의 감사에 대하여 대표소송을 제기할 수 있다. 다만 모회사와 자회사의 의미에 대하여 제406조의2는 명확히 규정하고 있지 아니하므로, 현재로선 제342조의2 제1항에서 규정하고 있는 모자회사로 해석하는 것이 가장 합리적이다. 그런데 동조 제3항은 모회사가 자회사와 함께 또는 자회사가 단독으로 다른 회사의 발행주식총수의 100분의 50을 초과하여 소유하는 경우에는 그 다른 회사도 모회사의 자회사로 취급하고 있는데, 이를 일반적으로 손회사라고 한다. 그리하여 논리적으로는 모회사의 주주가 손회사의 감사에 대해서도 대표소송을 제기할 수 있는데, 이 경우에는 손회사에 대한 모회사의 실질지분이 최대 4분의 1로 희석되는 문제가 발생한다. 바로 이 점에 근거하여 제406조의2는 파격적이어서 타당성을 인정하기 어렵다는 견해도 있다.[214]

나) 제소주주의 의미

이사나 감사에게 대표소송을 제기하여 회사에 대한 책임을 추궁할 수 있는 주주가 구체적으로 누구이냐에 대해서는 그동안 실질주주라는 견해와 주주명부상의 주주라는 견해가 있었고, 판례는 전자의 입장을 취하고 있었다.[215] 그런데 최근에 대법원은 전원합의체 판결을 통하여 "특별한 사정이 없는 한, 주주명부

---

214) 이철송, 전게서, 845면.

215) 대법원 2011.5.26. 2010다22552(주주명부에 기재된 명의상 주주는 회사에 대한 관계에서 자신의 실질적 권리를 증명하지 않아도 주주의 권리를 행사할 수 있는 자격수여적 효력을 인정받을 뿐이지 주주명부의 기재에 의하여 창설적 효력을 인정받는 것은 아니므로, 주식을 인수하면서 타인의 승낙을 얻어 그 명의로 출자하여 주식대금을 납입한 경우에는 실제로 주식을 인수하여 대금을 납입한 명의차용인만이 실질상 주식인수인으로서 주주가 되고 단순한 명의대여인은 주주가 될 수 없으며, 이는 회사를 설립하면서 타인 명의를 차용하여 주식을 인수한 경우에도 마찬가지이다. 또한 상법 제403조 제1항은 '발행주식의 총수의 100분의 1 이상에 해당하는 주식을 가진 주주'가 주주대표소송을 제기할 수 있다고 규정하고 있을 뿐, 주주의 자격에 관하여 별도 요건을 규정하고 있지 않으므로, 주주대표소송을 제기할 수 있는 주주에 해당하는지는 위 법리에 따라 판단하여야 한다).

에 적법하게 주주로 기재되어 있는 자는 회사에 대한 관계에서 그 주식에 관한
의결권 등 주주권을 행사할 수 있고, 회사 역시 주주명부상 주주 외에 실제 주
식을 인수하거나 양수하고자 하였던 자가 따로 존재한다는 사실을 알았든 몰랐
든 간에 주주명부상 주주의 주주권 행사를 부인할 수 없다”라고 판시하며 편면
적 구속설에 근거하였던 기존의 판례와 위 판례를 모두 변경하였다.[216] 따라서
이제는 주주명부상의 주주만이 대표소송이나 다중대표소송을 제기할 수 있
고,[217] 회사가 부당하게 양수인의 명의개서를 거부하는 경우 등 특별한 사정이
있는 경우에만 예외적으로 실질주주가 대표소송 등을 제기할 수 있다.[218]

다) 제소주주의 요건

감사에게 대표소송을 제기할 수 있는 주주의 판단기준인 발행주식총수에는
의결권 없는 주식도 포함되고, 100분의 1 이상 또는 1만분의 1 이상이라는 지
분요건은 수인이 공동으로 충족할 수도 있다. 다만 이러한 제소요건은 주주가
회사에 대하여 제소 청구를 할 때 또는 법원에 소를 제기할 때 충족해야 한다.
따라서 제소 당시에 요건을 충족하였으면 그 후에 소유주식 수가 100분의 1 이
하 또는 1만분의 1 이하로 감소하여도 무방하다(제415조 → 제403조 제5항). 그렇
지만 주식을 전혀 보유하지 않게 된 경우에는 당사자 적격성을 상실하였으므로
법원은 소를 각하해야 한다.[219] 한편 주의할 것은 ① 주주가 제소요건을 흠결한
경우에도 법원의 각하판결이 선고되기 이전에는 회사가 공동소송참가를 할 수
있고,[220] ② 제소한 주주가 주식을 양도한 경우에 양수인은 소송에 참가 또는
인수하는 것은 아니지만 승계하여 참가할 수는 있으며,[221] ③ 회사에 대하여 파

---

216) 대법원 2017.3.23. 2015다248342 전원합의체.
217) 정준우, “명의주주와 실질주주가 다른 경우에 있어서 주주의 확정 − 대법원 2017.3.23. 선
    고 2015다248342 전원합의체 판결 −,”「법조」통권 제725호(법조협회, 2017), 832∼833면.
218) 회사를 둘러싼 단체적 법률관계가 명의주주와 실질주주의 개인적 법률관계에 의해 영향을
    받게 되면 기존에 명의주주의 이름으로 행해진 모든 법률행위가 실질주주에 의해 사후적으
    로 무효가 되어 법률관계의 불안정이 심화될 수 있으므로 대표소송의 제소 주체는 주주명
    부상의 주주로 보는 것이 타당하다(정준우, “주주대표소송의 제소요건에 관한 쟁점의 비판
    적 검토,”「법과 정책연구」제16집 제1호(한국법정책학회, 2016), 286면). 한편 대표소송에
    관한 판결은 다른 주주들에게도 영향을 미치므로(최성호, “주주대표소송에 있어서 판결효
    력의 귀속,”「저스티스」제71호(한국법학원, 2003), 158면), 그들도 대표소송에 참가할 수
    있도록 회사에 공고의무를 부과해야 한다. 상법은 회사에 대한 고지의무는 규정하고 있지
    만, 회사의 공고의무에 대해서는 규정하고 있지 않기 때문이다.
219) 서울중앙지방법원 2010.6.18. 2008가합36393.
220) 대법원 2002.3.15. 2000다9086.

산선고가 내려진 때에는 파산관재인만이 당사자 적격성을 가지기 때문에 주주가 대표소송을 제기할 수 없다는 점이다.[222]

라) 제소주주의 권리의무

주주가 감사에 대한 대표소송을 제기하여 승소한 때에는 소송비용 및 소송으로 인하여 지출한 비용 중 상당한 금액의 지급을 회사에 대하여 청구할 수 있다(제415조→제405조 제1항 전단, 제406조 제2항). 이 경우 회사가 제소한 주주에게 소송비용을 지급한 때에는 피고였던 감사에게 구상권을 행사할 수 있다(제415조→제405조 제1항 후단). 그런데 여기서 「지출한 비용」의 의미와 그 범위에 대해서는 ① 변호사의 보수라는 견해,[223] ② 대법원의 「변호사비용의 소송비용 산입에 관한 규칙」에 의해 변호사비용은 당연히 소송비용에 포함되고 주주의 비용지출은 회사의 이익을 위한 것이므로 소송비용과 변호사비용에 국한할 것이 아니라 회사가 직접 소송을 제기하였더라면 지출되었을 모든 비용을 의미한다는 견해[224]가 있다. 판례는 아직 명확하지 않지만, 최근에 ②의 입장을 취한 하급심 판결이 있다.[225] 타당하다고 본다. 한편 제소한 주주가 패소하더라도 원칙적으로 회사에 대하여 손해배상책임을 지지는 않지만, 예외적으로 제소한 주주가 악의인 경우에는 책임을 진다(제415조→제405조 제2항).

6) 책임의 면제

가) 의 의

감사의 회사에 대한 손해배상책임은 총주주의 동의로 면제할 수 있는데(제415조→제400조 제1항), 여기서 「책임」이란 이미 발생한 책임을 말하는 것이므로 장래의 책임을 총주주의 사전동의로 면제하는 것은 무효이다.[226] 그리고 주의할 것은 ① 여기서 「주주」에는 의결권 없는 주식을 가진 주주도 포함되고,[227]

---

221) 이철송, 전게서, 839면.
222) 대법원 2002.7.12. 2001다2617.
223) 강위두·임재호, 전게서, 885면.
224) 김건식·노혁준·천경훈, 전게서, 514~515면; 서헌제, 전게서, 891면; 송옥렬, 전게서, 1113면; 장덕조, 전게서, 594면; 이철송, 전게서, 842면.
225) 서울중앙지방법원 2008.6.20. 2007가합43745.
226) 이철송, 전게서, 809, 882면.
227) 감사의 임무해태에 따른 책임추궁은 회사의 손해를 보전하려는 것이므로 의결권의 유무에 관계없이 모든 주주의 이해관계가 걸려 있기 때문이다.

② 면제방식이 총주주의 동의이므로 굳이 주주총회를 개최할 필요 없이 주주들로부터 개별적으로 동의를 얻으면 충분하며,228) ③ 이 경우 총주주의 동의는 묵시적으로도 가능하다는 점이다.229)

나) 면제의 방법

감사의 회사에 대한 손해배상책임은 총주주의 동의로 면제할 수 있는데(제415조→제400조 제1항), 여기서 「총주주의 동의」란 주주총회의 결의를 의미하는 것이 아니므로 주주들의 개별적인 동의(묵시적 동의 포함)도 얼마든지 가능하다.230) 그리고 총주주의 범위에는 의결권 없는 주식을 가진 주주도 포함되고, 실질적으로는 주주 1인에게 주식 전부가 귀속되어 있으나 주주명부상으로는 일부의 주식이 타인의 명의로 신탁되어 있는 경우에 사실상의 1인 주주가 동의한 때에도 총주주의 동의가 있는 것으로 보아야 한다.231) 다만 예외적으로 정기주주총회에서 재무제표를 승인한 때에는 부정행위가 있는 경우를 제외하고는 2년 내에 다른 결의가 없으면 감사의 책임이 해제된 것으로 보는데(제450조), 이에 의하면 주주총회의 보통결의로 감사의 책임을 면제하는 경우가 된다.

다) 면제의 범위

총주주의 동의로 면제해 줄 수 있는 감사의 책임은 위임관계로 인한 회사에 대한 채무불이행책임이므로 불법행위책임은 이에 포함되지 않는다.232) 따라서 만약 감사의 불법행위책임까지 면제하려면 민법상의 채무면제절차를 별도로 밟아야 한다. 한편 양 책임의 경우에는 그 법적 성질이 다르므로 어느 하나의 책임을 묻는 소의 제기는 다른 책임의 시효를 중단시키지 못한다.233)

라) 일부 감사의 책임면제

책임을 져야 하는 감사가 여러 명인 경우에는 일부의 감사에 대해서만 책임을 면제해 줄 수도 있다. 그런데 이 경우에는 책임을 면제받은 감사의 부담부분

228) 권종호, 전게서, 147면; 이철송, 전게서, 809, 882면.
229) 대법원 2008.12.11. 2005다51471; 2012.7.12. 2012다20475; 2011.2.10. 2010다81285; 2008.2.28. 2006다36905; 2002.10.25. 2002다13614; 2002.6.14. 2002다11441.
230) 대법원 2008.12.11. 2005다51471.
231) 대법원 2002.6.14. 2002다11441.
232) 대법원 2002.6.14. 2002다11441; 1996.4.9. 95다56316.
233) 대법원 2012.7.12. 2012다20475; 2011.2.10. 2010다81285; 2008.2.28. 2006다36905; 2002.10.25. 2002다13614; 2002.6.14. 2002다11441.

이 면제받지 못한 다른 감사들에게 어떠한 영향을 주는지가 문제된다. 이와 관련하여 판례는 부진정연대채무에 있어서 채무면제에 절대적 효력을 인정하지 않고 있다(민법 제419조).[234] 따라서 회사가 일부 감사의 책임을 면제해 주더라도 다른 감사들의 책임액은 감소하지 않는다. 다만 이 경우에 면제받지 못한 감사들이 전액 배상을 한 후에는 자신들의 부담부분을 넘어서 변제한 부분에 대하여 면제받은 감사를 상대로 구상할 수 있다.[235]

7) 책임의 감경

가) 의 의

2011년 개정상법은 이사에게 고의와 중대한 과실 등 일정한 사유가 없는 때에는 정관에서 정하는 바에 따라 회사에 대한 이사의 손해배상책임을 불법행위를 한 날 이전 최근 1년간 보수액(상여금과 주식매수선택권의 행사로 인한 이익 등을 포함함)의 6배(사외이사는 3배)를 초과하는 금액에 대하여 면제할 수 있도록 규정하고(제400조 제2항), 제415조에 의해 동 규정을 감사에게 준용하고 있다. 따라서 감사의 회사에 대한 책임도 동일한 요령(상근감사와 비상근감사로 구분하여)으로 정관에 규정을 두어 감경할 수 있다.

나) 책임감경의 주체

상법은 감사의 회사에 대한 손해배상책임을 일정한 한도로 제한할 수 있음을 규정하면서도 구체적으로 어느 기관이 어떠한 방법으로 제한할 수 있는지는 규정하고 있지 않다. 물론 법문의 규정 체계를 고려하면, 제1항에서 총주주의 동의로 감사의 손해배상책임을 면제할 수 있다고 규정하고 있는 점에 기초하여 책임감경도 총주주의 동의로 할 수 있다고 생각할 수 있다. 그런데 제1항과 달리 제2항의 경우에는 「정관에서 정하는 바에 따라」라고 규정하고 있으므로 정관에서 정하기만 한다면 다른 요건을 설정할 수 있다고 보아야 하는데, 이는 결국 정관변경에 해당하므로 주주총회의 특별결의만 있으면 가능하다. 또한 제1항과 제2항 모두 총주주의 동의로 감면할 수 있다고 해석하게 되면 제2항을 특별히 규정한 취지가 무의미해진다. 이런 점을 종합할 때 책임감경은 정관변경의 요건인 주주총회의 특별결의로 가능하다고 해석하는 것이 합리적이다.[236]

---

234) 대법원 2006.1.27. 2005다19378.
235) 이철송, 전게서, 810, 882면.

다) 책임감경의 범위

이사의 책임감경에 관한 제400조 제2항은 감사에 준용된다(제415조). 따라서 감사의 회사에 대한 손해배상책임도 정관으로 감경할 수 있는데, 문제는 이사처럼 6년분과 3년분으로 구분하여 제한할 수 있는가이다. 이에 관한 학설과 판례는 거의 없으므로 합리적인 해석에 의할 수밖에 없다. 생각건대 감사가 회사에 대해 손해배상책임을 지는 원인은 의무위반이고, 이에 관한 규정은 감사의 상근과 비상근을 구분하지 아니하므로 책임의 유무나 정도에 있어서 전혀 차이가 없다.[237] 그렇지만 상근감사와 비상근감사는 회사업무에 관한 숙지도 및 내부정보에 대한 접근가능성 등에 있어서 현저한 차이가 있으므로, 양자의 책임과 그 감경내용을 동일하게 취급하는 것은 형평성과 기업 현실을 고려할 때 타당하지 않다. 따라서 감사의 경우에도 이사처럼 상근감사는 6년분의 보수액을 그리고 비상근감사는 3년분의 보수액을 한도로 책임을 제한하는 것이 바람직하다. 한편 제400조 제2항은 상여금과 주식매수선택권의 행사로 인한 이익도 책임감경의 기초가 되는 보수액에 포함시키고 있는데, 상여금은 당연히 보수에 포함되고 주식매수선택권도 성과급여의 일종으로서 보수에 포함되므로 이 규정은 사실상 무의미하다. 다만 주의할 것은 주식매수선택권의 행사로 인한 이익이란 손해의 원인이 된 행위 이전 최근 1년간에 행사하여 실제로 취득한 이익을 의미하는 것이므로 미행사로 인한 평가이익은 이에 포함되지 않는다는 점이다.

라) 책임감경의 한계

상법이 이사의 책임감경에 관한 규정을 감사에게도 준용하는 것은 감사의 적법한 직무수행에 따르는 위험을 일정한 경우 회사가 분담해 준다는 의미이다. 그리하여 상법은 감사의 고의 또는 중대한 과실에 의한 손해는 책임감경의 대상에서 제외하고 있다(제415조 → 제400조 제2항 단서). 한편 상법은 이사가 제397조(경업금지의무)와 제397조의2(회사기회유용금지의무) 및 제398조(자기거래금지의무)를 위반한 때에도 책임감경의 대상에서 제외하고 있는데, 그 이유는 이사의 사익 추구에 해당하기 때문이다. 물론 이 경우에 책임감경에서 제외되는 것은 이사의 경업과 기회 이용 및 자기거래 그 자체로 보아야 하는데, 경업 등으로

---

236) 이철송, 전게서, 813, 882면.
237) 대법원 2004.3.25. 2003다18838.

인해 회사가 입은 손해는 곧 이사가 얻은 이익이기 때문이다.

그런데 감사의 경우에는 이사와 달리 경업금지의무 등이 적용되지 아니하므로 감사가 경업행위 등을 하더라도 이사의 경우와 다르게 책임감경의 대상에서 제외되지 않는다. 따라서 논리적으로는 제415조에서 제400조를 준용할 때 제2항 단서를 제외해야 한다. 그러나 입법론적으로는 현재의 준용 규정을 그대로 두고 이미 앞에서 지적한 바와 같이 감사도 경업금지의무 등을 지도록 하는 것이 바람직하다. 한편 회사가 감사의 손해배상책임을 실제로 감경하기 위해서는 정관에 그 내용은 물론이고 구체적인 면제규모나 면책금액도 아울러 정해야 하는데, 이 과정에서 책임감경제도의 도입 취지와 강행법규 및 사회질서에 반하지 않는 한 엄격한 관리를 위해서 구체적인 기준을 정할 수도 있다.

8) 책임의 해제

가) 의 의

정기주주총회에서 재무제표 등의 승인 결의를 한 후 2년 내에 다른 결의가 없으면 감사의 부정행위[238]를 제외하고는 회사는 감사의 책임을 해제한 것으로 본다(제415조의2 제7항→제450조). 이는 감사의 회사에 대한 책임에 관한 제414조 제1항의 중대한 예외인데, 그 이유는 상법이 감사에게 엄중한 책임을 부과하고 있으므로 그러한 책임의 존부에 관한 불안정한 상태가 너무 장기화되지 않도록 신속한 책임소멸의 원인을 정하기 위함이다. 따라서 여기서 2년이란 기간은 제척기간으로 보아야 한다. 주의할 것은 책임해제에 관한 제450조는 감사의 제3자에 대한 책임에는 적용되지 않는다는 점이다.[239]

나) 2년 내 다른 결의의 의미

이에 대해서는 주주총회의 결의만이 아니라 이사회의 결의나 회사의 제소행위 등도 포함된다는 견해와 하급심 판례가 있다.[240] 생각건대 감사의 책임해제는 제414조에 대한 중대한 예외인데, 이는 상법이 감사에게 엄격한 책임을 부과

---

238) 부정행위의 의미에 대해서는 다양한 하급심 판례가 있다. 즉 ① 뇌물공여행위를 책임해제가 불가능한 부정행위로 판단한 경우(수원지방법원 2001.12.27. 98가합22553), ② 중과실의 임무해태와 부정행위를 동일시한 경우(서울고등법원 2003.11.20. 2002나6595), ③ 의무를 위반하여 회사에 손해를 끼친 고의행위라고 판단한 경우(부산지방법원 2004.4.14. 2002가합16791) 등이 있다.

239) 대법원 2009.11.12. 2007다53785.

240) 권종호, 전게서, 148면; 정찬형, 전게서, 1084면; 서울고등법원 1977.1.28. 75나2885.

하면서 책임의 존부에 관한 불안정한 상태를 장기화하는 것은 형평에 맞지 아니하므로 신속한 종결을 통해 적임자가 감사로 적시에 취임할 수 있도록 해 주는 것이 실무적으로 바람직하기 때문이다. 따라서 감사의 책임해제를 위한 「2년 내의 다른 결의」란 최소한 예외적인 책임해제의 전제가 되었던 정기주주총회에서의 재무제표 승인 결의에 버금가는 정도의 다른 결의여야만 합리성을 부여할 수 있다. 참고로 독일의 주식법은 감사회가 이사의 책임면제를 결의할 수 있도록 하되, 책임면제는 이사 및 감사가 행한 회사의 관리를 승인함을 뜻하고 손해배상청구의 포기를 뜻하는 것은 아니라는 명문 규정을 두고 있다.[241]

다) 책임해제의 범위

이는 책임해제의 대상인 감사의 책임과 그 범위에 관한 문제이다. 즉 부정행위를 제외한 감사의 회사에 대한 모든 책임이 해제의 대상인지 아니면 그 전제인 재무제표에 관련된 책임만이 해제의 대상인지의 문제이다. 생각건대 상법이 감사의 책임면제요건으로서 총주주의 동의를 요구하면서 예외적으로 책임해제에 관한 규정을 두고 있는 점, 책임해제의 전제요건으로서 정기주주총회에서의 재무제표 승인 결의를 규정하고 있는 점 등을 고려할 때 해제의 대상이 되는 감사의 책임은 재무제표와 연관된 사항으로 한정하는 것이 타당하다.[242] 따라서 책임해제를 주장하는 감사가 자신이 책임을 지는 사유가 정기주주총회에서의 승인 결의 당시의 재무제표에 기재되어 있었음을 입증해야 한다.[243]

다. 제3자에 대한 책임

1) 의   의

감사가 악의 또는 중대한 과실로 그 임무를 해태한 때에는 제3자에 대하여 연대하여 손해를 배상할 책임이 있다(제414조 제2항). 원래 감사가 제3자와 직접적인 법률관계를 맺는 일은 거의 없다. 그렇지만 회사가 주식·사채의 발행 등을 통해 다수인과 집단적인 법률관계를 맺는 과정에서 감사가 그 직무를 소홀히 하여 잘못된 기업정보가 공시되는 것을 막지 못한 경우, 대표이사가 채무의 상

---

241) AktG §120 Abs.2.
242) 대법원 2007.12.13. 2007다60080; 2006.8.25. 2004다24144; 2002.2.26. 2001다76854; 1985.6.25. 84다카1954; 1969.1.28. 68다305; 서울고등법원 2006.9.13. 2006나14648.
243) 대법원 1969.1.28. 68다305.

환능력이 거의 없는 회사에 대해 자금을 지원하는 것을 감사가 알면서도 막지 아니한 경우 등에 있어서는 제3자에게도 손해를 입힐 가능성이 있다. 그리하여 감사의 직무 소홀 등이 제3자의 손실로 파급된 경우 감사가 이를 전보하게 함으로써 제3자를 보호함과 동시에 감사가 그 직무수행에 있어서 보다 신중을 기하게 하려는 취지에서 제3자에 대한 직접적인 책임을 규정한 것이다.

2) 책임의 법적 성질

감사의 제3자에 대한 책임의 성질에 대해서는 법정책임설과 특수불법행위책임설이 있다. 먼저 법정책임설은 불법행위와는 무관한 상법이 인정하는 별개의 손해배상책임이라고 한다(통설). 이 견해는 제3자가 감사에게 불법행위책임을 추궁할 수는 있지만, 그것만으로는 보호가 충분하지 않으므로 상법이 별개의 조문을 두어 비록 감사의 불법행위책임이 성립하지 않더라도 법문상의 요건만 충족하면 제3자가 감사에게 책임을 물을 수 있도록 한 것이라고 하며, 불법행위책임과의 경합도 인정한다. 따라서 제3자가 감사의 악의 또는 중대한 과실에 의한 임무해태로 인해 손해를 입었다면 그 감사에 대하여 상법상의 책임이든 불법행위책임이든 자신에게 유리한 것을 선택하여 책임을 추궁할 수 있다.

다음으로 특수불법행위책임설은 감사의 제3자에 대한 책임은 본질적으로 불법행위책임이지만, 요건상 경과실은 제외되고 위법성이 배제되는 특수한 불법행위책임이라고 한다.[244] 다만 이 견해도 감사의 제3자에 대한 책임과 불법행위책임과의 경합은 인정하는데, 경합을 인정하지 않으면 제3자의 손해가 감사의 경과실에 기인한 경우에는 책임이 배제되는 불합리함이 발생하기 때문이다.

생각건대 어느 견해에 의하더라도 ① 감사의 제3자에 대한 책임과 불법행위책임과의 경합이 인정되는 점, ② 악의 또는 중과실은 임무해태에 필요한 점, ③ 임무해태와 손해 간에 인과관계가 있으면 제3자의 모든 손해에 대해서 감사가 책임을 지는 점은 같다.[245] 다만 특수불법행위책임설에 의하면 회사에 대한 감사의 임무해태가 왜 제3자에 대한 불법행위가 되는지를 설명하기 어렵다. 따라서 제3자와 직접적인 법률관계를 형성하지 않는 감사에게 손해배상책임을 규

---

244) 서돈각·정완용, 전게서, 455면; 서정갑, 「주석실무 개정상법총람」(홍문관, 1984), 551면; 이병태, 「상법(상)」 전정판(법원사, 1988), 692면; 이원석, 「신상법(상)」(법지사, 1984), 262면.
245) 권종호, 전게서, 156면.

정하고 있는 상법의 입법취지를 고려할 때 법정책임설이 타당하다.

3) 책임의 성립요건

가) 악의 또는 중과실

감사가 악의 또는 중대한 과실로 그 임무를 해태한 때에는 제3자에 대하여 손해배상책임을 부담한다.[246] 이처럼 감사의 제3자에 대한 책임이 성립하려면 악의 또는 중과실이 있어야 하는데, 문제는 어느 부분에 있어야 하는가이다. 즉 임무해태에 있어야 하는가 아니면 제3자에 대한 가해행위에 있어야 하는가의 문제이다. 이에 대해서는 통설인 법정책임설과 특수불법행위책임설 모두 임무해태에 있어야 한다고 판단하고 있다. 물론 이 경우 감사의 임무해태에 관한 악의 또는 중과실은 제3자가 입증해야 한다.[247] 한편 이와 관련하여 판례는 매우 다양하게 판시하고 있다. 즉 ① 감사의 지위가 비상근의 무보수 명예직이었더라도 법령과 정관상의 주의의무를 면할 수는 없다고 하였고,[248] ② 감사가 결산업무를 수행하였으나 임직원들에 의해 분식결산이 교묘하게 이루어져 감사가 쉽게 발견할 수 없었던 경우에는 감사의 중과실을 인정하지 않았으며,[249] ③ 임직원들의 부정행위가 교묘하게 이루어진 것이 아니어서 감사가 간단한 조사만 했더라면 부정행위를 쉽게 발견할 수 있었음에도 아무런 조사를 하지 않았거나[250] 감사가 직무수행의 의사가 없어 자신의 도장을 이사에게 맡겨 분식회계를 방치한 경우[251]에는 감사의 중과실을 인정하였고, ④ 임직원들의 전횡이 방치되고

---

246) 참고로 신안제지공업 사건에서 법원은 "피고 ○○○은 위 회사의 사정에 비추어 회계감사 등의 필요성이 있음을 충분히 인식하고 있었고 또 위 부정행위의 수법이 교묘하게 저질러진 것이 아닌 이 사건에 있어서 어음용지의 수량과 발행매수를 조사하거나 은행의 어음결재량을 확인하는 정도의 조사만이라도 했다면 위 △△△의 부정행위를 쉽게 발견할 수 있었을 것인데도 아무런 조사도 하지 아니한 것은 감사로서의 중대한 과실로 인하여 임무를 해태한 것이 된다"라고 판시하며 감사의 제3자에 대한 손해배상책임을 인정하였다(대법원 1988.10.25. 87다카1370).

247) 권종호, 전게서, 157면; 정동윤, 전게서, 452면.

248) 대법원 2011.10.13. 2009다80521; 2008.9.11. 2006다57926; 2008.7.10. 2006다39935; 2008.2.28. 2006다36905; 2006.9.14. 2005다22879; 2004.4.9. 2003다5252; 2004.3.25. 2003다18838.

249) 대법원 2009.11.12. 2007다53785; 2009.7.23. 2008다26131, 80326; 2008.2.14. 2006다82601.

250) 대법원 1988.10.25. 87다카1370.

251) 대법원 2011.4.14. 2008다14633; 2009.11.12. 2007다53785; 2009.7.23. 2008다26131, 80326; 2008.7.24. 2008다18376; 2008.2.14. 2006다82601.

있거나 중요한 재무정보에 대한 감사의 접근이 조직적으로 차단되고 있는 경우에는 감사의 주의의무가 경감되지 않고 오히려 가중된다고 판시하였다.[252]

나) 임무의 해태

감사의 제3자에 대한 책임이 성립하려면 먼저 악의·중과실에 기초한 임무해태가 있어야 한다. 즉 감사가 악의 또는 중과실로 법령 또는 정관을 위반하여 의무의 이행과 권한의 행사를 게을리했어야 하는데,[253] 회사의 재무상태가 악화되었음에도 불구하고 감사가 상당 기간 회계감사를 하지 아니한 경우 등을 그 예로 들 수 있다.[254] 그런데 판례는 감사가 위법한 대출이라는 의심을 하면서도 아무런 조치를 하지 아니한 사건에서, 단순히 의심이 간다는 점만 가지고는 감사가 서류제출의 요구, 관계자의 조사, 감독기관에의 보고 등의 조치를 할 것을 기대하기는 어렵다며 감사의 임무해태를 인정하지 않았다.[255]

다) 제3자의 손해

감사가 책임을 지는 제3자의 손해는 두 가지 점에서 검토되어야 한다. 먼저 제3자의 범위인데, 통설은 회사 이외의 자, 즉 회사채권자와 기타 이해관계인뿐만 아니라 주주나 주식인수인도 포함된다고 보고 있다. 다만 공법관계인 국가와 지방자치단체는 포함되지 않는다.[256] 다음은 손해의 범위인데, 제3자의 직접손해에 대해서는 이론이 없으나, 제3자인 주주의 간접손해에 대해서는 제외설[257]과 포함설[258]이 있다. 즉 전자는 ① 주주가 입은 간접손해는 회사가 배상받음으로써 보상되고, ② 주주가 회사채권자에 우선하여 변제받는 결과가 되며, ③ 주주의 간접손해는 대표소송을 통해서도 구제될 수 있으므로 제외해야 한다고 주장한다. 반면에 후자는 ① 제3자란 널리 회사 이외의 자를 의미하므로 주주를

---

252) 대법원 2008.9.11. 2006다68636.
253) 대법원 2008.9.11. 2007다31518; 2007.6.28. 2006다59687.
254) 대법원 1988.10.25. 87다카1370.
255) 대법원 2003.10.9. 2001다66727.
256) 정찬형, 전게서, 1093면; 대법원 1983.7.12. 82누537; 1983.4.12. 82누517; 1982.12.14. 82누374.
257) 서돈각·정완용, 전게서, 468면; 대법원 2003.10.24. 2003다29661; 2002.6.14. 2001다52407; 1999.7.27. 99다19384; 1993.1.26. 91다36093; 서울고등법원 1997.4.1. 96나26703; 서울지방법원 2002.11.12. 2000가합6051.
258) 권종호, 전게서, 162면; 손주찬, 전게서, 810~811면; 이철송, 전게서, 818, 882면; 정찬형, 전게서, 1092면; 채이식, 전게서, 568면.

제외할 이유가 없고, ② 대표소송은 제소요건에 일정한 제한이 있을 뿐만 아니라 담보제공의무도 있어 주주의 손해를 회복하는 데에는 일정한 한계가 있으므로 주주의 간접손해도 주주의 손해에 포함시켜야 한다고 주장한다. 생각건대 감사의 제3자에 대한 책임에 관하여 법문은 단지 제3자라고만 규정하고 있으므로 회사 이외의 모든 자가 해당한다고 보아야 하고, 주주가 제3자에 해당하는 한 직접손해든 간접손해든 그가 입은 손해에 대해서는 감사가 책임을 지는 것이 마땅하며, 감사에게 손해배상책임을 추궁할 수 있는 제3자인 주주의 자격에는 어떠한 제한도 없음에 비해 대표소송에서는 지주비율의 제한과 담보제공의무 등이 있어 대체수단으로서 적합하지 않다. 따라서 비록 주주가 회사채권자에 우선하여 변제받는다는 약점은 내포되어 있지만, 포함설이 타당하다고 본다.

라) 인과관계의 존재

감사의 제3자에 대한 책임이 성립하려면 감사의 악의 또는 중과실에 의한 임무해태와 제3자의 손해 사이에 상당인과관계가 있어야 한다.

4) 책임의 확장

감사가 제3자에 대해 손해배상책임을 지는 경우에 이사도 그 책임이 있는 때에는 감사와 이사가 연대하여 배상책임을 져야 한다(제414조 제3항). 또한 외부감사인이 제3자에 대해 손해배상책임을 지고 그에 이사와 감사도 책임이 있는 때에는 역시 이사·감사·외부감사인이 연대하여 책임을 져야 한다(외부감사법 제31조 제4항 본문). 다만 손해를 배상할 책임이 있는 자가 고의가 없는 경우에 그 자는 법원이 귀책사유에 따라 정하는 책임비율에 따라 손해를 배상할 책임이 있다(외부감사법 제31조 제4항 단서).

라. 형사책임과 행정벌

1) 형사책임

감사는 이사의 직무집행을 감사하는 기관이지만, 일정한 경우 형사책임도 진다. 즉 감사는 ① 특별배임죄(제622조 제1항, 제624조), ② 회사재산을 위태롭게 하는 죄(제625조), ③ 주식의 취득제한 등에 위반한 죄(제625조의2), ④ 부실보고죄(제626조), ⑤ 부실문서행사죄(제627조), ⑥ 납입가장죄(제628조 제1항), ⑦ 독직죄(제630조 제1항), ⑧ 주주의 권리행사에 관한 이익공여죄(제634조의2)의 주체가 되며, 각각 일정한 처벌을 받는다. 그런데 이 중 특별배임죄의 경우에는 구성요건이나 법정형이 형사법에서의 구성요건이나 법정형과 같아서 그동안 실무에서는 대부분 형사법이 적용되었다. 그런데 2011년 개정상법으로 인해 특별배임죄의 경우 상법상 법정형이 형법보다 더 강화되었으므로, 이제는 감사를 비롯한 임원의 특별배임죄에 있어서는 형법이 아니라 상법에 근거하여 판단해야 한다. 적용대상과 그들의 주의의 정도 및 법정형이 다르기 때문이다. 한편 제622조, 제625조, 제627조, 제628조 또는 제630조 제1항에 규정된 자가 법인인 경우에 벌칙은 그 행위를 한 감사에게도 적용된다(제637조).

2) 행정벌

감사가 ① 주주총회 또는 발기인에게 부실한 보고를 하거나 사실을 은폐한 경우, ② 의사록·감사록·재산목록·대차대조표·영업보고서·손익계산서 및 그 밖에 회사의 재무상태와 경영성과를 표시하는 것으로서 제287조의33 및 제447조 제1항 제3호에 따라 대통령령으로 정하는 서류,[259] 결산보고서, 회계장부, 제447조·제534조·제579조 제1항 또는 제613조 제1항의 부속명세서 또는 감사보고서에 적을 사항을 적지 아니하거나 부실하게 적은 경우, ③ 제232조, 제247조 제3항, 제439조 제2항, 제527조의5, 제530조 제2항, 제530조의9 제4항, 제530조의11 제2항, 제597조, 제603조 또는 제608조를 위반하여 회사의 합병·분할·분할합병 또는 조직변경, 회사재산의 처분 또는 자본금의 감소를 한 경우에는 500만원 이하의 과태료를 부과하는데, 다만 그 행위에 대하여 형을 과할 때에는 그러하지 아니하다(제635조 제1항).

---

259) 「대통령령으로 정하는 서류」란 ① 자본변동표, ② 이익잉여금 처분계산서 또는 결손금 처리계산서 중의 어느 하나에 해당하는 서류를 말하는데, 다만 외감법 제2조에 따른 외부감사 대상회사의 경우에는 ① 내지 ②의 서류 외의 현금흐름표 및 주석도 포함한다(시행령 제16조 제1항).

Ⅱ. 감사위원회

1. 의   의

가. 법적 지위

상법은 주식회사의 감사기관으로서 감사를 원칙으로 하되, 정관에 규정을 둔 경우에는 감사에 갈음하여 이사회 내의 위원회로서 감사위원회를 둘 수 있도록 규정하고 있다(제415조의2 제1항). 다만 자산총액 2조원 이상인 대규모상장회사는 반드시 강화된 감사위원회를 설치해야 하고(제542조의11 제1항),[260] 자산총액 1천억원 이상 2조원 미만인 상장회사도 상근감사를 1인 이상 두지 않는 한 대규모상장회사처럼 강화된 감사위원회를 두어야 한다(제542조의10 제1항). 그런데 감사위원회를 설치하는 구체적인 방법에 대해서는 ① 정관에 근거 규정만을 두고 실제적인 도입 여부는 이사회의 보통결의로 할 수 있다는 견해,[261] ② 감사위원회는 감사를 대체하는 중요한 지위에 있고 경영감독체제의 중대한 변경이므로 이사회에 맡길 수 없고 반드시 정관에 규정해야 한다는 견해[262]가 있다. 생각건대 전자에 의하면 감사 대상인 이사회가 감사 주체인 감사위원회의 구체적인 내용을 정할 수 있어 오남용의 우려가 있을 뿐만 아니라, 감사위원회의 기능을 크게 약화시킬 위험성이 있다. 따라서 감사위원회를 설치하려면 정관에서 설치 여부와 정원 등 세부적인 사항을 모두 정하는 것이 바람직하고, 이는 감사위원회의 설치가 강제되는 대규모상장회사에 있어서도 마찬가지이다.

---

260) 다만 ① 「부동산투자회사법」에 따른 부동산투자회사인 상장회사, ② 「공공기관의 운영에 관한 법률」 및 「공기업의 경영구조 개선 및 민영화에 관한 법률」을 적용받는 상장회사, ③ 「채무자 회생 및 파산에 관한 법률」에 따른 회생절차가 개시된 상장회사, ④ 유가증권시장 또는 코스닥시장에 주권을 신규로 상장한 상장회사(신규상장 후 최초로 소집되는 정기주주총회 전날까지만 해당함) 중 어느 하나에 해당하는 상장회사는 제외한다. 다만 ④의 경우에 유가증권시장에 상장된 주권을 발행한 회사로서 감사위원회를 설치하여야 하는 회사가 코스닥시장에 상장된 주권을 발행한 회사로 되는 경우 또는 코스닥시장에 상장된 주권을 발행한 회사로서 감사위원회를 설치하여야 하는 회사가 유가증권시장에 상장된 주권을 발행한 회사로 되는 경우는 제외한다(시행령 제37조 제1항 단서).

261) 손주찬, 전게서, 840면.

262) 권기범, 전게서, 1055면.

나. 수용 과정

감사위원회는 1997년 말부터 시작된 IMF 외환위기를 정부 주도로 극복하는 과정에서 기존의 감사가 경영감독기관으로서 그 기능을 제대로 수행하지 못했다는 정책적인 판단에 따라 그 대체기구로서 도입되었는데,[263] 주된 취지는 기업지배구조개선의 실효성을 확보하고 경영의 투명성을 고양하며 업무감사의 효율성과 전문성을 제고하기 위함이었다. 물론 감사위원회는 도입할 당시 그 법적 지위와 권한 행사의 독립성 등에 연계된 많은 비판을 받았지만,[264] 그 후 계속하여 관련 규정이 보완되면서 오늘날 주식회사의 중요한 감사기관으로서 그 자리를 잡아가고 있다.[265] 즉 감사위원회는 이사회 내부에서 일종의 자기시정기관으로서 감사와 같은 의무를 이행하고 권한을 행사하고 있다. 더욱이 지난 2017년에 전면 개정된 외부감사법에 의해 감사위원회의 내부회계관리제도 감독, 외부감사인 선정 및 감독, 부정행위 등 보고 및 조사, 재무제표 작성 감독, 내부신고제도 실효성 제고 등의 역할이 크게 확대되었다.[266]

---

263) 이와 관련하여 상법상 감사위원회는 미국의 감사위원회제도를 그 모델로 한 것이지만, 미국의 감사위원회는 이사회의 감독권을 보조하거나 보완하는 역할을 하는 점에서 우리나라의 감사위원회와는 다르다는 견해도 있다(권도중, "감사위원회와 분리선임제도의 문제점 및 개선방안,"「경희법학」제55권 제2호(경희대학교 법학연구소, 2020), 157면).

264) 강희갑, "우리나라 주식회사의 감사 및 감사위원회제도의 문제점과 개선방안,"「사회과학논집」제18집(2002), 97면; 김상규, "감사위원회제도에 관한 연구,"「상사법연구」제20권 제4호(한국상사법학회, 2002), 95~98면; 정준우, "감사위원회의 법적 지위와 그 문제점,"「비교사법」제8권 제1호(하)(한국비교사법학회, 2001), 734면; 정찬형, "주식회사의 업무집행기관에 대한 감독(감사)기관,"「고려법학」제38집(고려대학교 법학연구원, 2002), 54~59면; 최준선, "미국과 영국의 기업지배구조와 그 동향,"「비교사법」제6권 제2호(한국비교사법학회, 1999), 55~69면; 최윤범, "감사위원회제도의 문제점과 개선방안,"「기업법연구」제8집(한국기업법학회, 2001), 819~852면.

265) 상법에 감사위원회가 도입된 후 5년이 지난 2004년에 전국경제인연합회가 실시한 설문조사 결과를 살펴보면, 조사에 응한 상장회사 91개사 중 62.7%가 감사위원회를 설치·운영하고 있었다(전국경제인연합회,「경영투명성 관련제도의 도입실태와 제도개선과제」(2004), 6면). 그러나 2012년 3월에 한국상장회사협의회가 분석한 자료에 의하면 유가증권시장의 상장법인 667개사 중 34%인 227개사가 감사위원회를 두고 있었다(한국상장회사협의회,「상장회사감사회 회보」제149호(2012), 20면).

266) 이에 관한 자세한 내용은 김유경, "외부감사법 전부개정에 따른 감사위원회의 역할 확대와 실무 역량의 강화,"「BFL」제95호(서울대학교 금융법센터, 2019), 20면 이하 참조.

다. 설치 근거

주식회사에서 감사위원회를 설치하려면 먼저 정관에 근거 규정을 두어야 하고, 정관에 규정을 두지 아니한 경우에는 당연히 감사를 선임해야 한다. 즉 상법은 감사의 대체기구로서 도입한 감사위원회의 설치 여부를 원칙적으로 회사의 재량에 맡기고 있다. 다만 자산총액이 2조원 이상인 대규모상장회사와 자산총액이 1천억원 이상이며 2조원 미만인 상장회사로서 상근감사를 1인 이상 두지 아니한 경우에는 강화된 감사위원회를 의무적으로 설치해야 한다.

2. 감사위원회의 구성

가. 구성방법

감사위원회도 이사회 내부 위원회 중 하나이지만, 다른 위원회와는 다르게 3명 이상의 이사로 구성해야 하고, 감사위원의 3분의 2 이상은 사외이사여야 한다(제415조의2 제2항).[267] 더욱이 자산총액 2조원 이상인 대규모상장회사의 경우에는 ① 위원 중 1명 이상은 대통령령으로 정하는 회계 또는 재무 전문가여야 하고,[268] ② 대표감사위원도 사외이사여야 한다(제542조의11 제2항). 한편 상장회사의 감사위원인 사외이사의 사임·사망 등의 사유로 인해 사외이사의 수가 감사위원회의 구성요건에 미달하게 되면 그러한 사유가 발생한 후 처음으로 소집되는 주주총회에서 그 요건에 합치되도록 해야 한다(제542조의11 제4항).

---

[267] 이처럼 감사위원의 3분의 2 이상을 사외이사 중에서 선임하는데, 사외이사를 선임할 때 감사위원의 업무적 전문성 요건도 충족하는 자를 선임해야 하는지 의문을 제기하는 견해도 있다. 만약 사외이사가 감사위원의 선임조건을 충족하지 않으면 선임조건을 충족하는 사외이사를 다시 선임해야 하기 때문이다(고은정, "사외이사의 이중적 법적 지위검토와 감시·감독권 강화방안 연구,"「법학논총」제47집(숭실대학교 법학연구소, 2020), 566면).

[268] 이는 회사의 회계부정 등을 방지하기 위한 감사위원회의 전문성을 강화하기 위해 도입되었다(권도중, 전게논문, 165면).

나. 감사위원의 자격

1) 회사유형별 자격요건

가) 비상장회사

비상장회사의 경우에는 감사위원의 자격에 특별한 제한이 없다.269) 그렇지만 감사위원회의 독립성과 감사업무의 공정성·객관성을 확보·유지하기 위해 감사위원의 3분의 2 이상을 사외이사로 구성해야 하는데(제415조의2 제2항),270) 사외이사의 경우에는 일정한 결격사유가 있다(제382조 제3항). 즉 사외이사는 ① 회사의 상무에 종사하는 이사·집행임원 및 피용자 또는 최근 2년 이내에 회사의 상무에 종사한 이사·감사·집행임원 및 피용자, ② 자연인인 최대주주 본인과 그 배우자 및 직계 존속·비속, ③ 법인인 최대주주의 이사·감사·집행임원 및 피용자, ④ 이사·감사·집행임원의 배우자 및 직계 존속·비속, ⑤ 회사의 모회사 또는 자회사의 이사·감사·집행임원 및 피용자, ⑥ 회사와 거래관계 등 중요한 이해관계에 있는 법인의 이사·감사·집행임원 및 피용자, ⑦ 회사의 이사·집행임원 및 피용자가 이사·집행임원으로 있는 다른 회사의 이사·감사·집행임원 및 피용자 중 어느 하나에 해당하지 않아야 하고, 사외이사가 이 중 어느 하나에 해당하는 경우에는 그 직을 상실한다.

나) 일반상장회사

일반상장회사에서도 감사위원의 자격에는 특별한 제한이 없으므로 3분의 2 이상만 사외이사로 구성하면 된다. 다만 사외이사에 대해서는 비상장회사에서와

---

269) 상법은 수십만 개의 비상장회사에게 적용되는 규범이고, 자본금 총액이 10억원 미만인 소규모회사는 감사를 선임하지 않을 수도 있으므로(상법 제409조 제4항), 감사의 전문적인 자격까지 요구하는 것은 무리이기 때문이다(김홍기, "현행 주식회사의 감사시스템과 감사제도의 개선방안,"「증권법연구」제20권 제2호(한국증권법학회, 2019), 24면).

270) 사외이사를 미국에서는 독립이사(independent director) 그리고 OECD에서는 비상임이사(non-executive director)라고 하는데, 주로 독립성과 비상근성을 강조하고 있다(윤계섭, "사외이사제도에 관한 연구 - 사외이사 평가를 중심으로 -,"「기업지배구조 리뷰」제56호(한국기업지배구조원, 2011), 7면). 이러한 사외이사의 역할은 ① 경영진에 대한 감독자, ② 경영에 필요한 정보의 제공자이며 조력자이다. 참고로 유가증권시장의 2008년부터 2012년까지의 5년 동안 사외이사의 선임비율을 살펴보면, 2008년 36.84%, 2009년 38.14%, 2010년 38.61%, 2011년 39.13%, 2012년 40.01%로 계속적인 증가 추세에 있다(신종석, "주식회사 사외이사의 독립성 확보를 위한 법적 과제,"「법학연구」제57집(한국법학회, 2015), 120~121면).

같은 일반적 결격사유가 적용됨과 동시에 다음과 같은 추가적 결격사유도 적용된다. 즉 일반상장회사의 사외이사는 ① 미성년자·피성년후견인·피한정후견인, ② 파산선고를 받고 복권되지 아니한 자, ③ 금고 이상의 형을 선고받고 그 집행이 끝나거나 면제된 후 2년이 지나지 아니한 자, ④ 대통령령으로 별도로 정하는 법률을 위반하여 해임되거나 면직된 후 2년이 지나지 아니한 자, ⑤ 상장회사의 주주로서 의결권 없는 주식을 제외한 발행주식총수를 기준으로 본인 및 그와 대통령령으로 정하는 특수한 관계에 있는 자(특수관계인)가 소유하는 주식의 수가 가장 많은 경우 그 본인(최대주주) 및 그의 특수관계인, ⑥ 누구의 명의로 하든지 자기의 계산으로 의결권 없는 주식을 제외한 발행주식총수의 100분의 10 이상의 주식을 소유하거나 이사·감사의 선임과 해임 등 상장회사의 주요 경영사항에 대하여 사실상의 영향력을 행사하는 주주(주요주주) 및 그의 배우자와 직계 존속·비속, ⑦ 그 밖에 사외이사로서의 직무를 충실하게 수행하기 곤란하거나 상장회사의 경영에 영향을 미칠 수 있는 자로서 대통령령으로 정하는 자 중 어느 하나에 해당되지 않아야 하고, 일반상장회사의 사외이사가 이에 해당하게 된 경우에는 그 직을 상실한다(제542조의8 제2항).

다) 대규모상장회사

자산총액 2조원 이상인 대규모상장회사는 강화된 감사위원회를 의무적으로 두어야 하고, 감사위원의 3분의 2 이상을 사외이사로 구성해야 한다. 그리고 감사위원인 사외이사에 대해서는 비상장회사에서와 같이 일반적 결격사유가 적용됨은 물론 일반상장회사의 사외이사에 대한 추가적 결격사유도 함께 적용된다. 또한 감사위원 중 1인 이상은 대통령령으로 정하는 회계 또는 재무 전문가여야 한다(제542조의11 제2항 제1호). 여기서「대통령령으로 정하는 회계 또는 재무 전문가란」① 공인회계사의 자격을 가진 사람으로서 그 자격과 관련된 업무에 5년 이상 종사한 경력이 있는 사람, ② 회계 또는 재무 분야에서 석사학위 이상의 학위를 취득한 사람으로서 연구기관 또는 대학에서 회계 또는 재무 관련 분야의 연구원이나 조교수 이상으로 근무한 경력이 합산하여 5년 이상인 사람, ③ 상장회사에서 회계 또는 재무 관련 업무에 합산하여 임원으로 근무한 경력이 5년 이상 또는 임직원으로 근무한 경력이 10년 이상인 사람, ④ 금융회사지배구조법 시행령 제16조 제1항 제4호·제5호의 기관 또는 한국은행법에 따른 한국은행에서 회계 또는 재무 관련 업무나 이에 대한 감독 업무에 근무한 경력이 합산하여 5년 이상인 사람, ⑤ 금융회사지배구조법 시행령 제16조 제1항 제6호에 따라 금융위원회가 정하여 고시하는 자격을 갖춘 사람 중 어느 하나에 해당하는 사람을 말한다(시행령 제37조 제2항).

한편 대규모상장회사의 사외이사가 아닌 감사위원에 대해서는 또 다른 제한이 있다. 즉 ① 미성년자·피성년후견인·피한정후견인, ② 파산선고를 받고 복권되지 아니한 자, ③ 금고 이상의 형을 선고받고 그 집행이 끝나거나 집행이 면제된 후 2년이 지나지 아니한 자, ④ 대통령령으로 별도로 정하는 법률을 위반하여 해임되거나 면직된 후 2년이 지나지 아니한 자, ⑤ 누구의 명의로 하든지 자기의 계산으로 의결권 없는 주식을 제외한 발행주식총수의 100분의 10 이상의 주식을 소유하거나 이사·감사의 선임과 해임 등 상장회사의 주요 경영사항에 대하여 사실상의 영향력을 행사하는 주주(주요주주) 및 그의 배우자와 직계존속·비속, ⑥ 회사의 상무에 종사하는 이사 및 피용자 또는 최근 2년 이내에 회사의 상무에 종사한 이사 및 피용자(다만 감사위원회위원으로 재임 중이거나 재임하였던 이사는 제외함), ⑦ ① 내지 ⑥ 외에 회사의 경영에 영향을 미칠 수 있는 자로서 대통령령으로 정하는 자 중 어느 하나에 해당하는 자는 대규모상장회사의 사외이사가 아닌 감사위원이 될 수 없고, 이에 해당하게 된 경우에는 그 직을 상실한다(제542조의11 제3항→제542조의10 제2항). 여기서 「대통령령으로 정하는 자」란 ① 해당 회사의 상무에 종사하는 이사·집행임원의 배우자 및 직계존속·비속, ② 계열회사의 상무에 종사하는 이사·집행임원 및 피용자이거나 최근 2년 이내에 상무에 종사한 이사·집행임원 및 피용자 중 어느 하나에 해당하는 자를 말한다(시행령 제36조 제2항).

2) 자격요건 관련 주요 쟁점

가) 법인의 감사위원 자격

법인도 감사위원회의 위원이 될 수 있는가? 이미 감사의 자격에서 살펴본 것처럼 법인은 감사위원회의 위원이 될 수 없다.[271] 감사위원은 이사의 직무집행을 상시적으로 감사해야 하고, 감사위원의 근간이 되는 사외이사의 결격사유를 살펴보면 자연인을 그 전제로 하고 있으며, 감사위원은 자연인이 분명한 대표이

---

271) 정준우, 전게 "주식회사의 감사에 관한 2009년 개정상법의 문제점 검토," 329면.

사의 피선자격이 있는 이사의 지위를 아울러 갖고 있기 때문이다.

나) 감사위원의 자격을 주주로 한정

정관으로 감사위원의 자격을 주주로 한정할 수 있을까? 이런 의문은 그동안 주로 감사와 관련하여 제기되었고, 긍정설과 부정설이 있다. 생각건대 감사위원은 이사의 지위를 그 전제로 하는 점, 정관으로 이사의 자격을 주주로 한정하는 것도 사회질서에 반하지 않는 한 유효하다는 것이 일반적 견해인 점, 제387조에서 자격주를 규정함으로써 주주가 이사가 될 수 있는 길을 열어두고 있는 점 등을 고려할 때 논리적으로는 정관에 의해 감사위원의 자격을 주주로 한정하는 것도 가능하지만, 결론적으로 이는 타당하지 않다.272) 감사위원은 직무상 독립성·중립성·공정성·객관성의 확보가 중요하고, 회사재산에 관한 제1차적인 보호대상자는 채권자이며, 상법이 감사위원의 자격에 대하여 일정한 결격사유만을 규정하고 있을 뿐 특별한 제한을 두고 있지 않음에도 불구하고 정관을 통해 주주로 한정하는 것은 자치규범의 한계를 이탈한 것이기 때문이다.273)

다) 사외이사 아닌 감사위원의 결격사유

상법은 자산총액 1천억원 이상 2조원 미만인 상장회사의 상근감사에 적용되는 일정한 결격사유를 규정하고 있고(제542조의10 제2항→제542조의8 제2항, 시행령 제36조 제2항), 위에서 살펴본 것처럼 이를 자산총액 2조원 이상인 대규모 상장회사의 사외이사가 아닌 감사위원에게 준용하고 있다(제542조의11 제3항→제542조의10 제2항). 그런데 여기에는 다음과 같은 문제점이 내포되어 있다. 즉 ① 주요주주인 사실상 영향력 행사자의 범위가 불명확하므로 감사에서 지적한 것처럼 입법적 보완이 필요하다.274) ② 상법은 주요주주와 회사의 상무에 종사하는 이사의 배우자 및 직계 존속·비속의 구체적인 포섭범위를 규정하지 않고, 시행령 제34조 제4항 제1호 가목에서 배우자의 경우에만 사실혼관계에 있는 자

---

272) 일본의 개정 전 상법 제254조 제2항과 제280조 제1항은 정관으로 이사 또는 감사의 자격을 주주로 한정하는 것을 금지하고 있었고, 이는 2005년의 회사법 제331조 제2항과 제335조 제1항에 그대로 수용되었다.

273) 정준우, 전게 "감사위원회에 관한 2009년 개정상법의 입법론적 재검토," 139면.

274) 그리하여 상장회사의 사외이사가 아닌 감사위원의 결격사유 중 하나인 「주요주주」는 삭제하고, 「상장회사의 주요 경영사항에 대하여 법률상, 사실상으로 영향력을 행사하는 주주 및 그 배우자와 직계 존속·비속」으로 그 자격을 제한하는 것이 합리적이라는 견해도 있다(송종준, 전게 "주식회사 회계감사권의 분배질서조정과 그 실효성 확보방안," 21면).

를 포함하고 있다. 그리하여 양부모·양자 및 혼인외의 출생자가 직계 존속·비속에 포함되는지에 관한 논란이 야기될 수 있는데, 감사에서 지적한 것처럼 이들도 사외이사가 아닌 감사위원이 될 수 없다고 보아야 한다. ③ 상법은 사외이사가 아닌 감사위원의 결격사유인 「이사」를 회사의 상무에 종사하는 이사로 한정하고 있는데, 이는 증권거래법 제191조의12 제3항 제6호에 규정되어 있던 상근임원을 구체화한 것이므로 결국 사내이사를 의미한다. 따라서 상무에 종사하지 않는 사외이사가 아닌 이사의 배우자와 직계 존속·비속은 대규모상장회사의 사외이사가 아닌 감사위원이 될 수 있는데, 이러한 차별적 구분이 타당하며 합리성이 있는지는 의문이다. 따라서 입법론적으로는 여기서의 이사를 감사위원인 사외이사를 제외한 모든 이사를 의미하는 것으로 규정해야 한다.

라) 사외이사의 효용성

회사의 규모나 상장 여부에 관계없이 감사위원회는 위원의 3분의 2 이상을 사외이사로 구성해야 한다(제415조의2 제2항). 사외이사는 IMF 외환위기를 극복하는 과정에서 기업지배구조 개선작업의 일환으로써 도입되었는데, 대주주나 경영진으로부터 독립된 지위에 있는 사외이사의 효율적인 경영감시기능을 통해 경영의 투명성을 제고하고, 주주와 경영진 간의 대리인 문제를 완화함으로써 종국적으로 기업가치를 높이기 위함이었다.[275] 상법 제382조 제3항이 사외이사를 회사의 상무에 종사하지 않는 이사라고 규정한 것도 사외이사의 독립성을 확보하기 위함이다.[276] 그런데 기업실무에서는 여전히 사외이사의 독립성이 충분하지 않고,[277] 경영진에 대한 견제 역할도 미약하며,[278] 경영진의 수용 자세까지

---

275) 권상로, "주식회사의 사외이사제도의 문제점과 개선방안에 관한 연구," 「법학논총」 제27집 제2호(조선대학교 법학연구소, 2020), 177면; 박영석·임새훈, "이사회 구성 및 임기가 기업가치에 미치는 영향: 사외이사를 중심으로," 「2019년 한국재무학회 추계학술대회 발표자료집」(한국재무학회, 2019), 256면.

276) 고은정, 전게논문, 563~564면.

277) 사외이사가 독립성을 유지하려면 이사라는 지위 외에는 회사와의 관련성이 없어야 한다 (Veasey, Norman, "Should Corporation Law Inform Aspirations for Good Corporate Governance Practices or vice versa," 149 U. Pa. L. Rev., 2001, p. 2179, 2181). 한편 사외이사의 독립성을 확보하기 위해 상법은 자산총액 2조원 이상인 대규모상장회사에 대하여 사외이사가 구성원의 2분의 1 이상인 사외이사후보추천위원회에서 추천한 자 중에서만 사외이사를 선임하도록 규제하고 있다. 그런데 현실은 대주주나 경영진에서 내정한 기업에 우호적인 인물을 그대로 위원회에서 추천하는 형식을 취하고 있으므로 실효성 면에서는 여전히 문제점이 있다(정쾌영, "사외이사제도의 개선 방향," 「기업법연구」 제25권 제3호(한국기업법학회, 2011), 125면).

부족하여 도입할 때 기대하였던 효과를 제대로 거두지 못하고 있다.[279] 사외이
사는 회사에 상근하지 않고[280] 기업경영에 직접 관여하는 부분도 제한적이므로,
직무수행에 필요한 회사 내부정보를 취득하거나 그에 접근하는 데 있어 상당한
어려움이 있기 때문이다.[281] 또한 사외이사가 그동안 대표이사나 이사회에 대한
경영감시자의 역할보다는 사실상 대주주의 협조자로서 활동하였기 때문이기도
하다.[282] 더욱이 경영판단의 질은 그에 소요되는 비용에 비례하는데, 대체로 소
액의 거마비만을 수령하는 사외이사에게 양질의 경영판단을 기대하기는 어렵
다.[283] 따라서 감사위원회가 독립성을 유지하면서 실효적인 업무감사를 할 수
있으려면 무엇보다도 사외이사가 그 역할을 제대로 수행해야 하는데, 이 점에서
현행 사외이사제도는 여전히 미흡하므로 입법적 보완이 요망된다.[284]

---

278) 이와 관련하여 경제개혁연구소가 최초로 기업집단을 대상으로 사외이사의 독립성을 분석한 2006년의 자료를 살펴보면, 회사와 이해관계가 있는 것으로 파악된 사외이사는 231명이었는데, 이는 전체 사외이사의 37.5%에 달하여 결국 3분의 1 이상 사외이사의 독립성이 의심되는 것으로 나타났다. 그러나 2019년과 2020년에는 이해관계가 있는 사외이사의 비중이 각각 22.04%와 19.12%로 줄어들었다(이수정, "사외이사 및 감사의 독립성 분석(2019~2020년) – 대기업집단 소속 상장회사 중심으로 –,"「경제개혁리포트」제2020-08호(경제개혁연구소, 2020. 8.), 22면).

279) 안택식, "기업경쟁력 강화를 위한 사외이사 제도의 개선방안,"「상사법연구」제21권 제2호(한국상사법학회, 2002), 246면; 이기수, "사외이사제도의 강화를 둘러싼 쟁점,"「상사법연구」제19권 제3호(한국상사법학회, 2001), 80~83면.

280) 이에 대해서는 사외이사라고 해서 반드시 비상근이라는 법은 없고, 또 실제로 일부 회사에서는 상근감사위원을 두고 있다는 견해도 있다(김건식, "법적 시각에서 본 감사위원회,"「BFL」제13호(서울대학교 금융법센터, 2005), 38면).

281) 그리하여 사외이사제도보다 오너체제가 더 효율적이라고 주장하는 견해도 있다(정호열, "미국의 기업지배구조와 주요회사법의 현황,"「성균관법학」제11호(성균관대학교 법학연구소, 1999), 542면).

282) 이와 관련하여 기업평가사이트 CEO스코어가 2019년 국내 59개 대기업집단 상장 계열회사 267개의 이사회 안건을 조사한 결과 사외이사의 안건 찬성률은 99.59%였는데, 이는 상장회사에서 사외이사는 대주주가 추진하고자 하는 의사결정 및 업무집행에 대하여 절대적으로 동의하고 있다는 것을 보여주는 것이다. 이처럼 거수기 역할에 머무는 사외이사가 자신이 이사회에서 결정한 안건을 감사위원으로서 회사의 경영진이 집행하는 과정을 얼마나 열심히 감독할 것인지 매우 의문이라는 견해도 있다(권도중, 전게논문, 168~169면).

283) 이철송, 전게서, 662면.

284) 이와 관련하여 먼저 사외이사의 독립성이 확보되어야 하며, 이를 위해서는 ① 사외이사후보추천위원회 구성의 다양화 및 설치 확대, ② 사외이사 자격요건의 강화, ③ 사외이사후보자에 대한 정보공시의 강화, ④ 집행임원제도의 활성화, ⑤ 사외이사에 대한 지원의 활성화가 이루어져야 한다고 주장하는 견해도 있다(신종석, 전게, "주식회사 사외이사의 독립성 확보를 위한 법적 과제," 125~130면).

다. 감사위원의 선임

1) 선임기관

가) 선임기관의 이원화

감사위원의 선임기관은 이원화되어 있다. 즉 ① 비상장회사와 일반상장회사(자산총액 1천억원 미만인 상장회사)에서는 감사위원을 이사회에서 선임한다(제393조의2 제2항 제3호). 주의할 것은 비상장회사와 일반상장회사에서 주주총회의 결의로 감사를 선임할 때에는 대주주의 의결권이 제한되지만(제409조 제2항), 이사회에서 감사위원을 선임할 경우에는 아무런 제한이 없어서 감사위원의 독립성과 중립성이 감사보다 약할 수밖에 없는 한계를 지니게 되었다는 점이다. ② 자산총액 2조원 이상인 대규모상장회사와 자산총액 1천억원 이상이며 2조원 미만인 상장회사로서 상근감사를 두지 아니한 경우에는 주주총회에서 감사위원을 선임한다(제542조의12 제1항, 제542조의10 제1항 단서). 개정과정에서 감사선임을 위한 주주총회에서는 대주주의 의결권이 제한되는 반면에 감사위원의 선임을 위한 이사회에서는 이러한 견제 장치가 없어 집행임원제가 강제되지 아니한 상황에서 감사를 대체하는 감사위원회의 위원을 주주총회가 아닌 이사회에서 선임하도록 하는 것은 바람직하지 못하다는 지적이 있었기 때문이다.[285]

나) 회사설립시의 선임기관

회사를 설립할 때에는 어느 기관이 감사위원을 선임하는가? 이에 관해 상법은 명확히 규정하고 있지 않지만, ① 발기설립의 경우에는 "주금의 납입과 현물출자의 이행이 완료된 후 발기인은 지체없이 이사와 감사를 선임해야 한다"라고 규정하고 있고(제296조), ② 모집설립의 경우에는 "창립총회에서 이사와 감사를 선임해야 한다"라고 규정하고 있으며(제312조), ③ 감사위원회에 관한 규정에서 제296조와 제312조를 준용하고 있다(제415조의2 제7항). 그리고 대법원의 확립된 판례는 아직 없지만, ① 발기설립에서는 발기인이 선임해야 하고, 모집설립에서는 창립총회에서 선임해야 한다는 견해,[286] ② 발기인과 창립총회는 이사만을 선임하고 그 선임된 이사들이 이사회를 구성하여 감사위원을 선임하는지, 발기

---

285) 임재연, "상장법인 특례규정에 관한 상법개정시안 검토,"「인권과 정의」제373호(대한변호사협회, 2007), 139면.
286) 이철송, 전게서, 253면, 262면.

인과 창립총회가 직접 감사위원을 선임하는지에 관한 해석상의 문제가 남는데, 정관에 특별규정이 없으면 상법 제415조의2 제1항과 제393조의2 제1항의 체계상 전자의 방법이 타당하다는 견해[287]가 있다. 생각건대 감사위원회는 감사의 대체기구로서 도입되었고, 발기설립에서는 발기인에게 그리고 모집설립에서는 창립총회에 감사선임권이 부여되어 있으며, 발기설립에서의 감사선임은 발기인이 설립중회사의 구성원인 출자자의 지위에서 하는 것이고, 창립총회는 사실상 주주총회의 전신이다. 이런 점을 종합할 때 발기설립에서는 발기인이 그리고 모집설립에서는 창립총회에서 감사위원을 선임하는 것이 타당하다.

2) 선임방법

가) 선임방법의 이원화

감사위원의 선임방법도 선임기관처럼 이원화되어 있다. 즉 ① 비상장회사와 일반상장회사(자산총액 1천억원 미만인 상장회사)에서는 이사회가 이사 중에서 감사위원을 선임하는데, 특별한 방법적 제한은 없다. ② 자산총액 2조원 이상인 대규모상장회사와 자산총액 1천억원 이상이며 2조원 미만인 상장회사로서 상근감사를 두지 아니한 경우에는 주주총회에서 감사위원을 선임하는데, 일괄선출방식과 분리선출방식이 있다. 전자는 감사위원이 되는 이사와 일반이사를 구분하지 않고 먼저 주주총회에서 일괄적으로 모든 이사를 선임한 후에 그 선임된 이사 중에서 다시 감사위원을 선임하는 방법이고, 후자는 처음부터 주주총회에서 감사위원이 되는 이사와 그렇지 아니한 이사를 분리하여 선출하는 방법이다. 그런데 과거에는 상법과 증권거래법이 어떠한 방식을 취하고 있는지 명확하지 아니하여 기업실무에서 많은 혼란이 있었고, 학계에서도 전자만이 허용된다는 견해와 양자 모두 가능하다는 견해가 있었다. 그리고 대법원의 확립된 판례는 없었지만, "일괄선출방식과 분리선출방식 모두가 가능하고 그 중 어느 방법을 취할 것인지의 결정권은 이사회에 있다"고 한 하급심 판결이 있었다.[288]

---

287) 권기범, 전게서, 450면, 469면.
288) 대전지방법원 2006.3.14. 2006카합242. 이 결정에 대한 자세한 내용은 김태진, "2009년 1월 상법 개정에 의하여 감사위원인 사외이사 선임방법과 소수주주권 보호는 개선되었는가? - KT&G 사건을 계기로 -," 「증권법연구」 제11권 제3호(한국증권법학회, 2010), 262면 이하 참조.

나) 선임방법에 관한 논쟁

대규모상장회사의 감사위원 선임과 관련하여 2009년 개정상법이 일괄선출방식을 채택하자, 강한 비판과 함께 분리선출방식을 도입해야 한다는 주장이 많았다. 일괄선출방식으로 감사위원을 선임하게 되면 대주주의 의결권을 제한한 입법취지가 제대로 반영되지 않지만,[289] 분리선출방식에 의하면 주주총회에서 이사를 선임할 때부터 대주주의 의결권을 제한할 수 있으므로 감사위원의 독립성을 확보할 수 있고, 감사와의 규제차별도 없어지기 때문이다.[290] 더욱이 감사위원회를 채택한 회사에서 집중투표제가 제한적으로 의무화되더라도 시차임기제의 도입이나 이사정원의 감소 등으로 인해 소수주주권의 보호가 무력화될 가능성이 있는 점을 고려할 때 분리선출방식의 도입이 필요하였기 때문이다.[291]

그러나 분리선출방식에 대해서는 다음과 같은 비판도 있었다. 즉 ① 감사위원을 분리선출하면 이사회의 구성에 있어서 최대주주의 권한이 약해지는데, 이는 주주권 및 재산권을 침해할 위헌의 소지가 있다.[292] ② 이사선임에 있어서 대주주의 의결권을 제한하므로 주식평등원칙에 반하며, 왜곡된 기업지배구조가 심화될 수 있다.[293] ③ 분리선출의 의무화, 3% Rule의 적용, 집중투표제의 의무화 및 주주제안이 결합하면 ⓐ 기관 또는 펀드가 주도하는 기업지배구조를 형성할 위험성이 있고,[294] ⓑ 대주주의 경영권을 사실상 박탈하는 것이 되며,[295] ⓒ 3% Rule의 적용은 위헌성을 내포하고 있고,[296] ⓓ 집중투표제를 왜

---

289) 이미 대주주의 강한 영향력이 작용한 가운데 의결권 제한 없이 선임된 이사들을 전제로 하여 3% Rule을 적용하여 감사위원을 선임하는 것이므로, 대주주의 의결권을 제한하여 감사위원의 독립성을 강화하려는 입법취지를 제대로 반영할 수 없기 때문이다.

290) 김우찬, "기업지배구조 상법개정 공청회 토론문,"「기업지배구조 상법 개정(공청회자료집)」 (법무부, 2013. 6. 14.), 30면; 정재규, "기업지배구조 상법개정 공청회 토론문,"「기업지배구조 상법 개정(공청회자료집)」(법무부, 2013. 6. 14.), 38면.

291) 정경영, "독립적 사외이사, 집중투표,"「기업지배구조 상법 개정(공청회자료집)」(법무부, 2013. 6. 14.), 9~11면.

292) 권도중, 전게논문, 175~176면; 배상근, "기업지배구조 상법개정 공청회 토론문,"「기업지배구조 상법 개정(공청회자료집)」(법무부, 2013. 6. 14.), 23~24면.

293) 고창현, "기업지배구조 상법 개정 2차 공청회 토론문,"「기업지배구조 상법 개정(공청회자료집)」(법무부, 2013. 6. 14.), 3면.

294) 경영권 방어제도인 차등의결권과 포이즌필 등이 없는 상황에서는 감사위원의 분리선출방식이 적대적 M&A의 수단으로 악용될 수 있는데, 이로 인하여 기업의 경영권 방어를 위한 자금의 과다출혈과 투자·고용의 위축을 가져올 수 있다. 기업의 경영권 방어를 위한 과도한 자금투입은 중장기 성장동력인 R&D·시설투자 및 고용의 축소로 이어지기 때문이다 (배상근, 전게 "기업지배구조 상법 개정 2차 공청회 토론문," 43~44면).

곡할 위험성이 있으며, ⓔ 주주총회가 성립하지 못할 가능성이 있고, ⓕ 지주회사에 특히 심각한 폐해를 가져올 수 있으므로[297] 타당하지 않다는 것이다. 그리고 감사위원은 그 이전에 이사이므로 분리선출방식에 의하면 이사의 일부를 선임할 때 3% 의결권 제한이 적용되는 결과가 되므로, 감사와 다른 감사위원의 선임을 분리선출방식에 의하는 것은 문제가 있다는 견해도 있다.[298]

다) 선임방법의 명확화

상법이 감사위원의 선임에 있어서 대주주의 의결권을 제한하는 것은 결국 감사위원회의 독립성과 객관성을 확보·유지하기 위함이고, 다른 한편으론 소수주주의 권익도 함께 보호하기 위함이다. 그렇다면 어떠한 선출방식이 이러한 입법취지를 제대로 반영할 수 있을까? 먼저 분리선출방식에 의하면 주주총회에서 감사위원이 되는 이사와 그렇지 않은 이사를 분리하여 선출하게 되는데, 이 과정에서 감사위원이 되는 이사의 선임에서는 대주주의 의결권이 제한되는 반면에 감사위원이 아닌 이사의 선임에서는 대주주의 의결권이 제한되지 않는다. 다음으로 일괄선출방식에 의하면 주주총회에서 이사를 선임한 후 그 이사 중에서 감사위원을 선임하는데, 이사선임에서는 대주주의 의결권이 제한받지 않지만 감사

---

295) 특히 지주회사 체제 내에 편입된 대규모상장회사에서 대주주가 경영권을 박탈당할 수도 있다. 즉 당시에 지주회사 체제 내에 편입된 대규모상장회사는 LG전자, SK텔레콤, 두산중공업 등 총 17개 회사였는데, 이들에 대한 지주회사의 평균 지분율은 39.2% 수준에 이르고 있었으며, 동 지분의 시장가격 합계는 대략 50조원을 상회하는 수준이었다. 그런데 이들 회사에 3% 의결권 제한이 적용되면, 약 35%(시가로 45조원 이상)의 주식은 감사위원이 될 이사의 선임에 있어서 의결권을 박탈당하게 되는 것이다(고창현, 전게 "기업지배구조 상법 개정 2차 공청회 토론문," 4~5면; 유주선, "집중투표제도 의무화 개정(안)에 대한 타당성 여부," 「규제연구」 제23권 제1호(한국경제연구원, 2014), 78면).

296) 즉 ① 주주권은 자익권이든 공익권이든 헌법상 재산권 보장의 대상이 되고(헌법재판소 2008. 12.26. 2005헌바34; 2003.12.18. 2001헌바91), 감사와 달리 이사의 지위를 겸하는 감사위원의 선임에 3% Rule을 적용하는 것은 이러한 재산권 보장의 본질적인 내용을 침해하는 것으로서 위헌의 소지가 있으며(한국상장회사협의회, "기업지배구조좌담회," 「상장」 (2013. 7.), 34면(고창현 변호사 발언부분)), ② 사내이사인 감사위원을 선임할 때에 2대주주 이하에 대해서는 '단순 3% Rule'을 적용하면서 최대주주에 대해서만 '합산 3% Rule'을 적용하는 것은 최대주주만이 재산권 행사를 불공정하게 제한받는 것으로서 과다한 제한조치일 뿐만 아니라 제한목적의 정당성과 수단의 상당성도 인정하기 어려워 위헌의 소지가 크고, 따라서 이처럼 폐지해야 할 3% Rule을 오히려 가중하여 이사인 감사위원에게 적용하도록 확대하는 것은 더욱 부당하기 때문이다(최준선, "감사위원 분리선임문제의 쟁점사항 검토," 「경제법연구」 제13권 제1호(한국경제법학회, 2014), 14~16면).

297) 최준선, 상게 "감사위원 분리선임문제의 쟁점사항 검토," 8~20면.

298) 곽관훈, "회사법과의 정합성 측면에서 본 감사위원 분리선출의 문제점," 「기업법연구」 제33권 제4호(한국기업법학회, 2019), 48면.

위원을 선임할 때에는 대주주의 의결권이 제한된다. 그런데 이미 이사들이 대주주의 강력한 지원하에 선임되었으므로 감사위원의 선임에서 대주주의 의결권을 제한하더라도 대주주의 의결권을 제한한 입법취지는 많이 반감될 수밖에 없다.[299] 이러한 논란 속에 2009년 개정상법이 제542조의12 제2항에서 일괄선출방식을 채택하였다.[300] 그리고 2020년 개정상법은 기존의 일괄선출방식을 그대로 유지하면서 감사위원 중 1명(정관에서 2명 이상으로 정할 수 있으며, 정관으로 정한 경우에는 그에 따른 인원으로 함)은 다른 이사들과 분리하여 선임하도록 하였다.[301] 예를 들어 사내이사인 감사위원 1명과 사외이사인 감사위원 2명으로 감사위원회를 구성할 경우에는 누구라도 1명만 분리선출방식에 의하여 선임하고 나머지는 일괄선출방식에 의하여 선임하면 된다(분리선출1 + 일괄선출2).

생각건대 대규모상장회사의 감사위원 선임방법에 있어서는 감사제도의 필요성과 존재가치 및 기능에 기초한 원론적 접근이 필요하다. 감사위원회는 감사의 대체기구로 도입되었으므로 감사위원의 지위상 독립성이 먼저 확보되어야 하고, 감사제도의 유형 중 무엇을 어떻게 도입할 것인지는 기업지배구조의 특성을 고려하여 결정해야 한다.[302] 더욱이 지배주주에 대한 이사회의 견제 그리고 이를 통한 소수주주의 보호가 매우 미약한 우리나라의 기업지배구조에서는 감사위원인 이사를 선임하는 단계에서부터 독립성을 보장할 수 있는 제도적 뒷받침이 필요하다. 건전한 기업지배구조를 구축함에 있어서 감사기관의 독립성은 훼손할 수 없는 중요한 가치이기 때문이다.[303] 또한 감사위원의 분리선출방식은 감사의 선임에 관한 대주주의 의결권 제한과 미국식의 감사위원회가 함께 공존할 수 있

---

[299] 그리하여 감사위원의 선임에 있어서 일괄선출방식을 명문화 한 제542조의12 제2항에 의해 동조 제3항과 제4항의 의결권제한이 사실상 사문화 되었다고 주장하는 견해도 있다(강정민, "개정상법의 감사위원회위원 선임에 따른 소수주주의 영향력 감소 효과,"「기업지배구조연구」제34권 봄호(좋은 기업지배구조연구소, 2010), 92면 이하).

[300] 개정과정에 관한 자세한 내용은 정준우, "감사위원회에 관한 2013년 상법개정안의 비판적 검토," 189~190면 참조.

[301] 이는 감사위원의 분리선출방식에 대한 그동안의 비판을 고려하여 그 부작용을 제한함과 동시에 감사위원의 독립성 확보라는 취지를 살리기 위한 절충론이라는 견해도 있다(김지평, "2020년 개정 상법의 분석2: 감사·감사위원 선임과 주주총회 관련 사항,"「BFL」제106호(서울대학교 금융법센터, 2021), 29면).

[302] 즉 외국의 감사제도를 있는 그대로 수용할 수도 있고, 우리의 특성을 반영하여 수정하여 도입할 수도 있으며, 때로는 새로운 유형을 창출할 수도 있다.

[303] 김상조, "기업지배구조 상법 개정 제2차 공청회 토론문,"「기업지배구조 상법 개정 제2차 공청회 자료집」(법무부, 2013. 9. 10.), 21면.

는 우리나라에서의 제도적 타협점이라고 할 수 있으므로,[304) 감사위원은 분리선
출방식으로 선임하는 것이 바람직하다.[305) 그렇지만 감사위원 중 1명만 분리선
출방식으로 선임한다고 하여 감사위원회의 독립성이 개정 전보다 훨씬 더 강화
될 수 있을 것인지는 의문이다.[306) 위원의 3분의 2는 여전히 대주주 등의 영향
력을 강하게 받기 때문이다. 한편 더 근본적인 문제는 서로 다른 감사시스템임
에도 불구하고 감사와 감사위원회를 대등한 지위에 두고 대등한 정도로 독립성
을 확보하기 위해 감사에 관한 규정을 감사위원회에 그대로 적용하기 때문에 발
생한다는 점이다. 따라서 이러한 논란을 근본적으로 제거하기 위해서는 감사제
도를 전면적으로 재편하여 다양한 감사시스템을 마련해 두고 기업이 그 특성에
맞는 감사시스템을 자유롭게 선택할 수 있도록 해야 한다.[307)

3) 의결권의 제한

가) 제한내용에 관한 논란

그동안 자산총액 2조원 이상인 대규모상장회사와 자산총액 1천억원 이상이
며 2조원 미만인 상장회사로서 상근감사를 두지 아니한 상장회사에서 ① 사외
이사가 아닌 감사위원을 선임할 때에는 최대주주에 대해서만 합산 3% Rule이
적용되었고(제542조의12 제3항), ② 사외이사인 감사위원을 선임할 때에는 모든

304) 김우찬, "기업지배구조 상법 개정 제2차 공청회 토론문," 「기업지배구조 상법 개정 제2차
   공청회 자료집」(법무부, 2013. 9. 10.), 29~30면.
305) 김태진, "감사위원회에 준용되는 상법 규정 정비를 위한 제안," 「선진상사법률연구」 통권
   제62호(법무부, 2013), 151면. 그러나 자본주의 경제체제에서 다수결제도를 채택하고 있는
   이상 다수보다 소수의 이익을 지나치게 보호할 수는 없고, 입법례적으로도 유례가 없는
   3%의 의결권제한제도를 유지하고 있는 한 그에 더하여 다시 소수주주의 이익을 대변하는
   분리선출방식을 채택하는 것은 지나친 감이 있으므로 대주주의 횡포는 부당한 경영관여 등
   에 대한 책임을 엄격히 묻는 것으로 접근하는 것이 더 적절하다며 반대하는 견해도 있다
   (김병연, 전게 "현행 상법상 주식회사의 감사선임의 문제점," 17면). 한편 감사위원을 분리
   선출한다면 오히려 주식회사에서의 감사위원회의 도입취지가 무색해 질 수 있다고 비판하
   며 대규모상장회사와 일반상장회사를 구분하여 규제를 달리 할 것이 아니라 사회에 미치는
   경향과 효과적인 측면을 고려하여 통일적인 기준을 마련해야 한다는 견해도 있다(김용진,
   "금융투자회사에서의 감사위원회 제도 검토," 「법과 기업 연구」 제3권 제2호(서강대학교
   법학연구소, 2013), 204~205면).
306) 2020년 개정상법이 감사위원 중 1명을 분리선출하게 함으로써 대규모상장회사의 이사회와
   감사위원회에 지배주주 이외의 주주가 추천하는 인물이 합류할 수 있는 가능성이 열리게
   되었지만, 이 정도의 변화로는 기업지배구조의 획기적인 변화를 기대하기 힘들다는 견해도
   있다(정병덕, "개정 상법상의 감사위원 분리선임 제도 도입의 의미와 과제," 「경영법률」 제
   31집 제2호(한국경영법률학회, 2020), 160면).
307) 정준우, "2020년 개정상법상 감사기관에 관한 개정내용 검토," 142면.

대주주에게 단순 3% Rule이 적용되었다(제542조의12 제4항). 그런데 이 중에서
특히 제3항의 해석과 관련하여 다음과 같은 논란이 있었다.

첫째, 사외이사가 아닌 감사위원을 선임할 때에는 최대주주의 의결권만 제한
하고 있으므로 다른 대주주들은 의결권을 제한받지 않는지의 논란이 있었다. 물
론 감사위원회는 감사의 대체기구로서 도입된 것임을 전제로 감사를 선임할 때
모든 대주주에게 단순 3% Rule을 적용하고 있는 제409조 제2항과 사외이사인
감사위원을 선임할 때 모든 대주주에게 단순 3% Rule을 적용하는 제542조의12
제4항을 고려하여 최대주주에게는 합산 3% Rule이 그리고 다른 대주주들에게는
단순 3% Rule이 적용된다고 해석하는 것이 일반적이었지만, 제3항이 최대주주
에게만 합산 3% Rule을 적용한다고 명확히 규정하고 있으므로 다른 대주주들은
의결권의 제한을 받지 않는다는 견해도 일부 있었다.

둘째, 상장회사란 모든 상장회사를 의미하는 것인지 아니면 대규모상장회사
만을 말하는 것인지에 관한 논란도 있었다. 제542조의12 제1항과 제2항은 대규
모상장회사를 그 전제로 하고 있는데, 제3항에서는 단순히 「상장회사」라고만 규
정하고 있었기 때문이다. 물론 대규모상장회사는 강화된 감사위원회를 의무적으
로 설치해야 하는 점과 제3항이 "감사 또는 사외이사가 아닌 감사위원을 선임·
해임할 때"라고 규정하고 있는 점을 고려할 때 이는 모든 상장회사를 의미한다
는 견해가 지배적이었지만, 제1항 및 제2항과의 관련성을 고려하여 대규모상장
회사만을 의미하는 것이라는 해석도 일부 있었다.

나) 2020년 상법개정과 논란의 계속

위와 같은 논란이 계속되자, 2020년 개정상법은 제3항을 개정하여 대규모상
장회사에서의 감사위원 해임방법 및 그 효과에 대하여 명확히 규정하였고, 제4
항을 개정하여 대규모상장회사에서 감사위원을 선임할 때에는 모든 대주주에게
단순 3% Rule을 적용하되, 사외이사가 아닌 감사위원을 선임할 때에만 최대주
주에 대해서 합산 3% Rule을 적용한다고 규정하였다. 이는 대규모상장회사에서
감사위원의 독립성을 강화하기 위함이지만, 여전히 다음과 같은 의문점이 있다.
즉 개정법에 의하면 사외이사인 감사위원을 선임할 때에는 모든 대주주에게 단
순 3% Rule이 적용되고, 사외이사가 아닌 감사위원을 선임할 때에는 최대주주
에게만 합산 3% Rule이 적용된다.[308] 따라서 사외이사가 아닌 감사위원의 선

임에서는 개정 전과 동일한 의문이 제기될 수 있을 뿐만 아니라, 이러한 차별적 취급이 타당한 것인지도 의문이다.[309] 굳이 이유를 찾자면, 사외이사인 감사위원의 경우에는 법적으로 어느 정도 독립성이 확보되어 있음에 비해 사외이사가 아닌 감사위원의 경우에는 독립성이 미흡할 수 있으므로 독립성을 더욱 강화하기 위해 최대주주에게 합산 3% Rule을 적용하는 것이라고 이해할 수 있다. 그렇지만 대규모상장회사에서 경영권은 대부분 최대주주가 행사하고 있으므로 감사위원의 독립성을 실효적으로 확보할 필요가 있음을 고려하면, 사외이사인 감사위원이든 사외이사가 아닌 감사위원이든 그 선임에 있어서는 최대주주에게 합산 3% Rule을 그리고 다른 대주주에게는 단순 3% Rule을 적용하여 통일적으로 규제함이 바람직하다.[310] 이는 제7항에 의해 모든 상장회사에서 감사를 선임할 경우에는 최대주주에게는 합산 3% Rule이 적용되고, 다른 대주주에게는 단순 3% Rule이 적용되는 것과의 형평성을 고려할 때 더욱 그러하다.

다) 의결권 제한의 완화

　2020년 개정상법은 제542조의12에 제8항을 신설하여 "회사가 제368조의4 제1항에 따라 전자적 방법으로 의결권을 행사할 수 있도록 한 경우에는 제368조 제1항에도 불구하고 출석한 주주의 의결권의 과반수로써 제1항에 따른 감사위원회위원의 선임을 결의할 수 있다"라고 규정하고 있다. 즉 자산총액 2조원 이상인 대규모상장회사(자산총액 1천억원 이상 2조원 미만인 상장회사 포함)에서 전자투표를 실시할 경우에는 주주총회의 결의로 감사위원을 선임할 때 적용되는

---

308) 이와 관련하여 사외이사인 감사위원의 선임에 있어서 최대주주를 포함하여 모든 주주에게 단순 3%룰을 적용하는 것으로 규정한 것은 아쉬움이 큰 개정이라고 비판하는 견해도 있다. 즉 개정상법에 의하면 최대주주와 그의 의사에 의해 선임되는 경영진에 대한 감독이 절실하고, 이러한 역할과 기능을 충실히 수행해야 하는 감사위원회 위원을 뽑는 상황에서 사외이사인 감사위원이라는 이유로 최대주주에게 합산 3%룰을 적용하지 않고 단순 3%룰을 적용하는 것은 개정 전 상법의 문제점을 답습하는 것일 뿐만 아니라, 지속가능경영 및 발전을 위한 기업지배구조 개선의 측면에서도 설득력이 약한 것으로 판단되기 때문이라고 한다(정재규, 「감사위원 선임방식 개선 및 감사위원회 제도 재구성 방안(KCGS 연구보고서 2020-02)」(한국기업지배구조원, 2020), 47면).

309) 같은 취지에서 이러한 일관되지 못한 법체계는 논리적인 이유가 아니라 종래의 어수선한 증권거래법 규정이 상법에 도입되는 과정에서 방치된 것이므로 조속히 개정해야 한다는 견해도 있다(김태진, 전게 "감사위원회에 준용되는 상법 규정 정비를 위한 제안," 149면).

310) 그러나 감사위원의 선임에 관한 의결권 제한은 특정 주주의 감사위원에 대한 영향력 제한 및 독립성 제고의 취지가 있으므로 입법론적으로는 모든 대주주에 대해서 합산 3% Rule을 적용하는 것이 바람직하다는 견해도 있다(김지평, 전게논문, 30면).

출석한 의결권의 과반수와 발행주식총수의 4분의 1 이상이라는 요건에 상관없이 단지 출석한 주주의 의결권의 과반수로써 감사위원을 선임할 수 있는 것이다. 이는 전자투표를 활성화함은 물론 주주들의 주주총회 참여를 유도하여 회사의 안정적인 주주총회 운영을 지원하기 위함이지만, 이미 감사 부분에서 설명한 것처럼 다양한 문제점이 내포되어 있으므로 그 개선이 필요하다.

라) 의결권 제한의 타당성 등

대규모상장회사에서 주주총회의 결의로 감사위원을 선임할 때 적용되는 대주주의 의결권 제한에서도 감사에서 살펴본 것과 마찬가지로 의결권 제한의 타당성 여부,[311] 의결권 제한의 내용적 합리성 여부, 의결권 제한과 의결정족수 등에 관한 문제가 있지만, 감사에서 설명한 것과 같으므로 여기서는 생략한다.

4) 감사위원의 임기

상법은 감사와 달리 감사위원의 임기에 대하여 특별히 규정하고 있지 않다. 따라서 감사위원의 임기는 정관의 규정 또는 주주총회나 이사회에서 감사위원을 선임할 때 자유로이 정할 수 있다고 보아야 한다. 다만 이사회에서도 감사위원의 임기를 정하지 아니한 경우에는 이사의 지위가 종료됨으로써 감사위원의 지위도 당연히 상실되는 것으로 보아야 한다.[312]

라. 감사위원의 종임

1) 종임사유

감사위원과 회사와의 관계에는 위임에 관한 민법 규정이 준용되므로, 감사위원은 원칙적으로 위임의 일반적인 종료 사유(민법 제690조: 사망·파산·성년후견개시심판)와 임기 만료로 종임하며, 사임할 수도 있다. 한편 감사위원도 해임될 수 있는데, 대규모상장회사의 경우에는 상법이 특별규정을 두고 있다.

---

311) 특히 의결권을 제한하는 법률 규정은 재산권 보장이라는 헌법적 틀 안에서 고민해야 하고, 대주주의 입김으로부터 감사 직역을 보호하기 위한 불가피한 고육지책이라고 하여도 현행 제도는 논리적 일관성 없이 복잡하게 구성되어 있으므로, 종국적으로는 이러한 의결권 제한조항을 없애고 일반 다수결 원칙에 의하도록 하되 감사업무의 실질적인 독립성을 보장하기 위해서 감사지원부서의 설치, 인사 및 예산에 관한 권한을 부여하는 것을 고려하자는 견해도 있었다(김건식, 전게 "법적 시각에서 본 감사위원회," 41면; 김태진, 전게 "감사위원회에 준용되는 상법 규정 정비를 위한 제안," 151면).

312) 송옥렬, 전게서, 1130면; 손주찬, 전게서, 841면.

2) 해임기관

감사위원의 해임기관은 이원화되어 있다. 즉 ① 비상장회사와 일반상장회사(자산총액 1천억원 미만인 상장회사)에서는 이사회가 감사위원을 해임하는데(제393조의2 제2항 제3호), 해임결의의 요건은 이사 총수의 3분의 2 이상이다(제415조의2 제3항). ② 자산총액 2조원 이상인 대규모상장회사의 경우 주주총회에서 감사위원을 해임하는데(제542조의12 제1항), 해임결의의 요건은 특별결의이다(제542조의12 제3항 본문). 그리고 이는 자산총액 1천억원 이상 2조원 미만인 상장회사로서 상근감사를 두지 아니한 상장회사에서 감사위원을 해임할 때에도 적용된다(제542조의10 제1항 단서 해석 참조). 제542조의10 제1항 단서에서「이 법」이란 문언을 둔 것은 그러한 회사에서 제415조의2에 의한 일반감사위원회를 구성하지 못하도록 하기 위함이고, 문언적으로도「이 절에 따라 감사위원회를 설치한 경우」란 대규모상장회사의 감사위원회에 관한 제542조의11과 제542조의12의 감사위원회로 보아야 한다. 따라서 자산총액 1천억원 이상 2조원 미만인 상장회사에서도 감사위원은 주주총회에서 해임해야 한다.

3) 의결권의 제한

비상장회사와 일반상장회사(자산총액 1천억원 미만인 상장회사)에서 이사회가 감사위원을 해임할 경우에는 의결권 제한에 관한 규정이 없다. 그러나 대규모상장회사(자산총액 1천억원 이상 2조원 미만인 상장회사 포함)에서 감사위원을 해임할 경우에는 그동안 다음과 같이 대주주의 의결권이 제한되었다. 즉 ① 사외이사가 아닌 감사위원을 해임하는 경우에는 최대주주에 대해서만 합산 3% Rule이 적용되었는데(제542조의12 제3항 본문), 정관으로 이보다 낮은 주식보유비율을 정할 수 있었다(제542조의12 제3항 단서). ② 사외이사인 감사위원을 해임하는 경우에는 모든 대주주의 의결권이 제한받지 않았다. 그리하여 ①의 경우에 다른 대주주들의 의결권은 제한되지 않는지의 의문이 있었지만, 선임에서와 같이 최대주주에게는 합산 3% Rule이 그리고 다른 대주주들에게는 단순 3% Rule이 적용된다고 해석하는 것이 일반적이었다. 한편 ②의 경우에는 이사의 지위도 함께 보유한 감사위원의 해임에 있어서는 주주총회의 특별결의가 필요하므로 어느 정도 감사위원의 지위가 보장되어 있기 때문일 수도 있지만, 지배주주가 약 30% 내외의 내부지분율을 보유하고 있는 우리나라의 기업 현실을 고려할 때 감사위원의 독립성 보장에 바람직하지 못하다는 비판이 있었다.

그리하여 2020년 개정상법 제542조의12 제4항은 대규모상장회사에서 감사위원을 해임할 때에는 모든 대주주에게 단순 3% Rule을 적용하되, 사외이사가 아닌 감사위원을 해임할 때에만 최대주주에 대해서 합산 3% Rule을 적용한다고 규정하였다. 즉 개정법에 의하면 사외이사인 감사위원을 해임할 때에는 모든 대주주에게 단순 3% Rule이 적용되고, 사외이사가 아닌 감사위원을 해임할 때에는 최대주주에게만 합산 3% Rule이 적용된다. 그리하여 사외이사가 아닌 감사위원의 해임에서는 개정 전과 동일한 의문이 제기된다. 따라서 사외이사인 감사위원이든 사외이사가 아닌 감사위원이든 그 해임에 있어서는 최대주주에게 합산 3% Rule을 그리고 다른 대주주에게는 단순 3% Rule을 적용하여 통일적으로 규제함이 바람직하다. 이는 제7항에 의해 모든 상장회사에서 감사를 해임할 경우 최대주주에게는 합산 3% Rule이 적용되고, 다른 대주주에게는 단순 3% Rule이 적용되는 것과의 형평성을 고려할 때 더욱 그러하다. 한편 이러한 경우에도 의결권이 제한되는 주식은 정족수의 계산에서 발행주식총수에는 산입되지만 출석한 의결권수에는 산입되지 아니한다(제371조 제2항).

4) 해임의 효과

그동안 감사위원이 이사회 또는 주주총회의 결의로 해임되면 이사의 지위도 함께 상실하는지에 관한 규정이 없어 해석상 혼란이 있었다. 그리고 판례는 없지만, 해임된 감사위원은 감사위원으로서의 지위만 상실할 뿐 이사의 지위에는 원칙적으로 영향이 없다는 견해가 있었다.[313] 이러한 혼란이 지속되자, 2020년 개정상법은 제542조의12 제3항을 개정하여 대규모상장회사에서 감사위원은 주주총회의 특별결의로 해임할 수 있다고 명시하며, 이 경우 감사위원은 이사와 감사위원의 지위를 모두 상실한다고 명확히 규정하였다. 따라서 이제 남은 문제는 비상장회사와 일반상장회사에서 이사회의 결의로 감사위원을 해임할 경우인데, 이사의 선임과 해임은 주주총회의 전속적 권한에 속하는 것임을 고려할 때 이사회에서는 감사위원의 지위만 해임할 수 있다고 보아야 한다.

---

313) 손주찬, 전게서, 880~882면.

3. 감사위원회의 운영

가. 운영방법

감사위원회는 회의체 기관이므로 결의를 통해 그 권한을 행사해야 한다. 그런데 감사위원회도 이사회 내부의 위원회 중 하나이므로 감사위원회의 소집이나 결의 등과 같은 운영 방법은 제393조의2가 규정한 이사회 내 위원회의 운영 방법에 따라야 한다.[314] 따라서 위원회의 소집(제393조의2 제5항→제390조), 결의방법(제393조의2 제5항→제391조), 결의의 통지(제393조의2 제4항), 회의의 연기나 속행(제393조의2 제5항→제392조→제372조) 등에 관한 규정과 결의의 하자에 관련된 사항들도 당연히 감사위원회에 적용된다.[315]

나. 대표감사위원의 선정

감사위원회의 운영에 있어서는 다른 위원회와 달리 대표감사위원을 선정해야한다. 그리고 감사업무에 있어서 감사위원회는 의사결정을 하고, 그 집행은 대표감사위원이 하게 된다. 이 경우 대표감사위원은 수인을 선정하여 공동으로 대표하게 할 수도 있는데(제415조의2 제4항 제2문), 특히 대규모상장회사에서는 제542조의11 제2항에 의해 대표감사위원이 반드시 사외이사여야 한다.

다. 전문가의 조력 및 결의의 효력

감사위원회는 그 직무수행에 있어서 회사의 비용으로 전문가의 조력을 구할수 있는데(제415조의2 제5항), 이는 이사회나 대표이사가 감사위원회의 비용지출을 거부하지 못하도록 하기 위한 주의적 규정에 불과하다. 한편 감사위원회는 감사와 달리 이사회 내부의 위원회이므로 감사업무의 실효성을 위해서는 무엇보다도 독립성이 보장되어야 한다. 그리하여 상법은 감사위원회의 경우 사외이사를 주축으로 구성하도록 규제하고 있고(제415조의2 제2항), 이사회는 위원회가 결의한 사항에 대하여 다시 결의할 수 있다는 제393조의2 제2항 제2문을 감사

---

314) 따라서 감사위원회의 구체적인 운영에 관한 내용은 법률에 규정하지 않아도 된다는 견해도 있다(김태진, 전게 "감사위원회에 준용되는 상법 규정 정비를 위한 제안," 165면).
315) 정찬형, 전게서, 1131면.

위원회에 대해서 적용하지 아니한다고 규정하고 있다(제415조의2 제6항). 따라서 감사위원회의 결의에 대해서는 이사회가 다시 결의할 수 없는데, 이는 감사위원회의 지위와 직무수행에 있어서 독립성을 확보·유지하기 위함이다.

라. 결원의 보충

상장회사는 감사위원회 위원인 사외이사의 사임·사망 등의 사유로 인하여 사외이사의 수가 ① 제542조의11 제1항에 따라 감사위원회를 설치한 상장회사의 경우에는 제2항 각 호 및 제415조의2 제2항의 요건(위원 중 1명 이상은 대통령령으로 정하는 회계 또는 재무의 전문가여야 하고, 대표감사위원도 사외이사여야 하며, 3명 이상의 이사로 구성하되 사외이사가 3분의 2 이상이어야 하는 요건), ② 제415조의2 제1항에 따라 감사위원회를 설치한 상장회사에서는 제415조의2 제2항의 요건(반드시 3명 이상의 이사로 구성하되 사외이사가 3분의 2 이상이어야 하는 요건)에 미달하게 되면 그러한 사유가 발생한 후 처음으로 소집되는 주주총회에서 그 요건에 합치되도록 하여야 한다(제542조의11 제4항).

4. 감사위원회의 직무

가. 개 요

상법은 감사위원회의 권한·의무·책임에 관하여 별도로 규정하지 아니하고, 감사의 권한·의무·책임에 관한 규정을 감사위원회에 그대로 준용하고 있다(제415조의2 제7항). 그런데 이처럼 감사의 권한 등에 관한 규정들을 일률적으로 감사위원회에 준용하다 보니, 독임제적 감사제도와 감사위원회제도의 구조적 차이점으로 인해 관련 규정의 해석·적용에 있어서 몇 가지 문제가 발생하였다. 그 동안 여러 차례에 걸친 상법개정을 통하여 다수의 규정이 신설되거나 보완되었지만, 감사위원회에 적합하지 아니한 내용도 있었기 때문이다. 따라서 감사의 권한·의무·책임에 관한 규정을 감사위원회에 준용할 경우에는 상당한 주의가 필요하고, 나아가 규정 방식에 관한 입법적 재검토가 필요하다.

나. 감사위원회의 권한

1) 권한의 내용

상법은 감사의 권한에 관한 규정을 감사위원회에 준용하고 있다(제415조의2 제7항). 따라서 감사위원회는 업무감사권(제412조), 이사로부터 중요사항에 관한 보고를 받을 권한(제412조의2), 주주총회소집청구권(제412조의3), 이사회소집청구권(제412조의4), 자회사조사권(제412조의5), 이사와의 소송에서 회사를 대표할 권한(제394조 제1항), 이사에 대한 유지청구권(제402조), 재무제표감사권(제447조의3 내지 제447조의4) 등을 행사할 수 있다. 다만 감사위원회가 이러한 권한을 실효적으로 행사하기 위해서는 내부감사부서 등 실무조직으로부터 충분한 도움을 받아야 하는데,[316] 현재 내부감사부서의 설치가 강제되는 경우는 금융회사와 공공기관뿐이므로(금융회사지배구조법 제20조, 공공기관의 운영에 관한 법률 제32조), 이에 관한 입법적 보완이 요망된다.[317] 참고로 감사위원회 모범규준과 기업지배구조 모범규준도 내부감사부서의 설치를 권고만 하고 있다.

2) 업무감사의 범위

감사위원회의 업무감사 범위에 대해서는 ① 감사위원회가 감사의 대체기구로서 도입된 점을 근거로 감사에서와 마찬가지로 적법성 감사에만 국한된다는 견해,[318] ② 감사위원의 경우에는 이사회의 구성원이기도 하므로 감사위원회는 타당성 감사도 할 수 있다는 견해[319]가 있다. 생각건대 상법은 감사위원회를 감사의 대체적인 감사기관으로서 도입하여 설계하고 있으므로 감사위원회의 업무감사도 감사에서와 마찬가지로 적법성 감사에만 국한된다고 해석해야 한다. 그렇

---

316) 김유경, 전게논문, 27면.

317) 이와 관련하여 감사위원회를 위한 내부감사 보조조직을 확보하는 방안으로서 회사의 내부감사부서와는 별도로 감사위원회만을 위한 보조조직을 두는 방안, 회사의 내부통제부서를 활용하는 방안, 외부의 전문가를 활용하는 방안의 3가지를 제시하며 각각의 장단점을 분석한 견해도 있다(윤승영, "감사위원회 기능 강화를 위한 내부감사 보조조직의 역할,"「경제법연구」 제18권 제2호(한국경제법학회, 2019), 175~176면). 참고로 2017년 12월 결산법인 중 사업보고서를 공시한 1,941개사를 대상으로 내부감사부서의 설치 현황을 살펴보면, 유가증권시장 549개사(73.79%)와 코스닥시장 568개사(47.45%)가 내부감사부서를 두고 있었다(전체적으로는 57.55%인 1,117개사).

318) 이철송, 전게서, 888면; 정찬형, 전게서, 1132면.

319) 송옥렬, 전게서, 1131면; 최기원, 전게서, 997~998면, 1010면.

지만 감사위원회의 위원은 그 지위상 이사회의 구성원이기도 하므로 사실상 업무의 타당성도 어느 정도 이사회에서 다룰 수 있을 것이다.

다. 감사위원회의 의무

상법은 감사의 의무에 관한 규정을 감사위원회에 준용하고 있다(제415조의2 제7항). 따라서 감사위원회는 주주총회에서의 의견진술의무(제413조), 감사록의 작성의무(제413조의2), 이사의 위법행위 등을 이사회에 보고할 의무(제391조의2 제2항),[320] 감사보고서의 작성의무(제447조의4) 등을 부담한다. 그리고 감사위원은 이사이기도 하므로 회사에 대하여 선관주의의무와 충실의무 및 비밀유지의무를 부담한다(제382조 제2항, 제382조의3, 제382조의4). 한편 회사와 감사위원 간에 소가 제기된 경우에는 감사위원회 또는 이사가 법원에 대하여 회사를 대표할 자를 선임해 주도록 요청하여야 한다(제394조 제2항).

라. 감사위원회의 책임

1) 책임의 내용

상법은 감사의 책임에 관한 규정을 감사위원회에 준용하고 있다(제415조의2 제7항).[321] 그러나 이는 감사위원에게 준용해야 하는데,[322] 문제는 준용의 타당성도 부족하다는 점이다. 감사위원은 이사의 지위도 갖고 있으므로 그 임무를 해태한 경우에는 제399조 제1항에 의한 책임이 발생하여 사실상 제414조를 준

---

320) 대법원 2017.11.23. 2017다251694.
321) 대법원 2020.5.28. 2016다243399; 2007.11.16. 2005다58830(감사위원회는 이사의 직무집행을 감사하고, 이사가 법령 또는 정관에 위반한 행위를 하거나 그러한 행위를 할 염려가 있다고 인정한 때에는 이사회에 이를 보고하여야 하며, 이사가 법령 또는 정관에 위반한 행위를 하여 회사에 회복할 수 없는 손해가 생길 염려가 있는 경우에는 그 행위에 대한 유지청구를 하는 등의 의무가 있다(상법 제415조의2 제7항, 제412조 제1항, 제391조의2 제2항, 제402조). 따라서 감사위원은 상법상 위와 같은 의무 또는 기타 법령이나 정관에서 정한 의무를 선량한 관리자의 주의의무를 다하여 이행하여야 하고, 고의·과실로 선량한 관리자의 주의의무에 위반하여 임무를 해태한 때에는 그로 인하여 회사가 입은 손해를 배상할 책임이 있다(상법 제415조의2 제7항, 제414조 제1항, 제382조 제2항)). 그런데 상법이 감사의 책임에 관한 규정을 감사위원회에 준용하는 것이 타당한지 의문이라며 개별조항의 적용 여부와 수준을 적절히 판단할 필요가 있다는 견해도 있다(김홍기, 전게서, 673면).
322) 대법원 2017.11.23. 2017다251694(감사위원회의 위원은 상법상 위와 같은 의무 또는 기타 법령이나 정관에서 정한 의무를 선량한 관리자의 주의의무를 다하여 이행하여야 하고, 고의·과실로 선량한 관리자의 주의의무를 위반하여 그 임무를 해태한 때에는 그로 인하여 회사가 입은 손해를 배상할 책임이 있다).

용할 필요가 없기 때문이다.[323] 그렇지만 상법이 감사위원회의 책임에 관하여 명문으로 제414조를 준용하고 있으므로, 감사 사안에 대한 결의에 임무해태의 요소가 있는 경우에는 이에 찬성한 감사위원도 제414조 제1항 또는 제2항의 책임을 구성하는 것으로 해석해야 한다.[324] 그런데 이에 대해서는 제399조와 제401조 및 제414조의 관계를 중심으로 ① 감사위원의 책임에 대해서는 오로지 제414조만 적용된다는 해석, ② 감사위원의 책임에 대해서는 제399조와 제401조 및 제414조가 중첩적으로 적용되는 해석, ③ 감사위원인 이사에 관한 한 제414조를 제399조 및 제401조의 특칙으로 보아 제414조만을 적용하되 임무해태가 감사위원회의 결의에 의한 때에는 제399조 제2항과 제3항을 유추적용하는 해석이 가능한데, 이 중 ③의 방법이 타당하다는 견해도 있다.[325]

2) 책임의 감면

이사 및 감사와 마찬가지로 감사위원의 책임을 면제하는 데에도 총주주의 동의가 필요하고(제415조의2 제7항 → 제400조 제1항), 감사위원의 책임도 정관에 의해 일정한 보수액을 한도로 하여 감경할 수 있으며(제415조의2 제7항 → 제400조 제2항), 감사위원의 신분에 관한 소가 제기된 경우에는 제소권자가 감사위원의 직무집행정지가처분을 신청할 수도 있다(제415조의2 제7항 → 제407조). 다만 한 가지 문제되는 것은 감사위원의 책임감경에 관한 구체적인 내용인데, 아직 이에 관한 학설이나 판례는 거의 없으므로 합리적인 해석에 의할 수밖에 없다. 생각건대 감사위원은 이사의 지위를 겸하고 있고, 사내이사의 경우에는 6년분의 보수액 그리고 사외이사의 경우에는 3년분의 보수액을 한도로 책임을 제한하고 있다. 그렇다면 현재로서는 감사위원의 경우에도 이사와 같은 형태로 회사에 대한 손해배상책임을 감경하는 것이 가장 합리적일 것이다.

---

323) 이와 관련하여 만약 책임 조항이 없어 찜찜하다면 "감사위원회의 위원의 책임에 관하여는 제399조와 제401조를 준용한다"라고 명시하면 된다는 견해도 있다(김태진, 전게 "감사위원회에 준용되는 상법 규정 정비를 위한 제안," 164면).

324) 이철송, 전게서. 888~889면.

325) 권기범, 전게서, 1060~1061면.

마. 준용 규정의 문제점

1) 유지청구권

상법 제415조의2 제7항은 제402조(유지청구권)를 감사위원회에 준용하고 있는데, 다음과 같은 문제점이 내포되어 있다. 즉 ① 이사가 법령 또는 정관에 위반한 행위를 하여 회사에 회복할 수 없는 손해가 생길 염려가 있는 경우에는 감사위원회가 이사에 대하여 그 행위를 유지하도록 청구할 수 있는데, 이는 타당하지 않다. 소수주주와 달리 감사와 감사위원회의 경우에는 제402조의 요건이 충족되면 반드시 이사에게 유지청구를 해야 하고, 이를 게을리하면 임무해태가 되기 때문이다. 따라서 이러한 차이점을 반영하여 준용해야 한다. ② 유지청구 방법의 경우에도 감사위원회는 그 결의에 의하여 대표감사위원이 유지청구를 하도록 명시해야 한다. ③ 감사위원은 이사의 지위도 겸하고 있어 제402조의 경우에는 "감사위원이 법령 또는 정관에 위반한 행위를 하여 회사에 회복할 수 없는 손해가 생길 염려가 있는 경우"라고 해석할 수도 있으므로, 이 경우에는 준용할 때「이사」를「감사위원」으로 본다고 명확히 규정해야 한다.

2) 대표소송

상법 제415조의2 제7항이 감사위원회에 준용하고 있는 제403조 내지 제406조의2는 대표소송 및 다중대표소송에 관한 규정인데, 여기에는 다음과 같은 주의할 점이 있다. 즉 ① 대표소송에 관한 제403조와 다중대표소송에 관한 제406조의2의 경우에는 법규의 명확성을 위해 제1항의「이사」를「감사위원」으로 본다는 문언을 제415조의2 제7항에 명확히 규정해야 한다. ② 제405조 제1항은 제소한 주주가 승소한 후에 회사가 제소 주주에게 소송비용 등을 지급한 경우에는「이사 또는 감사」에게 구상할 수 있다고 규정하고 있는데, 감사위원회의 경우에는「감사」를「감사위원」으로 해석해야 한다. 그런데 상법은 준용 규정 중 제530조의5 제1항 제9호와 제530조의6 제1항 제10호의 경우에만 감사를 감사위원으로 본다고 규정하고 있다. 이는 명백한 입법적 불비이므로「감사」를「감사위원」으로 본다는 문언을 제415조의2 제7항에 규정해야 한다. ③ 감사위원은 이사의 지위도 갖고 있으므로, 주주가 감사위원의 책임을 추궁하는 대표소송이나 다중대표소송을 제기하는 경우 제403조 제1항과 제415조의2 제7항 중 어느 규정에 근거해야 하는지의 문제가 발생한다. 생각건대 실제로 큰 차이는 없겠지만, 준용규정의 취지를 고려하고 법적 지위와 업무내용에서 이사와는 다른 감사위원의 특성을 반영하여 제415조의2 제7항에 의해야 할 것이다.

3) 기타 사항

상법은 감사위원회에 대하여 발기설립시 임원의 선임에 관한 제296조, 모집설립시 임원의 선임에 관한 제312조, 집행임원의 책임에 관한 제408조의8 제3항, 감사의 감사록작성의무에 관한 제413조의2, 감사의 책임에 관한 제414조, 재무제표의 승인과 이사·감사의 책임해제에 관한 제450조, 합병과 이사·감사의 임기에 관한 제527조의4, 분할계획서의 기재사항에 관한 제530조의5 제1항 제9호, 분할합병계약서의 기재사항에 관한 제530조의6 제1항 제10호를 준용하고 있다(제415조의2 제7항 전단). 그리고 제530조의5 제1항 제9호와 제530조의6 제1항 제10호의 경우에는 법문 중의 「감사」를 「감사위원회 위원」으로 본다고 규정하고 있다(제415조의2 제7항 후단). 그런데 제530조의5 제1항 제9호와 제530조의6 제1항 제10호 외에도 감사위원회에 준용되는 규정들은 기본적으로 이사와 감사를 그 전제로 하는 것이어서 회의체 기관인 감사위원회의 경우에는 적합하지 않고, 또한 일부는 준용 그 자체가 잘못인 경우도 있는데, 이는 명백한 입법적 불비이다. 따라서 감사위원회의 속성을 반영하고 법규의 명확성을 제고하기 위해서는 우선 다른 준용 규정상의 「감사」도 「감사위원」으로 해석해야 하고, 종국적으로는 이를 제415조의2 제7항에 명기해야 한다.[326) 그리고 준용되는 제367조의 경우에는 제1항(총회는 이사가 제출한 서류와 감사의 보고서를 조사하게 하기 위하여 검사인을 선임할 수 있다)만이 의미가 있고, 소수주주의 총회검사인선임청구권에 관한 제2항은 이와 전혀 관련성이 없으므로 이를 「제367조 제1항」으로 명확히 규정해야 한다.

---

326) 이에 관련된 사항의 세부적인 분석 및 개선방안에 대해서는 김태진, 전게 "감사위원회에 준용되는 상법 규정 정비를 위한 제안," 167~180면 참조.

Ⅲ. 내부통제와 준법지원인   박 세 화*

1. 서 설

2011년 회사법개정으로 우리 상법은 전격적으로 "준법통제기준 및 준법지원인"에 관한 법리를 도입하였다. 준법통제에 관한 상사법 차원의 논의는 준법통제를 포섭하고 있는 내부통제가 학계와 기업계의 관심을 받으면서부터 본격적으로 시작된 것으로 보아야한다. 내부통제라는 이슈는 역사적으로 2000년 초반 IMF위기를 극복해야하는 시대적 상황의 중심에 있었던 금융계에서 전격적으로 떠올랐다. 그 당시 우리 금융기관들은 금융위기 속에서 체계적인 위험관리체제의 필요성을 절감하고 있었을 뿐만 아니라 국제적 수준의 건전성과 투명성 확보에 대한 국내외 압박에 직면하고 있었기 때문에, 내부통제 차원의 문제제기에 순응적이고 적극적인 수용 태도를 취할 수밖에 없었다. 정부도 비교적 신속하게 각 금융관계법에 내부통제체제에 관한 사항을 규정하는 입법적 조치를 단행하게 된다. 그렇지만 올바른 이해와 충분한 논의가 부족한 상태에서 이루어진 입법이어서 그랬는지 초기의 내부통제 관련 규정들은 처음부터 법이론적 논란은 물론이고 실효성의 측면에서도 많은 의문이 제기되었다(종전 개별 금융관계법에 산재되어 있던 내부통제·준법감시인에 관한 규정들은 삭제되고, 현재는 금융회사의 지배구조에 관한 법률에 내부통제 및 위험관리체제 그리고 준법감시인 및 위험관리책임자 제도로 통일적으로 규정하고 있음).

이런 금융기관의 내부통제 및 준법감시인 법제와는 별도로, 기업의 위법행위를 사전적으로 예방하고 신속하게 대처하는 시스템을 업종의 제한 없이 일정 규모의 이상의 상장회사에게(준법감시인 설치 회사 제외) 일률적으로 요구하는 준법통제 및 준법지원인제도가 2011년 상법에 도입된 것이다(제542조의13 신설). 그리고 이를 뒷받침하기 위하여 그 다음 해에 상법 542조의13에 관한 상법시행령이 마련되게 된다. 이러한 상법상의 입법에 대하여 일정요건 강제화 방식의 법제화 그 자체에 대하여 부정적인 시야가 있는 것은 물론이고 준법통제 개념의

---

* 충남대학교 법학전문대학원 교수

독립적 가치 그리고 개개 규정내용의 해석에 있어서 많은 쟁점이 제기되어 왔다. 제도시행 초기단계부터 입법적 오류나 불비사항 등의 정비를 위한 상법 개정의 필요성이 제기될 정도로 상법상 준법통제제도는 우리에게 부담스러운 짐이지만, 필자는 내부통제라는 큰 틀에서 볼 때 긍정적인 문화형성에 필수적인 사항의 입법이라는 것에 위안을 얻고, 한편으로 상법개정의 경직성 등을 감안할 때 현재 우리의 시급한 소임은 준법통제체제에 대한 바른 이해와 인식의 확산을 통한 호의적인 기업의 자세를 유도하고 주어진 법령의 합리적 해석에 있어 최선의 지혜를 모으는 것이 중요하다고 강조해 왔다. 특히 상법상 준법통제제도는 그 동안 체계적인 틀 없이 위법행위발생 후 즉흥적으로 또는 경영진의 주관적 선의에 의지하여 법적 위험을 관리해 왔던 기업들에게 최소한의 견고하고 통일된 준법통제모델을 제공하고 있음은 물론이고, 법원에게도 이사들의 선량한 관리자의 주의의무 이행여부 판단을 위한 유용한 법적 메시지를 전달하고 있다는 점에 주목할 필요가 있다.

이 장에서는 준법통제체제의 적합한 구축과 합리적 운용에 도움이 되는 프로그램적 내용들을 검토하기 위해, 먼저 내부통제와 준법통제에 대한 이론적 검토와 국내외 법제화 및 관련 판례의 동향을 살펴보고 준법통제에 관한 상법과 시행령 규정들을 쟁점별로 분석하고자 한다. 또한 이러한 선행적 고찰을 바탕으로 기업들이 준법통제체제의 구축과 운용에 있어 가장 큰 관심을 가지고 있는 준법통제기준의 설계와 운영에 관한 실무적 아이디어를 제공하고자 한다.

아울러 "산재되어 있는 내부통제 관련 법제"를 체계적으로 정비하여 다양한 업종의 대상 기업들의 혼란을 최소화할 필요가 있음을 상기하고 싶다. 내부통제 관련 법제의 정비와 함께 우리는 내부통제시스템의 통합적 운용방안 즉 시스템적 혼선 없이 효율성 및 실효성을 실질적으로 확보할 수 있는 방안에 관하여 고민하여야 한다. 필자는 이 글에서 전사적 차원의 위험 통합관리체제인 내부통제는 각종 위험관리시스템의 통합·신속한 조직간 상호 소통·효율적 순환 과정의 확보가 중요함을 우리 회사법적 구조 속에서 설명하고자 한다. 한편 거듭된 개정을 통해 새로운 자료와 법제의 변화 등이 비교적 충실하게 반영되도록 노력하고 있다.[1]

---

1) 2020년 상반기에 발표된 한 통계에 따르면 2019년 기준으로 준법지원인의 선임 의무를 지고 있는 상장회사 365개사(KOSPI 316개사, KOSDAQ 49개사)를 상대로 조사한 결과 231

2. 내부통제와 준법통제

가. 내부통제의 개념

내부통제의 개념을 살피는 것은 현행 상법상 준법통제제도의 이해 및 해석 그리고 향후 내부통제 관련 법제를 총체적으로 정비하기 위한 매우 중요한 전제 작업이다.

내부통제에 대한 명확한 개념 정의는 국내는 물론이고 내부통제의 선도국이라고 할 수 있는 미국의 법률에서도 명문의 규정을 찾아보기 어렵다. 그렇지만 우리는 미국의 COSO(Committee of Sponsoring Organization of the Treadway Commission)보고서에서[2] 생래적으로 통일되고 단언적인 개념 정의와 친하지 않은 내부통제의 본질적 질문에 대한 비교적 명석한 답을 찾을 수 있다. COSO보고서의 정의는 국내외적으로 폭넓게 수용되어 합리성과 효용성이 어느 정도 검증되어 있고 우리의 법규 축조에도 사실상 표본적 역할을 하고 있기 때문에 이를 통하여 내부통제를 이해하는 것은 어찌 보면 당연한 일이다. 미국에는 비교적 일찍부터 내부통제의 대상을 회계영역을 넘어서 경영관리영역으로 확대시키는 노력을 하여 왔는데,[3] 1992년에 이르러 COSO가 그 동안 논의를 정리하여 통제의 목표 설정 및 실효성 확보를 용이하게 하는 획기적인 새로운 틀을 발표하게 된다. 즉 내부통제란, 재무보고의 신뢰성(Reliability of financial reporting),

---

개사(KOSPI 209개사, KOSDAQ 22개사)가 준법지원인을 정식으로 선임했다는 현황 분석의 자료가 있다. 이 자료는 자산총액 5천억 원 미만의 상장회사도 8개사(KOSPI 4개사, KOSDAQ 4개사)가 자율적으로 준법지원인을 선임했다고 밝히고 있다(김재호, 상장회사의 준법지원인 도입현황 분석, 컴플라이언스, 2020 여름호, 15~16면). 조사에 응하지 않은 회사가 있을 것으로 보이고 자료의 공신력 측면에서 한계가 있지만, KIND 전자공시시스템을 활용한 조사로서 준법지원인 제도의 정착 및 운용 상황 등을 가늠해 볼 수 있다.

2) COSO는 미국 트레드웨이 위원회의 권고로 미국 공인회계사협회(AICPA: American Institute of certified Public Accountants), 미국 회계협회(AAA: American Accoun-ting Association), 내부감사인협회(IIA: The Institute of Internal Auditors), 최고재무경영자협회(FEI: Financial Executives International), 회계사 및 재무전문가 협회(IMA: The Association for Accountants and Financial Professionals in Business) 등 5개 통제 관련 단체가 1988년 조직한 트레드웨이위원회 산하의 지원조직이다. COSO는 영업상 위험관리, 내부통제, 사기방지 등을 위한 프레임워크 및 가이드라인의 개발을 통하여 경영 리더십을 제고하는 방안을 주로 연구하여 발표하는 기관이다(www.coso.org).

3) 박세화, "내부통제시스템의 설계와 기업 지배구조에 관한 회사법적 고찰,"「상사법연구」제26권 제2호(한국상사법학회, 2007), 289~290면 참조.

사업운영의 실효성과 효율성(Effectiveness and Efficiency of operations), 법령 준수(Compliance with applicable laws and regulations)라는 세 가지 주요 목적을 성공적으로 달성하기 위해 5개의 내부 구성요소[통제 환경(Control Environment), 위험 평가(Risk Assessment), 통제 행위(Control Activities), 정보 및 의사소통(Information and Communication), 감시(Monitoring)]를 유기적으로 연결한 종합관리시스템이라고 정의하였다.4) 이어서 COSO는 2004년에 내부통제와 기업의 위험관리체제를 통합적으로 결합시킨 진보된 내부통제 개념을 내놓게 된다. 2004년 COSO보고서는 내부통제를, 기존의 내부통제체제와 리스크 관리체제를 회사 전 조직차원에서 통합하여 구축한 리스크 관리 - 통합 프레임워크(ERM: Enterprise Risk Management)의 틀 속에서 설명하고 있다.5) 2004년 COSO보고서에 의하면 내부통제란 "회사의 경영목표 달성에 합리적 확신을 제공하기 위하여, 전략수립과 기업 영업 전반에 적용되고 회사에 영향을 주는 잠재적 사건을 식별하고 해당 위험을 위험 선호도내에서 관리할 수 있도록 설계된, 회사의 모든 구성원이 참여하는 진행형의 프로세스"라고 설명한다. 2004년 COSO보고서의 ERM은 ① 전략(사업체의 사명을 지지하고 그 사명과 연계된 고차원의 목적), ② 업무(사업체의 자원의 효율적이고 효과적인 활용), ③ 보고(보고의 신뢰성), ④ 준법(법률과 규칙 등의 준수) 등의 목적을 달성하는 데 초점이 있고,6) ① 리스크 선호도와 전략과의 연계(Aligning risk appetite and strategy), ② 리스크 대응 능력의 강화(Enhancing risk response decisions), ③ 운영상 예상치 못한 사고 및 손실의 감소(Reducing operational surprise and losses), ④ 부서별·기능별 리스크의 식별 및 관리(Identifying and managing multiple and cross-enterprise risks), ⑤ 기회 포착(Seizing opportunities), ⑥ 자본의 합리적 배분(Improving deployment of capital)

---

4) COSO Report 1992, Committee of Sponsoring Organization of the Treadway Commission, Internal Control-Integrated Framework(http://www.coso.org/publications/executive_summary_integrated_framework.htm). COSO는 2013년에 내부통제의 기본적인 개념정립에 결정적인 역할을 한 1992년 COSO보고서의 내용을 보강하고(재무보고의 범위를 확대하는 등) 불명확한 설명부분을 명확하게 정리한 "2013 Internal Control- Integrated Framework"를 발표하였다(http://www.coso.org/documents/COSO%20Framework%20Release% 20PR%20May%2014%202013%20Final%20PDF.pdf).

5) COSO Report 2004, Committee of Sponsoring Organization of the Treadway Commission, Enterprise Risk Management-Integrated Framework(http://www.coso.org/Publications/ERM/COSO_ERM_ExecutiveSummary.pdf).

6) http://www.coso.org/documents/COSO_ERM_ExecutiveSummary.pdf p. 3.

등이 포함되는 개념이다. 그리고 기업의 모든 구성원이 회사 위험에 대한 책임
을 나누어 부담하게 됨을 설명하고 있다.

내부통제의 기본개념 정립에 초점을 맞추었던 1992년과 2004년 COSO보고
서는 추상적이고 실무적 설명이 부족하여 실제적 지침이 되기 어렵고 기업의 규
모별 특성을 반영하고 있지 못하다는 비판이 있을 수 있으나,[7] 현재까지 우리나
라를 비롯한 전 세계에 미친 영향으로 볼 때 국제적 기준으로 평가하여도 크게
무리가 없다.[8] 특히 일본은 COSO보고서의 개념을 가장 정면적으로 수용한 국
가로 평가받고 있다. 2003년 경제산업성 산하의 「리스크 관리・내부통제에 관
한 연구회」가 '내부통제에 관한 보고서'를 발표하였고,[9] 2005년에는 「기업 활동

---

7) COSO는 이러한 문제점을 해결하기 위하여 주요 사항에 관한 Guidance를 발표하여 ERM
의 현실적 실현을 도모하고 ERM구축・운영상의 장애에 대한 해결방법을 제시하고 있다.
2006년에 소규모 공개기업을 위한 "Internal Control over Financial Reporting -
Guidance for Smaller Public Companies"(소규모 공개기업이 재무보고에 관한 효과적이
고 비용절감적인 내부통제시스템을 구축하고 운용할 수 있도록, 5가지 내부 구성요소별로
총 20가지의 세칙을 제시함)를 시작으로, 2009년에는 이사회의 역할을 구체적으로 설명한
"Effective Enterprise Risk Oversight: The Role of the Board of Directors"와, 내부통제
시스템의 감독에 관한 "Guidance on Monitoring Internal Control Systems"를 발표하였
고, 2010년에는 "Strengthening Enterprise Risk Management for Strategic Advantage"
를, 2010년과 2011년에는 "Embracing Enterprise Risk Management: Practical Ap-
proaches for Getting Started"[ERM체제로의 전환 방법(initial action steps) 및 유지・발
전 방안(continuing ERM implementation)을 단계적으로 설명]와 "Developing Key Risk
Indicators to Strengthen Enterprise Risk Management"[경영진이 잠재위험상태의 변화나
미래의 새로운 위험의 등장을 사전에 파악하고 전략을 수립하기 위하여 사용하는 핵심위험
지표(KRIs; 일반적으로 재무 결과의 분석지표를 말하는데, 예를 들어 회사 주고객인 25명
의 일정기간 거래통계나 유가에 민감한 기업에 있어 현재 또는 미래의 유가동향 등이 이에
해당)의 활용시스템을 다룸]를 발표하였다.

8) COSO 보고서에 대한 분석을 담은 국내 논문으로는, 박세화, "효과적인 내부통제체제 구축
을 위한 입법적 과제,"「재산법연구」제23권 제2호(한국재산법학회, 2006. 10.), 381~414면;
서완석, "내부통제와 준법감시인제도,"「기업법연구」제23권 제4호 통권 제39호(한국기업법
학회, 2009. 12.), 296~300면; 최승재, "회사내 내부통제기관의 재구성과 대안적 설계,"「상
사판례연구」제22집 제3권(한국상사판례학회, 2009. 9.), 31~32면; 정대, "주식회사 이사의
내부통제의무에 관한 연구,"「상사판례연구」제21집 제4권(2008. 12.), 175~177면; 안수
현, "내부통제의 회사법제 정비를 위한 검토,"「상사판례연구」제20집 제2권(한국상사판례학
회, 2007. 6.), 29~33면; 이종운, "회계감사와 내부통제,"「감사저널」(2005. 6.), 30~39면;
정홍진, "내부통제개념의 변천과 국제적 동향 - 미국과 일본의 경우를 중심으로-,"「경영
연구」제21집(한국경영학회, 2004. 2.), 277~280면; 김건식・안수현, "법적 시각에서 본
내부통제,"「BFL」제4호(서울대학교 금융법센터, 2004. 3.), 7~16면; 장경근, "전사리스크
관리와 내부감사의 역할,"「감사저널」(한국감사협회, 2005. 10.), 42~45면; 황성식・강정
민, "효과적인 내부통제를 통한 주주가치의 제고,"「BFL」제4호(서울대학교 금융법센터,
2004. 3.), 17~24면; 최수정, "기업의 내부통제제도 확립을 위한 법적 개선방안," 연세대
박사논문(2010), 8~23면 등이 있다.

9) 經濟産業省の研究會報告書,「リスク新時代の内部統制－リスクマネジメントと一體として機能

의 개시·평가에 관한 연구회」가 'Corporate Governance 및 Risk 관리·내부통제에 관한 개시·평가의 구조에 대하여-구축 및 개시를 위한 지침'을 발표하게 되는데,[10] 이들 일본의 연구보고서들은 COSO보고서에서 사용된 소위 ORCA (Objective, Risk, Control, Alignment) 방식을 그대로 사용하여, 접근방법이나 주요 내용에 있어 미국의 COSO보고서와 크게 다르지 않다.[11]

영국의 경우도 COSO개념을 수용하여, 1999년에 소위 "The Turnbull Report"라 불리는 '통합규준상 내부통제의 실행과 유효성 평가에 관한 Guidance(Internal Control: Guidance for Directors on the Combined Code)'를 발표한다. 이 지침에 의하면[12] "내부통제시스템은 회사의 일반 경영 및 지배구조상에 내포되어 있는 것으로, 회사가 영업상 위험이나 영업환경의 변화에 신속하게 대응하기 위해 구축하는 시스템으로 기업문화의 일부분이다"라고 내부통제를 정의하고 있다.[13] 그리고 영국의 재무보고위원회(FRC: the Financial Reporting Council)가 여러 차례 개정을 거쳐 2010년 6월 '영국기업지배구조규준(The UK Corporate Governance Code)'을 발표하였는데,[14] 이 규준 Section C.2는 위험관리와 내부통제(Risk Management and Internal Control)라는 타이틀 하에 몇 가지 원칙을 규정하고 있다(The UK Corporate Governance Code Section C.2). The UK Corporate Governance Code Section C.2의 주요원칙은 "이사회가 영업상 전략목표를 성공적으로 달성하기 위해 감수해야만 하는 중요한 위험의 성격과 범위

する內部統制の指針-」(2003).

10) 企業活動の開示·評價に關する研究會, 「コーポレートガバナンス及びリスク管理·內部統制に關する開示·評價の枝組について-構築及び開示のための指針」(2005).

11) 다만, 일본의 내부통제에 관한 보고서들은, 이러한 지침들이 기업들의 내부통제시스템 평가 또는 사법부의 경영진의 선관의무 해석에 있어 하나의 기준이 될 것을 염두에 두고, 일본 기업들이 미국이나 유럽의 기업들에 비해 상대적으로 법률 리스크 관리부문이 취약하다는 판단 하에 이를 더 비중 있게 다루고 있다(長谷川俊明, 新會社法 內部統制とその開示(中央經濟社, 2005), 19~20面.

12) Nigel Turnbull이라는 사람이 주축이 되어 작성한 "The Turnbull Report"를 잉글랜드 & 웨일즈 공인회계사협회가 "Internal Control: Guidance for Directors on the Combined Code"라는 공식표제로 발표한 것이다[Richard Smerdon, Turnbull: An Opportunity for Lawyers or Just Another Box for Ticking, International Company and Commercial Law Review 11(7), 248 (2000)].

13) Matt Bonass & Claire Jones, "Out of Control? A Review of the Internal Control Requirements of the UK Combined Code(The Turnbull Guidance)," International Company and Commercial Law Review 16(10), 390 (2005).

14) http://www.frc.org.uk/documents/pagemanager/Corporate_Governance/UK%20Corp%20Gov%20Code%20June%202010.pdf.

를 결정할 책임이 있으며, 건전한 위험관리와 내부통제 시스템을 유지할 의무가 있다"는 것이다. 이 같은 입장은 내부통제와 위험관리를 통합적 체제로 파악하는 입장으로 회사 전체적 위험관리체제와 통합하여 내부통제를 파악하는 2004년 COSO보고서와 그 맥을 같이 하고 있다고 볼 수 있다.[15)

나. 내부통제와 준법통제와의 관계

준법통제체제(Compliance System)란 상장회사 표준준법통제기준에 따르면 "회사가 사업운영상 준수해야 하는 제반법규를 체계적으로 파악하고 임직원의 법규준수 여부를 자체적으로 점검하여 위법행위를 사전적으로 예방하고 각종 법적 위험에 체계적으로 대응하기 위하여 채택하는 일체의 정책수립 및 통제활동 과정"이라고 설명하고 있다.[16) 이 같은 정의는 법적 위험에 대한 사전 교육과 예방조치가 중심이 되는 회사 전체적인 관리 프로세스를 강조한 것으로 COSO 의 내부통제를 기반으로 한 개념이다.[17) 이처럼 준법통제체제는 통합 위험관리 체제인 내부통제체제의 구성부분으로 보아야하기 때문에 준법통제체제의 고찰은 내부통제의 이해로부터 출발해야 한다. 즉 준법통제체제는 회사의 경영라인인 업무관리체제에 속하는 것으로 자연스럽게 내부통제체제의 일부를 구성하고 그 하위개념으로 취급되는 것이다. 회사의 법적 위험관리체제 확립은 이사회의 의무사항이므로, 이사회가 적절한 수준의 준법통제체제를 구축하여 운용하지 않을 경우 이사들의 선관주의 의무 위반을 구성할 수 있음은 이론의 여지가 없다.[18)

---

15) 박세화, "준법지원인제도의 안정적이고 효율적인 운용을 위한 법적 과제," 「상사법연구」 제 30권 제2호(한국상사법학회, 2011), 260면.

16) '상장회사 표준통제기준'은 필자가 초안을 하고, 한국상장회사협의회 준법통제기준표준모델 제정위원회가 심의하여 제정한 것으로, 상법상 준법통제체제를 구축하여야 하는 기업들에 게 상법과 상법 시행령이 요구하는 필수적인 사항을 담은 '준법통제기준 모델'을 제시할 목 적으로 만들어진 것이다.

17) Miriam Hechler Baer, Governing Corporate Compliance, 50 B.C. L. Rev. 949, 958 (2009).

18) 내부통제체제를 설계하고 운용하는 것은 기업지배구조 원리와 밀접한 관련성을 가진다. COSO도 2014년 2월 「Improving Organizational Performance and Governance – How the COSO Frameworks Can Help」라는 페이퍼를 발표하였는데, 이 페이퍼에는 내부통제 가 기업지배구조에 있어 왜 중요한지 그리고 내부통제프레임작업이 기업활동과 지배구조 향상에 어떤 도움을 줄 수 있는지에 관한 설명이 담겨있다(http://www.coso.org/docu ments/2014-2-10-COSO%20Thought%20Paper.pdf)(이에 대한 상세한 내용은 "박세화, 상법상 준법통제프로그램에 관한 실무적 쟁점 및 입법적 정비방안에 관한 고찰," 「상사법 연구」 제33권 제2호(한국상사법학회, 2014), 122~123면 참조).

　　한편 우리 대법원은 이사의 감시의무 이행 여부를 판단하면서 내부통제시스템의 구축 그리고 그 적정성에 대하여 비중 있게 판단하고 있다. 2006다68636 사건에서 대법원은 "이사의 감시의무의 구체적인 내용은 회사의 규모나 조직, 업종, 법령의 규제, 영업상황 및 재무 상태에 따라 크게 다를 수 있는바, 고도로 분업화되고 전문화된 대규모의 회사에서 공동대표이사와 업무담당이사들이 내부적인 사무분장에 따라 각자의 전문 분야를 전담하여 처리하는 것이 불가피한 경우라 할지라도 그러한 사정만으로 다른 이사들의 업무집행에 관한 감시의무를 면할 수는 없고, 그러한 경우 무엇보다 합리적인 정보 및 보고시스템과 내부통제시스템을 구축하고 그것이 제대로 작동하도록 배려할 의무가 이사회를 구성하는 개개의 이사들에게 주어진다."고 판시하여 이사회에 내부통제체제의 구축의무가 있음을 확인하고 이사의 감시의무 위반 여부의 판단에도 영향이 있음을 분명히 하고 있다.[19] 최근 대법원은 담합행위로 인하여 공정거래위원회로부터 과징금을 부과 받아 손해를 입은 상장회사의 대표이사에게 감시의무 위반을 이유로 그 과징금에 의한 회사의 손해를 배상하라는 판결을 내리면서, 적정한 내부통제체제의 구축 및 실효적 운용을 비중 있게 다루고 있다. 사무분장에 따라 경영진이 각자 자신의 분야를 전담하는 조직을 갖춘 유가증권 상장회사의 대표이사가 회사의 담합행위를 알지 못했고 이를 직접 지시하거나 보고 받지 않았다 하더라도, 높은 법적 위험이 있는 가격담합 등의 위법행위를 방지하기 위한 합리적인 내부통제시스템을 갖추는 노력을 하지 않았거나 그 시스템을 구축하고도 이를 이용하여 회사 업무전반에 대한 감시·감독의무를 이행하는 것을 의도적으로 외면한 결과로 회사가 과징금 부과처분을 받았다면 대표이사는 감시의무 위반의 책임을 면할 수 없다고 판시하고 있다.[20] 이 같은 대법원의 판시에 대하여 이사의 감시의무는 다른 방법으로도 완수될 수 있는 것이므로 내부통제시스템을 구축하지 않은 것이 바로 감시의무 위반에 해당한다고 볼 수는 없고, 단지 내부통제시스템의 구축의 문제는 그 구축이 감시의무를 이행하는 정도를 판단하는 의미를 갖는 것에 불과하다는 견해가 있다.[21] 그렇지만 (내부통제시스템이 회사의 전사적인 위험관리시스템을 의미하는 것이므로) 내부통제시스템의 흠결로 인해

---

19) 대법원 2008.9.11. 2006다68636.
20) 대법원 2021.11.11. 2017다222368.
21) 송옥렬, 「상법강의」 제11판(홍문사, 2021), 1052~1053면.

이사들이 위법 부당한 사유를 발견하지 못했다면 그 사실만으로도 최소한 과실로 인한 감시의무 위반이 성립한다고 보아야 한다. 더 나아가 기본적으로 이사회는 적정한 수준의 내부통제시스템을 구축하고 운용할 의무가 있으므로 이사회가 이러한 의무를 제대로 수행하지 못했다면 이사들이 선관의무 위반의 책임을 면할 수 없음을 생각할 때, 내부통제체제의 적정성과 구체성 확보는 이사들의 주요한 의무사항으로 보아야 한다.

다. 내부통제(준법통제)에 관한 국내외 법제화 동향

1) 미 국

미국에서는 기업이나 관련 단체를 중심으로 민간부문에서 내부통제의 발전을 선도적으로 이끌어왔지만 내부통제 관련 법규나 규칙들도 적지 않다. 1988년 내부자거래 및 증권사기 방지법(Insider Trading and Securities Fraud Enforcement Act: ITSFEA)22)에는 증권 중개인과 투자 자문사에게 중요하고 비공개된 회사정보의 악용을 예방할 수 있는 준법감시프로그램의 운영을 요구하는 규정이 포함되어 있고,23) 2001년 미국 애국법(the Uniting and Strengthening America by Providing Appropriate Tools Required to Intercept and Obstruct Terrorism Act)24)에는 재정기관들에게 연방정부의 반금전세탁법의 준수를 위한 준법감시프로그램을 구축·운용할 것을 요구하고 있다.25)26)

미국의 내부통제에 관한 대표적 입법은 회계개혁법이라 불리는 The Sarbanes-Oxley Act이다. The Sarbanes-Oxley Act의 관련 주요 규정을 정리해보면 다음과 같다. ① 감사위원회는 피용자가 회계나 감사사안에 관한 불만 또는 의혹을 익명으로 비밀리에 제보하는 절차(내부고발자 보호절차)를 수립하여야 한다 (section 301). 다만 SEC(Securities Exchange Commission)는 내부고발절차에 대

---

22) Insider Trading and Securities Fraud Enforcement Act of 1988, Pub. L. 100 - 704, 102 Stat. 4677 (1988).
23) 15 U.S.C. §78o(f)(g).
24) Uniting and Strengthening America by Providing Appropriate Tools Required to Intercept and Obstruct Terrorism Act, Pub. L. No. 107~56, §352(a) (2001)
25) 31 U.S.C. §5312(a)(2).
26) 2005년 미국 재무부는 반금전세탁 준법감시프로그램의 보완을 위한 상세한 추가 규율기준을 공포하였다[U.S. Department of the Treasury, Financial Crimes Enforcement Network, Interim Rules Applicable to Dealers in Precious Metals, Precious Stones or Jewels, 31 C.F.R. §103.140(c)(4) (June 9, 2005)].

하여 특정한 요건을 강제하지 않고 회사가 상황에 적절하게 절차를 수립할 수 있는 탄력성을 인정하고 있다.[27] ② 최고경영자 및 최고 채무책임자는 회사의 연차보고서 및 분기보고서의 정보를 인증(Certify)하여야 하는데, 그 인증 대상에 내부통제에 관한 사항(내부통제를 구축하고 유지하는 것에 대해 책임을 진다는 것·중요한 정보가 확실하게 보고되도록 내부통제를 설계하였다는 것·보고서 제출일 전 90일 이내에 내부통제의 실효성을 평가하였다는 것과 그 평가를 기초로 내부통제의 실효성에 대한 결론을 제시하였다는 것 (a)(4), 감사인과 감사위원회에게 내부통제의 중요한 결함, 약점 및 경영진 또는 내부통제업무를 담당하는 임직원의 부정을 공시 하였다는 것(a)(5), 내부통제시스템에 중대한 영향을 줄 우려가 있는 사정변경의 유무 (a)(6) 등)이 다수 포함되어 있다(section. 302). ③ 동법은 SEC 규칙을 통해 연차보고서에 경영진이 검토한 내부통제보고서(internal control report)가 포함되게 하도록 명령하고 있으며, 내부통제보고서에 담길 일정 사항에 대하여도 언급하고 있다(section 404(a)). ④ 회사는 최고집행임원이나 최고재무임원을 위한 기업윤리규정을 채택했는지 만일 채택하지 않았다면 그 이유가 무엇인지를 정기적으로 공시하여야 한다(section 406). 여기서의 기업윤리규정이란 위법행위를 방지하고, 기업에 있어 중요한 사항들(이해충돌을 윤리적으로 조정하는 것을 포함한 청렴하고 윤리적인 행동, 완전하고 공정하며 정확한 그리고 시기적절하고 이해가능 한 공시, 기업에 적용되는 법률·규칙 등의 준수, 규정위반의 신속한 내부 보고, 규정 준수의 책임관계 등)이 합리적으로 이루어지도록 고안된 문서를 말한다(section 406 (c)). 이 같은 윤리규정은 회사의 인터넷 사이트나 Form 8-K으로 SEC에 공시하여야 한다.[28] 공시된 윤리규정은 인터넷 사이트에 최소한 12개월 동안 게시되어 있어야 하고 SEC에는 5년간 비치되어야 한다. 또한 section 406이 규정하고 있는 윤리규정은 연차보고서에 담겨야 하고 이 연차보고서는 누구나 열람할 수 있고 사본요구도 가능한 상태이어야 한다.[29]

또한 2008년 긴급경제안정화법(Emergency Economic Stabilization Act)과 2010년 도드 프랑크법(Dodd-Frank Wall Street Reform and Consumer Pro-

---

27) Standards Relating to Listed Company Audit Committees, Exchange Act Release Nos. 33-8220; 34-47654, 17 C.F.R. x§§228, 229, 240, 249 &274 (April 25, 2003).

28) Disclosure Required by Sections 406 and 407; Exchange Act Release Nos. 33-8177; 34-47235, 17 C.F.R. x229.406(d) (2003); Item 5.05 of Form 8-K.

29) Disclosure Required by Sections 406 and 407; Exchange Act Release Nos. 33-8177; 34-47235, 17 C.F.R. x229.406(c) (2003).

tection Act)에도 내부통제와 관련이 있는 규정이 포함되어 있다. 긴급경제안정화
법상의 부실자산구제프로그램(Troubled Asset Relief Program: TARP)은 이 프로그
램에 참가하는 회사의 경영진의 보수를 제한하고 있는데,[30] 미국 재무부는 이
법에 의거하여 미국 재무부의 TARP Capital Purchase Program에 참가하는 회
사의 이사회에 대하여 최고 경영진의 인센티브 보수가 과도하지 않게 설계되도
록 하는 장치를 구축하도록 하고 그 이외의 경영진 보수도 회사위험 감수수준에
연동하도록 요구하고 있어서, 일종의 내부통제 관련 규정으로 평가할 수 있다.[31]
또한 미국의 금융위기 이후에 제정되어 소위 금융개혁법이라고 불리는 도드 프
랑크법에도, 금융안정감시위원회(Financial Stability Oversight Council: FSOC)가
관리 금융기관에 대하여 시스템리스크 관리보고서를 요구할 수 있는 등의 내부
통제 관련 입법조치가 존재한다.[32] 도드 프랑크법에 따르면 SEC는 1백만 달러
이상의 비용지출이 되는 연방법 위반에 관한 정보를 제공한 내부고발자에게 그
복구비용의 10~30%를 보상금으로 지급해야 한다(Dodd-Frank section 922). 또
한 동법은 내부고발로 인해 고통을 겪는 임직원을 위한 조치에 관한 내용에 대
하여도 규정하고 있는데, 이 규정들은 the Sarbanes-Oxley Act의 반보복
(anti-retaliation)규정보다 더 강력한 것으로 평가받고 있다.[33][34]

이러한 상장법인 규제 중심의 연방법규뿐만 아니라 미국 주 회사법의 지침이
라고 볼 수 있는 모범회사법(Model Business Corporation Act: MBCA)에도 내부
통제에 관한 기본 조항을 찾아 볼 수 있다. 2005년 RMBCA §8.01. (c)에 의하

30) Emergency Economic stabilization Act(Troubled Asset Relief Program) section 111은
미국 재무부장관이 ① 과도한 위험을 야기할 수 있는 경영진의 인센티브에 대한 제한과 ②
잘못된 것으로 판명된 수입계산서에 의해 지급된 보너스의 회수, ③ 그리고 최고경영진과
의 황금낙하산식 지급계약체결 금지 등의 내용을 담은 규준(TARP에 참가하는 회사에 적용
되는 기준)을 발표하도록 하고 있다.
31) 이에 관한 미국 재무부의 규정안에 대하여는 안수현, "위험관리(Risk Management)에 관한
회사법적 검토," 「기업지배구조리뷰」 통권 제43호(한국기업지배구조원, 2009), Ⅳ.2.(2) 참
조.
32) Dodd-Frank Wall Street Reform and Consumer Protection Act section 116(a)
(2)(Dodd-Frank Wall Street Reform and Consumer Protection Act의 입법과정이나 주
요내용에 관하여는 김홍기, "미국 도드-프랭크법의 주요 내용 및 우리나라에서의 시사점,"
「금융법연구」 제7권 제2호(한국금융법학회, 2010), 47면 이하 참조.
33) 김홍기, "미국 도드-프랭크법의 주요 내용 및 우리나라에서의 시사점," 「금융법연구」 제7권
제2호(한국금융법학회, 2010), 66면 참조.
34) Rebecca Walker, The Evolution of the Law of Corporate Compliance in the United
States: A Brief Overview, 1886 PLI/Corp 117, 121, 141 (2011).

면 공개회사의 이사회는, 회사가 당면했거나 당면할 가능성이 있는 위험·법령과 윤리적 행동을 준수하게 하는 회사의 정책 및 관행·재무제표의 작성·내부통제시스템의 실효성·이사에게 적절한 방법으로 적시에 정보가 전달되도록 하는 시스템구축 등에 대하여 감독책임이 있다고 정하고 있다[MBCA §8.01. (c) (2)·(4)·(5)·(6)·(7)]. 이는 MBCA가 판례로만 논의되어 오던 이사회의 내부통제 구축 및 운용·감독에 관한 의무와 책임을 분명히 확인한 것으로 중요한 의미를 갖는 것이다.[35)]

2) 일 본

일본은 2005년에 회사법을 독립시키면서 모든 대회사와 위원회설치 중소회사는 내부통제체제를 의무적으로 구축해야 한다는 내부통제에 관한 일반규정을 입법하였다(일본 회사법 제348조 제3항 제4호, 제362조 제4항 제6호·제5항, 제416조 제2항).[36)] 내부통제체제의 정비에 대한 결정 또는 결의가 있었을 때에는 그 내용이 사업보고에 포함되어야 하며(동법 시행규칙 제118조 제2호), 내부통제체제에 관한 사항이 사업보고에 포함된 경우 이를 보고 받은 감사는 그 내용이 상당하지 않다고 인정할 때에는 그 취지 및 이유를 감사보고서에 담아야 한다고 규정하고 있다(동법 시행규칙 제129조 제1항 제5호). 이처럼 일본은 기업의 내부통제체제 강화를 위하여 회사법에 포괄적 해석이 가능한 내부통제에 관한 기본 조항을 입법하는 방식을 택하였다.

또한 일본은 2006년 금융상품거래법에 내부통제보고제도를 도입하였다. 상장회사는 재무계산 서류를 포함한 각종 정보의 적정성을 확보하기 위해 재무보고에 관한 내부통제의 유효성을 평가한 보고서, 즉 내부통제보고서를 작성해야 하고(일본 금융상품거래법 제24조의4의4 제1항), 그 내부통제보고서는 당해 회사와 특별한 이해관계 없는 공인회계사 또는 감사법인의 감사를 받아야 한다고 규정하고 있다(동법 제193조의2 제2항).[37)]

---

35) 미국 뉴욕증권거래소의 상장회사매뉴얼(NYSE Listed Company Manual)에 담겨있는 내부통제(준법통제) 사항의 소개는, 박세화, "준법지원인제도의 안정적이고 효율적인 운용을 위한 법적 과제,"「상사법연구」제30권 제2호(한국상사법학회, 2011), 265면 참조.

36) 일본은 2014년 회사법을 개정하여 기업집단의 경우 이사회는 당해 회사 이외에 자회사 등을 포함한 기업집단의 업무 적정성을 위한 체제까지 정비할 의무를 부담함을 명문화 하였다(종전 법무성령에 정하고 있던 사항을 회사법에 규정한 것임)(일본 회사법 제362조 제4항 제6호 개정).

3) 기타 국가들

미국과 일본 이외의 국가들에서도 내부통제 관련 입법을 여러 곳에서 찾아볼 수 있는데, 독일 주식법 제91조 제2항에는 이사에게 회사의 위험을 사전에 인식·감시할 수 있는 시스템을 설치해야하는 의무를 부과하고 있고, 2003년 프랑스 금융안정법 제117조도 이사회나 감사회의 의장이 내부통제절차가 포함된 연차보고서의 부속서류를 주주총회에 보고하도록 하고 있다.[38]

또한 중국의 경우도, 회사법에 이사회가 회사 내부관리기구의 설치의무가 있음을 명문으로 규정하여 일본과 동일한 입법방식을 채택하였으며(중국 회사법 제47조), 2008년 기업내부통제기본규범을 제정·공포하기도 하였다.[39]

4) 우리나라

우리나라는 2000년에 구증권거래법 등 금융관계법에 내부통제기준과 준법감시인에 대한 규정이 도입되었는데 이것이 법제화의 출발이었다. 그 당시 개별 금융관계법상 내부통제 관련 규정을 정리하여 보면, 은행·금융투자회사·보험회사·상호저축은행·여신전문금융회사·금융지주회사 등은 내부통제기준을 이사회의 결의로 결정해야 하고, 내부통제기준 사항을 점검하고 위반여부를 조사하여 감사위원회에 보고하는 것을 업무로 하는 준법감시인을 의무적으로 두어야 한다. 그리고 준법감시인의 선임 및 자격 그리고 내부통제기준에 담겨야 하는 사항 등도 법정되어 있다(자본시장법 제28조·동법 시행령 제31조 제1항, 은행법 제23조의3·동법 시행령 제17조의2, 보험업법 제17조·동법 시행령 제22조 등). 그런데 2015년 금융회사의 지배구조에 관한 법률이 제정됨으로써 2016년부터 금융회사는 사내이사 또는 업무집행책임자 중에서 준법감시인 및 위험관리책임자를 선임하여야 하고(금융회사의 지배구조에 관한 법률 제25조 제2항, 제28조), 회사의 재무

---

37) 일본 회사법과 금융상품거래법상의 내부통제 규정과 상호관계에 관한 것은 양만식, "이사의 내부통제시스템의 구축책임과 현상에 관한 연구,"「기업법연구」제25권 제1호 통권 제44호(한국기업법학회, 2011), 256~260면; 박세화, "내부통제에 대한 규제와 내부통제 수단으로서의 종류주식에 대한 법적 고찰-일본에서의 논의를 중심으로-,"「법학연구」제18권 제3호 통권 제39호(한국법학회, 2009), 108~112면 참조.

38) 독일 주식법, 프랑스 금융안정법 관련 규정에 관한 상세한 내용은 정대, "주식회사의 내부통제제도에 관한 연구,"「YGBL」제2권 제1호(2010), 138~143면 참조.

39) 김경석, "중국의 내부통제제도-회사법, 증권법, 증권거래소 지침을 중심으로-,"「기업법연구」제24권 제1호 통권 제40호(한국기업법학회, 2010), 207~209면 참조.

적 경영성과에 연동되지 아니하는 보수지급 및 평가기준을 운영해야 하는 등 금융기관들은 준법감시인의 독립적 업무수행이 보장될 수 있는 새로운 환경을 조성하여야 하는 의무를 부담하고 있다(금융회사의 지배구조에 관한 법률 제25조 제6항)(종전 개별 금융관계법상 내부통제규정은 삭제되었음). 금융회사가 마련해야 하는 내부통제기준과 위험관리기준에 반드시 정해야 하는 사항에 대하여는 금융회사의 지배구조에 관한 법률 시행령에서 구체적으로 정하고 있다(금융회사의 지배구조에 관한 법률 시행령 제19조, 제22조). 또한 금융회사의 지배구조에 관한 법률이 정하고 있는 내부통제 및 위험관리에 관한 사항을 준수하지 않으면 해당 금융회사와 그 회사의 임직원들에 대하여 금융위원회가 제재조치를 취할 수 있다(금융회사의 지배구조에 관한 법률 제34조, 제35조).[40] 내부통제 및 위험관리에 관하여 적법하고 적정한 체제를 구축하여 실효적으로 운용하지 않으면 금융회사의 이사, 감사, 집행임원 등은 금융위원회로부터 직접적인 제재처분을 받을 수 있는 것이다.[41]

---

40) 내부통제체제 등을 적법하게 구축·운용하지 않은 금융회사에게는 금융위원회가 "1. 위법행위의 시정명령, 2. 위법행위의 중지명령, 3. 금융회사에 대한 경고, 4. 금융회사에 대한 주의, 5. 그 밖에 위법행위를 시정하거나 방지하기 위하여 필요한 조치로서 대통령령으로 정하는 조치" 등을 취할 수 있고(금융회사의 지배구조에 관한 법률 제34조, 제1항), 해당 금융사의 임원에게는 금융위원회가 "1. 해임요구, 2. 6개월 이내의 직무정지 또는 임원의 직무를 대행하는 관리인의 선임, 3. 문책경고, 4. 주의적 경고, 5. 주의"등의 조치를 취할 수 있다(금융회사의 지배구조에 관한 법률 제35조, 제1항)(업무집행책임자는 임원이 아니고 직원으로 분류하여 금융회사 지배구조에 관한 법률 제35조 제2항에 따른 조치를 취하게 됨).

41) 금융회사나 그 임직원들이 내부통제 등과 관련하여 제재를 받게 되는 사항을 구체적으로 살펴보면 "25. 금융회사의 지배구조에 관한 법률 제24조를 위반하여 내부통제기준과 관련된 의무를 이행하지 아니하는 경우, 26. 동법 제25조제1항을 위반하여 준법감시인을 두지 아니하는 경우, 27. 동법 제25조제2항부터 제6항까지(제28조제2항에서 준용하는 경우를 포함한다)를 위반하여 준법감시인 임면 및 보수지급과 평가기준 운영에 관련된 의무를 이행하지 아니하는 경우, 28. 동법 제26조에 따른 자격요건을 갖추지 못한 준법감시인을 선임하는 경우, 29. 동법 제27조를 위반하여 위험관리기준과 관련된 의무를 이행하지 아니하는 경우, 30. 동법 제28조제1항을 위반하여 위험관리책임자를 두지 아니하는 경우, 31. 동법 제28조제3항 및 제4항에 따른 자격요건을 갖추지 못한 위험관리책임자를 선임하는 경우, 32. 동법 제29조를 위반하여 준법감시인 또는 위험관리책임자가 같은 조 각 호의 어느 하나에 해당하는 업무를 수행하는 직무를 담당하거나 준법감시인 또는 위험관리책임자에게 이를 담당하게 하는 경우, 33. 동법 제30조제2항을 위반하여 준법감시인 및 위험관리책임자의 임면사실을 보고하지 아니하거나 거짓 보고하는 경우, 34. 동법 제30조제3항을 위반하여 준법감시인 및 위험관리책임자에 자료나 정보를 제공하지 아니하거나 거짓으로 제공하는 경우, 35. 동법 제30조제4항을 위반하여 준법감시인 및 위험관리책임자에 대하여 인사상의 불이익을 주는 경우" 등이다(금융회사의 지배구조에 관한 법률 [별표 금융회사 및 임직원에 대한 조치(금융회사의 지배구조에 관한 법률 제34조 및 제35조 관련)]).

또한 주식회사 등의 외부감사에 관한 법률에는 내부회계관리제도가 존재한다. 주식회사 등의 외부감사에 관한 법률이 적용되는 회사는 회계정보의 작성과 공시를 위하여 회계정보의 검증방법, 회계 관련 임·직원의 업무분장 등을 정한 내부회계관리제도를 갖추어야 하고, 감사인은 회사에 대한 감사업무를 수행하는 경우 내부회계관리제도의 운영실태 등을 검토하여 종합의견을 감사보고서에 표명하여야 한다(주식회사 등의 외부감사에 관한 법률 제2조의2, 제2조의3).[42]

이러한 법제들을 종합하여 볼 때 우리나라의 경우 상법에는 준법통제기준 및 준법지원인제도가, 금융관계법에는 내부통제기준과 준법감시인제도가, 주식회사등의 외부감사에 관한 법률에는 내부회계관리제도가 각각 존재하는 형식이 되었다.

이러한 법적 체계가 형성됨에 따라 필연적으로 금융관계법과 상법의 적용을 동시에 받는 금융기관은 준법감시인과 준법지원인을 모두 설치할 의무를 부담하는가? 라는 문제가 대두되게 되었지만, 정부는 최종적으로 준법감시인을 두어야 하는 상장회사(금융회사)는 준법지원인 설치 강제 회사에서 제외한다는 규정을 상법 시행령에 포함시킴으로써 입법적으로 해결하였다(상법 시행령 제39조 단서). 이는 준법감시인을 두고 있는 금융기관들의 추가 설치 부담(중복설치라는 주장도 있었음)이나 업무상 중복이나 충돌을 감안한 정책적 배려라고 생각한다.

그렇지만 필자는 법 형식으로 보나 실질적 기능관계로 보나 준법감시인과 준법지원인은 아무런 조건 없이 서로 대체할 수 있는 기구가 아니라고 생각한다. 결정적 문제점은 준법감시인이 확실한 준법통제업무 수행능력이 있는 자가 아니거나 내부통제기준에 상법상 준법통제기준의 사항이 모두 반영되지 않았다면, 금융기관은 기본법인 상법이 요구하는 준법통제체제의 구축과 운용을 감면받게 됨에 따라 준법통제에 공백이 발생하게 된다는 것이다. 따라서 준법감시인 설치 금융기관 중 상법상 요건을 갖춘 기관만 준법지원조직의 별도 설치를 면제해야 한다고 생각한다. 다만 현재 경제상황이나 금융기관의 업무상 특성을 고려할 때

---

42) 2018년 11월부터 시행된 개정된 "주식회사 등의 외부감사에 관한 법률"은, 회사의 대표자가 내부회계관리제도 운영실태 등을 직접 주주총회 등에 보고하도록 하고, 상장법인의 경우 내부회계관리제도에 대한 인증수준을 '검토'에서 '감사'로 상향조정하였을 뿐만 아니라(개정 외감법 제8조 제4항·제6항), 내부 신고자의 신분 등에 관한 비밀을 누설하거나 내부 신고자에게 불이익한 대우를 하는 경우에는 행정·형사적 처벌을 가할 수 있는 근거를 규정하는(개정 외감법 제41조, 제43조, 제47조) 등 종전보다 강화된 내부통제 사항을 담고 있다.

〈표 1〉 '금융회사의 지배구조에 관한 법률'상 준법감시인제도와 '상법'상 준법지원인제도의 비교

구분	준법감시인 제도	준법지원인 제도
근거 규정	금융회사의 지배구조에 관한 법률 제24조-제30조	상법 제542조의13, 동법시행령 제39조-제42조.
내부(준법)통제기준의 목적	1. 법령준수 2. 건전한 경영 3. 주주 및 이해관계자 보호	1. 법령준수 2. 회사 경영의 적정성 확보
준법감시(지원)인	1. 선임기관: 이사회 2. 자격 ① 적극적 사유로, 금융기관이나 금융감독기관 등의 근무경력·금융분야의 교원경력·법률 또는 회계 전문경력 등(법률 지식이나 경험을 필수적으로 요구하고 있지 않음) ② 소극적 사유로 결격사유 규정 3. 업무범위 금융회사의 내부통제 업무를 총괄적으로 관리	1. 선임기관: 이사회 2. 자격 ① 적극적 자격요건으로 법률 전문자격이나 경험 요구 ② 소극적 자격요건인 결격사유 규정 없음 3. 업무범위 법적 위험관리에 한정
보고 기관	이사회(단, 준법감시인이 필요하다고 판단되는 경우에 감사위원회 또는 감사에게 보고할 수 있음)	이사회

면제조치가 불가피하다면, 면제조건을 제시하고 이러한 조건을 갖출 수 있도록 시간을 주는 한시적 유예 제도를 도입했어야 옳다.

라. 내부통제에 관한 최근 논의

1) 내부통제와 경영판단의 원칙[43]

적정한 규모와 수준의 내부통제체제를 구축하여야 하는 것은 이사의 선관의무 사항임에는 의문이 없으나, 한 기업의 내부통제체제의 규모와 내용에 대한 판단은 원칙적으로 경영판단 사항이고 회사경영에 관한 지식과 정보에 있어 전문가인 이사에게 비교적 넓은 재량이 부여되는 것은 불가피한 일이다.[44] 결국 경

---

43) 내부통제와 경영판단의 원칙의 내용은 박세화, "이사의 선관의무와 내부통제에 관한 회사법적 고찰 – 경영판단의 원칙의 적용 및 기업집단에 관한 논의를 중심으로 –," 「법학연구」 제28권 제1호(연세대학교 법학연구원, 2018), 52~58면의 내용을 정리한 것이다.

44) 長谷川俊明, 新會社法 內部統制とその開示(中央經濟社, 2005), 91~92面.

영판단의 원칙45)을 내부통제에 적용하면, 이사들은 내부통제에 관한 자신의 의무해태(부작위)를 일정한 정도까지 정당화할 수 있는 여지가 발생한다. 즉 내부통제에 관한 이사의 정책적 판단에 대하여 경영판단의 원칙을 적용하면 내부통제체제의 수준에 관하여 ① 충분한 정보에 의하여 신중한 검토를 했는가? ② 또는 현저하게 불합리한 판단이 이루어지지는 않았는가? 등을 심사하여 재량권의 일탈이나 남용이 없다면 내부통제의 적정성과 관련하여 선관의무 위반에 의한 책임을 물을 수 없게 되는데, 문제는 이사의 경솔함과 현저한 불합리성의 증명을 자료수집이 사실상 거의 불가능한 원고가 부담해야 한다는 점이다.46) 따라서 이사들의 경영판단의 원칙 뒤에 부당하게 숨어 책임을 회피하는 것을 억제하기 위해서는, 내부통제체제의 규모나 수준의 적정성과 운용의 충실성 확보를 보증할 수 있는 객관적 판단기준 마련과 적절한 규범화가 요청된다고 볼 수 있다. 만일 경영판단의 원칙으로 인하여 이사의 내부통제에 대한 부적절하거나 소극적인 태도가 광범위하게 방치된다면, 이사회에 내부통제체제 구축 및 운용의 의무에 대한 법이론적 확인은 실질적으로 가치를 갖기 어렵기 때문이다. 특히 내부통제체제는 회사의 위험관리시스템으로서 회사 전 영역에 상시적으로 작동하는 하드웨어적 성격을 갖고 있어 이러한 문제의 심각성이 적지 않다고 하겠다.

내부통제의 특성을 고려하면 전통적이고 일반적인 이사의 의무법리 적용에 만족할 수 없고 부정적 현상을 최소화할 수 있는 보완적 대응이 필요하다고 본다. 통합적인 경영 위험관리체제인 내부통제체제는 성공적인 경영을 위한 기본적이고 필수적인 기반체제인 만큼 그 규모와 조직의 적정성과 운용의 충실성 그리고 체제 자체의 유효성을 보증하는 것에 대하여 깊은 고민을 하여야 한다. 따라서 내부통제의 수준이나 내용 그리고 대상 범위 등을 판단하기 위한 객관적인 기준이나 필수 구성요소 등을 구체적으로 제시하는 노력이 이론적 연구와 더불어 실무적 차원에서도 진행될 필요가 있다.

자율적 자기점검과정인 내부통제에 대하여 입법이나 모범규준 제공이라는 어

---

45) 경영판단의 원칙은 일종의 결과책임배제 원칙으로, 이사가 자신이 권한 내에서 합리적 근거를 가지고 회사에 최선의 이익이 된다고 정직하게 믿고 독자적인 재량과 판단의 결과로서 그 결정을 내린 것이라면 그 결과적 손해를 추궁할 수 없다는 것으로 정의된다(홍복기·박세화, 「회사법강의」 제8판(법문사, 2021), 485~486면; 권재열, 「한국 회사법의 경제학」(마인드 맵, 2017), 256~257면.

46) 이사 이외에는 회사위험관리 정보나 자료에 대한 접근이 거의 불가능한 것이 현실임을 감안하면, 이러한 '정보의 비대칭성'은 내부통제 사건에서 특히 두드러지게 문제가 된다.

찌 보면 본질적으로 어울리지 않는 수단이 동원되는 것도 최소한의 적정성을 확보하기 위한 불가피한 입법적 대처이다. 상법상 준법통제기준 및 준법지원인, 금융회사 지배구조에 관한 법률(금융사지배구조법)상 내부통제기준·위험통제기준 및 준법감시인·위험관리책임자 등의 법제도 이러한 의미에서 바라볼 수 있다. 이런 법령의 적용대상인 회사의 이사들은 법령이 요구하는 내용의 내부통제 체제를 갖추지 못하면 법령위반으로 경영판단의 원칙의 고려 없이 선관주의의무 위반이 성립한다.[47][48] 일본 회사법도 우리와 다소 다른 형식이나 이사회가 업무적정성을 확보하기 위하여 필요한 체제를 정비해야 한다고 선언하고 중요하고 필수적인 사항이 무엇인지 시행규칙에 규정하고 있다(일본회사법 제362조 제4항 제6호). 미국의 MBCA(Model Business Corporation Act)에도 내부통제 관련 의무의 귀속기관 및 주된 내용을 간결하지만 분명하게 규정하고 있다[MBCA § 8.01 (C)(2)(4)(6)(7)]. 이러한 국내외 규범화 경향은 가장 기본적이고 필수적인 원칙을 강조하고 최소한의 내부통제 내용을 강제하여 적용 대상 회사의 이사가 갖는 재량권의 최소한의 한계를 설정하기 위한 목적이 크다고 볼 수 있다. 따라서 기업들은 위와 같은 법정 최소 요건을 갖추는 것을 출발점으로 하여 적정성과 충실성을 만족하기 위한 고민을 시작하게 된다.

그렇지만 법령이 가지는 경직성이나 추상성 때문에 각국은 법제화와 더불어 각종 모범규준(일종의 Guide Line)을 동원한다. 이러한 모범규준들은 기업들을 강제적으로 구속하지 못하지만, 법령이나 판례보다 이사 의무의 구체화나 객관화라는 과제에 있어 유연하고 신속한 대응이 가능한 장점이 있다. 내부통제의 컨텐츠에 관한 각종 '표준기준'이나 '모범규준' 등이 기업들에게는 현실적인 방안이 되고 법원에게는 적정성 판단을 위한 의미 있는 기준이 될 수 있다. 즉 '표준기준'이나 '모범규준' 등이 법적 강제력이 없는 단순한 권고 성격의 Guide Line의 성격을 갖지만, 이런 성격에도 법원이나 기업계의 수용태도에 따라서는 내부통제 내용을 구체화하는 기능과 더불어 체제의 적정성 판단을 위한 하나의 객관적 기준이 될 수 있다. 한국상장회사협의회가 주관이 되어 만들어진 '표준준

---

47) 홍복기·박세화, 「회사법강의」 제8판(법문사, 2021), 489면.

48) 상법상 준법통제제도와 금융사지배구조법상 준법감시 및 위험관리제도에 대한 상세한 설명 및 주요 쟁점별 비교에 관하여는 박세화, "내부통제제도에 관한 한국 기업법제의 현황과 과제," 「기업법연구」 제30권 제1호 통권 제64호(한국기업법학회, 2016)에 상세히 기술되어 있다.

법통제기준'이나 금융감독원의 금융회사를 상대로 한 각종 '내부통제 관련 모범규준' 등이 이런 기능을 하는 대표적인 예에 해당한다. 많은 나라에서 발표되는 기업지배구조코드의 내부통제 관련 조항도 마찬가지이다. 실례로 2015년 6월부터 시행된 일본의 기업지배구조코드(Japan's Corporate Governance Code: JCGC)의[49] 내부통제 관련 사항을 보면, 이사회는 적절한 위험의 감수를 지탱하는 환경정비를 실시할 책무가 있는데(JCGC section 4, 4-2), (위험관리체제의 강화를 위하여) 사외이사의 정보 취득력을 강화시킬 것을 제안하고 있다(JCGC section 4, 4-13③). 그리고 경영진으로부터 독립된 내부제보(통보) 창구를 설치하고 정보제공자의 익명성 및 불이익 취급금지를 확보하기 위한 규율을 정비할 것을 권고하고 있다(JCGC section 2, 2-5①). 이런 공공기관의 활동 이외에도 내부통제의 적정성과 충실성을 판단하는데 도움이 되는 질적·양적 기준에 대한 이론적·실증적 연구가 활성화될 필요가 있다. 예를 들어 기업의 영업을 질적인 측면(회사 발전에 미치는 영향 등)에서 나누거나 양적인 측면(거래 규모 등)으로 구분하고, 내부통제체제가 이러한 분류에 따라 강약을 띄도록 설계 되었는가?에 관한 연구는 내부통제의 적정성 판단에 기여할 수 있다. 이런 부분은 상당한 정도 학계의 몫이다. 다만 이러한 이론적·학문적 접근은 강제력은 물론이고 권고 효력조차도 미약하기 때문에, 정부나 법원의 적극적인 반응이 뒤따를 때 실질적 의미를 갖는다.

기업들이 내부통제의 적정화를 중요하게 바라보도록 하는 데는 최종적인 결론으로 판단자체가 바로 책임으로 이어지는 판례의 역할이 중요하다. 일본의 법원은 내부통제체제의 수준이나 내용, 범위에 대한 판단에 대하여 비교적 적극적이다. 다스킨 사건에서 내부통제체제의 세부시스템이라고 볼 수 있는 정보전달 또는 보고체제의 적정성에 대한 판단이 이루어졌다. 사업부분별로 정보를 전달

---

49) 일본 도쿄증권거래소는 2015년 5월 'Corporate Governance Code'를 발표하고 이를 유가증권상장규정에 반영하였다. JCGC는 'rule-based approach'가 아니고 'principle-based approach'로서, 기업들이 JCGC의 기본 원칙 및 보충원칙을 수용할 것인지 여부를 자율적으로 판단할 수 있도록 하되 만일 채택하지 않을 경우에는 그 이유와 대응책을 설명하도록 하는 "comply or explain" 방식을 전면적으로 취하고 있다. 이러한 방식은 주된 원칙(Main Principle)은 준수사항이지만 보조원칙(Supporting Principles)은 "comply or explain"원칙을 적용하는 영국의 Corporate Covernance Code(UKCG)와 비교된다(川島いづみ, 日本のコーポレートガバナンス・コードについて, 第10回 韓日法學會 共同symposium, 2017. 11. 資料集 21面 참조).

하는 체제가 정비되어있으면 족하고 일정한 정보가 다른 사업부분에 까지 전달되는 체제를 구축하는 것은 이사의 의무에 해당하지 않는다고 판단하여, 정보전달체제의 적정성 판단에 관한 하나의 기준을 제시하였다.[50] 그리고 야쿠르트 사건에서는 회사의 주된 영업(본업)이 아닌 자금운용을 위한 거래의 위험을 관리하는 체제가 문제되었는데, 이러한 회사의 2차적이거나 부가적인 위험의 관리체제도 이사회가 정비해야 한다고 판단하였다. 다만 이러한 부가적 위험관리(내부통제)체제의 경우 내부통제 내용의 특수성이나 개별이사 별 차별적 대우에 대하여 치밀한 판단이 필요함을 내비치고 있다. 자금운용에 직접 관여하는 대표이사나 재무담당이사는 부가적 위험관리체제의 설계나 운용에 있어 높은 수준의 주의의무를 요하지만, 그 외의 이사들은 기본적인 내부통제체제가 정상적으로 운용되고 있다면 특별한 사정이 없는 한 이를 신뢰하고 정상적인 참여와 체제감시를 수행한 경우 감시의무를 다한 것으로 볼 수 있다고 보았다.[51] 아크로스(アクロス) 사건에서는 내부통제체제의 유효성 검토 및 체제 자체 흠결의 개선에 관한 이사의 의무가 쟁점이 되었다. 주식회사 아크로스는 업무수행에 관한 관리규칙을 제정하고 사내지침을 정하여 임직원의 연수 및 교육프로그램을 운영하였으며, 금융투자 관련사고 처리 및 보고시스템을 운용하고 있었던 것으로 확인이 되었다. 그럼에도 투자자와의 분쟁이 계속 제기되고 있었고 일본 금융청으로부터 일정 업무 정지처분을 받기도 했으며 결정적으로 일부 임직원은 교육과 연수 프로그램을 수행했음에도 고객에게 불법적 권유를 계속해온 것으로 드러났다. 법원은 아크로스의 구축된 내부통제체제의 적정성은 원칙적으로 인정하면서도 대표이사 등이 내부통제체제가 제대로 작동하고 있지 않음을 알면서도 그 체제의 흠결을 개선하지 않았다고 지적하면서 이는 이사의 선관의무 위반에 해당하는 것으로 판단하였다. 이 사건은 내부통제체제 수준의 적정성이나 내용의 합리성이 직접적으로 문제된 것이 아니고, 통제체제의 작동상황에 대한 감독이나 체제 자체의 유효성 검토 및 결함 개선 등이 선순환하고 있는가를 판단한 것으로, 이러한 사항들도 이사의 선관의무에 속한다는 것을 분명히 하고 있는 것이다.[52][53]

---

50) 大阪高等裁判所 2006.6.9. 判決. 最高裁判所 上告棄却 2008.2.12.

51) 東京高等裁判所 2008.5.21. 判決, 最高裁判所 2010.12.3. 上告棄却.

52) 아크로스 사건 판결은 내부통제의 본질이 순환되는 과정(process)임을 다시 상기시킨다. 통

이같이 판례가 계속하여 집적된다면, 그 데이터는 이해관계인들에게 내부통제체제의 대상과 내용을 구체화하여 주고 때로는 합리적 한계를 설정해주는 확실한 효과가 있다.

2) 내부통제 모델의 진화[54]

적정하면서도 합리적이고 효율적인 내부통제체제 구축이 국가마다 중요한 입법 또는 정책적 과제가 되고 있다. 그렇지만 입법에 의한 내부통제모델의 제시는 한계가 있는 만큼 COSO와 같은 모범규준 제시기관의 역할이 주목을 받고 있다. 최근 COSO가 내놓고 있는 진화되고 특정 위험에 특화된 내부통제모델에 관하여 살펴보고자 한다.

첫 번째로 COSO의 '내부감사인을 활용한 빈틈없는 다단계 위험방어선의 구축모델('The Three Lines Of Defense Model)을 살펴보자. 기업들이 지배구조를 설계하면서 내부감사조직을 활용하는 경우가 흔한데, 내부통제체제에서 내부감사조직의 배치는 설계자에게 있어 중요한 문제이다.[55] 내부통제체제에서 내부감사의 역할과 기능 즉 위상을 어떻게 설정하는 것이 효율적일까? 상법상 감사(監事)조직의 기능강화를 통해 건전한 지배구조를 구현하고자 하는 경향이 강한 일본에서는 감시·감독이라는 업무의 특성에 포인트를 두고 내부통제체제를 구축

제환경을 만들고(Plan) − 통제활동을 하고(Do) − 통제체제의 유효성을 점검하고(Check) − 통제체제의 흠결을 개선하는(Act) 과정이 지속적으로 순환·반복되는 것을 내부통제로 보는 것이다. 따라서 이사는 내부통제체제의 적정성이나 충실성이 확보되어도, 체제 자체의 흠결을 체크하여 흠결을 인지한 경우 이를 보완·개선하지 않으면 선관의무 위반책임을 피할 수 없게 된다.

53) 여기서 인용한 일본 판례의 사건 내용은, 김영주, "이사의 내부통제제도 구축의무와 법적 책임 − 일본 판례법상의 전개를 중심으로 −,"「상사판례연구」제26집 제4권(한국상사판례학회, 2013), 265~285면; 이효경, "일본의 내부통제제도 및 사례에 관한 검토,"「선진상사법률연구」통권 제79호(법무부, 2017), 60~61면을 참조한 것이다(각 판례의 사실관계 등 상세한 내용은 박세화, "합리적 회사 위험관리를 위한 이사의 의무 확장에 관한 논의 − 모회사 이사의 기업집단 차원의 내부통제체제 구축의무를 중심으로,"「이사회제도의 재조명」송산 홍복기 교수 정년기념논문집(법문사, 2018), 411~413면 참조).

54) 진화되고 특화된 내부통제모델에 관한 논의는 박세화, "준법 및 윤리경영을 위한 내부통제체제의 새로운 과제 − 사기, 사이버 위험 등의 집중관리 및 기업집단의 내부통제체제를 중심으로 −,"「선진상사법률연구」제79호(법무부, 2017. 7.), 119~129면의 내용을 정리한 것이다.

55) 이 글에서의 '내부감사'는 상법상 감사기관의 감사와는 다른 개념으로 주로 경영진이 설치한 내부조직에 의한 자율적인 자체감사를 의미한다(박영서,「내부감사실무」(갑진출판사, 2011), 27면 참조). 미국에서는 일반적으로 이런 의미로 사용하는 경우가 많고 COSO의 내부통제모델에서도 동일한 개념으로 사용하고 있다고 본다.

하면서 경영라인의 보조기능 보다 감사기관과의 연계를 강조하기도 한다.[56] 그러나 필자는, 내부통제체제 내의 역할 설정에 있어서 내부감사는 경영진의 자체점검 차원의 업무관리기능을 담당하고 있음에 비중을 두고 논의할 필요가 있다고 생각한다. 2015년 COSO가 내부감사인협회(The Institute of Internal Auditors)와 협업하여 작성한 "Leveraging COSO Across The Three Lines Of Defense" 보고서도[57] 필자와 유사한 차원에서 내부감사를 보고 있다(이하에서 'The Three Lines Of Defense'를 '세 가지 방어선 또는 방어라인' 이라 칭함). 이 '세 가지 방어라인 모델'은 내부통제와 관련한 각 기관 특히 이사회와 내부감사조직을 중심으로 한 기관들의 역할과 책임에 관하여 단계적 위험방어선 구축이라는 각도에서 설명하고 있다. 이 모델에서 첫 번째 방어선은 영업, 업무수행 과정 일선에서 위험에 직면하여 이를 직접 관리하는 방어선을 의미한다. 이 들은 영업 최전방에서 위험을 보유하고 관리하며 이 직접 관리에 대하여 책임을 지게 된다.[58] 그리고 두 번째 방어선은 첫 번째 방어선에 있는 자들의 위험관리를 지원하고 감독하는 라인으로, 우리나라의 준법감시인이나 준법지원인 그리고 위험관리책임자 등이 이 방어선을 담당하는 자라고 할 수 있다.[59] 세 번째 방어라인은 내부감사인이 수행하는 방어선으로, 위험관리의 효율성을 독립적으로 파악하여 이사회나 고위 경영진(senior management)에게 그들의 기대대로 첫 번째와 두 번째의 방어선이 작동하고 있는지, 그리고 위험관리의 효율성은 어떠한지 등에 대한 확신을 제공하는 방어선이다.[60] 이 모델에서 세 번째 방어선 상에 있는 내

---

56) 広瀬雅行・武井 一浩, 企業集団内部統制 (連結内部統制) への実務対応――日本監査役協会 『企業集団における親会社監査役等の監査の在り方』提言, 商事法務 No. 2024 9面.

57) https://www.coso.org/Documents/COSO-2015-3LOD.pdf.

58) 첫 번째 방어라인은 조직의 목표의 달성여부를 좌우하는 위험(이 위험에는 부정적 위험과 긍정적 위험을 모두 포함함)을 창출하거나 직접 관리하는 자들이 형성하고 있는 방어막을 의미한다. 따라서 이 들 방어막은 이러한 제반 위험에 대응하여 조직의 (현장)관리체계를 디자인하고 실행에 옮기는 것을 의미한다(own and management-risk and control from line operating management).

59) 두 번째 방어라인은 전문 지식 및 경험 또는 우수한 감독프로세스 등을 통하여 첫 번째 방어라인에서 위험 및 그 관리가 효율적으로 통제되고 있는지를 지원, 관리・감독하는 기능을 담당한다. 이 보고서에 따르면 두 번째 방어선은 첫 번째 방어선과는 별도로 형성되어 있어야 한다고 한다. 다만 두 번째 방어선을 구축하고 있는 자들도 첫 번째 라인과 마찬가지로 고위 경영진의 관리 하에 있는 자들로 넓은 의미에서 경영 업무를 차제를 수행하는 자들이다[monitor-risk and control in support of management(risk, control and compliance functions put in place by management)].

60) 세 번째 방어라인은 첫 번째와 두 번째 방어선이 이사회 및 고위 경영진의 기대와 부합하

부감사인의 역할 및 기능은 내부감사팀의 위상을 높게 설정하여 이사회나 고위 경영진에 가까운 위치에 두는 것으로, 경우에 따라서 현재 우리 기업의 내부특별감사팀의 역할과도 크게 다르지 않을 것으로 판단된다. 이 보고서에서는 이 세 가지 방어라인이 원칙적으로 각각 뚜렷하게 차별되는 역할을 수행하는 것이 바람직하므로 각 방어선의 역할과 책임을 명확하게 차별적으로 설계해야 한다고 조언한다.[61] '세 가지 방어라인 모델'도 1992년 COSO 내부통제의 기본요소를 바탕으로 고안되었기 때문에 아래와 같은 설명 및 평가가 가능하다. ① 이사회나 최고 경영진은 이 모델에서 세 가지 방어라인과 분리되어 최상위에서 필수적이고 핵심적인 역할을 담당한다. 이는 지금까지 강조했던 이사회의 역할 그대로이다. 이 들은 기업의 목표를 설정하고 목표달성을 위한 위험관리·체계를 위하여 합리적 지배구조를 형성하여야 하는 책임이 있으므로(최적화된 조직의 구축 및 운용 책임), 첫 번째와 두 번째 방어라인의 형태와 활동에 대한 궁극적인 책임을 부담하게 된다. ② 첫 번째 방어라인은 매일 영업 일선에서 위험을 보유하고 이를 통제하는 최전방 영업 관리자가 담당하는 방어선이므로, 이 방어선에서 일차적으로 현실화되었거나 잠재된 위험의 통제 및 관리 프로세스의 개발 및 구현이 이루어진다. 따라서 첫 번째 방어라인에 서 있는 자들은 1992년 내부통제 요소 전반(위험 평가, 통제 활동, 정보 및 소통, 감독)에 걸친 일정한 직무를 갖게 된다.[62] ③ 두 번째 방어라인에서는 첫 번째 방어라인에서 작동하고 있는 위험 제어 및 관리 프로세스가 적절하게 설계되어 의도한 대로 작동하고 있는지 감독하는 기능을 주로 하게 된다. 이는 이사회나 고위 경영진과는 별도로 행사되는 전문적 관리·감독기능이다. 두 번째 방어라인에 서 있는 자들은 위험에 대한 전문 지식을 보유한 경우가 일반적이고,[63] 여러 정책 및 각종 절차를 실현하고

게 작동하는지를 확인하여 보고(보장)하는 역할을 하는 방어선이므로, 중요한 것은 세 번째 방어선에 있는 자들은 위험관리기능 자체를 직접 담당하는 것을 바람직하지 않다는 점이다. 이는 세 번째 라인의 기능을 고려하여 객관성과 독립성을 보호할 필요가 있기 때문이다. 이런 차원에서 이 모델에서는 이사회나 감사위원회에 직접 보고하게 되어 있는 것은 세 번째 라인뿐이다(internal audit).

61) Leveraging COSO Across The Three Lines Of Defense, pp. 2~3.
62) Id. at 5, Figure 4 참조.
63) 두 번째 방어선의 전문가 그룹의 분야로는 위험관리(risk management), 정보 보안(information security), 재정 관리(financial control), 물리적 보안(physical security), 품질(quality), 건강 및 안전(health and safety), 조사(inspection), 준법감시(compliance), 법률(legal), 환경(environmental), 공급망(supply chain) 등을 들 수 있다(Id. at 6).

위험 자체와 그에 대한 그 통제를 전사적 차원에서 파악할 수 있는 정보를 수집하는 역할을 담당한다. 그런데 이 COSO보고서에 따르면 두 번째 라인의 모습은 기업 규모와 산업에 따라 크게 달라질 수 있다고 한다. 대규모 공개회사의 경우에 비해 소규모나 특정인 소유의 기업은 일부 기능이나 부서가 통합되어 운용되거나 존재하지 않을 수 있다는 것이다. 예를 들어 법률 등 제반 컴플라이언스 기능을 다른 부서와 결합시켜 운영할 수 있고 보건 및 안전부서 등을 환경부서 등과 함께 단일화시킬 수 있는 것이다.[64] 기업의 규모나 자산상태에 따라 두 번째 방어라인은 다양한 모습이 가능한 것이다. 두 번째 방어선에 있는 자들의 직무를 1992년 COSO보고서의 내부통제 요소에 비추어 구체적으로 보면, 위험관리 장치의 설계 및 발전에 대한 지원, 경영진의 의도에 부합하고 있는지 측정하고 감독하는 것, 통제행위의 적절성에 대한 감독, 부상하거나 악화되는 위험 그리고 각종 이상 징후에 대한 관리 프레임워크의 제공, 위험관리에 영향을 미치는 새로운 문제 파악 및 감시, 조직에 내제된 위험 욕구 및 내성의 식별, 위험관리에 관한 지침 및 훈련 제공 등을 들 수 있다. 이런 역할을 담당하는 두 번째 방어라인은 각자의 업무현장이 강조되는 첫 번째 라인과는 달리 기업조직 전반에 걸쳐 연결망으로 형성되어야 바람직하다. 이 보고서가 두 번째 방어선에 서 있는 자들은 특별히 직무의 수행능력이 강조되어야 하고 어느 정도 리더의 위상도 필요하며 방어라인 자체도 상당한 수준의 객관적 운용이 가능하도록 설계되어야 한다고 설명하고 있는 것도 필자의 생각과 맥을 같이 하는 것이 아닌가 한다. 두 번째 방어라인의 이러한 리더십은 최고 경영진에 대한 보고권한에서 나온다고 볼 수 있다.[65] 결국 두 번째 방어선에 선 자들은 1992년 COSO 내부통제 구성요소 중 감독(monitoring activities)의 역할을 수행한다고 보면 된다. ④ 세 번째 방어라인은 ①과 ②의 행위 및 각종 내부통제행위의 평가 및 효율성 보장 등을 담당하게 된다. 이 모델에서는 세 번째 방어라인에 서 있는 자로 '내부감사인(internal auditors)'을 배치하고 있다. 이 경우 내부감사인은 철저한 관찰자이므로 회사의 운영이나 위험관리에 직접 관여하지 않는다. 그리고 내부감사인은 첫째라인과 두 번째 라인에 서 있는 자들과는 달리 다른 최고경영진 그룹을 거치지 않고 이사회에 직접 보고할 수 있는 위상을 갖게 된다.[66] 이 모

---

64) Id. at 6.
65) Id. at 7.

델의 설계자는 내부감사라는 법적 지위가 이사회에 위험 통제에 관하여 신뢰할 수 있고 객관적인 확신을 제공하는데 최적화되어 있다고 보았다. ⑤ 이 모델에서는 외부감사인(external auditors), 각 규제기관(regulators) 등도 추가적인 역할을 하게 된다. 예를 들어 규제기관 들은 대상 기업들의 지배구조와 위험관리를 강화하기 위한 요건을 정립하고 규제대상 조직을 면밀히 검토하고 그 결과를 공식화하는 역할을 한다고 설명하고 있다. 그리고 외부감사인이 참여한다면 그들은 기업들의 재무보고와 그와 관련된 위험들의 통제에 대하여 관찰과 평가를 하게 된다.67)

필자가 생각건대 이러한 다중 방어라인 모델은 임직원들을 분류하여 중복이나 면제 없이 각자의 역할을 담당하도록 배치함으로써 직무수행의 전문성을 도모하고 방어의 빈틈을 최소화하려는 시도로 해석된다. 그러나 이는 하나의 기초모델일 뿐이므로 우리 기업들은 이를 참조하여 자신의 규모와 현실에 맞게 라인들을 수정하거나 서로 결합하여 사용할 수 있다. 다만 이러한 모델을 도입하는 경우 이 모델의 장점이 몰각될 수 있는 두 번째 방어라인과 세 번째 방어라인의 결합은 회피하는 것이 바람직해 보인다. 이 보고서에서도 세 번째 방어라인의 객관성과 독립성이 중요하다고 강조하면서 세 번째 라인의 다른 라인과의 결합은 세 번째 라인의 역할수행에 장애가 될 수 있음을 경고하고 있다.68)

둘째로 기업범죄(사기행위 등) 억제에 강조점을 둔 내부통제모델에 관한 논의가 관심을 끈다. 기업들은 여러 가지 다양한 위험에 노출되는 환경에 있지만 특히 사기 등의 기업범죄가 발생하면 인적·물적으로 치명적 타격을 입게 된다는 것은 다시 논할 필요가 없다. 특히 기업관계에서의 사기는 합법과의 경계선에서 이루어지는 경우가 많아서 문제를 더 심각하게 한다. 예를 들어 사기적 의도 하에 이루어지는 계획적인 파산과 법적 절차에 따라 진행되는 파산은 구별이 용이할까?69) 따라서 이러한 사기범죄에 대처하는 예방책의 하나로 사전적이고 예방적 성격이면서 위험탐지과정이 장착된 내부통제프로세스가 심도 있게 논의되는 것은 어찌 보면 당연한 현상이다. 내부통제체제를 통하여 기업행위로 행해지거나 기업의 임직원에 의해 저질러지는 기업범죄를 사전적으로 탐지하여 예방하고

---

66) Id. at 8~9.
67) Id. at 9.
68) Id. at 11.
69) 이상복, 「기업범죄와 내부통제」(삼우사, 2005), 179면.

벌어진 사고를 신속하게 대처하자는 시도는 형사법적으로도 의미 있게 받아들여
지고 있다.[70] 사기를 가급적 상시적인 점검프로세스로 예방하려는 시도는 영미
법계 국가뿐만 아니라 유럽의 대륙법계 국가에서도 예외가 아니다. 예를 들어
독일에서는 이사가 정보소통시스템과 내부통제시스템을 구축하여 회사의 재무
상태에 대한 지속적인 감독이 가능한 환경을 조성할 주의의무가 있다고 봄은 물
론이고, 이러한 이사들의 주의의무의 위반여부를 따짐에 있어 뇌물공여와 같은
기업범죄와 연관되어 있는 사안에서는 더 엄격하게 판단한다.[71]

　　필자는 이러한 주제와 관련하여 2016년에 COSO가 내놓은 '사기위험 관리
최적화 내부통제프레임워크 가이드'를(Fraud Risk Management Guide) 소개하려
한다.[72] 이 가이드에 의하면, ① 사기 위험의 관리는 사기 등의 부정행위 요인
을 제거하는 것으로부터 시작해야 한다고 한다. 이를 위하여 회사는 ⓐ 가시적
이고 엄격한 사기위험관리프로세스를 확립하여야 하고, ⓑ 투명하고 건전한 반
사기 문화를 조성하기 위한 가시적 노력을 하여야 하며, ⓒ 정기적으로 사기위
험평가를 실시하고, ⓓ 예방적이고 탐색적인 사기위험 통제 과정과 절차를 설
계·이행·유지하여야 하며, ⓔ 아울러 사기혐의에 대한 신속한 조치를 취할 수
있는 프로세스를 가져야 한다고 한다.[73] ② 그리고 이 가이드는 2013년 COSO
의 내부통제 기본개념과 연계하여 사기위험관리를 구체적으로 설명하고 있다.
특히 2013년 보고서상의 COSO 프레임원칙 8과[74] 이 가이드가 제시하고 있는
사기위험관리 원칙 2(Fraud Risk Management Principle 2)와의[75] 연계성을 강조

---

70) 김혜경, "기업범죄예방을 위한 내부통제로서 준법지원인제도,"「비교형사법연구」제15권 제
　　2호(한국비교형사법학회, 2013), 399면.
71) 정대익, 이사의 회사에 대한 책임에 관한 독일의 외근 현황과 개정논의, 상사법 논의의 현
　　재와 미래: 비교법적 조망, 한국상사법학회 하계학술대회 자료집, 2017, 83면; 독일법원도
　　이사는 자신이 법령을 준수해야 하는 의무를 부담함은 물론이고 기업에 뇌물제공과 같은
　　위법행위가 일어나지 않도록 감시할 의무 즉 기업범죄를 관리할 수 있는 내부통제시스템
　　(준법관리시스템)을 적절하게 구축할 의무가 있다고 확인하고 법리적용에 적극적인 자세를
　　취하고 있다(LG München l NZG 2014, 345).
72) https://www.coso.org/documents/COSO-Fraud-Risk-Management-Guide-Executive-
　　Summary.pdf
73) COSO Fraud Risk Management Guide Executive Summary p. ⅷ.
74) Principle 8은 "조직은 목표달성을 위한 위험평가 시에 사기의 잠재성을 고려하여야 한다"
　　는 내용으로, 2013년 보고서의 17개의 원칙 중의 하나인데, 위험평가(risk assessment) 요
　　소에 해당하는 것이다.
75) 사기 위험관리 가이드라인은 2013년 COSO 프레임워크의 구성요소와 연계하여 사기위험관
　　리 원칙(fraud risk management principles) 5개를 제시하고 있다. '통제환경' 요소에 관하

하고 있다. 기업은 사기위험관리를 위하여 부정행위 위험을 식별하여 평가하기 위한 적극적이고 반복적인 프로세스를 작동시켜야하는데, 사기위험평가프로세스는 재무·비재무적 사기 보고, 횡령, 불법행위(부패행위 포함)등이 나타나도록 설계되어야 한다는 것이다. 필자가 생각건대 가이드의 이런 태도는 사기위험의 경우는 발견 자체가 어렵고 의도적으로 은밀하게 이루어질 가능성이 큰 만큼 내부통제의 프로세스 중에 위험평가 즉 사기위험성 평가의 중요성이 특별히 강조될 필요가 있다는 의미로 이해된다. 따라서 사기위험평가가 잘 이루어지면 종합적인 사기위험관리절차(Comprehensive Fraud Risk Management Process)나 시정조치의 효용성도 보장될 수 있다는 취지이다.76) 필자는 일반 내부통제는 실수나 오류를 예방에 주된 포인트가 있다면, 사기 위험관리에 초점을 둔 체제는 의도적(intent) 부정행위를 억제·대응하는 것에 조금 더 비중을 두는 모델이라고 판단한다. 결론적으로 사기위험에 노출된 기업들은 기존의 보편적이고 일반적인 내부통제체제로는 허위정보, 자산 횡령 또는 유용, 부패 및 불법행위 등의 의도된 행위를 식별하고 점검하는데 한계가 있음을 인식하고, 예방(사기행위의 발생

여 "조직은 이사회와 고위 경영진의 기대 그리고 그들의 사기위험관리에 대한 윤리적 가치 및 높은 진실성에 대한 책무를 보장할 수 있는 사기 위험 관리프로그램(Fraud Risk Management Program)을 수립하여 소통하여야 한다."는 원칙(Principle 1)을, '위험평가' 요소와 연계해서는 "조직은 특정 사기 계획을 발견함은 물론이고 사기발생가능성 및 중대성을 평가하고 사기 통제 행위가 적절하게 이루어지는 가를 판단하며, 잔여 사기위험까지 소멸시키기 위한 광범위한 사기 위험 평가를 수행하여야한다"는 원칙(Principle 2)을 제시하고 있다. 그리고 '통제행위(활동)' 요소와 관련하여서는 "조직은 사기가 최소화되도록 예방적·탐색적 사기 통제활동을 개발하여 선택하고 적제 적소에 배치하여야 한다"는 원칙(Principle 3)을, '정보 및 소통'의 요소에 있어서는 "조직은 잠재적 사기에 관한 정보를 취합할 수 있도록 의견소통절차를 마련하여야하고 적기에 사기행위를 조사하고 시정 조치할 수 있는 상호협조적인 접근방식을 구축하여야 한다"라는 원칙(Principle 4)을, 마지막으로 '감독·감시' 요소와 관련하여 "조직은 (이 가이드가 제시하고 있는) 5개의 원칙이 지켜지고 제 기능을 하고 있는지 여부를 지속적으로 평가하는 것 그리고 이사회나 고위 경영진을 포함하여 사기에 대한 시정조치 책임이 있는 자들이 적기에 적절한 방법으로 사기위험관리 프로그램의 결함에 관하여 소통하는 것 등에 관한 시스템을 개발하고 채택하며 이를 수행하여야 한다"는 원칙(Principle 5) 등을 제시하고 있다(COSO Fraud Risk Management Guide Executive Summary p. ix).

76) 이 가이드가 COSO의 기본 프레임과 매치하여 설명하고 있는 종합적인 사기위험관리절차는 ① 회사 지배구조 속에서 사기위험관리정책을 수립하고(통제환경조성) → ② 종합적인 사기위험평가를 실시하고(위험평가) → ③ 예방적이며 탐색적인 사기 통제활동을 선택, 개발, 배치하고(통제활동) → ④ 사기보고절차 및 조사와 시정조치를 이한 통합적인 시스템을 정립하고(정보 및 소통) → ⑤ 사기위험관리절차 전반을 감독하여 결과를 보고하고 절차 자체의 개선사항을 파악하는(감독) 순서로 반복적으로 순환하게 된다(Id., at xiii. Figure 1 Ongoing, Comprehensive Fraud Risk Management Process 참조).

억제)은 물론이고 탐색에 있어도(이미 발생한 사기를 탐지·대처) 상시적으로 '사기의 의도' 파악이 가능하도록 하는 것에 유념하여 체제를 설계해야 한다는 것이다.[77]

　세 번째로 첨단기법의 사이버 위험에 대응하는 관리 및 대응 프로그램의 마련이 중요해지고 있다. 오늘날의 기업들은 첨단의 IT기법이나 각종 사이버 공간을 통하여 정보를 수집하고 정책을 결정하며 업무를 수행하거나 관리하고 있다. 기업을 상대로 한 사이버 공격자(cyber attackers)들은 정보 및 관리시스템의 취약점을 공격하여 이를 부당하게 이용하려 한다.[78] 따라서 이제 정보보안을 포함한 사이버 위험의 대처는 단순한 기술적 보완에만 의지할 수 있는 단계가 아니다. 미국에서는 사이버보안에 관한 입법이 적지 않게 이루어지고 있다. 대표적인 것이 The Cybersecurity Act of 2015이다.[79][80] 그렇지만 여기서의 논의는 정보공격에 대한 대처기술을 공유하게 하거나 정보승인절차를 강제하는 등의 법률에 의한 직접적인 규제에 관한 것이 아니고, 내부통제체제에 의한 기업마다의 위험관리 차원의 대응에 관한 것이다. 이러한 사이버 위험에 대하여 효율적 관리능력을 갖춘 내부통제체제를 구축하려면 먼저 사이버 위험의 심각성과 그 대응방식에 관하여 깊게 의식하는 자세가 전제되어야 한다. 물론 이사회가 사이버 위험을 이해하고 사이버 위험관리 및 대응 절차에 있어 예방적이며 탐색적인 통

---

77) Id. at x.

78) 사이버 공격은, 지적재산권을 탈취하려는 적대국 또는 경쟁국, 기업의 금전이나 고객에 관한 사적이며 예민한 정보를 탈취하려 하는 범죄 집단, 금융기관이나 기반시설을 향해 인터넷을 통해 사이버 공격을 하는 테러리스트, 조직의 예민한 정보를 도용하거나 게시하여 사회적 또는 정치적 의사표명을 하려는 사람이나 단체(hacktivists), 조직의 예민한 정보를 팔거나 공유하려는 조직의 내부자들 등에 의하여 이루어지는 경우가 많다(COSO, In the Cyber Age: Report Offers Guidance on Using Frameworks to Assess Cyber Risks (2015), p. 5). 사이버 공격은 산업마다 다른 성향을 보이기도 한다. 소매업종에서는 주로 경제적 이익과 관련된 정보가 공격대상인 반면 석유와 가스등의 산업에 있어서는 미래 자원탐사를 위한 데이터를 노리는 국가들의 공격대상이 되는 경우도 있다. 또한 화학회사 등에 있어서는 제품과 관련된 환경문제 정보가 해킹의 대상이 되는 경우도 흔하다(Id., at. 6).

79) The Cybersecurity Act of 2015는 총 4개의 title로 구성되어 있는데, CISA(the Cyber-security Information Sharing Act-사적영역과 연방정부기관 사이에 사이버보안 정보를 공유하는 메카니즘을 확립하고 사이버안전정보를 성실히 공유하는 사적 기업의 책임을 면제해주는 내용이 담김)로 불리는 title 1이 핵심이고 나머지 titles는 CISA의 이행이나 기타의 사항을 정하고 있다.

80) 사이버 보안에 대한 미국 SEC의 대응이나 기타 법령에 대한 소개는 윤승영, "기업지배구조 관점에서 바라본 내부통제와 기업의 정보보완 – 미국의 논의를 중심으로," 「기업법연구」 제30권 제1호 통권 제64호(한국기업법학회, 2016), 21~32면 참조.

제활동이 이루어지도록 안정적이고 견고한 자세를 가져야 하는 기본적 책무가 있다. 미국의 법원에서 정보보안에 관하여 이사의 주의무위반이 문제가 된 경우를 보면 정보보안 실행에 대한 오판, 정보보안이 현저히 부족하여 회사의 자산이 낭비된 경우, 정보보안에 대한 고의적 부작위, 정보보안과 관련하여 법률상 compliance 의무를 위반한 경우 등이 있었다.[81] compliance 위반이 사이버 위험관리와 관련된 전형적인 내부통제 의무 위반이나 나머지의 경우도 사이버 위험에 대비한 내부통제체제의 구축 및 운용에 실패한 결과로 볼 수 있다. 이 처럼 사이버 위험관리는 이제 내부통제체제 설계의 중요한 부분이 되었다. COSO도 2015년에 사이버 위험관리에 관한 리포트를 발표하여 기업들에게 사이버 위험의 심각성을 알리고 실효적 사이버 위험관리를 위한 지침을 제공하였다(COSO In the Cyber Age: Report Offers Guidance on Using Frameworks to Assess Cyber Risks).[82] 이 보고서는 사이버 위험은 완벽하게 제어할 수는 없지만 피해를 감소시키기 위하여 위험관리차원에서 대처할 필요가 있다는 전제 하에 일반적인 내부통제 체제에 새로운 특성을 첨가하고 있다. 내부통제에 의한 사이버 위험관리의 효용성에 대한 수치적 · 실증적 자료는 얻을 수 없지만 내부통제체제가 소화해야 하는 또 하나의 과제인 것은 틀림이 없어 보인다. 이 보고서를 읽다 보면 기업들이 안전하고(secure), 경계가 유지되며(vigilant), 탄력적인 (resilient) 방법으로 사이버 위험을 관리하여야 한다는 언급이 자주 등장 한다. 결국 '안전 확보 · 경계 유지 · 탄력적 방법' 이 3가지가 사이버 위험 관리시스템의 특성처럼 다가온다. 이 보고서가 말하는 사이버 위험관리에 초점이 있는 프레임워크(cyber-focused framework)도 기본적으로는 내부통제의 원칙적 요소 속에서 설계되었다. 따라서 효율적인 사이버 위험 관리를 위하여 요소별로 별도로 정리해둘 사항이 무엇인지를 보는 것이 핵심이다. ① 사이버 위험평가는 정보시스템 파악과 분류가 핵심이다. 사이버 위험관리의 인원 및 소요 비용의 한계성 때문이다. 파악과 분류된 관리대상 정보시스템에 대하여는 심층적인 위험평가를 수행하고 그 영향의 심각성을 측정해 놓게 된다. 무엇보다 이 절차를 지휘하는 기업의 고위임직원이 사이버 위험의 개요를 정확하게 파악하고 있는 것이 중요

---

81) 윤승영, "기업지배구조 관점에서 바라본 내부통제와 기업의 정보보완 – 미국의 논의를 중심으로," 「기업법연구」 제30권 제1호 통권 제64호(한국기업법학회, 2016), 20~21면 참조.
82) https://www.coso.org/documents/COSO%20in%20the%20Cyber%20Age_FULL_r11.pdf.

하고 기업내외의 IT이해관계자들과의 협업도 중요하다.[83] 사이버 위험평가에는 예상 공격자들의 동기나 공격방법, 사용기술이나 도구, 관련 기술적 프로세스 등을 신중히 조사해 놓아야 한다. 아울러 사이버 위험 평가에 종사하는 인적 조직의 변화에도 신경 써야 한다. ② 사이버 위험 관리체제에서의 통제활동에 관하여는 단계적 접근방식이 중요하다. 초기에 방어막이 성공하지 못하여도 다음 단계에서 침입자들이 정보 사이에 자유롭게 이동하지 못하도록 통제구조를 형성하는 것도 초기 방어 못지않게 중요한 것이다. 사이버의 특성상 침입경로가 다양하고 완벽한 통제가 어려우므로, 전방위적 예방뿐만 아니라 탐색적 기능의 유지를 통하여 침입 시 신속하게 탐지할 수 있고 즉각적인 시정조치가 이루어질 수 있도록 해야 한다.[84][85] ③ 다음으로 통제활동이나 정보 및 소통의 요소와 관련하여 특별한 사항은 무엇일까? 기업들은 먼저 자신들의 정보시스템의 가치를 식별하여 그 가치에 상응하는 통제활동을 개발하고 이를 통하여 사이버 공격에 대비하여야 다(identifies information requirements). 이 보고서는 이러한 과정과 내용 들을 공식 문서로 남겨놓을 것을 권고하고 있다. 이러한 공식 문서화 작업은 기술적 대응이 병행되는 경우가 많은 사이버 위험관리의 특성상 실수나 오류의 반복을 줄여 지속적인 사이버 위험관리에 큰 도움을 주기 때문이다. 그리고 기업들은 사이버위험에 대한 경계를 강화하기 위하여 초기의 원시자료(raw data)를 의미 있고 활용가능한 정보로 변환시켜 놓아야 한다.[86] 활용가능하고 정리(관리) 가능한 데이터 상태로 전환시켜 놓아야 사이버 위험을 파악하고 대비하는데 용이하기 때문이다. 이런 전환 작업에는 노력과 비용이 수반되겠지만 이 보고서는 사이버 위험관리상 불가피한 조치로 취급하고 있다.[87] 이 COSO

---

83) Id. at 6.

84) Id. at 8.

85) 이 COSO 보고서는 사이버 위험관리와 관련한 기술적 이슈, 정보보안, 사이버보안의 기반 체제 등이 설명된 표준들로 ISACA(the Information Systems Audit and Control Association)의 COBIT(http://www.isaca.org/cobit/pages/default.aspx), ISO(International Organization for Standardization) 27000, NIST(National Institute of Standards and Technology of the U.S. Department of Commerce)의 2014년 framework version 등을 제시하고 있다(Id. at 9 Figure3 참조).

86) Id. at 10.

87) 기업들이 사이버위험 집중형 프레임워크를 구축하면서 관리해야 하는 전형적인 외부 소스 데이터(external sources of data)로는, ① 상업적·산업적 외부 데이터(이러한 외부데이터의 특징은, 동일 또는 유사 산업의 기업들이 가치와 기술면에서 유사한 정보시스템을 가지고 있다는 것이다. 따라서 이런 기업들은 서로 이러한 자료들을 공유하거나 나눌 수 있는

보고서는 사이버 위험관리를 위하여 또 하나 중요하게 다루어야 하는 것으로 '정보의 품질유지'(maintaining quality of data)를 들고 있다. 정보품질관리의 핵심은 정보품질유지절차를 공식화하여 무단변경이나 무단 접속 등 데이터 품질유지에 문제가 발생한 경우 이에 대한 책임소재를 신속하고 명확하게 확인할 수 있도록 하는 것이다. 그리고 기업 내 전 임직원들은 자신이 사이버 위험관리의 직접적인 역할을 담당하고 있지 않는 경우에도 정보시스템 보호를 의식하여야 하고 모든 임직원이 방심을 늦추어서는 안 된다는 점도 강조하고 있다.[88] ④ 외부와의 소통(external communications)도 사이버 위험관리에서 중요한 관리대상이다.[89] 외부와의 소통은 기업을 기준으로 하여 내부로 향하는 정보의 소통이 있고(inbound communication), 외부로 향하는 정보의 소통(outbound communication)이 있는데, outbound 정보통제가 매우 중요하다. 왜냐하면 외부로 가치 있는 정보가 제공되는 정보의 흐름을 적정하게 관리하고 통제하지 못하면 이는 기업의 손해로 직결될 가능성이 크기 때문이다. ⑤ 감독이라는 내부통제 구성요소와 관련하여서는 사이버 위험 전문가(cyber risk professional)의 역할이 강조된다. 이러한 프레임에 대한 전문가의 독립적이고 지속적인 유효성 및 효율성의 평가는 다른 어떤 특화 내부통제프레임에서 보다 중요하다.[90] 전문가에 의한 감독과 평가가 내부 구성원에 의해 만족되지 못하면 외부의 전문 인력을 활용하여야 한다.

데, 이 과정에서 사이버공격의 위험에 노출된다. 따라서 이러한 산업적 외부데이터의 관리를 위해서는 기업들 간에 사이버 위험의 예방과 탐지에 관하여 서로 논의하는 것이 중요하다), ② 정부기관 외부 데이터(이러한 데이터와 관련하여서는 정보의 보안관련 데이터와 시스템 그리고 사이버 위험대처에 관한 정부의 지원 등을 잘 활용하는 것이 중요하다), ③ 아웃소싱 서어비스 제공자 외부 데이터(기업과 그 기업의 외부위탁업체와의 사이버 사건에 관한 정보의 공유는 완벽한 사이버 위험 및 통제의 관리에 있어 중요하다. 따라서 양자의 정보시스템의 연결이 중요하므로 어느 일방이 기업의 운영에 영향을 미칠 수 있는 사이버 사건을 체험한 경우 이 경험을 공유할 수 있는 투명한 협업체제가 핵심이다)(Id. at 11).

88) 이 COSO 보고서는 기업의 전 구성원은 각각 IT기법의 업무수행을 하면서 인간의 호기심과 타인이 대한 신뢰라는 일반적인 특성을 경계할 필요가 있다고 지적하고 있다. 예를 들어 기업의 한 직원이 타인으로부터 이메일을 받고 동료라고 막연하게 신뢰하거나 호기심에 의하여 그 메일을 여는 순간 정보의 탈취절차는 시작될 수 있다는 것이다. 기업의 전 분야에서 사이버 보안에 대한 높은 의식을 갖도록 하고 이를 서로 소통하는 것은 성공적인 사이버 위험관리에 매우 중요한 요건이라는 설명이다(Id. at 13).

89) 외부와의 소통에서 '외부'에 해당하는 자로 "주주, 고객, 사업파트너, 규제기관, 재무분석가, 정부" 등을 들 수 있다(Id. at 15).

90) Id. at 17.

　　한편 사이버 위험에 대응하는 내부통제체제를 점검하면서, 우리 현행법상 금융기관 등이 선임하는 정보보호 또는 정보관리책임자의 위상을 살피지 않을 수 없다.[91] 예를 들어 전자금융거래법에 따르면 금융회사 또는 전자금융업자는 정보보호최고책임자를 지정해야 한다(전자금융거래법 제21조의2 제1항). 이들 정보보호최고책임자는 전자금융거래의 안정성 확보 및 이용자 보호를 위한 전략 및 계획의 수립, 정보기술부문의 보호나 정보기술부문의 보안에 필요한 인력관리 및 예산편성, 전자금융거래의 사고 예방 및 조치 등을 업무로 하는 자이므로, 이들의 업무도 사이버 위험관리체제 속에서 설명되거나 이해할 수 있다(전자금융거래법 제21조의2 제4항). 문제는 이들과 내부통제 관련 업무를 수행하는 준법감시인이나 위험관리책임자와의 명확한 관계설정이 쉽지 않다. 전자금융거래법상 겸직금지(전자금융거래법 제21조의2 제3항)에 해당하지 않는 한 준법감시인이나 위험관리책임자를 정보보호최고책임자로 지정할 수 있는 가능성이 열려있으나(금융사지배구조법상 겸직금지 규정(동법 제29조와 그 시행령)도 검토해야 하나 법령의 내용으로 볼 때 특별한 경우가 아니면 큰 문제는 없을 것으로 평가됨), 전자금융거래법의 취지나 정보보호최고책임자의 자격요건(전자금융거래법) 등을 고려할 때 현실적으로는 겸직이 쉽지 않을 것으로 예상한다. 그런데 이들의 관계설정은 말 그대로 내부통제체제상 조직체계 설계라는 정책적 문제에 불과하다. 이사회가 내부통제체제를 설계하면서 이들의 법적 지위(이사인가 여부 등)나 직무범위 등을 고려하여 조직의 구조와 체계를 결정하면 되는 것이다. 그리고 준법감시인이나 위험관리책임자의 직무범위는 내부통제기준 및 위험관리기준으로 결정될 것인바 이들의 직무사항이 정보보호최고책임자의 업무와 중복되는 부분이 있다면 내부통제 행동강령 등으로 조정해두는 것이 바람직할 것으로 생각한다.

3) 기업집단에서의 내부통제[92]

　　기업집단이 형성되었을 때 각 기업들의 내부통제체제는 기업집단이라는 큰

---

91) 법령에 의하여 선임이나 지정이 요구되는 않는 경우에도, 기업이 스스로 정보보안을 전담하는 임원을 선임할 수 있다. 자율적으로 선임된 소위 CIO(Chief Information Officer)가 그 대표적인 예가 될 수 있는데 이는 기본적으로 내부통제체제와 함께 자연스럽게 충돌 없이 설명될 수 있는 것이어서 특별하게 추가 검토할 사항은 없다.

92) 기업집단의 내부통제에 관한 내용은 "박세화, "이사의 선관의무와 내부통제에 관한 회사법적 고찰 – 경영판단의 원칙의 적용 및 기업집단에 관한 논의를 중심으로 –,"「법학연구」제28권 제1호(연세대학교 법학연구원, 2018), 59~68면"의 내용을 축약·정리한 것이다.

틀의 고려 없이 설계되고 운용되어도 문제가 없는가? 이러한 문제의식에 대하여 여러 관점의 법적 논의가 있을 수 있다. 필자가 생각건대, 일단 ERM의 전사적 위험관리체제 안에서 내부통제를 파악하는 COSO식 내부통제는 개별 기업단위가 아니고 몇 개의 기업이 묶인 기업집단을 대상으로 하는 경우에 적용하여도 그 목적이나 구성요소를 설명함에 있어 결정적인 모순이 발견되지는 않는다. 이러한 점은 기업집단의 내부통제를 개별기업단위의 내부통제와 기본적으로 다르게 개념화할 필요가 없다는 점에서 긍정적이다. 그렇다면 우리의 논의는 특정관계에 있는 수개의 기업을 하나로 묶어 내부통제체제를 설계하는 것이 현행 회사법령이나 전통적 상사 법리와 조화롭게 공존할 수 있을까? 만일 입법적 조치가 동원되어야 한다면 구체적인 방안은 무엇인지에 초점을 맞추면 된다. 일본에서는 비교적 일찍부터 모회사 이사의 내부통제에 관한 선관의무 내용과 대상을 확장하여 자회사를 포섭하도록 할 수 있는가에 대한 회사법적 검토가 있었다. ① 모회사가 보유하는 자회사의 주식은 일종의 자산이므로 그 자산의 감가를 막는다는 출자관리의무의 관점에서 모회사의 이사가 자회사를 감시하거나 자회사 위험관리에 관여할 의무를 가진다거나, ② 모회사의 지배 목적의 달성에 필요한 행위로서 적절한 지휘를 할 의무가 모회사의 이사에게 있다거나, ③ 모회사 이사는 자신이 속한 회사의 재산 가치를 향상시킬 의무를 부담하므로 이 의무이행을 위하여 자회사의 업무관리 및 감독을 할 권한 및 의무를 가진다는 등의 여러 주장이 있어 왔다.[93] 이러한 이론적 논의와 함께 일본 법원도 후쿠오카어시장사건에서 모회사 이사의 기업집단형 내부통제체제 구축 의무에 관한 의견을 내놓은 적이 있다. 이 사건은 모회사(후쿠오카 어시장)가 자신의 100%자회사(후쿠쇼쿠)와 위법거래를 하고 자회사에 대하여 채권포기 및 자금 대출을 반복해서 함으로써 모회사에 손해가 발생한 것이 문제가 된 사안이다.[94] 이 사건에서 법원은 모회사인 후쿠오카 어시장의 이사들에 대하여 모회사 이사로서 자회사에 대한 조사를 성실하게 하고 이들을 감시·감독할 의무가 있으므로 (일부 이사들이 이를 게을리한 것이 인정된다면서) 이 들에게 감시의무 위반을 인정하였다. 이

---

93) 弥永眞生 編著(第3章 森田多惠子 執筆部分), 企業集團における內部統制, 同文館出版, 2016, 84~91面; 김영주, "자회사의 경영관리에 관한 모회사 이사의 책임," 「기업법연구」 제28권 제4호 통권 제59호(한국기업법학회, 2014), 107~108면 참조.

94) 日本 最高裁判所 2014.1.30. 判決. 김영주, "자회사의 경영관리에 관한 모회사 이사의 책임," 「기업법연구」 제28권 제4호 통권 제59호(한국기업법학회, 2014), 87~91면.

같이 모회사의 이사에게 자회사에 대한 감시의무 위반을 인정했다는 것은 모회사의 이사의 선관의무에 자회사에 대한 감시 및 감독 의무가 포함된다는 것을 의미한다. 일본 회사법은 2014년 개정으로 모회사의 기업집단 내부통제체제의 정비의무를 법제화하였기 때문에, 이제 현행 일본 회사법 하에서는 후쿠오카 어시장 판결이 모회사 이사의 기업집단형 내부통제체제 구축 의무의 존부와 관련하여서는 실제적으로 큰 의미를 갖는 것은 아니지만, 아직 기업집단형 내부통제에 대한 회사법적 배려가 없는 우리의 입장에서는 모회사 이사의 의무를 확장할 수 있음을 전제로 법리를 구성한 후쿠오카 어시장 판결이 우리에게 시사하는 바가 적지 않다고 볼 수 있다.

우리의 경우 기업집단형 내부통제의 가장 약한 단계라고 볼 수 있는 모회사의 이사가 내부통제체제에 자회사를 감시·감독하는 절차를 구축하는 형태까지도 (특별한 계약이 없는 한) 모회사 이사의 선관의무에 포함되는 것으로 보기 어렵다는 것이 전통적인 회사법상 해석이었다.[95] 그렇다면 과연 기업집단의 내부통제를 모회사 이사의 선관의무 사항으로 할 수 있다는 논리를 직·간접으로 뒷받침할 수 있는 현행 법령은 전혀 없는 것일까? 금융사지배구조법을 보면 "금융지주회사가 금융회사인 자회사 등의 내부통제기준을 마련하는 경우 그 자회사 등은 내부통제기준을 마련하지 아니할 수 있다"고 규정하고 있어서(금융사지배구조법 제24조 제2항), 금융지주회사가 금융회사인 자회사의 내부통제체제를 직접 설계하고 구축할 수 있고 이런 경우 자회사가 중복하여 내부통제체제를 마련할 필요가 없다. 또한 금융사 지배구조법 시행령(금융사지배구조법 시행령 제19조 제1항)에 따라 금융위원회가 위임행정규칙으로 제정한 '금융회사 지배구조 감독규정'에 의하면 "금융지주회사의 내부통제기준은 금융지주회사 및 그 자회사의 가능한 모든 업무활동을 포괄할 수 있어야 하며 업무절차 및 전산시스템은 적절한 단계로 구분하여 집행되도록 설계되어야 한다." 그리고 "금융지주회사는 금융지주회사 및 그 자회사 등 전체의 준법감시업무가 효과적이고 체계적으로 수행될 수 있도록 자회사 등의 준법감시인이 금융지주회사의 준법감시인에게 정기적으로 보고하게 하는 등 금융지주회사와 자회사 등 사이에 준법감시업무관련 지휘·보고 체계를 갖추어야 한다."고 규정하고 있다(금융회사 지배구조 감독규정 별

---

95) 김건식·노혁준, 「지주회사와 법, BFL총서 1」(소화, 2005), 350면.

표 2, 내부통제기준 설정·운영 기준 제6호·제15호).[96] 그러나 이런 규정들은 금융지주회사의 업무의 특수성을 반영한 것으로 제한적으로 적용되는 규정이어서, 이 글에서 찾고 있는 모회사 이사에게 기업집단형 내부통제체제를 설계하도록 요구할 수 있는 보편적 근거규정으로 보기는 어렵다. 일본의 회사법의 경우는 2014년 개정을 통하여 모회사의 이사회에 기업집단 차원의 내부통제 사항을 결정하도록 규정하고 있다. 따라서 이사회는 당해 회사는 물론이고 그 자회사로 이루어진 기업집단의 업무의 적정성 확보에 관한 사항을 결정해야 한다(일본 회사법 제348조 제3항 제4호, 제362조의 제4항 제6호, 제416조 제1항 제1호 ホ). 이 규정에 따라 모회사의 이사는 기업집단의 차원에서 자회사의 업무집행에 대하여 관리·감시할 권한을 갖는 동시에 의무를 부담한다. 물론 이 규정에 대한 다른 해석들이 있다. 모회사는 지배주주로서 자회사의 위험을 기업집단 차원에서 관리하여야 하므로 그러한 모회사의 이사는 이 같은 목적이 달성되도록 자회사의 업무에 정통한 유능한 이사가 임명되도록 영향력을 행사하고 자회사의 위험관리 상태를 파악할 수 있는 감시체제를 정비해야 한다는 의미로 해석하는 견해가 있다.[97] 그러나 일본 학계의 주류는 이 규정이 기본법인 회사법에 들어온 이상 다른 회사법상 법리와의 충돌을 최소화하는 방향으로 해석하는 것이 바람직하다는 판단 하에 가급적 마일드(mild)하게 해석하고 있다.[98] 즉 모회사의 이사가 자회

---

96) 그런데 금융사지배구조법 제24조 제2항은 금융지주회사가 금융회사인 자회사의 내부통제기준을 직접 제정할 수 있는 것이지 의무사항은 아닌 것으로 읽히는데, 금융사지배구조법 시행령 제19조 제1항 제13호에 의하여 마련된 금융회사지배구조 감독규정 제11조 제1항을 정리해보면, 금융지주회사의 경우는 자회사의 내부통제기준을 포섭하는 확장된 내부통제기준을 마련할 의무가 있는 것으로 해석할 수밖에 없어 혼란스럽다. 왜냐하면 금융회사지배구조 감독규정 별표 2 제6호에 따라 금융지주회사는 내부통제기준을 마련하면서 자회사의 모든 업무를 포괄할 수 있도록 기준을 설계해야 하는데, 그렇다면 이 규정의 의미는 금융지주회사가 의무적으로 기업집단형 내부통제체제를 구축해야 한다는 것으로 볼 수밖에 없다. 내부통제기준은 준법감시인의 업무범위이고 그 속에 각종 직무분장이나 기관별 역할이 모두 담겨 있기 때문이다. 결국 이런 상황에서는 자회사가 형식적으로 별도의 내부통제기준을 마련한다하더라도 그 것은 독자적으로 운용되기 어렵고 독자적 운용의 실질적 가치도 찾기 어렵다. 이러한 모순적 표현에 대하여 명확한 입장을 정리한 후 입법적 개선이 따라야 할 것으로 보인다.

97) 弥永眞生 編著(第2章 松本 祥尙 執筆部分), 企業集團における內部統制, 同文館出版, 2016, 57~58面.

98) 일본의 저명한 상법교수인 江頭憲治郎교수도 모회사의 이사가 자회사에 대한 관리·감시를 포함하는 기업집단적 내부통제체제를 구축할 의무를 부담한다면 그 것은 모회사의 이사로서 부담하는 선관의무의 범위로서 일종의 감시의무의 확장으로 보아야 한다고 설명한다(江頭憲治郎, 結合企業法の立法と解釋, 有斐閣, 1995, 197面).

사의 위험관리명목으로 자회사에 대한 직접적인 간섭이 가능하다고 해석하기보다 자회사에 대한 감시·감독체제를 정비하여야 한다는 것으로 보고 있다. 특수한 관계가 설정되어 있지 않다면, 보통은 모회사의 이사들이 자회사의 의사와 상관없이 자회사를 포함하는 내부통제체제를 직접 구축·운용하여 자회사의 경영판단을 본질적으로 무력화할 수 있는 여지를 인정할 수는 없다는 것이다. 만일 모회사의 이사에게 강력한 개입방식의 기업집단형 내부통제체제 구축하도록 한다면 그 운용의 후유증도 염려가 된다. 강력한 개입으로 인하여 자회사에 손해가 발생하는 경우 모회사의 이사들은 자회사는 물론이고 모회사에 대하여도 손해배상책임을 부담할 수 있다.[99] 또한 우리 회사법을 적용해보면 모회사의 이사가 기업집단 내부통제의 구축이나 운용과정에서 자회사에 부당 또는 위법한 영향력을 행사하여 제3자에게 손해를 끼친 경우에는 모회사가 법인 책임을 부담할 수도 있다.[100]

설사 기업집단형 내부통제체제가 구축되어 운용되는 상황이라 하더라도 모회사와 자회사의 이사들은 각각 자신이 속한 회사를 위하여 선관의무로서 기업집단형 내부통제체제에 참여하고 모니터링하는 것이므로, 자회사의 이사들은 자회사의 이익을 위하여 정당한 이유가 있을 때에는 모회사 이사의 지적이나 보고 요구를 거부할 수 있다고 보는 것이 타당하다. 모회사가 보유하고 있는 자회사의 주식은 일종의 자산이므로 모회사의 이사는 자신이 속한 회사의 자산인 자회사 주식의 가치나 평가액의 관리라는 선관의무를 이행하기 위하여 자회사를 감시·감독의무를 당연히 부담해야 한다는 주장도 모회사 이사의 감시의무 확장에 비중을 둔 사고에서 나온 이론으로 평가할 수 있다.[101]

독일 주식법의 경우 일본 회사법과 같이 기업집단의 내부통제에 관하여 직선적인 표현을 하고 있지는 않지만, "이사회는 회사의 존속을 위협하는 상황 전개를 사전에 인식할 수 있도록 적절한 조치를 취하여야 하며 특히 감독체계를 수립하는 것에 유념하여야 한다"라는 규정(독일주식법 제91조 제2항)을[102] 근거로

---

99) 齊藤 眞紀, 企業集団 內部統制, 商事法務 No. 2063, 21面 참조.
100) 이러한 경우는 모회사나 모회사의 이사가 상법 제401조의2 제1항 제1호의 책임을 부담할 수 있고, 법인격 부인이 긍정되는 경우 모자회사가 하나의 단위로 취급되어 책임관계가 판단될 수 있다(대법원 2006.8.25. 2004다26119 참조). 자회사에 대한 모회사의 책임관계의 분석에 관하여는 김건식, "자회사에 대한 모회사의 책임관계,"「아주법학」제7권 제3호(아주대학교 법학연구소, 2013), 248면 이하 참조.
101) 舩津浩司, グループ經營 の義務と責任, 商事法務 No. 2010, 158面.

모회사의 이사회가 기업집단형 내부통제체제를 의무적으로 구축해야 한다는 법리를 도출할 수 있는지 여부에 대한 논쟁이 있다(다만 현재까지는 부정적 견해가 우세한 것으로 알려져 있음).103)

법령 수준은 아니지만 유럽의 몇 개의 지침들에서 기업집단 내부통제에 관한 사항들을 발견할 수 있다. 「독일의 기업지배구조지침(Deutscher Corporate Governance Kodex)」에 기업집단형 내부통제체제에 관한 것으로 볼 수 있는 내용이 눈에 띈다. 대표적으로 독일 기업지배구조지침 4.1.3.을 보면, "이사회는 제반 법령이나 기업내부지침을 철저히 준수하여야 하며, 회사 그룹전체의 준법을 실현하기 위하여 활동하여야 한다"라고 규정되어 있다. 또한 「프랑스의 내부통제의 프레임워크(Le dispositif de Contrôle Interne: Cadre de reference)」를 보면,104) 기업집단 차원의 내부통제체제를 언급하면서 "모회사는 자회사에 적절한 내부통제체제가 구축되는 것을 확보해야 하며, 모회사는 자회사의 특성 및 모자 간의 관계에 적합한 연결 관계를 설정하여야 한다"라고 규정되어 있다.105)

그렇다면 기업집단을 위한 내부통제의 이상적인 실증모델은 무엇일까? 일본에서는 구체적 실증모델에 관한 연구가 시작되고 있다. 예를 들어 2015년 일본 동경증권거래소에 공시된 기업지배구조보고서의 내용을 바탕으로 기업집단 내부통제체제의 형태를 크게 3가지로 나누어 정리한 자료를 보면, "모회사 일원관리형, 자회사 위임형, 기능·라인통합형" 등으로 나누어 분석하고 있다.106) 즉 모회사중심의 중앙집중식 형태, 모회사가 자회사의 내부통제체제 설계에 권고나 요구 정도가 가능한 방식, 모자회사 영업을 사업별·기능별로 라인화하고 이 라인을 조합하는 방식의 통합형 등으로 분류하고 있다. 필자가 생각건대 자회사

---

102) 이형규 역, 「독일주식법」(법무부, 2014), 111면.

103) 고재종, "모자회사 관계에서의 이사 책임의 근거와 성립 여부," 「경제법연구」 제15권 제3호(한국경제법학회, 2016), 44~45면.

104) 「프랑스의 내부통제의 프레임워크(Le dispositif de Contrôle Interne: Cadre de reference)」는 프랑스 금융시장청(The Autorité des Marchés Financiers:AMF)의 위탁으로 Groupe de Place가 2006년에 처음 발표한 지침으로 2007년, 2010년에 보완·개정되었다.

105) 弥永眞生 編著(第5章 弥永眞生 執筆部分), 企業集團における內部統制, 同文館出版, 2016, 141~145面 참조.

106) 弥永眞生 編著(第6章 岩崎 俊彦 執筆部分), 企業集團における內部統制, 同文館出版, 2016, 158~161面("박세화, "합리적 회사 위험관리를 위한 이사의 의무 확장에 관한 논의－모회사 이사의 기업집단 차원의 내부통제체제 구축의무를 중심으로," 「이사회제도의 재조명」 송산 홍복기 교수 정년기념논문집(법문사, 2018), 419~420면"에 번역·정리되어 있음).

위임형 기업집단 내부통제 모델은 모회사가 각 자회사와 개별적인 감시체제를 형성하는 것으로 모회사에서 자회사로의 향하는 일방적인 위험관리 형태라고 보아야 한다면, 모회사 일원관리형 모델은 (설사 모자회사가 각각의 내부통제체제를 갖추고 있다고 해도) 모자회사 간에 쌍방적 방향으로 작동하는 위험관리형태로서 기업집단을 대상으로 위험관리를 실질적으로 통합 관리하는 형태가 아닌가 한다. 그리고 기능·라인 통합형은 일방적 관리와 쌍방적 통합운용이 라인에 따라 혼용될 수 있는 형태로 보여진다. 아무튼 이러한 일본의 분석자료 들은 향후 우리의 기업집단 내부통제모델 설계에 있어 의미 있는 자료가 될 수 있다고 본다.

그런데 필자는 기업집단형 내부통제를 구축하려는 기업들이 신중한 고려 없이 모회사의 편의에 따라 내부통제모델을 선택하고 거기에 구성 회사들이 따르도록 하는 경우 큰 어려움에 봉착할 수 있다는 것을 강조하고 싶다. 기업집단마다 지배회사의 지배강도와 모자회사의 영업의 동일성 그리고 모자회사 간의 위험관리의 방식의 합의 등에 있어 차이와 특성이 있을 수 있기 때문에, 기업집단에 속한 기업들은 자신 집단의 특성이나 구성회사 간의 관계를 고려하여 자신들에게 적절한 내부통제 통합프레임을 구상하고 섬세하게 설계하는 것이 기업집단 내부통제가 성공적으로 활용될 수 있다. 결국 모회사의 이사회는 자신이 주도하는 기업집단의 특성을 정확하게 파악하여 기본 프레임(예를 들어 중앙집중형, 자회사위임형, 사업·기능라인 통합형 등)을 선정하고 그 바탕 위에 기업집단별 특성을 고려하여 세부 시스템의 설계에 세심한 배려를 해야 하는 위치에 있는 것이다. 기업집단의 내부통제체제가 강제되는 환경이 되면 이러한 막중한 법적 책무가 모회사의 이사들에게 있게 되는 것이다. 이러한 기업집단의 내부통제체제에 있어서도 적정성 확보가 쟁점이 될 수 있고, 특히 내부통제에 관한 공시시스템이 중요한 사항으로 대두될 가능성이 크다.

3. 상법상의 준법통제기준 및 준법지원인제도

가. 상법상 준법통제제도의 입법 배경 및 개요

앞에서도 언급했다시피 상법은 최근 사업연도 말 현재 자산총액이 5천억원 이상인 회사는[107] 법령을 준수하고 회사경영을 적정하게 하기 위하여 임직원이 그 직무를 수행할 때 따라야 할 준법통제에 관한 기준 및 절차를 마련하고, 이러한 준법통제기준을 준수하는지를 점검해야 하는 준법지원인을 1인 이상 반드시 두도록 하고 있다(제542조의13 제1항).

내부통제나 준법통제와 관련하여 이처럼 일정한 체제형식을 직접적으로 강제하는 입법방식은 세계적으로 찾아보기 어렵다. 그렇지만, 경영진의 횡령이나 배임행위가 많고 임직원의 준법의식이 낮은 우리의 기업문화를 고려할 때,[108] 경영진과 업무담당 임직원 사이에 상호소통이 구조적으로 어렵고 의사결정의 전문성과 복잡성이 강하게 표출되는 대규모 상장법인에 한해서라도 준법통제 전담기구의 설치·운용 및 통제체제 유효성의 유지를 요구한 것은 그 타당성과 명분

<hr />

[107] 역사적으로 자산총액 5천억원에서 1조원 미만인 회사는 2013년 12월 31일까지 준법통제기준 마련과 준법지원인 선임의 강제가 유예되었다(상법 시행령 부칙 제5조). 시행령 제정과정에서 준법통제기준 및 준법지원 설치 대상 상장회사의 범위를 설정하는 기준과 관련하여 법조계와 기업계의 첨예한 논쟁이 있었으나, 우여곡절 끝에 법무부는 자산총액 '5천억원'을 기준으로 최종결정하였다. 당초 법무부는 대상회사를 총상장회사의 25%~30%선에서 결정하기 위하여 2011년 말 당시 통계로 총 상장회사의 25.4%(준법감시인 설치 금융기관을 제외하면 22.9%가 해당) 약 448개사 정도가 포함되게 되는 자산총액 '3천억원'을 기준으로 입법예고하였으나(2012. 12. 28.), 최종 결정단계에서 중소기업의 현실적 부담을 감안한다는 명분을 제시하면서 5천억 원으로 기준을 상향 변경하였다(2012. 1. 31. 법무부 보도자료). 자산총액 5천억원 기준설은 필자가 입법예고 전에 "준법지원인제도 상법 시행령 공청회"에서 주장한 바도 있는데, 자산총액 5천억원을 기준으로 하면 총 상장회사의 17.9%(준법감시인 설치 금융기관을 제외하면 15.4%가 해당) 약 316개사 정도가 해당되게 된다. 필자의 생각은 제도 초창기에는 무리한 넓은 범위의 강제적용보다는 준법경영의 필요성을 스스로 느끼고 있고 비용적 부담이 상대적으로 작은 대규모 기업들을 상대로 준법통제체제를 강제하여 그 긍정적 효과를 많은 다른 기업들이 현실적으로 체감하게 하는 것이 바람직하다고 본다. 일부 법조계에서 주장하는 것처럼 준법통제제도를 기업의 위법행위나 부실경영의 억제 또는 해결책으로 인식하면서 중소규모 상장회사에서 준법통제체제가 더 필요하다는 식의 주장은, 경영진에 대한 견제와 경영진을 위한 지원을 구별하지 않거나 혼동하는 오류에서 나오는 발상이다. 많은 기업들이 준법통제체제를 갖추는 것이 바람직하다는 것에 대하여 이의를 제기할 사람은 없을 것이다. 그러나 경영진 견제를 주목적으로 하여 준법통제제도를 이용하려 한다거나 준법통제는 기업들이 스스로 각자에게 적합한 규모와 형식 그리고 내용을 만들어갈 때 실질적 유효성이 담보될 수 있다는 생래적 속성을 무시한 채 법의 일방적 강제력을 넓고 깊게 관철하려고만 하는 것은 오히려 준법통제체제의 형해화를 처음부터 고착화할 수도 있다는 점을 유념해야 한다. 다만 현행 법제가 계속된다는 전제하에 향후 준법통제제도가 어느 정도 긍정적인 모습으로 안착되면 능력이 있으면서도 적절하고 체계적인 준법통제체제의 구축과 운용을 기피하는 회사를 사전적으로 규제하고 지도하기 위하여 적용 대상회사를 확대해가는 방안을 모색할 수 있음은 물론이다.

[108] 2009년 통계에 의하면 횡령이나 배임으로 실형선고를 받은 기업 임직원의 숫자가 1,728명에 달한다는 자료도 있고, 2009년 기준 국내 10대 그룹 86개 계열사의 소송건수가 4,600여건, 소송가액이 5조 8천억 원에 이른다는 주장도 있다. 또한 2000~2005년 우리기업의 미국 내 소송건수는 694건이며 미국 반독점금지법 위반 사건 중 19.44%(135건)가 우리나라 기업이 관련된 사건이라고 한다(노철래 위원 대표발의, 「상법 일부개정법률안」(2009. 9.) 참조).

에 있어 설득력이 있다고 보는 것이 정부와 법조계의 대체적 견해이다.

나. 상법 제542조의13의 해석

1) 준법통제기준

상법 제542조의13을 적용받는 상장회사는 반드시 준법통제기준을 마련하여야 한다(준법통제기준의 구체적 사항은 상법 시행령 제40조에서 정하고 있음). 준법통제기준이란 이사회가 제정하는 것으로 임직원이 직무수행 시 준수해야 하는 준법통제에 관한 기준이나 절차를 의미하는데, 이는 실질적으로 준법지원인의 업무 범위를 결정하는 핵심적 기준이 된다. 기업들은 상법 시행령상의 필수사항을 기본으로 하여 각 기업의 특유사항을 자율적으로 첨가하게 된다. 단지 상법상의 준법통제기준은 기업의 업무상 위험관리를 위한 내부통제기준은 아니므로, 법령 및 제반 규범의 준수에 관한 사항이 충실하게 담기면 된다(위험관리에 관한 종합적인 사항 중에서 법령준수에 관한 사항만을 대상으로 함).

이사회의 권한사항은 상법이 규정하는 사항(제393조의2 제2항) 이외에는 포괄적으로 위원회에 위임할 수 있는 것이 원칙이므로, 상법 시행령 제40조 제2항에도 불구하고 정관에 다른 정함이 없는 한 준법통제기준의 제정 및 개정 권한을 위원회(감사위원회는 제외)에 위임할 수 있다.[109] 그렇지만 이사나 집행임원 등의 임직원에 대한 이사회의 감독권은 위원회에게 위임할 수 없다고 보는 것이 타당하므로, 준법업무수행에 대한 이사회의 감독권은 위원회에게 위임할 수 없다고 본다.

기타 기업들이 준법통제기준을 설계하면서 주의하여야 할 사항이나 실무상 검토할 가치가 있는 프로그램적 내용에 대하여는 별도로 다음 4.에서 다루고자 한다.

2) 준법지원인

가) 회사와의 관계

준법지원인의 고유한 직무 및 업무범위는 상법에 의하여 결정되지만, 회사의 선임에 의하여 그 지위가 주어지므로 준법지원인과 회사와의 관계는 위임관계이다(민법 제680조). 상법도 준법지원인이 선량한 관리자의 주의의무로 그 직무를

---

109) 동지: 임재연, 「회사법 Ⅱ」(박영사, 2012), 534면.

수행해야 한다고 명문으로 규정하여, 이를 확인하고 있다(제542조의13 제7항).

그러면 준법지원인은 상법상 기관성을 가지는가? 이 질문에 대하여는 여러 가지 논의가 가능하지만, 준법지원인은 본질적으로 이사회의 준법경영을 보조하고 지원하는 자에 불과하지 회사 경영상의 독자적인 의사결정권을 가지는 자는 아니므로 기관성을 인정하기 어렵다고 본다.110) 또한 다른 기관들과 비교할 때 준법지원인의 지배구조적 지위에 관한 구체적인 규정이 부족하여 해석상 논란의 소지가 많고 준법지원인의 책임에 대하여도 상법상 특정하게 법정되어 있지 않다는 점 등이 기관성 부정의 한 근거가 될 수 있다. 그렇지만 준법지원인의 회사 수임인으로서의 선량한 관리자의 주의의무나 독립적인 업무수행에 대하여 상법상 명문 규정이 존재한다는 사실, 그리고 의사결정권한 여부가 기관성 판단에 결정적인 근거가 될 수 없다는 점 등이 근거가 되어 부정적 견해와 다른 입장의 개진도 가능하다고 본다. 상법상 법정 기관인 감사도 의사결정권자로 보기 어려운 측면이 있고 감사의 직무수행이 반드시 후속 집행행위로 이어지는 것도 아니다. 따라서 향후 보완적 입법이 이루어져 준법지원인의 권한과 의무 그리고 다른 기관과의 관계, 회사나 제3자에 대한 상법상 책임관계 등이 분명해지면 기관성에 대한 긍정적인 논의가 가능하다고 본다. 다만 이러한 기관성 문제는 현재로서는 다른 기관과의 관계나 법규의 준용여부 판단 등과 관련하여 논의될 수 있는 정도의 사항으로 보여지고, 실무상 중요한 쟁점은 아니라고 생각한다. 그렇지만 향후 입법적 개선방향을 설정함에 있어서는 당초 입법권자의 기관성에 대한 의도를 신중하게 검토해 볼 필요가 있다고 생각한다.

나) 임 면

준법지원인은 이사회의 결의로 임면된다(제542조의13 제4항). 이사회가 준법통제체제의 구축 및 운용에 대한 최종적인 책임기관이므로, 준법통제체제에서 가장 핵심적인 업무를 수행하는 준법지원인을 이사회에서 선임하는 것은 당연한 것이다.111)

---

110) 동지: 권기범, 「현대회사법론」(삼영사, 2012), 885면.

111) 준법지원인의 독립성 확보를 위하여 감사위원회 설치회사인 경우에는 감사위원회가 임면권을 가지는 것을 고려해보아야 한다는 견해가 있다(임재연, 전게서, 538면). 그렇지만 준법지원인의 독립적 업무수행이란 이사회나 대표이사를 견제할 수 있는 중립적 인사를 선임하는 것에 중점이 있는 것이 아니고, 다른 간섭 없이 독립적으로 준법점검을 하고 이를 이사회에 적기에 적합하게 보고하는 것을 의미하는 것이다. 따라서 준법지원인의 독립성 확보

준법지원인은 회사와 위임관계에 있으므로, 위임의 일반적인 종료사유로 퇴임하게 됨은 물론이다. 준법지원인은 언제나 본인의 선택으로 사임할 수 있고(민법 제689조), 이사회가 준법지원인을 해임할 수도 있다. 다만 준법지원인은 그 업무의 특성상 독립적 직무수행의 보장이 중요하므로(제542조의13 제9항), 이사회의 준법지원인에 대한 해임권과 면직권을 인정하고 해석함에 있어서는 신중한 태도가 필요하다.[112] 만일 이사회가 정당한 사유 없이 임기만료 전에 준법지원인을 해임한다면, 해임된 준법지원인이 회사에 대하여 손해배상을 청구할 수 있다고 보아야 한다(제385조 유추적용).[113]

다) 자 격

준법지원인이 될 수 있는 사람은, 변호사자격이 있는 사람·고등교육법 제2조에 따른 학교의 법률학 조교수 이사의 직을 5년 이상 근무한 사람·기타 법률적 지식과 경험이 풍부한 사람으로 대통령령으로 정하는 사람에 한한다(제542조의13 제5항).[114] 여기에서 대통령령에서 정하는 사람이란 ① 상장회사에서 감사·감사위원·준법감시인 또는 이와 관련된 법무부서에서 근무한 경력이 합산하여 10년 이상인 사람이나 ② 법률학 석사학위 이상의 학위를 취득한 사람으로서 상장회사에서 감사·감사위원·준법감시인 또는 이와 관련된 법무부서에서 근무한 경력이 합산하여 5년 이상인 사람을 의미한다.(상법 시행령 제41조) 이같이 준법지원인은 일정한 법률적 지식과 경력을 갖추었다면 그 자격을 인정받는 것으로 변호사일 것을 요구하지는 않는다.[115]

를 명분으로 이사회 산하 조직이지만 감사를 대신하여 경영진의 업무수행을 감시·감독해야 하는 감사위원회에게 선임권을 부여하자고 하는 것은, 준법지원인의 독립성의 진정한 의미를 오해했거나 준법지원인을 경영진의 감시·견제하는 자로 바라보는 시야에서 비롯된 것으로서 찬동할 수 없다.

112) 준법지원인 이었던 사람에 대하여 그 직무수행과 관련된 사유로 부당한 인사상의 불이익을 주어서는 안 된다는 조항(상법 제542조의13 제10항)의 입법취지를 고려할 때 정당한 사유 없이 해임할 수 없다고 보아야 한다는 주장이 있다(임재연, 「회사법 Ⅱ」 개정7판(박영사, 2020), 669면; 최문희, 「주석 상법」 제6판[회사 5](한국사법행정학회, 2021), 849면).

113) 동지: 이철송, 「회사법강의」 제29판(박영사, 2021), 897면.

114) 상법은 준법지원인의 자격으로 법률전문가로서의 일정한 수준의 지식이나 경력을 요구하고 있다. 그런데 준법지원인 인재 풀의 양성과 준법지원인의 다양한 역할론 등과 관련하여, 향후 비(非)법률전문가에게 준법지원인 시장을 개방할 것인가에 관한 진지한 논의가 필요하다(박세화, "상법상 준법통제프로그램에 관한 실무적 쟁점 및 입법적 정비방안에 관한 고찰," 「상사법연구」 제33권 제2호(한국상사법학회, 2014), 143~146면 참조).

115) 준법지원인 설치회사 239개사의 준법지원인 248명을 대상으로 조사했을 때, 2019년 기준으로 변호사는 157명으로 전체 준법지원인 중 63.3%에 해당한다는 통계가 있다(김재호,

법제화과정에서 준법지원인의 자격과 관련하여 외국경력의 인정문제가 논란이 되었었다. 외국변호사의 자격을 갖춘 자도 국내변호사와 동일하게 준법지원인의 자격을 인정하여야 하는가? 외국교육기관도 제542조의13 제5항 제2호의 학교에 포함시킬 것인가? 외국교육기관의 학위도 상법 시행령 제41조 제2호의 학위에 포함시킬 것인가? 외국 상장회사의 경력도 상법 시행령 제41조 제1호·제2호의 경력기간산정에 포함시킬 것인가? 준법통제제도에 관한 상법 시행령 정비 작업을 위해 구성되었던 법무부 준법경영개선단에서도 이에 관하여 논의된 바 있었으나, 인정대상의 외국의 범위 결정이나 국내법 숙지여부 판단에 있어 실무상 어려움이 있고 법률시장의 개방과 같은 외부요인의 변화와 연동하여 판단해야 한다는 등의 이유에서 시행령에서 언급하지 않기로 최종 결론을 내렸다. 따라서 자격 인정 범위에 관한 논의가 상법과 시행령에서 구체적으로 규정하고 있는 자만이 자격요건을 취득한다는 입장에서 진행된 것 이어서, 현행 법령에서는 외국변호사의 준법지원인 자격을 인정하지 않는다고 해석하여야 한다. 이런 맥락에서 나머지 외국경력인정문제도 부정적인 입장을 취할 수밖에 없다. 외국교육기관 및 외국교육기관의 학위도 포함시켜야 한다는 주장이 있으나,[116] 현행 법령의 입법과정이나 해석원리로 볼 때 정부가 긍정적인 유권해석을 내놓기는 어려울 것으로 판단된다.[117]

그리고 상법과 시행령에는 준법지원인의 결격사유에 대한 규정이 존재하지 않지만, ① 미성년자나 금치산 또는 한정치산의 선고를 받은 사람, ② 금고 이상의 실형을 선고받고 그 집행이 끝나거나 집행이 면제된 날부터 5년이 지나지 않은 사람, ③ 금고 이상의 형의 집행유예를 선고받고 그 유예기간 중에 있는 사람, ④ 법원의 판결에 따라 자격이 상실되거나 정지된 사람 등 일반적으로 준법업무를 전담하는 자로서 부적격한 사람 등은 준법지원인이 될 수 없다고 보아

"상장회사의 준법지원인 도입현황 분석," 「컴플라이언스」, 2020 여름호, 16면).

116) 임재연, 「회사법 II」(박영사, 2012), 537면.

117) 다만 필자는 준법경영단 활동이나 각종 발표에서 외국변호사 자격자나 그 경력을 유용하게 활용할 필요가 있다고 주장해왔다. 특히 기업들이 원하는 다양한 경력의 유능한 준법지원인을 공급할 만한 여력이 없는 우리의 현재 법률가 시장을 감안할 때, 지금 단계에서 이들은 결코 소홀히 할 수 없는 인재집단인 것이다. 다만 외국 경력을 인정하는 방향으로 정책이 세워지면 외국의 변호사제도와 교육제도를 검토하고 선별할 수 있는 합리적인 기술적 방법을 개발하여 이를 시행령에 규정함으로써 불필요한 논란과 혼란을 방지할 필요가 있다.

야 옳다. 2011년 상법개정시 제542조의13을 입법하면서 준법지원인의 결격사유
를 포함시키지 않은 것은 입법의 오류이다. 그 후 시행령제정과정에서 이를 시
행령에 이를 담는 방안이 논의되었지만, 이것은 일정 주체의 권리를 박탈하거나
제한하는 문제로서 상법에 근거 규정 없이 시행령에 규정하는 것은 위헌의 소지
있다는 문제가 대두되었다. 결국 정부는 최종단계에서 결격사유 규정이 없는 상
태 그대로 두고 다음 상법개정을 통하여 직접 해결하는 방안을 선택한 것으로
판단된다. 결국 입법적 해결이 있기 전까지는 문제의 소지와 논란이 계속될 것
으로 보인다.

라) 임기와 신분보장

준법지원인의 임기는 3년으로 규정되어 있는데(제542조의13 제6항), 그 표현
방식으로 보아 3년보다 단기의 임기로 준법지원인의 임기를 정할 수 없다고 보
아야 한다. 또한 다른 법률에서 3년보다 단기로 정하여도 상법에 의해 준법지원
인의 임기는 3년으로 된다(제542조의13 제11항). 특별법이 3년보다 단기의 임기
규정을 둔다면 나름의 이유와 취지가 있을 터인데, 제542조의13 제11항이 무엇
을 근거로 하여 이를 예외 없이 무력화시킬 수 있는지 의문이라는 주장도 있고,
특별법보다 상법이 우선하게 되는 해괴한 결론에 이른다는 등의 부정적 견해도
있으나,[118] 상법상 준법지원인의 임기 규정은 그 독립적 직무수행과 연관 지어
평가하거나 해석할 필요가 있다. 즉 준법지원인의 임기를 최소한 3년 이상 보장
하여 경영진의 악의적 순환보직발령을 일정기간 동안 원천적으로 봉쇄하고 지속
적인 독립적 직무수행이 가능하도록 한 것으로 이 같은 취지는 어느 경우에나
우선적으로 고려되어야 한다는 것이 상법의 입장인 것이다. 그리고 이러한 엄격
하고 강제적인 상법의 임기규정이 나타내고 있는 또 하나의 메시지는, 다른 법
령의 제·개정 시 준법지원인과 동일한 성격을 가진 자의 임기를 3년 이상으로
할 것을 촉구하는 것이다.

또한 준법지원인의 신분보장과 관련하여, 상법은 회사가 준법지원인이었던
사람에 대하여 그 직무수행과 관련된 사유로 부당한 인사상의 불이익을 주어서
는 안 된다고 정하고 있다(제542조의13 제10항). 이 규정은 준법지원인이었던 자

---

118) 최준선, 「회사법」 제16판(삼영사, 2021), 627면; 이철송, 「개정상법 축조해설(2011)」(박영
　　사, 2011), 256∼257면.

가 다른 업무를 담당하는 임직원으로 전환되는 경우 인사상의 불이익 등의 부당한 대우를 받지 않도록 배려한 것이다.

마) 직무 및 겸직 금지와 임직원의 협력

준법지원인의 직무는 준법통제기준에 관한 사항의 준수여부를 점검하고 이를 이사회에 보고하는 것이다(제542조의13 제1항, 제3항). 그런데 상법이 준법통제기준을 마련하는 목적으로 '회사의 경영을 적정하게 하기 위하여'라는 문구를 사용함으로써 논란이 있다. 이 같은 표현은 경영의 합목적성과 효율성을 제고한다는 의미로 이사회나 대표이사(또는 대표집행임원)의 경영판단권한과 중복 또는 충돌할 여지가 있다는 주장이 있다.[119] 형식적으로만 보면 일응 타당한 지적이다. 하지만 이 문구는 준법지원인이 경영의 효율성 판단에 적극적으로 개입할 권한이 있다는 의미는 아니다. 단지 준법통제체제는 회사 전체차원의 위험관리시스템(내부통제시스템) 속에 녹아들어가 있기 때문에 현실적으로 불가피하게 경영진의 경영판단에 간접적이지만 영향을 미치는 경우가 적지 않다는 점을 감안한 것으로 해석할 필요가 있다. 이사회의 의사결정과정에서 단순히 현행 법령의 위반 여부를 검토하는 것에 그치지 않고 향후 법적 위험의 변화까지 예측하여 조언을 하는 경우가 있을 수 있고 준법점검이나 법적 자문에 있어 개인의 주관적 평가도 표현하는 경우가 있는데 이러한 경우는 적법성과 효율성을 명확하게 구분하기 어려울 수 있다. 특히 준법지원인은 종전의 자문변호사나 고문변호사와는 달리 이사회나 대표이사(또는 대표집행임원)의 경영판단 과정 속에서 상시적이고[120] 유기적으로 작동하도록 고안된 프로세스에 참여하는 자이므로 경영의 적법성과 적정성을 분명하게 구분하여 준법통제업무의 목적을 한정하는 것은 한계가 있다고 본다. 아무튼 입법 취지가 무엇인지 단언하기 어렵지만, 준법지원인이 경영진의 업무집행체제 속에서 활동하는 자라는 면을 분명히 하면서 준법업무의 간접적 영향력을 염두에 둔 표현이 아닌가라고 추정해본다. 이러한 표현을 어떤 시야에서 바라보든 준법통제기준에 담겨야 하는 사항이 시행령상 명백히 규정되어 있어서 준법지원인이 경영권 행사에 부당한 걸림돌이 되는 경우가 발생할 가능성은 없다고 본다.

---

119) 이철송, 전게서, 897면; 임재연, 「회사법 Ⅱ」(박영사, 2012), 533면.
120) 준법지원인은 상근으로 선임하여야 한다(제542조의13 제6항).

그리고 준법지원인은 자신의 업무수행에 영향을 줄 수 있는 영업 관련 업무를 담당할 수 없다(상법 시행령 제42조). 준법지원인의 영업업무 제한은 점검대상이 되는 업무를 점검자가 동시에 수행하는 것을 제한한다는 의미와 과중한 영업업무를 담당함으로써 준법점검 업무에 장애가 되는 것을 방지한다는 두 가지 의미를 가지고 있다. 따라서 준법지원인이 다른 기관을 겸하는데 법령상 장애가 없다고 하더라도, 그 겸직이 실제적으로 과중한 업무를 수반하는 경우에는 상법시행령 제42조의 위반이 될 수 있다고 해석하여야 한다.

회사는 위에서도 언급한 바와 같이 준법지원인이 그 직무를 독립적으로 수행할 수 있도록 체제를 구축하여야 함은 물론이고, 임직원은 준법지원인이 그 직무를 수행할 때 자료나 정보의 제출을 요구하는 경우 이에 성실하게 응하여야 한다(제542조의13 제9항).

바) 의 무

준법지원인은 앞에서 설명한대로 기본적으로 직무수행에 있어 선량한 관리자의 주의의무를 부담해야 하며, 그 외에 영업상 비밀의무도 부담한다. 즉 준법지원인은 재임 중뿐만 아니라 퇴임 후에도 직무상 알게 된 회사의 영업상 비밀을 누설하여서는 아니 된다(제542조의13 제8항).

사) 책 임

준법지원인이 직무수행에 있어 선량한 관리자의 주의의무를 위반함으로써 회사가 손해를 입은 경우에는, 회사가 준법지원인에게 채무불이행으로 인한 손해배상을 청구할 수 있음은 물론이다(민법 제390조). 그리고 민사상 불법행위책임 등을 부담함은 별다른 설명이 필요 없다. 다만 이사나 집행임원 등과 다르게 상법상 회사나 제3자에 대한 손해배상책임에 관한 명문의 규정이 없어, 손해배상의 요건이나 제3자에 대한 직접적인 책임인정 여부 등에 관하여는 논란의 소지가 있다. 준법지원업무를 전담하는 이사나 집행임원은 이사나 집행임원의 책임 규정을 직접적으로 적용하면 충분할 것으로 보이나, 그 외의 준법지원인의 경우에는 법적 근거 없이 해석을 통하여 책임을 부과하기 어렵기 때문에 빠른 기일 내에 입법적 해결방법을 찾아야 한다.[121] 준법지원인의 직무성격상 제3자에 대

---

121) 박세화, "준법지원인제도의 안정적이고 효율적인 운용을 위한 법적 과제,"「상사법연구」제 30권 제2호(한국상사법학회, 2011), 285면.

한 책임을 인정할 필요가 없다는 주장도 있을 수 있으나, 제3자의 손해전보의
수월성을 생각한다면 임무해태가 분명한 준법지원인에게 이에 상응하는 책임을
인정하는 것이 무리한 논리는 아니라고 본다.[122] 준법지원인은 본질적으로 이사
회의 직무인 준법업무를 대신하여 수행하는 자라는 측면에서 집행임원과 유사한
직무상 관계구조를 가지고 있으므로 집행임원의 책임 조항(제408조의8)과 동일한
준용 규정을 입법하는 것을 고려해볼 필요가 있다.[123]

3) 준법통제체제 관련 규정의 위반의 효과

상법 제542조의13의 적용을 받는 회사가 준법지원인을 선임하지 않는 등의
위법을 한 경우에는, 법령위반이기 때문에 그 회사의 이사들은 회사나 제3자에
대하여 손해배상책임을 부담하거나 해임청구소송의 대상이 된다고 하겠다.[124]
또한 이사회의 지침에 따라 성실하게 준법통제체제를 구축하고 운용하여야 하는
대표이사나 대표집행임원이 이를 게을리한 경우에도 회사나 제3자에 대하여 손
해배상책임을 부담한다(제399조, 제401조). 준법지원인제도의 규정을 위반한 경우
에 대한 직접적인 제재규정이 없어서 제도의 실효성에 의문을 제기하는 견해도
있다.[125] 이러한 주장은 제재 없는 강제의 문제점을 지적한 것으로 형식적으로
는 설득력이 있지만, 준법통제제도의 생래적 속성상 경영진의 자율적이고 적극
적인 참여의지 없이는 제도의 입법목적을 실질적으로 달성하기 어려운 만큼, 기
업에게 불필요한 거부감을 유발하면서 실질적인 규제실효성이 적은 제재 규정을
도입하는 것만이 능사는 아니라고 본다.

4) 인센티브 부여 제도

상법상의 준법통제체제를 성실하게 구축하여 운용하는 회사는, 주요주주 등
이해관계자가 제542조의9를 위반하여 신용공여를 함으로써 부과받은 (회사의)
벌금형이 면제된다(제634조의3). 특정 벌금형에 국한된 제한적 조치이기는 하지
만, 이러한 양벌 면제규정은 기업들이 자율적으로 합리적 수준의 준법통제시스

---

122) 임재연, 「회사법 II」 개정7판(박영사, 2020), 670면.
123) 박세화, "상법상 준법통제프로그램에 관한 실무적 쟁점 및 입법적 정비방안에 관한 고찰,"
     「상사법연구」 제33권 제2호(한국상사법학회, 2014), 147~148면 참조.
124) 홍복기 외 7인, 「회사법 – 사례와 이론」(박영사, 2012), 366면; 최준선, 전게서, 627면; 이
     철송, 전게서, 897면.
125) 정찬형, 「상법강의(상)」 제24판(박영사, 2021), 1144면.

템을 구축하여 운용하도록 유도하기 위한 입법적 조치라고 볼 수 있다.

그렇다면 회사가 상법 제542조의13에 따라 준법통제기준을 마련하고 준법지원인을 선임하면 상법 제634조의3에 따라 일단 회사의 형사책임이 면책되거나 감경되는가? 그렇다고 해석하여야 한다. 다만 검사가 당해 회사가 형식적으로는 준법통제체제를 완비하였으나 불성실하게 운용하여 유효한 준법통제체제가 아니었음을 입증한다면 회사의 책임은 면책되지 않는다. 그런데 제634조의3은 준법통제체제의 성실한 구축과 운용이 해당업무에 관하여 상당한 주의와 감독을 게을리하지 아니한 경우의 한 예인 것처럼 표현하고 있어, 다른 면제사유의 인정 여부나 준법통제체제는 적절하게 구축하여 유효하게 운용하고 있었지만 해당업무에 대한 주의와 감독이 소홀했던 경우를 상정해보아야 하는 가에 대한 논의가 있다. 준법통제체제의 인센티브규정으로서의 의미를 고려하고 준법통제업무가 점검 및 감독에 초점이 있어 해당업무의 감독소홀은 많은 경우 체제운용의 불성실로 귀결될 가능성이 높다는 점을 감안한다면, 별도로 나누어 검토하기보다 검사가 해당업무의 감독소홀이 준법통제제도의 운용이나 유효성에 있어서 중대한 결함에 이를 정도라는 것을 입증을 하지 못하는 한 회사가 면책된다고 해석하는 것이 옳다고 본다.

4. 준법통제기준의 설계에 있어서의 실무상 주요 쟁점

가. 서   설

기업들이 준법통제체제를 구축함에 있어 우선적으로 해야 하는 과제가 각 기업에 적합하고 실효적인 준법통제기준을 설계하는 것이다. 상법 제542조의13 및 관련 시행령의 적용을 받는 상장회사는 준법통제기준에 상법과 동시행령이 정하고 있는 필수적 사항은 물론이고 각 기업의 규모나 영업형태, 조직구조 등을 고려하여 필요한 사항을 체계적으로 담아야 한다. 따라서 법령이 요구하는 것은 이들 기업들이 갖추어야 하는 최소한의 필수적인 요건인 만큼, 기업에 따라서는 법령 요구사항을 갖춘 경우에도 합리적이고 적절한 준법통제기준을 마련한 것으로 인정받지 못할 수도 있다(특히 법원에서). 대규모 기업들은 자신들의 영업이나 조직 규모에 적합한 조금 더 높은 수준의 준법통제기준을 설계하여 구축하여야 한다는 것을 유념할 필요가 있다.

상법 시행령 제40조은 준법통제기준 사항을 구체적으로 열거하고 있는데, 이들 사항들은 COSO보고서가 취하고 있는 프로세스인, '통제환경의 조성→ 위험의 평가 및 관리→ 통제활동→ 정보의 소통체제→ 체제의 유효성 평가'라는 프레임을 바탕으로 설정한 것이다. 많은 상장기업들에게 준법통제의 기본 프로그램을 제공한 '상장회사 표준준법통제기준'도 이러한 프로세스를 바탕으로, 제1장에는 총론적 내용을 담고 제2장에는 준법통제환경에 대한 사항을 제3장에는 준법통제활동 그리고 제4장에는 유효성 평가에 관한 사항 등을 정하고 있다. 법적 위험의 평가 및 관리 그리고 정보나 문서의 소통에 관한 사항은 표준통제기준의 간결성과 이해의 편의성을 위하여 제3장에 모아서 규정하였다. 이러한 표준통제 모델은 기업들이 준법통제기준을 결정하는데 최소한의 모델이 될 수 있을 것으로 보인다.

나. 적법하고 합리적인 준법통제기준을 위한 주요 사항의 검토

1) 준법통제기준의 목적 설정

준법통제기준을 제정하여 시행하는 목적은 모든 임직원이 업무를 수행함에 있어서 법령을 준수하고 투명하고 공정한 자세를 갖도록 함으로써 회사의 발전을 도모하고 바람직한 기업문화를 조성함에 있다. 기업들은 준법통제기준을 통해 이 같은 목적을 분명하게 선언할 필요가 있다.

다만 준법통제기준에 기업윤리에 관한 사항을 포함하여 규정할 것인가에 대한 검토가 필요하다. 준법통제기준은 준법지원인의 업무범위를 결정하는 기준이 되는데 추상적이고 불명확한 개념인 기업윤리개념을 도입하는 경우 준법지원인의 직무범위에 관한 불필요한 논란이 발생할 수 있고 자칫 업무범위가 지나치게 확대되어 준법지원인의 활동에 지나친 부담을 줄 수 있다는 지적이 있다. 그렇지만 준법적 업무수행은 제반 법령이나 규칙의 준수이외에도 임직원의 정직과 성실한 태도, 이해상충 회피 자세, 회사자산이나 정보의 신중한 처리, 환경 및 기술 안전에 대한 바른 의식 등 윤리적 의식이나 자세가 바탕이 될 때 완전해진다.[126] 임직원의 윤리의식이 미흡하면 법령 위반의 발생가능성이 커진다. 이

---

126) 기업의 임직원이 법령 및 제반 규칙을 준수한다는 것은 기업들이 기업윤리 및 사회상식에

같은 이유에서 국내외 유수한 기업들은 임직원의 준법행동기준을 설계함에 있어 윤리강령이나 윤리적 행동지침을 비중 있게 다루고 있다. 따라서 준법통제기준에 윤리적이고 공정한 기업활동에 관한 임직원의 의무와 자세를 천명하고 하위 규정인 '행동강령이나 지침'[127)에 구체적인 자세나 행동방침을 규정하는 것이 바람직 할 것으로 보인다.[128)

2) 준법통제 관련 제반 규정의 체계화와 기업집단에서의 확장된 체제 구축

준법통제기준을 제정하면서 회사내에 존재하는 준법통제의 제반 규정을 체계화하여야 한다. 먼저 준법통제기준과의 조화를 위하여 정관을 정비하고, 준법통제기준을 회사 내 최상위 실무 규정으로 하여 하위 강령이나 지침을 마련하고 다른 기존 규정과도 조화를 이루도록 정비하여야 한다. 회사의 규모나 영업조직 양태에 따라 차이가 있을 수 있으나, 하위 강령이나 지침에는, 동일한 법적 위험의 종류나 형태를 기준으로 부서들을 단위화(unit)하여, 단위별로 상세한 내용이 담기도록 하는 것이 바람직하다.

준법통제체제는 위법·부당한 행위를 사전에 예방하는 전체적이고 프로세스적인 성격이 강하므로, 유기적으로 연결되어 있는 회사 전 업무과정을 실효적으로 통제할 수 있도록 설계되어야 한다. 따라서 당해 회사뿐만 아니라 자회사나 계열회사 그리고 영업상 대리인 등과 연계된 통제시스템을 구축하고 이 들에게도 준법통제기준이 적용되도록 할 필요가 있다.[129) 즉 모회사가 자회사나 계열회사를 포함하는 기업집단 차원의 연결된 준법통제체제를 구축하고 모회사의 준법지원인이 자회사나 계열회사의 준법지원 부서를 제도적으로 관리할 수 있도록 하는 것이 바람직하다.

3) 준법통제기준 및 준법통제 관련 규정의 제·개정 권한 및 절차

준법통제기준의 제정 및 개정의 권한이 이사회에 있음은 상법이 정하는 바이다(제542조의13). 대표이사나 대표집행임원이 준법통제기준의 제·개정안을 작성하고 이를 이사회에 상정하여 결정하는 것이 보통일 것이다. 이 같은 이사회의

따르고 다양한 이해관계자의 기대에 부응하여 공개적이고 공정한 기업활동을 한다는 목적을 달성하기 위하여 반드시 지켜야 하는 과정 중의 하나로 보는 것이 옳다.
127) 이하에서 '하위 강령이나 지침'으로 칭하고자 한다.
128) 상장회사 표준준법통제기준 제1조 [참고] 참조.
129) 상장회사 표준준법통제기준 제3조 [참고] 참조.

준법통제기준 제·개정권한은 그 중요성으로 보아 대표이사나 대표집행임원에 위임할 수 없다고 보아야 한다. 다만 내용의 실질적 변경이 아니고 단순한 자구의 수정이나 법령의 변경에 의한 용어변경 또는 법령에 구속되어 그 대로 준법통제기준에 반영될 수밖에 없는 경우 등은 예외적으로 대표이사나 대표집행임원이 이사회 결의 없이 변경할 수 있다고 보아야 한다. 물론 이런 경우 대표이사나 대표집행임원의 변경권은 이사회의 권한을 침해하는 결과가 발생하지 않도록 엄격하게 해석되어야 한다.

준법통제 관련 하위 강령이나 지침의 제·개정은, 준법지원인이 각 담당부서 책임자로부터 제출받은 정리된 자료를 바탕으로 입안하고 준법통제위원회와 같은 실무합의체 기구의 심의를 거쳐,[130] 대표이사나 대표집행임원이 이사회에 상정하거나 이사회로부터 위임을 받아 결정할 수 있다고 본다. 기업들은 준법통제기준에 이 같은 하위규정의 제·개정권한이나 정비절차를 구체적으로 정하여 놓는 것도 좋은 방안이다.

4) 준법통제체제에 있어서의 기관의 역할 및 업무분장 규정

준법통제기준은 회사의 각 기관들의 역할과 업무분장에 관하여 법령과 기업지배구조 원리에 부합하는 선명한 규정을 포함하고 있어야 한다. 이는 각 기관들이 준법통제체제하에서의 자신들의 역할과 업무를 올바르게 이해할 수 있도록 함과 동시에 책임관계도 분명하게하기 위함이다.

가) 이사회

이사회는 준법통제기준 및 준법통제체제의 중요한 사항을 결정한다.[131] 이사회는 준법통제기준 자체를 작성해야 함을 물론이고 준법통제기준에서 이사회의 결정사항으로 하고 있는 사항에 대하여 그 구체적 내용을 결정해야 한다. 그 외에도 체제의 기본 방침에 해당하는 사항이라면 이사회가 결정하는 것이 원칙이다.[132]

---

130) 준법지원인, 준법지원부서와 같은 컴플라이언스 전담기구 이외에, 기업의 핵심적 영업활동에 있어서의 실효적 준법을 위하여 "영업책임자·준법통제위원회(Business Manager Compliance Committee)"와 같은 통합적 기구를 설치하는 것도 바람직하다.
131) 상장회사 표준준법통제기준 제6조 제1항 참조.
132) 준법통제체제의 기본방침 및 주요내용은 주로 "임직원의 법령, 정관 및 각종 계약의 준수에 관한 사항, 준법통제 관련 사안에 대한 이사회의 처리기준 및 적정한 운영 절차에 관한 사항, 임직원의 준법교육 실시 및 준법 점검에 관한 사항, 위법한 업무집행의 보고 및 Hot 또는 Help Line 구축에 관한 사항, 준법점검을 위한 정보의 보관 및 관리에 관한 사항, 준법

또한 이사회는 준법통제체제의 구축뿐만 아니라 준법통제체제가 제대로 운용되고 있는지를 감독하여야 하고, 체제의 유효성을 평가하는 작업도 주도적으로 수행하여야 한다.

이처럼 가장 높은 단계에서 준법통제체제를 총괄하는 이사회는 이 모든 역할과 기능을 수행하는데 현실적으로 어려움이 클 것으로 판단된다. 따라서 일정 규모 이상의 기업들은 여러 부속기구를 설치하여 운용하는 것이 바람직할 것으로 보인다. 예를 들어 정기적으로 이루어지는 유효성 평가 작업은 감사기관에 위임하거나 내부감사파트에 특별 부서를 설치하는 방식을 채택할 수 있다고 본다.[133]

다만 여기서 다시 환기시키고 싶은 것은 상법이 규정하고 있는 준법통제체제는 대상회사가 갖추어야 하는 최소한의 모습이므로, 각 기업들이 상법상 준법통제체제의 요건을 모두 갖추었다는 것만으로 법적 근거 없이 기업들이 책임을 감면받거나 이사들이 적법한 경영을 위한 선관의무를 다했다고 인정받을 수 있는 것은 아니라는 점이다. 따라서 이사회는 자신들의 기업에 적합한 수준이 무엇인지를 신중히 판단하여야 한다.

나) 대표이사(또는 대표집행임원)

대표이사나 대표집행임원은 준법통제기준 및 이사회가 정한 바에 따라 준법통제체제를 현실적으로 작동 가능한 상태로 구축하여 운용하여야 한다. 대표이사나 대표집행임원은 준법통제체제의 운용에 있어서 실무적 지휘자이므로 준법통제 세부정책을 마련하고 운용상황을 상시 감독하여야 한다. 다만 준법통제업무를 전담하는 집행임원이 선임된 경우에는 이 같은 업무의 대부분을 '준법지원집행임원(Compliance Officer)'이 담당하게 될 것이다. 향후 어느 정도의 규모를 갖춘 상장회사라면 대부분 집행임원제도를 활용할 것으로 보이는데, 그렇게 되면 이사회는 준법통제체제의 기본골격만 설계하고 집행임원그룹에서 세부체제의 구축 및 실질적인 지휘업무를 담당하게 될 것으로 예상한다.

통제체제의 유효성 평가체제에 관한 사항, 기업집단의 경우 그룹전체 차원의 준법통제체제의 설계 및 운용에 관한 사항 등"을 의미한다고 하겠다. 이러한 사항들은 주로 준법통제기준에 포함될 것으로 보이나 만일 규정화 되어 있지 않아도 이사회 결정사항이다.

133) 상장회사 표준준법통제기준 제6조 제3항 참고 2 참조.

다) 감사(또는 감사위원회)

준법통제제도와 관련하여 가장 첨예했던 논쟁 중의 하나가 준법지원인과 감사기관의 기능 또는 직무상의 혼선 및 충돌에 관한 문제였다. 즉 감사가 일상적 업무집행 및 이사의 직무에 속하는 일체의 사항에 대하여 적법성을 판단할 권한 가지고 있기 때문에 불필요한 중첩적 점검이나 직무상 혼선의 부작용이 클 것이라는 것이었다. 그렇지만 이러한 주장은 준법지원체제를 경영상 업무집행과 결합되어 있는 프로세스로 이해하지 않고, 경영진에 대한 또 하나의 감시·견제체제로 파악하는 데에서 기인한다. 위에서도 설명한 바와 같이 감사와 준법지원인은 지배구조측면에서 서로 다른 위치에 서 있다. 감사는 적법성의 조사나 조사결과에 대한 조치에 있어 주로 사후에 법정 방법에 의하여 제한적으로 행사되는 것이 보통이지만, 준법지원인은 상시적이고 다양한 방식으로 예방조치나 준법점검 그리고 시정조치의 건의를 수행하는 자라는 점에서, 설사 특정 업무수행에 대하여 양자의 중첩적인 준법점검이 이루어져도 기업에 혼선이나 불이익을 발생시킬 소지가 거의 없다고 본다. 각 기업들은 준법통제기구의 지배구조적 역할 및 기능을 분명히 이해하고 준법통제기준 및 제반 규정을 정비하고 운용하여야 한다.

준법통제체제에서 준법통제사항은 감사기관의 실사(實査)의 대상이다. 앞에서도 누누이 강조했다시피 준법통제체제의 구축 및 운용에 관한 사항은 업무상 법적 위험의 관리라고 하는 일종의 이사회의 권한사항에 속하는 것이기 때문이다.[134] 업무감사권이 있는 상법상 감사기관은 적정하고 유효한 준법통제체제가 구축되고 운용되고 있는지를 감사할 권한과 의무가 있다. 감사는 이를 위해 준법지원인에게 일정한 사항의 보고를 요구하거나(제412조 제2항), 이사회의 소집을 청구하거나 출석하여 점검 및 평가내용을 진술할 수 있고(제412조의4 제1항, 제391조의2 제1항), 준법통제체제에 법령 또는 정관에 반하는 중대한 사항이 있는 경우에는 이사회에 보고하거나(제391조의2 제2항) 감사보고서에 이를 기재할

---

134) 감사는 이사 개개인의 직무집행뿐만 아니라(제412조 제1항), 이사회의 권한사항도 감사대상으로 한다(이철송, 전게서, 871면). 따라서 감사는 이사회의 적정한 운영 및 이사회규칙의 내용이나 준수여부 등을 감사하게 되므로, 감사는 준법통제체제의 구축과 운용에 대한 일반적인 감사뿐만 아니라 이사가 준법통제기준을 철저하게 주지하고 있는가? 준법통제기준에 관한 모니터링을 지속적으로 하고 있는가? 이사들의 준법통제에 있어서의 선관의무가 이사회에서 검증되고 있는가? 등을 살펴볼 수 있다.

〈표 2〉 감사기관과 준법지원인과의 비교

항목	감사(또는 감사위원회) (제409조~제415조의2)	준법지원인 (제542조의13)
회사와의 관계	위임관계	
법적 성격	경영진의 업무집행과 대표행위를 주주의 입장에서 견제·감시하는 감사기관	회사 임직원의 준법통제기준 준수여부를 점검하여 이사회에 보고하는 이사회 지원조직
기관성	있음	없음
이사직 겸직	불가 (단, 감사위원회 위원은 별론)	가능
직무	1. 이사의 직무집행 또는 이사회의 권한사항에 대한 감사 (업무감사권·회계감사권) 2. 이사의 보고를 수령하고 이에 대한 적절한 조치 실행(주주총회 소집청구, 유지청구권행사, 이사·임직원에 대한 책임추궁이나 제제 등) 3. 이사회 및 주주총회에 출석하여 보고하거나 의견진술 4. 외부감사인 선임의 승인 5. 감사록, 감사보고서의 작성 6. 준법지원인의 통보나 점검 요구에 대한 검토 및 후속조치 실행 7. 감독당국이나 규제기관에 제출하는 재무관련 보고서 등 제출자료의 사전 검토 8. 기타 법령이 정하고 있는 직무	1. 임직원의 준법통제기준 준수여부 점검·보고·시정조치 실행 2. 준법통제기준의 하위 규정인 '강령 또는 지침'의 입안 및 개선 건의 3. 법적 위험 평가 및 관리시스템의 설계 및 지도 4. 준법통제 교육 및 훈련프로그램의 입안 및 실행 5. 회사의 중요 거래 및 정책에 대한 법적 자문 및 지원 6. 회사의 일상 결재라인에서의 참여 (협조결재 및 법적 검토 의견 표명) 7. 준법지원부서의 운영 8. 준법점검 결과 및 관련 문서의 관리·보관 9. 준법 관련 내부제보처리나 상담제도 운영 10. 준법지원부서의 유효성 자체 평가 및 준법통제체제 유효성 평가를 위한 정기평가회 실무적 총괄 11. 감독당국이나 감사조직과의 협조 및 지원 12. 기타 준법점검에 관한 사항
보고(의견 진술) 기관	주주총회·이사회	이사회
상법상 책임규정	있음(상법 제414조)	없음

수 있다(제447조의4 감사보고서 제10호).[135] 실무적으로 준법통제체제의 유효성에 대한 평가를 감사기관에서 담당할 가능성도 크다. 원칙적으로 준법통제체제의 유효성 평가의 책무는 이사회에 있지만, 현실적으로 이사회는 준법통제체제의 유효성 평가를 전문 평가위원회나 감사기관에 위임하는 것이 가능하다. 감사기관이 준법통제체제의 유효성 평가업무를 담당하게 되면 실효적 평가가 가능하도록 준법통제 관련 정보의 원활한 수집 및 전달이 용이한 시스템이 형성되어 있는지가 매우 중요하다. 준법통제기준이나 하위 강령 또는 지침에 이러한 사항이 구체적으로 적시될 필요가 있다.

위와 같이 여러 측면에서 검토해 볼 때 준법지원인과 감사는 독립적인 위치를 유지할 필요가 있기 때문에 상호 겸직할 수도 없고, 준법지원인이 감사의 하부조직이 될 수도 없다.[136] 감사가 이사나 상업사용인의 직무를 겸하지 못한다고 규정하고 있는 상법 제411조의 입법취지를 볼 때에도, 감사가 이사회를 지원하는 업무를 수행하는 준법지원인을 겸할 수 없음은 명백하다.[137][138]

라) 내부감사부서

기업들 중에는 감사기관과 별도로 내부감사부서를[139] 설치하는 경우가 흔하게 있는데, 이 들은 준법통제체제 속에서 어떤 기능을 수행하도록 설계하는 것

---

135) 준법통제업무에 대한 감사권은 아래와 같은 내부통제체제에서의 논의가 그대로 적용된다고 볼 수 있다. 기본적으로 감사기관은 내부통제체제 구축에 대한 이사회의 판단 그리고 이사회가 결정한 이의 기본방침 및 개요, 이사회의 지침에 따라 대표이사나 대표집행임원이 상세한 실행시스템을 적절하게 정비·운용하고 있는지 여부 등을 감사하게 된다(제393조 제1항, 제412조 제1항 참조). 이 같은 감사의무(監査義務)는 감사의 선관주의의무의 내용을 구성한다. 감사가 내부통제체제의 구축 여부 및 그 정도를 판단함에 있어 핵심적인 것은 이사들이 선관주의의무나 충실의무를 위반하였는가이다. 따라서 이사회나 대표이사의 내부통제행위에 대한 감독구조 그리고 내부통제체제의 유효성 평가시스템의 실효성 등도 감사대상이 될 수 있다. 다만 감사범위와 관련하여 적법성 감사설을 취하는 경우, 내부통제체제의 효율성·적절성 등 타당성의 문제가 감사대상이 되는가에 관하여 부정적 견해가 있을 수 있다(이철송, 전게서, 875면 참조).
136) 상장회사 표준준법통제기준 제6조 참고 1 참조.
137) 이사직을 겸하고 있는 준법지원인은 상법 제411조에 따라 감사와의 겸직이 법적으로 불가하고, 그 외의 경우도 상법 제411조가 이사뿐만 아니라 상업사용인까지 겸직제한 대상으로 한 것으로 보아 이사회의 지휘감독을 받는 자는 감사의 독립성과 객관성 보장을 위하여 겸직을 제한하고 있다고 해석하여야 하므로, 이사회나 대표이사를 대신하여 준법업무를 전담하는 자인 준법지원인은 이사가 아닌 경우에도 감사와의 겸직이 불가하다고 보아야 한다.
138) 동지: 최문희, 「주석 상법」 제6판[회사 5](한국사법행정학회, 2021), 851면.
139) 본 글에서 설명하고 있는 내부감사인 또는 내부감사부서란 상법상 감사(監事)나 외부감사인과 구별되는 회사내부의 임의적 감사부서이다.

이 바람직한가?

준법통제체제와 연결하여 내부감사인(부서)의 역할을 검토해보면, 준법통제체제가 제대로 운용되고 있는지 감독하고 더 나아가 시스템을 평가하여 문제점과 불비에 대하여 개선 제안을 하는 작업에 참여할 수 있는 위치에 있다고 보아야 한다. 내부감사인은 보통 대표이사나 대표집행임원의 지휘 하에 각 부서별 담당업무를 식별하고 위험통제활동에는 어떤 것이 있는지 그리고 그 통제활동은 적절하게 운용되고 있는지를 검토하게 된다. 따라서 준법통제체제는 법령이나 준법통제기준 등에 의하여 기업의 업무집행구조와 결합되어 작동되는 것이므로, 특별한 대상으로 감사범위가 제한된 특별 감사인이 아닌 한 내부감사인의 감사대상에 포함된다고 보아야 한다.[140] 이러한 내부감사부서의 설치 및 운용은 보통 이사회의 자율적 판단이다.

그러면 준법통제체제 속에서 감사(監事)와 내부감사인과의 관계는 어떻게 설정되는 것이 바람직할까? 결론부터 말하면 감사가 준법통제체제의 감독과 평가를 함에 있어 내부감사부서를 활용할 수 있다. 감사 스스로도 자신들의 업무감사나 준법통제체제이 유효성 평가를 위하여 내부감사조직과 연계를 시도할 수 있고 그럴 유인도 크다. 감사는 내부감사인에 대하여 준법통제의 유효성에 관한 조사를 요구하여 그 결과를 보고 받을 수 있고, 준법점검에 대한 자료나 준법통제의 유효성 판단을 위한 자료를 요구할 수도 있다. 이 같은 해석은 내부감사실의 특정 감사업무 보고를 경영진뿐만 아니라 감사에게도 보고하도록 하여, 감사기관의 감사권을 실질적으로 향상시키고자하는 경향과도 조화로운 설명이다. 다만 감사가 내부감사와 감사계획을 공동으로 책정한다거나 상시적인 보고·지시체계를 맺는다거나 하여 강력한 연계시스템을 수립한다면 이것은 자칫 감사의 독립성을 저해하거나 겸임제한제도의 취지(제411조)에 반할 우려가 있다(내부감

---

140) 미국에 본부를 두고 있는 국제적 조직인 The Institute of Internal Auditors(IIA)는 "내부감사(Internal Auditing)란 회사 조직 내 업무의 유효성의 증진과 가치창출을 위해 고안된, 독립적이고 객관적인 보증(assurance) 및 자문(consulting)행위를 의미한다. 그리고 내부감사는 경영상 위험관리(risk management)·통제(control)·지배구조(governance process)의 유효성을 증진·평가하기 위한 체계적이고 훈련된 접근을 통하여 회사의 목적달성에 기여 한다"라고 설명하고 있다. 이는 내부감사가 지향하는 바가 독립적·특정적 평정에서 통합적 평가로 변화해가고 있다는 것을 알 수 있다.
(http://www.theiia.org//guidance/standards-and-practices/professional-practices-framework/definition-of-internal-auditing)

사인이 이사인 경우 더욱 더 문제가 됨). 감사위원회 설치회사의 경우는 조금 더 내부감사부서와 감사위원회와 밀접하게 연결되어 있는데 이것은 구조적인 문제로 여기서 논의할 사항은 아니다.

필자의 입장에서 제기되는 논점을 정리해보면, 감사와 내부감사인과의 유기적 연계활동을 보장하는 것은 내부감사인이 감사의 업무수행에 부당하게 간섭하거나 영향을 미칠 수 있는 관계를 설정하는 것을 용인하거나 조장하는 것이 아니고, 감사가 준법통제체제의 운용상황이나 준법통제의 유효성 판단을 위하여 내부감사인을 통해 정보를 얻고 필요시 그들에게 조사를 하도록 지시하는 것이므로, 이를 일률적으로 부정적 시야로 바라보는 것은 온당치 못하다. 다만 기업들이 감사와 내부감사인의 연계적 활동에 내재적 한계가 존재함을 분명하게 인식할 필요는 있다.[141]

마) 법률자문부서(사내변호사)

회사가 사내변호사(In-House Counsel)를 선임하여 법률자문이나 기타 법무지원을 담당하는 조직을 가지고 있는 경우, 준법통제체제상의 준법지원부서와 직무상 교집합을 이루는 부분이 있게 된다. 이론적으로는 법률자문(legal)부서와 준법지원(compliance)부서를 그 기능과 역할 측면에서 나누어 설명할 수 있지만, 실무적으로는 양 부서를 통합적으로 운용하거나 기존 사내변호사를 준법지원인으로 선임하여 조직 전환을 하는 등의 탄력적 대응이 가능하다. Compliance제도가 비교적 오래전부터 활용되어온 영미권에서도 양 부서의 운용에 관하여 정답에 가까운 하나의 모델을 보여주고 있지 않다.[142] 준법지원인은 준법통제체제의 실무 지휘자로서 회사 법적 위험의 탐지·조사하고 그 결과를 보고하는 직무를 수행하는 자이기 때문에 변호사-고객 간 비밀보호에 관한 특권관계(attorney-client privilege) 등에 있어 사내변호사와 다른 취급이 필요하다.[143] 그렇지만 기

---

141) 日弁連法務研究財團 編, "會社法制からみた紛爭の解決·回避," 「商事法務」, 2004, 33~34面; 土田 義憲, 「會社法の內部統制システム―取締役によゐ整備と監査役の監査」(中央經濟社, 2006), 110~111面; 柿崎 環, 「內部統制の法的硏究」(日本評論社, 2005), 389面 참조.

142) 2009년 미국 OCEG(Open Compliance and Ethics Group)가 발표한 조사결과에 따르면 응답회사 중 23%정도가 준법통제 업무부서 수장이 법무부서를 함께 지휘하고 있다고 한다. Richard M. Steinberg 지음·노동래 옮김, 「거버넌스 리스크 관리 컴플라이언스」(연암사, 2013), 91면 참조.

143) 박세화, 상법상 준법통제프로그램에 관한 실무적 쟁점 및 입법적 정비방안에 관한 고찰," 「상사법연구」 제33권 제2호(한국상사법학회, 2014), 126~127면.

업에 따라서는 사내변호사가 일상적인 법적 위험 검토에 참여하거나 경영일선 및 행정업무까지 담당하는 경우도 있고, 준법지원인이 상위 직급을 가진 경우에는 고도의 정보를 공유하면서 경영판단을 하거나 회사의 기본 프레임구성에 관한 법적 판단 중심의 직무를 수행하는 경우도 있어, 양 부서의 분리체제가 우월한 모델이라고 단언할 수도 없다. 결국 기업마다 자신들의 내부조직 형태·규모나 직면한 법적 규제 환경 그리고 비용부담능력 등을 고려하여 판단할 사항이다. 다만 적절한 수준의 내부통제체제를 구축·운용할 의무를 지는 이사회는 자신들이 구축하여 운용하는 준법통제체제가 적절한 규모로 효율적으로 작동하는 시스템인가 여부를 판단함에 있어 양 부서의 운용체제를 살펴보아야 한다.[144]

5) 준법지원인에 관한 주요 사항 검토

가) 준법지원인의 해임요건의 강화

준법지원인의 임면은 이사회의 권한 사항으로(제542조의13 제4항) 정관이나 준법통제기준으로 다른 기관에게 임면권을 부여하거나 위임할 수 없다. 준법지원인의 임면은 상법상 아시회의 결의요건인 이사의 과반수 출석과 과반수 찬성으로 이루어지는 것으로 보아야 하나(제391조 제1항), 정관에 근거규정을 두고 준법통제기준으로 그 요건을 강화할 수 있다(제391조 제1항 단서). 특히 준법지원인의 해임은 이사의 3분의 2 이상의 수로 하는 것이 바람직 할 것으로 보인다. 또한 준법지원인의 임기를 법정화하고 독립적 업무수행을 강조하고 있는 상법의 입장을 감안할 때(제542조의13 제6항, 제9항, 제10항), 준법통제기준에서 준법지원인의 임기 중 해임에 대하여는 그 해임사유를 구체적으로 정하고 증거 제시나 입증책임이 회사(이사회)에 있음도 분명하게 규정하는 것이 바람직하다.[145] 또한 준법지원인 해임결의를 위한 이사회에서는 준법지원인에게 소명기회를 반드시 부여할 필요가 있다.

또한 준법지원인이 해임되는 경우 업무의 중대성을 감안할 때 신속하게 새로

---

144) 박세화, 상법상 준법통제프로그램에 관한 실무적 쟁점 및 입법적 정비방안에 관한 고찰," 「상사법연구」 제33권 제2호(한국상사법학회, 2014), 127~128면.

145) 예를 들어, "준법지원인은 회사의 징계 관련 규정상 ○○ 이상의 징계에 처할 수 있는 사유가 있는 경우나 신체적·정신적으로 준법지원인의 업무를 수행하기에 현저하게 부적합경우 이외에는 임기 중 해임되지 아니한다."라고 정하는 것도 가능하다(상장회사 표준준법통제기준 제7조 제2항 [참고] 참조). 인사규정뿐만 아니라 하위 강령이나 지침에 준법지원인의 징계에 관한 사항을 다른 임직원의 징계와 다르게 규정할 수도 있다고 본다.

운 준법지원인을 선임하여 업무의 연속성을 유지하여야 한다.146) 이와 관련하여 "준법지원인이 해임되어 준법지원업무가 공백이 발생하는 경우에는 ○개월내에 이사회를 개최하여 신임 준법지원인을 선임하여야 한다"고 규정하여 신속한 조치를 구체적으로 규정화하는 것도 고려해 볼만하다.

나) 준법지원인의 직무 규정의 구체화

기업들은 준법통제기준에 준법지원인의 권한 및 의무에 대하여 구체적으로 규정하여야 한다. 상장회사 표준준법통제기준 제9조 제1항에서 정하고 있는 아래와 같은 사항은 필수적으로 준법통제기준에 담겨야 한다고 본다.

"1. 준법에 관한 교육과 훈련프로그램의 시행(기업에 따라서는 윤리경영 의식의 함양을 위한 프로그램을 포함하여 시행),147) 2. 준법통제기준의 준수 여부에 대한 정기 또는 수시의 점검 및 보고, 3. 준법지원인의 업무수행에 있어 필요한 정보·자료의 수집과 제출요구 및 진술의 요구, 4. 임직원에 대한 준법 요구 및 위법하다고 판단한 사항에 대한 중지, 개선 또는 시정의 요구, 5. 준법통제기준 등을 위반한 임직원에 대한 제재 요청, 6. 준법통제업무와 관련하여 이루어지는 이사회 등의 출석 및 의견진술, 7. 준법 업무 보조 조직의 통솔 및 관련 부서 직원의 인사 제청, 8. 기타 이사회가 준법지원인의 권한으로 정하는 사항"

준법지원인은 준법 교육과 훈련프로그램을 시행하여 위법행위에 대한 예방적 조치를 취하고, 임직원의 업무전반에 있어서 준법통제기준 위반여부를 상시 점검하여 그 점검결과를 이사회 및 대표이사(또는 대표집행임원)에게 보고하여야 한다. 또한 이사회나 대표이사의 각종 관련 후속조치나 지시를 성실하게 이행하여야 함은 물론이다. 준법지원인은 전문성이나 지식(경험)의 부지를 이유로 자신의 직무수행의 과실에 대하여 항변할 수 없기 때문에 필요한 경우 외부 전문가의 조언이나 조력을 적극적으로 구하여야 한다.148)

---

146) 상장회사 표준준법통제기준 제7조 제3항.
147) 준법통제기준이나 하위 강령이나 지침 또는 교육프로그램에 담겨야 하는 윤리경영에 관한 사항으로는, "임직원의 공정하고 투명한 업무수행, 회사의 명예와 신용을 중시하는 자세, 사회적·도덕적 비난 가능성이 있는 행위의 금지, 회사와의 이해충돌가능성의 배제, 대외업무 수행에 있어 건전한 거래관계 유지, 자율적이고 창의적이며 공개적인 기업조직문화의 조성, 고객 이익의 최우선하는 자세" 등을 예로 들 수 있다.
148) 상장회사 표준준법통제기준 제9조 제2항.

다) 준법지원인의 독립적이고 효율적인 업무수행을 위한 장치 설계

준법지원인의 독립적 업무수행은 앞에서도 언급한 바와 같이, 준법 교육이나 점검의 결과를 다른 임직원 간섭 없이 이사회나 대표이사에게 정기 또는 수시로 용이하게 보고할 수 있는 체제를 갖추는 것이 핵심이다. 따라서 준법통제기준에는 이 같은 준법지원인의 독립적 업무수행이 확보되도록, 준법점검의 보고라인이나 제보라인을 선명한 내용으로 규정하여야 하며, 준법지원업무의 독립성과 실효성이 확보될 수 있는 수준의 고위직급으로 준법지원인을 선임하도록 규정하는 것이 바람직하다.

준법통제부서의 설치에 대하여는 법령이 구체적인 언급을 하고 있지 않지만, 많은 기업의 경우 합리적 준법통제기준으로 인정받기 위해서 준법지원부서의 설치에 대한 사항이 포함될 것으로 예상한다. 준법지원부서는 대표이사(또는 대표집행임원)가 준법지원인의 원만한 직무수행을 위하여 회사의 규모나 준법지원인의 수 등 여러 요소를 감안하여 설치하는 것이 보통일 것이다. 그렇지만 준법지원 부서에서의 중심적 역할은 준법지원인일 수밖에 없으므로 준법지원인은 대표이사에게 준법지원부서의 구성원이나 규모에 대하여 추천 및 의견표명을 주도적으로 할 수 있는 위치에 있다. 준법통제기준에 준법지원인의 준법지원부서 구성원의 추천 및 운영에 대한 권한을 명시할 필요가 있다. 또한 준법통제기준이나 하위 강령이나 지침에 준법지원부서 구성원의 결격사유나 신분보장에 대한 규정을 포함하는 것도 의미가 있다. "일정한 기간 회사 근무경력을 요구하거나 법률지식과 경험을" 요구한다거나, "횡령·배임 등의 청렴에 관한 위법행위로 처벌받은 경험이 있는 자를 배제할 수도" 있고, "기타 준법지원인이 준법통제업무수행에 현저하게 부적합하다고 판단되는 자를 배제하는" 방식의 규정을 둘 수도 있다.

라) 준법지원인의 겸직 제한에 대한 이해

감사와는 달리 자격을 갖춘 이사는 준법지원인의 지위를 겸할 수 있다고 본다. 다만 감사위원인 이사는 준법지원인과 겸직할 수 없고, 사외이사도 이사회 내에서의 기능이나 비상근성·자격제한성 등을 감안할 때 현실적으로 겸직이 어려울 것으로 본다. 이 같은 겸직 금지의 법리는 준법통제기준의 규정여부와 상관없이 적용되는 것으로 명문화가 큰 의미를 갖지는 않는다.

다만 기업들이 준법지원인의 상근직 사내이사 겸직을 고려할 때는 장·단점에 대한 신중한 판단을 해주었으면 한다.[149] 준법지원인이 이사 중에서 선임되는 경우 이사회의 의사결정단계에서 부터 준법점검이 가능하고 회사의 운영에 밝은 이사가 준법지원업무를 수행하게 되어 위험성 판단이나 점검의 효율성 측면에서 유익한 면도 있다고 생각된다. 그렇지만 이사회가 의도적으로 위법경영을 시도하는 경우 준법통제기능이 급격히 무력화될 수 있다는 간과할 수 없는 단점도 있다.

여기에서 기업들이 주의할 것은 이사나 집행임원의 고유 업무가 별도로 존재하는 경우, 이 때문에 준법지원의 직무수행에 있어 장애가 생긴다면 이러한 겸직은 어떤 경우에도 허용되어서는 안 된다는 점이다(상법 시행령 제42조).[150] 즉 겸직을 허용할 것인가의 판단은 준법지원인이 자신의 업무수행에 영향을 줄 수 있는 회사의 영업에 관한 업무를 담당할 수 없다는 법령상 제한을 실질적으로 함께 고려해야하는 경우가 많은 것이다.[151]

그런데 당해회사가 아닌 다른 회사의 이사나 감사, 준법감시인 등의 직위는 겸직할 수 있는가를 살펴볼 필요가 있다. 이 같은 사외겸직에 대하여, 다른 회사 직위의 상근성을 기준으로 하여 다른 회사의 대표이사나 사내이사, 상근감사, 준법감시인 등은 겸직할 수 없으나 다른 회사의 사외이사 기타 비상근이사, 비상근감사 등은 겸직이 가능하다는 견해가 있다.[152] 그렇지만 준법지원인은 겸직하는 지위가 상근이든 비상근이든 실질적으로 상시적 준법업무수행에 장애가 되면 상법 위반을 구성한다고 보아야 한다. 이렇게 해석하는 것이 준법지원인의 상근성이나 영업업무제한을 명문으로 규정한 입법취지에 부합한다고 생각한다(제542조의13 제6항 후문, 상법 시행령 제42조). 준법지원인의 상근성을 명문으로 보장한 것은 기존의 자문변호사시스템과 구별되는 중요한 요소이고 정력분산방

---

149) 준법지원인을 선임한 상장회사 108개사 중 조사에 응답한 104개 회사 중에서, 준법지원인의 회사내 직위가 이사나 집행임원인 경우는 3개사였다는 통계가 있다(정준우, "준법경영의 확립을 위한 준법지원인제도의 문제점 및 개선방안,"「상사법연구」제34권 제2호(한국상사법학회, 2015), 443면).

150) 상장회사 표준준법통제기준 제11조.

151) 준법지원인을 설치한 상장회사 108개사 중 조사에 응답한 69개사 중에서, 준법지원인이 감사, 경영관리, 인사, 영업 등의 업무를 동시에 수행하고 있는 경우는 8개사 정도라는 통계가 있다(정준우, "준법경영의 확립을 위한 준법지원인제도의 문제점 및 개선방안,"「상사법연구」제34권 제2호(한국상사법학회, 2015), 450면).

152) 임재연,「회사법 Ⅱ」(박영사, 2012), 539면.

지의 취지도 있다고 본다. 만일 준법지원인이 이사회의 승인을 얻어 사외 겸직을 하는 경우, 이로 인하여 준법통제체제의 유효성 및 충실성에 결함이 발생하면 이사회는 책임을 면할 수 없다. 즉 이에 관여한 이사들은 선관의무 위반의 책임을 질 수 있는 것이다.

6) 법적 위험의 평가 · 관리시스템의 중요성

임직원의 법령에 의한 업무수행이나 이를 점검하는 것은 부서별 법적 위험의 평가에서 출발한다고 볼 때, 실효적이고 효과적인 법적 위험의 평가는 준법통제기준에서 중요한 사항이다.[153) 따라서 이사회는 회사 전체 차원의 통합적인 위험 평가 및 관리체제를 갖출 필요가 있는데, 이를 위하여 '준법통제위원회'와 같은 총괄적 기구를 설치하여 활용하는 것이 바람직하다.[154) 이 같은 준법통제위원회는 상설기구로 구성된다면, 대표이사나 대표집행임원을 위원장으로 하고 준법지원인과 각 업무부서별 장이나 준법업무 담당책임자가 당연직으로 참여하게 된다.

준법지원인은 각 업무부서의 법적 위험의 종류 및 크기 등을 탐지하여, 효율적인 법적 위험의 평가 및 관리를 위한 구성단위(unit)를 만들고 이 구성단위별로 법적 위험을 유형화하는 것이 바람직하다. 이 구성단위에는 1개의 부서가 속할 수도 있지만 몇 개의 업무부서가 함께 포함될 수도 있다.

준법지원인은 구성단위별로 식별된 법적 위험의 내용 · 크기 · 발생가능성(빈도)등을 문서로 작성하여, 관련 임직원들에게 공지하고 이들의 이해를 도모하여야 한다. 또한 구성단위별 흔히 발생하는 위법행위를 유형화할 필요가 있는데 이는 관련 부서의 적극적 정보제공과 참여 속에서 이루어져야 의미가 있다.

한편, 준법지원인은 회사 내외의 환경변화에 따라 법적 위험의 급격한 변동이 있는 경우 이를 조기에 탐지하여 적기에 적절한 조치를 취할 수 있는 예방 · 탐지 시스템을 설계하여 적시에 활용하여야 한다.

다음 〈표 3〉은 법적 위험의 평가 및 위법행위 유형화의 실례이다. 다만 이

---

153) 기업들이 법적 위험 평가의 중요성을 간과하거나 업무상 과중한 부담을 호소하는 경우가 많은데, 적기에 적확한 법적 평가 없이 안정적인 준법적 업무수행은 기대할 수 없다. 그리고 법적 위험 평가시스템의 운영과정에서 현장 임직원들은 준법사항을 다시 분명히 인식하게 되고 상호 공감대를 형성하게 된다.
154) 상장회사 표준준법통제기준 제12조 제1항 [참고 1].

표는 추상적이고 표제적인 형식을 취한 것으로 각 기업들은 자신들의 영업 종류
및 규모 그리고 설치 부서의 특성 등을 감안하여, 상세하고 실용적인 정형화·
유형화 작업을 시행하여야 한다.

　　또한 준법지원인은 평가된 법적 위험을 임직원들이 이해하기 쉽게 정리하여
교육 및 공지하고, 가급적 유형화·계량화하여 전산적 처리방법으로 관리하여야

〈표 3〉 법적 위험 평가표

부 서	법적 위험	위법행위의 유형화	위험수준
이사회 (경영진)	회사법·독점규제 및 공정거래에 관한 법률 등의 위반	대표이사의 횡령·배임 행위,	상
		이사의 자기거래행위 등의 이행상충행위, 내부자거래행위,	중
		이사의 감독 및 감시의무 위반 행위, 담합 행위	하
판매부서	부정경쟁방지 및 영업비밀보호에 관한 법률, 방문판매에 관한 법률, 세법 등의 위반	부적절한 정보공시행위	상
		부당한 광고행위, 우월한 행위 이용행위	중
		부적절한 표시행위	하
영업부서		뇌물수수행위	상
		담합행위, 영업경비의 관리 소홀	중
		고객에 대한 설명의무 위반행위	하
제조부서	환경 관련 법규, 식품위생법, 제조물책임법, 지적재산권법 등의 위반	오수나 매연 배출행위, 무허가 첨가물사용행위	상
		위생관리 위반행위, 제품 제조 관련 권리의 부당 사용행위	중
		제품의 위험성 조사의무 위반 행위	하
인사경리부서	상법, 독점규제 및 공정거래에 관한 법률, 세법, 노동법 등 위반	재무제표 허위기재 행위,부적정한 재무정보 공시행위	상
		허위 세무신고 행위, 노동권 침해 행위	중
		위법배당 행위	하
총무부서	상법, 지적재산권법 등의 위반	부당이익공여행위	상
		특허권 침해행위	중
		소프트웨어 불법 복사행위	하

하며, 이를 적기에 update하는 것도 게을리 하면 안 된다.

7) 준법통제활동시스템의 단계적 검토

가) 준법통제활동의 기본구조

준법통제활동은 기본적으로 예방, 탐지(점검), 대응의 단계로 이루어지게 된다. 법적 위험의 평가가 이루어지면 그 것을 바탕으로 예방적 조치를 취하여야 한다. 준법통제체제는 예방적 프로그램적 성격이 강조되는 프로세스이다. 이에 이어서 제반 법규를 준수하며 업무집행이 이루어지는지 점검하기 위해 자율점검, 정기점검, 수시점검, 특별점검 등이 행하여진다. 그리고 점검 결과가 책임기관에 보고되며 이에 상응하는 대응조치가 취해지고 새로운 개선방안이 마련되기도 한다.

나) 예방적 프로그램을 통한 임직원의 교육 및 훈련

준법통제기준에는 준법 영업을 위한 교육 및 훈련프로그램의 시행에 관한 사항이 반드시 담겨야 한다. 준법지원인은 임직원이 취급업무와 관련하여 법적 위험을 사전에 파악하고 적절하게 대처할 수 있도록 하기 위하여 구체적이고 실용적인 준법 교육 및 훈련 프로그램을 설계하여 시행하여야 한다.[155] 준법 교육 및 훈련프로그램은 전 임직원을 상대로 실시되어야 하며, 준법통제기준에는 연 ○회 이상(연 ○시간 이상) 프로그램이 시행되어야 하는지 구체적으로 설명되어 있어야 한다.[156] 또한 계층별 교육을 실시하고, 특히 고위험군에 대한 특별교육이나 상담제도 운영 등에 관한 사항도 구체적으로 정하여 두는 것이 좋다. 또한 준법 교육 및 훈련 프로그램의 유효성 평가 및 개선작업을 위한 설문제도 등도 필요하다고 본다.[157]

다) 준법지원 및 준법여부 점검체제

준법지원인은 부서별로 주요 업무의 과정과 법적 위험에 관하여 도표화하고 (mapping) 이를 담당 부서 임직원과 공유하여야 한다. 또한 이를 바탕으로 지속적이고 체계적인 준법점검을 수행하여야 한다.

이미 적지 않은 기업에서 시행하고 있는 대로, 대부분의 업무상 의사결정 결

---

155) 상장회사 표준준법통제기준 제14조 제1항.
156) 상장회사 표준준법통제기준 제14조 제2항.
157) 상장회사 표준준법통제기준 제14조 제3항, 제4항.

재라인에 준법지원인이 포함되도록 하여 상시적으로 법적 자문이나 의견표명 또는 사전협의가 가능하도록 하여야 한다. 이를 준법통제기준에 분명하게 규정하여 두는 것이 필요하다.[158] 이 같은 준법지원인의 상무(常務)적 준법지원체제는 의사결정단계에서 법적 위험이 체크되고 법적 결함이 치유되는 효과도 있지만, 위법에 대한 책임소재를 분명하게 하는 간접적 효과도 있다.

준법여부 점검이나 탐지는 일선 임직원의 업무수행현장에서 이루어지는 것이 가장 바람직하므로, 준법지원인은 위험평가 시 설정했던 구성단위별로 자율 준법점검체제를 수립하도록 지도하고 그 실태를 파악하고 평가하여야 한다. 이렇게 되면 해당 부서나 위험구성단위에서는 자연스럽게 자율점검목록을 갖추게 될 것이다.

준법지원인의 정기적 준법점검에 대하여는 준법통제기준에 "1년에 ○회"라는 방식으로 구체화되어 있어야 하고,[159] 경우에 따라 준법지원인이 특정사항 발생시 수시점검이나 특별점검을 반드시 시행하도록 하는 의무규정도 둘 수 있다. 그리고 이 같은 준법지원인의 연간 준법점검 계획은 기업의 연간 업무계획에 명시적으로 반영될 필요가 있다.[160]

준법통제기준에는 준법지원인의 일상 지원 및 점검을 위하여 부서별로 신고나 보고사항을 정형화하고 기업마다 중대한 사항을 선정하여 특정사항에 대하여 신고나 보고를 의무화할 수도 있다.[161] 그리고 준법지원인이 필요한 경우 외부 법률전문가에게 준법여부 판단을 위한 자문 및 위탁을 할 수 있다.

준법점검에 있어 또 하나의 중요한 사항이 준법점검 결과를 보고하는 라인의 형성이다. 회사에는 여러 가지의 의사결정이나 보고, 제보에 관한 의사전달라인이 존재한다. 준법통제체제가 구축되면 기존의 업무상 라인 이외에 준법지원인의 준법점검 보고 및 지시라인이 형성되게 된다. 위에서 설명한 바와 같이 준법지원인이 일상적인 업무상 결재라인에 포함되는 것과 별도로 준법지원인은 이사회나 대표이사 등 상급 기관에게 준법점검 결과를 신속하게 다른 간섭 없이 보고할 수 있는 직보(直報)라인이 확립되는 것이 바람직하며, 준법지원인은 신속한 보고 및 대응조치가 필요한 경우 직속상관이 아닌 최상위 기관에 바로 보고할

---

158) 상장회사 표준준법통제기준 제15조 제1항.
159) 상장회사 표준준법통제기준 제17조 제2항.
160) 상장회사 표준준법통제기준 제17조 제1항 [참고] 참조.
161) 상장회사 표준준법통제기준 제17조 제3항.

수 있는 라인도 필요하다. 이 같은 보고라인의 체계는 준법통제기준이나 그 하위 강령 또는 지침에 구체적으로 규정하여 준법지원인의 보고체계에 안정성을 확보할 필요가 있다. 이는 준법지원인의 독립적 업무수행의 보장은 물론이고 더 나아가 준법통제체제의 유효성 판단에 있어서도 중요한 평가사항이 될 것이다. 특히 이사회에 대한 보고(어떤 보고라인을 구축하든 이사회의 보고 수령권은 보장되어야 함)는 상법상 의무이므로 준법통제기준에 "준법지원인은 준법점검 결과를 이사회에 분기별로 보고 한다"라든가 "준법지원인은 분기별로 준법통제보고서를 작성하여 이사회에 제출하여야 한다" 등의 방식으로 이사회에 대한 보고 주기와 방식을 확정할 필요가 있다. 역설적인 표현 같기도 하지만, 준법지원인의 보고 내용에 이사회가 기속되지는 않기 때문에 이사회에 전달되는 자체에 초점이 있고 그 때문에 준법통제체제에서 안정적인 보고체제 자체의 중요성이 더 크게 다가온다.

준법지원인은 감사에 대하여는 준법점검에 대한 보고를 할 의무가 없음은 명백하다. 그렇지만 재무 분야도 준법점검의 대상이 되고 감사도 준법통제체제의 유효성 평가 등 준법통제체제 속에서 일정한 기능을 하는 기관이므로, 준법지원인은 필요하다고 판단되면 감사와 협의하거나 재무 분야의 준법점검 결과와 관련하여 일정사항을 통보할 수 있다.[162]

준법지원인은 준법점검과 관련하여 담당부서의 신고 및 준법점검의 요구 그리고 점검결과의 통보 등을 위하여 데이터베이스나 인트라넷을 구축하여 운용할 필요가 있다. 이 같은 업무의 IT화는 임직원 사이의 법적 위험에 관한 정보의 소통을 원활히 하는데도 큰 기여를 할 것이다. 준법점검 업무의 전산화에 관하여 준법통제기준에서 큰 원칙을 규정하고 하위 강령이나 지침에 상세한 내용을 정하는 것이 바람직하다.

라) 준법통제기준 위반행위에 대한 대응체제

준법통제활동의 마지막 단계는 준법통제기준 등의 위반에 대한 대응이다. 준법지원인은 준법통제기준의 위반 등 위법행위가 발생하였을 때 담당 부서의 책임자에게 통보함을 물론이고, 대표이사나 대표집행임원에게 이를 보고하여 적절한 조치가 가능하도록 하여야 한다. 긴급한 경우 자신의 판단에 의하여 위법행

---

162) 상장회사 표준준법통제기준 제17조 제5항.

위의 중지·개선·시정 요구 등을 직접 취할 수도 있다.[163] 이 같은 위반행위에
관한 보고는 종국적으로 이사회에 도달하여야 하나, 이사회가 회의체 기관으로
서의 신속한 대처에 한계가 있기 때문에 대표이사에 대한 보고나 조치시달의 체
제도 중요하다. 다만 단순한 법적 절차의 위반 등의 위반정도가 경미한 사항이
고 이에 대한 시정조치가 이루어져 문제가 종결된 경우에는 준법지원인은 보고
를 생략하거나 일정기간 동안 보고사항을 모아 사후보고형식으로 할 수 있다.
이러한 준법활동 사항은 문서로 작성하여 일정기간 보존해야 한다. 준법활동의
절차나 문서보관 등에 관한 구체적인 사항은 하위 강령이나 지침에 명문화할 필
요가 있다.

준법지원인은 대응조치나 재발방지방안에 대하여 대표이사나 이사회에 건의
할 수 있음은 물론이다. 재발방지방안이 확정되면 준법지원인은 이를 관련 부서
에 통보하고 프로그램 및 정책 개선 시에 반영하여야 한다.[164]

8) 준법통제기준에 규정되는 내부제보장치의 설계

기존에도 국내외의 많은 기업들이 내부제보나 윤리 및 준법에 관한 상담소를
운영하고 있다(미국의 기업들과는 달리 유럽의 기업들은 내부제보장치에 대해 부정적
인 문화를 가지고 있다는 평가도 있지만). 이 같은 내부제보장치는 보통 익명에 의
한 제보나 상담이므로 준법통제체제상의 임직원의 위법행위 신고나 보고체제와
는 일응 구별된다. 기존의 내부제보장치를 준법통제체제에서 활용할 수 있음은
물론이다. 그렇지만 준법통제기준에 준법에 관한 익명의 제보장치를 새로이 설
계하고 준법지원인의 업무소관으로 할 수 있다. 내부제보는 그 특성상 외부 전
문가가 내부제보를 수령하는 것으로 정할 수도 있지만 준법관련 제보에 있어서
는 준법지원인을 제보담당자로 정하는 것이 효율적이다. 부득이하게 경영진의
위법행위에 관한 제보이어서 내부제보의 실효성이 낮아질 우려가 있거나 제보자
의 신변보호나 인사상 불이익조치 등을 방지하기 위하여 외부 전문가나 감사기
관 등을 활용하는 경우에도, 준법에 관한 제보는 신속하게 준법지원인에게 전달
되도록 하여야 한다.[165]

---

163) 상장회사 표준준법통제기준 제19조 제1항.
164) 상장회사 표준준법통제기준 제19조 제3항.
165) 상장회사 표준준법통제기준 제18조 제1항 [참고 3, 4] 참조.

9) 실질적 효과가 있는 유효성 평가 체제의 구축 및 운용

준법통제기준에 준법통제체제의 유효성을 평가하는 시스템은 구체적이고 상세하게 규정되는 것이 바람직하다.

이사회는 자신들의 준법통제체제가 유효하게 설계되었는지, 체제상 결함은 없는 지, 운용의 실효성은 있는지 등을 정기적으로 평가하여야 한다. 이 같은 평가결과는 준법통제체제의 보완이나 개선을 위한 기초자료가 된다. 준법통제체제의 유효성 평가는 이사회가 주관하는 것이 당연하고 이에 대한 책임도 이사회가 진다. 그렇지만 앞에서도 언급한 바와 같이 감사기관과 연계하여 시행하거나 외부 전문기관에 위임 또는 위탁할 수 있으며, 이사회 산하에 소위 '유효성평가위원회'를 설치할 수도 있다.

준법통제체제의 유효성 평가는 준법지원인의 준법 지원 및 점검체제에 대한 자체 평가를 바탕으로, 회사 전체차원의 유효성 평가회를 "1년에 ○회씩" 정기적으로 실시하여야 한다. 유효성 평가방법으로는 서면 의견조사, 인터뷰 등의 방법도 가능하나 경영진과 업무담당자 및 준법지원부서가 한자리에 모여 상호 평가와 토론을 하는 평가회가 바람직하다. 이 같은 평가회에서는 준법통제체제의 구조적 검토 및 운영상 문제점은 물론이고 회사 외부환경 및 법적 위험의 변화 그리고 이에 대한 회사의 대응능력 등이 함께 논의되어야 한다.

유효성 평가의 핵심은 체제에 대한 실증적 평가가 성실하게 이루어지는 가이다. 이를 위해 준법통제기준에는 구체적이고 다양한 세부기준을 명문으로 정해 놓는 것이 좋다. 예를 들어 준법통제체제의 수준과 질의 타당성과 적합성, 준법통제체제의 결함이 회사의 영업실적에 미친 정도, 준법통제 결과나 위법행위의 신고·보고체제의 독립성 및 효율성, 적절한 공시제도의 선택 등에 관한 세부기준이 이에 해당한다.

준법통제기준이나 하위 강령 및 지침에 유효성 평가를 위한 평가 항목을 아래의 표와 같은 방식으로 사전에 규정해 놓을 필요가 있다.

이사회는 준법통제체제의 유효성을 평가한 후 유효성 평가보고서를 작성하여 영업보고서의 내용에 포함시키거나(제447조의2) 인터넷에 공개하여 주주나 투자자 등이 언제든지 살펴볼 수 있도록 할 필요가 있다.

〈표 4〉 준법통제체제의 유효성 평가를 위한 점검사항 목록표

○○주식회사 준법통제체제의 유효성 평가를 위한 평가기준 목록

준법통제환경 Part

1. 이사회를 비롯한 경영진이 준법통제체제의 기본 취지를 바르게 이해하고 있으며, 이를 적정한 규모로 구축하고 실효적으로 운용할 의지가 있음을 표명하고 있는가? 이사나 집행임원은 준법통제기준의 내용을 정확하게 숙지하고 있는가?
2. 준법통제체제가 회사의 경영조직 전체와 조화롭고 효율적으로 작동하도록 고안되었는가?
3. 이사회규칙이나 기타 회사내부 규칙(예를 들어 '내부자거래 등의 규제에 관한 규칙' 등)에 이사와 같은 상급임원의 법령준수와 위법·부당한 행위에 대한 사전 방지에 관한 사항이 담겨 있는가? 특히 이사의 준법통제체제의 구축 및 감독에 대한 책임이 명확하게 규정되어 있는가?
4. 준법통제기준은 관련 법령에 부합하게 적절하고 합리적으로 설계되었는가?
   (1) 준법통제체제와 관련하여 회사의 각 기관의 역할과 업무의 분장은 명확하고 합리적인가?
   (2) 준법지원인의 독립적 직무수행이 가능하도록 적합한 직급을 가지고 있으며, 적합한 보고 및 신고체계가 운용되고 있는가?
   (3) 당해 회사의 규모 및 영업 성격을 고려한 적합한 규모의 준법지원부서를 갖추고 있는가?
5. 준법통제기준의 실시지침이라고 볼 수 있는 하위 강령이나 지침이 마련되어 준법통제기준의 실효적 운용이 제도적으로 담보되고 있는가?
6. 기업집단인 경우 모기업은 자회사나 계열회사와의 연계된 준법통제체제를 구축하여 운용하고 있는가?

법적 위험의 평가 및 관리 Part

1. 회사의 모든 임직원이 법적 위험의 평가에 관한 원칙과 운용 시스템을 제대로 이해하고 있는가? 법적 위험 평가시스템은 전사(全社)적인 평가·관리시스템인가?
2. 법적 위험의 탐지 방식이 유효하고, 법적 위험의 변화에 대응하는 장치는 효율적인가?
3. 동일 유사한 법적 위험을 관리해야 하는 부서별로 위험 평가 단위(unit)를 합리적으로 설정하였는가?
4. 위험 평가 단위 부서별로 주요 준법 사항을 목록화 하였는가?
5. 위험 평가 단위 부서별로 법적 위험의 정도 및 빈도 등을 계량화하여 수준별(상, 중, 하)로 데이터베이스화 하였는가 ?
6. 위험 평가 단위 부서별로 발생 가능성이 높은 위법행위를 유형화하였는가?
7. 위험 평가 단위 부서별로 법적 위험의 식별과 관리를 담당하는 전담 직원을 두었는가?
8. 법적 위험의 식별 및 평가와 관련하여 준법지원부서와의 교류나 전문가에 대한 자문체제가 정비되어 있는가?
9. 법적 위험의 타 부서로의 분산이나 이전을 차단하는 장치가 마련되어 있는가?

준법 통제활동 Part

1. 회사의 임직원에게 준법에 관한 교육 및 연수를 정기적이고 체계적으로 시행하고 있는가?
2. 계층별로 유효한 준법통제 교육 및 훈련프로그램을 구축하여 시행하고 있는가? 고위험군 업무부서에 대한 특별한 프로그램이 마련되어 있는가?
3. 회사의 업무집행에 관한 의사결정라인에 준법지원인이 적절한 위치와 방식으로 포함되어 있는가? 준법지원인의 검증을 받아야 하는 중요한 거래나 의사결정사항이 하위 강령이나 지침 상에 규정되어 있는가?
4. 준법지원인의 사업부서에 대한 정기 및 수시의 점검이 문서로 확인되는가?
5. 사업부서 임직원의 자율 점검 사항이 준법지원인에게 직접·적기에 보고되거나 신고되는가?
6. 준법지원인의 이사회에 대한 준법 점검 결과보고가 정기적이고 상세한 내용이 담긴 보고서 형태 인가?
7. 준법지원인의 이사회나 대표이사 등에 대한 직보 체제(Hot Line)가 확립되어 있고 이에 대한 검토 및 승인체제도 실효적으로 구축되어 운용되고 있는가?
8. 준법지원인의 위법행위에 대한 지시 및 시정조치권이 적절하게 확보되어 있는가?
9. 준법지원인의 이사회에 대한 보고 및 의견 진술권이 보장되어 있는가?
10. 준법지원인의 보고 및 이에 대한 시정지시·조치 들이 관련 임직원들에게 적시에 공표되고 공개되는가?
11. 준법에 관한 예방·점검·보고·시정조치 등이 회사 규모에 적합한 수준으로 IT화 되어 있는가?

준법 업무 수행을 위한 정보 및 의사의 소통 Part

1. 준법지원인과 준법지원부서 직원이 관련 부서로 부터 준법 점검을 위한 정보 및 자료를 용이하게 수집할 수 있는가? 또한 적절한 수준의 정보접근권이 보장되어 있는가?
2. 준법 점검 관련 정보의 수집·분류·처리에 관한 IT방식의 정보처리시스템을 갖추었는가?
3. 준법 관련 정보와 준법점검 결과가 문서화 또는 전자정보처리 되어 일정기간 보관되고 있는가?
4. 이사회가 고위 경영진그룹과 준법지원인 사이 그리고 준법지원인과 현장 업무부서 사이에 원활한 의사소통 라인이 제대로 작동하고 있는지를 체크하고 있는가?

준법통제체제 운용에 대한 감독 및 유효성 평가 Part

1. 이사회는 준법통제기준을 이사나 집행임원에게 철저하게 주지시키고 있는가?
2. 이사회규칙 등에 준법통제 사항이 적합하게 규정되어 있고 이러한 것들이 제대로 준수되고 있는가?
3. 이사회는 준법지원인의 보고나 감사의 의견표명에 대하여 적기에 적절하게 검토하고 대응하였는가?
4. 이사회는 대표이사나 대표집행임원의 준법통제체제 운용이나 감독이 적정한가를 정기적으로 점검하고 있는가?
5. 준법통제체제를 지휘하는 대표이사나 대표집행임원이 준법통제체제가 그 목적에 부

합하게 작동하는지 여부를 감독하는 장치를 구축하여 운용하고 있는가?

6. 이사회는 준법통제체제의 유효성을 평가하기 위하여 회사의 모든 관련부서가 참여하는 평가회를 정기적으로 개최하였는가? 또한 고위험군의 업무부서에 대한 준법 점검체제의 유효성을 평가하기 위하여 관련 부서 임직원과 면담제도 등을 통하여 특별한 관리를 하고 있는가?

7. 이사회는 준법통제체제의 유효성 평가를 위한 구체적 기준을 설정하였는가?

8. 이사회는 준법통제체제 유효성을 평가하고 이를 연차보고서로 작성하여 공표하였는가?

9. 감사(감사위원)가 이사회에 출석하여 준법통제체제의 운용상황이나 유효성 평가에 관하여 의견개진이나 개선방안 제시를 할 수 있도록 하고 있는가? 했다면 그 빈도나 절차 및 충실도는 어느 정도인가?

10. 감사는 자신의 역할 수행에 필요한 서류나 정보를 이사나 준법지원인, 임직원으로부터 원활하게 제공받거나 사전 설명을 들을 수 있으며, 실효적인 열람권을 행사할 수 있는가?

11. 이사회는 유효성 평가회에서 지적된 사항을 반영하여 준법통제체제의 개선방안을 수립하여 집행하였는가?

12. 이사회나 대표이사는 준법 및 윤리경영에 기여한 자에 대한 포상제도를 운용하고 있는가?

이러한 유효성 평가시스템의 충실도는 향후 법무부나 대법원이 적극적으로 추진하게 될 것으로 보이는 기업의 형사책임 감면이나 이사들의 책임 감면을 위한 인센티브제도에 있어 핵심적인 판단기준이 될 것으로 보인다. 따라서 기업들은 준법통제기준을 설계함에 있어 어느 부분보다 관심을 가지고 적극적인 자세로 자신들의 수준에 부합하는 합리적인 평가시스템을 마련할 필요가 있다.

판례색인

사항색인

株式會社法大系 Ⅱ [제4판]

2013년 2월 20일   초판 발행
2016년 2월 15일   제2판 발행
2019년 2월 25일   제3판 발행
2022년 3월 15일   제4판 1쇄 발행

편저자 한 국 상 사 법 학 회
발 행 인 배   효   선

발행처   도서
        출판   法 文 社

주 소   10881 경기도 파주시 회동길 37-29
등 록   1957년 12월 12일/제2-76호(윤)
전 화   (031)955-6500~6 FAX (031)955-6525
E-mail   (영업) bms@bobmunsa.co.kr
        (편집) edit66@bobmunsa.co.kr
홈페이지 http://www.bobmunsa.co.kr
조 판 법 문 사 전 산 실

정가 270,000원 (I · Ⅱ · Ⅲ권)   ISBN 978-89-18-91280-6